Prisma Handwoordenboek
Engels-Nederlands

Prisma
Handwoordenboek
Engels
Nederlands

Met medewerking van Van Dale Lexicografie bv

Prisma-boeken worden in de handel gebracht door:
Uitgeverij Het Spectrum BV
Postbus 2073
3500 GB Utrecht

Eerste druk: 1990

© 1990 Uitgeverij Het Spectrum BV

Zetwerk: Gardata BV, Leersum
Druk: Koninklijke Wöhrmann, Zutphen

02-0035.01   ISBN 90 274 2494 2   NUGI 503

CIP-GEGEVENS KONINKLIJKE BIBLIOTHEEK, DEN HAAG

Prisma

Prisma handwoordenboek Engels-Nederlands / met medew. van
Van Dale Lexicografie bv ; [samenst. red. Woordenboeken].
– Utrecht : Het Spectrum. – (Prisma pocket ; 0235)
ISBN 90-274-2494-2
SISO enge 831 UDC (038)=20=393.1 NUGI 503
Trefw.: Engelse taal ; woordenboeken.

Inhoud

Afkortingen 6, 7

Symbolen 8

Uitspraaknotatie 9

Woordenlijst A-Z 11-624

Amerikaans-Engels 625, 626

Lijst van onregelmatige werkwoorden 627-631

Het afbreken van Engelse woorden 632

Lijst van maten en gewichten 633, 634

Afkortingen

aanv. w.	aanvoegende wijs	e.d.	en dergelijke
aanw	aanwijzend	eig. n.	eigennaam
aardr.	aardrijkskunde	elek.	elektriciteit
AE	Amerikaans Engels	emf.	emfatisch
afk.	afkorting	Eng.	Engels
Am.	Amerikaans	enk.	enkelvoud
amb.	ambacht(elijk)	enz.	enzovoort
anat.	anatomie	euf.	eufemistisch
astrol.	astrologie	evt.	eventueel
attr	attributief		
Austr. E	Australisch Engels	far.	farmacie, mbt. geneesmid-
AZN	Algemeen Zuidnederlands		delen
		fig.	figuurlijk
BE	Brits Engels	fil.	filosofie
beh.	behalve	film.	film(kunde)
bel.	beledigend	foto.	fotografie
Belg.	België		
ben. voor	benaming voor	g.	geen
bep.	bepaald	GB	Groot-Brittannië
bet.	betekenis	geb. w.	gebiedende wijs
betr	betrekkelijk	geldw.	geldwezen
bez	bezittelijk	geol.	geologie
bij uitbr.	bij uitbreiding	gesch.	geschiedenis
bioch.	biochemie	gew.	gewestelijk
biol.	biologie		
bk.	beeldende kunst	hand.	handel
bn	bijvoeglijk naamwoord	hww	hulpwerkwoord
boek.	boekwezen		
bouwk.	bouwkunst	IE	Iers Engels
bv.	bijvoorbeeld	iem.	iemand
bw	bijwoord	ihb.	in het bijzonder
		incl.	inclusief
ca.	circa	ind.	industrie
cm	centimeter	ipv.	in plaats van
com.	communicatie(media)	iron.	ironisch
comp.	computer	itt.	in tegenstelling tot
conf.	confectie	ivm.	in verband met
cul.	culinaria		
		jud.	Judaïsme, jodendom
dansk.	danskunst	jur.	juridisch, recht
deelw.	deelwoord		
det	determinator	kind.	kinderen
dierk.	dierkunde	km	kilometer
dmv.	door middel van	kww	koppelwerkwoord
dram.	dramaturgie		
druk.	drukwezen, drukkunst	landb.	landbouw
dwz.	dat wil zeggen	lett.	letterlijk
		lidw	lidwoord
ec.	economie	lit.	literatuur

luchtv.	luchtvaart	sp.	spelling
		sprw.	spreekwoord
m	meter	ster.	sterrenkunde
mbt.	met betrekking tot	sth.	something
med.	medicijnen, geneeskunde	stud.	studenten
meteo.	meteorologie, mbt. het weer		
mijnw.	mijnwezen	t.	tijd
mil.	leger	taal.	taalkunde
ml.	mannelijk(e)	tech.	techniek, technologie
m.n.	met name	tegenw.	tegenwoordig(e)
muz.	muziek	telb	telbaar
mv.	meervoud	telw	telwoord
		tgov.	tegenover
nat.	natuurkunde	tov.	ten opzichte van
nevensch	nevenschikkend	tw	tussenwerpsel
n-telb	niet-telbaar		
nw.	naamwoord	uitbr.	uitbreiding
		U.S.A.	United States of America
o.a.	onder andere		
o.m.	onder meer	v.	van
onb	onbepaald	v.d.	van de
ondersch	onderscheidend	v.e.	van een
oneig.	oneigenlijk	vergr.	vergrotend
ong.	ongunstig	verk.	verkorting
onov	onovergankelijk	verl.	verleden
onpers.	onpersoonlijk	vero.	verouderd
onvolt.	onvoltooid	verz.	verzekeringswezen
oorspr.	oorspronkelijk	v.h.	van het
ov	overgankelijk	vnl.	voornamelijk
overtr.	overtreffend	vnw	voornaamwoord
		volks.	volkstaal
pass.	passief	volt.	voltooid
pers	persoon(lijk)	vr	vrouwlijk(e)/vragend
plantk.	plantkunde	vw	voegwoord
pol.	politiek	vz	voorzetsel
post	postnominaal, achterge-		
	plaatst	w.	wijs
pred	predikatief	wdk	wederkerend
predet	predeterminator	wisk.	wiskunde
Prot.	protestants	wkg	wederkerig
psych.	psychologie	ww	werkwoord
		wwb.	weg- en waterbouw
rel.	religie, mbt. godsdienst,		
	kerk	Z. Afr. E	Zuidafrikaans Engels
R.-K.	rooms-katholiek	zgn.	zogenaamd
ruim.	ruimtevaart	zn	zelfstandig naamwoord
samentr.	samentrekking		
Sch. E	Schots Engels		
scheep.	scheepvaart, scheepsbouw		
schei.	scheikunde		
scherts.	schertsend		
school.	schoolwezen, onderwijs		
sl.	slang		
s.o.	someone		
soc.	sociologie		

Symbolen

[ ]	tussen deze haken staat de uitspraak van een woord
( )	wat tussen ronde haken staat kan ook weggelaten worden
⟨ ⟩	tussen deze haken staat commentaar of grammaticale informatie
|	het gedeelte voor de verticale streep is weggelaten in de vorm die erop volgt
I, II	Romeinse cijfers scheiden grammaticale categorieën van een trefwoord
•	dit bolletje geeft een betekenis aan
–	dit streepje vervangt het trefwoord
||	na dit teken staan idiomatische voorbeelden en/of spreekwoorden
zie WOORD	verwijst naar een ander trefwoord
↑	schrijftaal, zeer formeel of literair taalgebruik
↓	informeel, plat taalgebruik
/	de slash scheidt alternatieve delen van een uitdrukking
zn: -tekst	vervang - door (het deel voor de verticale streep '|' in) het trefwoord om het zelfstandig naamwoord te vormen bv. **elong|ate** [ ] ⟨zn: **-ation**⟩ het zelfstandig naamwoord is **elongation**
bn: -tekst	vervang - door (het deel voor de verticale streep '|' in) het trefwoord om het bijvoeglijk naamwoord te vormen bv. **technolog|y** [ ] ⟨... bn: **-ical**⟩ het bijvoeglijk naamwoord is **technological**

Uitspraaknotatie

klinkers

    kort
[ɪ] als in pɪn
[e] als in pɛn
[æ] als in pʌn
[ɒ] als in gone
[ʌ] als in gʌn
[ʊ] als in pʊll
[ə] als in ʌgo

    lang
[i:] als in sɛa
[u:] als in too
[ɑ:] als in cʌlm
[ɔ:] als in lʌw
[ə:] als in bɪrd

    diftongen
[eɪ] als in dʌy
[aɪ] als in bʏ
[ɔɪ] als in bɔy
[aʊ] als in hɔw

[oʊ] als in home
[ɪə] als in fɛar
[eə] als in fʌir
[ʊə] als in poor

medeklinkers

    obstruenten
    explosieven
[p] als in pɪll
[b] als in ʙill
[t] als in too
[d] als in ᴅo
[k] als in coal
[g] als in ɢoal

    fricatieven
[f] als in ꜰew
[v] als in view
[θ] als in ᴛʜin
[ð] als in ᴛʜis
[s] als in seal

[z] als in zeal
[ʃ] als in fiꜱʜ
[ʒ] als in measure
[h] als in ʜalf

    affricaten
[tʃ] als in ᴄʜin
[dʒ] als in ɢin

    sonoranten
    nasalen
[m] als in ᴍine
[n] als in ɴine
[ŋ] als in sinɢ

    lateraal
[l] als in ʟine

    approximanten
[r] als in ʀay
[j] als in ʏell
[w] als in well

marginale klanken

[œ̃] ongeveer als in het Franse uɴ
[ɔ̃] ongeveer als in het Franse bоɴ
[ɛ̃] ongeveer als in het Franse vɪɴ
[ɑ̃] ongeveer als in het Franse blʌɴᴄ
[x] ongeveer als in Ned. daɢ, als in Schots loᴄʜ

speciaal symbool

[i] als in happʏ

a [ə, 〈sterk〉eɪ], **an** [ən, 〈sterk〉æn] ● *een; a child een kind* ● 〈voor eigennaam〉 *een (zekere), ene; a Mr Smith een zekere meneer Smith* ● *per; five times a day vijf keer per dag* ‖ *all of an age allemaal even oud.*

A.A. 〈afk.〉 Automobile Association 〈BE〉; Alcoholics Anonymous 〈AE〉.

abacus ['æbəkəs] 〈mv.: ook abaci [-saɪ]〉 ● *telraam.*

1 abandon [ə'bændən] 〈zn〉 ● *ongedwongenheid, vrijheid.*

2 abandon 〈ww〉 ● *in de steek laten, aan zijn lot overlaten; – a baby een baby te vondeling leggen; – ship het schip verlaten* ● *op/prijsgeven, afstand doen van; – all hope alle hoop laten varen; – a subject van een onderwerp afstappen; – o.s. to zich overgeven aan* ● 〈sport〉 *afgelasten.* **abandoned** [ə'bændənd] ● *verlaten, opgegeven* ● *losbandig* ● *ongedwongen, ongeremd.* **abandonment** [ə'bændənmənt] ● *ver/achterlating, het in de steek laten* ● *verlatenheid, het verlaten zijn* ● *het prijsgeven, overgave* ● *ongedwongenheid, nonchalance.*

abase [ə'beɪs] 〈vaak als wdk ww〉 ● *vernederen, verlagen.*

abash [ə'bæʃ] ● *beschamen, verlegen maken; stand –ed beteuterd staan te kijken.*

abate [ə'beɪt] 〈zn: -ment〉 I 〈onov ww〉 ● *verminderen, afnemen; the wind –d de wind ging liggen* II 〈ov ww〉 ● *verminderen, verzachten, verzwakken* 〈bv. belasting, pijn〉; *nothing could – his pride niets kon zijn trots doen afnemen.*

abbess ['æbɪs] ● *abdis, moederoverste.* **abbey** ['æbi] ● *abdij* ● *abdijkerk.* **abbot** ['æbət] ● *abt.*

abbreviate [ə'briːvieɪt] ● *inkorten, verkorten, afkorten.* **abbreviation** [ə,briːvi'eɪʃn] ● *inkorting, verkorting, afkorting.*

ABC ● *abc, alfabet,* 〈fig.〉 *eerste beginselen.*

abdic|ate ['æbdɪkeɪt] 〈zn: -ation〉 ● *aftreden* ● *afstand doen van* 〈verantwoordelijkheid e.d.〉.

abdomen ['æbdəmən] ● *(onder)buik.* **abdominal** [æb'dɒmɪnl] ‖ – *pain pijn in de (on-*

der)buik.

abduct [æb'dʌkt] ● *ontvoeren.* **abduction** [æb'dʌkʃn] ● *ontvoering.*

aberrant [æ'berənt] ● *afwijkend.* **aberration** ['æbə'reɪʃn] ● *storing* ● *afwijking* ● *afdwaling, misstap.*

abet [ə'bet] ● 〈+in〉 *bijstaan (in), helpen (bij)* 〈iets slechts〉 ● *opstoken, ophitsen.*

abeyance [ə'beɪəns] ● *opschorting, uitstel; (be) in/ (fall) into – in onbruik/opgeschort (zijn/raken)* ‖ *the matter is still in – de zaak is nog onbeslist/hangende.*

abhor [əb'hɔː] ● *verafschuwen, verfoeien.* **abhorrence** [əb'hɒrəns] ● *afschuw, gruwel; hold in – verafschuwen.*

abide [ə'baɪd] 〈verl. t. ook abode〉 I 〈onov ww〉 ● *blijven* ‖ – *by zich houden aan; trouw blijven aan* II 〈ov ww〉 ● *doorstaan, het hoofd bieden aan; – the enemy's onslaught de aanval v.d. vijand opvangen* ● *dulden, verduren; – cruelty wreedheid verdragen.*

ability [ə'bɪləti] ● *bekwaamheid, vermogen.*

abject ['æbdʒekt] ● *rampzalig, miserabel; – poverty troosteloze armoede* ● *verachtelijk, kruiperig, laag.* **abjection** [æb'dʒekʃn] ● *rampzaligheid, ellende, vernedering* ● *verachtelijkheid, kruiperigheid.*

abjure [əb'dʒʊə] ● *afzweren.*

ablaze [ə'bleɪz] ● *in lichterlaaie/brand.*

able ['eɪbl] 〈ably〉 ● *bekwaam, competent* ● *in staat; be – to kunnen* ‖ – *in body and mind gezond v. lichaam en geest.*

able-bodied ['eɪbl'bɒdɪd] ● *gezond (v. lijf en leden).*

ably ['eɪbli] zie ABLE.

abnormal ['æb'nɔːməl] ● *abnormaal, afwijkend* ● *uitzonderlijk.* **abnormality** ['æbnɔː'mæləti] ● *abnormaliteit, afwijking.*

aboard [ə'bɔːd] ● 〈bw〉 *aan boord; all –! instappen!* ● 〈vz〉 *aan boord van.*

1 abode [ə'bəʊd] 〈zn〉 ● *woonplaats, verblijf.*

2 abode 〈verl. t. en volt. deelw.〉 zie ABIDE.

abolish [ə'bɒlɪʃ] ● *afschaffen, een eind maken aan.* **abolition** ['æbə'lɪʃn] ● *afschaffing.* **abolitionist** ['æbə'lɪʃənɪst] ● *abolitionist* 〈voorstander v. afschaffing v. slavernij〉.

abominable [ə'bɒmɪnəbl] ● *afschuwelijk.* **abominate** [ə'bɒmɪneɪt] ● *verafschuwen.* **abomination** [ə,bɒmɪ'neɪʃn] ● *walgelijk iem./iets.*

aboriginal ['æbə'rɪdʒɪnl] ● 〈bn〉 *inheems,* 〈A-〉 *mbt./v. de Australische inboorlingen* ● 〈zn〉 *inboorling,* 〈A-〉 *Australische inboorling.* **aborigine** ['æbə'rɪdʒini] ● *Australische inboorling.*

abort [əˈbɔːt] ●*(doen) aborteren, een miskraam hebben/opwekken* ●*tot een ontijdig einde komen/brengen, (doen) mislukken.* **abortion** [əˈbɔːʃn] ●*abortus, miskraam* ●*abortus (provocatus), vruchtafdrijving.* **abortive** [əˈbɔːtɪv] ●⟨fig.⟩ *vroeg/ontijdig, voorbarig, mislukt.*

abound [əˈbaʊnd] ●*overvloedig aanwezig zijn, in overvloed voorkomen;* this area –s in wild animals *het wemelt hier van de wilde dieren.*

1 about [əˈbaʊt] ⟨bw⟩ ●*ongeveer, bijna;* that's – it *dat moet het zo ongeveer zijn;* – twenty pence ongeveer twintig pence ● *rond(om), in het rond/de buurt;* a long way – *een hele omweg;* go – telling lies *overal leugens vertellen;* there's plenty of money – *er is veel geld in omloop* ●*om (gekeerd)*⟨ook fig.⟩; he turned – *hij draaide zich om;* zie COME ABOUT, GO ABOUT ETC..

2 about ⟨vz⟩ ●*rond, om ... heen;* dance – the table *rond de tafel dansen* ●⟨ook fig.⟩ *rondom, in (de buurt van);* there was an air of mystery – the boy *de jongen had iets geheimzinnigs over zich;* toys lay – the floor *speelgoed lag verspreid over de vloer;* he is well known – the town *hij is in de hele stad goed bekend* ●*door ... heen, over;* travel – the country *in het land rondreizen* ●*over, met betrekking tot;* a book – religion *een boek over godsdienst;* that's what it's all – *daar gaat het om;* be quick – it *schiet eens wat op* ●*omstreeks, omtrent, ongeveer;* – midnight *tegen middernacht* ‖ while you are – it *als je (er) toch (mee) bezig bent;* what – it? *nou, en ...?;* wat wil je nu zeggen?; what/how – a cup of coffee? *wat vind je van een kop koffie?.*

aˈbout-ˈturn, aˈbout-ˈface ●⟨ook fig.⟩ *totale om(me)keer.*

1 above [əˈbʌv] ⟨bw⟩ ●*boven, hoger;* the – paragraph *de bovenstaande alinea;* the saints – *de heiligen in de hemel;* the above-mentioned *het bovengenoemde;* the – *het bovengenoemde; de bovengenoemde personen* ●*hoger, meer;* twenty and – *twintig en meer;* imposed from – v. hogerhand opgelegd.

2 above ⟨vz⟩ ●*boven, hoger dan;* the roof – my head *het dak boven mijn hoofd* ●*hoger dan, meer dan;* – fifty *meer dan vijftig;* that's – me *dat gaat m'n petje te boven* ●*boven ... verheven;* he's – talking to a farmer *hij acht het beneden zich met een boer te spreken* ‖ – all *vooral;* ↓ be – oneself *pretenties hebben.*

aˈboveˈboard ●*eerlijk, openlijk.*

abrasion [əˈbreɪʒn] ●*(af)schuring, afge-* schaafde plek.

1 abrasive [əˈbreɪsɪv] ⟨zn⟩ ●*schuurmiddel.*

2 abrasive ⟨bn⟩ ●*schurend, krassend;* – powder *slijppoeder* ●*ruw, kwetsend;* – character *irritant karakter;* – voice *scherpe stem.*

abreast [əˈbrest] ●*naast elkaar, op een rij* ‖ be – of/with the times *op de hoogte zijn, bij de tijd zijn;* keep wages – of *de lonen gelijke tred doen houden met.*

abridge [əˈbrɪdʒ] ●*verkorten.* **abridg(e)ment** [əˈbrɪdʒmənt] ●*verkorting, uittreksel.*

abroad [əˈbrɔːd] ●*in/naar het buitenland;* from – *uit het buitenland* ●*in het rond,* ⟨fig. ook⟩ *in omloop, ruchtbaar;* there's bad news – *er zit slecht nieuws in de lucht;* the matter has got – *de zaak is bekend geworden.*

abrogate [ˈæbrəɡeɪt] ●*afschaffen, tenietdoen.*

abrupt [əˈbrʌpt] ⟨-ness⟩ ●*bruusk, abrupt, plots(eling)* ●*kortaf, kort aangebonden.*

abscess [ˈæbses] ●*abces, ettergezwel.*

abscond [əbˈskɒnd] ●⟨+from⟩ *in het geheim vertrekken (uit).*

absence [ˈæbsns] ●*afwezigheid;* condemned in his – *bij verstek veroordeeld* ●*gebrek;* in the – of proof *bij gebrek aan bewijs* ‖ – of mind *verstrooidheid;* ⟨sprw.⟩ absence makes the heart grow fonder *afwezigheid versterkt de liefde.*

1 absent [ˈæbsnt] ⟨bn⟩ ●*afwezig, absent, verstrooid;* – from school *niet op school.*

2 absent [æbˈsent] ⟨ww; wdk ww⟩ ● ⟨+from⟩ *wegblijven (van), niet verschijnen* ●*zich verwijderen.* **absentee** [ˈæbsnˈtiː] ●*afwezige,* ⟨school.⟩ *absent.* **ˈabsent-ˈminded** ⟨-ness⟩ ●*verstrooid, afwezig.*

absolute [ˈæbsəluːt] ●*absoluut, totaal, volkomen;* – zero *het absolute nulpunt* ●*zuiver, puur, absoluut* ●*absoluut, onbeperkt;* – ruler *absoluut vorst* ●*onvoorwaardelijk* ⟨bv. v. belofte⟩ ‖ it –ly exploded *het vloog zowaar/warempel de lucht in.* **absolution** [ˈæbsəluːʃn] ●*absolutie, vergiffenis* ●*ontheffing.*

absolve [əbˈzɒlv] ●*vergeven, de absolutie geven;* – s.o. of sin *iemands zonden vergeven* ●*vrijspreken* ●*ontheffen, kwijtschelden;* – s.o. from a promise *iem. ontslaan van een belofte.*

absorb [əbˈsɔːb, -ˈzɔːb] ●*absorberen, (in zich) opnemen, opzuigen.* **absorbed** [əbˈsɔːbd, -ˈzɔːbd] ●*geabsorbeerd, opgeslorpt;* be – by work *in het werk omkomen;* – in a book *verdiept in een boek;* – in

thought *in gedachten verzonken.* **absorb-
ent** [əb'sɔ:bənt, -'zɔ:-] ● *absorberend materiaal.* **absorbing** [əb'sɔ:bɪŋ, -'zɔ:-] ●
boeiend, grijpend; an – lecture *een boei-
ende lezing.* **absorption** [əb'sɔ:pʃn, -'zɔ:-]
● *absorptie, het opgaan;* – of small busi-
nesses into/by big ones *opslorping v. kleine zaken door grote.*
abstain [əb'steɪn] ‖ – from *zich onthouden
van.* **abstainer** [əb'steɪnə] ● *onthouder;*
total – *geheelonthouder.*
abstemious [əb'sti:mɪəs] ● *matig, sober.*
abstention [əb'stenʃn] ● *onthouding.*
abstinence ['æbstɪnəns] ● *onthouding;* total
– *geheelonthouding.*
1 abstract ['æbstrækt] ⟨zn⟩ ● *samenvatting,
uittreksel* ● *abstract kunstwerk.*
2 abstract ['æbstrækt] ⟨bn⟩ ● *abstract, theoretisch;* in the – *in theorie.*
3 abstract [əb'strækt] ⟨ww⟩ ● *samenvatten*
● ⟨tech.⟩ *onttrekken, scheiden;* – metal
from ore *metaal uit erts winnen* ● ⟨euf.⟩
stelen, ontvreemden. **abstracted** [əb-
'stræktɪd] ● *verstrooid, afwezig.* **abstrac-
tion** [əb'strækʃn] ● *abstractie, abstract(e)
begrip/term* ● *verstrooidheid* ● ⟨euf.⟩ *ont-
vreemding.*
absurd [əb'sə:d] ● *absurd, belachelijk.* **ab-
surdity** [əb'sə:dəti] ● *absurditeit, dwaasheid.*
abundance [ə'bʌndəns] ● *overvloed.* **abun-
dant** [ə'bʌndənt] ● *overvloedig.*
1 abuse [ə'bju:s] I ⟨telb en n-telb zn⟩ ● *misbruik, verkeerd gebruik;* crying – *ten hemel schreiende wantoestand* II ⟨n-telb zn⟩
● *scheldwoorden* ● *mishandeling.*
2 abuse [ə'bju:z] ⟨ww⟩ ● *misbruiken* ● *mishandelen* ● *beschimpen, (uit)schelden.*
abusive [ə'bju:sɪv] ● *beledigend* ⟨v. taal⟩
● *verkeerd, corrupt;* – practices *corrupte
praktijken.*
abut on [ə'bʌt] ● *raken aan, grenzen aan.*
abysmal [ə'bɪzml] ● *hopeloos, afgrijselijk.*
abyss [ə'bɪs] ● *afgrond, peilloze diepte.*
A.C. ⟨afk.⟩ alternating current.
1 academic ['ækə'demɪk] ⟨zn⟩ ● *academi-
cus.*
2 academic ⟨bn⟩ ● *academisch,* ⟨fig.⟩ abstract, theoretisch.* **academy** [ə'kædəmi]
● *academie, genootschap, school voor
speciale opleiding;* – of music *conservatorium;* Academy of Science *Academie van
Wetenschappen.*
accede [æk'si:d] ● ⟨+to⟩ aanvaarden
⟨ambt⟩; he –d to the chairmanship *hij
aanvaardde het voorzitterschap* ● *toetreden;* Greece –d to the treaty *Griekenland
sloot zich aan bij het verdrag* ● *toestem-*

men, inwilligen; the management –d to
his request *de bedrijfsleiding willigde zijn
verzoek in.*
accelerate [æk'seləreɪt] ● *versnellen* ● *bespoedigen.* **acceleration** [æk'selə'reɪʃn] ●
versnelling, acceleratie(vermogen)⟨v. au-
to⟩. **accelerator** [æk'seləreɪtə] ● *gaspe-
daal.*
1 accent ['æksnt] ⟨zn⟩ ● ⟨ook fig.⟩ *accent,
klemtoon, tongval, uitspraak;* the – is on
de nadruk ligt op;* speak English without
an – *Engels spreken zonder accent.*
2 accent [æk'sent] ⟨ww⟩ ● *accentueren* ⟨ook
fig.⟩, *de nadruk leggen op.* **accentuate**
[æk'sentʃueɪt] ● *benadrukken, de nadruk
leggen op.*
accept [æk'sept, æk-] ● *aannemen, aanvaarden, accepteren;* an –ed fact *een (alge-
meen) aanvaard feit.* **acceptab|le** [æk'sept-
əbl, æk-] ⟨zn: **-ility**⟩ ● *aanvaardbaar, aannemelijk* ● *redelijk* ● *aangenaam.* **accep-
tance** [æk'septəns, æk-] ● *aanvaarding,
overneming* ● *gunstige ontvangst, bijval*
● ⟨hand.⟩ *accept(atie).* **acceptor**
[æk'septə, æk-] ⟨hand.⟩ ● *acceptant* ⟨v.e.
wissel⟩.
access ['ækses] ● ⟨+to⟩ *toegang (tot);* easy
of – *toegankelijk.* **accessib|le** [æk'sesəbl,
æk-] ⟨zn: **-ility**⟩ ● ⟨+to⟩ *toegankelijk
(voor), bereikbaar (voor),* ⟨fig.⟩ *begrijpelijk (voor).* **accession** [æk'seʃn, æk-] ●
⟨+to⟩ *instemming (met), aanvaarding
(van)* ● *(ambts)aanvaarding;* – to the
throne *troonbestijging* ● *toevoeging, aan-
winst(en).* **accessory** [æk'sesərɪ, æk-] ●
⟨ook: accessary [æk'sesəri, æk-]⟩ *medeplichtige;* be – to a crime *medeplichtig zijn
aan een misdaad* ● *bijkomstige zaak* ●
⟨vnl. mv.⟩ *toebehoren, accessoires.*
accident ['æksɪd(ə)nt] ● *toeval(ligheid), toevallige omstandigheid;* by – *toevallig* ●
ongeluk, ongeval; by – *per ongeluk;* without – *zonder ongelukken* ‖ ⟨sprw.⟩ accidents will happen ± *het beste paard struikelt wel eens,* ± *de beste breister laat wel
eens een steek vallen.* **accidental** ['æksɪ'dentl] ● *toevallig, onvoorzien, niet bedoeld* ‖ – death *dood door ongeval.* **acci-
dentally** ['æksɪ'dentəli] ● *toevallig* ● *per
ongeluk.* **'accident-prone** ● *gemakkelijk
ongelukken krijgend;* he's very – *hem
overkomt altijd van alles.*
1 acclaim [ə'kleɪm] ⟨zn⟩ ● *toejuiching, bijval,
gejuich.*
2 acclaim ⟨ww⟩ ● *toejuichen, juichend instemmen (met)* ● *uitroepen (tot).*
acclamation ['æklə'meɪʃn] ● *acclamatie* ●
⟨vaak mv.⟩ *toejuiching, juichkreet.*

acclimatize [əˈklaɪmətaɪz] ● *acclimatiseren.*
accommodate [əˈkɒmədeɪt] ● *huisvesten, onderbrengen* ● *plaats hebben voor* ● *aanpassen, (met elkaar) in overeenstemming brengen* ⟨plannen, ideeën⟩; – o.s. (to) *zich aanpassen (aan)* ● ⟨+with⟩ *(iem.) een dienst bewijzen (met);* – s.o.'s wishes *aan iemands wensen tegemoet komen.* **accommodating** [əˈkɒmədeɪtɪŋ] ● *inschikkelijk, meegaand, plooibaar.* **accommodation** [əˈkɒməˈdeɪʃn] ● *onderdak, (verblijf) plaats,* ⟨ihb.⟩ *logies* ● *plaats, ruimte;* hotel – for 100 people *hotelaccommodatie voor 100 mensen.*
accompaniment [əˈkʌmp(ə)nɪmənt] ● ⟨muz.⟩ *begeleiding, accompagnement.* **accompanist** [əˈkʌmp(ə)nɪst] ⟨muz.⟩ ● *begeleider.* **accompany** [əˈkʌmp(ə)ni] ● *begeleiden, vergezellen* ● ⟨+with⟩ *vergezeld doen gaan (van)* ∥ –ing letter *bijgaande brief.*
accomplice [əˈkʌmplɪs] ● *medeplichtige.*
accomplish [əˈkʌmplɪʃ] ● *volbrengen, voltooien, tot stand brengen.* **accomplished** [əˈkʌmplɪʃt] ● ⟨+in⟩ *volleerd (in), bedreven (in), deskundig (in)* ∥ – fact *voldongen feit.* **accomplishment** [əˈkʌmplɪʃmənt] ● *prestatie* ● *bekwaamheid, vaardigheid* ⟨vnl. op sociaal gebied⟩ ● *voltooiing, het tot stand brengen.*
1 accord [əˈkɔːd] ⟨zn⟩ ● *akkoord, schikking, verdrag* ● *overeenstemming, harmonie;* in – (with) *in overeenstemming (met)* ∥ of one's own – *uit eigen beweging;* with one – *unaniem.*
2 accord ⟨ww⟩ ● ⟨+with⟩ *overeenstemmen (met), overeenkomen (met);* the reward will be –ing *de beloning zal dienovereenkomstig zijn.* **accordance** [əˈkɔːdns] ∥ in – with *overeenkomstig.* **according to** [əˈkɔːdɪŋ tʊ] ● *volgens (het zeggen v.), naar ... beweert* ● *volgens, naar (gelang v.), in overeenstemming met.* **accordingly** [əˈkɔːdɪŋli] ● *dienovereenkomstig* ● *bijgevolg, dus.*
accost [əˈkɒst] ● *aanklampen, lastig vallen.*
1 account [əˈkaʊnt] I ⟨telb zn⟩ ● *verslag, beschrijving, verklaring, uitleg* ⟨v. gedrag⟩; by all –s *naar alles wat men hoort;* by one's own – *naar eigen zeggen;* give/render – an – of *verslag uitbrengen over* ∥ ⟨telb en n-telb zn⟩ ● *rekening* ⟨ook fig.⟩; settle/ square (one's) –s with s.o. *de rekening vereffenen met iem.;* ⟨ook fig.⟩ *afrekenen met iem.* ∥ do/keep (the) –s *boekhouden;* on – of *wegens;* on no – *in geen geval;* on that – *om die reden* III ⟨n-telb zn⟩ ● *rekenschap, verantwoording;* bring/call s.o. to –

for sth. *iem. ter verantwoording roepen voor iets;* give/render – of *rekenschap afleggen over* ● *belang, gewicht;* of no – *van geen belang* ● *voordeel;* put/turn sth. to (good) – *zijn voordeel met iets doen* ∥ leave sth. out of – *iets buiten beschouwing laten;* take sth. into – *rekening houden met iets.*
2 account ⟨ww⟩ ● *beschouwen (als), houden voor, rekenen (onder);* zie ACCOUNT FOR.
accountab|le [əˈkaʊntəbl] ⟨zn: **-ility**⟩ ● *verantwoordelijk;* be – for sth. to s.o. *verantwoording schuldig zijn aan iem. voor iets.*
accountancy [əˈkaʊntənsi] ● *accountancy, boekhouding* ● *ambt/beroep v. accountant.* **accountant** [əˈkaʊntənt] ● *accountant, (hoofd)boekhouder.*
ac'count for ● *rekenschap geven v.* ● *verklaren;* his disease accounts for his strange behaviour *zijn ziekte verklaart zijn vreemde gedrag* ● *voor zijn rekening nemen* ∥ the rest of the passengers still have to be accounted for *de overige passagiers worden nog steeds vermist.*
accredit [əˈkredɪt] ● *toeschrijven, toekennen;* – sth. to s.o., – s.o. with sth. *iets aan iem. toeschrijven* ● *accrediteren, v. geloofsbrieven voorzien;* – s.o. to s.o. (as an ambassador) *iem. (als ambassadeur) naar iem. zenden.* **accredited** [əˈkredɪtɪd] ● *officieel erkend* ● *(algemeen) erkend, (algemeen) aangenomen* ● *goedgekeurd, met kwaliteitsgarantie* ∥ – at/to a court *geaccrediteerd bij een hof.*
accrue [əˈkruː] ● *groeien, toenemen, vermeerderen.*
accumulate [əˈkjuːmjʊleɪt] ● *(zich) op(een) stapelen, (zich) op(een)hopen, (zich) accumuleren.* **accumulation** [əˈkjuːmjʊˈleɪʃn] ● *op(een)stapeling, op(een)hoping, accumulatie.* **accumulative** [əˈkjuːmjʊlətɪv] ● *op(een)stapelend, op(een)hopend, (zich) vermeerderend.*
accuracy [ˈækjərəsi] ● *nauwkeurigheid, nauwgezetheid, accuratesse.* **accurate** [ˈækjərət] ● *nauwkeurig, nauwgezet, stipt.*
accursed [əˈkɜːsɪd] ● *vervloekt.*
accusation [ˌækjʊˈzeɪʃn] ● *beschuldiging, aanklacht.* **accuse** [əˈkjuːz] ● *beschuldigen, aanklagen.* **accused** [əˈkjuːzd] ∥ the – *de verdachte(n).*
accustom [əˈkʌstəm] ● *(ge)wennen, gewoon maken;* – s.o. to sth. *iem. wennen aan iets.* **accustomed** [əˈkʌstəmd] ● *gewend, gewoon;* be – to sth. *gewend zijn aan iets.*
ace [eɪs] ● ⟨kaartspel⟩ *aas, één,* ⟨fig.⟩ *troef* ● ⟨sport, vnl. tennis⟩ *ace* ● ↓ *uitblinker.*

acerbity [əˈsəːbəti] ● *wrangheid, zuurheid, bitterheid.*

1 ache [eɪk] ⟨zn⟩ ● *(voortdurende) pijn; –s and pains pijntjes.*

2 ache ⟨ww⟩ ● *pijn doen, schrijnen* ‖ *be aching to do sth. staan te popelen om iets te doen; – for hunkeren naar.*

achieve [əˈtʃiːv] ● *volbrengen, voltooien, tot stand brengen* ● *bereiken* ⟨doel e.d.⟩; – *success succes behalen.* **achievement** [əˈtʃiːvmənt] I ⟨telb zn⟩ ● *prestatie, (succesvolle) verrichting* II ⟨n-telb zn⟩ ● *voltooiing* ● *het bereiken.*

1 acid [ˈæsɪd] ⟨zn⟩ ● *zuur* ● ⟨sl.⟩ *acid, LSD.*

2 acid ⟨bn⟩ ● *zuur;* – *rain zure regen* ● *bits, bijtend.* **'acidhead** ⟨sl.⟩ ● *LSD-gebruiker.*

acidity [əˈsɪdəti] ● *zuurheid* ● *zuur(heids) graad.*

acknowledge [əkˈnɒlɪdʒ] ● *erkennen* ● *zijn erkentelijkheid betuigen over* ● *beantwoorden* ⟨groet⟩ ‖ I *herewith – (receipt of) your letter hierbij bevestig ik de ontvangst v. uw brief;* – *sth. to s.o. tgov. iem. iets toegeven.* **acknowledg(e)ment** [əkˈnɒlɪdʒmənt] ● *erkenning* ● *(bewijs v.) dank/ erkentelijkheid* ● *ontvangstbevestiging* ● *beantwoording* ⟨v. groet⟩.

acme [ˈækmi] ● *top(punt), summum.*

acne [ˈækni] ● *acné, (jeugd)puistjes.*

acorn [ˈeɪkɔːn] ● *eikel.*

acoustic [əˈkuːstɪk] ● *akoestisch* ● *v.h. gehoor.* **acoustics** [əˈkuːstɪks] ● *akoestiek.*

acquaint [əˈkweɪnt] ● *in kennis stellen, vertrouwd maken;* – *s.o. of/with iem. op de hoogte stellen v..* **acquaintance** [əˈkweɪntəns] I ⟨telb zn⟩ ● *kennis* ● ⟨ww enk. of mv.⟩ *kennissenkring; wide – veel kennissen* II ⟨n-telb zn⟩ ● *bekendheid; have a nodding – with s.o. iem. oppervlakkig kennen* ● *kennismaking; make s.o.'s – kennis maken met iem..* **acquainted** [əˈkweɪntɪd] ● *bekend, op de hoogte;* become/get – *elkaar leren kennen.*

acquiesce [ˌækwiˈes] ● (+in) *(zwijgend) instemmen (met), berusten (in), zich schikken (naar).* **acquiesc|ent** [ˌækwiˈesnt] ⟨zn: -ence⟩ ● *berustend* ● *inschikkelijk, toegevend.*

acquire [əˈkwaɪə] ⟨zn: -ment⟩ ● *verwerven, verkrijgen.* **acquisition** [ˌækwəˈzɪʃn] ● *aanwinst, verworven bezit/goed, verwerving.* **acquisitive** [əˈkwɪzɪtɪv] ● *hebzuchtig.*

acquit [əˈkwɪt] ● *ontheffen* ⟨v. verplichting⟩ ● *vrijspreken.* **acquittal** [əˈkwɪtl] ● *ontheffing* ● *vrijspraak.*

acre [ˈeɪkə] ● *acre* ⟨landmaat, 4047 m²⟩ ● ⟨mv.⟩ *landerijen, grondgebied.* **acreage** [ˈeɪkrɪdʒ] ● *oppervlakte (in acres).*

acrid [ˈækrɪd] ● *bijtend* ⟨ook fig.⟩, *scherp, bitter.*

acrimonious [ˌækrɪˈmoʊniəs] ● *scherp, venijnig.* **acrimony** [ˈækrɪməni] ● *bitterheid* ⟨vnl. fig.⟩, *scherpheid, venijn.*

acrobat [ˈækrəbæt] ● *acrobaat.* **acrobatic** [ˌækrəˈbætɪk] ● *acrobatisch.* **acrobatics** [ˌækrəˈbætɪks] ● *acrobatische toeren.*

acronym [ˈækrənɪm] ● *acroniem, letterwoord.*

1 across [əˈkrɒs] ⟨bw⟩ ● *overdwars, gekruist; it measured fifty yards – het had een doorsnede v. vijftig yards; it was cut – het was overdwars gesneden* ● *aan de overkant* ● ⟨ook fig.⟩ *over, naar de overkant; put a message – een boodschap overbrengen* ● ⟨in kruiswoordraadsel⟩ *horizontaal.*

2 across ⟨vz⟩ ● *(tegen)over* ⟨ook fig.⟩, *aan/ naar de overkant van; look – the hedge kijk over de haag; from – the sea van over zee.*

1 act [ækt] ⟨zn⟩ ● *handeling, daad* ● *wet* ● ⟨dram.⟩ *bedrijf, akte* ● ⟨circus⟩ *nummer* ‖ *put on an – komedie spelen; catch s.o. in the (very) – iem. op heterdaad betrappen.*

2 act I ⟨onov ww⟩ ● *handelen, optreden, iets doen* ● *fungeren, optreden;* – *as chairman het voorzitterschap waarnemen* ● *werken, functioneren* ● *komedie spelen, zich aanstellen* II ⟨ov ww⟩ ● *uitbeelden, spelen;* – *a story een verhaal uitbeelden* ● ⟨dram.⟩ *spelen, opvoeren, acteren* ● *spelen, zich voordoen als;* – *the fool de idioot uithangen.*

1 acting [ˈæktɪŋ] ⟨zn⟩ ● *het acteren, (toneel) spelen.*

2 acting ⟨bn⟩ ● *waarnemend, plaatsvervangend, tijdelijk; the – chairman de waarnemend voorzitter.*

action [ˈækʃn] ● *actie, daad, handeling;* – *holidays for – kids actie(ve) vakanties voor actieve kinderen; put/set a machine in(to) – een machine in werking stellen; put sth. out of – iets buiten werking stellen; take – tot handelen overgaan* ● *gevechtsactie, treffen; be killed in – in de strijd sneuvelen; put s.o. out of – iem. buiten gevecht stellen* ● *mechaniek, werk* ● *proces; she brought an – against him for slander zij deed hem een proces aan wegens laster* ‖ *the – of the novel takes place in London de roman speelt zich af in Londen; the – of a drug on the brain de (uit)werking v.e. geneesmiddel op de hersenen;* ⟨sprw.⟩ *actions speak louder than words ± praatjes vullen geen gaatjes, ± zeggen en doen is twee.* **'action committee** ● *actiecomité.*

'action 'replay ●*herhaling.*
activate ['æktɪveɪt] ●*activeren, in werking/ beweging brengen* ●⟨schei.⟩ *activeren.*
active ['æktɪv] ●*actief, werkend, in werking;* an – remedy *een werkzaam middel* ●*actief, bedrijvig, levendig* ‖ ⟨mil.⟩ on – service ⟨BE⟩ *aan het front;* ⟨AE⟩ *in actieve/ feitelijke dienst.* actively ['æktɪvli] ●*actief, handelend* ●*actief, druk.* activist ['æktɪvɪst] ●*activist.* activity [æk'tɪvəti] I ⟨telb zn⟩ ●⟨vnl. mv.⟩ *activiteit, bezigheid* II ⟨ntelb zn⟩ ●*werking, activiteit* ●*activiteit, bedrijvigheid, levendigheid.*
actor ['æktə] ●*acteur* ⟨ook fig.⟩, *toneelspeler, filmspeler.* actress ['æktrɪs] ●*actrice* ⟨ook fig.⟩, *toneelspeelster, filmspeelster.*
actual ['æktʃʊəl] ●*werkelijk, feitelijk, eigenlijk.* actuality ['æktʃʊ'æləti] ⟨vaak mv.⟩ ●*actualiteit, feit, werkelijkheid.* actually ['æktʃʊəli, -(t)ʃəli] ●*eigenlijk, feitelijk, werkelijk* ●*zowaar, werkelijk, echt;* they 've – paid me! *ze hebben me zowaar betaald!.*
acumen ['ækjʊmən] ●*scherpzinnigheid.*
acute [ə'kju:t] ●*acuut, ernstig, hevig* ●*scherp(zinnig), fijn, gevoelig* ⟨verstand, zintuigen⟩ ●*schril, snerpend* ⟨geluid⟩ ‖ an – angle *een scherpe hoek.*
ad [æd] ⟨verk.⟩ advertisement.
A.D., AD ⟨afk.⟩ Anno Domini ●*A.D., in het jaar onzes Heren.*
adage ['ædɪdʒ] ●*adagium, spreekwoord, spreuk.*
adamant ['ædəmənt] ●*vastbesloten, onvermurwbaar.*
adapt [ə'dæpt] ●*aanpassen, bewerken, geschikt maken;* – a novel for TV *een roman voor de t.v. bewerken;* –ed from the Chinese *uit het Chinees vertaald en bewerkt.* adaptab|le [ə'dæptəbl] ⟨zn: -ility⟩ ●*buigzaam, soepel, flexibel* ●*aanpasbaar, aan te passen.* adaptation ['ædəp'teɪʃn] ●*aanpassing* ●*bewerking.* adapter, adaptor [ə'dæptə] ●*bewerker* ●*adapter, tussenstuk, verloopstuk, verdeelstekker.*
add [æd] ●*toevoegen, erbij doen, bijvoegen;* – to the list *aan de lijst toevoegen;* – a wing to the palace *een vleugel aan het paleis bijbouwen* ●*optellen;* – five to three *tel vijf bij drie op* ●*nog verder zeggen, eraan toevoegen;* zie ADD UP.
adder ['ædə] ●*adder.*
1 addict ['ædɪkt] ⟨zn⟩ ●*verslaafde,* ⟨fig.⟩ *fanaat, enthousiast(eling).*
2 addict [ə'dɪkt] ⟨ww⟩ ‖ –ed to cocaine *aan cocaïne verslaafd.* addiction [ə'dɪkʃn] ●*verslaving, verslaafdheid.* addictive [ə'dɪktɪv] ●*verslavend.*

addition [ə'dɪʃn] ●*toevoeging, bijvoegsel* ●*optelling, toevoeging;* in – *bovendien;* in – to *behalve.* additional [ə'dɪʃnəl] ●*bijkomend, aanvullend;* – charges *extra kosten.* additionally [ə'dɪʃnəli] ●*bovendien, daar komt nog bij.*
additive ['ædɪtɪv] ●*toevoeging, additief.*
1 address [ə'dres] ⟨zn⟩ ●*adres* ●*toespraak.*
2 address ⟨ww⟩ ●*richten;* – complaints to our office *richt u met klachten tot ons bureau;* – o.s. to *zich richtentot* ●*adresseren* ●*toespreken* ●*aanspreken.* addressee ['ædre'si:] ●*geadresseerde.*
adduce [ə'dju:s] ●*aanhalen, aanvoeren.*
'add 'up I ⟨onov ww⟩ ●*steek houden, kloppen* ●⟨+to⟩ *als uitkomst geven,* ⟨fig.⟩ *neerkomen (op);* this invention does not – to much *deze uitvinding stelt weinig voor* II ⟨ov ww⟩ ●*optellen.*
1 adept ['ædept] ⟨zn⟩ ●*expert.*
2 adept ['ædept] ⟨bn⟩ ●⟨+at, in⟩ *bedreven (in), deskundig, ingewijd.*
adequacy ['ædɪkwəsi] ●*geschiktheid, bekwaamheid* ●*adequaatheid.*
adequate ['ædɪkwət] ●*voldoende, net (goed) genoeg* ●*geschikt, bekwaam.*
adhere [əd'hɪə] ●*kleven, aan/vastkleven, hechten* ●⟨+to⟩ *zich houden (aan), vasthouden (aan).* adherent [əd'hɪərənt] ●*aanhanger, voorstander.*
1 adhesive [əd'hi:sɪv, -zɪv] ⟨zn⟩ ●*kleefstof, plakmiddel, lijm.*
2 adhesive ⟨bn⟩ ●*klevend, plakkend;* – plaster *hechtpleister;* – tape *plakband.*
adjacent [ə'dʒeɪsnt] ●*aangrenzend, belendend.*
adjective ['ædʒəktɪv] ●*bijvoeglijk naamwoord.*
adjoin [ə'dʒɔɪn] ●*grenzen aan.*
adjourn [ə'dʒə:n] ●*verdagen, uitstellen* ●*schorsen, onderbreken.* adjournment [ə'dʒə:nmənt] ●*verdaging, uitstel* ●*onderbreking, schorsing, reces.*
adjudicate [ə'dʒu:dɪkeɪt] ●*oordelen;* – (up) on a matter *over een zaak oordelen* ●*als arbiter/jurylid optreden.* adjudicator [ə'dʒu:dɪkeɪtə] ●*scheidsrechter, arbiter, jurylid.*
adjunct ['ædʒʌŋ(k)t] ●*toevoegsel, aanhangsel* ●⟨taal.⟩ *bepaling.*
adjust [ə'dʒʌst] ●*regelen, in orde brengen, rechtzetten* ●*afstellen, instellen* ●*(zich) aanpassen;* – (o.s) to new circumstances *(zich) aan nieuwe omstandigheden aanpassen.* adjustable [ə'dʒʌstəbl] ●*regelbaar, verstelbaar.* adjustment [ə'dʒʌs(t)mənt] ●*verandering* ●*afstelling, instelling* ●*aanpassing.*

adjutant [ˈædʒətənt] ●*assistent* ●⟨mil.⟩ *adjudant.*

1 ad lib [ˈæd ˈlɪb] ⟨bn⟩ ●*geïmproviseerd.*
2 ad lib ⟨ww⟩ ↓●*improviseren, onvoorbereid spreken/spelen.*
3 ad lib ⟨bw⟩ ●*onvoorbereid, geïmproviseerd.*

administer [ədˈmɪnɪstə] ●*beheren, besturen* ●*uitvoeren; – justice rechtspreken* ●*toedienen, uitreiken, verlenen; – a medicine to s.o. iem. een medicijn toedienen*‖*– to s.o.'s needs in iemands behoeften voorzien.*   **administration** [ədˈmɪnɪˈstreɪʃn] ●*beheer, administratie, bestuur* ●⟨AE⟩ *regering, bestuur, ambtsperiode* ●*toediening, uitreiking; – of justice rechtsbedeling* ●*uitvoering.*   **administrative** [ədˈmɪnɪstrətɪv] ●*administratief, beheers-, bestuurs-.*   **administrator** [ədˈmɪnɪstreɪtə] ●*bestuurder, beheerder.*

admirable [ˈædmrəbl] ●*bewonderenswaard(ig).*

admiral [ˈædmrəl] ●*admiraal.*

Admiralty [ˈædmrəlti] ●⟨BE⟩ *Admiraliteit* ⟨bestuurscollege v.d. Britse marine⟩; Board of Admiralty *Admiraliteit(scollege)* ●*Admiraliteit(sgebouw).*

admiration [ˈædmɪˈreɪʃn] ●*bewondering* ●*voorwerp v. bewondering.*   **admire** [ədˈmaɪə] ●*bewonderen.*   **admirer** [ədˈmaɪrə] ●*bewonderaar, aanbidder.*

admissible [ədˈmɪsəbl] ●*geoorloofd.*   **admission** [ədˈmɪʃn] ●*erkenning, bekentenis, toegeving* ●*toegang, toegangsprijs.*

admit [ədˈmɪt] ●*binnenlaten, toelaten* ●*toelaten, mogelijk maken* ●*erkennen, toegeven* ●*groot genoeg zijn voor;* the hall –s 2,000 people *de zaal kan 2000 mensen herbergen.*   **admittance** [ədˈmɪtns] ●*toegang, toelating;* no – *geen toegang.*   **admitted** [ədˈmɪtɪd] ●*zoals men zelf erkent/ toegeeft;* he is an – thief *hij erkent zelf een dief te zijn.*   **admittedly** ●*toegegeven; –, that is true toegegeven, dat is waar;* it is, –, a major problem ... *het is weliswaar een groot probleem ....*

admonish [ədˈmɒnɪʃ] ●*waarschuwen, vermanen, berispen* ●*aanmanen, aansporen, oproepen.*   **admonition** [ˈædməˈnɪʃn] ●*waarschuwing, vermaning, berisping* ●*aanmaning, aansporing, oproep.*   **admonitory** [ədˈmɒnɪtri] ●*waarschuwend.*

ado [əˈduː] ●*drukte, ophef;* without more/ further – *zonder omhaal.*

adolescence [ˈædəˈlesns] ●*puberteit, adolescentie.*   **adolescent** [ˈædəˈlesnt] ●⟨bn⟩ *opgroeiend* ●⟨bn⟩ *puberachtig, puberaal* ●⟨zn⟩ *puber, tiener, adolescent.*

adopt [əˈdɒpt] ●*adopteren, aannemen, (uit) kiezen* ●*overnemen; – an idea een idee overnemen* ●*aannemen, toepassen; – modern techniques nieuwe technieken toepassen* ●*aannemen, goedkeuren; – a proposal een voorstel aanvaarden.*   **adoption** [əˈdɒpʃn] ●*adoptie, aanneming* ●*gebruik, toepassing* ●*aanvaarding, goedkeuring.*

adorable [əˈdɔːrəbl] ●*aanbiddelijk.*   **adoration** [ˈædəˈreɪʃn] ●*aanbidding.*   **adore** [əˈdɔː] ●*aanbidden* ●↓ *dol zijn op.*

adorn [əˈdɔːn] ⟨zn: -ment⟩ ●*versieren, mooi maken.*

adrift [əˈdrɪft] ●*op drift, stuurloos, losgeslagen.*

adroit [əˈdrɔɪt] ⟨-ness⟩ ●*handig.*

adult [ˈædʌlt] ●⟨bn⟩ *volwassen* ●⟨zn⟩ *volwassene.*

adulter|ate [əˈdʌltəreɪt] ⟨zn: -ation⟩ ●*vervalsen, versnijden.*   **adulterer** [əˈdʌltrə] ●*overspelige (man).*   **adulteress** [əˈdʌltrɪs] ●*overspelige (vrouw).*   **adulterous** [əˈdʌltrəs] ●*overspelig.*   **adultery** [əˈdʌltəri] ●*overspel.*

adulthood [ˈædʌlthʊd] ●*volwassenheid.*

1 advance [ədˈvɑːns] ⟨zn⟩ ●*voorschot* ●⟨vnl. mv.⟩ *avance, eerste stappen, toenadering* ●*vooruitgang* ⟨ook fig.⟩, *voortgang, vordering, verbetering;* in – *vooraf;* vooruit; he spent the money in – *hij gaf het geld uit voor hij het had;* in – of his age *zijn tijd vooruit.*
2 advance ⟨bn⟩ ●*vooraf, van te voren; – booking reservering (vooraf);* ⟨mil.⟩ – guard *voorhoede; – notice vooraankondiging.*
3 advance I ⟨onov ww⟩ ●*vooruitgaan, voortbewegen, vorderen, vooruitgang boeken;* the troops –d against/(up)on the enemy *de troepen naderden/rukten op naar de vijand* **II** ⟨ov ww⟩ ●*vooruitbewegen, vooruitbrengen/schuiven/zetten* ●*promoveren; – s.o. to a higher position iem. bevorderen* ●*bevorderen, steunen* ⟨plan⟩ ●*naar voren brengen, te berde brengen; – one's opinion zijn mening naar voren brengen* ●*voorschieten.*   **advanced** [ədˈvɑːnst] ●*(ver)gevorderd;* ⟨BE⟩ the – level ⟨ook: A level⟩ *schoolexamen VWO/Atheneum; – in years op (hoge) leeftijd* ●*geavanceerd, modern; – ideas progressieve ideeën.*   **advancement** [ədˈvɑːnsmənt] ●*bevordering, verbetering, vooruitgang, promotie.*

advantage [ədˈvɑːntɪdʒ] ●*voordeel;* take – of s.o. *iem. bedriegen/uitbuiten;* take (full) – of sth. *(gretig) gebruik/misbruik maken* *van iets;* turn sth. to – *zijn voordeel met iets doen* ●*overwicht, superioriteit.* **advantageous** ['ædvən'teɪdʒəs] ●*voordelig.*

advent ['ædvent] ●*aankomst, komst, nadering* ⟨v. belangrijk iets/iem.⟩.

adventure [əd'ventʃə] ●*avontuur, riskante onderneming, (beurs)speculatie.* **adventurer** [əd'ventʃərə] ●*avonturier, gelukzoeker, speculant.* **adventuress** [əd'ventʃrɪs] ●*avonturierster.* **adventurous** [əd'ventʃrəs] ●*avontuurlijk, ondernemend, gewaagd, gedurfd.*

adverb ['ædvə:b] ●*bijwoord.* **adverbial** [əd'və:bɪəl] ●*bijwoordelijk.*

adversary ['ædvəsrɪ] ●*tegenstander.* **adverse** ['ædvə:s] ●*ongunstig, nadelig, tegenwerkend;* – conditions *ongunstige omstandigheden;* – winds *tegenwind.* **adversity** [əd'və:sətɪ] ●*tegenslag, tegenspoed.*

advert ['ædvə:t] ↓ ●*advertentie.*

advertise ['ædvətaɪz] ●*adverteren, reclame maken (voor), bekendmaken, aankondigen* ●⟨+for⟩ *een advertentie plaatsen (voor).* **advertisement** [əd'və:tɪsmənt] ●*advertentie* ●*reclame, publiciteit.* **advertiser** ['ædvətaɪzə] ●*adverteerder* ●*advertentieblad.* **advertising** ['ædvətaɪzɪŋ] ●*reclame.* '**advertising agency,** '**advertising office** ●*reclamebureau.* '**advertising gimmick** ●*reclamestunt.*

advice [əd'vaɪs] ●*raad, advies;* give s.o. a piece of – *iem. raad geven;* on the doctor's – *op doktersadvies* ●⟨hand.⟩ *verzendadvies, pakbrief.*

advisab|le [əd'vaɪzəbl] ⟨zn: **-ility**⟩ ●*raadzaam.* **advise** [əd'vaɪz] I ⟨onov en ov ww⟩ ●*adviseren, (aan)raden;* – (s.o.) against sth. *(iem.) iets afraden* ‖ be well –ed to ... *er verstandig aan doen om ...* II ⟨ov ww⟩ ●*informeren, inlichten;* – s.o. of sth. *iem. van iets op de hoogte stellen.* **advisedly** [əd'vaɪzɪdlɪ] ●*bedachtzaam, doelbewust.* **adviser** [əd'vaɪzə] ●*adviseur, raadsman.* **advisory** [əd'vaɪzərɪ] ●*adviserend, raadgevend;* – board/committee *adviescommissie.*

advocacy ['ædvəkəsɪ] ●*verdediging;* – of reforms *het pleiten voor hervormingen.*

1 advocate ['ædvəkɪt] ⟨zn⟩ ●*verdediger, voorstander, advocaat.*

2 advocate ['ædvəkeɪt] ⟨ww⟩ ●*bepleiten, verdedigen, voorstaan.*

aerate ['eəreɪt] ●*aan lucht blootstellen* ●*met koolzuur verzadigen;* ⟨vnl. BE⟩ –d water *spuitwater, sodawater.*

1 aerial ['eərɪəl] ⟨zn⟩ ●*antenne.*

2 aerial ⟨bn⟩ ●*lucht-, in/vanuit de lucht;* –

photograph *luchtfoto.*

aerobatics [-'bætɪks] ●*luchtacrobatiek, stuntvliegen.*

aerobic [eə'roʊbɪk] ‖ – dancing *aerobic dansen.* **aerobics** [eə'roʊbɪks] ●*aerobics.*

aerodrome [-droʊm] ●*vliegveld, (kleine) luchthaven.*

aerodynamic ['eəroʊdaɪ'næmɪk] ●*aërodynamisch.* **aerodynamics** [-daɪ'næmɪks] ●*aërodynamica.*

aeronautic(al) [-'nɔ:tɪk(l)] ⟨-ally⟩ ●*luchtvaartkundig, luchtvaart-.* **aeroplane** ['eərəplein], ⟨AE vnl.⟩ **airplane** ['eə-] ●*vliegtuig.*

aerosol (can) ['eəresɒl] ●*spuitbus, aërosol.*

aerospace [-speɪs] ⟨vaak attr⟩ ●*ruimte* ⟨dampkring v.d. aarde plus de ruimte daarbuiten⟩; – vehicle *ruimtevaartuig.*

aesthetic(al) [i:s'θetɪk(l)] ●*esthetisch.* **aesthetics** [i:s'θetɪk] ●*esthetica, schoonheidsleer.*

afar [ə'fɑ:] ●*(van) ver(re), veraf, ver weg;* from – *van verre.*

affab|le ['æfəbl] ⟨zn: **-ility**⟩ ●*minzaam, vriendelijk.*

affair [ə'feə] ●⟨vaak mv.⟩ *zaak, aangelegenheid;* current –s *lopende zaken, actualiteiten* ●↓ *affaire, ding, zaak(je)* ●*verhouding;* have an – (with s.o.) *een verhouding hebben (met iem.).*

affect [ə'fekt] ●*voorwenden, doen alsof, spelen;* – illness *ziekte veinzen* ●*houden van, bij voorkeur gebruiken;* – long words *graag lange woorden gebruiken* ●*(ont)roeren, aangrijpen* ●*beïnvloeden, treffen;* tax increases – the whole population *belastingverhogingen treffen de hele bevolking* ●*aantasten, aanvallen;* smoking –s your health *roken is slecht voor de gezondheid.*

affectation ['æfek'teɪʃn] ●*geaffecteerdheid, gemaaktheid* ●*aanstellerij.* **affected** [ə'fektɪd] ⟨-ness⟩ ●*voorgewend* ●*geaffecteerd, gemaakt;* an – style *een gekunstelde stijl* ●*ontroerd, aangedaan* ●*getroffen, betrokken;* the – area *het getroffen gebied.*

affecting [ə'fektɪŋ] ●*(ont)roerend.* **affection** [ə'fekʃn] ●*affectie, genegenheid* ●*aandoening, ziekte.* **affectionate** [ə'fekʃnət] ●*hartelijk, lief(hebbend);* –ly (yours) *veel liefs* ⟨als slotformule in brieven⟩.

affidavit ['æfɪ'deɪvɪt] ⟨jur.⟩ ●*beëdigde verklaring.*

affiliate [ə'fɪlɪeɪt] ●*(zich) aansluiten, opnemen;* – (o.s.) to/with *zich aansluiten bij.* **affiliation** [ə'fɪlɪ'eɪʃn] ●*connectie, band, verwantschap.*

affinity [ə'fɪnətɪ] ●*(aan)verwantschap* ●*affi-*

niteit, verwantschap.
affirm [əˈfəːm] ⟨zn: -ation⟩ ● *bevestigen, beamen, verzekeren.* **affirmative** [əˈfəːmətɪv] ●⟨bn⟩ *bevestigend* ●⟨zn⟩ *bevestiging, bevestigend antwoord;* answer in the – *bevestigend antwoorden.*
affix [əˈfɪks] ● *toevoegen, (aan)hechten, kleven.*
afflict [əˈflɪkt] ● *kwellen, treffen, teisteren;* feel –ed by the news *diepgetroffen zijn door het nieuws.* **affliction** [əˈflɪkʃn] ● *kwelling, pijn(iging)* ● *onheil, ramp.*
affluence [ˈæfluəns] ● *overvloed, rijkdom.*
1 affluent [ˈæfluənt] ⟨zn⟩ ● *zijrivier.*
2 affluent ⟨bn⟩ ● *rijk, overvloedig, welvarend;* the – society *de welvaartstaat.*
afford [əˈfɔːd] ● *zich veroorloven, zich permitteren;* I cannot – a holiday *ik kan me geen vakantie veroorloven;* he can – to do it *hij kan het zich permitteren* ● ↑ *verschaffen, verlenen.*
afforest [əˈfɒrɪst] ● *bebossen.*
affray [əˈfreɪ] ● *rel(letje).*
1 affront [əˈfrʌnt] ⟨zn⟩ ● *belediging.*
2 affront ⟨ww⟩ ● *(openlijk) beledigen.*
Afghan [ˈæfgæn] ●⟨bn⟩ *Afghaans* ●⟨telb zn⟩ *Afghaan(se)* ●⟨telb zn⟩ *Afghaan(se windhond)* ●⟨telb zn⟩ *Afghaan(s tapijt).*
afield [əˈfiːld] ● *ver (van huis), ver weg* ⟨ook fig.⟩.
afire [əˈfaɪə] ● *in brand, in vuur en vlam* ⟨ook fig.⟩; set sth. – *iets in brand steken.*
aflame [əˈfleɪm] ● *in brand, in vuur en vlam, gloeiend* ⟨ook fig.⟩.
afloat [əˈfloʊt] ● *vlot(tend), drijvend, varend* ● *aan boord, op zee;* life – *zeemansleven* ‖ get sth. – *iets v.d. grond krijgen.*
afoot [əˈfʊt] ●⟨vaak ong.⟩ *op gang, in aantocht;* there is trouble – *er zijn moeilijkheden op til.*
aˈforesaid, aˈforeˈmentioned ● *voornoemd, bovengenoemd.*
afraid [əˈfreɪd] ● *bang, angstig, bezorgd;* I'm – for you/your safety *ik maak me zorgen om jou/jouw veiligheid;* – of sth. *bang voor iets;* I'm – I'm late *het spijt me maar ik ben te laat.*
afresh [əˈfreʃ] ● *opnieuw.*
African [ˈæfrɪkən] ●⟨bn⟩ ⟨ook a-⟩ *Afrikaans* ●⟨zn⟩ *Afrikaan(se).*
aft [ɑːft] ● *achteruit, achterin.*
1 after [ˈɑːftə] ⟨bn⟩ ● *later, volgend;* in – years *in latere jaren.*
2 after ⟨bw⟩ ● *na, erachter;* five years – *vijf jaar later;* come – *achterop komen, later volgen;* shortly – *spoedig daarna.*
3 after ⟨vz⟩ ● *achter, na;* stand one – another *achter elkaar staan;* – you *na u, ga je gang*

naar; named – his grandfather *naar zijn grootvader genoemd* ‖ the greatest – Beethoven *op Beethoven na de grootste;* – all *per slot (van rekening).*
4 after ⟨vw⟩ ● *nadat, als, toen, wanneer.*
ˈaftercare ● *nazorg.* **ˈaftereffect** ⟨vaak mv.⟩ ● *nawerking, gevolg.* **ˈafterlife** ● *latere/ verdere leven,* ⟨ihb.⟩ *leven na de dood.*
aftermath [ˈɑːftəmɑːθ] ● *nasleep, naspel.*
afternoon [ˈɑːftəˈnuːn] ● *middag, namiddag.*
afters [ˈɑːftəz] ⟨BE; ↓⟩ ● *toetje.*
ˈaftertaste ● *nasmaak.* **ˈafterthought** ● *latere overweging, iets dat later bij iem. opkomt.*
afterwards [ˈɑːftəwədz] ● *later, naderhand.*
again [əˈgen, əˈgeɪn] ● *opnieuw, weer, nog eens;* time and – *telkens opnieuw;* as much/many – *(nog) eens zoveel;* now and – *nu en dan;* – and – *steeds opnieuw* ● *anderzijds, daarentegen;* he might go, and (then) – he might not *misschien gaat hij, en misschien ook wel weer niet* ‖ what is his name –? *hoe heet hij ook (al) weer?.*
against [əˈgenst, əˈgeɪnst] ● *tegen, in strijd met;* vaccination – the measles *inenting tegen de mazelen* ● *tegenover, in tegenstelling met.*
agape [əˈgeɪp] ● *met open mond, wijd open,* ⟨fig.⟩ *ten zeerste verbaasd.*
1 age [eɪdʒ] ⟨zn⟩ ● *leeftijd, ouderdom;* be/ come of – *meerderjarig zijn/worden;* at the – of ten *op tienjarige leeftijd;* under – *minderjarig, te jong* ● *mensenleven, levensduur* ● *eeuw, tijdperk;* the Age of Reason *de Verlichting* ●⟨vnl. mv.⟩ *eeuwigheid;* wait for –s *een eeuwigheid wachten;* you've been –s *je bent vreselijk lang weggebleven* ‖ – of consent *meerderjarigheid; leeftijd* ⟨vooral v. meisje⟩ *waarop je met iem. naar bed mag.*
2 age I ⟨onov ww⟩ ● *verouderen, ouder worden* ● *rijpen* ⟨v. kaas⟩ **II** ⟨ov ww⟩ ● *oud(er) maken.*
1 aged [ˈeɪdʒd] ⟨bn⟩ ● *oud;* – ten *tien jaar oud.*
2 aged [ˈeɪdʒɪd] ⟨bn⟩ ● *oud, (hoog)bejaard.*
ˈage group ● *leeftijdsgroep.* **ageless** [ˈeɪdʒləs] ● *nooit verouderend, eeuwig (jong).*
agency [ˈeɪdʒənsi] ● *bureau, instelling;* through a job – *via een uitzendbureau* ● *agentschap* ● *bemiddeling, tussenkomst* ● *werking.*
agenda [əˈdʒendə] ● *agenda.*
agent [ˈeɪdʒnt] ● *agent, tussenpersoon, bemiddelaar* ● *instrument* ⟨fig.; om iets gedaan te krijgen⟩*, werktuig.*
ˈage-ˈold ● *eeuwenoud.*
agglomer|ate [əˈglɒməreɪt] ⟨zn: -ation⟩ ●

(zich) opeenhopen/stapelen.

aggrav|ate [ˈægrəveɪt] ⟨zn: **-ation**⟩ ● *verergeren* ● *ergeren, irriteren.* **aggravating** [ˈægrəveɪtɪŋ] ● *ergerlijk, vervelend.*

1 aggregate [ˈægrɪgət] ⟨zn⟩ ● *complex, totaal;* on – *totaal* ⟨v. score, stand⟩.

2 aggregate ⟨bn⟩ ● *totaal.*

3 aggregate [ˈægrɪgeɪt] ⟨ww⟩ ● *zich verenigen, zich ophopen.*

aggression [əˈgreʃn] ● *agressie.* **aggressive** [əˈgresɪv] (-ness) ● *agressief, aanvallend, strijdlustig* ● *opdringerig.* **aggressor** [əˈgresə] ● *aanvaller, agressor.*

aggrieved [əˈgriːvd] ● *gekrenkt, gekwetst.*

aghast [əˈgɑːst] ● ⟨+at⟩ *ontzet (door), verbijsterd, verslagen.*

ag|ile [ˈædʒaɪl] ⟨zn: **-ility**⟩ ● *lenig, soepel, behendig.*

agitate [ˈædʒɪteɪt] I ⟨onov ww⟩ ● *ageren;* – for/against *actie voeren voor/tegen* II ⟨ov ww⟩ ● *schudden, roeren, bewegen* ● *verontrusten, opwinden.* **agitated** [ˈædʒɪteɪtɪd] ● *geërgerd, geagiteerd.* **agitation** [ˈædʒɪˈteɪʃn] ● *actie, strijd* ● *opschudding* ● *agitatie, opgewondenheid, spanning.* **agitator** [ˈædʒɪteɪtə] ● *opruier.*

aglow [əˈgloʊ] ● *gloeiend;* ⟨all⟩ – with happiness *stralend v. geluk.*

ago [əˈgoʊ] ● *geleden;* not long – *kort geleden.*

agog [əˈgɒg] ● *opgewonden, vol verwachting;* – with excitement *opgewonden.*

agonize [ˈægənaɪz] ● *vreselijk lijden, worstelen* ⟨vnl. fig.⟩; – over *zich het hoofd breken over, (ergens) vreselijk mee in zijn maag zitten.* **agonized** [ˈægənaɪzd] ● *doodsbenauwd;* – cry *wanhoopskreet.* **agonizing** [ˈægənaɪzɪŋ] ● *kwellend, hartverscheurend;* an – decision *een pijnlijke beslissing.*

agony [ˈægəni] ● *(ondraaglijke) pijn, kwelling, foltering* ● *doodsstrijd.*

agrarian [əˈgreərɪən] ● *agrarisch, land-(bouw)-.*

agree [əˈgriː] I ⟨onov ww⟩ ● *akkoord gaan, het eens zijn/worden, afspreken;* – to differ/disagree *zich erbij neerleggen dat men niet tot een akkoord kan komen;* – on/upon sth. *het ergens over eens zijn;* – to sth. *met iets instemmen;* – with s.o. about sth. *het met iem. over iets eens zijn;* –d! *akkoord!* ● *overeenstemmen, passen;* – with *kloppen met, passen bij;* zie AGREE WITH II ⟨ov ww⟩ ● *overeenkomen;* – a price *een prijs afspreken* ● *aanvaarden;* – a plan *een plan goedkeuren.*

agreeable [əˈgriːəbl] ● *prettig, aangenaam* ● *inschikkelijk, gewillig.* **agreed** [əˈgriːd] ●

overeengekomen, afgesproken; be – on *het eens zijn over.* **agreement** [əˈgriːmənt] ● *overeenkomst, overeenstemming, afspraak, contract* ● *instemming.*

a'gree with ● *bevallen, bekomen;* the sea-air does not – him *de zeelucht is niet goed voor hem;* mussels do not – me *mosselen verdraag ik niet.*

agricultural [ˈægrɪˈkʌltʃrəl] ● *boeren-, landbouw-.* **agriculture** [ˈægrɪkʌltʃə] ● *landbouw.*

aground [əˈgraʊnd] ● *aan de grond, vast;* run – *vastlopen.*

ah [ɑː] ● *o, och, ach.*

aha [ɑːˈhɑː] ● *aha.*

ahead [əˈhed] ● *voorop* ● *vooruit, voorwaarts, v. tevoren;* look/plan – *vooruitzien;* straight – *rechtdoor.* **ahead of** ● *voor;* the road – us *de weg voor ons;* – his time *zijn tijd vooruit.*

A.I. ⟨afk.⟩ ● *artificial intelligence A.I..*

1 aid [eɪd] ⟨zn⟩ ● *hulp, bijstand;* first – *eerste hulp (bij ongelukken), EHBO* ● *hulpmiddel, apparaat, toestel* ● *helper.*

2 aid ⟨ww⟩ ● *helpen, steunen, bevorderen;* ⟨jur. of scherts.⟩ – and abet s.o. *iem. bijstaan, medeplichtig zijn.*

aide [eɪd] ● *assistent, helper.* **aide-de-camp** [ˈeɪd də ˈkɑ̃] ● *aide de camp, generaal-adjudant.*

AIDS [eɪdz] ⟨afk.⟩ Acquired Immune Deficiency Syndrome.

ail [eɪl] ● *schelen, mankeren.* **ailing** [ˈeɪlɪŋ] ● *ziekelijk* ⟨ook fig.⟩. **ailment** [ˈeɪlmənt] ● *kwaal, ziekte.*

1 aim [eɪm] ⟨zn⟩ ● *(streef)doel, oogmerk* ‖ take – (at) *aanleggen/richten (op).*

2 aim I ⟨onov ww⟩ ● *trachten, proberen, willen;* – at/for increased production *naar produktieverhoging streven* II ⟨onov en ov ww⟩ ● *richten, mikken, aanleggen;* – at *richten op;* – at sth./s.o. *op iets/iem. doelen.* **aimless** [ˈeɪmləs] ● *doelloos.*

ain't [eɪnt] ⟨samentr. v. am not, is not, are not, has not, have not⟩.

1 air [eə] I ⟨telb zn⟩ ● *voorkomen, sfeer;* there was an – of excitement *er heerste een opgewonden stemming* ● ⟨vaak mv.⟩ *houding, aanstellerij;* –s and graces *aanstellerij;* give o.s./put on –s *zich aanstellen* ● *bries(je), lichte wind* ● *melodie, wijsje* II ⟨n-telb zn⟩ ● *lucht* ● *lucht, luchtruim;* by – *met het vliegtuig, per luchtpost* ‖ ⟨fig.⟩ clear the – *een misverstand uit de weg ruimen;* walk on – *in de zevende hemel zijn;* be on the – *in de ether zijn, uitzenden, uitgezonden worden;* rumours are in the – *het gerucht doet de ronde;* my plans are

still (up) in the – *mijn plannen staan nog niet vast.*
2 air ⟨ww⟩ ●*drogen, te drogen hangen* ● *luchten, ventileren* ●*bekendmaken, luchten;* – *one's grievances uiting geven aan zijn klachten.*
'air base ●*lucht(macht)basis.* **'air bed** ● *luchtbed.* **'airborne** ●*in de lucht, door de lucht vervoerd/verspreid;* the plane was – *het vliegtuig was in de lucht* ●*per vliegtuig getransporteerd;* – troops *luchtlandingstroepen.* **'air bus** ●*airbus, luchtbus.*
'air-con'ditioned ●*met airconditioning.*
'air conditioning ●*airconditioning.*
'aircraft ●*vliegtuig.* **'aircraft carrier** ●*vliegdekschip.*
'airfield ●*vliegveld.* **'air force** ●*luchtmacht.* **'air gun** ●*windbuks.* **'air hostess** ●*stewardess.*
airing ['eərɪŋ] ●*uiting, bekendmaking* ●*het luchten, het drogen.* **'airing cupboard** ● *droogkast.*
'air lane ●*luchtcorridor, (aan)vliegroute.* **'airless** ['eələs] ●*zonder lucht* ●*bedompt.* **'airlift** ●⟨zn⟩ *luchtbrug* ●⟨ww⟩ *per luchtbrug vervoeren.* **'airline** ●*luchtvaartmaatschappij.* **'airliner** ●*(passagiers)vliegtuig.* **'airmail** ●*luchtpost.* **'air mattress** ●*luchtbed.* **airplane** zie AEROPLANE. **'air pollution** ●*luchtverontreiniging.* **'airport** ●*luchthaven, vliegveld.*
'air raid ●*luchtaanval.* **'airraid shelter** ● *schuilkelder.* **'airship** ●*luchtschip.* **'airsick** ●*luchtziek.* **'airspace** ●*luchtruim* ⟨v. land⟩. **'airstrip** ●*landingsstrook.* **'air terminal** ●*trein/busstation voor vervoer v. en naar vliegveld.*
'airtight ●*luchtdicht,* ⟨fig.⟩ *sluitend, onweerlegbaar;* his alibi is – *hij heeft een waterdicht alibi.* **'air traffic** ●*luchtverkeer.* **'air-traffic controller** ●*(lucht)verkeersleider.* **'airworthy** ●*luchtwaardig* ⟨v. vliegtuig⟩.
airy ['eəri] ●*lucht-* ●*luchtig, niet bedompt, zorgeloos, vrolijk* ●*vluchtig.*
aisle [aɪl] ●*zijbeuk* ⟨v. kerk⟩ ●*gang(pad), middenpad* ⟨in kerk, trein enz.⟩.
ajar [ə'dʒɑː] ●*op een kier.*
akimbo [ə'kɪmbou] ‖ with arms – *met de handen in de zij.*
akin [ə'kɪn] ‖ – to *verwant aan/met.*
alacrity [ə'lækrəti] ●*monterheid, bereidwilligheid, enthousiasme.*
1 alarm [ə'lɑːm] ⟨zn⟩ ●*alarm, schrik, paniek;* in a state of – *in paniek* ●*alarm, waarschuwing, alarmsignaal* ●*wekker* ●*alarminstallatie.*
2 alarm ⟨ww⟩ ●*alarmeren, opschrikken,*

verontrusten. **a'larm clock** ●*wekker.*
alarming [ə'lɑːmɪŋ] ●*alarmerend, verontrustend.*
alas [ə'læs] ●*helaas.*
Albanian ['æl'beɪnɪən] ●*Albanees.*
albatross ['ælbətrɒs] ●*albatros.*
albeit [ɔːl'biːɪt] ●*(of)schoon, (al)hoewel;* a small – important step *een kleine, zij het belangrijke, stap.*
albino [æl'biːnou] ●*albino.*
album ['ælbəm] ●*album* ●*langspeelplaat.*
albumen ['ælbjumən] ●*eiwit(stof).*
alchemist ['ælkəmɪst] ●*alchimist.* **alchemy** ['ælkəmi] ●*alchimie.*
alcohol ['ælkəhɒl] ●*alcohol.* **alcoholic** ['ælkə'hɒlɪk] ●⟨zn⟩ *alcoholicus* ●⟨bn⟩ *alcoholisch;* – poisoning *alcoholvergiftiging.* **alcoholism** ['ælkəhɒlɪzm] ●*alcoholisme.*
alcove ['ælkouv] ●*alkoof, nis.*
alder ['ɔːldə] ●*els, elzeboom.* **alderman** ['ɔːldəmən] ●⟨ongeveer⟩ *wethouder, gedeputeerde,* ⟨AZN⟩ *schepen.*
ale [eɪl] ●*ale, (licht, sterk gehopt) bier.*
1 alert [ə'lɜːt] ⟨zn⟩ ●*alarm(signaal), luchtalarm;* on the – (for) *op zijn hoede (voor).*
2 alert ⟨bn; -ness⟩ ●*alert, waakzaam, op zijn hoede* ●*levendig, vlug.*
3 alert ⟨ww⟩ ●*alarmeren, waarschuwen;* – s.o. to the danger of sth. *iem. wijzen op het gevaar v. iets.*
'A level (afk.) advanced level ⟨Brits schooleindexamen⟩ ‖ do a subject to – *een vak in je eindexamenpakket hebben;* pass one's –s *zijn eindexamen halen;* ⟨ongeveer⟩ *slagen voor VWO.*
alga ['ælgə] ⟨mv.: algae [-dʒiː, -giː]⟩ ●*alg(e), (zee)wier.*
algebra ['ældʒəbrə] ●*algebra.*
Algerian ['æl'dʒɪərɪən] ●⟨bn⟩ *Algerijns* ● ⟨zn⟩ *Algerijn.*
1 alias ['eɪlɪəs] ⟨zn⟩ ●*alias, schuilnaam.*
2 alias ⟨bw⟩ ●*alias, anders genoemd.*
alibi ['ælɪbaɪ] ●*alibi* ●*excuus, uitvlucht.*
1 alien ['eɪlɪən] ⟨zn⟩ ●*vreemdeling, buitenaards wezen.*
2 alien ⟨bn⟩ ●*vreemd, buitenlands* ●*afwijkend;* – from *verschillend van;* – to *vreemd aan.* **alienate** ['eɪlɪəneɪt] ●*vervreemden;* – s.o.'s affections *iemands genegenheid aantasten.* **alienation** ['eɪlɪə'neɪʃn] ●*vervreemding.*
1 alight [ə'laɪt] ⟨bn⟩ ●*brandend, in brand;* set – *aansteken* ●*verlicht;* – with *schitterend van.*
2 alight ⟨ww; ook alit, alit [ə'lɪt]⟩ ●*afstappen, uitstappen, afstijgen* ●*neerkomen, landen* ⟨v. vliegtuig⟩.

align [əˈlaɪn] ● *richten, op één lijn brengen, uitlijnen* ⟨wiel, band⟩ ‖ – o.s. with *zich aansluiten bij.* **alignment** [əˈlaɪnmənt] ● *het op/in één lijn brengen/liggen* ● *linie, (rooilijn)* ● *groepering, verbond.*

1 alike [əˈlaɪk] ⟨bn⟩ ● *gelijk(soortig), gelijkend;* they are very much – *ze lijken sprekend op elkaar.*

2 alike ⟨bw⟩ ● *gelijk, op dezelfde manier.*

alimentary [ˈælɪˈmentri] ● *voedings-, voedsel-;* – canal *spijsverteringskanaal.*

alimony [ˈælɪməni] ● *alimentatie.*

alive [əˈlaɪv] ● *levend* ● *levendig;* ⟨ook fig.⟩ come – *opleven, (klaar)wakker worden;* – and kicking *springlevend* ‖ – to *op de hoogte/doordrongen van* ⟨een feit enz.⟩.

1 all [ɔːl] ⟨zn⟩ ● *gehele bezit;* her jewels are her – *haar juwelen zijn haar gehele bezit.*

2 all ⟨vnw⟩ ● *alle(n);* ⟨sport⟩ thirty – *dertig gelijk;* they have – left, – of them have left *ze zijn allemaal weg;* – of the soldiers *al de/alle soldaten* ● *alles, al, allemaal;* when – is (said and) done *uiteindelijk;* – that I could see *het enige wat ik kon zien* ‖ it was – I could do to convince him *ik had er de grootste moeite mee hem te overtuigen;* after – *per slot v. rekening, toch;* he can't walk at – *hij kan helemaal niet lopen;* if I could do it at – *als ik het maar enigszins kon doen;* did you do it at –? *heb je het überhaupt/eigenlijk wel gedaan?;* she spoke very little if (she spoke) at – *ze zei heel weinig;* ⟨na bedanking⟩ not at – *graag gedaan;* for – I know *voor zover ik weet;* for – I know, he might nog come at all *misschien komt hij helemaal niet, weet ik veel;* – in – *al met al.*

3 all ⟨bw⟩ ● *helemaal, geheel;* – right *in orde, O.K.;* – worn out *helemaal versleten;* if it's – the same to you *als het jou niets uitmaakt;* – over again, ⟨AE⟩ – over *van voren af aan;* ⟨vnl. AE⟩ books lay scattered – *over er lagen overal boeken;* blue – *over helemaal blauw;* – round *overal;* ⟨fig.⟩ in alle opzichten; – too soon *(maar) al te gauw;* I'm – for it *ik ben er helemaal voor* ‖ ↓ it's not – that difficult *zo (vreselijk) moeilijk is het nu ook weer niet;* – the better/sooner *des te beter/sneller;* zie ALL RIGHT.

4 all I ⟨onb det⟩ ‖ he was – ears *hij was één en al oor;* today of – days *uitgerekend vandaag;* they called on uncle Jim, of – people! *ze gingen nota bene bij oom Jim op bezoek!* **II** ⟨onb det, predet⟩ ● *al(le), geheel, gans;* ⟨vnl. BE⟩ – the morning, ⟨vnl. AE⟩ – morning *de hele morgen.*

allay [əˈleɪ] ● *verminderen, verlichten, verkleinen* ● *kalmeren, (tot) bedaren (brengen); –* all fears *alle angst wegnemen.*

'all but ● *bijna, vrijwel;* – dead *bijna dood;* – impossible *vrijwel onmogelijk.*

'all-day ● *de hele dag durend.*

allegation [ˈælɪˈgeɪʃn] ● *bewering, (onbewezen) beschuldiging.* **allege** [əˈledʒ] ● *beweren, aanvoeren;* the –d thief *de vermeende dief.* **allegedly** [əˈledʒɪdli] ● *naar men beweert/zegt.*

allegiance [əˈliːdʒəns] ● *(ge)trouw(heid), loyaliteit.*

allegorical [ˈælɪˈgɒrɪkl] ● *allegorisch.* **allegory** [ˈælɪgri] ● *allegorie.*

allergic [əˈləːdʒɪk] ● ⟨+to⟩ *allergisch (voor),* ⟨↓; fig.⟩ *afkerig.* **allergy** [ˈælədʒi] ● ⟨+to⟩ *allergie (voor),* ⟨↓; fig.⟩ *antipathie, afkeer (van).*

allevi|ate [əˈliːvieɪt] ⟨zn: -ation⟩ ● *verlichten, verzachten.*

alley [ˈæli] ● *steeg(je)* ● *laan(tje), pad* ● *kegelbaan.* **'alleyway** ● *steeg(je).*

alliance [əˈlaɪəns] ● *verdrag, overeenkomst, verbintenis* ● *(ver)bond, (bond)genootschap.* **allied** [ˈælaɪd, əˈlaɪd] ● *verbonden,* ⟨vaak A-⟩ *geallieerd;* the Allied Forces *de Geallieerden;* (closely) – to *(nauw) verwant met.*

alligator [ˈælɪgeɪtə] ● *alligator.*

'all-in ● *all-in, alles inbegrepen, inclusief;* – price *all-in prijs.* **'all-night** ● *de hele nacht durend/geopend.*

allocate [ˈæləkeɪt] ● *toewijzen, toekennen;* – money to sth. or s.o. *geld bestemmen voor iets of iem..* **allocation** [ˈæləˈkeɪʃn] ● *toewijzing, toekenning.*

allot [əˈlɒt] ● *toewijzen, toebedelen.* **allotment** [əˈlɒtmənt] ● *toegewezen deel, aandeel* ● *toewijzing, toekenning* ● *perceel* ⟨door overheid verhuurd⟩, *volkstuintje.*

'all-out ● *volledig, zonder reserve;* an – effort *een uiterste poging.*

allow [əˈlaʊ] **I** ⟨onov ww⟩ zie ALLOW FOR **II** ⟨ov ww⟩ ● *toestaan, (toe)laten, veroorloven;* smoking is not –ed *verboden te roken* ● *toegeven, erkennen* ‖ – twenty percent off (for) *twintig percent korting geven (op).* **allowance** [əˈlaʊəns] ● *toelage, uitkering, subsidie;* weekly – *zakgeld* ● *portie, rantsoen* ● *vergoeding, toeslag* ● *korting, aftrek* ● *toegeeflijkheid;* make –(s) for *rekening houden met.* **al'low for** ● *rekening houden met, in aanmerking nemen.*

alloy [ˈælɔɪ] ● *legering, metaalmengsel.*

'all-purpose ● *voor alle doeleinden.*

1 'all 'right ⟨bn⟩ ● *gezond, goed, veilig, ongedeerd;* I am (feeling) – *met mij gaat alles goed* ● *goed (genoeg);* his work is – *zijn werk is acceptabel;* it's – by me *van* *mij mag je* • ⟨sl.⟩ *goed;* an all-right guy *een toffe gozer.*

2 **'all 'right** ⟨bw⟩ • *bevredigend, voldoende;* he's doing – *hij doet het aardig* • *begrepen, (dat is) afgesproken;* –, do as you please *O.K. dan, doe wat je niet laten kunt;* –*! komt voor mekaar!.*

'all-round • *allround, veelzijdig.*

'All 'Saints' Day • *Allerheiligen(dag)* ⟨1 november⟩.

'All 'Souls' Day • *Allerzielen(dag)* ⟨2 november⟩.

'all-time • *van alle tijden;* an – high *het hoogste punt ooit bereikt.*

allude to [ə'luːd tʊ] • *zinspelen op, toespelingen maken op.*

allure [ə'l(j)ʊə] • *aantrekkingskracht, charme.* **allurement** [ə'l(j)ʊəmənt] • *verleiding, (ver)lokking* • *aantrekkingskracht, charme.* **alluring** [ə'l(j)ʊərɪŋ] • *aanlokkelijk, verleidelijk.*

allusion [ə'luːʒn] • ⟨+to⟩ *zinspeling (op), toespeling.* **allusive** [ə'luːsɪv] • *zinspelend, vol toespelingen.*

1 **ally** [ælaɪ] ⟨zn⟩ • *bondgenoot, medestander.*

2 **ally** [ə'laɪ] ⟨ww⟩ • *(zich) verenigen, (zich) verbinden;* – oneself to *een verbond sluiten met.*

almanac ['ɔːlmənæk] • *almanak.*

almighty ['ɔːl'maɪti] • *almachtig;* the Almighty *de Almachtige* • ↓ *allemachtig, geweldig.*

almond ['ɑːmənd] • *amandel.*

almost ['ɔːlmoʊst] • *bijna, praktisch;* – all of them *haast iedereen.*

alms [ɑːmz] • *aalmoes.*

aloft [ə'lɒft] • *omhoog, opwaarts.*

1 **alone** [ə'loʊn] ⟨bn⟩ • *alleen;* the author is not – in this *de auteur staat hierin niet alleen.*

2 **alone** ⟨bw⟩ • *slechts, alleen;* John – knew the way out *John kende als enige de weg* • *alleen;* go it – *het op zijn eentje opknappen/afhandelen;* leave/let – *met rust laten, afblijven van;* let – luxuries *laat staan luxeartikelen* ‖ zie ook ⟨sprw.⟩ LEAVE.

1 **along** [ə'lɒŋ] ⟨bw⟩ • *verder, voort;* move – *doorlopen;* I suspected it all – *ik heb het altijd wel vermoed* • *mee;* he brought his dog – *hij had zijn hond bij zich;* go – (with) *meegaan (met);* – with *samen met* • *langs;* I'll be – *ik kom eens langs;* come – any time *(je bent) altijd welkom.*

2 **along** ⟨vz⟩ • *langs.*

1 a**'long'side** ⟨bw⟩ • *erlangs, aan zijn zijde, langszij.*

2 a**'longside** ⟨vz⟩ • *naast, aan de zijde van;* a

car – another one *een auto naast een andere auto.*

1 **aloof** [ə'luːf] ⟨bn; -ness⟩ • *afstandelijk, koel.*

2 **aloof** ⟨bw⟩ • *op een afstand, ver, afzijdig;* keep/hold/stand – (from) *zich afzijdig houden (van).*

aloud [ə'laʊd] • *hardop, hoorbaar.*

alp [ælp] ‖ the Alps *de Alpen.*

alphabet ['ælfəbet] • *alfabet, abc* ⟨ook fig.⟩. **alphabetic(al)** ['ælfə'betɪk(l)] • *alfabetisch.*

alpine ['ælpaɪn] • *alpien, alpen-.* **alpinist** ['ælpɪnɪst] • *alpinist, bergbeklimmer.*

already ['ɔː'l'redi] • *reeds, al (eerder).*

alright • *in orde, oké* ⟨zie verder all right⟩.

Alsatian ['æl'seɪʃn] • *Duitse herder(shond).*

also ['ɔːlsoʊ] • *ook, bovendien, eveneens.*

altar ['ɔːltə] • *altaar;* lead to the – *huwen.*

alter ['ɔːltə] • *veranderen, (zich) wijzigen.* **alteration** ['ɔːltə'reɪʃn] • *wijziging, verandering.*

altercation ['ɔːltə'keɪʃn] • *onenigheid, twist, (ge)ruzie.*

1 **alternate** [ɔː'ltə:nət] ⟨bn⟩ • *(af/ver)wisselend, beurtelings;* on – days *om de (andere) dag.*

2 **altern|ate** ['ɔːltəneɪt] ⟨ww; zn: -ation⟩ • *afwisselen, verwisselen;* alternating current *wisselstroom.*

1 **alternative** [ɔː'ltə:nətɪv] ⟨zn⟩ • *alternatief, keuze.*

2 **alternative** ⟨bn⟩ • *alternatief.*

although zie THOUGH.

altitude ['æltɪtjuːd] • *hoogte.*

alto ['æltoʊ] ⟨muz.⟩ • *altpartij, alt.*

1 **altogether** ['ɔːltə'geðə] ⟨zn⟩ ‖ ↓ in the – *in adamskostuum.*

2 **altogether** ⟨bw⟩ • *totaal, helemaal;* the attempt was – successful *de poging was een volkomen succes* • *in het geheel, in totaal* • *over het algemeen, alles bij elkaar (genomen/beschouwd).*

aluminium ['æl(j)ʊ'mɪnɪəm], ⟨AE vnl.⟩ **aluminum** [ə'luː:mɪnəm] • *aluminium.*

always ['ɔːlwəz, -weɪz] • *altijd, steeds* • *in elk geval, altijd nog.*

am [m, əm, ⟨sterk⟩æm] ⟨1e pers tegenw. t.⟩ zie BE.

a.m. ⟨afk.⟩ ante meridiem • *voor de middag, a.m.;* at 5 – *om vijf uur 's ochtends.*

amalgamate [ə'mælgəmeɪt] • *(doen) samensmelten, (zich) verbinden/vermengen.*

amass [ə'mæs] • *vergaren, opstapelen.*

amateur ['æmətə] • ⟨zn⟩ *amateur, liefhebber,* ⟨ong.⟩ *dilettant* • ⟨bn⟩ ⟨vaak ong.⟩ *amateuristisch.* **amateurish** ['æmətərɪʃ, -'tə:rɪʃ] ⟨vaak ong.⟩ • *amateuristisch.*

amaze [ə'meɪz] ●*verbazen, versteld doen staan.* amazed [ə'meɪzd] ●*verbaasd.* amazement [ə'meɪzmənt] ●*verbazing.* amazing [ə'meɪzɪŋ] ●*verbazingwekkend, verbazend.*

ambassador [æm'bæsədə] ●*ambassadeur, (af)gezant.*

amber ['æmbə] ●*amber(kleur).*

ambience, ambiance ['æmbɪəns] ●*sfeer, stemming, ambiance.*

ambiguity ['æmbɪ'gjuːəti] ●*dubbelzinnigheid.* ambiguous [æm'bɪgjuəs] ⟨-ness⟩ ● *ambigu, dubbelzinnig, onduidelijk.*

ambition [æm'bɪʃn] ●*ambitie, eerzucht.* ambitious [æm'bɪʃəs] ●*ambitieus, eerzuchtig; –* plans *ambitieuze/grootse plannen.*

ambivalent [æm'bɪvələnt] ●*ambivalent, dubbelwaardig; –* feelings *tegenstrijdige gevoelens.*

1 amble ['æmbl] ⟨zn⟩ ●*telgang* ⟨v. paard⟩ ● *kuierpas, kalme gang.*

2 amble ⟨ww⟩ ●*in de telgang lopen* ●*kuieren, op zijn gemak wandelen.*

ambulance ['æmbjʊləns] ●*ziekenwagen, ambulance.*

1 ambush ['æmbʊʃ] ⟨zn⟩ ●*hinderlaag;* lie in – in een hinderlaag liggen; fall into an – in een hinderlaag vallen.

2 ambush ⟨ww⟩ ●*(van)uit een hinderlaag aanvallen.*

ameliorate [ə'miːlɪəreɪt] ●*(doen) verbeteren, beter maken/worden.*

amen ['ɑː'men, 'eɪ-, 'eɪmen] ●*amen, het zij zo.*

amenable [ə'miːnəbl] ●*handelbaar, gedwee* ●*ontvankelijk (voor); –* to reason *voor rede vatbaar* ●*onderworpen (aan), verantwoordelijk.*

amend [ə'mend] ●*amenderen* ⟨een tekst, een wetsontwerp⟩, *wijzigen.* amendment [ə'men(d)mənt] ●*amendement* ●*verbetering, rectificatie.*

amends [ə'men(d)z] ●*genoegdoening, schadeloosstelling, compensatie;* make – for sth. to s.o. *iets weer goedmaken bij iem..*

amenity [ə'miːnəti] ●⟨vaak mv.⟩ *(sociale) voorziening, gemak;* this house has every – dit huis is van alle gemakken voorzien ● *aantrekkelijkheid.*

America [ə'merɪkə] ●*Amerika.*

1 American [ə'merɪkən] ⟨zn⟩ ●*Amerikaan(se).*

2 American ⟨bn⟩ ●*Amerikaans; –* football *Amerikaans voetbal.*

amiab|le ['eɪmɪəbl] ⟨zn: -ility⟩ ●*beminnelijk, vriendelijk.*

amicab|le ['æmɪkəbl] ⟨zn: -ility⟩ ●*vriend-(schapp)elijk.*

amid [ə'mɪd], amidst [əmɪdst] ●*te midden v..*

1 amiss [ə'mɪs] ⟨bn⟩ ●*verkeerd;* there is nothing – with her *ze mankeert niets* ● *misplaatst, ongelegen;* an apology would not be – *een verontschuldiging zou niet misstaan.*

2 amiss ⟨bw⟩ ●*verkeerd;* take sth. – *iets kwalijk nemen* ●*misplaatst, te onpas;* nothing comes – to him *hij kan alles gebruiken.*

amity ['æməti] ●*vriendschap.*

ammonia [ə'məʊnɪə] ●*ammonia(k).*

ammunition ['æmjʊ'nɪʃn] ●*(am)munitie.*

amnesia [æm'niːzɪə] ●*geheugenverlies.*

amnesty ['æmnəsti] ●*amnestie, generaal pardon.*

amok [ə'mɒk], amuck [ə'mʌk] ‖ run – *amok maken, als een bezetene te keer gaan.*

among [ə'mʌŋ], amongst [ə'mʌŋst] ●*onder, tussen.*

amorous ['æmərəs] ●*amoureus.*

amount [ə'maʊnt] ●*hoeveelheid, grootte;* a certain – of risk *enig risico* ●*totaal, som;* to the – of ten *bedrage van.* a'mount to ● *bedragen, oplopen tot;* it does not – much *het heeft niet veel te betekenen* ●*neerkomen op, gelijk zijn aan;* his reply amounted to a refusal *zijn antwoord kwam neer op een weigering.*

amphibian [æm'fɪbɪən] ●*amfibie.* amphibious [æm'fɪbɪəs] ●*amfibisch* ⟨ook mil.⟩; – vehicles *amfibievoertuigen.*

ample ['æmpl] ⟨amply⟩ ●*ruim, groot, uitgestrekt* ●*rijk(elijk), overvloedig.*

amplifier ['æmplɪfaɪə] ●*versterker* ⟨ook elek.⟩. amplify ['æmplɪfaɪ] I ⟨onov ww⟩ ● *uitweiden; –* on the details *in detail treden* II ⟨ov ww⟩ ●*vergroten, vermeerderen* ● ⟨elek.⟩ *versterken* ●*uitbreiden, aanvullen, toelichten.*

amply zie AMPLE.

amput|ate ['æmpjʊteɪt] ⟨zn: -ation⟩ ●*amputeren, afzetten.*

amuck zie AMOK.

amulet ['æmjʊlɪt] ●*amulet, talisman.*

amuse [ə'mjuːz] ●*amuseren, vermaken, bezig houden;* keep s.o. –d *iem. zoethouden;* be –d at/by sth. *iets amusant vinden.*

amusement [ə'mjuːzmənt] ●*vermaak, tijdverdrijf;* a town with many –s *een stad met veel uitgaansmogelijkheden* ●*plezier, pret.* a'musement arcade ●*automatenhal.* a'musement park ●*pretpark.*

amusing [ə'mjuːzɪŋ] ●*vermakelijk, amusant.*

an zie A.

anachronism [ə'nækrənɪzm] ● *anachronisme.* **anachronistic** [ə'nækrə'nɪstɪk] ● *anachronistisch* ● *ouderwets.*

anaemia [ə'ni:mɪə] ● *bloedarmoede.* **anaemic** [ə'ni:mɪk] ● *bloedarm,* ⟨fig.⟩ *lusteloos.*

anaesthesia ['ænɪs'θi:ʒə] ● *verdoving, narcose.*

1 anaesthetic ['ænɪs'θetɪk] ⟨zn⟩ ● *verdovingsmiddel.*

2 anaesthetic ⟨bn⟩ ● *verdovend.*

anaesthetist [ə'ni:sθətɪst] ● *anest(h)esist, narcotiseur.* **anaesthetize** [ə'ni:sθətaɪz] ● *verdoven, onder narcose brengen.*

anal ['eɪnl] ● *anaal.*

analogous [ə'næləgəs] ● ⟨+to, with⟩ *analoog (aan), overeenkomstig (met).* **analogy** [ə'næləʤi] ● *analogie, overeenkomst;* draw an – between/to/with *een vergelijking maken tussen/met;* on the – of *naar analogie van.*

analyse ['ænəlaɪz] ● *analyseren, ontleden, ontbinden* ● ⟨vnl. AE⟩ *aan psychoanalyse onderwerpen.* **analysis** [ə'nælɪsɪs] ⟨mv.: analyses [-si:z]⟩ ● *analyse, onderzoek, ontleding;* in the final/last – *per slot v. rekening* ● ⟨vnl. AE⟩ *(psycho)analyse.* **analyst** ['ænəlɪst] ● *analist(e), scheikundige* ● ⟨vnl. AE; psych.⟩ *analyticus.*

analytic(al) ['ænə'lɪtɪk(l)] ● *analytisch.*

anarchic(al) ['æ'nɑ:kɪk(l)] ● *anarchistisch, ordeloos.* **anarchism** ['ænəkɪzm] ● *anarchisme.* **anarchist** ['ænəkɪst] ● *anarchist.* **anarchistic** ['ænə'kɪstɪk] ● *anarchistisch.* **anarchy** ['ænəki] ● *anarchie.*

anathema [ə'næθəmə] ● *anat(h)ema* ‖ that is (an) – to me *dat is me een gruwel.*

anatomical ['ænə'tɒmɪkl] ● *anatomisch.* **anatomy** [ə'nætəmi] ● *anatomie, ontleding.*

ancestor ['ænsestə] ● *voorvader.* **ancestral** ['æn'sestrəl] ● *voorouderlijk, voorvaderlijk.* **ancestry** ['ænsestri] ● *voorgeslacht, voorouders* ● *afkomst, afstamming.*

1 anchor ['æŋkə] ⟨zn⟩ ● *anker;* cast/drop the – *het anker (uit)werpen/neerlaten;* weigh – *het anker lichten;* at – *voor anker* ● *steun, toeverlaat.*

2 anchor I ⟨onov ww⟩ ● *ankeren, het anker uitwerpen,* ⟨fig.⟩ *zich vestigen* ‖ ⟨ov ww⟩ ● *(ver)ankeren* ⟨ook fig.⟩. **anchorage** ['æŋkərɪʤ] ● *ankerplaats.*

anchorite ['æŋkəraɪt] ● *kluizenaar.*

'anchor man ● *de belangrijke man, leider* ⟨v. debat⟩, *eindredacteur (en lezer)* ⟨v. nieuwsuitzending⟩.

anchovy ['æntʃəvi] ● *ansjovis.*

ancient [eɪnʃənt] ● *klassiek, uit de oudheid;* – history *de oude geschiedenis* ● ⟨ook scherts.⟩ *stokoud;* – history *een oude geschiedenis.* **ancients** ['eɪnʃənts] ⟨the; vaak A-⟩ ● *de Ouden* ⟨ihb. Grieken en Romeinen⟩.

ancillary [æn'sɪləri] ● *ondergeschikt, bijkomstig* ● *helpend, aanvullend.*

and [(ə)n(d), ⟨sterk⟩ænd] ● *en;* two – two *twee aan/en twee;* – so forth, – so on *enzovoort(s)* ● ⟨tussen twee ww⟩ *te;* try – finish it *probeer het af te maken;* come – see *kom* ‖ nice – quiet *lekker rustig.*

anecdote ['ænɪkdəʊt] ● *anekdote.*

anemone [ə'neməni] ● *anemoon.*

anew [ə'nju:] ● *opnieuw* ● *anders.*

angel ['eɪnʤəl] ● *engel* ● *schat, lieverd* ‖ zie ook ⟨sprw.⟩ FOOL. **angelic** [æn'ʤelɪk] ● *engelachtig.* ● ↓ *lief.*

1 anger ['æŋgə] ⟨zn⟩ ● *woede, boosheid, toorn.*

2 anger ⟨ww⟩ ● *boos/woedend maken.*

1 angle ['æŋgl] ⟨zn⟩ ● *hoek;* at an – (with) *schuin (op)* ● *gezichtspunt, standpunt;* look at sth. from a different/another – *iets v.e. andere kant bekijken* ● *aspect;* consider all –s of a question *alle facetten v.e. probleem bekijken.*

2 angle I ⟨onov ww⟩ ● ⟨+for⟩ *vissen (naar)* ⟨ook fig.⟩, *hengelen (naar)* ‖ ⟨ov ww⟩ ● *ombuigen* ● ↓ *verdraaien, tendentieus voorstellen.* **angler** ['æŋglə] ● *hengelaar.*

Anglican ['æŋglɪkən] ● ⟨bn⟩ *anglicaans* ● ⟨zn⟩ *anglicaan.*

anglicism ['æŋglɪsɪzm] ● *anglicisme.*

Anglicize ['æŋglɪsaɪz] ● *(zich) verengelsen.*

angling ['æŋglɪŋ] ● *hengelsport.*

Anglo- ['æŋgləʊ] ● *Engels.* **'Anglo-A'merican** ● ⟨bn⟩ *Engels-Amerikaans* ● ⟨zn⟩ *Amerikaan v. Engelse afkomst.* **'Anglo-'Saxon** ● ⟨bn⟩ *Angelsaksisch* ● ⟨bw⟩ *Oudengels* ● ⟨eig.n.⟩ *Oudengels* ● ⟨telb zn⟩ *Angelsakser.*

angry ['æŋgri] ● *boos, kwaad;* be – about/at sth. *boos zijn over iets;* be – at/with s.o. *boos zijn op iem.* ● *dreigend, stormachtig;* an – sea *een onstuimige zee.*

anguish ['æŋgwɪʃ] ● *(ziele)leed, pijn, smart.* **anguished** ['æŋgwɪʃt] ● *gekweld, vol angst, vol smart.*

angular ['æŋgjʊlə] ● *hoekig, kantig, met scherpe kanten, hoek-.*

1 animal ['ænɪməl] ⟨zn⟩ ● *dier, beest.*

2 animal ⟨bn⟩ ● *dierlijk;* – world *dierenwereld.* **'animal kingdom** ⟨the⟩ ● *dierenrijk.*

1 animate ['ænɪmət] ⟨bn⟩ ● *levend* ● *bezield* ● *levendig.*

2 animate ['ænɪmeɪt] ⟨ww⟩ ● *leven geven,*

bezielen ●*verlevendigen, opwekken.* **animated** ['ænɪmeɪtɪd] ●*levend(ig), bezield, geanimeerd* ‖ – cartoon *tekenfilm.*

animation [ænɪ'meɪʃn] ●*het maken v. animatiefilms* ●*levendigheid, animo.*

animosity ['ænɪ'mɒsəti] ●*animositeit, vijandigheid, haat, wrok.*

aniseed ['ænɪsi:d] ●*anijszaad(je).*

ankle ['æŋkl] ●*enkel.* '**ankle sock** ●*enkelsok, halve sok.*

annals ['ænlz] ●*annalen* 〈ook fig.〉, *kronieken.*

1 annex, annexe ['æneks] 〈zn〉 ●*aanhangsel, bijlage* ●*aanbouw, bijgebouw.*

2 annex [ə'neks] 〈ww; zn: -ation〉 ●*aanhechten, (bij)voegen* ●*annexeren,* 〈↓, iron.〉 *zich toeëigenen.*

annihil|ate [ə'naɪələɪt] 〈zn: -ation〉 ●*vernietigen.*

anniversary ['ænɪvə:sri] ●*verjaardag, gedenkdag* ●*verjaarsfeest, jaarfeest.*

Anno Domini ['ænoʊ 'dɒmɪnaɪ] ●*anno Domini, in het jaar onzes Heren.*

annotate ['ænəteɪt] 〈zn: -ation〉 **I** 〈onov ww〉 ●〈+(up)on〉 *aantekeningen maken (bij), commentaar schrijven (op)* **II** 〈ov ww〉 ●*annoteren.*

announce [ə'naʊns] ●*aankondigen, bekend maken* ●*omroepen.* **announcement** [ə'naʊnsmənt] ●*aankondiging, bekendmaking, mededeling.* **announcer** [ə'naʊnsə] ●*omroeper* ●*aankondiger.*

annoy [ə'nɔɪ] ●*ergeren, kwellen;* be –ed at sth. *zich over iets ergeren;* be –ed with s.o. *boos zijn op iem.* ●*lastig vallen, hinderen, plagen.* **annoyance** [ə'nɔɪəns] ●*ergernis, kwelling* ●*last, plaag.* **annoying** [ə'nɔɪɪŋ] ●*ergerlijk, vervelend.*

1 annual ['ænjʊəl] 〈zn〉 ●*éénjarige plant* ●*jaarboek, jaarlijks gepubliceerde periodiek.*

2 annual 〈bn〉 ●*jaarlijks;* – income *jaar(lijks) inkomen* ●*eenjarig.*

annuity [ə'nju:əti] ●*jaargeld, annuïteit;* deferred annuities *uitgestelde lijfrente.*

annul [ə'nʌl] ●*ongeldig/nietig verklaren, annuleren.*

annunciation [ə'nʌnsi'eɪʃn] ●*aankondiging* ●〈A-; the〉 *Maria Boodschap.*

anode ['ænoʊd] ●*anode* 〈positieve elektrode〉.

anoint [ə'nɔɪnt] 〈zn: -ment〉 ●〈rel.〉 *zalven* ●*inwrijven.*

anomalous [ə'nɒmələs] ●*abnormaal, afwijkend.* **anomaly** [ə'nɒməli] ●*anomalie.*

anonymity ['ænə'nɪmətɪ] ●*anonimiteit.* **anonymous** [ə'nɒnɪməs] ●*anoniem.*

anorak ['ænəræk] ●*anorak, parka.*

1 another [ə'nʌðə] 〈vnw〉 ●*een andere, nog één* ●*een/de andere;* for one reason or – *om een of andere reden.*

2 another 〈det〉 ●*nog een, een andere;* have – biscuit *neem nog een koekje* ●*een ander(e);* that's – matter *dat is een heel andere zaak.*

1 answer ['ɑ:nsə] 〈zn〉 ●*antwoord, reactie, oplossing;* in – to your letter *in antwoord op uw brief.*

2 answer I 〈onov ww〉 ●*antwoorden* ●*voldoende zijn, aan het doel beantwoorden;* one word would – *één woord zou voldoen;* zie ANSWER BACK, ANSWER FOR, ANSWER TO **II** 〈ov ww〉 ●*antwoorden (op)* ●*reageren op;* – the door (bell) *opendoen;* the ship didn't – the helm *het schip luisterde niet naar het roer;* our prayers were –ed *onze gebeden werden verhoord;* – the telephone *de telefoon opnemen* ●*beantwoorden aan, voldoen aan;* – the description *aan het signalement beantwoorden;* zie ANSWER BACK. **answerable** ['ɑ:nsrəbl] ●*verantwoordelijk, aansprakelijk.* '**answer** '**back** ●*brutaal antwoorden, (schaamteloos) wat terugzeggen.* '**answer for** ●*verantwoorden;* – one's deeds *zijn daden verantwoorden* ●*instaan voor* ●*boeten voor.* '**answer to** ●*antwoorden op* ●*luisteren naar;* – the name of *heten* ●*beantwoorden aan* ‖ – s.o. for one's behaviour *zich bij iem. voor zijn gedrag verantwoorden.*

ant [ænt] ●*mier.*

antagonism [æn'tægənɪzm] ●*antagonisme, strijd, vijandschap.* **antagonist** [æn'tægənɪst] ●*antagonist, tegenstander* ●*antagonist* 〈spier〉. **antagonistic** [æn'tægə'nɪstɪk] ●*vijandig.* **antagonize** [æn'tægənaɪz] ●*tegen zich in het harnas jagen, zich tot vijand maken* 〈persoon〉.

Antarctic [æn'tɑ:(k)tɪk] ●〈bn〉 *antarctisch;* – (Ocean) *Zuidelijke IJszee* ●〈zn; the〉 *Antarctis, zuidpool(gebied)* ●〈zn; the〉 *Zuidelijke IJszee.*

antecedent ['æntɪ'si:dnt] ●*iets voorafgaands,* 〈mv.〉 *antecedenten* ●〈mv.〉 *voorouders.*

antedate [-deɪt] ●*antidateren, te vroeg dateren* ●*voorafgaan aan.*

antelope ['æntɪloʊp] ●*antilope.*

antenatal [-'neɪtl] ●*prenataal;* – care *zwangerschapszorg.*

antenna [æn'tenə] ●〈AE〉 *antenne* ●〈mv: antennae [æn'teni:]〉 *voelhoorn, (voel)spriet.*

anterior [æn'tɪərɪə] ●*voorste, voor-* ●*vroeger.*

anteroom ['æntɪrʊm,-ruːm] ● *voorvertrek* ● *wachtkamer.*

anthem ['ænθəm] ● *lofzang, hymne;* national – *volkslied.*

anthology [æn'θɒlədʒi] ● *bloemlezing.*

anthropology ['ænθrə'pɒlədʒi] ● *antropologie.*

anti ['ænti] ● *tegen;* he is very – smoking *hij is erg tegen het roken.*

antiaircraft [-'eəkrɑːft] ‖ – fire *luchtafweergeschut;* – gun *luchtdoelkanon.*

antibiotic [-baɪ'ɒtɪk] ● *antibioticum* ⟨geneesmiddel tegen infectieziekten⟩.

antibody ['æntɪbɒdi] ● *antistof, afweerstof.*

antic ['æntɪk] ⟨vaak mv.⟩ ● *capriool, dolle streek, frats.*

anticipate [æn'tɪsɪpeɪt] ● *vóór zijn, voorkomen* ● *verwachten, tegemoet zien;* trouble is –d *men verwacht moeilijkheden* ● *een voorgevoel hebben v., voorzien* ● *anticiperen, vooruitlopen (op).* **anticipation** [æn'tɪsɪ'peɪʃən] ‖ in – of *in afwachting van;* thanking you in – *bij voorbaat dank.*

anticlimax [-'klaɪmæks] ● *anticlimax.* **anticlockwise** [-'klɒkwaɪz] ● *linksomdraaiend, tegen de wijzers v.d. klok (in).* **antidote** ['æntɪdoʊt] ● *tegengif.* **antifreeze** [-friːz] ● *antivries(middel).* **antinuclear** [-'njuːklɪə] ● *anti-kernwapen(s), tegen kernenergie.*

antipathetic ['æntɪpə'θetɪk] ● *antipathiek;* my father is – to *any new idea mijn vader is voor geen enkel nieuw idee te vinden.* **antipathy** [æn'tɪpəθi] ● *antipathie.*

1 antiquarian ['æntɪ'kweərɪən] ⟨zn⟩ ● *oudheidkundige, oudheidkenner* ● *antiquair* ● *antiquaar.*

2 antiquarian ⟨bn⟩ ● *oudheidkundig* ● *antiquarisch.* **antiquary** ['æntɪkwəri] ● *oudheidkundige* ● *antiquair* ● *antiquaar.*

antiquated ['æntɪkweɪtɪd] ● *ouderwets, verouderd.*

1 antique [æn'tiːk] ⟨zn⟩ ● *antiquiteit.*

2 antique ⟨bn⟩ ● *antiek, oud* ● *ouderwets.* **antiquity** [æn'tɪkwəti] ● ⟨vnl. mv.⟩ *antiquiteit,* ⟨mv.⟩ *oudheden* ● *ouderdom* ● *Oudheid.*

anti-racist ['æntɪ'reɪsɪst] ● *antiracistisch.* **anti-Semit|ism** [-'semɪtɪzm] ⟨bn: **-ic**⟩ ● *antisemitisme.*

1 antiseptic [-'septɪk] ⟨zn⟩ ● *ontsmettend middel, antisepticum.*

2 antiseptic ⟨bn⟩ ● *antiseptisch, ontsmettend.*

antisocial [-'soʊʃl] ● *asociaal* ● *ongezellig.*

anti-terrorist [-'terərɪst] ‖ – measures *maatregelen tegen terrorisme;* – unit/squad *anti-terreurbrigade.*

antithesis [æn'tɪθəsɪs] ● *antithese, tegenstelling.*

antler ['æntlə] ● *geweitak,* ⟨mv.⟩ *gewei.*

anus ['eɪnəs] ● *anus.*

anvil ['ænvɪl] ● *aambeeld.*

anxiety [æŋ(k)'zaɪəti] ● *bezorgdheid, ongerustheid* ● *(psychische) angst, benauwdheid* ● *(vurig) verlangen.* **anxious** ['æŋ(k)ʃəs] ● *bezorgd, ongerust, bekommerd;* you needn't be – about me *je hoeft je over mij geen zorgen te maken* ● *verontrustend, zorgwekkend, angstig* ● *verlangend;* she is – for her mother to be there *zij wil dolgraag dat haar moeder er is.*

1 any ['eni] ⟨vnw⟩ ● ⟨aantal of hoeveelheid⟩ *enige, enkele;* did you see – of the children? *heb je een van de kinderen gezien?;* defects, if – *eventuele gebreken;* few, if – *zo goed als geen* ● *iemand/iets, wie/wat ook;* – will do *geef me er maar een, het geeft niet welke.*

2 any ⟨bw⟩ ● ⟨in negatieve en vragende constructies⟩ *enigszins, in enig opzicht;* are you – happier here? *ben je hier gelukkiger?;* ↓ she's not spoiling you – *ze verwent je helemaal niet.*

3 any ⟨det⟩ ● ⟨aantal of hoeveelheid⟩ *enig (e), enkele;* I cannot see – houses *ik zie geen huizen;* have you got – paper? *heb je papier?;* – one *om 't even welke, één* ● *welk(e) ... ook, elk(e);* – child can tell you that *elk kind kan je dat vertellen.*

anybody ['enibɒdi], **anyone** ['eniwʌn] ● *om het even wie, wie dan ook, iemand;* it's –'s contest/game *iedereen kan winnen* ‖ if you are – *als je iemand bent die iets betekent.*

anyhow ['enihaʊ], **anyway** ['eniweɪ] ● *toch (maar)* ⟨aan het einde v.d. zin⟩; it's probably not worth it *het heeft waarschijnlijk geen zin maar laat me het toch maar zien* ● *hoe dan ook* ⟨aan het begin v.d. zin, als de spreker een discussie kort wil sluiten of met een verhaal verder wil gaan⟩; –, when I got there he had left *nou ja, hoe dan ook, toen ik dus aankwam, was hij vertrokken;* –, I have to go now, sorry *hoe dan ook, ik moet nu gaan, het spijt me.*

anymore ['eni'mɔː], ⟨BE vnl.⟩ **any more** ● *nog, meer, langer* ⟨enz.⟩; it's not hurting – *het doet geen pijn meer.*

anyone zie ANYBODY.

anyplace ['enipleɪs] zie ANYWHERE.

1 anything ['eniθɪŋ] ⟨vnw⟩ ● *wat dan ook, iets, (van) alles;* she didn't eat – *ze at niets;* she doesn't eat just – *ze eet niet zomaar alles;* not for – *voor geen goud;* –

but safe *allesbehalve veilig;* if – this is
even worse *dit is zo mogelijk nog slechter.*
2 anything ⟨bw⟩ ● *enigszins, in enige mate,*
⟨met ontkenning⟩ *bijlange na (niet);* it
isn't – much *het heeft niet veel om het lijf;*
she wasn't – like as pretty as Jill *ze was bijlange niet zo mooi als Jill.*

anytime ['enitaɪm]↓ ● *om het even wanneer;* he can come – now *hij kan nu elk
ogenblik komen* ● *wanneer ... maar ...;*
come – you like *kom wanneer je maar wilt.*
anyway zie ANYHOW.

anywhere ['eniweə]↓ ● *overal, ergens, om het even waar;* he could come
from – hij zou waar dan ook vandaan kunnen komen; far away from – vreselijk afgelegen.

apart [ə'pɑ:t] ● *los, op zichzelf;* he stood – *hij
stond terzijde* ● *van elkaar (verwijderd),
op ... afstand;* five miles – *op vijf mijlen
van elkaar* ● *daargelaten, behoudens;*
these things – *deze dingen daargelaten* ‖
come – *losgaan/raken;* take – *uit elkaar
halen;* – from ... *terzijde gelaten, op ... na.*

apartment [ə'pɑ:tmənt] ● *vertrek* ● ⟨AE⟩
flat, etage. **a'partment house** ⟨AE⟩ ● *flat-
gebouw.*

apathetic ['æpə'θetɪk] ● *apathisch, lusteloos, onverschillig.* **apathy** ['æpəθi] ● *apathie, lusteloosheid, onverschilligheid.*

1 ape [eɪp] ⟨zn⟩ ● *(mens)aap, staartloze aap.*
2 ape ⟨ww⟩ ● *naäpen.*

aperture ['æpətʃə] ● *opening, spleet* ● ⟨fo-
to.⟩ *lensopening.*

apex ['eɪpeks] ● *top,* ⟨fig.⟩ *toppunt.*

aphorism ['æfərɪzm] ● *aforisme.*

apiece [ə'pi:s] ● *elk, per stuk.*

aplomb [ə'plɒm] ● *aplomb, zelfverzekerdheid.*

apocryphal [ə'pɒkrɪfl] ● *apocrief, niet echt.*

apologetic [ə'pɒlə'dʒetɪk] ● *verontschuldi-
gend;* she was most – about her mistake
zij zei dat het haar zeer speet ● *verdedigend.* **apologize** [ə'pɒlədʒaɪz] ● *zich verontschuldigen, zijn verontschuldigingen
aanbieden.* **apology** [ə'pɒlədʒi] ● *verontschuldiging;* make/offer an – to s.o. for
sth. *zich bij iem. voor iets verontschuldigen* ● *apologie, verweerschrift.*

apoplectic ['æpə'plektɪk] ‖ – fit *beroerte.*
apoplexy ['æpəpleksi] ● *beroerte.*

apostle [ə'pɒsl] ● *apostel.* **apostolic**
['æpə'stɒlɪk] ● *apostolisch.*

apostrophe [ə'pɒstrəfi] ● *apostrof, afkap-
pingsteken.*

appal [ə'pɔ:l] ● *met schrik vervullen, ontstellen.* **appalling** [ə'pɔ:lɪŋ] ● *ontstellend, verschrikkelijk* ● ↓ *erg slecht.*

apparatus ['æpə'reɪtəs] ⟨vnl. enk.⟩ ● *apparaat, toestel* ● *apparaat, organisatie,*
⟨med. ook⟩ *organen* ● *apparatuur.*

apparent [ə'pærənt] ● *duidelijk, blijkbaar,
kennelijk;* –ly he never got your letter
blijkbaar heeft hij je brief nooit ontvangen
● *schijnbaar.*

apparition ['æpə'rɪʃn] ● *verschijning, spook.*

1 appeal [ə'pi:l] I ⟨telb en n-telb zn⟩ ● *verzoek, smeekbede* ● ⟨jur.⟩ *appel, (recht v.)
beroep;* lodge an – *beroep aantekenen* II
⟨n-telb zn⟩ ● *aantrekkingskracht.*

2 appeal ⟨ww⟩ ● *smeken* ● *aantrekkelijk zijn
voor, aantrekken* ● *in beroep gaan, appel-
leren;* – against that decision *tegen die beslissing beroep aantekenen;* zie APPEAL TO.
appealing [ə'pi:lɪŋ] ● *smekend, meelijwekkend* ● *aantrekkelijk, aanlokkelijk.*
ap'peal to ● *een beroep doen op* ● *zijn toevlucht (moeten) nemen tot.*

appear [ə'pɪə] I ⟨onov ww⟩ ● *verschijnen,
voorkomen* ● *optreden;* L. Olivier –ed as
Henry V *L. Olivier speelde Henry V* II
⟨kww⟩ ● *schijnen, lijken* ● *blijken.*

appearance [ə'pɪərəns] I ⟨telb zn⟩ ● *verschijning, optreden* ● *verschijnsel* II ⟨telb en n-
telb zn⟩ ● *uiterlijk, voorkomen,* ⟨mv.⟩
schijn; –s are deceptive *schijn bedriegt;*
keep up –s *de schijn redden;* to/by all –s
waarschijnlijk, naar het zich laat aanzien.

appease [ə'pi:z] ⟨zn: -ment⟩ ● *bedaren, sussen* ● *bevredigen, stillen.*

appellant [ə'pelənt] ● ⟨jur.⟩ *appellant, eiser
in hoger beroep.*

append [ə'pend] ● *bijvoegen, toevoegen.*
appendage [ə'pendɪdʒ] ● *aanhangsel.*
appendices [ə'pendɪsi:z] ⟨mv.⟩ zie APPENDIX.
appendicitis [ə'pendɪ'saɪtɪs] ● *blindedarm-
ontsteking.*
appendix [ə'pendɪks] ⟨mv.: ook appendi-
ces⟩ ● *aanhangsel, appendix,* ⟨med.⟩ *aanhangsel v.d. blinde darm.*

appertain to ['æpə'teɪn] ● *behoren bij, betrekking hebben op.*

appetite ['æpɪtaɪt] ● *eetlust* ● *begeerte.*
appetizer ['æpɪtaɪzə] ● *aperitief* ● *voorge-
recht(je).* **appetizing** ['æpɪtaɪzɪŋ] ● *appe-
tijtelijk, eetlust opwekkend, smakelijk.*

applaud [ə'plɔ:d] I ⟨onov ww⟩ ● *applaudisseren* II ⟨ov ww⟩ ● *toejuichen* ⟨ook fig.⟩.
applause [ə'plɔ:z] ● *applaus, toejuiching.*

apple ['æpl] ● *appel* ‖ ⟨sprw.⟩ an apple a day
keeps the doctor away *een appel per dag
houdt de dokter uit huis.*
'applecart ‖ upset s.o.'s – *een streep door iemands rekening halen.* **'apple juice** ● *ap-
pelsap.* **'apple-'pie** ● *appeltaart.* **'apple-
'sauce** ● *appelmoes.* **'apple tree** ● *appel-*

boom.

appliance [ə'plaɪəns] ● *middel* ● *toestel, apparaat.*

applicable ['æplɪkəbl, ə'plɪkəbl] ● *toepasselijk;* – to v. toepassing op ● *doelmatig.* **applicant** ['æplɪkənt] ● *sollicitant.* **application** ['æplɪ'keɪʃn] I ⟨telb zn⟩ ● *sollicitatie;* put in an – for solliciteren naar ● *aanvraag(formulier)* II ⟨n-telb zn⟩ ● *toepassing, gebruik* ● *aanbrenging* ⟨bv. zalf op wond⟩ ● *verzoek;* on – op aanvraag ● *ijver, toewijding.* **appli'cation form** ● *aanvraagformulier.*

applied [ə'plaɪd] ● *toegepast;* – science toegepaste wetenschap.

apply [ə'plaɪ] I ⟨onov ww⟩ ● v. toepassing zijn, gelden ● zich wenden; – next door hiernaast te bevragen ● (+for) solliciteren (naar), inschrijven (voor), aanvragen II ⟨ov ww⟩ ● aanbrengen, (op)leggen ● toepassen, gebruiken ‖ – o.s. (to) zich inspannen (voor), zich toeleggen (op).

appoint [ə'pɔɪnt] ● *vaststellen, bepalen;* at the –ed time op de vastgestelde tijd ● benoemen, aanstellen. **appointment** [ə-'pɔɪntmənt] ● *afspraak;* by – volgens afspraak ● *aanstelling, benoeming* ● ⟨mv.⟩ uitrusting, inrichting.

apportion [ə'pɔːʃn] ● *(evenredig) verdelen.*

apposite ['æpəzɪt] ● *passend, geschikt, toepasselijk.*

appraisal [ə'preɪzl] ● *schatting, waardering, evaluatie.* **appraise** [ə'preɪz] ● *schatten, waarderen, evalueren.*

appreciable [ə'priːʃəbl] ● *merkbaar.*

appreciate [ə'priːʃɪeɪt] I ⟨onov ww⟩ ● *stijgen* ⟨in prijs, waarde⟩ II ⟨ov ww⟩ ● *waarderen, (naar waarde) schatten* ● zich bewust zijn v., zich realiseren, erkennen ● dankbaar zijn voor. **appreciation** [ə'priːʃɪ'eɪʃn] ● *waardering, beoordeling* ● *waardering, erkenning.* **appreciative** [ə'priːʃətɪv] ● *erkentelijk, dankbaar* ● *waarderend.*

apprehend ['æprɪ'hend] ● *aanhouden, in hechtenis nemen* ● ⟨verouderend⟩ begrijpen. **apprehension** ['æprɪ'henʃn] ● *vrees* ● *begrip, bevattingsvermogen* ● *aanhouding, arrestatie.* **apprehensive** ['æprɪ-'hensɪv] ● *ongerust, bezorgd.*

1 apprentice [ə'prentɪs] ⟨zn⟩ ● *leerjongen.*
2 apprentice ⟨ww⟩ ● in de leer doen/nemen; –d to in de leer bij. **apprenticeship** [ə-'prentɪʃɪp] ● *leerlingschap* ● *leertijd.*

1 approach [ə'prəʊtʃ] ⟨zn⟩ ● *toegang(sweg), oprit, aanvliegroute* ⟨v. vliegtuig⟩ ● *aanpak, (wijze v.) benadering* ● *nadering, komst;* with the – of summer als de zomer er aan komt ‖ make –es to s.o. met iem.

contact zoeken.

2 approach I ⟨onov ww⟩ ● *naderen, (naderbij)komen* II ⟨ov ww⟩ ● *naderen, komen bij/in de buurt v.* ● *contact opnemen met, benaderen* ● *aanpakken* ⟨probleem e.d.⟩.

approbation ['æprə'beɪʃn] ● *goedkeuring.*

1 appropriate [ə'prəʊprɪət] ⟨bn; -ness⟩ ● *geschikt, passend;* – for/to geschikt/passend voor.

2 appropri|ate [ə'prəʊprɪeɪt] ⟨ww; zn: -ation⟩ ● *bestemmen, toewijzen;* funds –d for building schools gelden gereserveerd voor scholenbouw ● (zich) toeëigenen; he had –d large sums to himself hij had zich grote bedragen toegeëigend.

approval [ə'pruːvl] ● *goedkeuring;* on – op zicht. **approve** [ə'pruːv] I ⟨onov ww⟩ ‖ I don't – of this ik kan het hiermee niet eens zijn II ⟨ov ww⟩ ● *goedkeuren, akkoord gaan met.*

1 approximate [ə'prɒksɪmət] ⟨bn⟩ ● *bij benadering (aangegeven), geschat;* –ly three hours ongeveer drie uur ● *nabij.*

2 approxim|ate [ə'prɒksɪmeɪt] ⟨ww; zn: -ation⟩ ● *benaderen, na(der)bij komen, niet ver af zijn van;* – (to) £1,000 de 1000 pond benaderen.

apricot ['eɪprɪkɒt] ● *abrikoos.*

April ['eɪprəl] ● *april.* **'April 'Fools' Day** ● *één april.*

apron ['eɪprən] ● *schort, voorschoot* ● *platform* ⟨op luchthaven⟩. **'apron strings** ‖ he is tied to his mother's/wife's – hij loopt aan de leiband van zijn moeder/vrouw.

apse [æps] ● *apsis* ⟨uitbouw aan kerkkoor⟩.

apt [æpt] ⟨-ness⟩ ● *geschikt, passend* ● *geneigd* ● *begaafd, schrander.*

aptitude ['æptɪtjuːd] ● *geschiktheid* ● *neiging* ● *aanleg, begaafdheid.*

1 aquaplane ['ækwəpleɪn] ⟨zn⟩ ● *waterskiplank.*

2 aquaplane ⟨ww⟩ ● *waterskiën.*

aquarium [ə'kweərɪəm] ⟨mv.: ook aquaria⟩ ● *aquarium.*

aquatic [ə'kwætɪk] ● *water-;* – sports watersport.

aqueduct ['ækwədʌkt] ● *aquaduct.*

Arab ['ærəb] ● ⟨bn⟩ Arabisch ● ⟨zn⟩ Arabier. **Arabia** [ə'reɪbɪə] ● *Arabië.* **Arabian** [ə'reɪbɪən] ● *Arabisch.* **Arabic** ['ærəbɪk] ● *Arabisch.*

arable ['ærəbl] ● *bebouwbaar* ● ⟨zn⟩ bouwland, akkerland.

arbiter ['ɑːbɪtə] ● *toonaangevend iem.* ● *scheidsrechter.*

arbitrary ['ɑːbɪtrɪ] ● *willekeurig* ● *eigenmachtig.*

arbitrate ['ɑːbɪtreɪt] ● *als arbiter/bemidde-*

*laar optreden, scheidsrechterlijk (laten)
regelen.* **arbitration** [ˈɑːbɪˈtreɪʃn] ● *arbitrage, scheidsrechterlijke beslissing.* **arbitrator** [ˈɑːbɪtreɪtə] ● *scheidsrechter.*

arbour [ˈɑːbə] ● *prieel.*

arc [ɑːk] ● *(cirkel)boog.*

arcade [ɑːˈkeɪd] ● *zuilengang* ● *winkelgalerij.*

1 arch [ɑːtʃ] ⟨zn⟩ ● *boog, gewelf.*

2 arch ⟨bn⟩ ● *ondeugend, schalks.*

3 arch I ⟨onov ww⟩ ● ⟨+across, over⟩ *(zich) welven (over)* II ⟨ov ww⟩ ● *(over)welven* ● *krommen; the cat –ed its back de kat zette een hoge rug op.*

archaeological [ˈɑːkɪəˈlɒdʒɪkl] ● *archeologisch, oudheidkundig.* **archaeologist** [ˈɑːkɪˈɒlədʒɪst] ● *archeoloog, oudheidkundige.* **archaeology** [ˈɑːkɪˈɒlədʒi] ● *archeologie, oudheidkunde.*

archaic [ɑːˈkeɪɪk] ● *archaïsch, verouderd.* **archaism** [ɑːˈkeɪɪzm] ● *archaïsme, verouderd woord.*

archangel [ˈɑːkeɪndʒl] ● *aartsengel.* **archbishop** [ˈɑːtʃˈbɪʃəp] ● *aartsbisschop.* **archdeacon** [-ˈdiːkən] ⟨vnl. Anglicaanse kerk⟩ ● *aartsdiaken.*

archer [ˈɑːtʃə] ● *boogschutter.* **archery** [ˈɑːtʃəri] ● *het boogschieten.*

archipelago [ˈɑːkɪˈpeləgoʊ] ● *archipel, eilandengroep.*

architect [ˈɑːkɪtekt] ● *architect* ● *ontwerper,* ⟨fig.⟩ *maker.* **architectural** [ˈɑːkɪˈtektʃrəl] ● *architecturaal, bouwkundig.* **architecture** [ˈɑːkɪtektʃə] ● *architectuur, bouwkunst, bouwstijl.*

archives [ˈɑːkaɪvz] ⟨mv.⟩ ● *archief* ⟨bewaarplaats⟩ ● *archieven* ⟨opgeslagen geschriften⟩.

'archway ● *overwelfde galerij/doorgang, poort.*

arctic [ˈɑː(k)tɪk] ● *arctisch, (noord)pool-;* Arctic Circle *noordpoolcirkel* ● *ijskoud.* **Arctic** [ˈɑː(k)tɪk] ⟨the⟩ ● *noordpoolgebied, Arctica.*

ardent [ˈɑːdnt] ● *vurig, hartstochtelijk.*

ardour [ˈɑːdə] ● *vurigheid, hartstocht.*

arduous [ˈɑːdjʊəs] ● *moeilijk, zwaar, lastig;* an – road *een steile weg.*

are [ə, ⟨sterk⟩ɑː] ⟨2e pers enk., 2e en 3e pers mv.⟩ zie BE.

area [ˈeərɪə] ● *oppervlakte* ● *gebied* ⟨ook fig.⟩, *streek* ● *ruimte, plaats.* **'area code** ⟨AE⟩ ● *netnummer.*

arena [əˈriːnə] ● *arena, strijdperk* ⟨ook fig.⟩.

Argentinian [ˈɑːdʒnˈtɪnɪən] ● ⟨bn⟩ *Argentijns* ● ⟨zn⟩ *Argentijn.*

arguable [ˈɑːgjʊəbl] (-ly) ● *betwistbaar, aanvechtbaar* ● *aantoonbaar, aanwijs-*

baar.

argue [ˈɑːgjuː] I ⟨onov ww⟩ ● *argumenteren;* they were –ing against/for military intervention *zij pleitten tegen/voor militaire interventie* ● ⟨+about, over⟩ *redetwisten (over), debatteren* ● *twisten, ruziën; don't – with me! spreek me niet tegen!* II ⟨ov ww⟩ ● *stellen, aanvoeren.*

argument [ˈɑːgjʊmənt] I ⟨telb zn⟩ ● *argument, bewijs(grond)* ● *ruzie, woordenwisseling* ● *korte inhoud* ⟨v. boek⟩ II ⟨telb en n-telb zn⟩ ● *betoog, redenering* ● *discussie, gedachtenwisseling.* **argumentation** [ˈɑːgjʊmənˈteɪʃn] ● *argumentatie, bewijsvoering* ● *discussie.* **argumentative** [ˈɑːgjʊˈmentətɪv] ● *twistziek, belust op discussie.*

1 argy-bargy [ˈɑːdʒiˈbɑːdʒi] ⟨zn⟩ ● *gekibbel.*

2 argy-bargy ⟨ww⟩ ● *kibbelen.*

arid [ˈærɪd] ⟨zn: -ity⟩ ● *dor, droog, onvruchtbaar* ● *saai.*

arise [əˈraɪz] ⟨arose [əˈrouz], arisen [əˈrɪzn]⟩ ● *zich voordoen, gebeuren* ● *ontstaan; – from voortkomen uit, het gevolg zijn v..*

aristocracy [ˈærɪstɒkrəsi] ● *aristocratie.* **aristocrat** [ˈærɪstəkræt] ● *aristocraat.* **aristocratic** [ˈærɪstəˈkrætɪk] ● *aristocratisch.*

arithmetic [əˈrɪθmətɪk] ● *rekenkunde* ● *berekening.* **arithmetic(al)** [ˈærɪθˈmetɪk(l)] ● *rekenkundig.*

ark [ɑːk] ● *ark* ‖ (come) out of the – *ouderwets.*

1 arm [ɑːm] I ⟨telb zn⟩ ● *arm* ⟨ook fig.⟩; – in – *arm in arm, gearmd;* at –'s length *op een afstand;* an – of the sea/river *een zeearm/rivierarm* ● *mouw* ● *armleuning* ● *afdeling, tak* II ⟨mv.⟩ ● *wapenen; present –s het geweer presenteren;* take up –s *naar de wapens grijpen;* under –s *onder de wapenen* ● *familiewapen* ‖ rise up in –s against *in verzet/het geweer komen tegen;* be up in –s about/over sth. *verontwaardigd zijn over iets.*

2 arm I ⟨onov ww⟩ ● *zich (be)wapenen* ⟨ook fig.⟩ II ⟨ov ww⟩ ● *(be)wapenen* ⟨ook fig.⟩.

armada [ɑːˈmɑːdə] ● *armada, oorlogsvloot.*

armadillo [ˈɑːməˈdɪloʊ] ● *gordeldier.*

armament [ˈɑːməmənt] ● ⟨vaak mv.⟩ *wapentuig, oorlogstuig* ● *bewapening.* **armaments industry, arms industry** [ˈɑːməments ɪndəstri] ● *wapenindustrie.*

armature [ˈɑːmətʃə] ● *armatuur.*

armchair ⟨ook attr⟩ ● *leunstoel,* ⟨in attr bet.⟩ *zonder praktische ervaring; –* critics *stuurlui aan wal.*

armed [ˈɑːmd] ● *gewapend; –* forces, ⟨in vredestijd⟩ – services *strijdkrachten* ● *uit/*

toegerust.
armful ['ɑːmfʊl] ● *armvol.* '**armhole** ● *armsgat.*
armistice ['ɑːmɪstɪs] ● *wapenstilstand.*
armour ['ɑːmə] ● *wapenrusting, harnas* ● *pantser(ing)* ● *beschutting, dekking* ● *pantservoertuigen.* **armoured** ['ɑːməd] ● *gepantserd;* – *car pantserwagen;* – *division pantserdivisie.* **armourer** ['ɑːm(ə)rə] ● *wapensmid.* '**armour-'plated** ● *gepantserd.* **armoury** ['ɑːm(ə)ri] ● *wapenkamer, wapenmagazijn* ● *arsenaal.*
'**armpit** ● *oksel.*
'**arms control** ● *wapenbeheersing.* '**arms race** ● *bewapeningswedloop.* '**arms talks** ['ɑːmz tɔːks] ● *ontwapeningsonderhandelingen.*
army ['ɑːmi] ● *leger* ⟨ook fig.⟩, *massa, menigte.* '**army 'chaplain** ● *aalmoezenier* ⟨in leger⟩.
aroma [ə'roʊmə] ● *aroma, geur.* **aromatic** ['ærə'mætɪk] ● *aromatisch, geurig.*
arose ⟨verl. t.⟩ zie ARISE.
1 **around** [ə'raʊnd] ⟨bw⟩ ● *rond* ⟨ook fig.⟩; *the year* – *het jaar rond* ● *in het rond* ● *in de buurt,* ⟨bij uitbr.⟩ *bestaand; the strongest metal* – *het sterkste metaal dat er bestaat;* stay – *blijf in de buurt* ● *ongeveer, omstreeks;* – *fifty people om en nabij de vijftig mensen;* zie BE AROUND, GO AROUND ETC..
2 **around** ⟨vz⟩ ● *rond, in het rond, rondom, om ... heen;* – *the corner om de hoek* ● *door;* all – *the land door het hele land.*
arouse [ə'raʊz] ● *wekken* ⟨ook fig.⟩ ● *opwekken, prikkelen, ophitsen.*
arraign [ə'reɪn] ● *beschuldigen, aanklagen, voor de rechtbank slepen.*
arrange [ə'reɪndʒ] I ⟨onov ww⟩ ● *maatregelen nemen;* – *for sth. ergens voor zorgen* ● *overeenkomen;* – *with s.o. about sth. iets overeenkomen met iem.* II ⟨ov ww⟩ ● *(rang)schikken, opstellen* ● *bijleggen* ● *regelen, organiseren, zorgen voor;* – *a meeting een vergadering beleggen* ● ⟨muz.⟩ *arrangeren.* **arrangement** [ə-'reɪndʒmənt] ● *(rang)schikking, opstelling* ● *afspraak* ● *overeenkomst* ● ⟨vaak mv.⟩ *maatregel(en), voorzorgen; let's make* –*s for getting home in time laten we voorzorgen nemen om op tijd thuis te komen* ● ⟨muz.⟩ *arrangement* ● ⟨vaak mv.⟩ *plan.*
arrant ['ærənt] ⟨ong.⟩ ● *compleet, volslagen, doortrapt;* – *nonsense klinkklare onzin.*
1 **array** [ə'reɪ] ⟨zn⟩ ● *serie, reeks* ● *slagorde.*
2 **array** ⟨ww⟩ ● *(in slagorde) opstellen* ● *(op)*

tooien.
arrears [ə'rɪəz] ● *achterstand;* in – with one's work/rent *achter met zijn werk/huur* ● *achterstal, (geld)schuld;* be in – *achter zijn* ⟨met betaling⟩.
1 **arrest** [ə'rest] ⟨zn⟩ ● *stilstand* ⟨v. groei⟩ ● *bedwinging, beteugeling* ⟨v. ziekte, verval enz.⟩ ● *arrestatie, aanhouding;* place/put under – *in arrest nemen.*
2 **arrest** ⟨ww⟩ ● *tegenhouden, bedwingen* ● *arresteren, aanhouden* ● *boeien, fascineren.* **arresting** [ə'restɪŋ] ● *boeiend, fascinerend, markant.*
arrival [ə'raɪvl] I ⟨telb zn⟩ ● *aangekomene, binnengevaren schip, binnengekomen trein/vliegtuig;* ⟨fig.⟩ new – *pasgeborene* II ⟨telb en n-telb zn⟩ ● *(aan)komst.*
arrive [ə'raɪv] ● *aankomen* ⟨v. personen/zaken⟩ ● *arriveren, het (waar) maken* ● *komen* ⟨v. tijdstip⟩. **ar'rive at** ● *bereiken* ⟨ook fig.⟩, *komen tot.*
arrogance ['ærəgəns] ● *arrogantie, verwaandheid.* **arrogant** ['ærəgənt] ● *arrogant, aanmatigend, verwaand.*
arrow ['æroʊ] ● *pijl.* '**arrowhead** ● *pijlpunt.*
arse [ɑːs] ⟨BE; ↓⟩ ● *reet, gat, kont.*
arsenal ['ɑːsnəl] ● *arsenaal, (wapen)arsenaal.*
arsenic ['ɑːsnɪk] ● *arsenicum, arseen* ● *rattenkruit.*
arson ['ɑːsn] ● *brandstichting.*
art [ɑːt] I ⟨zn⟩ ● *kunst, bekwaamheid, vaardigheid;* –s and crafts *kunst en ambacht* ● *kunst(greep), truc, list* ● *kunst(richting)* II ⟨mv.; vnl. A-⟩ ● *letteren,* ⟨ongeveer⟩ *niet-betawetenschappen;* Faculty of Arts *faculteit der letteren.*
artefact, artifact ['ɑːtɪfækt] ● *artefact, kunstvoorwerp.*
arterial [ɑː'tɪərɪəl] ● *slagaderlijk;* ⟨fig.⟩ – *road verkeers(slag)ader.* **artery** ['ɑːtəri] ● *slagader,* ⟨fig.⟩ *(verkeers)ader.*
artful ['ɑːtf(ə)l] ● *listig, spitsvondig, gewiekst.*
'**art gallery** ● *kunstgalerij, galerie.*
arthritis [ɑː'θraɪtɪs] ● *artritis, jicht, gewrichtsontsteking.*
artichoke ['ɑːtɪtʃoʊk] ⟨plantk.⟩ ● *artisjok.*
1 **article** ['ɑːtɪkl] I ⟨telb zn⟩ ● *artikel;* – of faith *geloofsartikel;* a newspaper – *een krante-artikel* ● ⟨jur.⟩ *artikel, bepaling* ● *artikel;* – of furniture *meubel(stuk)* ● *lidwoord* II ⟨mv.⟩ ● *contract, leerovereenkomst.*
2 **article** ⟨ww⟩ ● *in de leer doen;* be –d to *als stagiair(e) werkzaam zijn bij.*
1 **articulate** [ɑː'tɪkjʊlət] ⟨bn⟩ ● *zich goed/duidelijk uitdrukkend* ⟨persoon⟩ ● *helder (uitgedrukt/verwoord)*⟨gedachte e.d.⟩; give –

expression to *helder verwoorden* ● *gearti-culeerd.*

2 articulate [ɑːˈtɪkjʊleɪt] ⟨ww⟩ ● *articuleren, duidelijk uitspreken* ● *(helder) verwoorden* ‖ –d lorry *truck met oplegger.* **articulation** [ɑːˈtɪkjʊˈleɪʃn] ● *articulatie* ● *(heldere) verwoording* ⟨v. gevoelens bv.⟩.

artifact zie ARTEFACT.

artifice [ˈɑːtɪfɪs] ● *truc, kunstgreep, list* ● *listigheid, gewiekstheid.* **artificial** [ˈɑːtɪˈfɪʃl] ● *kunstmatig;* – insemination *kunstmatige inseminatie;* – intelligence *kunstmatige intelligentie* ● *kunst-;* – flowers *kunstbloemen* ● *gekunsteld.*

artillery [ɑːˈtɪləri] ● *artillerie.*

artisan [ˈɑːtɪzæn] ● *handwerksman, ambachtsman.*

artist [ˈɑːtɪst] ● *artiest, (beeldend) kunstenaar/nares, (uitvoerend) kunstenaar/nares.* **artiste** [ɑːˈtiːst] ● *(variété-)artiest(e).*

artistic [ɑːˈtɪstɪk] ● *artistiek.* **artistry** [ˈɑːtɪstri] ● *kunstenaarstalent.*

artless [ˈɑːtləs] ● *ongekunsteld, argeloos.* **arty** [ˈɑːti] ⟨vaak ong.⟩ ● *quasi-artistiek, artistiekerig.*

1 as [əz, ⟨sterk⟩ æz] ⟨bw⟩ ● *even, zo;* – good as John *zo/even braaf als John* ‖ her arguments – against yours *haar argumenten tegenover die van jou.*

2 as ⟨vz⟩ ● *als;* – a goalkeeper *als keeper* ● *als, gelijk;* the same – me *hetzelfde als ik* ‖ – such *als zodanig.*

3 as ⟨vw⟩ ● *(zo)als, naarmate, naargelang;* young – I am *hoewel ik jong ben;* he got deafer – he got older *hij werd steeds dover naarmate hij ouder werd;* it's bad enough – it is *het is zo al erg genoeg;* – he said *zoals hij zei;* – it were *als het ware;* such – *zoals;* – if *alsof* ● *terwijl;* she sang – she scrubbed *ze zong onder 't schrobben* ● *daar, omdat;* – he was poor *daar hij arm was* ‖ – for/to *wat betreft;* – from/ ⟨AE⟩ of today *vanaf vandaag.*

asbestos [æzˈbestɒs] ● *asbest.*

ascend [əˈsend] I ⟨onov ww⟩ ● *(op)stijgen, omhooggaan, zich verheffen* ● *oplopen* ⟨v. glooiing, terrein⟩ II ⟨ov ww⟩ ● *opgaan, beklimmen.* **ascendancy** [əˈsendənsi] ● *overwicht, overhand;* have/gain (the) – over *(het) overwicht hebben/behalen op.* **ascendant** [əˈsendənt] ‖ in the – v. overwegende invloed; ↓ *opkomend.*

Ascension [əˈsenʃn] ● *hemelvaart.* **A'scension Day** ● *Hemelvaartsdag.*

ascent [əˈsent] ● *be/opstijging, (be)klim-(ming), het (op)rijzen/omhooggaan* ● *oplopende helling/glooiing.*

ascertain [ˌæsəˈteɪn] ● *vaststellen, te weten komen.* **ascertainable** [ˈæsəˈteɪnəbl] ● *achterhaalbaar, vast te stellen.*

ascetic [əˈsetɪk] ● ⟨bn⟩ *ascetisch* ● ⟨zn⟩ *asceet.*

ascribable [əˈskraɪbəbl] ● ⟨+to⟩ *toe te schrijven (aan).* **ascribe** [əˈskraɪb] ● ⟨+to⟩ *toeschrijven (aan), toekennen (aan).*

aseptic [əˈseptɪk, eɪ-] ● *aseptisch, steriel* ⟨ook fig.⟩; – gauze *verbandgaas.*

asexual [eɪˈsekʃʊəl] ⟨zn: -ity⟩ ● *aseksueel, geslachtloos, niet seksueel geïnteresseerd.*

ash [æʃ] ● *es(sehout)* ● ⟨mv.⟩ *as.*

ashamed [əˈʃeɪmd] ● *beschaamd;* be – for zich schamen voor; be – of *zich schamen over.*

'ash can ⟨AE⟩ ● *vuilnisbak.*

ashen [ˈæʃn] ● *(lijk)bleek.*

ashore [əˈʃɔː] ● *aan land, aan wal, op het strand;* run – *stranden.*

'ashtray ● *asbak.*

'Ash 'Wednesday ● *aswoensdag.*

Asia [ˈeɪʃə] ● *Azië.* **Asian** [ˈeɪʃn], **Asiatic** [ˈeɪʒɪˈætɪk] ● ⟨bn⟩ *Aziatisch* ● ⟨zn⟩ *Aziaat.*

1 aside [əˈsaɪd] ⟨zn⟩ ● ⟨dram.⟩ *terzijde* ● *terloopse opmerking.*

2 aside ⟨bw⟩ ● *ter zijde, opzij;* ⟨fig.⟩ all joking – in alle ernst; ⟨fig.⟩ set – *opzij zetten/leggen;* sparen ⟨geld⟩ ‖ ⟨AE⟩ – from *afgezien van.*

asinine [ˈæsɪnaɪn] ● *ezelachtig* ⟨meestal fig.⟩.

ask [ɑːsk] I ⟨onov ww⟩ ● *vragen;* – after/for s.o./sth. *naar iem./iets vragen;* – for advice *om raad vragen;* ↓ – for it *erom vragen;* – for nothing better *niets liever willen;* – for trouble *om moeilijkheden vragen* II ⟨ov ww⟩ ● *vragen, verzoeken;* ·· s.o. a question *iem. een vraag stellen;* it's yours for the –ing *je hebt er maar om te vragen;* – a favour of s.o. *iem. om een gunst vragen* ● *eisen, verlangen* ● *uitnodigen;* – s.o. in *iem. vragen binnen te komen;* – s.o. out/over for dinner *iem. voor een etentje uitnodigen.*

askance [əˈskɑːns] ● *achterdochtig;* look – at s.o. *iem. wantrouwend aankijken.*

askew [əˈskjuː] ● *scheef, schuin.*

aslant [əˈslɑːnt] ● ⟨bw⟩ *schuin* ● ⟨vz⟩ *schuin over.*

asleep [əˈsliːp] ● *in slaap;* fall – *in slaap vallen* ‖ my arm is – *mijn arm slaapt.*

A/S level ⟨afk.⟩ Advanced Supplementary level ● *A/S niveau* ⟨vanaf 1989 nemen VWO-eindexamenkandidaten 2 vakken op A-niveau en 2 op A/S-niveau i.p.v. 3 op A-niveau⟩.

asparagus [əˈspærəgəs] ● *asperge.*

aspect ['æspekt] ● *gezichtspunt, oogpunt* ● *ligging, uitzicht* ⟨v. huis, landschap⟩ ● *zijde, kant, facet* ● *aanblik, voorkomen, uiterlijk.*

aspen ['æspən] ● *esp(eboom), ratelpopulier.*

asperity [æ'sperəti] ● *ruwheid, scherpheid.*

aspersion [ə'spə:ʃn] ● *laster, belastering; cast –s on s.o. iem. belasteren.*

asphalt ['æsfælt] ● ⟨zn⟩ *asfalt* ● ⟨ww⟩ *asfalteren.*

aspirant [ə'spaɪərənt] ● *iem. die een machtspositie zoekt.*

aspiration ['æspɪ'reɪʃn] ● *aspiratie, ambitie.*

aspire [ə'spaɪə] ● *sterk verlangen, streven; – after/to sth. naar iets streven/verlangen.*

aspirin ['æsprɪn] ● *aspirine, aspirientje.*

aspiring [ə'spaɪərɪŋ] ● *strevend, verlangend* ● *eerzuchtig.*

ass [æs] ● *ezel* ⟨ook fig.⟩; *make an – of o.s. zichzelf belachelijk maken* ● ⟨AE; sl.⟩ *kont.*

assail [ə'seɪl] ↑ ● *aanvallen* ⟨ook fig.⟩, *overvallen; –ed by doubt overmand door twijfel; – s.o. with questions iem. met vragen bestoken.* **assailant** [ə'seɪlənt] ● *aanvaller.*

assassin [ə'sæsɪn] ● *moordenaar.* **assassin|ate** [ə'sæsɪneɪt] ⟨zn: -ation⟩ ● *vermoorden.*

1 assault [ə'sɔ:lt] ⟨zn⟩ ● *aanval* ⟨ook fig.⟩ ● *bestorming* ● *aanranding.*

2 assault ⟨ww⟩ ● *aanvallen* ⟨ook fig.⟩ ● *bestormen* ● *aanranden.*

assay [ə'seɪ] ● *keuren* ⟨metaal, erts⟩.

assemblage [ə'semblɪdʒ] ● *verzameling, collectie* ● ⟨tech.⟩ *assemblage, montage.*

assemble [ə'sembl] I ⟨onov ww⟩ ● *zich verzamelen, samenkomen* II ⟨ov ww⟩ ● *samenbrengen, verenigen,* ⟨tech.⟩ *in elkaar zetten, monteren.*

assembly [ə'sembli] ● *samenkomst, vergadering, verzameling* ● *assemblage, montage.* **as'sembly hall** ● *montagehal* ● *aula, vergaderzaal.* **as'sembly line** ● *lopende band.*

1 assent [ə'sent] ⟨zn⟩ ● *toestemming, instemming.*

2 assent ⟨ww⟩ ↑ ● *toestemmen, aanvaarden; – to sth. met iets instemmen.*

assert [ə'sə:t] ● *beweren, verklaren* ● *handhaven, laten gelden, opkomen voor* ⟨rechten⟩; *– one's influence zijn invloed doen gelden; – o.s. zich laten gelden.* **assertion** [ə'sə:ʃn] ● *bewering, verklaring* ● *handhaving, verdediging.* **assertive** [ə'sə:tɪv] ● *stellig* ● *zelfverzekerd, assertief.*

assess [ə'ses] ● *bepalen, vaststellen* ⟨waarde, schade⟩ ● *belasten, aanslaan; the*

house was –ed at £ 50 *het huis werd aangeslagen voor een bedrag v. £ 50* ● *taxeren, schatten,* ⟨fig. vnl.⟩ *beoordelen; –* the situation *de situatie beoordelen.* **assessment** [ə'sesmənt] ● *belasting, aanslag* ● *schatting, taxatie* ● *vaststelling, bepaling* ● *beoordeling, inschatting.* **assessor** [ə'sesə] ● *taxateur, schade-expert.*

asset ['æset] ● *goed, bezit,* ⟨fig. ook⟩ *waardevolle/nuttige eigenschap, pluspunt, aanwinst* II ⟨mv.⟩ ⟨ec.⟩ ● *activa, bedrijfsmiddelen.*

'asshole ↓ ● *gat, kont* ● *klootzak, lul.*

assiduity ['æsɪ'dju:əti] ● *volharding, onverdroten ijver.* **assiduous** [ə'sɪdjuəs] ● *volhardend, vlijtig.*

assign [ə'saɪn] ● *toewijzen, toekennen; – s.o. a task iem. een taak toebedelen* ● *bepalen, vaststellen* ⟨dag, datum⟩, *opgeven* ● *aanwijzen, aanstellen; – s.o. to a post iem. in een functie benoemen.* **assignable** [ə'saɪnəbl] ● *toewijsbaar, toe te schrijven* ● *aanwijsbaar, vast te stellen.* **assignation** ['æsɪg'neɪʃn] ● *afspraak, rendez-vous.* **assignment** [ə'saɪnmənt] ● *taak, opdracht,* ⟨AE; school.⟩ *huiswerk* ● *toewijzing, toekenning.*

assimilate [ə'sɪmɪleɪt] I ⟨onov ww⟩ ● *zich assimileren, opgenomen worden* II ⟨ov ww⟩ ● *assimileren, opnemen* ● *verwerken* ⟨kennis e.d.⟩.

assist [ə'sɪst] ● *helpen, bijstaan, assisteren.*

assistance [ə'sɪstəns] ● *hulp, bijstand, assistentie.*

1 assistant [ə'sɪstənt] ⟨zn⟩ ● *helper, assistent, adjunct* ● *bediende.*

2 assistant ⟨bn⟩ ● *assistent-, hulp-.*

Assizes [ə'saɪzəz] ⟨BE⟩ ● *zittingen, sessies* ⟨van rechtsprekend orgaan in graafschap, tot 1971⟩.

1 associate [ə'souʃɪət, -ʃət] ⟨zn⟩ ● *partner, compagnon* ● *(met)gezel, kameraad, makker.*

2 associate ⟨bn⟩ ● *toegevoegd, bijgevoegd, mede-; –* member *buitengewoon lid;* ⟨AE⟩ *–* professor *universitair hoofddocent.*

3 associate [ə'souʃɪeɪt, ə'sousi-] I ⟨onov ww⟩ ● *zich verenigen* ● ⟨+with⟩ *omgaan (met)* II ⟨ov ww⟩ ● *verenigen, verbinden,* ⟨ook fig.⟩ *associëren; – o.s. with zich aansluiten bij.* **association** [ə'souʃɪ'eɪʃn, ə'sousi-] ● *vereniging, genootschap* ● *associatie* ● *omgang* ‖ in – with *in samenwerking met.* **As'sociation 'football** ⟨BE⟩ ● *voetbal.*

assorted [ə'sɔ:tɪd] ● *gesorteerd, gemengd* ‖ ill-/well– *slecht/goed bij elkaar passend.* **assortment** [ə'sɔ:tmənt] ● *assortiment* ●

sortering.

assuage [ə'sweɪdʒ] ● *verzachten, (tot) bedaren (brengen)* ● *bevredigen, stillen, lessen.*

assume [ə'sju:m] ● *aannemen, veronderstellen;* – his coming *neem aan dat hij komt* ● *overnemen, grijpen* ● *op zich nemen;* he –d the role of benefactor *hij speelde de weldoener;* – one's duties *zijn taak aanvangen* ● *voorwenden.* **assumed** [ə'sju:md] ● *aangenomen, verzonnen;* – name *aangenomen naam.* **assumption** [ə'sʌm(p)ʃn] ● *vermoeden, (ver)onderstelling, aanname* ● *overname;* – of power *machtsovername* ● *gespeelde rol.*

assurance [ə'ʃʊərəns] I ⟨telb zn⟩ ● *verzekering;* give s.o. one's – that *iem. verzekeren dat* II ⟨n-telb zn⟩ ● *zekerheid* ● *zelfvertrouwen* ● ⟨BE⟩ *verzekering,* ⟨ihb.⟩ *levensverzekering.* **assure** [ə'ʃʊə] ● *verzekeren;* – s.o. of one's support *iem. v. zijn steun verzekeren* ● ⟨BE⟩ *assureren, verzekeren.* **assured** ● *zelfverzekerd* ● *zeker, stellig.*

asterisk ['æstərɪsk] ● ⟨zn⟩ *asterisk, sterretje* ● ⟨ww⟩ *met een asterisk aanduiden.*

astern [ə'stə:n] ⟨scheep., luchtv.⟩ ● *achteruit, (naar) achter(en);* fall – (of) *achter(op) raken (bij).*

asthma ['æsmə] ● *astma.* **asthmatic** [æs-'mætɪk] ⟨med.⟩ ● ⟨bn⟩ *astmatisch* ● ⟨zn⟩ *astmalijder.*

astir [ə'stə:] ● *op de been* ● *opgewonden.*

astonish [ə'stɒnɪʃ] ● *verbazen;* be –ed at sth. *stomverbaasd zijn over iets.* **astonishing** [ə'stɒnɪʃɪŋ] ● *verbazingwekkend.* **astonishment** [ə'stɒnɪʃmənt] ● *verbazing.*

astound [ə'staʊnd] ● *ontzetten, verbazen.* **astounding** [ə'staʊndɪŋ] ● *verbazingwekkend.*

astray [ə'streɪ] ● *verdwaald;* go – *verdwalen;* lead s.o. – *iem. op een dwaalspoor/ het slechte pad brengen.*

astride [ə'straɪd] ● *schrijlings over, aan beide kanten v.;* she sat – her horse *ze zat schrijlings op haar paard.*

astringent [ə'strɪndʒənt] ● *streng, scherp.*

astrologer [ə'strɒlədʒə] ● *astroloog, sterrenwichelaar.* **astrological** ['æstrə'lɒdʒɪkl] ● *astrologisch.* **astrology** [ə'strɒlədʒi] ● *astrologie.*

astronaut ['æstrənɔ:t] ● *astronaut, ruimtevaarder.* **astronomer** [ə'strɒnəmə] ● *astronoom, sterrenkundige.* **astronomical** ['æstrə'nɒmɪkl] ● *astronomisch* ⟨ook fig.⟩, *sterrenkundig.* **astronomy** [ə'strɒnəmi] ● *sterrenkunde.*

astute [ə'stju:t] ● *slim, sluw.*

asunder [ə'sʌndə] ● *van/uit elkaar, in stukken.*

asylum [ə'saɪləm] ● *asiel, toevlucht(soord)* ● ⟨verouderend⟩ *(krankzinnigen)gesticht.*

asymmetric(al) ['eɪsɪ'metrɪk(l), 'æ-] ● *asymmetrisch.*

at [ət, ⟨sterk⟩æt] ● ⟨plaats, tijd, punt op een schaal⟩ *aan, te, in, op, bij* ⟨enz.⟩; – my aunt's *bij mijn tante;* – Christmas *met Kerstmis;* – the corner *op de hoek;* – dinner *bij het diner;* – 20 miles an hour *met 20 mijl per uur;* cheap – 10 p. *goedkoop voor 10 pence;* – school *op school;* – sea *op zee;* – full speed *in volle vaart;* – that time *toen, in die tijd;* – forty *op veertigjarige leeftijd* ● ⟨doel of richting⟩ *naar;* ⟨fig.⟩ she's always – Mary *ze valt Mary voortdurend lastig;* somebody has been – my things *iemand heeft in mijn spullen geneusd/gerommeld* ● *bezig met;* – work *aan het werk;* he doesn't know what he's – *hij weet niet wat hij doet/wil* ● *op het gebied van;* an expert – chess *een expert in het schaakspel* ‖ – a glance *met/in één oogopslag.*

ate [et] ⟨verl. t.⟩ zie EAT.

atheism ['eɪθɪɪzm] ● *atheïsme.* **atheist** ['eɪθiɪst] ⟨bn: **-ic**⟩ ● *atheïst.*

athlete ['æθli:t] ● *atleet.* **athletic** [æθ'letɪk, əθ-] ● *atletisch.* **athletics** [æθ'letɪks, əθ-] ● *atletiek.*

atlas ['ætləs] ● *atlas.*

atmosphere ['ætməsfɪə] ● *dampkring, atmosfeer* ● *(atmo)sfeer, stemming.* **atmospheric** ['ætmə'sferɪk] ● *atmosferisch, lucht-, dampkrings-.*

atom ['ætəm] ● *atoom* ● *zeer kleine hoeveelheid, greintje.* '**atom bomb** ● *atoombom.* **atomic** [ə'tɒmɪk] ● *atoom-, kern-, nucleair;* – energy *atoomenergie;* – power *atoomkracht; atoommogendheid;* – warfare *oorlogvoering met atoomwapens.*

atomize ['ætəmaɪz] ● *versplinteren* ● *verstuiven* ● *vernietigen door atoomwapens.* **atomizer** ['ætəmaɪzə] ● *verstuiver.*

atone for [ə'toʊn] ● *goedmaken.* **atonement** [ə'toʊnmənt] ● *vergoeding, boetedoening;* make – for *goedmaken.*

atop [ə'tɒp], **atop of** ● *boven op.*

atrocious [ə'troʊʃəs] ● *wreed, monsterachtig* ● *afschuwelijk slecht.* **atrocity** [ə'trɒsəti] ● *wreedheid* ● *afschuwelijkheid.*

1 atrophy ['ætrəfi] ⟨zn⟩ ⟨ook fig.⟩ ● *het wegkwijnen, het verschrompelen.*

2 atrophy ⟨ww⟩ ⟨ook fig.⟩ ● *(doen) wegkwijnen.*

attach [ə'tætʃ] I ⟨onov ww⟩ zie ATTACH TO II ⟨ov ww⟩ ● *(aan)hechten, vastmaken, ver-*

binden, toevoegen; deeply –ed to her brother *zeer aan haar broer gehecht;* – too much importance to sth. *ergens te zwaar aan tillen;* – o.s. to a group *zich bij een groep aansluiten;* – o.s. to sth./s.o. *zich aan iets/iem. hechten.* **attachable** [ə'tætʃəbl] ● *bevestigbaar.*
attaché [ə'tæʃeɪ] ● *attaché.* '**attaché case** ● *diplomatenkoffertje.*
attachment [ə'tætʃmənt] ● *hulpstuk,* ⟨in mv.⟩ *accessoires* ● *aanhechting, verbinding, toevoeging* ● *gehechtheid, genegenheid;* his – to the cause *zijn toewijding aan de zaak.*
at'tach to ● *horen bij, vastzitten aan* ● *te wijten/danken zijn aan;* no blame attaches to him *hem treft geen blaam.*
1 attack [ə'tæk] ⟨zn⟩ ● *aanval, (scherpe) kritiek;* be under – *aangevallen worden.*
2 attack I ⟨onov en ov ww⟩ ● *aanvallen* ⟨ook fig.⟩, *overvallen* II ⟨ov ww⟩ ● *aantasten* ● *aanpakken;* – the problem *het probleem aanpakken.* **attacker** [ə'tækə] ● *aanvaller.*
attain [ə'teɪn] ● *bereiken, verkrijgen.* **attainable** [ə'teɪnəbl] ● *bereikbaar, haalbaar.* **attainment** [ə'teɪnmənt] ● ⟨vnl. mv.⟩ *verworvenheid, kundigheid* ● *het bereiken.*
1 attempt [ə'tem(p)t] ⟨zn⟩ ● ⟨+to⟩ *poging (tot)* ● *aanslag;* – on s.o.'s life *aanslag op iemands leven.*
2 attempt ⟨ww⟩ ● *pogen, proberen, wagen;* –ed murder *poging tot moord.*
attend [ə'tend] I ⟨onov ww⟩ ● *aanwezig zijn* ● *opletten, (aandachtig) luisteren;* zie AT-TEND TO, ATTEND (UP)ON II ⟨ov ww⟩ ● *bijwonen, aanwezig zijn bij* ● *zorgen voor, verplegen* ● *letten op, bedienen;* who's –ing this machine? *wie bedient deze machine?* ● *begeleiden, vergezellen,* ⟨fig. ook⟩ *gepaard gaan met.* **attendance** [ə'tendəns] ● *opkomst, aantal aanwezigen* ● *aanwezigheid* ● *dienst;* doctor in – *dienstdoende arts* ● *bediening, verzorging;* be in – upon s.o. *iem. bedienen, iem. verplegen.*
1 attendant [ə'tendənt] ⟨zn⟩ ● *bediende, knecht* ● *begeleider, volgeling,* ⟨in mv.⟩ *gevolg* ● *bewaker, suppoost.*
2 attendant ⟨bn⟩ ● *dienend, dienstdoend* ● *begeleidend;* L. was – on the queen *L. begeleidde de koningin* ● ⟨+on⟩ *gepaard gaand (met), bijkomend;* – circumstances *omstandigheden op dat ogenblik.*
at'tend to ● *aandacht schenken aan, luisteren naar* ● *zorgen voor, bedienen;* – s.o.'s interests *iemands belangen behartigen;* are you being attended to? *wordt u al geholpen?.* **at'tend (up)on** ● *zorgen voor, bijstaan, bedienen.*

attention [ə'tenʃn] I ⟨telb zn; vnl. mv.⟩ ● *attentie, hoffelijkheid* ‖ pay one's –s to s.o. *iem. het hof maken* II ⟨n-telb zn⟩ ● *aandacht, zorg;* attract s.o.'s –s – *iemands aandacht trekken;* pay – *opletten;* for the – of ter attentie v.; –! *geef acht!* ● *belangstelling.* **attentive** [ə'tentɪv] ● *oplettend* ● *attent, voorkomend, hoffelijk.*
1 attenuate [ə'tenjʊət] ⟨bn⟩ ⟨plantk.⟩ ● *puntig, spits gepunt, lancetvormig.*
2 attenuate [ə'tenjʊeɪt] ⟨ww⟩ ● *verzwakken, verminderen.*
attest [ə'test] ⟨zn: -ation⟩ I ⟨onov ww⟩ ● ⟨+to⟩ *getuigen (van)* II ⟨ov ww⟩ ● *plechtig verklaren, officieel bevestigen* ● *getuigen van, betuigen.*
attic ['ætɪk] ● *vliering, zolder(kamer).*
1 attire [ə'taɪə] ⟨zn⟩ ● *gewaad, tooi, kledij.*
2 attire ⟨ww⟩ ● *kleden, tooien;* –d in a black cloak *gehuld in een zwarte mantel.*
attitude ['ætɪtjuːd] ● *houding* ● *standpunt, opvatting;* his – towards racism *zijn standpunt inzake racisme.*
attorney [ə'tə:nɪ] ● ⟨BE⟩ *procureur, gevolmachtigde* ● ⟨AE⟩ *advocaat.*
attract [ə'trækt] ● *aantrekken* ⟨ook fig.⟩, *lokken, boeien.* **attraction** [ə'trækʃn] ● *aantrekking, bekoring, aantrekkingskracht* ● *attractie, bezienswaardigheid.* **attractive** [ə'træktɪv] ⟨-ness⟩ ● *aantrekkelijk,* ⟨fig.⟩ *knap.*
attributable [ə'trɪbjətəbl] ● ⟨+to⟩ *toe te schrijven (aan).*
1 attribute ['ætrɪbjuːt] ⟨zn⟩ ● *eigenschap, (essentieel) kenmerk* ● *attribuut.*
2 attribute [ə'trɪbjuːt] ⟨ww⟩ ● *toeschrijven, toekennen;* – a play to Shakespeare *een stuk aan Shakespeare toeschrijven.*
attrition [ə'trɪʃn] ● *af/uitslijting door wrijving* ● *uitputting;* war of – *uitputtingsoorlog/slag.*
aubergine ['oʊbəʒiːn] ● *aubergine.*
auburn ['ɔːbən] ● *kastanjebruin.*
1 auction ['ɔːkʃn] ⟨zn⟩ ● *veiling, verkoop bij opbod.*
2 auction ⟨ww⟩ ● *veilen;* the furniture was –ed off *de inboedel werd bij opbod verkocht.* **auctioneer** ['ɔːkʃə'nɪə] ● *veilingmeester.*
audacious [ɔː'deɪʃəs] ● *dapper, roekeloos* ● *vrijpostig, brutaal.* **audacity** [ɔː'dæsətɪ] ● *dapperheid, roekeloosheid* ● *vrijpostigheid, brutaliteit.*
audible ['ɔːdəbl] ● *hoorbaar.*
audience ['ɔːdɪəns] ● *publiek, toehoorders, toeschouwers* ● ⟨+with⟩ *audiëntie (bij)* ‖ give – to s.o. *iem. gehoor verlenen.*
audio ['ɔːdɪoʊ] ● *audio.* **audio-cassette**

['ɔːdioʊkə'set] ● *audiocassette, geluids-cassette.* **audio-visual** ['ɔːdioʊ'vɪʒʊəl] ● *audiovisueel.*

1 audit ['ɔːdɪt] ⟨zn⟩ ● *accountantsonder-zoek/controle, het nazien v.d. boeken/re-keningen* ● *accountantsverslag.*

2 audit ⟨ww⟩ ● *(de boeken/rekeningen) con-troleren.*

1 audition [ɔː'dɪʃn] ⟨zn⟩ ● *auditie, proefop-treden.*

2 audition I ⟨onov ww⟩ ● *(een) auditie doen* **II** ⟨ov ww⟩ ● *(iem.) (een) auditie laten doen.*

auditor ['ɔːdɪtə] ● *(register)accountant, boekhoudkundige.*

auditorium ['ɔːdɪ'tɔːrɪəm] ● *gehoorzaal, au-ditorium, aula.*

augment [ɔːg'ment] ● *vergroten, (doen) toe-nemen, vermeerderen.*

augury ['ɔːgjəri] ● *voorspelling* ● *voorteken.*

august [ɔː'gʌst] ● *verheven, groots, door-luchtig.*

August ['ɔːgəst] ● *augustus.*

aunt [ɑːnt] ● *tante.* **auntie, aunty** ['ɑːnti] ↓ ● *tantetje.*

au pair ['oʊ 'peə], **au pair girl** ● *au pair (meis-je).*

aura ['ɔːrə] ● *aura, sfeer.*

aural ['ɔːrəl] ● *oor-, via/langs het gehoor.*

auspices ['ɔːspɪsɪz] ● *auspiciën, bescher-ming;* under the – of Her Majesty *onder de bescherming v. Hare Majesteit.* **auspi-cious** [ɔː'spɪʃəs] ● *gunstig, voorspoedig* ● *veelbelovend.*

austere [ɔː'stɪə] ● *streng, nors* ● *matig, so-ber* ● *eenvoudig, sober.* **austerity** [ɒ'ste-rəti, ɔː-] ● *(ge)strengheid, norsheid* ● *so-berheid, matiging* ● *(strenge) eenvoud, soberheid* ‖ the austerities during the war *de schaarste tijdens de oorlog.* **au'sterity measure** ● *versoberingsmaatregel, bezui-niging.*

Australian [ɒ'streɪlɪən] ● ⟨bn⟩ *Australisch* ● ⟨telb zn⟩ *Australiër.*

Austria ['ɒstrɪə] ● *Oostenrijk.* **Austrian** ['ɒstrɪən] ● ⟨bn⟩ *Oostenrijks* ● ⟨zn⟩ *Oos-tenrijker/se.*

authentic [ɔː'θentɪk] ● *authentiek.* **authenti-c|ate** [ɔː'θentɪkeɪt] ⟨zn: **-ation**⟩ ● *(voor) authentiek verklaren, de authenticiteit be-wijzen/bevestigen van;* – a will *een testa-ment bekrachtigen.* **authenticity** ['ɔːθen-'tɪsəti] ● *authenticiteit, echtheid.*

author ['ɔːθə] ● *auteur, schrijver, maker, schepper.* **authoress** ['ɔːθrɪs] ● *schrijfster.*

authoritarian [ɔː'θɒrɪ'teərɪən] ● ⟨bn⟩ *autori-tair, eigenmachtig* ● ⟨zn⟩ *autoritair ie-mand.* **authoritative** [ɔː'θɒrətətɪv, ə-] ●

gezaghebbend, betrouwbaar; he has an – manner *hij dwingt altijd respect af.* **au-thority** [ɔː'θɒrəti, ə-] **I** ⟨telb zn⟩ ● ⟨vnl. mv.⟩ *autoriteit, overheidsinstantie/per-soon* ● *autoriteit, deskundige;* to have sth. on good – *iets uit gezaghebbende bron vernomen hebben* **II** ⟨n-telb zn⟩ ● *autori-teit, gezag, wettige macht* ● *machtiging;* on/under the – of *in opdracht v..*

authorization ['ɔːθəraɪ'zeɪʃn] ● *machtiging, volmacht* ● *goedkeuring.* **authorize** ['ɔːθəraɪz] ● *machtigen* ● *goedkeuren;* the Authorized Version *de goedgekeurde Bij-belvertaling* ⟨v. 1611⟩ ● *rechtvaardigen.*

authorship ['ɔːθəʃɪp] ● *auteurschap.*

autistic [ɔː'tɪstɪk] ⟨psych.⟩ ● *autistisch.*

auto ['ɔːtoʊ] ⟨AE; ↓⟩ ● *auto.*

autobiographical [-baɪə'græfɪkl] ● *autobio-grafisch.* **autobiography** [-baɪ'ɒgrəfi] ● *autobiografie.*

autocrat ['ɔːtəkræt] ⟨bn: **-ic**⟩ ● *autocraat, al-leenheerser.*

1 autograph ['ɔːtəgrɑːf] ⟨zn⟩ ● *handteke-ning.*

2 autograph ⟨ww⟩ ● *signeren, handteke-ning zetten op/onder.*

automate ['ɔːtəmeɪt] ● *automatiseren.*

1 automatic ['ɔːtə'mætɪk] ⟨zn⟩ ● *automa-tisch wapen* ● *automaat* ⟨auto, apparaat⟩.

2 automatic ⟨bn⟩ ● *automatisch* ● *zonder na te denken.*

automatism [ɔː'tɒmətɪzm] ● *automatische handeling, automatisme.*

automaton [ɔː'tɒmətən] ⟨ook fig.⟩ ● *auto-maat, robot.*

automobile ['ɔːtəməbiːl] ⟨AE⟩ ● *auto.*

autonomous [ɔː'tɒnəməs] ● *autonoom, met zelfbestuur.* **autonomy** [ɔː'tɒnəmi] ● *auto-nomie, zelfbestuur, onafhankelijkheid.*

autopsy ['ɔːtɒpsi] ● *lijkschouwing, sectie.*

autumn ['ɔːtəm] ● *herfst.* **autumnal** [ɔː'tʌm-nəl] ● *herfst-, herfstachtig.*

1 auxiliary [ɔːg'zɪl(j)əri, ɔːk'sɪ-] ⟨zn⟩ ● *helper, assistent* ● *hulpmiddel* ● ⟨mv.⟩ *hulptroe-pen.*

2 auxiliary ⟨bn⟩ ● *hulp-, behulpzaam* ● *aan-vullend, reserve-.*

1 avail [ə'veɪl] ⟨zn⟩ ↑ ● *nut, baat;* of little – v. weinig nut; to no – *vergeefs;* without – *zonder succes/resultaat.*

2 avail ⟨ww⟩ ● *baten, helpen* ‖ he –ed him-self of the opportunity *hij maakte v.d. ge-legenheid gebruik.* **availability** [ə'veɪlə-'bɪləti] ● *beschikbaarheid, aanwezigheid.* **available** [ə'veɪləbl] ● *beschikbaar, ver-krijgbaar, voorradig* ● *beschikbaar, niet bezet.*

avalanche ['ævəlɑːntʃ] ● *lawine,* ⟨fig.⟩ *vloed-*

(golf).
avant-garde ['ævãŋ 'gɑːd] ●*avant-garde.*
avarice ['ævərɪs] ●*gierigheid, hebzucht.*
avaricious ['ævə'rɪʃəs] ●*hebzuchtig, gierig.*
avenge [ə'vendʒ] ●*wreken.* **avenger** [ə'vendʒə] ●*wreker.*
avenue ['ævənjuː] ●*avenue, (brede) laan, brede straat* ●⟨vnl. BE⟩ *oprijlaan* ●*weg* ⟨fig.⟩, *middel;* explore every – *alle middelen proberen.*
aver [ə'vəː] ●*met klem beweren.*
1 average ['ævrɪdʒ] ⟨zn⟩ ●*gemiddelde* ‖ on (the) – *gemiddeld.*
2 average ⟨bn⟩ ●*gemiddeld* ‖ – man *de gewone man.*
3 average ⟨ww⟩ ●*het gemiddelde schatten/ nemen v.* ●*het gemiddelde halen v., gemiddeld doen/hebben/verdienen/uitgeven* ⟨enz.⟩.
averse [ə'vəːs] ●⟨+to⟩ *afkerig (van).* **aversion** [ə'vəːʃn] ●⟨+to⟩ *afkeer (van), aversie* ●*persoon/iets waar men een hekel aan heeft.*
avert [ə'vəːt] ●⟨+from⟩ *afwenden (van)* ●*voorkomen, vermijden, afwenden.*
aviary ['eɪvɪəri] ●*vogelhuis, vogelverblijf.*
aviation ['eɪvɪ'eɪʃn] ●*luchtvaart.*
avid ['ævɪd] ⟨zn: **-ity**⟩ ●*gretig, enthousiast* ●*begerig.*
avocado ['ævə'kɑːdoʊ], '**avocado 'pear** ●*avocado(peer).*
avoid [ə'vɔɪd] ●*(ver)mijden;* they couldn't – doing it *zij moesten (het) wel (doen).* **avoidable** [ə'vɔɪdəbl] ●*vermijdbaar.* **avoidance** [ə'vɔɪdəns] ●*vermijding.*
avoirdupois ['ævədə'pɔɪz, ˌævwɑː'djuː'pwɑː], '**avoirdupois 'weight** ●*voormalig Eng. gewichtsstelsel, avoirdupois(stelsel).*
avow [ə'vaʊ] ●*toegeven, erkennen* ●*(openlijk) bekennen, belijden;* –ed enemies *gezworen vijanden.* **avowal** [ə'vaʊəl] ●*(openlijke) bekentenis, belijdenis.*
avuncular [ə'vʌŋkjʊlə] ●*als/v. een (vriendelijke) oom, vaderlijk.*
await [ə'weɪt] ●*opwachten, wachten op* ‖ a warm welcome –s them *er wacht hen een warm welkom.*
1 awake [ə'weɪk] ⟨bn⟩ ●*wakker;* wide – *klaarwakker* ‖ – to *zich bewust v..*
2 awake, ⟨ihb. in fig. bet.⟩ **awaken** [ə'weɪkən] ⟨voor 1e variant ook awoke [ə'woʊk], awoken [ə'woʊkən]⟩ **I** ⟨onov ww⟩ ●*ontwaken* ⟨ook fig.⟩, *wakker worden* ●⟨+to⟩ *zich bewust worden (van)* **II** ⟨ov ww⟩ ●*wekken.* ●*bewust maken;* awaken s.o. to *iem. bewust maken v..*

awakening [ə'weɪkənɪŋ] ●*het ontwaken* ●*bewustwording.*
1 award [ə'wɔːd] ⟨zn⟩ ●*beloning, prijs* ●*toekenning* ⟨v. prijs, schadevergoeding⟩.
2 award ⟨ww⟩ ●*toekennen* ⟨prijs⟩, *toewijzen* ●*belonen.*
aware [ə'weə] ●*zich bewust, gewaar;* be – of *zich bewust zijn v..* **awareness** [ə'weənəs] ●*bewustzijn.*
awash [ə'wɒʃ] ●*onder water (staand), overstroomd, overspoeld.*
1 away [ə'weɪ] ⟨bn⟩ ●*uit-;* – match *uitwedstrijd.*
2 away ⟨bw⟩ ●*weg;* go – *weggaan;* ⟨sport⟩ play – *uitspelen* ●*voortdurend;* she was knitting – *ze zat aan één stuk door te breien.*
1 awe [ɔː] ⟨zn⟩ ●*ontzag, eerbied;* hold/keep s.o. in – *ontzag hebben voor iem.;* stand in – of *ontzag hebben voor.*
2 awe ⟨ww⟩ ●*ontzag inboezemen.* '**awe-in'spiring** ●*ontzagwekkend.* **awesome** ['ɔːsəm] ●*ontzagwekkend, ontzag inboezemend.* '**awe-stricken,** '**awe-struck** ●*vol ontzag, met ontzag vervuld.*
awful ['ɔːf(ə)l] ●↓ *afschuwelijk, ontzettend, enorm;* an – lot *ontzettend veel.* **awfully** ['ɔːflɪ] ●↓ *erg, vreselijk;* thanks – *reuze bedankt;* – nice *vreselijk aardig.*
awhile [ə'waɪl] ●*een tijdje.*
awkward ['ɔːkwəd] ⟨-ness⟩ ●*onhandig, onbeholpen, onpraktisch* ●*ongelegen, lastig* ⟨tijdstip⟩ ●*gênant, penibel;* – situation *pijnlijke situatie* ●*niet op zijn gemak* ‖ – customer *lastig/moeilijk persoon.*
awl [ɔːl] ●*els, priem.*
awning ['ɔːnɪŋ] ●*dekzeil* ●*scherm, luifel, kap, zonnescherm, markies.*
awoke ⟨verl. t.⟩ zie AWAKE. **awoken** ⟨volt. deelw.⟩ zie AWAKE.
awry [ə'raɪ] ●*scheef* ⟨ook fig.⟩, *schuin, fout;* go – *mislukken.*
1 axe [æks] ⟨zn⟩ ●*bijl;* ⟨fig.⟩ have an – to grind *zijn eigen belang nastreven* ‖ get the – *de zak krijgen;* the plan got the – from the government *het plan werd door de regering van tafel geveegd.*
2 axe ⟨ww⟩ ●*ontslaan* ●*afschaffen, wegbezuinigen.*
axes ['æksiːz] ⟨mv.⟩ zie AXE, AXIS.
axiom ['æksɪəm] ●*axioma, onomstotelijke waarheid.* **axiomatic** ['æksɪə'mætɪk] ●*vanzelfsprekend, axiomatisch.*
axis ['æksɪs] ⟨mv.: axes⟩ ●*as(lijn), spil.*
axle ['æksl] ●*(draag)as, spil.*
1 aye [aɪ] ⟨zn⟩ ‖ ⟨pol.⟩ the ayes have it *de meerderheid is vóór.*
2 aye(e) ⟨bw⟩ ●*ja, zeker;* aye, aye, sir *tot uw*

orders.
azure ['æʒə,'æʒjʊə] ● *hemelsblauw(e kleur).*

B.A. ⟨afk.⟩ Bachelor of Arts.
baa, ba [bɑː] ● *geblaat.*
1 babble [bæbl] ⟨zn⟩ ● *gewauwel, geklets.*
2 babble ⟨ww⟩ ● *babbelen, keuvelen* ● *wauwelen, kletsen* ● *kabbelen* ⟨v. beek⟩.
babe [beɪb] ● ↑ *kindje, baby* ● ⟨vnl. AE; sl.⟩ *popje, liefje.*
babel ['beɪbl] ● *babel, spraakverwarring, chaos.*
baboon [bə'buːn] ● *baviaan.*
1 baby ['beɪbi] ⟨zn⟩ ● *baby, zuigeling, klein kind* ● *jongste* ● ⟨fig.⟩ *klein kind* ● *jong* ⟨v. dier⟩ ● *schatje* ‖ ⟨fig.⟩ be left holding the – *met de gebakken peren blijven zitten.*
2 baby ⟨bn⟩ ● *kinder-* ● *klein, jong;* – *elephant baby-olifant.*
3 baby ⟨ww⟩ ↓ ● *als een baby behandelen, vertroetelen.* **'baby carriage** ⟨AE⟩ ● *kinderwagen.* **babyish** ['beɪbiʃ] ⟨vaak ong.⟩ ● *kinderachtig, kinderlijk.* **'baby-sit** ● *babysitten, babysit zijn.* **'baby sitter,** ⟨vnl. BE⟩ **'baby minder** ● *babysitter, oppas.*
bachelor ['bætʃ(ə)lə] ● *vrijgezel* ● *baccalaureus* ⟨laagste academische graad, ongeveer kandidaat⟩; Bachelor of Arts *baccalaureus in de Letteren;* Bachelor of Science *baccalaureus in de exacte wetenschappen.* **'bachelor girl** ⟨euf.⟩ ● *ongehuwde vrouw* ⟨vnl. zelfstandig en jong⟩.
bacillus [bə'sɪləs] ⟨mv.: bacilli [-laɪ]⟩ ● *bacil,* ⟨oneig.⟩ *bacterie.*
1 back [bæk] I ⟨telb zn⟩ ● *rug, achterkant;* behind s.o.'s – *achter iemands rug* ⟨ook fig.⟩; (flat) on one's – *(ziek) in bed* ● *achter(hoede)speler* ‖ ⟨fig.⟩ with one's – to the wall *met zijn rug tegen de muur;* put s.o.'s – up *iem. irriteren/kwaad maken;* get off s.o.'s – *iem. met rust laten;* glad to see the – of s.o. *iem. liever zien gaan dan komen;* turn one's – on *de rug toekeren;* be on s.o.'s – *veel/altijd kritiek hebben op iem.;* zie ook ⟨sprw.⟩ LAST, SCRATCH II ⟨telb en ntelb zn; the⟩ ● *achterkant, keerzijde, rug;* the – of a book/hand *de rug v.e. boek/hand;* at the – of, ⟨AE⟩ in – (of) *achter(op);* be at the – of s.o. *achter iem. staan* ⟨ook fig.⟩ ● *(rug)leuning* ● *achterste deel;* ⟨fig.⟩

at the – of one's mind *in zijn achterhoofd;* at the – *achterin* ‖ talk through the – of one's neck *uit zijn nek kletsen.*

2 back ⟨bn⟩ ● *achter(-);* – seat *achterbank* ⟨v. auto⟩ ● *terug- ver(weg), (achter)afgelegen* ● *achterstallig* ‖ – issue/number *oud nummer* ⟨v. tijdschrift⟩.

3 back I ⟨onov ww⟩ ● *krimpen* ⟨v. wind⟩; zie BACK AWAY, BACK DOWN, BACK OFF, BACK OUT, BACK UP **II** ⟨onov en ov ww⟩ ● *achteruit bewegen, achteruitrijden, (doen) achteruitgaan;* – out *achteruit wegrijden;* – the car out of the garage *de auto achteruit uit de garage rijden* **III** ⟨ov ww⟩ ● *(onder)steunen* ⟨ook financieel⟩, *schragen, bijstaan* ● ↓ *wedden (op)* ● ⟨vnl. pass.⟩ ⟨+with⟩ *voeren (met)* ⟨kleding e.d.⟩ ● ⟨muz.⟩ *backen;* zie BACK UP.

4 back ⟨bw⟩ ● *achter(op);* ⟨AE⟩ – of *achter* ● *achteruit* ● *terug* ⟨ook fig.⟩, ⟨ihb.⟩ *weer thuis;* come – *terugkomen* ● *geleden, terug;* a few years – *een paar jaar geleden* ● *op (enige) afstand;* a few miles – *een paar mijl terug* ‖ – and forward/forth *heen en weer.*

'**backache** ● *rugpijn.* **back away** ● ⟨vaak +from⟩ *achteruit weglopen (van), zich terugtrekken.* '**back'bench** ⟨BE⟩ ● ⟨mv.⟩ *gewone lagerhuisleden* ● ⟨the⟩ *achterste bank in Lagerhuis.* '**back'bencher** ⟨BE⟩ ● *gewoon lagerhuislid.* '**backbite** ● *kwaadspreken (over), roddelen (over).* '**backbone** ● ↓ *ruggegraat* ⟨ook fig.⟩, *wilskracht, pit.* '**backcloth, 'backdrop** ● *achtergrond* ⟨vnl. fig.⟩. **back down** ● *terugkrabbelen, toegeven.* **backdrop** zie BACKCLOTH. **backed** ⟨bækt⟩ ● *met een rug/leuning.* **backer** ['bækə] ● *(rugge)steun, helper, financier.*

1 'backfire ⟨zn⟩ ● *terugslag* ⟨v. motor⟩.

2 'back'fire ⟨ww⟩ ● ⟨ook: 'backkick⟩ *terugslaan* ⟨v. motor⟩ ● *mislopen.*

backgammon ['bæk'gæmən] ● *backgammon.*

'**background** ● *achtergrond* ⟨ook fig.⟩; in the – *op de achtergrond.* '**background information** ● *achtergrondinformatie.*

'**backhand** ⟨tennis⟩ ● *backhand(slag).* '**back'handed** ‖ – compliment *dubbelzinnig/dubieus compliment.*

1 backing ['bækɪŋ] ⟨zn⟩ ● *(rugge)steun, ondersteuning* ● *medestanders* ● *dekking.*

2 backing ⟨bn⟩ ● *achtergrond-;* – vocals *achtergrondstemmen.*

'**backlash** ● *tegenstroom, verzet, reactie.* '**backlog** ● *achterstand* ⟨in werk⟩. **back off** ● *terugdeinzen, achteruitwijken.* **back out** ● ⟨vnl. +of⟩ *zich terugtrekken (uit), af-*

zien *(van).* '**backpack** ⟨AE⟩ ● *rugzak.* '**backpacker** ● *trekker met rugzak.* '**backside** ● ↓ *achterwerk, zitvlak.* '**backslide** ● *terugvallen* ⟨in fout⟩, *vervallen.* '**back'stage** ⟨ook fig.⟩ ● *achter de schermen.*

'**back street** ⟨vaak mv.⟩ ● *achterbuurt(en).* '**back-street** ● *clandestien;* – abortion *illegale abortus.* '**backstroke** ⟨sport⟩ ● *rugslag.* '**backup** ● *(rugge)steun, ondersteuning* ● *reserve* ● ⟨AE⟩ *file.* '**back 'up I** ⟨onov ww⟩ ● *achteruitrijden* ⟨v. auto⟩ **II** ⟨ov ww⟩ ● *(onder)steunen, bijstaan* ● *bevestigen* ⟨verhaal⟩. **backward** ['bækwəd] ● *achter(lijk), traag* ● *achteruit(-), teruggaand;* a – glance *een blik achterom.* **backwards** ['bækwədz], ⟨vnl. AE⟩ **backward** ● *achteruit* ⟨ook fig.⟩, *achterwaarts, ruggelings;* – and forward(s) *heen en weer* ● *terug.* '**back'woods** ● *binnenlanden, oerwouden.* '**back'yard** ● *achterplaats* ● ⟨AE⟩ *achtertuin.*

bacon ['beɪkən] ● *bacon, spek.*

bacteria [bæk'tɪərɪə] ⟨mv.⟩ zie BACTERIUM. **bacterial** [bæk'tɪərɪəl] ● *bacterieel.* **bacteriology** [-'ɒlədʒi] ● *bacteriologie.* **bacterium** [bæk'tɪərɪəm] ⟨mv.: bacteria⟩ ● *bacterie.*

1 bad [bæd] ⟨zn⟩ ● *het slechte;* take the – with the good *het goede met het kwade nemen.*

2 bad ⟨bn; worse [wə:s], worst [wə:st]; -ness⟩ ● *slecht;* – air/meat *bedorven lucht/vlees;* ⟨BE⟩ – form *slechte manieren;* go – *bederven;* I am – at football *ik ben niet goed in voetballen* ● *kwaad, ondeugend;* – boy *stoute jongen;* from – to worse *van kwaad tot erger* ● *ziek, naar, pijnlijk* ● *erg;* – accident *zwaar ongeval;* come to a – end *slecht aflopen* ● *vals;* – coin *valse munt* ● *schadelijk* ‖ – luck *pech;* be in s.o.'s – book(s) *bij iem. in een slecht blaadje staan;* ↓ he is a – egg/ ⟨BE⟩ hat/lot *hij deugt voor geen cent;* with (a) – grace *met tegenzin;* ↓ (that's) too – *(dat is) zonde/jammer;* I feel – about that *dat spijt me.*

3 bad ⟨bw⟩ zie BADLY.

baddie ['bædi] ● *bandiet.*

bade [bæd, beɪd] ⟨verl. t. en volt. deelw.⟩ zie BID.

badge [bædʒ] ● *kenteken, ordeteken, politiepenning* ● *kenmerk, uiterlijk teken.*

1 badger ['bædʒə] ⟨zn⟩ ● *das.*

2 badger ⟨ww⟩ ● *pesten, sarren, lastig vallen.*

badly ['bædli], ⟨AE; ↓⟩ **bad** ● *slecht* ● *erg, zeer;* I need it – *ik heb het hard nodig;* I want it – *ik wil het dolgraag hebben.*

badminton ['bædmɪntən] ● *badminton.*

'**bad-**'**tempered** ● *in een slecht humeur.*

baffle ⟨zn: **-ment**⟩ ● *verbijsteren, van zijn stuk/in de war brengen;* it really –s me how *het is me een raadsel hoe.* **baffling** ['bæflɪŋ] ● *verbijsterend, ongelooflijk.*

1 bag [bæg] ⟨zn⟩ ● *zak, baal* ● *zak, tas, koffer* ● *vangst* ⟨mbt. wild/vogels⟩; a good – *een flinke buit* ‖ –s under the eyes *wallen onder de ogen;* a mixed – *een allegaartje;* ↓ –s of money *hopen geld.*

2 bag I ⟨onov ww⟩ ● *uitzakken* II ⟨ov ww⟩ ● *doen zwellen/uitpuilen/uitzakken* ● ⟨+up⟩ *in een zak doen* ● *vangen, schieten* ⟨wild, gevogelte⟩ ● *inpikken.* **bag-ful** ['bægfʊl] ● *zak vol;* –s of money *hopen geld.*

baggage ['bægɪdʒ] ● ⟨vnl. AE⟩ *bagage.*

baggy ['bægi] ● *zakachtig, flodderig; –* cheeks *hangwangen; –* pants *wijd zittende broek.* '**bag lady** ● *zwerfster* ⟨die haar bezittingen in plastic tasjes met zich meedraagt⟩. '**bagpipes** ● *doedelzak.*

bah [bɑː] ● *ba(h), foei.*

1 bail [beɪl] ⟨zn⟩ ● *borg, borgtocht;* admit to/grant – *tegen borgtocht vrijlaten;* give – *borg stellen;* go/stand – for s.o. *borg staan voor iem.;* ⟨fig.⟩ *voor iem. instaan;* out on – *vrijgelaten op borgtocht.*

2 bail I ⟨onov ww⟩ ● *hozen;* zie BAIL OUT II ⟨ov ww⟩ ● *vrijlaten onder borgstelling* ● *in bewaring geven* ● *leeghozen;* zie BAIL OUT.

bailey ['beɪli] ● *vestingmuur* ● *binnenhof* ⟨v. kasteel e.d.⟩.

bailiff ['beɪlɪf] ● ⟨BE⟩ *deurwaarder* ● ⟨AE⟩ *gerechtsdienaar* ● ⟨gesch.⟩ *baljuw, schout* ● *rentmeester.*

'**bail** '**out** I ⟨onov ww⟩ ● *hozen* ● ⟨AE⟩ *het vliegtuig uitspringen* ⟨met parachute⟩ II ⟨ov ww⟩ ● *door borgtocht in vrijheid stellen* ● *door financiële steun voor faillissement behoeden,* ↓ *uit de penarie helpen* ● *leeghozen.*

bairn [beən] ⟨Noord E en Sch. E⟩ ● *kind.*

1 bait [beɪt] ⟨zn⟩ ● *aas, lokaas;* rise to/take the – *toehappen;* ⟨fig. ook⟩ *erin trappen.*

2 bait ⟨ww⟩ ● *van lokaas voorzien* ● *lokken, verleiden* ● *ophitsen, sarren* ⟨dier, vnl. met honden⟩ ● *treiteren, provoceren.*

bake [beɪk] ● *bakken;* –d beans *witte bonen* ⟨in tomatensaus⟩.

baker ['beɪkə] ● *bakker.* '**baker's** '**dozen** ● *dertien.* **bakery** ['beɪkəri] ● *bakkerij* ● *bakkerswinkel.*

1 balance ['bæləns] I ⟨telb zn⟩ ● *balans, weegschaal;* ⟨fig.⟩ tip the – *de balans doen doorslaan;* ⟨fig.⟩ his fate is/hangs in the – *zijn lot is onbeslist/onzeker* ● *tegengewicht* ⟨vnl. fig.⟩ ● ⟨hand.⟩ *balans* ● ⟨geldw., hand.⟩ *saldo, tegoed; –* in hand

kasvoorraad; – due *schuldsaldo* ‖ on – *rekening houdend met alle gegevens* II ⟨telb en n-telb zn⟩ ● *evenwicht, balans;* he put me off – *hij bracht me uit mijn evenwicht;* ⟨fig.⟩ *hij bracht mij van mijn stuk* ● *harmonie.*

2 balance I ⟨onov ww⟩ ● *sluiten* ⟨v. balans⟩, *kloppen* ● *in evenwicht staan/blijven, balanceren* ● *opwegen tegen elkaar; –* out *elkaar compenseren* ‖ – between two issues *weifelen tussen twee mogelijkheden* II ⟨ov ww⟩ ● *wegen,* ⟨fig.⟩ *overwegen, tegen elkaar afwegen* ● *in evenwicht brengen/houden, balanceren; –* each other out *tegen elkaar opwegen* ● *opmaken, sluitend maken* ⟨balans⟩ ● *vereffenen; –* an account *een rekening vereffenen.* **balanced** ['bælənst] ● *evenwichtig, bezadigd; –* diet *uitgebalanceerd dieet.*

'**balance sheet** ⟨hand.⟩ ● *balans.*

balcony ['bælkəni] ● *balkon.*

bald [bɔːld] ● *kaal,* ⟨fig. ook⟩ *sober, saai; –* as a coot *kaal als een biljartbal* ● *naakt, bloot;* the – facts *de naakte waarheid.* **balding** ['bɔːldɪŋ] ● *kalend.* **baldly** ['bɔːldli] ● *gewoonweg, zonder omwegen.*

1 bale [beɪl] ⟨zn⟩ ● *baal.*

2 bale ⟨ww⟩ ● *in balen verpakken;* zie BALE OUT.

baleful ['beɪlfl] ● *noodlottig* ● *onheilspellend* ⟨bv. blik⟩.

'**bale** '**out** I ⟨onov ww⟩ ● *hozen* ● *het vliegtuig uitspringen* ⟨met valscherm⟩ II ⟨ov ww⟩ ● *leeghozen.*

balk [bɔːk, bɔːlk], **baulk** I ⟨onov ww⟩ ● *weigeren, blijven steken/hangen;* the horse –ed at the fence *het paard weigerde de hindernis* ● ⟨+at⟩ *terugschrikken (van/voor), bezwaar maken (tegen)* II ⟨ov ww⟩ ● *verhinderen; –* s.o.'s plans *iemands plannen in de weg staan;* be –ed in one's ambitions *geremd worden in zijn ambities.*

1 ball [bɔːl] I ⟨telb zn⟩ ● *bal* ⟨ook sport⟩; set/start the – rolling *de zaak aan het rollen brengen* ● *bol* ● *prop, kluwen* ● *bal* ⟨v. voet⟩, *muis* ⟨v. hand⟩ ● *kogel* ● *bal, dansfeest* ‖ have a – *zich fantastisch amuseren;* on the – *wakker, op zijn hoede; –*s! *gelul!* II ⟨n-telb zn⟩ ● *balspel,* ⟨AE ihb.⟩ *honkbal;* play – ⟨fig.⟩ *meewerken.*

2 ball ⟨ww⟩ ● *een bal maken van.*

ballad ['bæləd] ● *ballade.*

ballade [bæ'lɑːd] ● *(rederijkers)ballade.*

ballast ['bæləst] ● *ballast,* ⟨fig.⟩ *bagage;* a bed of – *een ballastbed/grindbed.*

'**ball** '**bearing** ● *kogellager.*

ballerina ['bælə'riːnə] ● *balletdanseres.*

ballet ['bæleɪ] ● *ballet.*

'**ball game** ● *balspel,* ⟨AE ihb.⟩ *honkbalspel.*

ballistic [bə'lɪstɪk] ‖ – *missile ballistisch projectiel.* **ballistics** [bə'lɪstɪks] ● *ballistiek.*

1 **balloon** [bə'lu:n] ⟨zn⟩ ● *(lucht)ballon* ● *ballon(netje)*(in stripverhaal).

2 **balloon I** ⟨onov ww⟩ ● *opzwellen, bol gaan staan* **II** ⟨ov ww⟩ ● *doen opzwellen, opblazen.* **balloonist** [bə'lu:nɪst] ● *ballonvaarder.*

1 **ballot** ['bælət] ⟨zn⟩ ● *stem(biljet/briefje)* ● *stemming, geheime stemming;* voting by – *geheime stemming* ● *(aantal) uitgebrachte stemmen.*

2 **ballot** ⟨ww⟩ ● *(laten) stemmen;* – *the men on the proposal de mannen over het voorstel laten stemmen.* '**ballot box** ● *stembus.* '**ballot paper** ● *stembriefje, stembiljet.*

'**ball pen**, '**ball-point ('pen)** ● *balpen.*

'**ballplayer** ● *speler,* ⟨AE⟩ *(beroeps)honkbalspeler.*

'**ballroom** ● *balzaal, danszaal.*

ballyhoo ['bæli'hu:] ● *reclamebluf, tamtam.*

balm [bɑ:m] ● *balsem* ⟨ook fig.⟩, *troost.* **balmy** ['bɑ:mi] ● *balsemachtig* ● *mild;* – *climate zacht klimaat.*

Baltic ['bɔ:ltɪk] ● *Baltisch;* – *Sea Oostzee.*

balustrade ['bælə'streɪd] ● *balustrade.*

bamboo ['bæm'bu:] ● *bamboe.*

1 **ban** [bæn] ⟨zn⟩ ● *ban(vloek)* ● *verbod;* put a – *on smoking het roken officieel verbieden.*

2 **ban** ⟨ww⟩ ● *verbieden* ● *verbannen* ● *verwerpen;* – *the bomb weg met de atoombom.*

banal [bə'nɑ:l] ● *banaal, alledaags, niet interessant.* **banality** [bə'næləti] ● *banaliteit.*

banana [bə'nɑ:nə] ● *banaan.*

1 **band** [bænd] ⟨zn⟩ ● *band* ⟨ook fig.⟩, *riem, ring, (dwars)streep, reep, rand;* a – *of light een lichtstreep/strook;* a rubber – *een elastiekje* ● *bende, groep, troep* ● *band, (dans)orkestje, fanfare.*

2 **band I** ⟨onov ww⟩ ● *zich verenigen;* – *together against zich als één man verzetten tegen* **II** ⟨ov ww⟩ ● *ringen* ⟨vogels, bomen⟩.

1 **bandage** ['bændɪdʒ] ⟨zn⟩ ● *verband.*

2 **bandage** ⟨ww⟩ ● *verbinden;* – *up s.o.'s arm iemands arm in het verband leggen.*

bandit ['bændɪt] ● *bandiet, rover.*

'**bandstand** ● *muziektent.* '**bandwagon** ● *muziekwagen* ‖ *climb/jump on the* – *met de massa meedoen/meelopen; aan de kant v.d. winnaar gaan staan.*

bandy ● *heen en weer doen bewegen/gooien* ● *(uit)wisselen;* – *words with s.o. ruzie*

maken met iem. ‖ – *about te pas en te onpas noemen; rondbazuinen.*

'**bandy-'legged** ● *met o-benen.*

bane [beɪn] ● *last, pest;* the – *of my life een nagel aan mijn doodskist* ● *vloek, verderf.*

1 **bang** [bæŋ] ⟨zn⟩ ● *klap, dreun* ● *knal* ‖ ↓ go off/ ⟨AE⟩ go over with a – *een reuzesucces oogsten.*

2 **bang I** ⟨onov ww⟩ ● *knallen, dreunen* ● ⟨+on⟩ *bonzen (op), slaan* ‖ – about *lawaai maken* **II** ⟨ov ww⟩ ● *stoten, bonzen, botsen* ● *dichtgooien/smijten* ● *(neer)smakken.*

3 **bang** ⟨bw⟩ ● *precies, pats;* – in the face *precies in zijn gezicht;* – on *precies goed/raak* ● *plof, boem, paf.*

4 **bang** ⟨tw⟩ ● *boem!, pats!.*

banger ['bæŋə] ⟨BE⟩ ● *worstje* ● *stuk (knal) vuurwerk* ● ↓ *aftandse auto.*

bangle ['bæŋgl] ● *armband* ● *enkelband.*

banish ['bænɪʃ] ⟨zn: -ment⟩ ● *verbannen* ● *verjagen;* – *those thoughts from your mind zet die gedachten maar uit je hoofd.*

banister zie BANNISTER.

banjo ['bændʒoʊ] ● *banjo.*

1 **bank** [bæŋk] ⟨zn⟩ ● *bank, mistbank, wolkenbank, sneeuwbank, zandbank, ophoging, aardwal* ● *oever, glooiing* ● *bank;* The Bank *de Bank* v. *Engeland* ● *rij, serie.*

2 **bank I** ⟨onov ww⟩ ● ⟨vaak +up⟩ *zich opstapelen;* – up *zich ophopen* ● *(over)hellen* ⟨in een bocht⟩ ● *bankzaken doen* ‖ who(m) do you – with? *bij welke bank ben jij aangesloten?;* ↓ – on *vertrouwen/rekenen op* **II** ⟨ov ww⟩ ● *indammen* ● *ophopen;* – up *opstapelen* ● *doen hellen* ⟨bv. vliegtuig, weg⟩ ● ⟨+up⟩ *opbanken, inrekenen* ⟨vuur⟩ ● *op een bankrekening zetten.*

'**bank account** ● *bankrekening.* **banker** ['bæŋkə] ● *bankier* ● *bankhouder.* '**banker's card** ● *betaalpas(je), bankkaart.* '**bank 'holiday** ● ⟨BE⟩ *officiële feestdag op een werkdag.* **banking** ['bæŋkɪŋ] ● *bankwezen.* '**bank note** ● *bankbiljet.*

1 **bankrupt** ['bæŋkrʌpt] ⟨zn⟩ ● *bankroetier, gefailleerde.*

2 **bankrupt** ⟨bn⟩ ● *failliet.* **bankruptcy** ['bæŋkrʌp(t)si] ● *bankroet.*

banner ['bænə] ● *banier, vaandel* ● *spandoek.*

ban(n)ister ['bænɪstə] ● ⟨vaak mv.⟩ *(trap) spijl* ● ⟨mv.⟩ *(trap)leuning.*

banns ['bænz] ● *(kerkelijke) huwelijksaankondiging;* publish/put up the – *een huwelijk (kerkelijk) afkondigen.*

1 **banquet** ['bæŋkwɪt] ⟨zn⟩ ● *banket, feestmaal.*

2 **banquet** ⟨ww⟩ ● *deelnemen aan een ban-*

ket.

1 banter ['bæntə] ⟨zn⟩ ● *geplaag, scherts.*
2 banter I ⟨onov ww⟩ ● *schertsen* II ⟨ov ww⟩
● *plagen, pesten.*

baptism ['bæptɪzm] ● *doop;* – of fire *vuur-doop.* **baptismal** [bæp'tɪzml] ● *doop-.*
Baptist ['bæptɪst] ● *doopsgezinde.*
baptize ['bæp'taɪz] ● *dopen.*

1 bar [bɑ:] I ⟨telb zn⟩ ● *langwerpig stuk* ⟨v. hard materiaal⟩, *staaf, stang, baar, reep;* – of chocolate *reep chocola;* – of soap *stuk zeep* ● *afgrendelend iets, tralie, slagboom, afsluitboom,* ⟨fig.⟩ *obstakel, hindernis;* be put behind –s *achter (de) tralies gezet worden* ● *streep, balk* ⟨op wapen, onderscheidingsteken⟩; a medal with a – on the ribbon *een medaille met een balk/ gesp op het lint* ● *bar, buffet* ● ⟨muz.⟩ *maat(streep)* II ⟨telb en n-telb zn⟩ ● *balie* ⟨v. rechtbank⟩; be tried at (the) – *in openbare terechtzitting berecht worden* III ⟨zn; meestal B-; the⟩ ● *advocatuur,* ⟨AE⟩ *orde der juristen* ‖ be called to the Bar *als advocaat toegelaten worden.*
2 bar ⟨ww⟩ ● *vergrendelen, afsluiten* ● *opsluiten* ● *versperren* ⟨ook fig.⟩, *verhinderen* ● *verbieden* ● *strepen.*
3 bar, barring ['bɑ:rɪŋ] ⟨vz⟩ ● *behalve, uitgezonderd;* – none *zonder uitzondering.*

barb [bɑ:b] ● *weerhaak, prikkel* ● *steek* ⟨fig.⟩, *hatelijkheid.*
barbarian ['bɑ:'beerɪən] ● ⟨zn⟩ *barbaar* ● ⟨bn⟩ *barbaars.* **barbaric** [bɑ:'bærɪk] ● *barbaars.* **barbarity** [bɑ:'bærəti] ● *barbaarsheid.* **barbarous** ['bɑ:brəs] ● *barbaars.*
1 barbecue ['bɑ:bɪkju:] ⟨zn⟩ ● *barbecue* ● *op barbecue geroosterd (stuk) dier/vlees* ● *barbecuefeest.*
2 barbecue ⟨ww⟩ ● *roosteren, barbecuen.*
barbed [bɑ:bd] ● *met weerhaken* ● *scherp, bijtend* ⟨opmerking⟩ ‖ –wire *prikkeldraad.*
barber ['bɑ:bə] ● *herenkapper, barbier.*
1 bare [beə] ⟨bn; -ness⟩ ● *naakt;* lay – *blootleggen* ● *kaal, leeg;* – of sth. *zonder iets* ‖ the – thought! *de gedachte alleen al!.*
2 bare ⟨ww⟩ ● *ontbloten* ● *blootleggen* ● ⟨+of⟩ *ontdoen (van).*
bareback ● *zonder zadel (rijdend).* **'bare-'faced** ● *onbeschaamd;* – lies *schaamteloze leugens.* **barefoot** ● *blootsvoets.*
'bare'headed ● *blootshoofds.*
barely ['beəli] ● *nauwelijks, amper;* – enough to eat *nauwelijks genoeg te eten.*
1 bargain ['bɑ:gɪn] ⟨zn⟩ ● *afspraak, akkoord;* it's a –! *akkoord!* ● *koopje* ‖ into/ ⟨AE⟩ in the – *op de koop toe.*
2 bargain I ⟨onov ww⟩ ● *onderhandelen, dingen* ‖ more than he –ed for *meer dan*

waar hij op rekende II ⟨ov ww⟩ ● *bedingen.*
'bargain hunting ● *koopjesjacht, op koopjes jagen.* **'bargain price** ● *spotprijs.* **'bargain sale** ● *uitverkoop.*
1 barge [bɑ:dʒ] ⟨zn⟩ ● *schuit, praam, aak* ● *sloep.*
2 barge ⟨ww⟩ ↓ ● *stommelen;* – into/against sth. *ergens tegenaan botsen* ‖ – in *binnenvallen; zich bemoeien met;* – in on s.o. *iem. lastigvallen.*
baritone ['bærɪtoʊn] ● *bariton.*
1 bark [bɑ:k] ⟨zn⟩ ● *geblaf* ● ⟨ook: barque⟩ ⟨scheep.⟩ *bark* ● ⟨ook: barque⟩ *boot, sloep* ● *schors, bast.*
2 bark I ⟨onov ww⟩ ● ⟨+at⟩ *blaffen (tegen);* ⟨fig.⟩ – at s.o. *iem. afblaffen* II ⟨ov ww⟩ ● *(uit)brullen;* – (out) an order *een bevel schreeuwen.*
barley ['bɑ:li] ● *gerst.*
'barmaid ● *barmeisje.* **barman** ['bɑ:mən] ● *barman.*
barmy ['bɑ:mi] ● ⟨vnl. BE; sl.⟩ *stapelgek.*
barn [bɑ:n] ● *schuur* ● ⟨AE⟩ *stal, loods.*
barnacle ['bɑ:nəkl] ● *eendemossel, zeepok.*
'barnstorm ● *op tournee gaan* ⟨v. acteurs, politici⟩.
barnyard ['bɑ:njɑ:d] ● *boerenerf.*
barometer [bə'rɒmɪtə] ● *barometer.*
baron ['bærən] ● *baron* ● *magnaat.* **baroness** ['bærənɪs] ● *barones(se).*
baronet ['bærənɪt] ● *baronet.* **baronetcy** ['bærənɪtsi] ● *titel v. baronet.*
baroque [bə'rɒk, bə'roʊk] ● *barok.*
barque zie BARK[1].
barrack ['bærək] ● ⟨mv.⟩ *kazerne.*
barrage ['bærɑ:ʒ] ● *stuwdam* ● *spervuur* ⟨ook fig.⟩.
barrel ['bærəl] ● *ton, vat* ● *cilinder* ⟨v. horloge e.d.⟩, *loop* ⟨v. vuurwapen⟩, *trommel.* **'barrel organ** ● *draaiorgel.*
barren ['bærən] ⟨-ness⟩ ● *onvruchtbaar,* ⟨ook fig.⟩ *nutteloos* ● *dor.*
1 barricade ['bærɪkeɪd, ‚bærɪ'keɪd] ⟨zn⟩ ● *barricade, versperring, hindernis.*
2 barricade ⟨ww⟩ ● *barricaderen, versperren.*
barrier ['bærɪə] ● *barrière, hek, slagboom, hindernis* ● *grenspaal* ● *controle* ⟨op station⟩.
barring ['bɑ:rɪŋ] ● *uitgezonderd, behalve.*
barrister ['bærɪstə] ● ⟨BE⟩ *advocaat* ⟨pleiter bij hogere rechtbanken⟩ ● ⟨AE⟩ *jurist.*
barrow ['bæroʊ] ● *kruiwagen* ● *draagbaar, berrie* ● *handkar.*
'bartender ⟨AE⟩ ● *barman.*
1 barter ['bɑ:tə] ⟨zn⟩ ● *ruilhandel.*
2 barter I ⟨onov ww⟩ ● *ruilhandel drijven* II

⟨ov ww⟩ ●⟨+for⟩ *ruilen (voor/tegen)* ‖ – away one's freedom *zijn vrijheid prijsgeven*.

1 base [beɪs] ⟨zn⟩ ●*basis, voetstuk, voet* ● *grondslag, fundament,* ⟨fig.⟩ *uitgangspunt* ●*hoofdbestanddeel* ●*basiskamp, hoofdkwartier* ●⟨wisk.⟩ *grondtal* ● ⟨schei.⟩ *base* ●⟨sport⟩ *honk*.

2 base ⟨bn; -ness⟩ ●*laag, verachtelijk* ●*onedel* ⟨metaal⟩, *onecht* ⟨munt⟩.

3 base ⟨ww⟩ ●⟨+(up)on⟩ *baseren (op), gronden (op), funderen (op)* ●*vestigen;* the fleet is –d on/in Malta *de vloot heeft zijn basis op Malta.*

'**baseball** ●*honkbal*. **baseless** ['beɪsləs] ●*ongegrond.* '**base line** ●*basislijn, grondlijn* ●⟨tennis⟩ *achterlijn.*

basement ['beɪsmənt] ●*souterrain.*

bases ⟨mv.⟩ zie BASE[1], BASIS.

1 bash [bæʃ] ⟨zn⟩ ●*dreun, mep* ‖↓ have a – (at sth.) *iets eens proberen.*

2 bash I ⟨onov ww⟩ ●*botsen, bonken* **II** ⟨ov ww⟩ ●*slaan, beuken;* – s.o.'s head in *iemands schedel inslaan;* – s.o. up *iem. in elkaar rammen.*

bashful ['bæʃfl] ●*verlegen, bedeesd.*

basic ['beɪsɪk] ●*basis-, fundamenteel; –* data *hoofdgegevens* ●*basis-, minimum-; –* pay/salary *basisloon* ●⟨schei.⟩ *basisch.*

Basic ['beɪsɪk], '**Basic** '**English** ●*Basic (English), Basis-Engels* ⟨met woordenschat v. 850 woorden⟩.

basically ['beɪsɪkli] ●*in de grond, eigenlijk, voornamelijk.* **basics** ['beɪsɪks] ●*grondbeginselen.*

basil [bæzl] ●*basilicum.*

basin ['beɪsn] ●*kom, schaal* ●*waterbekken* ● *bekken, stroomgebied* ●*keteldal* ●*waskom, wasbak* ●*bassin, (haven)dok.*

basis ['beɪsɪs] ⟨mv.: bases ['beɪsi:z]⟩ ●*basis, fundament,* ⟨fig.⟩ *grondslag;* on the – of *op grond v.* ‖ work on a half-time – *op deeltijdbasis werken.*

bask [bɑːsk] ●*zich koesteren.*

basket ['bɑːskɪt] ●*mand, korf,* ⟨basketbal⟩ *basket.* '**basketball** ●*basketbal.* **basketry** ['bɑːskɪtri], '**basketwork** ●*mandewerk.*

Basque [bæsk] ●*Bask(isch).*

1 bass [bæs] ⟨zn; mv.: ook bass⟩ ●*baars* ● *zeebaars.*

2 bass [beɪs] ⟨zn⟩ ●*bas.*

3 bass [beɪs] ⟨bn⟩ ●*bas-;* – guitar *basgitaar.*

bassoon [bə'su:n] ●*fagot.*

1 bastard ['bɑ:stəd] ⟨zn⟩ ●*bastaard* ●⟨↓; bel.⟩ *smeerlap, schoft* ●↓ *vent;* you lucky –! *geluksvogel die je bent!.*

2 bastard ⟨bn⟩ ●*bastaard* ●*onecht.* **bastardize** ['bɑ:stədaɪz] ●*verbasteren.*

baste [beɪst] ●*(aaneen)rijgen* ●*bedruipen* ⟨met vet⟩.

bastion ['bæstɪən] ●*bastion, bolwerk.*

1 bat [bæt] ⟨zn⟩ ●*vleermuis* ●*knuppel, bat, slaghout* ‖↓ have –s in the/one's belfry *een klap van de molen gehad hebben;* ⟨BE; ↓⟩ off one's own – *uit eigen beweging, op eigen houtje;* ⟨AE; ↓⟩ (right) off the – *direct.*

2 bat I ⟨onov ww⟩ ●*batten* **II** ⟨ov ww⟩ ● *slaan, raken* ●*knipp(er)en* ⟨ogen⟩; without –ting an eye(lid) *zonder een spier te vertrekken.*

batch [bætʃ] ●*baksel* ●*partij, groep, troep.*

1 bath [bɑ:θ] ⟨zn; mv.: ook baths [bɑ:ðz, bɑ:θs]⟩ ●*bad* ●*zwembad* ●⟨mv.⟩ *badhuis* ●⟨mv.⟩ *kuuroord.*

2 bath ⟨ww⟩ ⟨BE⟩ ●*een bad nemen/geven.*

1 bathe [beɪð] ⟨zn⟩ ⟨BE⟩ ●*bad, zwempartij;* let's go for a – *laten we gaan zwemmen.*

2 bathe I ⟨onov ww⟩ ●⟨vnl. BE⟩ *zich baden, zwemmen* ●⟨vnl. AE⟩ *een bad nemen* **II** ⟨ov ww⟩ ●*baden, onderdompelen, bespoelen* ●*betten* ⟨wond, bv.⟩ ‖ –d in tears *badend in tranen;* –d in sunshine *met zon overgoten.* **bather** ['beɪðə] ●*bader.*

bathing ['beɪðɪŋ] ●*het baden, het zwemmen.* '**bathing cap** ●*badmuts.* '**bathing suit** ●*badpak.*

'**bathrobe** ●*badjas* ●⟨AE⟩ *kamerjas.* '**bathroom** ●*badkamer* ●⟨euf.⟩ *toilet.* '**bathtub** ●*badkuip.*

batman ['bætmən] ⟨BE; mil.⟩ ●*batman, oppasser v.e. officier.*

baton ['bætən] ●*wapen/gummistok, dirigeerstok, estafettestokje.*

batsman ['bætsmən] ●*batsman,* ⟨cricket, honkbal⟩ *batter, slagman.*

battalion [bə'tælɪən] ●*bataljon.*

batten ['bætn] ●*lat, plank, hechtlat,* ⟨scheep.⟩ *schalmlat.* '**batten** '**down** ⟨scheep.⟩ **I** ⟨onov ww⟩ ●*zich tegen de storm beveiligen* ⟨dmv. schalmlatten⟩ **II** ⟨ov ww⟩ ●*schalmen;* – the hatches *de luiken schalmen.*

1 batter ['bætə] ⟨zn⟩ ●*slagman, batsman* ● ⟨cul.⟩ *beslag.*

2 batter I ⟨onov ww⟩ ●*beuken, timmeren;* – (away) at *inbeuken op* **II** ⟨ov ww⟩ ●*slaan, timmeren op, havenen;* –ed baby *mishandelde baby;* ⟨fig.⟩ a –ed face *een afgeleefd gezicht* ●*beschieten;* – down *neerhalen* ●*rammeien.*

'**battering ram** ●*stormram.*

battery ['bætri] ●*batterij* ⟨ook mil.⟩, *reeks* ● *(elektrische) batterij* ●*accu* ●*aanranding.*

1 battle ['bætl] ⟨zn⟩ ●*(veld)slag, gevecht;* fight a losing – *een hopeloze strijd voe-*

ren; give – *slag/strijd leveren;* go into – *ten strijde trekken* ●⟨the⟩ *overwinning.*

2 battle I ⟨onov ww⟩ ●*slag leveren, strijden*
II ⟨ov ww⟩ ●*door vechten bereiken;* –
one's *way up to the top door hard knokken de top bereiken.*

'**battle-axe** ●*strijdbijl* ●↓ *manwijf.* '**battle cry** ●*strijdkreet.* '**battle dress** ●*veldtenue.*
'**battlefield** ●*slagveld.* '**battleground** ●
gevechtsterrein, slagveld. **battlement**
['bætlmənt] ●*kanteel.* '**battleship** ●*slagschip.*

bauble ['bɔ:bl] ●*(prullig) sier/speelding.*
baulk zie BALK.
bawdy ['bɔ:di] ●*schuin, vies.*
bawl [bɔ:l] ●*schreeuwen;* – at s.o. *iem. toebrullen* ‖ – out *uitfoeteren.*

1 bay [beɪ] ⟨zn⟩ ●*baai* ●*(muur)vak* ●*nis, erker* ●*afdeling, vleugel, ruimte* ⟨in gebouw enz.⟩ ●*luid geblaf* ‖ bring to – *in het nauw drijven;* hold/keep at – *op een afstand houden;* at – *in het nauw gedreven.*

2 bay ⟨ww⟩ ●*(aan)blaffen, bassen, huilen.*
bayonet ['beɪənɪt, -net] ●⟨zn⟩ *bajonet* ●
⟨ww⟩ *(door)steken met de bajonet.*

'**bay** '**window** ●*erker.*
bazaar [bə'zɑ:] ●*bazaar.*
B.B.C. ⟨afk.⟩ British Broadcasting Corporation.
B.C. ⟨afk.⟩ ●*before Christ v. C., v. Chr..*
be [bi, ⟨sterk⟩bi:] I ⟨onov ww⟩ ●*zijn, bestaan* II ⟨kww⟩ ●*zijn;* she's a teacher *zij is lerares;* the bride-to-be *de aanstaande bruid;* – that as it may *hoe het ook zij;* how are you? *hoe is het met je?* ●⟨met aanduiding v. maat⟩ *(waard/groot/oud/* ⟨enz.⟩ *) zijn, kosten, meten, duren* ⟨enz.⟩; it's three pounds *het is drie pond* ●*zijn, zich bevinden, plaatshebben* ⟨ook fig.⟩; it was in 1953 *het gebeurde in 1953;* ⟨alleen in volt. t.⟩ have you ever been to India? *ben je ooit naar/in India geweest?* ●*liggen aan, komen door, de schuld zijn v.;* it's that bloody bike of mine *het ligt aan die verdomde fiets van me;* how is that? *hoe komt dat (zo)?* ‖ what's that to him? *wat trekt hij zich daarvan aan?;* – after s.o. *iem. achternazitten;* – after sth. *iets proberen te pakken te krijgen;* ↓ – past it *zijn (beste) tijd gehad hebben;* zie BE ABOUT, BE AROUND, BE AT, BE DOWN, BE FOR, BE IN, BE OFF, BE ON, BE OUT, BE OUT OF, BE OVER, BE THROUGH, BE UP, BE UP TO, BE WITH III ⟨hww⟩
●*aan het ... zijn;* they were reading *ze waren aan het lezen, ze lazen* ●*worden,* ⟨in volt. t.⟩ *zijn;* he has been murdered *hij is vermoord;* zie BE GOING TO, BE TO.

be a'bout ●⟨ook: be a'round⟩ *rondhangen,*

rondslingeren ●⟨ook: be a'round⟩ *er zijn, beschikbaar/aanwezig zijn;* there's a lot of flu about *er is heel wat griep onder de mensen* ●*op het punt staan;* he was about to leave *hij ging net vertrekken.*

beach [bi:tʃ] ●*strand, oever.*
'**beach ball** ●*strandbal.* '**beachcomber** ●
strandjutter, strandzwerver. '**beachhead**
●*bruggehoofd.* '**beach wear** ●*strandkleding.*

beacon [bi:kən] ●*(vuur)baken, licht/waarschuwingssignaal, vuurtoren, lichtbaken*
●*radiobaken.*

bead [bi:d] ●*kraal* ●⟨mv.⟩ *kralen halssnoer*
●*druppel;* –s of sweat *parels v. zweet.*
beady ['bi:di] ●*kraalvormig;* – eyes *kraaloogjes* ●*parelend.*

beagle [bi:gl] ●*brak, kleine drijfhond.*
beak [bi:k] ●*snavel, bek, snuit* ●↓ *neus* ●
⟨gesch.; scheep.⟩ *sneb, ramsteven.*
beaker ['bi:kə] ●*beker(glas).*

'**be-all** ●*essentie;* the – and end-all of sth. *de alfa en omega v. iets.*

1 beam [bi:m] ⟨zn⟩ ●*balk* ●*waagbalk* ●
straal, stralenbundel ●*geleide straal, bakenstraal.*

2 beam I ⟨onov ww⟩ ●*stralen, schijnen;* – on one's friend *zijn vriend stralend aankijken*
II ⟨ov ww⟩ ●*uitstralen;* – a cheerful welcome *met stralend gezicht verwelkomen*
●*in één richting uitzenden.*

bean [bi:n] ●*boon;* baked –s *witte bonen in tomatensaus* ●⟨AE; sl.⟩ *knikker, kop* ‖
⟨sl.⟩ not have a – *geen rooie cent hebben;*
⟨sl.⟩ spill the –s *zijn mond voorbijpraten.*

1 bear [beə] ⟨zn⟩ ●*beer* ●*ongelikte beer, bullebak.*

2 bear ⟨bore [bɔ:], borne [bɔ:n]⟩ I ⟨onov ww⟩ ●*(aan)houden* ⟨v. richting⟩, *(voort) gaan, lopen;* – (to the) left *links afslaan* ●
druk uitoefenen, duwen, leunen; – back *achteruitwijken* ●(+(up)on) v. *invloed zijn (op), betrekking hebben (op);* zie BEAR DOWN, BEAR UP, BEAR WITH II ⟨ov ww⟩ ●*dragen;* – fruit *vruchten voortbrengen;* ⟨fig.⟩ *vruchten afwerpen;* be borne away *meegesleept worden;* – away/off a prize *een prijs in de wacht slepen* ●*vertonen, hebben;* a word –ing several meanings *een woord dat verschillende betekenissen heeft;* – signs/traces of *tekenen/sporen vertonen v.* ●*hebben/voelen voor, toedragen* ●*verdragen, dulden, uitstaan;* his words won't – repeating *zijn woorden zijn niet voor herhaling vatbaar* ●*voortbrengen, baren;* she has borne him two sons *zij heeft hem twee zonen geschonken* ●
opbrengen, geven ⟨rente⟩ ‖ – o.s. with

dignity *zich waardig gedragen;* zie BEAR DOWN, BEAR OUT. **bearable** ['beərəbl] • *draaglijk, te dragen.*

beard [bɪəd] •*baard.* **bearded** ['bɪədɪd] • *gebaard.* **beardless** ['bɪədləs] •*baardeloos, glad (geschoren).*

'**bear 'down I** ⟨onov ww⟩ ‖ – (up)on *zwaar drukken op; (snel) afkomen op* II ⟨ov ww⟩ •*neerdrukken* •*verslaan, overwinnen, de kop indrukken.*

bearer ['beərə] •*drager* •*stut, steun* •*bode* •*toonder* ⟨v. cheque enz.⟩; pay to *– betaal aan toonder.*

'**bear hug** ↓ •*houdgreep, onstuimige omhelzing.*

bearing ['beərɪŋ] •*verband, betrekking;* have no – on *los staan v.* •*betekenis, strekking* •⟨mv.⟩ *positie, ligging;* get/take one's –s *zich oriënteren; poolshoogte nemen;* lose one's –s *verdwaald zijn; de kluts kwijt zijn* •*het dragen* •*houding, gedrag, optreden* •⟨vnl. mv.⟩ *lager.*

bearish ['beərɪʃ] •*lomp* •*nors.*

be a'round •⟨alleen in volt. t.⟩ ↓ *heel wat meegemaakt hebben* •zie BE ABOUT.

'**bear 'out** •*(onder)steunen, bekrachtigen, staven;* bear s.o. out *iemands verklaring/verhaal bevestigen.*

bearskin •*berehuid* •*beremuts.*

'**bear 'up** •*zich (goed) houden* •*de moed niet laten zakken.*

'**bear with** •*geduld hebben met.*

beast [bi:st] •*beest* ⟨ook fig.⟩; – of burden *lastdier;* – of prey *roofdier;* the – *het beest/dierlijke (in de mens)* •*rund.*

1 beastly ['bi:stli] ⟨bn; -iness⟩ •*beestachtig;* – stench *walgelijke stank.*

2 beastly ⟨bw⟩ ⟨vnl. BE; ↓⟩ •*beestachtig;* – drunk *stomdronken.*

1 beat [bi:t] ⟨zn⟩ •*slag* •*(vaste) ronde/route* ⟨vnl. v. politieagent⟩; ⟨fig.⟩ *that is off my* – *dat is onbekend terrein voor mij;* be on one's – *zijn ronde doen* •*metrum, versmaat* •⟨muz.⟩ *ritme, beat.*

2 beat ⟨beat [bi:t], beaten ['bi:tn] /ook beat [bi:t]⟩ **I** ⟨onov ww⟩ •*slaan, bonzen, beuken, kloppen* ⟨v. hart⟩, *trommelen, tikken* ⟨v. klok⟩; zie BEAT DOWN **II** ⟨ov ww⟩ •*slaan (op),* ⟨cul.⟩ *klutsen, kloppen* ⟨mat⟩; – an alarm *alarm slaan;* – s.o.'s head in *iem. de hersens inslaan;* – sth. into s.o.'s head *iem. iets inhameren* •*(uit)smeden* •*banen* ⟨pad⟩ •*verslaan, breken* ⟨record⟩; this problem has –en me *dit probleem is me te machtig;* ↓ can you – that? *heb je ooit zoiets gehoord/gezien?;* he – me to it *hij was me voor* •*afzoeken* ‖ ⟨sl.⟩ – it! *smeer 'm!;* he was dead – *hij was (dood)*

op; zie BEAT DOWN, BEAT OFF, BEAT OUT, BEAT UP.

be at ↓ •*zitten aan* •*lastig vallen* ‖ ⟨vnl. ong.⟩ they are at it again *ze zijn weer bezig;* what are you at? *wat bedoel je nou eigenlijk?.*

'**beat 'down I** ⟨onov ww⟩ •*branden;* the sun – on my back *de zon brandde op mijn rug* **II** ⟨ov ww⟩ •*neerslaan* •*intrappen* ⟨deur⟩ •*afdingen (bij/op).*

beaten ['bi:tn] •*veel betreden, gebaand* ⟨v. weg⟩; be off the – track *verafgelegen zijn* •*gesmeed* •*verslagen* •*uitgeput, doodmoe.* **beater** ['bi:tə] •*klopper* •⟨jacht⟩ *drijver.* **beating** ['bi:tɪŋ] •*afstraffing, pak slaag, nederlaag.*

'**beat music** •*beatmuziek.*

'**beat 'off** •*afslaan, afweren.* '**beat 'out** •*uitslaan* ⟨vuur⟩ •*uitdeuken* •*trommelen* ⟨melodie⟩. '**beat 'up** • ↓ *in elkaar slaan* •⟨cul.⟩ *(op)kloppen, klutsen.*

beautician [bju:'tɪʃn] •*schoonheidsspecialist(e).* **beautiful** ['bju:tɪfl] •*mooi, fraai, prachtig* •*heerlijk* ⟨v. eten, weer⟩. **beautify** ['bju:tɪfaɪ] •*verfraaien, (ver)sieren.*

beauty ['bju:ti] •*schoonheid;* that is the – of it *dat is het mooie ervan* • ↓ *pracht(exemplaar)* ‖ ⟨sprw.⟩ beauty is but/only skindeep ± *uiterlijk schoon is slechts vertoon;* beauty is in the eye of the beholder ± *de schoonheid der vrijster ligt in 's vrijers oog.* '**beauty contest** •*schoonheidswedstrijd.* '**beauty parlour,** ⟨AE⟩ '**beauty shop** •*schoonheidssalon.* '**beauty queen** • *schoonheidskoningin.* '**beauty spot** • *schoonheidspleister/vlekje, mouche* • *mooi plekje.*

beaver ['bi:və] •*bever.*

becalm [bɪ'ka:m] •*de wind uit de zeilen nemen* ⟨lett.⟩; the fleet was –ed *de vloot werd door windstilte overvallen.*

became [bɪ'keɪm] ⟨verl. t.⟩ zie BECOME.

because [bɪkəz, ⟨sterk⟩ bɪ'kɒz] •*omdat.* be'**cause of** •*wegens, omwille v..*

beck [bek] •*knik, gebaar;* be at s.o.'s – and call *iem. op zijn wenken bedienen.*

beckon ['bekən] •*wenken, gebaren;* – s.o. in/on *gebaren dat iem. binnen moet komen/door moet lopen.*

become [bɪ'kʌm] ⟨became [bɪ'keɪm], become [bɪ'kʌm]⟩ **I** ⟨onov ww⟩ •⟨+of⟩ *gebeuren (met), aflopen (met)* **II** ⟨ov ww⟩ • *passen, betamen;* it ill –s you *het siert je niet* •*(goed) staan* ⟨v. kleding⟩ **III** ⟨kww⟩ • *worden, (ge)raken.*

becoming [bɪ'kʌmɪŋ] •*gepast, betamelijk, behoorlijk* •*goed staand.*

1 bed [bed] ⟨zn⟩ •*bed, leger* ⟨v. dier⟩,

bloem/tuinbed; – and board *kost en inwo-ning;* separation from *–* and board *schei-ding v. tafel en bed;* ⟨BE⟩ *–* and breakfast *logies met ontbijt;* go to *– naar bed gaan* ● *bed(ding), onderlaag, (bodem)laag* ‖↓ be on a *–* of roses *op rozen zitten.*

2 bed ⟨ww⟩ ●↓ *naar bed gaan met* ●*plan-ten; –* out *uitplanten;* zie BED DOWN.

'bedclothes ●*beddegoed.* **bedding** ['bedɪŋ] ●*beddegoed* ●*ligstro* ●*onderlaag.* **bed down** I ⟨onov ww⟩ ●*ergens gaan slapen* ⟨bv. op grond, bank⟩ II ⟨ov ww⟩ ●*een slaapplaats geven* ●*naar bed brengen.*

bedeck [bɪ'dek] ●*(op)tooien, versieren.*

bedevil [bɪ'devl] ●*treiteren, dwarszitten, achtervolgen* ●*(ernstig) bemoeilijken.*

'bedfellow ●*bedgeno(o)t(e)* ●*kameraad.*

bedlam ['bedləm] ●*gekkenhuis* ⟨ook fig.⟩, ↓ *heksenketel.*

Bed(o)uin ['beduɪn] ●*bedoeïen.*

be 'down ●*beneden/onderaan zijn, minder/ verminderd/gezakt zijn* ⟨lett. en fig.⟩; Sue's hair was still down *Sues haar was nog niet opgestoken* ●*uitgeteld zijn/lig-gen,* ⟨fig.⟩ *neerslachtig zijn; –* and out ⟨boksen⟩ *knock-out zijn;* ⟨fig.⟩ *berooid/ aan lager wal zijn;* ↓ *–* with the flu *geveld zijn door griep* ●*neer/ingeschreven zijn; –* for a school *ingeschreven staan als leer-ling v.e. school* ‖↓ *–* on s.o. *iem. aanpak-ken/overvallen; iem. fel bekritiseren.*

bedraggled [bɪ'drægld] ●*doorweekt* ●*verfomfaaid, sjofel.*

bedridden ['bedrɪdn] ●*bedlegerig.*

'bedrock ●*vast gesteente* ●*minimum* ●*ba-sis, essentie.*

'bedroom ●*slaapkamer.* **'bedside** ●*(rand v.h.) bed.* **'bed-'sitting-room,** ↓ **'bed-'sit-ter** ⟨BE⟩ ●*zitslaapkamer* ⟨meestal bij hos-pita⟩. **'bedspread** ●*sprei.* **'bedstead** ●*le-dikant.* **'bedtime** ●*bedtijd.* **'bed-wetting** ●*het bedwateren.*

bee [biː] ●*bij* ‖ have a *–* in one's bonnet (about sth.) *door iets geobsedeerd wor-den/zijn; niet helemaal normaal zijn (op een bep. punt).*

beech [biːtʃ] ●*beuk* ●*beukehout.*

1 beef [biːf] ⟨zn⟩ ●*rundvlees;* corned *– cor-nedbeef* ●↓ *kracht, spierballen.*

2 beef ⟨ww⟩ ⟨sl.⟩ ●*kankeren, mopperen.*

'beefeater ●*hellebaardier v.d. Tower.* **'beef-steak** ●*biefstuk, runderlap(je).*

'beef 'up ⟨sl.⟩ ●*versterken, opvoeren.*

beefy ['biːfi] ●*vlezig* ●*gespierd.*

'beehive ●*bijenkorf.* **'beekeeper** ●*imker.* **'beeline** ‖ make a *–* for/to *regelrecht af-gaan/afstevenen op.*

been [biːn] ⟨volt. deelw.⟩ zie BE.

1 beep [biːp] ⟨zn⟩ ●*getoeter, toet* ●*piep(je).*

2 beep ⟨ww⟩ ●*toeteren* ●*piepen.*

beer [bɪə] ●*bier, glas bier.*

beet [biːt] ●*biet.*

beetle ['biːtl] ●*kever, tor.*

beetle off ●⟨BE; sl.⟩ *zich uit de voeten ma-ken.*

'beetroot ●*rode biet.*

befall [bɪ'fɔːl] ⟨befell [-'fel], befallen [-'fɔːlən]⟩ ↑ ●*overkomen, gebeuren (met).*

befit [bɪ'fɪt] ●*betamen, passen.* **befitting** [bɪ'fɪtɪŋ] ●*passend.*

be 'for ↓ ●*voorstander zijn v.* ‖ you're for it! *er zwaait wat voor je!.*

1 before [bɪ'fɔː] ⟨bw⟩ ●*voorop, vooraan* ●*vroeger, eerder, vooraf;* three weeks *– drie weken geleden/ervoor.*

2 before ⟨vz⟩ ●⟨tijd⟩ *vóór, alvorens; –* long *binnenkort* ●⟨plaats; ook fig.⟩ *voor, te-genover;* put the problem *–* the public *het publiek met het probleem confronteren* ●*voor ... op, hoger dan;* put friendship *– love vriendschap hoger achten dan liefde.*

3 before ⟨vw⟩ ●*alvorens, eer;* she will die *–* she will consent/*– consenting ze zal eer-der sterven dan toe te geven/toegeven.*

beforehand [bɪ'fɔːhænd] ●*van te voren.*

befriend [bɪ'frend] ●*een vriend zijn voor, bij-staan.*

beg [beg] I ⟨onov ww⟩ ●*opzitten* ⟨v. hond⟩ ●*de vrijheid nemen;* I *–* to differ *ik ben zo vrij daar anders over te denken* II ⟨onov en ov ww⟩ ●*bedelen; –* for *bedelen om; sme-ken om* ●*(dringend) verzoeken, smeken, vragen;* zie BEG OFF.

beget [bɪ'get] ⟨begot [bɪ'gɒt], begotten [bɪ'gɒtn]⟩ ●⟨rel.⟩ *gewinnen, verwekken* ● ↑ *voortbrengen, veroorzaken.*

1 beggar ['begə] ⟨zn⟩ ●*bedelaar(ster), schooier* ‖ ⟨sprw.⟩ beggars can't/mustn't be choosers ± *lieverkoekjes worden niet gebakken.*

2 beggar ⟨ww⟩ ●*tot de bedelstaf brengen* ●*te boven gaan; –* (all) description *alle be-schrijving tarten.* **beggarly** ['begəli] ●*ar-moedig, armzalig.*

begin [bɪ'gɪn] ⟨began [bɪ'gæn], begun [bɪ'gʌn]⟩ ●*beginnen, aanvangen;* he couldn't (even) *–* to write a novel *hij zou niet (eens) weten hoe hij aan een roman moest beginnen;* he began on another bottle *hij brak een nieuwe fles aan* ‖ to *–* with *om te beginnen;* zie ook ⟨sprw.⟩ CHARITY. **beginner** [bɪ'gɪnə] ●*beginner, beginneling.* **beginning** [bɪ'gɪnɪŋ] ●*begin, aanvang.*

'beg 'off ●*(zich) excuseren, (zich) veront-schuldigen;* Ian begged off at the last moment *op het laatste moment zegde Ian af.*

be going to [gənə, ⟨sterk⟩goʊɪn tʊ] ● *v. plan/ zins zijn;* I am going to tell her tomorrow *morgen zeg ik het haar* ● *gaan, zullen, op het punt staan te;* she is going to have a baby *ze verwacht een baby.*

begot ⟨verl. t. of volt. deelw.⟩ zie BEGET.

begotten ⟨volt. deelw.⟩ zie BEGET.

begrudge [bɪˈgrʌdʒ] ● *misgunnen, niet gunnen.*

beguile [bɪˈgaɪl] ● *bedriegen, verleiden; –* into *ertoe verleiden (te)* ● *verdrijven;* we –d the time by playing cards *we kortten de tijd met kaartspelen.* **beguiling** [bɪˈgaɪlɪŋ] ● *verleidelijk, bekoorlijk.*

begun ⟨volt. deelw.⟩ zie BEGIN.

behalf [bɪˈhɑːf] ‖ on – (of) *namens, ten behoeve van.*

behave [bɪˈheɪv] ⟨ook wdk ww⟩ ● *zich gedragen, zich fatsoenlijk gedragen, functioneren, werken;* she –d badly to(wards) him *zij misdroeg zich tegenover hem.* **behaviour** [bɪˈheɪvɪə] ● *gedrag, houding, optreden;* be on one's best – *zichzelf van zijn beste kant laten zien* ● *gedrag, werking.*

behead [bɪˈhed] ● *onthoofden.*

beheld ⟨verl. t. en volt. deelw.⟩ zie BEHOLD.

1 behind [bɪˈhaɪnd] ⟨zn⟩ ● ↓ *achterste.*

2 behind ⟨bw⟩ ● *erachter, achteraan/op/in/ om;* he came from – *hij kwam van achteren* ● *achterop, achter; –* in my work *achterop met mijn werk;* be – with the rent *achter zijn met de huur.*

3 behind ⟨vz⟩ ● *achter;* the house – the church *het huis achter de kerk* ● *achter op, later dan; –* the times *niet mee met zijn tijd* ‖ who is – this? *wie is hiervoor verantwoordelijk?;* we are/stand – you *wij staan achter je/steunen je.* **behindhand** ● *te traag, te laat* ● *achter, achterop;* be – with one's work *achter zijn met zijn werk.*

behold [bɪˈhoʊld] ‖ ⟨scherts.⟩ lo and –! *wel, wel!, en ziedaar!.*

beholden [bɪˈhoʊldən] ● *verschuldigd, verplicht;* I'm much – to you for your offer *uw aanbod verplicht mij zeer.*

beholder [bɪˈhoʊldə] ● *aanschouwer* ‖ zie ook ⟨sprw.⟩ BEAUTY.

beige [beɪʒ] ● *beige.*

be 'in ● *binnen zijn, er zijn, aangekomen zijn* ● *erbij/opgenomen zijn, in de mode zijn; –* on *meedoen aan; –* on the secret *op de hoogte zijn v.h. geheim; –* with somebody *goede maatjes zijn met iem.* ‖ – for a position *kandidaat zijn voor een betrekking;* ↓ we're in for a nasty surprise *er staat ons een onaangename verrassing te wachten.*

being [ˈbiːɪŋ] ● *wezen, schepsel* ● *bestaan,*

zijn; bring/call into – *creëren, doen ontstaan;* come into – *ontstaan* ● *wezen, essentie.*

belabour [bɪˈleɪbə] ● *ervan langs geven* ● *te uitvoerig behandelen.*

belated [bɪˈleɪtɪd] ● *laat.*

1 belch [beltʃ] ⟨zn⟩ ● *boer, oprisping.*

2 belch ⟨ww⟩ ● *boeren* ● *(uit)braken;* the volcano –ed out rocks *de vulkaan spuwde stenen (uit).*

beleaguer [bɪˈliːgə] ● *belegeren.*

belfry [ˈbelfri] ● *klokketoren, klokkestoel.*

Belgian [ˈbeldʒən] ● ⟨bn⟩ *Belgisch* ● ⟨zn⟩ *Belg.* **Belgium** [ˈbeldʒəm] ● *België.*

belie [bɪˈlaɪ] ● *een valse/verkeerde indruk geven van, tegenspreken* ● *logenstraffen.*

belief [bɪˈliːf] ● *(geloofs)overtuiging* ● *geloof, vertrouwen;* beyond – *ongelooflijk* ● *geloof, mening;* to the best of my – *volgens mijn vaste overtuiging.* **believable** [bɪˈliːvəbl] ● *geloofwaardig.* **believe** [bɪˈliːv] ● *geloven, gelovig zijn* ● (+in) *geloven (in), vertrouwen hebben (in)* ● *geloven, menen, veronderstellen* ● *geloven, voor waar aannemen* ‖ zie ook ⟨sprw.⟩ SEE.

Belisha beacon [bəˈliːʃə ˈbiːkən] ⟨BE⟩ ● *knipperbol* ⟨bij zebrapad⟩.

belittle [bɪˈlɪtl] ● *onbelangrijk(er) doen schijnen, kleineren.*

bell [bel] ● *klok, bel, schel;* pull/ring the – *(aan)bellen* ‖ that rings a – *dat komt me ergens bekend voor.*

'bell-boy ● *piccolo.*

'bell-flower ● *klokbloem, klokje.*

'bellhop ⟨AE⟩ ● *piccolo.*

bellicose [ˈbelɪkoʊs] ● *strijdlustig.*

belligerent [bɪˈlɪdʒrənt] ● ⟨bn⟩ *oorlogvoerend* ● ⟨bn⟩ *strijdlustig* ● ⟨zn⟩ *oorlogsparij, agressor.*

1 bellow [ˈbeloʊ] ⟨zn⟩ ● *gebrul, geloei, gebulk.*

2 bellow ⟨ww⟩ ● *bulken, loeien, brullen* ● ⟨vaak +out, forth⟩ *(uit)brullen, bulderen.*

bellows [ˈbeloʊz] ● *blaasbalg;* a (pair of) – *een blaasbalg.*

'bell-push ● *belknop(je).*

belly [ˈbeli] ● *buik, maag, schoot.*

1 'bellyache ⟨zn⟩ ● *buikpijn.*

2 bellyache ⟨ww⟩ ● *zaniken, zeuren.*

'belly button ● *navel.* **'belly dancer** ● *buikdanseres.* **'belly laugh** ● *daverende/gulle lach.*

belong [bɪˈlɒŋ] ● *(thuis)horen;* it –s with the others *het hoort bij de anderen* ● ↓ *thuis horen, zich thuis voelen;* a sense of –ing *het gevoel erbij te horen.* **belongings** [bɪˈlɒŋɪŋz] ● *persoonlijke bezittingen.* **be-**

'**long to** ● *toebehoren aan, zijn van;* that book belongs to me *dat boek is van mij* ● *horen bij, lid/deel zijn van.*

1 beloved [bɪˈlʌvɪd] ⟨bn⟩ ● *bemind, geliefd;* my – *mijn geliefde.*

2 beloved [bɪˈlʌvd] ⟨bn⟩ ● *bemind, geliefd;* – *by/of bemind door.*

1 below [bɪˈloʊ] ⟨bw⟩ ● *beneden, eronder;* go – *naar beneden gaan;* see – *zie verder* ‖ twenty – *20 graden onder nul.*

2 below ⟨vz⟩ ● *onder, beneden.*

1 belt [belt] ⟨zn⟩ ● *gordel, (broek)riem* ● *drijfriem* ●⟨vooral als 2e lid v.e. samenstelling⟩ *zone, klimaatgebied;* a – of low pressure *een lagedrukgebied* ‖ hit below the – *onder de gordel slaan;* tighten one's – *de buikriem aanhalen.*

2 belt ⟨ww⟩ ● *omgorden, aangorden* ● *een pak rammel geven* ‖ – out *brullen;* zie BELT UP. **belted** [ˈbeltɪd] ● *met riem;* a – coat *een jas met ceintuur.* '**belt 'up** ● *zijn bek/smoel houden.*

bemused [bɪˈmjuːzd] ● *verbijsterd;* – by/with *in de war gebracht door.*

bench [bentʃ] **I** ⟨telb zn⟩ ● *bank, zitbank* ● *werkbank* **II** ⟨zn; ww enk. of mv.; the⟩ ● *rechtbank, de rechters* ‖ be on the – *rechter zijn.*

1 bend [bend] ⟨zn⟩ ● *buiging* ● *bocht* ‖ ⟨go⟩ (a)round the – *knettergek (worden);* the noise drove me round the – *het lawaai maakte me horendol.*

2 bend ⟨bent, bent [bent]⟩ **I** ⟨onov ww⟩ ● *buigen;* the road –s (to the) left *de weg buigt naar links;* – down *zich bukken* ● ⟨zich⟩ *buigen, zich onderwerpen* **II** ⟨ov ww⟩ ● *buigen, krommen, verbuigen;* ⟨fig.⟩ – the rules *de regels toepassen zoals het 't beste uitkomt* ● *onderwerpen;* – s.o. to one's will *iem. naar zijn hand zetten* ● *richten;* all eyes were bent on her *aller ogen waren op haar gericht;* – one's mind to a problem *zijn aandacht op een probleem richten* ‖ – a bow *een boog spannen.* **bended** [ˈbendɪd] ● *gebogen;* ↑on – knees *op zijn blote knieën.*

1 beneath [bɪˈniːθ] ⟨bw⟩ ● *eronder, daaronder, onderaan;* a mat with tiles – *een mat met tegels eronder* ● *ondergeschikt, eronder.*

2 beneath ⟨vz⟩ ● *onder, beneden* ‖ marry – one's station *onder zijn stand trouwen;* manual labour was – Mr Smith *handenarbeid was dhr. Smith te min.*

benediction [benɪˈdɪkʃn] ● *zegening.*

benefaction [ˈbenɪˈfækʃn] ● *goede daad* ● *schenking* ● *liefdadigheid.* **benefactor** [ˈbenɪfæktə] ● *weldoener.* **benefactress**

[ˈbenɪfæktrɪs] ● *weldoenster.*

benefic|ent [bɪˈnefɪsnt] ⟨zn: **-ence**⟩ ● *goeddoend, weldadig.* **beneficial** [ˈbenɪˈfɪʃl] ● *voordelig, nuttig, heilzaam.* **beneficiary** [ˈbenɪˈfɪʃəri] ● *begunstigde.*

1 benefit [ˈbenɪfɪt] ⟨zn⟩ ● *voordeel, profijt, hulp;* give s.o. the – of the doubt *iem. het voordeel v.d. twijfel geven;* for the – of ten *voordele van* ● *uitkering, steun(geld)* ● *liefdadigheidsvoorstelling.*

2 benefit I ⟨onov ww⟩ ● *voordeel halen, baat vinden;* no-one will – from/by his death *niemand wordt beter van zijn dood* **II** ⟨ov ww⟩ ● *ten goede komen aan, goed doen;* the mountain air will – you *de berglucht zal je goed doen.*

'**benefit concert** ● *liefdadigheidsconcert, benefietconcert.* '**benefit match** ● *benefietwedstrijd.* '**benefit performance** ● *benefietvoorstelling.*

benevolence [bɪˈnevələns] ● *liefdadigheid, welwillendheid.* **benevolent** [bɪˈnevələnt] ● *welwillend, goedgunstig.*

benign [bɪˈnaɪn] ● *minzaam, vriendelijk* ● ⟨med.⟩ *goedaardig* ‖ a – climate *een zacht/heilzaam klimaat.*

1 bent [bent] ⟨zn⟩ ● *neiging, aanleg, voorliefde;* a strong mathematical – *een sterk wiskundige aard;* have a – for sth. *een aanleg hebben voor iets.*

2 bent I ⟨bn, attr en pred⟩ ● *krom* ● ⟨sl.⟩ *omkoopbaar* **II** ⟨bn, pred⟩ ● *vastbesloten;* – on *uit op;* – on his work *geconcentreerd bezig met zijn werk.*

3 bent ⟨verl. t.⟩ zie BEND.

benumb [bɪˈnʌm] ● *doen verstijven, verkleumen;* –ed with cold *stijf van de kou.*

be 'off ● ↓ *ervandoor zijn/gaan* ⟨ook fig.⟩, ⟨sport⟩ *starten, weg zijn;* ⟨sport⟩ and they're off! *daar gaan ze!;* – with you *maak dat je wegkomt* ● *afgelast zijn, niet doorgaan;* the party's off *het feestje gaat niet door* ● *bedorven zijn* ⟨v. voedsel⟩; the milk is off *de melk is zuur* ● *afgesloten zijn* ⟨v. water, gas⟩ ‖↓ be badly off *er slecht voorstaan;* be worse off *er slechter aan toe zijn;* 'How are you off for food?' '*Hoeveel voedsel heb je (nog)?*'.

be 'on I ⟨onov ww⟩ ● *aan (de gang) zijn, aan staan* ⟨ook v. licht, radio e.d.⟩; the kettle's on *de ketel staat op het vuur;* the match is on *de wedstrijd is bezig;* the water's on again *er is weer water* ● *bezig zijn, aan de beurt zijn,* ↓ *meedoen* ● *gevorderd zijn;* it was well on into the night *het was al diep in de nacht* ● *doorgaan* ● *op het programma staan, op de radio/t.v. zijn* ‖ that's not on! *dat doe je niet!;* ↓ – at/to s.o. *iem. aan* z'n kop zeuren; ↓ – to s.o. *weten wat voor vlees men in de kuip heeft;* ↓ – to sth. *iets in de gaten hebben* ‖ (ww + vz) ● ↓ *op kosten zijn van* ⟨bij het geven v.e. rondje⟩; the drinks are on John *John trakteert.*

be 'out ● *(er)uit/buiten zijn, weg zijn* ● ↓ *uit/voorbij zijn;* before the year is out *voor het jaar voorbij is* ● *uit(gedoofd) zijn* ● *openbaar (gemaakt) zijn, gepubliceerd zijn;* the book will – in March *het boek verschijnt in maart;* the secret is out *het geheim is uitgelekt* ● ↓ *uit de mode zijn* ● ↓ *onmogelijk zijn, niet gepermitteerd zijn* ‖ his forecast was well out *zijn voorspelling was er helemaal naast;* – to do sth. *v. plan zijn iets te doen;* ↓ – for sth. *uit zijn op iets.*

be 'out of ● *uit/buiten zijn;* we are out of range *we zijn buiten bereik;* – it *er niet bijhoren* ● *zonder zijn/zitten;* he's out of a job *hij zit zonder werk* ‖ – it *de kluts kwijt zijn;* ↓ be well out of it *er mooi van af (gekomen) zijn.*

be 'over ● *voorbij/over/uit zijn* ● *overschieten;* there's a bit of fabric over *er schiet een beetje stof over* ● *op bezoek zijn.*

bequeath [bɪˈkwiːð, bɪˈkwiːθ] ● *vermaken, nalaten.*

bequest [bɪˈkwest] ● *legaat.*

1 bereave [bɪˈriːv] ⟨ww⟩ ● *beroven* ⟨v.e. familielid door overlijden⟩; the –d parents *de getroffen ouders; de diepbedroefde ouders.*

2 bereave ⟨ww; bereft, bereft [bɪˈreft]⟩ ● *beroven, doen verliezen.* **bereavement** [bɪˈriːvmənt] I ⟨telb zn⟩ ● *sterfgeval* II ⟨n-telb zn⟩ ● *verlies.*

beret [ˈbereɪ] ● *baret.*

berry [ˈberɪ] ● *bes* ● *(koffie)boon.*

berserk [bəˈzəːk, bə-] ● *woest;* go – *razend worden.*

1 berth [bəːθ] ⟨zn⟩ ● *kooi, hut, couchette* ● ⟨scheep.⟩ *ligplaats, ankerplaats.*

2 berth ⟨ww⟩ ⟨scheep.⟩ ● *aanleggen, ankeren.*

beseech [bɪˈsiːtʃ] ⟨ook besought, besought [bɪˈsɔːt]⟩ ● *smeken.*

beset [bɪˈset] ⟨beset, beset [bɪˈset]⟩ ● *bestoken, overvallen, omsingelen;* young people, – by doubts *door twijfel overvallen jongeren* ● *insluiten.* **besetting** [bɪˈsetɪŋ] ● *steeds wederkerend;* – sin *zonde waarin men steeds weer vervalt.*

beside [bɪˈsaɪd] ● *naast, bij, vergeleken bij;* it's – the point *het doet hier niet ter zake* ‖ zie BESIDES ‖ be – o.s. with joy *buiten zichzelf van vreugde zijn.*

1 besides [bɪˈsaɪdz] ⟨bw⟩ ● *bovendien* ● *daarnaast, behalve dat* ● *trouwens.*

2 besides, ⟨soms⟩ **beside** ⟨vz⟩ ● *behalve, naast.*

besiege [bɪˈsiːdʒ] ● *belegeren* ● *bestormen;* – s.o. with questions about *iem. bestormen met vragen over.*

besmear [bɪˈsmɪə], **besmirch** [bɪˈsməːtʃ] ● *besmeuren* ● *belasteren.*

besotted [bɪˈsɒtɪd] ● ⟨+with⟩ *dronken (van), gek (van).*

1 best [best] ⟨zn; meestal the⟩ ● *(de/het) beste;* to the – of my ability *naar mijn beste vermogen;* to the – of my knowledge (and belief) *voor zover ik weet;* (have) the – of both worlds *het beste v. twee dingen (combineren);* do one's (very) – *z'n (uiterste) best doen;* make the – of *het beste maken van;* at – *op z'n best; hoogstens;* I am not at my – on Monday mornings *ik ben 's maandagsmorgens niet op mijn best;* (even) at the – of times *(zelfs) onder de gunstigste omstandigheden;* all the –! *het beste!* ● *beste kleren;* he wore his (Sunday) – *hij had zijn beste/zondagse kleren aan* ‖ it is (all) for the – *het komt allemaal wel goed.*

2 best ⟨bn; overtr. trap v. good⟩ ● *best* ‖ put one's – foot forward *zijn beste beentje voorzetten;* – man *getuige* ⟨v. bruidegom⟩; *bruidsjonker;* the – part (of) *het merendeel/grootste deel (v.);* zie ook ⟨sprw.⟩ HONESTY.

3 best ⟨bw; overtr. trap v. well⟩ ● *best, het best;* this is – denied *dit kun je beter ontkennen;* had –/ ⟨AE⟩ would – *zou 't beste;* you'd – go home *je zou 't beste naar huis kunnen gaan* ‖ as – one can/may *zo goed en zo kwaad als men kan;* like/love – *het meest houden van.*

bestial [ˈbestɪəl] ● *beestachtig.* **bestiality** [ˌbestɪˈælətɪ] ● *beestachtigheid* ● *bestialiteit.*

'best-'known ● *bekendst, beroemdst.*

bestow [bɪˈstoʊ] ● *verlenen, schenken;* the king –ed a title on him *de koning verleende hem een titel.*

'best 'seller ● *bestseller, succesboek, succesprodukt.*

1 bet [bet] ⟨zn⟩ ● *weddenschap;* make/place a bet (on sth.) *wedden (op iets)* ● *inzet* ● *iets waarop men wedt, kans;* your best – is *je maakt de meeste kans met.*

2 bet ⟨ww; ook bet, bet⟩ ● *wedden, verwedden;* – on sth. *op iets wedden* ‖ I – he's missed the bus again *wedden dat-ie de bus weer gemist heeft?;* 'I reckon he'll do it' 'you – (he will)!' *'volgens mij doet hij het' 'nou en of/uiteraard!'.*

be 'through ● *klaar zijn, er doorheen zijn;*

I'm through with my work *ik ben klaar met mijn werk* ● *er de brui aan geven;* – with sth. *iets beu zijn;* I'm through with you *ik trek m'n handen v. je af* ● ⟨com.⟩ *verbinding hebben;* – to New York *verbonden zijn met New York.*

be to ● *moeten;* you are to leave immediately *u moet onmiddellijk vertrekken* ● ⟨steeds met ontkenning⟩ *mogen;* visitors are not to feed the animals *de bezoekers mogen de dieren niet voeren* ● *gaan, zullen;* we are to be married next year *we gaan volgend jaar trouwen.*

betray [bɪ'treɪ] ● *verraden, in de steek laten;* ⟨fig.⟩ the old car –ed him *de oude auto liet hem in de steek* ● *verraden, verklappen* ● *blijk geven v., verraden.* **betrayal** [bɪ'treɪəl] ● *(daad v.) verraad.* **betrayer** [bɪ'treɪə] ● *verrader.*

betrothal [bɪ'trouðl] ● *verloving.*

1 better ['betə] I ⟨telb zn⟩ ● ⟨vnl. mv.⟩ *meerdere, superieur;* your elders and –s *mensen die ouder en wijzer zijn dan jij* II ⟨ntelb zn⟩ ‖ for – or(/for) worse *in voor- en tegenspoed;* change for the – *ten goede veranderen;* get/have the – of s.o. *iem. te slim af zijn;* het winnen v. iem.; his emotions got the – of him *hij werd door zijn emoties overmand;* think (all) the – of s.o. for *een hogere dunk v. iem. krijgen vanwege.*

2 better I ⟨bn, attr en pred⟩ ● *beter;* do sth. against one's – judgement *iets tegen beter weten in doen* ● *groter, grootste;* the – part of the day *het grootste gedeelte v.d. dag* ‖ on the – side of forty *nog geen veertig;* I'm none the – for it *ik ben er niet beter van geworden;* ⟨sprw.⟩ better late than never *beter laat dan nooit;* zie ook ⟨sprw.⟩ DISCRETION, PREVENTION, TWO II ⟨bn, pred⟩ ● *hersteld, genezen* ● *beter, minder ziek.*

3 better ⟨ww⟩ ● *verbeteren;* – o.s. *promotie maken.*

4 better ⟨bw; overtr. trap v. well⟩ ● *beter;* she knows the exact figures – than I do *zij weet de juiste cijfers beter dan ik;* teachers are – off than we *leraren hebben het beter dan wij* ● *meer;* I like prunes – than figs *ik hou meer v. pruimen dan v. vijgen.*

1 between [bɪ'twiːn] ⟨bw⟩ ● *ertussen;* two gardens with a fence – *twee tuinen met een schutting ertussen.*

2 between ⟨vz⟩ ● *onder, tussen;* similarities – people *overeenkomsten tussen mensen;* they wrote the book – them *ze schreven het boek samen;* – you and me, – ourselves *onder ons (gezegd).*

be 'up ● *in een hoge(re) positie zijn* ⟨ook fig.⟩; petrol's up again *de benzine is weer*

duurder geworden; the river is up *de rivier staat hoog;* ⟨sport⟩ be one up on s.o. *een punt voorstaan op iem.;* ⟨fig.⟩ iem. *een slag voor zijn* ● *op zijn, wakker zijn;* ↓ – and about *(weer) op de been zijn, druk aan het werk zijn* ● *op zijn, over/om zijn;* your chance is up *je kans is verkeken;* ↓ it's all up with him *het is met hem gedaan* ● *aan de hand zijn, gaande zijn;* sth.'s up again *er is weer iets aan de hand;* what's up with you? *wat is er met jou aan de hand?* ‖ – for election *verkiesbaar zijn;* – for discussion *ter discussie staan;* – against a problem *op een probleem gestoten zijn;* be well up in sth. *goed op de hoogte zijn v. iets.*

be 'up to ● *in z'n schild voeren;* what are you up to now? *wat voer je nu weer in je schild?* ● *de zaak zijn v.;* it's up to you *het is jouw zaak, dat moet jij weten* ● ⟨steeds met ontkenning of vragend⟩ *aankunnen, berekend zijn op;* he isn't up to this job *hij kan deze klus niet aan.*

1 bevel ['bevl] ⟨zn⟩ ● *schuine rand* ⟨vooral op hout en glas⟩.

2 bevel ⟨ww⟩ ● *afschuinen.*

beverage ['bevrɪdʒ] ● *drank.*

bevy ['bevi] ● *groep* ⟨v. meisjes⟩ ● *troep* ⟨v. vogels⟩, *vlucht.*

beware [bɪ'weə] ● *oppassen, op zijn hoede zijn;* – of the dog *pas op voor de hond.*

bewilder [bɪ'wɪldə] ● *verbijsteren, v. zijn stuk brengen.* **bewildering** [bɪ'wɪldərɪŋ] ● *verbijsterend.* **bewilderment** [bɪ'wɪldəmənt] ● *verbijstering, verbazing.*

bewitch [bɪ'wɪtʃ] ● *beheksen, betoveren.* **bewitching** [bɪ'wɪtʃɪŋ] ● *betoverend, bekoorlijk.*

be with ● *(kunnen) volgen, (nog) snappen;* are you still with me? *volg/snap je me nog?* ● *aan de kant staan van.*

1 beyond [bɪ'jɒnd] ⟨zn; the⟩ ● *het onbekende, het hiernamaals;* the great – *het grote onbekende.*

2 beyond ⟨bw⟩ ● *verder, daarachter, aan de overzijde* ● *daarbuiten.*

3 beyond ⟨vz⟩ ● *voorbij, achter, verder dan;* the hills – the city *de heuvels achter de stad* ● *buiten, behalve, meer dan;* – helping his friend he also cared for his mother *naast de hulp die hij zijn vriend gaf, zorgde hij ook voor zijn moeder* ● *niet te ..., buiten, boven;* – doubt *boven alle twijfel;* – hope *er is geen hoop meer;* it is – me *dat gaat mijn verstand te boven.*

1 bias ['baɪəs] ⟨zn⟩ ● *neiging, tendens, vooroordeel, vooringenomenheid;* a – towards the left *een voorkeur voor/neiging naar links* ● *aanleg;* with a mathematical –

met aanleg voor wiskunde ● ⟨sport, bowling⟩ *eenzijdige verzwaring* ⟨v. bal⟩, ⟨bij uitbr.⟩ *afwijking* ⟨in vorm en/of loop v.d. bal⟩ ‖ *cut (cloth) on the – (stof) schuin knippen.*

2 bias ⟨ww⟩ ● *bevooroordeeld maken, beïnvloeden;* he was –(s)ed against black people *hij zat vol vooroordelen tegen negers.*

bib [bɪb] ● *slab, slabbetje.*

bible ['baɪbl] ● *bijbel.* **biblical** ['bɪblɪkl] ● *bijbels.*

bibliographer [ˌbɪbli'ɒɡrəfə] ● *bibliograaf.* **bibliography** [ˌbɪbli'ɒɡrəfi] ● *bibliografie.*

1 bicentennial [ˌbaɪsen'tenɪəl], **bicentenary** [ˌbaɪsen'tiːnəri] ⟨zn⟩ ● *tweehonderdjarig jubileum.*

2 bicentennial, bicentenary ⟨bn⟩ ● *tweehonderdjarig;* – anniversary *tweehonderdste verjaardag.*

biceps ['baɪseps] ● *biceps.*

bicker ['bɪkə] ● *kibbelen.*

1 bicycle ['baɪsɪkl] ⟨zn⟩ ● *fiets.*

2 bicycle ⟨ww⟩ ● *fietsen.*

1 bid [bɪd] ⟨zn⟩ ● *bod;* make a – for *een bod doen op* ● *prijsopgave, offerte* ● *poging* ⟨om iets te verkrijgen⟩; a – for the presidency *een gooi naar het presidentschap.*

2 bid ⟨ww; bid [bɪd], bid⟩ ● *bieden, een bod doen (van).*

3 bid ⟨ww; bade [bæd, beɪd], bidden ['bɪdn]⟩ ↑ ● *bevelen, gelasten* ● *heten, zeggen;* – s.o. farewell *iem. vaarwel zeggen;* – s.o. welcome *iem. welkom heten* ● *(uit)nodigen.* **bidder** ['bɪdə] ● *bieder;* the highest – *de meestbiedende.* **bidding** ['bɪdɪŋ] ● *het bieden* ● *gebod, bevel;* do s.o.'s – *iemands bevelen uitvoeren;* at s.o.'s – *op iemands bevel.*

bide [baɪd] ‖ – one's time *zijn tijd afwachten.*

biennial [baɪ'enɪəl] ● *tweejarig.*

bier [bɪə] ● *(lijk)baar.*

1 biff [bɪf] ⟨zn⟩ ⟨sl.⟩ ● *opdonder.*

2 biff ⟨ww⟩ ⟨sl.⟩ ● *een opdonder verkopen.*

bifocals ['baɪfoʊklz] ● *dubbelfocusbril.*

1 big [bɪg] ⟨bn⟩ ● *groot, dik, zwaar, (hoog) zwanger;* – game *grof wild;* – money *grof/groot geld;* – with child *(hoog)zwanger* ● *belangrijk, invloedrijk, voornaam;* – business *de grote zakenwereld;* he is a – name in show business *hij heeft een grote naam in de showwereld* ● *groot, ouder;* my – sister *mijn grote/oudere zus* ● *groot(s), hoogdravend;* have – ideas *ambitieus zijn;* – talk *grootspraak* ‖ ⟨iron.⟩ – deal! *reusachtig!;* what's the – idea? *wat is hier aan de hand?;* ⟨sl.⟩ – shot *grote baas; hoge ome;* – top *circustent.*

2 big ⟨bw⟩ ● ↓ *veel, duur;* pay – for sth. *veel*

voor iets betalen.

bigamy ['bɪɡəmi] ● *bigamie.*

bigot ['bɪɡət] ● *dweper, fanaticus.* **bigoted** ['bɪɡətɪd] ● *dweepziek, onverdraagzaam.* **bigotry** ['bɪɡətri] ● *dweperij, fanatisme.*

'bigwig ↓ ● *hoge ome, hoge piet.*

1 bike [baɪk] ⟨zn⟩ ↓ ● *fiets* ● ⟨AE⟩ *motorfiets.*

2 bike ⟨ww⟩ ↓ ● *fietsen* ● ⟨AE⟩ *rijden (met de motor).*

bikini [bɪ'kiːni] ● *bikini.*

bilateral ['baɪ'lætrəl] ● *tweezijdig* ‖ a – agreement *een bilateraal akkoord.*

bilberry ['bɪlbri] ● *bosbes.*

bile [baɪl] ● *gal.*

bilge [bɪldʒ] ● ⟨sl.⟩ *flauwe kul.*

bilingual ['baɪ'lɪŋgwəl] ● *tweetalig.*

bilious ['bɪlɪəs] (-ness) ● *gal-, galachtig;* – attack *galaanval* ● *zwartgallig, gemelijk.*

1 bill [bɪl] ⟨zn⟩ ● *rekening;* electricity – *elektriciteitsrekening;* foot the – (for) *de rekening betalen (voor)* ● *aanplakbiljet, (strooi)biljet, programma;* – of fare *menu;* head/top the – *de ster/vedette zijn* ● *certificaat, bewijs, brief;* ⟨scheep.⟩ – of health *gezondheidsattest;* ⟨scheep.⟩ – of lading *vrachtbrief* ● *bek, snavel* ● ⟨AE⟩ *(bank)biljet* ● ⟨geldw.⟩ *wissel;* – of exchange *wissel* ● *wetsontwerp;* pass a – *een wetsvoorstel aannemen* ‖ fill/fit the – *geschikt zijn.*

2 bill ⟨ww⟩ ● *op het affiche plaatsen, aankondigen, aanplakken;* a new play is –ed for next week *er staat voor volgende week een nieuw stuk op het programma* ● *op de rekening zetten, de rekening sturen.*

billboard ['bɪlbɔːd] ● ⟨vnl. AE⟩ *aanplakbord, reclamebord.*

1 billet ['bɪlɪt] ⟨zn⟩ ● *kwartier, bestemming, verblijfplaats.*

2 billet ⟨ww⟩ ● *inkwartieren;* the captain –ed his troops on our town *de kapitein bracht zijn troepen onder in ons stadje.*

billiard ['bɪlɪəd] ● *biljart-;* – ball *biljartbal;* – table *biljart(tafel).* **billiards** ['bɪlɪədz] ● *biljart.*

billion ['bɪlɪən] ● *miljard,* ⟨fig.⟩ *talloos* ● ⟨BE⟩ *biljoen.*

1 billow ['bɪloʊ] ⟨zn⟩ ● *golf.*

2 billow ⟨ww⟩ ● *deinen, golven, bol staan.* **billowy** ['bɪloʊi] ● *golvend, bollend.*

'billposter, 'billsticker ● *(aan)plakker.*

'billy goat ● *(geite)bok.*

bimonthly ['baɪ'mʌnθli] ● *tweemaandelijks* ● *halfmaandelijks.*

bin [bɪn] ● *bak, mand, trommel,* ⟨ihb.⟩ *vuilnisbak, broodtrommel.*

binary ['baɪnəri] ● *binair, tweevoudig;* – digit *binair/tweetallig cijfer.*

1 bind [baɪnd] ⟨zn⟩ ● ↓ *moeilijkheid;* be in a

– *in de knoei zitten.*
2 bind ⟨bound, bound [baʊnd]⟩ I ⟨onov ww⟩
●*zich binden, vast/hard worden* II ⟨ov
ww⟩ ● *(vast)binden, bijeenbinden;* – (up)
one's hair *zijn haar bijeenbinden;* ⟨fig.⟩
bound by the magic of his voice *geboeid
door zijn betoverende stem* ● *bedwingen,
hinderen;* bound down by the regulations
aan banden gelegd door de bepalingen ●
verplichten, verbinden; she's bound to
come *ze moet komen, ze zal zeker komen;*
– s.o. to secrecy *iem. tot geheimhouding
verplichten* ● *verbinden;* – (up) a wound
een wond verbinden ●*(in)binden* ⟨boek⟩
●*binden, dik/vast(er) maken;* – a sauce
een saus binden ●*(contractueel) verbinden* ‖ I'll be bound *ik ben er absoluut zeker
van;* he's bound up in his job *hij gaat helemaal op in zijn werk;* zie BIND OVER. **binder**
['baɪndə] ●*binder* ⟨ook landb.; ook machi-
ne⟩, *boekbinder* ● *band, touw* ● *map, ringband;* send magazines in a – *tijdschriften
in een bandje versturen* ●*bindmiddel.*
1 binding ['baɪndɪŋ] ⟨zn⟩ ● *band, boekband*
●*boordsel.*
2 binding ⟨bn⟩ ●*bindend;* the treaty is – on
all of us *het verdrag bindt ons allen.*
'**bind** '**over** ⟨jur.⟩ ●*onder toezicht plaatsen;*
bind s.o. over to keep the peace *iem. onder toezicht plaatsen (in het belang v.d.
openbare orde).*
binge [bɪndʒ] ↓ ●*fuif, braspartij;* go on the –
fuiven, gaan stappen ●⟨in samenstellin-
gen⟩ *bui, vlaag;* have a shopping – *in een
koopzieke bui zijn.*
bingo ['bɪŋgoʊ] ●*bingo(spel)* ‖ –! *bingo!,
raak!.*
binoculars [bɪ'nɒkjʊləz] ●*(verre)kijker, toneelkijker;* two pairs of –s *twee verrekij-
kers.*
biochemistry ['baɪoʊ'kemɪstri] ●*biochemie.*
biodegradable [-dɪ'greɪdəbl] ●*(biologisch) afbreekbaar.*
biographer [baɪ'ɒgrəfə] ●*biogra(a)f(e).* **bio-
graphic** ['baɪə'græfɪk], **biographical** [-ɪkl]
●*biografisch.* **biography** [baɪ'ɒgrəfi] ●
biografie.
biological ['baɪə'rɒdʒɪkl] ●*biologisch.* **bio-
logist** [baɪ'ɒlədʒɪst] ●*bioloog.* **biology**
[baɪ'ɒlədʒi] ●*biologie.*
bipartisan ['baɪpɑ:tɪ'zæn] ⟨pol.⟩ ●*tweepar-
tijen-.*
bipartite ['baɪ'pɑ:taɪt] ●*tweedelig, tweeledig;* a – contract *een tweezijdig/bilateraal
contract.*
biplane ['baɪpleɪn] ●*tweedekker.*
birch [bə:tʃ] ●*berk(eboom)* ●*berk(ehout).*
bird [bə:d] ●*vogel;* – of passage *trekvogel;*

– of prey *roofvogel* ● ↓ *vogel, snuiter* ●
⟨BE; ↓⟩ *stuk, meisje* ‖ kill two –s with one
stone *twee vliegen in één klap slaan;*
⟨sprw.⟩ a bird in the hand (is worth two in
the bush) *beter één vogel in de hand dan
tien in de lucht;* birds of a feather flock together *soort zoekt soort;* zie ook ⟨sprw.⟩
EARLY.
'**birdcage** ●*vogelkooi.*
'**bird dog** ⟨AE⟩ ●*jachthond, retriever.*
birdie ['bə:di] ●*vogeltje.* **bird's-eye** ●*in vo-
gelvlucht;* a – view of the town *een pano-
ramisch gezicht op de stad.* '**bird's-nest** ●
vogelnest. '**bird watcher** ●*vogelwaarne-
mer.*
biro ['baɪroʊ] ●*ballpoint.*
birth [bə:θ] I ⟨telb en n-telb zn⟩ ●*geboorte,*
⟨fig.⟩ *ontstaan, begin;* give – to *het leven
schenken aan* II ⟨n-telb zn⟩ ●*afkomst;* he
is French by – *hij is Fransman v. geboorte.*
'**birth certificate** ●*geboorteakte.* '**birth
control** ●*geboortenbeperking.* '**birthday**
●*geboortedag* ● *verjaardag.* '**birthday
suit** ⟨scherts.⟩ ●*adamskostuum;* in one's
– *in zijn/haar blootje.* '**birthmark** ●*moedervlek.* '**birthplace** ●*geboorteplaats, ge-
boortehuis.* '**birth rate** ●*geboortencijfer.*
'**birthright** ●*geboorterecht.*
biscuit ['bɪskɪt] ●⟨BE⟩ *biscuit, cracker* ●
⟨AE⟩ *zacht rond koekje* ‖ that takes the –!
dat is het toppunt!.
bisect ['baɪ'sekt] ●*middendoor/in tweeën
delen, halveren.*
bisexual ['baɪ'sekʃʊəl] ●*biseksueel.*
bishop ['bɪʃəp] ●*bisschop* ●⟨schaakspel⟩ *loper.* **bishopric** ['bɪʃəprɪk] ●*bisdom.*
bison ['baɪsn] ●*bizon,* ⟨ihb.⟩ *Amerikaanse
bizon.*
bit [bɪt] ●*beetje, hapje* ⟨voedsel⟩ ●*beetje,
stukje, kleinigheid;* that was a – much for
me *dat was me wat te veel;* – by – *stukje
voor stukje;* tear sth. to –s *iets in stukken
scheuren;* not a – better *geen haar beter;*
not a – (of it) *helemaal niet(s);* a – of advice *een goede raad;* a – of news *een
nieuwtje* ● *ogenblikje;* wait a –! *wacht
even!* ●*(ge)bit* ⟨voor paard⟩ ●*boorijzer* ●
muntje ●⟨comp.⟩ *bit* ⟨kleinste eenheid v.
informatie⟩ ‖ ⟨BE; sl.⟩ a (nice) – of skirt
een lekker stuk; ↓ do one's – *zijn steen(tje)
bijdragen;* zie ook ⟨sprw.⟩ LITTLE.
1 bitch [bɪtʃ] ⟨zn⟩ ●*teef, wijfje* ●⟨sl.; bel.⟩
teef, kreng (v.e. wijf).
2 bitch ⟨ww⟩ ●*zeuren, klagen.* **bitchy** ['bɪtʃi]
●*hatelijk, boosaardig.*
1 bite [baɪt] I ⟨telb zn⟩ ●*beet, hap* ●*hap(je)*
⟨eten⟩; I had not had a – *ik had geen hap
gegeten;* have a – to eat *iets eten* ●*beet*

⟨bij het vissen⟩ **II** ⟨telb en n-telb zn⟩ ● *vinnigheid, scherpte* ●⟨tech.⟩ *grip* ⟨v. werktuig⟩.

2 bite ⟨ww; bit [bɪt], bitten ['bɪtn]⟩ ● *bijten, toebijten, (toe)happen* ⟨ook fig.⟩, *steken* ⟨v. insekten⟩; ⟨fig.⟩ – *one's lip(s) zich verbijten;* – *off afbijten;* – *at sth. naar iets happen* ● *bijten, invreten* ⟨v. zuren; ook fig.⟩ ● *voelbaar worden, effect hebben* ⟨vnl. mbt. iets negatiefs⟩ ● *grip krijgen, pakken* ⟨bv. v. wiel, anker⟩ **||** – *off more than one can chew te veel hooi op zijn vork nemen;* ⟨sprw.⟩ *once bitten, twice shy ± door schade en schande wordt men wijs.* **biting** ['baɪtɪŋ] ● *bijtend;* a – *remark een scherpe/vinnige opmerking;* a – *wind een bijtende wind.* **bitten** ['bɪtn] ⟨volt. deelw.⟩ zie BITE.

1 bitter ['bɪtə] ⟨zn⟩ ● ⟨BE⟩ *bitter (bier)* ● ⟨mv.⟩ *(maag)bitter* ⟨likeur⟩.

2 bitter ⟨bn; bw; -ness⟩ ● *bitter, bijtend, scherp, verbitterd;* ⟨fig.⟩ the – *end het bittere einde;* ⟨fig.⟩ a – *pill to swallow een bittere pil;* a – *wind een bitter koude wind.*

1 bivouac ['bɪvʊæk] ⟨zn⟩ ● *bivak.*

2 bivouac ⟨ww⟩ ● *bivakkeren.*

1 biweekly ['baɪ'wi:kli] ⟨zn⟩ ● *veertiendaags tijdschrift.*

2 biweekly ⟨bn; bw⟩ ● *veertiendaags, tweewekelijks.*

bizarre [bɪ'zɑ:] ● *bizar, zonderling.*

blab [blæb] **I** ⟨onov ww⟩ ● *zijn mond voorbij praten* **II** ⟨ov ww⟩ ● *(er)uitflappen.*

1 black [blæk] ⟨zn⟩ ● *zwart, zwartsel, zwarte kleur/verfstof;* – *and white zwart-wit* ⟨film; ook fig.⟩; ⟨fig.⟩ (it is written down) in – *and white (het staat) zwart op wit;* dressed in – *in het zwart* ● ⟨vaak B-⟩ *zwarte, neger(in).*

2 black ⟨bn; -ness⟩ ● *zwart, (zeer) donker,* ⟨fig. ook⟩ *duister;* – *art/magic zwarte kunst;* – *belt zwarte band* ⟨bv. judo⟩; *be in s.o.'s* – *book(s) bij iem. slecht aangeschreven staan;* – *box zwarte doos;* – *currant zwarte bes;* – *eye blauw oog;* – *mark* ⟨fig.⟩ *slecht punt, smet;* – *market zwarte markt;* – *sheep zwart schaap* ⟨fig.⟩; – *tea thee zonder melk;* – *tie zwart strikje; smoking* ● *zwart, besmeurd* ● *zwart, somber, onvriendelijk, kwaad, snood;* – *comedy zwarte komedie;* – *humour zwarte humor; give s.o. a* – *look iem. nors aankijken; in a* – *mood in een sombere stemming; he is not so* – *as he is painted hij is niet zo slecht als algemeen beweerd wordt* **||** – *ice ijzel;* ⟨sl.⟩ *Black Maria overvalwagen;* – *money zwart geld;* ⟨BE⟩ – *pudding bloedworst.*

3 black ⟨ww⟩ ● *zwart maken, poetsen*

⟨schoenen⟩ ● *besmet verklaren* ⟨door stakers⟩ **||** – *s.o.'s eye iem. een blauw oog slaan;* zie BLACK OUT.

'black-and-'white ● *zwart-wit* ⟨lett. en fig.⟩.
blackberry ['blækbri] ● *braam(struik)* ● *braam(bes).* **'blackbird** ● ⟨BE⟩ *merel.*
'blackboard ● *(school)bord.*

blacken ['blækən] ● *zwarten, zwart maken* ⟨ook fig.⟩; – *s.o.'s reputation iem. zwart maken.*

blackguard ['blægɑ:d, -gəd] ⟨ong.⟩ ● *schurk.*

'blackhead ● *meeëter, puistje.*

blacking ['blækɪŋ] ● *zwart(e) schoensmeer* ● *zwartsel.*

'blackjack ● ⟨AE⟩ *ploertendoder.*

'blackleg ⟨BE; ong.⟩ ● *stakingbreker.*
'blacklist ⟨zn⟩ *zwarte lijst* ● ⟨ww⟩ *op de zwarte lijst plaatsen.*

1 'blackmail ⟨zn⟩ ● *afpersing, chantage.*

2 blackmail ⟨ww⟩ ● *chanteren, (geld) afpersen van;* – *s.o. into sth. iem. iets afdwingen.* **'blackmailer** ● *afperser, chanteur.*

'blackout ● *verduistering* ● *black-out, tijdelijke bewusteloosheid, tijdelijk geheugenverlies* ● *het onderbreken/stopzetten v. berichtgeving.* **'black 'out I** ⟨onov ww⟩ ● *een black-out hebben, tijdelijk het bewustzijn verliezen* **II** ⟨ov ww⟩ ● *verduisteren* ⟨bij oorlog⟩ ● *onleesbaar maken* ⟨tekst⟩ ● *uit de ether doen verdwijnen* ⟨t.v., bv. bij staking⟩. **'blacksmith** ● *smid,* ⟨ihb.⟩ *hoefsmid.* **'black-'tie** ● *avondkleding;* – *dinner diner in avondkleding.*

bladder ['blædə] ● *blaas.*

blade [bleɪd] ● ⟨ben. voor⟩ *plat snijgedeelte, lemmet* ⟨v. mes⟩, *blad* ⟨v. zaag⟩, *kling* ⟨v. zwaard⟩, *(scheer)mesje* ● *blaadje* ⟨bv. v. gras⟩, *halm* ● *(plat) uiteinde* ⟨bv. v. propeller, roeiriem⟩.

blah [blɑ:], **'blah-'blah** ● *blabla, gezwets.*

1 blame [bleɪm] ⟨zn⟩ ● *schuld, blaam; bear/take the* – *de schuld op zich nemen; lay the* – *on s.o. iem. de schuld geven* ● *kritiek, afkeuring.*

2 blame ⟨ww⟩ ● *de schuld geven aan, verwijten; I don't* – *Jane ik geef Jane geen ongelijk (ik had het ook niet gedaan); he is to* – *het is zijn schuld; don't always* – *him for everything/don't always* – *everything on him geef hem niet altijd overal de schuld van* ● *afkeuren, veroordelen.* **'blameless** ['bleɪmləs] ● *onberispelijk.* **'blameworthy** ● *laakbaar, schuldig.*

blanch [blɑ:ntʃ] **I** ⟨onov ww⟩ ● *bleek/wit worden* **II** ⟨ov ww⟩ ● *doen verbleken* ● *blancheren* ⟨groente, metaal⟩.

bland [blænd] ⟨-ness⟩ ● *vriendelijk, (zacht)*

aardig, aangenaam; his – behaviour *zijn vriendelijk gedrag* ● *mild, niet te gekruid, niet irritant;* a – soup *een mild soepje* ‖ a rather – man *een tamelijk saaie man.*

blandishment ['blændɪʃmənt] ⟨vnl. mv.⟩ ● *vleierij, lieve woordjes.*

1 blank [blæŋk] ⟨zn⟩ ● *leegte, leemte, blanco formulier* ● *losse patroon* ⟨v. geweer⟩, *losse flodder* ● *niet in de prijzen vallend lot;* draw a – *niet in de prijzen vallen;* ⟨fig.⟩ *bot vangen* ‖ a double – *een dominosteen zonder ogen.*

2 blank ⟨bn⟩ ● *leeg, blanco, onbeschreven;* a – cartridge *een losse patroon/flodder;* a – cheque *een blanco cheque* ● *uitdrukkingsloos, onbegrijpend;* a – look *een wezenloze blik* ‖ a – refusal *een botte weigering.*

1 blanket ['blæŋkɪt] ⟨zn⟩ ● *(wollen) deken.*

2 blanket ⟨bn⟩ ● *allesomvattend, op iedereen/alles v. toepassing;* a – insurance policy *een all-risk verzekeringspolis.*

3 blanket ⟨ww⟩ ● *(geheel) bedekken, onderstoppen, afsluiten.*

1 blare [bleə] ⟨zn⟩ ● *geschal, lawaai;* the – of trumpets *trompetgeschal.*

2 blare ⟨ww⟩ ● *schallen, lawaai maken;* – out *uitgalmen, luid doen klinken.*

blarney ['blɑːni] ↓ ● *vleierij, zoete woordjes.*

blasé ['blɑːzeɪ] ● *blasé.*

blaspheme [blæ'sfiːm] ● *godslasterlijk spreken (over), spotten (met).* **blasphemous** ['blæsfɪməs] ● *(gods)lasterlijk.* **blasphemy** ['blæsfɪmi] ● *(gods)lastering.*

1 blast [blɑːst] ⟨zn⟩ ● *(wind)vlaag, rukwind* ● *sterke luchtstroom* ⟨bv. bij ontploffing⟩ ● *explosie* ⟨ook fig.⟩ ● *stoot* ⟨bv. op trompet⟩ ● *springlading* ‖ he was working at full – *hij werkte op volle toeren;* –! *verdorie.*

2 blast ⟨ww⟩ ● *opblazen, bombarderen* ● *vernietigen, verijdelen;* – plans *plannen in het honderd laten lopen* ● ↑ *doen verschrompelen* ⟨bv. plant⟩, *doen verzengen;* ⟨fig.⟩ – s.o.'s reputation *iemands reputatie bezoedelen* ● ⟨euf.⟩ *vervloeken;* – him! *laat hem naar de maan lopen!;* zie BLAST OFF. **blasted** ['blɑːstɪd] ⟨sl.⟩ ● *verdomd.* **'blast furnace** ● *hoogoven.* **'blast 'off** ● *gelanceerd worden.* **'blast-off** ● *lancering* ⟨v. raket⟩.

blatant ['bleɪtnt] ● *schaamteloos, onbeschaamd* ● *overduidelijk, opvallend;* a – lie *een regelrechte leugen.*

blather zie BLETHER.

1 blaze [bleɪz] ⟨zn⟩ ● *vlammen(zee), (verwoestend) vuur;* the – of the fire *de gloed v.h. vuur;* the house was in a – *het huis*

stond in lichterlaaie ● *uitbarsting;* a – of anger *een uitbarsting v. woede* ● *felle gloed* ⟨v. licht/kleur⟩, *vol licht* ‖ go to –s! *loop naar de hel!;* go like –s *als de weerlicht gaan.*

2 blaze ⟨ww⟩ ● *(fel) branden, gloeien, in lichterlaaie staan,* ⟨ook fig.⟩ *in vuur en vlam staan* ⟨bv. v. woede⟩; she –s out in anger *ze barst in woede uit;* the petrol-station –d up *de vlammen sloegen uit het benzinestation* ● *(fel) schijnen, schitteren;* zie BLAZE AWAY.

'blaze a'way ● *oplaaien* ⟨v. vuur⟩ ● *erop los schieten.*

blazer ['bleɪzə] ● *blazer, sportjasje.*

blazing ['bleɪzɪŋ] ● *(fel) brandend, schel, verblindend* ⟨(zon)licht⟩ ● *woedend, kokend.*

1 blazon ['bleɪzn] ⟨zn⟩ ● *blazoen, heraldiek wapen.*

2 blazon ⟨ww⟩ ● *rondbazuinen, wijd en zijd verkondigen.*

1 bleach [bliːtʃ] ⟨zn⟩ ● *bleekmiddel* ● *het bleken.*

2 bleach ⟨ww⟩ ● *bleken, (doen) verbleken.*

bleachers ['bliːtʃəz] ⟨AE⟩ ● *niet-overdekte tribune* ⟨bij sportveld⟩.

bleak [bliːk] ● *guur* ⟨bv. v. weer⟩, *troosteloos;* a – sky *een grauwe lucht* ● *deprimerend, somber;* – prospects *sombere vooruitzichten* ● *onbeschut, kaal.*

bleary ['blɪəri] ● *wazig* ⟨blik⟩, *slaperig, waterig* ⟨ogen⟩. **'bleary-eyed** ● *met wazige blik.*

1 bleat [bliːt] ⟨zn⟩ ● *blatend geluid, geblaat.*

2 bleat ⟨ww⟩ ● *blaten, blèren,* ⟨fig.⟩ *zeuren.*

bleed [bliːd] ⟨bled, bled [bled]⟩ I ⟨onov ww⟩ ● *bloeden;* – to death *doodbloeden* ● *(vloeistof) afgeven, bloeden* ⟨bv. v. plant⟩ II ⟨ov ww⟩ ● *doen bloeden, aderlaten* ● *uitzuigen;* ↓ – s.o. dry *iem. helemaal uitknijpen.*

bleeding ['bliːdɪŋ] ↓ ● *vervloekt.*

1 bleep [bliːp] ⟨zn⟩ ● *piep, hoge pieptoon.*

2 bleep ⟨ww⟩ ● *oproepen met piepsignaal;* – (for) the doctor *de dokter oppiepen.*

bleeper ['bliːpə] ● *pieper* ⟨v. oproepsysteem⟩.

1 blemish ['blemɪʃ] ⟨zn⟩ ● *vlek, smet.*

2 blemish ⟨ww⟩ ● *bevlekken, besmetten, een smet werpen op.*

blench [blentʃ] ● *ineenkrimpen, terugdeinzen.*

1 blend [blend] ⟨zn⟩ ● *mengsel, melange, mengeling.*

2 blend I ⟨onov ww⟩ ● *zich vermengen, bij elkaar passen;* this building –s into the landscape *dit gebouw vormt één geheel met het landschap* II ⟨ov ww⟩ ● *mengen,*

combineren, in elkaar doen overlopen.
blender ['blendə] ● *mengbeker, mixer.*
bless [bles] ⟨ook blest, blest⟩ ● *zegenen, (in) wijden;* – o.s. *een kruis slaan;* ⟨fig.⟩ *zich gelukkig prijzen* ● *vereren* ⟨bv. God⟩, *loven* ‖ –ed with great talent *gezegend met groot talent;* (God) – you! *gezondheid!* ⟨na niezen⟩. **blessed** ['blesɪd, blest] I ⟨bn, attr en pred⟩ ● *heilig* II ⟨bn, attr⟩ ● *gelukkig, (geluk)zalig;* – ignorance *zalige onwetendheid;* of – memory *zaliger gedachtenis* ● ⟨sl.⟩ *verdomd;* the whole – day *de godganse dag;* every – thing *alles, maar dan ook alles.* **blessing** ['blesɪŋ] ● *zegen(ing);* a – in disguise *een verhulde zegen;* it was a mixed – *het had zo zijn voor- en nadelen* ● *goedkeuring, zegen.*
1 blether ['bleðə], **blather** ['blæðə] ⟨zn⟩ ● *geklets, onzin.*
2 blether, blather ⟨ww⟩ ● *dom kletsen.*
blew ⟨verl. t.⟩ zie BLOW.
1 blight [blaɪt] ⟨zn⟩ ● *plantenziekte, meeldauw* ● *afschuwelijkheid;* the – of this part of the city *de lelijkheid v. dit deel v.d. stad* ● *vloek;* cast/put a – (up)on *een vloek werpen op.*
2 blight ⟨ww⟩ ● *doen verdorren/verwelken* ● *een vernietigende uitwerking hebben op, verwoesten.*
blighter ['blaɪtə] ⟨sl.⟩ ● *naarling, klier* ● *vent, knul;* you poor – *arme stakker.*
blimey ['blaɪmi] ⟨sl.⟩ ● *verdorie.*
1 blind [blaɪnd] ⟨zn⟩ ● *scherm, jaloezie, zonnescherm, rolgordijn;* pull down the –s *trek de jaloezieën naar beneden* ● *voorwendsel;* a – for spying activities *een dekmantel voor spionagewerk.*
2 blind ⟨bn; -ness⟩ ● *blind, zonder te (kunnen) zien,* ⟨fig.⟩ *ondoordacht;* – anger *blinde woede;* as – as a bat/mole *stekeblind;* – landing *blinde landing* ⟨op de instrumenten⟩; –ly follow the leader *onvoorwaardelijk de leider volgen;* – in one eye *blind aan één oog;* – with rage *blind van woede;* the – *de blinden* ● *blind, ongevoelig;* be – to s.o.'s faults *geen oog hebben voor de fouten v. iem.* ● *doodlopend;* – alley *doodlopend straatje* ● *blind, zonder opening* ‖ – corner *blinde hoek;* turn a – eye to sth. *een oogje dichtknijpen voor iets;* zie ook ⟨sprw.⟩ NOD.
3 blind ⟨ww⟩ ● *verblinden, blind maken* ● *verblinden;* – s.o. with science *iem. overdonderen met kennis/feiten.*
4 blind ⟨bw⟩ ● *blind(elings), ondoordacht;* fly – *blind/op de instrumenten vliegen* ‖ – drunk *stomdronken.*
1 'blindfold ⟨zn⟩ ● *blinddoek.*

2 blindfold ⟨bn; bw⟩ ● *geblinddoekt.*
3 blindfold ⟨ww⟩ ● *blinddoeken,* ⟨fig.⟩ *misleiden.*
'blindman's 'buff ● *blindemannetje* ⟨spel⟩.
'blind spot ● ⟨med.⟩ *blinde vlek* ● *blinde hoek* ● *zwakke plek.*
1 blink [blɪŋk] ⟨zn⟩ ● *knipoog, (oog)wenk* ● *flikkering, schijnsel* ‖ ↓ on the – *defect.*
2 blink I ⟨onov ww⟩ ● *met half toegeknepen ogen kijken, knipogen* ● *knipperen, flikkeren, schitteren* II ⟨ov ww⟩ ● *knippe(re)n met.* **'blink at** ● *een oogje dichtdoen voor;* – illegal practices *illegale praktijken door de vingers zien.* **blinkered** ['blɪŋkəd] ● *met oogkleppen,* ⟨fig.⟩ *bekrompen.* **blinkers** ['blɪŋkəz] ● *oogkleppen,* ⟨fig.⟩ *kortzichtigheid.* **blinking** ['blɪŋkɪŋ] ⟨↓; euf.⟩ ● *verdomd.*
bliss [blɪs] ● *(geluk)zaligheid, het einde.*
blissful ['blɪsfəl] ● *zalig, verrukkelijk.*
1 blister ['blɪstə] ⟨zn⟩ ● *(brand)blaar* ● *bladder, blaas.*
2 blister I ⟨onov ww⟩ ● *blaren krijgen* ● *(af)bladderen* II ⟨ov ww⟩ ● *doen bladderen, blaren/blaasjes veroorzaken op.*
blithe [blaɪð] ↑ ● *vreugdevol, blij* ● *zorgeloos, onbezorgd.*
blithering ['blɪðrɪŋ] ⟨ong.⟩ ● *stom;* you – idiot! *stomme idioot dat je bent!.*
1 blitz [blɪts] ⟨zn⟩ ● *Blitz(krieg), bliksemoorlog* ● *Duitse bomaanvallen op Londen in 1940.*
2 blitz ⟨ww⟩ ● *bombarderen.*
blizzard ['blɪzəd] ● *(hevige) sneeuwstorm.*
bloated ['bloʊtɪd] ● *opgezwollen, opgeblazen.*
bloater ['bloʊtə] ● *bokking.*
blob [blɒb] ● *klodder* ● *vlek(je), stip(je).*
bloc [blɒk] ● *blok, coalitie.*
1 block [blɒk] ⟨zn⟩ ● *blok* ⟨ook druk., pol.⟩, *(hak/kap)blok, steenblok;* – and tackle *touw en blok* ● *blok* ⟨v. gebouwen⟩, *huizenblok,* ⟨BE⟩ *(groot) gebouw;* ⟨BE⟩ – of flats *flatgebouw;* walk around the – *een straatje omlopen* ● *versperring, stremming,* ⟨psych., sport⟩ *blokkering;* traffic – *verkeersopstopping* ● ⟨druk.⟩ *cliché.*
2 block ⟨ww⟩ ● *versperren, blokkeren;* – out sth. on a photo *iets op een foto afdekken/wegwerken;* – off *afsluiten, blokkeren;* – up/in a window *een raam afsluiten/dichtspijkeren* ● *verhinderen, tegenhouden* ● ⟨sport; psych.⟩ *blokkeren.*
1 blockade [blɒ'keɪd] ⟨zn⟩ ● *blokkade.*
2 blockade ⟨ww⟩ ● *blokkeren, afsluiten.*
blockage ['blɒkɪdʒ] ● *verstopping, opstopping.*
'blockhead ● *domkop.*

'**blockhouse** ●*bunker.* '**block** '**letter,** '**block** '**capital** ●*blokletter.*

bloke [blouk]↓●*kerel, gozer.*

1 blond [blɒnd] ⟨zn⟩ ●⟨vr vnl.: blonde⟩ *blond iem.,* ⟨vr⟩ *blondje, blondine* ●*blond* ⟨kleur⟩.

2 blond, ⟨vr vnl.⟩ **blonde** ⟨bn⟩ ●*blond.*

blood [blʌd] ●*bloed;* circulation of the – *bloedsomloop;* in cold – *in koelen bloede;* infuse new – into a firm *een firma nieuw leven inblazen;* get s.o.'s – up *iem. razend maken;* it makes your – boil *het maakt je razend* ●*temperament* ●*bloedverwantschap, afkomst;* be/run in one's – *in het bloed zitten*‖⟨sprw.⟩ blood is thicker than water ± *het hemd is nader dan de rok;* you cannot get blood out of a stone *men kan van een kikker geen veren plukken.* '**blood bank** ●*bloedbank.* '**bloodbath** ● *bloedbad, slachtpartij.* **bloodcurdling** ['blʌdkə:dlɪŋ] ●*huiveringwekkend, bloedstollend.* '**blood group** ●*bloedgroep.* '**bloodhound** ●*bloedhond.* **bloodless** ['blʌdləs] ●*bloedeloos;* – battle *slag zonder bloedvergieten* ●*bleek, kleurloos* ● *saai* ●*hardvochtig.* **bloodletting** ['blʌdletɪŋ] ●*aderlating* ●*bloedvergieten.* '**blood money** ●*bloedgeld.* '**blood poisoning** ●*bloedvergiftiging.* '**blood pressure** ●*bloeddruk.*

'**blood-'red** ●*bloedrood.* '**blood relation** ● *bloedverwant(e).* '**bloodshed** ●*bloedvergieten.* '**bloodshot** ●*bloeddoorlopen.* '**blood sport** ⟨ong.⟩ ●*jacht, bloedige sport.* '**bloodstained** ●*met bloed bevlekt, bloederig.* '**bloodstream** ●*bloedbaan.* '**bloodthirsty** ●*bloeddorstig.* '**blood transfusion** ●*bloedtransfusie.* '**blood type** ●*bloedgroep.* '**blood vessel** ●*bloedvat, ader.*

1 bloody ['blʌdi] I ⟨bn, attr en pred⟩ ●*bloed(er)ig* ●*bloeddorstig* II ⟨bn, attr⟩↓●*verdomd* ⟨als stopwoord, bijna betekenisloos⟩; that's a – shame *dat is een grof schandaal.*

2 bloody ⟨bw⟩↓●*verdomd, erg.*

'**bloody-'minded** ↓●*dwars, koppig.*

1 bloom [blu:m] ⟨zn⟩ ●*bloem, bloesem* ● *bloei(tijd);* in (full) – *in (volle) bloei* ●*waas* ●*blos, gloed.*

2 bloom ⟨ww⟩ ●*bloeien, in bloei zijn/staan* ●*in volle bloei komen* ⟨ook fig.⟩, *tot volle ontplooiing komen, (op)bloeien.*

blooming ['blu:mɪŋ] ⟨euf. voor bloody⟩ ● *verdraaid.*

1 blossom ['blɒsm] ⟨zn⟩ ●*bloesem;* be in – *in bloei staan.*

2 blossom ⟨ww⟩ ●*tot bloei komen;* the pear

trees are –ing *de perebomen staan in bloei* ●*zich ontwikkelen, opbloeien;* – forth/out *opbloeien.*

1 blot [blɒt] ⟨zn⟩ ●*vlek, klad, smet;* the building was a – on the landscape *het gebouw ontsierde het landschap.*

2 blot ⟨ww⟩ ●*bekladden* ●*(af)vloeien, drogen met vloeipapier.*

blotch [blɒtʃ] ●*vlek, puist, smet.* **blotchy** ['blɒtʃi] ●*gevlekt, vlekkerig.*

'**blot** '**out** ●*(weg)schrappen, uitwissen* ●*verbergen, aan het gezicht onttrekken.*

blotter ['blɒtə] ●*vloeiblok, vloeiroller, stuk vloei(papier).* **blotting paper** ['blɒtɪŋ ˌpeɪpə] ●*vloei(papier).*

blouse [blauz] ●*blouse, bloes* ⟨gedragen door vrouwen⟩.

1 blow [blou] ⟨zn⟩ ●*wind(vlaag), rukwind;* a – on a whistle *gefluit op een fluitje* ●*slag, klap;* come to –s *slaags raken;* he struck a – for democracy *hij hielp de democratie een stap vooruit;* at a (single)/one – *in één klap;* without (striking) a – *zonder geweld* ●*(tegen)slag.*

2 blow ⟨blew [blu:], blown [bloun]⟩ I ⟨onov ww⟩ ●*blazen, fluiten, weerklinken, waaien, wapperen;* his hair blew in the wind *zijn haar wapperde in de wind;* the whistle –s *het fluitje gaat;* the scandal will – over *het schandaal zal wel overwaaien* ●*hijgen, puffen* ●*stormen, hard waaien;* a storm is –ing *het stormt* ●⟨elek.⟩ *doorsmelten, doorbranden, doorslaan* ⟨v. stop⟩‖↓– hot and cold (about) *veranderen gelijk het weer;* zie BLOW OUT, BLOW UP II ⟨ov ww⟩ ●*blazen (op, door), aan/op/uit/ wegblazen, snuiten* ⟨neus⟩, *doen wapperen;* the door was –n open *de deur waaide open;* it's –ing (up) a storm *het stormt, het gaat stormen;* – glass *glasblazen;* the wind blew the trees down *de wind blies de bomen om(ver);* – off *wegblazen, doen wegwaaien; afblazen* ⟨stoom⟩; – over *om(ver)blazen;* the tank was –n to pieces/ glory *de tank werd aan stukken gereten* ● ⟨elek.⟩ *doorsmelten, doen doorbranden* ●*bespelen, blazen op;* – the whistle *op het fluitje blazen* ● ↓ *verknallen;* you blew it *je hebt het verknald* ●⟨sl.⟩ *vervloeken;* – the cost! *wat kunnen mij de kosten schelen!;* ⟨sl.⟩ I'll be –ed if I'll do it *ik verdom het;* ⟨sl.⟩ – it *verdorie;* zie BLOW OUT, BLOW UP.

blower ['blouə] ●*aanjager, blower, ventilator* ● ↓ *telefoon.*

'**blowlamp,** '**blowtorch** ●*soldeerlamp.* '**blowout** ●*klapband* ●*uitbarsting* ⟨in olie/ gasbron⟩, *eruptie* ●⟨sl.⟩ *knalfeest, eetfestijn.* '**blow** '**out I** ⟨onov ww⟩ ●*uitwaaien* ●

springen, klappen, barsten ‖ the storm had blown itself out *de storm was gaan liggen* ‖ ⟨ov ww⟩ ● *uitblazen* ● *doen springen, doen klappen/barsten.* '**blowup** ● *ontploffing* ● *uitbarsting, ruzie* ● ⟨foto.⟩ *(uit)vergroting.* '**blow 'up I** ⟨onov ww⟩ ● *ontploffen, springen* ● *opgeblazen worden* ● *(in woede) uitbarsten, ontploffen;* he blew up at her *hij viel tegen haar uit* ● *sterker worden* ⟨v. wind, storm⟩, *komen opzetten* ‖ ⟨ov ww⟩ ● *opblazen, laten ontploffen, vullen* ⟨met lucht⟩ ● *opblazen, overdrijven* ● ⟨foto.⟩ *(uit)vergroten.*

blowy ['bloʊi] ● *winderig.*

1 blubber ['blʌbə] ⟨zn⟩ ● *blubber, walvisspek* ● ⟨sl.⟩ *gejank.*

2 blubber ⟨ww⟩ ● *grienen, janken.*

1 bludgeon ['blʌdʒn] ⟨zn⟩ ● *knuppel.*

2 bludgeon ⟨ww⟩ ● *(met een knuppel) aftuigen* ‖ he was –ed into giving his money *zijn geld werd hem afgeperst.*

1 blue [blu:] ⟨zn⟩ ● *blauw;* dressed in – *in het blauw (gekleed)* ● *blauwsel* ● *blauwe lucht;* out of the – *als een donderslag bij heldere hemel.*

2 blue ⟨bn⟩ ● *blauw;* –-collar workers *handarbeiders* ● *gedeprimeerd, triest, somber* ● *conservatief* ● ↓ *obsceen, gewaagd;* – film/movie *pornofilm* ‖ once in a – moon *(hoogst) zelden, zelden of nooit.*

'**bluebell** ● *grasklokje* ● *wilde hyacint.*

blueberry ['blu:bri] ● *(blauwe) bosbes.*

'**bluebottle** ● *bromvlieg.*

'**blue-eyed** ● *blauwogig* ‖ somebody's – boy *iemands lievelingetje.* '**blue jeans** ● *jeans, spijkerbroek.* '**blueprint** ● *blauwdruk, ontwerp.*

blues [blu:z] ● ⟨muz.⟩ *(de) blues* ● ↓ *zwaarmoedigheid, melancholie.*

'**bluestocking** ● ⟨vaak ong.⟩ *blauwkous.*

1 bluff [blʌf] ⟨zn⟩ ● *hoge, steile oever, steile rotswand, klif;* call one's – *iem. tarten/uitdagen (iets (dan ook) te doen)* ● *bluf.*

2 bluff ⟨bn⟩ ● *kortaf maar oprecht, plompverloren maar eerlijk.*

3 bluff I ⟨onov ww⟩ ● *bluffen* ⟨ook v. poker⟩ ‖ ⟨ov ww⟩ ● *overbluffen, overdonderen* ‖ – one's way out of a situation *zich (door bluf/bedrog) uit een (precaire) situatie redden.*

1 blunder ['blʌndə] ⟨zn⟩ ● *blunder, flater, miskleun.*

2 blunder ⟨ww⟩ ● *blunderen, een flater slaan* ● *strompelen, zich onhandig voortbewegen;* – on *voortsukkelen;* – into a tree *tegen een boom opknallen.* **blunderer** ['blʌnd(ə)rə] ● *klungel, kluns.*

1 blunt [blʌnt] ⟨bn; -ness⟩ ● *bot, stomp*

● *(p)lomp, onomwonden;* – refusal *botte weigering;* tell s.o. sth. –ly *iem. iets botweg vertellen.*

2 blunt ⟨ww⟩ ● *stomp/bot maken, afstompen, ongevoelig maken.*

1 blur [blə:] ⟨zn⟩ ● *onduidelijke plek, wazig beeld, verflauwde/vage indruk.*

2 blur I ⟨onov ww⟩ ● *vervagen, onduidelijk worden* ● *vlekken* ‖ ⟨ov ww⟩ ● *bevlekken, besmeren* ● *onduidelijk/onscherp maken, troebel maken;* –red photographs *onscherpe foto's.*

blurb [blə:b] ● *flaptekst.*

blurt out [blə:t 'aʊt] ● *eruit flappen.*

1 blush [blʌʃ] ⟨zn⟩ ● *blos, (rode) kleur, schaamrood* ‖ at (the) first – *op het eerste gezicht.*

2 blush ⟨ww⟩ ● *blozen, een kleur krijgen* ● ⟨+for⟩ *zich schamen (voor).*

1 bluster ['blʌstə] ⟨zn⟩ ● *gebulder* ⟨v. storm⟩, *geraas, getier* ⟨v. boze stemmen⟩ ● *gebral, gesnoef.*

2 bluster ⟨ww⟩ ● *razen, tieren* ● *bulderen* ⟨v. wind⟩ ● *opscheppen.*

BMX bike ● *crossfiets.*

boa ['boʊə] ● *boa.*

boar [bɔ:] ● *beer* ⟨mannetjesvarken⟩ ● *wild zwijn.*

1 board [bɔ:d] ⟨zn⟩ ● *plank* ● *(aanplak/score)bord, (schaak)bord* ● ⟨scheep.⟩ *boord;* go by the – ⟨fig.⟩ *volledig mislukken* ⟨v. plannen e.d.⟩; on – *aan boord van* ● *kost(geld);* – and lodging *kost en inwoning;* full – *vol pension* ● *raad, bestuur(slichaam);* – of directors *raad v. commissarissen;* be on the – *in het bestuur zitten* ● ⟨mv.⟩ *harde kaften v.e. boek* ‖ above – *open, eerlijk;* across the – *over de hele linie;* go on – a train *in de trein stappen.*

2 board I ⟨onov ww⟩ ● *in de kost zijn;* he is –ing with them *hij is bij hen in de kost* ‖ ⟨ov ww⟩ ● *beschieten, betimmeren, kartonneren;* – up the building *het gebouw dichttimmeren* ● *in de kost hebben/nemen* ● *in de kost doen;* – s.o. out *iem. elders in de kost doen* ● *aan boord gaan van, instappen* ⟨vliegtuig⟩, *opstappen.*

boarder ['bɔ:də] ● *kostganger* ● *kostleerling, intern.*

boarding ['bɔ:dɪŋ] ● *beplanking, betimmering, schutting.*

'**boardingcard, boardingpass** ● *instapkaart.*

'**boardinghouse** ● *kosthuis, pension.* '**boarding school** ● *internaat.*

'**boardroom** ● *bestuurskamer, directiekamer.*

1 boast [boʊst] ⟨zn⟩ ● *bluf, grootspraak* ● *trots, roem.*

2 boast I ⟨onov ww⟩ ●opscheppen; – about/ of opscheppen over **II** ⟨ov ww⟩ ●in het (trotse) bezit zijn van ●snoeven, pochen. **boaster** ['boʊstə] ●opschepper/ster. **boastful** ['boʊs(t)fl] ●opschepperig.

1 boat [boʊt] ⟨zn⟩ ●(open) boot, sloep; be (all) in the same – ⟨fig.⟩ (allen) in hetzelfde schuitje zitten ●⟨AE⟩ (zeewaardig) schip ●(jus/saus)kom.
2 boat ⟨ww⟩ ●uit varen/roeien/zeilen gaan; let's go –ing laten we gaan varen.

'boathook ●bootshaak. **'boathouse** ●botenhuis. **boatman** ['boʊtmən] ●bootjesverhuurder. **'boat race** ●roeiwedstrijd. **boatswain** ['boʊsn] ●bootsman.

1 bob [bɒb] ⟨zn⟩ ●plotselinge (korte) beweging, ⟨ihb.⟩ (knie)buiging ●kort geknipte kop, jongenskop.
2 bob I ⟨onov ww⟩ ●(zich) op en neer bewegen, dobberen; – up (plotseling) te voorschijn komen ●een (knie)buiging maken **II** ⟨ov ww⟩ ●(kort) knippen; have one's hair –bed het haar kort laten knippen ●op en neer bewegen, laten dobberen, knikken; – a curtsy to s.o. voor iem. een buiging maken.

bobbin ['bɒbɪn] ●spoel, klos.
bobby ['bɒbi] ●⟨BE; ↓⟩ agent.
bobsleigh ['bɒbsleɪ], **bobsled** [-sled] ●bob(slee) ●bobsleeën.
'bobtail ●kortstaart ●gecoupeerde staart. **bobtailed** ['bɒbteɪld] ●(met een) gecoupeerd(e staart).

1 bode [boʊd] ⟨ww⟩ ●voorspellen; – well/ill for een goed/slecht voorteken zijn voor.
2 bode ⟨verl. t.⟩ zie BIDE.

bodice ['bɒdɪs] ●(keurs)lijfje.

1 bodily ['bɒdɪli] ⟨bn⟩ ●lichamelijk; – harm lichamelijk letsel.
2 bodily ⟨bw⟩ ●met geweld ●lichamelijk, in levende lijve ●in z'n geheel, compleet.

body ['bɒdi] ●lichaam, romp, lijk ●persoon, ⟨jur.⟩ rechtspersoon,↓ mens, ziel; a dear old – een lief oud mens ●grote hoeveelheid, massa ●voornaamste deel, grootste deel, kern, meerderheid, casco, carrosserie ⟨v. auto⟩, romp ⟨v. vliegtuig⟩ ●lichaam, groep, corps; the Governing Body is/are meeting today het bestuur vergadert vandaag; they left in a – ze vertrokken als één man ●substantie, dichtheid, diepgang ⟨v. literair werk⟩; a wine with a good – een volle wijn.

'bodyguard ●lijfwacht.

'body odour ●lichaamsgeur, zweetlucht. **'body stocking, body** ●bodystocking ⟨damesondergoed⟩. **'body warmer** ●bodywarmer ⟨kort, warm jasje zonder mouwen⟩.

'bodywork ●carrosserie.

bog [bɒg] ●(veen)moeras, laagveen ●↓ plee.

'bog 'down ●in een impasse raken, vastlopen ●vast komen te zitten (in de modder)‖ negotiations (got) bogged down de onderhandelingen liepen vast; get/be bogged down in details in details verzanden.

bogey, bogy ['boʊgi] ●boeman, duivel ● schrikbeeld. **'bog(e)yman** ●boeman.

boggle ['bɒgl] ●terugschrikken; smalltime thieves usually – at murder kruimeldieven deinzen gewoonlijk terug voor moord ‖ the mind –s! daar kan ik (met mijn verstand) niet meer bij.

boggy ['bɒgi] ●moerassig, drassig.

bogus ['boʊgəs] ●vals, onecht, nep-, vervalst.

bogy- zie BOGEY-.

Bohemian [boʊ'hiːmɪən] ●⟨bn⟩ Boheems ● ⟨bn; vaak b-⟩ onconventioneel ●⟨zn; vaak b-⟩ bohémien.

1 boil [bɔɪl] ⟨zn⟩ ●steenpuist ●kookpunt, het koken; bring to the – aan de kook brengen; come to the – koken; be at the – staan te koken.
2 boil I ⟨onov ww⟩ ●(staan te) koken; – away staan te koken (tot niets overblijft); – over overkoken; ⟨fig.⟩ tot uitbarsting komen ● zieden; –ing with anger ziedend v. woede‖ ↓– down to neerkomen op (in het kort) **II** ⟨ov ww⟩ ●koken; – down inkoken ‖↓– down kort samenvatten.

boiler ['bɔɪlə] ●boiler, heetwaterketel.
'boiling point ⟨ook fig.⟩ ●kookpunt.

boisterous ['bɔɪstrəs] ●onstuimig, luid(ruchtig).

bold [boʊld] (-ness) ●(stout)moedig ● ⟨vaak ong.⟩ brutaal, vrijpostig; as – as brass (honds)brutaal; make (so) – (as) to disturb s.o. zo vrij zijn om iem. te storen ● krachtig, goed uitkomend, duidelijk ● ⟨druk.⟩ vet (gedrukt) ‖ zie ook ⟨sprw.⟩ FORTUNE. **'boldface** ⟨druk.⟩ ●vette letter. **'bold-'faced** ●onbeschaamd.

Bolivian [bə'lɪvɪən] ●Boliviaans ●Boliviaan(se).

bollard ['bɒləd] ●meerpaal ⟨scheep.⟩, verkeerszuiltje/paaltje.

bolster ['boʊlstə] ●peluw, (onder)kussen. **bolster up** ●schragen, ondersteunen, opkrikken ⟨ook fig.⟩.

1 bolt [boʊlt] ⟨zn⟩ ●(slot)bout ●(deur)grendel ●bliksemstraal ●rol ⟨weefsel⟩ ● sprong, duik; make a – for it er vandoor gaan ‖ a – from the blue een complete ver-

rassing.

2 bolt I 〈onov ww〉 ●↓ *op de loop/vlucht gaan, de benen nemen, op hol slaan* 〈v. paard〉 ‖ zie ook 〈sprw.〉 STABLE II 〈ov ww〉 ● *(snel) verorberen;* – *down food eten opschrokken* ● *vergrendelen;* be –ed in *ingesloten zijn;* – s.o. out *iem. buitensluiten* ● met bout(en) *bevestigen.*

3 bolt 〈bw〉 ● *recht;* – upright *kaarsrecht.*

1 bomb [bɒm] 〈zn〉 ● *bom* ● 〈the〉 *atoombom* ● 〈sl.〉 *bom duiten;* cost a – *kapitalen kosten* ● ↓ *hit, daverend succes;* go like a – *als een trein lopen* ‖ go like a – *scheuren* 〈v. auto〉.

2 bomb 〈ww〉 ● *bombarderen;* – out *door bombardement(en) dakloos maken/verdrijven.*

bombard [bɒm'bɑ:d] ● *bombarderen,* 〈fig.〉 *bestoken, lastig vallen.* **bombardment** [bɒm'bɑ:dmənt] ● *bombardering, bombardement.*

bombast ['bɒmbæst] ● *bombast.* **bombastic** ['bɒm'bæstɪk] ● *bombastisch, hoogdravend.*

'**bomb attack** ● *bomaanslag.* **bomber** ['bɒmə] ● *bommenwerper* ● *bommengooier* 〈persoon〉. '**bombproof** ● *bomvrij.* '**bombshell** ● 〈fig.〉 *donderslag;* the news was a – *het nieuws sloeg in als een bom;* drop a – *een sensationele mededeling doen.*

bona fide ['boʊnə'faɪdɪ] ● *bonafide, betrouwbaar.*

1 bonanza [bə'nænzə, boʊ-] 〈zn〉 ● *rijke (erts)ader/oliebron/mijn,* 〈fig.〉 *goudmijn* ● *grote (winst)opbrengst.*

2 bonanza 〈bn〉 ● *welvarend, goed gedijend.*

1 bond [bɒnd] I 〈telb en n-telb zn〉 ● *band, verbond(enheid)* ● *verbintenis, contract, verplichting* ● *obligatie, schuldbekentenis* II 〈mv.〉 ● *boeien, gevangenschap.*

2 bond I 〈onov ww〉 ● *(aan elk.) vast blijven zitten, plakken* II 〈ov ww〉 ● *(aan elk.) verbinden, (aan elk.) lijmen.*

bondage ['bɒndɪdʒ] ● *slavernij, lijfeigenschap* ● *onderworpenheid* ● 〈seksueel〉 *S.M..*

bonded ['bɒndɪd] ● *in entrepot (geplaatst);* – goods *goederen in entrepot;* – warehouse, 〈BE〉 – store *entrepot* ‖ – debts *obligatieschulden.*

1 bone [boʊn] 〈zn〉 ● *bot, been, balein, graat* 〈v. vis〉; as dry as a – *kurkdroog;* chilled to the – *verkleumd tot op het bot;* a communist to the – *communist tot in het merg* ● *kluif* ● *been, beenachtige stof* ‖ – of contention *twistappel;* make no –s about *niet*

aarzelen om; have a – to pick with s.o. *met iem. een appeltje te schillen hebben;* close to the – *op het kantje af.*

2 bone 〈bn〉 ● *benen.*

3 bone 〈ww〉 ● *uitbenen, ontgraten.*

4 bone 〈bw〉 ● *uitermate;* – dry *kurkdroog;* – idle/lazy *aartslui.*

'**bonehead** 〈sl.〉 ● *stommeling, uilskuiken, sufferd.* '**bone'headed** 〈sl.〉 ● *stom, achterlijk, idioot.*

boneless ['boʊnləs] ● *zonder bot(ten), graatloos* ● *slap.*

bonfire ['bɒnfaɪə] ● *vreugdevuur, vuur om bladeren/afval te verbranden.*

bonkers ['bɒŋkəz] 〈sl.〉 ● *gek, getikt.*

bonnet ['bɒnɪt] ● *hoed* 〈met banden onder de keel〉, *muts* ● *motorkap.*

bonny ['bɒni] 〈vnl. Sch. E〉 ● *aardig, mooi.*

bonus ['boʊnəs] ● *bonus, premie, gratificatie* ● *bijslag* ● ↓ *meevaller.*

bony ['boʊni] ● *benig, met veel bot(ten)/graten* ● *knokig.*

1 boo [bu:] 〈zn〉 ● *boe* ‖ can't/couldn't say – to a goose *dodelijk verlegen zijn.*

2 boo 〈ww〉 ● *boe roepen, joelen* ● *uitjouwen;* – s.o. off the platform *iem. v.h. podium joelen.*

1 boob [bu:b] 〈zn〉 ↓ ● *blunder* ● 〈vaak mv.〉 *tiet.*

2 boob 〈ww〉 ↓ ● *een flater slaan.*

booby ['bu:bi] ● ↓ *domkop, idioot.*

'**booby prize** ● *poedelprijs.*

'**booby trap** ● *booby-trap, valstrikbom* ● *een booby-trap plaatsen op/bij.*

1 book [bʊk] I 〈telb zn〉 ● *boek* ● 〈B-; the〉 *de Bijbel* ● *tekstboekje* ● *(schrijf)boek* ● *boekje* 〈kaartjes, lucifers, postzegels〉 ‖ bring s.o. to – for sth. *iem. voor iets rekenschap laten afleggen;* iem. zijn gerechte straf *doen ondergaan;* closed – *gesloten boek;* by the – *volgens het boekje;* in my – *volgens mij* II 〈mv.; the〉 ● *de boeken, kasboek* ‖ off the –s v.d. *lijst geschrapt;* on the –s *ingeschreven, lid.*

2 book I 〈onov ww; ook book up〉 〈vnl. BE〉 ● *een plaats bespreken, een kaartje nemen, reserveren;* – through *een doorgaand reisbiljet nemen* ‖ – in *zich laten inschrijven* 〈in hotel〉; *inchecken* 〈op vliegveld〉 II 〈ov ww〉 ● *boeken, reserveren, bestellen;* –ed up *volgeboekt, uitverkocht;* 〈v. persoon〉 *bezet;* – s.o. through *iem. een doorgaand reisbiljet geven* ● *inschrijven, noteren;* – an order *een bestelling noteren;* – the guests in *de gasten inschrijven* ● *bekeuren* ● 〈sport〉 *een gele kaart geven.*

bookable ['bʊkəbl] ● *bespreekbaar, te reser-*

veren.

'**bookbinding** ●*het (boek)binden.* '**bookcase**
●*boekenkast.* '**bookclub** ●*boekenclub.*
'**bookend** ●*boekensteun.*

bookie ['bʊki] ⟨↓; wedrennen⟩ ●*bookmaker.*

booking ['bʊkɪŋ] ●*bespreking, reservering,
boeking.* '**booking clerk** ●*kaartjesverko-
per.* '**booking form** ●*inschrijvingsformu-
lier.* '**booking office** ⟨BE⟩ ●*bespreekbu-
reau, plaats(kaarten)bureau, loket.*

bookish ['bʊkɪʃ] ●*leesgraag* ●*boekachtig,
stijf; –* learning *boekengeleerdheid; –*
word *geleerd woord.*

'**bookkeeper** ●*boekhouder.* '**bookkeeping** ●
(het) boekhouden.

booklet ['bʊklɪt] ●*boekje.*

'**bookmaker** ⟨wedrennen⟩ *bookmaker.*

'**bookmark,** '**bookmarker** ●*boekelegger.*
'**bookmobile** ['bʊkmoʊbi:l] ⟨AE⟩ ●*biblio-
bus.* '**bookplate** ●*ex-libris.* '**bookseller** ●
boekhandelaar. '**bookshelf** ●*boekenplank, boekenrek.* '**bookshop,** ⟨AE⟩ *book-
store* ●*boekwinkel, boekhandel.* '**book-
stall** ●*boekenstalletje* ●*kiosk.* '**book token** ⟨BE⟩ ●*boekebon.* '**bookworm** ●
boekworm, ⟨fig.⟩ *boekenwurm.*

1 **boom** [bu:m] ⟨zn⟩ ●*gedreun, gebulder* ●
hausse, hoogconjunctuur ●*(plotselinge)
stijging/toename* ●⟨scheep.⟩ *giek, be-
zaansboom, (laad)boom* ●*galg, statief* ⟨v.
microfoon⟩ ●*(haven)boom, versperring*
⟨v. havenmond⟩.

2 **boom** I ⟨onov ww⟩ ●*dreunen, bulderen* ●
*een (hoge) vlucht nemen, sterk stijgen;
business* –ing *het gaat ons voor de wind*
II ⟨ov ww⟩ ●⟨vaak +out⟩ *bulderend/dreu-
nend uiten.*

boomerang ['bu:məræŋ] ●⟨zn⟩ *boemerang*
⟨ook fig.⟩ ●⟨ww⟩ *'n boemerangeffect
hebben.*

'**boom town** ●*explosief gegroeide stad*
⟨ivm. industriële ontwikkeling⟩.

boon [bu:n] ●*zegen, weldaad.*

boor [bʊə] ●*lomperd, (boeren)kinkel.* **boor-
ish** ['bʊərɪʃ] ●*lomp, onbehouwen.*

1 **boost** [bu:st] ⟨zn⟩ ●*zetje* ●*verhoging* ●*stimulans, aanmoediging; a* – *to one's spirits een opkikker(tje)* ●*reclame.*

2 **boost** ⟨ww⟩ ●*(op/omhoog)duwen, een
zetje geven; –* s.o. up *iem. een duwtje
(omhoog) geven* ●*opdrijven* ⟨prijs e.d.⟩ ●
reclame maken voor ●*stimuleren, bevorderen; –* one's spirits *iem. opkikkeren* ●
verhogen ⟨druk, spanning⟩.

booster ['bu:stə] ●*(booster)versterker,
hulpversterker, hulpdynamo, aanjager,
startmotor* ⟨v. vliegtuig⟩, *startraket.*

1 **boot** [bu:t] ⟨zn⟩ ●*laars,* ⟨BE⟩ *hoge schoen*
●⟨BE⟩ *kofferbak, bagageruimte* ‖ the – is
on the other foot *de bordjes zijn verhan-
gen;* give/get the – *ontslag geven/krijgen;*
to – *op de koop toe.*

2 **boot** ⟨ww⟩ ●↓ *schoppen, trappen* ●↓ *ontslaan, op straat zetten;* he was –ed out *hij
werd op de keien gezet.*

bootee ['bu:'ti:, 'bu:ti], **bootie** ●*kort laarsje,
gebreid babysokje/schoentje.*

booth [bu:ð] ●*kraam* ●*hokje, telefooncel;*
polling – *stemhokje.*

'**bootlace** ●*schoenveter.*

1 '**bootleg** ⟨bn⟩ ⟨AE⟩ ●*illegaal (geprodu-
ceerd)*⟨drank en platen⟩.

2 **bootleg** ⟨ww⟩ ●*smokkelen, clandestien
(drank) stoken.*

'**bootlegger** ●*(drank)smokkelaar, illegale
drankstoker.*

booty ['bu:ti] ●*buit, roof.*

1 **booze** [bu:z] ⟨zn⟩ ↓ ●*sterke drank;* on the –
aan de drank.

2 **booze** ⟨ww⟩ ↓ ●*zuipen.*

1 **border** ['bɔ:də] ⟨zn⟩ ●*grens* ●*rand, band,
bies* ●*border, rabat.*

2 **border** I ⟨onov ww⟩ zie BORDER (UP)ON II
⟨ov ww⟩ ●*begrenzen, omzomen.*

'**border crossing** ●*grensovergang.* '**border-
land** ●*grensgebied* ●*overgangsgebied.*

1 '**borderline** ⟨zn⟩ ●*grens(lijn).*

2 **borderline** ⟨bn⟩ ●*grens-, dubieus; –* case
grensgeval.

'**border (up)on** ●*grenzen aan, liggen naast.*

1 **bore** [bɔ:] ⟨zn⟩ ●*boorgat* ●*kaliber, diameter, boring* ⟨v. cilinder⟩ ●*vervelend persoon* ●*vervelend iets.*

2 **bore** ⟨ww⟩ ●*boren, door/uitboren* ●*vervelen;* I'm –d stiff *ik verveel mij rot/kapot;*
she was –d to tears/death *ze verveelde
zich dood.*

3 **bore** ⟨verl. t.⟩ zie BEAR.

boredom ['bɔ:dəm] ●*verveling.*

'**borehole** ●*boorgat.*

boring ['bɔ:rɪŋ] ●*vervelend.*

born [bɔ:n] ●*geboren, van nature;* he is – a
performer *hij is een rasartiest* ●*voortgekomen;* his behaviour was – of resentment *zijn gedrag was uit wrok ontstaan* ‖ –
and bred *geboren en getogen; –* to be a
leader *voor het leiderschap in de wieg gelegd.*

borne [bɔ:n] ⟨volt. deelw.⟩ zie BEAR.

borough ['bʌrə] ●*stad, (stedelijke) gemeente;* municipal – *(stedelijke) gemeente* ●
kiesdistrict; parliamentary – *(stedelijk)
kiesdistrict.*

borrow ['bɒroʊ] ●*lenen, ontlenen;* he's living on –ed time *hij had al lang dood moe-*

ten zijn; – money from/off s.o. *geld van iem. lenen;* –ed from Latin *aan het Latijn ontleend.* **borrowing** ['bɒrouɪŋ] ● *iets dat is geleend.*

Borstal ['bɔ:stl] ⟨BE⟩ ● *jeugdgevangenis, tuchtschool.*

bosh [bɒʃ] ↓ ● *onzin, nonsens.*

bosom ['bʊzəm] ● *borst, boezem* ● ↑ *gemoed, hart* ‖ *return to the* – *of the church terugkeren in de armen/schoot v.d. kerk.* **'bosom friend** ● *boezemvriend(in).*

1 boss [bɒs] ⟨zn⟩ ● ↓ *baas, chef* ● *knop, knobbel* ⟨op schild⟩ ● ⟨bouwk.⟩ *roos.*

2 boss ⟨ww⟩ ↓ ● *commanderen, de baas spelen (over);* – *one's sister about/around zijn zusje lopen te commanderen.* **bossy** ['bɒsi] ↓ ● *bazig.*

bosun ['bousn] ⟨verk.⟩ boatswain ● *bootsman.*

botanical [bə'tænɪkl] ● *botanisch, plantkundig.* **botanist** ['bɒtənɪst] ● *plantkundige.*

botany ['bɒtəni] ● *plantkunde.*

1 botch [bɒtʃ], **'botch-up** ⟨zn⟩ ↓ ● *knoeiwerk; make a* – *of sth. een puinhoop van iets maken.*

2 botch ⟨ww⟩ ↓ ● *verknoeien;* he –ed it up as usual *hij heeft het zoals gewoonlijk verknald.*

1 both [bouθ] ⟨telw.⟩ ● *beide(n);* – *of them succeeded ze slaagden alle twee.*

2 both ⟨det, predet⟩ ● *beide.*

3 both ⟨vw; met and⟩ ● *zowel;* – Jack and Jill got hurt *zowel Jack als Jill raakten gewond.*

1 bother ['bɒðə] ⟨zn⟩ ● *last* ● *moeite, moeilijkheid.*

2 bother I ⟨onov ww⟩ ● *de moeite nemen;* don't – about that *maak je daar nu maar niet druk om;* don't – *doe maar geen moeite* ‖ – wat vervelend II ⟨ov ww⟩ ● *lastig vallen, dwarszitten;* don't – your head/ yourself about it *maak je er maar niet druk om;* what's –ing her? *wat heeft ze toch?.* **bothersome** ['bɒðəsəm] ● *ergerlijk, vervelend.*

1 bottle ['bɒtl] ⟨zn⟩ ● *fles;* my baby is brought up on the – *mijn baby wordt met de fles grootgebracht;* on the – *aan de drank* ● ⟨BE; sl.⟩ *lef;* he's got no – *hij is een bangeschijter.*

2 bottle ⟨ww⟩ ● *bottelen, in flessen doen* ● *inmaken;* zie BOTTLE UP.

'bottle bank ● *glasbak.* **'bottle-feed** ● *met de fles grootbrengen.* **'bottle 'green** ● *donkergroen.* **'bottleneck** ● *flessehals* ⟨ook fig.⟩, *knelpunt.* **'bottleopener** ● *flesopener.*

'bottle 'up ● *opkroppen;* don't – your anger

je moet je woede niet opkroppen.

1 bottom ['bɒtəm] ⟨zn⟩ ● *bodem,* ⟨fig.⟩ *het diepst;* from the – of my heart *uit de grond v. mijn hart* ● *onderste deel, voet, basis* ⟨ook fig.⟩; the – is going to fall out of the gold market soon *de goudprijzen kelderen binnenkort;* at the – of the mountain/the stairs *aan de voet v.d. berg/trap* ● *het verste/laagste deel/punt;* Jack is at the – of his class *Jack is een v.d. slechtsten v. zijn klas;* the – of the garden *achterin de tuin;* the – of the social ladder *onderaan de sociale ladder* ● *zitting* ⟨v.e. stoel⟩ ● ↓ *achterste, gat* ● *schip, bodem* ‖ at – *eigenlijk;* tell me who is at the – of this *zeg me wie hier verantwoordelijk voor is;* I'll get to the – of this *ik ga dit helemaal uitzoeken.*

2 bottom ⟨bn⟩ ● *onderste, laatste* ‖ you can bet your – dollar *daar kun je je laatste stuiver onder verwedden.* **bottomless** ['bɒtəmləs] ● *bodemloos, grenzeloos* ‖ the – pit *de bodemloze put.* **'bottom 'line** ● *einduitkomst, resultaat.*

bottom out ● *het laagste punt bereiken.*

bough [bau] ● *(grote) tak.*

bought ⟨verl. t. en volt. deelw.⟩ zie BUY.

boulder ['bouldə] ● *kei, rotsblok.*

boulevard ['bu:lvɑ:, -vɑ:d] ● *boulevard.*

1 bounce [bauns] ⟨zn⟩ ● *vermogen tot stuit(er)en* ⟨v. bal⟩ ● *stuit, terugsprong* ⟨v. bal⟩ ● *levendigheid;* she is full of – *ze is erg levendig/druk.*

2 bounce I ⟨onov ww⟩ ● *stuit(er)en, terugkaatsen;* ⟨fig.⟩ – back after a setback *er na een tegenslag weer bovenop komen* ● *(op)springen;* she –d noisily into the room *met veel lawaai viel ze de kamer binnen* ● *ongedekt zijn, geweigerd worden* ⟨v. cheque⟩ II ⟨ov ww⟩ ● *laten stuit(er)en, kaatsen, stuit(er)en* ● *eruit gooien, ontslaan.*

bouncer ['baunsə] ● *iem. die/iets dat stuit* ● *uitsmijter.*

bouncing ['baunsɪŋ] ● *gezond;* a – baby *een flinke/levendige baby.* **bouncy** ['baunsi] ● *levendig, levenslustig* ● *die/dat kan stuiten;* a – mattress *een goed verende matras.*

1 bound [baund] ⟨zn⟩ ● ⟨vnl. mv.⟩ *grens;* out of –s *verboden terrein* ⟨ook fig.⟩ ● *sprong;* at one – *met één sprong* ● *stuit, terugsprong* ⟨v. bal⟩ ‖ keep within the –s of reason *redelijk blijven.*

2 bound I ⟨bn, attr en pred⟩ ● ⟨boek.⟩ *gebonden* II ⟨bn, pred⟩ ● *gebonden, vast;* she's completely – up in her research *ze gaat helemaal op in haar onderzoek;* our future is – up with that of the EEC *onze toekomst is nauw verbonden met die v.d.*

EEG ●*zeker;* he's – to pass his exam *hij haalt zijn examen beslist* ●*verplicht;* I feel – to warn you *ik voel me verplicht je te waarschuwen* ●*op weg, onderweg;* this train is – for Poland *deze trein gaat naar Polen.*

3 bound I ⟨onov ww⟩ ●*springen* ●*stuit(er)en, terugkaatsen* II ⟨ov ww⟩ ●*begrenzen;* Belgium is –ed on the South by France *België grenst in het Zuiden aan Frankrijk.*

boundary ['baʊndrɪ] ●*grens, grenslijn.*

boundless ['baʊndləs] ●*grenzeloos.*

bountiful ['baʊntɪfl] ↑ ●*vrijgevig, gul* ●*overvloedig.* **bounty** ['baʊntɪ] ●*gulheid, vrijgevigheid* ●*(gulle) gift* ●*premie.*

bouquet ['boʊkeɪ, 'buː-] ●*boeket, bos bloemen, geur en smaak* ⟨v. wijn⟩.

bourbon ['bʊəbən] ●*bourbon* ⟨Am. whisky⟩.

1 bourgeois ['bʊəʒwaː] ⟨zn⟩ ●*burger* ● ⟨ong.⟩ *kleinburgerlijk persoon.*

2 bourgeois ⟨bn⟩ ●*(klein)burgerlijk, bourgeois.*

bourgeon zie BURGEON.

bout [baʊt] ●*vlaag, tijdje, periode, aanval* ⟨v. ziekte⟩ ●*wedstrijd, partij* ⟨boksen, worstelen⟩.

boutique [buː'tiːk] ●*boetiek.*

bovine ['boʊvaɪn] ●*runderachtig, runder-* ● ⟨ong.⟩ *dom, sloom.*

bovver ['bɒvə] ⟨BE; sl.⟩ ●*geweld* ⟨v. straatbenden⟩; a spot of – *een knokpartijtje.*

1 bow [baʊ] ⟨zn⟩ ●*buiging;* take a – *applaus in ontvangst nemen* ● ⟨vaak mv.⟩ *boeg.*

2 bow [boʊ] ⟨zn⟩ ●*boog, handboog* ●*strijkstok* ●*strik.*

3 bow [baʊ] I ⟨onov ww⟩ ●*buigen* ●*buigen, zich gewonnen geven;* he –ed to the inevitable *hij legde zich bij het onvermijdelijke neer;* zie BOW OUT II ⟨ov ww⟩ ‖ he was –ed down with worry *hij ging gebukt onder de zorgen.*

4 bow [boʊ] ⟨ww⟩ ●*strijken* ⟨v. violist⟩.

bowdlerize ['baʊdləraɪz] ⟨ong.⟩ ●*kuisen, zuiveren* ⟨boeken e.d.⟩.

bowel ['baʊəl] I ⟨telb zn⟩ ⟨med.⟩ ●*darm* II ⟨mv.⟩ ●*darmen, ingewanden* ●*binnenste;* deep in the –s of the earth *in de diepste diepten v.d. aarde.* **'bowel movement** ●*stoelgang.*

bower ['baʊə] ●*prieel(tje), beschaduwde plek.*

1 bowl [boʊl] ⟨zn⟩ ●*kom, schaal, bekken* ●*kop* ⟨v. pijp⟩ ●*amfitheater, stadion* ● ⟨sport⟩ *bowl.*

2 bowl ⟨ww⟩ ● ⟨cricket⟩ *bowlen* ●*voortrollen, rollen* ‖ the batsman was –ed (out) *de slagman werd uitgegooid;* zie BOWL OVER.

'bowl along ●*vlot/soepel rijden* ⟨v. auto⟩ ● *lekker gaan* ⟨v. werk⟩.

bowlegged ['boʊ'legd, -gɪd] ●*met o-benen.*

bowler ['boʊlə] ● ⟨cricket⟩ *bowler.*

'bowler ('hat) ⟨BE⟩ ●*bolhoed.*

'bowling ['boʊlɪŋ] ●*bowling, kegelen.* **'bowling alley** ●*kegelbaan, bowlingbaan.* **'bowling green** ●*veld om bowls op te spelen.*

'bowl 'over ●*omverlopen,* ⟨fig.⟩ *van z'n stuk brengen;* his behaviour quite bowled me over *zijn gedrag maakte me sprakeloos.*

bowls [boʊlz] ●*bowls* ⟨spel met bal, op gras⟩.

bow out ['baʊ 'aʊt] ●*zich terugtrekken.*

bow tie ['boʊ 'taɪ] ●*strikje, vlinderdas.*

bow window ['boʊ 'wɪndoʊ] ●*erkerraam.*

1 box [bɒks] ⟨zn⟩ ●*doos, kist, bak* ●*loge, hokje, cel e.d.;* telephone – *getuigenbank* ●*foedraal, beschermhoes* ● ⟨ijshockey e.d.⟩ *protector* ●*kader, omlijning, omlijnd gebied* ●*mep, draai om de oren;* give s.o. a – on the ears *iem. een draai om de oren geven* ●*buis, t.v..*

2 box I ⟨onov ww⟩ ●*boksen* II ⟨ov ww⟩ ● *boksen tegen/met* ●*in dozen doen* ‖ – s.o.'s ears *iem. een draai om z'n oren geven;* zie BOX IN.

'boxcar ⟨AE⟩ ●*gesloten goederenwagen.*

boxer ['bɒksə] ●*bokser, iem. die bokst* ● *bokser* ⟨hond⟩.

'box 'in ●*opsluiten, insluiten.*

boxing ['bɒksɪŋ] ●*(het) boksen.*

'Boxing Day ●*tweede kerstdag, derde kerstdag* ⟨als tweede kerstdag op zondag valt⟩.

'boxing match ●*bokswedstrijd.*

'box office ●*loket, kassa* ⟨v. theater⟩. **'box office suc'cess** ●*kassucces.*

1 boy [bɔɪ] ⟨zn⟩ ●*jongen* ● ↓ *man, vent;* jobs for the –s *vriendjespolitiek* ‖ ⟨sprw.⟩ boys will be boys *zo zijn jongens nu eenmaal,* ± *kinderen zijn kinderen;* zie ook ⟨sprw.⟩ WORK.

2 boy ⟨tw⟩ ● ↓ *jonge jonge.*

1 boycott ['bɔɪkɒt] ⟨zn⟩ ●*boycot.*

2 boycott ⟨ww⟩ ●*boycotten.*

'boyfriend ●*vriend(je), vrijer.* **boyhood** ['bɔɪhʊd] ●*jongenstijd, jongensjaren.* **boyish** ['bɔɪʃ] ●*jongensachtig, jongens-.* **'boy 'scout** ●*padvinder.*

bra [braː] ●*beha.*

1 brace [breɪs] I ⟨telb zn⟩ ●*klamp, (draag)beugel, (muur)anker* ●*steun, stut* ●*band, riem* ⟨tandheelkunde⟩ *beugel* ‖ – and bit *boor* II ⟨mv.⟩ ⟨BE⟩ *bretels.*

2 brace ⟨zn⟩ ●*koppel, paar;* three – of partridge *drie koppel patrijzen.*

3 brace ⟨ww⟩ ●*vastbinden, aantrekken* ● *versterken, verstevigen, ondersteunen* ● *schrap zetten;* he told her to – herself for a shock *hij zei haar dat ze zich op een schok moest voorbereiden.*

bracelet ['breɪslɪt] ●*armband.*

bracing ['breɪsɪŋ] ●*verkwikkend, versterkend* ⟨ihb. v. klimaat⟩.

bracken ['brækən] ●*adelaarsvaren.*

1 bracket ['brækɪt] ⟨zn⟩ ●*steun, plankdrager* ● *arm* ⟨v. lamp⟩ ●*haakje, accolade;* in –s *tussen haakjes* ●*klasse, groep;* the lower income – *de lagere inkomensgroep.*

2 bracket ⟨ww⟩ ●*tussen haakjes zetten* ● ⟨vaak +together⟩ *koppelen, in een adem noemen.*

brackish ['brækɪʃ] ●*brak.*

brag ●⟨+about/of⟩ *opscheppen (over), bluffen.* **braggart** ['brægət] ●*opschepper, pocher.*

1 braid [breɪd] ⟨zn⟩ ● *vlecht* ●*galon, boordsel, tres.*

2 braid ⟨ww⟩ ● *vlechten, vlechten maken in* ●*versieren met tressen.*

braille [breɪl] ●*braille(schrift).*

1 brain [breɪn] I ⟨zn⟩ ●⟨med.⟩ *hersenen* ⟨als orgaan⟩ ● ↓ *knappe kop, brein* ●*brein, hoofd;* have sth. on the – *steeds aan iets denken;* she has (a lot of) –s/a good – *ze heeft (een goed stel) hersens* II ⟨mv.⟩ ● *hersens* ⟨als substantie⟩; blow s.o.'s –s out *iem. een kogel door het hoofd schieten.*

2 brain ⟨ww⟩ ●*de hersens inslaan* ● ↓ *heel hard slaan.*

'brainchild ↓ ●*geesteskind.* **'brain drain** ●*uittocht v.h. intellect.* **brainless** ['breɪnləs] ● *dom, stom.* **'brainstorm** ●*hersenstoring* ●⟨AE⟩ *ingeving, goed idee.* **brainstorming** ●*het brainstormen* ⟨groepsdiscussie op zoek naar nieuwe ideeën⟩. **'brainwash** ●*hersenspoelen;* – s.o. into doing sth. *iem. bewerken om iets te doen.* **'brainwashing** ●*hersenspoeling.* **'brain wave** ↓ ●*(goede) inval, goed idee.* **brainy** ['breɪni] ↓ ●*slim, intelligent.*

braise [breɪz] ●*smoren.*

1 brake [breɪk] ⟨zn⟩ ●*rem;* apply/put on the –s *remmen;* ⟨fig.⟩ *matigen.*

2 brake ⟨ww⟩ ●*(af)remmen.*

bramble [bræmbl] ●*doornstruik* ●*braamstruik.*

bran [bræn] ●*zemelen.*

1 branch [brɑ:ntʃ] ⟨zn⟩ ●*tak* ●*vertakking, afsplitsing, arm* ⟨v. rivier, weg⟩ ●*tak, filiaal, bijkantoor.*

2 branch ⟨ww⟩ ●*zich vertakken, zich split-* sen, aftakken; – off *zich splitsen, afbuigen;* they –ed off there *ze zijn daar afgeslagen.* **'branch 'out** ●*zijn zaken/zich uitbreiden.*

1 brand [brænd] ⟨zn⟩ ●*merk(naam), soort* ● *brandmerk* ● ↑ *brandend/verkoold stuk hout, toorts.*

2 brand ⟨ww⟩ ●*(brand)merken.* **'branding iron** ●*brandijzer.*

brandish ['brændɪʃ] ●*zwaaien met.*

brand-new ['bræn(d)'nju:] ●*gloednieuw.*

brandy ['brændi] ●*cognac* ●*brandewijn.*

brash [bræʃ] ↓ ●*onbezonnen, onbeschaamd, opdringerig.*

1 brass [brɑ:s] ⟨zn⟩ ●*messing, geelkoper* ● *koperen voorwerp* ●*koperen gedenkplaat* ●⟨muz.⟩ *koperen instrumenten* ●⟨sl.⟩ *centen.*

2 brass ⟨bn⟩ ●*koperen, van koper* ‖ ⟨sl.⟩ – hat *hoge piet;* get down to – tacks *spijkers met koppen slaan.*

'brass 'band ●*fanfarekorps.*

brassiere ['bræzɪə] ●*bustehouder.*

brassy ['brɑ:si] ●*koperachtig, koperkleurig* ●*brutaal* ●*blikkerig* ⟨geluid⟩.

brat [bræt] ●⟨ong.⟩ *kreng (v.e. kind).*

bravado [brə'vɑ:dou] ●*waaghalzerij.*

1 brave [breɪv] ⟨bn⟩ ●*dapper, moedig, onverschrokken;* put a – face on *zich sterk houden* ‖ zie ook ⟨sprw.⟩ FORTUNE.

2 brave ⟨ww⟩ ●*trotseren, tarten;* I'll have to – it out *ik zal me erdoorheen moeten slaan.* **bravery** ['breɪvri] ●*moed, dapperheid.*

'bra'vo ['brɑ:vou] ●*uitstekend.*

1 brawl [brɔ:l] ⟨zn⟩ ●*vechtpartij, knokpartij.*

2 brawl ⟨ww⟩ ●*knokken.*

brawny ['brɔ:ni] ●*gespierd.*

1 bray [breɪ] ⟨zn⟩ ●*schreeuw* ⟨v. ezel⟩, *gebalk* ⟨ook fig.⟩, *geschetter.*

2 bray ⟨ww⟩ ●*balken* ⟨v. ezel; ook fig.⟩, *schetteren.*

brazen ['breɪzn] ●*schaamteloos.*

'brazen 'out ‖ ↓ brazen it out *zich er onbewogen doorheen slaan.*

brazier ['breɪzɪə] ●*stoof, komfoor.*

Brazil [brə'zɪl] ●*Brazilië.* **Brazilian** [brə'zɪljən] ●*Braziliaans* ●*Braziliaan(se).*

1 breach [bri:tʃ] ⟨zn⟩ ●*breuk, bres, gat;* ⟨fig.⟩ throw o.s. into the – *in de bres springen* ●*breuk, schending;* – of contract *contractbreuk;* – of the peace *ordeverstoring.*

2 breach ⟨ww⟩ ●*doorbreken, een bres slaan in.*

bread [bred] ●*brood;* – and butter *boterham(men);* ⟨fig.⟩ *levensonderhoud* ● *kost, levensonderhoud;* earn one's – *zijn brood verdienen.*

'**bread-and-'butter** ●*voor de kost;* a – job *een baantje om den brode.* '**breadbasket** ●*broodmandje.* '**bread crumb** ●*broodkruimel,* 〈mv.〉 *paneermeel.* '**bread roll** ● *broodje.*

breadth [bredθ, bretθ] ●*breedte* ●*strook, baan* 〈v. stof, behang〉 ●*ruimte* ●*ruimdenkendheid.*

'**breadwinner** ●*kostwinner.*

1 **break** [breɪk] I 〈telb zn〉 ●*onderbreking, verandering, breuk;* a – for lunch *een lunchpauze;* there was a – in the weather *het weer sloeg om;* without a – *onophoudelijk* ●〈tennis〉 *servicedoorbraak* ●↓ *kans;* bad – *pech;* give s.o. a – *iem. een kans geven* II 〈n-telb zn〉 ●*het breken* ●*het aanbreken* 〈v. dag〉; – of day *dageraad.*

2 **break** 〈broke [broʊk], broken ['broʊkən]〉 I 〈onov ww〉 ●*breken* 〈ook fig.〉, *kapot gaan;* his voice broke *hij kreeg de baard in zijn keel;* – with *breken met* 〈traditie, familie〉 ●*pauzeren* ●*ophouden, tot een einde komen, omslaan* 〈v. weer〉; the frost broke *het ging dooien* ●*plotseling beginnen, aanbreken* 〈v. dag〉; and then the storm broke *en toen barstte de storm los;* – into a gallop *plotseling gaan galopperen* ‖ – free/loose *ontsnappen, losbreken;* – forth *uitbarsten* 〈in woede〉; – into a fiver *een briefje van vijf aanbreken;* this extra work –s into my evenings *dit extra werk slokt mijn avonden op;* zie BREAK AWAY, BREAK DOWN, BREAK IN, BREAK OFF, BREAK OUT, BREAK THROUGH, BREAK UP II 〈ov ww〉 ● *breken* 〈ook fig.〉, *kapot maken, ruïneren, laten springen* 〈bank〉; – a blow *een klap opvangen;* – camp *het kamp opbreken;* – s.o. of a habit *iem. een gewoonte afleren;* – the law *de wet overtreden;* – a path/way *een weg banen;* – a record *een record breken;* – a strike *een staking breken* ●*onderbreken* 〈reis bv.〉 ●*uiteenslaan* 〈vijand〉 ● *temmen* 〈paard〉 ●*(voorzichtig) vertellen* 〈(slecht) nieuws〉 ●*ontcijferen, breken* 〈code〉 ●〈tennis〉 *doorbreken* 〈service〉 ‖ zie ook 〈sprw.〉 LAST; zie BREAK DOWN, BREAK IN, BREAK OFF, BREAK UP. **breakable** ['breɪkəbl] ●*breekbaar.* **breakage** ['breɪkɪdʒ] ●*breuk, het breken* ●*gebroken waar;* £10 for –s *£10 voor brekage.*

1 '**breakaway** 〈zn〉 ●*afscheiding, afscheiden groep.*

2 **breakaway** 〈bn〉 ●*afgescheiden.*

break away ●〈+from〉 *wegrennen (van),* 〈fig.〉 *zich losmaken (van).* '**breakdown** ● *defect, mankement* ●*instorting, zenuwinstorting* ●*uitsplitsing, specificatie* ●*mislukken.* **break down** I 〈onov ww〉 ●*stuk/*

kapot gaan, defect raken 〈v. machine〉, *verbroken raken* 〈v. verbindingen〉 ●*mislukken* 〈v. besprekingen e.d.〉 ●*instorten* 〈v. mens〉 ●〈+into〉 *uiteenvallen (in)* II 〈ov ww〉 ●*afbreken* 〈muur; ook fig.〉, *vernietigen, slopen, inslaan/trappen* 〈deur〉 ●*uitsplitsen, analyseren* 〈gegevens〉, 〈schei.〉 *afbreken.*

breaker ['breɪkə] ●*sloper* ●*breker, brandingsgolf.*

breakfast ['brekfəst] ●*ontbijt* ●*ontbijten.*

'**break 'in** I 〈onov ww〉 ●*interrumperen;* – on/upon *interrumperen* ●*inbreken* II 〈ov ww〉 ●*africhten* ●↓ *inlopen* 〈schoenen〉.

'**break-in** ●*inbraak.*

'**breakneck** ●*halsbrekend;* at (a) – speed *in razende vaart.* **break off** I 〈onov ww〉 ●*afbreken* ●*pauzeren* ●*zijn mond houden* II 〈ov ww〉 ●*afbreken* 〈ook fig.: onderhandelingen e.d.〉 ●*verbreken, ophouden met.* '**breakout** ●*uitbraak.* **break out** ●*uitbreken* 〈v. epidemie, oorlog〉 ●〈vaak +of〉 *uitbreken, ontkomen (aan)* ‖ – in bedekt raken met 〈vlekjes bv.〉; – in tears *in tranen uitbarsten.* '**breakthrough** ●*doorbraak.* **break through** ●*doorbreken* 〈ook fig.〉. **break up** I 〈onov ww〉 ●*uit elkaar vallen, in stukken breken* ●*uit elkaar gaan* 〈v. (huwelijks)partners e.d.〉 ●*ophouden* 〈v. activiteit; ihb. school〉; school broke up in June *de schoolvakantie begon in juni* II 〈ov ww〉 ●*uit elkaar doen vallen, in stukken breken* ●*kapot maken* 〈huwelijk〉 ● *beëindigen, een eind maken aan.* '**break-up** ●*opheffing, beëindiging* ●↓ *scheiding* 〈v. minnaars〉. '**breakwater** ●*golfbreker.*

1 **breast** [brest] 〈zn〉 ●*borst, voorzijde, borststuk, boezem.*

2 **breast** 〈ww〉 ●*het hoofd bieden, (op)worstelen tegen* ●*met de borst doorbreken* 〈finishlint〉.

'**breastbone** ●*borstbeen.* '**breast-feed** ● *borstvoeding geven.* '**breastplate** ●*borstschild, borstplaat* 〈v. wapenrusting〉. '**breast 'pocket** ●*borstzak.* '**breast stroke** ●*schoolslag.*

breath [breθ] ●*adem;* draw/take – *ademhalen;* out of – *buiten adem* ●*zuchtje (wind);* get a – of (fresh) air *een frisse neus halen* ●*zweempje, spoor* ‖ take one's – away *perplex doen staan;* waste one's – *woorden verspillen;* under one's – *fluisterend.*

breathalyser ['breθəlaɪzə] ↓ *blaaspijpje.*

breathe [briːð] I 〈onov ww〉 ●*ademen, ademhalen;* – in *inademen;* – out *uitademen* ●*op adem komen* II 〈ov ww〉 ●*inademen* ●*uitblazen* ●*inblazen;* – new life into *nieuw leven inblazen* ●*fluisteren, uiting* *geven aan;* don't – a word of this! *praat je mond niet voorbij!.*

breather ['bri:ðə] ● *adempauze;* have/take a – *een pauze nemen.*

breathing ['bri:ðɪŋ] ● *ademhaling.* **'breathing space** ● *(adem)pauze, rustperiode.* **breathless** ['breθləs] ● *buiten adem* ● *ademloos.* **'breathtaking** ● *adembenemend.* **'breath test** ● *blaastest.*

bred [bred] ⟨verl. t. en volt. deelw.⟩ zie BREED.

breech [bri:tʃ] ● ⟨mv.⟩ *kniebroek.*

1 breed [bri:d] ⟨zn⟩ ● *ras, soort.*

2 breed ⟨bred, bred [bred]⟩ I ⟨onov ww⟩ ● *zich voortplanten, jongen* II ⟨ov ww⟩ ● *kweken, telen, fokken,* ⟨fig.⟩ *voortbrengen, doen ontstaan* ● *opvoeden, opleiden;* well bred *goed opgevoed* ‖ zie ook ⟨sprw.⟩ FAMILIARITY.

breeder ['bri:də] ● *fokker* ● ⟨verk.⟩ breeder reactor. **'breeder reactor** ● *kweekreactor.*

breeding ['bri:dɪŋ] ● *het fokken, fokkerij, kwekerij* ● *voortplanting* ● *opvoeding, goede manieren.* **'breeding ground** ● ⟨ook fig.⟩ *broedplaats.*

1 breeze [bri:z] ⟨zn⟩ ● *bries, wind* ‖ ⟨AE⟩ in a – *makkelijk.*

2 breeze ⟨ww⟩ ‖ – in *binnen komen waaien.*

breezy ['bri:zi] ● *winderig* ● *opgewekt, levendig, vrolijk.*

brethren ['breðrən] ⟨mv.⟩ zie BROTHER.

brevity ['brevəti] ● *kortheid* ● *beknoptheid.*

1 brew [bru:] ⟨zn⟩ ● *brouwsel, aftreksel.*

2 brew I ⟨onov ww⟩ ● *bierbrouwen* ● *trekken* ⟨v. thee⟩ ● *broeien;* something's –ing *er broeit iets* ‖ – up *thee zetten* II ⟨ov ww⟩ ● *brouwen* ⟨bier⟩, *zetten* ⟨thee⟩ ● *uitbroeden.*

brewer ['bru:ə] ● *brouwer.* **brewery** ['bru:əri] ● *brouwerij.*

briar, brier ['braɪə] ● *doornstruik.*

1 bribe [braɪb] ⟨zn⟩ ● *steekpenning, smeergeld* ● *lokmiddel.*

2 bribe ⟨ww⟩ ● *(om)kopen.* **bribery** ['braɪbri] ● *omkoperij.*

bric-à-brac ['brɪkəbræk] ● *snuisterijen.*

1 brick [brɪk] ⟨zn⟩ ● *baksteen* ● ⟨BE⟩ *blok* ⟨speelgoed⟩ ‖ ⟨sl.⟩ drop a – *iets verkeerds zeggen.*

2 brick ⟨ww⟩ ● *metselen, met baksteen bekleden;* – up/in *dichtmetselen, inmetselen.*

'bricklayer ● *metselaar.* **'brick 'red** ● *steenrood.* **'brick 'wall** ● *bakstenen muur.* **'brickwork** ● *metselwerk.*

bridal ['braɪdl] ● *bruids-, huwelijks-, bruilofts-.* **bride** ['braɪd] ● *bruid.* **'bridegroom** ● *bruidegom.* **bridesmaid** ['braɪdzmeɪd] ●

bruidsmeisje.

1 bridge [brɪdʒ] ⟨zn⟩ ● ⟨elek., scheep., tandheelkunde, wwb.⟩ *brug* ● *neusrug* ● *brug* ⟨v. brilmontuur⟩ ● *kam* ⟨op snaarinstrument⟩ ● *bridge* ⟨kaartspel⟩ ‖ we'll cross that – when we come to it *we zien wel als het zover is.*

2 bridge ⟨ww⟩ ● *overbruggen;* a bridging loan *een overbruggingskrediet.* **'bridgehead** ⟨mil.⟩ ● *bruggehoofd* ⟨ook fig.⟩.

1 bridle ['braɪdl] ⟨zn⟩ ● *hoofdstel, hoofdtuig, toom.*

1 bridle I ⟨onov ww⟩ ● *(verontwaardigd) het hoofd in de nek gooien;* she –d (up) with anger at his remarks *ze gooide boos het hoofd in de nek bij zijn opmerkingen* II ⟨ov ww⟩ ● *tomen, tuigen* ● *in toom houden;* – one's tongue *zijn tong in bedwang houden.*

'bridle path ● *ruiterpad.*

1 brief [bri:f] I ⟨telb zn⟩ ● *instructie voor pleiter* ⟨opgesteld ten behoeve v. advocaat⟩, ⟨BE⟩ *opdracht voor 'barrister'* ● ⟨luchtv.⟩ *vlieginstructie* ⟨voor piloten⟩ II ⟨mv.⟩ ● *(dames/heren)slip.*

2 brief ⟨bn⟩ ● *kort, beknopt;* in – *kortom.*

3 brief ⟨ww⟩ ● *instrueren, aanwijzingen geven;* please – me on this point *wil je dit punt even met me doornemen?.*

'briefcase ● *diplomatentas/koffertje.* **briefing** ['bri:fɪŋ] ● *(laatste) instructies,* ⟨ihb.⟩ *vluchtinstructies.*

brier zie BRIAR.

brigade [brɪ'geɪd] ● *brigade.*

brigadier ['brɪgə'dɪə] ● *brigadegeneraal* ⟨in het Britse leger⟩. **'brigadier 'general** ● *brigadegeneraal.*

bright [braɪt] ● *helder, licht, stralend;* a – future *een mooie toekomst;* look on the – side of things *de dingen van de zonzijde bezien* ● *opgewekt, vrolijk* ● *schrander, pienter;* a – idea *een slim idee.*

brighten ['braɪtn] ● *(doen) opklaren, ophelderen* ● *oppoetsen, opvrolijken.*

'bright-'eyed ● *met stralende/pientere ogen.*

brilliance ['brɪliəns] ● *virtuositeit* ● *schittering, glans.*

1 brilliant ['brɪliənt] ⟨zn⟩ ● *briljant.*

2 brilliant ⟨bn⟩ ● *stralend, glinsterend* ● *briljant, geniaal.*

1 brim [brɪm] ⟨zn⟩ ● *rand, boord;* full to the – *tot de rand toe vol* ● *rand* ⟨v.e. hoed⟩.

2 brim ⟨ww⟩ ● *boordevol zijn.* **brimful** ['brɪmfʊl] ● *boordevol.* **'brim 'over** ● *overlopen;* – with *overlopen van, bruisen van.*

brine [braɪn] ● *pekel(water)* ● ⟨the⟩ ↑ *het zilte nat.*

bring [brɪŋ] ⟨brought, brought [brɔ:t]⟩ ●

(mee)brengen, (mee)nemen, aandragen; – *your friend to the party neem je vriend(in) mee naar het feestje;* – *a case before the court een zaak aan de rechter voorleggen;* her suggestions can be brought under three headings *haar suggesties kunnen in drie categorieën worden ingedeeld* ●*opleveren, opbrengen;* – *a good price een goede prijs opbrengen;* his deeds brought him fame *zijn daden brachten hem roem* ●*teweegbrengen, leiden tot;* the sight brought tears to my eyes *de aanblik bracht mij (de) tranen in de ogen;* I can't – myself to kill an animal *ik kan me(zelf) er niet toe brengen een dier te doden;* you've brought this problem (up)on yourself *je hebt je dit probleem zelf op de hals gehaald* || – a complaint *een klacht indienen;* – home to *duidelijk maken;* zie BRING ABOUT, BRING ALONG/(A)ROUND, BRING (A)ROUND/OVER, BRING BACK, BRING DOWN, BRING FORTH, BRING FORWARD, BRING IN, BRING OFF, BRING ON, BRING OUT, BRING OVER, BRING ROUND, BRING THROUGH, BRING TO, BRING TOGETHER, BRING UNDER, BRING UP.

'**bring a**'**bout** ●*veroorzaken, teweegbrengen.* '**bring a**'**long/(a)**'**round** ●*meebrengen, meenemen.* '**bring (a)**'**round/**'**over** ●*overhalen, ompraten;* I can't bring him around to our point of view *ik kan hem niet overtuigen van onze zienswijze* ●zie BRING ALONG/(A)ROUND. '**bring** '**back** ●*terugbrengen* ●*in de herinnering terugbrengen, doen herleven* ●*herinvoeren.* '**bring** '**down** ●*neerhalen, neerschieten* ⟨vliegtuig, vogel⟩ ●*ten val brengen, omverwerpen* ⟨regering⟩ ●*verlagen* ⟨kosten⟩ || – sth. on s.o. *iem. iets aandoen.* '**bring** '**forth**↑ ●*voortbrengen, het leven schenken aan,* ⟨fig.⟩ *veroorzaken.* '**bring** '**forward** ●*naar voren brengen, aanvoeren;* can you – any proof of this story? *kunt u enig bewijs leveren voor dit verhaal?* ●*vervroegen, naar voren schuiven* ●⟨boekhouding⟩ *transporteren.* '**bring** '**in** ●*binnenhalen* ⟨oogst⟩ ●*opleveren, inbrengen;* my sons – £10 a week *mijn zoons zijn samen goed voor £10 per week* ●*bijhalen, aanwerven;* – experts to advise *deskundigen in de arm nemen* ●*komen aanzetten met, introduceren* ⟨nieuwe mode⟩, *indienen* ⟨wetsontwerp⟩. '**bring** '**off** ●*in veiligheid brengen, redden;* we've brought it off *we hebben het voor elkaar gekregen* ● ↓ *voor elkaar krijgen.* '**bring** '**on** ●*veroorzaken, teweegbrengen.* '**bring** '**out** ●*naar buiten brengen, voor de dag komen met;* he brings out the worst in me *hij roept de wildste instincten in mij wakker* ●*op de markt brengen, uitbrengen* ⟨produkt⟩ ●*duidelijk doen uitkomen* ● *vrijer laten spreken/handelen, doen loskomen;* her friend managed to bring Sheila out *dankzij haar vriend is Sheila wat losgekomen.* '**bring** '**over** ●*laten overkomen* ●zie BRING (A)ROUND/OVER. '**bring** '**round** ● *bij bewustzijn brengen, bijbrengen* ●zie BRING ALONG/(A)ROUND ●zie BRING (A)ROUND/OVER || – to *(het gesprek) in de richting sturen van.* '**bring** '**through** ●*erdoorheen brengen, erbovenop helpen.* '**bring** '**to** ●*bij bewustzijn brengen, bijbrengen.* '**bring to**'**gether** ●*samenbrengen, verzoenen.* '**bring** '**under** ●*bedwingen, het zwijgen opleggen.* '**bring** '**up** ●*naar boven brengen* ●*grootbrengen, opvoeden* ●*ter sprake brengen* ● ↓ *(plotseling) tegenhouden, (plotseling) doen ophouden;* a cry brought me up short *een kreet deed mij abrupt de pas inhouden* ● ↓ *overgeven, uitkotsen.*

brink [brɪŋk] ●*rand;* on the – of war *op de rand v. oorlog.*

brisk [brɪsk] ⟨-ness⟩ ●*kwiek, vlot, kordaat;* – trade *levendige handel* ●*fris* ⟨v. wind⟩.

1**bristle** ['brɪsl] ⟨zn⟩ ●*stoppel(haar),* ⟨mv. ook⟩ *zwijnsborstels.*

2**bristle** ⟨ww⟩ ●*recht overeind staan* ⟨v. haar⟩; – (up) *zijn stekels opzetten; nijdig worden;* – (up) with anger *opvliegen van woede;* – with *wemelen van.*

bristly ['brɪsli] ●*borstelig, stekelig.*

Britain ['brɪtn] ●*Groot-Brittannië* ⟨Engeland, Wales en Schotland⟩. **British** ['brɪtɪʃ] ●*Brits, Engels;* the – *de Britten, de Engelsen.* **Briton** ['brɪtn] ●*Brit(se).*

Brittany ['brɪt(ə)ni] ●*Bretagne.*

brittle ['brɪtl] ●*broos, breekbaar* ●*vergankelijk.*

broach [broʊts] ●*aanspreken* ⟨fles⟩ ●*aanslaan* ⟨vat⟩ ●*ter sprake brengen, beginnen over* ⟨onderwerp⟩.

1**broad** [brɔːd] ⟨zn⟩ ●*brede (ge)deel(te);* the – of the back *het ondereind v.d. rug* ●*plas;* the (Norfolk) Broads *de Norfolkse plassen* ●⟨AE; sl.⟩ *wijf, mokkel.*

2**broad I** ⟨bn, attr en pred⟩ ●*breed, uitgestrekt;* –ly speaking *in zijn algemeenheid* ●*ruim(denkend);* – views *liberale denkbeelden* ●*duidelijk;* a – hint *een overduidelijke wenk* ●*grof, plat;* – Scots *met een sterk Schots accent* || ⟨bn, attr⟩ ●*ruim, globaal* ●*helder, duidelijk;* in – daylight *op klaarlichte dag.*

1**broadcast** ['brɔːdkɑːst] ⟨zn⟩ ●*(radio/televisie-)uitzending.*

2 broadcast ⟨ook broadcast, broadcast ['brɔ:dkɑ:st]⟩ **I** ⟨onov ww⟩ ● *uitzenden* **II** ⟨ov ww⟩ ● ⟨fig.⟩ *rondbazuinen* ● *uitzenden, via radio/televisie bekendmaken.*

broaden ['brɔ:dn] ● *(zich) verbreden, breder worden/maken;* reading –s the mind *lezen verruimt de blik.*

'broad jump ⟨AE⟩ ● *verspringen.*

'broad-'minded ● *ruimdenkend, tolerant.*

'broadsheet ● *vlugschrift, pamflet.*

'broadside ● ⟨scheep.⟩ *(vrij)boord;* – on v. opzij ● *tirade.*

brocade [brə'keɪd] ● *(goud/zilver)brokaat.*

brochure ['broʊʃə] ● *brochure, folder.*

brogue [broʊg] ● ⟨vnl. mv.⟩ *golfschoen, brogue* ● ⟨vnl. enk.⟩ *zwaar (Iers) accent.*

broil [brɔɪl] **I** ⟨onov ww⟩ ● *(liggen) bakken/branden* ⟨ook in de zon⟩ **II** ⟨ov ww⟩ ⟨vooral AE⟩ ● *grillen, roosteren.* **broiler** ['brɔɪlə] ● *grill* ● *braadkuiken.*

1 broke [broʊk] ⟨bn⟩ ↓ ● *platzak, blut;* stony/flat – *zonder een rooie cent.*

2 broke ⟨verl. t. en volt. deelw.⟩ zie BREAK.

broken ['broʊkən] ● *gebroken, kapot;* – English *gebrekkig/krom Engels;* – home *ontwricht gezin;* a – marriage *een stukgelopen huwelijk* ● *oneffen* ⟨v. terrein⟩, *ruw* ● *onderbroken.* **'broken-'down** ● *versleten, vervallen.* **'broken'hearted** ● *ontroostbaar.*

broker ['broʊkə] ● *(effecten)makelaar.* **brokerage** ['broʊkərɪdʒ] ● *makelaardij* ● *makel(aars)loon.*

bromide ['broʊmaɪd] ● *gemeenplaats* ● ⟨far., schei.⟩ *bromide, broomkali/natrium* ⟨kalmeringsmiddel⟩.

bronchitis [brɒŋ'kaɪtɪs] ● *bronchitis.*

1 bronze [brɒnz] ⟨zn⟩ ● *bronzen (kunst) voorwerp* ● *brons* ● ⟨vaak attr⟩ *bronskleur.*

2 bronze ⟨ww⟩ ● *bronzen;* –d faces *gebronsde gezichten.*

brooch [broʊtʃ] ● *broche.*

1 brood [bru:d] ⟨zn⟩ ● *gebroed, broed(sel), kroost* ⟨ook fig.⟩.

2 brood ⟨ww⟩ ● *broeden* ● *piekeren;* – about/on/over tobben over. **broody** ['bru:di] ● *broeds* ● *somber.*

brook [brʊk] ● *beek.* **brooklet** ['brʊklɪt] ● *beekje.*

broom [bru:m, brʊm] ● *bezem* ● ⟨plantk.⟩ *brem* || zie ook ⟨sprw.⟩ NEW. **'broomstick** ● *bezemsteel.*

broth [brɒθ] ● *bouillon, soep.*

brothel ['brɒθl] ● *bordeel.*

brother ['brʌðə] ● *broer* ● ⟨mv. ook: brethren⟩ *broe(de)r, kloosterbroeder* ● ↓ *makker* ⟨als aanspreekvorm⟩. **brotherhood**

['brʌðəhʊd] ● *broederschap.* **'brother-in-law** ● *zwager.*

brotherly ['brʌðəli] ● *broederlijk;* – love *broederliefde.*

brought ⟨verl. t. en volt. deelw.⟩ zie BRING.

brow [braʊ] ● ⟨vnl. mv.⟩ *wenkbrauw;* knit one's –s *(de wenkbrauwen) fronsen* ● *voorhoofd.*

'browbeat ● *overdonderen, intimideren.*

1 brown [braʊn] ⟨zn⟩ ● *bruin(e kleur), bruine verfstof;* dressed in – *gekleed in het bruin.*

2 brown ⟨bn⟩ ● *bruin;* – rice *zilvervliesrijst.*

3 brown ⟨ww⟩ ● *bruinen;* zie BROWN OFF.

brownie ['braʊni] ● *goede fee* ● ⟨B-⟩ *padvindster, kabouter* ⟨v. 7 tot 11 jaar⟩.

'brown 'off ⟨sl.⟩ ● *doen afknappen (op);* he's really browned off *hij is het spuugzat.*

1 browse [braʊz] ⟨zn⟩ || have a good – through *flink grasduinen in.*

2 browse ⟨ww⟩ ● *grasduinen, (rond)neuzen;* – through last week's papers *de kranten v.d. afgelopen week doorbladeren* ● *(af)grazen.*

1 bruise [bru:z] ⟨zn⟩ ● *kneuzing* ⟨ook v. fruit⟩, *blauwe plek.*

2 bruise I ⟨onov ww⟩ ● *blauwe plek(ken) vertonen;* he –s easily *hij heeft gauw blauwe plekken* **II** ⟨ov ww⟩ ● *kneuzen, bezeren.*

brunch [brʌntʃ] ● *brunch* ⟨combinatie v. ontbijt en lunch⟩.

brunet(te) [bru:'net] ● *brunet(te).*

brunt [brʌnt] || she bore the (full) – of his anger *zij kreeg de volle lading;* bear the – of an attack *het bij een aanval het zwaarst te verduren hebben.*

1 brush [brʌʃ] **I** ⟨telb zn⟩ ● *borstel, kwast, penseel* ● ⟨fig.⟩ tarred with the same – *uit hetzelfde (slechte) hout gesneden* ● *lichte aanraking, schaafplek* ● *schermutseling* || give one's clothes a – *zijn kleren afborstelen* **II** ⟨n-telb zn⟩ ● *kreupelhout.*

2 brush ⟨ww⟩ ● *(af)borstelen, (af)vegen* ● *strijken (langs/over), rakelings gaan (langs);* zie BRUSH ASIDE, BRUSH OFF, BRUSH UP.

'brush a'side ● *terzijde schuiven, negeren.* **'brush 'off** ● *afborstelen* ● *afwijzen, afschepen.* **'brush-off** ↓ ● *afscheping;* give s.o. the – *iem. met een kluitje in het riet sturen; iem. de bons geven.* **'brushup** ● *opknapbeurt, opfrissing.* **'brush 'up** ● *opfrissen, ophalen;* – (on) your English *je Engels ophalen.* **'brushwood** ● *kreupelhout* ● *sprokkelhout.*

brusque [bru:sk, brʊsk] ● *bruusk.*

'Brussels ('sprouts) ● *spruitjes.*

brutal ['bru:tl] ● *bruut, beestachtig, meedogenloos;* – frankness *niets ontziende*

openhartigheid. **brutality** [bruːˈtæləti] ●
bruutheid, wreedheid, onmenselijkheid.
brutalize [ˈbruːtlaɪz] ●*ontmenselijken,*
verdierlijken ⟨zn⟩ *grof bejegenen.*
1 brute [bruːt] ⟨zn⟩ ●*beest, dier* ●*bruut,*
beest, woesteling.
2 brute ⟨bn⟩ ●*bruut; –* creatures *redeloze*
dieren; – force *grof geweld.* **brutish**
[ˈbruːtɪʃ] ●*dierlijk, grof, liederlijk.*
B.Sc. ⟨afk.⟩ Bachelor of Science.
1 bubble [ˈbʌbl] ⟨zn⟩ ●*(lucht)bel(letje)* ●
⟨fig.⟩ *zeepbel* ●*gepruttel, gebruis* ‖ – and
squeak *kliekjes* ⟨aardappelen, kool, soms
vlees, in boter gebakken⟩.
2 bubble ⟨ww⟩ ●*borrelen, bruisen, prutte-*
len ‖ – over with enthusiasm *overlopen v.*
enthousiasme.
'**bubble bath** ●*schuimbad* ●*badschuim.*
'**bubble gum** ●*klap(kauw)gom.*
1 bubbly [ˈbʌbli] ⟨zn⟩ ↓ ●*champagne.*
2 bubbly ⟨bn⟩ ●*bruisend, sprankelend* ●*jo-*
lig.
buccaneer [ˈbʌkəˈnɪə] ●*boekanier, zeerover.*
1 buck [bʌk] ⟨zn⟩ ●*mannetjesdier, bok* ⟨v.
hert⟩, *ram(melaar)* ⟨v. konijn, haas⟩ ●
⟨vnl. AE, Austr. E; sl.⟩ *dollar* ‖ ↓ pass the –
(to s.o.) *de verantwoordelijkheid afschui-*
ven (op iem.).
2 buck I ⟨onov ww⟩ ●*bokken* ⟨v. paard⟩; zie
BUCK UP **II** ⟨ov ww⟩ ●*afwerpen* ⟨ruiter⟩ ●
⟨vnl. AE; ↓⟩ *tegenwerken;* zie BUCK UP.
1 bucket [ˈbʌkɪt] ⟨zn⟩ ●*emmer* ●*schoep* ⟨v.
rad⟩ ‖ ⟨sl.⟩ kick the – *het hoekje omgaan.*
2 bucket ⟨ww⟩ ● ↓ *gieten, plenzen.*
bucketful [ˈbʌkɪtful] ●*emmer (vol).* '**bucket**
seat ●*kuipstoel.*
1 buckle [ˈbʌkl] ⟨zn⟩ ●*gesp* ●*knik* ⟨in mate-
riaal⟩, *welving, bolling.*
2 buckle I ⟨onov ww⟩ ●*kromtrekken, ont-*
wricht raken ●*wankelen, bezwijken* **II** ⟨ov
ww⟩ ●*(vast)gespen, aangespen; –* up a
belt *een riem omdoen/gespen* ●*ontwrich-*
ten, ontzetten, (ver)buigen.
'**buckle** '**down to** ↓ ●*de schouders zetten on-*
der, (serieus) aanpakken.
'**buckskin** ●*geite/schapeleer.*
'**buck** '**up** ↓ **I** ⟨onov ww⟩ ●*opschieten* **II** ⟨onov
en ov ww⟩ ●*opvrolijken, opfleuren, goed*
doen; –, things will be all right *kop op, het*
komt wel weer goed.
1 bud [bʌd] ⟨zn⟩ ●*knop, kiem;* nip in the – *in*
de kiem smoren; in – *in knop;* ⟨fig.⟩ in the
– *in de dop.*
2 bud ⟨ww⟩ ●*knoppen, uitlopen, ontluiken.*
Buddhism [ˈbudɪzm] ●*boeddhisme.* **Bud-**
dhist [ˈbudɪst] ●*boeddhistisch* ●*boeddhist.*
budding [ˈbʌdɪŋ] ●*aankomend, in de dop.*
buddy [ˈbʌdi] ↓ ●*maat, kameraad* ●⟨ook:

bud⟩ ⟨als aanspreekvorm⟩ *maatje* ⟨vnl.
AE⟩, *makker.*
budge [bʌdʒ] **I** ⟨onov ww⟩ ●*zich (ver)roe-*
ren, (zich) bewegen; the cap won't – *ik*
krijg geen beweging in die dop ‖ not –
from one's opinion *aan zijn mening vast-*
houden **II** ⟨ov ww⟩ ●*(een klein stukje) ver-*
plaatsen, verschuiven.
budgerigar [ˈbʌdʒrɪgɑː] ●*(gras)parkiet.*
1 budget [ˈbʌdʒɪt] ⟨zn⟩ ●*begroting, budget.*
2 budget ⟨bn⟩ ●*voordelig, goedkoop.*
3 budget ⟨ww⟩ ●*budgetteren; –* for *geld uit-*
trekken voor; de begroting opstellen voor
●*huishouden.* **budgetary** [ˈbʌdʒɪtri] ●
budgettair.
budgie [ˈbʌdʒi] ⟨verk.⟩ budgerigar ↓ ●*piet-*
(je).
buff [bʌf] ● ↓ *enthousiast, liefhebber;* a film
– *een filmfanaat* ●*rundleer, buffelleer* ●
⟨vaak attr⟩ *vaalgeel, bruingeel* ‖ in the –
naakt.
buffalo [ˈbʌfəlou] ●*buffel* ●*karbouw* ●*bizon.*
1 buffer [ˈbʌfə] ⟨zn⟩ ●*buffer, stootkussen/*
blok.
2 buffer ⟨ww⟩ ●*als buffer optreden voor.*
1 buffet [ˈbufeɪ] ⟨zn⟩ ●*dressoir, buffet* ●*buf-*
fet ‖ cold – *koud buffet.*
2 buffet [ˈbʌfɪt] ⟨zn⟩ ●*slag* ⟨ook fig.⟩, *klap.*
3 buffet ⟨ww⟩ ●*meppen, slaan, beuken* ●
teisteren; –ed by misfortunes *geteisterd*
door tegenslag.
buffoon [bəˈfuːn] ●*hansworst, clown.*
1 bug [bʌg] ⟨zn⟩ ●*bed(de)wants, wandluis*
●⟨AE⟩ *insekt, beestje* ● ↓ *virus* ⟨ook fig.⟩,
bacil; bitten by the disco – *gegrepen door*
de discorage ● ↓ *storing, defect* ● ↓ *afluis-*
terapparaatje.
2 bug ⟨ww⟩ ↓ ●*afluisterapparatuur plaatsen*
in ●⟨vnl. AE⟩ *irriteren, ergeren.*
'**bugbear** ●*spook(beeld).*
1 bugger [ˈbʌgə] ⟨zn⟩ ● ↓ *lul(hannes)* ●*(ar-*
me) drommel, kerel ‖ –-all *geen flikker.*
2 bugger ⟨ww⟩ ↓ ‖ – him! *hij kan de tering*
krijgen; – it *sodeju.* '**bugger a**'**bout,** '**bug-**
ger a'**round** ↓ **I** ⟨onov ww⟩ ●*klooien* **II** ⟨ov
ww⟩ ●*sollen met.* **buggered** [ˈbʌgəd] ↓ ●
afgepeigerd. '**bugger** '**off** ↓ ●*oprotten.*
'**bugger** '**up** ↓ ●*verknallen.*
buggy [ˈbʌgi] ●*buggy* ●⟨AE⟩ *kinderwagen*
●⟨BE⟩ *wandelwagen.*
bugle [ˈbjuːgl] ●*bugel.*
1 build [bɪld] ⟨zn⟩ ●*(lichaams)bouw, vorm.*
2 build ⟨built, built [bɪlt]⟩ **I** ⟨onov ww⟩ ●*bou-*
wen; zie BUILD UP, BUILD UPON **II** ⟨ov ww⟩ ●
(op)bouwen, maken; – a fire *een vuur ma-*
ken ●*vormen* ●⟨+on⟩ *baseren (op),*
grondvesten; – one's hopes on *zijn hoop*
vestigen op ‖ – on *bijbouwen;* built into

the wall *in de muur ingebouwd;* zie ook ⟨sprw.⟩ ROME; zie BUILD IN, BUILD UP.

builder ['bɪldə] ● *aannemer, bouwer.* **'build 'in** ● *inbouwen, opnemen in.*

building ['bɪldɪŋ] **I** ⟨telb zn⟩ ● *gebouw* **II** ⟨n-telb zn⟩ ● *bouw, het bouwen.* **'building site** ● *bouwterrein.* **'building society** ● *bouwfonds.*

'build on zie BUILD (UP)ON.

'build 'up I ⟨onov ww⟩ ● *toenemen, zich opstapelen* **II** ⟨ov ww⟩ ● *opbouwen, ontwikkelen* ● *bebouwen* ● *ophemelen.* **'buildup I** ⟨telb zn⟩ ● *opeenhoping;* a – of traffic *een verkeersopstopping* ● ↓ *reclamecampagne, ophemeling* **II** ⟨telb en n-telb zn⟩ ● *ontwikkeling, vorming, opvoering* ● *(troepen) concentratie.* **'build (up)on** ● *vertrouwen op.*

built ⟨verl. t. en volt. deelw.⟩ zie BUILD. **'built-'in** ● *ingebouwd.* **'built-'up** ‖ – area *bebouwde kom.*

bulb [bʌlb] ● *bloembol* ● *peertje, (gloei) lamp.* **bulbous** ['bʌlbəs] ● *bolvormig, bol-.*

Bulgarian [bʌl'geərɪən, bʊl-] ● *Bulgaars* ● *Bulgaar.*

1 bulge [bʌldʒ] ⟨zn⟩ ● *bobbel, (op)bolling* ● *golf, aanwas.*

2 bulge ⟨ww⟩ ● *(op)zwellen* ● *opbollen, uitpuilen.*

1 bulk [bʌlk] **I** ⟨telb zn⟩ ● *kolos, gevaarte* **II** ⟨n-telb zn⟩ ● *(grote) massa, omvang, volume;* – buying *massa-aankopen doen;* in – *onverpakt;* in het groot ● *(scheeps)lading* ● *grootste deel, merendeel, gros.*

2 bulk ⟨ww⟩ ‖ mining –s large in this town *de mijnbouw is nadrukkelijk aanwezig/bepaalt het beeld in deze stad.*

'bulkhead ● *(waterdicht) schot.*

bulky ['bʌlki] ● *lijvig, dik, omvangrijk.*

bull [bʊl] **I** ⟨telb zn⟩ ● *stier, mannetje* ⟨v. walvis, olifant e.d.⟩; take the – by the horns *de koe bij de horens vatten* ● *krachtpatser, beer* ● *(pauselijke) bul* **II** ⟨n-telb zn⟩ ● ⟨sl.⟩ *gelul.*

'bulldog ● *buldog.*

bulldoze ['bʊldoʊz] ● *wegschuiven/ruimen met een bulldozer* ● ↓ *intimideren;* – into agreeing *dwingen tot instemming.* **'bulldozer** ['bʊldoʊzə] ● *bulldozer, grondschuiver.*

bullet ['bʊlɪt] ● *(geweer)kogel.*

bulletin ['bʊlətɪn] ● *(nieuws)bulletin, dienstmededeling.* **'bulletin board** ⟨AE⟩ ● *mededelingenbord.*

'bulletproof ● *kogelvrij.*

'bullfight ● *stieregevecht.* **'bullfighter** ● *stierenvechter.*

'bull'headed ● *koppig, doordouwerig.*

bullion ['bʊlɪən] ● *ongemunt goud/zilver.*

bullock ['bʊlək] ● *os.*

'bullring ● *arena* ⟨voor stieregevechten⟩.

'bull's-eye ● *roos* ● *schot in de roos* ⟨ook fig.⟩, *rake opmerking.*

'bullshit ↓ ● *gelul.*

1 bully ['bʊli] ⟨zn⟩ ● *bullebak, beul, kwelgeest;* the – of the neighbourhood *de schrik van de buurt* ● ⟨hockey⟩ *bully, afslag.*

2 bully ⟨bn⟩ ⟨scherts.⟩ ● *prima, geweldig;* – for him/you *uitstekend (v. hem/jou), bravo!.*

3 bully ⟨ww⟩ ● *koeioneren, intimideren;* – s.o. into doing sth. *iem. met bedreigingen dwingen tot iets.*

bulrush ['bʊlrʌʃ] ● *bies.*

bulwark ['bʊlwək] ● ⟨vaak mv.⟩ *(verdedigings)muur* ● *bolwerk* ⟨ook fig.⟩ ● ⟨vaak mv.⟩ ⟨scheep.⟩ *verschansing.*

1 bum [bʌm] ⟨zn⟩ ● ⟨sl.⟩ ● ⟨vnl. BE⟩ *kont, gat* ● ⟨AE en Austr. E; ong.⟩ *zwerver, schooier* ● *zak, mislukkeling* ● *sportfanaat.*

2 bum ⟨bn⟩ ⟨sl.⟩ ● *waardeloos, klote-.*

3 bum ↓ ⟨ww⟩ ● *bietsen, aftroggelen.* **'bum a'bout/a'round** ⟨sl.⟩ ● *lanterfanten, rondhangen.*

bumble ['bʌmbl] ● *brabbelen, bazelen* ● *stuntelen, klungelen.*

'bumblebee ● *hommel.*

1 bump [bʌmp] ⟨zn⟩ ● *bons, schok, stoot* ● *buil, bult, hobbel* ⟨in weg, terrein⟩.

2 bump I ⟨onov ww⟩ ● *bonzen, stoten, botsen* ● *hobbelen;* zie BUMP INTO **II** ⟨ov ww⟩ ● *stoten tegen, botsen tegen;* don't – your head *stoot je hoofd niet;* zie BUMP OFF, BUMP UP.

3 bump ⟨bw⟩ ● *pats boem, pardoes.*

bumper ['bʌmpə] ● *(auto)bumper,* ⟨AE⟩ *buffer, stootblok;* – to – *bumper aan bumper* ● *iets vols/groots, overvloed;* – crop *recordoogst.*

'bump 'into ● *tegen het lijf lopen.*

bumpkin ['bʌm(p)kɪn] ● ⟨↓; ong.⟩ *(boeren) pummel.*

'bump 'off ⟨sl.⟩ ● *koud maken.* **'bump 'up** ↓ ● *opkrikken, opvijzelen.*

bumpy ['bʌmpi] ● *hobbelig, bobbelig.*

bun [bʌn] ● *(krenten)bolletje, (krenten) broodje* ● *(haar)knot(je).*

1 bunch [bʌntʃ] ⟨zn⟩ ● *bos(je), tros;* a – of flowers *een bos(je) bloemen* ● ↓ *troep(je), stel(letje).*

2 bunch I ⟨onov ww⟩ ● *samendrommen/hopen* **II** ⟨ov ww⟩ ● *samenballen/binden.*

1 bundle ['bʌndl] ⟨zn⟩ ● *bundel, bos, pak(ket);* he's a – of nerves *hij is één bonk zenuwen.*

2 bundle ⟨ww⟩ ●*bundelen, samenbinden/ pakken* ●*proppen, induwen.* '**bundle** '**off** ●*wegsturen;* bundle s.o. off to Australia *iem. hals over kop naar Australië sturen.* '**bundle** '**up** ●*(zich) warm aankleden.*

1 bung [bʌŋ] ⟨zn⟩ ●*stop, kurk.*

2 bung ⟨ww⟩ ●*(dicht/af)stoppen* ●⟨BE; ↓⟩ *gooien;* zie BUNG UP.

bungalow ['bʌŋɡəloʊ] ●*bungalow.*

1 bungle ['bʌŋɡl] ⟨zn⟩ ●*knoeierij, pruts/ knoeiwerk.*

2 bungle ⟨ww⟩ ●*(ver)knoeien.* **bungler** ['bʌŋɡlə] ●*prutser, knoeier.*

'**bung** '**up** ⟨BE; ↓⟩ ●*verstoppen;* my nose is bunged up *mijn neus is verstopt.*

bunion ['bʌnɪən] ●*(eelt)knobbel.*

1 bunk [bʌŋk] I ⟨telb zn⟩ ●*(stapel)bed, kooi, slaapbank* ‖ ⟨BE; sl.⟩ do a – 'm smeren ‖ ⟨n-telb zn⟩ ●⟨verk.⟩ bunkum.

2 bunk ⟨ww⟩ ●↓ *naar bed gaan;* – down *gaan slapen.*

'**bunkbed** ●*stapelbed.*

bunker ['bʌŋkə] ●*bunker* ⟨ook kolenruim in schip; zandbak in golfbaan⟩.

bunkum ['bʌŋkəm], **bunk** ●*onzin.*

bunny ['bʌni] ●⟨kind.⟩ *(ko)nijntje.*

bunting ['bʌntɪŋ] ●*dundoek, vlaggetjes.*

1 buoy [bɔɪ] ⟨zn⟩ ●*boei* ●*redding(s)boei.*

2 buoy ⟨ww⟩ ●*drijvend houden* ●*ondersteunen, dragen;* zie BUOY UP.

buoyancy ['bɔɪənsi] ●*drijfvermogen* ●*opgewektheid.* **buoyant** ['bɔɪənt] ●*drijvend* ● *opgewekt, vrolijk.*

'**buoy** '**up** ●*opvrolijken, opbeuren.*

bur, burr [bə:] ●*klis, klit.*

1 burden ['bə:dn] ⟨zn⟩ ●*last, vracht, verplichting.*

2 burden ⟨ww⟩ ●*belasten, beladen, (zwaar) drukken op.* **burdensome** ['bə:dnsəm] ● *(lood)zwaar, drukkend.*

bureau ['bjʊəroʊ] ●⟨vnl. BE⟩ *bureau, schrijftafel* ●⟨AE⟩ *ladenkast* ●*dienst, bureau, kantoor.*

bureaucracy [bjʊ'rɒkrəsi] ⟨vnl. enk.⟩ ⟨vaak ong.⟩ ●*bureaucratie.* **bureaucrat** ['bjʊərəkræt] ⟨bn: **-ic**⟩ ⟨vaak ong.⟩ ●*bureaucraat.*

burgeon ['bə:dʒən] ↑ *uitlopen, (doen) uitkomen,* ⟨fig.⟩ *ontluiken, als een paddestoel uit de grond schieten.*

burger ['bə:gə] ⟨vnl. AE; ↓⟩ ●*hamburger.*

burglar ['bə:glə] ●*(nachtelijke) inbreker.* '**burglar alarm** ●*alarminstallatie.* '**burglarproof** ●*tegen inbraak beveiligd.* **burglary** ['bə:gləri] ●*(nachtelijke) inbraak.*

burgle ['bə:gl], ⟨AE ook⟩ **burglarize** ['bə:gləraɪz] ●*inbreken (in).*

burgomaster ['bə:gəmɑ:stə] ●*burgemeester* ⟨vnl. v.e. Nederlandse, Vlaamse of

Duitse stad⟩.

burial ['berɪəl] ●*begrafenis.*

burly ['bə:li] ●*potig, zwaar, flink.*

1 burn [bə:n] ⟨zn⟩ ●*brandwond, brandgaatje;* a third-degree – *een derdegraadsverbranding.*

2 burn ⟨ook burnt, burnt [bə:nt]⟩ I ⟨onov ww⟩ ●*branden;* you don't seem to be –ing to accept my offer *zo te zien sta je niet te springen om op mijn aanbod in te gaan;* –ing with ambition *verteerd door ambitie;* – with anger *koken van woede;* zie BURN DOWN II ⟨onov en ov ww⟩ ●*branden, af/ ver/ontbranden, in brand staan/steken;* the soup –t my mouth *ik heb mijn mond aan de soep gebrand;* her skin –s easily *ze verbrandt snel (in de zon);* – away *op/ wegbranden,* ⟨fig.⟩ *verteren;* – to death *door verbranding om het leven brengen;* zie BURN DOWN, BURN OUT, BURN UP III ⟨ov ww⟩ ●*lopen op, gebruiken als brandstof;* this engine –s coal *deze machine loopt op kolen.*

'**burn** '**down** I ⟨onov ww⟩ ●*opbranden, uitgaan* II ⟨ov ww⟩ ●*(tot de grond toe) afbranden.* **burner** ['bə:nə] ●*brander, pit* ⟨v. kooktoestel⟩. **burning** ['bə:nɪŋ] ●*brandend, gloeiend, vurig, dringend;* a – issue *een brandend vraagstuk.*

burnish ['bə:nɪʃ] ●*(op)glanzen, polijsten.*

'**burn** '**out** I ⟨onov ww⟩ ●*uitbranden, opbranden* ⟨ook fig.⟩ ●*doorbranden* ⟨v. apparaat⟩ II ⟨ov ww⟩ ●*uitbranden* ‖ burn o.s. out *zich over de kop werken.*

1 burnt [bə:nt] ⟨bn⟩ ●*gebrand, geschroeid;* – offering/sacrifice *brandoffer.*

2 burnt ⟨verl. t. en volt. deelw.⟩ zie BURN. '**burnt-**'**out**, '**burned-**'**out** ●*opgebrand, uitgeblust* ●*uitgebrand* ●*dakloos* ⟨door brand⟩.

'**burn** '**up** I ⟨onov ww⟩ ●*oplaaien* ●*tot ontbranding komen, verbranden* II ⟨ov ww⟩ ● *op/verstoken, op/verbranden* ‖ ⟨AE; sl.⟩ that really burns me up *van zoiets word ik nou witheet.*

1 burp [bə:p] ⟨zn⟩ ↓ ●*boer(tje).*

2 burp ⟨ww⟩ ●↓ *(laten) boeren, een boertje laten doen* ⟨zuigeling⟩.

1 burr [bə:] ⟨zn⟩ ●*brouw-r* ●*gebrom* ●zie BUR.

2 burr ⟨ww⟩ ●*brommen, gonzen.*

1 burrow ['bʌroʊ] ⟨zn⟩ ●*leger* ⟨v. konijn enz.⟩, *hol(letje), tunnel(tje).*

2 burrow I ⟨onov ww⟩ ●*een leger graven,* ⟨fig.⟩ *zich nestelen* ●*wroeten, graven, zich (een weg) banen;* ⟨fig.⟩ – into somebody's secrets *in iemands geheimen wroeten* II ⟨ov ww⟩ ●*(uit)graven* ●*neste-*

len.
bursar ['bə:sə] ●*thesaurier, penningmeester.* **bursary** ['bə:sri] ●*thesaurie, kantoor
v.d. penningmeester.*
1 burst ['bə:st] ⟨zn⟩ ●*los/uitbarsting, ontploffing;* – of anger *woedeuitbarsting;* –
of laughter *lachsalvo* ●*barst, breuk,
scheur.*
2 burst ⟨burst, burst⟩ **I** ⟨onov ww⟩ ●*(door/
los/uit)barsten/breken, uit elkaar spatten/
springen/vliegen;* the storm – *de storm
brak los;* – forth/out *uitroepen, uitbarsten;*
– out crying *in huilen uitbarsten;* the sun –
out *plotseling brak de zon door;* – into the
bedroom *de slaapkamer komen binnenvallen;* – into blossom *in bloei schieten;* –
into tears *in tranen uitbarsten* ●*barstens-
vol zitten;* be –ing to come *staan te popelen om te komen;* – with joy *dolgelukkig
zijn* **II** ⟨ov ww⟩ ●*door/open/verbreken;* – a
blood-vessel *een aderbreuk hebben/krij-
gen;* – a door (open) *een deur intrappen;* –
a tyre *een lekke band hebben.* '**burst** 'in ●
binnenstormen, (ruw) onderbreken.
bury ['beri] ●*begraven;* she has buried two
husbands *ze heeft twee echtgenoten
overleefd* ●*verbergen, verstoppen;* –
one's head in one's hands *zijn hoofd in
zijn handen laten zakken* || buried in
thoughts *in gedachten verzonken;* – o.s.
in one's books *zich in zijn boeken verdiepen.*
1 bus [bʌs] ⟨zn; mv.: AE ook -ses⟩ ●*(auto)
bus;* catch the – *de bus halen;* ⟨fig.⟩ miss
the – *de boot missen;* go by – *de bus nemen* ● ↓ *kist, vliegtuig.*
2 bus ⟨ww⟩ ●*met de bus gaan/vervoeren,*
⟨AE⟩ *vervoeren/vervoerd worden per bus
naar geïntegreerde scholen* ⟨blanke en
zwarte kinderen⟩. '**bus driver** ●*buschauffeur.*
bush [buʃ] **I** ⟨telb zn⟩ ●*struik* ●*(haar)bos* ||
beat about the – *ergens omheen draaien* **II**
⟨n-telb zn⟩ ●*struikgewas* ●*rimboe, wil-
dernis* ⟨vnl. in Afrika en Australië⟩ || zie
ook ⟨sprw.⟩ BIRD.
bushed [buʃt] ↓ ●*bekaf.*
bushel ['buʃl] ●*bushel* ⟨inhoudsmaat⟩.
bushy ['buʃi] ●*dik, ruig* ⟨haar⟩.
business ['bɪznɪs] **I** ⟨telb zn⟩ ●*affaire, zaak,
kwestie* ●⟨a⟩ *hele klus* ●*zaak, bedrijf* **II**
⟨telb en n-telb zn⟩ ●*plicht, taak, werk;* ↓
my affairs are none of your – *mijn zaken
gaan jou niets aan;* have no – to do sth. *ergens niet het recht toe hebben;* I will make
it my – to see that ... *ik zal het op me nemen ervoor te zorgen dat ...;* ↓ mind your
own – *bemoei je met je eigen (zaken)* || ↓

like nobody's – *als geen ander* **III** ⟨n-telb
zn⟩ ●*handel, zaken;* get down to – *ter zake
komen;* mean – *het serieus menen;* be in –
(bezig met) *handel drijven;* ⟨fig.⟩
startklaar staan; go into – *in de handel
gaan;* on – *voor zaken.*
'**business hours** ●*kantooruren, openingstij-
den.* **businesslike** ['bɪznɪslaɪk] ●*zakelijk,
efficiënt.* **businessman** ['bɪznɪsmən] ●*zakenman.* '**business suit** ⟨AE⟩ ●*(daags)
kostuum, pak.* '**businesswoman** ●*zaken-
vrouw.*
busker ['bʌskə] ⟨BE⟩ ●*(bedelend) straatmuzikant.*
busman ['bʌsmən] ●*buschauffeur.* '**busman's** '**holiday** ↓ ●*vakantie waarin je iets
doet wat eigenlijk hetzelfde is als je gewone werk* ⟨bv. timmerman die zijn eigen
keuken opknapt⟩.
'**bus stop** ●*bushalte.*
1 bust [bʌst] ⟨zn⟩ ●*borstbeeld* ●*boezem,
buste.*
2 bust ⟨bn⟩ ↓ ●*kapot, naar de knoppen;* go –
op de fles gaan.
3 bust ⟨sl.⟩ **I** ⟨onov ww⟩ ●*barsten, kapot-
gaan;* zie BUST UP **II** ⟨ov ww⟩ ●*breken, kapot maken* ●*arresteren* ●*een inval doen in*
⟨v.d. politie⟩; zie BUST UP.
buster ['bʌstə] ●⟨vnl. AE; sl., vnl. ong.⟩ *kerel, makker.*
bustier [bʌst'jeɪ] ●*bustier* ⟨kledingstuk⟩.
1 bustle ['bʌsl] ⟨zn⟩ ●*drukte, bedrijvigheid.*
2 bustle ⟨ww⟩ ●*druk in de weer zijn,
jachten, zich haasten;* – with *gonzen van.*
'**bust** 'up ⟨sl.⟩ **I** ⟨onov ww⟩ ●⟨BE⟩ *bonje hebben* **II** ⟨ov ww⟩ ⟨AE⟩ – *in de war sturen.*
1 busy ['bɪzi] ⟨bn; busyness⟩ ●*bezig, druk-
(bezet), bedrijvig;* a – day *een drukke dag;*
I'm – cleaning *ik ben (druk) aan het
schoonmaken;* she's – at/with her work *ze
is druk aan het werk;* he's – with a book *hij
werkt aan een boek* ●⟨vnl. AE⟩ *bezet, in
gesprek* ⟨v. telefoon⟩.
2 busy ⟨ww⟩ ●*bezig houden;* – o.s. with col-
lecting stamps *postzegels verzamelen om
iets om handen te hebben.* '**busybody** ●
bemoeial.
1 but [bʌt] ⟨zn⟩ ●*tegenwerping;* ↓ ifs and –s
maren; but me no –s *geen gemaar.*
2 but [bət, ⟨sterk⟩bʌt] ⟨vnw⟩ ●*die/dat niet;*
not a man – was moved to tears *geen man
die niet tot tranen toe bewogen was.*
3 but [bət, ⟨sterk⟩bʌt] ⟨bw⟩ ●*slechts, maar;*
he's – a student *het is maar een student.*
4 but [bət, ⟨sterk⟩bʌt] ⟨vz⟩ ●*behalve;* all –
John *allen behalve John;* who – John?
wie anders dan John?; he wanted nothing
– peace *hij wilde slechts rust;* the last –

one *op één na de laatste.*

5 but [bət, ⟨sterk⟩bʌt] **I** ⟨ondersch vw⟩ ●*behalve;* what could I do – surrender? *wat kon ik doen behalve me overgeven?* ●*dat;* he did not doubt – that he had failed *hij twijfelde er niet aan dat hij gefaald had*‖↓ no sooner had she spoken – it appeared again *ze was nog niet uitgesproken of het verscheen opnieuw* **II** ⟨nevensch vw⟩ ●*maar (toch);* – then (again) *(maar) anderzijds/ja* ●*en hoe;* he ran – ran! *hij liep, en hoe!;* he ran – fast! *hij liep, en snel ook!;* – no! *nee maar!, nee toch!;* zie ALL BUT, BUT FOR.

butane ['bju:teɪn] ●*butaan, butagas.*

1 butcher ['bʊtʃə] ⟨zn⟩ ●*slager,* ⟨fig.⟩ *moordenaar;* the –'s *de slager(ij).*

2 butcher ⟨ww⟩ ●*slachten* ●*afslachten* ●*verknoeien.*

but for [bʌt fɔ:] ●*ware het niet voor, als niet;* – her I would have been a monk *ik zou monnik geworden zijn als zij er niet geweest was.*

butler ['bʌtlə] ●*butler.*

1 butt [bʌt] ⟨zn⟩ ●*mikpunt* ⟨v. spot⟩ ●*doelwit* ●⟨ook: 'butt end⟩ *(dik) uiteinde, kolf, handvat, peuk* ⟨v. sigaret⟩, ⟨sl.⟩ *achterste, krent* ●*vat, ton* ●*kopstoot, stoot.*

2 butt ⟨ww⟩ ●*stoten, een kopstoot geven;* zie BUTT IN.

1 butter ['bʌtə] ⟨zn⟩ ●*boter*‖ (he looks as if) – wouldn't melt in his mouth *hij lijkt de onschuld zelve.*

2 butter ⟨ww⟩ ●*besmeren (met boter), in boter bereiden;* zie BUTTER UP.

'buttercup ●*boterbloem.* **'butterfingers**↓ ● *stoethaspel.* **butterfly** ['bʌtəflaɪ] ●*vlinder* ●⟨verk.⟩ butterfly stroke. **'butterfly stroke** ●*vlinderslag.* **'buttermilk** ●*karnemelk.*

'butter 'up↓ ●*stroop om de mond smeren, slijmen.*

buttery ['bʌtəri] ●⟨BE⟩ *kantine* ⟨aan sommige universiteiten⟩.

'butt 'in↓ ●*tussenbeide komen, onderbreken.*

buttock ['bʌtək] ●*bil* ●⟨mv.⟩ *achterste.*

1 button ['bʌtn] ⟨zn⟩ ●*knoop(je)* ●*(druk)knop, knopje* ●⟨vnl. AE⟩ *button.*

2 button ⟨ww⟩ ●*dicht/vastknopen;* my shirt won't – *ik krijg (de knoopjes v.) mijn overhemd niet dicht;* zie BUTTON UP.

1 'buttonhole ⟨zn⟩ ●*knoopsgat.*

2 buttonhole ⟨ww⟩ ●*in zijn kraag grijpen, staande houden.*

'button 'up I ⟨onov ww⟩ ⟨sl.⟩ ●*zijn kop houden* **II** ⟨ov ww⟩ ●*dichtknopen* ‖ that job's buttoned up *dat is voor elkaar.*

1 buttress ['bʌtrɪs] ⟨zn⟩ ●*steunbeer.*

2 buttress ⟨ww⟩ ●⟨vaak +up⟩ *versterken met steun(beer),* ⟨fig.⟩ *(onder)steunen.*

buxom ['bʌksm] ●⟨v. vrouw⟩ *weelderig, mollig.*

1 buy [baɪ] ⟨zn⟩ ●*aanschaf, koop* ●*koopje.*

2 buy ⟨bought, bought [bɔ:t]⟩ **I** ⟨onov en ov ww⟩ ●*(aan/in/op)kopen;* – time *tijd winnen;* – off *afkopen, omkopen;* – out *los/uit/vrijkopen; (in zijn geheel) overnemen;* ⟨BE⟩ – over *omkopen;* – up *opkopen;* zie BUY IN **II** ⟨ov ww⟩ ●↓ *omkopen* ●↓ *geloven, accepteren, (voor waar) aannemen;* I'll – it/that *dat neem ik aan, dat kan ik accepteren.* **buyer** ['baɪə] ●*koper* ●*inkoper* ⟨v.e. warenhuis enz.⟩. **'buy 'in** ●*inkopen* ⟨voorraden⟩.

1 buzz [bʌz] ⟨zn⟩ ●*gebrom, gezoem, geroezemoes* ●↓ *belletje;* give mother a – *bel moeder even.*

2 buzz I ⟨onov ww⟩ ●*zoemen, brommen, gonzen; roezemoezen* ●*druk in de weer zijn*‖ ⟨vnl. BE; sl.⟩ – off *'m smeren;* – off! *donder op!* **II** ⟨ov ww⟩ ●*(per zoemer) oproepen* ●↓ *opbellen.*

buzzard ['bʌzəd] ●*buizerd.*

buzzer ['bʌzə] ●*zoemer.*

1 by [baɪ] ⟨bw⟩ ●*langs, voorbij;* he came – for a chat *hij kwam langs om een praatje te maken;* he drove – in a red car *hij reed voorbij in een rode auto;* in years gone – *in vervlogen jaren* ●*nabij, dichtbij;* be – *erbij zijn;* lay/put sth. – *iets opzij leggen*‖ and – *straks;* – and large *over 't algemeen.*

2 by [baɪ] ⟨vz⟩ ●⟨nabijheid, vnl. v. plaats⟩ *bij, vlakbij, naast;* – the river *aan de kant van de rivier;* a house – the sea *een huis aan zee;* sit – my side *kom naast mij zitten;* I keep it – me all the time *ik heb het altijd bij me* ●⟨weg, medium enz.⟩ *door, langs, via, voorbij;* travel – air *vliegen;* he went – the motorway *hij ging via de autoweg;* she dropped – Sheila's *zij ging bij Sheila langs* ●⟨tijd⟩ *tegen, vóór, niet later dan;* finished – Sunday *klaar tegen zondag;* – now *nu (al)* ●⟨instrument, middel enz.⟩ *door, door middel v., als gevolg v.;* two meters – fifty centimeters *twee meter bij vijftig centimeter;* – force *met geweld;* deceived – his friend *bedrogen door zijn vriend;* I can tell – your looks *ik kan het aan je (uiterlijk) zien;* he died – the sword *hij sneuvelde door het zwaard;* a daughter – his first wife *een dochter van zijn eerste vrouw;* I did it all – myself *ik heb het helemaal alleen gedaan* ●⟨tijd of omstandigheid⟩ *bij, tijdens;* – night *'s nachts;* – day *overdag;* dinner – candlelight *eten bij* *kaarslicht* ‖ it's eight o'clock – my watch *het is acht uur op mijn horloge;* paid – the hour *per uur betaald;* – birth *van geboorte;* day – day *dag na dag;* he got worse – the hour *hij ging van uur tot uur achteruit;* swear – the Bible *op de Bijbel zweren;* that's fine – me *wat mij betreft is het best;* little – little *beetje bij beetje.*

bye [baɪ], **'bye-'bye** ↓ ● *tot ziens, dag.*

'by(e)-election ● *tussentijdse verkiezing.*

'by(e)law ● ⟨vnl. BE⟩ *(plaatselijke) verordening, gemeenteverordening* ● ⟨vnl. AE⟩ *(bedrijfs)voorschrift,* ⟨in mv.⟩ *reglement.*

bygone ['baɪɡɒn] ● *voorbij, vroeger.* **bygones** ['baɪɡɒnz] ‖ ⟨sprw.⟩ let bygones be bygones *men moet geen oude koeien uit de sloot halen.*

1 **'by-pass** ⟨zn⟩ ● ⟨verkeer⟩ *rondweg, ringweg* ● ⟨tech.⟩ *omloopkanaal/verbinding.*

2 **by-pass** ⟨ww⟩ ● *om* ⟨stad enz.⟩ *heen gaan, mijden.*

'by-product ● *bijprodukt* ● *bijverschijnsel.* **'byroad** ● *zijstraat* ● *achterstraat.* **bystander** ['baɪstændə] ● *toeschouwer.* **'byway** ● *zijweg.*

'byword ● *spreekwoord* ● *belichaming, synoniem;* the canals are a – for Amsterdam *wie grachten zegt, zegt Amsterdam;* he is a – for laziness *hij is het prototype v.d. luiaard.*

cab [kæb] ● ⟨vnl. AE⟩ *taxi* ● *cabine, bok, cockpit.*

cabaret ['kæbəreɪ] ● *variétérestaurant* ● *show* ⟨in restaurant⟩.

cabbage ['kæbɪdʒ] ● *kool.*

cabby, cabbie ['kæbi] ● ↓ *taxichauffeur.* **'cabdriver** ● ⟨vnl. AE⟩ *taxichauffeur.*

cabin ['kæbɪn] ● *huisje, hut* ● *cabine, (slaap)hut.*

cabinet ['kæbnɪt] I ⟨telb zn⟩ ● *kabinet, kast* II ⟨telb en n-telb zn⟩ ● ⟨vnl. BE⟩ *kabinetsberaad/vergadering* ● *kabinet, ministerraad.*

'Cabinet Minister ⟨BE⟩ ● *kabinetslid, lid v.d. ministerraad.*

1 **cable** ['keɪbl] I ⟨telb zn⟩ ● zie CABLEGRAM II ⟨telb en n-telb zn⟩ ● *kabel.*

2 **cable** ⟨ww⟩ ● *telegraferen, overseinen.*

'cable car ● *kabelwagen.* **'cablegram** ● *telegram.* **'cable railway** ● *kabelspoor(weg).* **'cable television** ● *kabeltelevisie.*

caboodle [kə'buːdl] ⟨sl.⟩ ‖ the whole – *de hele bubs/rotzooi.*

'cab rank, 'cabstand ● *taxistandplaats.*

cache [kæʃ] ● *(geheime) opslagplaats* ● *(geheime) voorraad.*

cachet ['kæʃeɪ] ● *cachet, allure.*

1 **cackle** ['kækl] I ⟨telb zn⟩ ● *giegel(lachje)* II ⟨n-telb zn⟩ ● *gekakel,* ⟨fig.⟩ *geklets.*

2 **cackle** ⟨ww⟩ ● *kakelen,* ⟨fig.⟩ *kletsen* ● *giechelen.*

cactus ['kæktəs] ⟨mv.: ook cacti [-taɪ]⟩ ● *cactus.*

cad [kæd] ⟨ong.⟩ ● *schoft.*

cadaver [kə'deɪvə,kə'dævə] ⟨vnl. med.⟩ ● *kadaver.* **cadaverous** [kə'dævrəs] ● *lijkachtig.*

caddie, caddy ['kædi] ● ⟨zn⟩ ⟨golf⟩ *caddie* ● ⟨ww⟩ *als caddie optreden.*

caddy ['kædi] ● *theeblikje/busje.*

cadence ['keɪdns] ● *intonatie* ● *cadans, ritme.*

cadet [kə'det] ● *cadet.*

cadge ⟨↓; ong.⟩ I ⟨onov ww⟩ ● *klaplopen* II ⟨ov ww⟩ ● *bietsen.* **cadger** ['kædʒə] ⟨↓; ong.⟩ ● *bietser.*

cadre ['kɑːdə,-drə] ⟨vnl. pol. en mil.⟩ ● *kader.*

C(a)esarean (section) [sɪˈzeərɪən] ●⟨med.⟩ *keizersnede.*

café [ˈkæfeɪ] ● *café-restaurant, snackbar* ● ⟨BE⟩ *theesalon.*

cafeteria [ˈkæfɪˈtɪərɪə] ● *zelfbedieningsrestaurant.*

caffein(e) [ˈkæfiːn] ● *coffeïne.*

1 cage [keɪdʒ] ⟨zn⟩ ● *kooi(constructie)* ● *liftkooi.*

2 cage ⟨ww⟩ ● *in een kooi opsluiten.*

cag(e)y [ˈkeɪdʒi] ↓ ● *gesloten, behoedzaam.*

cahoots [kəˈhuːts] ⟨vnl. AE; sl.⟩ ‖ be in – with *onder één hoedje spelen met.*

cairn [keən] ● *cairn* ⟨kegelvormige steenhoop⟩.

cajole [kəˈdʒoʊl] ● *(door vleierij) bepraten, overhalen;* – s.o. into giving money *iem. geld aftroggelen.*

1 cake [keɪk] ⟨zn⟩ ● *cake, taart, (panne)koek, gebak* ‖ a – of soap *een stuk zeep;* ⟨sprw.⟩ one cannot have one's cake and eat it *men kan niet het laken hebben en het geld houden.*

2 cake I ⟨onov ww⟩ ● *koeken, harden* II ⟨ov ww⟩ ● *(dik) bedekken;* (be) –d with dirt *ónder het vuil (zitten).*

calamitous [kəˈlæmɪtəs] ● *rampzalig.*

calamity [kəˈlæməti] ● *calamiteit, ramp.*

calcify [ˈkælsɪfaɪ] ● *(doen) verkalken* ⟨ook fig.⟩.

calculate [ˈkælkjʊleɪt] I ⟨onov ww⟩ ● *rekenen* II ⟨ov ww⟩ ● *berekenen, uitrekenen* ● ⟨AE⟩ *geloven, veronderstellen* ‖ –d risk *ingecalculeerd risico;* –d to attract the attention *bedoeld om de aandacht te trekken.* **'calculate (up)on** ● *rekenen op, vertrouwen op.* **calculating** [ˈkælkjʊleɪtɪŋ] ● *berekenend.* **'calculating machine** ● *rekenmachine.*

calculation [ˈkælkjʊˈleɪʃn] ● *berekening* ⟨ook fig.⟩ ● *schatting.*

calculator [ˈkælkjʊleɪtə] ● *rekenmachine.*

calculus [ˈkælkjʊləs] ⟨mv.: ook calculi [-laɪ]⟩ ● ⟨med.⟩ *steen* ● ⟨wisk.⟩ *calculus, rekenmethode.*

calendar [ˈkælɪndə] ● *kalender* ● ⟨AE⟩ *agenda* ⟨v. vergadering⟩. **'calendar 'month** ● *kalendermaand.* **'calendar 'year** ● *kalenderjaar.*

calf [kɑːf] ⟨mv.: calves [kɑːvz]⟩ ● *kalf* ⟨ook v. olifant, walvis enz.⟩; in/with – *drachtig* ● *kalfsle(d)er* ● *kuit* ⟨v. been⟩. **'calf love** ● *kalverliefde.* **'calfskin** ● *kalfsle(d)er.*

calibrate [ˈkælɪbreɪt] ● *kalibreren, ijken.*

calibre [ˈkælɪbə] ● *kaliber, gehalte, niveau.*

1 call [kɔːl] ⟨zn⟩ ● *kreet, (ge)roep, roep v. dier;* we heard a – for help *we hoorden hulpgeroep;* within – *binnen gehoorsaf-*

stand ● *lokfluitje* ● ⟨jacht⟩ *hoornsignaal* ● *(kort/zakelijk) bezoek;* pay a – on s.o. *iem.* een kort bezoek brengen ● *oproep(ing),* ⟨geldw.⟩ *aanmaning;* he answered the – of his country *hij gaf gehoor aan de roep v. zijn land;* at/on – *(onmiddellijk) beschikbaar;* (telefonisch) oproepbaar; (direct) opeisbaar ● *reden, aanleiding, noodzaak, behoefte;* you have no – for more money *jij hebt geld genoeg zo;* there's no – for you to worry *je hoeft je niet ongerust te maken* ● *telefoontje, (telefoon)gesprek;* give s.o. a – *iem. bellen* ‖ ⟨BE⟩ – to the bar *toelating als advocaat.*

2 call I ⟨onov ww⟩ ● *(even) langsgaan/komen, (kort) op bezoek gaan, stoppen* ⟨op station⟩; ↓ – by *(even) aan/binnenwippen;* please – in this afternoon *kom vanmiddag even langs alsjeblieft;* the ship –s at numerous ports *het schip doet talrijke havens aan;* zie CALL FOR, CALL (UP)ON II ⟨onov en ov ww⟩ ● *(uit)roepen;* – for help *om hulp roepen* ● *(op)bellen,* ⟨bij uitbr.⟩ *oproepen;* London –ing *hier (radio) Londen* ● *roepen* ⟨ook fig.⟩; duty –s (me) *de/ mijn plicht roept;* zie CALL BACK, CALL OUT III ⟨ov ww⟩ ● *afroepen, opsommen* ● *(op) roepen, aanroepen, tot het priesterschap roepen;* – a witness *een getuige oproepen;* – in binnen/bij zich roepen ● *afkondigen, bijeenroepen;* – an election *een verkiezing afkondigen;* – a meeting *een vergadering beleggen* ● *wakker maken, wekken* ● *(be)noemen;* – s.o. a liar *iem. uitmaken voor leugenaar;* you – that hard? *noem/vind je dat moeilijk?;* – (sth.) one's own *(iets) bezitten;* be –ed after one's grandfather *vernoemd zijn naar zijn grootvader* ● *vinden, beschouwen als* ‖ – into being *in het leven roepen;* – away *wegroepen;* – forth *oproepen, (naar) boven brengen;* zie ook ⟨sprw.⟩ PIPER; zie CALL DOWN, CALL IN, CALL OFF, CALL UP.

'call 'back I ⟨onov en ov ww⟩ ● *terugbellen* ● *nog eens bellen* II ⟨ov ww⟩ ● *terugroepen* ● *herroepen.*

'call box ⟨BE⟩ ● *telefooncel.* **'call 'down** ● *afroepen,* ⟨fig.⟩ *doen neerdalen* ● ⟨sl.⟩ *afkraken.* **caller** [ˈkɔːlə] ● *bezoeker* ● *beller, iem. die telefoneert.* **'call for** ● *(komen) af/ ophalen* ● *vereisen;* this situation calls for immediate action *in deze toestand is onmiddellijk handelen geboden.* **'call girl** ● *luxe prostituee.*

calligraphy [kəˈlɪgrəfi] ● *kalligrafie, (schoon) schrijfkunst.*

'call 'in ● *laten komen, de hulp inroepen van;* – a specialist *er een specialist bij halen* ●

terugroepen/vorderen, opvragen; – *all gold coins alle gouden munten uit de circulatie nemen.* ● *roeping* ● *beroep.* **'call 'off** ● *afzeggen, afgelasten;* – one's engagement *het uitmaken* ● *terug/wegroepen* 〈ihb. hond〉.

callous ['kæləs] ● *vereelt, verhard* ● *ongevoelig.*

'call 'out I 〈onov ww〉 ● *uitroepen* II 〈ov ww〉 ● *afroepen, opnoemen* ● *te hulp roepen, doen uitrukken* 〈brandweer e.d.〉 ● *tot staking oproepen.*

callow ['kælou] ● *groen, onervaren.*

'call sign 〈com.〉 ● *zendercode.* **'call 'up** ● *opbellen* ● *in het geheugen roepen* ● 〈mil.〉 *oproepen.* **'call-up** 〈mil.〉 ● *oproep(ing).* **'call (up)on** ● *(kort) bezoeken* ● *(dringend) vragen, verzoeken* ● *een beroep doen op.*

callus ['kæləs] ● *eeltplek.*

1 calm [kɑ:m] 〈zn〉 ● *(wind)stilte* 〈ook fig.〉, *kalmte.*

2 calm 〈bn〉 ● *kalm, (wind)stil, rustig.*

3 calm, 'calm 'down I 〈onov ww〉 ● *bedaren, tot bedaren komen, kalmeren* II 〈ov ww〉 ● *kalmeren, doen bedaren.*

calor gas ['kæləgæs] ● 〈BE〉 *butagas.*

calorie ['kæləri] ● *calorie.*

calumny ['kæləmni] ● *laster.*

calve [kɑ:v] ● *kalv(er)en.* **calves** [kɑ:vz] 〈mv.〉 zie CALF.

cam [kæm] ● *nok, kruk, kam* 〈op wiel/krukas〉.

camber ['kæmbə] ● *tonrondte, welving.*

cambric ['kæmbrik] ● *batist.*

camcorder ['kæmkɔ:də] ● *camcorder* 〈videocamera en -recorder tezamen〉.

came 〈verl. t.〉 zie COME.

camel ['kæml] ● *kameel, dromedaris* ● *kameel(kleur), camel* ‖ zie ook 〈sprw.〉 LAST. **'camel('s) hair** ● *kameelhaar.*

cameo ['kæmiou] ● *camee* ● *karakterschets.*

camera ['kæmrə] ● *fototoestel, camera* ‖ 〈jur.〉 *in* – *achter gesloten deuren.* **cameraman** ['kæmrəmən] ● *cameraman.*

1 camouflage ['kæməflɑ:ʒ] 〈zn〉 ● *camouflage.*

2 camouflage 〈ww〉 ● *camoufleren, wegmoffelen, verbloemen.*

1 camp [kæmp] I 〈telb zn〉 ● *kamp;* break – *(zijn tenten) opbreken* II 〈n-telb zn〉 ● *kitsch.*

2 camp 〈bn〉 ● *verwijfd* ● *homoseksueel* ● *overdreven, theatraal* ● *kitscherig.*

3 camp 〈ww〉 ● *kamperen;* they –ed out last night *ze hebben vannacht in de tent geslapen.*

1 campaign ['kæm'pein] 〈zn〉 ● *campagne,*

veldtocht; advertising – *reclamecampagne.*

2 campaign 〈ww〉 ● *campagne voeren, te velde trekken.*

'camp 'bed ● *veldbed, kampeerbed.* **'camp chair** ● *kampeerstoel, vouwstoel.* **camper** ['kæmpə] ● *kampeerder* ● *kampeerauto.* **'campfire** ● *kampvuur.* **'campground** ● *kampeerterrein, camping.*

camphor ['kæmfə] ● *kamfer.*

'campsite ● *kampeerterrein, camping.*

campus ['kæmpəs] ● *campus* 〈universiteits/schoolterrein〉.

1 can [kæn] 〈zn〉 ● *kan* ● 〈vnl. AE〉 *blik, conservenblikje* ● 〈AE; sl.〉 *plee* ● 〈sl.〉 *bak, bajes* ‖ 〈BE; sl.〉 carry the – (back) *ergens voor opdraaien.*

2 can [kæn] 〈ww〉 ● *inblikken, conserveren.*

3 can [kən, 〈sterk〉 kæn] 〈ww; verl. t. could [kəd, 〈sterk〉 [kʊd]〉 ● *kunnen;* I – understand that *ik kan dat best begrijpen* ● *kunnen, zou kunnen;* – this be true? *zou dit waar kunnen zijn?;* she –not have gone *ze kan toch niet vertrokken zijn* ● *mogen, kunnen;* you – go now *je mag nu gaan.*

Canadian [kə'neidiən] ● *Canadees.*

canal [kə'næl] ● *kanaal, gracht.* **canal|ize** ['kænəlaiz] 〈zn: **-ization**〉 ● *kanaliseren.*

canary [kə'neəri] ● *kanarie(piet).*

cancel ['kænsl] ● *doorstrepen, schrappen* ● *opheffen, ongedaan maken* ● *annuleren, af/opzeggen, intrekken* 〈order〉, *afgelasten* ● *ongeldig maken, afstempelen* 〈postzegel〉; zie CANCEL OUT. **cancellation** ['kænsə'leiʃn] ● *annulering, af/opzegging, intrekking* 〈v. order〉, *afgelasting.* **'cancel 'out** ● *compenseren;* the pros and cons cancel each other out *de voor- en nadelen heffen elkaar op.*

cancer ['kænsə] ● *kanker, kwaadaardig gezwel,* 〈fig.〉 *(woekerend) kwaad.* **cancerous** ['kænsrəs] ● *kanker(acht)ig.*

candid ['kændid] ● *open(hartig), rechtuit, eerlijk* ● *ongeposeerd;* – picture *spontane foto.*

candidacy ['kændidəsi], 〈BE vnl.〉 **candidature** [-dətʃə] ● *kandidatuur.*

candidate ['kændidit] ● *kandidaat.*

candied ['kændid] ● *geglaceerd* ● *gekonfijt, in suiker ingelegd;* – fruit(s) *gekonfijte vruchten;* – peel *sukade.*

candle ['kændl] ● *kaars* ‖ burn the – at both ends *te veel hooi op zijn vork nemen, ondoordacht met zijn middelen omspringen;* he can't hold a – to her *hij is verreweg haar mindere.* **'candlelight** ● *kaarslicht.* **'candlestick** ● *kandelaar.*

'candlewick ● *kaarsepit.*

candour ['kændə] ●open(hartig)heid, eer-lijkheid, oprechtheid.

1 candy ['kændi] ⟨zn⟩ ●(stukje) kandij, sui-kergoed ●⟨AE⟩ snoep(goed), snoepje(s).

2 candy ⟨ww⟩ ●konfijten, in suiker leggen.

'candyfloss ⟨BE⟩ ●suikerspin. 'candy store ⟨AE⟩ ●snoepwinkel.

1 cane [keɪn] I ⟨telb zn⟩ ●riet/bamboesten-gel ●rotting, wandelstok, plantesteun II ⟨n-telb zn⟩ ●riet, rotan.

2 cane ⟨ww⟩ ●met het rietje geven, afranse-len.

'cane sugar ●rietsuiker.

canine ['keɪnaɪn, 'kw-] ●hondachtig, honds-. 'canine tooth ●hoektand.

canister ['kænɪstə] ●bus, trommel, blik.

canker ['kæŋkə] I ⟨telb zn⟩ ●kanker, kwaad II ⟨telb en n-telb zn⟩ ●kanker ⟨bij planten en dieren⟩. cankerous ['kæŋkərəs] ●kanker-(acht)ig ●kankerverwekkend.

cannabis ['kænəbɪs] ●hennep, cannabis ● marihuana.

canned [kænd] ●⟨vnl. AE⟩ ingeblikt, in blik‖ – music ingeblikte muziek, muzak.

cannery ['kænəri] ●conservenfabriek.

cannibal ['kænɪbl] ●kannibaal. cannibalism ['kænɪbəlɪzm] ●kannibalisme. cannibal-ize ['kænɪbəlaɪz] ●kannibaliseren ⟨machi-ne, voertuig⟩.

canning ['kænɪŋ] ●inmaak, het inblikken.

1 cannon ['kænən] ⟨zn⟩ ●kanon, (stuk) ge-schut.

2 cannon ⟨ww⟩ ●⟨vnl. BE⟩ (op)botsen; she –ed into me ze vloog tegen me op.

cannonade ['kænə'neɪd] ●kanonnade. 'cannonball ●kanonskogel. 'cannon fod-der ●kanonnevoer/vlees.

cannot ['kæ'nɒt] ⟨samentr. v. can not⟩.

canny ['kæni] ●slim, uitgekookt ●zuinig, spaarzaam.

1 canoe [kə'nu:] ⟨zn⟩ ●kano.

2 canoe ⟨ww⟩ ●kanoën, kanovaren.

canon ['kænən] ●canon, kerkelijke leerstel-ling, (algemene) regel/norm, lijst v. als au-thentiek erkende heilige boeken ⟨ook fig.⟩; against the –s of good manners te-gen de geldende goede manieren in; the Shakespeare – (lijst v.) officieel aan Shakespeare toegeschreven werken ●ka-nunnik, domheer. canonical [kə'nɒnɪkl] ● canoniek, op de canon voorkomend, ge-zaghebbend, (officieel) aanvaard. canon-ize ['kænənaɪz] ●heilig verklaren.

'can opener ●blikopener.

canopy ['kænəpi] ●baldakijn, (troon)hemel, hemel ⟨v. hemelbed⟩, ⟨fig.⟩ gewelf, kap, dak.

1 cant [kænt] ⟨zn⟩ ●jargon, boeventaal ●

huicheltaal, schijnheilige praat.

2 cant I ⟨onov ww⟩ ●(over)hellen; – over overhellen II ⟨ov ww⟩ ●doen (over)hellen.

can't [kɑ:nt] ⟨samentr. v. can not⟩.

cantankerous [kæn'tæŋkrəs] ●ruzieachtig.

cantata [kən'tɑ:tə] ●cantate.

canteen ['kæn'ti:n] ●kampwinkel ●kantine ●eetgerei ⟨v. soldaat⟩.

1 canter ['kæntə] ⟨zn⟩ ●handgalop.

2 canter ⟨ww⟩ ●in handgalop gaan.

canvas ['kænvəs] I ⟨telb zn⟩ ●doek, (olie-verf)schilderij II ⟨n-telb zn⟩ ●canvas, zeil-doek, tentdoek; under – in een tent, in ten-ten ●schilderslinnen.

1 canvass ['kænvəs] ⟨zn⟩ ●stemmenwer-ving.

2 canvass ⟨ww⟩ ●diepgaand (be)discussië-ren, grondig onderzoek doen ●stemmen werven (in) ●klanten werven; – for a mag-azine colporteren voor een weekblad ● opiniepeiling houden (over).

canyon ['kænjən] ●cañon, ravijn.

1 cap [kæp] ⟨zn⟩ ●kapje ⟨v. verpleegster e.d.⟩, muts, pet, baret, ⟨sport⟩ cap ⟨als te-ken van selectie; BE ook fig.⟩; get one's – geselecteerd worden ●hoed ⟨v.e. padde-stoel⟩, napje, (flesse/vulpen)dop, be-schermkapje ●pessarium ‖ – in hand on-derdanig; ⟨sprw.⟩ if the cap/shoe fits, wear it wie de schoen past, trekke hem aan.

2 cap ⟨ww⟩ ●een cap/baret opzetten, ⟨sport; fig.⟩ in de nationale ploeg opstel-len ●als een kap bedekken ●overtroeven; to – it all als klap op de vuurpijl; tot over-maat v. ramp.

capability ['keɪpə'bɪləti] ●vermogen, be-kwaamheid; nuclear – nucleaire slag-kracht ●⟨mv.⟩ talenten, capaciteiten. ca-pable ['keɪpəbl] ●in staat; he's – of any-thing hij is tot alles in staat ●capabel, be-kwaam, competent.

capacious [kə'peɪʃəs] ●ruim.

capacity [kə'pæsəti] I ⟨telb zn⟩ ‖ in my – of chairman in mijn hoedanigheid v. voorzit-ter II ⟨telb en n-telb zn⟩ ●vermogen, capa-citeit, aanleg ●capaciteit, inhoud; seating – aantal zitplaatsen; filled to – tot de laat-ste plaats bezet III ⟨n-telb zn⟩ ⟨jur.⟩ ●be-voegdheid.

cape [keɪp] ●cape, pelerine ●kaap.

1 caper ['keɪpə] ⟨zn⟩ ●⟨vnl. mv.⟩ kapper(tje) ●⟨ook fig.⟩ bokkesprong; cut a –/–s ca-priolen uithalen ● ↓ (ondeugende) streek ●⟨sl.⟩ (onwettige) praktijk.

2 caper ⟨ww⟩ ●(rond)dartelen, capriolen maken.

1 capillary [kə'pɪləri] ⟨zn⟩ ●haarvat.

2 capillary ⟨bn⟩ ● *cappillair.*
1 capital ['kæpɪtl] I ⟨telb zn⟩ ● *hoofdletter* ● *hoofdstad* II ⟨n-telb zn⟩ ● *kapitaal;* ⟨fig.⟩ make – (out) of *munt slaan uit.*
2 capital ⟨bn⟩ ● *kapitaal, hoofd-;* – *city hoofdstad;* of – *importance van levensbelang;* – letter *hoofdletter* ● *dood-, dodelijk;* ⟨fig.⟩ – blunder *kapitale blunder;* – offence/crime *halsmisdaad;* – punishment *doodstraf* ‖ –! *kapitaal!, kostelijk!.*
capitalism ['kæpɪtlɪzm] ● *kapitalisme.*
1 capitalist ['kæpɪtlɪst] ⟨zn⟩ ● *kapitalist.*
2 capitalist, capitalistic ['kæpɪtl'ɪstɪk] ⟨bn⟩ ● *kapitalistisch.* **capitalize** ['kæpɪtlaɪz] ● *kapitaliseren;* – (up)on *munt slaan uit.*
Capitol ['kæpɪtl] ⟨the⟩ ● *capitool, zetel v.h.* (Amerikaanse) *Congres.*
capitulate [kə'pɪtʃuleɪt] ● *capituleren, zich overgeven.* **capitulation** [kə'pɪtʃu'leɪʃn] ● *capitulatie, overgave.*
caprice [kə'pri:s] ● *gril(ligheid), nuk.* **capricious** [kə'prɪʃəs] ● *wispelturig, grillig, nukkig.*
capsize ['kæp'saɪz] ● *(doen) kapseizen, (doen) omslaan.*
capsule ['kæpsju:l] ● *capsule* ● *capsule, cabine* ⟨v. ruimtevaartuig⟩ ● ⟨plantk.⟩ *zaaddoos.*
1 captain ['kæptɪn] ⟨zn⟩ ● *kapitein* ⟨ook mil.⟩, *kapitein ter zee;* – of a fire brigade *brandweercommandant;* – of industry *grootindustrieel* ● ⟨luchtv.⟩ *gezagvoerder* ● ⟨sport⟩ *aanvoerder, captain.*
2 captain ⟨ww⟩ ● *leiden, de aanvoerder zijn van.*
caption ['kæpʃn] ● *titel, hoofd* ● *onderschrift, bijschrift* ⟨v. illustratie⟩.
captivate ['kæptɪveɪt] ● *boeien, fascineren.*
1 captive ['kæptɪv] ⟨zn⟩ ● *gevangene,* ⟨ihb.⟩ *krijgsgevangene.*
2 captive ⟨bn⟩ ● *gevangen,* ⟨fig.⟩ *geketend;* hold s.o. – *iem. gevangen houden;* be taken – *gevangengenomen worden.* **captivity** [kæp'tɪvəti] ● *gevangenschap,* ⟨ihb.⟩ *krijgsgevangenschap.*
captor ['kæptə] ● *overweldiger, veroveraar.*
1 capture ['kæptʃə] I ⟨telb zn⟩ ● *vangst, buit, prijs* II ⟨telb en n-telb zn⟩ ● *gevangenneming, inbezitneming.*
2 capture ⟨ww⟩ ● *vangen, gevangennemen,* ⟨fig.⟩ *boeien* ● ⟨com.⟩ *vastleggen, schieten* ● *buitmaken, veroveren.*
car [kɑ:] ● *auto, wagen;* by – *met de auto* ● *rijtuig,* ⟨AE ihb.⟩ *(spoorweg)wagon, tram(wagen)* ● *gondel* ⟨v. luchtschip, kabelbaan⟩.
carafe [kə'ræf, kə'rɑ:f] ● *karaf.*
caramel ['kærəməl, -mel] ● *karamel.*

carat ['kærət] ● *karaat.*
caravan ['kærəvæn] ● *karavaan* ● *woonwagen, kermiswagen* ● ⟨BE⟩ *caravan, kampeerwagen.* **caravanning** ['kærəvænɪŋ] ⟨BE⟩ ● *het trekken met de caravan.*
carbine ['kɑ:baɪn] ● *karabijn.*
'car bomb ● *bomauto.*
carbon ['kɑ:bən] I ⟨telb zn⟩ ● *doorslag* ● *(velletje) carbon(papier)* II ⟨n-telb zn⟩ ● *koolstof.* **carbonated** ['kɑ:bəneɪtɪd] ● *koolzuurhoudend;* – water *soda/spuitwater.* **'carbon 'copy** ● *doorslag* ● *evenbeeld.* **'carbon mo'noxide** ● *koolmonoxide, kolendamp.* **'carbon paper** ● *carbon(papier).*
carbuncle ['kɑ:bʌŋkl] ● *(steen)puist, karbonkel.*
carburettor ['kɑ:bju'retə,-bə-] ● *carburator.*
carcass ['kɑ:kəs] ● *karkas* ⟨v. geslacht dier⟩ ● *lijk* ● ⟨scherts⟩ *lijf.*
1 card [kɑ:d] ⟨zn⟩ ● *kaart* ● ⟨mv.⟩ *kaartspel;* play –s *kaarten* ● ⟨mv.⟩ ⟨BE; ↓⟩ *werknemerspapieren* ● *programma* ⟨ihb. v. sportwedstrijd⟩ ● *(wol)kaarde* ‖ have a – up one's sleeve *(nog) iets achter de hand hebben;* put (all) one's –s on the table *open kaart spelen;* ↓ it's ⟨BE⟩ on/ ⟨AE⟩ in the –s *het zit er in;* zie ook ⟨sprw.⟩ LUCKY.
2 card ⟨ww⟩ ● *kaarden* ⟨wol⟩.
1 'cardboard ⟨zn⟩ ● *karton.*
2 cardboard ⟨bn⟩ ● *kartonnen* ● *onecht, clichématig.*
'card game ● *kaartspel.* **'cardholder** ● *bezitter v. creditcard.*
cardiac ['kɑ:diæk] ⟨med.⟩ ● *hart-;* – arrest *hartstilstand.*
cardigan ['kɑ:dɪgən] ● *gebreid vestje/jasje.*
1 cardinal ['kɑ:dnəl] ⟨zn⟩ ● *kardinaal.*
2 cardinal ⟨bn⟩ ● *kardinaal, fundamenteel;* – idea *centrale gedachte;* – number *hoofdtelwoord* ● *kardinaalrood.*
'card index ● *kaartsysteem.*
cardiogram ['kɑ:dɪəgræm] ● *cardiogram, E.C.G.* **cardiologist** ['kɑ:dɪ'ɒlədʒɪst] ● *cardioloog, hartspecialist.*
'card punch, ⟨AE ook⟩ **'card key** ● *(kaart) ponsmachine.* **'cardsharp(er)** ● *(oneerlijke) broodkaarter.* **'card table** ● *speeltafel(tje).*
1 care [keə] ⟨zn⟩ ● *zorg; free from* –(s) *zonder zorgen* ● *zorg(vuldigheid);* take – *opletten;* take – and see you next week *tot over een week en hou je taai;* handle with – *(pas op,) breekbaar!* ● *verantwoordelijkheid, zorg;* take – of *zorgen voor; af/behandelen; onder zijn hoede nemen;* ⟨sl.⟩ *uit de weg ruimen;* take – to *ervoor zorgen dat;* leave in the – of *toevertrouwen aan*

de zorg van; – of *per adres* ‖ zie ook ⟨sprw.⟩ PENNY.

2 care I ⟨onov ww⟩ ● *erom geven, zich erom bekommeren; well, who –s? nou, en?; wat zou het?;* do you – much about going? *moet jij er nou zo nodig heen?;* for all I – *wat mij betreft* ● *bezwaar hebben;* I won't – if you take my bike *je mag best mijn fiets nemen;* I don't – if you do *mij best;* zie CARE FOR **II** ⟨ov ww⟩ ● *(graag) willen, bereid zijn te;* if only they would – to listen *als ze maar eens de moeite namen om te luisteren* ● *zich bekommeren om, geven om;* he doesn't – a damn *het interesseert hem geen barst;* I couldn't – less *het zal me een zorg zijn.*

careen [kəˈriːn] I ⟨onov ww⟩ ⟨AE⟩ ● *voortdenderen, voortrazen* **II** ⟨onov en ov ww⟩ ● *overhellen.*

1 career [kəˈrɪə] ⟨zn⟩ ● *carrière, (succesvolle) loopbaan* ● ⟨ook attr⟩ *beroep; –* diplomat *carrièrediplomaat; –s* master/mistress *schooldecaan* ● *(grote) vaart;* at/in full – *in volle vaart.*

2 career ⟨ww⟩ ● *voortdenderen, voortdaveren.*

ca'reer girl ● *carrièrevrouw.* **careerist** [kəˈrɪərɪst] ⟨vaak ong.⟩ ● *carrièrejager.*

'care for ● *verzorgen* ● *zin hebben in, (graag) willen;* would you – some coffee? *wilt u (misschien) een kopje koffie?* ● *houden van;* I don't care too much for money *geld interesseert me niet zo.*

'carefree ● *onbekommerd.* **careful** [ˈkeəfl] ● *zorgzaam* ● *voor/omzichtig;* be – (about) what you say *let op je woorden* ● *zorgvuldig, nauwkeurig* ● *nauwgezet* ● *⟨+with⟩ ↓ gierig (met).* **careless** [ˈkeələs] *(-ness)* ● *achteloos, onverschillig* ● *onoplettend* ● *moeiteloos* ● *onzorgvuldig, slordig; –* drivers *roekeloze automobilisten.*

1 caress [kəˈres] ⟨zn⟩ ● *liefkozing, streling.*

2 caress ⟨ww⟩ ● *liefkozen, aanhalen;* he –ed her hair *hij streelde haar haren.* **caressing** [kəˈresɪŋ] ● *liefdevol, teder.*

caretaker [ˈkeəteɪkə] ● ⟨vnl. BE⟩ *conciërge* ● *huisbewaarder* ● *zaakwaarnemer.*

'careworn ● *afgetobd, (door zorgen) getekend.*

'carfare ⟨AE⟩ ● *bus/metro/tramgeld/tarief, ritprijs.* **'car ferry** ● *autoveer(boot/dienst).*

cargo [ˈkɑːgəʊ] ● *lading.* **'cargo boat** ● *vrachtboot.*

Caribbean [ˌkærɪˈbiːən] ● ⟨bn⟩ *Caribisch* ● ⟨zn; the⟩ *Caribisch(e) Zee/gebied.*

1 caricature [ˈkærɪkətʊə] ⟨zn⟩ ● *karikatuur, spotprent.*

2 caricature ⟨ww⟩ ● *karikaturiseren.*

caries [ˈkeəriz] ● *cariës, tandbederf;* dental – *tandbederf.*

carmine [ˈkɑːmɪn,-maɪn] ● *karm(oz)ijn(rood).*

carnage [ˈkɑːnɪdʒ] ● *slachting, bloedbad.*

carnal [ˈkɑːnl] ● *vleselijk, zinnelijk;* ⟨jur.⟩ have – knowledge with *vleselijke gemeenschap hebben met.*

carnation [kɑːˈneɪʃn] ● *anjer.*

carnival [ˈkɑːnɪvl] ● *carnaval.*

carnivore [ˈkɑːnɪvɔː] ● *vleeseter.* **carnivorous** [kɑːˈnɪv(ə)rəs] ● *vleesetend.*

1 carol [ˈkærəl] ⟨zn⟩ ● *lofzang, kerstlied.*

2 carol ⟨ww⟩ ● *(kerst)hymnen zingen,* ⟨ihb.⟩ *op Kerstavond langs de huizen gaan om (voor een kerstgave) te zingen.*

carouse [kəˈraʊz] ● *brassen, zwelgen, slempen.*

carousel [ˈkærəˈsel] ● ⟨AE⟩ *draaimolen* ● *(roterende) bagageband.*

1 carp [kɑːp] ⟨zn⟩ ● *karper(achtige).*

2 carp ⟨ww⟩ ⟨vaak ong.⟩ ● *zeuren, vitten;* she's always –ing at my pronunciation *ze heeft altijd wat aan te merken op mijn uitspraak.*

'car park ⟨BE⟩ ● *parkeerterrein* ● *parkeergarage.*

carpenter [ˈkɑːpɪntə] ● *timmerman.* **carpentry** [ˈkɑːpɪntri] ● *timmerwerk, timmermansambacht.*

1 carpet [ˈkɑːpɪt] ⟨zn⟩ ● *tapijt, (vloer)kleed, karpet, (trap)loper* ‖ sweep under the – *in de doofpot stoppen;* be on the – *op het matje komen; ter discussie staan.*

2 carpet ⟨ww⟩ ● *tapijtleggen, bekleden* ● ⟨vnl. BE; ↓⟩ *een uitbrander geven.*

'carpetbag ● *reistas, valies.* **'carpetbagger** ● *politiek avonturier* ⟨ihb. die zich uit opportunisme kandidaat stelt in een district waar hij zelf niet woont⟩. **carpeting** [ˈkɑːpɪtɪŋ] ● *tapijt(goed/stof).* **'carpet slipper** ● *(huis)pantoffel, slipper.* **'carpet sweeper** ● *rolveger.*

'carpool ● *autopool.* **'carport** ● *carport.*

carriage [ˈkærɪdʒ] **I** ⟨telb zn⟩ ● *rijtuig, koets,* ⟨BE; spoorwegen⟩ *(personen)wagon* ● *onderstel* ⟨v. wagen⟩ ● *slede, (schrijfmachine)wagen* **II** ⟨telb en n-telb zn⟩ ● *(lichaams)houding* **III** ⟨n-telb zn⟩ ● *vervoer, transport* ● *vracht(prijs)* ● *aanneming* ⟨v. motie⟩.

'carriageway ⟨BE⟩ ● *rijweg/baan.*

carrier [ˈkærɪə] ● *(ben. voor) vervoerder v. goederen of reizigers, expediteur, vrachtvaarder, expeditiebedrijf* ● ⟨med.⟩ *drager* ● *bagagedrager* ● ⟨mil.⟩ *vervoermiddel voor mensen en materieel,* ⟨ihb.⟩ *vliegdekschip.* **'carrier bag** ● *draagtas.* **'carrier**

pigeon ●*postduif.*
carrion ['kærɪən] ●*aas, kadaver.*
carrot ['kærət] ●*peen,* ⟨als groente⟩ *worteltjes* ●⟨fig.; ↓⟩ *lokmiddel.* **carroty** ['kærətɪ] ●*rood(harig).*
carry ['kærɪ] **I** ⟨onov ww⟩ ●*dragen, reiken* ⟨bv. v. stem⟩; *this rifle carries far dit geweer draagt ver;* zie CARRY ON **II** ⟨ov ww⟩ ●*vervoeren, transporteren, (over)brengen, (mee)dragen, steunen, (met zich) (mee) voeren, bij zich hebben,* ⟨nat.⟩ *(ge)leiden; my brother carries the whole department de hele afdeling draait op mijn broer; such a crime carries a severe punishment op zo'n misdaad staat een strenge straf; diseases carried by insects ziekten door insekten overgebracht;* – *a motion een motie steunen;* ↓ *the firm will* – *you until your illness is over de zaak springt bij tot je weer beter bent; the loan carries an interest de lening is rentedragend; he carried the news to everyone in the family hij ging de hele familie af met het nieuwtje; Joan carries herself like a model Joan gedraagt zich als een mannequin;* – *about all the time voortdurend meeslepen;* – *in effect ten uitvoer brengen* ●*zwanger zijn van* ●*veroveren, in de wacht slepen;* – *one's motion zijn motie erdoor krijgen; the soldiers carried the enemy's position de soldaten namen de vijandelijke stelling stormenderhand in; he carried his audience with him hij nam het publiek (sterk) voor zich in* ●*met zich meebrengen, impliceren* ●*in het assortiment hebben* ●*(kunnen) bevatten; this field can* – *up to 25 sheep op dit land kunnen hoogstens 25 schapen grazen;* the report carried several suggestions *het rapport bevatte diverse suggesties* ‖ – *all/everything before one in ieder opzicht slagen;* – *too far overdrijven;* zie CARRY AWAY, CARRY BACK, CARRY FORWARD, CARRY OFF, CARRY ON, CARRY OUT, CARRY OVER, CARRY THROUGH.
carryall ['kærɔːl] ●⟨AE⟩ *weekendtas, reistas.*
'**carry a'way** ●*meesleuren, meeslepen* ●*wegdragen.* '**carry 'back** ●*doen (terug) denken aan, terugvoeren.* '**carrycot** ⟨vnl. BE⟩ ●*reiswieg.* '**carry 'forward** ⟨boekhouden⟩ *transporteren* ●*vorderen met* ⟨werk bv.⟩, *voortzetten.* **carryings-on** ['kærɪɪŋz 'ɒn] ↓ ●*(bedenkelijke) streken.* '**carry 'off** ●*winnen, in de wacht slepen* ●*wegvoeren, er vandoor gaan met* ‖ I managed to carry it off *ik heb me eruit weten te redden.* '**carry 'on I** ⟨onov ww⟩ ●*doorgaan, zijn gang gaan, doorzetten* ●↓ *te-*

keergaan ●⟨ ↓ ; vaak ong.⟩ *het houden/het aanleggen met (elkaar)* **II** ⟨ov ww⟩ ●*voortzetten, volhouden;* – the good work! *hou vol!;* – talking *doorpraten* ●*(uit)voeren, drijven;* it's hard to – the business *het valt niet mee om de zaak draaiende te houden* ●*voeren* ⟨oorlog, proces e.d.⟩. '**carry-on** ●*aanstellerij.* '**carry 'out** ●*uitvoeren, volbrengen.* '**carry-out** ⟨AE, Sch. E⟩ ●*om mee te nemen;* – restaurant *afhaalrestaurant.* '**carry 'over** ●zie CARRY FORWARD ● *verdagen.* '**carry-over** ⟨hand.⟩ *rescontre* ●⟨boekhouden⟩ *transport.* '**carry 'through** ●*erdoor helpen* ●*uitvoeren, realiseren.*
'**carsick** ⟨-ness⟩ ●*wagenziek.*
1 cart [kɑːt] ⟨zn⟩ ●*kar* ‖ put the – before the horse *het paard achter de wagen spannen.*
2 cart ⟨ww⟩ ●*vervoeren in een kar, binnenhalen* ⟨bv. oogst⟩.
carte blanche ['kɑːt 'blɑːnʃ] ●*carte blanche, blanco/onbeperkte volmacht.*
cartel [kɑːˈtel] ●*kartel.*
carter ['kɑːtə] ●*voerman.* '**cart horse** ●*karrepaard, trekpaard.*
cartilage ['kɑːtɪlɪdʒ] ●*kraakbeen.*
'**cartload** ●*karrevracht.*
carton ['kɑːtn] ●*kartonnen doos;* a – of cigarettes *een slof sigaretten.*
cartoon [kɑːˈtuːn] ●*(politieke) spotprent* ● *strip(verhaal)* ●*tekenfilm.* **cartoonist** [kɑːˈtuːnɪst] ●*cartoonist, karikatuur/striptekenaar.*
cartridge ['kɑːtrɪdʒ] ●*patroon* ●*verwisselbaar pick-up element* ●*vulling, cassette, inktpatroon.*
'**cart track** ●*karrespoor.* '**cartwheel** ●*karrewiel* ●*radslag;* turn –s *radslagen maken.*
carve [kɑːv] **I** ⟨onov ww⟩ ●*beeldhouwen* **II** ⟨onov en ov ww⟩ ●*voorsnijden* ⟨vlees, gevogelte e.d.⟩; zie CARVE UP **III** ⟨ov ww⟩ ● *kerven, graveren/beeldhouwen in, splijten;* – from marble *uit marmer houwen;* – wood into a figure *uit hout een figuur snijden;* zie CARVE OUT. '**carve 'out** ●*uitsnijden, (uit)houwen* ●*bevechten, zich veroveren;* he carved out a name for himself *hij heeft zich met veel moeite een naam opgebouwd.* **carver** ['kɑːvə] ●*beeldhouwer, graveur, houtsnijder* ●*voorsnijder* ●*voorsnijmes.* '**carve 'up** ●↓ *opdelen* ● ⟨sl.⟩ *een jaap bezorgen.*
carving ['kɑːvɪŋ] ●*sculptuur, beeld(houwwerk).*
'**carving fork** ●*voorsnijvork.* '**carving knife** ●*voorsnijmes.*
'**car-wash** ⟨vnl. AE⟩ ●*autowasplaats.*

1 cascade [kæˈskeɪd] ⟨zn⟩ ●*kleine waterval;* a – of curls *een waterval v. krullen.*

2 cascade ⟨ww⟩ ●*vallen (als) in een waterval, draperen.*

1 case [keɪs] I ⟨telb zn⟩ ●*geval, zaak, stand v. zaken, patiënt, ziektegeval;* in – *voor het geval dat;* ⟨vnl. AE⟩ *indien;* (just) in – *voor het geval dat;* in – of *in geval van;* in any/ no – *in elk/geen geval;* it's (not) the – *het is (niet) waar/het geval;* in this – *in dit geval;* as the – may be *afhankelijk v.d. omstandigheden* ●*argumenten, bewijs(materiaal);* make (out) one's – *aantonen dat men gelijk heeft* ●⟨jur.⟩ *(rechts)zaak* ● ⟨ben. voor⟩ *omhulsel, doos, kist, tas(je), schede, koker, huls, mantel, etui, kast* ⟨v. horloge, piano; voor boeken enz.⟩*, trommel, bus,* ⟨plantk.⟩ *zaadhuisje* II ⟨telb en n-telb zn⟩ ⟨taal.⟩ ●*naamval.*

2 case ⟨ww⟩ ●*voorzien v.e. omhulsel/doos, insluiten, vatten* ●⟨sl.⟩ *verkennen* ⟨gebouw vòòr beroving⟩.

ˈ**casebook** ●*register v. behandelde gevallen* ⟨door arts, jurist e.d.⟩. ˈ**casebook example** ●*schoolvoorbeeld.* ˈ**case ˈhistory** ●*voorgeschiedenis,* ⟨med.⟩ *ziektegeschiedenis.* ˈ**case study** ⟨soc.⟩ ●*case-study, gevalsanalyse.* ˈ**casework** ●*(individueel) maatschappelijk werk.*

1 cash [kæʃ] ⟨zn⟩ ●*contant geld, contanten,* ↓ *geld;* – on delivery *(onder) rembours;* hard – *contantgeld;* pay in – *contant betalen;* – down *(à) contant;* (be) short of – *krap (bij kas)(zitten).*

2 cash I ⟨onov ww⟩ zie CASH IN II ⟨ov ww⟩ ● *omwisselen in contanten* ⟨cheques e.d.⟩*, verzilveren.*

ˈ**cash-and-ˈcarry (store)** ●*cash and carry(bedrijf).* ˈ**cash crop** ●*marktgewas.* ˈ**cash desk** ●*kassa.* ˈ**cash ˈdiscount** ●*korting* ⟨bij vlotte betaling⟩. ˈ**cash dispenser** ● *geldautomaat.*

cashew [ˈkæʃuː] ●*cashewnoot.*

cashier [kæˈʃɪə] ●*kassier* ●*caissière.*

ˈ**cash ˈin** ↓ ‖ – on *munt/een slaatje slaan uit.*

cashmere [ˈkæʃmɪə] ●*kasjmier* ⟨wol⟩.

cashpoint [ˈkæʃpɔɪnt], ⟨AE ook⟩ **cashomat** [ˈkæʃəmæt] ●*geldautomaat.* ˈ**cash price** ● *prijs bij contante betaling.* ˈ**cash register** ●*kasregister, kassa.*

casing [ˈkeɪsɪŋ] ●*omhulsel, doos,* ⟨ihb.⟩ *vulcanisatielaag* ⟨v. autoband⟩, ⟨tech.⟩ *bekisting* ●*kozijn.*

casino [kəˈsiːnoʊ] ●*casino, gokpaleis.*

cask [kɑːsk] ●*vat.*

casket [ˈkɑːskɪt] ● *(juwelen)kistje, cassette* ● ⟨AE⟩ *dood(s)kist.*

casserole [ˈkæsəroʊl] ●*stoofpan* ●*stoof-*

schotel.

cassette [kəˈset] ●*cassette.* **casˈsette deck** ●*cassettedeck.* **casˈsette recorder** ●*cassetterecorder.*

cassock [ˈkæsək] ●*soutane, toog.*

1 cast [kɑːst] ⟨zn⟩ ●*worp, gooi* ●(ben. voor⟩ *iets wat geworpen wordt* ●*gietvorm, model, afdruk* ●*gipsverband* ● *zweem(pje)* ●*hoedanigheid;* – of mind *geestesgesteldheid* ●*bezetting* ⟨v. film e.d.⟩*, rolverdeling.*

2 cast ⟨cast, cast [kɑːst]⟩ I ⟨onov ww⟩; zie CAST ABOUT/AROUND II ⟨onov en ov ww⟩ ● *(be/uit)rekenen, trekken* ⟨horoscoop⟩; zie CAST OFF, CAST ON, CAST UP III ⟨ov ww⟩ ● ⟨ben. voor⟩ *werpen, (van zich) afwerpen, weggooien, uitgooien, laten vallen, afwerpen* ⟨huid v. dier⟩*, neerkwakken;* they – their nets into the sea *zij wierpen hun netten uit in zee* ●*kiezen* ⟨acteurs⟩*, (de) rol(len) toedelen aan* ●*gieten* ⟨metalen; ook fig.⟩; zie CAST ASIDE, CAST AWAY, CAST DOWN, CAST OFF, CAST OUT, CAST UP.

ˈ**cast aˈbout**, ˈ**cast aˈround** ●*(naarstig) zoeken;* – for an excuse *koortsachtig naar een excuus zoeken.*

castanet [ˈkæstəˈnet] ●*castagnet.*

ˈ**cast aˈside** ●*afdanken, aan de kant zetten.*

castaway [ˈkɑːstəweɪ] ●*schipbreukeling.*

cast aˈway ●*weggooien;* – one's life *zijn leven vergooien* ‖ be – *(moederziel) alleen achterblijven;* ⟨ihb. na een schipbreuk⟩ *aanspoelen* ⟨op een onbewoond eiland⟩.

ˈ**cast ˈdown** ●*droevig stemmen;* ⟨volt. deelw.⟩ – *terneergeslagen* ●*neerslaan* ⟨ogen⟩.

caste [kɑːst] ⟨ook attr⟩ ●*kaste* ●*kastenstelsel* ●*sociale status;* lose – *in aanzien dalen.*

castellated [ˈkæstɪleɪtɪd] ●*kasteelachtig* ● *gekanteeld.*

caster [ˈkɑːstə] ●zie CASTOR.

caster sugar ●*poedersuiker.*

castigate [ˈkæstɪgeɪt] ●*kastijden* ●*hekelen.*

casting [ˈkɑːstɪŋ] I ⟨telb zn⟩ ●*gietstuk, gietsel* II ⟨n-telb zn⟩ ●*het kiezen v. acteurs voor een rol.*

ˈ**casting ˈvote** ●*beslissende stem.*

ˈ**cast ˈiron** ●*gietijzer.* ˈ**cast-ˈiron** ●*gietijzeren* ●*ijzersterk;* a – constitution *een ijzeren gestel.*

castle [ˈkɑːsl] ●*kasteel, slot* ●⟨schaken⟩ *toren* ‖ build –s in the air *luchtkastelen bouwen;* zie ook ⟨sprw.⟩ ENGLISHMAN.

ˈ**castoffs** ●*afdankertjes, afgedankte kledingstukken.* ˈ**cast ˈoff** I ⟨onov en ov ww⟩ ●*(de trossen) losgooien* ●⟨breien⟩ *minderen* II ⟨ov ww⟩ ●*van zich werpen, weggooien*

⟨kleren⟩ ●*afdanken, aan de kant zetten.*
'cast-'off ●*afgedankt, weggegooid.* **'cast**
'on ●*(breiwerk/steken) opzetten.*
castor, caster ['kɑ:stə] ●*strooier, strooibus*
●*zwenkwieltje* ⟨v. meubilair⟩.
'castor 'oil ●*wonderolie.*
'castor sugar ●*poedersuiker.*
'cast 'out ⟨meestal pass.⟩ ●*verstoten, ver-*
jagen, uitdrijven.
castrate [kæ'streɪt] ●*castreren.*
'cast 'up ●*doen aanspoelen, aan land wer-*
pen.
1 casual ['kæʒʊəl] ⟨zn⟩ ●⟨mv.⟩ *vrijetijdskle-*
ding ●*tijdelijke (arbeids)kracht.*
2 casual ⟨bn⟩ ●*toevallig* ●*ongeregeld, on-*
systematisch; – labour tijdelijk werk; – labourer *los werkman* ●*terloops, onwille-*
keurig; a – glance *een vluchtige blik* ●*non-*
chalant, ongeïnteresseerd ●*informeel; –*
clothes *vrijetijdskleding* ●*oppervlakkig;* a
– acquaintance *een oppervlakkige kennis.*
casualty ['kæʒʊəltɪ] ●⟨vnl. mv.⟩ *slachtoffer,*
gesneuvelde, gewonde; three serious casualties *drie personen ernstig gewond;*
suffer heavy casualties *zware verliezen lij-*
den. **'casualty list** ●*verlieslijst.* **'casualty**
ward ●*(afdeling) eerste hulp* ⟨v. zieken-
huis⟩.
cat [kæt] ●*kat* ‖ let the – out of the bag *uit de*
school klappen ⟨vnl. onbedoeld⟩; rain –s
and dogs *pijpestelen regenen;* ⟨put⟩ a –
among the pigeons *een knuppel in het*
hoenderhok (werpen); ⟨sprw.⟩ when the
cat's away (the mice will play) *als de kat*
van huis is, dansen de muizen op tafel; zie
ook ⟨sprw.⟩ CURIOSITY.
cataclysm ['kætəklɪzm] ●*cataclysme, ramp,*
onheil.
catacomb ['kætəku:m] ⟨vnl. mv.⟩ ●*cata-*
combe.
1 catalogue ['kætəlɒg] ⟨zn⟩ ●*catalogus.*
2 catalogue ⟨ww⟩ ●*catalogiseren.*
catalyst ['kætəlɪst] ●*katalysator* ⟨ook fig.⟩.
1 catapult ['kætəpʌlt] ⟨zn⟩ ●*katapult,* ⟨BE⟩
kattepult ⟨speelgoed⟩.
2 catapult I ⟨onov ww⟩ ●*afgeschoten wor-*
den II ⟨ov ww⟩ ●*met een katapult (be)*
schieten, ⟨mil.⟩ *lanceren met een kata-*
pult(inrichting)⟨vliegtuig⟩; the driver was
–ed through the window *de chauffeur*
werd door de ruit geslingerd.
cataract ['kætərækt] I ⟨telb zn⟩ ●*waterval* II
⟨telb en n-telb zn⟩ ⟨med.⟩ ●*grauwe staar.*
catarrh [kə'tɑ:] ●*slijmvliesontsteking, catar-*
re.
catastrophe [kə'tæstrəfi] ●*catastrofe, ramp,*
calamiteit. **catastrophic** ['kætə'strɒfɪk] ●
catastrofaal, rampzalig.

'cat burglar ⟨BE⟩ ●*geveltoerist.*
1 'catcall ⟨zn⟩ ●*fluitconcert, (afkeurend) ge-*
joel.
2 catcall ⟨ww⟩ ●*uitfluiten, weghonen.*
1 catch [kætʃ] I ⟨telb zn⟩ ●*het vangen* ●
vangst, buit, aanwinst, ⟨ihb.⟩ *visvangst;* ⟨
↓, ihb. mbt. huwelijk⟩ a good – *een goede*
partij ●*vangbal* ●*houvast, greep* ●*hape-*
ring ⟨v. stem e.d.⟩ ● ↓ *addertje onder het*
gras, valstrik ●*vergrendeling, pal, klink* II
⟨n-telb zn⟩ ●*overgooien* ⟨balspel⟩.
2 catch ⟨caught, caught [kɔ:t]⟩ I ⟨onov ww⟩
●*vlam vatten* ●*zich verspreiden* ⟨v. ziek-
te⟩ ●*blijven haken/zitten* ‖ – at any opportunity *iedere gelegenheid aangrijpen;* zie
CATCH ON, CATCH UP II ⟨ov ww⟩ ●*(op)van-*
gen, pakken, grijpen; I caught my thumb
in the car door *ik ben met mijn duim tus-*
sen het portier gekomen; – one's foot on
sth. *met zijn voet ergens achter blijven ha-*
ken ●*betrappen;* caught in the act *op he-*
terdaad betrapt; ⟨iron.⟩ – me! *ik kijk wel*
uit! ●*inhalen* ●*halen* ⟨bv. trein, bus⟩ ●*op-*
lopen, krijgen ⟨ziekte⟩; – (a) cold *kou vat-*
ten ●*slaan, een klap geven;* ⟨sl.⟩ she
caught him a blow *ze gaf hem een klap* ●
trekken ⟨aandacht e.d.⟩; – s.o.'s attention
iemands aandacht trekken/wekken ●*op-*
vangen, (kunnen) ontvangen, zien ⟨radio/
t.v.-uitzending, film e.d.⟩; – a glimpse of
een glimp opvangen van ●*(plotseling) in-*
houden; he caught his breath from fear
van angst stokte zijn adem ●*verstaan,*
(kunnen) volgen; I didn't quite – what you
said *ik verstond je niet goed* ‖ ↓ – it *de wind*
van voren krijgen; zie ook ⟨sprw.⟩ EARLY,
THIEF; zie CATCH OUT, CATCH UP.
catcher ['kætʃə] ●*vanger* ⟨ihb. honkbal⟩.
catching ['kætʃɪŋ] ●*besmettelijk* ●
boeiend, pakkend. **'catchment area** ●
rayon, regio, verzorgingsgebied. **'catch-**
ment basin ●*stroomgebied.* **'catch 'on** ↓
●*aanslaan, ingang vinden* ●*doorhebben,*
snappen. **'catch 'out** ●*betrappen.* **'catch-**
phrase ●*cliché(uitdrukking), kreet.* **'catch**
'up I ⟨onov ww⟩ ● ↓ *een achterstand weg-*
werken/inlopen; – on neglected subjects
verwaarloosde vakken weer ophalen ●
(weer) bij raken II ⟨onov en ov ww⟩ ● ↓ *in-*
halen; – with s.o. *iem. inhalen* ‖ be caught
up in *verwikkeld zijn in.* **'catchword** ●*fra-*
se, kreet, ⟨ihb.⟩ *partijleus.* **catchy** ['kætʃi]
●*pakkend, boeiend* ●*gemakkelijk te ont-*
houden, goed in het gehoor liggend ⟨v.
muziek e.d.⟩.
catechism ['kætɪkɪzm] ●*catechismus.*
categorical ['kætɪ'gɒrɪkl] ●*categorisch, on-*
voorwaardelijk. **categorize** ['kætɪgəraɪz]

●*categoriseren.* **category** [ˈkætɪgri] ●*categorie, groep.*

cater [ˈkeɪtə] ●*maaltijden verzorgen/leveren (bij);* zie CATER FOR, CATER TO. **caterer** [ˈkeɪtərə] ●*catering-bedrijf.* '**cater for** ⟨BE⟩ ●*maaltijden verzorgen/leveren* ● *zich richten op, bedienen;* a play centre catering for children *een speeltuin die vertier biedt aan kinderen.* **catering** [ˈkeɪtrɪŋ] ●*catering, receptie/dinerverzorging.*

caterpillar [ˈkætəpɪlə] ●*rups* ●*rupsband.* '**caterpillar tractor** ●*rupsbandtractor.*

'**cater to** ⟨AE; BE vaak ong.⟩ ●*inspelen/inhaken op, tegemoetkomen aan.*

1 caterwaul [ˈkætəwɔːl] ⟨zn⟩ ●*kattegejank.*

2 caterwaul ⟨ww⟩ ●*krollen, janken (als een krolse kat).*

'**catgut** ●*kattedarm* ⟨als snaar of medisch hechtdraad⟩, *darmsnaar.*

cathedral [kəˈθiːdrəl] ●*kathedraal.*

cathode [ˈkæθoʊd] ●*kathode, negatieve elektrode/pool.*

catholic ⟨-ally⟩ ●⟨C-⟩ *katholiek* ●*algemeen, (al)omvattend;* a man of – tastes *een man met een brede belangstelling* ●*ruimdenkend.*

Catholic [ˈkæθlɪk] ●*katholiek.*

catholicism [kəˈθɒlɪsɪzm] ⟨meestal C-⟩ ●*Katholicisme.*

catkin [ˈkætkɪn] ●*katje;* –s of the willow *wilgekatjes.*

'**catnap** ↓ ●*hazeslaapje, tukje.*

cat-o'-nine-tails [ˈkætəˈnaɪnteɪlz] ●*kat met negen staarten, gesel.*

'**cat's-eye** ●*kat(te)oog* ⟨reflector⟩.

'**cat suit** ●*jumpsuit, bodystocking.*

cattle [ˈkætl] ●*(rund)vee.* '**cattle-breeder** ● *veefokker.* '**cattle cake** ●*veekoek.* '**cattle grid** ●*wildrooster.*

catty [ˈkæti] ●*kattig.* '**catwalk** ●*richel, smal looppad* ⟨langs brug, machine enz.⟩ ● *lang, smal podium* ⟨voor modeshows enz.⟩.

caucus [ˈkɔːkəs] ⟨pol.; soms ong.⟩ ●⟨vnl. AE⟩ *(besloten) verkiezingsbijeenkomst v. partijleden* ⟨beslist over politiek en kandidaten⟩ ●⟨vnl. BE⟩ *(plaatselijke) partijorganisatie.*

caught ⟨verl. t. en volt. deelw.⟩ zie CATCH.

cauldron [ˈkɔːldrən] ●*ketel.*

cauliflower [ˈkɒlɪflaʊə] ●*bloemkool.*

causal [ˈkɔːzl] ●*oorzakelijk;* – connection *causaal verband.* **causality** [kɔːˈzæləti] ● *causaliteit.* **causative** [ˈkɔːzətɪv] ●*veroorzakend.*

1 cause [kɔːz] ⟨zn⟩ ●*oorzaak* ●*reden, beweegreden;* no – for alarm *geen reden voor ongerustheid* ●*zaak;* make common – with s.o. *gemene zaak maken met iem.;* work for a good – *voor een goed doel werken;* plead one's – *zijn zaak bepleiten.*

2 cause ⟨ww⟩ ●*veroorzaken, ertoe brengen;* it –d him to stop *het deed hem ophouden.*

causeway [ˈkɔːzweɪ] ●*verhoogde weg* ●*geplaveide weg.*

caustic [ˈkɔːstɪk] ●*brandend* ●*bijtend, sarcastisch.*

1 caution [ˈkɔːʃn] **I** ⟨telb zn⟩ ●*waarschuwing* ●*berisping* **II** ⟨n-telb zn⟩ ●*voorzichtigheid, behoedzaamheid* ‖ –! *voorzichtig!.*

2 caution ⟨ww⟩ ●*waarschuwen* ●*berispen.*

cautionary [ˈkɔːʃənri] ●*waarschuwend.*

cautious [ˈkɔːʃəs] ●*voorzichtig, behoedzaam.*

cavalcade [ˈkævlˈkeɪd] ●*optocht* ⟨v. ruiters/koetsen⟩.

cavalier [ˈkævəˈlɪə] ●*hooghartig, arrogant* ● *nonchalant, achteloos.*

cavalry [ˈkævlri] ●*cavalerie,* ⟨oorspr.⟩ *ruiterij.* '**cavalryman** ●*cavalerist.*

1 cave [keɪv] ⟨zn⟩ ●*hol, grot.*

2 cave ⟨ww⟩ ●*uithollen;* zie CAVE IN.

'**cave-dweller** ●*holbewoner, holemens.*

'**cave 'in I** ⟨onov ww⟩ ●*instorten, inzakken* ● ↓ *zwichten, (onder druk) toegeven* **II** ⟨ov ww⟩ ●*doen instorten.*

'**cave-in** ●*instorting, verzakking.*

'**caveman** ●*holbewoner, holemens* ●⟨↓; bel.⟩ *bruut.*

cavern [ˈkævən] ●*spelonk, diepe grot, hol.* **cavernous** [ˈkævənəs] ●*vol grotten* ●*spelonkachtig, hol en donker.*

caviar(e) [ˈkæviɑː] ●*kaviaar.*

cavil [ˈkævl] ●⟨+at⟩ *vitten (op), spijkers op laag water zoeken.*

cavity [ˈkævəti] ●*holte* ●*gaatje;* dental – *gaatje in tand/kies.* '**cavity wall** ●*spouwmuur.*

cavort [kəˈvɔːt] ↓ ●*(rond)springen.*

1 caw [kɔː] ⟨zn⟩ ●*gekras* ⟨(als) v.e. raaf⟩.

2 caw ⟨ww⟩ ●*krassen* ⟨als een raaf⟩.

cayenne [ˈkeɪˈen] ●*cayennepeper.*

CD ⟨afk.⟩ ●*compact disc CD.*

1 cease [siːs] ⟨zn⟩ ‖ without – *onophoudelijk.*

2 cease ↑ **I** ⟨onov ww⟩ ●*ophouden, stoppen* ‖ zie ook ⟨sprw.⟩ WONDER **II** ⟨ov ww⟩ ● *beëindigen, uitscheiden met;* – fire! *staakt het vuren!;* – to exist *ophouden te bestaan.* '**cease-'fire** ●*wapenstilstand.* **ceaseless** [ˈsiːsləs] ●*onafgebroken.*

cedar [ˈsiːdə] ●*ceder.*

cede [siːd] ●*afstaan, overdragen.*

Ceefax [ˈsiːfæks] ●*teletekst* ⟨systeem door BBC gebruikt⟩.

ceiling ['si:lɪŋ] ●plafond, zoldering ●bovengrens ⟨v. lonen, prijzen e.d.⟩; – price maximum prijs ●⟨luchtv.⟩ hoogtegrens, plafond.

celebrate ['selɪbreɪt] I ⟨onov ww⟩ ●vieren II ⟨ov ww⟩ ●vieren ●prijzen, loven ●opdragen; – mass de mis celebreren. celebrated ['selɪbreɪtɪd] ●beroemd, bekend; – for its sands beroemd om zijn zandstrand. celebration ['selɪ'breɪʃn] ●viering, festiviteit.

celebrity [sɪ'lebrəti] ●beroemdheid.

celery ['seləri] ●(bleek)selderie.

celestial [sɪ'lestɪəl] ●goddelijk ●hemels; – body hemellichaam.

celibacy ['selɪbəsi] ●celibaat, het ongehuwd zijn. celibate ['selɪbət] ●⟨zn⟩ ongehuwd persoon ●⟨bn⟩ ongehuwd.

cell [sel] ●cel ⟨ook biol.⟩ ●⟨elek.⟩ batterijcel ●⟨pol.⟩ cel, groep(je).

cellar ['selə] ●kelder ●wijnkelder.

cellist ['tʃelɪst] ●cellist. cello ['tʃeləʊ] ●cello.

cellophane ['seləfeɪn] ●cellofaan.

cellular ['seljʊlə] ●cellulair; – tissue celweefsel ●celvormig ●⟨textiel⟩ luchtig, losgeweven. celluloid ['seljʊlɔɪd] ●celluloid ‖ on – op film. cellulose ['seljʊləʊs] ●cellulose.

Celt [kelt] ●Kelt. Celtic, Keltic ['keltɪk] ●Keltisch.

1 cement [sɪ'ment] ⟨zn⟩ ●cement, bindmiddel ⟨ook fig.⟩, band.

2 cement ⟨ww⟩ ●cement(er)en; cemented over met cement verhard ●vast verbinden, hard(er) maken; – a union een verbond versterken. ce'ment mixer ●betonmolen.

cemetery ['semɪtri] ●begraafplaats.

censer ['sensə] ●wierookvat.

1 censor ['sensə] ⟨zn⟩ ●censor ●zedenmeester.

2 censor ⟨ww⟩ ●censureren ●schrappen. censorious [sen'sɔ:rɪəs] ●al te kritisch, vol kritiek. censorship ['sensəʃɪp] ●ambt v. censor ●censuur.

1 censure ['senʃə] ⟨zn⟩ ●afkeuring, berisping.

2 censure ⟨ww⟩ ●afkeuren, bekritiseren; – s.o. for being late iem. berispen omdat hij te laat komt.

census ['sensəs] ●volkstelling ●(officiële) telling ⟨bv. v.h. verkeer⟩.

cent [sent] ●cent ‖ he didn't care a – het kon hem geen cent schelen; per – percent.

centenarian [sentɪ'neərɪən] ●⟨bn⟩ honderdjarig ●⟨zn⟩ honderdjarige.

1 centenary [sen'ti:nəri] ⟨zn⟩ ●eeuwfeest ● periode v. honderd jaar.

2 centenary ⟨bn⟩ ●honderdjarig.

1 centennial [sen'tenɪəl] ⟨zn⟩ ⟨vnl. AE⟩ ● eeuwfeest.

2 centennial ⟨bn⟩ ●honderdste, honderdjarig; – anniversary eeuwfeest.

centigrade ['sentɪgreɪd] ●Celsius.

centimetre ['sentɪmi:tə] ●centimeter.

centipede ['sentɪpi:d] ●duizendpoot.

central ●centraal, midden-; – heating centrale verwarming ●belangrijkst, voornaamst; – government centrale/nationale regering. centralize ['sentrəlaɪz] ⟨zn: -ization⟩ ●centraliseren.

1 centre ['sentə] ⟨zn⟩ ●midden, centrum, middelpunt ⟨ook fig.⟩, spil, as, ⟨pol.⟩ centrumpartij ●centrum, instelling ●⟨basketbal, rugby⟩ middenspeler, spil.

2 centre ⟨bn⟩ ●middel-, centraal.

3 centre I ⟨onov ww⟩ ●zich concentreren; – (up)on zich concentreren op; – (a)round als middelpunt hebben II ⟨ov ww⟩ ●in het midden plaatsen ●concentreren ●⟨tech.⟩ centreren, het middelpunt bepalen.

centrifugal ['sentri'fju:gl, sen'trɪfjʊgl] ●centrifugaal; – force middelpuntvliedende kracht. centrifuge ['sentrɪfju:dʒ] ●centrifuge. centripetal [sen'trɪpɪtl] ●centripetaal; – force middelpuntzoekende kracht.

centrist ['sentrɪst] ●⟨bn⟩ gematigd ●⟨zn⟩ gematigde, centrumpoliticus.

century ['sentʃ(ə)ri] ●eeuw ●honderdtal.

ceramic [sɪ'ræmɪk] ●keramisch. ceramics [sɪ'ræmɪks] ●keramiek, keramische produkten, pottenbakkerskunst.

cereal ['sɪərɪəl] ⟨vnl. mv.⟩ I ⟨telb zn⟩ ●graan(gewas) II ⟨telb zn⟩ ●graanprodukt ⟨vnl. bij ontbijt⟩, cornflakes ⟨enz.⟩.

cerebral ['serɪbrəl] ●hersen- ●cerebraal, te zeer verstandelijk.

1 ceremonial ['serɪ'məʊnɪəl] ⟨zn⟩ ●ceremonieel.

2 ceremonial ⟨bn⟩ ●ceremonieel, plechtig, vormelijk. ceremonious ['serɪ'məʊnɪəs] ●ceremonieus, vormelijk (beleefd). ceremony ['serɪməni] ●ceremonie ●vormelijkheid, formaliteit, vorm; stand (up)on – hechten aan de vormen; without – informeel.

cert [sə:t] ⟨BE; ↓⟩ ●⟨verk.⟩ certainty iets dat zeker zal gebeuren; it's a dead – that he'll come hij komt vast en zeker.

1 certain ['sə:tn] I ⟨bn, attr en pred⟩ ‖ for – (vast en) zeker II ⟨bn, attr⟩ ●zeker, bepaald; a – Mr Jones ene meneer Jones III ⟨bn, pred⟩ ●zeker, overtuigd; make – (that) zich ervan vergewissen (dat); be – of success van succes verzekerd zijn ●zeker, vaststaand; he is – to come hij komt be-

slist.

2 certain ['sə:tn] ⟨vnw⟩ ● *sommige(n); – of his friends enkele van zijn vrienden.* **certainly** ['sə:tnli] ● *zeker, ongetwijfeld, beslist* ‖ – *not! onder geen beding!.* **certainty** ['sə:tnti] ● *zekerheid;* for a – *zonder enige twijfel;* it is a – *that ... het staat vast dat ....*

certifiable ['sə:tɪ'faɪəbl] ● *certificeerbaar* ● ⟨BE; ↓⟩ *rijp voor het gekkenhuis.*

certificate [sə'tɪfɪkət] ● *certificaat* ⟨vnl. jur.⟩, *getuigschrift; –* of birth *geboorteakte; –* of (moral) conduct *getuigschrift v. goed (zedelijk) gedrag;* Certificate of Secondary Education, ⟨vaak als⟩ CSE *middelbareschooldiploma;* ⟨ongeveer⟩ *mavo-diploma;* General Certificate of Education, ⟨vaak als⟩ GCE *middelbare-schooldiploma;* ⟨ongeveer⟩ *havo/vwo-diploma;* ⟨sinds 1987⟩ General Certificate of Secondary Education, ⟨vaak als⟩ GCSE *middelbare-schooldiploma* ⟨ongeveer samenvoeging van havo en mavo-diploma⟩; – of (good) health *gezondheidsverklaring; –* of marriage *(afschrift v.) huwelijksakte;* ⟨ongeveer⟩ *trouwboekje.*

certified ['sə:tɪfaɪd] ● *schriftelijk gegarandeerd, officieel (verklaard); –* copy *eensluidend afschrift* ● *gediplomeerd, bevoegd.* **certify** ['sə:tɪfaɪ] ● *(officieel) verklaren, attesteren, certificeren; –* s.o.'s death *iemands dood (officieel) vaststellen;* this is to – that ... *met dezen verklaart ondergetekende dat ...* ● ⟨AE⟩ *een certificaat verlenen aan, diplomeren* ● ⟨BE; ↓⟩ *officieel krankzinnig verklaren.*

certitude ['sə:tɪtju:d] ● *zekerheid.*

cessation [se'seɪʃn] ● *beëindiging* ⟨ook tijdelijk⟩, *het staken.*

'cesspit, 'cesspool ● *beerput, zinkput* ● *poel* ⟨ook fig.⟩.

1 chafe [tʃeɪf] ⟨zn⟩ ● *pijnlijke/ruwe plek, schaafwond* ● *ergernis;* in a – *geërgerd.*

2 chafe I ⟨onov ww⟩ ● *schuren, pijnlijk zijn (door schuren)* ● *zich ergeren;* – at/under *zich opwinden over* II ⟨ov ww⟩ ● *warm wrijven* ● *schuren, (open)schaven* ● *ergeren, irriteren.*

1 chaff [tʃɑ:f] ⟨zn⟩ ● *kaf* ⟨ook fig.⟩ ● *haksel* ● *(goedmoedige) plagerij.*

2 chaff ⟨ww⟩ ● *plagen.*

1 chagrin ['ʃægrɪn] ⟨zn⟩ ● *verdriet, boosheid, ergernis.*

2 chagrin ⟨ww⟩ ● *bedroeven, teleurstellen;* be –ed at *boos zijn om.*

1 chain [tʃeɪn] ⟨zn⟩ ● *ketting, keten;* a – of office *een ambtsketen* ● *reeks* ● *groep, maatschappij;* a – of shops *een winkelke-*

ten ● *kordon* ● ⟨mv.⟩ *boeien;* in –s *geketend.*

2 chain ⟨ww⟩ ● *ketenen, in de boeien slaan; –* up a dog *een hond aan de ketting leggen.*

'chain armour, 'chain mail ● *maliën;* clothed in – *in een maliënkolder.* **'chain letter** ● *kettingbrief.* **'chain re'action** ● *kettingreactie.* **'chain saw** ● *kettingzaag.* **'chain-smoke** ● *kettingroken.* **'chain smoker** ● *kettingroker.* **'chain store** ● *filiaal v.e. grootwinkelbedrijf, filiaalbedrijf.*

1 chair [tʃeə] ⟨zn⟩ ● *stoel, zetel;* take a – *ga zitten* ● *voorzittersstoel, voorzitter(schap);* be in the – *voorzitten* ● *leerstoel* ● *draagstoel* ● ↓ *elektrische stoel.*

2 chair ⟨ww⟩ ● *voorzitten, voorzitter zijn van* ● ⟨BE⟩ *ronddragen in triomf* ⟨op de schouders of op een stoel⟩.

'chair lift ● *stoeltjeslift.*

chairman ['tʃeəmən] ● *voorzitter* ● *hoofd.* **'chairperson** ● *voorzitter, voorzitster.* **'chairwoman** ● *voorzitster.*

chalet ['ʃæleɪ] ● *chalet* ● *berghut* ● *vakantiehuisje.*

chalice ['tʃælɪs] ● *kelk,* ⟨ihb.⟩ ⟨R.-K.⟩ *miskelk,* ⟨Prot.⟩ *Avondmaalsbeker.*

1 chalk [tʃɔ:k] I ⟨telb zn⟩ ● *krijtje* ● *krijtstreep* ● *krijttekening* II ⟨n-telb zn⟩ ● *krijt;* a piece of – *een krijtje;* as different as – and/from cheese, as like as – and cheese *verschillend als dag en nacht.*

2 chalk ⟨ww⟩ ● *krijten, met krijt schrijven/merken.*

'chalk 'out ● *beschrijven, ruw schetsen.* **'chalk 'up** ● *opschrijven* ● *noteren; –* success/many points *een overwinning/veel punten boeken.* **chalky** ['tʃɔ:ki] ● *krijtachtig.*

1 challenge ['tʃælɪndʒ] ⟨zn⟩ ● *uitdaging;* without – *zonder tegenspraak* ● *vraag naar identiteit* ⟨door soldaat op wacht⟩ ● *vraag om uitleg, uiting van twijfel.*

2 challenge ⟨ww⟩ ● *uitdagen, tarten* ● *uitlokken; –* the imagination *de verbeelding prikkelen* ● *aanroepen, aanhouden* ● *betwisten, betwijfelen* ● *opeisen, vragen; –* attention *de aandacht opeisen.* **challenger** ['tʃælɪndʒə] ● *uitdager* ● *mededinger* ⟨bv. voor ambt⟩. **challenging** ['tʃælɪndʒɪŋ] ● *een uitdaging vormend.*

chamber ['tʃeɪmbə] ● ⟨vero.⟩ *kamer* ● *raad, college; –* of commerce *kamer v. koophandel* ● *afdeling v.e. rechtbank, kamer* ● ⟨pol.⟩ *kamer, (vergaderzaal v.) wetgevend lichaam;* Chamber of Deputies *huis v. afgevaardigden* ⟨Tweede Kamer⟩.

chamberlain ['tʃeɪmbəlɪn] ● *kamerheer.*

'**chambermaid** ●*kamermeisje* 〈in hotel〉.
'**chamber music** ●*kamermuziek.* '**chamber orchestra** ●*kamerorkest.* '**chamber pot** ●*nachtpot, po.*
chameleon [kə'mi:lɪən] ●*kameleon* 〈ook fig.〉.
chamois ['ʃæmwɑ:] ●*gems* ●*zeemlap, zeemlerenlap.* **chamois leather** ['ʃæmi-'leðə] ●*gemzeleer* ●*zeemleer.*
1 **champ** [tʃæmp] 〈zn〉 ● ↓ *kampioen.*
2 **champ, chomp** I 〈onov ww〉 ●*smakken, (hoorbaar) kauwen,* 〈fig.〉 *popelen* II 〈ov ww〉 ●*hoorbaar kauwen (op), hoorbaar bijten op.*
champagne ['ʃæm'peɪn] ●*champagne.*
1 **champion** ['tʃæmpɪən] 〈zn〉 ●*kampioen* ● *voorvechter.*
2 **champion** 〈ww〉 ●*verdedigen, opkomen voor, voorstander zijn van.*
championship ['tʃæmpɪənʃɪp] ●*kampioenschap* ●*kampioenschapswedstrijd.*
1 **chance** [tʃɑ:ns] 〈zn〉 ●*kans, mogelijkheid, gelegenheid;* stand a (good/fair) – *een (goede/redelijke) kans maken;* (the) –s are that *het is waarschijnlijk dat* ●*risico;* take –s, take a – *risico's nemen* ‖ leave to – *aan het toeval overlaten;* by (any) – *toevallig.*
2 **chance** 〈bn〉 ●*toevallig.*
3 **chance** I 〈onov ww〉 ● *(toevallig) gebeuren* ‖ – (up)on *(toevallig) vinden/aantreffen* II 〈ov ww〉 ●*wagen, riskeren;* – it *het erop wagen.*
chancel [tʃɑ:nsl] 〈bouwk.〉 ●*koor* 〈v. kerk〉.
chancellery ['tʃɑ:nsləri] ●*kanselarij* ●*kanseliersambt.* **chancellor** ['tʃɑ:nslə] 〈vaak C-〉 ●*kanselier, hoofd v.e. universiteit* 〈in Eng. enkel als eretitel〉 ‖ 〈BE〉 *minister van financiën* ‖ 〈BE〉 Chancellor of the Exchequer *minister v. financiën.*
chancy ['tʃɑ:nsi] ↓ ●*gewaagd, onzeker.*
chandelier ['ʃændə'lɪə] ●*kroonluchter.*
chandler ['tʃɑ:ndlə] ●*kaarsenmaker* ●〈ongeveer〉 *kruidenier.*
1 **change** ['tʃeɪndʒ] 〈zn〉 ●*verandering, ver/afwisseling, overgang, variatie;* a – for the better/worse *een verandering ten goede/kwade;* – of heart *bekering, verandering v. ideeën;* for a – *voor de verandering* ●*verschoning, (stel) schone kleren;* a – of shirt *een schoon hemd* ●*wisselgeld* ●*kleingeld* ●〈C-〉 *de Beurs* ‖ a – of oil *nieuwe olie;* – of life *overgang(sjaren);* ↓ get no – out of s.o. *geen cent wijzer worden v. iem..*
2 **change** I 〈onov ww〉 ●*veranderen, wisselen* ●*zich verkleden;* – into sth. *comfortable iets gemakkelijks aandoen* ●*overstappen* ‖ – down *terugschakelen;* – up *(naar een hogere versnelling) schakelen;*

zie ook 〈sprw.〉 TIME; zie CHANGE OVER II 〈ov ww〉 ●*veranderen* ●*(om/ver)ruilen, (om/ver)wisselen;* – one's clothes *zich omkleden;* – gear *(over)schakelen* ●*verschonen;* – a baby *een baby een schone luier aandoen* ‖ – pounds into francs *ponden (om)wisselen in franken;* zie ook 〈sprw.〉 LEOPARD. **changeab|le** ['tʃeɪnd-ʒəbl] 〈zn: -**ility**〉 ●*veranderlijk, wisselvallig.* **changeless** ['tʃeɪndʒləs] ●*onveranderlijk.* '**change** '**over** ●*veranderen, overgaan, omschakelen* ●*ruilen (van plaats)* ‖ he changed over to history *hij is omgezwaaid naar geschiedenis.* '**changeover** ● *omschakeling, overschakeling.* '**change-room** 〈AE〉 ●*kleedkamer.*
'**changing room** 〈BE〉 ●*kleedkamer.*
1 **channel** ['tʃænl] I 〈eig.n.; C-; the〉 ●*het Kanaal* II 〈telb zn〉 ●*kanaal* ●*(vaar)geul, bedding* ●*buis, goot* ●*kanaal, weg, middel;* – of thought *denkwijze* ●〈radio, t.v.〉 *kanaal, net, programma.*
2 **channel** 〈ww〉 ●*kanaliseren, voorzien van kanalen/geulen* ●*sturen, in bepaalde banen leiden.*
'**Channel Islands** 〈the〉 ●*Kanaaleilanden.*
1 **chant** [tʃɑ:nt] 〈zn〉 ●*lied, (eenvoudige) melodie, psalm* ●*(gescandeerde) kreet, spreekkoor.*
2 **chant** 〈ww〉 ●*zingen, op één toon zingen* ● *roepen, scanderen.*
chaos ['keɪɒs] ●*chaos, verwarring, wanorde.* **chaotic** [keɪ'ɒtɪk] ●*chaotisch, verward.*
1 **chap** [tʃæp] 〈zn〉 ● ↓ *vent, kerel, knul* ● *kloof(je), barst(je)*〈in lip of huid〉.
2 **chap** 〈ww〉 ●*(doen) barsten, kloven.*
chapel ['tʃæpl] ●*kapel* ●〈BE〉 *dissidente kerk* 〈vnl. in Eng. en Wales〉; are you church or –? *hoort u bij de anglicaanse kerk of bij een protestantse kerk?* ●*dienst* 〈in een kapel of 'chapel'〉; go to – *de dienst bijwonen.*
chaperon(e) ['ʃæpərəʊn] ●*chaperonne.*
chaplain ['tʃæplɪn] ●*kapelaan* ●*veldprediker, aalmoezenier.*
chapter ['tʃæptə] ●*hoofdstuk;* give – and verse *de precieze bronvermelding geven;* 〈 ↓; fig.〉 *alle details geven* ●*episode, periode;* a – of accidents *een reeks tegenslagen* ●〈rel.〉 *kapittel.*
'**chapter house** ●*kapittelzaal.*
1 **char** [tʃɑ:] 〈zn〉 ●*werkster.*
2 **char** I 〈onov ww〉 ●*werkster zijn* II 〈onov en ov ww〉 ●*verkolen, schroeien.*
character ['kærɪktə] I 〈telb zn〉 ●*(ken/merk) teken, kenmerk* ●*teken, symbool, letter, cijfer* ●*persoon* 〈ook ong.〉 ●*personage,*

rol; a – in a play *een rol in een toneelstuk* ● ↓ *figuur* II ⟨telb en n-telb zn⟩ ●*karakter, aard;* that's in – with his style *dat past bij zijn stijl;* out of – *niet typisch; ongepast* ● *schrift, handschrift* ●*(goede) reputatie* III ⟨n-telb zn⟩ ●*moed;* a man of – *een moedig/dapper man.*

1 characteristic ['kærɪktə'rɪstɪk] ⟨zn⟩ ●*kenmerk, (kenmerkende) eigenschap.*

2 characteristic ⟨bn⟩ ●*karakteristiek, kenmerkend;* that is – of John *dat is typisch John.*   **character|ize** ['kærɪktəraɪz] ⟨zn: -ization⟩ ●*karakteriseren, kenmerken, typeren.* **characterless** ['kærɪktələs] ●*karakterloos, gewoon(tjes).*

charade [ʃəˈrɑːd] ●*charade, lettergreepraadsel* ●*schertsvertoning, poppenkast* ● ⟨mv.⟩ *charade* ⟨spel⟩.

charcoal ['tʃɑːkoʊl] ●*houtskool* ●*donkergrijs, antraciet(kleur).*

1 charge [tʃɑːdʒ] I ⟨telb zn⟩ ●*lading* ⟨ook elektrische⟩, *belasting* ●*lading springstof, bom* ●*prijs, kost(en), schuld;* a reversed – call *gesprek op kosten v.d. ontvanger* ⟨telefoon⟩ ●*iets/iem. waarvoor men verantwoordelijk is, pupil* ●*opdracht,* ⟨mil.⟩ *bevel tot de aanval* ●⟨mil.⟩ *aanval, charge* ● ⟨jur.⟩ *telastlegging, beschuldiging;* bring a – against s.o. *iem. van iets beschuldigen;* arrest s.o. on a – of murder *iem. arresteren v. beschuldiging v. moord* II ⟨ntelb zn⟩ ●*zorg, hoede, leiding;* officer in – *dienstdoend officier;* take – of *de leiding nemen over, zich belasten met;* in – of *verantwoordelijk voor;* in/under the – of *onder de hoede van.*

2 charge I ⟨onov en ov ww⟩ ●*aanvallen; –* at an opponent *een tegenstander aanvallen* ●*opladen, laden;* this battery is –d easily *deze batterij laadt makkelijk op* II ⟨ov ww⟩ ●*in rekening brengen;* – sth. (up) to one's account *iets op zijn rekening laten schrijven* ●*bevelen, opdragen;* – s.o. with sth. *iem. met iets belasten* ‖ – s.o. with theft *iem. van diefstal beschuldigen.* **chargeable** ['tʃɑːdʒəbl] ●*in rekening te brengen;* the damage is – on the owner *de eigenaar moet voor de schade opdraaien;* the costs are – to me *de kosten komen voor mijn rekening.*

charged [tʃɑːdʒd] ●*emotioneel* ●*geladen; –* atmosphere *een geladen atmosfeer.*

chariot ['tʃærɪət] ●*(strijd)wagen.*

charitable ['tʃærɪtəbl] ●*welwillend* ●*liefdadig* ●*charitatief; –* institutions *liefdadige instellingen.* **charity** ['tʃærəti] ●*liefdadigheidsinstelling* ●*liefdadigheid;* ask/beg for – *om een aalmoes smeken;* in/out of –

uit barmhartigheid ●*(naasten)liefde, barmhartigheid* ‖ ⟨sprw.⟩ charity begins at home ± *het hemd is nader dan de rok.*

charlatan ['ʃɑːlətən] ●*charlatan, kwakzalver.*

1 charm [tʃɑːm] ⟨zn⟩ ●*charme, aantrekkelijkheid* ●*tovermiddel, toverspreuk* ●*amulet* ●*bedeltje* ⟨aan armband⟩.

2 charm ⟨ww⟩ ●*betoveren, charmeren, bekoren* ‖ – snakes *slangen bezweren.* **charmer** ['tʃɑːmə] ●*charmeur, aantrekkelijk iemand* ●*tovenaar.* **charming** ['tʃɑː-mɪŋ] ●*charmant, bekoorlijk, aantrekkelijk.*

1 chart [tʃɑːt] ⟨zn⟩ ●*kaart, zee/weerkaart* ●*grafiek, curve, tabel* ●⟨mv.; the⟩ *hitparade.*

2 chart ⟨ww⟩ ●*in kaart brengen; –* a course *een koers uitzetten* ● ↓ *plannen.*

1 charter ['tʃɑːtə] ⟨zn⟩ ●*oorkonde, (voor)recht* ●*handvest.*

2 charter ⟨ww⟩ ●*een recht/octrooi verlenen aan; –*ed accountant *(beëdigd) accountant* ●*charteren, (af)huren.*

'charter flight ●*chartervlucht.*

'charwoman ●*werkster.*

chary ['tʃeəri] ●*voorzichtig, behoedzaam* ● *zuinig; –* of giving praise *zuinig met zijn lof.*

1 chase [tʃeɪs] ⟨zn⟩ ●*achtervolging, jacht;* give – (to) *achternazitten;* in – of s.o./sth. *achter iemand/iets aan rennend* ●⟨BE⟩ *park, jachtveld* ●*(nagejaagde) prooi.*

2 chase I ⟨onov ww⟩ ●*jagen, jachten; –* about *rondrennen* II ⟨ov ww⟩ ●*achtervolgen, achternazitten,* ⟨fig.⟩ *najagen; –* girls *meisjes proberen te versieren; –* up *opsporen* ●*verdrijven; –* away *wegjagen.* **chaser** ['tʃeɪsə] ●*achtervolger, jager.*

chasm ['kæzm] ●*kloof, afgrond.*

chassis ['ʃæsi] ⟨mv.: chassis [-siz]⟩ ●*chassis, onderstel.*

chaste [tʃeɪst] ●*kuis, ingetogen* ●*eenvoudig* ⟨v. stijl⟩. **chasten** ['tʃeɪsn] ●*kastijden, zuiveren, louteren.*

chastise [tʃæˈstaɪz] ●*kastijden, tuchtigen, (streng) straffen.*

chastity ['tʃæstəti] ●*kuisheid* ●*eenvoud* ⟨v. stijl of smaak⟩.

chasuble ['tʃæzjʊbl] ●*kazuifel.*

1 chat [tʃæt] ⟨zn⟩ ●*babbeltje, praatje* ●*geklets.*

2 chat I ⟨onov ww⟩ ●*babbelen, kletsen* II ⟨ov ww⟩ zie CHAT UP.

château ['ʃætoʊ] ⟨mv.: châteaux [-z]⟩ ●*kasteel, landhuis* ⟨ihb. in Frankrijk⟩.

chattel ['tʃætl] ●*bezitting;* goods and –s *have en goed.*

1 chatter ['tʃætə] ⟨zn⟩ ●*geklets, gepraat* ● *geklapper* ⟨v. tanden⟩.

2 chatter ⟨ww⟩ • *kwebbelen, (druk) praten* • *klapperen* ⟨v. tanden⟩. **'chatterbox** • *kletskous* ⟨ihb. een kind⟩. **chatty** ['tʃæti] • *praatziek* • *gezellig*. **'chat 'up**↓ • *met praatjes proberen te versieren*.

chauffeur ['ʃoufə] • *(particuliere) chauffeur*.

chauvinism ['ʃoυvɪnɪzm] • *chauvinisme* ‖ male – *mannelijk superioriteitsgevoel*. **chauvinist** ['ʃoυvɪnɪst] • *chauvinist*. **chauvinistic** • *chauvinistisch* ‖ male – pig *seksist*.

1 cheap [tʃi:p] ⟨bn⟩ • *goedkoop;* – *and nasty armoedig, van slechte kwaliteit;* feel – *zich schamen;* make o.s. – *zijn goede naam te grabbel gooien;* on the – *voor een prikje* • *vulgair, ordinair;* a – kind of humour *flauwe grappen*.

2 cheap ⟨bw⟩ • *goedkoop;* get sth. – *ergens voordelig aankomen*.

cheapen ['tʃi:pən] I ⟨onov ww⟩ • *goedko-(o)p(er) worden, in prijs dalen* II ⟨ov ww⟩ • *goedko(o)p(er) maken, in waarde doen dalen, verlagen,* ⟨fig.⟩ *afbreuk doen aan*.

1 cheat [tʃi:t] ⟨zn⟩ • *bedrog, afzetterij* • *bedrieger, valsspeler, fraudeur*.

2 cheat I ⟨onov ww⟩ • *bedrog plegen, vals/gemeen spelen* ‖ – on one's wife *zijn vrouw bedriegen (met een ander)* II ⟨ov ww⟩ • *bedriegen, oplichten, afzetten;* – at exams *spieken;* – at games *vals spelen (bij spelletjes);* – s.o. out of sth. *iem. iets afhandig maken* • *ontsnappen aan;* – death *de dood ontglippen*. **cheater** ['tʃi:tə] • *bedrieger, oplichter*.

1 check [tʃek] I ⟨telb zn⟩ • *belemmering, oponthoud;* keep a – on s.o. *iem. in de gaten houden* • *controle* • ⟨AE⟩ *rekening* ⟨in restaurant⟩ • *reçu, bonnetje* • ⟨AE sp.⟩ zie CHEQUE II ⟨telb en n-telb zn⟩ • *ruit(je), ruitpatroon, geruite stof* III ⟨n-telb zn⟩ • *controle, bedwang;* keep in – *in bedwang houden;* without – *ongehinderd* • *schaak*.

2 check I ⟨onov ww⟩ ‖ – into a hotel *zich inschrijven in een hotel;* zie CHECK IN, CHECK OUT II ⟨onov en ov ww⟩ • *controleren;* – (up) on sth. *iets controleren* III ⟨ov ww⟩ • *(doen) stoppen, tegenhouden, afremmen;* – the blood flow *het bloed stelpen* • *schaak zetten* • ⟨AE⟩ *afgeven* ⟨ter bewaring⟩; zie CHECK IN, CHECK OUT.

checked [tʃekt] • *geruit, geblokt*.

checker zie CHEQUER.

checkers ['tʃekəz] ⟨AE⟩ • *damspel, dammen*.

'check 'in I ⟨onov ww⟩ • *zich melden, zich inschrijven, arriveren* II ⟨ov ww⟩ • *registreren, inschrijven*.

'check-in ⟨ook attr⟩ • *controle(post)*. **'checking account** ⟨AE; ec.⟩ • *lopende rekening*.

'checklist • *lijst(je)*.

'checkmate • ⟨zn⟩ *schaakmat* • ⟨ww⟩ *schaakmat zetten*.

'check 'out I ⟨onov ww⟩ • *vertrekken, zich uitschrijven* II ⟨ov ww⟩ • *uitschrijven*. **'checkout** • *kassa*. **'checkpoint** • *controlepost*.

'checkroom ⟨AE⟩ • *bagagedepot*.

'checkup • *(algemeen medisch) onderzoek*.

cheddar ['tʃedə] • *cheddar* ⟨kaas⟩.

1 cheek [tʃi:k] I ⟨telb zn⟩ • *wang, koon* II ⟨n-telb zn⟩ • *brutaliteit, lef;* don't give me any of your –! *doe niet zo brutaal jij!;* have the – to *het lef hebben om (te)*.

2 cheek ⟨ww⟩ • *brutaal zijn tegen*.

'cheekbone • *jukbeen*.

cheeky ['tʃi:ki] • *brutaal*.

1 cheer [tʃɪə] ⟨zn⟩ • *(juich)kreet,* ⟨in mv.⟩ *hoerageroep, gejuich;* three –s for *drie hoeraatjes (voor)* • *aanmoediging;* words of – *bemoedigende woorden* • *stemming;* of good – *welgemoed, vrolijk* • *vrolijkheid*.

2 cheer I ⟨onov ww⟩ • *juichen, schreeuwen* ‖ – up! *kop op!* II ⟨ov ww⟩ • *toejuichen, aanmoedigen, opvrolijken;* – on *aanmoedigen* • *opmonteren;* – up *opvrolijken*. **cheerful** ['tʃɪəfl] • *vrolijk, blij, opgewekt*. **cheerio** ['tʃɪəri'oυ] • *dag!* • *proost!*. **'cheerleader** ⟨vnl. AE⟩ • *cheerleader* ⟨aanvoerster v. toejuichers bij sportwedstrijd⟩. **cheerless** ['tʃɪələs] • *troosteloos, somber;* a – room *een ongezellige kamer*. **cheers** [tʃɪəz] • *proost!* • ↓ *dag!*. **cheery** ['tʃɪəri] • *vrolijk, opgewekt*.

cheese [tʃi:z] • *kaas* ‖ say – *lach eens naar het vogeltje* ⟨bij het maken v.e. foto⟩. **'cheeseburger** • *hamburger met kaas*. **'cheesecake** • *kwarktaart*.

cheese off ⟨sl.⟩ ‖ be cheesed off with sth. *van iets (de) balen (hebben)*.

'cheese-paring • ⟨bn⟩ *krenterig* • ⟨zn⟩ *krenterigheid*.

chef [ʃef] • *chef-kok*.

1 chemical ['kemɪkl] ⟨zn⟩ • *chemisch product;* –s *chemicaliën*.

2 chemical ⟨bn⟩ • *chemisch, scheikundig;* – warfare *chemische oorlogvoering*.

chemist ['kemɪst] • *chemicus, scheikundige* • ⟨BE⟩ *apotheker* • ⟨BE⟩ *drogist*. **chemistry** ['kemɪstri] • *chemie, scheikunde*.

cheque, ⟨AE sp.⟩ check [tʃek] • *cheque*. **'chequebook** • *chequeboek(je)*. **'cheque card, 'cheque guaran'tee card** • *betaalpas(je)*.

chequer, ⟨AE sp.⟩ checker ['tʃekə] • *ruiten schakeren, afwisseling brengen in;* a –ed life *een leven met voor- en tegenslagen*.

cherish ['tʃerɪʃ] ● *koesteren, liefhebben; –* hopes *hoop koesteren.*

1 cherry ['tʃeri] **I** ⟨telb zn⟩ ● *kers* ● *kerseboom* **II** ⟨n-telb zn⟩ ● *kersehout.*

2 cherry ⟨bn⟩ ● *kerskleurig, kersrood; –* lips *rode lippen.* '**cherry** '**brandy** ● *kersenbrandewijn.*

cherub ['tʃerəb] ● ⟨rel., lit.⟩ *cherub(ijn)* ● *lief kind(je), engeltje.*

chess [tʃes] ● *schaak, schaakspel.* '**chessboard** ● *schaakbord.* **chessman** ['tʃesmən] ● *schaakstuk.*

chest [tʃest] ● *borst(kas);* get sth. off one's – *over iets zijn hart luchten* ● *kist, kast;* – of drawers *ladenkast.*

chesterfield ['tʃestəfi:ld] ● *chesterfield* ⟨bank⟩.

chestnut ['tʃesnʌt] ● *kastanje* ● ⟨verk.⟩ chestnut tree ● *vos(paard)* ● ↓ *ouwe bak/ mop* ● *kastanjebruin.* '**chestnut tree** ● *kastanje(boom).*

1 chew [tʃu:] ⟨zn⟩ ● *het kauwen;* have a – *(zitten) kauwen* ● *iets dat gekauwd wordt, (tabaks)pruim, snoepje.*

2 chew ⟨ww⟩ ● *kauwen, pruimen* ● ⟨↓; fig.⟩ *herkauwen, (over)denken; –* sth. over *ergens over nadenken; –* over/(up)on sth. *nadenken over iets; –* over sth. *iets bespreken.* '**chewing gum** ● *kauwgom.*

chic [ʃi:k] ● ⟨bn⟩ *chic, stijlvol* ● ⟨zn⟩ *chic, verfijning, stijl.*

chicanery [ʃɪ'keɪnri] ● *bedrog, chicanes.*

chick [tʃɪk] ● *kuiken, (jong) vogeltje* ● ↓ *grietje, stuk* ● *kind.*

1 chicken ['tʃɪkɪn] **I** ⟨telb zn⟩ ● *kuiken, (jong) vogeltje* ● *kip* ● *kind;* Mary is no – *Mary is niet meer zo piep* ● ↓ *lafaard, bangerik* **II** ⟨n-telb zn⟩ ● *kip(pevlees).*

2 chicken ⟨bn⟩ ↓ *laf, bang.* '**chicken** '**broth** ● *kippebouillon, kippesoep.* '**chicken feed** ● *kippevoer* ● ↓ *kleingeld, iets (vrijwel) waardeloos.* '**chicken-**'**hearted,** '**chicken-**'**livered** ● *bang, laf.* **chicken out** ↓ *ertussenuit knijpen.* '**chicken pox** ● *waterpokken.* '**chicken wire** ● *kippegaas.*

'**chickpea** ● *keker, kikkererwt.*

chicory ['tʃɪkəri] ⟨plantk.⟩ ● *cichorei* ⟨ook als sla, koffie-ersatz⟩, *witlof* ● ⟨vnl. AE⟩ *andijvie.*

chide [tʃaɪd] ● *berispen; –* s.o. for sth. *iem. berispen wegens iets.*

1 chief [tʃi:f] ⟨zn⟩ ● *leider, aanvoerder, opperhoofd;* ⟨mil.⟩ Chief of Staff *stafchef.*

2 chief ⟨bn⟩ ● *belangrijkst, voornaamst, hoofd-; –* constable *officier v. politie; –* engineer *eerste machinist.* **chiefly** ['tʃi:fli] ● *voornamelijk, vooral.*

chieftain ['tʃi:ftɪn] ● *hoofdman* ⟨v. stam enz.⟩.

chilblain ['tʃɪlbleɪn] ● *winterhanden/voeten.*

child [tʃaɪld] ⟨mv.: children⟩ ● *kind;* from a – *van kindsbeen af;* with – *zwanger.* '**childbearing** ● *het baren, kraambed.* '**childbirth** ● *bevalling, het baren.* **childhood** ['tʃaɪldhʊd] ● *jeugd, kinderjaren* ‖ second – *kindsheid.* **childish** ['tʃaɪldɪʃ] ● *kinderachtig, kinderlijk.* **childless** ['tʃaɪldləs] ● *kinderloos.* **childlike** ['tʃaɪldlaɪk] ● *kinderlijk.* '**childminder** ● *kinderoppas.* '**child** '**prodigy** ● *wonderkind.* **children** ['tʃɪldrən] ⟨mv.⟩ zie CHILD. '**child's play** ● *kinderspel.*

1 chill [tʃɪl] ⟨zn⟩ ● *verkoudheid, koude rilling;* catch a – *kouvatten* ● *kilte, koelte, frisheid.*

2 chill ⟨bn⟩ zie CHILLY.

3 chill **I** ⟨onov ww⟩ ● *afkoelen, koud worden* **II** ⟨ov ww⟩ ● *doen afkoelen, koud maken, koelen,* ⟨fig.⟩ *beklemmen, ontmoedigen.*

chilli ['tʃɪli] ● *Spaanse peper.*

chilly ['tʃɪli], **chill** ● *koel, kil* ● *huiverig* ● *onvriendelijk.*

1 chime [tʃaɪm] ⟨zn⟩ ● ⟨vnl. mv.⟩ *klok, klokkenspel* ● *klokgelui.*

2 chime **I** ⟨onov ww⟩ ● *luiden, slaan* **II** ⟨ov ww⟩ ● *(harmonisch) luiden, bespelen;* the clock –d one (o'clock) *de klok sloeg één uur.* '**chime** '**in** ● *opmerken; –* with *invallen/tussenbeide komen met* ⟨opmerking⟩ ‖ – with *overeenstemmen met.*

chimney ['tʃɪmni] ● *schoorsteen.* '**chimneypiece** ● *schoorsteenmantel.* '**chimney sweep(er)** ● *schoorsteenveger.*

chimp [tʃɪmp] ↓ ● *chimpansee.* **chimpanzee** ['tʃɪmpænˈziː, -pən-] ● *chimpansee.*

chin [tʃɪn] ● *kin* ‖ – up! *kop op!.*

china ['tʃaɪnə] **I** ⟨eig.n.; C-⟩ ● *China* **II** ⟨n-telb zn⟩ ● *porselein.* '**china closet** ● *porseleinkast.* '**chinaware** ● *porselein(en voorwerpen).*

chine [tʃaɪn] ● *ruggegraat* ● *rugstuk, rugvlees.*

1 Chinese ['tʃaɪ'ni:z] ⟨zn⟩ ● *Chinees.*

2 Chinese ⟨bn⟩ ● *Chinees* ‖ – lantern *lampion.*

1 chink [tʃɪŋk] ⟨zn⟩ ● *spleet, opening* ● *het rinkelen;* the – of glass *rinkelend glas.*

2 chink ⟨ww⟩ ● *klingelen, rinkelen* ⟨v. metaal, glas⟩.

'**chin strap** ● *kinriem.*

chintz [tʃɪnts] ● *chintz.*

1 chip [tʃɪp] ⟨zn⟩ ● *schilfertje, splinter(tje)* ● *fiche;* ↓ when the –s are down *als het erop aankomt* ● ⟨vnl. mv.⟩ ⟨vooral BE⟩ *friet, patat* ● ⟨mv.⟩ ⟨AE, Austr. E⟩ *chips* ● *schijfje, reepje* ● ⟨tech., comp.⟩ *chip.*

2 chip I ⟨onov ww⟩ ● *afbrokkelen, schilferen* **II** ⟨ov ww⟩ ● *(af)kappen, afsnijden, afbikken; –* off *afbikken, afbreken.*

'**chipboard** ● *spaan(der)plaat.*

chip in ● *bijdragen, botje bij botje leggen* ● *onderbreken.*

chipping ['tʃɪpɪŋ] ⟨vnl. BE⟩ ● *bik, losse stukjes steen;* there were new *–s* on the road *er lag nieuw grind op de weg.*

chiropodist [kɪ'rɒpədɪst] ● *chiropodist* ⟨iem. die handen en voeten verzorgt⟩. **chiropody** [kɪ'rɒpədi] ● *chiropodie.*

1 chirp [tʃə:p] ⟨zn⟩ ● *(ge)tjirp, (ge)sjilp.*

2 chirp I ⟨onov ww⟩ ● *tjirpen, tjilpen* ● *kwetteren, vrolijk/met een hoge stem praten* **II** ⟨ov ww⟩ ● *zingen, op een hoge/vrolijke toon zeggen.* **chirpy** ['tʃə:pi] ● *vrolijk, levendig.*

1 chirrup ['tʃɪrəp] ⟨zn⟩ ● *piep, getjilp.*

2 chirrup ⟨ww⟩ ● *tjilpen, piepen.*

1 chisel ['tʃɪzl] ⟨zn⟩ ● *beitel.*

2 chisel ⟨ww⟩ ● *beitelen, beeldhouwen.*

chit [tʃɪt] ● *jong kind, hummel* ● ⟨vaak ong./ bel.; voor vrouw⟩ *jong ding* ● ⟨vnl. BE⟩ *briefje* ● *bon(netje).*

chitchat ['tʃɪttʃæt] ↓ ● *gekeuvel, geklets.*

chivalrous ['ʃɪvlrəs] ● *ridderlijk.* **chivalry** ['ʃɪvlri] ● *ridderschap* ● *ridderlijkheid.*

chives [tʃaɪvz] ● *bieslook.*

chloride ['klɔ:raɪd] ● *chloride.* **chlorine** ['klɔ:ri:n] ● *chloor.* **chloroform** ['klɒrəfɔ:m] ● ⟨zn⟩ *chloroform* ● ⟨ww⟩ *(door chloroform) verdoven.*

'**choc-ice** ● *chocoladeijsje.*

1 chock [tʃɒk] ⟨zn⟩ ● *blok, klos, klamp.*

2 chock ⟨ww⟩ ● *vastzetten; –* that wheel up *blokkeer dat wiel.*

chockablock ['tʃɒkə'blɒk] ↓ ● *propvol, tjokvol.* **chock-full** ['tʃɒk'fʊl] ● *propvol.*

1 chocolate ['tʃɒklət] ⟨zn⟩ ● *chocolaatje* ● *chocolade.*

2 chocolate ⟨bn⟩ ● *chocoladekleurig* ● *chocolade.*

1 choice [tʃɔɪs] ⟨zn⟩ ● *keus, keuze, voorkeur;* take one's *– (uit)kiezen;* John has no *–* but to come *John moet wel komen;* by/for *– bij voorkeur* ‖ a *–* of goods *een ruim assortiment.*

2 choice ⟨bn⟩ ● *uitgelezen, prima; –* meat *kwaliteitsvlees.*

choir ['kwaɪə] ● *koor.* '**choirboy** ● *koorknaap.* '**choirmaster** ● *koordirigent.*

1 choke [tʃoʊk] ⟨zn⟩ ● ⟨tech.⟩ *choke, gasklep.*

2 choke I ⟨onov ww⟩ ● *(ver)stikken, naar adem snakken, zich verslikken* **II** ⟨ov ww⟩ ● *verstikken, doen stikken, smoren* ● *verstoppen, versperren, volproppen;* a road

–d up with traffic *een overvolle weg* ● ⟨tech.⟩ *choken* ‖ *–* back/down feelings/anger *gevoelens/woede onderdrukken/inslikken;* we managed to *–* Martha off *het lukte ons Martha af te schepen.*

choker ['tʃoʊkə] ● *vadermoordenaar* ● *nauwsluitende halsketting* ● *(strop)das.*

cholera ['kɒlərə] ● *cholera.* **choleric** ['kɒlərɪk] ● *opvliegend.*

cholesterol [kə'lestərɒl] ● *cholesterol.*

choose [tʃu:z] ⟨chose [tʃoʊz], chosen ['tʃoʊzn]⟩ ● *(uit)kiezen;* there is not much to *–* between them *er valt weinig aan te kiezen* ● *beslissen, besluiten;* George chose not to come *George kwam liever niet* ● *(ver)kiezen, willen.* **choos(e)y** ['tʃu:zi] ● *kieskeurig.*

1 chop [tʃɒp] **I** ⟨zn⟩ ● *houw, slag* ● *karbonade, kotelet* ‖ get the *– ontslagen worden* **II** ⟨mv.⟩ ● *kaken, lippen* ⟨ihb. v. dieren⟩.

2 chop I ⟨onov ww⟩ ● *hakken, kappen* ‖ *–* and change *erg veranderlijk zijn, vaak v. mening veranderen;* the wind *–ped* around *de wind schiftte voortdurend* **II** ⟨ov ww⟩ ● *hakken, kappen; –* down trees *bomen omhakken; –* off branches *takken afhakken* ● *fijnhakken, fijnsnijden; –* up parsley *peterselie fijnhakken.*

chopper ['tʃɒpə] ● *hakmes* ● ↓ *helikopter.*

choppy ['tʃɒpi] ● *knobbelig, met korte golfslag; –* sea *ruwe zee* ● *veranderlijk, onsamenhangend.*

'**chopstick** ● *(eet)stokje.*

chop suey ['tʃɒp 'su:i] ● *tjap-tjoy* ⟨Chinees gerecht⟩.

choral ['kɔ:rəl] ● *koor-, van/voor/met een koor.* '**choral society** ● *zangvereniging.*

chord [kɔ:d] ● *snaar* ⟨ook fig.⟩; ⟨fig.⟩ that strikes a *– dat herinnert me aan iets;* touch the right *– de juiste toon treffen* ● ⟨meetkunde⟩ *koorde* ● ⟨muz.⟩ *akkoord* ● ⟨anat.⟩ *streng, band.*

chore [tʃɔ:] ● *karwei(tje);* do the *–s het huishouden/werk doen;* it's a bit of a *– het is een hele klus.*

choreographer ['kɒri'ɒgrəfə] ● *choreograaf.* **choreography** ['kɒri'ɒgrəfi] ● *choreografie.*

chorister ['kɒrɪstə] ● *koorknaap.*

chortle ['tʃɔ:tl] ● ⟨zn⟩ *luidruchtig gegnuif, gegrinnik* ● ⟨ww⟩ *luidruchtig gnuiven/grinniken.*

1 chorus ['kɔ:rəs] ⟨zn⟩ ● *koor;* in *– samen, in koor* ● *refrein.*

2 chorus ⟨ww⟩ ● *in koor zingen/praten/zeggen.*

'**chorus girl** ● *danseresje.*

chose ⟨verl. t.⟩ zie CHOOSE. **chosen** ⟨volt.

deelw.⟩ zie CHOOSE.
chow [tʃaʊ] ●*chow-chow* ⟨hond⟩ ●⟨sl.⟩ *eten, voer.*
chowder ['tʃaʊdə] ●*dikke vissoep.*
Christ [kraɪst] ●*Christus* ‖ –! *Jezus!.*
christen ['krɪsn] ●*dopen* ●*noemen, dopen* ● ↓ *inwijden.*
Christendom ['krɪsndəm] ●*christenheid.*
christening ['krɪsnɪŋ] ●*doop.*
1 Christian ['krɪstʃən] ⟨zn⟩ ●*christen.*
2 Christian ⟨bn⟩ ●*christelijk* ‖ – *burial kerke-lijke begrafenis.*   **Christianity** ['krɪs-ti'ænəti] ●*christendom* ●*christelijk-heid.*
christianize ['krɪstʃənaɪz] ●*kerstenen.*
'**Christian name** ●*doopnaam, voornaam.*
Christmas ['krɪsməs] ●*Kerstmis, kerst(tijd).*
'**Christmas box** ⟨BE⟩ ●*kerstgeschenk* ⟨onge-veer nieuwjaarsfooi⟩. '**Christmas** '**carol** ● *kerstlied.* '**Christmas** '**cracker** ●*kerstpis-tache, knalbonbon.* '**Christmas** '**Eve** ● *kerstavond, avond/dag voor Kerstmis.* '**Christmastime,** '**Christmastide** ●*kerst-(tijd).* '**Christmas tree** ●*kerstboom.*
chromatic [krə'mætɪk] ●*chromatisch.*
chrome [kroʊm] ●*chroom.*
chromium ['kroʊmɪəm] ●*chromium, chroom.*
chromosome ['kroʊməsoʊm] ●*chromo-soom.*
chronic ['krɒnɪk] ●*chronisch;* a – invalid *een blijvend invalide* ●⟨BE; sl.⟩ *erg, vreselijk.*
1 chronicle ['krɒnɪkl] ⟨zn⟩ ●*kroniek.*
2 chronicle ⟨ww⟩ ●*in een kroniek schrijven, te boek stellen.* **chronicler** ['krɒnɪklə] ● *kroniekschrijver.*
chronological ['krɒnə'lɒdʒɪkl] ●*chronolo-gisch.* **chronology** [krə'nɒlədʒi] ●*chrono-logie.*
chronometer [krə'nɒmɪtə] ●*chronometer* ⟨uurwerk⟩.
chrysalis ['krɪsəlɪs] ⟨biol.⟩ ●*pop* ⟨ook het omhulsel⟩.
chrysanthemum [krɪ'sænθɪməm] ●*chry-sant.*
chubby ['tʃʌbi] ↓ ●*mollig;* a – face *een rond/vol gezicht.*
1 chuck [tʃʌk] ⟨zn⟩ ●*aaitje* ⟨vnl. onder de kin⟩, *tikje* ●*worp, gooi* ‖ give/get the – *de bons geven/krijgen.*
2 chuck ⟨ww⟩ ● ↓ *gooien, smijten;* – away *opportunities kansen vergooien;* – s.o. out *iem. eruit donderen* ● ↓ *de bons ge-ven* ● ↓ *ophouden met, opgeven;* – it! *hou (ermee) op!;* – up a job/everything *een baan/alles opgeven* ‖ – s.o. under the chin *iem. onder de kin strijken.*
'**chucker-**'**out** ●*uitsmijter.*

1 chuckle [tʃʌkl] ⟨zn⟩ ●*lachje, gegniffel.*
2 chuckle ⟨ww⟩ ●*grinniken, gniffelen.*
chuffed [tʃʌft] ⟨BE; sl.⟩ ●*in zijn nopjes, te-vreden.*
1 chug [tʃʌg] ⟨zn⟩ ●*puf, geronk/getuf* ⟨v. motor/trein⟩.
2 chug ⟨ww⟩ ● ⟨vaak +along⟩ *(voort)puffen, ronken* ⟨v. motor/trein⟩.
1 chum [tʃʌm] ⟨zn⟩ ●*makker, vriendje* ● ⟨AE⟩ *kamergenoot.*
2 chum ⟨ww⟩ ●*goede maatjes zijn/worden;* – up easily (with) *snel goede maatjes wor-den (met).*
chummy ['tʃʌmi] ●*intiem.*
chump [tʃʌmp] ●⟨sl.⟩ *uilskuiken, sukkel* ‖ ⟨sl.⟩ go off one's – *stapelgek worden.*
chunk [tʃʌŋk] ●*brok, stuk, homp.* **chunky** ['tʃʌŋki] ●*in brokken* ●*kort/dik en gedron-gen.*
church [tʃə:tʃ] ●*kerk;* the – of England *de An-glicaanse Kerk;* go into the – *geestelijke/predikant worden* ‖ established – *staats-kerk;* go to – *naar de kerk gaan.* '**church-goer** ●*kerkganger/ster.* '**churchgoing** ● *kerks.* **churchman** ['tʃə:tʃmən] ●*geestelij-ke, predikant.* '**church mouse** ‖ poor as a – *arm als een kerkrat.* '**church** '**warden** ● *kerkvoogd, kerkmeester.* '**churchyard** ● *kerkhof, begraafplaats.*
churlish ['tʃə:lɪʃ] ●*boers, lomp.*
1 churn [tʃə:n] ⟨zn⟩ ●*karn(ton)* ●⟨BE⟩ *melk-bus.*
2 churn ⟨ww⟩ ●*roeren* ⟨melk of room⟩ ● *karnen* ●*omroeren, omschudden;* the bouncing of the car made my stomach – *door het gehobbel v.d. auto kwam mijn maag in opstand* ‖ ↓ – out *(in grote hoe-veelheden tegelijk) produceren.*
chute [ʃu:t] ●*helling, glijbaan, stortkoker* ● *stroomversnelling* ●⟨verk.⟩ ↓ *parachute.*
chutney ['tʃʌtni] ⟨cul.⟩ ●*chutney.*
C.I.A. ⟨afk.⟩ Central Intelligence Agency ⟨AE⟩.
cider ['saɪdə] ●*cider, appelwijn.*
cig [sɪg], **ciggy** ['sɪgi] ⟨verk.⟩ *cigarette* ↓.
cigar [sɪ'gɑ:] ●*sigaar.* **ci**'**gar box** ●*sigaren-kistje.* **ci**'**gar case** ●*sigarenkoker.*
cigarette ['sɪgə'ret] ●*sigaret.* '**cigarette case** ●*sigarettenkoker, sigarettenétui.* '**ci-garette end** ●*(sigarette)peuk.* '**cigarette holder** ●*sigarettepijpje.* '**cigarette lighter** ●*(sigarette)aansteker.* '**cigarette paper** ● *(sigaretten)vloei.*
cigarillo ['sɪgə'rɪloʊ] ●*sigaartje.*
cinch [sɪntʃ] ⟨AE⟩ ●*zadelriem* ⟨v. paard⟩ ‖ it's a – that *het staat vast dat;* it's a – *dat is een makkie.*
cinder ['sɪndə] ●*slak* ●*sintel,* ⟨mv.⟩ *as.*

Cinderella ['sɪndə'relə] ● *Assepoester*.
'cinder track ● *sintelbaan*.
'cinecamera ● *(smal)filmcamera*. **'cinefilm** ●
smalfilm.
cinema ['sɪnɪmə] I ⟨telb zn⟩ ⟨BE⟩ ● *bioscoop*
II ⟨n-telb zn; vaak the⟩ ● *filmindustrie, film-
(kunst)*. **cinematic** ['sɪnɪ'mætɪk] ● *film-*.
cinnamon ['sɪnəmən] ● *kaneel*.
1 cipher, cypher ['saɪfə] ⟨zn⟩ ● *nul*, ⟨fig.⟩
non-valeur; a mere – *een (grote) nul* ● *cijfer* ● *sleutel* ⟨v. code⟩ ● *code, geheim-
schrift*.
2 cipher, cypher ⟨ww⟩ ● *coderen*.
circa ['sə:kə] ● *circa, omstreeks*.
1 circle ['sə:kl] ⟨zn⟩ ● *cirkel;* square the –
⟨fig.⟩ *iets (bijna) onmogelijks ondernemen* ● ⟨ben. voor⟩ *kring, ring,* ⟨archeolo-
gie⟩ *ringlijn, rondweg, balcon* ⟨in thea-
ter⟩, *arena;* ↓ run round in –s *nodeloos
druk in de weer zijn* ● *groep, clubje, kring* ‖
come full – *weer bij het begin terugkomen*.
2 circle I ⟨onov ww⟩ ● *rondcirkelen, ronddraaien, rondgaan* II ⟨ov ww⟩ ● *omcirkelen*.
circuit ['sə:kɪt] ● *kring, omtrek, gebied, ronde* ● *(race)baan, circuit* ● *keten* ⟨v. bioscopen enz.⟩ ● ⟨jur.⟩ *rondgang* ⟨v. rechters
of advocaten⟩, *tournee, rondgaande
rechtbank* ● ⟨jur., kerk⟩ *district, kring* ●
⟨tech.⟩ *stroomkring, stroomketen* ●
⟨sport⟩ *serie toernooien* ‖ closed – *gesloten circuit*.
circuitous [sə'kjʊətəs] ● *omslachtig;* by a –
route *via allerlei omwegen*.
'circuit training ⟨sport⟩ ● *circuittraining*.
1 circular ['sə:kjələ] ⟨zn⟩ ● *rondschrijven,
circulaire*.
2 circular ⟨bn⟩ ● *rond, cirkelvormig;* – saw
cirkelzaag ● *rondlopend, (k)ring-;* North
Circular (Road) *noordelijke ringweg om
Londen* ‖ – argument *cirkelredenering;* –
letter *rondschrijven*.
circulate ['sə:kjəleɪt] ● *(laten) circuleren,
(zich) verspreiden*. **circulating** ['sə:kjəleɪ-
tɪŋ] ● *rondgaand;* – capital *vlottende middelen*. **circulation** ['sə:kjə'leɪʃn] I ⟨telb zn⟩
● *oplaag* II ⟨n-telb zn⟩ ● *bloedsomloop* ●
omloop, circulatie; out of – *uit de roulatie/
circulatie*.
'circulatory system ● *(bloed/lymf)vaatstel-
sel*.
circumcise [-saɪz] ● *besnijden*. **circumcision**
[-'sɪʒn] ● *besnijdenis*.
circumference [sə'kʌmfrəns] ● *omtrek*.
circumlocution [-lə'kju:ʃn] ● *omschrijving* ●
omhaal (van woorden).
circumscribe [-'skraɪb] ● *omcirkelen* ●

⟨meetkunde⟩ *omschrijven* ● *begrenzen,
definiëren*.
circumspect [-'spekt] ● *omzichtig, op zijn
hoede*. **circumspection** [-'spekʃn] ● *behoedzaamheid, voorzichtigheid*.
circumstance ['sə:kəmstæns, -stəns] I ⟨telb
zn⟩ ● ⟨vaak mv.⟩ *omstandigheid;* in/un-
der no –s *in geen geval;* in/under the –s
onder de gegeven omstandigheden ● *bijzonderheid* ‖ the – that *het feit dat* II ⟨n-telb
zn⟩ ‖ pomp and – *pracht en praal* III ⟨mv.⟩ ‖
straitened/reduced –s *behoeftige omstandigheden*. **circumstantial** [-'stænʃl] ● *bijkomstig* ● *uitvoerig, omstandig* ‖ ⟨jur.⟩ –
evidence *indirect bewijs, stille getuigen*.
circumvent [-'vent] ● *ontduiken* ⟨wet e.d.⟩,
ontwijken, omzeilen.
circus ['sə:kəs] ● *circus* ● ⟨BE⟩ *(rond) plein*.
cissy zie SISSY.
cistern ['sɪstən] ● *waterreservoir, stortbak,
vergaarbak*.
citadel ['sɪtədl, -del] ● *fort, bolwerk* ⟨ook
fig.⟩.
citation [saɪ'teɪʃn] ● *aanhaling, citaat* ● ⟨jur.⟩
dagvaarding ● ⟨ihb. mil.⟩ *eervolle vermelding*.
cite [saɪt] ● *aanhalen, citeren* ● ⟨jur.⟩ *dagvaarden* ● ⟨+for⟩ ⟨ihb. mil.⟩ *eervol vermelden (wegens)*.
citizen ['sɪtɪzn] ● *burger* ● *staatsburger*. **'ci-
tizens' band** ⟨AE⟩ ● *27 MC band, cb*. **citi-
zenship** ['sɪtɪznʃɪp] ● *(staats)burgerschap*.
citric ['sɪtrɪk] ● *citroen-;* – acid *citroenzuur*.
citrus ‖ – fruit *citrusvruchten*.
city ['sɪti] I ⟨eig.n.; C-; the⟩ ● *de City* ⟨oude
binnenstad v. Londen⟩, ⟨fig.⟩ *financieel
centrum* II ⟨telb zn⟩ ● *(grote) stad*.
'city 'council ● *gemeenteraad*. **'city dweller**
● *stadsbewoner, stadsmens*. **'city 'hall**
⟨AE⟩ ● *gemeentehuis, stadhuis*.
civic ['sɪvɪk] ● *burger-, burgerlijk;* – duties/
rights *burgerplichten/rechten* ● *stedelijk,
stads-, gemeente-;* – centre *bestuurs-,
openbaar centrum*. **civics** ['sɪvɪks] ● *leer
van burgerrechten en -plichten*.
civies zie CIVVIES.
civil ['sɪvl] ● *burger-, burgerlijk, civiel;* – disobedience *burgerlijke ongehoorzaam-
heid;* – law *burgerlijk recht, Romeins
recht;* – liberty *burgerlijke vrijheid;* – marriage *burgerlijk huwelijk;* – rights *burgerrechten;* – war *burgeroorlog* ● *beschaafd,
beleefd* ‖ – servant *(rijks)ambtenaar;* – service *civiele dienst, ambtenarij;* – engineer
civiel ingenieur; – engineering *weg- en
waterbouwkunde*.
civilian [sɪ'vɪlɪən] ● ⟨bn⟩ *burger-, civiel* ●
⟨zn⟩ *burger, niet-militair*.

civility [sɪ'vɪləti] ● *beleefde opmerking, beleefdheid.*

civilization ['sɪvəlaɪ'zeɪʃn] ● *beschaving* ● *de beschaafde wereld.* **civilize** ['sɪvəlaɪz] ● *beschaven, civiliseren.*

civvies, civies ['sɪviz] ⟨verk.⟩ *civilian clothes* ⟨sl.⟩ ● *burgerkloffie, burgerpak.*

1 clack [klæk] ⟨zn⟩ ● *klik, klap, tik, geklepper.*

2 clack ⟨ww⟩ ● *klepperen, klikken, tikken.*

clad [klæd] ● *gekleed, bedekt, omsluierd.*

1 claim [kleɪm] ⟨zn⟩ ● *aanspraak, recht, claim, eis;* lay –/make a – to *aanspraak maken op* ● *vordering;* put in/make a – for schadevergoeding *eisen voor* ● *bewering.*

2 claim I ⟨onov ww⟩ ● *een vordering indienen, schadevergoeding eisen;* – on *een schadeclaim indienen bij* II ⟨ov ww⟩ ● *opeisen, aanspraak maken op;* the accident –ed six lives *het ongeluk eiste zes levens* ● *beweren* ● *recht hebben op, verdienen;* – attention *aandacht opeisen/verdienen.*

claimant ['kleɪmənt] ● *eiser* ● *pretendent.*

clairvoyance [kleə'vɔɪəns] ● *helderziendheid.* **clairvoyant** [kleə'vɔɪənt] ● ⟨zn⟩ *helderziende* ● ⟨bn⟩ *helderziend.*

clam [klæm] ● ⟨ben. voor⟩ *tweekleppig schelpdier*‖ he shut up like a – *hij hield zijn mond stijf dicht.*

clamber ['klæmbə] ● *beklauteren, beklimmen.*

clammy ['klæmi] ● *klam, vochtig.*

clamorous ['klæmrəs] ● *schreeuwerig, luidruchtig.*

1 clamour ['klæmə] ⟨zn⟩ ● *geschreeuw, getier* ● *herrie, geraas* ● *protest, aandrang.*

2 clamour ⟨ww⟩ ● *schreeuwen* ● *protesteren, aandringen;* – against *protesteren tegen;* – for *aandringen op.*

1 clamp [klæmp] ⟨zn⟩ ● *klem, klamp, (klem)beugel, knevel* ● *kram, (muur)anker.*

2 clamp ⟨ww⟩ ● *klampen, vastklemmen, krammen.* **clamp down** ● (+on) *een eind maken (aan), de kop indrukken.*

clam up ● *dichtslaan, weigeren iets te zeggen.*

clan [klæn] ● *geslacht* ⟨in Schotse Hooglanden⟩, *stam, clan* ⟨ook fig.⟩.

clandestine [klæn'destɪn] ● *clandestien, geheim.*

1 clang [klæŋ] ⟨zn⟩ ● *metalige klank, galm* ⟨klok, bel⟩, *gekletter, gerinkel.*

2 clang ⟨ww⟩ ● *(metalig)(doen) klinken, rinkelen, kletteren, (doen) galmen.*

clanger ['klæŋə] ⟨BE; sl.⟩ ● *blunder;* drop a – *een flater slaan.*

clangour ['klæŋə] ● *(voortdurend) gekletter.*

1 clank [klæŋk] ⟨zn⟩ ● *gerinkel, gekletter.*

2 clank ⟨ww⟩ ● *(laten) rinkelen.*

1 clap [klæp] I ⟨telb zn⟩ ● *klap, slag, applaus;* – of thunder *donderslag* II ⟨n-telb zn; the⟩ ⟨sl.⟩ ● *druiper, gonorroea.*

2 clap I ⟨onov ww⟩ ● *klappen, slaan, kloppen* ● *applaudisseren* II ⟨ov ww⟩ ● *(stevig) plaatsen, zetten;* – s.o. in jail *iem. achter de tralies zetten* ● *slaan;* – s.o. on the back *iem. op de rug slaan* ● *klappen in/met;* – one's hands *in de handen klappen;* – handcuffs on s.o. *iem. in boeien slaan.*

clapboard ['klæpbɔːd] ⟨AE⟩ ● ⟨bouwk.⟩ *dakspaan, dakplank.*

'clapped-'out ⟨BE; ↓⟩ ● *uitgeteld* ● *gammel.*

clapper ['klæpə] ● *klepel* ● *ratel*‖⟨BE; ↓⟩ like the –s *als de gesmeerde bliksem.*

'claptrap ● *bombast, onzin.*

claret ['klærət] ● *rode (tafel)wijn* ⟨ihb. Bordeaux⟩.

clarification ['klærɪfɪ'keɪʃn] ● *opheldering.* **clarify** ['klærɪfaɪ] ● *zuiveren, klaren* ● *ophelderen, duidelijk maken.*

clarinet ['klærɪ'net] ● *klarinet.*

clarion ['klærɪən] ● *klaroen.*

clarity ['klærəti] ● *helderheid, duidelijkheid.*

1 clash [klæʃ] ⟨zn⟩ ● *gevecht,* ⟨ook fig.⟩ *botsing;* a – of opinions *verschil van mening* ● *gekletter* ⟨v. wapens⟩.

2 clash ⟨ww⟩ ● *slaags raken, botsen, in conflict zijn/raken* ‖ –ing colours *vloekende kleuren;* the party –es with my exam *het feest valt samen met mijn examen.*

1 clasp [klɑːsp] ⟨zn⟩ ● *sluithaak, gesp, (boek)slot, haak, knip* ● *greep* ● *handdruk.*

2 clasp ⟨ww⟩ ● *voorzien v.e. gesp/slot/haak* ● *vastmaken, dichthaken* ● *vastgrijpen, vastklemmen;* – hands *elkaars hand grijpen;* – sth. in the hand *iets in de hand klemmen.* **'clasp knife** ● *zakmes, knipmes.*

1 class [klɑːs] I ⟨telb zn⟩ ● *stand, (maatschappelijke) klasse* ● *rang, klas(se), soort, kwaliteit* ● *klas* ● *categorie, groep, klasse;* not in the same – *niet te vergelijken met* II ⟨telb en n-telb zn⟩ ● *les, lesuur, college, cursus* III ⟨n-telb zn⟩ ↓ ● *stijl, distinctie.*

2 class ⟨bn⟩ ● *eerste klas, prima.*

3 class ⟨ww⟩ ● *plaatsen, indelen.*

'class-'conscious ● *klassebewust.*

1 classic ['klæsɪk] I ⟨telb zn⟩ ● *een der klassieken, klassieker;* that film has become a – *die film is nu klassiek* II ⟨mv.; the⟩ ● *klassieke talen.*

2 classic ⟨bn⟩ ● *klassiek* ● *kenmerkend;* a – example *een schoolvoorbeeld.* **classical** ['klæsɪkl] ● *klassiek, conventioneel;* – music *klassieke muziek* ● *mbt./uit de klassieke oudheid, klassiek;* – scholar *classicus* ●

classicistisch.
classification [ˈklæsɪfɪˈkeɪʃn] • *classificatie, klasse, indeling.*
classified [ˈklæsɪfaɪd] || – advertisements, ↓ – ads *rubriekadvertenties, kleine annonces;* – documents *geheime documenten.* **classify** [ˈklæsɪfaɪ] • *indelen, classificeren.*
classmate [ˈklɑːsmeɪt] • *klasgenoot/genote.* **classroom** [ˈklɑːsrʊm, -ruːm] • *klaslokaal.* ˈ**class** ˈ**struggle** • *klassenstrijd.* **classy** [ˈklɑːsi] ↓ • *sjiek, deftig, elegant.*
1 clatter [ˈklætə] ⟨zn⟩ • *gekletter, gerammel, geklepper.*
2 clatter ⟨ww⟩ • *kletteren, klepperen.*
clause [klɔːz] • ⟨taal.⟩ *zin;* main – *hoofdzin;* subordinate – *bijzin* • *clausule, bepaling.*
claustrophobia [ˈklɔːstrəˈfoʊbɪə] • *claustrofobie.* **claustrophobic** [ˈklɔːstrəˈfoʊbɪk] • ⟨bn⟩ *lijdend aan claustrofobie* • ⟨bn⟩ *claustrofobie veroorzakend* • ⟨zn⟩ *lijder aan claustrofobie.*
clavicle [ˈklævɪkl] • *sleutelbeen.*
1 claw [klɔː] ⟨zn⟩ • *klauw* • *poot* • *schaar* ⟨v. krab e.d.⟩.
2 claw ⟨ww⟩ • *klauwen, grissen, graaien.* ˈ**claw hammer** • *klauwhamer.*
clay [kleɪ] • *klei, leem, aarde.* **clayey** [ˈkleɪi] • *kleiig, klei-.*
1 clean [kliːn] ⟨zn⟩ • *schoonmaakbeurt;* give the room a – *de kamer een (goede) beurt geven.*
2 clean ⟨bn⟩ • *schoon, helder, zuiver, rein, ongebruikt* ⟨vel papier⟩; give s.o. a – bill of health *iem. kerngezond verklaren* • *welgevormd, sierlijk, duidelijk, helder* ⟨stijl⟩ • *compleet, finaal;* a – break *een radicale breuk;* make a – sweep *schoon schip maken;* catch a ball –ly *een bal in een keer vangen* • *eerlijk, sportief;* a – fight *een eerlijk gevecht;* come – *eerlijk bekennen* • *onschuldig, netjes;* a – record *een blanco strafblad;* keep it – *hou 't netjes* • ⟨sl.⟩ *schoon, eraf,* ⟨ihb.⟩ *geen drank/drugs gebruikend* || make a – breast of sth. *iets bekennen;* keep one's nose – *zich nergens mee bemoeien;* show a – pair of heels *de benen nemen;* – as a new pin/as a whistle *zo schoon als wat;* wipe the slate – *met een schone lei beginnen.*
3 clean I ⟨onov ww⟩ • *schoon(gemaakt) worden;* zie CLEAN UP II ⟨ov ww⟩ • *schoonmaken, reinigen, zuiveren;* – down *schoonborstelen, schoonwassen;* zie CLEAN OUT, CLEAN UP.
4 clean ⟨bw⟩ • *volkomen, helemaal;* ↓ – forgotten *straal vergeten;* cut – through *finaal doorgesneden* • *eerlijk, fair.*
ˈ**clean-**ˈ**cut** • *duidelijk, helder, scherp om-*

lijnd • *netjes* ⟨mbt. uiterlijk⟩.
cleaner [ˈkliːnə] • *schoonmaker/maakster, werkster* • *schoonmaakmiddel* • ⟨cleaner's⟩ *stomerij.* ˈ**cleaning lady,** ˈ**cleaning woman** • *werkster, schoonmaakster.*
cleanly [ˈklenli] (-iness) • *zindelijk, netjes* || ⟨sprw.⟩ cleanliness is next to godliness *reinheid van ziel begint met reinheid van het lichaam.* ˈ**clean** ˈ**out** • *schoonvegen, uitmesten* • ↓ *kaal plukken, uitschudden.*
cleanse [klenz] • *reinigen, zuiveren* • ⟨rel.⟩ *louteren.* **cleanser** [ˈklenzə] • *reinigingsmiddel.*
ˈ**clean-**ˈ**shaven** • *gladgeschoren.* ˈ**cleanup** • *schoonmaakbeurt.* ˈ**clean** ˈ**up** I ⟨onov ww⟩ • *de boel opruimen, schoonmaken* • ↓ *snel winst maken, veel geld verdienen* II ⟨ov ww⟩ • *opruimen* • *(goed) schoonmaken, opknappen* • ↓ *opstrijken* ⟨vette winst⟩ • *zuiveren,* ⟨fig.⟩ *uitmesten;* – the town *de stad (van misdaad) zuiveren.*
1 clear [klɪə] ⟨zn⟩ || be in the – *buiten gevaar zijn, vrijuit gaan; uit de rode cijfers zijn;* ⟨sport⟩ *vrij staan.*
2 clear ⟨bn; -ness⟩ • *helder, schoon, doorzichtig, klaar* • *duidelijk, ondubbelzinnig;* get that – *begrijp dat goed;* make o.s. – *duidelijk maken wat men bedoelt;* be – about sth. *iets zeker weten* • *netto, schoon* ⟨loon e.d.⟩ • *compleet, volkomen;* a – majority *een duidelijke meerderheid* • *vrij, open, op een afstand, veilig, onbelemmerd;* the coast is – *de kust is veilig;* next month is still – *de volgende maand is nog vrij;* – of guilt *vrij van schuld* || – conscience *zuiver geweten;* out of a – (blue) sky *totaal onverwacht.*
3 clear I ⟨onov ww⟩ • *helder worden, opklaren* ⟨v. lucht⟩ • *weggaan, optrekken* ⟨v. mist⟩; – away *optrekken* • *overgeboekt worden* ⟨v. cheque⟩; zie CLEAR OFF, CLEAR OUT, CLEAR UP II ⟨ov ww⟩ • *helder maken, ophelderen, verhelderen;* – one's mind about sth. *zich opheldering verschaffen over iets* • *vrijmaken, ontruimen* ⟨gebouw, straat⟩; – the table *de tafel afruimen;* – the road of debris *de weg puinvrij maken* • *opruimen;* – sth. out of the way *iets uit de weg ruimen* • *zuiveren, onschuldig verklaren;* – s.o. of suspicion *iem. van verdenking zuiveren* • ⟨ruim⟩ *passeren, springen over* ⟨hek⟩ • *(laten) passeren* ⟨de douane⟩, *in/uitklaren* • *overhouden* ⟨winst⟩, *schoon verdienen;* – expenses *de kosten eruit halen* • *verrekenen, vereffenen* ⟨schuld⟩, *clearen* ⟨cheque⟩; zie CLEAR OFF, CLEAR OUT, CLEAR UP.
4 clear ⟨bw⟩ • *duidelijk, helder* • *volkomen,*

helemaal; – through the night *de hele nacht door* • *op voldoende afstand, vrij;* keep/stay/steer – of *uit de weg gaan, (proberen te) vermijden.*

clearance ['klɪərəns] • *op/verheldering, verduidelijking* • *ontruiming, opruiming* • ⟨ben. voor⟩ *vergunning, toestemming, (akte v.) in/uitklaring* ⟨ihb. schepen⟩, ⟨luchtv.⟩ *toestemming tot landen/opstijgen* • *verrekening, vereffening* • *speling, vrije ruimte.* '**clearance sale** ⟨BE⟩ • *uitverkoop, opruiming.*

'**clear-'cut** • *scherp omlijnd, duidelijk;* – plans *vastomlijnde plannen.* '**clear-'headed** (-ness) • *helder denkend, schrander.*

clearing ['klɪərɪŋ] • *open(gekapte) plek* ⟨in bos⟩ • *verrekening, vereffening.* '**clearing-house** • *verrekenkantoor* ⟨voor banken en spoorwegmaatschappijen onderling⟩ • *uitwisselingsplaats* ⟨van informatie, materialen⟩.

clearly ['klɪəli] • *duidelijk* • *ongetwijfeld, onmiskenbaar.* '**clear 'off** I ⟨onov ww⟩ ↓ • *'m smeren; –! opgehoepeld!* II ⟨ov ww⟩ • *afmaken* ⟨werk⟩ • *afbetalen* ⟨schulden⟩. '**clearout** ⟨BE; ↓⟩ • *schoonmaak(beurt).* '**clear 'out** I ⟨onov ww⟩ ↓ • *zijn biezen pakken, ophoepelen* II ⟨ov ww⟩ • *uitruimen, leeghalen* ⟨kast⟩, *opruimen* ⟨kamer⟩ • *wegdoen.* '**clear-'sighted** • ⟨vaak fig.⟩ *met scherpe blik, scherpzinnig* • *vooruitziend.* '**clear 'up** I ⟨onov ww⟩ • *opklaren* ⟨het weer⟩ • *ophouden* II ⟨ov ww⟩ • *opruimen* • *ophelderen.* '**clearway** ⟨BE⟩ • ⟨ongeveer⟩ *autoweg* ⟨met stopverbod⟩.

cleavage ['kli:vɪdʒ] • *scheiding, kloof, breuk* ⟨ook fig.⟩ • ↓ *gleuf* ⟨tussen borsten⟩, *decolleté, inkijk.*

cleave [kli:v] ⟨verl. t. ook cleft [kleft], clove [kloʊv], volt. deelw. ook cleft⟩ ⟨[kleft], cloven ['kloʊvn]⟩ I ⟨onov ww⟩ • *splijten;* zie CLEAVE TO II ⟨ov ww⟩ • *kloven, splijten, klieven;* – a path through the jungle *zich een weg door het oerwoud banen.* **cleaver** ['kli:və] • *hakmes, kapmes.* '**cleave to** • *hangen aan, gehecht zijn/blijven aan.*

clef [klef] ⟨muz.⟩ • *sleutel.*

1 **cleft** [kleft] ⟨zn⟩ • *spleet, barst, scheur, kloof.*

2 **cleft** ⟨bn⟩ • *gespleten;* – palate *gespleten gehemelte* ‖ be (caught) in a – stick *in het nauw zitten.*

clematis ['klemətɪs, klɪ'meɪtɪs] • *clematis.*

clem|ent ['klemənt] ⟨zn: -ency⟩ • *mild, zacht* • *genadig.*

clench [klentʃ] • *op elkaar klemmen* ⟨kaken, tanden⟩; with –ed fist *met gebalde vuist* • *vastklemmen, vastgrijpen.*

clergy ['klə:dʒi] • *geestelijkheid, geestelijken.* **clergyman** ['klə:dʒimən] • *geestelijke, priester* ⟨ihb. van Anglicaanse kerk⟩.

cleric ['klerɪk] • *geestelijke.* **clerical** ['klerɪkl] • *geestelijk, kerkelijk;* – dress *priesterkleed* • *administratief;* a – job *een kantoorbaan.*

clerk [klɑ:k] • *(kantoor)beambte, klerk* • *secretaris, griffier* • ⟨AE⟩ *(winkel)bediende* • ⟨AE⟩ *receptionist.*

clever [klevə] • *knap, slim* • *handig, bekwaam* • ⟨ong.⟩ *sluw;* ↓ – Dick *betweter;* ↓ too – by half *slimmer dan goed voor iem. is.*

cliché ['kli:ʃeɪ] • ⟨tech.⟩ *cliché* • *gemeenplaats, cliché.*

1 **click** [klɪk] ⟨zn⟩ • *klik, tik.*

2 **click** I ⟨onov ww⟩ • *klikken, tikken* • ↓ *het (samen) kunnen vinden, bij elkaar passen* • ↓ *aanslaan, succes hebben* • ↓ *op z'n plaats vallen, plotseling duidelijk worden* II ⟨ov ww⟩ • *klikken met, laten klikken/klakken.*

client ['klaɪənt] • *cliënt, klant.* **clientele** ['kli:ən'tel] • *klantenkring* • *praktijk* ⟨v. advocaat⟩ • *vaste bezoekers.*

cliff [klɪf] • *steile rots, klif* ⟨ihb. aan de kust⟩. '**cliff-hanger** ↓ • *spannende wedstrijd, spannend verhaal/hoorspel* ⟨enz.⟩.

climactic [klaɪ'mæktɪk] • *leidend tot een climax, climactisch.*

climate ['klaɪmət] • *klimaat* • *(lucht)streek.* **climatic** [klaɪ'mætɪk] • *klimaat-, climatisch.*

1 **climax** ['klaɪmæks] ⟨zn⟩ • *hoogtepunt, climax, toppunt.*

2 **climax** ⟨ww⟩ • *een hoogtepunt bereiken.*

1 **climb** [klaɪm] ⟨zn⟩ • *klim, beklimming* • *helling.*

2 **climb** I ⟨onov ww⟩ • *omhoog gaan, klimmen, stijgen* • *opklimmen* ⟨in rang, stand⟩ II ⟨ov ww⟩ • *klimmen in/op, beklimmen.*

'**climb 'down** • *naar beneden klimmen* • ↓ *een toontje lager zingen, inbinden.* '**climb-down** • *het ongelijk bekennen.* **climber** ['klaɪmə] • *klimmer* • *klimplant* • *streber, eerzuchtig persoon.*

1 **clinch** [klɪntʃ] • *vaste greep, omklemming* • ⟨boksen⟩ *clinch* • ↓ *omarming* • ⟨tech.⟩ *klinknagel.*

2 **clinch** I ⟨onov ww⟩ • ⟨boksen⟩ *(elkaar) aanklampen* • ↓ *elkaar omhelzen* II ⟨ov ww⟩ • ⟨tech.⟩ *klinken* • ⟨tech.⟩ *vastklinken* • *beklinken, sluiten* ⟨overeenkomst⟩; that –ed the matter *dat gaf de doorslag.*

clincher ['klɪntʃə] • *beslissende omstandigheid, doorslaggevend argument.*

cling [klɪŋ] ⟨clung, clung [klʌŋ]⟩ ● *kleven, zich vastklemmen* ● *dicht blijven bij, hangen;* Betty really –s to her elder brother Betty hangt erg aan haar grote broer ● *zich vastklampen.* **clinging** ['klɪŋɪŋ] ● *aanhankelijk* ● *nauwsluitend* ⟨kleding enz.⟩.

clinic ['klɪnɪk] **I** ⟨telb zn⟩ ● *kliniek,* ⟨BE⟩ *privékliniek* **II** ⟨telb en n-telb zn⟩ ● *klinisch onderricht.* **clinical** ['klɪnɪkl] ● *klinisch;* – thermometer *koortsthermometer* ● *klinisch, onbewogen, zakelijk* ⟨houding⟩.

1 clink [klɪŋk] ⟨zn⟩ ● *getinkel, gerinkel* ● ⟨sl.⟩ *nor.*

2 clink I ⟨onov ww⟩ ● *klinken, rinkelen* **II** ⟨ov ww⟩ ● *laten rinkelen, klinken met* ⟨bv. glazen⟩.

1 clip [klɪp] ⟨zn⟩ ● *knippende beweging, scheerbeurt;* give the sheep a – *de schapen scheren* ● *klem, knijper, clip* ● *fragment, stuk* ⟨ihb. uit film⟩ ● *klap;* a – on the jaw *een kaakslag* ‖ at a (fair) – *met een vaart.*

2 clip ⟨ww⟩ ● *(vast)klemmen, vastzetten* ● *(bij)knippen, afknippen, kort knippen, scheren* ⟨schapen⟩, *uitknippen* ⟨uit krant⟩ ● ↓ *een oplawaai geven* ● *afbijten* ⟨woorden⟩.

'clipboard ● *klembord.* **'clip-on** ● *met een klem, knijp-;* a – tie *een nepdasje.* **'clip 'out** ● *uitknippen.* **clipper** ['klɪpə] **I** ⟨telb zn⟩ ● *(scheep.) klipper(schip)* **II** ⟨mv.⟩ ● *nagelkniptang* ● *tondeuse.* **clipping** ['klɪpɪŋ] ● *kranteknipsel* ‖ nail –s *afgeknipte nagels.*

clique [kliːk] ● *kliek, club(je).* **cliquish** ['kliːkɪʃ], ↓ **cliquey** [-ki] ● *kliekjesachtig, exclusief.*

clitoris ['klɪtərɪs] ● *kittelaar.*

1 cloak [kloʊk] ⟨zn⟩ ● *mantel* ● *omhulling* ● *dekmantel.*

2 cloak ⟨ww⟩ ● *omhullen, vermommen;* –ed in/with kindness *verpakt in vriendelijkheid.*

'cloakroom ● *garderobe* ● ⟨BE; euf.⟩ *toilet.*

1 clobber ['klɒbə] ⟨zn⟩ ⟨sl.⟩ ● *boeltje, spullen.*

2 clobber ⟨ww⟩ ⟨sl.⟩ ● *een pak rammel geven* ● *in de pan hakken, volkomen verslaan.*

1 clock [klɒk] ⟨zn⟩ ● *klok;* put the – back *de klok terugzetten* ⟨ook fig.⟩; watch the – *de tijd in de gaten houden;* sleep (a)round the – *het klokje rond slapen* ● ⟨↓ ben. voor⟩ *meter, teller, taximeter, prikklok, kilometerteller.*

2 clock I ⟨onov ww⟩ ● *klokken* ⟨met prikklok⟩; – in/on *inklokken;* – off/out *uitklokken* **II** ⟨ov ww⟩ ● *de tijd opnemen van,*

klokken ● *laten noteren* ⟨tijd voor race enz.⟩.

'clockface ● *wijzerplaat.* **'clock radio** ● *wekkerradio.* **'clock 'up** ↓ ● *laten noteren, laten vastleggen* ⟨tijd, afstand⟩ ● *halen.* **clockwise** ['klɒkwaɪz] ● *met de (wijzers v.d.) klok mee (bewegend).* **'clockwork** ● *uurwerk;* like – *op rolletjes, gesmeerd.*

clod [klɒd] ● *kluit(aarde)* ● ↓ *boerenkinkel.* **'clodhopper** ↓ ● *boerenkinkel.*

1 clog [klɒg] ⟨zn⟩ ● *klomp* ● *muil* ⟨met houten zool⟩ ● *blok, kluister* ⟨aan poot v. dier⟩.

2 clog I ⟨onov ww⟩ ● *verstopt raken;* – up *verstopt raken* ⟨afvoerpijp⟩; *vastlopen* ⟨machinerie⟩ **II** ⟨ov ww⟩ ● *(doen) verstoppen;* – up *doen verstoppen, vast laten draaien* ⟨machines⟩ ● *belemmeren, hinderen.*

'clog dance ● *klompendans.*

1 cloister ['klɔɪstə] ⟨zn⟩ ● *kruisgang, kloostergang* ● *klooster.*

2 cloister ⟨ww⟩ ● *opsluiten, afzonderen* ⟨als in klooster⟩; a –ed life *een kluizenaarsbestaan.*

1 clone [kloʊn] ⟨zn⟩ ● *kloon* ● ⟨comp.⟩ *(IBM-)kloon.*

2 clone ⟨ww⟩ ● *klonen.*

1 close [kloʊs] ⟨zn⟩ ● *binnenplaats, hof(je)* ● ⟨BE⟩ *terrein* ⟨rond kathedraal, school enz.⟩.

2 close [kloʊz] ⟨zn⟩ ● *einde, besluit;* come/draw to a – *ten einde lopen.*

3 close [kloʊs] ⟨bn; -ness⟩ ● *dicht, gesloten, nauw, benauwd* ⟨ruimte⟩, *drukkend, benauwd* ⟨weer, lucht⟩ ● *geheim, zwijgzaam* ● *gierig* ● *nabij, naast* ⟨familie⟩, *intiem, dik* ⟨vriend(schap)⟩, *onmiddellijk* ⟨nabijheid⟩, *getrouw, letterlijk* ⟨kopie, vertaling⟩, *gelijk opgaand* ⟨(wed)strijd⟩, *kort* ⟨haar, gras⟩; – at hand *(vlak) bij de hand;* at – range *van dichtbij;* – to sth. *dicht bij iets* ● *grondig, diepgaand, geconcentreerd* ⟨aandacht⟩; in – confinement *in strikte afzondering;* keep a – watch on s.o. *iem. scherp in de gaten houden* ‖ at – quarters *zeer dichtbij;* ↓ a – shave/thing/call *op het nippertje.*

4 close [kloʊz] **I** ⟨onov ww⟩ ● *dichtgaan, (zich) sluiten;* – on *zich sluiten om/over* ● *aflopen, eindigen;* zie CLOSE DOWN, CLOSE IN, CLOSE OUT, CLOSE UP, CLOSE WITH **II** ⟨ov ww⟩ ● *dichtmaken, (af)sluiten, hechten* ⟨wond⟩, *dichten* ⟨gat⟩ ● *besluiten, beëindigen* ● *aaneensluiten* ● *afmaken, sluiten* ⟨overeenkomst, zaak⟩; – a deal *een overeenkomst afsluiten;* zie CLOSE DOWN, CLOSE UP.

5 close [klous] ⟨bw⟩ ● *dicht, stevig* ● *dicht- (bij), vlak;* – by/to *vlak bij;* ↓ – on *vlak bij;* – on sixty years *bijna zestig jaar.* **close-cropped** [-'krɒpt] ● *(met) kortgeknipt (haar).*

closed [klouzd] ● *dicht, gesloten;* behind – doors *besloten, achter gesloten deuren* ● *besloten, select.*

'closed-circuit ⟨tech.⟩ ● *via een gesloten circuit;* – television *televisiebewaking, bewaking dmv. camera's.*

closedown ['klouzdaun] ● *sluiting, stopzetting* ● ⟨BE⟩ *sluiting* ⟨v. radio- of t.v.-uitzendingen⟩. **close 'down** ['klouz 'daun] ● *sluiten, dicht gaan/doen* ⟨(v.) zaak⟩ ● ⟨BE⟩ *sluiten* ⟨(v.) radio- en t.v.-programma's⟩.

close-fitting [-'fɪtɪŋ] ● *nauwsluitend, strak.* **close in** ['klouz 'ɪn] ● *korten* ⟨v. dagen⟩ ● *naderen;* – (up)on *omsingelen, insluiten* ● *(in)vallen* ⟨v. duisternis⟩. **close-knit** ['klous'nɪt], **closely-knit** ['klousli-] ● *hecht.* **close out** ['klouz 'aut] ⟨AE⟩ ● *opruimen, uitverkoop houden.* **close-set** ['klous'set] ● *dicht bij elkaar (staand).*

1 closet ['klɒzɪt] ⟨zn⟩ ● *(ingebouwde) kast;* ⟨sl.⟩ come out of the – *kleur bekennen* ‖ a – queen *een stiekeme nicht.*

2 closet ⟨ww⟩ ● *in een privévertrek opsluiten,* ⟨pass.⟩ *in een privégesprek zijn;* he was –ed with the headmaster *hij had een privéonderhoud met het schoolhoofd.*

close-up ['klousʌp] ● *close-up, detailopname.* **close up** ['klouz 'ʌp] I ⟨onov ww⟩ ● *aansluiten* II ⟨ov ww⟩ ● *afsluiten, blokkeren;* – shop *de winkel sluiten.* **'close with** ⟨BE⟩ ● *het eens worden met* ● *aanvaarden;* the buyer quickly closed with the offer *de koper nam het aanbod gretig aan* ● *handgemeen worden met.*

'closing time ● *sluitingstijd* ⟨v. winkel, café⟩.

closure ['klouʒə] ● *het sluiten, sluiting* ● ⟨pol.⟩ *sluiting* ⟨v.e. debat⟩.

1 clot [klɒt] ⟨zn⟩ ● *klonter, klont;* a – of blood *een bloedstolsel* ● ⟨sl.⟩ *stommeling.*

2 clot ⟨ww⟩ ● *(doen) klonteren, (doen) stollen;* –ted cream *dikke room* ⟨verkregen v. bijna kokende melk⟩.

cloth [klɒθ] I ⟨telb zn⟩ ● *stuk stof, doek, lap* ● *tafellaken* II ⟨n-telb zn⟩ ● *stof, materiaal,* ⟨ihb.⟩ *laken, zeildoek* ● (the) *de clerus, de geestelijkheid* ‖ zie ook ⟨sprw.⟩ COAT.

clothe [klouð] ● *kleden, aankleden,* ⟨fig.⟩ *(om)hullen, inkleden.*

clothes [klou(ð)z] ⟨mv.⟩ ● *kleding, kleren, (was)goed* ● *beddegoed.* **'clothes hanger** ● *kleerhanger.* **'clotheshorse** ● *droogrek.* **'clothesline** ● *drooglijn, waslijn.* **'clothes-peg,** ⟨AE vnl.⟩ **'clothes pin** ● *(was)knijper.*

clothing ['klouðɪŋ] ● *kleding.*

1 cloud [klaud] ⟨zn⟩ ● *wolk;* ⟨fig.⟩ fall/drop from the –s *uit de zevende hemel vallen;* ⟨fig.⟩ in the –s *irreëel/onpraktisch;* ⟨van personen⟩ *verstrooid;* he is somewhat up in the –s *hij is een beetje een fantast;* ↓ be on a – *in de wolken zijn;* ↓ on – nine *in de zevende hemel;* under a – *uit de gratie* ‖ ⟨sprw.⟩ every cloud has a silver lining *achter de wolken schijnt de zon.*

2 cloud I ⟨onov ww⟩ ● *bewolken, verduisteren, betrekken* ⟨ook fig.⟩; the sky –ed over/up *het werd bewolkt* II ⟨ov ww⟩ ● *(zoals) met wolken bedekken, verduisteren, vertroebelen* ⟨ook fig.⟩; – the issue *de zaak vertroebelen.*

'cloud-bank ● *wolkenbank.* **'cloudburst** ● *wolkbreuk.* **cloudless** ['klaudləs] ● *onbewolkt.* **cloudy** ['klaudi] ● *bewolkt, troebel* ⟨v. vloeistof⟩, *beslagen* ⟨v. glas⟩, *onduidelijk, verward.*

1 clout [klaut] I ⟨telb zn⟩ ● ↓ *mep, klap* II ⟨n-telb zn⟩ ↓ ● *(politieke) invloed.*

2 clout ⟨ww⟩ ● ↓ *een mep/klap geven.*

1 clove [klouv] ⟨zn⟩ ● *kruidnagel* ‖ a – of garlic *een teentje knoflook.*

2 clove ⟨verl. t.⟩ zie CLEAVE.

cloven ⟨volt. deelw.⟩ zie CLEAVE.

clover ['klouvə] ● *klaver* ‖ be/live in – *leven als God in Frankrijk.* **'cloverleaf** ● *klaverblad,* ⟨ook fig.⟩ *verkeersknooppunt.*

1 clown [klaun] ⟨zn⟩ ● *clown* ● *lolbroek.*

2 clown ⟨ww⟩ ● *de clown spelen;* stop –ing about *hou op met die lol.* **clownish** ['klaunɪʃ] ● *potsierlijk, dwaas.*

1 club [klʌb] ⟨zn⟩ ● *knuppel, knots* ● *golfstok* ● *klaveren* ⟨één kaart⟩; –s are trumps *klaveren (zijn) troef* ● *clubgebouw* ● *club, sociëteit, vereniging;* ⟨vnl. BE; ↓⟩ 'I've lost my money.' 'Join the –!' *'Ik heb mijn geld verloren.' 'Jij ook al!'.*

2 club I ⟨onov ww⟩ ● *een bijdrage leveren* ‖ his friends –bed together to buy a present *zijn vrienden hebben een potje gemaakt om een cadeautje te kopen* II ⟨ov ww⟩ ● *knuppelen.*

'clubfoot ● *horrelvoet.*

'clubhouse ● *clubhuis* ⟨vooral v. sportverenigingen⟩.

1 cluck [klʌk] ⟨zn⟩ ● *klok, geklok* ⟨als v.e. hen⟩.

2 cluck ⟨ww⟩ ● *klokken, klokkend geluid maken* ⟨als v.e. hen⟩.

1 clue [klu:] ⟨zn⟩ ● *aanwijzing, spoor, hint, tip;* ↓ I haven't a – *ik heb geen idee.*

2 clue ⟨ww⟩ ↓ ● *een hint/aanwijzing geven;* please – me in *geef me toch een hint;* be (all) –d up about/on something *goed geïn-*

formeerd zijn over iets.
clueless ['klu:ləs] ↓ ● *stom.*
1 clump [klʌmp] ⟨zn⟩ ● *groep* ⟨vnl. v. bomen of planten⟩ ● *klont, brok* ● ↓ *dreun, bons.*
2 clump I ⟨onov ww⟩ ● *stommelen, klossen* **II** ⟨ov ww⟩ ● *bij elkaar planten* ● *samendoen.*
clumsy ['klʌmzi] ● *lomp, onhandig* ● *tactloos, onbeholpen.*
clung ['klʌstə] ⟨verl. t. en volt. deelw.⟩ zie CLING.
1 cluster ['klʌstə] ⟨zn⟩ ● *bos(je), groep(je), tros, zwerm.*
2 cluster I ⟨onov ww⟩ ● *zich groeperen* ● *in een groep groeien/staan* **II** ⟨ov ww⟩ ● *groeperen.*
1 clutch [klʌtʃ] ⟨zn⟩ ● *greep, klauw,* ⟨fig. ook⟩ *macht;* in the –es of a blackmailer *in de greep/klauwen v.e. chanteur* ● *legsel, nest (eieren/kuikens)* ● ⟨tech.⟩ *koppeling* ● ⟨tech.⟩ *koppelingspedaal;* let the – in *koppelen;* let the – out *ontkoppelen.*
2 clutch ⟨ww⟩ ● *grijpen, vastgrijpen;* he –ed at the tree *hij greep naar de boom.*
1 clutter ['klʌtə] ⟨zn⟩ ● *rommel, warboel;* the kitchen was in a – *de keuken was in wanorde.*
2 clutter ⟨ww⟩ ● *rommelig maken* ● *volproppen, volstoppen;* a sink –ed (up) with dishes *een aanrecht bedolven onder de borden.*
c/o ⟨afk.⟩ care of ● *p/a.*
Co. ⟨afk.⟩ company, county.
1 coach [koʊtʃ] ⟨zn⟩ ● *koets* ● *diligence* ● *spoorrijtuig* ● *bus, touringcar;* go/travel by – *met de bus reizen* ● *trainer, coach.*
2 coach ⟨ww⟩ ● *trainen, coachen.*
coachman ['koʊtʃmən] ● *koetsier.* '**coachwork** ● *koetswerk, carrosserie.*
coagulate [koʊ'ægjʊleɪt] ● *(doen) stremmen, (doen) stollen.*
coal [koʊl] ● *(steen)kool, gloeiend stuk kool, kooltje* ‖ carry/take –s to Newcastle *water naar de zee dragen;* haul s.o. over the –s *iem. de les lezen.*
coalesce ['koʊə'les] ● *zich verenigen.*
'**coal field** ● *kolengebied, mijnstreek.* '**coal gas** ● *steenkolengas.*
coalition [koʊə'lɪʃn] ⟨vnl. pol.⟩ ● *coalitie, verbond.*
'**coalmine** ● *kolenmijn.* '**coalminer** ● *mijnwerker.* '**coalmining** ● *kolenwinning.* '**coal pit** ● *kolenmijn.* '**coal scuttle** ● *kolenemmer, kolenkit.* '**coal 'tar** ● *koolteer.*
coarse [kɔ:s] ● *inferieur, slecht;* – food *slecht eten* ● *grof, ruw.*
'**coarse fish** ● *gewone zoetwatervis* ⟨beh. zalm en forel⟩.

coarsen ['kɔ:sn] ● *ruw worden/maken.*
1 coast [koʊst] ⟨zn⟩ ● *kust.*
2 coast ⟨ww⟩ ● *freewheelen, met de motor in de vrijloop rijden* ● ⟨vnl. fig.⟩ *zonder inspanning vooruitkomen, zich (doelloos) laten voortdrijven;* – to victory *op zijn sloffen winnen.*
coastal ['koʊstl] ● *kust-.* **coaster** ['koʊstə] ● *kustvaarder* ● *onderzetter.* '**coast guard** ● *lid v.d. kustwacht* ● *kustwacht.* '**coastline** ● *kustlijn.*
1 coat [koʊt] ⟨zn⟩ ● *(over)jas, mantel, jasje* ● *vacht, behaling, verenkleed* ● *laag;* – of paint *verflaag* ‖ – of arms *familiewapen;* – of mail *maliënkolder;* ⟨sprw.⟩ cut your coat according to your cloth ± *de tering naar de nering zetten.*
2 coat ⟨ww⟩ ● *met een laag bedekken.*
'**coat-hanger** ● *kleerhanger.*
coating ['koʊtɪŋ] ● *laag, deklaag.*
'**coat-tail** ● *slippen* ⟨v. rok of jacquet⟩.
co-author ['koʊ'ɔːθə] ● *medeauteur.*
coax [koʊks] ● *vleien, overhalen;* I –ed my friend into taking me with him *ik kreeg mijn vriend zover dat hij me meenam;* he –ed my last cigarette out of me *hij wist me mijn laatste sigaret af te bietsen.*
cob [kɒb] ● *mannetjeszwaan* ● *grote hazelnoot* ● *maïskolf* ⟨zonder maïskorrels⟩.
cobalt ['koʊbɔ:lt] ● *kobalt* ● ⟨ook attr⟩ *kobaltblauw.*
1 cobble ['kɒbl] ⟨zn⟩ ● *kinderkopje, kassei.*
2 cobble ⟨ww⟩ ● *bestraten (met keien)* ‖ – together *in elkaar flansen.*
cobbler ['kɒblə] ● *schoenmaker* ‖ ⟨BE; sl.⟩ a load of old –s *lulkoek.*
'**cobble-stone** ● *kei, kinderkopje.*
cobra ['kɒbrə, 'koʊ-] ● *cobra, brilslang.*
cobweb ['kɒbweb] ● *spinneweb* ● *spinrag* ‖ blow the –s away *de dufheid verdrijven.*
cocaine [koʊ'keɪn] ● *cocaïne.*
1 cock [kɒk] ⟨zn⟩ ● *haan,* ⟨fig.⟩ *kemphaan* ● ⟨ook attr⟩ *mannetje* ⟨v. vogels⟩ ● ⟨BE; ↓⟩ *makker* ● *kraan, tap* ● ↓ *lul* ● *haan* ⟨v. vuurwapens⟩ ‖ a load of (old) – *een hoop gelul;* – of the walk *dominant persoon.*
2 cock ⟨ww⟩ ● *overeind (doen) staan;* – the ears *de oren spitsen* ● *scheef (op)zetten;* zie COCK UP.
cock-a-doodle-doo ['kɒkədu:dl'du:] ● *kukeleku* ● ⟨kind.⟩ *(kukel)haan.*
'**cock-and-'bull story** ● *sterk verhaal, kletsverhaal.*
cockatoo ['kɒkə'tu:] ● *kaketoe.*
cockchafer ['kɒktʃeɪfə] ● *meikever.*
cocked [kɒkt] ● *opgeslagen;* a – hat *hoed met opgeslagen randen.*
cockerel ['kɒkrəl] ● *jonge haan.*

'cock-'eyed ● ⟨sl.⟩ *scheef, schuin* ● ⟨sl.⟩ *onzinnig, dwaas.*

'cockfight ● *hanengevecht.*

cockle ['kɒkl] ● *kokkel(schelp)* ‖ warm the –s of one's heart *iemands hart goed doen.*

cockney ['kɒkni] ● *cockney* ⟨inwoner v. Londen, ihb. East End⟩.

'cockpit ● *hanemat* ⟨vechtplaats voor hanen⟩, ⟨fig.⟩ *slagveld* ● *cockpit, stuurhut.*

cockroach ['kɒkrəʊtʃ] ● *kakkerlak.*

cocksure ['kɒk'ʃʊə] ↓ ● *(al te) zelfverzekerd, (al te) zelfbewust.*

cocktail ['kɒkteɪl] ● *cocktail.*

'cock 'up ● ⟨BE; ↓⟩ *in het honderd laten lopen.*

cocky ['kɒki] ● *verwaand, eigenwijs.*

cocoa ['kəʊkəʊ] ● *warme chocola* ● *cacao-(poeder).*

coconut ['kəʊkənʌt] ● *kokosnoot* ● *kokos-(vlees).* 'coconut 'matting ● *kokosmat(ten).* 'coconut palm ● *kokospalm/boom.*

cocoon [kə'ku:n] ● *cocon, pop* ● *(beschermend) omhulsel.*

cod [kɒd] ● *kabeljauw.*

coddle ['kɒdl] ● *zacht koken* ● *vertroetelen, verwennen.*

1 code [kəʊd] ⟨zn⟩ ● *code* ⟨stelsel v. letters/ signalen/symbolen⟩ ● *gedragslijn; –* of honour *erecode;* moral *– zedenwet* ● *wetboek.*

2 code ⟨ww⟩ ● *coderen, in codeschrift overbrengen.*

codify ['kəʊdɪfaɪ] ● *codificeren.*

'cod-liver 'oil ● *levertraan.*

1 coed ['kəʊ'ed] ⟨zn⟩ ⟨AE; ↓⟩ ● *meisjesstudent.*

2 coed ⟨bn⟩ ⟨afk.; ↓⟩ coeducational.

coeducation ['kəʊedʒʊ'keɪʃn] ● *coëducatie* ⟨gemengd onderwijs voor jongens en meisjes⟩. coeducational ['kəʊedʒʊ'keɪʃnəl] ● *coëducatie-, v./mbt. gemengd onderwijs.*

coefficient ['kəʊɪ'fɪʃnt] ● *coëfficiënt.*

coerce [kəʊ'ə:s] ● *dwingen; –* s.o. into doing sth. *iem. dwingen iets te doen* ● *onderdrukken.* coercion [kəʊ'ə:ʃn] ● *dwang.*

coexist ['kəʊɪg'zɪst] ● *coëxisteren, (vreedzaam) naast elkaar bestaan.* coexistence ['kəʊɪg'zɪstəns] ● *coëxistentie, het (vreedzaam) naast elkaar bestaan.*

coffee ['kɒfi] ● *koffie.* 'coffee bar ⟨BE⟩ ● *koffiebar, espressobar.* 'coffee bean ● *koffieboon.* 'coffee break ● *koffiepauze.* 'coffee grinder ● *koffiemolen.* 'coffee mill ● *koffiemolen.* 'coffeepot ● *koffiepot.* 'coffee shop ● ⟨AE⟩ *koffieshop* ● *koffiewinkel.* 'coffee table ● *salontafel(tje).*

coffer ['kɒfə] ● *koffer, (geld)kist* ● ⟨mv.⟩ *schatkist.*

coffin ['kɒfɪn] ● *(dood)kist.*

cog [kɒg] ● *tand(je)* ⟨v. rad⟩, *kam* ‖ ⟨fig.⟩ a – in the machine/wheel *een miniem radertje in een grote onderneming.*

cogency ['kəʊdʒənsi] ● *overtuigingskracht.*

cogent ['kəʊdʒənt] ● *overtuigend, krachtig.*

cogitate ['kɒdʒɪteɪt] ↑ ● *peinzen; –* about na- *denken over.* cogitation ['kɒdʒɪ'teɪʃn] I ⟨telb zn⟩ ● *gedachte, bespiegeling* II ⟨n-telb zn⟩ ● *het nadenken, gepeins.*

cognac ['kɒnjæk] ● *cognac.*

cognate ['kɒgneɪt] ● *verwant.*

cognizance ['kɒgnɪzəns] ● *kennis(neming);* take – of *nota nemen van.* cognizant ['kɒgnɪzənt] ● *bekend, op de hoogte;* be – of *ingelicht zijn over.*

'cogwheel ● *tandrad.*

cohabit [kəʊ'hæbɪt] ⟨zn: -ation⟩ ● *samenwonen.*

cohere [kəʊ'hɪə] ● *samenkleven* ● *(logisch) samenhangen.*

coher|ent [kəʊ'hɪərənt] ⟨zn: -ence⟩ ● *samenhangend.*

cohesion [kəʊ'hi:ʒn] ● *cohesie, (onderlinge) samenhang.* cohesive [kəʊ'hi:sɪv] ● *samenhangend, coherent* ● *bindend.*

1 coil [kɔɪl] ⟨zn⟩ ● *tros* ⟨v. touw⟩ ● *winding, wikkeling, spiraal* ● *vlecht, tres* ● ⟨elek.⟩ *spoel* ● ⟨med.⟩ *spiraaltje.*

2 coil ⟨ww⟩ ● *(zich) kronkelen, (op)rollen; –* up a rope *een touw opschieten.*

1 coin [kɔɪn] ⟨zn⟩ ● *munt(stuk), geldstuk.*

2 coin ⟨ww⟩ ● *munten, slaan* ⟨geld⟩ ● *uitvinden; –* a word *een woord verzinnen.* coinage ['kɔɪnɪdʒ] ● *het munten* ● *munt(stelsel)* ● *munten* ● *nieuwvorm, verzinsel.*

coincide ['kəʊɪn'saɪd] ● *(+with) samenvallen (met)* ● *(+with) overeenstemmen (met).* coincidence [kəʊ'ɪnsɪdəns] ● *samenloop (v. omstandigheden);* it was a mere – *het was puur toeval* ● *overeenstemming.* coincident [kəʊ'ɪnsɪdənt] ● *samenvallend* ● *overeenstemmend.* coincidental ['kəʊɪnsɪ'dentl] ● *toevallig.*

coitus ['kɔɪtəs] ● *geslachtsdaad.*

coke [kəʊk] ● ↓ *coca-cola* ● *cokes* ● ⟨sl.⟩ *cocaïne.*

col [kɒl] ● *bergpas, bergengte.*

colander ['kʌləndə, 'kɒ-] ● *vergiet.*

1 cold [kəʊld] I ⟨telb zn⟩ ● *verkoudheid;* catch (a) – kou *vatten;* have a – *verkouden zijn* II ⟨n-telb zn⟩ ● *koude* ‖ she was left out in the – *ze was aan haar lot overgelaten.*

2 cold (-ness) I ⟨bn, attr en pred⟩ ● *koud, koel,* ⟨fig.⟩ *onvriendelijk;* a – fish *een kouwe kikker; –* sweat *het angstzweet;* be/feel

– het koud hebben; it leaves me *– het laat me koud* • ‹ ↓ ; psych.› *frigide* ‖ in *–* blood *in koelen bloede;* get/have *–* feet *bang worden/zijn;* give s.o. the *–* shoulder *iem. koeltjes behandelen;* ‹fig.› put sth. into *–* storage *iets in de ijskast zetten; –* turkey ↓ *harde ontwenningskuur/ontwenningsverschijnselen v. verslaafde* ‹door hem/haar opeens alle drugs te onthouden›; *–* war *koude oorlog;* make s.o.'s blood run *– iem. het bloed in de aderen doen stollen* ‖ ‹bn, pred› ↓ •*bewusteloos;* he was knocked out *– hij werd buiten westen geslagen.*

3 cold ‹bw› • ↓ *volledig, helemaal; –* sober *broodnuchter* •*onvoorbereid, spontaan;* quit one's job *– op staande voet ontslag nemen;* be turned down *– zonder meer afgewezen worden.*

'cold-'blooded •*koudbloedig* •*koelbloedig, ongevoelig.* **'cold 'front** ‹meteo.› • *kou(de)front.* **'cold-'hearted** •*koud, onverschillig.* **'cold'shoulder** •*de rug toekeren, negeren.* **'cold sore** •*koortsuitslag* ‹op/ rond de lippen›. **'cold store** •*koelhuis.*

coleslaw ['koʊlslɔ:] •*koolsla.*

colic ['kɒlɪk] •*koliek.*

collabor|ate [kə'læbəreɪt] ‹zn: **-ation**› •*samenwerken, medewerken* •*collaboreren* ‹met de vijand›.

collaborator [kə'læbəreɪtə] •*medewerker* • *collaborateur.*

collage ['kɒlɑ:ʒ] •*collage.*

1 collapse [kə'læps] ‹zn› •*instorting, inzakking* •*val, ondergang* •*inzinking, collaps* •*mislukking, fiasco.*

2 collapse I ‹onov ww› •*instorten, invallen, in elkaar zakken* •*opvouwbaar zijn* •*bezwijken* •*mislukken* **II** ‹ov ww› •*opvouwen.*

collapsible [kə'læpsəbl] •*opvouwbaar, samenvouwbaar, inschuifbaar.*

1 collar ['kɒlə] ‹zn› •*kraag, halskraag* ‹ook tech.› •*boord(je)* •*halsband* •*halsketting.*

2 collar ‹ww› • *in de kraag grijpen, inrekenen.*

'collarbone •*sleutelbeen.*

collate [kə'leɪt] •*collationeren, nauwkeurig vergelijken, verifiëren.*

1 collateral [kə'lætrəl] ‹zn› •*zakelijk onderpand.*

2 collateral ‹bn› •*bijkomstig, secundair* • *verwant in de zijlijn, tweedegraads* ‖ *–* security *zakelijk onderpand.*

colleague ['kɒli:g] •*collega.*

1 collect [kə'lekt] ‹bn; bw› ‹AE› ‖ a *–* call *een telefoongesprek voor rekening v.d. opge-*

roepene; call me *– bel me maar op mijn kosten.*

2 collect I ‹onov ww› •*zich verzamelen* **II** ‹ov ww› •*verzamelen* •*innen, incasseren, collecteren* •*(weer) onder controle krijgen; –* one's thoughts *zijn gedachten bijeenrapen; –* o.s. *zijn zelfbeheersing terugkrijgen* • ↓ *afhalen, ophalen.*

collected [kə'lektɪd] •*kalm, bedaard* •*verzameld.*

collection [kə'lekʃn] **I** ‹telb zn› •*verzameling, collectie* •*collecte, inzameling* •*buslichting* **II** ‹n-telb zn› •*het verzamelen, het inzamelen.*

1 collective [kə'lektɪv] ‹zn› •*groep, collectief.*

2 collective ‹bn› •*gezamenlijk, gemeenschappelijk, collectief; –* agreement *collectieve arbeidsovereenkomst, CAO; –* farm *collectief landbouwbedrijf; –* bargaining *collectieve arbeidsonderhandelingen.* **collectiv|ize** [kə'lektɪvaɪz] ‹zn: **-ization**› •*tot collectief bezit maken.*

collector [kə'lektə] •*verzamelaar* •*collecteur* ‹v. staatsgelden›, *ontvanger (der belasting)* •*collectant.* **col'lector's item** • *gezocht (verzamel)object.*

college ['kɒlɪdʒ] •*hogere beroepsschool* • ‹vnl. BE› *onafhankelijke afdeling v.e. universiteit* ‹met internaat en eigen bestuur›; go to *–* studeren • ‹AE› *(kleine) universiteit* • ‹BE› *grote kostschool* •*universiteitsgebouw(en), schoolgebouw(en)* •*college.* **collegiate** [kə'li:dʒɪət] •*ingericht als/behorend tot een college/universiteit* •*studenten-* ‖ Oxford is a *–* university *de universiteit v. Oxford bestaat uit colleges.*

collide [kə'laɪd] •*botsen,* ‹fig.› *in botsing komen.*

collie ['kɒli] •*collie* ‹Schotse herdershond›.

collier ['kɒlɪə] ‹BE› •*mijnwerker* •*kolenschip.* **colliery** ['kɒlɪəri] ‹BE› •*kolenmijn.*

collision [kə'lɪʒn] •*botsing,* ‹fig. ook› *conflict.* **col'lision course** •*ramkoers* ‹v. raket›, ‹fig.› *een botsing uitlokkend(e) houding/optreden.*

collocation ['kɒlə'keɪʃn] • ‹taal.› *verbinding.*

colloquial [kə'loʊkwɪəl] •*tot de spreektaal behorend, informeel.* **colloquialism** [kə'loʊkwɪəlɪzm] •*alledaagse uitdrukking* • *informele stijl.*

collusion [kə'lu:ʒn] •*collusie, heimelijke verstandhouding.*

collywobbles ['kɒliwɒblz] ‹the› ↓ •*buikpijn* ‹ook van angst/zenuwen›.

colon ['koʊlən] •*dubbele punt.*

colonel ['kə:nl] •*kolonel.*

1 colonial [kə'loʊnɪəl] ⟨zn⟩ ● *koloniaal.*
2 colonial ⟨bn⟩ ● *koloniaal.* **colonialism** [kə-'loʊnɪəlɪzm] ● *kolonialisme.*
colonist ['kɒlənɪst] ● *kolonist.* **colonize** ['kɒlənaɪz] ⟨zn⟩: -ization⟩ I ⟨onov ww⟩ ● *een kolonie vormen/stichten* II ⟨ov ww⟩ ● *koloniseren.*
colonnade ['kɒlə'neɪd] ● *zuilenrij/gang.*
colony ['kɒlənɪ] ● *kolonie* ⟨ook biol.⟩.
colossal [kə'lɒsl] ● *kolossaal, reusachtig.* **colossus** [kə'lɒsəs] ● *kolos* ⟨ook fig.⟩.
1 colour ['kʌlə] I ⟨telb en n-telb zn⟩ ● *kleur;* ⟨fig.⟩ paint in glowing –s *zeer enthousiast beschrijven* ● *verf* ● *kleurtje, tint;* have a high – *een rood hoofd hebben;* change – *v. kleur verschieten;* lose – *bleek worden* II ⟨n-telb zn⟩ ● *schijn (v. werkelijkheid);* give/lend – to *geloofwaardiger maken* ● *soort, aard* ‖ be/feel/look off – *zich niet lekker voelen* III ⟨mv.⟩ ● ⟨the⟩ *nationale vlag, vaandel* ● *clubkleuren, insigne;* get one's –s *meespelen in de ploeg* ‖ ↓ show one's (true) –s *zijn ware gedaante tonen;* ↓ with flying –s *met vlag en wimpel;* trooping the –(s) *vaandelceremonie bij het wisselen v.d. wacht.*
2 colour I ⟨onov ww⟩ ● *kleuren* ● *rood worden;* – up *blozen* II ⟨ov ww⟩ ● *kleuren, verven* ● *verkeerd voorstellen* ● *beïnvloeden.*
'colour bar ● *rassenbarrière, rassendiscriminatie.* **'colour-blind** ● *kleurenblind.* **coloured** ['kʌləd] ● *gekleurd* ● ⟨vero.⟩ *niet-blank;* – people *kleurlingen.* **'colourfast** ● *kleurecht, kleurvast.* **colourful** ['kʌləfl] ● *kleurrijk* ● *schitterend, interessant.* **colouring** ['kʌlərɪŋ] I ⟨telb en n-telb zn⟩ ● *verf (stof), kleur(stof)* II ⟨n-telb zn⟩ ● *kleuring (gezonde) gelaatskleur.* **colourless** ['kʌlələs] ● *kleurloos* ● *saai, vervelend.* **'colour television** ● *kleurentelevisie.*
colt [koʊlt] ● *veulen, jonge hengst* ⟨tot vier à vijf jaar⟩ ● ⟨↓; ihb. sport⟩ *beginneling, jonge speler.*
column ['kɒləm] ● *zuil, pilaar* ● *kolom* ● ⟨mil.⟩ *colonne.* **columnist** ['kɒləmnɪst] ● *columnist, rubriekschrijver.*
coma ['koʊmə] ● *coma.* **comatose** ['koʊmətoʊs] ● *comateus, diep bewusteloos.*
1 comb [koʊm] ⟨zn⟩ ● *kam* ⟨ook v. haan e.d.⟩; his hair needs a good – *er moet eens een stevige kam door z'n haar* ● *honingraat.*
2 comb ⟨ww⟩ ● *kammen* ● ↓ *doorzoeken, uitkammen;* zie COMB OUT.
1 combat ['kɒmbæt] ⟨zn⟩ ● *strijd, gevecht.*
2 combat ['kɒmbæt] ⟨ww⟩ ● *vechten (tegen), (be)strijden.* **combatant** ['kɒmbətənt] ● *strijder.* **'combat unit** ● *ge-*

vechtseenheid. **'combat zone** ● *gevechtsterrein.*
combination ['kɒmbɪ'neɪʃn] ● *combinatie, vereniging, verbinding;* in – with *samen met.* **'combi'nation lock** ● *combinatieslot, letterslot, cijferslot.*
1 combine ['kɒmbaɪn] ⟨zn⟩ ● *politieke/economische belangengemeenschap* ● *maaidorser.*
2 combine [kəm'baɪn] I ⟨onov ww⟩ ● *zich verenigen, zich verbinden* ● *samenwerken* II ⟨ov ww⟩ ● *combineren, verenigen, samenvoegen* ● *in zich verenigen.*
'combine 'harvester ● *maaidorser.*
combo ['kɒmboʊ] ● *bandje, orkestje.*
'comb 'out ↓ ● *uitkammen* ● *schiften* ● *afvoeren* ⟨overbodig personeel⟩.
combustible [kəm'bʌstəbl] ● ⟨bn⟩ *(ver)brandbaar, ontvlambaar* ● ⟨bn⟩ *lichtgeraakt* ● ⟨zn; vaak mv.⟩ *brandstof, brandbare stof.* **combustion** [kəm'bʌstʃən] ● *verbranding.*
come [kʌm] ⟨came [keɪm], come [kʌm]⟩ ● *komen, naderen;* in the years to – *in de komende jaren;* she came running *ze kwam aangerend;* – and go *heen en weer lopen;* ⟨fig.⟩ *komen en gaan* ● *aankomen, arriveren* ● *beschikbaar zijn, verkrijgbaar zijn;* this costume –s in two sizes *dit mantelpak is verkrijgbaar in twee maten* ● *verschijnen;* that news came as a surprise *dat nieuws kwam als een verrassing* ● *meegaan* ● *gebeuren;* – what may *wat er ook moge gebeuren;* (now that I) – to think of it *nu ik eraan denk;* ↓ how –? *hoe komt dat?* ● *beginnen, gaan, worden;* the buttons came unfastened *de knopen raakten los;* – loose *losgaan;* – to know s.o. better *iem. beter leren kennen* ● ↓ *klaarkomen* ‖ ↓ – Saturday *aanstaande zaterdag;* she doesn't know whether she is coming or going *ze is de kluts kwijt;* – home to roost *zich keren tegen (de aanstichter);* – home to s.o. *tot iem. doordringen;* – near to tears *bijna in tranen uitbarsten;* – near doing sth. *iets bijna doen;* zie ook ⟨sprw.⟩ EASY, FIRST, TOMORROW; zie COME ABOUT, COME ACROSS, COME AFTER, COME AGAIN, COME ALONG, COME APART, COME AROUND, COME AT, COME AWAY, COME BACK, COME BETWEEN, COME BY, COME DOWN, COME FOR, COME FORWARD, COME FROM, COME IN, COME INTO, COME OF, COME OFF, COME ON, COME OUT, COME OVER, COME ROUND, COME THROUGH, COME TO, COME UNDER, COME UP, COME UPON.
'come a'bout ● *gebeuren, geschieden.*
'come a'cross I ⟨onov ww⟩ ● *overkomen*

⟨v. bedoeling, grap e.d.⟩ ●↓ *overkomen (als); he comes across to me as quite a nice fellow hij lijkt me een aardige kerel* ‖↓ – *with over de brug komen met* ⟨geld⟩ **II** ⟨ww + vz⟩ ●*aantreffen, stoten op* ●*invallen; it came across my mind het schoot me te binnen.* **'come 'after** ●*volgen, komen na* ●↓ *(achter iem.) aanzitten.* **'come a'gain** ●↓ *iets herhalen;* –? *zeg 't nog eens.* **'come a'long** ●*meekomen, meegaan* ●*opschieten; how is your work coming along? schiet je op met je werk?;* –! *vooruit! schiet op!* ●*zich voordoen, beuren* ●*beter worden* ⟨v. zieke⟩ ‖–! *komaan!.* **'come a'part** ●*uit elkaar vallen, losgaan.* **'come a'round** zie COME ROUND. **'come at** ●*komen bij, er bij kunnen* ●*bereiken; the truth is often difficult to – het is dikwijls moeilijk de waarheid te achterhalen* ●*aanvallen.*

come-at-able [kʌmˈætəbl]↓ *toegankelijk, bereikbaar.*

'come a'way ●*losraken, losgaan* ●*heengaan, weggaan, ervandaan komen.* **'comeback** ●*come-back; stage/make/try a – een come-back (proberen te) maken.* **'come 'back** ●*terugkomen, terugkeren* ●*weer in de mode komen* ●*weer te binnen schieten* ●*gevat antwoorden, wat terugzeggen.* **'come between** ●*tussenbeide komen.* **'come by I** ⟨onov ww⟩ ●*voorbijkomen* **II** ⟨ww + vz⟩ ●*krijgen, komen aan; jobs are hard to – werk is moeilijk te vinden* ●*oplopen* ⟨ziekte, wond e.d.⟩.

comedian [kəˈmiːdɪən] ●*(blijspel)acteur, komediant* ⟨ook fig.⟩ ●*komiek, grappenmaker.*

'comedown↓ ●*vernedering, achteruitgang* ●*tegenvaller.* **'come 'down** ●*neerkomen, naar beneden komen, (neer)vallen* ●*overgeleverd worden* ⟨v. traditie e.d.⟩ ●*dalen, zakken* ⟨v. prijs⟩ ●*óverkomen; he's just – from London hij is pas uit Londen gekomen* ●⟨BE⟩ *de universiteit verlaten; she came down from Cambridge in 1961 in 1961 studeerde ze af in Cambridge* ‖ – *in the world aan lager wal geraken.* **'come 'down on** ●*neerkomen op* ●*straffen; come down heavily on criminals delinquenten zwaar aanpakken* ●*krachtig eisen* ●*uitvaren tegen.* **'come 'down to** ●*neerkomen op; the problem comes down to this het probleem komt hierop neer.* **'come 'down with** ●*krijgen* ⟨ziekte⟩.

comedy [ˈkɒmədi] **I** ⟨telb zn⟩ ●*blijspel, komedie* **II** ⟨n-telb zn⟩ ●*humor.*

'come for ●*komen om, komen (af)halen* ●*(dreigend) afkomen op.* **'come 'forward** ●

zich (vrijwillig) aanbieden, zich aanmelden. **'come from** ●*komen uit/van* ●*het resultaat zijn v..* **'come 'in** ●*binnenkomen* ●*aankomen; he came in second hij kwam als tweede binnen* ●*verkozen/benoemd worden, aan de macht komen* ●*in de mode komen* ●*opkomen* ⟨v. getij⟩ ‖ *there's no money coming in yet er komt nog maar geen geld binnen;* – *handy/useful goed te/van pas komen; this is where you – hier kom jij aan de beurt; where do I –? en ik dan?.* **'come 'in for** ●*krijgen, ontvangen* ‖ – *a great deal of criticism heel wat kritiek uitlokken.* **'come 'in on** ●*deelnemen aan, meewerken aan.* **'come into** ●*(ver)krijgen, in het bezit komen v.;* – *a fortune een fortuin erven* ●*komen in;* – *fashion in de mode komen;* – *sight in zicht komen;* – *the world ter wereld komen* ‖ – *one's own zichzelf worden, erkend worden.*

comely [ˈkʌmli] ●*aantrekkelijk, knap.*

'come of ●*komen uit/van; he comes of noble ancestors hij stamt uit een nobel geslacht* ●*het resultaat zijn van; that's what comes of being late dat komt ervan als je te laat bent.* **'come 'off I** ⟨onov ww⟩ ●*loslaten* ⟨bv. v. behang v.d. muur⟩, *losgaan* ●*(het) er afbrengen;* – *badly het er slecht van afbrengen;* – *second best op de tweede plaats eindigen* ●*lukken, goed aflopen* ●*plaatshebben* ●*uit produktie/roulatie genomen worden* ⟨v. film, toneelstuk⟩ ●*afgeven, afgaan* ⟨v. verf⟩ **II** ⟨ww + vz⟩ ●*afkomen van;* ⟨fig.⟩ – *the booze van de drank afraken* ‖↓ *oh,* – *it! schei uit!.* **'come 'on I** ⟨onov ww⟩ ●*naderbij komen, oprukken; I'll – later ik kom je wel achterna* ●*opschieten, vorderen* ●*beginnen, opkomen* ⟨v. onweer⟩, *vallen* ⟨v. nacht⟩, *aangaan* ⟨v. licht⟩; *I've got a cold coming on ik heb een opkomende verkoudheid;* ⟨BE⟩ *it came on to rain het begon te regenen* ●*opkomen* ⟨v. toneelspeler⟩ ‖ – *in! kom toch binnen!;* –! *kom op!;* oh – *(not again)! oh alsjeblieft niet nog eens!* **II** ⟨ww + vz⟩ ●*aantreffen, stoten op* ●*treffen* ⟨v. iets ongewensts⟩, *overvallen.* **'come-on** ⟨sl.⟩ ●*lokmiddel* ‖ ⟨sl.⟩ *as soon as her husband had left she gave me the – zodra haar man de kamer uit was begon ze avances te maken.* **'come 'out** ●*uitkomen, eruit komen; Lucy came out in the top three Lucy eindigde bij de eerste drie* ●*staken* ●*verschijnen, tevoorschijn komen, gepubliceerd worden* ⟨v. boek⟩, *uitlopen* ⟨v. planten, bomen⟩, *doorkomen* ⟨v. zon⟩, *uit de mond komen* ⟨v. woorden⟩; *he's coming out in spots/a rash hij* zit vol uitslag; ↓ – with the truth *met de waarheid voor de dag komen* ● *bekend worden* ● *er uitgaan* 〈v. vlek〉 ‖ – of nowhere *uit het niets opkomen;* – right/wrong *goed/slecht aflopen;* – badly/well *het er slecht/goed afbrengen;* the Government came out strong(ly) against the Russian invasion *de regering protesteerde krachtig tegen de Russische invasie.* '**come 'over** I 〈onov ww〉 ● *óverkomen, oversteken* ● *(naar een andere partij) overlopen* ● *langs komen, bezoeken* ● *óverkomen, aanslaan* ● 〈BE〉 *zich voelen;* – faint/funny *zich flauw/raar voelen* II 〈ww + vz〉 ● *overkómen, bekruipen;* a strange feeling came over her *een vreemd gevoel bekroop haar;* what has – you? *wat bezielt je?.*

comer ['kʌmə] ● 〈AE; ↓〉 *veelbelovend iemand* ‖ all –s *iedereen.*

'**come 'round,** 〈vnl. AE〉 '**come a'round** ● *aanlopen, langs komen* ● *bijkomen* ● *overgaan;* she'll never – to our side *ze zal nooit aan onze kant gaan staan* ● *(regelmatig) terugkeren* ● *een ruzie bijleggen, bijtrekken* 〈na boze bui〉.

comet ['kɒmɪt] ● *komeet.*

'**come 'through** I 〈onov ww〉 ● *doorkomen, overkomen* ● *overleven* 〈mbt. ziekte e.d.〉 ● ↓ *doen als verwacht, over de brug komen* II 〈ww + vz〉 ● *overleven, doorstaan.*

'**come 'to** I 〈onov ww〉 ● *bijkomen, weer bij zijn positieven komen* II 〈ww + vz〉 ● *betreffen, aankomen op;* when it comes to speaking in public *als het er op aankomt in het openbaar te spreken* ● *komen tot (aan), komen bij;* – an agreement *het eens worden;* – a decision *tot een besluit komen;* – one's senses/o.s. *tot bezinning komen, weer bijkomen* ● *bedragen, (neer) komen op;* – the same thing *op hetzelfde neerkomen* ● *te binnen schieten* ● *toekomen, ten deel vallen* ‖ I hope no harm will – you *ik hoop dat je geen kwaad geschiedt;* he'll never – anything *er zal nooit iets uit hem worden;* 〈sl.〉 he had it coming to him *hij kreeg zijn verdiende loon;* what's it all coming to? *waar moet dat allemaal heen?;* – nothing *op niets uitdraaien;* – o.s. *tot zichzelf komen;* if it comes to that *in dat geval.* '**come under** ● *komen onder, vallen onder.* '**come 'up** ● *opkomen, (naar) boven komen;* – for election *verkiesbaar zijn* ● *ter sprake komen* ● *gebeuren* ● 〈BE〉 *aan de universiteit komen, gaan studeren* 〈vnl. Oxford, Cambridge〉 ● *overkomen;* she's just – from New York *zij is pas uit New York gekomen* ‖ – the

hard way *door schade en schande wijs worden;* – in the world *vooruitkomen in de wereld;* – against *in conflict komen met;* our holiday didn't – to our expectations *onze vakantie viel tegen;* ↓ – with a better answer *met een beter antwoord op de proppen komen.* '**come upon** ● *overvallen, komen over;* fear came upon them *ze werden door angst bevangen* ● *aantreffen, tegen het lijf lopen.*

comeuppance [kʌm'ʌpəns] ↓ ‖ get one's – *zijn verdiende loon krijgen.*

1 **comfort** ['kʌmfət] I 〈telb zn〉 ● *troost, steun* ● 〈vaak mv.〉 *comfort, gemak;* house with all modern –s *huis met alle modern comfort* II 〈n-telb zn〉 ● *troost;* derive/take – from sth. *troost putten uit iets* ● *comfort, gerieflijkheid* ● *welstand;* live in – *welgesteld zijn.*

2 **comfort** 〈ww〉 ● *troosten.* **comfortable** ● *aangenaam, gemakkelijk;* make yourself – *maak het je gemakkelijk* ● *comfortabel, gerieflijk;* a – income *een royaal inkomen* ● *zonder pijn;* have a – night *een rustige nacht hebben* ● *welgesteld.* **comforter** ['kʌmfətə] ● *trooster, steun* ● 〈BE〉 *fopspeen.*

comfy ['kʌmfi] ↓ ● *aangenaam, knus.*

1 **comic** ['kɒmɪk] 〈zn〉 ● ↓ *komiek* ● 〈vnl. mv.〉〈AE; ↓〉 *stripboek, strippagina.*

2 **comic** 〈bn〉 ● *grappig, komisch.* **comical** ['kɒmɪkl] ↓ ● *grappig, komisch.* '**comic book** 〈AE〉 ● *strip(boekje).* '**comic strip** 〈AE〉 ● *strip(verhaal).*

1 **coming** ['kʌmɪŋ] 〈zn〉 ● *komst;* the –s and goings *het komen en gaan.*

2 **coming** 〈bn〉 ● *komend, aanstaand* ● *veelbelovend.*

comma ['kɒmə] ● *komma* ‖ inverted –s *aanhalingstekens.*

1 **command** [kə'mɑːnd] 〈zn〉 ● *commando, leiding;* at/by his – *op zijn bevel;* be in – of *het bevel voeren over* ● *bevel, order, gebod;* he is at my – *hij staat te mijner beschikking* ● *legeronderdeel, commando* ● *beheersing;* have (a) good – of a language *een taal goed beheersen* ● 〈comp.〉 *opdracht.*

2 **command** 〈ww〉 ● *bevelen, gebieden, commanderen* ● *het commando voeren over* ● *beheersen;* – o.s. *zich beheersen* ● *bestrijken, overzien;* this hill –s a fine view *vanaf deze heuvel heeft men een prachtig uitzicht* ● *afdwingen;* – respect *eerbied afdwingen.*

commandant ['kɒmən'dænt] ● *commandant.* **commandeer** ['kɒmən'dɪə] ● *(op)vorderen, in beslag nemen.* **commander**

[kə'mɑ:ndə] ●*bevelhebber, comman- dant;* – in chief *opperbevelhebber.* **com- manding** [kə'mɑ:ndɪŋ] ●*bevelvoerend;* – officer *bevelvoerend officier* ●*indrukwek- kend, imponerend* ●*wijds.* **command- ment** [kə'mɑ:n(d)mənt] ‖ the Ten Com- mandments *de Tien Geboden.*

commando [kə'mɑ:ndoʊ] ⟨mil.⟩ ●*comman- do, stoottroep, stoottroeper.*

com'mand post ⟨mil.⟩ ●*commandopost.*

commemorate [kə'meməreɪt] ●*herdenken, gedenken, vieren.* **commemoration** [kə'memə'reɪʃn] ●*herdenking, viering;* in – of *ter herinnering aan.*

commence [kə'mens] ⟨zn: -ment⟩ ●*begin- nen.*

commend [kə'mend] ●*toevertrouwen* ●*prij- zen, loven* ●*aanbevelen.* **commendable** [kə'mendəbl] ●*prijzenswaardig.* **com- mendation** ['kɒmən'deɪʃn] ●*lof, bijval* ● *aanbeveling.*

commensurate [kə'menʃrət] ●(+with) *sa- menvallend (met)* ●(+to, with) *evenredig (met), passend.*

1 comment ['kɒment] ⟨zn⟩ ●*(verklarende/ kritische) aantekening, commentaar, toe- lichting;* give/make (a) – on *commentaar leveren bij;* ↓ no – *geen commentaar.*

2 comment ⟨ww⟩ ●(+(up)on) *commentaar leveren (op)* ●*opmerkingen/aanmerkin- gen maken.*

commentary ['kɒmentri] ●*commentaar* ● *uitleg* ●*reportage;* a running – *een door- lopende reportage.* **commentate** ['kɒmənteɪt] ●*verslaan, een reportage ge- ven van.* **commentator** ['kɒmənteɪtə] ● *commentator* ●*verslaggever.*

commerce ['kɒmə:s] ●*handel, (handels)ver- keer.*

1 commercial [kə'mə:ʃl] ⟨zn⟩ ●*reclame, spot.*

2 commercial ⟨bn⟩ ●*commercieel* ⟨ook ong.⟩; – bank *handelsbank;* ⟨BE⟩ – trav- eller *vertegenwoordiger, handelsreiziger;* – vehicle *bedrijfsauto.* **commercialism** [kə'mə:ʃəlɪzm] ⟨vaak ong.⟩ ●*handels- geest, handelspraktijken.* **commercialize** [kə'mə:ʃəlaɪz] ●*vercommercialiseren.*

commie ['kɒmi] ⟨sl.; ong.⟩ ●*communist.*

commiser|ate [kə'mɪzəreɪt] ⟨zn: -ation⟩ ● ⟨+with⟩ *medelijden hebben (met).*

1 commission [kə'mɪʃn] ⟨zn⟩ ●*opdracht* ● *aanstelling* ⟨ihb. v. officier⟩, *benoemings- brief* ●*commissie, comité* ●*verlening* ⟨v. macht, ambt enz.⟩, *machtiging;* in – *met een opdracht belast* ●*provisie;* sell on – *in commissie verkopen* ●*het begaan* ⟨v. misdaad/zonde⟩ ‖ be out of – *niet in ge-*

bruik zijn.

2 commission ⟨ww⟩ ●*opdragen, belasten* ● *bestellen* ●*aanstellen, benoemen* ⟨offi- cier bij marine⟩.

commissionaire [kə'mɪʃə'neə] ⟨vnl. BE⟩ ● *portier.*

commissioner [kə'mɪʃənə] ⟨vaak C-⟩ ●*com- missaris, gevolmachtigde* ●*(hoofd)com- missaris* ⟨v. politie⟩ ●*(hoofd)ambtenaar.*

commit [kə'mɪt] ●*toevertrouwen;* – to the earth *ter aarde bestellen;* – to memory *uit het hoofd leren;* – to paper *op schrift stel- len* ●*verwijzen* ⟨wet naar commissie⟩ ● *opsluiten;* – to a mental hospital *in een in- richting (doen) opnemen;* – to prison *in hechtenis nemen* ●*plegen, begaan* ●*be- schikbaar stellen, toewijzen;* – money to a new project *geld uittrekken voor een nieuw project* ‖ – o.s. *zich verplichten; zich uitspreken;* – o.s. to a cause *zich inzetten voor een (goed) doel;* – o.s. on an issue *zijn mening over een zaak geven.* **com- mitment** [kə'mɪtmənt] ●*verplichting, ver- bintenis;* he made a – to/that ... *hij ver- plichtte zich om ...* ●*overtuiging;* have a – to Socialism *het socialisme aanhangen* ● *(bevel tot) inhechtenisneming.*

committal [kə'mɪtl] ●*inhechtenisneming, opsluiting, opname.*

committed [kə'mɪtɪd] ●*toegewijd, over- tuigd* ●*geëngageerd.*

committee [kə'mɪti] ●*commissie, bestuur, comité;* to be/sit on a – *lid zijn v.e. com- missie.*

commodious [kə'moʊdɪəs] ●*ruim.*

commodity [kə'mɒdəti] ●*(handels)artikel, produkt.*

commodore ['kɒmədɔ:] ⟨scheep.⟩ ●*com- mandeur* ●*commodore, bevelhebber v.e. smaldeel/eskader* ⟨in Eng. of U.S.A.⟩.

1 common ['kɒmən] I ⟨zn⟩ ●*meent, ge- meenschapsgrond* ‖ out of the – *onge- woon, ongebruikelijk;* in – *gemeenschap- pelijk;* in – with *evenals* II ⟨mv.⟩ ●⟨C-; the⟩ *(leden v. h.) Lagerhuis.*

2 common ⟨bn⟩ ●*gemeenschappelijk;* by – consent *met algemene instemming;* Common Market *Europese (Economi- sche) Gemeenschap* ●*openbaar, publiek;* his past was – knowledge *iedereen wist van zijn verleden;* for the – good *in het al- gemeen belang* ●*gewoon, algemeen* ●*or- dinair* ‖ make – cause with *gemene zaak maken met;* – ground *overeenstemming, punt v. overeenkomst;* – law *gewoonte- recht, ongeschreven recht;* – sense *ge- zond verstand.*

commoner ['kɒmənə] ●*burger, gewone*

man. '**common land** ● *meent, gemeenschapsgrond.* '**common-law** ● *(volgens het) gewoonterecht;* they are – husband and wife *ze zijn zonder boterbriefje getrouwd.* **commonly** ['kɒmənli] ● zie COMMON ● *gewoonlijk, gebruikelijk* ● *ordinair.* '**common-or-'garden**↓ ● *huis-, tuin- en keuken-, alledaags.*

1 **commonplace** ['kɒmənpleɪs] ⟨zn⟩ ● *gemeenplaats, cliché* ● *alledaags iets.*

2 **commonplace** ⟨bn⟩ ● *afgezaagd* ● *alledaags, gewoon.*

'**common-room** ⟨BE⟩ ● *docentenkamer* ● *studentenvertrek, leerlingenkamer.*

Commonwealth ['kɒmənwelθ] I ⟨eig.n.⟩ *Britse Gemenebest;* – of Nations *Britse Gemenebest* II ⟨telb zn⟩ ● ⟨vaak c-⟩ *gemenebest.*

commotion [kə'moʊ[n] ● *beroering, opschudding.*

communal ['kɒmjʊnl] ● *gemeenschappelijk, gemeenschaps-* ● *v.e. commune.*

1 **commune** ['kɒmju:n] ⟨zn⟩ ● *commune, woongemeenschap.*

2 **commune** [kə'mju:n] ⟨ww⟩ ● *in nauw contact staan;* – with friends *een intiem gesprek met vrienden hebben;* – with nature *zich één voelen met de natuur.*

communicate [kə'mju:nɪkeɪt] I ⟨onov ww⟩ ● *communiceren, contact hebben* ● *in verbinding staan* II ⟨ov ww⟩ ● *overbrengen, bekendmaken, doorgeven.* **communication** [kə'mju:nɪ'keɪ[n] ● *mededeling, bericht* ● *verbinding, communicatie* ● ⟨mv.⟩ *verbindingen, communicatiemiddelen.* **communi'cation cord** ● *noodrem* ⟨in trein⟩. **communicative** [kə'mju:nɪkətɪv] ● *spraakzaam, openhartig.*

communion [kə'mju:nɪən] ● *kerkgenootschap* ● ⟨R.-K.⟩ *communie* ● ⟨Prot.⟩ *Avondmaal* ● *het zich één voelen, verbondenheid.*

communiqué [kə'mju:nɪkeɪ] ● *communiqué, bekendmaking.*

communism ['kɒmjʊnɪzm] ● *communisme.* **communist** ['kɒmjʊnɪst] ● ⟨bn⟩ *communistisch* ● ⟨zn⟩ *communist.*

community [kə'mju:nəti] ● *gemeenschap, bevolkingsgroep* ● *gemeenschappelijkheid;* a – of interests *gemeenschappelijke belangen* ● ⟨R.-K.⟩ *congregatie* ● ⟨the⟩ *bevolking, publiek, gemeenschap* ● ⟨biol.⟩ *levensgemeenschap.* **com'munity centre** ● *wijkcentrum, buurthuis.* **com'munity singing** ● *samenzang.*

commu'tation ticket ⟨AE⟩ ● *(trein/bus) abonnement.*

commute [kə'mju:t] I ⟨onov ww⟩ ● *pende-*

len, forenzen II ⟨ov ww⟩ ● *verlichten, omzetten;* – a sentence from death to life imprisonment *een vonnis van doodstraf in levenslang omzetten* ● *veranderen, omzetten;* – an insurance policy into/for a lump sum *een verzekeringspolis afkopen voor een uitkering ineens.* **commuter** [kə'mju:tə] ● *forens.*

1 **compact** ['kɒmpækt] ⟨zn⟩ ● *poederdoos* ● ⟨AE⟩ *middelgrote/kleine auto.*

2 **compact** [kəm'pækt] ⟨bn⟩ ● *compact, samengeperst, bondig;* –ly built *met een stevig/gedrongen postuur.*

3 **compact** [kəm'pækt] ⟨ww⟩ ● *samenpersen.*

'**compact disc** ● *compact-disc.*

companion [kəm'pænɪən] ● *metgezel, lotgenoot, kameraad;* – in arms *wapenbroeder* ● *gezelschapsdame* ● *handboek, gids* ● *één v. twee bij elkaar behorende exemplaren.* **companionable** [kəm'pænɪənəbl] ● *gezellig.* **companionship** [kəm'pænɪən[ɪp] ● *kameraadschap, gezelschap, omgang.*

company ['kʌmp(ə)ni] I ⟨n-telb zn⟩ ● *gezelschap;* John's good/bad – *John is een gezellige/ongezellige kerel;* keep s.o. – *iemand gezelschap houden;* keep – with *omgaan met;* part – with *scheiden van, verlaten;* in – in *gezelschap;* in – with *samen met* ● *bezoek, gasten* ‖ zie ook ⟨sprw.⟩ TWO II ⟨zn⟩ ● *gezelschap, groep, toneelgezelschap* ● *bedrijf, maatschappij, vennootschap* ● ⟨mil.⟩ *compagnie* ● ⟨scheep.⟩ *(gehele) bemanning.*

comparable ['kɒmprəbl] ● *vergelijkbaar.*

comparative ● *vergelijkend, betrekkelijk, relatief.*

1 **compare** [kəm'peə] ⟨zn⟩ ↑‖ beyond – *weergaloos.*

2 **compare** I ⟨onov ww⟩ ● *de vergelijking kunnen doorstaan;* our results – poorly with theirs *onze resultaten steken pover bij de hunne af* II ⟨ov ww⟩ ● *vergelijken;* I'm tall, –d to him *bij hem vergeleken ben ik (nog) lang;* – with the original *naast het origineel leggen.*

comparison [kəm'pærɪsn] ● *vergelijking;* bear/stand – with *de vergelijking kunnen doorstaan met;* there's no – between us *we zijn niet te vergelijken;* by/in – with *in vergelijking met.*

compartment [kəm'pɑ:tmənt] ● *compartiment, vakje, (trein)coupé, (gescheiden) ruimte;* a ship's –s *de ruimen v.e. schip.* **compartmentalize** ['kɒmpɑ:t'mentəlaɪz] ● *in vakken verdelen, onderverdelen, categoriseren.*

compass ['kʌmpəs] ● *kompas* ● ⟨vnl. enk.⟩ *bereik, gebied; that's not within the – of my responsibility dat valt niet onder mijn verantwoordelijkheid* ● ⟨vnl. mv.⟩ *passer;* a *pair* of *–es een passer.*

compassion [kəm'pæ∫n] ● *medelijden, begaanheid; –* for/on *medeleven met.* **compassionate** [kəm'pæ∫(ə)nət] ● *medelevend/lijdend;* ⟨BE⟩ – leave *verlof wegens familieomstandigheden.*

compatible [kəm'pætəbl] ● *verenigbaar, bij elkaar passend, aansluitbaar* ⟨v. technische apparaten⟩; – with *aangepast aan.*

compatriot [kəm'pætrɪət] ● *landgeno(o)t(e).*

compel [kəm'pel] ● *(af)dwingen, noodzaken.* **compelling** [kəm'pelɪŋ] ● *fascinerend, onweerstaanbaar.*

compensate ['kɒmpənseɪt] I ⟨onov ww⟩ ● ⟨+for⟩ *opwegen (tegen), compenseren* II ⟨onov en ov ww⟩ ● *vergoeden, goedmaken.* **compensation** ['kɒmpən'seɪ∫n] ● *compensatie, (onkosten/schade)vergoeding, schadeloosstelling.*

compere ['kɒmpeə] ⟨BE⟩ ● ⟨zn⟩ *presentator* ● ⟨ww⟩ *als presentator optreden.*

compete [kəm'piːt] ● *wedijveren, meedingen, concurreren.*

competence ['kɒmpətəns] ● *bekwaamheid* ● ⟨jur.⟩ *bevoegdheid, competentie.* **competent** ['kɒmpət(ə)nt] ● *competent, (vak)bekwaam* ● *toereikend, adequaat;* a – job *een goed stuk werk* ● *competent* ⟨vnl. jur.⟩, *bevoegd.*

competition ['kɒmpə'tɪ∫n] ● *wedstrijd* ● *competitie, wedijver, concurrentie;* we're in – with *we moeten wedijveren met.* **competitive** [kəm'petətɪv] ● *concurrerend; –* examination *vergelijkend examen.* **competitor** [kəm'petɪtə] ● *concurrent, (wedstrijd)deelnemer, rivaal.*

compilation ['kɒmpɪ'leɪ∫n] ● *samenstelling, verzameling.* **compile** [kəm'paɪl] ● *samenstellen, verzamelen.* **compiler** [kəm'paɪlə] ● *samensteller* ● ⟨comp.⟩ *compiler* ⟨die programma in machinetaal omzet⟩.

complacency [kəm'pleɪsnsɪ] ⟨vaak ong.⟩ ● *zelfgenoegzaamheid, (zelf)voldaanheid.* **complacent** [kəm'pleɪsnt] ⟨vaak ong.⟩ ● *zelfgenoegzaam, zelfvoldaan.*

complain [kəm'pleɪn] ● *klagen, een klacht indienen.* **complaining** [kəm'pleɪnɪŋ] ● *klagend.*

complaint [kəm'pleɪnt] ● *klacht* ⟨ook jur.⟩, *grief,* ⟨oneig.⟩ *kwaal;* lodge a – against s.o. *een aanklacht tegen iem. indienen* ● *beklag, het klagen.*

complaisant [kəm'pleɪznt] ● *inschikkelijk.*

1 complement ['kɒmplɪmənt] ⟨zn⟩ ● *aanvulling* ● *vereiste hoeveelheid, voltallige bemanning/bezetting.* **2 complement** ['kɒmplɪment] ⟨ww⟩ ● *aanvullen.* **complementary** ['kɒmplɪ'mentrɪ] ● *complementair, aanvullend; –* colours *complementaire kleuren* ⟨die samen wit vormen⟩.

1 complete [kəm'pliːt] ⟨bn; -ness⟩ ● *compleet, volkomen, totaal* ● *klaar, voltooid.* **2 complete** ⟨ww⟩ ● *vervolledigen, afmaken, voltooien, invullen* ⟨formulier⟩; our navy –d a successful attack *onze marine deed een geslaagde aanval.* **completion** [kəm'pliː∫n] ● *voltooiing.*

1 complex ['kɒmpleks] ⟨zn⟩ ● *complex* ⟨bv. sportcomplex⟩, *samengesteld geheel* ● ⟨psych.⟩ *complex,* ⟨↓; oneig.⟩ *obsessie.* **2 complex** ⟨bn⟩ ● *gecompliceerd, samengesteld, ingewikkeld.*

complexion [kəm'plek∫n] ● *gelaatskleur, teint* ● *aanzien, voorkomen, aard.*

complexity [kəm'pleksətɪ] ● *ingewikkeldheid, gecompliceerdheid, complexiteit.*

compliance [kəm'plaɪəns] ● *volgzaamheid, meegaandheid;* in – with your wish *overeenkomstig uw wens; –* with the law *naleving v.d. wet* ● *onderdanigheid.* **compliant** [kəm'plaɪənt] ● *volgzaam, inschikkelijk* ● *onderdanig.*

complicate ['kɒmplɪkeɪt] ● *ingewikkeld(er) maken.* **complicated** ['kɒmplɪkeɪtɪd] ● *gecompliceerd, ingewikkeld.* **complication** ['kɒmplɪ'keɪ∫n] ● *complicatie* ⟨ook med.⟩, *(extra/onvoorziene) moeilijkheid, verwikkeling.*

complicity [kəm'plɪsətɪ] ‖ – in *medeplichtigheid aan.*

1 compliment ['kɒmplɪmənt] ⟨zn⟩ ● *compliment;* the –s of the season *kerst/nieuwjaarswens;* ⟨als wens⟩ *prettige feestdagen;* pay s.o. a – (on sth.) *iem. een complimentje (over iets) maken.* **2 compliment** ['kɒmplɪment] ⟨ww⟩ ● ⟨+on⟩ *complimenteren (met/over), een compliment maken, gelukwensen.* **complimentary** ['kɒmplɪ'mentrɪ] ● *complimenteus, vleiend* ● *gratis; –* copy *presentexemplaar; –* tickets *vrijkaartjes.*

comply [kəm'plaɪ] ● *zich schikken, gehoorzamen; –* with *zich neerleggen bij, gehoor geven aan.*

component [kəm'pounənt] ● ⟨bn⟩ *samenstellend; –* parts *onderdelen, bestanddelen* ● ⟨zn⟩ *component, onderdeel.*

compose [kəm'pouz] I ⟨onov en ov ww⟩ ● *schrijven, componeren* II ⟨ov ww⟩ ● *samenstellen; –d* of *bestaande/opgebouwd* *uit* ●*tot bedaren/rust brengen;* – *yourself rustig nou maar.* **composed** [kəm'poʊzd] ●*kalm, beheerst.* **composer** [kəm'poʊzə] ●*componist, schrijver.*

composite ['kɒmpəzɪt] ●*samengesteld.*

composition ['kɒmpə'zɪʃn] ●*samenstelling, compositie, opbouw;* a piece of his own – *een stuk v. eigen hand* ●*het componeren* ●*kunstwerk,* ⟨ihb.⟩ *muziekstuk, compositie* ●*steloefening, opstel, verhandeling* ● *constitutie, aard* ●⟨druk.⟩ *het letterzetten* ●*schikking* ‖ chemical –s *chemische mengsels.*

compositor [kəm'pɒzɪtə] ⟨druk.⟩ ●*(letter) zetter.*

compost ['kɒmpɒst] ●*compost, mengmest.* 'compost heap ●*composthoop.*

composure [kəm'poʊʒə] ●*(zelf)beheersing, kalmte.*

compote ['kɒmpɒt] ●*vruchtenmoes.*

1 compound ['kɒmpaʊnd] ⟨zn⟩ ●*samenstel, mengsel,* ⟨taal.⟩ *samengesteld(e) zin/woord,* ⟨schei.⟩ *(chemische) verbinding* ● *omheinde groep gebouwen/huizen, (krijgs)gevangenkamp, omheind gebied.*

2 compound ⟨bn⟩ ●*samengesteld;* ⟨med.⟩ – fracture *gecompliceerde breuk;* – interest *samengestelde interest, rente op rente.*

3 compound [kəm'paʊnd] ⟨ww⟩ ●*(dooreen/ver)mengen, samenstellen;* – a recipe *een recept klaarmaken* ●*vergroten, verergeren;* the situation was –ed by his absence *door zijn afwezigheid werd de zaak bemoeilijkt.*

comprehend ['kɒmprɪ'hend] ●*begrijpen.*

comprehensible ['kɒmprɪ'hensəbl] ● *begrijpelijk.* **comprehension** ['kɒmprɪ'henʃn] ●⟨school.⟩ *begripstest, lees-/luistertoets* ●*begrip, bevattingsvermogen.*

1 comprehensive ['kɒmprɪ'hensɪv] ⟨zn⟩ ● ⟨BE⟩ *middenschool,* ⟨in praktijk vaak⟩ *scholengemeenschap.*

2 comprehensive ⟨bn⟩ ●*alles/veelomvattend, uitvoerig, uitgebreid;* – insurance *all-risk verzekering;* ⟨BE⟩ – school *middenschool* ●*verstandelijk;* – faculty *bevattingsvermogen.*

1 compress ['kɒmpres] ⟨zn⟩ ●*kompres.*

2 compress [kəm'pres] ⟨ww⟩ ●*samendrukken, samenpersen;* – a complex idea into a few words *een ingewikkeld idee in een paar woorden samenvatten.* **compression** [kəm'preʃn] ●*samendrukking/persing, compressie* ●*dichtheid, compactheid.* **compressor** [kəm'presə] ●*compressor.*

comprise [kəm'praɪz] ●*bestaan/opgebouwd zijn uit, be/omvatten, vormen.*

1 compromise ['kɒmprəmaɪz] ⟨zn⟩ ●*compromis, tussenoplossing, middenweg,* ⟨ong.⟩ *geschipper.*

2 compromise I ⟨onov ww⟩ ●*een compromis sluiten* II ⟨ov ww⟩ ●*door een compromis regelen, (minnelijk) schikken* ●*compromitteren, in opspraak brengen.*

compulsion [kəm'pʌlʃn] ●*onweerstaanbare drang;* under – *onder dwang* ●*dwang.*

compulsive [kəm'pʌlsɪv] ●*dwingend;* a – smoker *een verslaafd roker* ●⟨psych.⟩ *dwangmatig, dwang-,* ⟨fig.⟩ *onweerstaanbaar.* **compulsory** [kəm'pʌlsri] ●*verplicht;* – education *leerplicht;* ⟨school.⟩ – subject *verplicht vak* ●*dwingend, onontkoombaar.*

compunction [kəm'pʌŋ(k)ʃn] ●*schuldgevoel, (gewetens)bezwaar, wroeging.*

computation ['kɒmpjʊ'teɪʃn] ●*berekening.*

compute [kəm'pjuːt] ●*berekenen, uitrekenen.* **computer** [kəm'pjuːtə] ●*computer.*

com'puter-'aided ●*met de computer geleid/bestuurd.* **com'puter game** ●*computerspel(letje).* **computerize** [kəm'pjuːtəraɪz] I ⟨onov en ov ww⟩ ●*automatiseren, overschakelen op computers* II ⟨ov ww⟩ ●*verwerken met een computer, opslaan/invoeren in een computer.*

comrade ['kɒmrɪd, -reɪd] ●*kameraad, makker,* ⟨pol.⟩ *medecommunist.*

1 con [kɒn] ⟨zn⟩ ●⟨verk. v. confidence (trick)⟩⟨sl.⟩ *oplichterij* ●⟨verk. v. convict⟩ ⟨sl.⟩ *veroordeelde.*

2 con ⟨ww⟩ ●⟨sl.⟩ *oplichten, afzetten;* – s.o. out of his money *iem. zijn geld afhandig maken* ●⟨sl.⟩ *be/ompraten;* he –ned me into signing *hij heeft me mijn handtekening weten te ontfutselen.*

3 con ⟨bw; zie ook contra⟩ ●*tegen.*

concatenate [kɒn'kætɪneɪt] ⟨zn: -ation⟩ ⟨↑ of tech.⟩ ●*aaneenschakelen.*

concave ['kɒn'keɪv] ●*concaaf, hol(rond).*

conceal [kən'siːl] ●*verbergen, achter/geheimhouden;* – the facts from s.o. *de feiten voor iem. achterhouden.* **concealment** [kən'siːlmənt] ●*schuil/geheimhouding, verzwijging;* stay in – *zich schuil houden.*

concede [kən'siːd] I ⟨onov ww⟩ ●*opgeven* ⟨vnl. pol., sport⟩ II ⟨ov ww⟩ ●*toegeven;* – defeat *zijn nederlaag erkennen;* – a point *ongelijk bekennen* ●*toestaan.*

conceit [kən'siːt] ●⟨lit.⟩ *gekunstelde beeldspraak/metafoor;* full of – *erg verwaand* ●*verwaandheid, verbeelding.* **conceited** [kən'siːtɪd] ●*verwaand, ijdel.*

conceivable [kən'si:vəbl] ● *voorstelbaar, denkbaar.* **conceive** [kən'si:v] I ⟨onov ww⟩ zie CONCEIVE OF II ⟨onov en ov ww⟩ ● *zwanger worden (van)* III ⟨ov ww⟩ ● *bedenken, ontwerpen; she –d a dislike for me ze kreeg een hekel aan mij* ● *opvatten, begrijpen.* **con'ceive of** ● *zich voorstellen, zich indenken.*

1 concentrate ['kɒnsntreɪt] ⟨zn⟩ ● *concentraat* ⟨ook schei.⟩*, ingedampte/ingekookte substantie, extract.*

2 concentrate I ⟨onov ww⟩ ● *(+(up)on) zich concentreren (op)* ● *samenkomen in één punt, zich concentreren* II ⟨ov ww⟩ ● *concentreren* ● *concentreren, samenbrengen.* **concentrated** ['kɒnsntreɪtɪd] ● *geconcentreerd, onverdund* ● *krachtig, intens.*

concentration ['kɒnsn'treɪʃn] ● *concentratie, aandacht* ● *concentratie, samentrekking.* **concen'tration camp** ● *concentratiekamp.*

concentric [kən'sentrɪk] ● *concentrisch.*

concept ['kɒnsept] ● *idee, voorstelling, denkbeeld.* **conception** [kən'sepʃn] ● *ontstaan* ⟨v. idee e.d.⟩*, ontwerp; the moment of – het moment v. wording* ● *voorstelling, opvatting, begrip* ● *bevruchting* ⟨ook fig.⟩*, conceptie.*

conceptual [kən'septʃuəl] ● *conceptueel.* **conceptualize** [kən'septʃuəlaɪz] ● *zich een voorstelling maken van.*

1 concern [kən'sə:n] ⟨zn⟩ ● *aangelegenheid; aren't my –/are no – of mine gaan mij niet aan/zijn mijn zaak niet* ● *(be)zorg(dheid), begaanheid; cause for – reden tot ongerustheid* ● *bedrijf, onderneming, firma; going – bloeiende onderneming* ● *(aan)deel, belang.*

2 concern ⟨ww⟩ ● *aangaan, van belang zijn voor; to whom it may – aan wie dit leest; as far as I'm –ed wat mij betreft* ● *betreffen, gaan over* ● *met zorg vervullen, verontrusten* ⟨wdk of pass.⟩ *zich aantrekken, zich bekommeren; be –ed/– o.s. about/with sth. zich ergens mee bezighouden/voor inzetten/zorgen om maken.*

concerned [kən'sə:nd] ● *bezorgd, ongerust* ● *geïnteresseerd, betrokken; all the people – alle (erbij) betrokkenen; – in betrokken bij* ‖ *be – with betreffen, gaan over.* **concerning** [kən'sə:nɪŋ] ● *omtrent, betreffende.*

concert ['kɒnsət] ● *concert* ‖ *in – in onderlinge samenwerking; gezamenlijk.*

concerted [kən'sə:tɪd] ● *gezamenlijk; despite – effort ondanks eensgezinde pogingen;* ⟨↓; oneig.⟩ *ondanks verwoede pogingen* ⟨v. één persoon⟩.

concertgoer ['kɒnsətɡoʊə] ● *concertganger.*

concerto [kən'tʃə:toʊ] ⟨muz.⟩ ● *concerto, concert.*

concession [kən'seʃn] ● *concessie,* ⟨ihb.⟩ *concessieterrein/veld* ● *concessie(verlening), vergunning, tegemoetkoming.*

conch [kɒntʃ, kɒŋk] ● *schelpdier.*

conciliate [kən'sɪlieɪt] ● *kalmeren, sussen* ● *verzoenen.* **conciliation** [kən'sɪli'eɪʃn] ● *verzoening, vreedzame beslechting v.e. geschil.* **con'cili'ation board** ● *geschillencommissie.* **conciliatory** [kən'sɪliətri] ● *verzoeningsgezind, verzoenend.*

concise [kən'saɪs] ● *beknopt.*

conclave ['kɒŋkleɪv] ‖ *sit in – in conclaaf/geheime zitting bijeen zijn.*

conclude [kən'klu:d] I ⟨onov ww⟩ ● *eindigen* II ⟨ov ww⟩ ● *beëindigen, (af/be)sluiten* ● *(af)sluiten; – an agreement een overeenkomst sluiten* ● *concluderen, afleiden* ● *beslissen, besluiten.* **conclusion** [kən'klu:ʒn] ● *besluit, beëindiging, slot; in – tot besluit* ● *sluiting, totstandkoming* ● *conclusie, gevolgtrekking; come to/draw –s conclusies trekken; a foregone – een bij voorbaat uitgemaakte zaak; jump to –s overhaaste gevolgtrekkingen maken.* **conclusive** [kən'klu:sɪv] ● *afdoend, overtuigend.*

concoct [kən'kɒkt] ● *samenstellen, bereiden, brouwen* ● ⟨vnl. ong.⟩ *verzinnen, bekokstoven.* **concoction** [kən'kɒkʃn] ● *samenstelling, brouwsel* ● *verzinsel.*

concord ['kɒŋkɔ:d] ● *harmonie, eendracht, overeenstemming.*

concourse ['kɒŋkɔ:s] ● *menigte, toeloop* ● *samenkomst/loop* ● *weidse ruimte, (stations)hal.*

1 concrete ['kɒŋkri:t] ⟨zn⟩ ● *beton.*

2 concrete ⟨bn⟩ ● *concreet, tastbaar* ● *vast, hard* ● *betonnen, beton-.*

3 concrete ⟨ww⟩ ● *met beton bedekken, (in) beton storten.*

'concrete mixer ● *betonmolen.*

concubine ['kɒŋkjubaɪn] ● *bijzit, bijvrouw.*

concur [kən'kə:] ● *samenvallen, overeenstemmen; everything –red to produce a successful experiment alles droeg bij tot/ werkte mee aan het welslagen v.h. experiment* ‖ *– with s.o/in sth. het eens zijn met iem./iets.* **concurrence** [kən'kʌrəns] ● *overeenstemming, in/toestemming* ● *samenloop, het samenvallen.* **concurrent** [kən'kʌrənt] ● *samenvallend, gelijktijdig* ● *samenwerkend* ● *overeenkomstig.*

concussion [kən'kʌʃn] ● *schok, stoot, klap* ● *hersenschudding.*

condemn [kən'dem] ● *veroordelen, schuldig verklaren* ● *afkeuren; – an old house een* oud huis onbewoonbaar verklaren • ver-beurdverklaren, in beslag nemen. **con-demnation** [ˈkɒndemˈneɪʃn] • reden v. ver-oordeling • veroordeling, afkeuring.

condensation [ˈkɒndenˈseɪʃn] • ⟨nat., schei.⟩ condensatie • condens(atie)water • het inkorten, ingekorte versie.

condense [kənˈdens] • condenseren ⟨ook fig.⟩, indampen, be/in/verkorten; –d milk gecondenseerde melk. **condenser** [kənˈdensə] • ⟨nat.⟩ condensor • ⟨elek., nat.⟩ condensator.

condescend [ˈkɒndɪˈsend] • zich verlagen, zich verwaardigen; the prime minister –ed to open the factory de premier was zo goed de fabriek te openen • neerbuigend/uit de hoogte doen. **condescension** [ˈkɒndɪˈsenʃn] • neerbuigendheid, laat-dunkendheid.

condiment [ˈkɒndɪmənt] • kruiderij.

1 condition [kənˈdɪʃn] ⟨zn⟩ • (lichamelijke) toestand, staat; in good/poor – in goede/slechte staat; in/out of – in/niet in conditie/vorm; she's in no – to work ze is niet in staat om te werken • voorwaarde, condi-tie; on – that op voorwaarde dat • ⟨vnl. mv.⟩ omstandigheid • (maatschappelijke) rang, stand • ⟨med.⟩ afwijking, aandoe-ning.

2 condition ⟨ww⟩ • bepalen, vaststellen, af-hangen (van); a nation's expenditure is –ed by its income de bestedingsmogelijk-heden v.e. land worden bepaald door het nationale inkomen • in conditie brengen, verzorgen; – o.s. z'n conditie op peil bren-gen • ⟨psych.⟩ conditioneren.

conditional [kənˈdɪʃnəl] • voorwaardelijk; – (up)on afhankelijk v..

condo [ˈkɒndoʊ] zie CONDOMINIUM.

condolence [kənˈdoʊləns] • deelneming • ⟨mv.⟩ betuiging v. deelneming, condo-leantie. **con'dole with** • (+on) condole-ren (met).

condom [ˈkɒndəm] • condoom.

condominium [ˈkɒndəˈmɪnɪəm] • ⟨AE⟩ (flat-gebouw met) koopflat(s), appartement.

condone [kənˈdoʊn] • vergeven, door de vingers zien.

conducive [kənˈdjuːsɪv] • gunstig; be – to bevorderlijk zijn voor.

1 conduct [ˈkɒndʌkt] ⟨zn⟩ • gedrag, hou-ding, handelwijze • leiding, beleid • be-handeling.

2 conduct [kənˈdʌkt] I ⟨onov en ov ww⟩ • lei-den, begeleiden; –ed tour rondleiding • ⟨muz.⟩ dirigeren • (zich) gedragen; – o.s. zich gedragen • ⟨nat., elek.⟩ geleiden II ⟨ov ww⟩ • besturen, leiden, (aan)voeren;

– elections verkiezingen organiseren • (uit)voeren.

conduction [kənˈdʌkʃn] ⟨nat.⟩ • geleiding. **conductive** [kənˈdʌktɪv] ⟨nat.⟩ • gelei-dend.

conductor [kənˈdʌktə] • (bus/tram)conduc-teur, ⟨AE⟩ treinconducteur • ⟨muz.⟩ diri-gent • ⟨nat., elek.⟩ geleider.

conductress [kənˈdʌktrɪs] • (bus/tram)con-ductrice, ⟨AE⟩ treinconductrice.

conduit [ˈkɒndɪt, ˈkɒndjʊɪt] • buis ⟨voor wa-ter, elektriciteit⟩, leiding, kanaal.

cone [koʊn] • kegel • (ijs)hoorntje • denne-appel.

confection [kənˈfekʃn] • zoetigheid, gebak, bonbon • confectiekledingstuk ⟨vnl. voor dames⟩. **confectioner** [kənˈfekʃənə] • banketbakker. **confectionery** [kənˈfekʃən-ri] • banketbakkerij • gebak, zoetigheid, suikergoed.

confederacy [kənˈfedrəsi] • (ver)bond.

1 confederate [kənˈfedrət] ⟨zn⟩ • bondge-noot • medeplichtige.

2 confederate ⟨bn⟩ • aangesloten (bij een federatie), verbonden; the Confederate States (of America) de Geconfedereerde Staten (v. Amerika).

3 confederate [kənˈfedəreɪt] ⟨ww⟩ • een fe-deratie vormen, federaliseren. **confede-ration** [kənˈfedəˈreɪʃn] • (ver)bond, staten-bond.

confer [kənˈfɜː] I ⟨onov ww⟩ • confereren, beraadslagen II ⟨ov ww⟩ • verlenen, schenken; – a knighthood on s.o. iem. een ridderorde verlenen. **conference** [ˈkɒn-frəns] • conferentie, congres; in – in con-ferentie/vergadering/bespreking.

confess [kənˈfes] • bekennen, toegeven • (op)biechten • de biecht afnemen.

confessed [kənˈfest] • openlijk, onverholen; he is a (self) – alcoholic hij komt er open-lijk voor uit alcoholist te zijn.

confession [kənˈfeʃn] • bekentenis, toege-ving; on his own – naar hij zelf toegeeft/erkent • biecht; go to – te biecht gaan • (geloofs)belijdenis; – of faith geloofsbelij-denis. **confessional** [kənˈfeʃnəl] • biecht-stoel. **confessor** [kənˈfesə] • biechtvader • belijder.

confetti [kənˈfeti] • confetti.

confidant [ˈkɒnfɪˈdænt] • vertrouweling. **confidante** [ˈkɒnfɪˈdænt] • vertrouwelin-ge.

confide [kənˈfaɪd] • toevertrouwen; – a se-cret to s.o. een geheim aan iem. toever-trouwen. **con'fide in** • zich verlaten op, in vertrouwen nemen.

confidence [ˈkɒnfɪd(ə)ns] • (zelf)vertrou-

wen; take s.o. into one's – *iem. in vertrouwen nemen;* in – *in vertrouwen* • *vertrouwelijke mededeling.* '**confidence man** • *oplichter.* '**confidence trick** • *oplichterij.*
'**confident** ['kɒnfɪd(ə)nt] • *zeker, zelfverzekerd, overtuigd.*
confidential ['kɒnfɪ'denʃl] • *vertrouwelijk ‖* – clerk *procuratiehouder;* – secretary *privésecretaris/esse.*
confiding [kən'faɪdɪŋ] • *vertrouwend, vol vertrouwen;* of a – nature *goed v. vertrouwen.*
1 confine ['kɒnfaɪn] ⟨zn⟩ • *grens* ⟨ook fig.⟩.
2 confine [kən'faɪn] ⟨ww⟩ • *beperken, bepalen, begrenzen* • *opsluiten, insluiten;* be –d to bed *het bed moeten houden.* **confined** [kən'faɪnd] • *krap, nauw.* **confinement** [kən'faɪnmənt] • *beperking* • *opsluiting* • *bevalling.*
confirm [kən'fə:m] • *bevestigen, bekrachtigen, goedkeuren;* – minutes *notulen arresteren* • ⟨Prot.⟩ *(als lidmaat) aannemen* • ⟨R.-K.⟩ *het vormsel toedienen.* **confirmation** ['kɒnfə'meɪʃn] • *bevestiging, bekrachtiging, goedkeuring* • ⟨Prot.⟩ *bevestiging als lidmaat* • ⟨R.-K.⟩ *(Heilig) vormsel.* **confirmed** [kən'fə:md] • *overtuigd;* a – bachelor *een verstokte vrijgezel.*
confisc|ate ['kɒnfɪskeɪt] ⟨zn: -ation⟩ • *in beslag nemen, verbeurd verklaren.*
conflagration ['kɒnflə'greɪʃn] • *grote brand.*
1 conflict ['kɒnflɪkt] ⟨zn⟩ • *strijd, conflict(situatie), onenigheid.*
2 conflict [kən'flɪkt] ⟨ww⟩ • *in tegenspraak zijn, botsen;* –ing interests *(tegen)strijdige belangen* • *strijden.*
confluence ['kɒnfluəns] • *samenvloeiing, samenloop;* at the – of the Meuse and the Waal *waar Maas en Waal tesamenvloeien.*
conform [kən'fɔ:m] • *zich conformeren, zich aanpassen, zich schikken;* – to the rules of society *de regels v.d. samenleving naleven.* **conformation** ['kɒnfɔ:'meɪʃn] • *samenstelling, (op)bouw, structuur.* **conformist** [kən'fɔ:mɪst] ⟨vnl. BE; soms ong.⟩ • *conformist.* **conformity** [kən'fɔ:məti] • *overeenkomst, overeenstemming;* in – with *in overeenstemming met* • *aanpassing, inschikkelijkheid.*
confound [kən'faʊnd] • *verbazen, in verwarring brengen, versteld doen staan ‖* ⟨euf.⟩ – it! *verdraaid nog aan toe!.* **confounded** [kən'faʊndɪd] ⟨↓; euf.⟩ • *verdraaid, verduiveld.*
confront [kən'frʌnt] • *confronteren, tegenoverstellen, tegenover elkaar plaatsen,*

⟨fig.⟩ *het hoofd bieden aan;* huge problems – our nation *ons land ziet zich gesteld voor enorme problemen;* – with new evidence *nieuw bewijsmateriaal voorleggen.* **confrontation** ['kɒnfrən'teɪʃn] • *confrontatie* • *het tegenover (elkaar) stellen.*
confuse [kən'fju:z] • *in de war brengen, verwarren;* I got –d *ik raakte in de war* • *door elkaar halen, verwarren.* **confused** [kən'fju:zd] • *verward, beduusd, verbijsterd* • *verward, rommelig.* **confusion** [kən'fju:ʒn] • *verwarring, ontsteltenis, wanorde;* – of names *naamsverwarring;* his desk is in complete – *zijn bureau is een complete chaos.*
congeal [kən'dʒi:l] • *(doen) stollen.*
congenial [kən'dʒi:nɪəl] • *(geest)verwant, gelijkgestemd, sympathiek;* – to/with s.o. *met dezelfde ideeën als iem.* • *geschikt, aangenaam.*
congenital [kən'dʒenɪtl] • *aangeboren, geboren.*
congest [kən'dʒest] • *verstoppen* ⟨ook med.⟩; a town –ed with traffic *een door verkeersopstoppingen geplaagde stad.* **congestion** [kən'dʒestʃn] • *ophoping, op/verstopping* ⟨ook med.⟩.
conglomerate [kən'glɒmərət] • *(samen)klontering, conglomeraat* • ⟨ec.⟩ *conglomeraat, concern.* **conglomeration** [kən'glɒmə'reɪʃn] • *samenraapsel, verzameling.*
congratulate [kən'grætʃʊleɪt] • *gelukwensen;* – o.s. on *zichzelf gelukkig prijzen met;* – on *feliciteren met.* **congratulation** [kən'grætʃʊ'leɪʃn] • *gelukwens;* –s! *gefeliciteerd!.* **congratulatory** [kən'grætʃʊ'leɪtri] • *gelukwensend, felicitatie-;* – telegram *gelukstelegram.*
congregate ['kɒŋgrɪgeɪt] • *samenkomen, zich verzamelen.* **congregation** ['kɒŋgrɪ'geɪʃn] • *verzamelde groep mensen,* ⟨rel.⟩ *gemeente, congregatie.*
congress ['kɒŋgres] I ⟨eig.n.; C-; (the)⟩ • *Het Congres* ⟨senaat en huis v. afgevaardigden in U.S.A.⟩ II ⟨zn⟩ • *congres, vergadering, bijeenkomst.* **congressional** [kən'greʃnəl] • *een congres/het (Amerikaanse) Congres betreffende.* **congressman** ['kɒŋgresmən] • *congreslid,* ⟨ihb.⟩ *lid v.h. huis v. afgevaardigden.* '**congresswoman** • *(vrouwelijk) congreslid,* ⟨ihb.⟩ *(vrouwelijk) lid v.h. huis v. afgevaardigden.*
congruence ['kɒŋgruəns] • *overeenstemming.* **congruent** ['kɒŋgruənt] • *zie* CONGRUOUS. **congruous** ['kɒŋgruəs] • *passend, overeenstemmend.*

conic(al) ['kɒnɪk(l)] ● kegel-, kegelvormig.
conifer ['kɒnɪfə] ● naaldboom, conifeer.
1 conjecture [kən'dʒektʃə] ⟨zn⟩ ● gis(sing), vermoeden, giswerk.
2 conjecture ⟨ww⟩ ● gissen, veronderstellen, vermoeden.
conjugal ['kɒndʒʊgl] ↑ ● echtelijk, huwelijks.
conjugate ['kɒndʒʊgeɪt] ● ⟨taal.⟩ vervoegen. conjugation ['kɒndʒʊ'geɪʃn] ● ⟨taal.⟩ vervoeging.
conjunction [kən'dʒʌŋ(k)ʃn] ● ⟨taal.⟩ voegwoord ● verbinding, combinatie, samengaan; in – with in combinatie met, samen met.
conjure ['kʌndʒə] I ⟨onov ww⟩ ● toveren, goochelen; a name to – with een naam die wonderen verricht II ⟨ov ww⟩ ● (te voorschijn) toveren, oproepen; – up a meal een maaltijd te voorschijn toveren. conjurer, conjuror ['kʌndʒrə] ● goochelaar.
conk [kɒŋk] ⟨sl.⟩ ● gok, neus.
'conk 'out ⟨sl.⟩ ● het begeven, kapot gaan.
'con man ⟨verk.⟩ confidence man ⟨AE; sl.⟩ ● zwendelaar, oplichter.
connect [kə'nekt] I ⟨onov ww⟩ ● in verband staan; – up in verbinding staan ● aansluiten, aansluiting hebben II ⟨ov ww⟩ ● verbinden, aaneensluiten/schakelen, doorverbinden ⟨telefoon⟩; – up verbinden ● ⟨+with⟩ in verband brengen (met). connected [kə'nektɪd] ● onderling verbonden, samenhangend ● gerelateerd, verwant ● relaties hebbend; he's well – hij heeft goede connecties. connection, ⟨BE sp. ook⟩ connexion [kə'nekʃn] ● verbinding, verband, aansluiting; the – of a new telephone het aansluiten v.e. nieuwe telefoon; miss one's – zijn (bus/trein)aansluiting missen; I see no – between soccer and ballet ik zie geen verband tussen voetbal en ballet; in this – in dit verband ● ⟨vnl. mv.⟩ connectie, betrekking, relatie ● ⟨vnl. mv.⟩ verwant, familielid ● verbindingsstuk.
connivance [kə'naɪvns] ● stilzwijgende medewerking; how much do I get for my –? wat krijg ik als ik de andere kant op kijk?; – at/in het stilzwijgend toestemmen in.
connive [kə'naɪv] ● oogluikend toezien; – at oogluikend toelaten ● samenspannen.
connoisseur ['kɒnə'sə:] ● (kunst)kenner, fijnproever.
connotation ['kɒnə'teɪʃn] ● bijbetekenis, gevoelswaarde.
connote [kə'nout] ● een bijklank hebben van.
conquer ['kɒŋkə] I ⟨onov ww⟩ ● zegevieren, overwinnen II ⟨ov ww⟩ ● veroveren ⟨ook

fig.⟩ ● verslaan, overwinnen; – mountains bergen bedwingen. conqueror ['kɒŋkərə] ● veroveraar, overwinnaar. conquest ['kɒŋkwest] ● verovering, het bedwingen ⟨v.e. berg⟩.
conscience ['kɒnʃns] ● geweten; in all –, upon my – met een gerust geweten, waarachtig; have sth. on one's – iets op zijn geweten hebben. 'conscience-smitten, 'conscience-stricken ● door zijn geweten gekweld, vol wroeging.
conscientious ['kɒnʃi'enʃəs] ⟨-ness⟩ ● consciëntieus, plichtsgetrouw, zorgvuldig; – objector principiële dienstweigeraar.
conscious ['kɒnʃəs] ● bewust, denkend ● welbewust, opzettelijk ● (zich) bewust; become – of sth. zich iets bewust worden, iets gewaarworden ● bij bewustzijn/kennis. consciousness ['kɒnʃəsnəs] ⟨geen mv.⟩ ● bewustzijn ● gevoel, besef.
1 conscript ['kɒnskrɪpt] ⟨zn⟩ ● dienstplichtig militair.
2 conscript [kən'skrɪpt] ⟨ww⟩ ● oproepen; –ed into the army opgeroepen voor militaire dienst.
conscription [kən'skrɪpʃn] ● dienstplicht.
consecrate ['kɒnsɪkreɪt] ● (in)wijden, inzegenen; – a church een kerk (in)wijden; – one's life to sth. zijn leven wijden aan iets. consecration ['kɒnsɪ'kreɪʃn] ● inwijding, inzegening, consecratie.
consecutive [kən'sekjʊtɪv] ● achtereenvolgens, opeenvolgend; on two – days twee dagen achter elkaar.
consensus [kən'sensəs] ● algemene opvatting, overeenstemming; – of opinion overeenstemming.
1 consent [kən'sent] ⟨zn⟩ ● toestemming, goedkeuring; by common/general – met algemene stemmen.
2 consent ⟨ww⟩ ● toestemmen; – to sth. iets toestaan.
consequence ['kɒnsɪkwəns] ● consequentie, gevolg(trekking); take the –s de consequenties aanvaarden; in – (of) met als gevolg, als gevolg van ● belang; of no – van geen belang; a person of – een man v. gewicht.
consequent ['kɒnsɪkwənt] ↑ ● ⟨+upon⟩ voortvloeiend (uit), volgend, resulterend.
consequential ['kɒnsɪ'kwenʃl] ● gewichtig, (met) verstrekkend(e) gevolgen ● aanmatigend ● ⟨+upon⟩ voortvloeiend (uit), volgend, resulterend. consequently ['kɒnsɪkwəntlɪ] ● derhalve, dus.
conservation ['kɒnsə'veɪʃn] ● behoud, instandhouding; – of mass behoud v. massa ● milieubeheer/bescherming, natuur-

behoud, ⟨soms⟩ *monumentenzorg.* **conservationist** [ˈkɒnsəˈveɪʃənɪst] ●*milieube-schermer, natuurbeschermer.*

conservatism [kənˈsəːvətɪzm] ●*conservatisme.*

1 conservative [kənˈsəːvətɪv] ⟨zn⟩ ●*conservatief,* ⟨pol.⟩ *lid v.d. Conservatieve Partij.*

2 conservative ⟨bn⟩ ●*conservatief, behoudend* ‖ a – estimate *een voorzichtige schatting.*

conservatory [kənˈsəːvətri] ●*serre, (broei/planten)kas* ●*conservatorium.*

1 conserve [kənˈsəːv] ⟨zn⟩ ●*jam, confiture, ingemaakte vruchten.*

2 conserve [kənˈsəːv] ⟨ww⟩ ●*behouden, goed houden,* ⟨fig.⟩ *sparen, ontzien.*

consider [kənˈsɪdə] ●*overwegen, nadenken over* ●*beschouwen, achten, zien* ●*in aanmerking nemen, rekening houden met, letten op.*

considerable [kənˈsɪdrəbl] ●*aanzienlijk, behoorlijk, aanmerkelijk.*

considerate [kənˈsɪdrət] ●*attent, voorkomend, vriendelijk.* **consideration** [kənˈsɪdəˈreɪʃn] ●*overweging, beschouwing, aandacht;* take sth. into – *ergens rekening mee houden;* in – of *met het oog op;* your request is still under – *uw verzoek wordt nog in beraad gehouden* ●*(punt v.) overweging;* on no – *in geen geval, onder geen (enkele) voorwaarde* ●*voorkomendheid, attentheid, begrip* ‖ of no – *v. geen belang.*

considered [kənˈsɪdəd] ●*geacht* ●*weldoordacht;* one's – opinion *zijn weloverwogen mening;* all things – *alles in aanmerking genomen.*

1 considering [kənˈsɪdrɪŋ] ⟨bw⟩ ↓●⟨aan het einde v.d. zin⟩ *alles bij elkaar (genomen);* she's been very successful, – *eigenlijk heeft ze het ver gebracht.*

2 considering ⟨vz⟩ ●*gezien, rekening houdend met.*

3 considering ⟨vw⟩ ●*gezien (het feit dat), in aanmerking nemend (het feit) dat.*

consign [kənˈsaɪn] ●⟨hand.⟩ *verzenden;* – goods by railway *goederen per trein verzenden* ●*overdragen, toevertrouwen, in handen stellen.* **consignment** [kənˈsaɪnmənt] ⟨hand.⟩ ●*consignatiezending, (ver)zending* ●*consignatie;* send on – *in consignatie/commissie zenden.* **con-ˈsignment note** ⟨hand.⟩ ●*consignatie/vrachtbrief.*

consistency [kənˈsɪstənsi] ●*consequentheid, samenhang* ●*dikte* ⟨vnl. v. vloeistoffen⟩. **consistent** [kənˈsɪstənt] ●*consequent, samenhangend, beginselvast* ●

overeenkomend, verenigbaar; be – with *kloppen met.*

consist in [kənˈsɪst ɪn] ●*bestaan in, gevormd/uitgemaakt worden door.*

con'sist of ●*bestaan uit.*

consolation [ˈkɒnsəˈleɪʃn] ●*troost.* **conso-ˈlation prize** ●*troostprijs.*

1 console [ˈkɒnsoʊl] ⟨zn⟩ ●*toetsenbord* ⟨v.e. orgel⟩ ●*radio/televisie/grammofoonmeubel* ●*(bedienings)paneel, controle/schakelbord,* ⟨comp.⟩ *console.*

2 console [kənˈsoʊl] ⟨ww⟩ ●*troosten.*

consolid|ate [kənˈsɒlɪdeɪt] ⟨zn: -ation⟩ I ⟨onov ww⟩ ●*hechter/steviger/stabieler worden* ●*zich aaneensluiten, samengaan* II ⟨ov ww⟩ ●*consolideren, verstevigen, stabiliseren* ●*(tot een geheel) verenigen, samenvoegen.*

1 consonant [ˈkɒnsənənt] ⟨zn⟩ ⟨taal.⟩ ●*medeklinker.*

2 consonant ⟨bn⟩ ●⟨+to/with⟩ *overeenkomend (met), overeenkomstig.*

1 consort [ˈkɒnsɔːt] ⟨zn⟩ ●*gemaal, gemalin* ‖ in – with *samen met.*

2 consort [kənˈsɔːt] ⟨ww⟩ ●*omgaan, optrekken;* – with criminals *omgaan met misdadigers* ●*stroken, verenigbaar zijn.*

consortium [kənˈsɔːtɪəm] ●*consortium, syndicaat.*

conspicuous [kənˈspɪkjʊəs] ●*opvallend, in het oog lopend;* make o.s. – *aandacht trekken;* be – by one's absence *schitteren door afwezigheid.*

conspiracy [kənˈspɪrəsi] ●*samenzwering, komplot;* – of silence *doodzwijgcampagne.* **conspirator** [kənˈspɪrətə] ●*samenzweerder.* **conspire** [kənˈspaɪə] ●*samenzweren, samen/meewerken.*

constable [ˈkʌnstəbl] ●*agent, politieman.*

constancy [ˈkɒnstənsi] ●*standvastigheid, bestendig/onveranderlijkheid* ●*trouw.*

1 constant [ˈkɒnstənt] ⟨zn⟩ ●*constante, onveranderlijke grootheid* ⟨vnl. nat., wisk.⟩.

2 constant ⟨bn⟩ ●*constant, voortdurend, onveranderlijk* ●*trouw.*

constellation [ˈkɒnstɪˈleɪʃn] ●⟨astrol., ster.⟩ *sterrenbeeld, constellatie* ●*verzameling, groep.*

consternation [ˈkɒnstəˈneɪʃn] ●*opschudding, ontsteltenis.*

constip|ate [ˈkɒnstɪpeɪt] ⟨zn: -ation⟩ ●*verstopt raken, last v. obstipatie hebben;* he's been –d for weeks *hij heeft al weken last van obstipatie.*

constituency [kənˈstɪtʃʊənsi] ●*kiesdistrict, kiezers.*

1 constituent [kənˈstɪtʃʊənt] ⟨zn⟩ ●*kiezer* ●*onderdeel, bestanddeel.*

2 constituent ⟨bn⟩ ● *kiezend, kiezers-;* – body *kiescollege* ● *samenstellend;* – parts *bestanddelen.*

constitute [ˈkɒnstɪtjuːt] ● *vormen, (samen) uitmaken* ● *instellen, vestigen* ● *aanstellen, benoemen.*

constitution [ˈkɒnstɪˈtjuːʃn] ● *grondwet, constitutie* ● *constitutie, gestel* ● *opbouw, structuur.* **constitutional** ● *constitutioneel, grondwettig/wettelijk* ● *mbt. het gestel,* ⟨oneig.⟩ *aangeboren, natuurlijk.*

constrain [kənˈstreɪn] ● *(af)dwingen, verplichten, noodzaken.* **constrained** [kənˈstreɪnd] ● *geforceerd, onnatuurlijk, geremd.*

constraint [kənˈstreɪnt] ● *beperking* ● *dwang, verplichting* ● *gedwongenheid, geremdheid.*

constrict [kənˈstrɪkt] ● *vernauwen, beperken.* **constriction** [kənˈstrɪkʃn] ● *beklemming; a* – in the chest *een benauwd gevoel op de borst* ● *vernauwing, versmalling* ● *benauwdheid, beklemdheid.*

construct [kənˈstrʌkt] ● *construeren, in elkaar zetten, bouwen.* **construction** [kənˈstrʌkʃn] I ⟨telb zn⟩ ● *interpretatie, uitleg;* put the right – on sth. *de juiste lezing van iets geven* II ⟨telb en n-telb zn⟩ ● *constructie, aanbouw/leg, (huizen)bouw, bouwwerk;* houses of very solid – *heel stevig gebouwde huizen;* under – *in aanbouw.* **constructional** [kənˈstrʌkʃnəl] ● *mbt. (een) constructie(s);* – engineer *bouwkundig ingenieur;* machineconstructeur.

conˈstruction site ● *bouwterrein.*

constructive [kənˈstrʌktɪv] ● *constructief, opbouwend.*

constructor [kənˈstrʌktə] ● *aannemer, bouwer, maker.*

construe [kənˈstruː] ● *interpreteren, opvatten, verklaren;* – from *afleiden uit.*

consul [ˈkɒnsl] ● *consul.* **consular** [ˈkɒnsjʊlə] ● *consulair.* **consulate** [ˈkɒnsjʊlət] ● *consulaat.*

consult [kənˈsʌlt] I ⟨onov ww⟩ ● *overleggen;* – about/upon *beraadslagen over;* – with one's doctor *zijn dokter raadplegen* II ⟨ov ww⟩ ● *raadplegen, consulteren.*

consultant [kənˈsʌlt(ə)nt] ● *consulterend geneesheer* ● *consulent, (bedrijfs)adviseur.* **consultation** [ˈkɒnslˈteɪʃn] I ⟨telb zn⟩ ● *beraadslaging, vergadering* II ⟨n-telb zn⟩ ● *overleg, raadpleging, consult.* **consultative** [kənˈsʌltətɪv] ● *adviserend, raadgevend.*

consume [kənˈsjuːm] ● *consumeren, nuttigen, verorberen* ● *verbruiken* ● *verteren,*

verwoesten. **consumer** [kənˈsjuːmə] ● *consument, verbruiker, koper.* **conˈsumer adviser** ● *consumentenadviseur.* **consumer durables** ● *duurzame gebruiksgoederen.* **conˈsumer goods** ● *consumptie/verbruiksgoederen.* **conˈsumer society** ● *consumptiemaatschappij.*

1 consummate [kənˈsʌmət] ⟨bn⟩ ● *compleet, volledig* ● *volleerd, perfect.*

2 consummate [ˈkɒnsəmeɪt] ⟨ww; zn: -ation⟩ ● *vervolmaken, voltooien, in vervulling doen gaan;* her happiness was –d *ze kon haar geluk niet op* ● *voltrekken* ⟨een huwelijk door de 1e coïtus⟩.

consumption [kənˈsʌmpʃn] ● *consumptie, verbruik, vertering.*

1 contact [ˈkɒntækt] ⟨zn⟩ ● *contact(persoon)* ● *contact, aanraking, voeling.*

2 contact ⟨ww⟩ ● *contact opnemen met, zich in verbinding stellen met.*

ˈcontact lens ● *contactlens.*

contagion [kənˈteɪdʒn] I ⟨telb zn⟩ ● *besmettelijke ziekte* II ⟨n-telb zn⟩ ● *besmetting, besmet(telijk)heid,* ⟨fig.⟩ *verderf.* **contagious** [kənˈteɪdʒəs] ● *besmet(telijk),* ⟨fig.⟩ *aanstekelijk.*

contain [kənˈteɪn] ● *be/omvatten, inhouden* ● *onder controle houden, bedwingen;* – yourself! *hou je in!.* **contained** [kənˈteɪnd] ● *beheerst, ingehouden.*

container [kənˈteɪnə] ● *houder, vat, bak, doosje, bus* ● *container, laadkist.*

contaminate [kənˈtæmɪneɪt] ⟨zn: -ation⟩ ● *be/vervuilen, verontreinigen, (doen) bederven.*

contemplate [ˈkɒntəmpleɪt] I ⟨onov ww⟩ ● *nadenken, peinzen* II ⟨ov ww⟩ ● *beschouwen* ● *nadenken over, overdenken* ● *overwegen, van plan zijn* ● *rekening houden met.* **contemplation** [ˈkɒntəmˈpleɪʃn] ● *overpeinzing, bespiegeling, overdenking.* **contemplative** [ˈkɒntəmpleɪtɪv] ● *contemplatief (ingesteld), bedachtzaam, beschouwend.*

contemporaneous [kənˈtempəˈreɪnɪəs] ● *gelijktijdig.*

1 contemporary [kənˈtemp(r)əri] ⟨zn⟩ ● *tijdgenoot* ● *leeftijdgenoot.*

2 contemporary ⟨bn⟩ ● *contemporain, gelijktijdig, uit dezelfde tijd* ● *even oud* ● *eigentijds, hedendaags.*

contempt [kənˈtem(p)t] ● *min/verachting;* ⟨jur.⟩ – of court *minachting voor de rechtbank,* contempt of court ⟨in Angelsaksisch recht, strafbare weigering de instructies v.d. rechtbank op te volgen⟩; hold sth. in – *iets min/verachten* | zie ook ⟨sprw.⟩ FAMILIARITY. **contemptible** [kən-

'tem(p)təbl] • *verachtelijk, laag.* **contemp-tuous** [kən'tem(p)tʃʊəs] • *min/verachtend, geringschattend.*

contend [kən'tend] I ⟨onov ww⟩ • *wedijve-ren, strijden, twisten; –* for *strijden om; –* with difficulties *met problemen (te) kam-pen (hebben)* II ⟨ov ww⟩ • *betogen, (met klem) beweren.* **contender** [kən'tendə] • *mededinger.*

1 content ['kɒntent] I ⟨telb en n-telb zn⟩ • *in-houd, onderwerp* • *gehalte* II ⟨mv.⟩ • *in-houd* • *inhoud(sopgave)*⟨v. boek⟩.

2 content [kən'tent] ⟨bn⟩ • *tevreden.*

3 content [kən'tent] ⟨ww⟩ • *tevredenstellen; –* o.s. with *genoegen nemen met.* **con-tented** [kən'tentɪd] • *tevreden.*

contention [kən'tenʃn] • *standpunt, opvat-ting* • *(woorden)twist, conflict.* **conten-tious** [kən'tenʃəs] • *twistziek* • *controver-sieel, aanvechtbaar.*

contentment [kən'tentmənt] • *tevreden-heid.*

1 contest ['kɒntest] ⟨zn⟩ • *krachtmeting, strijd* • *(wed)strijd, prijsvraag.*

2 contest [kən'test] I ⟨onov ww⟩ • *strijden; –* against/with *strijden/wedijveren met* II ⟨ov ww⟩ • *dingen naar, strijden om; –* a seat in Parliament *kandidaat zijn voor een zetel in het parlement* • *betwisten, aan-vechten.* **contestant** [kən'testənt] • *mede-dinger, deelnemer (aan wedstrijd).*

context ['kɒntekst] • *context, verband, sa-menhang.* **contextual** [kən'tekstʃʊəl] • *contextueel, contextgebonden.*

contiguous [kən'tɪgjʊəs] • *aangrenzend.*

continence ['kɒntɪnəns] • *zelfbeheersing, matigheid* • *(seksuele) onthouding.*

1 continent ['kɒntɪnənt] I ⟨eig.n.; C-; the⟩ • *vasteland (v. Europa)*⟨tgov. Groot-Brittan-nië⟩ II ⟨telb zn⟩ • *continent, werelddeel.*

2 continent ⟨bn⟩ • *beheerst, matig* • *kuis* • *continent.*

1 continental ['kɒntɪ'nentl] ⟨zn⟩ • *vastelan-der, bewoner v.h. Europese vasteland.*

2 continental ⟨bn⟩ • *continentaal; –* shelf *continentaal plat(eau)* • *het vasteland v. Europa betreffende; –* breakfast *ontbijt met koffie en croissants enz.* ‖ *– quilt dek-bed.*

contingency [kən'tɪndʒənsi] • *eventualiteit, onvoorziene gebeurtenis/uitgave.* **con-'tingency plan** • *rampen(bestrijdings)-plan, plan voor onvoorziene gebeurtenis-sen.*

1 contingent [kən'tɪndʒənt] ⟨zn⟩ • *afvaardi-ging, vertegenwoordiging* • ⟨mil.⟩ *(troe-pen)contingent.*

2 contingent I ⟨bn, attr en pred⟩ • *toevallig* •

mogelijk, eventueel II ⟨bn, pred⟩ • *afhan-kelijk;* our success is – (up)on his cooper-ation *ons slagen hangt v. zijn medewer-king af.*

continual [kən'tɪnjʊəl] • *aanhoudend, voort-durend.*

continuance [kən'tɪnjʊəns] • *voortduring, voortzetting.* **continuation** [kən'tɪnjʊ'eɪʃn] • *voortzetting, vervolg, continuering.*

continue [kən'tɪnju:] I ⟨onov ww⟩ • *door/voort/verdergaan* • *voortduren* • *vervol-gen, verdergaan* II ⟨ov ww⟩ • *voortzetten, (weer) door/voort/verdergaan met, ver-volgen;* to be *–d wordt vervolgd* • *hand-haven, continueren* • *verlengen, doortrek-ken.*

continuity ['kɒntɪ'nju:əti] I ⟨telb zn⟩ • ⟨film⟩ *draaiboek* II ⟨telb en n-telb zn⟩ • *continuï-teit, (chrono)logisch verloop/verband, sa-menhang.*

continuous [kən'tɪnjʊəs] • *ononderbroken, continu, onophoudelijk.*

continuum [kən'tɪnjʊəm] • *continuum.*

contort [kən'tɔ:t] I ⟨onov ww⟩ • *verwrongen raken;* his face *–ed with rage zijn gezicht vertrok v. woede* II ⟨ov ww⟩ • *verwringen.* **contortion** [kən'tɔ:ʃn] • *kronkeling* • *ver-wringing.* **contortionist** [kən'tɔ:ʃənɪst] • *slangemens.*

contour ['kɒntʊə] • *contour, omtrek, vorm.*

contra ['kɒntrə], ⟨verk.⟩ **con** • ⟨bw⟩ *ertegen* • ⟨vz⟩ *tegen.*

contraband ['kɒntrəbænd] • *smokkelwaar/-goed.*

contrabass ['kɒntrə'beɪs] • *contrabas.*

contraception ['kɒntrə'sepʃn] • *anticoncep-tie.*

1 contraceptive ['kɒntrə'septɪv] ⟨zn⟩ • *voor-behoed(s)middel.*

2 contraceptive ⟨bn⟩ • *anticonceptioneel.*

1 contract ['kɒntrækt] ⟨zn⟩ • *contract, over-eenkomst, verdrag;* enter into/make a – *een contract sluiten.*

2 contract [kən'trækt] I ⟨onov ww⟩ • *een contract sluiten; –ing* parties *contracte-rende partijen; –* to do sth. *zich contractu-eel verplichten om iets te doen; –* out *zich terugtrekken* II ⟨onov en ov ww⟩ • *samen-trekken, inkrimpen* III ⟨ov ww⟩ • *per/bij contract regelen, contracteren, aangaan; –* out *uitbesteden* • ⟨vnl. ong.⟩ *oplopen, zich op de hals halen; –* a cold *een ver-koudheid oplopen.* **contraction** [kən'trækʃn] • *samentrekking, in/verkorting, (ver)kramp(ing), (barens)wee.* **contractor** [kən'træktə] • *aannemer(sbedrijf), hande-laar in bouwmaterialen.* **contractual** [kən'træktʃʊəl] • *contractueel.*

contradict ['kɒntrə'dɪkt] ● *tegen/weerspreken, in tegenspraak zijn met;* their statements – each other *hun verklaringen spreken elkaar tegen.* **contradiction** [-'dɪkʃn] ● *tegenspraak, tegenstrijdigheid;* – in terms *contradictio in terminis, innerlijke tegenspraak.* **contradictory** [-'dɪktri] ● *tegenstrijdig, in tegenspraak;* – to *strijdig met.*
contralto [kən'træltou] ● *alt.*
contraption [kən'træpʃn] ↓ ● *geval, toestand, ding, apparaat.*
1 contrary ['kɒntrəri] ⟨zn⟩ ● *tegendeel, tegen(over)gestelde;* on the – *integendeel;* if I don't hear anything to the – ... *zonder tegenbericht ...;* evidence to the – *bewijs v.h. tegendeel.*
2 contrary ['kɒntrəri] ⟨bn⟩ ● *tegengesteld, strijdig;* be – to *strijdig zijn met;* – to *tegen ... in, ondanks* ● *ongunstig;* – winds *tegenwind* ● [kən'treəri] *tegendraads, eigenwijs.*
1 contrast ['kɒntrɑːst] ⟨zn⟩ ● *contrast* ⟨ook foto.⟩, ⟨fig. ook⟩ *verschil;* by – with *vergeleken bij;* in – to/with *in tegenstelling tot.*
2 contrast [kən'trɑːst] I ⟨onov ww⟩ ● *contrasteren, (een) verschil(len) vertonen;* – with *afsteken bij/tegen* II ⟨ov ww⟩ ● *tegenover elkaar stellen, vergelijken;* – one thing with/ and the other *het ene tegenover het andere stellen.*
contravene ['kɒntrə'viːn] ● *in strijd zijn met* ● ⟨vnl. jur.⟩ *overtreden.* **contravention** [-'venʃn] ● *overtreding;* in – of *in strijd met.*
contribute [kən'trɪbjuːt] ● *bijdragen, bevorderen;* – to *bijdragen aan/tot, medewerken aan;* – to a magazine *schrijven in/voor een blad.* **contribution** ['kɒntrɪ'bjuːʃn] ● *bijdrage, inbreng, contributie.* **contributor** [kən'trɪbjutə] ● *contribuant, medewerker.* **contributory** [kən'trɪbjutri] ● *medebepalend, bijdragend.*
contrite [kən'traɪt] ● *berouwvol.* **contrition** [kən'trɪʃn] ● *(diep) berouw.*
contrivance [kən'traɪvns] ● *apparaat, toestel, (handig) ding* ● ⟨vnl. mv.⟩ *list, truc* ● *vernuft.*
contrive [kən'traɪv] ● *voor elkaar boksen/ krijgen, kans zien om te* ● *bedenken.* **contrived** [kən'traɪvd] ● *onnatuurlijk, gekunsteld.*
1 control [kən'troul] I ⟨telb zn⟩ ● ⟨vnl. mv.⟩ *bedienings/controlepaneel* II ⟨n-telb zn⟩ ● *beheersing, controle, zeggenschap;* lose – (of o.s.) *zijn zelfbeheersing verliezen;* take – of/over *de macht/leiding in handen nemen over;* beyond – *onhandelbaar;* get out of – *uit de hand lopen* ● *bestuur, toe-*

zicht, leiding; be in – *de leiding hebben.*
2 control ⟨ww⟩ ● *controleren, leiden, beheren* ● *besturen* ● *in bedwang houden, beheersen, onder controle houden* ● *nakijken, controleren.* **controller** [kən'troulə] ● *controleur* ● *penningmeester* ● *afdelingschef/hoofd.* **con'trol panel** ● *bedienings/ besturings/controlepaneel, schakelbord,* ⟨radio⟩ *regietafel, mengpaneel.* **con'trol room** ● *controlekamer,* ⟨luchtv.⟩ *vluchtleidingscentrum,* ⟨spoorwegen⟩ *schakelkamer.* **con'trol tower** ⟨luchtv.⟩ ● *verkeerstoren.*
controversial ['kɒntrə'vəːʃl] ● *controversieel, omstreden* ● *polemisch, tegendraads.* **controversy** ['kɒntrəvəːsi, kən'trɒvəsi] I ⟨telb zn⟩ ● *controverse, strijdpunt* II ⟨n-telb zn⟩ ● *onenigheid, wrijving, verdeeldheid;* cause a great deal of – *veel stof doen opwaaien.*
cont|use [kən'tjuːz] ⟨zn: -**usion**⟩ ⟨med.⟩ ● *kneuzen, bezeren.*
conundrum [kə'nʌndrəm] ● *raadsel(vraag), strikvraag.*
conurbation ['kɒnə:'beɪʃn] ● *agglomeratie, verstedelijkt gebied.*
convalesce ['kɒnvə'les] ● *herstellen(de zijn).* **convalescence** ['kɒnvə'lesns] ● *herstel(periode), genezing.* **convalescent** ['kɒnvəlesnt] ● ⟨bn⟩ *herstellend, herstellings-;* – (nursing) home *herstellingsoord* ● ⟨zn⟩ *herstellende patiënt.*
convene [kən'viːn] I ⟨onov ww⟩ ● *bijeenkomen* II ⟨ov ww⟩ ● *bijeenroepen, convoceren.* **convener, convenor** [kən'viːnə] ● *lid v.e vereniging belast met de convocaties.*
convenience [kən'viːnɪəns] I ⟨telb zn⟩ ● *(openbaar) toilet;* public –s *openba(a)r(e) toilet(ten)* II ⟨telb en n-telb zn⟩ ● *gemak, comfort, gerief(lijkheid);* at your – *wanneer het u schikt;* at your earliest – *zodra het u schikt;* for – (sake) *gemakshalve.* **con'venience store** ● *dag- en avondwinkel.* **convenient** [kən'viːnɪənt] ● *geschikt, geriefelijk, handig;* will two o'clock be – to/for you? *is twee uur een geschikte tijd voor je?* ● ↓ *gunstig gelegen.*
convent ['kɒnvent] ● *(nonnen)klooster.*
convention [kən'venʃn] I ⟨telb zn⟩ ● *overeenkomst, verdrag* ● *conventie, congres, conferentie* II ⟨telb en n-telb zn⟩ ● *conventie, gewoonte, gebruik.* **conventional** [kən'venʃnəl] ● *conventioneel, gebruikelijk, traditioneel;* – wisdom *volkswijsheid* ● *conventioneel, niet-nucleair* ⟨bewapening e.d.⟩.
converge [kən'və:dʒ] ● *samenkomen/lopen/ vallen.*

conversant [kən'vəːsnt] ● *vertrouwd, bedreven; –* with *vertrouwd met.*

conversation ['kɒnvə'seɪʃn] ● *gesprek, conversatie, praatje.* **conversational** ['kɒnvə'seɪʃnəl] ● *gespreks-, conversatie-.*

1 converse ['kɒnvəːs] 〈zn〉 ● *tegendeel, omgekeerde.*

2 converse ['kɒnvəːs] 〈bn〉 ● *tegenovergesteld, omgekeerd.*

3 converse [kən'vəːs] 〈ww〉 ● *spreken, converseren; –* with s.o. on/upon sth. *zich met iem. over iets onderhouden.*

conversion [kən'vəːʃn] ● *omzetting, om/overschakeling, omrekening, verbouwing* ● 〈rel.〉 *bekering.*

1 convert ['kɒnvəːt] 〈zn〉 ● *bekeerling.*

2 convert [kən'vəːt] I 〈onov ww〉 ● *veranderen, overgaan;* this seat –s into a single bed *deze stoel is uitklapbaar tot een éénpersoonsbed* II 〈ov ww〉 ● *bekeren* 〈ook fig.〉, *overhalen* ● *om/overschakelen/zetten, veranderen, om/verbouwen, omrekenen* ● *zich (wederrechtelijk) toeëigenen, verduisteren; –* public funds to one's own use *gemeenschapsgelden ten eigen bate aanwenden.*

converter, convertor [kən'vəːtə] ● 〈elek., comp.〉 *(signaal)omzetter/omvormer, convertor.*

1 convertible [kən'vəːtəbl] 〈zn〉 ● *convertible, cabriolet* 〈auto〉.

2 convertible 〈bn〉 ● 〈geldw.〉 *in/omwisselbaar* ● *met vouwdak* ● *opvouwbaar, in/uitklapbaar.*

convex ['kɒn'veks] ● *convex, bol(rond).*

convey [kən'veɪ] ● *(ver)voeren, transporteren* ● *meedelen, bekend/duidelijk maken, uitdrukken.* **conveyance** [kən'veɪəns] ● 〈jur.〉 *overdrachts/transportakte* ● *vervoermiddel.* **conveyer** [kən'veɪə] ● *vervoerder* ● 〈verk.〉 conveyer belt. **con-'veyer belt** ● *lopende band.*

1 convict ['kɒnvɪkt] 〈zn〉 ● *veroordeelde* ● *gevangene.*

2 convict [kən'vɪkt] 〈ww〉 ● *veroordelen, schuldig verklaren; –*ed of murder *veroordeeld wegens moord.* **conviction** [kən'vɪkʃn] ● *veroordeling* ● *overtuiging;* carry – *overtuigend zijn.*

convince [kən'vɪns] ● *overtuigen, overhalen;* a –d socialist *een overtuigd socialist.* **convincing** [kən'vɪnsɪŋ] ● *overtuigend, aannemelijk.*

convivial [kən'vɪvɪəl] ● *vrolijk, feestelijk.*

convocation ['kɒnvə'keɪʃn] ● *vergadering* ● *bijeenroeping, convocatie.* **convoke** [kən'vouk] ● *bijeenroepen, convoceren.*

convoy ['kɒnvɔɪ] ● *konvooi, escorte.*

convulse [kən'vʌls] I 〈onov ww〉 ● *stuiptrekken* II 〈ov ww〉 ● *schokken, in (hevige) beroering brengen* ● 〈vnl. pass.〉 *doen schuddebuiken;* be –d with laughter *zich een stuip/bult lachen.* **convulsion** [kən'vʌlʃn] I 〈telb zn〉 ● *stuip(trekking)* II 〈mv.〉 ● *onbedaarlijk gelach.* **convulsive** [kən'vʌlsɪv] ● *stuipachtig, spastisch* ● *stuiptrekkend, aan stuipen lijdend.*

1 coo [kuː] 〈zn〉 ● *roekoe(geluid), gekoer.*

2 coo 〈ww〉 ● *roekoeën, koeren, kirren, lispelen.*

1 cook [kʊk] 〈zn〉 ● *kok(kin).*

2 cook I 〈onov en ov ww〉 ● *koken, (eten) bereiden* ‖↓ what's –ing? *wat is er aan de hand?* II 〈ov ww〉 ● ↓ *knoeien met* ‖↓ –up *bekokstoven.* **cooker** ['kʊkə] ● *kooktoestel, fornuis* ● *(kook)pan* ● 〈vnl. mv.〉 *stoofappel/peer.* **cookery** ['kʊkəri] ● *het koken, kookkunst.* '**cookery book,** 〈AE〉 '**cookbook** ● *kookboek.* **cooking** ['kʊkɪŋ] ● *het koken, kookkunst* ● *keuken, eten;* French – *de Franse keuken.* '**cooking apple** ● *moesappel* ● *stoofappel.*

cooky, cookie ['kʊki] ● 〈vnl. AE〉 *koekje, biskwietje* ● 〈AE; sl.〉 *figuur, persoon.*

1 cool [kuːl] 〈zn〉 ● *koelte* ● 〈sl.〉 *kalmte;* blow/lose one's – *zijn zelfbeheersing verliezen;* keep your – *hou je in.*

2 cool 〈bn; -ness〉 ● *koel, fris, luchtig* 〈v. kleren〉 ● *kalm, beheerst;* (as) – as a cucumber *ijskoud, doodbedaard;* keep – *rustig maar* ● *kil, koel, gereserveerd* ● ↓ *cool, ongeëmotioneerd* ● 〈sl.〉 *uitstekend.*

3 cool 〈ww〉 ● *(af)koelen, bekoelen;* their friendship soon –ed down *hun vriendschap bekoelde al snel; –* down/off *tot bedaren brengen* ‖ 〈sl.〉 – it *rustig maar.*

4 cool 〈bw〉 ● *koel;* play it – *rustig te werk gaan.* **coolant** ['kuːlənt] ● *koelmiddel.* **cooler** ['kuːlə] ● *koeler, koelcel/emmer/tas,* 〈AE〉 *ijskast.* **coolish** ['kuːlɪʃ] ● *tamelijk koel, fris.*

coon [kuːn] ● 〈vnl. AE; ↓〉 〈verk.〉 racoon *wasbeer(tje)* ● 〈sl.〉 *nikker.*

1 coop [kuːp] 〈zn〉 ● *kippenren, kippenhok.*

2 coop 〈ww〉 ● ‖ –in/up *opsluiten.*

co-op ['kouɒp] 〈verk.〉 co-operative ↓ ● *coöperatieve onderneming/winkel* 〈enz.〉 ● *Co-op (winkel).*

co-operate, cooperate [-'ɒpəreɪt] ● *samenwerken, meewerken.* **co-operation, cooperation** [-'ɒpə'reɪʃn] ● *coöperatie* ● *medewerking, samenwerking, hulp.*

1 co-operative, cooperative [-'ɒprətɪv] 〈zn〉 ● *coöperatie.*

2 co-operative, cooperative 〈bn〉 ● *behulpzaam, medewerkend* ● *coöperatief; –*

shop/store *coöperatieve winkel;* – society *coöperatie.*

1 co-ordinate [-'ɔ:dɪnət] ⟨zn⟩ ● *coördinaat.*

2 co-ordinate ⟨bn⟩ ● *gelijkwaardig, gelijk in rang.*

3 co-ordin|ate [-'ɔ:dɪneɪt] ⟨zn: **-ation**⟩ I ⟨on-ov ww⟩ ● *(harmonieus) samenwerken* II ⟨ov ww⟩ ● *coördineren, rangschikken, ordenen.*

coot [ku:t] ● *koet,* ⟨ihb.⟩ *meerkoet.*

1 cop [kɒp] ⟨zn⟩ ● ⟨sl.⟩ *smeris* ● ⟨sl.⟩ *arrestatie, vangst.*

2 cop ⟨sl.⟩ I ⟨onov ww⟩ zie COP OUT II ⟨ov ww⟩ ● *betrappen, grijpen, vangen* ‖ – *it last krijgen.*

cope [koʊp] ● *het aankunnen, zich weten te redden;* – *with het hoofd bieden (aan), bestrijden.*

copier ['kɒpɪə] ● *kopieerapparaat.*

co-pilot, copilot ['koʊpaɪlət] ● *tweede piloot.*

copious ['koʊpɪəs] ● *overvloedig, ruim.*

'cop 'out ⟨sl.⟩ ● *terugkrabbelen, zich terugtrekken.*

copper ['kɒpə] I ⟨telb zn⟩ ● *koperen muntje* ● *wasketel/teil* ● ⟨sl.⟩ *smeris* II ⟨n-telb zn⟩ ● *(rood) koper* ● ⟨vaak attr⟩ *koperkleur.*

coppice ['kɒpɪs], **copse** [kɒps] ● *hakhoutbosje, kreupelhout.*

copra ['kɒprə] ● *kopra.*

copulate ['kɒpjʊleɪt] ● *copuleren.* **copulation** ['kɒpjʊ'leɪ[n] ● *copulatie, geslachtsgemeenschap.*

1 copy ['kɒpɪ] I ⟨telb zn⟩ ● *kopie, fotokopie* ● *exemplaar, nummer* II ⟨n-telb zn⟩ ● *kopij, (reclame)tekst;* this will make good – *hier zit kopij in.*

2 copy I ⟨onov ww⟩ ● *een kopie/kopieën maken, overschrijven;* – from/off s.o. *v. iem. overschrijven* II ⟨ov ww⟩ ● *kopiëren, een kopie maken van, overschrijven;* – out a letter *een brief (in het net) overschrijven* ● *navolgen, imiteren.*

1 'copybook ⟨zn⟩ ● *voorbeeldenboek, schrijfboek* ‖↓ blot one's – *zijn reputatie verspelen.*

2 copybook ⟨bn⟩ ● *perfect, volmaakt, (helemaal) volgens het boekje.*

'copycat ↓ *naäper.* **'copyright** ● *auteursrecht, copyright.* **'copywriter** ● *(reclame) tekstschrijver.*

coracle ['kɒrəkl] ● *coracle* ⟨bootje v. met waterdicht materiaal overtrokken latten⟩.

coral ['kɒrəl] ● *koraal* ● ⟨vaak attr⟩ *koraal-(kleur/rood).* **'coral 'island** ● *koraaleiland.* **'coral 'reef** ● *koraalrif.*

cord [kɔ:d] I ⟨zn⟩ ● ⟨anat.⟩ *streng, band* ● *koord, touw* ● *(elektrisch) snoer* ● ⟨conf.⟩ *ribfluweel, corduroy* II ⟨mv.⟩ ↓ ● *corduroy broek.*

1 cordial ['kɔ:dɪəl] ⟨zn⟩ ● *(ingedikt) vruchtensap* ⟨waaraan water wordt toegevoegd⟩.

2 cordial ⟨bn⟩ ● *hartelijk, oprecht* ● *opwekkend.* **cordiality** ['kɔ:di'æləti] ● *hartelijkheid.*

cordon ['kɔ:dn] ● *kordon, ring.* **'cordon 'off** ● *afzetten, afgrendelen (dmv. een kordon).*

corduroy ['kɔ:d(ə)rɔi] I ⟨n-telb zn; vaak attr⟩ ● *corduroy* II ⟨mv.⟩ ● *corduroy broek.*

1 core [kɔ:] ⟨zn⟩ ● *binnenste, kern, klokhuis,* ⟨kernenergie⟩ *reactorkern,* ⟨fig.⟩ *wezen, hart;* British to the – *door en door Brits.*

2 core ⟨ww⟩ ● *uitboren, van het klokhuis ontdoen.*

co-respondent ['koʊrɪ'spɒndənt] ● *man/vrouw gedagvaard wegens overspel met echtgenoot/genote v.d. eisende partij* ⟨bij echtscheidingen⟩.

1 cork [kɔ:k] ⟨zn⟩ ● *kurk.*

2 cork ⟨ww⟩ ● *kurken, afsluiten met een kurk;* – up a bottle *een fles kurken.*

'corkscrew ● *kurketrekker.*

cormorant ['kɔ:mrənt] ● *aalscholver.*

corn [kɔ:n] ● *likdoorn, eksteroog* ● ⟨BE⟩ *graan, koren,* ⟨ihb.⟩ *tarwe* ● ⟨AE⟩ *maïs;* – on the cob *maïskolf* ⟨als voedsel⟩. **'corncob** ● *maïskolf* ⟨zonder korrels⟩.

cornea ['kɔ:nɪə] ⟨anat.⟩ ● *hoornvlies.*

1 corner ['kɔ:nə] ⟨zn⟩ ● *hoek;* in a remote – of the country *in een uithoek v.h. land;* cut –s *bochten afsnijden;* (just) (a)round the – *om de hoek (v.d. deur), vlakbij;* from all the –s of the world *uit alle delen v.d. wereld* ● ⟨sport⟩ *hoekschop* ‖ cut –s *formaliteiten omzeilen.*

2 corner I ⟨onov ww⟩ ● *een/de bocht nemen* II ⟨ov ww⟩ ● *in het nauw drijven, klem zetten.*

'cornerstone ● *hoeksteen* ⟨ook fig.⟩.

cornet ['kɔ:nɪt] ● ⟨muz.⟩ *kornet* ● *(ijsco)hoorn.*

'cornfield ● *graan/koren/maïsveld.* **'corn flour** ⟨BE⟩ ● *maïzena, maïsmeel.* **'cornflower** ● *korenbloem.*

cornice ['kɔ:nɪs] ● ⟨bouwk.⟩ *kroon/deklijst.*

Cornish ['kɔ:nɪ[] ● *mbt./v. Cornwall.*

'cornstarch ⟨AE⟩ ● *maïzena, maïsmeel.*

corny ['kɔ:ni] ● ↓ *afgezaagd, clichématig, flauw.*

corollary [kə'rɒləri] ● *uitvloeisel, (logisch) gevolg.*

1 coronary ['kɒrənri] ⟨zn⟩ ● ↓ *hartinfarct.*

2 coronary ⟨bn⟩ ● *mbt. de krans(slag)ader, coronair;* – arteries *krans(slag)aderen;* – thrombosis *hartinfarct.*

coronation ['kɒrə'neɪ[n] ● *kroning.*

coroner ['kɒrənə] ⟨jur.⟩ ● *lijkschouwer.*
coronet ['kɒrənɪt] ● *(adellijk) kroontje.*
corpora ['kɔ:prə] ⟨mv.⟩ zie CORPUS.
1 corporal ['kɔ:prl] ⟨zn⟩ ● *korporaal.*
2 corporal ⟨bn⟩ ● *lichamelijk, lijfelijk; –* punishment *lijfstraf.*
corporate ['kɔ:prət] ● *gezamenlijk, collectief* ● *rechtspersoonlijkheid bezittend; –* body *lichaam, rechtspersoon* ● *bedrijfs-, ondernemings-.*
corporation ['kɔ:pə'reɪʃn] ● *gemeenteraad/ bestuur* ● *rechtspersoon, corporatie, naamloze vennootschap, onderneming.*
corporeal [kɔ:'pɔ:rəl] ● *lichamelijk* ● *tastbaar, stoffelijk.*
corps ['kɔ:] ● ⟨mil.⟩ *(leger)korps* ● *korps, corps.*
corpse [kɔ:ps] ● *lijk (v.e. mens).*
corpulent ['kɔ:pjʊlənt] ⟨zn: **-ence**⟩ ● *dik, zwaar(lijvig).*
corpus ['kɔ:pəs] ⟨mv.: ook corpora⟩ ● *corpus, materiaalverzameling, geheel v. geschriften* ● *corpus, lichaam.* **corpuscle** ['kɔ:pʌsl] ● *bloedlichaampje.*
1 corral [kɒ'rɑ:l] ⟨zn⟩ ● *(vee)kraal, omheining* ● *wagenburg, wagenkamp* ⟨in een cirkel geplaatste wagens⟩.
2 corral ⟨ww⟩ ● *opsluiten in een (vee)kraal/ paardenkamp, bijeendrijven.*
1 correct [kə'rekt] ⟨bn⟩ ● *correct, juist, onberispelijk, beleefd.*
2 correct ⟨ww⟩ ● *verbeteren, corrigeren, nakijken* ● *terechtwijzen, vermanen* ● *rechtzetten, rectificeren* ● *verhelpen, tegengaan.* **correction** [kə'rekʃn] ● *correctie, verbetering, rectificatie;* house of – *tuchtschool, opvoedingsgesticht.* **corrective** [kə'rektɪv] ● ⟨bn⟩ *corrigerend, verbeterend; –* surgery *plastische chirurgie* ● ⟨zn⟩ *correctief, middel tot verbetering.*
1 correlate ['kɒrɪleɪt] ⟨zn⟩ ● *correlaat, wisselbegrip* ⟨een v. twee gerelateerde verschijnselen⟩.
2 correlate, corelate ⟨ww⟩ ● *correleren, in (onderling) verband staan/brengen.* **correlation** ['kɒrɪleɪʃn] ● *correlatie;* establish –s *verbanden aantonen.* **correlative** [kə-'relətɪv] ● *correlatief, (onderling) gerelateerd/afhankelijk.*
correspond ['kɒrɪ'spɒnd] ⟨+to/with⟩ *overeenkomen/stemmen (met), kloppen, corresponderen* ● *corresponderen, schrijven.* **correspondence** ['kɒrɪ'spɒndəns] ● *overeenkomst/stemming, gelijkenis* ● *correspondentie, briefwisseling.*
corre'spondence course ● *schriftelijke cursus.*
1 correspondent ['kɒrɪ'spɒndənt] ⟨zn⟩ ● *cor-*

respondent.
2 correspondent ⟨bn⟩ ● *overeenkomend, overeenkomstig; –* with *in overeenkomst met.* **corresponding** ['kɒrɪ'spɒndɪŋ] ● *overeenkomstig, evenredig* ● *corresponderend.*
corridor ['kɒrɪdɔ:] ● *gang, corridor, galerij* ● *luchtweg, corridor* ‖ the –s of power *de wandelgangen* ⟨locatie voor het politiek lobbyen⟩. 'corridor train ● *harmonikatrein, trein met doorgangsrijtuigen.*
corroborate [kə'rɒbəreɪt] ⟨zn: **-ation**⟩ ● *bevestigen, ondersteunen, bekrachtigen.*
corroborative [kə'rɒbrətɪv] ● *bevestigend, ondersteunend.*
corrode [kə'rəʊd] I ⟨onov ww⟩ ● *ver/wegteren, (ver/weg)roesten* II ⟨ov ww⟩ ● *aantasten, aan/wegvreten.* **corrosion** [kə'rəʊʒn] ● *corrosie, verroesting, aantasting* ● *roest.* **corrosive** [kə'rəʊsɪv] ● *corrosief, bijtend* ● *ondermijnend, uithollend.*
corrugate ['kɒrəgeɪt] ‖ –d (card)board *golfkarton;* sheets of –d iron *golfplaten.*
1 corrupt [kə'rʌpt] ⟨bn⟩ ● *verdorven, immoreel* ● *corrupt, omkoopbaar* ● *bedorven, onbetrouwbaar.*
2 corrupt I ⟨onov ww⟩ ● *ontaarden, (zeden) bederf veroorzaken* II ⟨ov ww⟩ ● *corrumperen, besmetten, corrupt maken.* **corruptible** [kə'rʌptəbl] ● *corrumpeerbaar* ● *aan bederf onderhevig* ● *omkoopbaar.* **corruption** [kə'rʌpʃn] I (telb en n-telb zn) ● *corruptie* ● *ontaarding* ● *bederf, verderf* II ⟨n-telb zn⟩ ● *verval, ontbinding.*
corset ['kɔ:sɪt] ● *korset.*
cortege [kɔ:'teɪʒ] ● *rouwstoet.*
cos, 'cos [kəz] ⟨verk.⟩ because ↓ ● *omdat.*
cosh [kɒʃ] ● ⟨sl.⟩ *(gummi)knuppel, ploertendoder.*
co-sign ['kəʊ'saɪn] ● *medeondertekenen.*
cosine ['kəʊ'saɪn] ⟨wisk.⟩ ● *cosinus.*
1 cosmetic [kɒz'metɪk] ⟨zn⟩ ● *kosmetisch middel, schoonheidsmiddel,* ⟨mv.⟩ *cosmetica.*
2 cosmetic ⟨bn⟩ ● *kosmetisch, schoonheids-* ● ⟨ong.⟩ *verfraaiend, oppervlakkig.* **cosmetician** ['kɒzmə'tɪʃn] ● *schoonheidsspecialist(e).*
cosmic ['kɒzmɪk] ● *kosmisch, van/mbt. het heelal.*
cosmonaut ['kɒzmənɔ:t] ● *kosmonaut.*
cosmopolitan ['kɒzmə'pɒlɪtən] ● ⟨bn⟩ *kosmopolitisch* ● ⟨zn⟩ *wereldburger, kosmopoliet.*
cosmos ['kɒzmɒs] ● *kosmos, heelal.*
cosset ['kɒsɪt] ● *vertroetelen, verwennen.*
1 cost [kɒst] ⟨zn; vaak mv. met enk. bet.⟩ ● *kost(en), prijs, uitgave;* the – of living *de*

kosten v.(h.) levensonderhoud; at – tegen kostprijs; at all –s, at any – tot elke prijs; at the – of ten koste van ●⟨mv.⟩⟨jur.⟩ (proces)kosten ‖ count the – de risico's overwegen ⟨alvorens te handelen⟩.

2 cost ⟨ww⟩ ●begroten, ramen.

3 cost ⟨cost, cost [kɒst]; ww⟩ ●kosten; this'll – you dear(ly) dit zal je duur komen te staan.

1 co-star ['koʊstɑ:] ⟨zn⟩ ●medester, tegenspeler/speelster.

2 co-star ⟨ww⟩ ●als medester/co-star optreden; –ring Jack Nicholson and Paul Newman met in de hoofdrollen Jack Nicholson en Paul Newman; Streisand –s with Redford in this picture Streisand heeft Redford als tegenspeler in deze film.

'**cost-ef'fective** ●rendabel.

costermonger ['kɒstəmʌŋgə], **coster** ['kɒstə] ⟨BE⟩ ●fruit/groente/visventer, straatventer.

costing ['kɒstɪŋ] ●(kost)prijsberekening.

costly ['kɒs(t)li] ●kostbaar, duur. '**cost** 'price ●kostprijs.

costume ['kɒstjʊm] ●kostuum, (kleder)dracht.

'**costume jewellery** ●namaakjuwelen.

1 cosy ['koʊzi] ⟨zn⟩ ●theemuts ●eierwarmer.

2 cosy ⟨bn⟩ ●knus, gezellig.

cot [kɒt] ●⟨BE⟩ ledikantje, kinderbed(je) ● ⟨AE⟩ veldbed. '**cot death** ⟨vnl. BE; med.⟩ ●wiegedood.

cottage ['kɒtɪdʒ] ●(arbeiders)huisje ●vakantie/zomerhuisje. '**cottage** 'cheese ● Hütenkäse. '**cottage** 'industry ●huisindustrie/nijverheid. '**cottage** 'pie ●schotel v. gehakt en aardappelpuree.

cotton ['kɒtn] ●katoen(draad/garen/stof) ● katoenen stof ●katoenplant.

'**cotton** 'on ↓ ●doorkrijgen; before I cottoned on to what he meant ... voor ik doorhad wat hij bedoelde ....

'**cotton** 'wool ●⟨BE⟩ watten ●⟨vnl. AE⟩ ruwe katoen.

1 couch [kaʊtʃ] ⟨zn⟩ ●(rust)bank, sofa, divan ● ↑ bed.

2 couch [kaʊtʃ] I ⟨onov ww⟩ ●gaan liggen ⟨v. dieren⟩, zich plat tegen de grond drukken II ⟨ov ww⟩ ●⟨vaak pass.⟩ inkleden, verwoorden ●vellen ⟨lans⟩.

couchette [ku:'ʃet] ●couchette.

cougar ['ku:gə] ●poema.

1 cough [kɒf] ⟨zn⟩ ●hoest; have a bad – erg hoesten ●kuch(je).

2 cough I ⟨onov ww⟩ ●hoesten, kuchen ● sputteren II ⟨ov ww⟩ ●ophoesten; – (out/up) blood bloed opgeven.

'**cough drop** ●hoestbonbon. '**cough mixture** ●hoestdrank. '**cough up** ●dokken, op tafel leggen ⟨geld⟩.

could [kəd, ⟨sterk⟩kʊd] ⟨verl. t. v. can⟩ ● kon(den), zou(den) kunnen; I – go if you like ik zou kunnen gaan als je wilt; you – have warned us je had ons toch kunnen verwittigen ●mocht(en), zou(den) mogen; he told them they – go hij zei dat ze mochten gaan.

council ['kaʊnsl] I ⟨n-telb zn⟩ ●vergadering; Mr Jones is in – Mr.Jones heeft een bespreking II ⟨zn⟩ ●raad, (advies)college; – of war krijgsraad; municipal – gemeenteraad ●kerkvergadering. '**council estate** ● wijk met gemeentewoningen. '**council house** ●gemeentewoning, ⟨ongeveer⟩ woningwetwoning. **councillor** ['kaʊnslə] ●raadslid.

1 counsel ['kaʊnsl] I ⟨n-telb zn⟩ ●raad, (deskundig) advies ●overleg, beraad(slaging); hold/take – with te rade gaan bij; take – together overleggen II ⟨zn⟩ ⟨jur.⟩ ●raadslieden, advocaat; – for the defence de verdediging.

2 counsel ⟨ww⟩ ●raad geven, adviseren, aanraden. **counselling** ['kaʊnsəlɪŋ] ⟨psych.⟩ ●counseling. **counsellor** ['kaʊnslə] ●adviseur, consulent(e) ●⟨vnl. AE⟩ raadsman/vrouw.

1 count [kaʊnt] I ⟨telb zn⟩ ●onderdeel v.e. aanklacht; guilty on all –s schuldig op alle onderdelen v.d. aanklacht ●het uittellen ⟨v.e. bokser⟩; be out for the – uitgeteld zijn ⟨ook fig.⟩ ●(niet-Engelse) graaf II ⟨telb en n-telb zn⟩ ●telling, tel, getal; keep – de tel(ling) bijhouden; lose – de tel kwijt raken/zijn.

2 count I ⟨onov ww⟩ ●tellen, meetellen, gelden; that doesn't – dat telt niet; – for nothing niets voorstellen ‖ – against pleiten tegen; zie COUNT (UP)ON II ⟨onov en ov ww⟩ ●tellen, optellen; – down aftellen; zie COUNT OFF, COUNT OUT III ⟨ov ww⟩ ●meetellen, meerekenen; not –ing (in) the crew de bemanning niet meegerekend; you can – me in ik ben van de partij ●rekenen tot, beschouwen (als), achten; – o.s. lucky zich gelukkig prijzen; he –s politicians among his friends hij telt politici onder zijn vrienden. **countable** ['kaʊntəbl] ●telbaar. '**countdown** ●het aftellen ⟨ihb. voor lancering⟩.

1 countenance ['kaʊntɪnəns] I ⟨telb zn⟩ ●gelaat, gelaatsuitdrukking II ⟨n-telb zn⟩ ● kalmte; keep one's – zijn zelfbeheersing bewaren; ⟨ihb.⟩ zijn lachen kunnen houden; lose – van zijn stuk raken; out of –

van zijn stuk gebracht ● *steun, goedkeuring;* give/lend – to plans *plannen steunen.*
2 countenance ⟨ww⟩ ● *goedkeuren.*
1 counter ['kaʊntə] ⟨zn⟩ ● *toonbank, balie, bar* ● *teller* ● *fiche, speelmuntje* ● *tegenzet, tegenmaatregel* ● *tegendeel* ‖ over the – *zonder recept (verkrijgbaar)* ⟨v. medicijnen⟩; under the – *onder de toonbank, clandestien.*
2 counter ⟨bn⟩ ● *tegen(over)gesteld* ● *duplicaat-;* – list *controlelijst.*
3 counter I ⟨onov ww⟩ ● *een tegenzet doen, zich verweren,* ⟨ihb. boksen⟩ *counteren* **II** ⟨ov ww⟩ ● *tegenwerken, (ver)hinderen* ● *beantwoorden, reageren op* ● *tenietdoen.*
4 counter ⟨bw⟩ ● *in tegengestelde richting* ● *op tegengestelde wijze;* act/go – to *ingaan tegen.*
'counter'act ● *tegengaan, neutraliseren, tenietdoen.*   **'counter'action** ● *tegenwerking, tegenactie.*
1 'counterattack ⟨zn⟩ ● *tegenaanval.*
2 'counterat'tack I ⟨onov ww⟩ ● *in de tegenaanval gaan* **II** ⟨ov ww⟩ ● *een tegenaanval uitvoeren op.*
'counterbalance ● ⟨zn⟩ *tegenwicht* ● ⟨ww⟩ *een tegenwicht vormen tegen, compenseren.*   **counterclockwise** ['kaʊntə'klɒkwaɪz] ⟨AE⟩ ● *linksdraaiend, tegen de wijzers v.d. klok in.*   **'counter'espionage** ● *contraspionage.*
'counterexample ● *tegenvoorbeeld.*
1 counterfeit ['kaʊntəfɪt] ⟨zn; bn⟩ ● ⟨bn⟩ *vals, vervalst, geveinsd* ● ⟨zn⟩ *vervalsing.*
2 counterfeit ⟨ww⟩ ● *vervalsen, namaken* ● *voorgeven.*   **counterfeiter** ['kaʊntəfɪtə] ● *valsemunter.*
'counterfoil ● *controlestrookje, kwitantiestrook.*
'counterin'telligence ● *contraspionage.*
countermand ['kaʊntə'mɑːnd] ● *(dmv. een tegenbevel) herroepen, intrekken* ⟨bevel⟩; – a cheque *een cheque blokkeren* ● *(dmv. een nieuwe order/bestelling) ongedaan maken, annuleren.*
'countermeasure ● *tegenmaatregel.*   **'countermove** ● *tegenzet, tegenactie.*   **'counterof'fensive** ● *tegenoffensief.*
counterpane ['kaʊntəpeɪn] ● *(bedde)sprei.*
'counterpart ● *tegenhanger, pendant, equivalent.*   **'counterpoint** ⟨muz.⟩ ● *contrapunt.*
1 'counterpoise ⟨zn⟩ ● *tegenwicht* ● *evenwicht.*
2 counterpoise ⟨ww⟩ ● *opwegen tegen, compenseren.*
'counterpro'ductive ● *averechts, met ave-*

rechtse uitwerking. **'counterrevo'lution** ● *contrarevolutie.* **'counterrevo'lutionary** ● ⟨bn⟩ *contrarevolutionair* ● ⟨zn⟩ *contrarevolutionair.*
1 'countersign ⟨zn⟩ ● *wachtwoord, geheim teken.*
2 countersign ⟨ww⟩ ● *medeondertekenen, contrasigneren.*
'counter'sink ● *verzinken* ⟨spijkers, schroeven⟩.
'countertenor ⟨muz.⟩ ● *contratenor.*   **'counterweight** ● *tegen(ge)wicht.*
countess ['kaʊntɪs] ● *gravin.*
countless ['kaʊntləs] ● *talloos, ontelbaar.*
'count 'off ● *aftellen;* he counted off ten men *hij wees tien man aan.*   **'count 'out** ↓ ● *niet meetellen, afschrijven;* if it rains tonight you can count me out *als het vanavond regent moet je niet op me rekenen* ● *uittellen* ⟨bokser⟩ ‖ – ten guilders *tien gulden uit/neertellen.*
countrified ['kʌntrifaɪd] ● *boers* ⟨vnl. ong.⟩, *plattelands.*
country ['kʌntri] ● *land, vaderland, natie, volk* ● *(land)streek, terrein* ● ⟨the; vaak attr⟩ *platteland, provincie;* a day in the – *een dagje naar buiten/de stad uit* ‖ ⟨vnl. BE⟩ go to the – *(het parlement ontbinden en) verkiezingen uitschrijven.*   **'country club** ● *buitensociëteit, sport-en-gezelligheidsclub (buiten de stad).*   **'country'house** ● *landhuis, buitenverblijf.*
countryman ['kʌntrimən] ● *landgenoot* ● *plattelander.*   **'country'seat** ● *landhuis, buitenverblijf.*   **'countryside** ● *platteland;* in the – *op het platteland, buiten.*   **'countrywoman** ● *landgenote* ● *plattelandsvrouw.*
'count (up)on ● *rekenen/vertrouwen op.*
county ['kaʊnti] ● ⟨BE⟩ *graafschap, provincie* ● ⟨AE⟩ *provincie.*   **'county 'council** ⟨BE⟩ ● *graafschapsbestuur, provinciaal bestuur.*   **'county 'hall** ● *provinciehuis.*   **'county 'seat** ⟨AE⟩ ● *provinciehoofdstad.*   **'county 'town** ⟨BE⟩ ● *graafschapshoofdstad, (provincie)hoofdplaats.*
coup [kuː] ● *prestatie, succes;* pull off a – *zijn slag slaan* ● *staatsgreep, coup.*
coup de grâce ['kuː də'grɑːs] ● *genadeslag, genadeklap.*
coup d'état ['kuː 'deɪ'tɑː] ● *staatsgreep.*
coupé ['kuː'peɪ] ● *coupé, tweedeurs(auto).*
1 couple ['kʌpl] ⟨zn⟩ ● *paar;* in –s *twee aan twee;* a – of *twee;* ↓ *een paar, een stuk of twee/wat* ● *(echt)paar, stel.*
2 couple I ⟨onov ww⟩ ● *paren, copuleren* **II** ⟨ov ww⟩ ● *(aaneen)koppelen, verbinden, paren* ● *(met elkaar) in verband brengen.*

couplet ['kʌplɪt] ●*(tweeregelige) strofe, (tweeregelig) couplet.*

coupling ['kʌplɪŋ] ●*koppeling.*

coupon ['ku:pɒn] ●*bon* ●*coupon* ●*(toto)formulier.*

courage ['kʌrɪdʒ] ●*moed, durf;* muster up/ pluck up/take *– moed vatten/verzamelen.*

courageous [kə'reɪdʒəs] ●*moedig, dapper.*

courgette [kʊə'ʒet] ●*courgette.*

courier ['kʊrɪə] ●*koerier* ●*reisleider.*

1 course [kɔ:s] ⟨zn⟩ ●*loop, (voort)gang;* the *– of events de loop der gebeurtenissen;* the river has changed its *– de rivier heeft zijn loop verlegd;* run/take its *– zijn beloop hebben;* in the *– of in de loop van;* in (the) *– of time op den duur, mettertijd* ●*koers, richting;* stay the *– tot het eind toe volhouden* ●*(gedrags)lijn;* there was no other *– of action open to us er stond ons geen andere weg open* ●*cursus* ●*reeks, serie; – of* lectures *lezingencyclus* ●⟨sport⟩ *baan* ● ⟨cul.⟩ *gang* ●⟨med.⟩ *kuur* ‖ *of – natuurlijk;* ⟨verk. v. of course⟩ ↓ *–! tuurlijk!.*

2 course I ⟨onov ww⟩ ●*stromen, vloeien* ● *(met honden) jagen* II ⟨ov ww⟩ ●*met honden jagen op* ⟨ihb. hazen⟩.

1 court [kɔ:t] ⟨zn⟩ ●*rechtbank, gerechtszaal, (gerechts)hof;* Court of Appeal(s) *hof v. appèl/beroep; – of* inquiry *gerechtelijke commissie v. onderzoek; – of* justice *gerechtshof; – of law rechtbank;* go to *– naar de rechter stappen;* settle out of *– in der minne schikken;* take s.o. to *– iem. voor de rechter slepen* ●*rechtszitting;* in open *– in openbare rechtszitting* ●*hof, hofhouding;* be presented at *– aan het hof gepresenteerd worden* ●⟨sport⟩ *(tennis)baan* ● *omsloten ruimte, binnenhof/plaats* ‖ laugh s.o./sth. out of *– iem./iets weghonen;* rule/put out of *– uitsluiten* ⟨getuige, bewijsmateriaal; ook fig.⟩; ⟨fig.⟩ *(iets/ iem.) totaal geen kans geven.*

2 court I ⟨onov ww⟩ ●*verkering hebben* II ⟨ov ww⟩ ●*in de gunst trachten te komen bij* ●*het hof maken (trachten te) winnen* ●*flirten met, uitlokken;* a politician *–ing disaster een politicus die vraagt om een catastrofe.*

courteous ['kə:tɪəs] ●*hoffelijk, beleefd.*

courtesy ['kə:tɪsi] ●*beleefdheid, hoffelijkheid, beleefdheidsbetuiging;* by *– of welwillend ter beschikking gesteld door, met toestemming van.* '**courtesy cail** ●*beleefdheidsbezoek.*

'**courthouse** ●*gerechtsgebouw.* **courtier** ['kɔ:tɪə] ●*hoveling(e).* **courtly** ['kɔ:tli] ●*welgemanierd, hoffelijk* ‖ *– love hoofse liefde.* **court-martial** ['kɔ:t'mɑ:ʃl] ●⟨zn⟩

krijgsraad ●⟨zn⟩ *zitting v.e. krijgsraad* ● ⟨ww⟩ *voor een krijgsraad brengen.*

'**courtroom** ●*rechtszaal.* **courtship** ['kɔ:tʃɪp] I ⟨telb zn⟩ ●*verkering(stijd)* II ⟨n-telb zn⟩ ●*het hofmaken* ●⟨dierk.⟩ *balts.*

'**courtyard** ●*binnenplaats, plein.*

cousin ['kʌzn] ●*neef/nicht, dochter/zoon v. tante/oom;* first *– volle neef/nicht.*

cove [kəʊv] ●*inham, kleine baai.*

1 covenant ['kʌvnənt] ⟨zn⟩ ●*overeenkomst* ●*schenkingsbelofte* ⟨mbt. regelmatige donaties⟩ ●⟨rel.⟩ *verbond.*

2 covenant ⟨ww⟩ ●*overeenkomen, zich verbinden tot.*

Coventry ['kɒvntri, 'kʌv–] ‖ send s.o. to *– iem. links laten liggen.*

1 cover ['kʌvə] I ⟨telb zn⟩ ●*bedekking, dek-(kleed), hoes,* ⟨mv.⟩ *dekens, dekbed* ● *deksel* ●*omslag, stofomslag;* read a book from *– to – een boek v. begin tot eind lezen* ●*enveloppe, briefomslag;* under *– in een envelop;* in/bijgesloten ●*couvert, mes en vork* ●*zie* COVER VERSION II ⟨zn⟩ ●*dekmantel, mom;* under *– of friendship onder het mom v. vriendschap* ●*dekking* ⟨ook sport⟩, *beschutting, schuilplaats;* break *– uit zijn dekking te voorschijn komen;* take *– dekking zoeken* ●*dekking* ⟨vnl. verz.⟩, *verzekering.*

2 cover I ⟨onov ww⟩ ↓●⟨+for⟩ *invallen (voor);* zie COVER UP II ⟨ov ww⟩ ●*bedekken;* a *–ed wagon een huifkar* ●*beslaan, omvatten, bestrijken;* you can't *– all possibilities je kunt niet alle mogelijkheden voorzien* ●*afleggen* ⟨afstand⟩ ●*verslaan, verslag uitbrengen over/van* ●*dekken, verzekeren; –* expenses *onkosten dekken; –ed against fire tegen brand verzekerd* ● *dekken, bescherming/een alibi geven* ● *onder schot houden* ●*controleren, bestrijken* ●⟨sport⟩ *dekken, bewaken* ‖ a *–ing letter/note een begeleidend schrijven;* zie COVER UP.

coverage ['kʌvrɪdʒ] ●*dekking* ⟨ook verz.⟩ ● *berichtgeving, verslag(geving)* ●*bereik, bestrijkingsgebied.*

'**cover charge** ●*couvert(kosten)* ⟨eerste aanslag in restaurant, nachtclub e.d.⟩.

'**cover girl** ●*covergirl.* **covering** ['kʌvrɪŋ] ● *bedekking, dekkleed, dekzeil.* **coverlet** ['kʌvəlɪt] ●*(bedde)sprei.* '**cover story** ● *omslagartikel.*

1 covert ['kʌvə(t)] ⟨zn⟩ ●*schuilplaats* ●*kreupelbos, kreupelhout.*

2 covert ['kʌvət] ⟨bn⟩ ●*bedekt, heimelijk.*

'**cover-up** ●*doofpotaffaire* ●*dekmantel, alibi.*

'**cover 'up** I ⟨onov ww⟩ ●*dekking geven;* these doctors are covering up for each other *die artsen dekken elkaar* ‖ ⟨ov ww⟩ ● *verdoezelen, wegmoffelen;* – one's tracks *zijn sporen uitwissen* ● *toedekken, inwikkelen.*

'cover version ● *nieuwe uitvoering* ⟨v. bestaand nummer⟩.

covet ['kʌvɪt] ● *begeren.* covetous ['kʌvɪtəs] ● *begerig, hebzuchtig.*

1 cow [kaʊ] ⟨zn⟩ ● *koe, wijfje* ⟨v. grote zoogdieren⟩ ● ⟨sl.; bel.⟩ *wijf* ‖ *till the* –s *come home tot je een ons weegt.*

2 cow ⟨ww⟩ ● *koeioneren, intimideren, bang maken.*

coward ['kaʊəd] ● *lafaard.* cowardice ['kaʊədɪs] ● *lafheid.* cowardly ['kaʊədlɪ] ● *laf(hartig).*

'cowboy ● ⟨AE⟩ *cowboy, veedrijver* ● ⟨sl.⟩ *dolle Dries.* 'cowcatcher ● *baanschuiver, koevanger* ⟨op locomotief⟩.

cower ['kaʊə] ● *in elkaar duiken, ineenkrimpen.*

'cowhand ● *cowboy* ● *koeien/veehoeder.* 'cowherd ● *koeien/veehoeder.* 'cowhide ● *koeiehuid* ● *rundleer.*

cowl [kaʊl] ● *monnikskap, kap* ● *schoorsteenkap.*

cowman ['kaʊmən] ● ⟨BE⟩ *koeien/veehoeder* ● ⟨AE⟩ *veehouder.*

co-worker ['koʊ'wə:kə] ● *medewerker.*

'cowshed ● *koestal.*

'cowslip ● *sleutelbloem* ● ⟨AE⟩ *dotterbloem.*

cox [kɒks] ● ⟨zn⟩ *stuurman* ⟨v. roeiboot⟩ ● ⟨ww⟩ *stuurman zijn (voor).*

coxcomb ['kɒkskoʊm] ● *ijdeltuit.*

1 coxswain ['kɒksweɪn] ⟨zn⟩ ● *stuur(man)* ⟨vnl. v. roeiboot⟩.

2 coxswain ⟨ww⟩ ● *stuurman zijn (voor).*

coy [kɔɪ] ● *ingetogen, bedeesd, terughoudend;* a politician – about his plans *een politicus die zijn plannen voor zich houdt* ● *koket, quasi-verlegen.*

coyote ['kɔɪoʊt, kɔɪ'oʊti] ● *coyote, prairiewolf.*

crab [kræb] ● *krab.*

'crab apple ● *wilde appel.*

crabbed ['kræbɪd] ● *chagrijnig* ● *kriebelig* ⟨v. handschrift⟩. crabby ['kræbi] ● *chagrijnig.*

1 crack [kræk] ⟨zn⟩ ● *barst(je), scheur(tje)* ● *kier, spleet, reet* ● *knal(geluid), knak, kraak;* –! *krak!* ● *klap, pets* ● ↓ *poging;* have a – at *een gooi doen naar* ● ↓ *kei, uitblinker* ● ↓ *crack* ⟨zuivere vorm van cocaïne⟩ ‖ ↓ at the – of dawn *bij het krieken v.d. dag.*

2 crack ⟨bn⟩ ↓ ● *prima, keur-, uitgelezen;* a – shot/marksman *een eersteklas schutter.*

3 crack I ⟨onov ww⟩ ● *in(een)storten, het be-* geven ● *knallen, kraken* ● *barsten, scheuren* ● *breken, overslaan* ⟨v. stem⟩; zie CRACK DOWN ON, CRACK UP ‖ ⟨onov en ov ww⟩ ● *(open/stuk)breken, kraken;* – a safe *een kluis openbreken* ● ⟨schei.⟩ *kraken* III ⟨ov ww⟩ ● *laten knallen;* – a whip *klappen met een zweep;* I –ed my head against the door *ik knalde met mijn hoofd tegen de deur* ● *doen barsten, scheuren* ● *doen breken* ⟨stem⟩ ● *de oplossing vinden van* ⟨een probleem⟩; – a code *een code ontcijferen* ‖ – a joke *een mop vertellen;* zie CRACK UP.

'crackbrained ● *onzinnig.*

'crack 'down on ● *met harde hand optreden tegen, (steviger) aanpakken.*

cracked ['krækt] ↓ ● *getikt, maf.* cracker ['krækə] ● *cracker(tje), knäckebröd* ● *voetzoeker* ● *knalbonbon* ● ↓ *stuk.* crackers ['krækəz] ↓ ● *gek, maf.* cracking ['krækɪŋ] ⟨sl.⟩ ● *uitstekend, geweldig* ● *snel;* – pace *stevige vaart* ‖ get – *aan de slag gaan.*

1 crackle ['krækl] ⟨zn⟩ ● *geknetter, geknap(per)* ● *craquelé(porselein).*

2 crackle ⟨ww⟩ ● *knapp(er)en, knetteren, kraken* ⟨v. telefoon⟩.

'crackleware ● *craquelé(porselein).*

crackling ['kræklɪŋ] ● *geknetter, geknap(per)* ● *braadkorst v. varkensvlees.*

'crackpot ↓ ● *zonderling.*

'crackup ↓ ● *in(een)storting, inzinking.*

'crack 'up I ⟨onov ww⟩ ● *bezwijken, instorten, eronderdoor gaan* ‖ ⟨ov ww⟩ ‖ he isn't everything he's cracked up to be *hij is niet zo goed als zijn reputatie deed verwachten.*

1 cradle ['kreɪdl] ⟨zn⟩ ● *wieg* ⟨ook fig.⟩, *bakermat;* from the – to the grave *van de wieg tot het graf* ● *haak* ⟨v. telefoon⟩.

2 cradle ⟨ww⟩ ● *wiegen, vasthouden* ● *in een wieg leggen* ● *op de haak leggen* ⟨telefoon⟩; – the receiver *ophangen.*

1 craft [krɑ:ft] ⟨zn⟩ ● *vak, ambacht* ● *(kunst)vaardigheid, kunstnijverheid* ● *bedrijfstak, branche.*

2 craft ⟨zn⟩ ● *boot(je), vaartuig* ● *vliegtuig* ● *ruimtevaartuig.*

craftsman ['krɑ:f(t)smən] ● *handwerksman, vakman.* craftsmanship ['krɑ:f(t)smənʃɪp] ● *vakmanschap.* crafty ['krɑ:fti] ● *geslepen, doortrapt.*

crag [kræg] ● *steile rots(massa).* craggy ['krægi] ● *rotsig, woest* ● *verweerd* ⟨v. gezicht⟩.

cram [kræm] I ⟨onov ww⟩ ● *zich volproppen, schrokken* ● *blokken, stampen* II ⟨ov ww⟩ ● *(vol)proppen, (vol)stouwen* ● *klaarstomen* ⟨leerling⟩. 'cram course ● *stoom-*

cursus. '**cram'full** ↓ ● *stampvol.*

1 cramp [kræmp] I ⟨telb zn⟩ ● *(muur)anker, kram* ● *klem(haak)* II ⟨telb en n-telb zn⟩ ● *kramp(scheut),* ⟨mv.⟩ *maagkramp.*

2 cramp ⟨ww⟩ ● *kramp veroorzaken bij/in, verkrampen* ● *krammen* ● *onderdrukken, tegengaan, belemmeren.* **cramped** [kræmpt] ● *benauwd, krap, kleinbehuisd* ● *kriebelig* ⟨v. handschrift⟩.

'**cramp iron** ● *(muur)anker, kram.*

cranberry ['krænbri] ● *Am. veenbes, Preiselbeere.*

1 crane [kreɪn] ⟨zn⟩ ● *kraan(vogel)* ● *kraan, hijskraan.*

2 crane I ⟨onov ww⟩ ● *de hals uitstrekken;* – forward *de hals uitstrekken* II ⟨ov ww⟩ ● *(reikhalzend) uitstrekken.*

cranium ['kreɪnɪəm] ● *schedel.*

1 crank [kræŋk] ⟨zn⟩ ● *krukas, autoslinger* ● ↓ *zonderling.*

2 crank ⟨ww⟩ ● *aanzwengelen;* – up a car *een auto aanslingeren.*

'**crankshaft** ● *krukas.*

cranky ['kræŋki] ● ↓ *zonderling, bizar* ● ⟨vnl. AE; ↓⟩ *chagrijnig.*

cranny ['kræni] ● *spleet, scheur.*

1 crap [kræp] ⟨zn⟩ ● ⟨sl.⟩ *stront* ● ⟨sl.⟩ *gelul, geouwehoer;* –! *gelul!* ● ⟨sl.⟩ *troep, rotzooi.*

2 crap ⟨ww⟩ ⟨sl.⟩ ● *schijten, kakken.*

crape zie CREPE.

1 crash [kræʃ] ⟨zn⟩ ● *klap, slag, dreun* ● *botsing, neerstorting, ongeluk* ● *krach, ineenstorting, debâcle.*

2 crash ⟨bn⟩ ● *spoed-;* – course *stoomcursus.*

3 crash I ⟨onov ww⟩ ● *te pletter vallen, verongelukken, botsen, (neer)storten* ● *stormen, denderen* ● *dreunen, knallen;* the thunder –ed *de donder dreunde/ratelde* ● *ineenstorten, failliet gaan* II ⟨ov ww⟩ ● *te pletter laten vallen, botsen op/tegen;* he –ed his car into a tree *hij is met zijn auto tegen een boom geknald* ● *neersmijten, stuksmijten* ● ↓ *onuitgenodigd bezoeken* ⟨feest⟩.

4 crash ⟨bw⟩ ● *met een knal/klap.*

'**crashbarrier** ● *vangrail* ● *dranghek.* '**crash helmet** ● *valhelm.* **crashing** ['kræʃɪŋ] ↓ ● *ontiegelijk, ongelooflijk.* '**crash-land** ● *een buik/noodlanding (laten) maken* ⟨(v.) vliegtuig⟩. '**crash 'landing** ● *buik/noodlanding.*

crass [kræs] ● *bot, onbehouwen, lomp.*

1 crate [kreɪt] ⟨zn⟩ ● *krat, kist.*

2 crate ⟨ww⟩ ● *verpakken in kratten/kisten.*

crater ['kreɪtə] ● *krater.*

cravat [krə'væt] ● *sjaaltje.*

crave [kreɪv] I ⟨onov en ov ww⟩ ● *hunkeren (naar), smachten (naar);* – after/for *smachten naar* II ⟨ov ww⟩ ● ↑ *verzoeken (om).*

craven ['kreɪvn] ● *laf.*

craving ['kreɪvɪŋ] ● *hunkering, verlangen, begeerte.*

'**crawfish** ['krɔːfɪʃ], **crayfish** ['kreɪfɪʃ] ● *rivierkreeft.*

1 crawl [krɔːl] ⟨zn⟩ ● *slakkegang* ● *crawl (slag).*

2 crawl ⟨ww⟩ ● *kruipen, sluipen, moeizaam vooruitkomen* ● *wemelen;* the place was –ing with vermin *het krioelde er van ongedierte* ● *kruipen, kruiperig doen;* – to one's boss *de hielen likken van zijn baas* ‖ the mere sight of you makes my skin – *ik krijg al kippevel als ik naar je kijk.* **crawler** ['krɔːlə] ● *kruiper,* ⟨ihb.⟩ *slijmer.* '**crawl (er) lane** ● *kruipspoor, kruipstrook* ⟨van autoweg⟩.

crayfish zie CRAWFISH.

1 crayon ['kreɪən, -ɒn] ⟨zn⟩ ● *kleurkrijt.*

2 crayon ⟨ww⟩ ● *met krijt tekenen.*

1 craze [kreɪz] ⟨zn⟩ ● *rage, manie.*

2 craze ⟨ww⟩ ● ⟨vnl. als volt. deelw.⟩ *van zijn zinnen beroven, verwarren* ● *craquelé aanbrengen op.*

crazy ['kreɪzi] ● *gek, krankzinnig;* go – *gek worden;* ↓ – about fishing *gek van vissen;* – about a girl *stapel op een meisje* ● ↓ *te gek.*

1 creak [kriːk] ⟨zn⟩ ● *geknars, gekraak.*

2 creak ⟨ww⟩ ● *knarsen, kraken.* **creaky** ['kriːki] ● *knarsend, krakerig.*

1 cream [kriːm] ⟨zn⟩ ● *(slag)room;* clotted – *dikke room* ● *roomsaus, roomschotel/gerecht* ● *crème* ⟨voor op huid⟩ ● ⟨vaak attr⟩ *crème* ⟨kleur⟩ ● ⟨the⟩ *crème* ⟨fig.⟩, *puikje.*

2 cream I ⟨onov ww⟩ ● *schuimen, room vormen* II ⟨onov en ov ww⟩ ● *romen, afromen* ⟨ook fig.⟩; – off *afromen* III ⟨ov ww⟩ ● *kloppen, (krachtig) dooreenroeren* ● *room/eieren/boter toevoegen aan, in/met room e.d. bereiden;* –ed potatoes *aardappelpuree.*

'**cream 'cheese** ● *roomkaas.* **creamer** ['kriːmə] ● *roomkan(netje)* ● *roomafscheider.* '**cream 'tea** ⟨BE⟩ ● *theemaaltijd met 'scones' met dikke room (en jam).*

creamy ['kriːmi] ● *romig.*

1 crease [kriːs] ⟨zn⟩ ● *vouw, plooi;* – resistant *kreukvrij.*

2 crease ⟨ww⟩ ● *kreuke(le)n, vouwen, plooien.*

create [kriː'eɪt] I ⟨onov ww⟩ ⟨BE; ↓⟩ ● *tekeergaan* II ⟨ov ww⟩ ● *scheppen, creëren, ont-*

werpen ● *veroorzaken, teweegbrengen* ●
benoemen. **creation** [kriˈeɪʃn] I ⟨telb zn⟩ ●
creatie, (mode)ontwerp II ⟨telb en n-telb
zn⟩ ● *schepping, instelling;* the Creation
de schepping. **creative** [kriˈeɪtɪv] ● *crea-
tief, scheppend, vindingrijk.* **creativity**
[ˈkriːəˈtɪvəti] ● *creativiteit.* **creator**
[kriˈeɪtə] ● *schepper.*
creature [ˈkriːtʃə] ● *schepsel;* – of habit *ge-
woontedier/mens* ● *dier, beest* ● *(levend)
wezen* ● *werktuig.*
crèche [kreɪʃ] ● *crèche, kinderdagverblijf.*
credence [ˈkriːdns] ● *geloof;* attach/give no –
to *geen geloof hechten aan.* **credentials**
[krɪˈdenʃlz] ● *introductie/geloofsbrieven,
legitimatiebewijs.*
credib|le [ˈkredəbl] ⟨zn: **-ility**⟩ ● *geloofwaar-
dig, vertrouwenswaardig* ● *overtuigend,
plausibel.*
1 credit [ˈkredɪt] I ⟨telb zn⟩ ● ⟨AE; school.⟩
studiepunt ‖ she's a – to our family *ze is
een sieraad voor onze familie* II ⟨telb en n-
telb zn⟩ ● *geloof, vertrouwen;* – op *krediet kopen* ● *credit, creditzijde* ● *tegoed* III ⟨n-telb
zn⟩ ● *geloof, vertrouwen;* gain – *geloofwaardiger worden;* do you give – to that
story? *hecht jij enig geloof aan dat verhaal?* ● *eer, lof, verdienste;* it does you –, it
is to your – *het strekt je tot eer;* they have
30 albums to their – *ze hebben 30 elpees
op hun naam* ● *krediet(waardigheid), goede naam* ‖ ⟨sprw.⟩ ⟨give⟩ credit where
credit is due *ere wie ere toekomt* IV ⟨mv.⟩
● *titelrol, aftiteling.*
2 credit ⟨ww⟩ ● *geloven* ● *crediteren;* – an
amount to s.o./to s.o.'s account *iem. voor
een bedrag crediteren* ● *toeschrijven;* he's
–ed with the invention *de uitvinding staat
op zijn naam.*
creditable [ˈkredɪtəbl] ● *eervol, prijzenswaardig.*
'credit account ⟨BE⟩ ● *rekening* ⟨bij een win-
kel⟩. **'credit card** ● *credit card,* ⟨onge-
veer⟩ *betaalkaart.* **'credit note** ● *tegoed-
bon.* **creditor** [ˈkredɪtə] ● *crediteur,
schuldeiser.*
'credit titles ● *titelrol, aftiteling.*
'creditworthy ● *kredietwaardig.*
credulity [krɪˈdjuːləti] ● *lichtgelovigheid.*
credulous [ˈkredʒələs] ● *lichtgelovig,
goedgelovig.*
creed [kriːd] ● *geloofsbelijdenis, credo* ⟨ook
fig.⟩ ● *(geloofs)overtuiging.*
creek [kriːk] ● ⟨BE⟩ *kreek, inham, bocht* ●
⟨AE, Austr.⟩ *kreek, kleine rivier* ‖ ⟨sl.⟩ up
the – *in een lastig parket.*
1 creep [kriːp] ⟨zn⟩ ● ⟨sl.⟩ *griezel, engerd,*
⟨ihb.⟩ *slijmer(d)* ● ⟨mv.; the⟩ ↓ *kriebels,*

kippevel.
2 creep ⟨ww; crept, crept [krept]⟩ ● *kruipen*
⟨ook plantk.⟩, *sluipen;* – in *binnensjui-
pen;* – up *on bekruipen, besluipen* ● *rillen*
⟨v.d. huid⟩, *kippevel vertonen.* **creeper**
[ˈkriːpə] ● ⟨plantk.⟩ *kruiper, kruipend gewas, klimplant.*
creepy [ˈkriːpi] ● *griezelig, eng.*
crem|ate [krɪˈmeɪt] ⟨zn: **-ation**⟩ ● *cremeren.*
crematorium [ˈkreməˈtɔːrɪəm] ● *cremato-
rium(gebouw).*
crepe [kreɪp] ● *crêpe, krip,* ⟨ihb.⟩ *floers* ●
crêpepapier ● *crêpe(rubber).*
crept [krept] ⟨verl. t. en volt. deelw.⟩ zie
CREEP.
Cres. ⟨afk.⟩ Crescent.
crescendo [krɪˈʃendoʊ] ● *crescendo* ⟨ook
fig.⟩, *climax.*
crescent [ˈkresnt] ● *maansikkel, halvemaan,
wassende maan* ● *halvemaanvormig iets,
halvemaanvormige rij huizen.*
cress [kres] ⟨cul., plantk.⟩ ● *kers,* ⟨ihb.⟩ *gewone kers, tuin/sterrekers.*
crest [krest] ● *kam, pluim, kuif* ● *helmbos,
vederbos* ● *top, golfkam;* on the – of the
wave *op de top v.d. golf;* ⟨fig.⟩ *op het
hoogtepunt* ● *wapen.* **crested** [ˈkrestɪd] ●
met een kam/pluim/kuif.
'crestfallen ● *terneergeslagen.*
cretin [ˈkretɪn] ● ↓ *idioot, stomkop.*
crevasse [krɪˈvæs] ● *gletsjer/bergspleet.*
crevice [ˈkrevɪs] ● *(berg)spleet, scheur.*
1 crew [kruː] ⟨zn⟩ ● *bemanning;* several (of
the) – are ill *verscheidene bemanningsle-
den zijn ziek* ● *ploeg* ● ↓ *gezelschap,
ploeg(je).*
2 crew I ⟨onov ww⟩ ● *bemanning/beman-
ningslid zijn* II ⟨ov ww⟩ ● *bemannen.*
'crew cut ● *stekeltjes(haar), borstelkop.*
crewman [ˈkruːmən] ● *bemanningslid.*
crewmember ● *bemanningslid.*
1 crib [krɪb] ⟨zn⟩ ● ⟨vnl. AE⟩ *ledikantje, bed-
je* ● *krib(be), ruif* ● ⟨vnl. BE⟩ *kerststal* ● ↓
afgekeken antwoord, spiekwerk ● ↓ *spiekbriefje.*
2 crib ↓ ⟨ww⟩ ● *spieken, afkijken, overschrijven, jatten.*
'crib death ● *wiegedood.*
crick [krɪk] ● *stijfheid;* a – in the neck *een stij-
ve nek.*
cricket [ˈkrɪkɪt] I ⟨telb zn⟩ ● *krekel* II ⟨n-telb
zn⟩ ● *cricket* ‖ ↓ that's not – *dat is onsportief.* **cricketer** [ˈkrɪkɪtə] ● *cricketspeler.*
crier, cryer [ˈkraɪə] ● *(stads/dorps)omroeper.*
crikey [ˈkraɪki] ↓ ● *(t)jee(tje).*
crime [kraɪm] ● *misdaad, misdrijf;* commit a
– *een misdaad begaan* ● ↓ *schande;* it's a
– the way he treats us *het is schandalig zo-*

als hij ons behandelt ‖ ⟨sprw.⟩ *crime doesn't pay* ± *gestolen goed gedijt niet.*
1 criminal ['krɪmɪnl] ⟨zn⟩ ● *misdadiger.*
2 criminal I ⟨bn, attr en pred⟩ ● *misdadig* ● ↓ *schandalig* ‖ ⟨bn, attr⟩ ● *strafrechtelijk, straf-, crimineel;* – law *strafrecht;* – lawyer *strafpleiter.* **criminality** ['krɪmɪ'næləti] ● *misdadigheid.*
crimp [krɪmp] ● *plooien, rimpelen* ● *krullen* ⟨haar⟩.
1 crimson ['krɪmzn] ⟨bn⟩ ● *karmozijn(rood);* turn – *(vuur)rood aanlopen.*
2 crimson ⟨ww⟩ ● *karmozijn(rood) worden/ kleuren* ● *(diep)(doen) kleuren/blozen.*
cringe [krɪndʒ] ● *ineenkrimpen, terugdeinzen* ● ⟨+to⟩ *kruipen (voor).*
1 crinkle ['krɪŋkl] ⟨zn⟩ ● *kreuk, vouw.*
2 crinkle ⟨ww⟩ ● *(doen) kreuke(le)n, (doen) rimpelen, verfrommelen.* **crinkly** ['krɪŋkli] ● *gekreukeld, verfrommeld* ● *gekruld.*
1 cripple ['krɪpl] ⟨zn⟩ ● *invalide, kreupele.*
2 cripple ⟨ww⟩ ● *verlammen, invalide/kreupel maken,* ⟨fig.⟩ *(ernstig) beschadigen/ verzwakken.*
crisis ['kraɪsɪs] ⟨mv.: crises [-si:z]⟩ ● *crisis.*
1 crisp ['krɪsp] ⟨zn⟩ ● ⟨vnl. mv.⟩ ⟨BE⟩ *(potato) chip.*
2 crisp ⟨bn⟩ ● *knapperig, croquant; a – pound note een kraaknieuw biljet v.e. pond; the snow was* – *underfoot de sneeuw knerpte onder je voeten* ● *stevig, vers* ⟨groente e.d.⟩ ● *fris, helder, opwekkend; the* – *autumn wind de frisse herfstwind* ● *helder, ter zake, kernachtig; a quick,* – *answer een kort en bondig antwoord* ● *kroezend, kroes-.*
3 crisp ⟨ww⟩ ● *bros/croquant maken/worden* ● *sterk (doen) krullen.*
'crispbread ● *knäckebröd.* **crispy** ['krɪspi] ● *knapperig, croquant* ● *stevig, vers* ⟨groente e.d.⟩.
1 crisscross ['krɪskrɒs] ⟨zn⟩ ● *netwerk, wirwar.*
2 crisscross ⟨bn⟩ ● *kruiselings;* – pattern *patroon v. elkaar kruisende lijnen.*
3 crisscross ⟨ww⟩ ● *(kriskras)(door)kruisen.*
4 crisscross ⟨bw⟩ ● *kriskras, door elkaar.*
criterion [kraɪ'tɪərɪən] ⟨mv.: criteria [-rɪə]⟩ ● *criterium.*
critic ['krɪtɪk] ● *criticus, recensent.* **critical** ['krɪtɪkl] ● *kritisch, streng; be* – of sth. *ergens kritisch tegenover staan* ● *kritiek, beslissend; of* – importance v. *cruciaal belang.* **criticism** ['krɪtɪsɪzm] ● *kritiek, recensie* ● *kritiek, afkeuring.* **criticize** ['krɪtɪsaɪz] ● *kritiek hebben (op)* ● *(be)kritiseren, beoordelen.*
critique [krɪ'ti:k] ● *kritiek,* ⟨ihb.⟩ *kunstkritiek.*

1 croak [krouk] ⟨zn⟩ ● *gekwaak* ⟨v. kikvors⟩, *gekras* ⟨v. kraai⟩ ● *heesheid;* speak with a – *hees zijn.*
2 croak I ⟨onov ww⟩ ● *kwaken* ⟨kikvorsen⟩, *krassen* ⟨kraaien⟩ ● ⟨sl.⟩ *het loodje leggen* ‖ ⟨ov ww⟩ ● *met schorre stem zeggen.*
1 crochet ['krouʃeɪ] ⟨zn⟩ ● *haakwerk.*
2 crochet ⟨ww⟩ ● *haken.* **'crochet hook** ● *haaknaald/pen.*
crock [krɒk] ● *aardewerk(en) pot/kan* ● ↓ *(oud) wrak.* **crockery** ['krɒkri] ● *aardewerk, serviesgoed.*
crocodile ['krɒkədaɪl] ● *krokodil.* **'crocodile tears** ● *krokodilletranen.*
crocus ['kroukəs] ● *krokus.*
croft ['krɒft] ⟨BE⟩ ● *stukje (bouw)land, akkertje* ● *(pacht)boerderijtje* ⟨in Schotland⟩. **crofter** ['krɒftə] ⟨BE⟩ ● *keuterboertje* ⟨ihb. in Schotland⟩.
crone [kroun] ● *besje, (verschrompeld) oud vrouwtje.*
crony ['krouni] ● *makker, maat(je).*
1 crook [kruk] ⟨zn⟩ ● *herdersstaf* ● *bisschopsstaf* ● *bocht, kronkel, buiging;* the – of one's arm *de elleboogsholte* ● ↓ *oplichter.*
2 crook ⟨ww⟩ ● *buigen, krommen.* **crooked** ['krukɪd] ● *bochtig, kronkelig* ● *krom(gegroeid)* ● *oneerlijk, achterbaks.*
croon [kru:n] ● *croonen, half neuriënd zingen.* **crooner** ['kru:nə] ● *sentimenteel zanger (v. smartlappen).*
1 crop [krɒp] ⟨zn⟩ ● *krop* ⟨v. vogel⟩ ● *rijzweep(je)* ● ⟨vaak mv.⟩ *gewas* ● *oogst* ⟨ook fig.⟩, *lading, lichting;* a new – of students *een nieuwe lichting studenten;* get the –s in *de oogst binnenhalen* ‖ a fine – of hair *een mooie bos haar.*
2 crop I ⟨onov ww⟩ ● *oogst opleveren; the potatoes* – well this year *de aardappels doen het uitstekend dit jaar;* zie CROP UP ‖ ⟨ov ww⟩ ● *afknippen, couperen* ⟨staart, oren⟩; have one's hair –ped *zijn haar laten millimeteren* ● *(af)grazen* ● *oogsten, binnenhalen* ⟨oogst⟩.
'cropland ● *akkerland.*
cropper ['krɒpə] ● *(vruchtdragende) plant; these beans are good* –s *deze bonen geven een goede opbrengst* ● ↓ *smak;* come a – *een smak maken;* ⟨fig.⟩ *op je bek vallen, afgaan.*
'crop 'up ● ↓ *opduiken, de kop opsteken, plotseling/onverhoopt ter sprake komen.*
croquet ['kroukeɪ] ● *croquet(spel).*
croquette [krou'ket] ● *croquet.*
crosier, crozier ['krouʒə] ● *bisschopsstaf.*
1 cross [krɒs] **I** ⟨eig.n.; C-; the⟩ ● *(Heilige)*

Kruis II ⟨telb zn⟩ ●*kruis(je), crucifix, kruis-*
teken; make the sign of the – *een kruis(je)*
slaan/maken ●*kruis, beproeving, lijden;*
bear one's – *zijn (eigen) kruis dragen* ●
kruising, bastaard ‖ on the – *diagonaal,*
schuin(s).
2 cross ⟨bn⟩ ●↓ *boos, kwaad, uit zijn hu-*
meur; be – with s.o. *kwaad op iem. zijn.*
3 cross I ⟨onov ww⟩ ●*(elkaar) kruisen* II ⟨on-*
ov en ov ww⟩ ●*oversteken, over/doortrek-*
ken III ⟨ov ww⟩ ●*kruisen;* – one's arms/
legs *zijn armen/benen over elkaar slaan* ●
(door)strepen; – out/off *doorhalen,*
schrappen ⟨ook fig.⟩ ●*dwarsbomen, te-*
genwerken, doorkruisen ⟨plan⟩ ●⟨biol.⟩
kruisen ‖ he's been –ed in love *hij heeft*
een blauwtje gelopen; – o.s. *een kruis(je)*
maken.
'**crossbar** ●*(doel)lat, stang* ⟨v. herenfiets⟩.
'**crossbeam** ●*dwars/steunbalk, (dwars)*
ligger. '**crossbow** ●*kruisboog.*
1 '**crossbreed** ⟨zn⟩ ●*kruising, bastaard* ●*ge-*
kruist ras.
2 crossbreed ⟨ww⟩ ●*(zich) kruisen.*
'**cross'check** ●*(op andere manieren/via an-*
dere kanalen) controleren.
1 '**cross-'country** ⟨zn⟩ ●*cross(-country), ter-*
reinwedstrijd, ⟨atletiek⟩ *veldloop,* ⟨wiel-*
rennen⟩ veldrit.
2 cross-country ⟨bn; bw⟩ ●*veld-, door het*
veld; – race/ride *veldloop/rit* ●*over het he-*
le land.
'**cross-exami'nation** ●*kruisverhoor* ⟨ook
fig.⟩. '**cross-ex'amine, 'cross-'question** ●
aan een kruisverhoor onderwerpen ⟨ook
fig.⟩, *scherp ondervragen.*
'**cross-eyed** ●*scheel.* '**crossfire** ●*kruisvuur.*
crossing ['krɒsɪŋ] ●*oversteek, overtocht* ●
kruising, kruispunt ●*oversteekplaats,*
overweg. '**cross-'legged** ['krɒs'legd,-gɪd]
●*met gekruiste benen, met de benen over*
elkaar. '**crossover** ●*oversteekplaats, via-*
duct, voetgangersbrug. '**cross-'purpose** ‖
be at –s *elkaar misverstaan; elkaar (onbe-*
doeld) in de wielen rijden; talk at – *langs*
elkaar heen praten. **cross-question** zie
CROSS-EXAMINE. '**cross-'reference** ●*ver-*
wijzing. '**crossroads** ●*wegkruising, twee-*
sprong, kruispunt, ⟨fig.⟩ *tweesprong, be-*
slissend moment; our country is at the –
ons land staat nu op de tweesprong.
'**cross section** ●*dwarsdoorsnede* ⟨ook
fig.⟩. '**cross-stitch** ⟨handwerken⟩ ●*kruis-*
steek. '**crosswalk** ⟨AE⟩ ●*(voetgangers)*
oversteekplaats. '**crosswind** ●*zijwind.*
'**crossword, 'crossword puzzle** ●*kruis-*
woordraadsel/puzzel.
crotch [krɒtʃ] ●*vertakking, vork* ●*kruis* ⟨v.

mens of kledingstuk⟩.
crotchet ['krɒtʃɪt] ●⟨muz.⟩ *kwart(noot).*
crotchety ['krɒtʃəti] ●*chagrijnig, knorrig.*
1 crouch [kraʊtʃ] ⟨zn⟩ ●*gehurkte/knielende*
houding, hurkzit.
2 crouch ⟨ww⟩ ●*zich (laag) bukken, ineen-*
duiken, zich buigen.
croupier ['kru:pɪə] ⟨spel⟩ ●*croupier.*
1 crow [krəʊ] ⟨zn⟩ ●*kraai* ●*gekraai* ⟨v.
haan⟩ ●*kreetje, gekraai* ⟨v. baby⟩ ‖ as the
– flies *hemelsbreed.*
2 crow ⟨ww⟩ ●*kraaien* ⟨v. haan⟩ ●*kraaien*
⟨v. kind⟩ ●↓ *opscheppen* ‖ – over *(triom-*
fantelijk) juichen/jubelen over.
'**crowbar** ●*koevoet.*
1 crowd [kraʊd] I ⟨telb zn⟩ ●↓ *volkje, kliek-*
(je) II ⟨zn⟩ ●*(mensen)menigte, massa* ‖ fol-
low/move with the – *in de pas lopen;* zie
ook ⟨sprw.⟩ TWO.
2 crowd I ⟨onov ww⟩ ●*samendrommen, el-*
kaar/zich verdringen II ⟨ov ww⟩ ●*(over)*
bevolken; shoppers –ed the stores *de*
winkels waren vol winkelende mensen ●
proppen, persen; they were –ed in *ze wer-*
den naar binnen geperst ●↓ *onder druk*
zetten ‖ – out *buitensluiten, verdringen.*
crowded ['kraʊdɪd] ●*vol, druk* ●*samenge-*
pakt.
1 crown [kraʊn] ⟨zn⟩ ●*krans* ●*kroon,* ⟨fig.,
steeds met the⟩ *vorstelijke macht* ●*kroon,*
bekroning ●*(hoofd)kruin, (heuvel)kam/*
kruin, kroon ⟨v. tand/kies⟩ ●*kroon*
⟨munt⟩.
2 crown ⟨ww⟩ ●*kronen* ●*de top vormen*
van, sieren ●*bekronen, de kroon op het*
werk vormen/zetten; to – (it) all *als klap op*
de vuurpijl; ⟨iron.⟩ *tot overmaat v. ramp*
●⟨tandheelkunde⟩ *voorzien v.e. kroon.*
'**crown 'cap** ●*kroonkurk.* '**crown 'jewels** ●
kroonjuwelen. '**crown 'prince** ●*kroon-*
prins ⟨ook fig.⟩. '**crown 'princess** ●
kroonprinses ⟨ook fig.⟩. '**crown 'witness** ●
getuige à charge.
'**crow's-foot** ●*kraaiepootje* ⟨rimpel in de
ooghoek⟩.
crozier zie CROSIER.
crucial ['kru:ʃl] ●*cruciaal, (alles)beslissend,*
↓ *zeer belangrijk;* – test *beslissende*
proef; ⟨fig.⟩ *vuurproef* ●*kritiek.*
crucible ['kru:səbl] ●*smeltkroes.*
crucifix ['kru:sɪfɪks] ●*kruisbeeld.* **crucifix-**
ion ['kru:sɪ'fɪkʃn] ●*kruisiging* ⟨v. Chris-
tus⟩.
crucify ['kru:sɪfaɪ] ●*kruisigen.*
1 crude [kru:d] ⟨zn⟩ ●*ruwe olie, aardolie.*
2 crude ⟨bn⟩ ●*ruw, onbewerkt;* – oil *ruwe*
olie, aardolie ●*rauw, bot, grof, onbehou-*
wen ●*r(a)uw, primitief, onaf/uitgewerkt.*

crudity ['kru:dəti] I ⟨telb zn⟩ ●*grofheid, botte opmerking/bejegening* II ⟨n-telb zn⟩ ●*ruwheid.*

cruel ['kru:əl] ●*wreed, gemeen,* ⟨fig.⟩ *bar; a* – *wind een gure wind.* **cruelty** ['kru:əlti] ● *wreedheid;* – to animals *dierenmishandeling.*

cruet ['kru:ɪt] ●zie CRUET STAND ●*(olie/azijn) flesje.* '**cruet stand** ●*olie- en azijnstel(letje).*

1 cruise [kru:z] ⟨zn⟩ ●*cruise;* go for/on a – *een cruise (gaan) maken.*

2 cruise ⟨ww⟩ ●*een cruise maken* ●*kruisen* ⟨v. vliegtuig, auto e.d.⟩, *zich met kruissnelheid voortbewegen* ●*(langzaam) rondrijden* ⟨v.e. taxi⟩.

'**cruise missile** ●*kruisraket.* **cruiser** ['kru:zə] ●*motorjacht, kruiser(tje)* ●(mil.) *(slag)kruiser.* '**cruising speed** ●*kruissnelheid.*

crumb [krʌm] ●*(brood/koek)kruimel* ●*klein beetje.*

1 crumble ['krʌmbl] ⟨zn⟩ ●*kruimeltaart.*

2 crumble I ⟨onov ww⟩ ●*ten onder gaan, vergaan* II ⟨onov en ov ww⟩ ●*(ver)kruimelen, (af/ver)brokkelen.* **crumbly** ['krʌmbli] ●*kruimelig.*

crummy ['krʌmi] ⟨sl.⟩ ●*waardeloos.*

crumpet ['krʌmpɪt] I ⟨telb zn⟩ ●⟨vnl. BE⟩ ⟨ongeveer⟩ *beschuitbol* II ⟨n-telb zn⟩ ⟨↓; vaak scherts.⟩ ‖ a nice piece/bit of – *een lekkere meid.*

crumple ['krʌmpl] I ⟨onov ww⟩ ●(vaak +up) *ver/wegschrompelen, ineenklappen* II ⟨onov en ov ww⟩ ●(vaak +up) *kreuk(el)en, verfrommelen.*

1 crunch [krʌntʃ] ⟨zn⟩ ●*knerpend/knarsend geluid, geknerp, geknars* ‖ if/when it comes to the – *als puntje bij paaltje komt.*

2 crunch ⟨ww⟩ ●*(doen) knerpen, (doen) knarsen* ●*knauwen (op), (luidruchtig) kluiven.* **crunchy** ['krʌntʃi] ●*knapperig, knerpend.*

1 crusade [kru:'seɪd] ⟨zn⟩ ●*kruistocht, felle campagne.*

2 crusade ⟨ww⟩ ●*een kruistocht voeren, fel campagne/actie voeren.* **crusader** [kru:-'seɪdə] ●*kruisvaarder* ●*gedreven actievoerder.*

1 crush [krʌʃ] I ⟨telb zn⟩ ●*drom, mensenmenigte* ●*gedrang* ‖ have/get a – on *smoorverliefd zijn op* II ⟨n-telb zn⟩ ●*(uit)geperst vruchtesap.*

2 crush I ⟨onov en ov ww⟩ ●*dringen, (zich) persen/drukken;* – into a place *ergens (naar) binnen dringen* ●*kreuk(el)en* II ⟨ov ww⟩ ●*in elkaar drukken* ●*(ver)malen, vergruiz(el)en, pletten;* – up *verkruimelen, fijnmalen* ●*vernietigen, de kop indrukken*

●*(uit)persen.*

'**crush barrier** ●*dranghek.*

crushing ['krʌʃɪŋ] ●*vernietigend, verpletterend.*

crust [krʌst] ●*korst, broodkorst,* ⟨cul.⟩ *korst/bladerdeeg* ●*aardkost.*

crustacean [krʌ'steɪʃn] ●*schaaldier, kreeftachtige.*

crusty ['krʌsti] ●*knapperig* ●*kortaf, humeurig.*

crutch ['krʌtʃ] ●*kruk* ⟨v. invalide⟩ ●*steun, toeverlaat.*

crux [krʌks, krʊks] ●*essentie, kern(punt).*

1 cry [kraɪ] ⟨zn⟩ ●*kreet, (uit)roep, (ge)schreeuw* ●*huilpartij, gehuil;* have a (good) – *eens (goed) uithuilen* ●⟨ben. voor⟩ *diergeluid, schreeuw, (vogel)roep;* in full – *luid hals gevend* ⟨v.e. troep jachthonden⟩; ⟨fig.⟩ *fel van leer trekkend* ●*roep, smeekbede* ●*(strijd)leus, slogan.*

2 cry I ⟨onov ww⟩ ●*schreeuwen;* – (out) with pain *het uitschreeuwen v.d. pijn* II ⟨onov en ov ww⟩ ●*huilen, schreien, janken;* – o.s. to sleep *zichzelf in slaap huilen;* – for sth. *om iets jengelen, om iets huilen;* – for joy *huilen v. blijdschap* ●*roepen, schreeuwen;* –(out) for help/mercy *om hulp/genade roepen;* the fields are –ing out for rain *het land schreeuwt om regen;* – (out) to s.o. *tegen iem. schreeuwen* ●*omroepen, verkondigen* ‖ – sth. down *iets kleineren, iets afbreken;* ↓ for –ing out loud *allemachtig;* – off *er(gens) van afzien;* – sth. up *iets ophemelen.*

'**crybaby** ●*huilebalk.*

crying ['kraɪɪŋ] ●*hemeltergend, schreeuwend;* a – need *een schreeuwende behoefte.*

crypt [krɪpt] ●*crypt(e), grafkelder, ondergrondse kapel.* **cryptic** ['krɪptɪk] ●*cryptisch, geheimzinnig;* – crossword *cryptogram.*

1 crystal ['krɪstl] ⟨zn⟩ ●*kristal.*

2 crystal ⟨bn⟩ ●*kristal(len);* – ball *kristallen bol* ⟨v. waarzegster⟩ ●*(kristal)helder.* '**crystal-gazer** ●*koffiedikkijker.* '**crystal gazing** ●*koffiedik kijken, de toekomst voorspellen met een kristallen bol.* **crystalline** ['krɪstəlaɪn] ●*kristallijn(en), kristallen, kristalhelder.* **crystal(l)ize** ['krɪstəlaɪz] ⟨zn: **-ization**⟩ ●*(laten) (uit)kristalliseren* ⟨ook fig.⟩, *vaste vorm aannemen/geven;* my ideas must first – (out) into a new plan *mijn ideeën moeten eerst tot een nieuw plan uitkristalliseren.*

C.S.E. ⟨afk.⟩ ⟨BE⟩ Certificate of Secondary Education.

cub [kʌb] ●*welp, jong,* ⟨ihb.⟩ *vossejong* ●

beginneling ● ⟨verk.⟩ Cub Scout.
Cuban [ˈkjuːbən] ● ⟨bn⟩ *Cubaans* ● ⟨telb zn⟩ *Cubaan.*
'**cubbyhole** ● *holletje, knus plekje* ● *hokje, vakje.*
1 cube [kjuːb] ⟨zn⟩ ● *kubus, klontje, blokje;* ⟨AE⟩ a – of sugar *een suikerklontje* ● *dobbelsteen* ● ⟨wisk.⟩ *derdemacht.*
2 cube ⟨ww⟩ ● ⟨wisk.⟩ *tot de derdemacht verheffen* ● *in dobbelsteentjes snijden.*
'**cube 'root** ⟨wisk.⟩ ● *derdemachtswortel.*
cubic [ˈkjuːbɪk] ● *kubiek, driedimensionaal;* – metre *kubieke meter* ● *kubusvormig.*
cubical [ˈkjuːbɪkl] ● zie CUBIC.
cubicle [ˈkjuːbɪkl] ● *kleedhokje* ● *slaapho(e)kje.*
cubism [ˈkjuːbɪzm] ⟨bk.⟩ ● *kubisme.*
'**cub reporter** ● *leerling-journalist.*
'**Cub Scout** ⟨padvinderij⟩ ● *welp.*
1 cuckold [ˈkʌkld,ˈkʌkoʊld] ⟨zn⟩ ● *bedrogen echtgenoot.*
2 cuckold ⟨ww⟩ ● *bedriegen.*
1 cuckoo [ˈkʊkuː] ⟨zn⟩ ● *koekoek.*
2 cuckoo ⟨bn⟩ ↓ *achterlijk, niet (goed) wijs.*
'**cuckoo clock** ● *koekoeksklok.*
cucumber [ˈkjuːkʌmbə] ● *komkommer.*
cud [kʌd] ● ⟨ter herkauwing uit de pens teruggegeven voedsel⟩; chew the – *herkauwen;* ⟨fig.⟩ *prakkezeren.*
1 cuddle [ˈkʌdl] ⟨zn⟩ ● *(ge)knuffel.*
2 cuddle I ⟨onov ww⟩ ‖ – up *dicht tegen elkaar aankruipen;* – up to s.o. *zich bij iem. nestelen* **II** ⟨ov ww⟩ ● *knuffelen, liefkozen.*
cuddly [ˈkʌdl], **cuddlesome** [-ləm] ● *snoezig, schattig, aanhalig;* a – toy *een knuffelbeestje/popje.*
1 cudgel [ˈkʌdʒl] ⟨zn⟩ ● *knuppel* ‖ take up the –s (for) *in/op de bres springen/staan (voor).*
2 cudgel ⟨ww⟩ ● *(neer)knuppelen, afrossen.*
1 cue [kjuː] ⟨zn⟩ ● ⟨dram.⟩ *claus, wacht(woord)* ● *wenk, hint* ● *(biljart)keu* ‖ take one's – from *een voorbeeld nemen aan;* right on – *precies op het juiste moment.*
2 cue ⟨ww⟩ ‖ – in *een seintje geven.*
'**cue card** ⟨t.v.⟩ ● *spiekbriefje* ⟨voor presentator⟩.
1 cuff [kʌf] ⟨zn⟩ ● *manchet* ● ⟨AE⟩ *(broek)omslag* ● *pets, klap, draai om de oren* ● ⟨vnl. mv.⟩ ↓ *handboei* ‖ ↓ off the – *voor de vuist (weg).*
2 cuff ⟨ww⟩ ● *een pets/draai om de oren geven.*
'**cuff link** ● *manchetknoop.*
cuisine [kwɪˈziːn] ● *keuken, kookstijl.*
cul-de-sac [ˈkʌl də sæk] ● *doodlopende straat* ● *dood punt.*
culinary [ˈkʌlɪnri] ● *culinair.*

1 cull [kʌl] ⟨zn⟩ ● *selectie,* ⟨vaak mv.⟩ *uitschifting* ⟨v. zwakke/improduktieve dieren⟩.
2 cull ⟨ww⟩ ● *verzamelen, vergaren* ● *uitschiften, selecteren* ⟨ihb. zwakke/improduktieve dieren⟩; – from *selecteren uit.*
cullender zie COLANDER.
culmin|ate [ˈkʌlmɪneɪt] ⟨zn: -ation⟩ ● *culmineren, zijn hoogtepunt bereiken.*
culpab|le [ˈkʌlpəbl] ⟨zn: -ility⟩ ● *verwijtbaar;* ⟨jur.⟩ – homicide *dood door schuld;* – negligence *verwijtbare nalatigheid* ● *schuldig.*
culprit [ˈkʌlprɪt] ● *beklaagde, beschuldigde* ● *schuldige, boosdoener.*
cult [kʌlt] ⟨ook attr⟩ ● *cultus, eredienst, rage* ● *sekte.*
cultivable [ˈkʌltɪvəbl] ● *bebouwbaar.* **cultivate** [ˈkʌltɪveɪt] ● ⟨landb.⟩ *cultiveren, aan/bebouwen, ontginnen, kweken* ● *cultiveren, bevorderen, vormen, ontwikkelen* ● *voor zich proberen in te nemen;* – a certain sort of people *een bepaald soort mensen voor zich trachten te winnen.* **cultivated** [ˈkʌltɪveɪtɪd] ● *beschaafd, ontwikkeld* ● ⟨landb.⟩ *ontgonnen.* **cultivation** [ˈkʌltɪˈveɪʃn] ● ⟨landb.⟩ *cultuur, ontginning;* under – *in cultuur* ● *beschaafdheid.*
cultural [ˈkʌltʃrəl] ● *cultureel.*
culture [ˈkʌltʃə] **I** ⟨telb en n-telb zn⟩ ● *cultuur, beschaving* ● *(bacterie)cultuur/kweek* **II** ⟨n-telb zn⟩ ● *algemene ontwikkeling* ● *kweek, verbouw, teelt* ● ⟨landb.⟩ *bebouwing.* **cultured** [ˈkʌltʃəd] ● *beschaafd, ontwikkeld* ‖ – pearl *gekweekte parel, cultuurparel.* '**culture shock** ● *cultuurschok.*
culvert [ˈkʌlvət] ● ⟨wwb.⟩ *duiker, doorlaat, overwelfd riool* ● *kabelkanaal.*
cum [kʊm,kʌm] ⟨vaak -cum-⟩ ● *met, plus, tevens;* bed-cum-sitting room *zitslaapkamer.*
cumbersome [ˈkʌmbəsəm] ● *onhandelbaar, log, (p)lomp* ● *hinderlijk, lastig, zwaar.*
cum(m)in [ˈkʌmɪn] ● *komijn(zaad).*
cumulative [ˈkjuːmjʊlətɪv] ● *(ac)cumulatief, op(een)hopend, aangroeiend.*
cumulus [ˈkjuːmjʊləs] ⟨mv.: cumuli [-laɪ]⟩ ● *cumulus(wolk), stapelwolk.*
1 cunning [ˈkʌnɪŋ] ⟨zn⟩ ● *sluwheid, slimheid.*
2 cunning ⟨bn⟩ ● *sluw, listig, slim;* as – as a fox *(zo) sluw als een vos.*
cunt [kʌnt] ↓ ● *kut* ● ⟨sl.; bel.⟩ *trut,* ⟨mbt. man⟩ *(kloot)zak, lul.*
1 cup [kʌp] ⟨zn⟩ ● *kop(je), beker;* – and saucer *kop en schotel* ● ⟨sport⟩ *(wissel)beker* ● *cup* ⟨v. beha⟩ ● *(mis)kelk* ‖ my – of tea *(echt) iets voor mij;* zie ook

⟨sprw.⟩ SLIP.

2 **cup** ⟨ww⟩ ●*tot een kom vormen* ⟨vnl. de handen⟩; with one's chin –ped in one's hand *met de hand onder de kin.*

cupboard [ˈkʌbəd] ●*kast.*

'**cupcake** ●*cake'je.*

'**cup 'final** ⟨sport⟩ ●*bekerfinale.*

cupful [ˈkʌpfl] ●*kop(je)* ⟨inhoudsmaat⟩. **cuppa** [ˈkʌpə], **cupper** [ˈkʌpə] ⟨verk.⟩ cup of ⟨BE; ↓⟩ ●*kop thee.*

'**cup-tie** ⟨sport⟩ ●*bekerwedstrijd.*

cur [kə:] ●*straathond ● hondsvot, luizebol.*

curable [ˈkjʊərəbl] ●*geneesbaar, geneeslijk.*

curate [ˈkjʊərət] ●*hulppredikant,* ⟨R.-K.⟩ *kapelaan.*

curative [ˈkjʊərətɪv] ●⟨bn⟩ *genezend, heilzaam* ●⟨zn⟩ *geneesmiddel.*

curator [kjʊˈreɪtə] ●*beheerder, curator,* ⟨ihb.⟩ *museum/bibliotheekbeheerder, conservator.*

1 **curb** [kə:b] ⟨zn⟩ ●*trens, mentrens* ⟨v. paard⟩ ●*rem, beteugeling;* put/keep a (sharp) – on *(stevig) in bedwang/toom houden* ●⟨BE sp. ook: kerb⟩ *troittoirband, stoeprand.*

2 **curb** ⟨ww⟩ ●*beteugelen, in bedwang houden.*

'**curbstone** ●*troittoirband, stoeprand.*

curd [kə:d] I ⟨telb zn⟩ ●⟨vaak mv. met enk. bet.⟩ *wrongel, gestremde melk;* –s and whey *wrongel en wei* II ⟨n-telb zn⟩ ●⟨vnl. in samenstellingen⟩ *stremsel, gelei.*

curdle [ˈkə:dl] ●*stremmen, (doen) stollen/ klonteren;* her blood –d at the spectacle *het schouwspel deed haar bloed stollen.*

1 **cure** [kjʊə] ⟨zn⟩ ●*kuur ●(genees)middel, remedie* ⟨ook fig.⟩ ●*genezing* ‖ zie ook ⟨sprw.⟩ PREVENTION.

2 **cure** I ⟨onov en ov ww⟩ ●*genezen;* – (s.o. of) a disease *(iem. van) een ziekte genezen;* – s.o. of drinking *iem. v.d. drank afhelpen* II ⟨ov ww⟩ ●*verduurzamen, conserveren,* ⟨ihb.⟩ *zouten/roken* ⟨vis/vlees⟩, *drogen* ⟨tabak⟩. '**cure-all** ●*wondermiddel, panacee.*

curfew [ˈkə:fju:] ●*avondklok, uitgaansverbod ●spertijd* ⟨uren waarin een avondklok geldt⟩.

curio [ˈkjʊəriəʊ] ●*curiosum, curiositeit.*

curiosity [ˈkjʊəriˈɒsəti] I ⟨telb zn⟩ ●*curiosum, curiositeit, rariteit* II ⟨telb en n-telb zn⟩ ●*nieuwsgierigheid;* die of/burn with (a) – *branden v. nieuwsgierigheid ●leergierigheid* ‖ ⟨sprw.⟩ curiosity killed the cat ± *de duivel heeft het vragen uitgevonden.*

curious [ˈkjʊəriəs] ●*nieuwsgierig ●leergierig;* be – to learn *leergierig zijn ●curieus, merkwaardig, vreemd;* –ly

(enough) *vreemd genoeg.*

1 **curl** [kə:l] I ⟨telb zn⟩ ●*krul, spiraal;* – of the lips *(smalend) krullende lippen;* – of smoke *rookspiraal* II ⟨telb en n-telb zn⟩ ●*(haar)krul;* keep one's hair in – *zijn haar in de krul houden.*

2 **curl** I ⟨onov ww⟩ ●*spiralen, kringelen ●(om/op)krullen* II ⟨onov en ov ww⟩ ●*krullen* ⟨v. haar⟩; zie CURL UP III ⟨ov ww⟩ ●*doen (om/op)krullen.* **curler** [ˈkə:lə] ●*krulspeld.*

curlew [ˈkə:lju:] ⟨dierk.⟩ ●*wulp.*

'**curling tongs** ●*krultang, friseertang.* '**curl 'up** I ⟨onov en ov ww⟩ ●↓ *neergaan/halen;* Mike curled up at the blow *door de klap ging Mike tegen de grond* II ⟨onov ww of ov ww als wdk ww⟩ ●*zich (behaaglijk) oprollen/nestelen.* **curly** [ˈkə:li] ●*krullend, gekruld;* – hair *krulhaar.*

currant [ˈkʌrənt] ●*krent ●(aal)bes;* black/red/white – *zwarte/rode/witte bes.*

currency [ˈkʌrənsi] I ⟨telb en n-telb zn⟩ ●*valuta, munt;* foreign currencies *vreemde valuta's ●muntstelsel* II ⟨n-telb zn⟩ ●*gangbaarheid;* gain – *ingang vinden;* give – to *ruchtbaarheid geven aan; verspreiden.*

1 **current** [ˈkʌrənt] I ⟨telb zn⟩ ●*stroom, stroming ●loop, gang, tendens* II ⟨telb en n-telb zn⟩ ●*(elektrische) stroom;* alternate – *wisselstroom;* direct – *gelijkstroom.*

2 **current** ⟨bn⟩ ●*huidig, actueel, lopend;* the – issue of Time *het laatste/nieuwste nummer v. Time ●gangbaar, geldend, heersend;* no longer – *in onbruik geraakt.*

'**current ac'count** ●*rekening-courant, lopende rekening.*

'**currently** ●*momenteel, tegenwoordig.*

curriculum [kəˈrɪkjʊləm] ⟨mv.: ook curricula [-lə]⟩ ●*studiepakket ●onderwijsprogramma, leerplan.*

1 **curry, currie** [ˈkʌri] ⟨zn⟩ ●*kerrieschotel ● kerrie(poeder).*

2 **curry** ⟨ww⟩ ●*roskammen ●met kerrie bereiden/kruiden.* '**curry powder** ●*kerrie(poeder).*

1 **curse** [kə:s] ⟨zn⟩ ●*vloek(woord), vervloeking ●vloek, doem ●bezoeking, plaag.*

2 **curse** I ⟨onov en ov ww⟩ ●*(uit)vloeken, vloeken (op/tegen);* – at s.o./sth. *vloeken tegen iem./iets* II ⟨ov ww⟩ ●*vervloeken;* – it/you! *verdorie! ●straffen, kwellen;* be –d with *gebukt gaan onder.* **cursed** [ˈkə:sɪd], **curst** [kə:st] ●*vervloekt ●↓ rot-;* that – cat! *die rotkat!.*

cursive [ˈkə:sɪv] ●*aaneengeschreven, schuin(-)*⟨v. schrift⟩, ⟨druk.⟩ *cursief.*

cursory [ˈkə:sri] ●*vluchtig, oppervlakkig.*

curt [kə:t] ● *kortaf, nors* ● *bondig, beknopt, summier.*

curtail [ˈkə:ˈteɪl] ⟨zn: **-ment**⟩ ● *bekorten, verkorten* ● *verminderen;* – one's spending *zijn uitgaven besnoeien* ● *beperken, beknotten.*

1 curtain [ˈkə:tn] ⟨zn⟩ ● *gordijn;* – of smoke *rookgordijn;* the Iron Curtain *het ijzeren gordijn;* draw the –s *de gordijnen dichtdoen* ● ⟨theater⟩ *doek, scherm;* – is at 8.00 p.m. *aanvang der voorstelling: 20 u.* ● ⟨theater⟩ *slotregel/scène* ⟨v. bedrijf⟩ ● ⟨verk.⟩ curtain call ‖ –! *tableau!.*

2 curtain ⟨ww⟩ ● *voorzien van/afsluiten met gordijnen;* –ed windows *ramen met gordijnen (ervoor);* – off *afschermen* ⟨dmv. een gordijn⟩.

ˈcurtain call ⟨theater⟩ ● *het applaus halen* ⟨v. acteurs, na het stuk⟩ ● *het terugroepen* ⟨v. acteurs door publiek⟩.

1 curts(e)y [ˈkə:tsɪ] ⟨zn⟩ ● *revérence, knicks-(je);* drop/make a – to s.o. *een revérence voor iem. maken.*

2 curts(e)y ⟨ww⟩ ● *een revérence maken.*

curvaceous [kə:ˈveɪʃəs] ● *gewelfd, welgevormd* ⟨vnl. v. vrouwen⟩. **curvature** [ˈkə:vətʃə] ● *kromming, welving;* – of the spine *ruggegraatsverkromming.*

1 curve [kə:v] ⟨zn⟩ ● *gebogen/kromme lijn,* ⟨ihb. wisk.⟩ *kromme, curve* ● *ronding, welving* ⟨vnl. v. vrouw⟩.

2 curve ⟨ww⟩ ● *buigen, (zich) krommen;* he –d the ball round the keeper *hij draaide de bal om de keeper.*

1 cushion [ˈkʊʃn] ⟨zn⟩ ● *kussen* ● *stootkussen, buffer* ● ⟨biljarten⟩ *band* ● *(lucht)kussen.*

2 cushion ⟨ww⟩ ● *voorzien van kussen(s);* –ed seats *beklede stoelen/banken* ● *dempen, verzachten, opvangen* ⟨klap, schok, uitwerking⟩ ● *in de watten leggen;* a –ed life *een beschermd leventje.*

cushy ↓ ● *makkelijk, comfortabel;* a – job *een luizebaantje.*

1 cuss [kʌs] ⟨zn⟩ ⟨sl.⟩ ● *vloek, krachtterm* ‖ not give/care a – *ergens lak/schijt aan hebben.*

2 cuss ⟨ww⟩ ↓ ● *(uit)vloeken.*

custard [ˈkʌstəd] ● *custard(pudding/vla)* ● *vla.*

custodian [kʌˈstoʊdɪən] ● *beheerder, conservator, bewaarder* ● *voogd(es).* **custody** [ˈkʌstədɪ] ● *voogdij, zorg;* be given – of *de voogdij krijgen over* ● *hoede, bewaring* ● *hechtenis;* take s.o. into – *iem. aanhouden.*

custom [ˈkʌstəm] **I** ⟨telb zn⟩ ⟨jur.⟩ ● *gewoonte* ⟨met kracht v. recht⟩ **II** ⟨telb en n-

telb zn⟩ ● *gewoonte, gebruik* **III** ⟨n-telb zn⟩ ● *klandizie, nering* **IV** ⟨mv.⟩ ● *douaneheffing, invoerrechten* ● *douane(dienst);* pass through Customs *door de douane gaan.* **customary** [ˈkʌstəmrɪ] ● *gebruikelijk, gewoonlijk, normaal.* **ˈcustom-ˈbuilt** ● *op bestelling gebouwd;* a – car *een auto aangepast aan de wensen v.d. klant.* **customer** [ˈkʌstəmə] ● *klant* ● ↓ *klant, snuiter;* awkward – *rare snijboon;* he's a tough – *het is een taaie.* **ˈcustomhouse, ˈcustomshouse** ● *douanekantoor.* **ˈcustom-ˈmade** ● *op maat gemaakt;* a – suit *een maatkostuum* ● *op bestelling gemaakt/gebouwd.* **ˈcustoms duty** ⟨vaak mv.⟩ ● *douaneheffing, invoerrechten.*

1 cut [kʌt] ⟨zn⟩ ● *(mes)sne(d)e, keep, snijwond, hak, houw, striem* ● *stuk, lap, bout* ⟨vlees⟩ ● *(haar)knipbeurt* ● *vermindering, verlaging* ● *coupure, weglating, in/verkorting* ● *snit, coupe* ● *hatelijkheid, veeg (uit de pan)* ● *in/doorsnijding, geul, kanaal, doorgraving, kortere weg;* take a short – *een kortere weg nemen* ● *gravure, (hout)snede* ● *liedje* ⟨op grammofoonplaat⟩ ● ↓ *(aan)deel* ‖ ↓ be a – above *beter zijn dan.*

2 cut ⟨cut, cut [kʌt]⟩ **I** ⟨onov ww⟩ ● *(zich laten) snijden/knippen/maaien;* the grass –s easily *het gras snijdt/maait gemakkelijk* ‖ this knife will not – *dit mes snijdt niet;* ↓ – and run *'m smeren;* – both ways *voor- en nadelen hebben;* zie CUT ACROSS, CUT AT, CUT DOWN, CUT DOWN ON, CUT IN, CUT INTO, CUT OUT, CUT UP **II** ⟨onov en ov ww⟩ ● *snijden, kruisen* ● ⟨kaartspel⟩ *couperen, afnemen* ● ↓ *verzuimen, spijbelen;* zie CUT BACK **III** ⟨ov ww⟩ ● *snijden in, stuksnijden;* – one's finger *zich in zijn vinger snijden* ● *(af/door/los/weg)snijden/knippen/hakken;* – s.o. loose *iem. lossnijden/losmaken;* – open *openhalen/rijten;* – away *wegsnijden/knippen;* – s.o. dead *snoeien;* – in half/two *doormidden/in tweeën snijden/knippen/hakken;* – into halves/pieces *doormidden/in stukken snijden/knippen/hakken;* – a way through the jungle *zich een weg banen door de jungle* ● ⟨ben. voor⟩ *maken met scherp voorwerp, kerven, slijpen, (bij)snijden/knippen/hakken, boren, snijden* ⟨grammofoonplaat⟩, ⟨bij uitbr.⟩ *opnemen* ⟨grammofoonplaat⟩ ● *inkorten, snijden (in), couperen* ⟨boek, film e.d.⟩, *afsnijden* ⟨route, hoek⟩, *besnoeien (op), inkrimpen, bezuinigen;* my wage was – *mijn loon is verlaagd* ● *stopzetten, ophouden met, afsluiten* ⟨water, energie⟩, *afzetten* ● *krijgen* ⟨tand⟩ ● *krenken, (diep) raken* ⟨v. opmerking e.d.⟩ ● *negeren;* – s.o.

dead/cold *iem. niet zien staan* ● *effect geven, kappen* ⟨bal⟩ ● ⟨film⟩ *monteren* ‖ zie ook ⟨sprw.⟩ COAT; zie CUT BACK, CUT DOWN, CUT OFF, CUT OUT; CUT UP.

'cut a'cross ● *afsnijden, een kortere weg nemen; can't we – the wood? kunnen we niet doorsteken via het bos?* ● *doorbreken, uitstijgen boven.*

'cut-and-'dried ● *pasklaar, kant en klaar* ● *bij voorbaat vaststaand.*

'cut at ● *uithalen naar* ● *inhakken op.*

1 'cutaway, 'cutaway 'coat ⟨zn⟩ ● *rok(kostuum).*

2 cutaway ⟨bn⟩ ⟨tech.⟩ ● *opengewerkt* ⟨bv. v. bouwtekening⟩.

'cutback ● *inkrimping, bezuiniging* ● *scherpe draai.* 'cut 'back I ⟨onov en ov ww⟩ ● *besnoeien, bezuinigen; –* (on) *production de produktie inkrimpen* II ⟨ov ww⟩ ● *snoeien* ⟨gewassen⟩. 'cut 'down I ⟨onov ww⟩ ● *minderen* II ⟨ov ww⟩ ● *kappen, omhakken, vellen* ● ⟨vnl. pass.⟩ *doen sneuvelen;* be – in battle *sneuvelen op het slagveld* ● *beperken, verminderen; –* one's expenses *zijn uitgaven beperken* ● *inkorten, korter maken.* 'cut 'down on ● *minderen met, het verbruik beperken van; –* smoking *minder gaan roken.*

cute [kju:t] ● *schattig, snoezig, leuk.*

'cut 'flowers ● *snijbloemen.* 'cut 'glass ● *geslepen glas.*

cuticle ['kju:tɪkl] ● *opperhuid* ● *nagelriem.*

cutie ⟨kju:ti⟩ ⟨sl.⟩ ● *leuk/schattig iem..*

'cut 'in ● *in de rede vallen, onderbreken* ● *gevaarlijk invoegen* ⟨met voertuig⟩, *snijden; –* on s.o. *iem. snijden* ● *aftikken* ⟨bij het dansen⟩. 'cut into ● *aansnijden* ● *onderbreken, in de rede vallen; –* the silence *de stilte verbreken* ● *een aanslag doen op; this job cuts into my evenings off deze baan kost me een groot deel v. mijn vrije avonden.*

cutlery ['kʌtləri] ● *bestek, eetgerei.*

cutlet ['kʌtlɪt] ● *koteletje.*

'cutoff ● *grens, afsluiting* ● ⟨tech.⟩ *afsluiter* ● *afsnijding, kortere weg.* 'cut 'off ● *afsnijden/hakken/knippen* ● *afsluiten, stopzetten; –* s.o.'s allowance *iemands toelage stopzetten; –* the gas (supply) *het gas afsluiten* ● *(van de buitenwereld) afsnijden/afsluiten; –* an army *een leger de pas afsnijden* ● *onderbreken, verbreken* ⟨telefoonverbinding⟩. 'cutout ● *uitgeknipte figuur, knipplaat, knipsel* ● ⟨tech.⟩ *afslag, (stroom)onderbreker;* automatic – *automatische afslag;* ⟨ihb.⟩ *thermostaat.* 'cut 'out I ⟨onov ww⟩ ● *uitvallen; the engine – de motor sloeg af* ⟨auto⟩ */viel uit* ⟨vlieg-

tuig⟩ ● *afslaan* II ⟨ov ww⟩ ● *uitsnijden/knippen/hakken, knippen* ⟨jurk, patroon⟩ ● ↓ *ophouden/stoppen met; cut it out! hou (ermee/over) op!* ● ↓ *verwijderen, schrappen* ● *uitschakelen, elimineren; –* an opponent *een tegenstander uitschakelen* ● *uitschakelen, afzetten* ‖ – be – for geknipt zijn voor. 'cut-price, 'cut-rate ● *met korting, tegen gereduceerde prijs; –* petrol *goedkope benzine* ‖ – shop *discountzaak.*

cutter ['kʌtə] ● *coupeur, knipper, snijder, hakker* ● *snijmachine, schaar, tang, mes* ● *(motor)barkas* ● *kotter* ● *kustbewakingsschip.*

1 'cutthroat ⟨zn⟩ ● *scheermes.*

2 cutthroat ⟨bn⟩ ● *moordend; –* competition *genadeloze concurrentie.*

1 cutting ['kʌtɪŋ] ⟨zn⟩ ● *(afgesneden/afgeknipt/uitgeknipt) stuk(je)* ● *stek* ⟨v. plant⟩ ● *(krante)knipsel* ● *uitgraving* ⟨voor (spoor)weg⟩, *holle weg.*

2 cutting ⟨bn⟩ ● *scherp, bijtend; –* remark *sarcastische opmerking* ● *snijdend, guur* ⟨ihb. v. wind⟩.

cuttlefish ['kʌtlfɪʃ] ● *inktvis, zeekat.*

'cut 'up I ⟨onov ww⟩ ‖ ↓ – rough *tekeergaan* II ⟨ov ww⟩ ● *(in stukken) snijden/knippen/hakken; –* into small pieces *in kleine stukjes snijden/hakken/knippen* ● *in de pan hakken* ● ↓ *afkraken* ‖ be – about sth. *ergens ondersteboven/kapot van zijn.*

cwt. ⟨afk.⟩ hundredweight. ● *cwt..*

cybernetics ['saɪbə'netɪks] ● *cybernetica.*

1 cycle ['saɪkl] ⟨zn⟩ ● *cyclus* ⟨ook lit., muz.⟩, *periode* ● *kringloop* ● ⟨verk.⟩ bicycle *fiets* ● ⟨verk.⟩ motorcycle *motor(fiets).*

2 cycle ⟨ww⟩ ● *fietsen* ● *motorrijden.*

cyclist ['saɪklɪst] ● *fietser.*

cyclone ['saɪkloʊn] ● *cycloon, wervelstorm.*

cyder zie CIDER.

cylinder ['sɪlɪndə] ● *cilinder.* cylindrical [sɪ-'lɪndrɪkl] ● *cilindrisch, cilindervormig.*

cymbal ['sɪmbl] ⟨muz.⟩ ● *bekken, cimbaal.*

cynic ['sɪnɪk] ● ⟨ook fil.⟩ *cynicus, cynisch persoon.* cynical ['sɪnɪkl] ● ⟨ook fil.⟩ *cynisch.* cynicism ['sɪnɪsɪzm] ● ⟨ook fil.⟩ *cynisme.*

cypher zie CIPHER.

cypress ['saɪprɪs] ● *cipres.*

Cypriot ['sɪprɪət] ● ⟨bn⟩ *Cyprisch* ● ⟨zn⟩ *Cyprioot, bewoner v. Cyprus.*

cyst [sɪst] ● ⟨med.⟩ *cyste, gezwel.*

czar zie TSAR. czarina zie TSARINA.

Czech [tʃek] ● ⟨bn⟩ *Tsjechisch* ● ⟨telb zn⟩ *Tsjech.* Czechoslovak ['tʃekoʊ'sloʊvæk], Czechoslovakian [-sloʊ'vækɪən] ● ⟨bn⟩ *Tsjechoslowaaks* ● ⟨zn⟩ *Tsjechoslowaak.*

1 dab [dæb] ⟨zn⟩ ● *tik(je), klopje* ● *lik(je), kwast(je), hoopje;* a – of paint/butter *een likje verf/boter* ● ⟨dierk.⟩ *schar* ● ↓ *kei, kraan;* he's a – (hand) at chess *hij kan ontzettend goed schaken.*

2 dab ⟨ww⟩ ● *(aan)tikken, (be)kloppen;* – powder on one's cheeks *zich de wangen poederen;* – on *(zachtjes) aan/opbrengen* ● *betten;* he –bed (at) the wound *hij bette de wond.*

dabble ['dæbl] ● *poedelen, plassen, ploeteren* ‖ – at/in arts *(wat) liefhebberen in de kunst.* **dabbler** ['dæblə] ● *liefhebber, dilettant, amateur.*

'dab 'hand ↓ ● *kei, kraan.*

dachshund ['dækshʊnd, -sənd] ● *tekkel, taks, dashond.*

dad [dæd] ↓ ● *pa, paps.* **daddy** ['dædi] ↓ ● *papa, pappie.*

daddy longlegs ['dædi 'lɒŋlegz] ↓ ● ⟨BE⟩ *langpoot(mug)* ● ⟨AE⟩ *hooiwagen(achtige).*

dado ['deɪdoʊ] ● *lambrizering.*

daffodil ['dæfədɪl] ● *(gele) narcis.*

daft [dɑːft] ● *idioot, maf;* she's – about Frank Sinatra *ze valt in katzwijm voor Frank Sinatra.*

dagger ['dægə] ● *dolk* ‖ at –s drawn with s.o. *op voet v. oorlog met iem.;* look –s (at s.o.) *(iem.) agressief (aan)kijken.*

dago ['deɪɡoʊ] ⟨sl.; bel.⟩ ● *alg. ong. ben. voor Spanjaarden, Portugezen, Italianen en Zuidamerikanen.*

dahlia ['deɪlɪə] ● *dahlia.*

1 daily ['deɪli] ⟨zn⟩ ● *dagblad* ● ↓ *werkster.*

2 daily ⟨bn⟩ ● *dagelijks;* – help/woman *werkster.*

3 daily ⟨bw⟩ ● *dagelijks;* three times – *driemaal daags.*

1 dainty ['deɪnti] ⟨zn⟩ ⟨vnl. mv.⟩ ● *lekkernij.*

2 dainty ⟨bn⟩ ● *bevallig, sierlijk, fijn;* – gesture *gracieus gebaar* ● *delicaat, teer* ● *kostelijk, verrukkelijk* ● *kieskeurig.*

dairy ['deəri] ● *zuivelbedrijf* ● *melkschuur* ● *melkboer, zuivelhandel.* **'dairy cattle** ● *melkvee.* **'dairy farm** ● *melkveehouderij, melkerij.* **'dairy farmer** ● *melkveehouder.*

'dairymaid ● *melkmeid.* **dairyman** ['deərimən] ● *melkveehouder* ● *melkknecht.*

'dairy products ● *zuivelprodukten.*

dais ['deɪɪs, deɪs] ● *podium.*

daisy ['deɪzi] ● *madelief(je)* ‖ ↓ be pushing up the daisies *onder de groene zoden liggen.*

dale [deɪl] ● *dal, vallei.*

dalliance ['dælɪəns] ● *(ge)flirt* ⟨ook fig.⟩.

dally ['dæli] ● *(rond)lummelen* ● *treuzelen, talmen* ‖ – with *flirten met;* ⟨ook fig.⟩ *spelen met* ⟨een idee⟩.

1 dam ['dæm] ⟨zn⟩ ● *(stuw)dam* ● *stuwmeer, stuwbekken.*

2 dam ⟨ww⟩ ● *van een dam voorzien;* – (up) a river *een rivier afdammen* ● *indammen, beteugelen;* – up *opkroppen* ⟨gevoelens⟩.

1 damage ['dæmɪdʒ] I ⟨n-telb zn⟩ ● *schade, beschadiging, averij* ● ↓ *schade, kosten;* what's the –? *hoeveel is het?* II ⟨mv.⟩ ● *schadevergoeding.*

2 damage ⟨ww⟩ ● *beschadigen, schade toebrengen* ● *schaden, in diskrediet brengen.*

damask ['dæməsk] ● *damast.*

dame [deɪm] ● ⟨BE⟩ *dame* ⟨adellijke titel, vrouwelijk pendant v. sir⟩ ● ⟨AE; sl.⟩ *wijf.*

dammit ['dæmɪt] ⟨samentr. v. damn it⟩ ↓ ● *verdomme;* I'm ready as near as – *ik ben zo goed als klaar.*

1 damn [dæm], **dang** [dæŋ] ⟨zn⟩ ● ↓ *zak, reet;* not worth a – *geen ene moer waard;* she doesn't care/give a (tinker's) – *het kan haar geen barst schelen* ‖ –! *verdomme!.*

2 damn ⟨bn; bw⟩ ⟨sl.⟩ ● *verdomd(e);* a – fool *een verdomde idioot;* you're – well going to *jij doet dat om de sodemieter wel.*

3 damn ⟨ww⟩ ● *verdoemen, vervloeken, verwensen;* – that fool! *laat-ie doodvallen!;* ↓ I'll be/I'm –ed if I go *ik verdom het (mooi) om te gaan;* ↓ (well,) I'll be –ed *wel allejezus, krijg nou wat;* ⟨sl.⟩ – it! *verdomme!;* – you! *(kloot)zak!* ● *te gronde richten* ● *(af)kraken, afbreken.*

damnable ['dæmnəbl] ● ↓ *godsgruwelijk;* – weather *pokkeweer.* **damnation** [dæm'neɪʃn] ● *verdoeming, verdoemenis;* suffer eternal – *voor eeuwig verdoemd zijn* ‖ –! *verdomme!.*

1 damned [dæmd] ⟨bn⟩ ● *verdoemd, vervloekt;* the – *de verdoemden* ● ↓ *godsgruwelijk, verdomd;* ↓ isn't that the –est thing you've ever heard? *dat is toch wel het toppunt!* ‖ ↓ do one's –est *alles uit de kast halen;* I'll see you –first! *over mijn lijk!.*

2 damned ⟨bw⟩ ● *donders, verdomd;* you know – well ... *je weet donders goed ....*

1 damp [dæmp] ⟨zn⟩ ● *vocht(igheid)*.

2 damp ⟨bn⟩ • *vochtig, klam.*

3 damp ⟨ww⟩ • *bevochtigen* ⟨strijkgoed⟩ • *doen bekoelen;* it –ed her spirits *het ontmoedigde haar;* – down s.o.'s enthusiasm *iemands enthousiasme temperen* • *dempen* ⟨trilling⟩ ‖ – down *inrekenen* ⟨vuur⟩; *inrakelen.*

'damp course, 'damp-proof 'course ⟨bouwk.⟩ • *vochtwerende laag.*

dampen ['dæmpən] • *bevochtigen, vochtig maken* • *temperen, doen bekoelen, ontmoedigen.*

damper ['dæmpə] • *sleutel* ⟨v. kachel⟩, *regelschuif/klep* • *(trillings)demper* • *domper, teleurstelling;* put a – on sth. *ergens een domper op zetten.*

damson ['dæmzn] ⟨plantk.⟩ • *kroosje, kriekpruim.*

1 dance [dɑ:ns] ⟨zn⟩ • *dans, dansnummer* • *dansfeest, bal, dansavond* ‖ lead s.o. a (merry/pretty) – *iem. het leven zuur maken.*

2 dance ⟨ww⟩ • *dansen* • *doen/laten dansen.*

'dance band, 'dance orchestra • *dansorkest.* **'dance hall** • *dancing, dansgelegenheid.* **'dance music** • *dansmuziek.* **dancer** ['dɑ:nsə] • *danser(es), ballerina.* **'dancing girl** • *danseres.* **'dancing hall** • *danszaal.*

dandelion ['dændɪlaɪən] • *paardebloem.*

dander ['dændə]↓‖ get s.o.'s – up *iem. nijdig maken.*

dandify ['dændɪfaɪ] • *opdirken.*

dandle ['dændl] • *wiege(le)n* ⟨kind⟩; – a baby on one's knee *een kindje op zijn knie laten rijden.*

dandruff ['dændrəf, -drʌf] • *(hoofd)roos.*

1 dandy ['dændi] ⟨zn⟩ • *fat, modegek.*

2 dandy ⟨bn⟩ • ⟨vnl. AE; ↓⟩ *puik, prima.*

Dane [deɪn] • *Deen* • *Deense dog;* Great – *Deense dog.*

danger ['deɪndʒə] • *gevaar;* be in – of *het gevaar lopen te;* out of – *buiten (levens)gevaar.* **'danger money** • *gevarengeld.* **dangerous** ['deɪndʒrəs] • *gevaarlijk.* **'danger sign** • *waarschuwingsteken.*

dangle ['dæŋgl] I ⟨onov ww⟩ • *bengelen, slingeren;* ⟨fig.⟩ keep s.o. dangling *iem. aan het lijntje houden* II ⟨ov ww⟩ • *laten bengelen/slingeren;* ⟨fig.⟩ – sth. before s.o. *iem. met iets trachten te paaien.*

Danish ['deɪnɪʃ] • ⟨bn⟩ *Deens* • ⟨zn⟩ *Deens* ⟨taal⟩.

dank [dæŋk] • *dompig, klam;* a – cellar *een bedompte kelder.*

dapper ['dæpə] • *keurig, netjes* • *parmant(ig).*

dapple ['dæpl] I ⟨onov ww⟩ • *spikkels/vlek-*

ken krijgen II ⟨ov ww⟩ • *(be)spikkelen.*

'dapple-'grey • ⟨bn⟩ *appelgrauw* • ⟨zn⟩ *appelschimmel* ⟨paard⟩.

Darby and Joan ['dɑ:bi ən 'dʒoun] ⟨vnl. BE⟩ • *verknocht bejaard echtpaar.*

1 dare [deə] ⟨zn⟩ • *uitdaging;* do sth. for a – *zich niet laten kennen* • *gedurfde handeling.*

2 dare [deə] I ⟨ov ww⟩ • *uitdagen, tarten;* she –d Bill to hit her *ze daagde Bill uit haar te slaan* II ⟨hww; 3e pers enk. dare⟩ • *durven, aandurven;* how – you say such things? *hoe durf je zoiets te zeggen?* ‖ I – say *ik veronderstel, ik neem aan;* ⟨BE⟩ *misschien;* ⟨als tussenwerpsel⟩ *dat zal wel.* **'daredevil** ⟨ook attr⟩ • *waaghals, durfal;* he's such a – (fellow) *het is zo'n waaghals/doldrieste figuur.*

daresay ['deə'seɪ] ⟨alleen 1e pers enk., tegenw. t.⟩ • *denken, veronderstellen;* you're right, I – *je hebt ongetwijfeld gelijk.*

1 daring ['deərɪŋ] ⟨zn⟩ • *moed, durf* • *gedurfdheid;* a proposal of great – *een zeer gedurfd voorstel.*

2 daring ⟨bn⟩ • *moedig, gedurfd* • *gewaagd, gedurfd, vergaand.*

1 dark [dɑ:k] ⟨zn⟩ • *duister(nis), donker* • *vallen v.d. avond;* after/before – *na/voor het donker* ‖ keep s.o. in the – about sth. *iem. ergens onkundig van laten;* be in the – (about sth.) *in het duister tasten (omtrent iets).*

2 dark ⟨bn⟩ • *donker, duister* • *slecht;* – powers *duistere machten* • *somber, donker* • *verborgen, geheimzinnig;* the Dark Continent *het zwarte werelddeel* • *obscuur* ‖ – horse *outsider* ⟨in race⟩; *onbekende mededinger* ⟨bij verkiezingen⟩.

'Dark 'Ages ⟨the⟩ • *donkere/duistere middeleeuwen.*

darken ['dɑ:kən] I ⟨onov ww⟩ • *donker(der) worden, verduisteren* II ⟨ov ww⟩ • *donker(der) maken, verduisteren.* **darkness** ['dɑ:knəs] • *duisternis.* **'darkroom** ⟨foto.⟩ • *donkere kamer.* **darky, darkie** ['dɑ:ki] ⟨↓; bel.⟩ • *zwartje, nikker.*

1 darling ['dɑ:lɪŋ] ⟨zn⟩ • *schatje, lieveling, lieverd.*

2 darling ⟨bn⟩ • *geliefd, (aller)lief(st).*

1 darn [dɑ:n] ⟨zn⟩ • *stop, gestopt gat* • ⟨euf. voor damn⟩ *donder;* I don't give a – *het kan me geen zier schelen.*

2 darn ⟨bn; bw⟩ ⟨euf. voor damn⟩ • *verdraaid.*

3 darn ⟨ww⟩ • *stoppen, mazen;* – (a hole in) a sock *(een gat in) een sok stoppen* • ⟨euf. voor damn⟩ *(ver)vloeken;* – (it)! *verdraaid!.* **darned** ['dɑ:nd] ⟨euf. voor

damned) ● *verdraaid.*
darning ['dɑːnɪŋ] ● *stop/maaswerk.*
1 dart [dɑːt] ⟨zn⟩ ● *pijl(tje)* ● *(plotselinge/ scherpe) uitval* ⟨ook fig.⟩, *steek, sprong;* make a – for the door *naar de deur springen/schieten* ● *coupenaad.*
2 dart I ⟨onov ww⟩ ● *(toe/weg)snellen/schieten/stuiven* **II** ⟨ov ww⟩ ● *(toe)werpen, plotseling richten op;* – a glance/look at *een (plotselinge) blik toewerpen.*
'**dartboard** ● *dartboard.* **darts** [dɑːts] ● *darts.*
1 dash [dæʃ] **I** ⟨telb zn⟩ ● *ietsje, tik(kelt)je, snu(i)fje;* – of brandy *scheutje cognac* ● *(snelle, krachtige) slag, dreun* ● *spurt, uitval;* the 100 metres – *de honderd meter sprint;* the prisoners made a – for freedom *de gevangenen deden een snelle uitbreekpoging* ● ⟨g. mv.⟩ *geklets, gekabbel;* the – of waves *golfgeklots* ● *streep* ⟨in morsealfabet⟩ ● ⟨druk.⟩ *kastlijn, gedachtenstreep(je)* ‖ cut a – *de show stelen* **II** ⟨n-telb zn⟩ ● *elan, zwier, durf.*
2 dash I ⟨onov ww⟩ ● *(vooruit)stormen, denderen;* – along/past *voorbijstuiven;* – away *wegstormen* **II** ⟨onov en ov ww⟩ ● *(met grote kracht) slaan, smijten, beuken;* the bowl –ed to pieces *de kom spatte uit elkaar;* – down *neersmijten* **III** ⟨ov ww⟩ ● *vermorzelen, verpletteren,* ⟨fig.⟩ *de bodem inslaan, verijdelen;* all my expectations were –ed *al mijn verwachtingen werden de bodem ingeslagen* ● ⟨↓; euf. voor damn⟩ *vervloeken;* – it (all)! *verdraaid!* ‖ – sth. down/off *iets nog even gauw eruit stampen/opschrijven.*
'**dashboard** ● *dashboard* ⟨v. auto, vliegtuig e.d.⟩.
dashed [dæʃt] ⟨BE; euf. voor damned⟩ ● *verdraaid.*
dashing ['dæʃɪŋ] ● *vlot, opzichtig, zwierig.*
dastardly ['dæstədli] ● *snood.*
data ['deɪtə] ⟨mv.⟩ zie DATUM. '**data bank** ⟨comp.⟩ ● *databank.* '**data base** ⟨comp.⟩ ● *data base.* '**data 'processing** ⟨comp.⟩ ● *(automatische) informatieverwerking.*
1 date [deɪt] ⟨zn⟩ ● *dadel* ● ⟨verk.⟩ date palm ● *datum, dagtekening* ● *afspraak,* ‖ *afspraakje* ● ⟨vnl. AE; ↓⟩ *vriend(innet)je, 'afspraakje'* ‖ out of – *verouderd; ouderwets;* to – *tot op heden;* up to – *bij (de tijd), modern; volledig bijgewerkt;* bring up to – *bijwerken, moderniseren.*
2 date I ⟨onov ww⟩ ● *verouderen, uit de tijd raken* ● *dateren;* – back to *stammen uit;* – from *dateren uit* **II** ⟨ov ww⟩ ● *dateren, dagtekenen, de ouderdom vaststellen van* ● *de ouderdom verraden van;* that –s me, doesn't it! *nu weet je meteen hoe oud ik*

ben!; the model of the car –s it at about 1900 *gezien het model dateert de auto van rond 1900* ● *uitgaan met, afspraakjes hebben met, vrijen met.* **dated** ['deɪtɪd] ● *ouderwets, gedateerd.* **dateless** ['deɪtləs] ● *ongedateerd* ● *tijdloos.* '**dateline** ● *dagtekening (v. kranteartikel)* ● *datumgrens/lijn.*
'**date palm** ● *dadel(palm).*
datum ['deɪtəm] ⟨mv.: data⟩ **I** ⟨telb zn⟩ ● *feit, gegeven* **II** ⟨mv.⟩ ● *informatie, gegevens, data* ⟨ook comp.⟩.
1 daub [dɔːb] **I** ⟨telb zn⟩ ● *lik, klodder* **II** ⟨telb en n-telb zn⟩ ● *(muur)pleister, pleisterkalk.*
2 daub ⟨ww⟩ ● *besmeren, bekladden.*
daughter ['dɔːtə] ● *dochter.* '**daughter-in-law** ● *schoondochter.*
daunt [dɔːnt] ● *ontmoedigen, afschrikken;* nothing –ed *onverdroten.* **dauntless** ['dɔːntləs] ● *onverschrokken, onvervaard.*
dawdle ['dɔːdl] **I** ⟨onov ww⟩ ● *treuzelen* ‖ – over one's food *met lange tanden eten* **II** ⟨ov ww⟩ ‖ – away *verlummelen.* **dawdler** ['dɔːdlə] ● *treuzel(aar).*
1 dawn [dɔːn] ⟨zn⟩ ● *dageraad* ⟨ook fig.⟩; at – *bij het krieken v.d. dag.*
2 dawn ⟨ww⟩ ● *dagen* ⟨ook fig.⟩, *licht worden;* the day is –ing *de dag breekt aan;* it –ed on me *het begon me te dagen.*
day [deɪ] **I** ⟨telb zn⟩ ● *dag, etmaal, werkdag;* this – *fortnight/week vandaag over veertien dagen/een week;* – of judgement *dag des oordeels;* the – after tomorrow *overmorgen;* – in, – out *dag in, dag uit;* – after – *dag in, dag uit;* – by –, from – to – *dagelijks, v. dag tot dag* ‖ let's call it a – *laten we er een punt achter zetten;* make s.o.'s – *iemands dag goedmaken;* one of these (fine) –s *een dezer dagen;* one of those –s *zo'n dag waarop alles tegenzit;* – off *vrije dag;* not (have) one's – *zijn dag niet (hebben);* one – *op een zekere dag;* zie ook ⟨sprw.⟩ APPLE, ROME **II** ⟨telb en n-telb zn⟩ ● *dag, daglicht;* ⟨vnl. ↑⟩ by – *overdag* ● *tijd;* he's had his – *hij heeft zijn tijd gehad;* those were the –s *dat waren nog eens tijden;* at the present – *vandaag de dag;* in one's – *in iemands tijd/leven;* in the –s of *ten tijde van;* these –s *tegenwoordig;* (in) this – and age *vandaag de dag* ‖ that will be the – *dat wil ik zien;* to the/a – *op de dag af;* to this – *tot op heden;* the other – *onlangs* **III** ⟨n-telb zn⟩ ● *slag, strijd;* win the – *de slag winnen;* lose the – *de slag verliezen.*
'**daybreak** ● *zonsopgang.* '**day-care** ● *kinderopvang;* – centre *crèche, kinderdagverblijf.*

1 'daydream ⟨zn⟩ ●*dagdroom, mijmering.*
2 daydream ⟨ww⟩ ●*dagdromen.*
'daylight ●*daglicht;* in broad – *op klaarlichte dag* ●*dageraad, zonsopgang* ‖ see – *iets door/in de gaten krijgen;* beat/knock the (living) –s out of s.o. *iem. overhoop slaan;* scare the –s out of s.o. *iem. de stuipen op het lijf jagen.* 'day'long ●*de hele dag durend, een dag lang.* 'day nursery ●*crèche, kinderdagverblijf.* 'day re'lease ⟨BE⟩ ● *studieverlof voor werknemer,* ⟨ongeveer⟩ *vormingsdag.* 'day 're'turn, 'day ticket ⟨BE⟩ ●*dagretour.* 'day school ● *dagschool.* 'day shift ●*dagdienst, dagploeg.*
1 'daytime ⟨zn⟩ ‖ in the – *overdag.*
2 daytime ⟨bn⟩ ●*dag-;* – flights *dagvluchten.*
'day-to-day ●*dagelijks.* 'daytrip ●*dagtocht(je).*
1 daze [deɪz] ⟨zn⟩ ●*verdoving;* in a – *verdoofd, versuft* ●*verbijstering;* in a – *ontsteld.*
2 daze ⟨ww⟩ ●*verdoven, bedwelmen, doen duizelen;* –d with drugs *versuft v. medicijnen/drugs* ●*verbijsteren, verbluffen.*
dazzle ['dæzl] ⟨zn: -ment⟩ I ⟨onov en ov ww⟩ ●*imponeren, indruk maken* II ⟨ov ww⟩ ●*verblinden* ●*verbijsteren.*
D-day ['di:deɪ] ●⟨mil.⟩⟨verk.⟩ Decision day *D-day, Dag D, kritische begindag* ⟨ihb. v.d. invasie in Normandië, 6 juni 1944⟩.
DDT ●*DDT* ⟨insekticide⟩.
deacon ['di:kən] ⟨rel.⟩ ●*diaken.*
deactivate ['di:'æktɪveɪt] ●*onschadelijk maken* ⟨bv. bom⟩.
1 dead ['ded] ⟨zn⟩ ●*hoogte/dieptepunt;* in the/at – *of night in het holst v.d. nacht;* the – of winter *hartje winter.*
2 dead I ⟨bn, attr en pred⟩ ●*dood, gestorven;* over my – body *over mijn lijk;* the – *de dode(n);* raise from the – *uit de dood wekken;* rise from the – *uit de dood opstaan* ●*onwerkzaam, leeg, op;* – battery *lege accu;* the radio is – *de radio doet het niet (meer)* ●*uitgestorven, onbezield;* the place is – *het is er een dooie boel* ●*gevoelloos, ongevoelig;* – to *ongevoelig voor* ‖ ⟨sl.⟩ – duck *mislukk(el)ing;* – end *doodlopende straat; dood punt;* come to a – end *op niets uitlopen;* ⟨sport⟩ – heat *gedeelde eerste (tweede enz.) plaats;* flog a – horse *oude koeien uit de sloot halen;* ↓ – from the neck up *stompzinnig;* – weight *dood gewicht, last;* ⟨tech.⟩ *deadweight, draagvermogen;* – to the world *in diepe slaap;* go – *verbroken worden, uitvallen* ⟨v. verbinding⟩; ↓ I wouldn't be seen – in that

dress *voor geen geld zou ik me in die jurk vertonen;* I'll see you – first *over mijn lijk;* ⟨sl.⟩ strike me –! *ik mag doodvallen (als het niet zo is)!;* ⟨sprw.⟩ dead men tell no tales ± *dode honden bijten niet(, al zien ze lelijk)* II ⟨bn, attr⟩ ●*dood, levenloos* ●*volkomen, absoluut;* – certainty *absolute zekerheid;* in – earnest *doodernstig;* – silence *doodse stilte* ●*abrupt, plotseling;* come to a – stop *(plotseling) stokstijf stil (blijven) staan* ●*exact, precies;* – centre *precieze midden* III ⟨bn, pred⟩ ↓ ●*doodop, bekaf.*
3 dead ⟨bw⟩ ●*volkomen, absoluut;* – on target *(midden) in de roos;* – certain *honderd procent zeker;* – drunk *stomdronken;* – easy *doodsimpel;* – slow *met een slakkegang;* stop – *stokstijf blijven staan;* – tired *doodop* ●*pal;* – ahead of you *pal/vlak voor je (uit);* – against *pal tegen* ⟨v. wind⟩; *fel tegen* ⟨plan e.d.⟩.
'deadbeat ↓ ●*klaploper, nietsnut.* 'dead 'beat – ↓ *doodop.* deaden ['dedn] ●*verzwakken, dempen* ⟨geluid⟩, *dof maken* ⟨kleur⟩ ●*verdoven;* drugs to – the pain *medicijnen om de pijn te stillen.* 'dead'end ●*doodlopend* ●*uitzichtloos.* 'deadline ●*(tijds)limiet.* 'deadlock ●*impasse, patstelling;* reach (total) – *(muur)vast (komen te) zitten.*
1 deadly ['dedlɪ] I ⟨bn, attr en pred⟩ ●*dodelijk* ⟨ook fig.⟩, *fataal* ●⟨ong.⟩ *doods, dodelijk (saai)* II ⟨bn, attr⟩ ●*doods-, aarts-* ● ↓ *enorm, buitengewoon* ‖ – sin *doodzonde;* the seven – sins *de zeven hoofdzonden.*
2 deadly ⟨bw⟩ ●*doods-;* – pale *lijkbleek* ●*uiterst;* – dull *oersaai.*
1 'dead'pan ⟨zn⟩ ↓ ●*stalen gezicht, pokergezicht.*
2 'deadpan ⟨bn; bw⟩ ↓ ●*met een stalen gezicht.*
'dead 'wood ●*(overbodige) ballast* ⟨ook fig.⟩ ●*dood hout.*
deaf [def] ⟨-ness⟩ ●*doof* ⟨ook fig.⟩; – in one ear *doof aan een oor;* the – *(de) doven* ‖ as – as a (door)post *stokdoof;* turn a – ear to *doof zijn voor.* 'deaf-aid ⟨BE⟩ ●*(ge)hoorapparaat.* 'deaf-and-'dumb ●*doofstom.* deafen ['defn] ●*verdoven, doof maken, overstemmen.* deafening ['defnɪŋ] ●*oorverdovend.* 'deaf-'mute ●⟨bn⟩ *doofstom* ●⟨zn⟩ *doofstomme.*
1 deal [di:l] I ⟨telb zn⟩ ●*transactie, overeenkomst* ●*(grote) hoeveelheid;* ↓ a – of money was spent *er ging heel wat geld door* ● ⟨↓; ong.⟩ *(koe)handeltje, deal* ‖ he gave us a dirty – *hij heeft ons smerig behandeld;* it's a –! *afgesproken!* II ⟨telb en n-

telb zn⟩ ●⟨kaartspel⟩ *gift, het geven;* it's *your – jij moet geven.*

2 deal ⟨dealt, dealt [delt]⟩ **I** ⟨onov ww⟩ ●*zaken doen, handelen; –* in *handelen in, verkopen* ●⟨sl.⟩ *dealen, stuff verkopen;* zie DEAL WITH **II** ⟨onov en ov ww⟩ ⟨kaartspel⟩ ●*geven, delen* **III** ⟨ov ww⟩ ●*(uit)delen, geven; –* s.o. a blow *iem. een dreun verkopen; –* (out) fairly *eerlijk verdelen.* **dealer** ['di:lə] ●*handelaar, koopman, dealer* ●⟨kaartspel⟩ *gever.* **dealing** ['di:lɪŋ] **I** ⟨ntelb zn⟩ ●*manier v. zaken doen, aanpak* **II** ⟨mv.⟩ ●*transacties, affaires, relaties* ⟨ihb. zakelijke⟩ ‖ have –s with s.o. *zaken doen met iem.; met iem. in zee gaan.* **'deal with** ●*zaken doen met, handel drijven met* ● *behandelen, afhandelen; –* complaints *klachten behandelen* ●*aanpakken;* they ought to – this problem *men zou iets aan dit probleem moeten doen* ●*optreden tegen* ●*gaan/handelen over.*

dean [di:n] ●⟨rel.⟩ *deken* ●*decaan, faculteitsvoorzitter* ●⟨ongeveer⟩ *(studenten) decaan* ⟨met disciplinaire bevoegdheden⟩. **deanery** ['di:nərɪ] ●*decanaat.*

1 dear [dɪə] ⟨zn⟩ ●*schat, lieverd;* go to sleep, there's a – *ga slapen, dan ben je een schat* ‖ –, –!, oh –! *lieve hemel!, nee maar!.*

2 dear ⟨-ness⟩ **I** ⟨bn, attr en pred⟩ ●*dierbaar, lief, geliefd;* my –est friend *mijn liefste/beste vriend(in)* ●*lief, schattig;* a – little girl *een snoezig klein meisje* ●*duur, prijzig* ‖ for – life *of zijn/haar leven ervan afhangt* **II** ⟨bn, attr⟩ ●*beste, lieve, geachte* ⟨bv. in briefaanhef⟩; – Julia *beste/lieve Julia;* my – lady *mevrouw; –* sir *geachte heer* ‖ – me! *goeie genade!* **III** ⟨bn, pred⟩ ●*dierbaar, lief;* lose what is – to one *verliezen wat je dierbaar is.*

3 dear ⟨bw⟩ ●*duur (betaald)* ⟨ook fig.⟩. **dearest** ['dɪərɪst] ●*liefste.* **dearie, deary** ['dɪərɪ] ↓ *liefje* ‖ – me! *hemeltjelief!.* **dearly** ['dɪəli] ●zie DEAR ●*innig, vurig;* wish – *vurig wensen* ‖ pay – for sth. *iets duur betalen.*

dearth [də:θ] ●*tekort.*

death [deθ] **I** ⟨telb zn⟩ ●*sterfgeval* **II** ⟨n-telb zn⟩ ●*dood,* ⟨fig.⟩ *einde;* be the – of s.o. *iemands dood zijn* ⟨ook fig.⟩; ⟨fig.⟩ bore s.o. to – *iem. stierlijk vervelen;* put to – *ter dood brengen;* scared to – *doodsbang;* tired to – *hondsmoe;* burn to – *levend verbranden;* war to the – *oorlog op leven en dood* ‖ at –'s door *op sterven;* ⟨sl.⟩ like – warmed up *hondsberoerd.*

'deathbed ●*sterfbed.*   **'deathblow** ● *doodklap, genadeslag* ⟨ook fig.⟩. **'death certificate** ●*overlijdensakte.* **'death duty,**

⟨AE⟩ **'death tax** ●*successierecht.* **deathlike** ['deθlaɪk] ●*doods; –* paleness *lijkbleekheid.*   **deathly** ['deθli] ●*doods, dood-, lijk-.* **'death penalty** ●*doodstraf.* **'death rate** ●*sterftecijfer.* **'death roll** ●*dodenlijst, lijst v. slachtoffers/gesneuvelden.* **'death 'row** ⟨AE⟩ ●*cel(len) v. ter dood veroordeelden.* **'death sentence** ●*doodvonnis.* **death's-head** ['deθshed] ●*doodshoofd.* **'death squad** ●*moordcommando.* **death tax** zie DEATH DUTY. **'death throes** ⟨mv.⟩ ●*doodsstrijd.* **'death toll** ●*doden-(aan)tal.* **'deathtrap** ●*levensgevaarlijk(e) punt/situatie.* **'death warrant** ●*executie/terechtstellingsbevel.*

deb [deb] ⟨verk.⟩ débutante ↓ ●*debutante.*
débâcle [deɪ'bɑ:kl] ●*debâcle, afgang.*
debar [dɪ'bɑ:] ●*uitsluiten.*
debase [dɪ'beɪs] ●*verlagen, onteren, vernederen.*
debatable [dɪ'beɪtəbl] ●*aanvechtbaar, kwestieus* ‖ – ground *betwist/omstreden gebied* ⟨ook fig.⟩.
1 debate [dɪ'beɪt] ⟨zn⟩ ●⟨+on/about⟩ *debat (over), discussie.*
2 debate **I** ⟨onov ww⟩ ●⟨+about/upon⟩ *debatteren (over), discussiëren* ●*beraadslagen* **II** ⟨ov ww⟩ ●*bespreken, beraadslagen over; –* sth. with s.o. *met iem. over iets in debat treden* ●*zich beraden over.* **debater** [dɪ'beɪtə] ●*debater.*
1 debauch [dɪ'bɔ:tʃ] ⟨zn⟩ ●*orgie, zwelgpartij.*
2 debauch ⟨ww⟩ ↑ ●*op het slechte pad brengen, verleiden.* **debauched** [dɪ'bɔ:tʃt] ●*liederlijk, verloederd.* **debauchery** [dɪ'bɔ:tʃ-rɪ] ●*losbandigheid.*
debenture [dɪ'bentʃə] ●*obligatie.*
debilitate [dɪ'bɪlɪteɪt] ●*verzwakken* ⟨gestel/gezondheid⟩, *ondermijnen.* **debility** [dɪ-'bɪləti] ●*zwakte* ⟨ihb. als gevolg v. ziekte⟩.
1 debit ['debɪt] ⟨zn⟩ ●*debetpost* ●*debetsaldo* ●*debetzijde.*
2 debit ⟨ww⟩ ●*debiteren; –* a sum against s.o.('s account) *iemand('s rekening) voor een bedrag debiteren;* I have been –ed with the £10 *de tien pond is te mijnen laste geboekt.*
'debit balance ●*debetsaldo.* **'debit side** ●*debetzijde.*
debonair ['debə'neə] ●*charmant, voorkomend, galant.*
debrief ['di:'bri:f] ●⟨mil.; ook ↓⟩ *ondervragen (na voltooiing v. opdracht).*
debris ['debri:], **débris** [deɪ-] ●*puin, brokstukken.*
debt [det] ●*schuld;* owe s.o. a – of gratitude

iem. dank verschuldigd zijn; – of honour *ereschuld;* get/run into – *schulden maken;* get out of – *uit de rode cijfers komen;* be in – (to s.o.) *(bij iem.) in de schuld staan;* be in s.o.'s – *iem. iets verschuldigd zijn.* '**debt collector** ● *incasseerder, incassobureau.* **debtor** ['detə] ● *schuldenaar* ● 〈hand.〉 *debiteur.*

debug ['di:'bʌg] ↓ ● *afluisterapparatuur verwijderen uit* ● 〈comp.〉 *(van fouten) zuiveren, debuggen.*

debunk ['di:'bʌŋk] ↓ ● *ontmaskeren, aan de kaak stellen.*

debut ['debju:], **début** ['deɪ-] ● 〈zn〉 *debuut* ● 〈ww〉 *debuteren.*

débutante ['debjʊtɑ:nt] ● *debutante* 〈meisje op haar eerste societybal〉.

decade ['dekeɪd] ● *decennium;* during the past – *(in) de afgelopen tien jaar.*

decadence ['dekədəns] ● *decadentie, verval.* **decadent** ['dekədənt] ● *decadent, verworden.*

decaffeinnate ['di:'kæfɪneɪt] ‖ –d coffee *cafeïnevrije/-arme koffie.*

decamp [dɪ'kæmp] ● *de benen nemen.*

decant [dɪ'kænt] ● *decanteren* 〈vnl. wijn〉, *overschenken.* **decanter** [dɪ'kæntə] ● *(wijn)karaf.*

decapit|ate [dɪ'kæpɪteɪt] 〈zn: **-ation**〉 ● *onthoofden.*

decathlete [dɪ'kæθli:t] 〈sport〉 ● *tienkamper.* **decathlon** [dɪ'kæθlɒn] 〈sport〉 ● *tienkamp.*

1 decay [dɪ'keɪ] 〈zn〉 ● *verval, achteruitgang* ● *bederf, rotting;* tooth – *tandbederf.*

2 decay 〈ww〉 ● *vervallen, in verval raken* ● *(ver)rotten;* –ed tooth *rotte kies/tand.*

1 decease [dɪ'si:s] 〈zn〉 ● *het overlijden.*

2 decease 〈ww〉 ● *overlijden.* **deceased** [dɪ'si:st] ● *overleden,* 〈ihb.〉 *pas gestorven;* the – *de overledene(n).*

deceit [dɪ'si:t] ● *bedrog* ● *oneerlijkheid.* **deceitful** [dɪ'si:tfʊl] ● *bedrieglijk, (arg)listig* ● *oneerlijk.*

deceive [dɪ'si:v] ● *bedriegen, misleiden;* – o.s. *zichzelf voor de gek houden.* **deceiver** [dɪ'si:və] ● *bedrieger.*

deceler|ate ['di:'seləreɪt] 〈zn: **-ation**〉 ● *afremmen, vaart minderen.*

December [dɪ'sembə] ● *december.*

decency ['di:snsɪ] ● *fatsoen(lijkheid), welvoeglijkheid.* **decent** ['di:snt] ● *fatsoenlijk, betamelijk* ● *behoorlijk;* a – wage *een redelijk loon* ● ↓ *sympathiek;* a – guy *een geschikte kerel* ‖ are you –? *kan ik binnenkomen?, ben je (al) aangekleed?.*

decentral|ize ['di:'sentrəlaɪz] 〈zn: **-ization**〉 ● *decentraliseren.*

deception [dɪ'sepʃn] ● *misleiding, bedriegerij, bedrog.* **deceptive** [dɪ'septɪv] ● *bedrieglijk.*

decibel ['desɪbel] ● *decibel.*

decide [dɪ'saɪd] I 〈onov ww〉 ● *beslissen;* she –d on the red boots *ze besloot de rode laarsjes te nemen* ● *besluiten;* – against *afzien van* ● *een uitspraak doen;* – against *in het ongelijk stellen;* – for/in favour of *vonnis wijzen ten gunste van* II 〈ov ww〉 ● *beslissen, uitmaken* ● *doen besluiten, overhalen;* that –s me/it/the matter *dat geeft de doorslag.* **decided** [dɪ'saɪdɪd] ● *onbetwistbaar, ontegenzeglijk* ● *beslist.*

deciduous [dɪ'sɪdʒʊəs] ‖ – leaves *jaarlijks afvallend(e) loof/bladeren;* – tree *loofboom.*

1 decimal ['desɪməl] 〈zn〉 ● *decimale breuk* ● *decimaal getal.*

2 decimal 〈bn〉 ● *decimaal, tiendelig;* – point *decimaalpunt/teken;* go – *overgaan op het decimale muntstelsel.* **decimalize** ['desɪməlaɪz] ● *tientallig/decimaal maken;* – the currency *overgaan op het decimale muntstelsel.*

decim|ate ['desɪmeɪt] 〈zn: **-ation**〉 ● *decimeren, uitdunnen.*

decipher [dɪ'saɪfə] ● *ontcijferen, ontwarren.*

decision [dɪ'sɪʒn] I 〈telb zn〉 ● *beslissing, besluit, uitspraak* II 〈n-telb zn〉 ● *besluitvaardigheid, beslistheid;* lack – *besluiteloos zijn.* **decisive** [dɪ'saɪsɪv] ● *beslissend, doorslaggevend* ● *beslist, zelfverzekerd.*

1 deck [dek] 〈zn〉 ● *(scheeps)dek;* clear the –s (for action)〈fig.〉 *zich opmaken voor de strijd* ● *verdieping v. bus* ● 〈vnl. AE〉 *spel (kaarten)* ● 〈tech.; ↓〉 *(tape/cassette)deck* ‖ 〈sl.〉 hit the – *op je bek vallen.*

2 deck 〈ww〉 ● *(ver)sieren, (uit)dossen;* ↓ – (o.s.) out (in) *(zich) uitdossen (met/in).*

'**deck chair** ● *ligstoel, dekstoel.* '**deck hand** 〈scheep.〉 ● *dekknecht.*

declaim [dɪ'kleɪm] ● *declameren, voordragen.* **declamation** ['deklə'meɪʃn] ● *declamatie, voordracht(skunst),* 〈ong. ook〉 *hoogdravendheid.*

declaration ['deklə'reɪʃn] ● *verklaring, declaratie, afkondiging;* Declaration of Independence *Amerikaanse onafhankelijkheidsverklaring;* – of intent *beginselverklaring* ● *geschreven verklaring* ● *aangifte* 〈voor belasting, douane e.d.〉. **declare** [dɪ'kleə] I 〈onov ww〉 ● (+against/for) *zich (openlijk) uitspreken (tegen/voor)* II 〈ov ww〉 ● *bekendmaken, afkondigen;* – the outcome of an election *een verkiezingsuitslag bekendmaken* ● *verklaren, beweren* ● *bestempelen als;* – s.o. the winner *iem. tot winnaar uitroepen* ● *aangeven* 〈douanegoederen, inkomen e.d.⟩. **declared** [dɪ-ˈkleəd] ●*erkend, overtuigd;* a – opponent of the regime *een verklaard tegenstander v.h. bestel.*

declination [deklɪˈneɪʃn] I ⟨telb zn⟩ ●*(formele) afwijzing/weigering* II ⟨telb en n-telb zn⟩ ●*declinatie, afwijking(shoek)* ⟨v. kompasnaald⟩.

1 decline [dɪˈklaɪn] ⟨zn⟩ ●*verval, achteruitgang;* fall/go into a – *in verval raken* ●*daling, afname;* – in prices *prijsdaling;* on the – *tanend.*

2 decline I ⟨onov ww⟩ ●*(af)hellen, dalen* ● *wegkwijnen, aftakelen* ●*afnemen* II ⟨onov en ov ww⟩ ●*(beleefd) weigeren, afslaan;* ⟨vaak iron.⟩ – with thanks *(feestelijk) voor de eer bedanken.*

declivity [dɪˈklɪvəti] ●*(aflopende) helling.*

declutch [ˈdiːˈklʌtʃ] ●*ontkoppelen.*

decode [ˈdiːˈkoʊd] ●*decoderen, ontcijferen.*

décolletage [ˈdeɪkɒlˈtɑːʒ] ●*decolleté.* **décolleté(e)** [deɪˈkɒlteɪ] ●*gedecolleteerd, met decolleté.*

decompose [ˈdiːkəmˈpoʊz] I ⟨onov ww⟩ ● *(ver)rotten, bederven* II ⟨ov ww⟩ ●*ontleden, ontbinden* ●*doen rotten.* **decomposition** [ˈdiːkɒmpəˈzɪʃn] ●*ontleding, ontbinding* ●*rotting, bederf.*

decongestant [ˈdiːkənˈdʒestənt] ⟨med.⟩ ● *decongestivum.*

decontamin|ate [ˈdiːkənˈtæmɪneɪt] ⟨zn: -ation⟩ ●*ontsmetten.*

decor [ˈdeɪkɔ:] ●*(toneel)decor* ●*inrichting* ⟨v. kamer⟩.

decorate [ˈdekəreɪt] ●*verven, schilderen, behangen* ●*versieren* ●*decoreren, onderscheiden.* **decoration** [dekəˈreɪʃn] ●*versiering, decoratie, opsmuk* ●*onderscheiding(steken), decoratie* ‖ interior – *binnenhuisarchitectuur.* **decorative** [ˈdekrətɪv] ● *decoratief, versierend, fraai.* **decorator** [ˈdekəreɪtə] ●*(huis)schilder, stukadoor, behanger* ●⟨verk.⟩ interior decorator *binnenhuisarchitect.*

decorous [ˈdekərəs] ●*betamelijk, correct, fatsoenlijk.* **decorum** [dɪˈkɔ:rəm] ●*decorum, welvoeglijkheid.*

1 decoy [ˈdiːˈkɔɪ] ⟨zn⟩ ●*lokvogel,* ⟨ihb.⟩ *lokeend* ●*lokaas, lokmiddel.*

2 decoy [dɪˈkɔɪ] ⟨ww⟩ ●*(ver)lokken, misleiden* ●*in de val lokken.*

1 decrease [ˈdiːkriːs] ⟨zn⟩ ●*vermindering, afneming;* – in/of exports *daling v.d. export.*

2 decrease [dɪˈkriːs] I ⟨onov ww⟩ ●*(geleidelijk) afnemen, teruglopen* II ⟨ov ww⟩ ●*verminderen.*

1 decree [dɪˈkri:] ⟨zn⟩ ●*decreet, verorde-*

ning, besluit ●⟨AE; jur.⟩ *vonnis* ⟨v. bepaalde rechtbanken⟩.

2 decree ⟨ww⟩ ●*decreteren, verordenen, bevelen.*

decrepit [dɪˈkrepɪt] ●*afgeleefd* ●*vervallen, bouwvallig.* **decrepitude** [dɪˈkrepɪtjuːd] ● *afgeleefdheid* ●*bouwvalligheid.*

decry [dɪˈkraɪ] ●*openlijk afkeuren* ●*afgeven op.*

dedicate [ˈdedɪkeɪt] ●*toewijden;* – one's life to the arts *zijn leven aan de kunst wijden* ● *opdragen;* – a book to s.o. *een boek aan iem. opdragen* ●⟨rel.⟩ *(in)wijden.* **dedicated** [ˈdedɪkeɪtɪd] ●*toegewijd;* – follower of fashion *trouw volger v.d. mode* ●*hardnekkig.* **dedication** [dedɪˈkeɪʃn] I ⟨telb zn⟩ ●*opdracht* II ⟨telb en n-telb zn⟩ ●*(in)wijding* ●*toewijding.*

deduce [dɪˈdjuːs] ●*deduceren;* – from *afleiden/opmaken uit.* **deducible** [dɪˈdjuːsəbl] ● *afleidbaar, af te leiden.*

deduct [dɪˈdʌkt] ●⟨+from⟩ *aftrekken (van), in mindering brengen (op).* **deductible** [dɪˈdʌktəbl] ●*aftrekbaar* ⟨ihb. van het belastbaar inkomen⟩. **deduction** [dɪˈdʌkʃn] ●*conclusie, gevolgtrekking* ●*korting, (ver) mindering;* –s from pay *inhoudingen op het loon.* **deductive** [dɪˈdʌktɪv] ●*deductief.*

deed [diːd] ●*daad, handeling* ●⟨jur.⟩ *akte.*

'deed poll ⟨jur.⟩ ●*eenzijdige akte* ⟨vnl. v. naamsverandering⟩.

deem [diːm] ●*achten, oordelen, vinden.*

1 deep [diːp] ⟨zn⟩ ●*diepte* ‖ the – *het diep, de zee.*

2 deep ⟨-ness⟩ I ⟨bn, attr en pred⟩ ●*diep, diepliggend* ●*diep(zinnig), ondoorgrondelijk* ●*diep(gaand), hevig, intens* ⟨v. gevoelens⟩, *donker* ⟨v. kleuren⟩; take a – breath *diep ademhalen;* in – debt *diep in de schuld;* – feelings/sleep *diepe gevoelens/slaap* ●*diep, laag* ⟨v. geluid⟩ ‖ go/ jump in at the – end *een sprong in het duister wagen;* ↓ go off the – end *uit zijn vel springen (van woede);* thrown in at the – end *meteen met het moeilijkste (moeten) beginnen;* be caught between the devil and the – (blue) sea *tussen twee kwaden moeten kiezen;* in – water(s) *in grote moeilijkheden;* zie ook ⟨sprw.⟩ STILL II ⟨bn, pred⟩ ●*ver;* – in the forest *diep in het bos* ●*diep, verdiept;* – in conversation *diep in gesprek* III ⟨bn, attr post⟩ ●*achter/ naast elkaar;* the people were standing ten – *de mensen stonden tien rijen dik.*

3 deep ⟨bw⟩ ●*diep;* – into the night *tot diep in de nacht.* **deepen** [ˈdiːpən] ●*dieper (doen) worden, (doen) toenemen, verster-*

ken.

1 '**deepfreeze** 〈zn〉 ●*diepvriezer, (diep)
vrieskist.*

2 '**deep**'**freeze** 〈ww〉 ●*diepvriezen;* deep-
frozen fish *diepvriesvis.*

'**deep**-'**fry** ●*frituren.* '**deep**-'**rooted**, '**deeply**
'**rooted** ●*diepgeworteld.* '**deep-sea** ●
diepzee-. '**deep**-'**seated** ●*diepliggend, ingeworteld.*

deer [dɪə] ●*hert.* '**deerskin** ●*hertehuid/vel* ●
〈ook attr〉 *herteleer.* **deerstalker** ['dɪəstɔ:-
kə], '**deerstalker hat** ●*jachtpet* 〈met klep
voor en achter〉.

deface [dɪ'feɪs] 〈zn: **-ment**〉 ●*schenden, beschadigen,* 〈ihb.〉 *bekladden.*

defamation ['defə'meɪʃn] ●*schandalisering,
(be)laster(ing).* **defamatory** [dɪ'fæmətrɪ]
●*lasterlijk, smaad-, schandaliserend.*

defame [dɪ'feɪm] ●*schandaliseren, te schande maken.*

1 **default** [dɪ'fɔ:lt] 〈zn〉 ●*afwezigheid;* in – of
bij gebrek aan; bij ontstentenis van ●*verzuim, niet-nakoming* 〈ihb. v. betalingsver-
plichting〉, *wanbetaling* ●*niet-verschij-
ning,* 〈jur.〉 *verstek,* 〈sport〉 *het niet op
komen dagen;* judgement by – *vonnis bij
verstek;* win by – *winnen wegens niet op
komen dagen v.d. tegenpartij.*

2 **default** 〈ww〉 ●*niet verschijnen,* 〈jur.,
sport〉 *verstek laten gaan* 〈sport〉, *niet op
komen dagen* ●*in gebreke blijven, verzuimen,* 〈ihb.〉 *niet nakomen v. betalingsver-
plichting.* **defaulter** [dɪ'fɔ:ltə] ●*verzuimer,
iem. die in gebreke blijft/verstek laat gaan*
●*wanbetaler.*

1 **defeat** [dɪ'fi:t] 〈zn〉 ●*nederlaag* ●*mislukking* ●*verijdeling* ●〈jur.〉 *nietigverklaring.*

2 **defeat** 〈ww〉 ●*verslaan;* 〈fig.〉 your theory
has –ed me *uw theorie ging mijn verstand
te boven* ●*verijdelen;* be –ed in an attempt *een poging zien mislukken/stran-
den* ●*verwerpen, afstemmen* ●*vernietigen* 〈ook jur.〉. **defeatism** [dɪ'fi:tɪzm] ●
defaitisme, moedeloosheid. **defeatist**
[dɪ'fi:tɪst] ●*defaitist.*

1 **defect** ['di:fekt, dɪ'fekt] 〈zn〉 ●*mankement,
gebrek;* a hearing – *een gehoorstoornis.*

2 **defect** [dɪ'fekt] 〈ww〉 ●*overlopen* ●*uitwijken* 〈ihb. door asiel te vragen〉. **defection**
[dɪ'fekʃn] ●*overloperij, (geval v.) afvalligheid* ●*uitwijking* 〈ihb. door asiel te vra-
gen〉. **defective** [dɪ'fektɪv] ●*onvolkomen,
gebrekkig* ●*geestelijk onvolwaardig,
zwakzinnig.* **defector** [dɪ'fektə] ●*overloper* ●*uitgewekene.*

defence [dɪ'fens] I 〈telb zn〉 ●*(af)weermid-
del, verdediging,* 〈mv.〉 *verdedigingswer-
ken* ●*verdediging(srede)* ●〈sport; ook

schaken〉 *verdediging,* 〈jur.〉 *verweer* II
〈n-telb zn〉 ●*defensie, (lands)verdediging.*
defenceless [dɪ'fensləs] ●*weerloos.*

defend [dɪ'fend] ●*verdedigen* ●*beschermen;* – from *behoeden voor, beschermen
tegen.* **defendant** [dɪ'fendənt] ●*gedaagde.* **defender** [dɪ'fendə] ●*verdediger* ●
〈sport〉 *verdediger* ●〈sport〉 *titelverdedi-
ger.* **defensible** [dɪ'fensəbl] ●*verdedigbaar, gerechtvaardigd.*

1 **defensive** [dɪ'fensɪv] 〈zn〉 ●*defensief;* be
on the – *een verdedigende houding aannemen.*

2 **defensive** 〈bn〉 ●*verdedigend, defensief* ●
〈ook ong.〉 *defensief, afwerend;* act –ly
zich defensief opstellen.

defer [dɪ'fə:] I 〈onov ww〉 ●*zich onderwerpen;* – to *eerbiedigen, respecteren; in
acht nemen* II 〈ov ww〉 ●*opschorten, uitstellen.* **deference** ['defərəns] ●*achting,
eerbied; in/out of* – to *uit achting/eerbied
voor.* **deferential** ['defə'renʃl] ●*eerbiedig.*

defiance [dɪ'faɪəns] ●*openlijk(e) ongehoor-
zaamheid/verzet, opstandigheid; in* – of
met minachting voor; in strijd met; act in
– of *zich niets aantrekken van.* **defiant**
[dɪ'faɪənt] ●*tartend, uitdagend* ●*opstandig.*

deficiency [dɪ'fɪʃnsi] ●*tekort, gebrek* ●*gebrek, onvolkomenheid, ontoereikendheid.*
de'**ficiency disease** ●*gebrekziekte, defi-
ciëntieziekte.* **deficient** [dɪ'fɪʃnt] ●*onvolledig, gebrekkig* ●*ontoereikend, onvoldoende, -arm;* – in iron *ijzerarm.*

deficit ['defɪsɪt] ●*deficit, tekort.*

1 **defile** ['di:faɪl] 〈zn〉 ●*engte,* 〈ihb.〉 *bergpas.*

2 **defile** [dɪ'faɪl] 〈ww; zn: **-ment**〉 ●*bevuilen,
verontreinigen* ●*ontwijden, schenden,
ontheiligen.* **defiler** [dɪ'faɪlə] ●*bevuiler* ●
schender.

definable [dɪ'faɪnəbl] ●*definieerbaar* ●*be-
grensbaar, bepaalbaar.* **define** [dɪ'faɪn] ●
definiëren ●*afbakenen, bepalen, begrenzen.*

definite ['def(ɪ)nɪt] ●*welomlijnd, scherp begrensd, exact* ●*ondubbelzinnig, duidelijk,
uitgesproken* ●*beslist* ‖ – article *bepaald/
bepalend lidwoord.* **definitely** ['def(ɪ)-
nɪtli] ●*zie* DEFINITE ● ↓ *absoluut, beslist;* –
not *geen sprake van.*

definition ['defɪ'nɪʃn] ●*definitie, omschrijving* ●*bepaling, begrenzing* ●*scherpte,*
〈ihb.〉 *beeldscherpte* 〈v. t.v.〉.

definitive [dɪ'fɪnətɪv] ●*definitief, onherroepelijk* ●*beslissend* ●*(meest) gezaghebbend.*

defl|**ate** ['di:'fleɪt] 〈zn: **-ation**〉 I 〈onov ww〉 ●

leeglopen ⟨v. band, ballon e.d.⟩ ‖ ⟨ov ww⟩ ●*leeg laten lopen* ⟨band, ballon e.d.⟩, ⟨fig.⟩ *doorprikken* ⟨verwaand persoon⟩, *minder belangrijk maken* ● *aan deflatie onderwerpen*, ⟨ihb.⟩ *de geldhoeveelheid inkrimpen van.* **deflationary** [ˈdiːˈfleɪʃnri] ●*deflatoir;* – policy *deflatoir beleid.*

deflect [dɪˈflekt] ●*(doen) afbuigen, (doen) afwijken;* the ball was —ed ... *de bal werd van richting veranderd* ... ●*afbrengen, afleiden.* **deflection,** ⟨BE sp. ook⟩ **deflexion** [dɪˈflekʃn] ●*afbuiging, afwijking* ● ⟨tech.⟩ *uitslag* ⟨v. meetinstrument⟩, *uitwijking.*

deflower [ˈdiːˈflaʊə] ●*ontmaagden.*

defoliant [ˈdiːˈfoʊliənt] ●*ontbladeringsmiddel.* **defoliate** [ˈdiːˈfoʊlieɪt] ●*ontbladeren.*

deforest [ˈdiːˈfɒrɪst] ●*ontbossen.*

deform [dɪˈfɔːm] ●*misvormen, mismaken, vervormen* ●*ontsieren.* **deformation** [ˈdiː-fɔːˈmeɪʃn] ●*misvorming, deformatie, vormverandering.* **deformed** [dɪˈfɔːmd] ● *misvormd, mismaakt.* **deformity** [dɪˈfɔː-məti] ●*misvorming, vergroeiing, mismaaktheid.*

defraud [dɪˈfrɔːd] ●*bedriegen;* – s.o. of his money *iem. (door bedrog) zijn geld afhandig maken.*

defray [dɪˈfreɪ] ●*betalen, voor zijn rekening nemen;* – the cost(s) *de kosten dragen.*

defrost [ˈdiːˈfrɒst] ●*ontdooien.* **defroster** [ˈdiːˈfrɒstə] ●*ontdooier* ⟨v. voorruit, koelkast⟩.

deft [deft] ●*handig, bedreven,* ⟨ihb.⟩ *vingervlug.*

defunct [dɪˈfʌŋkt] ●*overleden* ●*verdwenen, in onbruik;* – ideas *achterhaalde ideeën.*

defuse [ˈdiːˈfjuːz] ●*onschadelijk maken* ⟨ook fig.⟩; – a crisis *een crisis bezweren.*

defy [dɪˈfaɪ] ●*tarten, uitdagen* ●*trotseren.*

1 degenerate [dɪˈdʒenrət] ⟨zn; bn⟩ ●⟨bn⟩ *gedegenereerd, verloederd* ●⟨zn⟩ *gedegenereerde.*

2 degener|ate [dɪˈdʒenəreɪt] ⟨ww; zn: -ation⟩ ●*degenereren, ontaarden* ●*achteruitgaan.*

degradation [ˈdegrəˈdeɪʃn] ●*achteruitgang* ●*degeneratie, verwording.* **degrade** [dɪˈgreɪd] ●*degraderen, achteruitzetten* ● *verlagen* ●*vernederen, onteren.* **degrading** [dɪˈgreɪdɪŋ] ●*vernederend.*

degree [dɪˈgriː] I ⟨telb zn⟩ ●⟨aardr., nat., wisk.⟩ *graad* ●*(universitaire) graad, academische titel;* take one's – *afstuderen* II ⟨telb en n-telb zn⟩ ●*mate, hoogte, trap;* to a high – *tot op grote hoogte;* not in the slightest – *niet in het minst;* by –s *stukje bij beetje;* to a certain/some – *in zekere mate; tot op zekere hoogte.*

dehumanize [ˈdiːˈhjuːmənaz] ●*ontmenselijken, dehumaniseren.*

dehydrate [ˈdiːˈhaɪdreɪt] ●*(uit)drogen;* –d vegetables *gedroogde groenten.*

deif|y [ˈdiːɪfaɪ] ⟨zn: -ication⟩ ●*vergoddelijken.*

deign [deɪn] ●*zich verwaardigen.*

deity [ˈdiːəti] ●*god(in).*

déjà vu [ˈdeɪʒaːˈvuː] ●*déjà-vu(-gevoel/ervaring).*

deject [dɪˈdʒekt] ⟨meestal pass.⟩ ●*teneerslaan, ontmoedigen, droevig stemmen.* **dejected** [dɪˈdʒektɪd] ●*teneergeslagen, somber.* **dejection** [dɪˈdʒekʃn] ●*neerslachtigheid.*

dekko [ˈdekoʊ] ⟨sl.⟩ ‖ have a – at sth. *ergens een kijkje nemen.*

1 delay [dɪˈleɪ] ⟨zn⟩ ●*vertraging, oponthoud* ●*uitstel.*

2 delay I ⟨onov ww⟩ ●*treuzelen, tijd rekken* II ⟨ov ww⟩ ●*uitstellen* ●*ophouden, vertragen.* **delayed-action** [dɪˈleɪd ˈækʃn] ‖ – bomb *tijdbom.*

delectable [dɪˈlektəbl] ●*verrukkelijk, heerlijk.* **delectation** [ˈdiːlekˈteɪʃn] ●*genoegen;* for your – *voor uw plezier.*

1 delegate [ˈdelɪgət] ⟨zn⟩ ●*afgevaardigde, gedelegeerde, ge(vol)machtigde.*

2 delegate [ˈdelɪgeɪt] ⟨ww⟩ ●*afvaardigen, delegeren* ●*machtigen* ●*delegeren, overdragen.* **delegation** [ˈdelɪˈgeɪʃn] ●*delegatie, afvaardiging* ●*machtiging, delegering.*

del|ete [dɪˈliːt] ⟨zn: -etion⟩ ●*(weg)schrappen, doorhalen.*

1 deliberate [dɪˈlɪbret] ⟨bn⟩ ●*doelbewust, opzettelijk, weloverwogen* ●*bedachtzaam, bedaard.*

2 deliberate [dɪˈlɪbəreɪt] I ⟨onov ww⟩ ●*beraadslagen* II ⟨ov ww⟩ ●*(zorgvuldig) af/overwegen* ●*beraadslagen over.* **deliberation** [dɪˈlɪbəˈreɪʃn] ●*(zorgvuldige) af/overweging, overleg;* after much – *na lang wikken en wegen* ●*bedachtzaamheid, bedaardheid.* **deliberative** [dɪˈlɪbrətɪv] ●*overleg-;* – body *overlegorgaan.*

delicacy [ˈdelɪkəsi] ●*delicatesse, lekkernij* ● *teerheid, tengerheid* ●*delicaatheid, neteligheid* ●*(fijn)gevoeligheid* ●*tact, kiesheid.* **delicate** [ˈdelɪkət] ●*fijn* ●*lekker, fijn* ⟨mbt. spijzen⟩ ●*teer, zwak, broos* ●*(fijn) gevoelig* ●*tactvol, kies* ●*kieskeurig* ●*delicaat, netelig* ●*zacht* ⟨mbt. kleur⟩.

delicatessen [ˈdelɪkəˈtesn] ●*delicatessenwinkel.*

delicious [dɪˈlɪʃəs] ●*heerlijk, verrukkelijk.*

1 delight [dɪˈlaɪt] ⟨zn⟩ •*verrukking, groot genoegen* •*genot;* take – in *behagen scheppen in.*

2 delight I ⟨onov ww⟩ •*behagen scheppen, genot vinden;* – in teasing *het heerlijk vinden om te plagen* **II** ⟨ov ww⟩ •*in verrukking brengen, verrukken.* **delighted** [dɪˈlaɪtɪd] •*verrukt;* I shall be – *het zal me een waar genoegen zijn;* – at/with *opgetogen/verrukt over.* **delightful** [dɪˈlaɪtfl] •*verrukkelijk.*

delimit [dɪˈlɪmɪt] •*afbakenen.*

deline|ate [dɪˈlɪnieɪt] ⟨zn: **-ation**⟩ •*omlijnen* •*schetsen, afbeelden.*

delinquency [dɪˈlɪŋkwənsi] •*vergrijp, delict* •*criminaliteit;* juvenile – *jeugdcriminaliteit.*

1 delinquent [dɪˈlɪŋkwənt] ⟨zn⟩ •*delinquent,* ⟨ihb.⟩ *jeugdige misdadiger;* juvenile – *jeugddelinquent.*

2 delinquent ⟨bn⟩ •*delinquent, geneigd tot misdadigheid.*

delirious [dɪˈlɪəriəs] •*ijlend* •*dol(zinnig).*

delirium [dɪˈlɪəriəm] •*ijltoestand, ijlkoorts* •*dolzinnigheid, extase.* **de'lirium 'tremens** [-ˈtremənz] •*dronkemanswaanzin, delirium tremens.*

deliver [dɪˈlɪvə] **I** ⟨onov ww⟩ ‖ he will – on his promise *hij zal doen wat hij beloofd heeft* **II** ⟨ov ww⟩ •*verlossen, bevrijden* •*verlossen, helpen bevallen;* be –ed of *bevallen van* •*presenteren, overhandigen* •*bezorgen, (af)leveren* •*voordragen;* – a lecture/paper *een lezing houden* ‖ – a child *een kind ter wereld helpen.* **deliverance** [dɪˈlɪvrəns] •*verlossing, bevrijding, redding.* **delivery** [dɪˈlɪvri] •*bevalling* •*bestelling, levering* •*bevrijding, verlossing* •*(post)bestelling;* ⟨BE⟩ recorded – *aangetekend(e) versturen/zending* •*overgave, overdracht* •*voordracht, redevoering* •⟨sport⟩ *gooi v.d. bowler, slag* ⟨honkbal⟩.

de'livery boy •*bezorger.* **de'livery room** • *verloskamer.* **de'livery truck** ⟨AE⟩ •*bestelwagen.* **de'livery van** ⟨vnl. BE⟩ •*bestelwagen.*

dell [del] •*valleitje.*

delta [ˈdeltə] •*(rivier)delta.*

'delta wing ⟨luchtv.⟩ •*driehoeksvleugel.*

delude [dɪˈluːd] •*misleiden, bedriegen;* – s.o. into doing sth. *iem. verleiden/zover krijgen om iets te doen;* – o.s. into *zichzelf wijsmaken dat.*

1 deluge [ˈdeljuːdʒ] **I** ⟨eig.n.; D-; the⟩ • *zondvloed* **II** ⟨telb zn⟩ •*overstroming* • *wolkbreuk* •*stortvloed, stroom* ⟨v. woorden e.d.⟩.

2 deluge ⟨ww⟩ •*overstromen, onder water zetten* •*overstelpen.*

delusion [dɪˈluːʒn] •*waan(idee/voorstelling), misvatting;* –s of grandeur *grootheidswaan;* be under the – that *in de waan verkeren dat.* **delusive** [dɪˈluːsɪv] •*bedrieglijk, misleidend.*

de luxe [dɪˈlʌks] •*luxueus, luxe-.*

delve [delv] •*speuren, vorsen;* – into s.o.'s past *in iemands verleden graven.*

demagogic [ˌdeməˈgɒgɪk, -dʒɪk] •*demagogisch.* **demagogue** [ˈdeməgɒg] •⟨vnl. ong.⟩ *demagoog, volksmenner.* **demagogy** [ˈdeməgɒgi, -dʒi] •*demagogie.*

1 demand [dɪˈmɑːnd] ⟨zn⟩ •*eis, verzoek* • *aanspraak, vordering;* make great/many –s on *veel vergen van* •*vraag;* be in great – *erg in trek zijn.*

2 demand ⟨ww⟩ •*eisen, verlangen, vorderen;* – an answer *erop staan een antwoord te krijgen* •*vergen, (ver)eisen.* **demanding** [dɪˈmɑːndɪŋ] •*veeleisend.*

demarc|ate [dɪˈmɑːkeɪt] ⟨zn: **-ation**⟩ •*afbakenen, begrenzen.*

demean [dɪˈmiːn] •*verlagen, vernederen;* – o.s. *zich verlagen.*

demeanour [dɪˈmiːnə] •*gedrag, houding, optreden.*

demented [dɪˈmentɪd] •*krankzinnig, gek.*

demerara [ˌdeməˈreərə], **'demerara 'sugar** • *bruine (riet)suiker.*

demerit [ˈdiːˈmerɪt] •*tekort(koming), fout.*

demigod [ˈdemigɒd] •*halfgod.*

demijohn [ˈdemidʒɒn] •*grote mand(e)fles.*

demilitarize [ˈdiːˈmɪlɪtəraɪz] •*demilitariseren.*

demise [dɪˈmaɪz] •⟨jur.; euf.⟩ *overlijden* • ⟨scherts.⟩ *het ter ziele gaan.*

demist [ˈdiːˈmɪst] •*droogblazen, condensvrij maken* ⟨autoruiten⟩.

demo [ˈdeməʊ] •⟨verk.⟩↓ demonstration *betoging, demonstratie.*

1 demob [ˈdiːˈmɒb] ⟨zn⟩ ⟨verk.⟩ demobilization ↓ •*ontslag uit de militaire dienst.*

2 demob ⟨ww⟩ ⟨verk.⟩ demobilize ↓ •*demobiliseren.* **demobil|ize** [ˈdiːˈməʊbɪlaɪz] ⟨zn: **-ization**⟩ •*demobiliseren.*

democracy [dɪˈmɒkrəsi] •*democratie* ‖ industrial – *medezeggenschap in het bedrijfsleven.* **democrat** [ˈdeməkræt] •*democraat.* **democratic** [ˌdeməˈkrætɪk] •*democratisch.* **democrat|ize** [dɪˈmɒkrətaɪz] ⟨zn: **-ization**⟩ •*democratiseren.*

demolish [dɪˈmɒlɪʃ] •*slopen, vernielen, afbreken* •*omverwerpen* •*ontzenuwen, weerleggen.* **demolition** [ˌdeməˈlɪʃn] • *vernieling, afbraak, sloop.*

demon [ˈdiːmən] •*demon, boze geest, dui-*

vel, ⟨fig.⟩ *duivel(s mens)* ● ↓ *bezetene;* be
a – for work *werken als een bezetene.* **de-
moniac** ['di:məˈnaɪək] ●*demonisch, duivels.* **demonic** [dɪˈmɒnɪk] ●*demonisch,
duivels.*
demonstrable [dɪˈmɒnstrəbl, 'demən-] ●
aantoonbaar, bewijsbaar. **demonstrate**
['demənstreɪt] **I** ⟨onov ww⟩ ●*demonstreren, betogen* **II** ⟨ov ww⟩ ●*demonstreren,
een demonstratie geven van* ●*aantonen,
bewijzen* ●*uiten;* – one's affection *zijn genegenheid tonen.* **demonstration** ['de-
mənˈstreɪʃn] ●*demonstratie, betoging* ●
demonstratie, vertoning v.d. werking ●
bewijs ●*uiting, manifestatie, vertoon.* **de-
monstrative** [dɪˈmɒnstrətɪv] ● *(aan)to-
nend, blijk gevend van* ●*open, extravert.*
demonstrator ['demənstreɪtə] ●*demon-
strateur* ●*demonstrant.*
demoral|ize [dɪˈmɒrəlaɪz] ⟨zn: -ization⟩ ●
demoraliseren, ontmoedigen.
demote ['di:ˈmoʊt] ●*degraderen, in rang
verlagen.*
1 demur [dɪˈmə:] ⟨zn⟩ ●*bedenking, tegenwerping, bezwaar;* without – *zonder
meer, zonder aarzelen.*
2 demur ⟨ww⟩ ●*bedenkingen hebben, te-
genwerpingen/bezwaar maken.*
demure [dɪˈmjʊə] ●*ingetogen, zedig* ●*bezadigd, ernstig, terughoudend.*
den [den] ●*hol* ⟨v. dier⟩ ●*hol;* – of thieves
dievenhol ●↓ *(studeer/hobby)kamertje,
hok.*
denationalize ['di:ˈnæʃnəlaɪz] ●*denationali-
seren, privatiseren.*
deniable [dɪˈnaɪəbl] ●*loochenbaar, te ontkennen.*
denial [dɪˈnaɪəl] ●*ontzegging, weigering* ●
ontkenning.
denigr|ate ['denɪɡreɪt] ⟨zn: -ation⟩ ●*deni-
greren, kleineren.*
denim ['denɪm] **I** ⟨n-telb zn⟩ ●*denim, spij-
kerstof* **II** ⟨mv.⟩ ●*spijkerbroek.*
denizen ['denɪzn] ●*inwoner* ⟨ook scherts.;
↑⟩, *bewoner.*
denominate [dɪˈnɒmɪneɪt] ●*benoemen* ●
noemen. **denomination** [dɪˈnɒmɪˈneɪʃn] ●
munteenheid/soort, coupure ●*gezindte,
kerk(genootschap)* ●*naam, benaming.*
denominational [dɪˈnɒmɪˈneɪʃnəl] ●*con-
fessioneel, bijzonder;* – school *confessio-
nele school.*
denominator [dɪˈnɒmɪneɪtə] ● ⟨wisk.⟩ *noemer, deler.*
denotation ['di:noʊˈteɪʃn] ●*betekenis.* **de-
note** [dɪˈnoʊt] ●*aangeven, wijzen/duiden
op* ●*betekenen.*
dénouement, denouement [deɪˈnu:mɑ̃] ●

ontknoping.
denounce [dɪˈnaʊns] ●*hekelen, afkeuren* ●
*aan de kaak stellen, openlijk beschuldi-
gen/aanklagen;* – s.o. as a thief *iem. voor
dief uitmaken.*
dense [dens] ●*dicht, compact* ●*dom.* **densi-
ty** ['densəti] ●*dichtheid, compactheid,
concentratie.*
1 dent [dent] ⟨zn⟩ ●*deuk, bluts* ● ⟨fig.⟩ *deuk,
knauw* ‖↓ make a – in *opschieten (met).*
2 dent ⟨ww⟩ ●*deuken* ● ⟨fig.⟩ *deuken, een
knauw geven.*
dental ['dentl] ●*tand-* ●*tandheelkundig;* –
floss *tanddraad;* – plate *(tand)prothese;* –
surgeon *tandheelkundige.* **dentist**
['dentɪst] ●*tandarts.* **dentistry** ['dentɪstri]
●*tandheelkunde.* **denture** ['dentʃə] ●
⟨vaak mv.⟩ *kunstgebit.*
denuclearize ['di:ˈnju:klɪəraɪz] ●*kernvrij maken.*
denude [dɪˈnju:d] ●*ontbloten, kaal maken,
ontbossen.*
denunciation [dɪˈnʌnsiˈeɪʃn] ●*openlijke veroordeling.*
deny [dɪˈnaɪ] ●*ontkennen, (ver)loochenen* ●
ontzeggen, weigeren; he has always denied himself *hij heeft zichzelf nooit iets ge-
gund.*
deodorant [di:ˈoʊdərənt] ●*deodorant.*
depart [dɪˈpɑ:t] ●*heengaan, vertrekken;* –
from *vertrekken van, afwijken van.*
departed [dɪˈpɑ:tɪd] ●*heengegaan, dood;*
the – *de overledene(n).*
department [dɪˈpɑ:tmənt] ●*afdeling, departement,* ⟨onderwijs⟩ *vakgroep, sectie;*
Department of Environment ⟨ongeveer⟩
Ministerie v. Milieuzaken – ⟨AE⟩ *ministerie, departement.* **departmental** ['di:pɑ:t-
ˈmentl] ●*departementaal, afdelings-.* **de-
ˈpartment store** ●*warenhuis.*
departure [dɪˈpɑ:tʃə] ●*vertrek(tijd)* ●*afwijking;* new – *nieuwe koers/richting.*
depend [dɪˈpend] ●*afhangen;* it all –s *het
hangt er nog maar van af;* zie DEPEND (UP)
ON. **dependable** [dɪˈpendəbl] ●*betrouwbaar.* **dependant, dependent** [dɪˈpendənt]
●*afhankelijke* ⟨bv. voor levensonder-
houd⟩. **dependence** [dɪˈpendəns] ●*afhankelijkheid* ●*vertrouwen* ●*verslaving.* **de-
pendency** [dɪˈpendənsi] ●*afhankelijkheid*
●*ondergeschiktheid, onderhorigheid* ●
gebiedsdeel, kolonie, provincie. **dependent** [dɪˈpendənt] ●*afhankelijk;* – (up)on afhankelijk van ●*verslaafd.* **deˈpend (up)on**
●*afhangen van, afhankelijk zijn van* ●*vertrouwen op, zich verlaten op;* you can – it!
reken daar maar op!.
depict [dɪˈpɪkt] ●*(af)schilderen, afbeelden.*

depiction [dɪ'pɪkʃn] • *afbeelding, (af)schildering.*

depilatory [dɪ'pɪlətri] • ⟨bn⟩ *ontharend* • ⟨zn⟩ *ontharingsmiddel.*

deplete [dɪ'pli:t] ⟨zn: **-etion**⟩ • *leeghalen, uitputten.*

deplorable [dɪ'plɔ:rəbl] • *betreurenswaardig, zeer slecht.* **deplore** [dɪ'plɔ:] • *betreuren, bedroefd zijn over.*

deploy [dɪ'plɔɪ] • ⟨mil.⟩ *opstellen* • *inzetten.* **deployment** [dɪ'plɔɪmənt] ⟨mil.⟩ • *plaatsing* ⟨v. wapens⟩, *het inzetten* ⟨v. troepen⟩.

depopulate ['di:'pɒpjʊleɪt] ⟨zn: **-ation**⟩ • *ontvolken.*

deport [dɪ'pɔ:t] • *deporteren, uitzetten* ‖ – *o.s. zich gedragen.* **deportation** ['di:pɔ:-'teɪʃn] • *deportatie.* **deportee** ['di:pɔ:'ti:] • *gedeporteerde.*

deportment [dɪ'pɔ:tmənt] ↑ • ⟨vnl. BE⟩ *(lichaams)houding* • ⟨vnl. AE⟩ *gedrag, manieren, houding.*

depose [dɪ'pəʊz] • *afzetten* • *getuigen, onder ede verklaren.*

1 deposit [dɪ'pɒzɪt] ⟨zn⟩ • *onderpand, waarborgsom, aanbetaling* • ⟨bank⟩ *storting* • ⟨bank⟩ *deposito* • *afzetting, ertslaag, bezinksel, sediment, depot* ⟨in wijn⟩.

2 deposit ⟨ww⟩ • *afzetten, bezinken* • *neerleggen, plaatsen* • *deponeren, in bewaring geven,* ⟨bank⟩ *storten.*

de'posit account • *depositorekening.*

deposition ['depə'zɪʃn, 'di:-] • *verklaring onder ede* • *afzetting* • *neerslag, sediment, afzetting.*

depository [dɪ'pɒzɪtri] • *opslagruimte, bewaarplaats.*

depot ['depəʊ] • *depot, magazijn* • ⟨AE⟩ *spoorweg/busstation.*

depravation ['deprə'veɪʃn] • *ontaarding, verdorvenheid, bederf.* **deprave** [dɪ'preɪv] • *bederven, doen verloederen; –d habits verderfelijke gewoonten.* **depravity** [dɪ-'prævəti] • *verdorvenheid, corruptheid.*

deprecate ['deprɪkeɪt] ⟨zn: **-ation**⟩ ↑ • *laken, afkeuren.*

depreciate [dɪ'pri:ʃieɪt] • *(doen) devalueren, in waarde (doen) dalen* • *geringschatten, kleineren.* **depreciation** [dɪ'pri:ʃi'eɪʃn] • *devaluatie, waardevermindering* • *geringschatting* • ⟨hand.⟩ *afschrijving* ⟨op voorraad en inventaris⟩. **depreciatory** [dɪ'pri:ʃɪətri] • *geringschattend* • *devaluerend.*

depredation ['deprɪ'deɪʃn] • *plundering.*

depress [dɪ'pres] • ↑ *indrukken* • *verlagen, drukken* ⟨prijzen e.d.⟩ • *deprimeren.* **de-pressed** [dɪ'prest] • *gedeprimeerd* • *ingedrukt, ingezakt* ‖ – *area noodlijdend gebied.* **depressing** [dɪ'presɪŋ] • *deprimerend.* **depression** [dɪ'preʃn] • *laagte, holte, indruk* • ⟨meteo.⟩ *depressie* • *depressie, crisis(tijd), malaise* • *depressiviteit, neerslachtigheid.* **depressive** [dɪ'presɪv] • *depressief, neerslachtig.*

deprivation ['deprɪ'veɪʃn], **deprival** [dɪ-'praɪvl] • *ontbering, verlies* • *beroving.* **deprive** [dɪ'praɪv] • *beroven; – s.o. of sth. iem. iets af/ontnemen.* **deprived** [dɪ-'praɪvd] • *misdeeld, achtergesteld, arm.*

dept. ⟨afk.⟩ *department.*

depth [depθ] • *diepte;* he was out of his – *hij verloor de grond onder z'n voeten;* in – *grondig* • *diepzinnigheid, scherpzinnigheid* • ⟨the; vaak mv.⟩ *het diepst, het hart;* in the –s of the night *in het holst van de nacht;* in the –(s) of winter *midden in de winter.* **'depth bomb, 'depth charge** • *dieptebom.*

deputation ['depjʊ'teɪʃn] • *afvaardiging, deputatie.* **depute** [dɪ'pju:t] ↑ • *afvaardigen* • *delegeren, overdragen.*

deputize ['depjʊtaɪz] • *waarnemen, vervangen; – for invallen voor.*

1 deputy ['depjʊti] ⟨zn⟩ • *(plaats)vervanger, waarnemer* • *afgevaardigde* • ⟨AE⟩ *hulpsheriff.*

2 deputy ⟨bn⟩ • *onder-, vice-, plaatsvervangend.*

derail [dɪ'reɪl] ⟨zn: **-ment**⟩ • *(doen) ontsporen;* be/get –ed *ontsporen.*

derange [dɪ'reɪndʒ] ⟨zn: **-ment**⟩ • *verwarren, krankzinnig maken;* mentally –d *geestelijk gestoord.*

derby ['dɑ:bɪ] • ⟨ook D-⟩ *derby;* local – *derby* ⟨wedstrijd tussen twee ploegen uit eenzelfde plaats/streek⟩ • ⟨AE⟩ *derby, bolhoed.*

deregulate ['di:'regjʊleɪt] ⟨zn: **-ation**⟩ • *dereguleren.*

1 derelict ['derɪlɪkt] ⟨zn⟩ • *verlaten schip, wrak* • *zwerver.*

2 derelict ⟨bn⟩ • *verwaarloosd, verlaten.* **dereliction** ['derɪ'lɪkʃn] • *nalatigheid; – of duty plichtsverzuim* • *verval, verwaarlozing.*

deride [dɪ'raɪd] • *uitlachen, bespotten, belachelijk maken.* **derision** [dɪ'rɪʒn] • *spot, hoon;* be/become an object of – *bespot worden;* hold s.o. in – *met iem. de spot drijven.* **derisive** [dɪ'raɪsɪv] • *spottend, honend.* **derisory** [dɪ'raɪsəri] • *spottend, honend* • *bespottelijk, belachelijk.*

derivation ['derɪ'veɪʃn] • *afleiding, etymolo-*

gie.
1 derivative [dɪˈrɪvətɪv] ⟨zn⟩ ● afleiding, afgeleid woord/produkt, derivaat.
2 derivative ⟨bn⟩ ● afgeleid, niet oorspronkelijk.
derive [dɪˈraɪv] I ⟨onov ww⟩ ● afstammen; –
from ontleend zijn aan II ⟨ov ww⟩ ● afleiden, halen; – from afleiden van/uit, ontlenen aan.
dermatologist [ˈdəːməˈtɒlədʒɪst] ● huidarts,
dermatoloog.   **dermatology** [ˈdəːmə-
ˈtɒlədʒi] ● dermatologie.
derogate [ˈderəgeɪt] ‖ – from afwijken van,
inbreuk maken op ⟨bv. principe⟩; afbreuk
doen aan ⟨reputatie e.d.⟩.   **derogatory**
[dɪˈrɒgətri] ● geringschattend, minachtend.
derrick [ˈderɪk] ● bok, giek, derrickkraan ●
(olie)boortoren.
derv [dəːv] ● dieselolie.
descale [ˈdiːˈskeɪl] ● (kalk)aanslag verwijderen uit.
descend [dɪˈsend] I ⟨onov ww⟩ ● (af)dalen,
naar beneden gaan/komen; – (up)on s.o.
bij iem. binnenvallen ● (+to) zich verlagen (tot) ‖ be –ed from afstammen van II
⟨ov ww⟩ ● afdalen, naar beneden gaan
langs, afzakken ⟨rivier⟩.   **descendant** [dɪ-
ˈsendənt] ● afstammeling.
descent [dɪˈsent] ● afkomst ● aanval, overval; – upon inval in/op ● afdaling, landing,
val ● helling.
describe [dɪˈskraɪb] ● beschrijven.   **description** [dɪˈskrɪpʃn] ● beschrijving; answer to
a – aan een signalement beantwoorden ●
↓ soort, type.   **descriptive** [dɪˈskrɪptɪv] ●
beschrijvend.
desecrate [ˈdesɪkreɪt] ● ontheiligen, schenden.
desegreg|ate [ˈdiːˈsegrɪgeɪt] ⟨zn: -ation⟩ ●
rassenscheiding opheffen in.
deselect [ˈdiːsɪˈlekt] ⟨zn: -ion⟩ ⟨BE; pol.⟩ ●
v.d. verkiezingslijst schrappen.
desensitize [ˈdiːˈsensɪtaɪz] ● ongevoelig(er)
maken.
1 desert [ˈdezət] ⟨zn⟩ ● woestijn.
2 desert ⟨bn⟩ ● onbewoond ● kaal, dor.
3 desert [dɪˈzəːt] I ⟨onov ww⟩ ● deserteren II
⟨ov ww⟩ ● verlaten, in de steek laten; –ed
streets uitgestorven straten.   **deserter**
[dɪˈzəːtə] ● deserteur.   **desertion** [dɪˈzəːʃn]
● desertie.
deserts [dɪˈzəːts] ● verdiensten, verdiende
straf; give s.o. his (just) – iem. zijn verdiende loon geven.
deserve [dɪˈzəːv] ● verdienen; – well/ill of
verdienen goed/slecht behandeld te worden door ‖ zie ook ⟨sprw.⟩ GOOD.   **deserv-**

edly [dɪˈzəːvɪdli] ● terecht.   **deserving**
[dɪˈzəːvɪŋ] ● waardig, verdienstelijk; be –
of waard zijn.
desicc|ate [ˈdesɪkeɪt] ⟨zn: -ation⟩ ● drogen,
dehydreren.
1 design [dɪˈzaɪn] ⟨zn⟩ ● ontwerp, tekening,
constructie, vormgeving ● dessin ● opzet,
bedoeling, doel; have –s against/(up)on
boze plannen hebben met; by – met opzet.
2 design I ⟨onov en ov ww⟩ ● ontwerpen II
⟨ov ww⟩ ● uitdenken, bedenken ● bedoelen, ontwikkelen, bestemmen.
1 designate [ˈdezɪgnət, -neɪt] ⟨bn⟩ ↑ ● aangesteld ⟨maar nog niet geïnstalleerd⟩.
2 designate [ˈdezɪgneɪt] ⟨ww⟩ ● aanwijzen ●
noemen, bestempelen ● aanstellen.   **des-
ignation** [ˈdezɪgˈneɪʃn] ● benaming ● benoeming.
designedly [dɪˈzaɪnɪdli] ● met opzet.
designer [dɪˈzaɪnə] ● ontwerper, tekenaar.
1 designing [dɪˈzaɪnɪŋ] ⟨zn⟩ ● (kunst v.) het
ontwerpen, design.
2 designing ⟨bn⟩ ● listig, berekenend, sluw.
desirab|le [dɪˈzaɪərəbl] ⟨zn: -ility⟩ ● wense-
lijk ● aantrekkelijk.
1 desire [dɪˈzaɪə] ⟨zn⟩ ● ⟨+for⟩ wens, verlangen (naar) ● begeerte.
2 desire ⟨ww⟩ ● wensen, verlangen, begeren; leave much/nothing to be –d veel/
niets te wensen overlaten.   **desirous**
[dɪˈzaɪərəs] ↑ ● ⟨+of⟩ verlangend (naar).
desist [dɪˈzɪst] ↑ ● ⟨+from⟩ ophouden (met),
afzien (van).
desk [desk] ● (schrijf)bureau, lessenaar ● balie, receptie, kas. 'desk clerk ⟨AE⟩ ● recep-
tionist(e). 'desktop 'publishing ● desktop
publishing. 'desk work ● administratief
werk.
1 desolate [ˈdesələt] ⟨bn⟩ ● verlaten, troosteloos ● diep bedroefd, eenzaam.
2 desolate [ˈdesəleɪt] ⟨ww⟩ ● verwoesten ●
diep ongelukkig maken, eenzaam maken.
desolation [ˈdesəˈleɪʃn] ● vernietiging ●
verlatenheid, troosteloosheid ● eenzaamheid.
1 despair [dɪˈspeə] ⟨zn⟩ ● wanhoop; be the –
of s.o. iem. wanhopig maken.
2 despair ⟨ww⟩ ● wanhopen; he –ed of ever
escaping hij had de hoop opgegeven ooit
te ontsnappen.   **despairing** [dɪˈspeərɪŋ] ●
wanhopig.
despatch zie DISPATCH.
desperado [ˈdespəˈrɑːdoʊ] ● bandiet.
desperate [ˈdesprət] ● wanhopig, hopeloos
⟨v. situatie⟩, radeloos ⟨v. daden, men-
sen⟩; be – for help wanhopig op hulp
wachten ● vreselijk ⟨v. storm e.d.⟩.   **des-**

peration ['despə'reɪʃn] ● *wanhoop.*
despicable [dɪ'spɪkəbl] ● *verachtelijk.*
despise [dɪ'spaɪz] ● *verachten, versmaden.*
despite [dɪ'spaɪt] ● *ondanks.*
despoil [dɪ'spɔɪl] ● *(be)roven, plunderen.*
despondence [dɪ'spɒndəns], **despondency**
[-dənsi] ● *wanhoop, vertwijfeling* ● *melancholie.* **despondent** [dɪ'spɒndənt] ● *wanhopig, vertwijfeld* ● *melancholiek, zwaarmoedig.*
despot ['despɒt] ● *despoot, tiran.* **despotic** [dɪ'spɒtɪk] ● *despotisch.* **despotism** ['despətɪzm] ● *despotisme, tirannie.*
dessert [dɪ'zə:t] ● *dessert.* **des'sertspoon** ● *dessertlepel.*
destabilize ['di:'steɪbɪlaɪz] ● *destabiliseren.*
destination ['destɪ'neɪʃn] ● *(plaats v.) bestemming.* **destine** ['destɪn] ● *bestemmen.*
destiny ['destɪni] ● *lot, bestemming* ● *(nood) lot.*
destitute ['destɪtju:t] ● *berooid, behoeftig;* – of *verstoken van.* **destitution** ['destɪ'tju:ʃn] ● *armoede, gebrek, behoeftigheid.*
destroy [dɪ'strɔɪ] ● *vernielen, vernietigen, ruineren* ● (euf.) *laten inslapen* (bv. huisdier). **destroyer** [dɪ'strɔɪə] ● *vernietiger* ● *torpedo(boot)jager.*
destructible [dɪ'strʌktəbl] ● *vernietigbaar.* **destruction** [dɪ'strʌkʃn] ● *vernietiging* ● *ondergang.* **destructive** [dɪ'strʌktɪv] ● *vernietigend, destructief, vernielend;* be – of/ to *slecht zijn voor.* **destructor** [dɪ'strʌktə] ● *vuilverbrandingsoven.*
desultory ['desltri] ● *onsystematisch, van de hak op de tak, onsamenhangend.*
detach [dɪ'tætʃ] ● (+from) *losmaken (van), scheiden, uit elkaar halen* ● (mil.) *detacheren.* **detachable** [dɪ'tætʃəbl] ● *afneembaar.* **detached** [dɪ'tætʃt] ● *los,* (vnl. BE) *vrijstaand* (v. huis) ● *onpartijdig;* – view of sth. *objectieve kijk op iets* ● *afstandelijk.* **detachment** [dɪ'tætʃmənt] ● (mil.) *detachering, detachement* ● *afstandelijkheid* ● *onpartijdigheid.*
1 detail ['di:teɪl] (zn) ● *detail, bijzonderheid, kleinigheid;* enter/go into –(s) *op bijzonderheden ingaan;* in (great/much) – *uitvoerig.*
2 detail (ww) ● (mil.) *detacheren, aanwijzen.*
detailed ● *uitvoerig.*
detain [dɪ'teɪn] (zn: **-ment**) ● *aanhouden, gevangen houden, laten schoolblijven* ● *ophouden.* **detainee** ['di:teɪ'ni:] ● *(politieke) gevangene.*
detect [dɪ'tekt] ● *ontdekken, bespeuren.* **de-**

tection [dɪ'tekʃn] ● *waarneming, ontdekking* ● *speurwerk.* **detective** [dɪ'tektɪv] ● *detective, speurder, rechercheur;* private – *privédetective.* **de'tective story** ● *detective(verhaal).* **detector** [dɪ'tektə] ● *detector, verklikker.*
détente ['deɪ'tɑ:nt] (pol.) ● *ontspanning.*
detention [dɪ'tenʃn] ● *opsluiting, hechtenis* ● *het schoolblijven;* keep s.o. in/ put s.o. on – *iem. laten nablijven* ● *oponthoud.* **de'tention centre** ● *jeugdgevangenis.*
deter [dɪ'tə:] ● (+from) *afschrikken (van), afhouden (van).*
detergent [dɪ'tə:dʒənt] ● *wasmiddel, afwasmiddel.*
deteriorate [dɪ'tɪərɪəreɪt] I (onov ww) ● *verslechteren, achteruitgaan* II (ov ww) ● *erger maken, schaden.* **deterioration** [dɪ'tɪərɪə'reɪʃn] ● *achteruitgang, verslechtering.*
determinant [dɪ'tə:mɪnənt] ● *determinant, bepalend element.*
determination [dɪ'tə:mɪ'neɪʃn] ● *bepaling, vaststelling* ● *vast voornemen* ● *vastberadenheid.*
determine [dɪ'tə:mɪn] ● *besluiten, beslissen* ● *vaststellen, bepalen* ● *doen besluiten.* **determined** [dɪ'tə:mɪnd] ● *beslist, vastberaden.*
determiner [dɪ'tə:mɪnə] ● *determinant, bepalende factor.*
determin|ism [dɪ'tə:mɪnɪzm] (bn: **-istic**) ● *determinisme.*
deterrent [dɪ'terənt] ● *afschrikwekkend middel, afschrikmiddel.*
detest [dɪ'test] ● *verafschuwen, walgen van.* **detestable** [dɪ'testəbl] ● *afschuwelijk, walgelijk.* **detestation** ['di:te'steɪʃn] ● *(voorwerp v.) haat/afschuw.*
dethrone [dɪ'θroʊn] ● *afzetten, onttronen.*
deton|ate ['detəneɪt] (zn: **-ation**) I (onov ww) ● *ontploffen* II (ov ww) ● *tot ontploffing brengen.* **detonator** ['detəneɪtə] ● *detonator, slaghoedje, ontsteker.*
1 detour ['di:tʊə] (zn) ● *omweg* ● *omleiding.*
2 detour (ww) ● *omleiden.*
detract [dɪ'trækt] ‖ – from *kleineren; afbreuk doen aan, verminderen.* **detraction** [dɪ'trækʃn] ● *geringschatting, het kleineren.*
detriment ['detrɪmənt] ● *schade, nadeel;* to the – of *ten nadele van.* **detrimental** ['detrɪ'mentl] ● *schadelijk, nadelig.*
deuce [dju:s] ● *twee* (op dobbelsteen) ● (vero.; ↓; euf.) *duivel* ● (tennis) *deuce, veertig gelijk.*
devaluation ['di:vælju'eɪʃn] ● *devaluatie, waardevermindering.* **devalue** ['di:'væ-**

lju:] ● *devalueren, in waarde (doen) dalen.*

devast|ate ['devəsteɪt] ⟨zn: **-ation**⟩ ● *verwoesten, vernietigen.*

devastating ['devəsteɪtɪŋ] ● *vernietigend, verschrikkelijk* ● ↓ *fantastisch.*

develop [dɪ'veləp] **I** ⟨onov en ov ww⟩ ● *(zich) ontwikkelen, (doen) ontstaan, (doen) uitbreiden; –* a cold *verkouden worden* **II** ⟨ov ww⟩ ● *ontwikkelen, uitwerken, ontginnen; –ing* country/nation *ontwikkelingsland/gebied; –* a film *een film(pje) ontwikkelen* ● *ontvouwen.* **developer** [dɪ'veləpə] ● *projectontwikkelaar* ● ⟨foto.⟩ *ontwikkelaar.* **development** [dɪ'veləpmənt] ● *ontwikkeling, verloop, groei, verdere uitwerking;* await further *–s afwachten wat er verder komt* ● *gebeurtenis* ● *(nieuw) bouwproject.* **de'velopment aid** ● *ontwikkelingshulp.* **developmental** [dɪ'veləp'mentl] ● *ontwikkelings-; –* diseases *groeiziekten.*

de'velopment area ⟨BE⟩ ● *ontwikkelingsgebied.*

deviance ['di:vɪəns] ● *afwijking, afwijkend/abnormaal gedrag.* **deviant** ['di:vɪənt] ● ⟨bn⟩ *afwijkend* ● ⟨zn⟩ *afwijkend persoon.* **deviate** ['di:vɪeɪt] ● ⟨+from⟩ *afwijken (van), afdwalen.* **deviation** ['di:vi'eɪʃn] ● *afwijking, deviatie.* **deviationist** ['di:vi'eɪʃənɪst] ⟨pol.; vaak ong.⟩ ● *dissident.*

device [dɪ'vaɪs] ● *apparaat, toestel* ● *middel, kunstgreep, truc* ● *emblemisch figuur* ⟨op wapen⟩ ‖ left to his own *–s op zichzelf aangewezen.*

1 devil ['devl] ⟨zn⟩ ● *duivel* ● *man-/jongen, donder, kerel;* poor *– arme bliksem* ‖ give the *– his due ieder het zijne geven (dan heeft de duivel niets);* be a *– kom op, spring eens uit de band;* ⟨sl.⟩ go to the *–! loop naar de bliksem!;* there'll be the *– to pay dan krijgen we de poppen aan het dansen;* what/where/who the *– wat/waar/wie voor de duivel;* (work) like a *– (zich) uit de naad (werken);* a/the *– of an undertaking een helse klus.*

2 devil ⟨ww⟩ ● *pittig gekruid grillen/peperen.*

devilish ['dev(ə)lɪʃ] ● *duivels* ● *verduveld.* **'devil-may-'care** ● *roekeloos, wie-dan-leeft-wie-dan-zorgt.* **devilry** ['devlri] ● *ondeugendheid, duivelsstreek, kattekwaad.* **devil's advocate** ['devlz ædvəkət] ● *advocaat v.d. duivel.*

devious ['di:vɪəs] ● *kronkelend, slingerend; –* route *omweg* ● *onoprecht, sluw;* byways *langs slinkse wegen.*

devise [dɪ'vaɪz] ● *bedenken, beramen.*

devitalize ['di:'vaɪtlaɪz] ● *minder levenslus-*

tig maken, van levenskracht beroven.

devoid [dɪ'vɔɪd] ● ⟨+of⟩ *verstoken (van), ontbloot (van).*

devolution ['di:və'lu:ʃn] ● *het delegeren, overdracht* ● *decentralisatie.*

devolve [dɪ'vɒlv] **I** ⟨onov ww⟩ ● *neerkomen, terechtkomen;* his duties *–d* (up)on *zijn taken werden overgenomen door* **II** ⟨ov ww⟩ ● *afschuiven, overdragen; –* on/to/upon *afwentelen op.*

devote [dɪ'vout] ● ⟨+to⟩ *(toe)wijden (aan), besteden (aan); –* o.s. *zich overgeven aan.* **devoted** [dɪ'voutɪd] ● ⟨+to⟩ *toegewijd (aan), gehecht.*

devotee ['devə'ti:] ● ⟨+of⟩ *liefhebber (van), enthousiast* ● *aanhanger* ⟨v. religieuze sekte⟩ ● *dweper.* **devotion** [dɪ'vouʃn] ● *toewijding, liefde, overgave; –* to duty *plichtsbetrachting* ● *vroomheid, devotie* ● ⟨mv.⟩ *gebeden.* **devotional** [dɪ'vouʃnəl] ● *godsdienstig; –* literature *stichtelijke literatuur.*

devour [dɪ'vauə] ● *verslinden (ook fig.)* ● *verteren;* (be) *–ed* by jealousy *verteerd (worden) door jaloezie.*

devout [dɪ'vaut] ● *vroom, godvruchtig* ● *vurig, oprecht.*

dew [dju:] ● *dauw.* **'dewdrop** ● *dauwdrup(pel).* **dewy** ['dju:i] ● *vochtig* ● *dauwachtig.*

'dewy-'eyed ● *vol vertrouwen, kinderlijk onschuldig.*

dexterity [dek'sterəti] ● *handigheid, behendigheid.* **dexterous, dextrous** ['dekstrəs] ● *handig, bedreven.*

dextrose ['dekstrouz] ● *druivesuiker.*

DHSS ⟨afk.⟩ Department of Health and Social Security.

diabetes ['daɪə'bi:ti:z] ● *suikerziekte.* **diabetic** ['daɪə'betɪk] ● ⟨bn⟩ *voor suikerzieken* ● ⟨zn⟩ *suikerzieke.*

diabolic(al) ['daɪə'bɒlɪk(l)] ● *duivels* ● *beroerd, miserabel.*

diadem ['daɪədem] ● *diadeem.*

diagnose ['daɪəgnouz] ● *de/een diagnose stellen (van).* **diagnosis** ['daɪəg'nousɪs] ⟨mv.: diagnoses [-si:z]⟩ ● *diagnose.* **diagnostic** ['daɪəg'nɒstɪk] ● *diagnostisch.*

diagonal [daɪ'ægənl] ● ⟨bn en zn⟩ *diagonaal.*

diagram ['daɪəgræm] ● *diagram, schets, schema.* **diagrammatic** ['daɪəgrə'mætɪk] ● *schematisch.*

1 dial ['daɪəl] ⟨zn⟩ ● *wijzerplaat* ● *kiesschijf* ⟨v. telefoon⟩ ● *afstemknop* ⟨v. radio e.d.⟩.

2 dial ⟨ww⟩ ● *draaien, bellen* ⟨mbt. telefoon⟩.

dialect ['daɪəlekt] ● *dialect.*

1 dialectic ['daɪə'lektɪk] ⟨zn⟩ ● *dialectiek.*

2 dialectic, dialectical ['daɪə'lektɪkl] ⟨bn⟩ ● *dialectisch.* **dialectics** ['daɪə'lektɪks] ● *dialectiek.*

dialling code ['daɪəlɪŋ koʊd] ● *netnummer.* **'dialling tone,** ⟨AE⟩ **'dial tone** ● *kiestoon.*

dialogue ['daɪəlɒg] ● *dialoog.*

diameter [daɪ'æmɪtə] ● *diameter, doorsne-(d)e.* **diametrical** ['daɪə'metrɪkl] ● *diametraal; –ly opposed views volkomen tegengestelde meningen.*

diamond ['daɪəmənd] ● *diamant* ● *ruit(vormige figuur)* ●⟨mv.⟩ *ruiten* ⟨kaartspel⟩; Queen of –s *ruitenvrouw* ●⟨honkbal⟩ *binnenveld.* **'diamond cutter** ● *diamantslijper.* **'diamond jubi'lee** ● *diamanten/60-jarig jubileum.* **'diamond-shaped** ● *ruitvormig.* **'diamond 'wedding** ● *diamanten bruiloft.*

diaper ['daɪəpə] ⟨AE⟩ ● *luier.*

diaphanous [daɪ'æfənəs] ● *heel fijn, doorschijnend.*

diaphragm ['daɪəfræm] ● *diafragma* ⟨ook foto.⟩, ⟨ihb.⟩ *middenrif* ● *pessarium* ● *membraan, trilplaatje.*

diarist ['daɪərɪst] ● *dagboekschrijver.*

diarrhoea ['daɪə'rɪə] ● *diarree.*

diary ['daɪəri] ● *dagboek* ● *agenda.*

diatribe ['daɪətraɪb] ● *scherpe kritiek, schimprede.*

1 dice [daɪs] ⟨zn⟩ zie DIE.

2 dice I ⟨onov en ov ww⟩ ● *dobbelen* II ⟨ov ww⟩ ● *in dobbelsteentjes snijden.*

dicey ['daɪsi] ↓ ● *link, riskant.*

dick [dɪk] ● ↓ *pik.*

dickens ['dɪkɪnz] ⟨the⟩ ↓‖ who/what the – is it? *verdorie, wie/wat is het?.*

dicker ['dɪkə] ↓ ● *pingelen, sjacheren.*

1 dicky ['dɪki] ⟨zn⟩ ↓ ● *frontje, halfhemdje* ⟨mannenkleding⟩, *losse col, valse kraag* ⟨vrouwenkleding⟩.

2 dicky ⟨bn⟩ ↓ ● *wankel, wiebelig; –* heart *zwak hart.*

dicta ['dɪktə] ⟨mv.⟩ zie DICTUM.

Dictaphone ['dɪktəfoʊn] ⟨handelsmerk⟩ ● *dicteermachine.*

1 dictate ['dɪkteɪt] ⟨zn⟩ ● *ingeving, bevel;* the –s of one's conscience *de stem van zijn geweten.*

2 dictate ['dɪk'teɪt] ⟨ww⟩ ● *dicteren* ● *commanderen, opleggen;* I will not be –d to *ik laat me de wet niet voorschrijven.*

dictation [dɪk'teɪʃn] ● *dictee* ● *het dicteren* ● *het dictaat opnemen* ● *oplegging, bevel.*

dictator [dɪk'teɪtə] ● *dictator.* **dictatorial** ['dɪktə'tɔːrɪəl] ● *dictatoriaal.* **dictatorship** [dɪk'teɪtəʃɪp] ● *dictatuur.*

diction ['dɪkʃn] ● *dictie, voordracht.* **diction-**

ary ['dɪkʃənri] ● *woordenboek.* **dictum** ['dɪktəm] ⟨mv.: ook dicta⟩ ● *gezegde, volkswijsheid.*

did ⟨verl. t.⟩ zie DO.

didactic [daɪ'dæktɪk] ● *didactisch* ● *belerend* ⟨vaak ong.⟩.

diddle ['dɪdl] ↓ ● *ontfutselen, bedriegen;* he –d me out of £5 *hij heeft me £5 afgezet.*

1 die [daɪ] ⟨zn⟩ ● *matrijs, stempel.*

2 die, ⟨↓ ook⟩ **dice** [daɪs] ⟨zn; mv.: alleen dice⟩ ● *dobbelsteen, teerling* ●⟨mv.⟩ *dobbelspel.*

3 die ⟨ww⟩ ● *sterven, doodgaan; –* by one's own hand *de hand aan zichzelf slaan; –* from/of an illness *sterven aan een ziekte* ● *ophouden te bestaan* ● *uitsterven, wegsterven* ‖ be dying to smoke a cigarette *snakken naar een sigaret; –* away *wegsterven* ⟨v. geluid⟩; *uitgaan* ⟨v. vuur⟩; *wegkwijnen; gaan liggen* ⟨v. wind⟩; *–* back *afsterven* ⟨v. plant⟩; *–* down *bedaren; afnemen* ⟨v. wind⟩; *uitgaan* ⟨v. vuur⟩; *–* hard *maar langzaam verdwijnen; –* off *een voor een sterven; uitsterven;* be dying for a cigarette *smachten/snakken naar een sigaret;* ↓ *–* of anxiety *doodsangsten uitstaan;* zie ook ⟨sprw.⟩ DO.

'die-hard ● *taaie, volhouder* ● *aartsconservatief.*

diesel ['diːzl] ● *diesel.* **'diesel oil, 'diesel fuel** ● *dieselolie.*

1 diet ['daɪət] ⟨zn⟩ ● *dieet* ● *voedsel.*

2 diet ⟨ww⟩ ● *op dieet zijn,* ⟨oneig.⟩ *lijnen.* **dietary** ['daɪətri] ● *dieet-; –* rules *voedselvoorschriften.* **dietician** ['daɪə'tɪʃn] ● *diëtist(e).*

differ ['dɪfə] ● *(van elkaar) verschillen* ● *van mening verschillen; –* from s.o. *het met iem. oneens zijn.* **difference** ['dɪfrəns] ● *verschil, onderscheid;* that makes all the – *dat maakt veel uit* ● *verschil, rest;* split the – *het verschil (samen) delen* ●⟨vaak mv.⟩ *meningsverschil* ‖ the bank with a – *de bank die anders is dan andere.* **different** ['dɪfrənt] ● *verschillend;* as – as chalk and/from cheese *verschillend als dag en nacht;* ⟨fig.⟩ strike a – note *een ander geluid laten horen; –* from/ ⟨vnl. BE⟩ to *anders dan* ● ↓ *ongewoon, speciaal.*

1 differential ['dɪfə'renʃl] ⟨zn⟩ ● *loonklasseverschil* ●⟨tech.⟩ *differentieel.*

2 differential ⟨bn⟩ ● *differentieel; –* duties *differentiële rechten* ● *onderscheidend* ⟨wisk.⟩ *differentiaal-; –* calculus *differentiaalrekening.*

differentiate ['dɪfə'renʃɪeɪt] I ⟨onov ww⟩ ● *differentiëren, zich onderscheiden* ● *een onderscheid maken* II ⟨ov ww⟩ ● *onder-*

scheiden, onderkennen. **differentiation** ['dɪfərenʃi'eɪ[n] ● *verschil, onderscheid* ● *differentiatie.*

difficult ['dɪfɪklt] ● *moeilijk, lastig.* **difficulty** ['dɪfɪklti] ● *moeilijkheid, probleem* ‖ *with – met moeite.*

diffidence ['dɪfɪd(ə)ns] ● *bedeesdheid, schroom.* **diffident** ['dɪfɪd(ə)nt] ● *bedeesd, terughoudend.*

1 diffuse [dɪ'fju:s] ⟨bn⟩ ● *diffuus* ⟨ook stijl⟩.

2 diffuse [dɪ'fju:z] I ⟨onov ww⟩ ● *zich verspreiden* II ⟨ov ww⟩ ● *verspreiden, verbreiden* ⟨ook fig.⟩; *–d light diffuus licht.* **diffusion** [dɪ'fju:ʒn] ● *verspreiding.*

1 dig [dɪg] ⟨zn⟩ ↓ ● *por* ● *steek (onder water); have a – at s.o. over iem. iets hatelijks zeggen* ● *(archeologische) opgraving* ● ⟨mv.⟩ *kamer(s).*

2 dig ⟨dug, dug [dʌg]⟩ I ⟨onov ww⟩ ● *doordringen* ‖ *– at s.o. iem. een steek onder water geven; zie DIG INTO* II ⟨onov en ov ww⟩ ⟨ook fig.⟩ ● *graven, opgraven* ‖ *– over overpeinzen; zie DIG IN, DIG UP* III ⟨ov ww⟩ ● *uitgraven, rooien* ● ⟨sl.⟩ *vatten* ● ⟨sl.⟩ *leuk vinden; zie DIG OUT.*

1 digest ['daɪdʒest] ⟨zn⟩ ● *samenvatting, overzicht.*

2 digest ['daɪ'dʒest] ⟨ww⟩ ⟨ook fig.⟩ ● *verteren, verwerken, in zich opnemen.* **digestible** [daɪ'dʒestəbl, dɪ-] ● *verteerbaar.* **digestion** [daɪ'dʒestʃən, dɪ-] ● *spijsvertering.*

1 digestive [daɪ'dʒestɪv, dɪ-] ⟨zn⟩ ● ⟨BE⟩ *volkorenbiscuit.*

2 digestive ⟨bn⟩ ● *spijsverterings-; – system spijsverteringskanaal/stelsel* ● *de spijsvertering bevorderend.*

digger ['dɪgə] ● *gouddelver* ● *graafmachine.* **'dig 'in** I ⟨onov ww⟩ ● *zich ingraven* ● *aanvallen* ⟨op eten⟩ II ⟨ov ww⟩ ● *ingraven; dig o.s. in zich ingraven;* ⟨fig.⟩ *zijn positie versteviger* ● *onderspitten.* **'dig into** ● *graven in; dig sth. into the soil iets onderspitten* ● *prikken/slaan/boren in* ● *diepgaand onderzoeken.*

digit ['dɪdʒɪt] ● *cijfer, getal* ⟨0 t/m 9⟩ ● *vinger* ● *teen.* **digital** ['dɪdʒɪtl] ● *digitaal.*

dignified ['dɪgnɪfaɪd] ● *waardig, deftig.* **dignify** ['dɪgnɪfaɪ] ● *waardigheid geven aan, vereren, onderscheiden* ● *sieren, opluisteren.*

dignitary ['dɪgnɪtrɪ] ● *(kerkelijk) hoogwaardigheidsbekleder.*

dignity ['dɪgnəti] ● *waardigheid, statigheid; stand on one's – op z'n punt v. eer staan; beneath one's – beneden z'n waardigheid.*

'dig 'out ● *uitgraven* ● *opdiepen, voor de dag halen.*

digress [daɪ'gres] ● *uitweiden; – from one's*

subject afdwalen van zijn onderwerp. **digression** [daɪ'greʃn] ● ⟨+on⟩ *uitweiding (over).*

'dig 'up ● *opgraven, uitgraven* ● *blootleggen, opsporen* ● ↓ *opscharrelen.*

1 dike, dyke [daɪk] ⟨zn⟩ ● *dijk, dam* ● *kanaaltje, sloot* ● ⟨sl.⟩ *lesbienne.*

2 dike, dyke ⟨ww⟩ ● *indijken* ● *met een sloot omgeven.*

dilapidated [dɪ'læpɪdeɪtɪd] ● *vervallen, bouwvallig, versleten* ⟨bv. v. kleren⟩.

dilate [daɪ'leɪt] I ⟨onov ww⟩ ● *uitzetten, zich verwijden* ‖ *– (up)on uitweiden over* II ⟨ov ww⟩ ● *verwijden, opensperren* ⟨ogen bv.⟩ ● *doen uitzetten.* **dilatory** ['dɪlətrɪ] ● *traag* ● *vertragend.*

dilemma [dɪ'lemə, daɪ-] ● *dilemma; be in a – voor een dilemma staan.*

dilettante ['dɪlɪ'tænti] ⟨mv.: ook dilettanti [-ti:]⟩ ⟨vnl. ong.⟩ ● ⟨bn⟩ *dilettantisch, amateuristisch* ● ⟨zn⟩ *dilettant(e).*

diligence ['dɪlɪdʒəns] ● *ijver, vlijt.* **diligent** ['dɪlɪdʒənt] ● *ijverig, vlijtig.*

dill [dɪl] ● *dille.*

'dilly-dally ↓ ● *treuzelen* ● *weifelen.*

1 dilute ['daɪ'l(j)u:t] ⟨bn⟩ ● *verdund.*

2 dilute ⟨ww; zn: -ution⟩ ● *verdunnen, aanlengen* ● *afzwakken, doen verwateren.*

1 dim [dɪm] ⟨bn⟩ ● *schemerig, (half)duister* ● *vaag, flauw* ● ↓ *stom* ‖ *take a – view of sth. niets ophebben met iets.*

2 dim ⟨ww⟩ ● *verduisteren, versomberen* ● *vervagen, z'n glans (doen) verliezen, dof worden/maken* ● *dimmen, afzwakken; – the headlights dimmen.*

dime [daɪm] ● *10-centstuk* ⟨in U.S.A./Canada⟩.

dimension [daɪ'menʃn, dɪ-] ● *afmeting* ● *dimensie.*

diminish [dɪ'mɪnɪʃ] ● *verminderen, verkleinen, afnemen, z'n waarde verliezen.* **diminished** [dɪ'mɪnɪʃt] ● *verminderd, verzwakt* ‖ ⟨jur.⟩ *– responsibility verminderde toerekeningsvatbaarheid.*

1 diminutive [dɪ'mɪnjʊtɪv] ⟨zn⟩ ● *verkleinwoord.*

2 diminutive ⟨bn⟩ ● *verklein-* ● *nietig, gering.*

dimmer ['dɪmə] ● *dimmer, dimschakelaar.*

dimple ['dɪmpl] ● *kuiltje.*

dimwit ['dɪmwɪt] ↓ ● *sufferd.*

1 din [dɪn] ⟨zn⟩ ● *kabaal, lawaai.*

2 din ⟨ww⟩ ‖ *– in erin stampen; – sth. into s.o. iets er bij iem. in stampen.*

dine [daɪn] I ⟨onov ww⟩ ● *dineren; – in thuis eten; – out buitenshuis dineren; we –d off/on dry bread we aten droog brood* II ⟨ov ww⟩ ● *op een diner onthalen.* **diner**

['daɪnə] ●*iem. die dineert, eter* ●*restaura-tiewagen* ●⟨AE⟩ *klein (weg)restaurant.*

1 ding-dong [dɪŋ'dɒŋ] ⟨zn⟩ ●*gebimbam, ge-beier* ● ↓ *verhitte discussie, vechtpartij.*

2 ding-dong ⟨bn⟩ ● ↓ *met wisselende kan-sen, vinnig* ⟨gevecht, discussie⟩.

dinghy ['dɪŋ(g)i] ●*jol* ●*kleine boot, (opblaas-baar) reddingsvlot, rubberboot.*

dingle ['dɪŋgl] ●*diepe begroeide vallei, dal.*

dingy ['dɪndʒi] ●*smerig, smoezelig* ●*sjofel, armoedig.*

'**dining car** ●*restauratiewagen.* '**dining room** ●*eetkamer, eetzaal.* '**dining table** ● *eettafel.*

dinky ['dɪŋki] ↓ ●⟨BE⟩ *snoezig* ●⟨AE⟩ *arm-zalig.*

dinner ['dɪnə] ●*eten, avondeten, (warm) middagmaal; have*/ ⟨AE⟩ *eat – eten* ●*di-ner.* '**dinner bell** ●*etensbel.* '**dinner hour,** '**dinner time** ●*etenstijd* ●*lunchpauze* ⟨op school⟩. '**dinner jacket** ●*smoking(jasje).* '**dinner party** ●*dineetje.* '**dinner service,** '**dinner set** ●*(eet)servies.* '**dinner table** ● *eettafel.*

dinosaur ['daɪnəsɔ:] ●*dinosaurus.*

dint [dɪnt] ‖ *by – of door middel van.*

diocese ['daɪəsɪs] ●*dioeces, bisdom.*

1 dip [dɪp] **I** ⟨telb zn⟩ ●*indoping, onderdom-peling, wasbeurt* ⟨dieren, met insekticide⟩, ↓ *duik* ⟨ook fig.⟩ ●*helling, dal* ●*(klei-ne) daling* **II** ⟨telb en n-telb zn⟩ ●*dipsaus.*

2 dip I ⟨onov ww⟩ ●*duiken* ●*ondergaan* ● *hellen, dalen* ●*tasten, reiken; – in toetas-ten; – into one's financial resources een aanspraak doen op zijn geldelijke midde-len; – into one's pocket in de zak tasten* ‖ *– into vluchtig bekijken* **II** ⟨ov ww⟩ ●*(onder) dompelen, (in)dopen, wassen* ⟨dieren in bad met insekticide⟩ ●⟨BE⟩ *dimmen* ⟨koplampen⟩.

diphtheria [dɪf'θɪərɪə, dɪp-] ●*difterie.*

diploma [dɪ'ploumə] ●*diploma.*

diplomacy [dɪ'plouməsi] ●*diplomatie.* **di-plomat** ['dɪpləmæt] ●*diplomaat.* **diplo-matic** ['dɪplə'mætɪk] ●*met diplomatie, di-plomatiek* ●*diplomatiek; – corps corps di-plomatique; – immunity diplomatieke on-schendbaarheid; – service diplomatieke dienst.*

dipper ['dɪpə] ●*scheplepel.*

dipsomania ['dɪpsə'meɪnɪə] ●*drankzucht.* **dipsomaniac** ['dɪpsə'meɪnɪæk] ●*alcoho-list.*

'**dipstick** ●*peilstok.*

dire ['daɪə] ●*ijselijk, ontzettend, uiterst (dringend); be in – need of water snakken naar water.*

1 direct [dɪ'rekt, 'daɪ-] **I** ⟨bn, attr en pred⟩ ●

direct, rechtstreeks, onmiddellijk, open-hartig; – action directe actie ⟨bezetting, staking⟩; *be a – descendant in een rechte lijn van iem. afstammen; – evidence be-wijs uit de eerste hand; a – flight een rechtstreekse vlucht; a – hit een voltreffer* ‖ *– current gelijkstroom* **II** ⟨bn, attr⟩ ●*abso-luut, exact; – opposites absolute tegenpo-len.*

2 direct I ⟨onov en ov ww⟩ ●*regisseren* ●*di-rigeren* **II** ⟨ov ww⟩ ●*adresseren, sturen* ● *richten* ●*de weg wijzen, leiden* ●*bestem-men* ●*leiden* ●*bevelen,* ⟨jur.⟩ *instrueren.*

3 direct ⟨bw⟩ ●*rechtstreeks.*

direction [dɪ'rekʃn, daɪ-] **I** ⟨telb zn⟩ ●*opzicht, kant, richting,* ⟨fig. ook⟩ *gebied* ●⟨vnl. mv.⟩ *instructie, bevel, aanwijzing* **II** ⟨telb en n-telb zn⟩ ●*leiding, directie* ●*richting* ● *regie.* **directional** [dɪ'rekʃnəl, daɪ-] ●*rich-ting(s)-; – signal richtingaanwijzer* ● ⟨tech.⟩ *gericht; – aerial gerichte antenne.*

directive [dɪ'rektɪv, daɪ-] ●*instructie, bevel, directief.*

1 directly [dɪ'rek(t)lɪ, 'daɪ-] ⟨bw⟩ ●*zie* DIRECT ●*direct, rechtstreeks* ●*dadelijk, zo* ●*pre-cies, direct.*

2 directly ⟨vw⟩ ↓ ●*zodra, zo gauw als.*

directness [dɪ'rek(t)nɪs, daɪ-] ●*directheid, openhartigheid.*

director [dɪ'rektə, daɪ-] ●*directeur, mana-ger, directielid; the board of –s de raad v. bestuur* ●*regisseur.* **directorate** [dɪ-'rektrət, daɪ-] ●*directeurschap* ●*com-missariaat* ●*raad v. commissarissen.* **di-rectorship** [dɪ'rektəʃɪp, daɪ-] ●*directeur-schap.*

directory [daɪ'rektri, dɪ-] ●*adresboek* ●*tele-foonboek.* **di'rectory in'quiries** ⟨BE⟩ ●*in-lichtingen (over telefoonnummers); phone – 008 bellen.*

dirge [dəːdʒ] ●*treurzang* ●*klaagzang.*

dirt [dəːt] ●*vuil, modder, viezigheid; treat s.o. like – iem. als oud vuil behandelen* ● *lasterpraat; fling/throw – at s.o. iem. door de modder halen* ●*grond, aarde* ‖ *eat – be-ledigingen (moeten) slikken.* '**dirt-'cheap** ●*spotgoedkoop.* '**dirt farmer** ⟨AE⟩ ●*keu-terboer(tje).* '**dirt road** ⟨AE⟩ ●*onverharde weg.* '**dirt-track** ●*sintelbaan.*

1 dirty ['dəːti] ⟨bn⟩ ●*vies, vuil, smerig* ●*ob-sceen, schunnig; – words smerige woor-den* ●*verachtelijk, gemeen;* ↓ *give s.o. a – look iem. vuil aankijken; play a – trick on s.o. iem. een gemene streek leveren;* ↓ *do the – on s.o. iem. gemeen behandelen* ● ↓ *slecht* ⟨v. weer⟩.

2 dirty I ⟨onov ww⟩ ●*smerig worden* **II** ⟨ov ww⟩ ●*bevuilen.*

3 dirty ⟨bw⟩ ↓ • *ontzettend;* a – big house *een schandalig groot huis.*

'dirty work • *vies werk* • ↓ *oneerlijk gedrag, geknoei;* I don't want to do your – anymore *ik wil die smerige karweitjes niet meer voor je opknappen.*

disability ['dɪsə'bɪləti] I ⟨telb en n-telb zn⟩ • *onbekwaamheid, onvermogen* • *handicap* II ⟨n-telb zn⟩ • *invaliditeit.* **disa'bility pension** • *arbeidsongeschiktheidspensioen, WAO uitkering.*

disable [dɪ'seɪbl] • *onbekwaam/onbruikbaar/ongeschikt maken* • *invalide maken;* –d *persons (lichamelijk) gehandicapte mensen;* the –d *de invaliden.*

disabuse ['dɪsə'bju:z] ↑ • *uit de droom helpen;* – of many weird ideas *v. veel bizarre ideeën afhelpen.*

disadvantage ['dɪsəd'vɑ:ntɪdʒ] • *nadeel, ongunstige situatie/factor;* at a – *in het nadeel;* be to one's – *in zijn nadeel zijn.* **disadvantaged** ['dɪsəd'vɑ:ntɪdʒd] • *minder bevoorrecht, benadeeld.* **disadvantageous** ['dɪsædvən'teɪdʒəs] • *nadelig.*

disaffected ['dɪsə'fektɪd] • *afvallig, ontevreden, ontrouw.* **disaffection** ['dɪsə'fekʃn] • *ontrouw, politieke onvrede, afvalligheid.*

disagree ['dɪsə'gri:] • *het oneens zijn, verschillen v. mening;* – with s.o. about sth. *het oneens met iem. zijn over iets* • *verschillen, niet overeenkomen;* zie DISAGREE WITH. **disagreeable** ['dɪsə'gri:əbl] • *onaangenaam* • *slecht gehumeurd, onvriendelijk.* **disagreement** ['dɪsə'gri:mənt] • *onenigheid, meningsverschil* • *verschil, afwijking;* the two accounts are in – *de twee verslagen stemmen niet overeen.* **disa'gree with** • *ongeschikt blijken/zijn voor, ziek maken;* Italian wine disagrees with me *ik kan niet tegen Italiaanse wijn.*

disallow ['dɪsə'laʊ] • *niet toestaan* • *ongeldig verklaren, verwerpen;* – a goal *een doelpunt afkeuren.*

disappear ['dɪsə'pɪə] • *verdwijnen* • *uitsterven.* **disappearance** ['dɪsə'pɪərəns] • *verdwijning.*

disappoint ['dɪsə'pɔɪnt] • *teleurstellen* • *verijdelen* ⟨plan⟩. **disappointed** ['dɪsə'pɔɪntɪd] • *teleurgesteld;* she was – in him *hij viel haar tegen.* **disappointing** ['dɪsə'pɔɪntɪŋ] • *teleurstellend, tegenvallend.* **disappointingly** ['dɪsə'pɔɪntɪŋli] ‖ –, he didn't come *tot mijn/onze teleurstelling kwam hij niet.* **disappointment** ['dɪsə'pɔɪntmənt] • *teleurstelling.*

disapprobation ['dɪsæprə'beɪʃn] • *afkeuring.*

disapproval ['dɪsə'pru:vl] • *afkeuring.* **dis-**

approve ['dɪsə'pru:v] • *afkeuren;* they – of men wearing earrings *zij keuren het af dat mannen oorbellen dragen.* **disapprovingly** ['dɪsə'pru:vɪŋli] • *afkeurend.*

disarm [dɪ'sɑ:m] I ⟨onov en ov ww⟩ • *ontwapenen* II ⟨ov ww⟩ • *de kracht ontnemen, vriendelijk stemmen;* a –ing smile *een ontwapenende glimlach.* **disarmament** [dɪ'sɑ:məmənt] • *ontwapening.*

disarrange ['dɪsə'reɪndʒ] • *in de war brengen.*

disarray ['dɪsə'reɪ] • *wanorde, verwarring.*

disassociate zie DISSOCIATE.

disaster [dɪ'zɑ:stə] • *ramp, catastrofe.* **di'saster area** • *rampgebied.*

disastrous [dɪ'zɑ:strəs] • *rampzalig.*

disavow ['dɪsə'vaʊ] ⟨zn: -al⟩ ↑ • *ontkennen, loochenen* • *verwerpen.*

disband ['dɪs'bænd] ⟨zn: -ment⟩ • *(zich) ontbinden, uiteengaan, ontbonden worden.*

disbelief ['dɪsbɪ'li:f] • *ongeloof.* **disbelieve** ['dɪsbɪ'li:v] • *niet geloven.*

disburse [dɪs'bə:s] • *(uit)betalen, uitgeven.*

disc, disk [dɪsk] • *schijf* • *discus* • *(grammofoon)plaat* • ⟨med.⟩ *schijf,* ⟨ihb.⟩ *tussenwervelschijf;* a slipped – *een hernia* • ⟨comp.⟩ *geheugenschijf.*

discard [dɪ'skɑ:d] • *zich ontdoen van, weggooien, afdanken.*

'disc brake • *schijfrem.*

discern [dɪ'sə:n] • *waarnemen, onderscheiden, bespeuren.* **discernible** [dɪ'sə:nəbl] • *waarneembaar, te onderscheiden.* **discerning** [dɪ'sə:nɪŋ] • *scherpzinnig, opmerkzaam.* **discernment** [dɪ'sə:nmənt] • *scherpzinnigheid, inzicht.*

1 discharge ['dɪs'tʃɑ:dʒ] I ⟨telb zn⟩ • *bewijs v. kwijting/ontslag* II ⟨telb en n-telb zn⟩ • *lossing, ontlading* • *uitstorting, afvoer, uitstroming,* ⟨v. gas e.d.⟩ *ook fig.⟩ uiting* • *schot* • *aflossing, vervulling;* the – of debts *de kwijting v. schulden;* the – of one's duties *het vervullen v. zijn plicht* • *ontslag, vrijspraak* • ⟨elek., nat.⟩ *ontlading.*

2 discharge [dɪs'tʃɑ:dʒ] I ⟨onov ww⟩ • *zich uitstorten, etteren* ⟨v. wond⟩; the river –s into the sea *de rivier mondt in zee uit* II ⟨ov ww⟩ • *ontladen, lossen* • *afvuren, afschieten* • *wegsturen, ontslaan, ontheffen van,* ⟨jur.⟩ *vrijspreken;* – a patient *een patiënt ontslaan;* – s.o. from service *iem. uit de dienst ontslaan* • *uitstorten, uitstoten;* – pus *etteren* • *vervullen, voldoen, zich kwijten van;* – one's debts *zijn schulden voldoen;* – one's duties *zijn taak vervullen.*

disciple [dɪ'saɪpl] • *discipel, leerling, volge-*

ling.
disciplinarian ['dɪsɪplɪ'neərɪən] ●*voorstander v. strenge tucht.* **disciplinary** ['dɪsɪ'plɪnri] ●*disciplinair; – measures disciplinaire maatregelen.*
1 discipline ['dɪsɪplɪn] **I** ⟨telb zn⟩ ●*methode, systeem* ●*discipline, tak v. wetenschap* **II** ⟨telb en n-telb zn⟩ ●*discipline, tucht, orde* **III** ⟨n-telb zn⟩ ●*straf.*
2 discipline ⟨ww⟩ ●*disciplineren* ●*straffen, disciplinaire maatregelen nemen tegen.*
'**disc jockey** ●*discjockey.*
disclaim [dɪ'skleɪm] ●*ontkennen, verwerpen.*
disclaimer [dɪ'skleɪmə] ●*ontkenning, afwijzing.*
disclose [dɪ'skloʊz] ●*onthullen, bekendmaken, tonen.* **disclosure** [dɪ'skloʊʒə] ●*onthulling, openbaring.*
disco ['dɪskoʊ] ●*disco, discotheek.*
discolour [dɪ'skʌlə] ●*verkleuren, (doen) verschieten, vlekken.*
discomfit [dɪ'skʌmfɪt] ●*verwarren, in verlegenheid brengen.* **discomfiture** [dɪ'skʌmfɪtʃə] ●*verwarring, verlegenheid.*
discomfort [dɪ'skʌmfət] **I** ⟨telb zn⟩ ●*ongemak, ontbering* **II** ⟨n-telb zn⟩ ●*onbehaaglijkheid.*
discomposure ['dɪskəm'poʊʒə] ●*verwarring, ontsteltenis.*
disconcert [dɪskən'sə:t] ●*verontrusten, in verlegenheid brengen.* **disconcerting** ['dɪskən'sə:tɪŋ] ●*verontrustend.*
disconnect ['dɪskə'nekt] ●*losmaken, loskoppelen, afsluiten* ⟨van het gas e.d.⟩; *we were –ed de (telefoon)verbinding werd verbroken.* **disconnected** ['dɪskə'nektɪd] ●*los* ●*onsamenhangend.*
disconsolate [dɪ'skɒnsələt] ●*ontroostbaar, wanhopig.*
1 discontent ['dɪskən'tent], **discontentment** [-mənt] **I** ⟨telb zn⟩ ●*grief, bezwaar* **II** ⟨n-telb zn⟩ ●*ontevredenheid, ongenoegen.*
2 discontent ⟨ww⟩ ●*ontevreden maken.* **discontented** ['dɪskən'tentɪd] ●*ontevreden.*
discontinue ['dɪskən'tɪnju:] ●*beëindigen, ophouden met; the club was –d after a couple of months de club werd na een paar maanden opgeheven; – a newspaper de publikatie v.e. krant staken* ●*opzeggen* ⟨krant e.d.⟩. **discontinuity** ['dɪskɒntɪ'nju:əti] **I** ⟨telb zn⟩ ●*onderbreking* **II** ⟨n-telb zn⟩ ●*onregelmatigheid.* **discontinuous** ['dɪskən'tɪnjʊəs] ●*onderbroken, onregelmatig.*
discord ['dɪskɔ:d], **discordance** [dɪ'skɔ:dns] ●*onenigheid, ruzie, wrijving, disharmo-*

nie. **discordant** [dɪ'skɔ:dnt] ●*strijdig, in tegenspraak, botsend* ●*dissonant.*
discotheque ['dɪskətek] ●*disco, discotheek.*
1 discount ['dɪskaʊnt] ⟨zn⟩ ●*korting; at a – met korting* ●⟨hand.⟩ *disconto.*
2 discount [dɪ'skaʊnt] ⟨ww⟩ ●*korting geven (op)* ●*buiten beschouwing laten, niet serieus nemen.*
discountenance [dɪ'skaʊntɪnəns] ●*zijn afkeuring uitspreken over.*
'**discount house,** '**discount store** ●*ramsjwinkel, discountwinkel.*
discourage [dɪ'skʌrɪdʒ] ●*ontmoedigen* ●*afhouden, afbrengen; – s.o. from starting all over again iem. ervan weerhouden helemaal opnieuw te beginnen.* **discouragement** [dɪ'skʌrɪdʒmənt] ●*moedeloosheid* ●*ontmoediging.*
1 discourse ['dɪskɔ:s] ⟨zn⟩ ●*gesprek* ●*verhandeling, lezing.*
2 discourse [dɪ'skɔ:s] ⟨ww⟩ ●⟨+(up)on⟩ *een verhandeling schrijven/houden (over).*
discourteous [dɪs'kə:tɪəs] ●*onbeleefd.* **discourtesy** [dɪs'kə:təsi] ●*onbeleefdheid.*
discover [dɪ'skʌvə] ●*ontdekken, (uit)vinden* ●*onthullen, aan het licht brengen.* **discoverer** [dɪ'skʌvrə] ●*ontdekker, uitvinder.* **discovery** [dɪ'skʌvri] ●*ontdekking* ●*onthulling.*
1 discredit [dɪ'skredɪt] **I** ⟨telb en n-telb zn⟩ ●*schande, diskrediet; bring – (up)on o.s. zich te schande maken* **II** ⟨n-telb zn⟩ ●*wantrouwen.*
2 discredit ⟨ww⟩ ●*te schande maken, in diskrediet brengen* ●*wantrouwen* ●*verdacht maken.* **discreditable** [dɪ'skredɪtəbl] ●*schandelijk.*
discreet [dɪ'skri:t] ●*discreet* ●*bescheiden, onopvallend.*
discrepancy [dɪ'skrepənsi] ●*discrepantie, afwijking, verschil.*
discrete [dɪ'skri:t] ●*afzonderlijk, los.*
discretion [dɪ'skreʃn] ●*oordeelkundigheid, tact, verstand* ●*discretie, oordeel, vrijheid (v. handelen); use one's – naar eigen goeddunken handelen* ‖ ⟨sprw.⟩ *discretion is the better part of valour ± voorzichtigheid is de moeder der wijsheid.*
discriminate [dɪ'skrɪmɪneɪt] **I** ⟨onov ww⟩ ●*onderscheid maken* ‖ *– against discrimineren; – in favour of voortrekken* **II** ⟨ov ww⟩ ●*onderscheiden.* **discriminating** [dɪ'skrɪmɪneɪtɪŋ] ●*oordeelkundig, scherpzinnig, kritisch.* **discrimination** [dɪskrɪmɪ'neɪʃn] ●*onderscheid* ●*discriminatie* ●*oordeelsvermogen, kritische smaak.*
discriminatory [dɪ'skrɪmɪnətri] ●*discriminerend.*

discursive [dɪˈskəːsɪv] ●*onsamenhangend, wijdlopig.*

discus [ˈdɪskəs] ⟨sport⟩ I ⟨telb zn⟩ ●*discus* II ⟨n-telb zn⟩ ●*het discuswerpen.*

discuss [dɪˈskʌs] ●*bespreken, behandelen.* **discussion** [dɪˈskʌʃn] ●*bespreking, discussie;* come up for – *op de agenda staan;* be under – *in behandeling zijn.*

1 disdain [dɪsˈdeɪn] ⟨zn⟩ ●*minachting.*

2 disdain ⟨ww⟩ ●*minachten, verachten.* **disdainful** [dɪsˈdeɪnfl] ●*minachtend, hooghartig.*

disease [dɪˈziːz] ●*ziekte, kwaal.* **diseased** [dɪˈziːzd] ●*ziek, aangetast,* ⟨fig.⟩ *ongezond.*

disembark [ˈdɪsɪmˈbɑːk] ⟨zn: **-ation**⟩ I ⟨onov ww⟩ ●*van boord gaan, uitstappen* II ⟨ov ww⟩ ●*ontschepen, lossen.*

disembowel [ˈdɪsɪmˈbaʊəl] ●*van de ingewanden ontdoen.*

disenchant [ˈdɪsɪnˈtʃɑːnt] ⟨zn: **-ment**⟩ ●*ontgoochelen.*

disencumber [ˈdɪsɪnˈkʌmbə] ●(+from) *bevrijden (van), ontdoen (van), ontlasten.*

disenfranchise [ˈdɪsɪnfræntʃaɪz] ●*privileges ontnemen,* ⟨ihb.⟩ *het kiesrecht/de burgerrechten ontnemen.*

disengage [ˈdɪsɪnˈgeɪdʒ] ⟨zn: **-ment**⟩ I ⟨onov ww⟩ ●*losraken, zich losmaken* II ⟨ov ww⟩ ●*losmaken, vrij maken, bevrijden.* **disengaged** [ˈdɪsɪnˈgeɪdʒd] ●*vrij, onbezet.*

disentangle [ˈdɪsɪnˈtæŋgl] ●*ontwarren* ●*bevrijden, losmaken.*

disfavour [ˈdɪsˈfeɪvə] ●*afkeuring;* look upon s.o. with – *iem. niet mogen* ●*ongenade;* fall into – *with s.o. bij iem. uit de gunst raken.*

disfigure [dɪsˈfɪgə] ⟨zn: **-ment**⟩ ●*misvormen, verminken.*

disfranchisement [dɪsˈfræntʃɪzmənt] ●*ontneming v. privileges,* ⟨ihb.⟩ *ontneming v.h. kiesrecht/v.d. burgerrechten.*

disgorge [dɪsˈgɔːdʒ] I ⟨onov ww⟩ ●*leegstromen, zich legen, zich uitstorten* II ⟨ov ww⟩ ●*uitbraken, uitstoten* ●*uitstorten.*

1 disgrace [dɪsˈgreɪs] ⟨zn⟩ ●*schande, ongenade;* be in – *uit de gratie zijn;* they are a – to our school *ze maken onze school te schande.*

2 disgrace ⟨ww⟩ ●*te schande maken, onteren, een slechte naam bezorgen;* be –d *in ongenade vallen.* **disgraceful** [dɪsˈgreɪsfl] ●*schandelijk.*

disgruntled [dɪsˈgrʌntld] ●*ontevreden, knorrig.*

1 disguise [dɪsˈgaɪz] ⟨zn⟩ ●*vermomming;* make no – of one's feelings *van zijn hart geen moordkuil maken;* in – *vermomd* ●

voorwendsel, dekmantel.

2 disguise ⟨ww⟩ ●*vermommen* ●*verbergen, maskeren, verhullen.*

1 disgust [dɪsˈgʌst] ⟨zn⟩ ●*afschuw, walging;* leave in – *vol weerzin weggaan.*

2 disgust ⟨ww⟩ ●*doen walgen;* she was suddenly –ed at/with him *plotseling vond ze hem weerzinwekkend.*

disgusted [dɪsˈgʌstɪd] ●*vol afkeer, walgend.* **disgusting** [dɪsˈgʌstɪŋ] ●*weerzinwekkend, walgelijk.*

1 dish [dɪʃ] ⟨zn⟩ ●*schaal, schotel* ●*gerecht* ● ↓ *lekker stuk, spetter* ‖ do the –es *de afwas doen.*

2 dish ⟨ww⟩ ‖ – it out *straf uitdelen;* – out *uitdelen; rondstrooien;* zie DISH UP.

'dishcloth ●*theedoek, droogdoek.*

dishearten [dɪsˈhɑːtn] ●*ontmoedigen.*

dishevelled [dɪˈʃevld] ●*slonzig, slordig, onverzorgd.*

dishonest [dɪsˈɒnɪst] ●*oneerlijk, vals.* **dishonesty** [dɪsˈɒnɪsti] ●*oneerlijkheid.*

1 dishonour [dɪsˈɒnə] ⟨zn⟩ ●*schande, eerverlies;* bring – on *schande brengen over.*

2 dishonour ⟨ww⟩ ●*schande brengen over* ●*weigeren* ⟨wissel, cheque⟩. **dishonourable** [dɪsˈɒnərəbl] ●*schandelijk, laag, eerloos.*

'dishtowel ●*theedoek, droogdoek.* **'dish 'up** ↓ I ⟨onov ww⟩ ●*het eten opdienen* II ⟨ov ww⟩ ●*opdienen.* **'dishwasher** ●*afwasser* ●*afwasmachine.* **'dishwater** ●*afwaswater,* ⟨fig.⟩ *slootwater.*

dishy [ˈdɪʃi] ↓ ●*aantrekkelijk, sexy.*

1 disillusion [ˈdɪsɪˈluːʒn] ⟨zn⟩ ●*ontgoocheling.*

2 disillusion ⟨ww; zn: **-ment**⟩ ●*ontgoochelen, uit de droom helpen;* –ed at/with *teleurgesteld over.*

disinclination [ˈdɪsɪŋklɪˈneɪʃn] ●*tegenzin.* **disinclined** [ˈdɪsɪŋˈklaɪnd] ●*afkerig;* they were – to believe him *ze waren niet geneigd hem te geloven.*

disinfect [ˈdɪsɪnˈfekt] ●*ontsmetten.* **disinfectant** [ˈdɪsɪnˈfektənt] ●⟨zn⟩ *ontsmettingsmiddel* ●⟨bn⟩ *desinfecterend.*

disingenuous [ˈdɪsɪnˈdʒenjʊəs] ●*onoprecht.*

disinherit [ˈdɪsɪnˈherɪt] ●*onterven.*

disintegrate [dɪsˈɪntɪgreɪt] ⟨zn: **-ation**⟩ I ⟨onov ww⟩ ●*uit elkaar vallen, vergaan* II ⟨ov ww⟩ ●*uiteen doen vallen, doen vergaan.*

disinterest [dɪsˈɪntrɪst] ● ↓ *ongeïnteresseerdheid.* **disinterested** [dɪsˈɪntrɪstɪd] ●*belangeloos, onbaatzuchtig* ● ↓ *ongeïnteresseerd.*

disinvest [ˈdɪsɪnˈvest] ⟨zn: **-ment**⟩ ●*investe-*

ringen terugtrekken ⟨vnl. uit Zuid-Afrika⟩.

disjointed [dɪs'dʒɔɪntɪd] ⟨-ness⟩ ●*onsamenhangend, verward.*

disk zie DISC.

1 dislike ['dɪs'laɪk] ⟨zn⟩ ●*afkeer, tegenzin;* a – of/for cats *een afkeer van katten;* take a – to *een hekel krijgen aan.*

2 dislike [dɪs'laɪk] ⟨ww⟩ ●*niet houden van, een hekel hebben aan.*

dislocate ['dɪsləkeɪt] ●*ontregelen, verstoren* ●⟨med.⟩ *ontwrichten.* **dislocation** ['dɪslə'keɪʃn] ●*verstoring, ontregeling* ● ⟨med.⟩ *ontwrichting.*

dislodge [dɪs'lɒdʒ] ●*verjagen, verdrijven* ● *loswrikken, loshalen.*

disloyal ['dɪs'lɔɪəl] ●*ontrouw.* **disloyalty** [dɪs'lɔɪəlti] ●*verraad, ontrouw.*

dismal ['dɪzml] ●*ellendig, troosteloos, somber* ● ↓ *armzalig.*

dismantle [dɪs'mæntl] ●*ontmantelen* ● *leeghalen, onttakelen* ●*slopen, uit elkaar halen.*

1 dismay [dɪs'meɪ] ⟨zn⟩ ●*verbijstering, ontzetting;* in/with – *vol ontzetting;* to our – *tot onze ontzetting.*

2 dismay ⟨ww⟩ ●*met wanhoop vervullen, verbijsteren, ontzetten.*

dismember [dɪs'membə] ●*in stukken scheuren* ● *in stukken snijden* ●*in stukken verdelen* ⟨gebied, land⟩.

dismiss [dɪs'mɪs] ●*laten gaan, wegsturen* ● *ontslaan* ●*uit zijn gedachten zetten* ●*afdoen, verwerpen* ●⟨mil.⟩ *afdanken, laten inrukken;* dismiss! *ingerukt mars!* ●⟨jur.⟩ *afwijzen, niet ontvankelijk verklaren.* **dismissal** [dɪs'mɪsl] ●*ontslag* ●*het terzijde schuiven, verwerping* ●⟨jur.⟩ *verklaring v. onontvankelijkheid.*

dismount [dɪs'maʊnt] I ⟨onov ww⟩ ●*afstijgen, afstappen* II ⟨ov ww⟩ ●*doen vallen, uit het zadel gooien.*

disobedience ['dɪsə'biː·dɪəns] ●*ongehoorzaamheid.* **disobedient** ['dɪsə'biː·dɪənt] ● *ongehoorzaam.*

disobey ['dɪsə'beɪ] ●*niet gehoorzamen, negeren* ⟨bevel⟩.

disoblige ['dɪsə'blaɪdʒ] ●*tegenwerken, het moeilijk maken.* **disobligingly** ['dɪsə-'blaɪdʒɪŋli] ●*onwelwillend.*

1 disorder [dɪs'ɔː·də] I ⟨telb en n-telb zn⟩ ● *oproer, ordeverstoring* ●*stoornis, kwaal* II ⟨n-telb zn⟩ ●*wanorde, verwarring.*

2 disorder ⟨ww⟩ ●*verstoren, ontregelen.* **disorderly** [dɪs'ɔː·dəli] ●*slordig, ongeregeld* ●*oproerig* ●*aanstootgevend, tegen de openbare orde.*

disorganize [dɪs'ɔː·gənaɪz] ●*verstoren, in de war brengen.*

disorientate [dɪ'sɔː·rɪənteɪt], **disorient** [dɪ'sɔː·rɪənt] ●*het gevoel voor richting ontnemen, desoriënteren.*

disown [dɪ'soʊn] ●*verwerpen, ontkennen* ● *verstoten, niet meer willen kennen.*

disparage [dɪ'spærɪdʒ] ⟨zn: -ment⟩ ●*kleineren, verachtelijk spreken over* ●*in diskrediet brengen.* **disparaging** [dɪ'spærɪdʒɪŋ] ●*geringschattend, minachtend.*

disparate ['dɪspərət] ●*ongelijksoortig, niet vergelijkbaar.* **disparity** [dɪ'spærəti] ●*ongelijkheid.*

dispassionate [dɪ'spæʃnət] ●*kalm, zonder hartstocht* ●*onpartijdig, objectief.*

1 dispatch, despatch [dɪ'spætʃ] I ⟨telb zn⟩ ● *bericht, officieel rapport* II ⟨n-telb zn⟩ ●*het sturen* ‖ with great – *met grote doeltreffendheid.*

2 dispatch, despatch ⟨ww⟩ ●*(ver)zenden, (weg)sturen* ●*de genadeslag geven, doden* ●*doeltreffend afhandelen* ●*wegwerken* ⟨eten e.d.⟩. **dis'patch box** ●*aktendoos* ●⟨vnl. BE⟩ *spreekgestoelte in Brits Lagerhuis voor ministers en belangrijke leden v.d. oppositie.* **dis'patch rider** ⟨mil.⟩ ●*koerier.*

dispel [dɪ'spel] ●*verjagen, verdrijven.*

dispensable [dɪ'spensəbl] ●*niet noodzakelijk.*

dispensary [dɪ'spensri] ●*apotheek.*

dispensation ['dɪspen'seɪʃn] ●*distributie, uitdeling* ●*vrijstelling, dispensatie* ●*stelsel, heersend systeem.*

dispense [dɪ'spens] ●*uitreiken, distribueren, geven;* – justice *het recht toepassen* ● *klaarmaken en leveren* ⟨medicijnen⟩; ⟨BE⟩ dispensing chemist *apotheker.*

dispenser [dɪ'spensə] ●*apotheker* ●*automaat, houder.*

dis'pense with ●*afzien van, het zonder stellen* ●*overbodig maken.*

dispersal [dɪ'spəː·sl] ●*verspreiding.* **disperse** [dɪ'spəː·s] I ⟨onov ww⟩ ●*zich verspreiden, uiteengaan* II ⟨ov ww⟩ ●*uiteen drijven, verstrooien, verspreiden.* **dispersion** [dɪ'spəː·ʃn] ●*verspreiding.*

dispirit [dɪ'spɪrɪt] ●*ontmoedigen.* **dispirited** [dɪ'spɪrɪtɪd] ●*moedeloos, mistroostig.*

displace [dɪs'pleɪs] ●*verplaatsen* ●*vervangen, verdringen.* **displacement** [dɪs'pleɪsmənt] I ⟨telb zn⟩ ⟨scheep.⟩ ●*waterverplaatsing* II ⟨n-telb zn⟩ ●*verplaatsing* ● *vervanging.*

1 display [dɪ'spleɪ] ⟨zn⟩ ●*tentoonstelling, uitstalling;* on – *te bezichtigen* ●*vertoning* ●*demonstratie, vertoon* ●⟨comp.⟩ *beeldscherm.*

2 display ⟨ww⟩ ●*tonen, uitstallen* ●*tentoon-*

spreiden, aan de dag leggen.

displease [dɪˈspliːz] ●*ergeren, irriteren;* be –d at sth./with s.o. *boos zijn over iets/op iem..* **displeasing** [dɪˈspliːzɪŋ] ●*onaangenaam.* **displeasure** [dɪˈspleʒə] ●*afkeuring, ergernis;* incur s.o.'s – *zich iemands ongenoegen op de hals halen.*

disposable [dɪˈspoʊzəbl] ●*beschikbaar;* – income *besteedbaar inkomen* ●*wegwerp-;* – cups *wegwerpbekertjes.* **disposal** [dɪˈspoʊzl] ●*het wegdoen, verwijdering* ●*beschikking;* I am entirely at your – *ik sta geheel tot uw beschikking.* **dis'posal unit** ●*afvalvernietiger.*

dispose [dɪˈspoʊz] ●*plaatsen, rangschikken* ‖ zie ook ⟨sprw.⟩ MAN. **disposed** [dɪˈspoʊzd] ●*geneigd, bereid;* they seemed favourably – to(wards) that idea *zij schenen tegenover dat idee welwillend te staan.* **dis'pose of** ●*van de hand doen, wegdoen* ●*afhandelen, uit de weg ruimen* ⟨vragen, problemen enz.⟩.

disposition [ˈdɪspəˈzɪʃn] ●*plaatsing, rangschikking* ●*aard, neiging.*

dispossess [ˈdɪspəˈzes] ●*onteigenen;* – s.o. of sth. *iem. iets ontnemen.* **dispossessed** [ˈdɪspəˈzest] ●*beroofd;* – of one's rights *van zijn rechten beroofd.*

disproportion [ˈdɪsprəˈpɔːʃn] ●*wanverhouding.* **disproportionate** [ˈdɪsprəˈpɔːʃnət] ●*onevenredig.*

disprove [ˈdɪsˈpruːv] ●*weerleggen.*

disputable [dɪˈspjuːtəbl] ●*aanvechtbaar.*

disputation [ˈdɪspjʊˈteɪʃn] ●*dispuut, twistgesprek, discussie* ●*het disputeren.*

1 dispute [dɪˈspjuːt, ˈdɪspjuːt] ⟨zn⟩ ●*twistgesprek, woordenstrijd;* be in – *ter discussie staan;* the matter in – *de zaak in kwestie* ●*geschil, twist;* beyond – *buiten kijf.*

2 dispute [dɪˈspjuːt] I ⟨onov ww⟩ ●*(rede) twisten, het oneens zijn* II ⟨ov ww⟩ ●*heftig bespreken* ●*aanvechten, in twijfel trekken* ●*betwisten.*

disqualification [dɪsˌkwɒlɪfɪˈkeɪʃn] ●*diskwalificatie, uitsluiting.* **disqualify** [dɪsˈkwɒlɪfaɪ] ●*ongeschikt maken* ●*onbevoegd verklaren* ●*diskwalificeren, uitsluiten.*

1 disquiet [dɪsˈkwaɪət] ⟨zn⟩ ●*onrust* ●*ongerustheid.*

2 disquiet ⟨ww⟩ ●*ongerust maken.*

1 disregard [ˈdɪsrɪˈɡɑːd] ⟨zn⟩ ●*veronachtzaming, onverschilligheid;* – for/of regulations *het niet in acht nemen v.d. voorschriften* ●*geringschatting.*

2 disregard ⟨ww⟩ ●*geen acht slaan op, negeren* ●*geringschatten.*

disrepair [ˈdɪsrɪˈpeə] ●*verval, bouwvallig-*

heid.

disreputable [dɪsˈrepjʊtəbl] ●*berucht;* a – character *een onguur/louche type* ●*schandelijk.* **disrepute** [ˈdɪsrɪˈpjuːt] ●*slechte naam, diskrediet;* bring into – *in diskrediet brengen.*

disrespect [ˈdɪsrɪˈspekt] ●*gebrek aan respect.* **disrespectful** [ˈdɪsrɪˈspektfl] ●*onbeleefd.*

disrobe [ˈdɪsˈroʊb] I ⟨onov ww⟩ ●*zich ontkleden* II ⟨ov ww⟩ ●*ontkleden.*

disrupt [dɪsˈrʌpt] ●*ontwrichten, verstoren.* **disruption** [dɪsˈrʌpʃn] ●*ontwrichting, verstoring.* **disruptive** [dɪsˈrʌptɪv] ●*ontwrichtend, storend.*

dissatisfaction [ˈdɪsætɪsˈfækʃn] ●*ontevredenheid.* **dissatisfy** [dɪˈsætɪsfaɪ] ‖ dissatisfied with *ontevreden over/met.*

dissect [dɪˈsekt, daɪ-] ●⟨biol. of fig.⟩ *ontleden, grondig analyseren.* **dissection** [dɪˈsekʃn, daɪ-] ●⟨biol. of fig.⟩ *ontleding, analyse.*

dissemble [dɪˈsembl] I ⟨onov ww⟩ ●*huichelen, veinzen* II ⟨ov ww⟩ ●*voorwenden, verhullen.* **dissembler** [dɪˈsemblə] ●*veinzer, huichelaar.*

disseminate [dɪˈsemɪneɪt] ⟨zn: -ation⟩ ●*uitzaaien, verspreiden.*

dissension [dɪˈsenʃn] ●*tweedracht, verdeeldheid.*

1 dissent [dɪˈsent] ⟨zn⟩ ●*verschil van mening, gebrek aan overeenstemming.*

2 dissent ⟨ww⟩ ●*het oneens zijn, van mening verschillen, niet instemmen met* ‖ – from the generally accepted doctrine *afwijken van de algemeen gangbare leer-(stelling).* **dissenter** [dɪˈsentə] ●*dissenter, andersdenkende.*

dissertation [ˈdɪsəˈteɪʃn] ●*verhandeling, dissertatie, proefschrift* ●*scriptie.*

disservice [dɪˈsəːvɪs] ●*slechte dienst, schade, nadeel;* do s.o. a – *iem. een slechte dienst bewijzen/schade berokkenen.*

dissident [ˈdɪsɪd(ə)nt] ●⟨bn⟩ *dissident, andersdenkend* ●⟨zn⟩ *dissident, andersdenkende.*

dissimilar [dɪˈsɪmɪlə] ●*ongelijk, verschillend.* **dissimilarity** [ˈdɪsɪmɪˈlærəti] ●*verschil(punt).*

dissimulate [dɪˈsɪmjʊleɪt] ⟨zn: -ation⟩ ●*veinzen, huichelen, verbergen.*

dissipate [ˈdɪsɪpeɪt] I ⟨onov ww⟩ ●*zich verspreiden, verdwijnen* II ⟨ov ww⟩ ●*verdrijven, verjagen, doen verdwijnen* ●*verspillen, verkwisten.* **dissipated** [ˈdɪsɪpeɪtɪd] ●*liederlijk, losbandig.* **dissipation** [ˈdɪsɪˈpeɪʃn] ●*het verspreiden, het verdrijven* ●*verspilling, verkwisting* ●*losbandig-*

heid.

dissociate [dɪˈsouʃieɪt, -sieɪt] ●*scheiden, afscheiden;* his actions cannot be –d from his political views *men kan zijn optreden niet los zien van zijn politieke overtuiging* ‖ – o.s. from *zich distanciëren van.*

dissolute [ˈdɪsəluːt] ●*losbandig, liederlijk.* **dissolution** [ˈdɪsəˈluːʃn] ●*ontbinding* ● *ontbinding, opheffing;* the – of Parliament *de ontbinding v.h. parlement* ●*einde, verval.*

dissolve [dɪˈzɒlv] **I** ⟨onov ww⟩ ●*oplossen;* ⟨fig.⟩ – in(to) tears *in tranen wegsmelten* ●*verdwijnen* **II** ⟨ov ww⟩ ●*oplossen* ●*doen verdwijnen* ●*ontbinden, opheffen.*

dissonance [ˈdɪsənəns] **I** ⟨telb zn⟩ ● *wanklank* **II** ⟨n-telb zn⟩ ●*verschil, onenigheid.*

dissuade [dɪˈsweɪd] ●*ontraden, afraden.*

distaff [ˈdɪstɑːf] ●*spinrok(ken).*

distance [ˈdɪstəns] ●*afstand, tussenruimte,* ⟨fig.⟩ *afstand(elijkheid);* keep one's – *afstand bewaren;* keep s.o. at a – *iem. op (een) afstand houden;* in the – *in de verte* ‖ go the – *tot het einde volhouden.*

distant [ˈdɪstənt] ●*ver, afgelegen;* a – journey *een verre reis;* a – look *een starende/ verre blik* ●*afstandelijk, gereserveerd;* – relations *verre bloedverwanten.*

distaste [dɪˈsteɪst] ●⟨+for⟩ *afkeer (van), aversie (tegen).* **distasteful** [dɪˈsteɪs(t)fl] ● *onaangenaam, akelig;* is – to me *staat mij (vreselijk) tegen.*

1 distemper [dɪˈstempə] ⟨zn⟩ ●*hondeziekte* ●*muurverf.*

2 distemper ⟨ww⟩ ●*sausen, kalken.*

distend [dɪˈstend] ●*(doen) (op)zwellen, (doen) uitzetten.* **distension** [dɪˈstenʃn] ● *zwelling.*

distil [dɪˈstɪl] ●*distilleren;* – water *water distilleren* ●*afleiden* ●*via distillatie vervaardigen, branden, stoken.* **distillation** [ˈdɪstɪˈleɪʃn] ●*distillaat* ●*distillatie.* **distillery** [dɪˈstɪləri] ●*distilleerderij, stokerij.*

distinct [dɪˈstɪŋkt] ●*onderscheiden, verschillend, apart* ●*duidelijk* ●*onmiskenbaar, beslist.* **distinction** [dɪˈstɪŋkʃn] ●*onderscheiding* ●*onderscheid, verschil;* draw a – between *een onderscheid maken tussen* ●*aanzien, gedistingeerdheid;* a writer of – *een vooraanstaand schrijver.* **distinctive** [dɪˈstɪŋktɪv] ●*onderscheidend, kenmerkend.*

distinguish [dɪˈstɪŋwɪʃ] **I** ⟨onov ww⟩ ‖ – between *onderscheid maken tussen* **II** ⟨ov ww⟩ ●*onderscheiden, onderkennen* ● *zien, onderscheiden* ●*kenmerken* ●⟨wdk⟩ *zich onderscheiden.* **distinguishable** [dɪ-

'stɪŋwɪʃəbl] ●*duidelijk waarneembaar* ● *te onderscheiden, verschillend.* **distinguished** [dɪˈstɪŋwɪʃt] ●*eminent, voornaam* ●*gedistingeerd.*

distort [dɪˈstɔːt] ●*vervormen, verwringen* ● *verdraaien.* **distortion** [dɪˈstɔːʃn] ●*vervorming, vertekening, verdraaiing.*

distract [dɪˈstrækt] ●*afleiden* ●*verwarren, verbijsteren.* **distraction** [dɪˈstrækʃn] ●*afleiding* ●*ontspanning, vermaak* ●*verwarring, gekheid;* the children are driving me to – *de kinderen maken mij horendol.*

distraught [dɪˈstrɔːt] ●*verontrust;* – with grief *radeloos van verdriet.*

1 distress [dɪˈstres] **I** ⟨telb en n-telb zn⟩ ● *leed, verdriet, zorg* **II** ⟨n-telb zn⟩ ●*armoede, tegenspoed* ●*gevaar;* a ship in – *een schip in nood.*

2 distress ⟨ww⟩ ●*leed berokkenen, pijn/verdriet doen* ●*verontrusten, beangstigen.* **distressed** [dɪˈstrest] ●*(diep) bedroefd* ● *bevreesd, bang* ●*overstuur* ●*noodlijdend, in nood verkerend.* **distressing** [dɪ-ˈstresɪŋ] ●*pijn/verdriet veroorzakend* ● *verontrustend.*

di'stress signal ●*noodsignaal.*

distribute [dɪˈstrɪbjuːt] ●*distribueren, verdelen;* – among/to *uit/ronddelen aan;* – over *verspreiden over.* **distribution** [ˈdɪstrɪˈbjuːʃn] ●*verdeling, (ver)spreiding, distributie.* **distributor** [dɪˈstrɪbjutə] ●*verdeler, verspreider* ●*groothandelaar* ● *stroomverdeler* ⟨v. auto⟩.

district [ˈdɪstrɪkt] ●*district, regio* ●*streek, gebied* ●*wijk, buurt.*

'district at'torney ⟨AE⟩ ●*officier van justitie* ⟨bij een arrondissementsrechtbank⟩. **'district 'court** ⟨AE⟩ ●*arrondissementsrechtbank.* **'district 'nurse** ⟨BE⟩ ●*wijkverpleegster.*

1 distrust [ˈdɪsˈtrʌst] ⟨zn⟩ ●*wantrouwen.*

2 distrust ⟨ww⟩ ●*wantrouwen.* **distrustful** [ˈdɪsˈtrʌstfi] ●*wantrouwend.*

disturb [dɪˈstəːb] ●*in beroering brengen* ⟨ook fig.⟩, *verontrusten;* –ing facts *verontrustende feiten* ●*storen;* be mentally –ed *geestelijk gestoord zijn* ●*verstoren;* – the peace *de openbare orde verstoren.* **disturbance** [dɪˈstəːbəns] ●*opschudding, beroering, relletje* ●*stoornis, verstoring;* a – of the peace *een ordeverstoring* ●*storing.* **disturbed** [dɪˈstəːbd] ●*gestoord;* a – mind *een gestoorde geest.*

disunite [ˈdɪsjuːˈnaɪt] ●*scheiden, verdelen.* **disunity** [ˈdɪsˈjuːnəti] ●*verdeeldheid, onenigheid.*

disuse [ˈdɪsˈjuːs] ●*onbruik;* fall into – *in onbruik (ge)raken.* **disused** [ˈdɪsˈjuːzd] ●*niet*

meer gebruikt.
1 ditch [dɪtʃ] 〈zn〉 ● *sloot, greppel.*
2 ditch 〈ww〉 〈sl.〉 ● *afdanken, in de steek la-*
ten; when did she – Brian? *wanneer heeft*
zij Brian de bons gegeven?.
1 dither ['dɪðə] 〈zn〉↓‖ be in a – *van streek*
zijn; all of a – *zenuwachtig, opgewonden.*
2 dither 〈ww〉 ● *aarzelen* ● *zenuwachtig zijn/*
doen.
ditto ['dɪtoʊ] ● *dito, idem, hetzelfde.*
ditty ['dɪti] ● *liedje, deuntje.*
diurnal [daɪ'ə:nl]↑● *van de dag;* – and nocturnal animals *dag- en nachtdieren* ● *da-*
gelijks.
divan [dɪ'væn] ● *divan, sofa.* 'divan 'bed ●
bedbank.
1 dive [daɪv] 〈zn〉 ● *duik* ● *plotselinge snelle*
beweging, greep, duik; he made a – for
the ball *hij dook naar de bal* ●↓ *kroeg,*
tent.
2 dive 〈ww; AE verl. t. ook dove [doʊv]〉 ●
duiken 〈ook fig.〉; – into one's studies *zich*
werpen/storten op zijn studie ● *tasten, de*
hand steken (in). **diver** ['daɪvə] ● *duiker.*
diverge [daɪ'və:dʒ] ● *uiteenlopen* ● *afwij-*
ken, verschillen. **diverg|ent** [daɪ'və:-
dʒənt] 〈zn: **-ence**〉 ● *uiteenlopend* ● *afwij-*
kend, verschillend.
diverse ['daɪ'və:s] ● *divers, verschillend.* **di-**
versif|y [daɪ'və:sɪfaɪ] 〈zn: **-ication**〉 ● *di-*
versifiëren, verscheidenheid aanbrengen
● *afwisseling aanbrengen, variëren.* **di-**
version [daɪ'və:ʃn] I 〈telb zn〉 ● *afleidings-*
actie, schijnbeweging II 〈telb en n-telb zn〉
● *verstrooiing, afleiding, ontspanning;*
create a – *de aandacht afleiden* ● *omlei-*
ding. **diversity** [daɪ'və:səti] ● *ongelijkheid*
● *verscheidenheid, diversiteit.*
divert [daɪ'və:t] ● *een andere richting geven,*
verleggen, omleiden; why was their plane
–ed to Vienna? *waarom moest hun toestel*
uitwijken naar Wenen?; she –ed part of
the proceeds to her own pocket *zij heeft*
een deel v.d. opbrengst in eigen zak ge-
stoken ● *afleiden* 〈aandacht〉 ● *amuseren,*
vermaken.
divest of [daɪ'vest əv] ● *ontdoen van, bero-*
ven van.
1 divide [dɪ'vaɪd] 〈zn〉 ● *waterscheiding* ●
scheidslijn.
2 divide I 〈onov ww〉 ● *verdeeld worden* ●
zich delen ●〈BE〉 *stemmen* 〈door zich in
twee groepen te verdelen〉; finally the
House –d *tenslotte stemde het Lagerhuis*‖
on those issues the meeting –d *op die*
punten was de vergadering verdeeld II
〈ov ww〉 ● *delen, in delen splitsen, inde-*
len; – into several parts *in verschillende*

stukken (ver)delen ● *scheiden* ● *verdelen*
〈ook fig.〉 ●〈wisk.〉 *delen;* 18 –d by 3 *18*
gedeeld door 3 ●〈BE〉 *in twee groepen*
delen om te stemmen.
dividend ['dɪvɪdənd] ● *dividend, uitkering*
(v. winst); 〈fig.〉 that machine will pay –s
die machine zal haar geld wel opbrengen.
divination ['dɪvɪ'neɪʃn] ● *waarzeggerij.*
1 divine [dɪ'vaɪn] 〈zn〉 ● *godgeleerde, theo-*
loog.
2 divine 〈bn〉 ● *goddelijk,*↓ *hemels, verruk-*
kelijk ‖ – service *godsdienstoefening;* zie
ook 〈sprw.〉 ERR.
3 divine 〈ww〉 ● *gissen, raden, een voorge-*
voel hebben van, voorspellen. **diviner**
[dɪ'vaɪnə] ● *waarzegger* ● *(wichel)roede-*
loper.
'diving bell ● *duikerklok.* 'diving board ●
duikplank.
di'vining rod ● *wichelroede.*
divinity [dɪ'vɪnəti] I 〈telb zn〉 ● *godheid, god*
II 〈n-telb zn〉 ● *goddelijkheid* ● *theologie.*
divisible [dɪ'vɪzəbl] ● 〈wisk.〉 *deelbaar.*
division [dɪ'vɪʒn] ● *(ver)deling, het delen*
〈ook wisk.〉; – of labour *arbeidsverdeling*
● *afdeling* 〈branche, bureau〉 ●〈mil.〉 *divi-*
sie ● *scheiding, afscheiding* ● *verdeeld-*
heid; a – of opinion *uiteenlopende menin-*
gen ●〈BE〉 *stemming* 〈door zich in twee
groepen te verdelen〉. **di'vision bell** 〈BE〉
● *stem(ming)bel.* **di'vision lobby** 〈BE〉 ●
stemhoek 〈waar leden hun stem voor/te-
gen kenbaar maken〉.
divisive [dɪ'vaɪsɪv] ● *verdeeldheid zaaiend.*
1 divorce [dɪ'vɔ:s] 〈zn〉 ● *(echt)scheiding;*
seek a – *echtscheiding aanvragen* ● *(af)*
scheiding.
2 divorce 〈ww〉 ● *scheiden (van), zich laten*
scheiden van ● *scheiden, afzonderen.* **di-**
vorcee [dɪ'vɔ:'si:] ● *gescheiden vrouw.*
divulg|e [daɪ'vʌldʒ] 〈zn: **-ence**〉 ● *onthullen,*
openbaar maken.
D.I.Y. 〈afk.〉 do-it-yourself.
1 dizzy ['dɪzi] 〈bn〉 ● *duizelig* ● *verward, ver-*
suft ● *duizelingwekkend* 〈v. hoogte, snelheid e.d.〉.
2 dizzy 〈ww〉 ● *verbijsteren, in de war bren-*
gen.
D.J. ['di:dʒeɪ] 〈afk.〉 disc jockey ● *deejay.*
djinn zie GENIE.
1 do [du:] 〈zn〉 ●↓ *partij, feest* ‖ –'s and
don'ts *wat wel en wat niet mag.*
2 do 〈does, did, done〉 I 〈onov ww〉 ● *doen,*
handelen, zich gedragen; he did well to
refuse that offer *hij deed er goed aan dat*
aanbod te weigeren; – well/badly by s.o.
iem. goed/slecht behandelen; – as you
would be done by *wat u niet wilt dat u ge-*

schiedt, doe dat ook een ander niet ● het stellen, zich voelen; how do you – aangenaam, hoe maakt u het; business is –ing well de zaken gaan goed; he is –ing well het gaat goed met hem; – well out of selling souvenirs aardig profiteren v. het verkopen v. souvenirs ● gebeuren; ↓ nothing –ing er gebeurt (hier) niets; ↓ he made a pass at her, but nothing –ing hij probeerde haar te versieren, maar geen kans ● geschikt zijn, voldoen; this copy won't – deze kopie is niet goed genoeg; that will –! en nou is 't uit!; that won't – dat lukt niet; daar kan ik geen genoegen mee nemen; tomorrow will – morgen is het ook goed; that will – for me dat is wel genoeg voor mij; that coat will – as/for a blanket die jas kan (wel) als deken dienen ● ↓ het (moeten) doen, het stellen; – well/badly for sth. goed/slecht voorzien zijn v. iets; I can't – without music ik kan niet zonder muziek; he can (make) – with very little food hij heeft maar weinig eten nodig ‖ have done it! schei uit!; ↓ – away with een eind maken aan; afschaffen; ↓ – away with s.o. iem. uit de weg ruimen; ↓ – away with o.s. zelfmoord plegen; Jack had done with eating Jack was klaar met eten; have/ ↓ be done with s.o. niets meer te maken (willen) hebben met iem.; 〈BE; ↓ 〉 – for s.o. het huishouden doen voor iem.; ↓ I'm done for het is met mij gedaan; I could – with a few quid ik zou best een paar pond kunnen gebruiken; he has/ 〈BE〉 is sth. to – with hij heeft iets te maken met; 〈sprw.〉 do or die pompen of verzuipen; zie ook 〈sprw.〉 ROME II 〈ov ww〉 ● doen 〈iets abstracts〉; – one's best zijn best doen; – business with zaken doen met; – hard work hard werken; – some skiing een beetje skiën; it isn't done zoiets doet men niet; it does sth. for me het doet me wat; that embroidered M does sth. for your dress die geborduurde M geeft je jurk net dat beetje extra; what can I – for you? wat kan ik voor je doen?; 〈in winkel〉 wat mag het zijn?; – sth. again/ 〈AE〉 over iets overdoen ● bezig zijn met 〈iets concreets/bestaands〉, doen, opknappen, oplossen 〈puzzels e.d.〉, studeren; I still have to – the dishes ik moet de vaat nog doen; – one's face zijn gezicht/zich opmaken; – psychology psychologie studeren; have one's teeth done zijn tanden laten nakijken/behandelen; – out grondig schoonmaken/opruimen; – a room over de kamer weer eens opknappen; – up the kitchen de keuken opknappen; – up (in) a parcel een pakje maken

(van); she did her hair up ze stak haar haar op ● maken, doen ontstaan; the storm did a lot of damage de storm richtte heel wat schade aan; – a story een verhaal schrijven; – a translation een vertaling maken ● afhandelen, afmaken, 〈 ↓ ; fig.〉 uitputten, kapotmaken; the day was done de dag was ten einde; the girls were really done de meisjes waren bekaf; done in bekaf; 〈sl.〉 – s.o. in iem. v. kant maken; well done goed doorbakken 〈v. vlees〉 ● 〈cul.〉 bereiden, klaarmaken; the potatoes aren't done yet de aardappelen zijn nog niet gaar ● (de rol) spelen (v.) 〈ook fig.〉, 〈bij uitbr.〉 nadoen; she did a perfect Thatcher ze gaf een perfecte imitatie v. Thatcher ● rijden; – 50 mph. 80 km/uur rijden ● ↓ bezoeken, bekijken; – Europe in five days Europa bezoeken/doen in vijf dagen ● ↓ beetnemen, afzetten; 〈BE; sl.〉 Sheila's been done (down) Sheila heeft zich laten afzetten; – s.o. for $ 100 iem. voor honderd dollar afzetten; – a child out of its prize een kind zijn prijs afhandig maken ● handelen in, verkopen; we don't – eggs we verkopen geen eieren; we – only B&B we hebben enkel kamer met ontbijt ‖ a boiled egg will – me ik heb genoeg aan een gekookt ei; they did not know what to – with themselves ze verveelden zich; if you don't stop now, I'll – you! als je nu niet ophoudt, dan zal ik je!; – s.o./sth. down iem./iets kleineren; 〈sl.〉 – s.o. over iem. aftuigen; over and done with voltooid verleden tijd; – up a zip/a coat een rits/jas dichtdoen; 〈sprw.〉 what is done cannot be undone gedane zaken nemen geen keer III 〈hww〉 ● 〈om inversie en ontkenning mogelijk te maken; onvertaald〉; – you know him? ken je hem?; I don't know him ik ken hem niet ● 〈als vervanging voor een eerder gebruikt ww; vnl. onvertaald; soms〉 doen; he laughed and so did she hij lachte, en zij ook; he writes well, doesn't he? hij schrijft goed, niet (waar)?/ vind je niet?; 'Did you see it?' 'I did/I didn't' 'Heb jij het gezien?' 'Ja/Neen' ● 〈om nadruk mogelijk te maken; vnl. te vertalen door een bw〉; you did tell him je hebt het hem wèl gezegd; – come in! kom toch binnen!.

doc [dɒk] ↓ ● dokter.

doc|ile ['dousaɪl] 〈zn: -ility〉 ● gedwee, meegaand, volgzaam.

1 dock [dɒk] 〈zn〉 ● dok ● 〈vnl. mv.〉 haven(s) ● 〈jur.〉 beklaagdenbank.

2 dock I 〈onov ww〉 ● dokken, de haven binnenlopen ● gekoppeld worden 〈ruimteschepen⟩ **II** ⟨ov ww⟩ ●*couperen* ⟨staart e.d.⟩, *afsnijden, afknippen* ●*korten, (gedeeltelijk) inhouden* ●*ontnemen, ontdoen van* ●*dokken* ●*koppelen* ⟨ruimteschepen⟩.

docker ['dɒkə] ●*dokwerker, havenarbeider, stuwadoor.*

1 docket ['dɒkɪt] ⟨zn⟩ ●⟨BE⟩ *bon, borderel, certificaat, bewijsstuk* ●*korte inhoud* ⟨v.e. document, rapport⟩.

2 docket ⟨ww⟩ ●*van een korte inhoudsopgave voorzien* ●*van een bon voorzien.*

'**dockland** ⟨BE⟩ ●*havenbuurt.* '**dockyard** ● *werf.*

1 doctor ['dɒktə] ⟨zn⟩ ●*dokter* ●*doctor* ⟨iem. met de hoogste universitaire graad⟩; Doctor of Philosophy *doctor* ⟨beh. voor rechten, medicijnen en theologie⟩ ‖ *zie ook* ⟨sprw.⟩ APPLE.

2 doctor ⟨ww⟩ ●⟨euf.⟩ *helpen, steriliseren, castreren* ●*knoeien met, vervalsen.*

doctoral ['dɒktrəl] ●*doctors-; –* degree *doctorsgraad; –* thesis/dissertation *proefschrift.* **doctorate** ['dɒktrət] ●*doctoraat, doctorstitel.*

doctrinaire ['dɒktrɪ'neə] ⟨ong.⟩ ●*doctrinair, bekrompen.* **doctrinal** [dɒk'traɪnl] ●*leerstellig.* **doctrine** ['dɒktrɪn] ●*leer, leerstelling* ●*dogma.*

1 document ['dɒkjʊmənt] ⟨zn⟩ ●*document, bewijsstuk.*

2 document ['dɒkjʊment] ⟨ww⟩ ●*documenteren.*

1 documentary ['dɒkjʊ'mentri] ⟨zn⟩ ●*documentaire.*

2 documentary ⟨bn⟩ ●*documentair; –* film *documentaire (film).*

documentation ['dɒkjʊmən'teɪʃn] ●*documentatie.*

dodder ['dɒdə] ●*beven* ●*schuifelen.* **doddering** ['dɒd(ə)rɪŋ], **doddery** ['dɒdəri] ●*beverig.*

1 dodge [dɒdʒ] ⟨zn⟩ ●*(zij)sprong, ontwijkende beweging* ● ↓ *foefje, trucje, slimmigheidje.*

2 dodge I ⟨onov ww⟩ ●*(opzij)springen* ●*uitvluchten zoeken* **II** ⟨ov ww⟩ ●*ontwijken, vermijden, ontduiken* ●*te slim af zijn.* **dodgem** ['dɒdʒəm] ⟨BE⟩ ●*botsautootje.* **dodger** ['dɒdʒə] ●*ontduiker, ontwijker* ● *goochemerd, slimmerik.*

dodgy ['dɒdʒi] ⟨vnl. BE; ↓⟩ ●*gewiekst* ●*hachelijk, netelig* ●*onbetrouwbaar.*

dodo ['dəʊdəʊ] ●*dodo* ⟨uitgestorven vogel⟩; as dead as a – *zo dood als een pier.*

doe [dəʊ] ●*wijfje v.e. damhert/konijn.*

doer ['du:ə] ●*doener, aanpakker.*

does [dəz, ⟨sterk⟩dʌz] ⟨3e pers enk. tegenw.

t.⟩ *zie* DO.

doff [dɒf] ⟨vero.⟩ ●*afnemen* ⟨hoed⟩.

1 dog [dɒg] **I** ⟨telb zn⟩ ●*hond;* treat s.o. like a – *iem. honds behandelen* ●*mannetje v.d. hond/vos/wolf* ●*ellendeling;* a dirty – *een echte rotzak* ● ↓ *kerel;* lucky – *bofferd* ● ⟨AE; sl.⟩ *inferieur iets, misbaksel* ‖ not a –'s chance *geen schijn van kans;* ⟨BE; ↓ ⟩ dressed up like a –'s dinner *(overdreven) chic gekleed;* he is a – in the manger *hij kan de zon niet in het water zien schijnen;* go to the –s *naar de bliksem gaan;* ⟨AE; ↓ ⟩ put on the – *gewichtig doen;* ⟨sprw.⟩ give a dog a bad name ± *wee de wolf die in een kwaad gerucht staat;* zie ook ⟨sprw.⟩ LOVE, OLD, SLEEPING **II** ⟨mv.⟩ ● ↓ *(wind)hondenrennen.*

2 dog ⟨ww⟩ ●*(achter)volgen, (achter)nazitten.*

'**dogcart** ●*dog-cart, dogkar* ●*hondekar.* '**dog collar** ●*halsband* ●⟨scherts.⟩ *boord v.e. geestelijke.* '**dog days** ●*hondsdagen.* '**dog-eared** ●*met ezelsoren.* '**dogfight** ● *hondengevecht* ●*luchtgevecht.* '**dogfish** ●*hondshaai, kleine haai.*

dogged ['dɒgɪd] (-ness) ●*vasthoudend, volhardend;* with – determination *met hardnekkige vastberadenheid.*

doggerel ['dɒgrəl] ●*rijmelarij, kreupelrijm.*

doggie, doggy ['dɒgi] ●*hondje.* '**doggie bag** ⟨AE⟩ ●*tas/zak om het restant v.e. maaltijd in een restaurant mee naar huis te nemen.*

doggo ['dɒgəʊ] ↓ ‖ lie – *zich koest/gedeisd houden.*

doggone ['dɒgɒn] ⟨AE; ↓ ⟩ ●*verdraaid, donders.*

'**doghouse** ●⟨AE⟩ *hondehok* ‖ ⟨sl.⟩ be in the – *uit de gratie zijn.*

'**dogleg** ●*scherpe bocht/hoek.*

dogma ['dɒgmə] ●*dogma.* **dogmatic** ['dɒg'mætɪk] ●*dogmatisch* ●*autoritair.* **dogmatics** [dɒg'mætɪks] ●*dogmatiek.* **dogmatism** ['dɒgmətɪzm] ●*dogmatisme.*

do-gooder ['du:'gʊdə] ●⟨iron.⟩ *(naïeve/onpraktische) weldoener.*

'**dog paddle** ●*het zwemmen op z'n hondjes.*

dogsbody ['dɒgzbɒdi] ↓ ●*duvelstoejager;* a general – *een manusje-van-alles.* '**dog's life** ●*ellendig bestaan;* lead a – *een hondeleven hebben.* '**dog-'tired** ●*hondsmoe, doodop.* '**dogtrot** ●*sukkeldrafje.*

doing ['du:ɪŋ] **I** ⟨telb zn⟩ ‖ it is all their – *het is allemaal hun toedoen/schuld* **II** ⟨mv.⟩ ● *daden, handelingen;* her –s *haar doen en laten.*

'**do-it-your'self** ●*doe-het-zelf.*

doldrums ['dɒldrəmz] ●⟨fig.⟩ *stilstand* ‖ be in the – *in de put zitten.*

dole [doʊl] ● *werkloosheidsuitkering, steun; be on the – steun trekken.* **doleful** ['doʊlfl] ● *somber, naargeestig, treurig.* **dole out** ● *(karig) uitdelen.*

doll [dɒl] ● *pop* ● ⟨sl.⟩ *meid* ● ⟨sl.⟩ *stuk, spetter.*

dollar ['dɒlə] ● *dollar.*

dollop ['dɒləp] ↓ ● *(klein) beetje, kwak.*

'doll's house ● *poppenhuis.* **doll up** ⟨wdk ww⟩ ⟨sl.⟩ ● *zich optutten.* **dolly** ['dɒli] ● *pop(je)* ● *dolly, verrijdbaar statief* ⟨voor camera⟩, *rijdend plateau* ⟨voor zware vrachten e.d.⟩ ● ↓ *stuk, leuk meisje.*

dolphin ['dɒlfɪn] ● *dolfijn.*

dolt [doʊlt] ● *domoor.*

domain [də'meɪn, doʊ-] ● *domein, (land) goed* ● *gebied* ⟨fig.⟩.

dome [doʊm] ● *koepel* ● *gewelf* ● ⟨sl.⟩ *kop;* a bald – *een kale knikker.* **domed** [doʊmd] ● *koepelvormig, gewelfd;* a – roof *een koepeldak* ● *met een koepel.*

1 domestic [də'mestɪk] ⟨zn⟩ ● *bediende, dienstbode.*

2 domestic ⟨bn⟩ ● *huishoudelijk; –* economy/science *huishoudkunde* ● *huiselijk* ● *binnenlands* ● *tam, huis-; –* animals *huisdieren.* **domestic|ate** [də'mestɪkeɪt] ⟨zn: **-ation**⟩ ● *aan het huiselijk leven doen wennen* ● *temmen, tot huisdier maken.* **domesticity** ['doʊme'stɪsəti] ● *huiselijkheid.*

1 domicile ['dɒmɪsaɪl] ⟨zn⟩ ● *verblijfplaats, woning.*

2 domicile ⟨ww⟩ ● *(zich) vestigen;* the company is –d in the Bahamas *de firma heeft haar zetel op de Bahamas.* **domiciliary** ['dɒmɪ'sɪlɪəri] ● *huis-.*

dominance ['dɒmɪnəns] ● *dominantie, overheersing.* **dominant** ['dɒmɪnənt] ● *dominant, (over)heersend.* **dominate** ['dɒmɪneɪt] ● *domineren, overheersen;* the tower –d (over) all buildings *de toren stak boven alle andere gebouwen uit.* **domination** ['dɒmɪ'neɪʃn] ● *overheersing, heerschappij.*

domineer ['dɒmɪ'nɪə] ● *(over)heersen, de baas spelen (over).* **domineering** ['dɒmɪ'nɪərɪŋ] ● *bazig.*

dominion [də'mɪnɪən] I ⟨telb zn⟩ ● *domein, rijk* ● *dominion* ⟨autonoom deel v.h. Britse Gemenebest⟩ II ⟨n-telb zn⟩ ● *heerschappij, macht.*

domino ['dɒmɪnoʊ] ● *dominosteen* ● ⟨mv.⟩ *domino(spel).*

1 don [dɒn] ⟨zn⟩ ● ⟨BE⟩ *don* ⟨hoofd/lid v.d. wetenschappelijke staf v.e. universiteit, vnl. Oxford en Cambridge⟩.

2 don ⟨ww⟩ ● *aandoen, aantrekken.*

donate [doʊ'neɪt] ● *schenken, geven.* **dona-**

tion [doʊ'neɪʃn] ● *schenking, donatie.*

1 done [dʌn] I ⟨bn, attr en pred⟩ ● *netjes;* it is not – *zoiets doet men niet* II ⟨bn, pred⟩ ● *klaar, af;* have –! *hou op!;* be – with *klaar zijn met;* have – with *niets meer te maken (willen) hebben met* ● *doodmoe* ‖ hard – by *oneerlijk behandeld;* I am – for *het is met mij gedaan;* completely – in/up *volkomen uitgeteld;* done! *afgesproken!;* zie ook ⟨sprw.⟩ WOMAN.

2 done ⟨volt. deelw.⟩ zie DO.

donkey ['dɒŋki] ● *ezel* ⟨ook fig.⟩. **'donkey jacket** ● *jekker, duffelsjasje.* **'donkey's years** ⟨sl.⟩ ● *lange tijd;* I haven't seen her for – *ik heb haar in eeuwen niet gezien.* **'donkey work** ● *slavenwerk.*

donor ['doʊnə] ● *gever, schenker* ● ⟨med.⟩ *donor.*

don't [doʊnt] ⟨samentr. van do not⟩.

1 doodle ['du:dl] ⟨zn⟩ ● *krabbel, poppetje.*

2 doodle ⟨ww⟩ ● *krabbelen, poppetjes tekenen.*

1 doom [du:m] ⟨zn⟩ ● *noodlot, lot* ● *ondergang.*

2 doom ⟨ww⟩ ● *veroordelen, (ver)doemen* ● *ten ondergang doemen;* –ed from the start *tot mislukken gedoemd vanaf het begin.*

Doomsday ['du:mzdeɪ] ● *dag des oordeels.*

door [dɔ:] ● *deur;* who answered the –? *wie deed er open?;* show s.o. the – *iem. de deur wijzen;* show s.o. to the – *iem. uitlaten;* four –s away/down/off *vier huizen verder;* out of –s *buiten(shuis)* ● *toegang, mogelijkheid;* close the – on *onmogelijk maken* ‖ lay the blame at s.o.'s – *iem. de schuld geven.* **'doorbell** ● *deurbel.*

'do-or-'die ● *alles-of-niets.*

'doorframe ● *deurkozijn.* **'doorhandle** ● *deurkruk, klink.* **'doorkeeper** ● *portier.* **'doorknob** ● *deurknop.* **'doorknocker** ● *deurklopper.* **doorman** ['dɔ:mən] ● *portier, conciërge.* **'doormat** ● *(deur)mat,* ⟨fig.⟩ *voetveeg.* **'doorplate** ● *naamplaat(je).* **'doorpost** ● *deurpost, deurstijl.* **'doorstep** ● *stoep* ‖ on one's – *vlakbij.* **'door-to-door** ● *huis aan huis.* **'doorway** ● *deuropening, ingang.*

1 dope [doʊp] I ⟨telb zn⟩ ↓ ● *domoor* II ⟨n-telb zn⟩ ● ⟨sl.⟩ *drugs, verdovende middelen* ● ↓ *doping* ● ⟨sl.⟩ *informatie.*

2 dope ⟨ww⟩ ● *drugs/doping toedienen aan;* they must have –d his drink *zij moeten iets in zijn drankje gedaan hebben.* **'dope fiend** ● *junkie.*

dopey, dopy ['doʊpi] ⟨sl.⟩ ● *suf* ● *dom.*

dormant ['dɔ:mənt] ● *slapend, sluimerend* ● *latent, verborgen* ● *inactief, (tijdelijk) niet*

werkend; – partner *stille vennoot.*
dormer ['dɔːmə], '**dormer window** ● *koekoek, dakkapel.*
dormitory ['dɔːmɪtri] ● *slaapzaal* ● ⟨AE⟩ *studentenhuis.* '**dormitory town, dormitory suburb** ⟨BE⟩ ● *slaapstad.*
dormobile ['dɔːməbiːl] ⟨BE⟩ ● *kampeerauto.*
dormouse ['dɔːmaʊs] ● *relmuis.*
dorsal ['dɔːsl] ● ⟨biol.⟩ *dorsaal, rug-.*
dosage ['dousɪdʒ] ● *dosering, dosis.*
1 dose [dous] ⟨zn⟩ ● *dosis, hoeveelheid.*
2 dose ⟨ww⟩ ● *doseren, medicijn toedienen aan.*
doss down ['dɑs 'daʊn] ⟨BE; sl.⟩ ● *maffen, pitten.* '**dosshouse** ⟨BE; sl.⟩ ● *goedkoop hotelletje.*
dossier ['dɒsieɪ] ● *dossier.*
1 dot [dɒt] ⟨zn⟩ ● *punt, stip* ‖ ↓ on the – *stipt (op tijd).*
2 dot ⟨ww⟩ ● *een punt zetten op/bij;* ⟨fig.⟩ – the i's (and cross the t's) *de puntjes op de i zetten* ● *stippelen;* – ted line *stippellijn;* the meadow was –ted with daisies *de wei was bezaaid met madeliefjes* ‖ sign on the –ted line *(een contract) ondertekenen.*
dotage ['doutɪdʒ] ● *kindsheid;* be in one's – *seniel zijn.*
'**dote (up)on** ● *dol zijn op.* **doting** ['doutɪŋ] ● *overdreven gesteld op, dol op.*
dotty ['dɒti] ● ↓ *getikt, niet goed snik* ● ⟨+about⟩ *dol (op).*
1 double ['dʌbl] ⟨zn⟩ ● *het dubbele* ● *dubbelganger* ● ⟨film enz.⟩ *doublure, vervanger* ● ⟨mv.⟩ ⟨tennis⟩ *dubbel(spel)* ‖ at/on the – *onmiddellijk;* – or quits *quitte of dubbel.*
2 double ⟨bn⟩ ● *dubbel;* – the amount *tweemaal zo veel;* – bed/room *tweepersoonsbed/kamer;* – chin *onderkin;* – feature *bioscoopvoorstelling met twee hoofdfilms;* – glazing/windows *dubbele beglazing/ramen;* – standard *het meten met twee maten* ● *dubbelhartig, vals;* – agent *dubbelagent/spion;* – life *dubbelleven* ‖ ↓ – Dutch *koeterwaals.*
3 double I ⟨onov ww⟩ ● *(zich) verdubbelen* ● *plotseling omkeren;* – (back) on one's tracks *op zijn schreden terugkeren* ● *een dubbele rol/functie spelen/hebben* ● ⟨film enz.⟩ *als vervanger optreden;* zie DOUBLE BACK, DOUBLE OVER, DOUBLE UP ‖ ⟨ov ww⟩ ● *verdubbelen* ● *dubbelvouwen, dubbelslaan;* he –d his fists *hij balde zijn vuisten* ● ⟨film enz.⟩ *als vervanger optreden van;* zie DOUBLE OVER, DOUBLE UP.
4 double ⟨bw⟩ ● *dubbel;* bend – *dubbelvouwen;* see – *dubbel zien.*
'**double 'back** ● *terugkeren;* – on one's tracks *op zijn schreden terugkeren.* '**double-**

'**barrelled** ● *dubbelloops* ‖ a – name *een dubbele naam.* '**double-'bass** ● *contrabas.* '**double-'bedded** ● *met twee bedden, met een tweepersoonsbed.* '**double-'breasted** ● *met twee rijen knopen.* '**double-'check** ● *extra/dubbel controleren.*
1 'double-'cross ⟨zn⟩ ↓ ● *bedriegerij, oplichterij.*
2 double-cross ⟨ww⟩ ↓ ● *bedriegen, dubbel spel spelen met.*
'**double-'dealing** ● ⟨bn⟩ *oneerlijk* ● ⟨zn⟩ *oplichterij, bedrog.* '**double-'decker** ● *dubbeldekker.* '**double-digit** ● *van/in tientallen;* – inflation *inflatie v. 10% en meer.* '**double-'dyed** ● *door de wol geverfd;* a – liar *een doortrapte leugenaar.* '**double-'edged** ● *tweesnijdend* ⟨ook fig.⟩; a – argument *een argument dat zowel vóór als tegen kan worden gebruikt.* '**double 'over** ● *(doen) buigen, (doen) ineenkrimpen* ⟨v.h. lachen, v.d. pijn⟩. '**double-'park** ● *dubbel parkeren.* '**double-'quick** ↓ ● *razendsnel;* in – time *in een oogwenk.* '**double-take** ↓ ● *vertraagde reactie;* do a – *pas bij nader inzien reageren.*
1 'double-talk ⟨zn⟩ ● *onzin, dubbelzinnige opmerking(en).*
2 double-talk ⟨ww⟩ ● *onzin uitkramen, een ingewikkeld verhaal ophangen.*
'**doublethink** ● *het langs twee sporen denken, het accepteren v. (schijnbare) tegenstrijdigheden.* '**double-'time** ● *overwerkgeld, onregelmatigheidstoeslag.* '**double 'up I** ⟨onov ww⟩ ● *ineenkrimpen* ⟨v.h. lachen, v.d. pijn⟩ ● *(samen)delen* ⟨ihb. een kamer⟩ ‖ ⟨ov ww⟩ ● *buigen, doen ineenkrimpen* ● *opvouwen, om/terugslaan.*
doubly ['dʌbli] ● *dubbel (zo);* – careful *extra voorzichtig;* – troubled *om twee redenen bezorgd.*
1 doubt [daʊt] ⟨zn⟩ ● *twijfel, onzekerheid;* be in no – about sth. *ergens zeker v. zijn;* cast –s on *in twijfel trekken;* beyond – *stellig;* in – *in onzekerheid;* without (a) – *ongetwijfeld;* no – *ongetwijfeld, zonder (enige) twijfel.*
2 doubt ⟨ww⟩ ● *twijfelen (aan), onzeker zijn, betwijfelen;* – that/whether *(be)twijfelen of.* **doubtful** ['daʊtfl] ● *twijfelachtig, onzeker, verdacht* ● *weifelend.* **doubtless** ['daʊtləs] ● *ongetwijfeld.*
dough [dou] ● *deeg* ● ⟨sl.⟩ *poen, centen.*
'**doughnut** ● *doughnut.*
dour [dʊə] ● *streng, stug.*
douse, dowse [daʊs] ● *uitdoen* ⟨licht⟩ ● *water gooien over, kletsnat maken.*
1 dove ⟨verl. t.⟩ zie DIVE.
2 dove [dʌv] ⟨zn⟩ ● *duif* ⟨ook fig.⟩, *aanhan-*

ger v. vredespolitiek; my – *m'n liefje.*

dovecot(e) [ˈdʌvkɒt, -kɒt] ● *duiventil.*

1 'dovetail ⟨zn⟩ ● *zwaluwstaart(verbinding).*

2 dovetail ⟨ww⟩ ● *zwaluwstaarten, met een zwaluwstaart verbinden* ● *precies passen* ⟨ook fig.⟩.

dowager [ˈdaʊɪdʒə] ● *douairière.*

dowdy [ˈdaʊdi] ● *slonzig, slordig/slecht gekleed.*

dowel [ˈdaʊəl] ● *deuvel, houten pen.*

1 down [daʊn] I ⟨telb zn⟩ ‖ have a – on s.o. *een hekel hebben aan iem.* II ⟨n-telb zn⟩ ● *dons* III ⟨mv.⟩ ● *heuvellandschap in Z.-Engeland;* the North/South Downs *de noordelijke/zuidelijke heuvelrug in Z.-Engeland.*

2 down ⟨bn⟩ ● *neergaand* ● *beneden* ● *depressief* ‖ cash – *contante betaling;* – payment *contante betaling.*

3 down ⟨ww⟩ ● *neerslaan, neerhalen, onderuithalen* ● *verslaan,* ⟨fig.⟩ *nekken* ● *opdrinken, (haastig) doorslikken.*

4 down ⟨bw⟩ ● *neer, (naar) beneden, omlaag, onder;* bend – *vooroverbuigen;* the sun goes – *de zon gaat onder;* go – (south) *naar het zuiden trekken;* go – in price *goedkoper worden;* put – in writing *opschrijven;* the wind went/died – *de wind ging liggen;* up and – *op en neer;* – with the president! *weg met de president!;* –! koest!, af! ⟨tegen hond⟩ ‖ ⟨BE⟩ come/go – *de universiteit verlaten* ⟨voor vakantie of wegens afstuderen⟩; go – to the country *het platteland bezoeken;* track s.o. – *iem. opsporen;* eight – and two to go *acht gespeeld, nog twee te spelen;* ⟨AE⟩ – south *in/naar de zuidelijke staten;* – under *bij de tegenvoeters, in Australië en Nieuw-Zeeland;* zie BE DOWN, GO DOWN ETC..

5 down ⟨vz⟩ ● *vanaf, langs;* – (the) river *de rivier af, verder stroomafwaarts;* – South *zuidwaarts, in het zuiden;* he went – the street *hij liep de straat door* ● ⟨tgov. up⟩ *neer, af* ‖ – town *de stad in, in het centrum.*

'down-and-'out, 'down-and-'outer ↓ ● *mislukkeling, armoedzaaier.* **'downcast** ● *somber, neerslachtig* ‖ – eyes *neergeslagen ogen.*

downer [ˈdaʊnə] ↓ ● *kalmerend middel* ● *vervelende/teleurstellende ervaring.*

'downfall ● *stortbui* ● *val, ondergang.*

'downgrade ● *degraderen, in rang verlagen.* **'down'hearted** ● *ontmoedigd, in de put.*

1 'down'hill ⟨bn⟩ ● *(af)hellend, naar beneden* ● ↓ *gemakkelijk;* it's all – from here *het is en makkie vanaf hier.*

2 downhill ⟨bw⟩ ● *bergafwaarts, naar bene-*

---

den; go – *verslechteren.*

'downpour ● *stortbui, plensbui.*

1 'downright ⟨bn⟩ ● *uitgesproken, overduidelijk* ● *volkomen.*

2 downright ⟨bw⟩ ● *volkomen, door en door.*

downstage ● *voor op het toneel.*

1 'down'stairs ⟨zn⟩ ● *benedenverdieping.*

2 downstairs ⟨bn⟩ ● *beneden, op de begane grond.*

3 downstairs ⟨bw⟩ ● *(naar) beneden, de trap af.*

'down'stream ● *stroomafwaarts.* **'down-to-'earth** ● *nuchter, met beide benen op de grond.*

1 'downtown ⟨zn⟩ ⟨AE⟩ ● *de binnenstad, het (zaken)centrum.*

2 'down'town ⟨bw⟩ ⟨AE⟩ ● *naar de binnenstad, de stad in.*

'downtrodden ● *onderdrukt.* **'downturn** ⟨hand.⟩ ● *daling.*

1 downward [ˈdaʊnwəd] ⟨bn⟩ ● *neerwaarts.*

2 downward, downwards [ˈdaʊnwədz] ⟨bw⟩ ● *naar beneden, benedenwaarts* ● *vanaf;* from the Middle Ages – *sinds de middeleeuwen.*

'down'wind ● *met de wind mee (gaand).*

downy [ˈdaʊni] ● *donzig.*

dowry [ˈdaʊ(ə)ri] ● *bruidsschat.*

dowse [daʊz] I ⟨onov ww⟩ ● *(met een wichelroede) wateraders/mineralen opsporen* II ⟨ov ww⟩ ● *zie* DOUSE. **dowser** [ˈdaʊzə] ● *wichelroedelo(o)p(st)er.*

doyen [ˈdɔɪən] ⟨vr vorm⟩ **doyenne** [dɔɪˈen] ● *oudste, nestor.*

doz. ⟨afk.⟩ dozen.

1 doze [doʊz] ⟨zn⟩ ● *sluimering, dutje.*

2 doze ⟨ww⟩ ● *dutten, soezen;* – off *indutten.*

dozen [ˈdʌzn] ● *dozijn* ● ↓ *heleboel;* –s (and –s) of people *een heleboel mensen;* by the – *bij tientallen* ‖ talk nineteen to the – *aan één stuk door praten;* it's six of one and half a – of the other *het is lood om oud ijzer.*

dozy [ˈdoʊzi] ● *slaperig, soezerig* ● ↓ *dom.*

dpt. ⟨afk.⟩ department.

Dr. ⟨afk.⟩ Drive.

drab [dræb] ⟨-ness⟩ ● *vaalbruin* ● *kleurloos, saai.*

draconian [drəˈkoʊnɪən] ● *draconisch, zeer streng.*

1 draft [drɑːft] ⟨zn⟩ ● *klad(je), concept, schets* ● ⟨hand.⟩ *traite, wissel* ● *zie* DRAUGHT ● ⟨AE⟩ *dienstplicht.*

2 draft, draught ⟨ww⟩ ● *ontwerpen, schetsen, een klad(je) maken van* ● ⟨AE⟩ *indelen, detacheren* ● ⟨AE⟩ *oproepen.* **draftee**

['drɑ:fti:] ⟨AE⟩ ●*dienstplichtig militair.*

draftsman ['drɑ:ftsmən] ●zie DRAUGHTSMAN.

'**draft 'treaty** ●*ontwerpakkoord.*

drafty zie DRAUGHTY.

1 drag [dræg] ⟨zn⟩ ●*dreg, dregnet* ●*rem* ⟨fig.⟩, *belemmering, blok aan het been* ● ⟨luchtv.⟩ *luchtweerstand* ●↓ *saai gedoe/ figuur;* it was such a – *het was stomverve- lend* ●↓ *trekje* ⟨aan sigaret⟩ ●*door een man gedragen vrouwenkleding;* in – *in travestie.*

2 drag I ⟨onov ww⟩ ●*dreggen;* – for *dreg- gen naar* ●*zich voortslepen, kruipen* ⟨v. tijd⟩, *lang duren;* – on *eindeloos duren* ● *achterblijven* **II** ⟨onov en ov ww⟩ ●*(mee) slepen, (voort)trekken/sleuren/zeulen;* she –ged him off to concerts *ze sleepte hem mee naar concerten;* – s.o. into sth. *iem. tegen zijn zin ergens in betrekken;* zie DRAG DOWN, DRAG OUT, DRAG UP **III** ⟨ov ww⟩ ●*afdreggen* ⟨rivier⟩.

'**drag 'down** ●*slopen, uitputten* ●*neerhalen* ⟨fig.⟩. '**dragnet** ●*dregnet, sleepnet.*

dragon ['drægən] ●*draak* ⟨ook fig.⟩, *onuit- staanbaar mens.*

'**dragonfly** ●*libel, waterjuffer.*

1 dragoon [drə'gu:n] ⟨zn⟩ ●*dragonder.*

2 dragoon ⟨ww⟩ ●(+into) *(met geweld) dwingen tot.*

'**drag 'out** ●*eruit trekken* ⟨waarheid e.d.⟩ ● *rekken* ⟨vergadering e.d.⟩. '**drag 'up**↓ ● *oprakelen, weer naar voren brengen* ● ⟨BE⟩ *slecht opvoeden* ⟨kind⟩.

1 drain [dreɪn] ⟨zn⟩ ●*afvoerkanaal, afvoer- buis/pijp, riool,* ⟨med.⟩ *drain;*↓ down the – *naar de knoppen* ●*afvloeiing,* ⟨fig.⟩ *druk;* it is a great – on his strength *het vergt veel van zijn krachten.*

2 drain I ⟨onov ww⟩ ●*weglopen, wegstro- men;* – away *wegvloeien;* ⟨fig.⟩ *afnemen* ●*leeglopen, uitdruipen* ●*afwateren* **II** ⟨ov ww⟩ ●*afvoeren, doen afvloeien, afgieten,* ⟨fig.⟩ *doen verdwijnen;* – away *doen wegvloeien* ●*leegmaken, leegdrinken,* ⟨fig.⟩ *uitputten;* – off *leegmaken* ●*draine- ren, droogleggen* ‖ a face –ed of all colour *een doodsbleek gezicht.* **drainage** ['dreɪnɪdʒ] ●*drainage* ●*afvoer, afwate- ring, riolering* ●*het afgevoerde water,* ⟨BE⟩ *rioolwater.* '**drainingboard** ●*af- druipplaat* ⟨v. aanrecht⟩. '**drainpipe** ● *rioolbuis, afvoerpijp.*

drake [dreɪk] ●*woerd, mannetjeseend.*

drama ['drɑ:mə] ●*toneelstuk, drama, to- neel.* **dramatic** [drə'mætɪk] ⟨-ally⟩ ●*dra- matisch, toneel-* ●*indrukwekkend, aan- grijpend;* – behaviour *theatraal gedrag.* **dramatics** [drə'mætɪks] ●*dramatiek, to- neelkunst* ●*theatraal gedoe.* **dramatis personae** ['dræmətɪs pə:'soʊnaɪ] ●*perso- nages (in een toneelstuk).* **dramatist** ['dræmətɪst] ●*toneelschrijver.* **dramati- zation** ['dræmətaɪ'zeɪʃn] ●*dramatisering.* **dramatize** ['dræmətaɪz] ●*dramatiseren.*

drank ⟨verl. t.⟩ zie DRINK.

1 drape [dreɪp] ⟨zn⟩ ●⟨AE⟩ *gordijn.*

2 drape ⟨ww⟩ ●*bekleden, omhullen* ●*drape- ren* ⟨ook fig.⟩ ●*(achteloos) leggen.*

draper ['dreɪpə] ●*manufacturier.* **drapery** ['dreɪpri] ●⟨BE⟩ *stoffen* ●⟨BE⟩ *manufac- turenhandel* ●*draperie, drapering* ●*gor- dijn.*

drastic ['dræstɪk] ●*drastisch, ingrijpend.*

1 draught, ⟨AE⟩ **draft** [drɑ:ft] ⟨zn⟩ ●*tocht, trek, luchtstroom* ●*teug, slok* ●*drankje* ● *het aftappen;* beer on – *bier van/uit het vat* ●*schets, concept, klad* ●⟨BE⟩ *damschijf;* (game of) –s *damspel.*

2 draught ⟨ww⟩ zie DRAFT[2].

'**draught 'beer** ●*bier van/uit het vat.*

'**draughtboard** ⟨BE⟩ ●*dambord.*

draughtsman, ⟨AE⟩ **draftsman** ['drɑ:fts- mən] ●*tekenaar, ontwerper.*

draughty, ⟨AE⟩ **drafty** ['drɑ:fti] ●*tochtig.*

1 draw [drɔ:] ⟨zn⟩ ●*attractie, trekpleister* ● ⟨loterij⟩ *trekking, (uit/ver)loting* ●*gelijk spel, remise* ●*getrokken kaart, getrokken lot* ‖ he is quick on the – *hij kan snel zijn revolver trekken;* ⟨fig.⟩ *hij reageert snel.*

2 draw ⟨drew [dru:], drawn [drɔ:n]⟩ **I** ⟨onov ww⟩ ●*komen, gaan;* – to an end/a close *ten einde lopen;* – near *naderen;* – off *(zich) terugtrekken, weggaan;* he drew alongside the bus *hij ging naast de bus rij- den* ●*trekken* ⟨v. thee⟩; zie DRAW APART, DRAW AWAY, DRAW BACK, DRAW IN, DRAW ON, DRAW OUT, DRAW UP **II** ⟨onov en ov ww⟩ ● *trekken, slepen, spannen* ⟨boog⟩, *tevoor- schijn halen* ⟨wapen⟩, *dichtdoen* ⟨gor- dijn⟩; – the blinds *de jaloezieën neerla- ten;* – aside *apart nemen;* – back the cur- tains *de gordijnen opentrekken;* – off *uit- trekken;* – together *samentrekken, nader tot elkaar komen;* – s.o. into a conversa- tion *iem. in een gesprek betrekken* ●*teke- nen* ●*loten;* let us – for it *laten we erom lo- ten* ●*in gelijk spel (doen) eindigen, gelijk spelen* ●*putten* ⟨ook fig.⟩; – consolation from *troost putten uit;* – on/upon *putten uit, gebruik maken van* ‖ – a conclusion *een conclusie trekken* **III** ⟨ov ww⟩ ●*(aan) trekken, (aan)lokken;* – attention to *de aandacht vestigen op* ●*(tevoorschijn) ha- len, uittrekken,* ⟨fig.⟩ *ontlokken, (af)tap- pen* ⟨bier enz.⟩; his story drew tears *zijn verhaal maakte de ogen vochtig;* he refused to be –n *hij liet zich niet uit zijn tent lokken* ● *van de ingewanden ontdoen, schoonmaken* ● *opstellen* ⟨tekst⟩, *opmaken, uitschrijven* ⟨cheque⟩ ● *trekken* ⟨geld, loon⟩, *opnemen, ontvangen* ● ⟨geldw.⟩ *opbrengen* ‖ *– a deep breath diep inademen;* – off *afleiden* ⟨aandacht⟩; *aftappen;* zie DRAW ON, DRAW OUT, DRAW UP.

'draw a'part ● *van/uit elkaar gaan.* 'draw a'way ● ⟨+from⟩ *wegtrekken (van)* ● ⟨+from⟩ *een voorsprong nemen (op).* 'drawback ● *nadeel, bezwaar, schaduwzijde.* 'draw 'back ● ⟨+from⟩ *(zich) terugtrekken (van), terugwijken (van/voor).* 'drawbridge ● *ophaalbrug.*

drawer [drɔ:] ● *lade.*

'draw 'in ● *binnenrijden* ● *aan de kant gaan rijden* ● *ten einde lopen* ⟨v. dag⟩ ● *korter worden* ⟨v. dagen⟩.

drawing ['drɔːɪŋ] ● *tekening* ● *het tekenen, tekenkunst* ● *trekking.* 'drawing board ● *tekenbord, tekenplank;* ↓ (go) back to the – *helemaal opnieuw beginnen.* 'drawing pin (BE) ● *punaise.* 'drawing room ● *salon, zitkamer.*

1 drawl [drɔ:l] ⟨zn⟩ ● *lijzige manier v. praten.* 2 drawl ⟨ww⟩ ● *lijzig praten.*

drawn [drɔ:n] ● *vertrokken, strak, afgetobd* ⟨gezicht⟩ ● *onbeslist* ⟨wedstrijd⟩.

'draw 'on I ⟨onov ww⟩ ● *naderen* II ⟨ov ww⟩ ● *aanmoedigen* ● *aantrekken* ⟨kledingstukken⟩. 'draw 'out I ⟨onov ww⟩ ● *lengen* ⟨v. dagen⟩ ● *wegrijden* ⟨v. trein enz.⟩ II ⟨ov ww⟩ ● *(uit)rekken* ● *aan de praat krijgen* ● *opnemen* ⟨geld⟩. 'draw 'up I ⟨onov ww⟩ ● *stoppen, tot stilstand komen* ⟨v. auto e.d.⟩; – to *dichter komen bij* II ⟨ov ww⟩ ● *opstellen* ⟨soldaten⟩ ● *opmaken, opstellen* ● *aanschuiven* ⟨stoel⟩, *bijtrekken* ‖ draw o.s. up *zich oprichten.*

1 dread [dred] ⟨zn⟩ ● *angst, vrees.* 2 dread ⟨bn⟩ ● *gevreesd, ontzagwekkend.* 3 dread ⟨ww⟩ ● *vrezen, erg opzien tegen.* dreadful ['dredfl] ● *vreselijk, ontzettend.*

1 dream [dri:m] ⟨zn⟩ ● *droom,* ⟨fig.⟩ *ideaal;* a – of a dress *een snoes v.e. jurk.* 2 dream ⟨ww; vnl. BE dreamt, dreamt [dremt]⟩ ● *dromen;* – away *verdromen;* – up *verzinnen;* – about/of *dromen van;* ↓ she wouldn't – of moving *zij piekerde er niet over om te verhuizen.* dreamer ['dri:mə] ● *dromer.* 'dreamland ● *droomwereld.* dreamlike ['dri:mlaɪk] ● *onwezenlijk, als (in) een droom.* 'dream world ● *schijnwereld, droomwereld.* dreamy ['dri:mi] ● *dromerig, onwezenlijk* ● ↓ *beeldig, schattig.*

dreary ['drɪəri] ● *somber, treurig* ● *saai.*

dredge [dredʒ] ● *opdreggen, uitbaggeren;* ⟨fig.⟩ – up old memories *herinneringen ophalen* ● *bestrooien;* – fish in bread crumbs *vis door het paneermeel halen.* dredger ['dredʒə], dredge [dredʒ] ● *baggermachine.*

dregs [dregz] ● *bezinksel, droesem;* drink/ drain to the – *tot op de bodem ledigen* ‖ – of society *uitschot v.d. maatschappij.*

drench [drentʃ] ● *doordrenken, doorweken, kletsnat maken.* drenching ['drentʃɪŋ] ● *stortbui, nat pak.*

1 dress [dres] ⟨zn⟩ ● *jurk, japon* ● *kleding, tenue, dracht.*
2 dress I ⟨onov en ov ww; wdk ww⟩ ● *zich (aan)kleden, toilet maken;* – down *zich zeer eenvoudig kleden* ‖ – up *zich netjes aankleden, zich verkleden;* – for dinner *zich verkleden voor het eten* II ⟨ov ww⟩ ● *(aan)kleden;* –ed to kill *opvallend/mooi gekleed* ⟨v. iem. op de versiertoer enz.⟩; – up *verkleden* ● *versieren;* – a shop window *een etalage inrichten;* – up *opdoffen* ⟨ook fig.⟩; *mooi doen schijnen* ● ⟨med.⟩ *verbinden* ⟨wond⟩ ● *met saus overgieten, aanmaken;* –ed salad *aangemaakte sla* ‖ –ed fowl *schoongemaakt gevogelte;* – down *roskammen* ⟨paard⟩; ⟨fig.⟩ op z'n *donder geven.*

'dress circle ● *balkon* ⟨in theater⟩.

dresser ['dresə] ● ⟨dram.⟩ *kleder/kleedster* ● (BE) *keukenkast, dressoir* ● (AE) *ladenkast.* dressing ['dresɪŋ] ● *het (aan)kleden* ● ⟨med.⟩ *verband(materiaal)* ● *slasaus, vinaigrette* ● ⟨AE; cul.⟩ *vulling.*

'dressing 'down ● *schrobbering, uitbrander.* 'dressing gown ● *badjas* ● *ochtendjas.* 'dressing room ● *kleedkamer.* 'dressing table ● *toilettafel, kaptafel.*

'dressmaker ● *naaister, kleermaakster.* 'dressmaking ● *het naaien, kleermakerij.* 'dress rehearsal ● *generale repetitie.* dressy ['dresi] ● *chic, elegant* ● ⟨fig.⟩ *opgedirkt.*

drew ⟨verl. t.⟩ zie DRAW.

1 dribble ['drɪbl] ⟨zn⟩ ● *stroompje,* ⟨fig.⟩ *druppeltje, beetje* ● ⟨sport⟩ *dribble* ● *kwijl.*
2 dribble I ⟨onov ww⟩ ● *(weg)druppelen* ● *kwijlen* ● ⟨sport⟩ *dribbelen* II ⟨ov ww⟩ ● *(laten) druppelen.*

driblet ['drɪblɪt] ● *beetje, stukje;* in/by –s *bij stukjes en beetjes.*

dribs [drɪbz] ‖ in – and drabs *bij stukjes en beetjes.*

dried [draɪd] ● *droog, gedroogd;* – fruit *zuidvruchten;* – milk *melkpoeder;* – up *opgedroogd.* drier, dryer ['draɪə] ● *droger, föhn, wasdroger, droogmolen.*

1 drift [drɪft] ⟨zn⟩ ● *afwijking/drijving* ● *sneeuw/regenvlaag, stofwolk* ● *opeenhoping, massa;* a – of leaves *een bladerhoop* ⟨door wind opgehoopt⟩ ● *gang, trek* ● *strekking, bedoeling.*

2 drift I ⟨onov ww⟩ ● *(af/uiteen)drijven* ⟨ook fig.⟩, *(zich laten) meedrijven, (rond)zwalken;* he just –s along *hij doet maar wat;* John and Mary –ed apart *John en Mary vervreemdden van elkaar;* – away/off *geleidelijk verdwijnen* ● *(zich) ophopen* ⟨v. sneeuw⟩ II ⟨ov ww⟩ ● *meevoeren* ● *bedekken* ⟨met sneeuw/bladeren⟩.

drifter [ˈdrɪftə] ● ⟨ong.⟩ *zwerver.*

'drift ice ● *drijfijs.* **'driftwood** ● *drijfhout.*

1 drill [drɪl] ⟨zn⟩ ● *boor(machine), drilboor* ● *het drillen, exercitie, oefening* ● *driloefening.*

2 drill I ⟨onov ww⟩ ● *boren* ● *oefenen, exerceren* II ⟨ov ww⟩ ● *doorboren* ● *aanboren* ● *drillen, africhten* ● *erin stampen.*

drily [ˈdraɪli] ● zie DRY ● *droog(jes).*

1 drink [drɪŋk] ⟨zn⟩ ● *(iets te) drinken, slok;* give him a – of water *geef hem wat water te drinken* ● *drank, sterke drank* ● *het (teveel) drinken;* she took to – *ze ging aan de drank* ● ⟨sl.⟩ *plomp, plas.*

2 drink ⟨drank [dræŋk], drunk [drʌŋk]⟩ I ⟨onov ww⟩ zie DRINK TO II ⟨onov en ov ww⟩ ● *drinken;* – away one's money *zijn geld verdrinken;* – up *opdrinken, (het glas) leegdrinken* III ⟨ov ww⟩ ● *in zich opnemen;* – s.o.'s words *iemands woorden in zich opnemen* ● *drinken op;* they drank his health *zij dronken op zijn gezondheid.*

drinkable [ˈdrɪŋkəbl] ● *drinkbaar.* **drinker** [ˈdrɪŋkə] ● *drinker.* **'drinking fountain** ● *drinkfontein(tje).* **'drinking water** ● *drinkwater.* **'drink to** ● *toasten op;* let us – the future *laten we op de toekomst drinken.*

1 drip [drɪp] ⟨zn⟩ ● *gedruppel, druppel* ● ⟨med.⟩ *infuus* ● ⟨sl.⟩ *slome (duikelaar).*

2 drip I ⟨onov ww⟩ ● *druipen, druppelen;* –ping wet *drijfnat;* –ping with ⟨fig.⟩ *overvloeiend van* II ⟨ov ww⟩ ● *laten druppelen.*

'drip-'dry ● *strijkvrij, kreukvrij* ⟨v. stof⟩.

dripping [ˈdrɪpɪŋ] ● *het druppelen, gedruppel* ● *braadvet.*

1 drive [draɪv] ● *rit(je);* it is a long – *het is een heel eind rijden* ● ⟨sport⟩ *slag* ● ⟨psych.⟩ *drang* ● *actie, campagne* ● ⟨BE⟩ *wedstrijd (bingo/whist), bridgedrive* ● *laan, rijweg, oprijlaan* ● ⟨mil.⟩ *(groot) offensief* ● *aandrijving* ● *energie, voortvarendheid.*

2 drive ⟨drove [droʊv], driven [ˈdrɪvn]⟩ I ⟨onov ww⟩ ‖ let – at *schieten op, slaan*

naar; zie DRIVE AT II ⟨onov en ov ww⟩ ● *drijven* ⟨ook fig.⟩, *opjagen;* – into a (tight) corner *in het nauw drijven;* – away *wegjagen;* – out *verdrijven* ● *rijden, (be)sturen;* – in *binnenrijden;* – off *wegrijden;* – up *vóórrijden* ● *voortdrijven, slaan* ⟨ook sport⟩; – in *inslaan* ⟨spijker enz.⟩; *inhameren* ⟨ook fig.⟩; – home *volkomen duidelijk maken;* – off an attack *een aanval afslaan* III ⟨ov ww⟩ ● *boren* ⟨tunnel⟩ ● *brengen tot;* – s.o. to despair *iem. wanhopig maken* ● *aandrijven.*

'drive at ● *doelen op;* what is he driving at? *wat bedoelt hij?.*

'drive-in ● ⟨bn⟩ *drive-in* ● ⟨zn⟩ *drive-in, inrijbank/bioscoop/cafetaria.*

1 drivel [ˈdrɪvl] ⟨zn⟩ ● *gezwam.*

2 drivel ⟨ww⟩ ● *zwammen;* – on *dóórleuteren.*

driven ⟨volt. deelw.⟩ zie DRIVE.

driver [ˈdraɪvə] ● *bestuurder, chauffeur, machinist.*

'driveway ● *oprijlaan.*

driving [ˈdraɪvɪŋ] ● *aandrijvend, stuwend* ⟨ook fig.⟩ ● *krachtig, energiek;* – rain *slagregen.*

'driving licence, ⟨AE⟩ **'driver's licence** ● *rijbewijs.* **'driving test** ● *rijexamen.*

1 drizzle [ˈdrɪzl] ⟨zn⟩ ● *motregen.*

2 drizzle ⟨ww⟩ ● *motregenen.* **drizzly** [ˈdrɪzli] ● *miezerig, druilerig.*

droll [droʊl] ● *koddig.*

dromedary [ˈdrɒmədri] ● *dromedaris.*

1 drone [droʊn] ⟨zn⟩ ● *hommel, dar* ● *klaploper* ● *gegons, gezoem, gebrom, dreun.*

2 drone ⟨ww⟩ ● *gonzen, zoemen, brommen, dreunen.* **'drone 'on** ● *eindeloos dóórzeuren.*

drool [druːl] ● *kwijlen.*

1 droop [druːp] ⟨zn⟩ ● *hangende houding, het (laten) hangen.*

2 droop I ⟨onov ww⟩ ● *neerhangen, toevallen* ⟨v. oogleden⟩ ● *verflauwen;* don't let your spirits – *laat de moed niet zakken* II ⟨ov ww⟩ ● *laten hangen* ⟨hoofd enz.⟩.

1 drop [drɒp] I ⟨telb zn⟩ ● *druppel, neutje,* ⟨fig.⟩ *greintje;* he has had a – too much *hij heeft te diep in het glaasje gekeken* ● *zuurtje* ● *val, daling, verval* ⟨v. rivier⟩ ● *dropping* ‖ a – in the ocean *een druppel op een gloeiende plaat;* at the – of a hat *bij de minste aanleiding* II ⟨mv.⟩ ● *druppels, medicijn.*

2 drop I ⟨onov ww⟩ ● *druppelen, druipen* ● *vallen, zich laten vallen;* ⟨sl.⟩ – dead! *val dood!* ● *dalen, zakken;* the wind has –ped *de wind is gaan liggen;* – away *teruglopen* ‖ they let the matter – *zij lieten de zaak ver-*

der rusten; – back/behind *achterblijven;* –
behind *achterraken bij;* zie DROP BY, DROP
OFF, DROP OUT **II** ⟨ov ww⟩ ●*laten druppelen, laten druipen* ●*laten vallen, neerlaten; she* –ped her eyes *zij sloeg haar ogen
neer* ●*laten varen, laten schieten, opgeven;* – (the) charges *een aanklacht intrekken;* ↓ – it! *schei uit!* ●*laten dalen, verlagen;* – one's voice *zachter praten* ●*terloops zeggen;* – s.o. a hint *iem. een wenk
geven;* – me a line *schrijf me even een
paar regeltjes* ●*afleveren, afgeven, afzetten* ●*weglaten* ⟨letter, woord⟩; he –s his
h's *hij slikt de h in;* zie DROP OFF.

'drop 'by, 'drop 'in ●*langskomen, binnenvallen;* drop in on s.o. *even aanlopen bij
iem..* 'drop kick ⟨rugby; Am. football⟩ ●
⟨zn⟩ *dropkick* (trap tegen opstuitende
bal) ●⟨ww⟩ *dropkicken.* droplet ['drɒp-
lɪt] ●*druppeltje.* 'drop 'off **I** ⟨onov ww⟩ ●
geleidelijk afnemen ● ↓ *in slaap vallen* **II**
⟨ov ww⟩ ●*afzetten, laten uitstappen.*
'dropout ↓ ●*drop-out* ⟨iem. die de school
niet afgemaakt heeft, iem. die de samenleving de rug toegekeerd heeft⟩. 'drop
'out ●*opgeven* ●*vroegtijdig verlaten* ⟨AE,
ihb. school⟩. droppings ['drɒpɪŋz] ●*uitwerpselen* ⟨v. dieren⟩, *keutels.* 'drop
shot ⟨tennis, badminton⟩ ●*dropshot* ⟨bal/
shuttle die plotseling loodrecht naar beneden valt⟩.

dropsy ['drɒpsi] ⟨med.⟩ ●*waterzucht.*
dross [drɒs] ●*metaalslak/schuim,* ⟨fig.⟩
waardeloos spul.

drought [draʊt] ●*droogte, droge periode.*
1 drove [droʊv] ⟨zn⟩ ●*horde, kudde* ⟨ihb.
vee⟩, *menigte* ⟨mensen⟩.
2 drove ⟨verl. t.⟩ zie DRIVE.
drover ['droʊvə] ●*veedrijver.*
drown [draʊn] ●*(doen) verdrinken;* – one's
sorrows (in drink) *zijn verdriet verdrinken* ●*(doen) overstromen, onder water
zetten, (rijkelijk) overspoelen,* ⟨fig.⟩ *overstemmen, overstelpen;* – out *overstemmen.*

1 drowse [draʊz] ⟨zn⟩ ●*lichte slaap.*
2 drowse **I** ⟨onov ww⟩ ●*slaperig zijn, dom-
melen* **II** ⟨ov ww⟩ ●*slaperig maken, suf
maken.* drowsy ['draʊzi] ●*slaperig, suf* ●
dromerig.

1 drudge [drʌdʒ] ⟨zn⟩ ●*sloof, werkezel.*
2 drudge ⟨ww⟩ ●*zwoegen, zich afbeulen.*
drudgery ['drʌdʒəri] ●*eentonig werk,
geestdodend werk.*

1 drug [drʌg] ⟨zn⟩ ●*geneesmiddel, medicijn*
●*drug, verdovend/stimulerend middel.*
2 drug ⟨ww⟩ ●*medicijn(en) e.d. toedienen,
bedwelmen, drogeren, verdoven.*

'drug addict, 'drug fiend ●*verslaafde, drug-
gebruiker.*
druggist ['drʌgɪst] ●*apotheker* ●*drogist.*
'drugstore ⟨vnl. AE⟩ ●*drugstore* ⟨klein
warenhuis⟩, *apotheek, drogisterij.*
'drug trafficker ●*drughandelaar.*
1 drum [drʌm] ⟨zn⟩ ●*trom, trommel* ●*ge-
trommel, (ge)roffel* ●⟨mv.⟩ *slagwerk,
drumstel* ●*ton, vat.*
2 drum **I** ⟨onov ww⟩ ●*trommelen, drum-
men, roffelen* **II** ⟨ov ww⟩ ●*trommelen, tikken* ‖ ⟨fig.⟩ – up *optrommelen, bijeenroepen;* – sth. into s.o.'s head *iets bij iem.
erin hameren.* 'drumbeat ●*trommelslag,
tromgeroffel.* 'drum 'major ●⟨mil.⟩ *tam-
boer-majoor.* 'drum majo'rette ●*majorette.* drummer ['drʌmə] ●*slagwerker,
drummer, tamboer.* 'drumstick ●*trommelstok* ●*(gebraden) kippe/kalkoene-
pootje.*

1 drunk [drʌŋk] ⟨zn⟩ ●*dronkaard, zuiplap.*
2 drunk ⟨bn⟩ ●*dronken;* – driving *het rijden onder invloed;* blind/dead – *stomdronken* ●*door het dolle heen;* – with joy
dol v. vreugde ‖ (as) – as a ⟨BE⟩ lord/ ⟨AE⟩
skunk *stomdronken, ladderzat.*
3 drunk ⟨volt. deelw.⟩ zie DRINK. drunkard
['drʌŋkəd] ●*dronkaard.* drunken ['drʌŋ-
kən] (-ness) ●*dronken, dronkemans-.*

1 dry [draɪ] ⟨bn⟩ ●*droog, (op)gedroogd, uitgedroogd, zonder beleg* ⟨brood⟩, *droog-
gelegd* ⟨land; ook fig.⟩, *schraal* ⟨wind⟩ ●
↓ *dorstig* ●*droog* ⟨wijn⟩, *sec* ●*droog, op
droge toon (gezegd)* ‖ – land *vaste grond;*
– cleaner('s) *stomerij;* (as) – as dust/a
bone *gortdroog, kurkdroog;* – rot *hout-
zwam; vuur* ⟨in hout⟩; *rotting, bederf.*
2 dry **I** ⟨onov ww⟩ ●*(op)drogen;* dried milk
melkpoeder ‖ – out *uitdrogen; afkicken*
⟨alcoholici⟩; – up *opdrogen* ⟨ook fig.⟩; afnemen tot niets ⟨v. stroom water, woorden, ideeën⟩; ↓ now – up! *kop dicht!* **II** ⟨ov
ww⟩ ●*(af)drogen, laten drogen* ‖ – out
*grondig droog laten worden; laten afkic-
ken* ⟨alcoholici⟩. 'dry-'clean ●*chemisch
reinigen, stomen.* 'dry dock ●*droogdok.*
dryer zie DRIER. 'dry-'eyed ●*met droge
ogen.* 'dry goods ●⟨AE⟩ *manufacturen,
textiel.*

D.T.'s ⟨afk.⟩ *delerium tremens.*
dual ['dju:əl] ●*tweevoudig, tweeledig, dubbel;* ⟨BE⟩ – carriageway *vierbaansweg;* –
purpose *twee doelen dienend.*
dub [dʌb] ●*noemen* ●*(na)synchroniseren,
dubben.*
dubious ['dju:bɪəs] ●*twijfelend, onzeker* ●
twijfelachtig.
duchess ['dʌtʃɪs] ●*hertogin.* duchy ['dʌtʃi] ●

hertogdom.

1 duck [dʌk] ⟨zn⟩ ● *eend* ● ⟨BE; ↓⟩ *liefje* ⟨vnl. als aanspreekvorm⟩ ‖ –(s) and drake(s) *het keilen;* play –s and drakes with *verkwanselen;* take to sth. like a – to water *in z'n element zijn.*

2 duck I ⟨onov ww⟩ ● *buigen, (zich) bukken, wegduiken;* zie DUCK OUT II ⟨ov ww⟩ ● *(onder)dompelen, kopje-onder duwen* ● ↓ *ontwijken* ● *snel intrekken* ⟨hoofd⟩.

duckling ['dʌklɪŋ] ● *jonge eend, eendje.*

duck out ● *'m smeren;* he managed to – of the situation *hij wist zich aan de situatie te onttrekken.*

ducky ['dʌki] ↓ ● *liefje* ⟨vnl. als aanspreekvorm⟩.

duct [dʌkt] ● *buis* ⟨ook biol.⟩, *kanaal, leiding.*

dud [dʌd] ⟨sl.⟩ ● *prul, nepding* ● *blindganger* ● *sukkel.*

dude [dju:d] ⟨AE; ↓⟩ ● *kerel* ● *stadsmens.* '**dude ranch** ⟨AE⟩ ● *vakantieboerderij.*

dudgeon ['dʌdʒən] ‖ in high – *woedend.*

1 due [dju:] ⟨zn⟩ ● *het iem. toekomende;* give s.o. his – *iem. geven wat hem toekomt* ● ⟨mv.⟩ *schuld(en), rechten, contributie.*

2 due ⟨bn⟩ ● ↑ *gepast, juist;* after – consideration *na rijp beraad;* in – time, in – course (of time) *te zijner tijd;* with – respect *met (alle) respect* ● *schuldig, verschuldigd, verplicht;* ⟨geldw.⟩ fall/become – *vervallen* ⟨termijn⟩ ● *verwacht;* the aircraft is – at 4.50 p.m. *het toestel wordt om 16 uur 50 verwacht;* the car is – for repairs *de auto is aan reparatie toe* ‖ – to *toe te schrijven/te wijten/te danken aan;* zie ook ⟨sprw.⟩ CREDIT; zie DUE TO.

3 due ⟨bw⟩ ● *precies* ⟨alleen vóór windstreken⟩; – south *pal naar het zuiden.*

1 duel ['dju:əl] ⟨zn⟩ ● *duel.*

2 duel ⟨ww⟩ ● *duelleren.*

duet [dju:'et] ● ⟨muz.⟩ *duet.*

due to ● *wegens, vanwege, door.*

duffer ['dʌfə] ↓ ● *sufferd, sukkel, kruk.*

duffle, duffel ['dʌfl] ● *duffel.* '**duffle bag** ● *plunjezak.* '**duffle coat** ● *duffel, duffelse jas.*

dug [dʌg] ⟨verl. t. en volt. deelw.⟩ zie DIG.

'**dugout** ● *(boomstam)kano* ● ⟨mil.⟩ *schuilhol, uitgegraven schuilplaats* ● ⟨sport⟩ *dug-out.*

duke [dju:k] ● *hertog.* **dukedom** ['dju:kdəm] ● *hertogdom* ● *hertogelijke titel.*

1 dull [dʌl] ⟨bn; -ness⟩ ● *saai, oninteressant* ● *dom, sloom* ● *mat* ⟨v. kleur, geluid, pijn⟩, *dof* ● *bot, stomp* ● *bewolkt* ● ⟨hand.⟩ *flauw, slap;* the – season *de slap-*

pe tijd ‖ as – as ditchwater *oersaai;* zie ook ⟨sprw.⟩ WORK.

2 dull I ⟨onov ww⟩ ● *afstompen* ● *dof/mat worden* ● *stomp worden* II ⟨ov ww⟩ ● *suf maken, verdoven* ● *dof maken* ● *stomp maken,* ⟨fig.⟩ *afzwakken* ● *dom/stom maken.* **dullard** ['dʌləd] ● *slome (duikelaar).*

duly ['dju:li] ● *behoorlijk, terecht* ● *stipt, prompt.*

dumb [dʌm] ● *stom, niet kunnen/willen spreken;* to be struck – *met stomheid geslagen zijn* ● *dom, stom.*

'**dumbbell** ● ⟨vnl. mv.⟩ *halter* ● ⟨vnl. AE; sl.⟩ *sufferd.*

dumbfound ['dʌmˈfaʊnd] ● *verstomd doen staan.* '**dumb show** ● *gebarenspel, pantomime.* '**dumb waiter** ● *stommeknecht, serveertafel.*

1 dummy ['dʌmi] ⟨zn⟩ ● *dummy, blinde* ⟨kaartspel⟩, *pop* ⟨v. buikspreker⟩, *model* ⟨v. boek⟩, *(pas)pop, model* ● *nepartikel,* ⟨ihb. BE⟩ *fopspeen* ● ⟨vnl. AE; sl.⟩ *sufferd.*

2 dummy ⟨bn⟩ ● *namaak* ● *proef-;* – run *het proefdraaien.*

1 dump [dʌmp] ⟨zn⟩ ● *(vuilnis)belt* ● *dump, tijdelijk depot v. legergoederen* ‖ ↓ (down) in the –s *in de put, somber.*

2 dump ⟨ww⟩ ● *dumpen, storten, neersmijten* ● ⟨hand.⟩ *dumpen* ⟨goederen op buitenlandse markt⟩ ● ↓ *achterlaten.*

dumper ['dʌmpə], '**dump(er) truck** ● *kiepauto.*

dumpling ['dʌmplɪŋ] ● *knoedel, meelballetje* ● *bol* ⟨bv. appelbol⟩.

dumpy ['dʌmpi] ↓ ● *kort en dik.*

dun [dʌn] ● *grijs-bruin.*

dunce [dʌns] ● *domkop, uilskuiken.*

dune [dju:n] ● *duin.* '**dune buggy** ● *strandbuggy* ⟨sportief open autootje⟩.

dung [dʌŋ] ● *mest, drek.*

dungarees ['dʌŋgəˈri:z] ● *overall, jeans, tuinbroek.*

dungeon ['dʌndʒən] ● *kerker.*

'**dunghill** ● *mesthoop.*

dunk [dʌŋk] ↓ ● *onderdompelen, (in)dopen* ⟨brood in thee e.d.⟩.

dunno ['dʌˈnoʊ, -də-] ⟨samentr. v. I don't know⟩ ⟨spreektaal⟩ ● *kweenie, wee-nie.*

duo ['dju:oʊ] ● *duo,* ⟨scherts.⟩ *stel, paar.*

duodenum [-'di:nəm] ● *twaalfvingerige darm.*

1 dupe [dju:p] ⟨zn⟩ ● *dupe, slachtoffer (v. bedrog).*

2 dupe ⟨ww⟩ ● *bedriegen, benadelen.*

duplex ['dju:pleks] ● ⟨bn⟩ *tweevoudig* ● ⟨zn⟩ ⟨AE⟩ *halfvrijstaand huis, (huis v.) twee onder een kap* ‖ ⟨AE⟩ – apartment *mai-*

sonnette.

1 duplicate ['dju:plɪkət] ⟨zn⟩ ●*duplicaat, af-schrift* ●*duplo, tweevoud;* in – *in twee-voud.*

2 duplicate ⟨bn⟩ ●*dubbel, duplicaat-* ●*iden-tiek;* – key *extra/tweede sleutel.*

3 duplic|ate ['dju:plɪkeɪt] ⟨ww; zn: **-ation**⟩ ● *verdubbelen, kopiëren.*

duplicator ['dju:plɪkeɪtə] ●*duplicator, sten-cilmachine.*

duplicity [dju:'plɪsəti] ●*dubbelhartigheid, bedrog.*

durab|le ['djʊərəbl] ⟨zn: **-ility**⟩ ●*duurzaam.*

duration [djʊ'reɪʃn] ●*duur;* for the – of *zo-lang ... duurt, tijdens.*

duress [djʊ'res] ●*dwang* ‖ under – *gedwon-gen.*

durex ['djʊəreks] ⟨vnl. D-⟩ ⟨merknaam⟩ ● *condoom.*

during ['djʊərɪŋ] ●*tijdens, gedurende, on-der.*

dusk [dʌsk] ●*schemer(ing), schemerdon-ker.* **dusky** ['dʌski] ●*duister, donker, sche-merig.*

1 dust [dʌst] ⟨zn⟩ ●*stof* ●⟨BE⟩ *vuil(nis)* ‖ ⟨fig.⟩ kick up/raise a – *stennis maken;* bite the – *in het stof bijten;* throw – into s.o.'s eyes *iem. zand in de ogen strooien.*

2 dust I ⟨onov ww⟩ ●*(af)stoffen* **II** ⟨ov ww⟩ ● *bestuiven, bestrooien* ●*afstoffen;* zie DUST OFF.

'dustbin ⟨BE⟩ ●*vuilnisbak.* **'dust cart** ⟨BE⟩ ● *vuilniswagen.* **'dustcoat** ●*stofjas.* **duster** ['dʌstə] ●*stoffer, plumeau* ●*stofdoek.* **'dust jacket** ●*stofomslag.* **dustman** ['dʌs(t)mən] ⟨BE⟩ ●*vuilnisman.* **'dust 'off** ●*afstoffen,* ⟨fig.⟩ *opfrissen* ⟨kennis⟩. **'dustpan** ●*blik* ⟨stoffer en blik⟩. **'dust sheet** ●*stoflaken.*

'dustup ↓ ●*handgemeen* ●*rel.*

dusty ['dʌsti] ●*stoffig, bestoft.*

1 Dutch [dʌtʃ] **I** ⟨eig.n.⟩ ●*Nederlands, Hol-lands* **II** ⟨mv.; the⟩ ●*Nederlanders.*

2 Dutch ⟨bn⟩ ●*Nederlands, Hollands* ‖ – auc-tion *verkoping bij afslag;* – cap *pessarium (occlusivum);* – comfort *schrale troost;* ↓ – courage *jenevermoed;* – fuck *het aanste-ken van de ene sigaret aan de andere;* – treat *feest/uitstapje waarbij ieder voor zich betaalt;* talk like a – uncle *duidelijk zeggen waar het op staat.*

3 Dutch ⟨bw⟩ ‖ go – *ieder voor zich betalen.*

Dutchman ['dʌtʃmən] ●*Nederlander, Hol-lander* ‖ ... or I am a –, I am a – if ... *ik ben een boon als ik ....*

dutiable ['dju:tɪəbl] ●*belastbaar.*

dutiful ['dju:tɪfl] ●*plicht(s)getrouw* ●*ge-hoorzaam, eerbiedigend.*

duty ['dju:ti] **I** ⟨zn⟩ ●*plicht, taak, functie, dienst;* (as) in – bound *plichtshalve;* do – for *dienst doen als, vervangen;* off – *bui-ten (de) dienst(tijd), in vrije tijd;* on – *in functie, in diensttijd* ●*belasting, accijns, (invoer/uitvoer)recht(en)* ●*eer(betoon)* ‖ a heavy – drilling machine *een boormachi-ne voor zwaar werk* **II** ⟨mv.⟩ ●*functie, werkzaamheden* ●*belasting, accijns.* **'du-ty-'free** ●*belastingvrij;* – shop *belasting-vrije winkel.* **'duty officer** ●*officier v. dienst.* **'duty roster** ⟨mil.⟩ ●*dienstroos-ter.*

duvet ['du:veɪ] ●*(donzen) dekbed.*

1 dwarf [dwɔ:f] ⟨zn; bn⟩ ●⟨zn⟩ *dwerg* ● ⟨bn⟩ *dwerg-, miniatuur-.*

2 dwarf ⟨ww⟩ ●*in z'n groei belemmeren, klein houden* ●*klein(er) doen lijken.*

dwell [dwel] ⟨ook dwelt, dwelt [dwelt]⟩ ● *wonen, verblijven, zich ophouden* ●*uit-weiden;* – (up)on *(lang) blijven stilstaan bij.*

dwelling ['dwelɪŋ] ⟨↑, scherts.⟩ ●*woning.* **'dwelling house** ⟨vnl. jur.⟩ ●*(woon)huis.*

dwindle ['dwɪndl] ●*afnemen, achteruit gaan.*

1 dye [daɪ] ⟨zn⟩ ●*verf(stof)* ●*kleur, tint.*

2 dye ⟨ww⟩ ●*verven, kleuren.* **dyed-in-the-wool** ['daɪd ɪn ðə 'wʊl] ●*door de wol ge-verfd, door en door.* **'dyestuff** ●*verfstof.* **'dyeworks** ●*(textiel)ververij.*

dying ['daɪɪŋ] ●*stervend* ⟨ook fig.⟩, *doods-;* – words/wish *laatste woorden/wens* ‖ ↓ be – for (a cup of tea) *snakken naar (een kop thee).*

dyke zie DIKE.

1 dynamic [daɪ'næmɪk] ⟨zn⟩ ●*drijfkracht, stuwkracht.*

2 dynamic ⟨bn⟩ ●*dynamisch, bewegend* ● *voortvarend, energiek.* **dynamics** [daɪ-'næmɪks] ●*dynamica.*

dynamism ['daɪnəmɪzm] ●*dynamiek.*

1 dynamite ['daɪnəmaɪt] ⟨zn⟩ ●*dynamiet.*

2 dynamite ⟨ww⟩ ●*opblazen* ⟨met dyna-miet⟩.

dynamo ['daɪnəmoʊ] ●*dynamo* ●*energiek mens.*

dynasty ['dɪnəsti] ●*dynastie.*

dysentery ['dɪsntri] ●*dysenterie.*

dyslexia [dɪs'leksɪə] ●*leesblindheid.*

dyspepsia [dɪs'pepsɪə] ●*dyspepsie.* **dys-peptic** [dɪs'peptɪk] ●⟨bn⟩ *dyspeptisch* ● ⟨zn⟩ *lijder aan slechte spijsvertering.*

1 each [i:tʃ] ⟨vnw⟩ ●*elk, ieder;* they are a
dollar – *ze kosten een dollar per stuk.*
2 each ⟨det⟩ ●*elk(e), ieder(e).*
'each 'other ●*elkaar.*

eager ['i:gə] ⟨-ness⟩ ●*vurig;* with – cries *met
enthousiaste kreten* ●⟨+for⟩ *(hevig) verlangend (naar), begerig* ‖↓ – beaver *(overdreven) harde werker.*

eagle ['i:gl] ●*adelaar, arend.* **'eagle-'eyed**
['i:gl 'aɪd] ●*scherpziend, met arendsogen.*

ear [ɪə] ●*oor;* in (at) one –, out (at) the other
het ene oor in, het andere uit; ⟨fig.⟩ play it
by – *op z'n gevoel afgaan;* up to one's –s
tot over zijn oren ●*gehoor, oor;* have an –
for *een oor/gevoel hebben voor* ●*(koren)
aar* ‖ keep one's –(s) to the ground *(goed)
op de hoogte blijven* ⟨v. trends, roddels⟩ ;
de boel goed in de gaten houden; lend
s.o. an –/one's –s *naar iem. luisteren;*
prick up one's –s *de oren spitsen;* be out
on one's – *ontslagen worden;* be all –s
een en al oor zijn; zie ook ⟨sprw.⟩ WALL.
'earache ●*oorpijn.* **ear clip** ●*oorknop.*
'eardrum ●*trommelvlies.* **earful** ['ɪəfʊl]↓‖
give s.o. an – *iem. onomwonden de waarheid zeggen.*

earl [ə:l] ●*(Engelse) graaf.*
'ear lobe ●*oorlel(letje).*

1 early ['ə:li] ⟨bn⟩ ●*vroeg, vroegtijdig;* –
bird *vroege vogel, vroege opstaander;*
keep – hours *vroeg naar bed gaan en
vroeg opstaan;* – warning system *netwerk
v. waarschuwingsradar* ●*spoedig;* an –
reply *een vlot antwoord* ‖ ⟨sprw.⟩ the
early bird catches/gets the worm *de mor-
genstond heeft goud in de mond.*
2 early ⟨bw⟩ ●*vroeg, tijdig;* – closing day
verplichte sluitingsmiddag; – on (in) *al
vroeg* ●*te vroeg;* we were an hour – *we
waren een uur te vroeg.* **early-'warning
aircraft** ●*radarvliegtuig.*

1 'earmark ⟨zn⟩ ●*(oor)merk, kenteken,*
⟨fig.⟩ *kenmerk.*
2 earmark ⟨ww⟩ ●*reserveren* ⟨gelden e.d.⟩ ,
bestemmen.

earn [ə:n] ●*verdienen, (ver)krijgen;* –ed income *inkomst uit arbeid* ●*(terecht) krij-*

gen; his behaviour –ed him his nickname
zijn gedrag bezorgde hem zijn bijnaam.
1 earnest ['ə:nɪst] ⟨zn⟩ ●*ernst;* in (real) –
menens; I am in (real) – *ik méén het.*
2 earnest ⟨bn⟩ ●*ernstig, serieus, gemeend.*
earnings ['ə:nɪŋz] ●*inkomen, inkomsten,
verdiensten.* **'earnings-related** ●*gekoppeld aan het inkomen.*
'earphone ⟨mv.⟩ ●*koptelefoon.*
'earpiece ⟨vaak mv.⟩ ●*oortelefoon* ●*bril-
veer.* **'earplug** ●*oordopje.* **'earring** ●*oor-
bel.* **'earshot** ‖ out of/within – *buiten/bin-
nen gehoorsafstand.*

1 earth [ə:θ] ⟨zn⟩ ●*aarde* ●*aarde, grond* ●
⟨elek.⟩ *massa, aarde* ‖ come back to –
*weer met beide benen op de grond komen
te staan;* it cost the – *het kostte een vermogen;* promise the – *gouden bergen beloven;*↓ like nothing on – *verschrikkelijk;*
down to – *met beide benen op de grond,
nuchter;* why on – *waarom in vredes-
naam.*
2 earth ⟨ww⟩ ●⟨elek.⟩ *aarden.*
earthen ['ə:θn,-ðn] ●*aarden* ●*v. aardewerk.*
'earthenware ⟨ook attr⟩ ●*aardewerk.*
earthly ['ə:θli] ●*aards, werelds* ‖↓ no –
chance/reason/use *absoluut geen kans/
reden/zin.* **'earthquake** ●*aardbeving.*
'earthwork ⟨vaak mv.⟩ ●*(aarden) wal.*
'earthworm ●*aardworm, pier.* **earthy**
['ə:θi] ●*vuil (van aarde)* ●*materialistisch,
aards.*

'earwax ●*oorsmeer.* **'earwig** ●*oorwurm.*
1 ease [i:z] ⟨zn⟩ ●*gemak, gemakkelijkheid* ●
ongedwongenheid; ⟨mil.⟩ stand at – *op
de plaats rust;* at one's – *op zijn gemak* ‖ a
life of – *een financieel onafhankelijk leven;* ill at – *niet op z'n gemak;* put/set s.o.
at (his) – *iemand op z'n gemak stellen.*
2 ease I ⟨onov ww⟩ ●*afnemen, minder worden;* – off *afnemen, verminderen, rustiger
aan gaan doen;* – up *(het) kalmer aan
gaan doen;* – up on s.o. *minder streng zijn
tegen iem.* II ⟨ov ww⟩ ●*verlichten, doen
afnemen;* – back the throttle *gas terugnemen* ●*gemakkelijk(er) maken;* ⟨fig.⟩ –
s.o.'s mind *iem. geruststellen* ●*behoed-
zaam/omzichtig bewegen;* – off the lid
voorzichtig de deksel eraf halen; – down
langzaam laten zakken; she –d the car
from its narrow berth *behoedzaam reed
ze de auto uit de nauwe parkeerplaats.*
easel ['i:zl] ●*(schilders)ezel.*
easily ['i:zəli] ●zie EASY ●*moeiteloos, met
gemak* ●*ongetwijfeld, zonder meer.*
1 east [i:st] ⟨zn⟩ ●⟨the⟩ *Oosten, de Oost, de
Oriënt, Oost-Europa, het (Noord)oosten
(v.d. Verenigde Staten);* the Far East *het*

Verre Oosten.
2 east ⟨bn⟩ ●*oostelijk, oost(en)-; –* wind *oostenwind.*
3 east ⟨bw⟩ ●*in/uit/naar het oosten, ten oosten.*
Easter ['i:stə] ●*Pasen.* '**Easter egg** ●*paasei.*
easterly ['i:stəli] ●⟨bn⟩ *oostelijk* ●⟨bw⟩ *naar/uit het oosten.* **eastern** ['i:stən] ● *oostelijk* ●*oosters.* **easterner** ['i:stənə] ⟨AE⟩ ●*oosterling* ●*Amerikaan uit het (Noord)oosten v.d. U.S.A..* **eastward** ['i:stwəd] ●*oost(waarts), oostelijk.* **eastwards** ['i:stwədz], **eastward** ●*oost-(waarts), oostelijk.*
1 easy ['i:zi] ⟨bn⟩ ●*(ge)makkelijk;↓* as – as pie/winking *reuzegemakkelijk* ●*ongedwongen;* have an – manner *ontspannen optreden* ●*behaaglijk, gemakkelijk;* – chair *luie stoel;* – on the ear/eye *aangenaam om te horen/zien* ●*welgesteld;* in – circumstances *in goede doen* ‖ ⟨sl.⟩ an – lay *vrouw die snel plat gaat;* live on Easy Street *in goede doen zijn;* on – terms *op gemakkelijke condities, op afbetaling;* ⟨BE; ↓⟩ I'm – *mij om het even;* ⟨sprw.⟩ it's easy to be wise after the event *als het kleed gemaakt is, ziet men de fouten, achteraf kijk je de koe in zijn kont.*
2 easy ⟨bw⟩ ●*gemakkelijk, eenvoudig;* easier said than done *gemakkelijker gezegd dan gedaan;* – as pie *een fluitje van een cent* ●*kalm, rustig;* take it – *het rustig aan doen;* – does it! *voorzichtig!* ‖ – (now) *kalmpjes aan!;* ⟨sprw.⟩ easy come, easy go *zo gewonnen, zo geronnen.* **easygoing** ['i:zi'gouɪŋ] ●*laconiek, makkelijk* ●*gemakzuchtig.*
eat [i:t] ⟨ate [et], eaten ['i:tn]⟩ I ⟨onov ww⟩ ● *de maaltijd gebruiken;* – out *buitenshuis eten* ‖ – away at *knagen aan;* – into *aantasten* ⟨bv. reserves⟩ II ⟨ov ww⟩ ●*(op) eten, vreten* ●*verslinden, opvreten;* – money *geld verslinden;* she (just) ate up all that praise *zij zwelgde in al de bewondering;* –en up with curiosity *verteerd door nieuwgierigheid* ●*aantasten, wegvreten* ‖ what's –ing you? *wat zit je zo dwars?;* zie ook ⟨sprw.⟩ CAKE, PROOF. **eatable** ['i:təbl] ●*eetbaar.* **eatables** ['i:təblz] ●*levensmiddelen, eetwaar.* **eater** ['i:tə] ● *eter;* be a big – *een grote eter zijn* ●*handappel.* '**eating apple** ●*handappel.* **eats** [i:ts] ↓ ●*voer, voedsel.*
eaves ['i:vz] ●*(overhangende) dakrand.*
eavesdrop ['i:vzdrɒp] ‖ – on s.o. *iem. afluisteren.* **eavesdropper** ['i:vzdrɒpə] ●*luistervink.*
1 ebb [eb] ⟨zn⟩ ●*eb, laag water/tij;* ⟨fig.⟩ be

at a low – *in de put zitten.*
2 ebb ⟨ww⟩ ●*ebben* ●*afnemen;* his life –ed away *het leven ebde uit hem weg.* '**ebb tide** ●*eb, laag tij.*
ebony ['ebəni] ●⟨zn⟩ *ebbehout* ●⟨bn⟩ *ebbehouten, zwart (als ebbehout).*
ebullient [ɪ'bʊlɪənt] ●*uitbundig, uitgelaten.*
EC ⟨afk.⟩ European Community ●*E.G..*
1 eccentric [ɪk'sentrɪk] ⟨zn⟩ ●*zonderling, excentriekeling.*
2 eccentric ⟨bn⟩ ●*zonderling, excentriek* ● *excentrisch.*
eccentricity ['eksən'trɪsəti] ●*excentriciteit, buitenissigheid.*
ecclesiastic [ɪ'kli:zi'æstɪk] ●*geestelijke.* **ecclesiastical** [ɪ'kli:zi'æstɪkl] ●*geestelijk, kerkelijk.*
echelon ['eʃəlɒn] ●*rang, groep, echelon.*
1 echo ['ekoʊ] ⟨zn⟩ ●*echo* ⟨ook muz.⟩, *nagalm, weerklank.*
2 echo I ⟨onov ww⟩ ●*weergalmen, weerklinken* II ⟨onov en ov ww⟩ ●*echoën, herhalen, nazeggen* III ⟨ov ww⟩ ●*weerkaatsen.*
eclectic [ɪ'klektɪk] ●*eclectisch.*
1 eclipse [ɪ'klɪps] ⟨zn⟩ ●*eclips, verduistering* ●*ontluistering.*
2 eclipse ⟨ww⟩ ●*verduisteren* ●*overschaduwen.*
ecological ['i:kə'lɒdʒɪkl] ●*ecologisch.* **ecologist** [ɪ'kɒlədʒɪst] ●*ecologist.* **ecology** [ɪ'kɒlədʒi] ●*ecologie.*
economic ['ekə'nɒmɪk, 'i:-] ●*economisch* ● *rendabel, lonend, winstgevend.* **economical** ['ekə'nɒmɪkl, 'i:-] ●*zuinig, spaarzaam* ●*economisch, voordelig.* **economically** ['ekə'nɒmɪkli, 'i:-] ●*zuinig, spaarzaam* ●*economisch (gezien/gesproken).* **economics** ['ekə'nɒmɪks, 'i:-] ●*economie* ●*rendabiliteit.*
economist [ɪ'kɒnəmɪst, ɪ'kɑ-] ●*econoom* ● *zuinig iemand.* **economize** [ɪ'kɒnəmaɪz] I ⟨onov ww⟩ ●(+on) *bezuinigen (op), spaarzaam zijn* II ⟨ov ww⟩ ●*besparen, zuinig beheren.*
economy [ɪ'kɒnəmi] I ⟨telb zn⟩ ●*beheer;* domestic – *huishoudkunde* ●*economie;* political – *staathuishoudkunde* ●*besparing, bezuiniging* II ⟨telb en n-telb zn⟩ ●*zuinig gebruik, efficiënt gebruik.* e'**conomy car** ●*zuinige auto.* e'**conomy class, economy** ●*economy-class, toeristenklasse.* e'**conomy drive** ●*bezuinigingscampagne, bezuinigingsmaatregelen.* e'**conomy size** ● *voordeelverpakking, voordeelpak.*
ecstasy ['ekstəsi] ●*extase, vervoering;* in ecstasies *in vervoering.* **ecstatic** [ɪə'stætɪk] ●*extatisch, verrukt, in vervoering.*

ecumenical ['i:kjʊ'menɪkcl] ● *oecumenisch.*
ecumenicalism ['i:kjʊ'menɪkəlɪzm] ● *oecumene, oecumenische beweging.*

eczema ['eksɪmə] ● *eczeem.*

1 eddy ['edi] 〈zn〉 ● *werveling, draaikolk.*
2 eddy 〈ww〉 ● *(doen) dwarrelen, (doen) kolken.*

1 edge [edʒ] 〈zn〉 ● *snede, snijkant, scherpte* 〈ook fig.〉, *effectiviteit, kracht;* her voice had an – to it *haar stem klonk scherp;* put an – on *slijpen;* take the – off *het ergste wegnemen* ● *kant* ● *rand, boord, grens;* on the – of *op het punt van* ‖↓ have the – over/on *een voorsprong hebben op;* be on – *gespannen/prikkelbaar zijn.*
2 edge I 〈onov ww〉 ● *(langzaam/voorzichtig) bewegen; –* away/off *voorzichtig wegsluipen; –* up *dichterbij schuiven* II 〈ov ww〉 ● *scherpen, wetten* ● *omranden, omzomen; –d* with lace *met een randje kant* ● *ongemerkt doen bewegen;* he –d his way along the precipice *hij kroop voorzichtig langs de afgrond;* she –d herself to the front *zij drong ongemerkt naar voren;* the dog –d me off the seat *de hond duwde mij van de bank af.*

edgeways ['edʒweɪz], edgewise [-waɪz] ● *met de kant naar voren* ● *op zijn kant.*

edging ['edʒɪŋ] ● *rand, boord(sel), bies.*

edgy ['edʒi] ● *scherp* 〈ook fig.〉 ● *gespannen, prikkelbaar.*

1 edible ['edəbl] 〈zn; vnl. mv.〉 ● *eetwaren.*
2 edible 〈bn〉 ● *eetbaar.*

edict ['i:dɪkt] ● *edict, bevelschrift.*

edifice ['edɪfɪs] ● *gebouw, bouwwerk.*

edif|y ['edɪfaɪ] 〈zn: -ication〉 ● *stichten;* an –ing homily *een stichtelijke preek.*

edit ['edɪt] ● *bewerken, persklaar maken, herschrijven; –* out *eruit laten, wegstrepen* ● *monteren* 〈film enz.〉 ● *redigeren.*

edition [ɪ'dɪʃn] ● *uitgave, editie,* 〈fig.〉 *versie.*

editor ['edɪtə] ● *redacteur; –* in chief *hoofdredacteur* ● *bewerker, samensteller.* editorial [edɪ'tɔ:rɪəl] ● 〈bn〉 *redactioneel, redactie-;* the – staff *de redactie* ● 〈zn〉 *hoofdartikel, redactioneel commentaar.* editorialize ['edɪ'tɔ:rɪəlaɪz] 〈AE〉 ● *een opinie geven (in een hoofdartikel)* ● *een subjectief verslag geven.*

educate ['edjʊkeɪt] ● *opvoeden, vormen;* highly –d *zeer beschaafd/ontwikkeld* ● *opleiden, onderwijzen* ● *scholen, trainen* ‖ an –d guess *een gefundeerde schatting/gissing* 〈gebaseerd op voorkennis en ervaring〉. education ['edjʊ'keɪʃn] ● *onderwijs, scholing, opleiding* ● *opvoeding, vorming* ● *pedagogie* ● *kennis.* educational ['edjʊ-

'keɪʃnəl] ● *school-, onderwijs-, opvoeding-* ● *leerzaam.* education(al)ist ['edjʊ'keɪʃn(əl)ɪst] ● *onderwijsdeskundige, pedagoog* ● 〈BE〉 *onderwijzer(es).* educator ['edjʊkeɪtə] ● *onderwijzer, leraar, opvoeder* ● *pedagoog.*

E.E.C. 〈afk.〉 European Economic Community ● *EEG.*

eel [i:l] ● *aal, paling.*

eerie ['ɪəri] ● *angstaanjagend, griezelig.*

efface [ɪ'feɪs] ● *uitwissen* ● *uit het geheugen bannen* ‖ – o.s. *zich wegcijferen.*

1 effect [ɪ'fekt] I 〈telb en n-telb zn〉 ● *resultaat, gevolg;* of no – *tevergeefs* ● *effect, uitwerking;* take – *resultaat hebben;* just for – *alleen maar om indruk te maken* ● 〈mv.〉 *bezittingen, eigendommen* ‖ in – *in feite, eigenlijk* II 〈n-telb zn〉 ● *uitvoering;* bring/carry/put plans into – *plannen uitvoeren* ● *inhoud, strekking;* words to that – *woorden v. die strekking;* a message to the – that *een berichtje (dat erop neerkomt) dat* ● *werking;* be in – *van kracht zijn* 〈v. wet〉; come into –, take – *van kracht worden.*
2 effect 〈ww〉 ● *bewerkstelligen, teweegbrengen, veroorzaken, verwezenlijken; –* a cure for s.o. *iem. genezen.*

effective [ɪ'fektɪv] ● *effectief, doeltreffend* ● *indrukwekkend, treffend* ● *van kracht* 〈wet e.d.〉 ● *effectief, wezenlijk.* effectively [ɪ'fektɪvli] ● zie EFFECTIVE ● *in feite, eigenlijk.* effectiveness [ɪ'fektɪvnəs] ● *doeltreffendheid, werkzaamheid, kracht* ● *uitwerking.*

effectual [ɪ'fektʃʊəl] ● *doeltreffend.* effectuate [ɪ'fektʃʊeɪt] ● *bewerkstelligen, teweegbrengen.*

effeminate [ɪ'femɪnət] ● *verwijfd.*

effervesce ['efə'ves] ● *borrelen, bruisen, schuimen.* effervesc|ent ['efə'vesnt] 〈zn: -ence〉 ● *borrelend, bruisend, schuimend* ● *opgewonden, uitgelaten.*

effete [ɪ'fi:t] ● *verzwakt, slap.*

efficacious ['efɪ'keɪʃəs] ● *werkzaam, doeltreffend.* efficacy ['efɪkəsi] ● *werkzaamheid, doeltreffendheid.*

efficiency [ɪ'fɪʃnsi] ● *efficiëntie, doeltreffendheid* ● *bekwaamheid, competentie* ● *efficiëntie, rendement* ● *produktiviteit, capaciteit.* efficient [ɪ'fɪʃnt] ● *efficiënt, doeltreffend* ● *bekwaam, competent* ● *efficiënt, renderend* ● *produktief.*

effigy ['efɪdʒi] ● *beeltenis, afbeelding.*

effluent ['efluənt] ● *afvalwater, rioolwater.*

efflux ['eflʌks] ● *uitvloeisel, uitstromend gas.*

effort ['efət] ● *moeite, inspanning, poging;*

make an – (to do sth.) *zich inspannen/pro-beren (iets te doen)* ●*prestatie.* **effortless** ['efətləs] ●*moeiteloos, gemakkelijk.*

effrontery [ɪ'frʌntərɪ] ●*onbeschaamdheid, brutaliteit.*

effusion [ɪ'fju:ʒn] ●*ontboezeming, ge-moedsuitstorting* ●*uitstroming;* – *of* blood *bloedvergieten.*

effusive [ɪ'fju:sɪv] ●*overdadig* ⟨v. uitingen⟩, *uitbundig.*

e.g. ⟨afk.⟩ exempli gratia ●*bv..*

egg [eg] ●*ei;* fried – *gebakken ei;* poached – *gepocheerd ei;* scrambled –s *roerei* ‖ have/put all one's –s in one basket *alles op één kaart zetten;*↓ have – on one's face *voor schut staan.* '**eggbeater** ⟨AE⟩ ● *eierklopper.* '**eggcup** ●*eierdopje.* '**egg-head** ↓ ●*intellectueel.*

'**egg 'on** ●*aanzetten, aansporen.*

'**eggplant** ●*aubergine.* '**egg roll** ⟨AE⟩ ● *loempia.*

1'**eggshell** ⟨zn⟩ ●*eierschaal.*

2**eggshell** ⟨bn⟩ ●*halfmat, halfglanzend* ⟨v. verf⟩.

'**egg timer** ●*zandloper.* '**egg whisk** ⟨BE⟩ ● *eierklopper.*

ego ['i:gou, 'egou] ●*ego, (het) ik, eigenwaar-de.* **egocentric** ['i:gou'sentrɪk, 'egou-] ● *egocentrisch* ●*egoïstisch.*

egoism ['i:gouɪzm, 'egou-] ●*egoïsme, zelf-zucht.* **egoist** ['i:gouɪst, 'egou-] ●*egoïs-t(e).* **egoistic** ['i:gou'ɪstɪk, 'egou-] ●*egoïs-tisch.*

egotism ['i:gətɪzm, 'egə-] ●*egotisme, eigen-waan.* **egotist** ['i:gətɪst, 'egə-] ●*egotist, iem. met eigenwaan.* **egotistic(al)** ['i:gə'tɪstɪk(l), 'egə-] ●*egotistisch, vol ei-genwaan.*

'**ego trip** ●*egotrip.*

egret ['i:grɪt] ●*zilverreiger.*

Egypt ['i:dʒɪpt] ●*Egypte.* **Egyptian** [ɪ'dʒɪpʃn] ●⟨bn⟩ *Egyptisch* ●⟨telb zn⟩ *Egyptenaar/Egyptische.*

eh [eɪ] ↓ ●*hè, hé, wat.*

'**eiderdown** ●*(donzen) dekbed.*

eight [eɪt] ●*acht* ⟨ook voorwerp/groep ter waarde/grootte v. acht⟩ ‖ ⟨sl.⟩ he had one over the – *hij had er eentje te veel op.* **eighteen** ['eɪ'ti:n] ●*achttien* ⟨ook voor-werp/groep ter waarde/grootte v. acht-tien⟩. **eighteenth** ['eɪ'ti:nθ] ●*achttiende,* ⟨als zn⟩ *achttiende deel.* **eighth** [eɪtθ] ● *achtste,* ⟨als zn⟩ *achtste deel;* the – largest industry *de op zeven na grootste indus-trie.* **eightieth** ['eɪtɪəθ] ●*tachtigste,* ⟨als zn⟩ *tachtigste deel.* **eighty** ['eɪtɪ] ●*tachtig* ⟨ook voorwerp/groep ter waarde/grootte v. tachtig⟩; a man in his eighties *een man*

van in de tachtig; in the eighties *in de ja-ren tachtig.*

Eire ['eərə] ●*Eire, (Republiek) Ierland.*

1**either** ['aɪðə] ⟨vnw⟩ ●*één van beide(n)* ● *beide(n);* 'Would you like sherry or hock?' 'Either' *'Wil je sherry of Rijnwijn?' 'Maakt niet uit'.*

2**either** ⟨bw⟩ ●⟨na ontkenning⟩ *evenmin, ook niet;* he can't swim, and I can't – *hij kan niet zwemmen en ik ook niet.*

3**either** ⟨det⟩ ●*één v. beide;* use – hand *ge-bruik welke hand dan ook* ●*beide;* in – case, – way *in beide gevallen, in elk geval;* of – sex *v. beiderlei kunne.*

4**either** ⟨vw; met or⟩ ●*of, hetzij;* she is – la-zy or stupid *ze is (of) lui of dom.*

ejacul|ate [ɪ'dʒækjuleɪt] ⟨zn: **-ation**⟩ ●*ejacu-leren* ●*uitroepen, plotseling uitbrengen.*

eject [ɪ'dʒekt] ●*uitgooien, uitzetten, uitsto-ten* ●*uitwerpen.* **ejection** [ɪ'dʒekʃn] ●*ver-drijving, (ambts)ontzetting, uitzetting* ● *uitwerping.* **e'jector seat,** ⟨AE⟩ **e'jection seat** ●*schietstoel.*

'**eke 'out** ●*rekken* ⟨ook voorraden⟩, *aanvul-len* ‖ – a living *(met moeite) zijn kostje bij-eenscharrelen.*

el [el] ⟨afk.⟩ elevated railway ⟨AE; ↓⟩ ● *luchtspoorweg.*

1**elaborate** [ɪ'læbrət] ⟨bn⟩ ●*gedetailleerd, uitgebreid, uitvoerig* ●*ingewikkeld.*

2**elaborate** [ɪ'læbəreɪt] **I** ⟨onov ww⟩ ● ⟨+(up)on⟩ *uitweiden (over)* **II** ⟨ov ww⟩ ●*in detail uitwerken, uitvoerig behandelen* ● *(moeizaam) voortbrengen, ontwikkelen.* **elaboration** [ɪ'læbə'reɪʃn] ●*ingewikkeld-heid* ●*uitvoerige behandeling* ●*zorgvuldi-ge uitvoering.*

élan [eɪ'lɑ:n, eɪ'læn] ●*elan.*

elapse [ɪ'læps] ●*verstrijken, voorbijgaan.*

1**elastic** [ɪ'læstɪk] ⟨zn⟩ ●*elastiek(je).*

2**elastic** ⟨bn⟩ ●*elastieken;* ⟨BE⟩ – band *elastiekje* ●*elastisch, rekbaar* ●*flexibel, soepel.* **elasticity** ['i:læ'stɪsətɪ] ●*elastici-teit, veerkracht* ●*flexibiliteit.*

elate [ɪ'leɪt] ●*verrukken;* be –d at/by sth. *met iets verguld/in de wolken zijn.* **elation** [ɪ'leɪʃn] ●*opgetogenheid, verrukking.*

1**elbow** ['elbou] ⟨zn⟩ ●*elleboog* ⟨ook in pijp enz.⟩ ‖ at s.o.'s – *naast iem., bij iem. in de buurt.*

2**elbow** ⟨ww⟩ ●*met de ellebogen dringen/ duwen/werken;* they had to – their way out of the shop *ze moesten zich met de el-lebogen een weg uit de winkel banen.*

'**elbow grease** ↓ ●*zwaar werk;* show a bit of – *de handen flink uit de mouwen steken.*

'**elbowroom** ●*bewegingsruimte, arm-slag.*

1 elder ['eldə] ⟨zn⟩ ●⟨vaak mv.⟩ *oudere;* he is my – by four years *hij is vier jaar ouder dan ik* ●⟨vaak the⟩ *oudste* ⟨v. twee⟩ ● *voorganger, ouderling* ●*vlier(boom).*
2 elder ⟨bn⟩ ●*oudste* ⟨v. twee⟩, *oudere.*
elderberry ['eldəbri] ●*vlierbes.*
elderly ['eldəli] ●*op leeftijd;* a home for the – *een bejaardentehuis.* **eldest** ['eldɪst] ● ⟨bn⟩ *oudste* ⟨v. drie of meer⟩ ●⟨zn⟩ *oudste (zoon/dochter/familielid).*
1 elect [ɪ'lekt] ⟨bn⟩ ●*gekozen* ⟨maar nog niet geïnstalleerd⟩; the president – *de nieuwgekozen president.*
2 elect ⟨ww⟩ ●*kiezen, verkiezen (als)* ●*besluiten.*
election [ɪ'lekʃn] ●*verkiezing.* **e'lection campaign** ●*verkiezingscampagne.*
E'lection Day ●*verkiezingsdag* ⟨in de U.S.A., dag v. nationale verkiezingen⟩.
electioneer ●*stemmen werven;* go (out) –ing *op verkiezingscampagne gaan.*
e'lection results ●*verkiezingsuitslag.*
1 elective [ɪ'lektɪv] ⟨zn⟩ ⟨AE⟩ ●*facultatief vak, keuzevak.*
2 elective ⟨bn⟩ ●*verkiezings-, kies-* ●*gekozen, verkiesbaar* ●⟨AE⟩ *facultatief; –* subject *keuzevak.*
elector [ɪ'lektə] ●*kiezer, kiesgerechtigde* ● ⟨AE⟩ *kiesman.* **electoral** [ɪ'lektrəl] ●*kies-, kiezers-; –* register/roll *kiesregister* ●*verkiezings-.* **electorate** [ɪ'lektrət] ●*electoraat, de kiezers.*
electric [ɪ'lektrɪk] ●*elektrisch; –* chair *(doodstraf op de) elektrische stoel;* – shock *elektrische schok;* ⟨AE⟩ – shock therapy *elektroshocktherapie* ●*opwindend* ●*gespannen* ⟨bv. van sfeer⟩. **electrical** [ɪ'lektrɪkl] ● *elektrisch;* – engineer *elektrotechnicus, elektrotechnisch ingenieur;* – engineering *elektrotechniek.* **electrician** [ɪ'lek'trɪʃn] ● *elektricien, elektromonteur.* **electricity** [ɪ'lek'trɪsəti] ●*elektriciteit* ●*opgewondenheid, geestdrift.*
electrif|y [ɪ'lektrɪfaɪ] ⟨zn: **-ication**⟩ ●*elektriseren, onder stroom zetten* ●*elektrificeren* ●*opwinden, geestdriftig maken* ●*laten schrikken.*
electrocardiogram [-'kɑ:dɪəgræm] ●*elektrocardiogram.* **electroc|ute** [ɪ'lektrəkju:t] ⟨zn: **-ution**⟩ ●*elektrokuteren, op de elektrische stoel ter dood brengen.* **electrode** [ɪ'lektroʊd] ●*elektrode.* **electrolysis** ['ɪlek-'trɒlɪsɪs] ⟨schei.⟩ ●*elektrolyse.* **electromagnet** [ɪ'lektroʊ'mægnɪt] ●*elektromagneet.*
electron [ɪ'lektrɒn] ●*elektron.* **electronic** ['ɪlek'trɒnɪk] ●*elektronisch; –* flash *elektronenflitser.* **electronics** ['ɪlek'trɒnɪks] ●

elektronica.
electroplate [ɪ'lektrəpleɪt] ●*galvaniseren.*
e'lectroshock therapy ●*elektroshocktherapie.*
elegance ['elɪgəns] ●*elegantie, sierlijkheid, bevalligheid.*
elegant ['elɪgənt] ●*elegant, bevallig, sierlijk.*
elegiac ['elɪ'dʒaɪk] ●*elegisch, treur-, klaag-* ●*weemoedig, klagend.* **elegy** ['elɪdʒi] ● *elegie, treurdicht.*
element ['elɪmənt] I ⟨telb zn⟩ ●*element, onderdeel;* rebellious –s *oproerkraaiers;* in one's – *in zijn element;* out of one's – *als een vis op het droge* ●*iets, wat;* there is an – of truth in it *er zit wel wat waars in* ● ⟨schei., wisk.⟩ *element* II ⟨mv.: the⟩ ●*de elementen* ⟨v.h. weer⟩ ●*(grond)beginselen.* **elemental** ['elɪmentl] ●*v.d. elementen* ⟨ook v.h. weer⟩, *elementair, natuur-;* – force *natuurkracht* ●*primitief* ●*essentieel, wezenlijk;* – needs *basisbehoeften.* **elementary** ['elɪ'mentri] ●*eenvoudig, simpel, makkelijk* ●*inleidend, elementair;* – school *lagere school, basisschool* ●⟨nat., schei.⟩ *elementair.*
elephant ['elɪfənt] ●*olifant.* **elephantine** ['elɪ'fæntaɪn] ●*log, (p)lomp, olifante-* ● *enorm.*
elevate ['elɪveɪt] ●*opheffen, opslaan* ⟨ogen⟩ ●*verhogen* ●*verheffen* ⟨alleen fig.⟩; elevating play *stichtend stuk* ●*promoveren.*
elevated ['elɪveɪtɪd] ●*verhoogd, hoog;* – railway/railroad *luchtspoor(weg)* ●*verheven, voornaam.* **elevation** ['elɪ'veɪʃn] ● *hoogte, ophoging* ●*hoogte* ⟨boven zeespiegel⟩; be at an – of twenty meters *twintig meter boven de zeespiegel liggen* ● ⟨bouwk.⟩ *opstand(schets)* ●*bevordering* ●*verhevenheid.*
elevator ['elɪveɪtə] ●⟨AE⟩ *lift* ●*(band/ketting)elevator* ●*(graan)silo, graanpakhuis.*
eleven [ɪ'levn] ●*elf* ⟨ook voorwerp/groep ter waarde/grootte v. elf⟩, ⟨ihb. sport⟩ *elftal, ploeg.* **elevenses** [ɪ'levnzɪz], **elevens** [ɪ'levnz] ⟨BE⟩ ●*elfuurtje, hapje om elf uur, met koffie of thee.* **eleventh** [ɪ'levnθ] ●*elfde,* ⟨als zn⟩ *elfde deel;* ⟨vnl. fig.⟩ at the – hour *ter elfder ure.*
elf [elf] ⟨mv.: **elves**⟩ ●*elf, fee.*
elfin ['elfɪn] ●*elfen-, elfachtig, feeëriek.*
elicit [ɪ'lɪsɪt] ●*ontlokken, loskrijgen;* – an answer from s.o. *een antwoord uit iem. krijgen* ●*onthullen, aan het licht brengen.*
eligib|le ['elɪdʒəbl] ⟨zn: **-ility**⟩ ●*in aanmerking komend, geschikt, bevoegd;* – for (a) pension *pensioengerechtigd* ●*begeerlijk* ⟨als partner⟩, *verkieslijk.*

eliminate [ɪ'lɪmɪneɪt] ● *verwijderen, weg-werken* ● *uitsluiten, buiten beschouwing laten* ● *uitschakelen* ⟨in wedstrijd e.d.⟩ ● ⟨↓; euf. of scherts.⟩ *uit de weg ruimen* ● *uitscheiden, afscheiden*. **elimination** [ɪ'lɪmɪ'neɪʃn] ● *verwijdering, eliminatie* ● *uitschakeling* ⟨in wedstrijd e.d.⟩ ● *uitslui-ting* ⟨v. mogelijkheden⟩ ● ⟨↓; euf. of scherts.⟩ *liquidatie, opruiming* ● *uitschei-ding*.

elite ['eɪ'li:t] ● *elite, keur.* **elitism** [eɪ'li:tɪzm] ● *elitairisme.* **elitist** [eɪ'li:tɪst] ● ⟨bn⟩ *eli-tair* ● ⟨zn⟩ *elitair persoon.*

elixir [ɪ'lɪksə] ● *elixer, wondermiddel.*

Elizabethan [ɪ'lɪzə'bi:θn] ● ⟨bn⟩ *elizabe-thaans* ● ⟨zn⟩ *Elizabethaan* ⟨tijdgeno-(o)t(e) v. Elizabeth I v. Engeland⟩.

elk [elk] ● *eland(hert)* ● ⟨AE⟩ *wapiti(hert).*

ellipse [ɪ'lɪps] ⟨wisk.⟩ ● *ellips.*

ellipsis [ɪ'lɪpsɪs] ⟨mv.: ellipses [-si:z]⟩ ● ⟨taal.⟩ *ellips.* **elliptic(al)** [ɪ'lɪptɪk(l)] ● *ellip-tisch, onvolledig.*

elm [elm], **'elm tree** ⟨plantk.⟩ ● *iep, olm.*

elocution ['elə'kju:ʃn] ● *voordrachtskunst, welbespraaktheid.*

elong|ate ['i:lɒŋgeɪt] ⟨zn: **-ation**⟩ ● *langer worden/maken, (zich) verlengen.*

elope [ɪ'loʊp] ● *er vandoor gaan* ⟨vnl. met minnaar, of om in het geheim te trou-wen⟩.

eloquence ['eləkwəns] ● *welsprekendheid.* **eloquent** ['eləkwənt] ● *welsprekend* ● *sprekend* ⟨alleen fig.⟩, *getuigend.*

else [els] ● *anders, nog meer;* anything –? *verder nog iets?;* everybody – but you *op jou na iedereen;* nowhere – *nergens an-ders;* or – of (anders); hurry, (or) – you'll miss your train *schiet op, anders mis je je trein (nog).* **elsewhere** ['els'weə] ● *elders, ergens anders;* look – *elders een kijkje ne-men/zoeken.*

elucid|ate [ɪ'lu:sɪdeɪt] ⟨zn: **-ation**⟩ ● *(nader) toelichten, ophelderen.*

elude [ɪ'lu:d] ● *ontwijken, ontsnappen aan,* ⟨fig.⟩ *ontduiken* ● *ontgaan* ⟨v. feit, naam⟩, *ontschieten.* **elusive** [ɪ'lu:sɪv], **elusory** [ɪ'lu:səri] ● *ontwijkend* ● *moeilijk te vangen* ● *onvatbaar, ongrijpbaar;* an – name *een moeilijk te onthouden naam.*

elves [elvz] ⟨mv.⟩ zie ELF.

emaci|ate [ɪ'meɪʃieɪt] ⟨zn: **-ation**⟩ ● *uitmer-gelen, uitteren, vermageren.*

'emanate from ['eməneɪt] ↑ ● *(voort)komen uit, afkomstig zijn v..* **emanation** ['emə'neɪʃn] ● *uitvloeisel, gevolg* ● *uitvloeiing.*

emancipate [ɪ'mænsɪpeɪt] ● *vrijmaken* ⟨sla-ven enz.⟩, *emanciperen, zelfstandig ma-ken.* **emancipation** [ɪ'mænsɪ'peɪʃn] ● *be-* *vrijding* ⟨v. slaven⟩, *emancipatie.*

emasculate [ɪ'mæskjʊleɪt] ● *castreren* ● *ont-krachten.*

embalm [ɪm'bɑ:m] ● *balsemen.*

embankment [ɪm'bæŋkmənt] ● *dijk, dam* ● *opgehoogde baan/weg, spoordijk* ● *kade.*

1 embargo [ɪm'bɑ:goʊ] ⟨zn⟩ ● *embargo, be-slag(legging), verbod, belemmering.*

2 embargo ⟨ww⟩ ● *een embargo leggen op, beslag leggen op.*

embark [ɪm'bɑ:k] ● *aan boord gaan/nemen, (zich) inschepen* ‖ – (up)on *zich begeven/ wagen in, beginnen (aan).* **embarkation** ['embɑ:'keɪʃn] ● *inscheping.*

embarrass [ɪm'bærəs] ● *in verlegenheid brengen, verwarren* ● *in financiële moei-lijkheden brengen;* be –ed *in geldproble-men zitten.* **embarrassing** [ɪm'bærəsɪŋ] ● *beschamend, genant, pijnlijk.* **embarrass-ment** [ɪm'bærəsmənt] ● *(geld)verlegen-heid, (geld)probleem;* financial –s *geld-problemen* ● *verlegenheid, gêne, verwar-ring.*

embassy ['embəsi] ● *ambassade(gebouw).*

embattled [ɪm'bætld] ● *omsingeld* ● *(voort-durend) in moeilijkheden.*

embed, imbed [ɪm'bed] ● *(vast)zetten, vast-leggen;* be –ded in *vastzitten/gevat zijn in* ● *inbedden.*

embellish [ɪm'belɪʃ] ⟨zn: **-ment**⟩ ● *verfraai-en, versieren;* – a story *een verhaal op-smukken.*

ember ['embə] ● *sintels, gloeiende as, smeulend vuur.*

embezzle [ɪm'bezl] ⟨zn: **-ment**⟩ ● *verduiste-ren, achterhouden.*

embitter [ɪm'bɪtə] ⟨zn: **-ment**⟩ ● *verbitteren, bitter(der) maken.*

emblazon [ɪm'bleɪzn] ● *versieren;* –ed with the family arms *met het familiewapen er-op geschilderd/aangebracht.*

emblem ['embləm] ● *embleem, zinnebeeld.* **emblematic** ['emblɪ'mætɪk] ● *emblema-tisch, symbolisch.*

embodiment [ɪm'bɒdɪmənt] ● *belichaming, verpersoonlijking.* **embody** [ɪm'bɒdi] ● *vorm geven (aan), uitdrukken* ● *belicha-men* ● *be/omvatten* ● *inlijven.*

embolden [ɪm'boʊldən] ● *aanmoedigen, moed inspreken.*

emboss [ɪm'bɒs] ● *bosseleren, voorzien v. reliëfversiering* ● *prenten;* –ed paper *ge-gaufreerd papier;* his address was –ed on his writing paper *zijn adres was in reliëf op zijn schrijfpapier geperst.*

1 embrace [ɪm'breɪs] ⟨zn⟩ ● *omhelzing.*

2 embrace I ⟨onov ww⟩ ● *elkaar omhelzen* **II** ⟨ov ww⟩ ● *omhelzen, omvatten* ● *aangrij-*

pen; – an offer *gebruik maken v.e. aanbod* • *bevatten* • *zich aansluiten bij* ⟨*geloof, partij*⟩.

embrasure [ɪm'breɪʒə] • *schietgat* • ⟨bouwk.⟩ *neg(ge).*

embroider [ɪm'brɔɪdə] • *borduren* • *opsmukken, verfraaien.* **embroidery** [ɪm'brɔɪdəri] • *borduurwerk.*

embroil [ɪm'brɔɪl] • *verwikkelen, betrekken;* – s.o. in *iem. betrekken bij;* (become/get) –ed in *verwikkeld (raken) in.*

embryo ['embriou] • *embryo, (wordings) kiem* ⟨ook fig.⟩; in – *in de kiem (aanwezig).* **embryonic** [ˌembri'ɒnɪk] • *embryonaal* • *onontwikkeld;* an – plan *een plan in wording.*

emend [ɪ'mend] ⟨zn: **-ation**⟩ • *emenderen, verbeteringen aanbrengen* ⟨in tekst⟩.

1 emerald ['emrəld] ⟨zn⟩ • *smaragd.*

2 emerald, 'emerald 'green ⟨bn⟩ • *smaragd-(groen).*

emerge [ɪ'məːdʒ] • *verschijnen, te voorschijn komen;* – from/out of *te voorschijn komen uit* • *bovenkomen, opduiken* • *blijken, uitkomen.* **emergence** [ɪ'məːdʒns] • *het verschijnen, het tevoorschijn komen* • *het bovenkomen, het opduiken/opkomen.*

emergency [ɪ'məːdʒnsi] • *onverwachte gebeurtenis, onvoorzien voorval;* state of – *noodtoestand* • *noodtoestand, noodgeval;* in case of – *in geval van nood.* **e'mergency exit** • *nooduitgang.* **e'mergency landing** • *noodlanding.*

emergent [ɪ'məːdʒnt] • *verschijnend* • *opkomend,* ⟨ook fig.⟩ *zich ontwikkelend* • *zich voordoend.*

emeritus [ɪ'merɪtəs] • *rustend, emeritus;* – professor, *professor* – *emeritus professor.*

emery ['emri] • *amaril, polijststeen.*

emetic [ɪ'metɪk] • *braakmiddel.*

emigrant ['emɪgrənt] • *emigrant(e).* **emigrate** ['emɪgreɪt] ⟨zn: **-ation**⟩ • *emigreren, het land verlaten.* **emigré** ['emɪgreɪ] • *emigrant(e),* ⟨ihb.⟩ *politiek vluchteling.*

eminence ['emɪnəns] • *heuvel, hoogte* • *eminentie* ⟨ook titel⟩, *verhevenheid* • *voortreffelijkheid, uitstekendheid.*

eminent ['emɪnənt] • *eminent, uitstekend* • *hoog, verheven* ⟨ook lett.⟩, *aanzienlijk;* it is –ly clear *het is in hoge mate duidelijk.*

emirate [e'mɪərət] • *emiraat.*

emissary ['emɪsri] • *(geheim) afgezant, bode.*

emission [ɪ'mɪʃn] • *afgifte, uitzending,* ⟨nat.⟩ *emissie* • *ejaculatie* • *emissie, uitgifte* ⟨v. aandelen⟩.

emit [ɪ'mɪt] • *uitstralen, uitzenden* • *afschei-*

den, afgeven • *uiten* • *uitgeven, in omloop brengen* ⟨*geld, aandelen*⟩.

emolument [ɪ'mɒljumənt] ⟨vaak mv.⟩ • *salaris, loon,* ⟨mv.⟩ *emolumenten.*

emotion [ɪ'mouʃn] • *(gevoels)aandoening, emotie, gevoelen, ontroering* • *het gevoel.* **emotional** [ɪ'mouʃnəl] • *emotioneel, gevoels-, gemoeds-* • *ontroerend.* **emotive** [ɪ'moutɪv] • *op het gemoed/gevoel werkend, gevoels-.*

emperor ['emprə] • *keizer.*

emphasis ['emfəsɪs] ⟨mv.⟩ emphases [-siːz] • *accent* ⟨ook fig.⟩; lay/place/put – on sth. *het accent leggen op iets* • *nadruk, klem.* **emphasize** ['emfəsaɪz] • *benadrukken* • *meer doen uitkomen.*

emphatic [ɪm'fætɪk] • *nadrukkelijk, met nadruk/klem* • *krachtig* • *duidelijk.*

empire ['empaɪə] • *(keizer)rijk, imperium* ⟨ook fig.⟩, *wereldrijk.*

empirical [em'pɪrɪkl] • *empirisch, gebaseerd op ervaring.*

1 employ [ɪm'plɔɪ] ⟨zn⟩ • *(loon)dienst;* in the – of *in dienst van.*

2 employ ⟨ww⟩ • *in dienst nemen/hebben* • *gebruiken, aanwenden* • *bezighouden;* be –ed in *zich bezighouden met.* **employable** [ɪm'plɔɪəbl] • *bruikbaar.* **employee** [ɪm'plɔɪiː, ˌemplɔɪ'iː] • *employé, werknemer.* **employer** [ɪm'plɔɪə] • *werkgever.* **employment** [ɪm'plɔɪmənt] • *werk* • *bezigheid* • *tewerkstelling* • *werkgelegenheid;* full – *volledige werkgelegenheid* • *gebruik, het gebruiken.* **em'ployment agency** • *uitzendbureau.* **em'ployment exchange** • *arbeidsbureau.*

empower [ɪm'pauə] • *machtigen* • *in staat stellen.*

empress ['emprɪs] • *keizerin.*

emptiness ['emptɪnəs] • *leegte, ledigheid.*

1 empty ['em(p)tɪ] ⟨zn⟩ • *leeg voorwerp* ⟨bv. fles⟩.

2 empty ⟨bn⟩ • *leeg, ledig;* – of *zonder, verstoken van* • *nietszeggend, hol* • *leeghoofdig, oppervlakkig* • ↓ *hongerig, met een lege maag.*

3 empty I ⟨onov ww⟩ • *leeg raken, (zich) legen* ‖ this river empties into the sea *deze rivier mondt in zee uit* **II** ⟨ov ww⟩ • *legen, leegmaken;* – out one's pockets *zijn zakken leegmaken.*

'empty-'handed • *met lege handen.* **'empty-'headed** • *onnozel, dom.*

emu ['iːmjuː] • *emoe, Australische struisvogel.*

emulate ['emjuleɪt] • *wedijveren met, (trachten te) evenaren.* **emulation** ['emju'leɪʃn] • *wedijver, poging iem. te over-*

treffen.
emulsify [ɪ'mʌlsɪfaɪ] ●*emulgeren.* **emulsion** [ɪ'mʌlʃn] ●*emulsie* ●⟨foto.⟩ *(licht)gevoelige laag.*
enable [ɪ'neɪbl] ●*in staat stellen* ●*mogelijk maken* ●*autoriseren;* enabling act *machtigingswet.*
enact [ɪ'nækt] ●*bepalen, vaststellen* ●*tot wet verheffen* ●⟨dram.⟩ *opvoeren, spelen.* **enactment** [ɪ'næk(t)mənt] ●*het tot wet verheffen, bekrachtiging.*
1 enamel [ɪ'næml] ⟨zn⟩ ●*(email)lak, glazuur, vernis* ●*(tand)glazuur.*
2 enamel (ww) ●*emailleren, moffelen* ●*glazuren* ●*lakken, vernissen.*
enamour [ɪ'næmə] ‖ –ed of/with *dol/verliefd op.*
encamp [ɪn'kæmp] **I** ⟨onov ww⟩ ●*de tenten opslaan, zich legeren* **II** ⟨ov ww⟩ ‖ be – ed *zijn tenten opgeslagen hebben.* **encampment** [ɪn'kæmpmənt] ●*kamp(ement), legerplaats.*
encase [ɪn'keɪs] ●*in een omhulsel/koker enz. stoppen, als een omhulsel/koker enz. omgeven;* –d in leather *gehuld in leer.*
enchain [ɪn'tʃeɪn] ●*ketenen, boeien* ⟨ook fig.⟩.
enchant [ɪn'tʃɑ:nt] ●*betoveren* ●*bekoren, verrukken;* be – ed by/with *verrukt zijn over.* **enchanter** [ɪn'tʃɑ:ntə] ●*tovenaar.* **enchanting** [ɪn'tʃɑ:ntɪŋ] ●*betoverend, bekorend.* **enchantment** [ɪn'tʃɑ:ntmənt] ●*betovering, bekoring.* **enchantress** [ɪn'tʃɑ:ntrɪs] ●*tovenares, heks.*
encircle [ɪn'sə:kl] ●*omcirkelen, insluiten* ●*omsingelen.* **encirclement** [ɪn'sə:klmənt] ●*omcirkeling, insluiting* ●*omsingeling.*
enclose [ɪn'klouz] ●*omheinen, insluiten* ●*insluiten, bijsluiten* ⟨bijlage e.d.⟩. **enclosure** [ɪn'klouʒə] ●*(om)heining* ●*omheind stuk land* ●*bijlage.*
encode [ɪn'koud] ●*coderen.*
encompass [ɪn'kʌmpəs] ●*omringen, omgeven* ●*bevatten, omvatten.*
encore ['ɒŋkɔ:] ●*toegift;* –! *bis!, nog eens!.*
1 encounter [ɪn'kauntə] ⟨zn⟩ ●*(onverwachte) ontmoeting* ●*confrontatie, treffen.*
2 encounter ⟨ww⟩ ●*ontmoeten, (onverwacht) tegenkomen* ●*ontmoeten, geconfronteerd worden met;* – dangers *aan gevaren worden blootgesteld.*
encourage [ɪn'kʌrɪdʒ] ●*bemoedigen, aanmoedigen, stimuleren.* **encouragement** [ɪn'kʌrɪdʒmənt] ●*aanmoediging, bemoediging, stimulans.* **encouraging** [ɪn'kʌrɪdʒɪŋ] ●*bemoedigend, stimulerend.*
encroach [ɪn'kroutʃ] ●*opdringen;* – on s.o.'s

rights *inbreuk maken op iemands rechten;* – (up)on s.o.'s time *beslag leggen op iemands tijd.* **encroachment** [ɪn'kroutʃmənt] ●*overschrijding, het opdringen* ⟨ook fig.⟩, *inbreuk.*
encrust [ɪn'krʌst] ●*met een korst bedekken* ●*bedekken;* –ed with precious stones *bezet met edelstenen.*
encumber [ɪn'kʌmbə] ●*beladen, (over)belasten* ●*hinderen, belemmeren.* **encumbrance** [ɪn'kʌmbrəns] ●*last* ⟨ook fig.⟩, *belemmering.*
encyclical (letter) [ɪn'sɪklɪkl] ⟨R.-K.⟩ ●*encycliek, pauselijke zendbrief.*
encyclop(a)edia [ɪn'saɪklə'pi:dɪə] ●*encyclopedie.* **encyclop(a)edic** [ɪn'saɪklə'pi:dɪk] ● *encyclopedisch, allesomvattend.*
1 end [end] ⟨zn⟩ ●*einde, besluit;* come/draw to an – *ten einde lopen, ophouden;* put an – to *een eind maken aan;* in the – *tenslotte;* for weeks on – *weken achtereen* ●*einde, uiteinde, eind, uiterste;* – to – *in de lengte* ●*kant, onder/bovenkant, zijde,* ⟨ook fig.⟩ *afdeling; that is your – of the business dat is jouw afdeling;* place on – *rechtop/overeind zetten* ●*einde, dood* ●*doel, bedoeling, (beoogd) resultaat;* to no – *tevergeefs* ‖ at the – of the day *uiteindelijk;* be at the – of one's tether *aan het eind v. zijn krachten zijn;* keep one's – up *volhouden;* make (both) –s meet *de eindjes aan elkaar knopen;* see an – of/to *een einde zien komen aan;* collide – on *frontaal botsen;* no – *heel erg;* no – of time *zeeën v. tijd;* ⟨sprw.⟩ the end justifies the means *het doel heiligt de middelen.*
2 end **I** ⟨onov ww⟩ ●*eindigen;* – in a point *eindigen in een punt* ●*eindigen, aflopen;* he'll – up in jail *hij zal nog in de gevangenis terecht komen;* our efforts –ed in a total failure *onze pogingen liepen op niets uit* ‖ zie ook ⟨sprw.⟩ WELL **II** ⟨ov ww⟩ ●*beëindigen, een eind maken aan, ophouden met;* – off sth. (with) *iets besluiten (met)* ‖ – it (all) *zelfmoord plegen.*
endanger [ɪn'deɪndʒə] ●*in gevaar brengen;* –ed species *bedreigde diersoorten/plantensoorten.*
endear [ɪn'dɪə] ●*geliefd maken.* **endearing** [ɪn'dɪərɪŋ] ●*innemend, ontwapenend.* **endearment** [ɪn'dɪəmənt] ●*uiting v. genegenheid* ●*innemendheid;* terms of – *lieve woordjes.*
1 endeavour [ɪn'devə] ⟨zn⟩ ●*poging, moeite, inspanning.*
2 endeavour ⟨ww⟩ ●*pogen, trachten, zich inspannen.*
endemic [en'demɪk, ɪn-] ●*endemisch, in-*

heems 〈v. dier, plant, ziekte〉.
ending ['endɪŋ] ●*einde;* happy – *goede afloop.*
endive ['endɪv] ●*andijvie* ●〈AE〉 *witlof.*
endless ['endləs] ●*eindeloos.*
endorse [ɪn'dɔːs] ●*endosseren* ●*bevestigen, bekrachtigen* ●〈BE〉 *aantekening maken op* 〈rijbewijs, vergunning e.d.; bij overtreding〉.   **endorsement** [ɪn'dɔːsmənt] ●*endossement* ●*bevestiging, bekrachtiging* ●〈BE〉 *aantekening* 〈op rijbewijs e.d.〉.
endow [ɪn'daʊ] ●*begiftigen, subsidiëren* ‖ –ed with great musical talent *begiftigd met grote muzikaliteit.*   **endowment** [ɪn'daʊmənt] ●*gave, talent* ●*gift, schenking, dotatie.*
'**end product** ●*eindprodukt.*   '**end result** ● *eindresultaat.*
endurable [ɪn'djʊərəbl] ●*draaglijk, uit te houden.*
endurance [ɪn'djʊərəns] ●*uithoudingsvermogen, weerstand*‖ *beyond/past* (one's) – *onverdraaglijk.* **en'durance test** ●*uithoudingsproef.*
endure [ɪn'djʊə] I 〈onov ww〉 ●*duren, blijven* ●*het uithouden* II 〈ov ww〉 ●*doorstaan, uithouden, verdragen.*   **enduring** [ɪn'djʊərɪŋ] ●*blijvend, (voort)durend.*
enema ['enɪmə] 〈med.〉 ●*klysma, lavement.*
enemy ['enəmi] ●*vijand* 〈ook fig.〉, *vijandelijke troepen/macht.*
energetic ['enə'dʒetɪk] ●*energiek, actief, krachtig.*
energy ['enədʒi] ●*kracht, energie* 〈ook nat.〉; nuclear – *kernenergie;* devote all one's energies to *al zijn krachten wijden aan.*   '**energy conservation** ●*energiebesparing.*   '**energy crisis** ●*energiecrisis.* '**energy policy** ●*energiebeleid.* '**energy saving** ●〈zn〉 *energiebesparing* ●〈bn〉 *energiebesparend.*   '**energy supply** ● *energievoorziening.*
enervate ['enəveɪt] ●*ontkrachten, slap maken, verzwakken.*
enfeeble [ɪn'fiːbl] ●*verzwakken, uitputten.*
enfold [ɪn'fəʊld] ●(+in) *wikkelen (in), hullen (in)* ●*omsluiten;* – in one's arms *in de armen sluiten.*
enforce [ɪn'fɔːs] 〈zn: -ment〉 ●*uitvoeren, de hand houden aan* 〈regel, wet〉 ●*(af)dwingen;* – obedience (up)on s.o. *iem. dwingen tot gehoorzaamheid* ●*versterken, benadrukken;* – an argument with *een argument kracht bijzetten met.*   **enforceable** [ɪn'fɔːsəbl] ●*uitvoerbaar* 〈v. wet〉 ●*af te dwingen.*
enfranchise [ɪn'fræntʃaɪz] 〈zn: -ment〉 ●

stemrecht geven.
engage [ɪn'geɪdʒ] I 〈onov ww〉 ●(+in) *zich bezig houden (met), zich inlaten (met), doen (aan);* she –s in politics *ze houdt zich met politiek bezig;*↑– upon *zich bezig gaan houden met* ●*zich verplichten, beloven* ●〈vnl. tech.〉 *in elkaar grijpen, gekoppeld worden* II 〈ov ww〉 ●*aannemen, in dienst nemen, contracteren;* – o.s. with a new theatre company *bij een nieuw toneelgezelschap gaan* ●*bespreken, reserveren* 〈plaats〉 ●*bezetten, in beslag nemen* 〈ook fig.〉; her attention was –d *haar aandacht werd in beslag genomen;* – s.o. in conversation *een gesprek met iem. aanknopen* ●*verplichten;* – o.s. to do sth. *beloven iets te doen* ●〈vnl. mil.〉 *aanvallen* ●〈tech.〉 *koppelen, doen ingrijpen;* – the clutch *koppelen* 〈auto〉.
engaged [ɪn'geɪdʒd] ●*verloofd;* – to *verloofd met* ●*bezet, bezig;* I'm – *ik heb een afspraak;* – in composing an opera *bezig een opera te schrijven;* – on a study of French opera *werkend aan een studie over de Franse opera* ●*in gesprek* 〈telefoon〉 ●*gecontracteerd* ●*bezet, gereserveerd.* **en'gaged signal, en'gaged tone** ● *in-gesprek-toon* 〈telefoon〉.
engagement [ɪn'geɪdʒmənt] ●*verloving* ● *afspraak* ●*verplichting,* 〈vaak mv.〉 *financiële verplichting* ●*treffen, gevecht* ●*engagement, contract* ●〈tech.〉 *inschakeling, koppeling.* **en'gagement ring** ●*verlovingsring.*
engaging [ɪn'geɪdʒɪŋ] ●*innemend, aantrekkelijk.*
engender [ɪn'dʒendə] ●*veroorzaken.*
engine ['endʒɪn] ●*motor* ●*machine* ●*locomotief.* '**engine driver** 〈BE〉 ●*(trein)machinist.*
1 **engineer** ['endʒɪ'nɪə] 〈zn〉 ●*ingenieur* ● *machinebouwer* ●*genieofficier/soldaat;* the (Royal) Engineers *de Genie* ●*technicus, mecanicien,* 〈scheep.〉 *werktuigkundige* ●〈AE〉 *(trein)machinist* ●*brein, bedenker* 〈v. plan〉.
2 **engineer** 〈ww〉 ●*bouwen, maken, construeren* ●↓ *bewerkstelligen, op touw zetten.*   **engineering** ['endʒɪ'nɪərɪŋ] ●*techniek* ●*bouw, constructie.*
'**engine room** ●*machinekamer.*
England ['ɪŋglənd] ●*Engeland,* 〈oneig.〉 *Groot-Brittannië, Verenigd Koninkrijk.*
1 **English** ['ɪŋglɪʃ] 〈zn〉 ●*Engels,* 〈ook〉 *Engelse les* ●〈the〉 *Engelsen, Engelse volk.*
2 **English** 〈bn〉 ●*Engels;* – breakfast *Engels ontbijt, ontbijt met spek en eieren.*
Englishman ['ɪŋglɪʃmən] ●*Engelsman* ‖

⟨sprw.⟩ an Englishman's home is his castle *een Engelsman is erg gesteld op privacy in zijn eigen huis.* '**English-speaking** • *Engelstalig.* '**Englishwoman** •*Engelse (vrouw).*

engraft, ingraft [ɪnˈgrɑːft] •⟨+into/onto/(up) on⟩ *enten (op)* ⟨ook fig.⟩ •*(in)planten* ⟨fig.⟩.

engrave [ɪnˈgreɪv] •*graveren* •*inprenten; it is –d in/(up)on my memory het staat in mijn geheugen gegrift.* **engraver** [ɪnˈgreɪvə] •*graveur.* **engraving** [ɪnˈgreɪvɪŋ] • *gravure* •*graveerkunst.*

engross [ɪnˈgrəʊs] •*geheel in beslag nemen;* I was so –ed in my book that *ik was zo in mijn boek verdiept, dat.* **engrossing** [ɪnˈgrəʊsɪŋ] •*boeiend.*

engulf [ɪnˈgʌlf] •*overspoelen* ⟨ook fig.⟩, *wegspoelen;* –ed in the waves *door de golven verzwolgen.*

enhance [ɪnˈhɑːns] ⟨zn: -ment⟩ •*verhogen, versterken* ⟨alleen mbt. iets positiefs⟩; – in value *in waarde doen toenemen.*

enigma [ɪˈnɪgmə] •*mysterie, raadsel.* **enigmatic** [ˈenɪgˈmætɪk] •*mysterieus, raadselachtig.*

enjoin [ɪnˈdʒɔɪn] •*opleggen, eisen, bevelen;* – silence on the class *stilte in de klas eisen.*

enjoy [ɪnˈdʒɔɪ] •*genieten v., plezier beleven aan;* –! *eet ze!* ⟨eet smakelijk⟩ •*hebben, bezitten;* – good health *een goede gezondheid genieten* –*o.s. zich vermaken.* **enjoyable** [ɪnˈdʒɔɪəbl] •*plezierig, prettig, fijn.* **enjoyment** [ɪnˈdʒɔɪmənt] •*plezier, vreugde, genot* •*genot, beschikking.*

enlarge [ɪnˈlɑːdʒ] I ⟨onov ww⟩ •*groter worden, zich uitbreiden* ‖ – (up)on a subject *uitweiden over een onderwerp* II ⟨ov ww⟩ •*vergroten, groter maken;* – a photograph *een foto vergroten.* **enlargement** [ɪnˈlɑːdʒmənt] •*vergroting, vergrote foto* •*vergroting, uitbreiding.*

enlighten [ɪnˈlaɪtn] •*informeren, op de hoogte brengen, inlichten;* could you please – me about/on this? *zou u mij hier wat meer over kunnen vertellen?.* **enlightened** [ɪnˈlaɪtnd] •*verlicht, rationeel, redelijk.* **enlightenment** [ɪnˈlaɪtnmənt] I ⟨eig.n.; the⟩ ⟨gesch.⟩ •*Verlichting* II ⟨ntelb zn⟩ •*ophelgering, verduidelijking.*

enlist [ɪnˈlɪst] I ⟨onov ww⟩ •*dienst nemen;* – in the army *dienst nemen bij het leger* • *deelnemen;* – in a project *aan een project meedoen* II ⟨ov ww⟩ •*inroepen, werven;* – s.o. in an enterprise *iem. bij een onderneming te hulp roepen* •⟨mil.⟩ *aanwerven.* **enlisted** [ɪnˈlɪstɪd] ⟨AE; mil.⟩ ‖ – man

gewoon soldaat/matroos. **enlistment** [ɪnˈlɪs(t)mənt] •⟨mil.⟩ *diensttijd* •⟨mil.⟩ *dienstneming.*

enliven [ɪnˈlaɪvn] •*nieuw leven inblazen* • *opvrolijken.*

enmesh [ɪnˈmeʃ] ‖ –ed in *verstrikt in.*

enmity [ˈenməti] •*vijandschap, haat(gevoel).*

ennoble [ɪˈnəʊbl] •*in de adelstand verheffen* •*veredelen, verheffen.*

enormity [ɪˈnɔːməti] •⟨vnl. mv.⟩ *gruweldaad* •*gruwelijkheid* •*enorme omvang, immense grootte.* **enormous** [ɪˈnɔːməs] • *enorm, geweldig groot.*

1 enough [ɪˈnʌf] ⟨vnw⟩ •*genoeg;* – said *genoeg daarover* ‖ we had – to do to get there *het kostte ons de grootste moeite om er te komen;* they have done – and to spare *ze hebben meer dan genoeg gedaan;* ⟨sprw.⟩ enough is as good as a feast ± *genoeg is meer dan overvloed.*

2 enough ⟨bw⟩ •*genoeg;* oddly/strangely – *merkwaardig/vreemd genoeg* •*redelijk;* she paints well – *ze schildert vrij behoorlijk.*

3 enough ⟨det⟩ •*genoeg;* beer – *genoeg bier.*

enquire zie INQUIRE. **enquiry** zie INQUIRY.

enrage [ɪnˈreɪdʒ] •*woedend maken.*

enrapture [ɪnˈræptʃə] •*verrukken, in vervoering brengen.*

enrich [ɪnˈrɪtʃ] ⟨zn: -ment⟩ •*verrijken, uitbreiden* ⟨collectie, taal⟩.

enrol [ɪnˈrəʊl] I ⟨onov ww⟩ •*zich inschrijven;* – in French classes *zich voor een Franse cursus opgeven* II ⟨ov ww⟩ •*inschrijven* •*aanwerven, in dienst nemen.* **enrolment** [ɪnˈrəʊlmənt] •*aantal inschrijvingen, aantal leerlingen/studenten* •*inschrijving.*

ensconce [ɪnˈskɒns] •*nestelen, veilig wegkruipen.*

ensemble [ɒnˈsɒmbl] •*geheel, totaal* •*stel, set* •⟨dram., muz.⟩ *ensemble, gezelschap.*

enshrine [ɪnˈʃraɪn] •*wegsluiten, omsluiten.*

ensign [ˈensaɪn] •⟨scheep.⟩ *vlag, nationale vlag* •⟨mil.⟩ *vaandeldrager* •⟨gesch.; mil.⟩ *vaandrig.*

enslave [ɪnˈsleɪv] ⟨zn: -ment⟩ •*tot slaaf maken* •*verslaven.*

ensnare [ɪnˈsneə] •*vangen, verstrikken,* ⟨ook fig.⟩ *verlokken.*

ensue [ɪnˈsjuː] •*volgen;* the ensuing month *de volgende maand* •⟨+from⟩ *voortvloeien (uit).*

ensure [ɪnˈʃʊə] •*veilig stellen* •*garanderen, instaan voor* •*verzekeren van.*

177   entail–entrenchment

entail [ɪn'teɪl] ● *met zich meebrengen, nood-zakelijk maken, inhouden.*

entangle [ɪn'tæŋgl] ● *verwarren,* 〈ook fig.〉 *verstrikken;* she is –d with a professor *ze heeft iets met een professor.* **entangle-ment** [ɪn'tæŋglmənt] ● *complicatie* ● *con-tact, (compromitterende) relatie,* 〈ihb.〉 *affaire.*

enter ['entə] **I** 〈onov ww〉 ● *zich laten in-schrijven, zich opgeven* ●〈dram.〉 *opko-men;* zie ENTER INTO, ENTER ON **II** 〈onov en ov ww〉 ● *binnengaan, binnenlopen* 〈v. schip〉, *binnendringen;* he –s his eightieth year *hij gaat zijn tachtigste jaar in* **III** 〈ov ww〉 ● *gaan in/op/bij, zich begeven in, zijn intrede doen in;* – the Church *priester worden* ● *in/bijschrijven, opschrijven, boeken* 〈in kasboek〉, *opnemen* 〈in boek〉; – up sth. in the books *iets noteren in de boeken;* – against *op rekening schrij-ven van* ● *opgeven, inschrijven* ● *toelaten* 〈als lid〉 ● *deelnemen aan*〈(wed)strijd〉 ‖ – up the accountbooks *de kasboeken bij-werken.* **'enter into** ● *beginnen, aankno-pen* 〈gesprek〉 ● *zich verplaatsen in, zich inleven in* ● *deel uitmaken v.* ● *ingaan op* 〈zaak, details〉 ● *aangaan* 〈contract〉. **'en-ter on, 'enter upon** ● *aanvangen, begin-nen, aanvaarden;* – a period of political in-stability *een periode v. politieke instabili-teit ingaan* ● *beginnen aan/over.*

enterprise ['entəpraɪz] ● *onderneming* ● *(handels)onderneming* ● *ondernemings-geest, ondernemingszin;* a man of – *iem. met initiatief.* **enterprising** ['entəpraɪzɪŋ] ● *ondernemend.*

entertain ['entə'teɪn] **I** 〈onov ww〉 ● *een feestje/etentje geven, gasten hebben* ● *vermaak bieden* **II** 〈ov ww〉 ● *gastvrij ont-vangen, aanbieden;* – s.o. at/to dinner *iem. op een diner onthalen* ● *onderhou-den;* – o.s. *zich amuseren* ● *koesteren, er-op nahouden;* – doubts *twijfels hebben* ● *overdenken, in overweging nemen.* **en-tertainer** ['entə'teɪnə] ● *iem. die het pu-bliek vermaakt, zanger, conferencier, ca-baretier, goochelaar, entertainer* ● *gast-heer.* **entertaining** ['entə'teɪnɪŋ] ● *onder-houdend, vermakelijk, amusant;* an – talk-er *een gezellige prater.* **entertainment** ['entə'teɪnmənt] ● *iets dat amusement biedt, opvoering, show* ● *partij,* 〈ihb.〉 *feestmaal* ● *vermaak, amusement;* pro-vide – for the guests *de gasten vermaak bieden* ● *amusementswereld(je), amuse-mentsbedrijf.*

enthral [ɪn'θrɔːl] ● *boeien, betoveren.* **en-thralling** [ɪn'θrɔːlɪŋ] ● *betoverend, boei-*end.

enthrone [ɪn'θroʊn] ● *op de troon zetten* 〈koning〉 ● *installeren, wijden* 〈bis-schop〉. **enthronement** [ɪn'θroʊnmənt] ● *kroning, installatie, wijding.*

enthuse [ɪn'θjuːz] ↓ **I** 〈onov ww〉 ●〈+about, over〉 *enthousiast zijn (over)* **II** 〈ov ww〉 ● *enthousiast maken.* **enthusiasm** [ɪn'θju-ːziæzm] ●〈+about, for〉 *enthousiasme (voor), geestdrift (voor/over)* ● *vurige inte-resse, passie.* **enthusiast** [ɪn'θjuːziæst] ● *enthousiasteling, fan, liefhebber.* **enthu-siastic** [ɪn'θjuːzi'æstɪk] ●〈+about, over〉 *enthousiast (over), geestdriftig.*

entice [ɪn'taɪs] ● *(ver)lokken, verleiden.* **en-ticement** [ɪn'taɪsmənt] ● *verlokking, beko-ring.* **enticing** [ɪn'taɪsɪŋ] ● *verleidelijk, ver-lokkelijk.*

entire [ɪn'taɪə] ● *compleet, volledig* ● *geheel, totaal, heel.* **entirely** [ɪn'taɪəli] ● *helemaal, geheel (en al)* ● *alleen, enkel.* **entirety** [ɪn-'taɪərəti] ● *totaliteit;* in its – *in zijn geheel.*

entitle [ɪn'taɪtl] ● *betitelen, noemen* ● *recht geven op;* be –d to sth. *recht hebben op iets.* **entitlement** [ɪn'taɪtlmənt] ● *bedrag* 〈dat iem. toekomt〉 ● *recht* 〈bv. op uitke-ring〉.

entity ['entəti] ● *entiteit, wezen.*

entomology ['entə'mɒlədʒi] ● *entomologie, insektenkunde.*

entourage ['ɒntʊrɑː.ʒ] ● *gevolg, entourage.*

entrails ['entreɪlz] ● *ingewanden.*

entrain [ɪn'treɪn] **I** 〈onov ww〉 ● *in/op de trein stappen* **II** 〈ov ww〉 ● *op de trein zet-ten* 〈soldaten〉.

1 entrance ['entrəns] 〈zn〉 ● *ingang, toe-gang, entree* ● *binnenkomst, intrede* ● *op-komst* 〈op toneel〉 ● *entree,* 〈bij uitbr.〉 *toegangsgeld;* free – *vrije toegang* ● *(ambts)aanvaarding;* – into/upon office *ambtsaanvaarding.*
2 entrance [ɪn'trɑːns] 〈ww〉 ● *in verrukking brengen.*

'entrance fee, 'entrance money ● *toegangs-prijs, entree(geld).*

entrant ['entrənt] ● *binnenkomer* ● *deelne-mer* 〈aan race e.d.〉 ● *nieuweling.*

entrap [ɪn'træp] ● *strikken, in de val laten lo-pen.*

entreat [ɪn'triːt] ● *smeken (om), dringend verzoeken.* **entreaty** [ɪn'triːti] ● *smeekbe-de, dringend verzoek* ● *gesmeek.*

entrée ['ɒntreɪ] ●〈vnl. BE; cul.〉 *voorgerecht* ●〈AE; cul.〉 *hoofdgerecht* ● *toegang;* have – into *toegang hebben tot.*

entrench, intrench [ɪn'trentʃ] ● *verankeren* 〈recht, gewoonte e.d.〉 ‖ – o.s. *zich ingra-ven* 〈ook fig.〉. **entrenchment** [ɪn-

'trent∫mənt] ●*loopgravenstelsel.*

entrepreneur ['ɒntrəprə'nə:] ●*ondernemer.*

entrust [ɪn'trʌst] ‖ – sth. to s.o., – s.o. with sth. *iem. iets toevertrouwen.*

entry ['entri] ●*intrede, entree, toetreding, intocht, binnenkomst,* ⟨dram.⟩ *opkomst* ● *ingang, toegang* ●*notitie, trefwoord, (geboekte) post, inschrijving, boeking* ⟨in register⟩ ●⟨douane⟩ *aangifte* ●*deelnemer,* ⟨bij uitbr.⟩ *inzending, deelnemerslijst* ‖ *no – verboden in te rijden.* '**entry visa** ●*inreisvisum.*

entwine [ɪn'twaɪn] ●*ineenstrengelen* ● ⟨+around⟩ *(zich) kronkelen/slingeren (om).*

enumer|ate [ɪ'nju:məreɪt] ⟨zn: **-ation**⟩ ●*opsommen, één voor één opnoemen.*

enunci|ate [ɪ'nʌnsieɪt] ⟨zn: **-ation**⟩ I ⟨onov ww⟩ ●*goed articuleren, duidelijk uitspreken* II ⟨ov ww⟩ ●*uitspreken, articuleren* ● *formuleren, verkondigen.*

envelop [ɪn'veləp] ●*in/omwikkelen,* ⟨fig.⟩ *hullen.*

envelope ['envəloup] ●*omhulling* ⟨ook fig.⟩ ●*envelop(pe).*

enviable ['enviəbl] ●*benijdenswaardig, begerenswaardig.*

envious ['enviəs] ●⟨+of⟩ *jaloers (op), afgunstig.*

environment [ɪn'vaɪrənmənt] ●*omgeving, milieu.* **environmental** [ɪn'vaɪrən'mentl] ●*milieu-, omgevings-;* – pollution *milieuvervuiling.* **environmentalist** [ɪn'vaɪrən'mentəlɪst] ●*milieubeheerder* ●*milieuactivist, milieubewust iem..*

environs [ɪn'vaɪrənz] ●*omstreken, omgeving.*

envisage [ɪn'vɪzɪdʒ] ●*voorzien, zich voorstellen* ⟨in de toekomst⟩.

envoy ['envɔɪ] ●*(af)gezant.*

1 envy ['envi] ⟨zn⟩ ●*afgunst;* be the – of s.o. *voorwerp v. afgunst zijn voor iem..*

2 envy ⟨ww⟩ ●*benijden.*

enzyme ['enzaɪm] ⟨bioch.⟩ ●*enzym.*

epaulet(te) ['epə'let] ●*epaulet.*

ephemeral [ɪ'femrəl] ●*kortstondig, voorbijgaand.*

1 epic ['epɪk] ⟨zn⟩ ●*epos, heldendicht.*

2 epic ⟨bn⟩ ●*episch* ●*heldhaftig.*

epicentre ['epɪsentə] ●*epicentrum* ⟨v. aardbeving⟩.

epicure ['epɪkjuə] ●*epicurist.*

1 epidemic ['epɪ'demɪk] ⟨zn⟩ ●*epidemie* ⟨ook fig.⟩, *rage.*

2 epidemic ⟨bn⟩ ●*epidemisch,* ⟨fig. ook⟩ *zich snel verbreidend.*

epigram ['epɪgræm] ●*epigram, puntdicht, puntig gezegde.*

epilepsy ['epɪlepsi] ●*epilepsie, vallende ziekte.* **epileptic** [-'leptɪk] ●⟨bn⟩ *epileptisch* ●⟨zn⟩ *epilepticus.*

epilogue ['epɪlɒg] ●*epiloog, nawoord, slot.*

epiphany [ɪ'pɪfəni] ●*Driekoningen.*

episcopal [ɪ'pɪskəpl] ●*episcopaal, bisschoppelijk* ‖ ⟨AE⟩ Episcopal Church *de Anglicaanse Kerk* ⟨in de U.S.A. en Schotland⟩. **episcopalian** [ɪ'pɪskə'peɪliən] ●⟨bn⟩ *episcopaal* ●⟨zn⟩ *lid v.e. episcopale kerk.*

episode ['epɪsoud] ●*episode, voorval, aflevering.* **episodic** ['epɪ'sɒdɪk] ●*episodisch* ●*onregelmatig.*

epistle [ɪ'pɪsl] ●*epistel,* ⟨vnl. scherts.⟩ *brief.*

epitaph ['epɪtɑ:f] ●*grafschrift.*

epithet ['epɪθet] ●*epitheton, bij/toenaam.*

epitome [ɪ'pɪtəmi] ●*belichaming, personificatie;* the – of *het toppunt van.* **epitomize** [ɪ'pɪtəmaɪz] ●*belichamen.*

epoch ['i:pɒk] ●*tijdvak, tijdperk.* '**epochmaking** ●*v. grote betekenis, baanbrekend.*

equability ['ekwəbɪləti] ●*gelijkmatigheid, gelijkmoedigheid.* **equable** ['ekwəbl] ●*gelijkmatig, gelijkmoedig.*

1 equal ['i:kwəl] ⟨zn⟩ ●*gelijke, weerga.*

2 equal ⟨bn⟩ ●*gelijk, hetzelfde;* on – terms *op voet v. gelijkheid;* – to gelijk aan ‖ – to *opgewassen/bestand tegen, in staat tot.*

3 equal ⟨ww⟩ ●*evenaren, gelijk zijn aan;* two and two –s four *twee en twee is vier* ‖ it –s out at sixty *het gemiddelde komt op zestig.*

equality [ɪ'kwɒləti] ●*gelijkheid.* **equalization** ['i:kwələr'zeɪ∫n] ●*het gelijkmaken* ● *het evenredig verdelen.* **equalize** ['i:kwəlaɪz] I ⟨onov ww⟩ ●⟨sport⟩ *gelijkmaker scoren* II ⟨ov ww⟩ ●*gelijkmaken, gelijkstellen;* – to/with *gelijkmaken aan.* **equalizer** ['i:kwəlaɪzə] ●⟨sport⟩ *gelijkmaker.*

equally ['i:kwəli] ●zie EQUAL ●*gelijkelijk, eerlijk, evenzeer* ●*even, in dezelfde mate.*

equanimity ['i:kwə'nɪməti,'ekwə-] ●*gelijkmoedigheid, berusting.*

equate [ɪ'kweɪt] ●⟨+to, with⟩ *vergelijken (met)* ●⟨+with⟩ *gelijkstellen (aan)* ●*gelijkmaken.* **equation** [ɪ'kweɪʒn] ●*vergelijking* ⟨ook wisk.⟩.

equator [ɪ'kweɪtə] ●*evenaar, equator.* **equatorial** ['ekwə'tɔ:riəl] ●*equatoriaal.*

equestrian [ɪ'kwestriən] ●*ruiter-.*

equilibrium ['i:kwɪ'lɪbriəm] ●*evenwicht* ⟨ook psych.⟩.

equine ['ekwaɪn] ●*als/v.e. paard.*

equinox [ɪ'kwɪnɒks] ●*equinox.*

equip [ɪ'kwɪp] ●⟨+with⟩ *uitrusten (met), toerusten (met);* – o.s. for a journey *zich uitrusten voor een reis.* **equipment**

[ɪ'kwɪpmənt] ●*uitrusting, benodigdhe-den.*

equitable ['ekwɪtəbl] ●*billijk, rechtvaardig.*

equity ['ekwəti] ●*billijkheid, rechtvaardig-heid; – and law recht en billijkheid* ●*equi-ty* ⟨Engels systeem v. rechtsregels naast het gewone recht⟩.

1 equivalent [ɪ'kwɪvələnt] ⟨zn⟩ ●*equivalent.*

2 equival|ent ⟨bn; zn: **-ence**⟩ ●⟨+to⟩ *equi-valent (aan), gelijkwaardig (aan).*

equivocal [ɪ'kwɪvəkl] ●*dubbelzinnig* ●*twij-felachtig, dubieus.* **equivocate** [ɪ'kwɪ-vəkeɪt] ●*(er/ergens omheen) draaien, een ontwijkend antwoord geven* ●*een slag om de arm houden.* **equivocation** [ɪ'kwɪ-və'keɪʃn] ●*dubbelzinnigheid* ●*het geven v.e. ontwijkend antwoord.*

er [ə(:),ʌ(:)] ●*eh* ⟨aarzeling⟩.

era ['ɪərə] ●*era, tijdperk.*

eradicate [ɪ'rædɪkeɪt] ●*uitroeien, verdelgen.*

erase [ɪ'reɪz] ●*uitvegen, uitvlakken* ●*uitwis-sen,* ⟨fig.⟩ *wegvagen, vernietigen.* **eraser** [ɪ'reɪzə] ●*stukje vlakgom, gummetje* ●*bordenwisser.* **erasure** [ɪ'reɪʒə] ●*uitwis-sing* ●*het uitvegen, het uitvlakken* ●*het uitwissen,* ⟨fig.⟩ *het wegvagen, het ver-nietigen.*

1 erect [ɪ'rekt] ⟨bn⟩ ●*recht, rechtop(gaand), opgericht.*

2 erect ⟨ww⟩ ●*oprichten, bouwen, neerzet-ten* ●*stichten, vestigen.*

erection [ɪ'rekʃn] ●*erectie* ●*gebouw* ●*het oprichten, het bouwen, het optrekken* ●*het stichten, het vestigen.*

ermine ['ə:mɪn] ●*hermelijn.*

erode [ɪ'roʊd] I ⟨onov ww⟩ ●*wegspoelen* II ⟨onov en ov ww⟩ ●*verslechteren, vermin-deren* III ⟨ov ww⟩ ●⟨vaak +away⟩ *uitbij-ten* ⟨v. zuur⟩, *wegbijten* ●⟨vaak +away⟩ *uithollen* ⟨v. water⟩, *eroderen.*

erogenous [ɪ'rɒdʒənəs] ‖ – *zone erogene zo-ne.*

erosion [ɪ'roʊʒn] ●*erosie* ⟨ook fig.⟩.

erotic [ɪ'rɒtɪk] ●*erotisch.* **eroticism** [ɪ'rɒtɪsɪzm] ●*erotiek* ●*seksue(e)l(e) ver-langen/opwinding.*

err [ə:] ●*zich vergissen* ‖ – *on the side of cau-tion het zekere voor het onzekere nemen;* ⟨sprw.⟩ *to err is human; to forgive divine* ± *vergissen is menselijk.*

errand ['erənd] ●*boodschap;* go on/run –s for s.o. *boodschappen doen voor iem..* '**errand-boy** ●*loopjongen.*

errant ['erənt] ●*zondigend, v.h. rechte pad afgeraakt; –* husband *ontrouwe echtge-noot.*

erratic [ɪ'rætɪk] ●*onregelmatig, ongeregeld, grillig, veranderlijk.*

erratum [e'rɑ:təm] ⟨mv.: errata [e'rɑ:tə]⟩ ●*(druk)fout, schrijffout,* ⟨mv.⟩ *lijst v. druk-fouten.*

erroneous [ɪ'roʊnɪəs] ●*onjuist.*

error ['erə] ●*vergissing, dwaling, zonde; –* of judgement *beoordelingsfout;* human – menselijke fout; in – *per vergissing;* be in – *zich vergissen.*

ersatz ['eəzæts] ⟨ong.⟩ ●*surrogaat-.*

erstwhile ['ə:stwaɪl] ●*vroeger.*

erudite ['erʊdaɪt] ●*erudiet.* **erudition** ['erʊ'dɪʃn] ●*uitgebreide kennis, eruditie.*

erupt [ɪ'rʌpt] ●*uitbarsten* ⟨v. vulkaan, geiser enz.⟩ ●*barsten* ⟨ook fig.⟩, *uitbreken; –* in anger *in woede losbarsten* ●*opkomen* ⟨v. puistjes⟩. **eruption** [ɪ'rʌpʃn] ●*uitbarsting* ⟨v. geiser, vulkaan⟩, ⟨fig.⟩ *het losbarsten;* his angry –s *zijn boze uitvallen* ●*huiduit-slag.*

escalate ['eskəleɪt] ⟨zn: **-ation**⟩ I ⟨onov ww⟩ ●*stijgen* ⟨v. prijzen, lonen⟩ II ⟨onov en ov ww⟩ ●*verhevigen, (doen) escaleren.*

escalator ['eskəleɪtə] ●*roltrap.*

escapade ['eskəpeɪd, -'peɪd] ●*escapade, wild avontuur.*

1 escape [ɪ'skeɪp] ⟨zn⟩ ●*ontsnapping, vlucht;* make one's – *ontsnappen* ●*ont-snappingsmiddel;* alcohol is his – from worry *door de alcohol vergeet hij zijn zor-gen.*

2 escape I ⟨onov ww⟩ ●⟨+from, out of⟩ *ont-snappen (uit, aan), ontvluchten; –* with one's life *het er levend afbrengen* ●*ont-snappen* ⟨v. gas, stoom; ook fig.⟩ II ⟨ov ww⟩ ●*vermijden, ontkomen aan; –* death *de dood ontlopen* ●*ontschieten* ⟨v. naam e.d.⟩ ●*ontgaan; –* one's attention *aan ie-mands aandacht ontsnappen* ●*ontglip-pen, ontvallen.* **escapee** ['eskeɪ'pi:] ●*ont-snapte gevangene.* **e'scape velocity** ●*ontsnappingssnelheid.*

escapism [ɪ'skeɪpɪzm] ●*escapisme.* **escap-ist** [ɪ'skeɪpɪst] ●⟨bn⟩ *escapistisch* ●⟨zn⟩ *escapist.*

escarpment [ɪ'skɑ:pmənt] ●*steile helling.*

eschew [ɪ'stʃu:] ●*schuwen* ⟨slechte zaken⟩, *(ver)mijden* ●*zich onthouden v.* ⟨drank, bep. voedsel⟩.

1 escort ['eskɔ:t] ⟨zn⟩ ●*escorte, (gewapen-de) geleide* ●*begeleider, metgezel.*

2 escort [ɪ'skɔ:t] ⟨ww⟩ ●*escorteren, begelei-den.*

escutcheon [ɪ'skʌtʃn] ●*wapenschild.*

Eskimo ['eskɪmoʊ] ●⟨bn⟩ *eskimo-* ●⟨zn⟩ *Eskimo.*

esophagus zie OESOPHAGUS.

esoteric ['esə'terɪk] ●*esoterisch, alleen voor ingewijden/deskundigen.*

esp. ⟨afk.⟩ especially.
especial [ɪ'speʃl] ● speciaal, bijzonder. **especially** [ɪ'speʃli] ● speciaal ● vooral, in het bijzonder, voornamelijk.
espionage ['espɪənɑːʒ] ● spionage.
esplanade ['espləneɪd] ● boulevard, (wandel)promenade.
espousal [ɪ'spaʊzl] ● omhelzing ⟨fig., v.e. zaak⟩, steun. **espouse** [ɪ'spaʊz] ● omhelzen ⟨alleen fig.⟩, steunen.
Esq. ⟨afk.⟩ Esquire.
esquire [ɪ'skwaɪə] ⟨afk. Esq.⟩ ● ⟨BE⟩ de (Weledele/Weledelgeboren) Heer ⟨als titel⟩.
1 essay ['eseɪ] ⟨zn⟩ ● essay, opstel, (korte) verhandeling ● ⟨ook [e'seɪ]⟩ poging; – at poging tot.
2 essay [e'seɪ] ⟨ww⟩ ● pogen, proberen.
essayist ['eseɪɪst] ● essayist.
essence ['esns] ● essentie, kern ● wezen; in – wezenlijk; of the – van wezenlijk belang ● essence, aftreksel.
1 essential [ɪ'senʃl] ⟨zn⟩ ● het essentiële, essentie, wezen ● hoofdzaak ● noodzakelijk iets, onontbeerlijke zaak; the basic –s de allernoodzakelijkste dingen.
2 essential ⟨bn⟩ ● ⟨+for, to⟩ essentieel (voor), wezenlijk ● ⟨+for, to⟩ onontbeerlijk (voor), noodzakelijk (voor) ● verplicht; experience – ervaring vereist. **essentially** [ɪ'senʃli] ● zie ESSENTIAL ● in wezen ● absoluut, beslist; – necessary absoluut noodzakelijk.
establish [ɪ'stæblɪʃ] ● vestigen ⟨ook fig.⟩, oprichten, stichten; he –ed his name as an actor hij heeft naam gemaakt als toneelspeler; –ed custom ingeburgerd gebruik; – a rule een regel instellen ● vestigen ⟨in beroep⟩; – o.s. zich vestigen ● vaststellen ⟨feiten⟩, staven, bewijzen ‖ –ed church staatskerk. **establishment** [ɪ'stæblɪʃmənt] ● vestiging, oprichting, instelling ● ⟨the⟩ gevestigde orde ● handelshuis, etablissement.
estate [ɪ'steɪt] ● landgoed ● ⟨jur.⟩ (land)bezit, vastgoed ● ⟨BE⟩ woonwijk ● stand, klasse; third – derde stand ● ⟨jur.⟩ boedel ● plantage ‖ industrial – industriewijk.
e'state agency ● makelaardij ⟨in onroerend goed⟩. **e'state agent** ● makelaar in onroerend goed. **e'state car** ● stationcar.
1 esteem [ɪ'stiːm] ⟨zn⟩ ● achting, respect, waardering; hold s.o. in high – iem. hoogachten.
2 esteem ⟨ww⟩ ● (hoog)achten, waarderen, respecteren ● beschouwen; – sth. a duty iets als een plicht zien.
esthete- zie AESTHETE-.

estimable ['estɪməbl] ● achtenswaardig.
1 estimate ['estɪmət] ⟨zn⟩ ● schatting; at a rough – ruwweg ● begroting, prijsopgave ● oordeel.
2 estimate ['estɪmeɪt] ⟨ww⟩ ● berekenen, begroten; – sth. at a certain value iets schatten op een bep. waarde ● beoordelen. '**estimate for** ● begroten, prijsopgave geven voor. **estimation** ['estɪ'meɪʃn] ● (hoog)achting; hold s.o. in – iem. (hoog)achten ● schatting.
estrange [ɪ'streɪndʒ] ⟨zn: **-ment**⟩ ● ⟨+from⟩ vervreemden (van).
estrogen zie OESTROGEN.
estuary ['estʃʊəri] ● (wijde) riviermond.
etc. ⟨afk.⟩ et cetera ● enz..
et cetera [ɪt'setrə, ɪk-] ● enzovoort.
etch [etʃ] I ⟨onov en ov ww⟩ ● etsen II ⟨ov ww⟩ ‖ be –ed in/on one's memory in zijn geheugen gegrift staan. **etching** ['etʃɪŋ] ● ets.
eternal [ɪ'tɜːnl] ● eeuwig ⟨ook ↓⟩ ‖ –triangle driehoeksverhouding.
eternity [ɪ'tɜːnəti] ● eeuwigheid ⟨ook ↓⟩.
ether ['iːθə] ● ether ‖ in the – op de radio. **ethereal** [iːˈθɪərɪəl] ● etherisch ⟨ook fig.⟩, ijl.
ethic ['eθɪk] ● ethiek ● ethos. **ethical** ['eθɪkl] ● ethisch. **ethics** ['eθɪks] ● ethiek, zedenleer ● gedragsnormen/code, ethiek.
ethnic ['eθnɪk] ● etnisch; – minority etnische minderheid ● ⟨vnl. AE⟩ primitief-exotisch.
ethnology [eθ'nɒlədʒi] ● etnologie, (vergelijkende) volkenkunde.
ethos ['iːθɒs] ● ethos.
etio- zie AETIO-.
etiquette ['etɪket] ● etiquette, gedragscode.
etymolog|y [etɪ'mɒlədʒi] ⟨bn: **-ical**⟩ ● etymologie.
eucalyptus ['juːkə'lɪptəs] ● eucalyptus, gomboom.
Eucharist ['juːkərɪst] ● ⟨Anglicaans, R.-K.⟩ eucharistie ● ⟨Prot.⟩ Avondmaal.
eugenic [juːˈdʒenɪk] ● eugenetisch. **eugenics** [juːˈdʒenɪks] ● eugenese.
eulogize ['juːlədʒaɪz] ● loven, een lofrede houden over. **eulogy** ['juːlədʒi] ● lofprijzing.
eunuch ['juːnək] ● eunuch.
euphemism ['juːfɪmɪzm] ● eufemisme. **euphemistic** ['juːfɪ'mɪstɪk] ● eufemistisch.
euphonious [juːˈfoʊnɪəs] ● welluidend. **euphony** ['juːfəni] ● welluidendheid.
euphoria [juːˈfɔːrɪə] ● euforie. **euphoric** [juːˈfɒrɪk] ● euforisch.
Eurasian [jʊəˈreɪʃn] ● ⟨bn⟩ Europees-Aziatisch ● ⟨bn⟩ Indo-Europees ⟨v. persoon⟩ ● ⟨zn⟩ euraziër, Indo(-europeaan).

eureka [juə'ri:kə] ● *(h)eureka, ik heb het.*
eur(h)ythmics [ju:'rɪðmɪks] ● *euritmie.*
Eurocommunism ['juərou'kɒmjunɪzm] ● *Eurocommunisme.* **Eurocrat** ['juərəkræt] ● *Eurocraat.*
Europe ['juərəp] ● *Europa.* **European** ['juərə'piən] ● ⟨bn⟩ *Europees;* – Economic Community *Europese Economische Gemeenschap, E.E.G.* ● ⟨zn⟩ *Europeaan.*
euthanasia ['ju:θə'neɪzɪə] ● *euthanasie.*
evacu|ate [ɪ'vækjueɪt] ⟨zn: **-ation**⟩ ● *evacueren, ontruimen* ● ↑ *ledigen, ontlasten* ⟨ingewanden⟩. **evacuee** [ɪ'vækju'i:] ● *evacué(e).*
evade [ɪ'veɪd] ● *vermijden, (proberen te) ontkomen/ontsnappen aan, ontwijken;* – one's responsibilities *zijn verantwoordelijkheden uit de weg gaan;* – paying one's taxes *belasting ontduiken* ● *tarten;* his acting talent –s description *zijn acteertalent tart elke beschrijving.*
evaluate [ɪ'væljueɪt] ● *de waarde/betekenis bepalen v., evalueren* ● *berekenen.* **evaluation** [ɪ'vælju'eɪʃn] ● *waardebepaling, beoordeling, evaluatie* ● *berekening.*
evangelical ['i:væn'dʒelɪkl] ● *evangelisch* ● *v./mbt. de evangelische kerk* ⟨in Eng.: Low Church⟩. **evangelism** [ɪ'vændʒɪlɪzm] ● *evangelieprediking.* **evangelist** [ɪ'vændʒɪlɪst] ● *evangelist.*
evangelize [ɪ'vændʒɪlaɪz] ● *evangeliseren.*
evaporate [ɪ'væpəreɪt] ● *verdampen, (doen) vervliegen,* ⟨fig.⟩ *in het niets (doen) verdwijnen;* –d milk *geëvaporiseerde melk, koffiemelk.* **evaporation** [ɪ'væpə'reɪʃn] ● *verdamping* ● *het vervliegen* ⟨ook fig.⟩, *verlies.*
evasion [ɪ'veɪʒn] ● *ontwijking, uitvlucht;* – of taxes *belastingontduiking.* **evasive** [ɪ'veɪsɪv] ● *ontwijkend;* take – action *moeilijkheden uit de weg gaan.*
eve [i:v] ● *vooravond;* on the – of *aan de vooravond v.;* on the – of the race *de dag voor de wedstrijd* ● ↑ *avond.*
1 even ['i:vn] ⟨bn⟩ ● *vlak, gelijk, glad;* on an – keel *rustig* ● *gelijkmatig, kalm;* – breathing *rustige/regelmatige ademhaling* ● *even;* – and odd numbers *even en oneven getallen* ● *gelijk, quitte;* ↓ it is – chances that he comes *de kans is fifty-fifty dat hij komt;* – odds *gelijke kansen;* be/get – with s.o. 't iem. *betaald zetten;* now we're – again *nu staan we weer quitte* ● *eerlijk;* an – exchange *een eerlijke ruil* ● *exact, precies;* pay an – pound *een vol pond betalen* ‖ ⟨↓; ook hand.⟩ break – *quitte spelen.*
2 even I ⟨onov ww⟩ ● *gelijk worden;* zie EVEN UP **II** ⟨ov ww⟩ ● *gelijk maken;* zie EVEN OUT,

EVEN UP.
3 even ⟨bw⟩ ● *zelfs;* she was unhappy, – weeping *ze was ongelukkig, ja zelfs in tranen;* – now *zelfs nu;* – so *maar toch;* – if/ though *zelfs al* ● ⟨vnl. voor vergrotende trap⟩ *nog;* that's – better *dat is zelfs (nog) beter* ‖ – as *precies toen.*
'even-'handed ● *onpartijdig.*
evening ['i:vnɪŋ] ● *avond;* in the – 's avonds. **'evening classes** ● *avondcursus, avondschool.* **'evening dress** ● *avondjurk* ● *smoking* ● *rokkostuum* ● *avondkleding.* **'evening 'news** ● *avondnieuws.* **evenings** ['i:vnɪŋz] ⟨AE⟩ ● 's avonds. **'evening 'star** ● *avondster.* **'evening wear** ● *avondkleding.*
'even 'out ● *(gelijkmatig) spreiden, gelijk verdelen.*
evens ['i:vnz] ● *evenveel kans, vijftig procent kans.*
'evensong ● *avonddienst.*
event [ɪ'vent] ● *gebeurtenis, evenement;* after the – *achteraf* ● *geval;* at all –s *in elk geval;* in any/either – *in elk geval/wat er ook moge gebeuren;* in the – of his death *in het geval dat hij komt te overlijden* ● ⟨sport⟩ *nummer;* ⟨paardesport⟩ three-day – *military* ‖ ⟨BE⟩ in the – *toen het erop aan kwam;* zie ook ⟨sprw.⟩ EASY.
'even-'tempered ● *gelijkmoedig, gelijkmatig v. humeur.*
eventful [ɪ'ventfl] ● *veelbewogen* ● *gedenkwaardig.*
eventual [ɪ'ventʃuəl] ● *uiteindelijk.* **eventuality** [ɪ'ventʃu'æləti] ● *eventualiteit, mogelijke gebeurtenis.* **eventually** [ɪ'ventʃuəli] ● *tenslotte, uiteindelijk.*
'even 'up ● *gelijk worden/maken, evenwicht herstellen.*
ever ['evə] ● *ooit;* did you – (see/hear the like)! *asjemenou!, heb je van je leven!;* ↓ never –! *nooit van mijn leven!* ● ↓ *toch, in* 's hemelsnaam; what – did you do to him? *wat heb je hem in* 's hemelsnaam (aan)gedaan?; how – could I do that? *hoe zou ik dat in* 's hemelsnaam kunnen? ● ⟨↓; emf.⟩ *echt, erg, verschrikkelijk;* ⟨BE⟩ it is – so cold *het is verschrikkelijk koud;* ⟨BE⟩ thanks – so much! *hartstikke bedankt!* ● *immer, altijd;* an –-growing fear *een steeds groeiende angst;* ↓ yours –/– yours *je* ⟨aan eind v. brief⟩; they lived happily – after *daarna leefden ze lang en gelukkig;* – since *van toenaf; sindsdien;* for – (and –/a day) *voor (eeuwig en) altijd.*
evergreen ['evəgri:n] ● ⟨bn⟩ *altijdgroen,* ⟨fig.⟩ *onsterfelijk* ● ⟨zn⟩ *altijdgroene plant* ● ⟨zn⟩ *altijd jeugdig iem./iets, on-*

sterfelijke melodie ⟨e.d.⟩. **'ever-in'creasing** ●*steeds toenemend.* **everlasting** ● *eeuwig(durend)* ●*onsterfelijk,* ⟨fig.⟩ *onverwoestbaar.*

evermore ['evə'mɔ:] ●*altijd;* for – *voor altijd.* **'ever-'present** ●*altijd aanwezig.*

every ['evri] ●⟨vnl. met telb zn⟩ *elk(e), ieder(e);*↓ – bit as good *in elk opzicht even goed;* – second person *elke tweede persoon;* – which way *in alle richtingen;* – (single) one of them is wrong *ze zijn stuk voor stuk verkeerd;* three out of – seven *drie op zeven;* – other day *om de andere dag;* ⟨fig.⟩ *om de haverklap* ●⟨ook met n. telb zn⟩ *alle;* she was given – opportunity *ze kreeg alle kansen;* his – thought goes out to you *al zijn gedachten gaan naar u uit* ‖ – now and again/then, – so often *(zo) nu en dan, af en toe.* **everybody** ['evribɒdi], **everyone** ['evriwʌn] ●*iedereen.*

everyday ['evrideɪ] ●*(alle)daags.* **everyplace** ['evripleɪs] ⟨AE; ↓⟩ ●*overal.* **everything** ['evriθɪŋ] ●*alles;* it was – but a success *het was allesbehalve een succes* ● ⟨steeds +and⟩ *van alles, dergelijke, zo;* with exams, holidays and – she had plenty to think of *met examens, vakantie en zo had ze genoeg om over te denken* ‖ he thinks Bach is – *voor hem is Bach het einde.* **everywhere** ['evriweə] ●*overal* ●*overal waar;* – he looked he saw ruins *waar hij ook keek zag hij ruïnes.*

evict [ɪ'vɪkt] ●*uitzetten, verdrijven.* **eviction** [ɪ'vɪkʃn] ●*uitzetting, verdrijving.* **e'viction order** ⟨jur.⟩ ●*bevel tot uitzetting.*

1 evidence ['evɪdəns] I ⟨telb en n-telb zn⟩ ● *spoor, teken;* bear/show – of *getuigen van* ●*bewijs, bewijsstuk/materiaal;* ⟨jur.⟩ – for the defence/prosecution *bewijs à décharge/à charge;* on the – of *op grond van* II ⟨n-telb zn⟩ ●*getuigenis;* give – before court *voor het gerecht getuigen(is afleggen);* call s.o. in – *iem. als getuige oproepen* ‖ be in – *zichtbaar zijn/opvallen.*

2 evidence ⟨ww⟩ ●*getuigen van, blijk geven van, tonen.*

evident ['evɪdənt] ●*duidelijk, zichtbaar, klaarblijkelijk.*

1 evil [i:vl] ⟨zn⟩ ●*kwaad, onheil, ongeluk;* choose the least/lesser of two –s *van twee kwaden het minste kiezen* ●*kwaal* ‖ zie ook ⟨sprw.⟩ MONEY.

2 evil ⟨bn⟩ ●*kwaad, slecht, boos;* the – eye *het boze oog;* have an – tongue *een kwade tong hebben* ‖ the Evil One *de duivel.* **'evil'doer** ●*boosdoener.* **'evil-'minded** ● *kwaadaardig.* **'evil-smelling** ●*kwalijk riekend.* **'evil-'tempered** ●*slecht geluimd.*

evince [ɪ'vɪns] ●*tonen, aan de dag leggen.*

evocation ['evə'keɪʃn, 'i:vəʊ-] ●*evocatie, oproeping.* **evocative** [ɪ'vɒkətɪv] ●*(gevoelens) oproepend;* it is – of *het doet denken aan* ●*levensecht, beeldend, suggestief.*

evoke [ɪ'vəʊk] ●*oproepen, te voorschijn roepen.*

evolution ['i:və'lu:ʃn] ●*evolutie, ontwikkeling, groei.* **evolutionary** ['i:və'lu:ʃənri] ‖ – theory *evolutietheorie.*

evolve [ɪ'vɒlv] I ⟨onov ww⟩ ●*zich ontwikkelen, zich ontvouwen, geleidelijk ontstaan* II ⟨ov ww⟩ ●*ontwikkelen.*

ewe [ju:] ●*ooi, wijfjesschaap.*

ewer ['ju:ə] ●*(lampet)kan.*

ex [eks] ●*ex-man/-vrouw/-verloofde.*

exacerbate [ɪg'zæsəbeɪt] ●*verergeren.*

1 exact [ɪg'zækt] ⟨bn⟩ ●*nauwkeurig, nauwgezet* ●⟨ook als bw⟩ *exact, precies, juist;* the – sciences *de exacte wetenschappen;* ↓ the – same car *precies dezelfde auto.*

2 exact ⟨ww⟩ ●*vorderen* ⟨geld⟩, *afdwingen, afpersen* ●*eisen.* **exacting** [ɪg'zæktɪŋ] ●*veeleisend.* **exactitude** [ɪg'zæktɪtju:d] ●*nauwkeurigheid.*

exactly [ɪg'zæk(t)li] ●*precies, helemaal, juist;* not – *eigenlijk niet;* ⟨iron.⟩ *niet bepaald* ●*nauwkeurig.*

exaggerate [ɪg'zædʒəreɪt] ●*overdrijven, aandikken* ●*versterken, accentueren.* **exaggerated** [ɪg'zædʒəreɪtɪd] ●*overdreven.* **exaggeration** [ɪg'zædʒə'reɪʃn] ● *overdrijving.*

exalt [ɪg'zɔ:lt] ●*verheffen;* – s.o. to a high position *iem. tot een hoge post verheffen* ●*loven, prijzen.* **exaltation** ['egzɔ:l'teɪʃn] ●*verrukking, vervoering.* **exalted** [ɪg'zɔ:ltɪd] ●*verheven, hoog* ●*opgetogen, verrukt.*

exam [ɪg'zæm] ⟨verk.⟩ examination ↓ ●*examen.* **examination** [ɪg'zæmɪ'neɪʃn] I ⟨telb zn⟩ ●*examen* II ⟨telb en n-telb zn⟩ ●*onderzoek;* on closer – *bij nader onderzoek;* under – *nog in onderzoek* ●*verhoor.* **examine** [ɪg'zæmɪn] ●*onderzoeken* ⟨ook med.⟩, *onder de loep nemen* ●*examineren* ●⟨jur.⟩ *verhoren.* **examiner** [ɪg'zæmɪnə] ●*examinator.*

example [ɪg'za:mpl] ●*voorbeeld, exemplaar;* give/set a good – *een goed voorbeeld geven;* for – *bij voorbeeld.*

exasperate [ɪg'za:spəreɪt] ●*irriteren, ergeren.* **exasperating** [ɪg'za:spəreɪtɪŋ] ●*ergerlijk.* **exasperation** [ɪg'za:spə'reɪʃn] ● *ergernis;* she screamed in – *zij schreeuwde van kwaadheid/ergernis.*

excavate ['ekskəveɪt] ●*graven* ●*opgraven, uitgraven;* – old foundations *oude funda-*

menten blootleggen. **excavation** ['eks-kə'veɪʃn] ●*uitgraving, opgraving.* **excavator** ['ekskəveɪtə] ●*grondgraafmachine.*

exceed [ɪk'si:d] ●*overschrijden, te buiten gaan* ●*overtreffen, te boven gaan.* **exceedingly** [ɪk'si:dɪŋli] ●*buitengewoon.*

excel [ɪk'sel] I ⟨onov ww⟩ ●*uitblinken;* he –led at/in singing *hij blonk uit in zang* II ⟨ov ww⟩ ●*overtreffen.*

excellence ['eks(ə)ləns] ●*voortreffelijkheid, uitmuntendheid.*

Excellency ['eks(ə)lənsi] ⟨His/Her/Your – *Zijne/Hare/Uwe Excellentie.*

excellent ['eks(ə)lənt] ●*uitstekend, voortreffelijk.*

1 except [ɪk'sept] ⟨ww⟩ ●*uitzonderen.*

2 except, ⟨na ontkenning ook⟩ **excepting** [ɪk'septɪŋ] ⟨vz⟩ ●*behalve, uitgezonderd;* – for Sheila *behalve Sheila.*

3 except, except that ⟨vw⟩ ●*ware het niet dat;* I'd buy it for you – I have no money *ik zou het voor je willen kopen, maar/alleen ik heb geen geld.*

exception [ɪk'sepʃn] ●*uitzondering;* without – *zonder uitzondering* ‖ take – to *bezwaar maken tegen; aanstoot nemen aan;* ⟨sprw.⟩ the exception proves the rule *de uitzondering bevestigt de regel.* **exceptionable** [ɪk'sepʃnəbl] ●*verwerpelijk.* **exceptional** [ɪk'sepʃnəl] ●*uitzonderlijk, buitengewoon.*

excerpt ['eksə:pt] ●*fragment, passage.*

1 excess [ɪk'ses, 'ekses] ⟨zn⟩ ●*overmaat, overdaad;* in/to – *bovenmate* ●⟨vaak mv.⟩ *exces, buitensporigheid, uitspatting* ●*overschot, rest* ‖ in – of *meer dan, boven;* drink to – *onmatig drinken.*

2 excess ['ekses] ⟨bn⟩ ●*extra-, over-;* – baggage/luggage *overvracht;* – fare *toeslag;* – postage *strafport.* **excessive** [ɪk'sesɪv] ●*buitensporig, exorbitant* ●*overdadig.*

1 exchange [ɪks'tʃeɪndʒ] I ⟨telb zn⟩ ●*ruil, (uit)wisseling, woordenwisseling* ●*beurs* ●*telefooncentrale* II ⟨n-telb zn⟩ ●*het (om) ruilen, het (uit)wisselen;* in – for *in ruil voor.*

2 exchange ⟨ww⟩ ●*ruilen, uitwisselen, verwisselen;* – words with *een woordenwisseling hebben met* ●*wisselen* ⟨ook geldw.⟩, *inwisselen.*

ex'change rate ●*wisselkoers.*

exchequer [ɪks'tʃekə] I ⟨telb zn⟩ ●*schatkist, staatskas* ●*kas* II ⟨zn⟩ ⟨BE⟩ ●*ministerie v. financiën.*

1 excise ['eksaɪz] ⟨zn⟩ ●*accijns.*

2 excise [ek'saɪz] ⟨ww⟩ ●*uitsnijden, wegnemen.*

excitable [ɪk'saɪtəbl] ⟨zn: **-ility**⟩ ●*prikkel-*

baar, *lichtgeraakt.* **excite** [ɪk'saɪt] ●*opwekken, uitlokken, oproepen* ●*opwinden* ●*prikkelen, stimuleren* ⟨ook seksueel⟩.

excited [ɪk'saɪtɪd] ●*opgewonden.* **excitement** [ɪk'saɪtmənt] I ⟨telb zn⟩ ●*iets opwindends, opwindende gebeurtenis, sensatie* II ⟨n-telb zn⟩ ●*opwinding, opschudding.* **exciting** [ɪk'saɪtɪŋ] ●*opwindend, spannend.*

exclaim [ɪk'skleɪm] ●*(uit)roepen;* – at sth. *hardop zijn verrassing over iets kenbaar maken.* **exclamation** ['eksklə'meɪʃn] ●*uitroep, kreet.* **excla'mation mark,** ⟨AE⟩ **excla'mation point** ●*uitroepteken.*

exclude [ɪk'sklu:d] ●*uitsluiten, buitensluiten;* – s.o. from membership *iem. v.h. lidmaatschap uitsluiten.* **excluding** [ɪk'sklu:dɪŋ] ●*exclusief, niet inbegrepen.* **exclusion** [ɪk'sklu:ʒn] ●*uitsluiting, buitensluiting* ●*uitzetting.*

1 exclusive [ɪk'sklu:sɪv] ⟨zn⟩ ●*exclusief bericht/verslag.*

2 exclusive ⟨bn⟩ ●*exclusief, enig, afgesloten, select;* mutually – duties *onverenigbare functies;* – rights *alleenrecht;* a car for his – use *een auto voor hem alleen;* – of *exclusief, niet inbegrepen.* **exclusively** [ɪk'sklu:sɪvli] ●zie EXCLUSIVE ●*uitsluitend, alleen.*

excommunicate ['ekskə'mju:nɪkeɪt] ⟨zn: **-ation**⟩ ●*excommuniceren, in de (kerk) ban doen.*

excrement ['ekskrɪmənt] ●*uitwerpsel(en).*

excrescence [ɪk'skresns] ●*uitwas.*

excrete [ɪk'skri:t] ●*uitscheiden, afscheiden.* **excretion** [ɪk'skri:ʃn] ●*uitscheiding.*

excruciating [ɪk'skru:ʃieɪtɪŋ] ●*martelend* ●*ondraaglijk, verschrikkelijk* ⟨vnl. mbt. pijn; ook scherts.⟩.

exculpate ['eskʌlpeɪt] ●*van blaam zuiveren, de onschuld erkennen/bewijzen van, vrijspreken.*

excursion [ɪk'skə:ʃn] ●*excursie, uitstapje.*

1 excuse [ɪk'skju:s] ⟨zn⟩ ●*excuus, verontschuldiging;* make one's/s.o.'s –s *zich/iem. excuseren (voor afwezigheid);* in – of his behaviour *als excuus voor zijn gedrag* ●*uitvlucht.*

2 excuse [ɪk'skju:z] ⟨ww⟩ ●*excuseren, verontschuldigen, vergeven, niet kwalijk nemen;* – my being late *neem me niet kwalijk dat ik te laat ben;* – me, can you tell me ... ? *pardon, kunt u me zeggen ... ?;* ⟨AE⟩ – me! *sorry!, pardon!* ⟨bv. wanneer men iem. hindert⟩; – s.o. for his bad conduct *iemands slechte gedrag excuseren* ●*vrijstellen;* –d from (taking) that examination *vrijgesteld van dat examen* ‖ ↓ may I be

–d? *mag ik even naar buiten?* ⟨voor het toilet⟩; – o.s. *zich excuseren* ⟨ook voor afwezigheid⟩.

ex-directory ['eksdɪ'rektrɪ, -daɪ-] ⟨BE⟩ ●*geheim* ⟨mbt. telefoonnummer⟩; go – *zijn nummer uit het telefoonboek laten verwijderen.*

execrable ['eksɪkrəbl] ●*afschuwelijk.*

execrate ['eksɪkreɪt] ●*verfoeien, verafschuwen.*

execute ['eksɪkjuːt] ●*uitvoeren, ten uitvoer brengen, volbrengen, executeren* ⟨vonnis⟩, *afwikkelen* ⟨testament⟩ ●*executeren, terechtstellen.*

execution ['eksɪ'kjuːʃn] ●*executie, terechtstelling* ●*uitvoering, volbrenging* ⟨v. vonnis⟩, *afwikkeling* ⟨v. testament⟩; carry/put into – *ten uitvoer brengen* ●*spel, voordracht, vertolking.* **executioner** ['eksɪ'kjuːʃənə] ●*beul.*

1 executive [ɪg'zekjʊtɪv] ⟨zn⟩ ●*hoofd, directeur* ⟨v. onderneming⟩, *hoofdambtenaar, bewindsman* ●⟨pol.⟩ *uitvoerend orgaan/college, dagelijks bestuur;* the – *de uitvoerende macht* ⟨als staatsorgaan⟩.

2 executive ⟨bn⟩ ●*leidinggevend, verantwoordelijk* ●*uitvoerend* ⟨ook pol.⟩; the – *power de uitvoerende macht* ⟨als bevoegdheid⟩.

executor [ɪg'zekjʊtə] ●⟨jur.⟩ *executeur(-testamentair);* literary – *uitvoerder v. literair testament.*

exemplary [ɪg'zemplərɪ] ●*voorbeeldig* ⟨v. gedrag bv.⟩ ●*exemplair, afschrikwekkend;* ⟨jur.⟩ – damages *hoge schadevergoeding* ⟨tevens als boete⟩.

exemplification [ɪg'zemplɪfɪ'keɪʃn] ●*voorbeeld, illustratie* ●*toelichting.* **exemplify** [ɪg'zemplɪfaɪ] ●*toelichten, illustreren* ⟨met voorbeeld⟩.

1 exempt [ɪg'zempt] ⟨bn⟩ ●*vrij(gesteld).*

2 exempt ⟨ww⟩ ●⟨+from⟩ *vrijstellen (van), ontheffen.* **exemption** [ɪg'zem(p)ʃn] ●*vrijstelling, vrijgesteld bedrag* ⟨mbt. belasting⟩.

1 exercise ['eksəsaɪz] I ⟨telb zn⟩ ●*oefening, opgaaf, taak* II ⟨telb en n-telb zn⟩ ●(uit)oe-*fening, gebruik, toepassing* ●*lichaamsoefening, training* III ⟨mv.⟩ ●*militaire oefeningen, manoeuvres.*

2 exercise I ⟨onov en ov ww⟩ ●*(zich) oefenen, lichaamsoefeningen doen, trainen* II ⟨ov ww⟩ ●(uit)oefenen, gebruiken; – patience *geduld oefenen;* – power *macht uitoefenen;* – one's influence over s.o./sth. *zijn invloed op iem./iets aanwenden* ●*uitoefenen* ⟨ambt, functie⟩ ●⟨mil.⟩ *laten exerceren, drillen.*

'**exercise book** ●*oefenboek* ⟨bij leerboek⟩.

exert [ɪg'zəːt] ●*uitoefenen, doen gelden;* – influence *invloed aanwenden;* – pressure *pressie uitoefenen;* – o.s. *zich inspannen.*

exertion [ɪg'zəːʃn] ●*(zware) inspanning* ●*uitoefening, aanwending.*

exhale [eks'heɪl] ⟨zn: -ation⟩ ●*uitademen.*

1 exhaust [ɪg'zɔːst] I ⟨telb zn⟩ ●⟨ook: ex-'haust pipe⟩ *uitlaat* II ⟨n-telb zn⟩ ●*uitlaatgassen.*

2 exhaust ⟨ww⟩ ●*opgebruiken, opmaken* ●*uitputten, afmatten,* ⟨fig.⟩ *uitputtend behandelen;* – a subject *een onderwerp uitputten;* feel –ed *zich uitgeput voelen.* **exhaustion** [ɪg'zɔːstʃən] ●*het opgebruiken* ●*uitputting* ⟨ook fig.⟩, *afgematheid.* **exhaustive** [ɪg'zɔːstɪv] ●*grondig, volledig;* an – study *een uitputtende studie.*

1 exhibit [ɪg'zɪbɪt] ⟨zn⟩ ●*geëxposeerd stuk* ●⟨jur.⟩ *bewijsstuk* ●⟨AE⟩ *tentoonstelling.*

2 exhibit ⟨ww⟩ ●*tentoonstellen, exposeren* ●*vertonen, tonen;* he –ed great courage *hij gaf blijk van grote moed.*

exhibition ['eksɪ'bɪʃn] I ⟨telb zn⟩ ●⟨BE⟩ *studiebeurs* ⟨van school/universiteit⟩ II ⟨telb en n-telb zn⟩ ●*tentoonstelling, expositie;* objects on – *tentoongestelde voorwerpen* ●*vertoning, blijk* ‖ make an – of o.s. *zich belachelijk aanstellen/maken.*

exhibitionism ['eksɪ'bɪʃənɪzm] ●*exhibitionisme.* **exhibitionist** ['eksɪ'bɪʃənɪst] ●*exhibitionist.*

exhilarate [ɪg'zɪləreɪt] ●*opwekken, opvrolijken.* **exhilarating** [ɪg'zɪləreɪtɪŋ] ●*opwekkend, opbeurend.* **exhilaration** [ɪg'zɪlə'reɪʃn] ●*vreugde, blijdschap.*

exhort [ɪg'zɔːt] ⟨zn: -ation⟩ ●*aanmanen, oproepen.*

exhume [ɪg'zjuːm, eks'hjuːm] ⟨zn: -ation⟩ ●*opgraven* ⟨lijk⟩.

exigency [ɪg'zɪdʒənsɪ], **exigence** ['eksɪdʒəns] ●*noodtoestand* ●⟨vnl. mv.⟩ *dringende behoeften, eisen* ●*dringendheid, nood.* **exigent** ['eksɪdʒənt] ●*dringend* ●*veeleisend.*

exiguous [ɪg'zɪgjʊəs] ●*schaars, karig.*

1 exile ['eksaɪl, 'egzaɪl] I ⟨telb zn⟩ ●*balling* II ⟨n-telb zn⟩ ●*ballingschap* ●*verbanning.*

2 exile ⟨ww⟩ ●*verbannen.*

exist [ɪg'zɪst] ●*bestaan, zijn, voorkomen* ●*(over)leven.* **existence** [ɪg'zɪstəns] I ⟨telb zn⟩ ●*bestaan;* lead a poor – *een armzalig bestaan leiden* II ⟨n-telb zn⟩ ●*het bestaan, het zijn;* be in – *bestaan;* come into – *ontstaan.* **existent** [ɪg'zɪstənt] ●*bestaand, huidig, actueel.*

existential ['egzɪ'stenʃl] ●*existentieel.* **existentialism** ['egzɪ'stenʃəlɪzm] ⟨fil.⟩ ●*exis-*

tentialisme.
1 exit ['eksɪt, 'egzɪt] ⟨zn⟩ ●⟨dram.⟩ *het aftre-*
den, afgang ⟨v. acteur; ook fig.⟩; make
one's – *v.h. toneel verdwijnen* ●*vertrek,*
uitreis ●*uitgang* ●*uitrit, afslag* ⟨v. auto-
weg⟩.
2 exit ⟨ww⟩ ●⟨dram.⟩ *afgaan, van het to-*
neel verdwijnen ⟨ook fig.⟩.
'exit visa ●*uitreisvisum.*
exodus ['eksədəs] ●*uittocht.*
exonerate [ɪg'zɒnəreɪt] ●*vrijspreken; –* s.o.
from all blame *iem. van alle blaam zuive-*
ren ●*vrijstellen, ontlasten.*
exorbit|ant [ɪg'zɔ:bɪtənt] ⟨zn: -ance⟩ ●*bui-*
tensporig, overdreven.
exorcism ['eksɔ:sɪzm] ●*uitdrijving, (duivel/*
geesten)bezwering. **exorcist** ['eksɔ:sɪst]
●*uitdrijver.* **exorcize** ['eksɔ:saɪz] ●*uitdrij-*
ven, (uit)bannen; – an evil spirit from s.o.
een boze geest uit iem. verdrijven.
exotic [ɪg'zɒtɪk] ●*exotisch, uitheems.*
expand [ɪk'spænd] I ⟨onov ww⟩ ●*loskomen*
●*uitzetten, (op)zwellen* ●*zich uitbreiden,*
zich ontwikkelen; the firm has –ed into a
large company *de firma is tot een grote*
maatschappij uitgegroeid ‖ – on sth. *over*
iets uitweiden II ⟨ov ww⟩ ●*(doen) uitzet-*
ten, (in omvang) doen toenemen ●*uitbrei-*
den, ontwikkelen ●*uitwerken.*
expanse [ɪk'spæns] ●*uitgestrektheid, (uitge-*
strekte) oppervlakte. **expansion** [ɪk'spæn-
ʃn] ●*expansie, uitbreiding, uitzetting,*
groei ●*uitgebreidheid, uitgestrektheid.*
expansive [ɪk'spænsɪv] ●*expansief, uitzet-*
baar ●*uitgestrekt, veelomvattend* ●*mede-*
deelzaam, open(hartig).
expatiate [ek'speɪʃieɪt] ●⟨+on/up⟩ *uitwei-*
den (over).
1 expatriate [eks'pætrɪət] ⟨zn; bn⟩ ●⟨bn⟩ *in*
het buitenland wonend ●⟨zn⟩ *(ver)banne-*
ling.
2 expatriate [eks'pætrieɪt] ⟨ww⟩ ●*verban-*
nen.
expect [ɪk'spekt] ●*verwachten, rekenen op,*
verlangen ● ↓ *vermoeden, denken* ‖ be
–ing (a baby) *in (blijde) verwachting zijn.*
expectancy [ɪk'spektənsi] ●*verwachting,*
afwachting. **expectant** [ɪk'spektənt] ●*ver-*
wachtend, (af)wachtend, hoopvol ●*aan-*
staande; – mother *aanstaande moeder.*
expectation ['ekspek'teɪʃn] ●*verwachting,*
afwachting, (voor)uitzicht; – of life *ver-*
moedelijke levensduur; not come up to/
fall short of one's –s *niet aan je verwach-*
tingen beantwoorden; against/contrary to
(all) –(s) *tegen alle verwachting in.*
expectorate [ɪk'spektəreɪt] I ⟨onov ww⟩ ●
spuwen II ⟨ov ww⟩ ●*(uit)spuwen.*

expediency [ɪk'spi:dɪənsi], **expedience**
[-dɪəns] ●*gepastheid, nut* ●*opportunis-*
me, eigenbelang.
1 expedient [ɪk'spi:dɪənt] ⟨zn⟩ ●*(geschikt)*
middeltje ●*hulpmiddel.*
2 expedient ⟨bn⟩ ●*geschikt, passend.*
expedite ['ekspɪdaɪt] ●*bevorderen, bespoe-*
digen ●*(snel) afhandelen.*
expedition ['ekspɪ'dɪʃn] I ⟨telb zn⟩ ●*expedi-*
tie, ⟨bij uitbr.⟩ *plezierreis* II ⟨n-telb zn⟩ ●
spoed, snelheid. **expeditionary**
['ekspɪ'dɪʃənri] ●*expeditie-; –* force *expe-*
ditieleger.
expeditious ['ekspɪ'dɪʃəs] ●*snel, prompt.*
expel [ɪk'spel] ●*verdrijven, uitdrijven* ●*weg-*
zenden, verbannen; – from school *van*
school sturen.
expend [ɪk'spend] ●*besteden, uitgeven, ver-*
bruiken. **expendable** [ɪk'spendəbl] ●
waardeloos, vervangbaar, onbelangrijk.
expenditure [ɪk'spendɪtʃə] ●*uitgave(n),*
kosten, verbruik; the – of money on arms
het uitgeven v. geld aan wapens.
expense [ɪk'spens] I ⟨telb zn⟩ ●*uitgave(n-*
post) II ⟨telb en n-telb zn⟩ ●*kosten, uitga-*
ve(n), ⟨fig.⟩ *moeite;* go to great – *veel kos-*
ten maken; at the – of *op kosten van;*
⟨fig.⟩ *ten koste van* ‖ spare no – *geen kos-*
ten/moeite sparen III ⟨mv.⟩ ●*(on)kosten* ●
onkostenvergoeding. **ex'pense account**
●*onkostennota.* **expensive** [ɪk'spensɪv] ●
duur, kostbaar.
1 experience [ɪk'spɪərɪəns] ⟨zn⟩ ●*ervaring,*
belevenis ●*ervaring, ondervinding;* by/
from – *uit/door ervaring.*
2 experience ⟨ww⟩ ●*ervaren, beleven, on-*
dervinden. **experienced** [ɪk'spɪərɪənst] ●
ervaren.
1 experiment [ɪk'sperɪmənt] ⟨zn⟩ ●*experi-*
ment, proef(neming).
2 experiment ⟨ww⟩ ●*experimenteren, proe-*
ven/een proef nemen; – (up)on *proeven*
doen op. **experimental** [ɪk'sperɪ'mentl] ●
experimenteel, proefondervindelijk,
proef-; – animals *proefdieren.* **experi-**
mentation [ɪk'sperɪmen'teɪʃn] ●*proefne-*
ming, geëxperimenteer.
1 expert ['ekspə:t] ⟨zn; vaak attr⟩ ●*expert,*
vakman; – job *werkje voor een expert;*
agricultural – *landbouwdeskundige;* an –
at/in *een expert in.*
2 expert ⟨bn⟩ ●*bedreven, deskundig;* she is
– at/in *zij is een expert in.*
expertise ['ekspə:'ti:z] ●*deskundigheid,*
(vak)kennis.
'expert system ⟨comp.⟩ ●*expert systeem.*
expiate ['ekspieɪt] ●*boeten (voor), goedma-*
ken. **expiation** ['ekspi'eɪʃn] ●*boete(doe-*

ning); make – for *boeten voor.*

expiration [ˈekspɪˈreɪʃn] ●*einde, afloop, vervaldag.* **expire** [ɪkˈspaɪə] I ⟨onov ww⟩ ●*verlopen, verstrijken, aflopen, vervallen* ● *zijn laatste adem uitblazen* II ⟨onov en ov ww⟩ ●*uitademen.* **expiry** [ɪkˈspaɪərɪ] ● *einde, verval(dag), afloop.*

explain [ɪkˈspleɪn] ●*verklaren, uitleggen, verantwoorden; –* o.s. *zich nader verklaren; –* away *wegredeneren, goedpraten.* **explanation** [ˈekspləˈneɪʃn] ●*verklaring, uitleg(ging);* in – of *ter verklaring van.* **explanatory** [ɪkˈsplænətri] ●*verklarend.*

expletive [ɪkˈspliːtɪv] ●*krachtterm, vloek.*

explicable [ˈeksplɪkəbl] ●*verklaarbaar, te verklaren.* **explic|ate** [ˈeksplɪkeɪt] ⟨zn: -ation⟩ ●*expliceren, uitleggen.*

explicit [ɪkˈsplɪsɪt] ●*expliciet, duidelijk, uitdrukkelijk.*

explode [ɪkˈsploʊd] I ⟨onov ww⟩ ●*exploderen, ontploffen, (uiteen)barsten* ●*uitbarsten, uitvallen; –* in/with fury *in woede uitbarsten* ●*snel/plots stijgen* II ⟨ov ww⟩ ●*tot ontploffing brengen, opblazen* ●*ontzenuwen, verwerpen.*

1 exploit [ˈeksplɔɪt] ⟨zn⟩ ●*(helden)daad, prestatie, wapenfeit.*

2 exploit [ɪkˈsplɔɪt] ⟨ww⟩ ●*exploiteren; –* a mine *een mijn ontginnen* ●*gebruik maken/profiteren van* ●*uitbuiten.* **exploitation** [ˈeksplɔɪˈteɪʃn] ●*exploitatie, gebruik, ontginning* ●*uitbuiting.* **exploiter** [ɪkˈsplɔɪtə] ●*exploitant* ●*uitbuiter.*

exploration [ˈekspləˈreɪʃn] ●*exploratie, onderzoek, studie;* journey of – *verkenningsreis; –* of ore *opsporing v. erts.* **exploratory** [ɪkˈsplɒrətri] ●*onderzoekend, verkennend; –* drilling *proefboring; –* talks *inleidende gesprekken.*

explore [ɪkˈsplɔː] ●*onderzoeken, bestuderen* ●*verkennen.* **explorer** [ɪkˈsplɔːrə] ● *ontdekkingsreiziger, onderzoeker.*

explosion [ɪkˈsploʊʒn] ●*explosie, ontploffing* ●*uitbarsting, losbarsting; –* of anger *uitval v. woede* ●*boom, plotselinge groei; –* of wages *loonexplosie.*

1 explosive [ɪkˈsploʊsɪv] ⟨zn⟩ ●*explosief, springstof.*

2 explosive ⟨bn⟩ ●*explosief, (gemakkelijk) ontploffend; –* population increase *enorme bevolkingsgroei* ●*opvliegend* ●*gevaarlijk, controversieel; –* issue *controversiële kwestie.*

expo [ˈekspoʊ] ●*wereldtentoonstelling.*

exponent [ɪkˈspoʊnənt] ●*exponent, vertegenwoordiger* ●*verklaarder, vertolker, uitvoerder.* **exponential** [ˈekspəˈnenʃl] ● *exponentieel.*

1 export [ˈekspɔːt] ⟨zn⟩ ●*export, uitvoer(handel)* ●*exportartikel.*

2 export [ɪkˈspɔːt] ⟨ww⟩ ●*exporteren, uitvoeren.* **exportation** [ˈekspɔːˈteɪʃn] ●*export(handel), uitvoer.* **exporter** [ɪkˈspɔːtə] ●*exporteur, uitvoerder.* ʼexport trade ● *exporthandel.*

expose [ɪkˈspoʊz] ●*blootstellen* ●*tentoonstellen, uitstallen* ●*onthullen, ontmaskeren* ●⟨foto.⟩ *belichten* ‖ – o.s. *zich exhibitionistisch gedragen.* **exposé** [ekˈspoʊzeɪ] ●*onthulling, ontmaskering.* **exposed** [ɪkˈspoʊzd] ●*open, vrij; –* to the north *blootliggend op het noorden* ●*blootgesteld, onbeschut, kwetsbaar;* be – to *blootstaan aan.*

exposition [ˈekspəˈzɪʃn] I ⟨telb zn⟩ ●*expositie, tentoonstelling* II ⟨telb en n-telb zn⟩ ● *uiteenzetting.*

expostul|ate [ɪkˈspɒstʃʊleɪt] ⟨zn: -ation⟩ ● *protesteren* ●*de les lezen, terechtwijzen; –* with s.o. about/on *iem. onderhouden over.*

exposure [ɪkˈspoʊʒə] ●*blootstelling* ⟨aan weer, gevaar, licht⟩; death by – *dood door blootstelling aan kou* ●*bekendmaking, onthulling;* the – of this criminal *de ontmaskering v. deze misdadiger* ●*uitstalling;* ⟨fig.⟩ indecent – *exhibitionisme;* richting ⟨waarin bv. huis gebouwd is⟩ ● *publiciteit* ●⟨foto.⟩ *belichting.*

expound [ɪkˈspaʊnd] ●*uiteenzetten, verklaren.*

1 express [ɪkˈspres] ⟨zn⟩ ●*sneltrein/bus;* send it by – *stuur het per expresse* ●*expresse(stuk).*

2 express ⟨bn⟩ ●*uitdrukkelijk, nadrukkelijk* ●*snel, expres-;* an – courier *een ijlbode;* an – train *een sneltrein* ●*speciaal, opzettelijk.*

3 express ⟨ww⟩ ●*uitdrukken, laten zien;* he –ed his concern *hij toonde/uitte zijn bezorgdheid* ●⟨BE⟩ *per expresse sturen* ● *uitpersen.*

4 express ⟨bw⟩ ●*per expresse;* send it – *het per expresse sturen.*

expression [ɪkˈspreʃn] I ⟨telb zn⟩ ●*uitdrukking, zegswijze* ●*(gelaats)uitdrukking* II ⟨n-telb zn⟩ ●*het uitdrukken, het uiten;* that's beyond/past – *daar zijn geen woorden voor* ●*expressie, uitdrukkingskracht.*

expressionism [ɪkˈspreʃənɪzm] ●*expressionisme.* **expressionist** [ɪkˈspreʃənɪst] ● ⟨bn; ook -ic⟩ *expressionistisch* ●⟨zn⟩ *expressionist.*

expressionless [ɪkˈspreʃnləs] ●*wezenloos, zonder uitdrukking.* **expressive** [ɪkˈspresɪv] ●*expressief, veelzeggend.*

expressly [ɪkˈspresli] ●zie EXPRESS ● *uitdruk-kelijk, duidelijk* ● *expres, speciaal, met opzet.*

ex'pressway ⟨AE⟩ ● *snelweg.*

expropriate [ekˈsprouprieɪt] ● *onteigenen, confisqueren.*

expulsion [ɪkˈspʌlʃn] ● *verdrijving, verbanning, uitwijzing.*

expurgate [ˈekspəgeɪt] ‖ –d edition *gekuiste uitgave.*

exquisite [ɪkˈskwɪzɪt,ˈekskwɪzɪt] ● *uitstekend, prachtig, exquis(iet), voortreffelijk* ● *zeer groot, intens* ⟨v. pijn, plezier enz.⟩ ● *fijn, subtiel* ⟨bv. v. gevoeligheid⟩.

ex-serviceman [ˈeksˈsəːvɪsmən] ⟨BE⟩ ● *oud-soldaat.*

extant [ekˈstænt, ˈekstənt] ● *(nog) bestaand.*

extemporize [ɪkˈstempəraɪz] ● *improviseren.*

extend [ɪkˈstend] I ⟨onov ww⟩ ● *zich uitstrekken, reiken, voortduren;* –ed for months *duurde maandenlang* voort II ⟨ov ww⟩ ● *(uitt)rekken, langer/groter maken, uitbreiden;* – his leave of absence *zijn verlof verlengen* ● *uitstrekken, uitsteken, aanreiken* ● *(aan)bieden, verlenen, betuigen, bewijzen;* – credit to s.o. *iem. krediet verlenen;* – an invitation to s.o. *een uitnodiging aan iem. richten;* – a warm welcome to s.o. *iem. hartelijk welkom heten* ● *(tot het uiterste) belasten.* **extension** [ɪkˈstenʃn] I ⟨telb zn⟩ ● *verlenging, toevoeging;* the – onto a house *de aanbouw aan een huis* ● *(extra) toestel(nummer);* ask for – 212 *vraag om toestel 212* ● *uitstel* II ⟨n-telb zn⟩ ● *uitbreiding, vergroting, verlenging;* the – of a contract *de verlenging v.e. contract;* the – of this railway *het doortrekken v. deze spoorlijn* ● *uitgebreidheid, omvang;* the – of this area *de uitgestrektheid v. dit gebied.* **ex'tension ladder** ● *schuifladder.*

extensive [ɪkˈstensɪv] ● *uitgestrekt, uitgebreid;* an – library *een veelomvattende bibliotheek* ● *extensief, op grote schaal.*

extent [ɪkˈstent] ● *omvang, grootte, uitgestrektheid* ● *mate;* to a certain – *tot op zekere hoogte;* to a great/large – *in belangrijke mate;* to such an – that I got frightened *zo/zozeer dat ik bang werd;* to what – *in hoeverre.*

extenuate [ɪkˈstenjueɪt] ● *verzachten, afzwakken;* extenuating circumstances *verzachtende omstandigheden.* **extenuation** [ɪkˈstenjuˈeɪ[n] ● *verzachting, afzwakking;* in – of this crime *als excuus voor deze misdaad.*

1 exterior [ɪkˈstɪərɪə] ⟨zn⟩ ● *buitenkant, uiterlijk.*

2 exterior ⟨bn⟩ ● *buiten-, aan/v.d. buitenkant, voor buiten geschikt.*

exterminate [ɪkˈstəːmɪneɪt] ⟨zn: -ation⟩ ● *uitroeien.*

1 external [ɪkˈstəːnl] ⟨zn⟩ ● *uiterlijk(heid), bijkomstigheid.*

2 external ⟨bn⟩ ● *uiterlijk, buiten-, extern;* – pressure *druk v. buitenaf* ● *buitenlands* ‖ for – use only *alleen voor uitwendig gebruik;* – examiner *examinator v. buiten de school;* study –ly *als extraneus studeren.*

extinct [ɪkˈstɪŋkt] ● *uitgestorven* ● *niet meer bestaand* ● *uitgedoofd, (uit)geblust* ⟨ook fig.⟩. **extinction** [ɪkˈstɪŋkʃn] ● *het (doen) uitsterven, ondergang, uitroeiing* ● *vernietiging.*

extinguish [ɪkˈstɪŋgwɪʃ] ● *doven, uitmaken, blussen* ● *vernietigen, beëindigen;* – feeling *het gevoel doden.* **extinguisher** [ɪkˈstɪŋgwɪʃə] ● *(brand)blusapparaat.*

extirpate [ˈekstəːpeɪt] ● *uitroeien, volledig vernietigen/uitbannen.*

extol [ɪkˈstoul] ● *hoog prijzen, ophemelen, verheerlijken.*

extort [ɪkˈstɔːt] ● *afpersen, loskrijgen met geweld/bedreiging;* – a confession from s.o. *iem. een bekentenis afdwingen* ● *met moeite onttrekken.* **extortion** [ɪkˈstɔːʃn] ● *afpersing, afzetterij.* **extortionate** [ɪkˈstɔːʃnət] ● *buitensporig (hoog);* an – demand *een exorbitante/veel te vergaande eis.*

1 extra [ˈekstrə] ⟨zn⟩ ● *niet (in de prijs) inbegrepen zaak, exclusief iets;* use of the sauna is an – *gebruik v.d. sauna is niet bij de prijs inbegrepen* ● *figurant* ● *extra-editie* ⟨v. krant⟩.

2 extra ⟨bn⟩ ● *extra, bijkomend;* – pay for – work *extra betaling voor overwerk;* four pound – *vier pond extra.*

3 extra ⟨bw⟩ ● *extra, buitengewoon* ‖ pay – for postage *bijbetalen voor portokosten.*

1 extract [ˈekstrækt] I ⟨telb zn⟩ ● *passage, fragment* II ⟨telb en n-telb zn⟩ ● *extract.*

2 extract [ɪkˈstrækt] ⟨ww⟩ ● *(uit)trekken, (uit)halen, verwijderen,* ⟨fig.⟩ *afpersen, weten te ontlokken;* – a tooth *een kies trekken* ● ⟨ben. voor⟩ *(uit)halen* ⟨(delf)stoffen e.d.⟩, *onttrekken, winnen.*

extraction [ɪkˈstrækʃn] I ⟨telb en n-telb zn⟩ ● *extractie;* I need two –s *er moeten bij mij twee kiezen getrokken worden* ● *ontfutseling, afpersing* II ⟨n-telb zn⟩ ● *het onttrekken* ⟨v. (delf)stoffen e.d.⟩, *winning* ● *afkomst;* Americans of Irish – *Amerikanen v. Ierse afkomst.*

extractor hood [ɪkˈstrækrə hʊd] ● *afzuigkap.*

extracurricular [ˈekstrəkəˈrɪkjʊlə] ● *buiten-*

schools, buiten de lessen/het werk vallend.

extrad|ite [ˈekstrədaɪt] ⟨zn: **-ition**⟩ ●*uitleveren* ⟨misdadiger⟩.

extramarital [ˈekstrəˈmærɪtl] ●*buitenechtelijk.* **extramural** [ˈekstrəˈmjʊərəl] ●*extramuraal, buiten de school/instelling/universiteit plaatshebbend;* – *activities buitenschoolse activiteiten.*

extraneous [ɪkˈstreɪnɪəs] ●*irrelevant, onbelangrijk.*

extraordinary [ɪkˈstrɔːdnrɪ] ●*buitengewoon, bijzonder, uitzonderlijk* ‖ *an* – *session een extra zitting.*

extra-parliamentary [ˈekstrəpɑːləˈmentrɪ] ● *extraparlementair.*

extrapolate [ɪkˈstræpəleɪt] ●*extrapoleren, afleiden.*

extrasensory [ˈekstrəˈsensrɪ] ‖ – *perception buitenzintuiglijke waarneming.* **extraterrestrial** [ˈekstrətəˈrestrɪəl] ●*buitenaards; an – een buitenaards wezen.*

'extra 'time ⟨sport⟩ ●*verlenging.*

extravagance [ɪkˈstrævəgəns] ●*buitensporigheid, verkwisting.* **extravagant** [ɪkˈstrævəgənt] ●*buitensporig, overdreven* ●*verkwistend.*

extravert zie EXTROVERT.

1 extreme [ɪkˈstriːm] ⟨zn⟩ ●⟨vaak mv.⟩ *uiterste, extreem; carry the matter to an* – *de zaak op de spits drijven; go to* –s *tot het uiterste gaan; in the* – *uitermate, uiterst* ● ⟨wisk.⟩ *uiterste waarde.*
2 extreme I ⟨bn, attr en pred⟩ ●*extreem, buitengewoon, uiterst strict/streng; take* – *measures drastische/de strengste maatregelen nemen* II ⟨bn, attr⟩ ●*uiterst, verst* ●*grootst, hoogst* ‖ Extreme Unction *het Heilig Oliesel.* **extremely** [ɪkˈstriːmlɪ] ●*uitermate, uiterst, buitengewoon.*

extremism [ɪkˈstriːmɪzm] ●*extremisme.* **extremist** [ɪkˈstriːmɪst] ●⟨bn⟩ *extremistisch* ●⟨zn⟩ *extremist.*

extremity [ɪkˈstremətɪ] I ⟨telb zn⟩ ●*uiterste* ●⟨mv.⟩ *handen en voeten* II ⟨n-telb zn⟩ ● *uiterste nood.*

extricable [ekˈstrɪkəbl] ●*ontwarbaar, los te maken.* **extricate** [ˈekstrɪkeɪt] ●*bevrijden, losmaken;* – *o.s. from difficulties zich uit de nesten redden.*

extrovert, extravert [ˈekstrəvəːt] ●⟨bn en zn⟩ *extravert.*

extrude [ɪkˈstruːd] ●*uitduwen, uitknijpen* ● ⟨tech.⟩ *extruderen* ⟨bv. metaal/plastic⟩.

exuber|ant [ɪgˈzjuːbrənt] ⟨zn: **-ance**⟩ ●*uitbundig, geestdriftig* ●*overdadig;* – *growth weelderige groei.*

exude [ɪgˈzjuːd] ●*(zich) afscheiden, afgeven*

●*(uit)stralen;* – *happiness geluk uitstralen.*

exult [ɪgˈzʌlt] ●*jubelen, juichen;* – *at/in a success dolblij zijn met een succes.* **exultant** [ɪgˈzʌltənt] ●*jubelend, dolblij.* **exultation** [ˈegzʌlˈteɪʃn] ●*uitgelatenheid; his* – *at the news zijn grote vreugde over dat nieuws.*

1 eye [aɪ] ⟨zn⟩ ●*oog,* ⟨ook mv.⟩ *gezichtsvermogen; she has a good* – *for colour zij heeft oog voor kleur; cast/run an* – *over een (kritische) blik werpen op; catch s.o.'s* – *iemands aandacht trekken; close/shut one's* –s *to oogluikend toestaan; cry one's* –s *out hevig huilen; have* –s *for belangstelling hebben voor; have an* – *for kijk hebben op; have an* – *to/one's* – *on een oogje hebben op; uit zijn op; keep an* – *on in de gaten houden; keep an* – *out for in de gaten houden; uitkijken naar;* ↓ *keep your* –s *open/* ⟨BE⟩ *skinned/* ⟨AE⟩ *peeled! let goed op!; meet s.o.'s* – *iem. recht aankijken; there is more to it than meets the* – *er zit meer achter; set/lay/clap* –s *on onder de ogen krijgen; not be able to take one's* –s *off sth. niet genoeg krijgen van iets; in/ through the* –s *of, in s.o.'s* –s *volgens; in the* –(s) *of the law in het oog der wet; under/before his very* –s *vlak voor zijn ogen; up to the/one's* –s *tot over de oren; with an* – *to met het oog op; all* –s *een en al oog/aandacht* ● *opening* ⟨v. naald⟩, *oog, ringetje* ⟨voor haakje⟩ ●*centrum, middelpunt* ⟨v. storm⟩ ●⟨plantk.⟩ *kiem, oog* ⟨v. aardappel⟩ ‖ *make* –s *at lonken naar; see* – *to* – ⟨with s.o.⟩ *het eens zijn (met iem.);* ↓ *that was one in the* – *for him dat was een hele klap voor hem; my* – *kom nou!;* ⟨sprw.⟩ *an eye for an eye (and a tooth for a tooth) oog om oog en tand om tand; zie ook* ⟨sprw.⟩ BEAUTY.
2 eye ⟨ww⟩ ●*bekijken, aankijken, kijken naar;* – *up opnemen;* ↓ *verlekkerd bekijken* ⟨bv. meisje⟩.

'eyeball ●*oogappel, oogbal;* ↓ – *to* – *(vlak) tegenover elkaar.* **'eyebrow** ●*wenkbrauw; raise an*–/one's –s *de wenkbrauwen optrekken.* **'eyebrow pencil** ●*wenkbrauwstift.* **'eye-catcher** ●*blikvanger.* **'eye-catching** ●*opvallend.* **eyeful** [ˈaɪfʊl] ● *goede blik; get/have an* – *(of) een goede blik kunnen werpen (op)* ‖ *his wife is quite an* – *zijn vrouw is een echt stuk.* **'eyeglass** ●*oogglas, monocle.* **'eyelash** ●*wimper.* **eyelet** [ˈaɪlɪt] ●*oogje.* **'eyelid** ●*ooglid* ‖ *without batting an* –/*eye zonder een spier te vertrekken.*

'eyeliner ●*eyeliner.* **'eye opener** ↓ ●*openba-*

ring, verrassing. **'eyepiece** ● *oculair.* **'eye shadow** ● *oogschaduw.* **'eyesight** ● *gezicht(svermogen);* have good – *goede ogen hebben.* **'eyesore** ● *belediging voor het oog* ● *doorn in het oog.* **'eyestrain** ● *vermoeidheid v.d. ogen.* **'eyetooth** ● *oogtand* ‖ I would give my eyeteeth *ik zou er alles voor over hebben.* **'eyewash** ● *oogwater* ● ↓ *onzin.* **'eyewitness** ● *ooggetuige.*

eyrie ['aɪəri, 'ɪəri, 'eəri] ● *nest v. roofvogel, arendsnest* ⟨ook fig.⟩.

fable ['feɪbl] ● *fabel* ● *mythe, legende* ● *verzinsel(s), fabeltje.* **fabled** ['feɪbld] ● *legendarisch, fabelachtig.*

fabric ['fæbrɪk] ● *stof, materiaal, weefsel* ● *structuur,* ⟨ook fig.⟩ *stelsel* ● *bouw, constructie.*

fabricate ['fæbrɪkeɪt] ● *bouwen, vervaardigen* ● *verzinnen.* **fabrication** ['fæbrɪ'keɪʃn] ● *verzinsel, vervalsing;* that's pure – *dat is allemaal verzonnen* ● *fabricage, bouw.*

fabulous ['fæbjələs] ● *legendarisch* ● ↓ *fantastisch;* –ly wealthy *fabelachtig rijk.*

façade, facade [fə'sɑːd] ● *gevel, voorzijde* ● *schijn(vertoning), façade.*

1face [feɪs] ⟨zn⟩ ● *gezicht;* meet s.o. – to – *iem. onder ogen komen;* before one's – *voor iemands ogen;* she shut the door in my – *ze gooide de deur (vlak) voor mijn neus dicht;* in ⟨the⟩ – of *ondanks, tegenover;* in the – of, to s.o.'s – *in aanwezigheid van* ● *(gezichts)uitdrukking;* laugh in s.o.'s – *iem. in zijn gezicht uitlachen;* make/pull –s/a – at s.o. *een gezicht tegen iem. trekken* ● *reputatie, goede naam;* lose (one's) – *afgaan;* save (one's) – *zijn figuur redden* ● ⟨ben. voor⟩ *(belangrijkste) zijde, oppervlak, bodem* ⟨aarde⟩, *gevel, voorzijde, wijzerplaat* ⟨klok⟩, ⟨mijnw.⟩ *pijler, front, kant, wand* ⟨berg⟩ ‖ fly in the – of sth. *tegen iets in gaan;* have the – to *de brutaliteit hebben om;* set one's – against sth. *ergens tegen gekant zijn;* on the – of it *op het eerste gezicht.*

2face I ⟨onov ww⟩ ● *uitzien, het gezicht/de voorkant toekeren;* the house –s towards the west *het huis ligt op het westen;* – up to the truth *de waarheid onder ogen zien* ● ⟨mil.⟩ *omkeren;* ⟨AE; mil.⟩ About/Left/Right –! *Rechtsomkeert/Linksom/Rechtsom!* **II** ⟨ov ww⟩ ● *onder ogen zien, (moedig) tegemoet treden;* – sth. out *zich ergens met lef doorheen slaan* ● *confronteren* ● *staan tegenover, uitzien op* ● ⟨tech.⟩ *bedekken* ⟨muur met pleister⟩ ‖ – s.o. down *iem. overbluffen.*

'face cloth ● *washandje.* **'face flannel** ⟨BE⟩ ● *washandje.* **faceless** ['feɪsləs] ● *gezichts-*

loos, grauw. '**face-lift** ● *face-lift* ⟨ook fig.⟩, *opknapbeurt.* '**face pack** ⟨cosmetica⟩ ● *gezichtsmasker.* '**face powder** ⟨cosmetica⟩ ● *(gezichts)poeder.* '**face-saver** ● *iets waar je je gezicht mee redt* ⟨besluit, compromis⟩. '**face-saving** ● *het gezicht reddend;* a – compromise *een compromis zonder gezichtsverlies.*

facet ['fæsɪt] ● *facet, vlak* ⟨v. edelsteen⟩, *aspect, kant* ⟨v. zaak⟩.

facetious [fə'siːʃəs] ⟨ook ong.⟩ ● *(ongepast) geestig, grappig.*

'**face 'value** ● *nominale waarde* ‖ take sth. at (its) – *iets kritiekloos accepteren;* taken at – *op het oog.*

facial ['feɪʃl] ● ⟨bn⟩ *gezichts-, gelaats-* ● ⟨zn⟩ ⟨cosmetica⟩ *gezichtsbehandeling.*

facile ['fæsaɪl] ⟨vaak ong.⟩ ● *oppervlakkig* ● *makkelijk* ● *vlot, vaardig* ⟨stijl, hand v. schrijven⟩. **facilitate** [fə'sɪlɪteɪt] ● *vergemakkelijken.* **facility** [fə'sɪləti] ● ⟨vaak mv.⟩ *voorziening, mogelijkheid* ● *vaardigheid, talent* ● *simpelheid, gemakkelijkheid.*

facing ['feɪsɪŋ] ● ⟨tech.⟩ *(aanbrenging v.) deklaag/buitenlaag* ⟨op muur, metaal enz.⟩ ● ⟨mode⟩ *beleg* ● ⟨mv.⟩ *uitmonstering* ⟨v. uniform: kraag en opslagen in afstekende kleur⟩.

facsimile [fæk'sɪmɪli] ● *facsimile(druk).*

fact [fækt] ● *feit;* ⟨↓; euf.⟩ the –s of life *de bijtjes en de bloemetjes;* know for a – *zeker weten;* it's a – that *het staat vast, dat* ● *werkelijkheid;* in actual fact *in werkelijkheid;* in – *in feite, eigenlijk* ● ⟨jur.⟩ *(mis)daad.* '**fact-finding** ● *onderzoeks-;* he's on a – mission *hij is op onderzoeksreis om feitenmateriaal te verzamelen.*

faction ['fækʃn] ● *factie, (pressie)groep* ● *partijruzie, interne onenigheid.*

factitious [fæk'tɪʃəs] ● *kunstmatig.*

factor ['fæktə] ● *factor, omstandigheid* ● ⟨wisk.⟩ *factor* ● ⟨biol.⟩ *gen, genetische factor.*

factory ['fæktri] ● *fabriek.* '**factory farming** ● *bio-industrie.*

factotum [fæk'toʊtəm] ● *manusje van alles, factotum.*

factual ['fæktʃʊəl] ● *feitelijk, werkelijk;* – consideration *bestudering v.d. feiten.*

faculty ['fæklti] ● *gave, talent* ● *vermogen,* ⟨mv.⟩ *verstandelijke vermogens;* the – of speech *het spraakvermogen* ● *(leden v.) faculteit, wetenschappelijk personeel.*

fad [fæd] ● *bevlieging, rage.*

1 fade ['feɪd] ⟨zn⟩ ● ⟨film.⟩ *in/uitvloeier, fade.*

2 fade I ⟨onov ww⟩ ● *(langzaam) verdwij-*

nen, verflauwen, vervagen, verbleken, verschieten ⟨kleuren⟩, *verwelken* ⟨bloemen⟩, *uitsterven;* ⟨film.⟩ – in *(in)faden, invloeien* ⟨beeld⟩ II ⟨ov ww⟩ ● *doen verdwijnen, laten vervagen;* – in/up ⟨radio⟩ *het volume (geleidelijk) laten opkomen;* ⟨film.⟩ *(in)faden, invloeien* ⟨beeld⟩. '**fade a'way** ● *(geleidelijk) verdwijnen, afnemen, vervagen, wegsterven.* '**fade 'out** ● ⟨radio⟩ *wegdraaien* ⟨geluid⟩ ● ⟨film.⟩ *geleidelijk (doen) vervagen, langzaam uitfaden* ⟨beeld⟩ ● *verdwijnen.*

faeces ['fiːsiːz] ● *faecaliën, ontlasting.*

1 fag [fæg] ⟨zn⟩ ● *vervelend/geestdodend werk* ● ⟨BE; school.⟩ *knechtje* ⟨jongerejaars die karweitjes moet doen voor ouderejaars⟩ ● ⟨sl.⟩ *saffie, sigaret* ● ⟨sl.⟩ *flikker.*

2 fag ⟨ww⟩ ● *sloven, hard werken* ● ⟨BE; school.⟩ *manusje-van-alles zijn* ⟨voor oudere leerling⟩.

fag end ● ['fæg 'end] *rest(je), laatste eindje* ● ['fægend] ⟨sl.⟩ *peuk.*

fagged [fægd], '**fagged 'out** ⟨BE; ↓⟩ ● *afgepeigerd.*

1 faggot, ⟨AE sp.⟩ **fagot** ['fægət] ⟨zn⟩ ● *takkenbos* ● *bal gehakt.*

2 faggot ⟨zn⟩ ⟨vnl. AE; ↓⟩ ● *flikker.*

Fahrenheit ['færənhaɪt] ● *Fahrenheit.*

1 fail [feɪl] ⟨zn⟩ ⟨school.⟩ ● *onvoldoende* ‖ without – *zonder mankeren, stellig.*

2 fail I ⟨onov ww⟩ ● *tekort schieten, ontbreken;* his courage –ed him *het ontbrak hem aan moed;* words –ed me *ik kon geen woorden vinden* ● *afnemen, opraken, verzwakken* ● *zakken, een onvoldoende halen* ● *mislukken, het niet halen, het laten afweten* ● *failliet gaan* II ⟨ov ww⟩ ● *er niet in slagen;* I – to see your point *ik begrijp niet wat u bedoelt* ● *in de steek laten, teleurstellen* ● *zakken voor* ⟨examen⟩ ● ⟨school.⟩ *laten zakken.*

1 failing ['feɪlɪŋ] ⟨zn⟩ ● *tekortkoming, fout.*

2 failing ⟨vz⟩ ● *bij gebrek aan.* '**fail-safe** ⟨tech.⟩ ● *betrouwbaar, volkomen veilig.*

failure ['feɪljə] ● *het falen, afgang* ● *mislukking, fiasco, mislukkeling* ● *onvermogen* ● *mislukking* ⟨oogst⟩ ● ⟨med.⟩ *stilstand* ⟨hart⟩ ● *faillissement* ● ⟨tech.⟩ *storing.*

1 faint [feɪnt] ⟨zn⟩ ● *flauwte;* to fall down in a – *flauw vallen.*

2 faint ⟨bn⟩ ● *flauw, wee;* – with hunger *flauw v.d. honger* ● *halfgemeend, zwak* ⟨poging⟩ ● *laf* ● *vaag, onduidelijk* ● *flets* ⟨kleur⟩ ● *gering, vaag, zwak;* I haven't the –est idea *ik heb geen flauw idee* ‖ ⟨sprw.⟩ faint heart never won fair lady ± *wie niet waagt, die niet wint.*

3 faint ⟨ww⟩ ● *flauwvallen.*
'faint-'hearted ● *beschroomd, bedeesd.*
1 fair [feə] ⟨zn⟩ ● *markt* ● *beurs, (jaar)markt, tentoonstelling* ● ⟨BE⟩ *kermis.*
2 fair ⟨bn; -ness⟩ ● *eerlijk, geoorloofd;* – game *wild waarop gejaagd mag worden;* ⟨fig.⟩ *gemakkelijke prooi* ⟨bv. voor kritiek⟩; by – means or foul *met alle/geoorloofde en ongeoorloofde middelen;* – play *fair play, eerlijk spel* ⟨ook fig.⟩; ↓ – enough! *dat is niet onredelijk!, o.k.!* ● *behoorlijk, redelijk* ● *mooi* ⟨weer⟩ ● *gunstig;* ⟨scheep.⟩ – wind *gunstige wind* ● *blank, licht(gekleurd), blond* ⟨haar, huid⟩ ‖ – promises *mooie beloften;* the – sex *het schone geslacht;* ⟨sprw.⟩ all's fair in love and war *in oorlog en liefde is alles geoorloofd;* zie ook ⟨sprw.⟩ FAINT.
3 fair ⟨bw⟩ ● *eerlijk;* play – *eerlijk spelen* ● *precies;* – and square *precies; open(hartig).*
'fair ground ● *kermisterrein.*
'fair-'haired ● *blond.*
fairly ['feəli] ● *eerlijk* ● *volkomen, helemaal;* I was – stunned *ik stond compleet paf* ● *tamelijk, redelijk* ● *werkelijk;* I was – crying with joy *ik zat gewoon te huilen van blijdschap.*
'fair-weather ● *mooi-weer-, onbetrouwbaar;* – friends *schijnvrienden.*
fairy ['feəri] ● *(tover)fee* ● ⟨sl.⟩ *flikker.* **'fairyland** ● *sprookjeswereld.* **'fairy tale, 'fairy story** ● *sprookje* ● *verzinsel.*
faith [feɪθ] ● *geloof, vertrouwen* ● *(ere)woord;* break – with *zijn woord breken jegens* ● *trouw;* act in good – *te goeder trouw handelen* ● *geloof, geloofsovertuiging.* **faithful** ['feɪθfl] ● *gelovig;* the – *de gelovigen* ● *trouw* ● *getrouw* ⟨kopie⟩.
faithfully ['feɪθfəli] ● zie FAITHFUL ● *met de hand op het hart* ⟨iets beloven⟩ ‖ yours – *hoogachtend.* **'faith healer** ● *gebedsgenezer.* **faithless** ['feɪθləs] ● *trouweloos* ● *onbetrouwbaar.*
1 fake [feɪk] ⟨zn⟩ ● *vervalsing* ● *oplichter, bedrieger.*
2 fake ⟨bn⟩ ● *namaak-, vals.*
3 fake ⟨ww⟩ ● *voorwenden, veinzen* ● *namaken, vervalsen, fingeren.*
fakir ['feɪkɪə, 'fæ-] ● *fakir.*
falcon ['fɔːlkən] ● *valk.* **falconer** ['fɔːlkənə] ● *valkenier.* **falconry** ['fɔːlkənri] ● *valkenjacht.*
1 fall [fɔːl] ⟨zn⟩ ● *val, het vallen,* ⟨fig.⟩ *ondergang;* the Fall (of man) *de zondeval* ● *neerslag, regenval, pak* ⟨sneeuw⟩ ● *afname, daling, verval* ⟨v. rivier⟩ ● *helling* ● ⟨vnl. mv.⟩ *waterval* ● ⟨AE⟩ *herfst.*

2 fall ⟨fell [fel], fallen ['fɔːlən⟩ **I** ⟨onov ww⟩ ● *vallen, om/neervallen, invallen* ⟨v. duisternis⟩, *afnemen, dalen* ⟨v. prijzen, stem⟩, *aflopen* ⟨v. land⟩; – to one's knees *op zijn knieën vallen;* – to pieces *kapot vallen;* the wind fell *de wind ging liggen;* ↓ – about (laughing/with laughter) *omvallen (v.h. lachen);* – apart *uiteenvallen;* ⟨sl.⟩ *instorten;* – back *achteruitgaan/wijken;* ⟨mil.⟩ *zich terugtrekken;* sth. to – back on *iets om op terug te vallen;* – over *omvallen;* ↓ – over backwards *zich uitsloven;* – through *mislukken;* ↓ – over o.s. *zich uitsloven;* – (up)on *zich werpen op, een aanval doen op* ⟨vijand, eten⟩ ● *ten onder gaan, vallen, sneuvelen;* – from power *de macht verliezen;* the town fell to the enemy *de stad viel in handen v.d. vijand;* – for *er in trappen; vallen op, verlief worden op* ● *betrekken* ⟨v. gezicht⟩ ● *terechtkomen,* ⟨fig.⟩ *ten deel vallen;* these goods – to the Crown *deze goederen vervallen aan de kroon;* it fell to me to put the question *het was aan mij de vraag te stellen* ● *raken;* – behind (with) *achter(op)raken (met);* – from grace *uit de gratie raken* ‖ Easter always –s on a Sunday *Pasen valt altijd op zondag;* Nick's name fell *Nick's naam viel/werd genoemd;* – asleep *in slaap vallen;* – flat *niet inslaan, mislukken;* – foul of *in aanvaring komen met;* ⟨fig.⟩ *in aanraking komen met;* – short (of) *te kort schieten (voor), niet voldoen (aan);* – in love (with) *verliefd worden (op);* zie FALL AWAY, FALL DOWN, FALL IN (WITH), FALL INTO, FALL OFF, FALL OUT, FALL TO **II** ⟨kww⟩ ● *worden;* – ill *ziek worden;* – silent *stil worden/vallen.*
fallacious [fə'leɪʃəs] ● *misleidend, bedrieglijk.* **fallacy** ['fæləsi] ● *denkfout, drogreden* ● *misvatting.*
'fall a'way ● *afhellen, aflopen* ⟨v. land⟩ ● *minder worden, zakken* ⟨ook v. prijzen, produktie⟩. **'fall 'down** ● *(neer)vallen, instorten* ● ↓ *mislukken, tekort schieten;* – on sth. *ergens niets van bakken.*
1 fallen ['fɔːlən] ⟨bn⟩ ● *gevallen* ● *zondig;* – woman *gevallen vrouw* ● *gesneuveld* ‖ – arches *doorgezakte voeten.*
2 fallen ⟨volt. deelw.⟩ zie FALL.
'fall guy ⟨AE; ↓⟩ ● *slachtoffer* ● *zondebok.*
fallible ['fæləbl] ● *feilbaar, onvolmaakt.*
'fall 'in ● *instorten, invallen* ● ⟨vnl. mil.⟩ *aantreden, zich in het gelid opstellen.* **'fall 'into** ● *terechtkomen in, verzeild raken in;* – conversation with *in gesprek raken met;* – a habit *een gewoonte aannemen* ● *uiteenvallen in.* **'fall 'in with** ● *ontmoeten, tegen het lijf lopen* ● *het eens zijn met, toestem-*

men in ⟨plan⟩. **'fall 'off** ●*afnemen, dalen* ⟨v. prijs, belangstelling⟩. **'fall 'out** ● ⟨+with⟩ *ruzie maken/hebben (met)* ●*gebeuren* ●⟨mil.⟩ *inrukken.* **'fall-out** ●*radioactieve neerslag.* **'fall-out shelter** ●*atoomschuilkelder.*

fallow ['fæloʊ] ●⟨landb.⟩ *braak, onbewerkt; lie – braak liggen* ⟨ook fig.⟩.

fallow deer ●*damhert.*

'fall 'to ●*toetasten, aanvallen, beginnen.*

1 false [fɔːls] ⟨bn⟩ ●*onjuist, verkeerd; –* start *valse start;* true or –? *waar of onwaar?* ● *onecht;* – teeth *kunstgebit* ●*bedrieglijk, onbetrouwbaar;* – alarm *loos alarm;* – bottom *dubbele bodem;* sail under – colours *onder valse vlag varen* ⟨ook fig.⟩.

2 false ⟨bw⟩ ‖ play s.o. – *iem. bedriegen.* **falsehood** ['fɔːlshʊd] ●*onwaarheid, leugen.*

falsif|y ['fɔːlsɪfaɪ] ⟨zn: **-ication**⟩ ●*vervalsen, falsificeren.*

falsity ['fɔːlsəti] ●*valsheid, onwaarheid, leugen.*

falter ['fɔːltə] I ⟨onov ww⟩ ●*wankelen* ●*aarzelen, weifelen* ●*stamelen;* Vic's voice –ed *Vics stem stokte* ●*teruglopen* ⟨v. zaken⟩ II ⟨ov ww⟩ ‖ – out an apology *een verontschuldiging stamelen.*

fame [feɪm] ●*roem, vermaardheid* ●*(goede) naam;* of ill – *berucht.* **famed** [feɪmd] ● ⟨+for⟩ *beroemd (om), befaamd.*

1 familiar [fə'mɪlɪə] ⟨zn⟩ ●*boezemvriend(in), intimus, intima.*

2 familiar ⟨bn⟩ ●*vertrouwd, bekend* ● ⟨+with⟩ *op de hoogte (van), bekend (met)* ●*informeel, ongedwongen, familiair.* **familiarity** [fə'mɪli'ærəti] ●*vertrouwdheid, bekendheid* ●*ongedwongenheid, informaliteit* ●⟨vaak mv.⟩ *vrijpostigheid* ‖ ⟨sprw.⟩ familiarity breads contempt *te familiair gedrag roept minachting op.* **familiarize** [fə'mɪlɪəraɪz] ‖ – o.s. with *zich eigen maken, zich vertrouwd maken met.*

family ['fæm(ə)li] ●*(huis)gezin, kinderen;* start a – *een gezin stichten;* have you any –? *hebt u kinderen?* ●*familie(leden), geslacht;* run in the – *in de familie zitten* ⟨eigenschap⟩ ●⟨biol.⟩ *familie.* **'family affair** ●*familieaangelegenheid.* **'family al'lowance** ●*kinderbijslag.* **'family 'car** ●*gezinsauto.* **'family 'circle** ●*familiekring.* **'family 'doctor** ●*huisarts.* **'family man** ●*huisvader* ●*huiselijk man.* **'family 'planning** ●*geboorteregeling.* **'family 'tree** ●*stamboom.* **'family way** ‖↓ be in the – *in verwachting zijn.*

famine ['fæmɪn] ●*hongersnood.*

famish ['fæmɪʃ] ●*verhongeren, uithongeren.*

famous ['feɪməs] ●⟨+for⟩ *beroemd (om), vermaard.*

1 fan [fæn] ⟨zn⟩ ●*waaier* ●*ventilator* ●*bewonderaar(ster), fan.*

2 fan I ⟨onov ww⟩ ‖ – out *uitwaaieren, zich verspreiden* II ⟨ov ww⟩ ●*(toe)waaien, toewuiven* ⟨koelte⟩ ●*aanblazen, aanwakkeren* ⟨ook fig.⟩ ●*doen uitwaaieren.*

fanatic [fə'nætɪk] ●*fanaticus, fanatiekeling(e).* **fanatic(al)** [fə'nætɪklə(l)] ●*fanatiek.* **fanaticism** [fə'nætɪsɪzm] ●*fanatisme.*

'fan belt ⟨tech.⟩ ●*ventilatorriem.*

fancier ['fænsɪə] ⟨vnl. in samenstellingen⟩ ● *liefhebber;* a pigeon – *een duivenmelker.*

fanciful ['fænsɪfl] ●*fantastisch, bizar.*

'fan club ●*fanclub.*

1 fancy ['fænsi] ⟨zn⟩ ●*fantasie* ●*voorkeur, zin;* a passing – *een bevlieging;* take the – of *in de smaak vallen bij;* take a – for/to *een voorliefde opvatten voor* ●*veronderstelling, idee, fantasie* ●⟨mv.⟩ ↓ *taartjes.*

2 fancy ⟨bn⟩ ●*versierd, elegant;* – dress *kostuum;* – goods *fantasiegoed* ●*grillig, extravagant, buitensporig* ⟨prijzen⟩ ‖ ⟨sl.⟩ – man *minnaar;* – woman *minnares.*

3 fancy ⟨ww⟩ ●*zich voorstellen, zich indenken* ●*vermoeden, geloven;* – that! *stel je voor!* ●*leuk vinden, zin hebben in;* – a girl *op een meisje vallen;* – some peanuts? *wil je wat pinda's?;* – o.s. *een hoge dunk van zichzelf hebben.*

'fancy-'free ●*ongebonden, vrij.*

'fancywork ●*fraai handwerk, borduurwerk.*

fang [fæŋ] ●*hoektand* ⟨v. hond of wolf⟩, *giftand* ⟨v. slang⟩, *slagtand.*

'fan light ●*(waaiervormig) bovenlicht, waaiervenster.*

'fan mail ●*brieven van bewonderaars.*

fanny ['fæni] ●⟨BE; ↓⟩ *kut* ●⟨AE; ↓⟩ *kont.*

fantazise ['fæntəsaɪz] ●*fantaseren.* **fantastic** [fæn'tæstɪk] ●*grillig* ●*enorm, fantastisch, geweldig.* **fantasy** ['fæntəsi] ●*verbeelding, fantasie* ●*illusie, fantasie.*

1 far [fɑː] ⟨bn; farther ['fɑːðə], further ['fɜːðə], farthest ['fɑːðɪst], furthest ['fɜːðɪst]⟩ ●*ver, (ver)afgelegen;* your plum-pudding is a – cry from the real thing *jouw plumpudding heeft weinig te maken met een echte;* at the – end of the room *aan het andere eind v.d. kamer;* to the – right *uiterst rechts* ⟨ook pol.⟩.

2 far ⟨bw⟩ ●*ver;* carry/take sth. too – *iets te ver doordrijven;* – gone *ver heen;* how – *hoe ver, in hoeverre;* so – *(tot) zó ver, in zoverre;* – and wide *wijd en zijd;* – from easy *allesbehalve makkelijk;* – be it from me to criticize *het is verre van mij om kritiek te leveren;* in so/as – as *voor zover;*

as/so – as *voor zover; tot aan, zover als;* as
– as I can see *volgens mij* ● *lang, ver* ⟨v.
tijd⟩; so – *tot nu toe;* so – so good *tot nu
toe is alles nog goed gegaan;* – into the afternoon *ver in de middag* ● *veel, verreweg;* – and away the best *verreweg het
beste;* the better by – *verreweg het beste;*
zie FAR-OFF, FAR-OUT.

faraway [ˈfɑːrəˈweɪ] ● *(ver)afgelegen* ● *afwezig, dromerig.*

farce [fɑːs] ● *klucht(spel)* ● *schijnvertoning,
farce.* **farcical** [ˈfɑːsɪkl] ● *lachwekkend* ●
absurd.

1 fare [feə] ⟨zn⟩ ● *vervoerprijs, tarief,* ⟨onge-
veer⟩ *kaartje* ● *passagier, vrachtje* ⟨in
taxi⟩ ● *kost, voedsel.*

2 fare ⟨ww⟩ ‖ how did you –? *hoe is het gegaan?;* – well *succes hebben, het goed
maken.*

1 ˈfareˈwell ⟨zn⟩ ● *afscheid, vaarwel.*

2 farewell ⟨tw⟩ ● *vaarwel.*

ˈfarˈfetched ● *vergezocht.* **ˈfarˈflung** ↑ ●
wijdverbreid ● *verafgelegen.*

1 farm [fɑːm] ⟨zn⟩ ● *boerderij, landbouwbe-
drijf.*

2 farm I ⟨onov ww⟩ ● *boeren, een boerderij
hebben* II ⟨ov ww⟩ ● *bebouwen* ‖ – out *uitbesteden.* **farmer** [ˈfɑːmə] ● *boer.* **ˈfarm-
hand** ● *boerenknecht.* **ˈfarmhouse** ● *(boeren)hoeve, boerderij.* **farming** [ˈfɑːmɪŋ] ●
het boeren, het boerenbedrijf. **ˈfarmland**
● *landbouwgrond.* **ˈfarmstead** ● *boeren-
hoeve.* **ˈfarmyard** ● *(boeren)erf.*

ˈfarˈoff ● *ver(afgelegen), lang geleden.* **ˈfar-
ˈout** ● ↓ *uitzonderlijk, bizar* ● ↓ *fantastisch.* **ˈfarˈranging** ● *verreikend.* **ˈfar-
ˈreaching** ● *verstrekkend, verreikend.*
ˈfarˈsighted ● *vooruitziend* ● *verziend.*

1 fart [fɑːt] ⟨zn⟩ ↓ ● *scheet.*

2 fart ⟨ww⟩ ↓ ● *een scheet laten* ‖ – about/
around *aanklooien.*

1 farther [ˈfɑːðə] ⟨bn; vergr. trap v. far⟩ ●
verder (weg); the – side of the field *de
overkant v.h. veld.*

2 farther ⟨bw⟩ ● *verder.*

farthest [ˈfɑːðɪst] ⟨overtr. trap v. far⟩ ● ⟨bn⟩
verst (weg) ● ⟨bw⟩ *het verst.*

fascinate [ˈfæsɪneɪt] ● *boeien, fascineren.*
fascinating [ˈfæsɪneɪtɪŋ] ● *boeiend, fascinerend, onweerstaanbaar.* **fascination**
[ˌfæsɪˈneɪʃn] ● *aantrekkingskracht, charme, bekoring* ● *geboeidheid.*

fascism [ˈfæʃɪzm] ● *fascisme.* **fascist**
[ˈfæʃɪst] ● ⟨bn⟩ *fascistisch* ● ⟨zn⟩ *fascist.*

1 fashion [ˈfæʃn] ⟨zn⟩ ● *mode, gewoonte;*
set a – *de toon aangeven;* be in – *in de mo-
de/in zwang zijn;* go out of – *uit de mode
raken* ● *manier, trant;* did he change the

nappies? yes, after a – *heeft hij de baby
verschoond? ja, op zijn manier* ⟨d.w.z.
niet perfect⟩.

2 fashion ⟨ww⟩ ● *vormen, maken;* – a sheet
into a dress *van een laken een jurk fabrie-
ken* ● *aanpassen.*

fashionable [ˈfæʃnəbl] ● *modieus, in (de mode), populair.* **ˈfashion deˈsigner** ● *mode-
ontwerper.* **ˈfashion plate** ● *modeplaat*
⟨ook fig.⟩. **ˈfashion scene** ● *modewereld-
je.*

1 fast [fɑːst] ⟨zn⟩ ● *vasten(tijd).*

2 fast ⟨bn⟩ ● *vast;* – colours *wasechte kleuren;* make – *stevig vastmaken* ● *snel, vlug,
gevoelig* ⟨film⟩; ⟨sl.⟩ – food *hamburgers,
patat* ⟨enz.⟩; *eten uit de muur;* – lane *linker rijbaan, inhaalstrook;* – train *sneltrein*
● *vóór* ⟨v. klok⟩ ‖ ⟨sl.⟩ make a – buck *snel
geld verdienen;* ⟨sl.⟩ pull a – one on s.o.
*met iem. een vuile streek uithalen, iem. af-
zetten.*

3 fast ⟨ww⟩ ● *vasten.*

4 fast ⟨bw⟩ ● *stevig, vast;* – asleep *in diepe
slaap;* hold – to sth. *iets stevig vasthouden;* play – and loose (with) *spelen (met)*
⟨iemands gevoelens⟩; stand – ⟨fig.⟩ *voet
bij stuk houden* ● *snel, vlug, hard.*

ˈfastˈbreeder reˈactor ⟨kernfysica⟩ ● *snelle
kweekreactor.*

fasten [ˈfɑːsn] I ⟨onov ww⟩ ● *dichtgaan, sluiten* ‖ – (up)on an idea *zich op een idee storten* II ⟨ov ww⟩ ● *vastmaken, bevestigen,
dichtdoen;* – up one's coat *zijn jas dichtdoen* ‖ – the blame on *de schuld schuiven
op;* – one's eyes on *de ogen vestigen op.*
fastener [ˈfɑːsnə] ● ⟨ben. voor⟩ *bevesti-
gingsmiddel, (rits)sluiting, haakje* ⟨v.
jurk⟩. **fastening** [ˈfɑːsnɪŋ] ● *sluiting, slot,
bevestiging* ⟨v. raam, deur⟩.

fastidious [fæˈstɪdɪəs] ● *veeleisend, pietluttig, kieskeurig.*

fastness [ˈfɑːstnəs] ● *vesting.*

1 fat [fæt] ⟨zn⟩ ● *vet* ‖ the – is in the fire *de
poppen zijn aan het dansen;* live off the –
of the land *van het goede der aarde genieten;* chew the – *kletsen.*

2 fat ⟨bn⟩ ● *dik, vet(gemest)* ● *vet* ⟨v. vlees,
voedsel⟩ ● *rijk, vruchtbaar* ⟨v. land⟩; ↓ –
jobs *vette baantjes* ● *dik, lijvig;* ⟨iron.⟩ a –
chance *geen schijn v. kans;* ⟨sl.; iron.⟩ a –
lot of good that'll do you *daar schiet je
geen moer mee op;* – volumes *lijvige
boekdelen.*

fatal [ˈfeɪtl] ● ⟨+to⟩ *noodlottig (voor), dodelijk, fataal* ● *rampzalig.*

fatalism [ˈfeɪtlɪzm] ● *fatalisme.* **fatalist**
[ˈfeɪtlɪst] ⟨bn: **-ic**⟩ ● *fatalist(e).*

fatality [fəˈtæləti] ● *slachtoffer, dodelijk on-*

geluk ● *onafwendbaarheid, voorbeschikt-heid* ● *dodelijk verloop* ⟨v. ziekte e.d.⟩.

fatally ['feɪtli] ● *dodelijk* ● *tot haar/zijn onge-luk, helaas.*

fate [feɪt] ● *lot, noodlot* ● *dood.* **fated** [feɪtɪd] ● *voorbestemd, voorbeschikt, gedoemd.*

fateful ['feɪtfl] ● *noodlottig, belangrijk.*

'**fathead** ↓ ● *sufferd.*

1father ['fɑːðə] ⟨zn⟩ ● *vader* ● ⟨vnl. mv.⟩ *voorvader* ● *grondlegger* ● *pater, priester* ‖ ⟨sprw.⟩ like father, like son *zo vader, zo zoon.*

2father ⟨ww⟩ ● *vader zijn/worden van/voor* ● *de geestelijke vader zijn van* ‖ – sth. (up) on s.o. *iem. iets in de schoenen schuiven.*

'**Father** 'Christmas ● *de Kerstman.*

'**father figure** ● *vaderfiguur.* **fatherhood** ['fɑːðəhʊd] ● *vaderschap.* '**father-in-law** ● *schoonvader.* **fatherly** ['fɑːðəli] ● *vader-lijk.*

1fathom ['fæðəm] ⟨zn⟩ ● *vadem* ⟨ongeveer 1,8 m⟩.

2fathom ⟨ww⟩ ● *peilen* ● *doorgronden, vat-ten* ⟨betekenis⟩. **fathomless** ['fæðəmləs] ● *onpeilbaar, bodemloos.*

1fatigue [fə'tiːg] ⟨zn⟩ ● *vermoeidheid, moe-heid* ⟨ook v. metalen⟩ ● ⟨mil.⟩ *corvee.*

2fatigue ⟨ww⟩ ● *afmatten, vermoeien.*

'**fatstock** ● *vetgemest vee.*

fatten ['fætn] I ⟨onov ww⟩ ● *dik worden* II ⟨ov ww⟩ ● *dik maken;* – up *(vet)mesten.*

1fatty ['fæti] ⟨zn⟩ ⟨↓; bel.⟩ ● *vetzak, dik-ke(rd).*

2fatty ⟨bn⟩ ● *vettig, vet(houdend);* – acid *vetzuur.*

fatuity [fə't[ʊə]ti] ● *stompzinnigheid.* **fa-tuous** ['fætʃʊəs] ● *dom, stompzinnig.*

faucet ['fɔːsɪt] ● ⟨AE⟩ *kraan.*

1fault [fɔːlt] ⟨zn⟩ ● *fout, defect, gebrek;* find – with *iets aan te merken hebben op;* eco-nomical to a – *overdreven zuinig* ● *schuld;* at – *schuldig* ● ⟨geol.⟩ *breuk.*

2fault ⟨ww⟩ ● *aanmerkingen maken op.*

faultfinding ['fɔːltfaɪndɪŋ] ● *muggezifterij.* **faultless** ['fɔːltləs] ● *volmaakt, foutloos.* **faulty** ['fɔːlti] ● *defect, onklaar* ● *onjuist, verkeerd, gebrekkig.*

faun [fɔːn] ● *faun, bosgod.*

fauna ['fɔːnə] ● *fauna, dierenwereld.*

1favour ['feɪvə] ⟨zn⟩ ● *genegenheid, sym-pathie, goedkeuring;* curry s.o.'s – *zich bij iem. in de gunst dringen;* find – in s.o.'s eyes, find – with s.o. *iemands goedkeu-ring krijgen;* look with – on *iets met wel-gevallen bezien;* be in/out of – with *in de gunst/uit de gratie zijn bij* ● *voorkeur, voortrekkerij* ● *gunst, begunstiging;* do s.o. a – *iem. een plezier doen* ● ⟨onge-

veer⟩ *insigne, rozet, strik* ⟨v. team of par-tij⟩ ‖ do me a –! *zeg, doe me een lol!;* vote in – of *a motion vóór een motie stemmen;* a cheque in – of *een cheque ten name van;* in your – *te uwen gunste.*

2favour ⟨ww⟩ ● *gunstig gezind zijn, een voorstander zijn van* ● ⟨+with⟩ *vereren (met)* ● *begunstigen, prefereren, bevoor-rechten* ● ↓ *lijken op* ‖ zie ook ⟨sprw.⟩ FOR-TUNE.

favourable ['feɪvrəbl] ● *welwillend;* the weather is – to us *het weer zit ons mee* ● *gunstig, positief.*

1favourite ['feɪvrɪt] ⟨zn⟩ ● *favoriet(e)* ● *lie-veling(e).*

2favourite ⟨bn⟩ ● *favoriet, lievelings-.* **fa-vouritism** ['feɪvrɪtɪzm] ● *voortrekkerij, vriendjespolitiek.*

1fawn [fɔːn] ⟨zn⟩ ● *reekalf, jong hert(je)* ● *licht geelbruin, reebruin.*

2fawn ⟨ww⟩ ● *kwispelstaarten* ⟨v. hond⟩ ‖ – (up)on *vleien, kruipen voor.*

faze [feɪz] ● *van streek maken.*

F.B.I. ⟨afk.⟩ ⟨AE⟩ Federal Bureau of Investi-gation.

1fear [fɪə] ⟨zn⟩ ● *vrees, angst;* without – or favour *rechtvaardig, onpartijdig;* for – of *uit vrees dat;* in – and trembling *met angst en beven;* go in – of *bang zijn voor* ● *ge-vaar, kans;* ↓ no – *geen sprake van* ‖ put the – of God into s.o. *iem. goed bangma-ken.*

2fear I ⟨onov ww⟩ ● ⟨+for⟩ *bezorgd zijn (om/over), vrezen (voor)* II ⟨ov ww⟩ ● *vre-zen, bang zijn voor* ‖ zie ook ⟨sprw.⟩ FOOL.

fearful ['fɪəfl] ● *vreselijk* ● *bang;* Fanny was – of disturbing her father *Fanny was bang dat ze haar vader zou storen.* **fearless** ['fɪələs] ● *onverschrokken, onbevreesd.*

fearsome ['fɪəsəm] ● *afschrikwekkend.*

feasible ['fiːzəbl] ⟨zn: **-ility**⟩ ● *uitvoerbaar, haalbaar* ● *aannemelijk, geloofwaardig.*

1feast [fiːst] ⟨zn⟩ ● *(kerkelijk) feest* ⟨ook fig.⟩ ● *feestmaal, banket* ‖ zie ook ⟨sprw.⟩ ENOUGH.

2feast I ⟨onov ww⟩ ● *feestvieren* ● *zich te goed doen, smullen;* – on/upon *genieten van* II ⟨ov ww⟩ ● *onthalen;* – one's eyes (on) *zich verlustigen in de aanblik (van);* – one's friends (on) *zijn vrienden trakteren (op).*

feat [fiːt] ● *heldendaad* ● *prestatie, knap stuk werk.*

1feather ['feðə] ⟨zn⟩ ● *veer, pluim* ‖ a – in one's cap *iets om trots op te zijn;* zie ook ⟨sprw.⟩ BIRD.

2feather ⟨ww⟩ ● *met veren bekleden, van veren voorzien, bevederen* ● *platleggen*

⟨roeiriemen⟩.
'feather 'bed ● *veren bed.* **'feather'brained** ● *leeghoofdig.* **'feather duster** ● *plumeau.* **'featherweight** ● *zeer licht persoon,* ⟨boksen⟩ *vedergewicht* ● *licht dingetje.* **feathery** ['feð(ə)ri] ● *veerachtig* ● *luchtig.*
1 feature ['fi:tʃə] ⟨zn⟩ ● *(gelaats)trek,* ⟨mv.⟩ *gezicht* ● *(hoofd)kenmerk, hoofdtrek, karakteristiek* ● *hoogtepunt, specialiteit* ● *speelfilm* ● ⟨journalistiek⟩ *speciaal onderwerp,* ⟨krant⟩ *hoofdartikel.*
2 feature **I** ⟨onov ww⟩ ● *een (belangrijke) plaats innemen* **II** ⟨ov ww⟩ ● *vertonen;* a film featuring Greta Garbo *een film met Greta Garbo in de hoofdrol* ● *brengen, speciale aandacht besteden aan.*
'feature film ● *speelfilm.*
featureless ['fi:tʃələs] ● *saai, onopvallend.*
February ['februəri, 'febjuəri] ● *februari.*
fecund ['fi:kənd] ● *vruchtbaar.*
fed ⟨verl. t. en volt. deelw.⟩ zie FEED.
federal ['fedrəl] ● *federaal, bonds-;* ⟨AE⟩ Federal Bureau of Investigation *Federale Recherche, FBI* ● ⟨vnl. AE⟩ *nationaal, lands-.*
federate ['fedəreɪt] **I** ⟨onov ww⟩ ● *zich (tot een federatie) verenigen* **II** ⟨ov ww⟩ ● *federaliseren, (in een federatie) samenbrengen.* **federation** ['fedə'reɪʃn] ● ⟨pol.⟩ *federatie, statenbond* ● *bond, federatie.*
'fed 'up ↓ ● *(het) zat;* be – about sth. *van iets balen;* I'm – with Ned's nagging *Neds gezeur zit me tot hier.*
fee [fi:] ● *honorarium* ⟨v. arts, advocaat enz.⟩ ● *inschrijfgeld* ● ⟨mv.⟩ *schoolgeld, collegegeld* ● *tarief, vergoeding.*
feeble ['fi:bl] ● *zwak* ● *flauw, slap* ⟨v. excuus, grap e.d.⟩. **'feeble-'minded** ● *dom.*
1 feed [fi:d] **I** ⟨telb zn⟩ ● *voeding* ⟨v. dier/baby⟩, ⟨scherts.⟩ *hap, maal* ● ⟨tech.⟩ *toevoerkanaal* **II** ⟨n-telb zn⟩ ● *(vee)voer* ● *het voeren, toevoer.*
2 feed ⟨fed, fed [fed]⟩ **I** ⟨onov ww⟩ ● *eten, zich voeden;* – on *leven van, zich voeden met* ⟨ook fig.⟩ **II** ⟨ov ww⟩ ● *voeren, (te) eten geven, voederen;* – up *vetmesten;* – on rice *rijst te eten geven* ● *voedsel geven aan,* ⟨fig.⟩ *stimuleren* ● ⟨meestal tech.⟩ *voorzien van* ⟨grondstof enz.⟩, *aanvoeren, toevoeren, doorgeven aan, op gang houden* ⟨machine⟩; – the fire *het vuur onderhouden;* – coins into the payphone *munten in de telefoon stoppen;* – a wire through a pipe *een draad door een buis halen;* zie FED UP.
'feedback ● ⟨tech., elek.⟩ *terugkoppeling* ● ⟨ook comp.⟩ *feedback, terugkoppeling.*
feeder ['fi:də] ● *eter* ● *toevoerinrichting,*

aanvoerkanaal ● *aftakking, zijweg, aanvoerweg, plaatselijke (lucht- of spoor)verbinding, zijrivier.* **'feeding bottle** ● *zuigfles.*
1 feel [fi:l] **I** ⟨telb zn⟩ ● *aanleg, gevoel;* a – for music *muzikaliteit* ‖ let me have a – *laat mij eens voelen* **II** ⟨n-telb zn⟩ ● *gevoel* ⟨v. stof⟩; you can tell by the – that it's wool *je kunt wel voelen dat het wol is* ‖ get the – of sth. *iets in zijn vingers krijgen.*
2 feel ⟨felt, felt [felt]⟩ **I** ⟨onov ww⟩ ● *tasten, zoeken;* – (about) for sth. in one's pockets *in zijn zakken naar iets (rond)tasten/zoeken* ● *voelen* ● *gevoelens hebben, een mening hebben;* – strongly about/on sth. *een uitgesproken mening over iets hebben;* what do you – about him *wat vind je van hem?;* everybody felt for the boy *iedereen had te doen met de jongen;* I really felt with John *ik voelde echt mee met Jan* **II** ⟨ov ww⟩ ● *voelen (aan), betasten* ⟨als sl. ook mbt. seks⟩; – one's way *op de tast gaan* ⟨ook fig.⟩; ⟨↓; sl.⟩ – up *betasten, strelen* ● *voelen, gewaarworden;* – the effects of *lijden onder de gevolgen v.* ● *vinden, menen;* it was felt that ... *men was de mening toegedaan dat ...* **III** ⟨kww⟩ ● *zich voelen;* I felt such a fool *ik voelde me zo stom;* – angry *boos zijn;* – cold *het koud hebben;* – fine *zich lekker voelen;* – hungry *honger hebben;* – (quite)(like) o.s. *zich zelfverzekerd/in goede conditie voelen;* – well *zich goed voelen;* ↓ I – like sleeping *ik heb zin om te slapen;* I – like a walk *ik heb zin in een wandelingetje* ● *aanvoelen;* it –s great to be in love *het is een heerlijk gevoel om verliefd te zijn;* it –s like silk *het voelt zijdeachtig aan.*
feeler ['fi:lə] ● ⟨biol.⟩ *voelhoorn, voelspriet,* ⟨fig.⟩ *proefballonnetjes;* put/throw out –s *een balletje opgooien.* **'feeler gauge** ⟨tech.⟩ ● *voelmaat/mesje.*
1 feeling ['fi:lɪŋ] **I** ⟨telb zn⟩ ● *gevoel, gewaarwording* ● *emotie, gevoel,* ⟨vaak mv.⟩ *gevoelens;* bad/ill – *wrok;* no hard –s *even goede vrienden;* I have no strong –s either way *het is mij om het even* ● *idee, indruk* ● *opinie, mening;* the general – *de algemene opinie* **II** ⟨telb en n-telb zn⟩ ● *opwinding;* –s ran high *de gemoederen raakten verhit* **III** ⟨n-telb zn⟩ ● *het voelen, het denken* ⟨enz.; zie feel²⟩ ● *gevoel;* have lost all – in one's fingers *alle gevoel in zijn vingers kwijt zijn.*
2 feeling ⟨bn⟩ ● *voelend, denkend* ⟨enz.; zie feel²⟩ ● *gevoelig, emotioneel* ● *vol sympathie.*
feet [fi:t] ⟨mv.⟩ zie FOOT.

feign [feɪn] ● *veinzen, simuleren;* –ed *modesty valse bescheidenheid;* – *sleep doen alsof men slaapt.*

1 feint [feɪnt] ⟨zn⟩ ● *schijnbeweging.*

2 feint ⟨ww⟩ ● *een schijnbeweging maken.*

felicitous [fɪ'lɪsɪtəs] ● *gelukkig, welgekozen.* **felicity** [fɪ'lɪsəti] ● *geluk(zaligheid)* ● *goedgekozen uitdrukking;* express o.s. with – *zijn woorden goed weten te kiezen.*

feline ['fi:laɪn] ● ⟨bn⟩ *katachtig, katte-* ● ⟨zn⟩ *kat(achtige).*

1 fell [fel] ⟨zn⟩ ● ⟨BE⟩ *berg, rots.*

2 fell ⟨bn⟩ ● *wreed;* at one – swoop *in één (enkele) klap.*

3 fell ⟨ww⟩ ● *omhakken* ● *(neer)vellen.*

4 fell ⟨verl. t.⟩ zie FALL.

fella(h) ['felə] ↓ ● *vent, gozer.*

1 fellow ['feloʊ] ⟨zn⟩ ● ↓ *kerel, vent* ● *maat, kameraad* ● *andere helft* ⟨v. twee⟩; a sock and its – *een sok en de andere/bijbehorende* ● ⟨BE⟩ *lid v. universiteitsbestuur* ● *lid v. (wetenschappelijk) genootschap.*

2 fellow ⟨bn⟩ ● *mede-, collega, -genoot;* – citizen *medeburger;* – countryman *landgenoot;* – traveller *medereiziger.* **fellowship** ['feloʊʃɪp] I ⟨telb zn⟩ ● *genootschap* ● *broederschap* II ⟨telb en n-telb zn⟩ ● *ambt, betrekking* ⟨v. wetenschapper⟩ ● *beurs* ⟨v. doctoraalassistent⟩ III ⟨n-telb zn⟩ ● *vriendschap, kameraadschappelijkheid.*

felon ['felən] ⟨jur.⟩ ● *misdadiger.* **felony** ['feləni] ⟨jur.⟩ ● *(ernstig) misdrijf.*

1 felt [felt] ⟨zn⟩ ● *vilt.*

2 felt ⟨bn⟩ ● *vilten.*

3 felt ⟨verl. t. en volt. deelw.⟩ zie FEEL.

'felt-'tip ('pen), 'felt-tipped ('pen) ● *viltstift.*

1 female ['fi:meɪl] ⟨zn⟩ ● *vrouwelijk persoon, vrouw* ● ⟨biol.⟩ *wijfje, vrouwtje* ● ↓ *vrouwspersoon.*

2 female ⟨bn⟩ ● *vrouwelijk, -in, -es, wijfjes-* ● *vrouwen-, meisjes-* ● ⟨tech.⟩ *ontvangend, hol;* – plug *contrastekker.*

feminine ● *vrouwen-, vrouwelijk.* **femininity** ['femɪ'nɪnəti] ● *vrouwelijkheid.*

feminism ['femɪnɪzm] ● *feminisme.* **feminist** ['femɪnɪst] ● ⟨bn⟩ *feministisch* ● ⟨zn⟩ *feministe.*

fen [fen] ● *moeras(land).*

1 fence [fens] ⟨zn⟩ ● *hek, omheining, afscheiding;* ⟨fig.⟩ sit on the – *geen partij kiezen* ● *heler* ● ⟨sport⟩ *hindernis.*

2 fence I ⟨onov ww⟩ ● ⟨sport⟩ *schermen;* ⟨fig.⟩ – with a question *een vraag pareren/ontwijken* II ⟨ov ww⟩ ● *omheinen;* – in *afrasteren;* ⟨fig.⟩ – in *inperken.* **'fence 'off** ● *afschermen, afscheiden.*

fencer ['fensə] ● ⟨sport⟩ *schermer.* **fencing** ['fensɪŋ] ● ⟨sport⟩ *het schermen* ● *hekken,*

omheining.

fend [fend] ‖ – off *afweren, ontwijken* ⟨slag, vraag⟩; – for o.s. *voor zichzelf zorgen.*

fender ['fendə] ● *stootrand, stootkussen* ● ⟨AE⟩ *spatbord* ⟨v. auto⟩ ● *haardscherm* ● *haardrand.*

fennel ['fenl] ● *venkel.*

1 ferment ['fə:mənt] ⟨zn⟩ ● *gist(middel)* ● *gisting* ● *onrust;* in (a state of) – *in beroering.*

2 ferment [fə'ment] ⟨ww; zn: -ation⟩ ● *(ver)gisten, (doen) fermenteren* ● *in beroering zijn/brengen.*

fern [fə:n] ● *varen.*

ferocious [fə'roʊʃəs] ● *woest, wild, meedogenloos.* **ferocity** [fə'rɒsəti] ● *wreedheid, woestheid, gewelddadigheid.*

1 ferret ['ferɪt] ⟨zn⟩ ● ⟨dierk.⟩ *fret.*

2 ferret I ⟨onov ww⟩ ● *met fretten jagen* ‖ – about/around among s.o.'s papers *in iemands papieren rondsnuffelen* II ⟨ov ww⟩ ‖ – out *uitvissen, uitzoeken* ⟨bv. de waarheid⟩.

ferroconcrete [-'kɒŋkri:t] ● *gewapend beton.*

ferrous ['ferəs] ● ⟨tech.⟩ *ijzerhoudend.*

1 ferry ['feri] ⟨zn⟩ ● *veer(boot).*

2 ferry ⟨ww⟩ ● *overzetten* ● *vervoeren.* **'ferryboat** ● *veerboot.* **ferryman** ['ferimən] ● *veerman.*

fertile ['fə:taɪl] ● *vruchtbaar* ‖ – imagination *rijke verbeelding;* – in/of *rijk aan.* **fertility** [fə:'tɪləti] ● *vruchtbaarheid.* **fertilize** ['fə:tɪlaɪz] ● *bevruchten* ● *vruchtbaar maken, bemesten.* **fertilizer** ['fə:tɪlaɪzə] ● *(kunst)mest.*

fervent ['fə:vnt] ● *vurig, hartstochtelijk.*

fervid ['fə:vɪd] ● *heftig, gloedvol.*

fervour ['fə:və] ● *heftigheid, hartstocht.*

fester ['festə] ● *etteren* ● *knagen, irriteren* ⟨opmerking e.d.⟩.

festival ['festɪvl] ● *(kerkelijke) feestdag* ● *feest* ● *festival.*

festive ['festɪv] ● *feestelijk, feest-;* – board *feestmaal;* the – season *de feestdagen.* **festivity** [fe'stɪvəti] ● *vrolijkheid, feestvreugde* ● ⟨vaak mv.⟩ *feestelijkheid, festiviteit.*

1 festoon [fe'stu:n] ⟨zn⟩ ● *slinger, guirlande.*

2 festoon ⟨ww⟩ ● *met slingers versieren.*

fetch [fetʃ] I ⟨onov ww⟩ ‖ – and carry for s.o. *voor iem. slaven en draven;* zie FETCH UP II ⟨ov ww⟩ ● *halen, brengen, afhalen* ● *opbrengen* ⟨geld⟩ ‖ – s.o. a blow *iem. een klap verkopen.* **fetching** ['fetʃɪŋ] ⟨vero.; ↓⟩ ● *leuk, aantrekkelijk.*

'fetch 'up ● ↓ *terechtkomen, verzeild raken.*

1 fete [feɪt] ⟨zn⟩ ● *feest, festijn.*

2 fete ⟨ww⟩ ● *huldigen, fêteren.*

fetid ['fetɪd, 'fi:-] ●*(kwalijk) riekend.*
fetish ['fetɪʃ, 'fi:-] ●*fetisj.* **fetishism** ['fetɪ-ʃɪzm, 'fi:-] ●*fetisjisme.* **fetishist** ['fetɪʃɪst, 'fi:-] ●*fetisjist.*
1 fetter ['fetə] ⟨zn; vaak mv.⟩ ●*keten, boei* ● *belemmering.*
2 fetter ⟨ww⟩ ●*boeien* ●*belemmeren.*
fettle ['fetl] ‖ *in fine – in uitstekende conditie/ in een prima humeur.*
fetus zie FOETUS.
1 feud [fju:d] ⟨zn⟩ ●*vete.*
2 feud ⟨ww⟩ ●*in vete liggen, onenigheid hebben.*
feudal ['fju:dl] ●*feodaal, leen-; – lord leen-heer.* **feudalism** ['fju:dəlɪzm] ●*leenstel-sel.*
fever ['fi:və] I ⟨telb zn⟩ ●*opwinding;* in a – of anticipation *in opgewonden afwachting* II ⟨telb en n-telb zn⟩ ●*koorts, verhoging.* **fe-vered** ['fi:vəd] ●*koortsig* ●*koortsachtig.*
feverish ['fi:vrɪʃ] ●*koortsig* ●*opgewon-den; –* energy *koortsachtige bedrijvig-heid.*
'**fever pitch** ●*hoogtepunt, climax.*
1 few [fju:] ⟨vnw⟩ ●*weinige(n), weinig;* tru-ly great men are – *waarlijk grote mensen zijn schaars;* holidays are – and far be-tween *feestdagen zijn er maar weinig;* no –er than twenty *niet minder dan twintig, wel twintig;* he was among the – who un-derstood *hij was een v.d. weinigen die het begreep;* a – *een paar, enkele(n);* a – more *nog enkele(n)* ‖ ‖ there were a good – *er waren er nogal wat;* quite a – *vrij veel.*
2 few ⟨det⟩ ●*weinig, enkele;* a – words *een paar woorden;* the last – hours *de laatste (paar) uren;* some – words *(maar) een paar woorden* ‖ quite a – books *nogal wat boeken.*
fiancé, ⟨vr⟩ **fiancée** [fɪ'ɒnseɪ] ●*verloofde.*
fiasco [fi'æskoʊ] ●*mislukking.*
fiat ['faɪæt, 'fi:-] ●*bevel.*
1 fib [fɪb] ⟨zn⟩ ↓ ●*leugentje;* tell –s *jokken.*
2 fib ⟨ww⟩ ↓ ●*jokken.* **fibber** ['fɪbə] ↓ ●*jokke-brok.*
fibre ['faɪbə] I ⟨telb en n-telb zn⟩ ●*vezel* ● *draad* II ⟨n-telb zn⟩ ●*karakter;* moral – *ruggegraat.* '**fibreboard** ●*(hout)vezel-plaat.* '**fibreglass** ●*fiberglas, glasvezel.* '**fibre 'optics** ⟨tech.⟩ ●*vezeloptica.*
fibrous ['faɪbrəs] ●*vezelig, vezelachtig.*
fickle ['fɪkl] ●*onbestendig, wispelturig, gril-lig.*
fiction ['fɪkʃn] I ⟨telb zn⟩ ●*verzinsel, fictie, leugen* II ⟨n-telb zn⟩ ●*fictie,* ⟨bij uitbr. ook⟩ *romans.* **fictional** ['fɪkʃnəl] ●*roman-* ●*verzonnen.* **fictitious** [fɪk'tɪʃəs] ●*onecht* ●*verzonnen, bedacht, gefingeerd* ●*denk-*

beeldig, fictief.
1 fiddle ['fɪdl] ⟨zn⟩ ● ↓ *viool, fiedel* ●⟨sl.⟩ *knoeierij, bedrog* ‖ play second – (to) *in de schaduw staan (van).*
2 fiddle I ⟨onov ww⟩ ↓ ●*vioolspelen, fiede-len* ●*lummelen; –* about/around *rondlum-melen* ●*friemelen; –* with *morrelen aan, spelen met* II ⟨ov ww⟩ ●⟨sl.⟩ *foezelen met, vervalsen; –* one's taxes *met zijn be-lastingaangifte knoeien.* **fiddler** ['fɪdlə] ↓ ● *vioolspeler, fiedelaar* ●*knoeier, oplichter.*
fiddling ['fɪdlɪŋ] ↓ ●*onbeduidend, nietig.*
fidelity [fɪ'deləti] ●*getrouwheid* ●(+to) *trouw (aan/jegens).*
1 fidget ['fɪdʒɪt] ↓ I ⟨telb zn⟩ ●*zenuwenlijder, iem. die niet stil kan zitten* II ⟨mv.⟩ ‖ have the –s *niet stil kunnen zitten.*
2 fidget ↓ ⟨ww⟩ ●*de kriebels hebben, niet stil kunnen zitten;* start to – *onrustig wor-den; –* about *niet stil kunnen zitten; –* with one's pen *zenuwachtig met zijn pen spe-len.* **fidgety** ['fɪdʒəti] ●*onrustig, druk, ze-nuwachtig.*
1 field [fi:ld] I ⟨telb zn⟩ ●*veld, wei, akker, sportveld, gebied; –* of ice *ijsvlakte* ●*slag-veld,* ⟨fig.⟩ *(veld)slag;* hold the – (against) *zich staande houden (tegen)* ●*gebied; –* of study *onderwerp (van studie)* ●⟨tech.⟩ *draagwijdte, (kracht)veld;* ⟨mil.⟩ – of fire *schootsveld; –* of vision *gezichtsveld* II ⟨n-telb zn⟩ ●*praktijk, veld;* in the – *in het veld* III ⟨zn⟩ ⟨sport⟩ ●*veld, alle deelnemers* ‖ ⟨AE; ↓⟩ play the – *van de een naar de an-der lopen.*
2 field I ⟨onov ww⟩ ⟨sport⟩ ●*veldspeler zijn, fielden* II ⟨ov ww⟩ ●⟨sport⟩ *terugspelen, fielden* ⟨bal⟩; well –ed! *goed gevangen!* ● ⟨sport⟩ *in 't veld brengen* ⟨team⟩.
'**field day** ●*grote dag.* **fielder** ['fi:ldə] ⟨sport⟩ ●*veldspeler.* '**field event** ●*technisch nummer* ⟨v. atletiek⟩. '**field glasses** ● *veldkijker, verrekijker.* '**field hockey** ⟨AE⟩ ●*hockey.*
'**Field 'Marshal** ⟨BE; mil.⟩ ●*veldmaarschalk.* '**field mouse** ●*veldmuis.* **fieldsman** ['fi:ldzmən] ⟨sport⟩ ●*veldspeler.* '**field test** ●⟨zn⟩ *praktijktest* ●⟨ww⟩ *in de prak-tijk testen.* '**fieldwork** ●*veldwerk, veldon-derzoek.*
fiend [fi:nd] ●*wreedaard* ●⟨in samenstellin-gen⟩ *fanaat, maniak.* **fiendish** ['fi:ndɪʃ] ● *duivels* ●*wreed.*
fierce [fɪəs] ●*woest, wreed* ●*hevig, fel* ●*hef-tig.*
fiery ['faɪəri] ●*brandend; –* glow *vuurrode gloed* ●*heet, branderig; –* pepper *scherpe peper* ●*onstuimig, vurig; –* temperament *fel temperament.*

fifteen [ˈfɪfˈtiːn] ● *vijftien* ⟨ook voorwerp/ groep ter waarde/grootte v. vijftien⟩. **fifteenth** [ˈfɪfˈtiːnθ] ● *vijftiende,* ⟨als zn⟩ *vijftiende deel.*

fifth [fɪfθ] ● *vijfde,* ⟨als zn⟩ *vijfde deel,* ⟨muz.⟩ *kwint;* ⟨AE⟩ a – of whiskey *een (fles v.) een vijfde gallon whiskey.* **fiftieth** [ˈfɪftiɪθ] ● *vijftigste,* ⟨als zn⟩ *vijftigste deel.* **fifty** [ˈfɪfti] ● *vijftig* ⟨ook voorwerp/groep ter grootte/waarde v. vijftig⟩; a man in his fifties *een man in de vijftig;* temperatures in the fifties *temperaturen boven de vijftig graden;* in the fifties *in de vijftiger jaren.* **ˈfifty-ˈfifty** ↓ ● *half om half;* – chance *vijftig procent kans;* go – with s.o. *met iem. samsam doen;* it's – that *er is vijftig procent kans dat.*

fig [fɪg] ● *vijg* ‖ not care/give a – (for) *geen moer geven (om).*

1 fight [faɪt] ⟨zn⟩ ● *gevecht, strijd;* put up a brave/poor – *dapper/weinig weerstand bieden* ● *bokswedstrijd* ● *ruzie* ● *vechtlust, strijdlust.*

2 fight ⟨fought, fought [fɔːt]⟩ I ⟨onov ww⟩ ● *vechten, strijden;* – shy of sth. *ergens met een boog omheen lopen;* – back *weerstand bieden;* – on *doorvechten;* – for peace *strijden voor vrede* ● *ruziën* II ⟨ov ww⟩ ● *bevechten, strijden tegen;* – disease/the French *vechten tegen ziekte/de Fransen;* – one's way out of a difficult situation *zich uit een benarde positie bevrijden;* – down one's anger *zijn boosheid onderdrukken;* – off sth. *ergens weerstand tegen bieden;* – it out *het uitvechten* ● *vechten in;* – a battle *slag leveren.* **fighter** [ˈfaɪtə] ● *vechter, vechtersbaas* ● zie FIGHTER PLANE. **ˈfighter plane** ● *gevechtsvliegtuig, jachtvliegtuig.*

1 fighting [ˈfaɪtɪŋ] ⟨zn⟩ ● *het vechten, het strijden.*

2 fighting ⟨bn⟩ ● *vechtend, strijdend* ‖ – spirit *vechtlust;* he has a – chance *als hij alles op alles zet lukt het hem misschien.*

ˈfig leaf ● *vijgeblad* ⟨ook fig.⟩.

figment [ˈfɪgmənt] ● *verzinsel;* –s of the imagination *verzinsels.*

figurative [ˈfɪgərətɪv] ● *figuurlijk* ● *figuratief.*

1 figure [ˈfɪgə] ⟨zn⟩ ● *vorm, gedaante, figuur;* a fine – of a boy *een mooi gebouwde jongen;* keep/lose one's – *zijn figuur houden/kwijtraken* ● *afbeelding,* ⟨wisk.⟩ *figuur* ● *personage;* – of fun *mikpunt v. plagerij;* public – *(algemeen) bekend persoon* ● *cijfer;* double –s *getal v. twee cijfers* ● ⟨mv.⟩ *cijferwerk, rekenwerk;* be good at –s *goed kunnen rekenen* ● *bedrag, prijs* ‖ – of speech *stijlfiguur;* cut a sorry –

een armzalig figuur slaan.

2 figure I ⟨onov ww⟩ ● *voorkomen, een rol spelen;* – in a book *in een boek voorkomen* ● ↓ *vanzelf spreken;* that –s *dat ligt voor de hand* ● *rekenen, cijferen;* ⟨vnl. AE: fig.⟩ – on *rekenen op* ‖ he doesn't – to live long *hij verwacht niet lang meer te leven* II ⟨ov ww⟩ ● ⟨AE; ↓⟩ *menen, geloven;* Freda –s Fritz is just fed up with her *Freda denkt dat Fritz haar gewoon zat is;* zie FIGURE OUT.

ˈfigurehead ● ⟨scheep.⟩ *boegbeeld* ● *hoofd in naam, stroman.* **ˈfigure-hugging** ● *nauwsluitend.* **ˈfigure ˈout** ● *berekenen, uitwerken;* – a problem *een probleem oplossen* ● ⟨AE⟩ *uitpuzzelen;* be unable to figure a person out *geen hoogte van iem. kunnen krijgen.* **ˈfigure skating** ● *kunstrijden.*

filament [ˈfɪləmənt] ● *fijne draad* ● *gloeidraad* ⟨in lamp⟩.

filch [fɪltʃ] ● *jatten.*

1 file [faɪl] ⟨zn⟩ ● *vijl* ● *dossier, register, legger;* have sth. on – *iets geregistreerd hebben staan;* put a deed on – *een akte deponeren* ● *(dossier)map, ordner, klapper* ● ⟨comp.⟩ *bestand* ● *rij, file;* in single – *in ganzenmars;* in – *allemaal achter elkaar.*

2 file I ⟨onov ww⟩ ● *achter elkaar lopen;* – away/off *in een rij weglopen* II ⟨ov ww⟩ ● *vijlen, bijvijlen* ⟨ook fig.⟩; – down *afvijlen* ● *opslaan, in een archief bijzetten, invoegen* ⟨kaarten in bestand⟩, *registreren;* – away *opbergen* ● *indienen* ● *inzenden* ⟨kopij voor een krant⟩.

filial [ˈfɪlɪəl] ● *kinderlijk, kinder-;* – piety *respect voor de ouders.*

1 filibuster [ˈfɪlɪbʌstə] ⟨zn⟩ ● ⟨AE⟩ *obstructie, vertragingstaktiek* ⟨door het houden van lange redevoeringen in het Congres enz.⟩.

2 filibuster ⟨ww⟩ ● *obstructie voeren, dwarsliggen.*

ˈfiling cabinet ● *archiefkast.* **ˈfiling clerk** ● *archiefambtenaar.*

filings [ˈfaɪlɪŋz] ● *vijlsel.*

Filipino [ˈfɪlɪpiːnoʊ] ● ⟨bn⟩ *Filippijns* ● ⟨zn⟩ *Filippijn, Filippino.*

1 fill [fɪl] ⟨zn⟩ ● *vulling, hele portie;* eat one's – *zich rond eten* ‖ have had one's – of s.o. *iem. grondig zat zijn.*

2 fill I ⟨onov ww⟩ ● *zich vullen, vol worden;* the hall –ed slowly *de zaal liep langzaam vol;* zie FILL IN, FILL OUT, FILL UP II ⟨ov ww⟩ ● *(op)vullen, vol maken, plomberen* ⟨kies⟩, *stoppen* ⟨pijp⟩ ● *vervullen, bekleden;* – a part *een rol voor zijn rekening nemen;* – a vacancy *een vacature bezetten* ● *uitvoe-*

ren; – an order *een bevel uitvoeren;* – a prescription *een doktersrecept klaarmaken* ● *invullen* ‖ – time *de tijd doden;* zie FILL IN, FILL OUT, FILL UP.

filler ['fɪlə] ● *vulling, vulsel, vulstof, muurvuller.*

1 fillet ['fɪlɪt] ⟨zn⟩ ● *filet, lendestuk, haas;* – of cod *kabeljauwfilet;* – of pork *varkenshaas.*

2 fillet ⟨ww⟩ ● *fileren.*

'fill 'in I ⟨onov ww⟩ ↓ ● *invaller zijn, invallen* ‖ ⟨ov ww⟩ ● *opvullen, vullen* ● *invullen* ⟨formulier⟩ ● ⟨+on⟩ ↓ *op de hoogte brengen (van)* ‖ – time *de tijd doden.*

1 filling ['fɪlɪŋ] ⟨zn⟩ ● *vulling, vulsel.*

2 filling ⟨bn⟩ ● *machtig, zwaar, voedzaam.*

'filling station ● *benzinestation.*

fillip ['fɪlɪp] ● *prikkel, stimulans.*

'fill 'out I ⟨onov ww⟩ ● *dikker worden* ‖ ⟨ov ww⟩ ● ⟨AE⟩ *invullen* ⟨formulier⟩. **'fill 'up I** ⟨onov ww⟩ ● *zich vullen, vollopen* ● *benzine tanken* ‖ ⟨ov ww⟩ ● *(op)vullen, vol doen* ⟨tank v. auto⟩, *bijvullen;* fill'em up again! *nog een rondje!;* fill her up! *gooi 'm maar vol!* ● ⟨BE⟩ *invullen* ⟨formulier⟩.

filly ['fɪli] ● *jonge merrie.*

1 film [fɪlm] ⟨zn⟩ ● *dunne laag, vlies* ● *rolfilm, (speel)film* ● ⟨mv.; the⟩ *de filmindustrie.*

2 film ⟨ww⟩ ● *filmen* ● *verfilmen.*

'filmmaker ● *filmer, cineast.* **'film star** ● *filmster.* **'film strip** ● *filmstrip, filmstrook.*

filmy ['fɪlmi] ● *dun, doorzichtig.*

filofax ['faɪloʊfʊks] ● *dikke zakagenda voor yuppies, met ruimte voor rekenmachientje en creditcards.*

1 filter ['fɪltə] ⟨zn⟩ ● *filter.*

2 filter I ⟨onov ww⟩ ● *filtreren, filteren* ● *uitlekken, doorsijpelen, doorschemeren;* the news –ed out *het nieuws lekte uit;* it had –ed through to everybody *iedereen was het geleidelijk aan te weten gekomen* ● ⟨BE⟩ *rechts/links afslaan* ⟨terwijl het doorgaand verkeer voor het rode licht moet wachten⟩ ‖ ⟨ov ww⟩ ● *filtreren, zuiveren.*

'filter 'tip ● *sigarettenfilter* ● *filtersigaret.* **'filter-'tipped** ‖ – cigarettes *filtersigaretten.*

filth [fɪlθ] ● *vuiligheid, vuil(heid)* ● *vuile taal* ● *smerige lectuur.*

1 filthy ['fɪlθi] ⟨bn⟩ ● *vies, vuil, smerig* ● *obsceen.*

2 filthy ⟨bw⟩ ⟨↓; vaak ong.⟩ ● *vuil, smerig, ontiegelijk;* – rich *stinkend rijk.*

fin [fɪn] ● *vin.*

1 final ['faɪnl] ⟨zn⟩ ● ⟨vaak mv.⟩ *finale, eindwedstrijd* ● ⟨vnl. mv.⟩ *(laatste) eindexamen* ● ↓ *laatste editie* ⟨v.e. krant⟩.

2 final ⟨bn⟩ ● *definitief, beslissend* ● *laatste, eind-, slot-.*

finalist ['faɪnəlɪst] ● *finalist.*

finality [faɪ'næləti] ● *beslistheid, het definitief zijn;* with (an air of) – *op een besliste toon.*

finalize ['faɪnlaɪz] ● *tot een einde brengen, de laatste hand leggen aan, afronden.* **finally** ['faɪnli] ● zie FINAL ● *ten slotte, uiteindelijk* ● *afdoend, definitief.*

1 finance ['faɪnæns] I ⟨n-telb zn⟩ ● *financieel beheer, geldwezen, financiën* ‖ ⟨mv.⟩ ● *financiën* ● *geldmiddelen, fondsen.*

2 finance [faɪ'næns, fɪ-] ⟨ww⟩ ● *financieren.* **financial** [fɪ'nænʃl] ● *financieel, geldelijk, v. geld(zaken);* – year *boekjaar.* **financier** [fɪ'nænsɪə] ● *financier.*

finch [fɪntʃ] ● *vink.*

1 find [faɪnd] ⟨zn⟩ ● *(goede) vondst.*

2 find (found, found ['faʊnd]) I ⟨onov en ov ww⟩ ⟨jur.⟩ ● *oordelen;* the jury found him not guilty *de gezworenen spraken het onschuldig over hem uit;* – against s.o. *iemands vordering afwijzen;* – for s.o. *iemands vordering toewijzen* ‖ ⟨ov ww⟩ ● *vinden, ontdekken;* pumas are found in America *poema's komen voor in Amerika;* – s.o. out *iem. niet thuis aantreffen* ● *(gaan) zoeken, gaan halen;* where does he – the courage? *waar haalt hij de moed vandaan?* ● *(be)vinden, ontdekken,* ⟨pass.⟩ *blijken;* the thing was found to be a ruse *het bleek een truukje te zijn;* ⟨vnl. pass.⟩ be found wanting *niet voldoen;* he found himself lost *hij ontdekte dat hij verdwaald was* ‖ ⟨wdk ww⟩ – o.s. *zichzelf vinden;* she could not – it in herself to leave him *ze kon het niet over haar hart verkrijgen hem te verlaten;* zie FIND OUT. **finder** ['faɪndə] ● *vinder* ● ⟨foto.⟩ *zoeker* ‖ ⟨sprw.⟩ finders keepers *wie wat vindt mag het houden.* **finding** ['faɪndɪŋ] ● *vondst, bevinding,* ⟨vnl. mv.⟩ ⟨jur.⟩ *uitspraak.* **find out** ● *ontdekken, erachter komen* ● *betrappen.*

1 fine [faɪn] ⟨zn⟩ ● *(geld)boete.*

2 fine I ⟨bn, attr en pred⟩ ● *fijn, dun, scherp;* the – print *de kleine lettertjes* ● ⟨ook iron.⟩ *voortreffelijk, fijn, goed, mooi;* – arts *Schone Kunsten;* ⟨in verhaal⟩ one – day *op een goede dag;* ⟨iron.⟩ a – friend you are! *(een) mooie vriend ben jij!;* ⟨iron.⟩ in a – state *in een vreselijke toestand;* that's all very – *allemaal goed en wel;* – with me *mij best* ● *delicaat, fijn* ‖ not to put too – a point on it *zonder er doekjes om te winden* ‖ ⟨bn, pred⟩ ↓ ● *in orde, gezond;* I'm –, thanks *met mij gaat het goed, dank je.*

3fine ⟨ww⟩ ● *beboeten* ‖ – down *verfijnen.*
4fine ⟨bw⟩ ↓ ● *fijn, goed, in orde;* it suits me
– ik *vind het prima* ● *fijn, dun;* cut up on-
ions – *uien fijn snipperen* ‖ you are cutting
it – if you want to catch your train *dat
wordt erg krap als je die trein wil halen.*
finery ['faɪnrɪ] ● *opschik, mooie kleren.*
finesse [fɪ'nes] ● *finesse, handigheid.*
'fine-tooth 'comb ● *stofkam;* ⟨fig.⟩ go over
sth. with a – *iets grondig onderzoeken.*
1finger ['fɪŋgə] ⟨zn⟩ ● *vinger;* index/middle/
ring/little – *wijsvinger/middelvinger/ring-
vinger/pink* ● *vinger(breedte)* ‖↓ work
one's –s to the bone *zich kapot werken;* ↓
have a – in every pie *overal een vinger in
de pap hebben;* be all –s and thumbs *erg
onhandig zijn;* burn one's –s, get one's –s
⟨BE⟩ burnt/ ⟨AE⟩ burned *zijn/zich de vingers branden;* ↓ keep one's –s crossed *dui-
men;* ↓ pull one's – out *laat je handen eens
wapperen;* ↓ not be able to put/lay one's –
on sth. *iets niet precies kunnen aangeven;*
never/not lay a – on *met geen vinger aanraken;* not lift/raise a – *geen vinger uitsteken;* point the – at s.o. *iem. beschuldigen;*
⟨sl.⟩ put the – on s.o. *iem. verlinken;* ↓
twist s.o. round one's (little) – *iem. om
zijn/haar vinger winden.*
2finger ⟨ww⟩ ● *betasten, (met de vingers)
aanraken;* he was –ing a piece of string *hij
zat met een stukje touw te spelen.*
'finger-mark ● *(vuile) vinger(afdruk).* **'finger-
nail** ● *(vinger)nagel.* **'fingerprint** ● ⟨zn⟩
vingerafdruk ● ⟨ww⟩ *de vingerafdrukken
nemen v..*
'finger tip ● *vingertop* ‖ have sth. at one's –s
iets heel goed kennen/kunnen.
finicky ['fɪnɪkɪ] ● *overdreven precies/kies-
keurig.*
1finish ['fɪnɪʃ] ⟨zn⟩ ● *beëindiging, einde,
voltooiing;* (fight) to the – *tot het bittere
einde (doorvechten)* ● ⟨sport⟩ *finish,
eindstreep* ● *afwerking,* ⟨ihb.⟩ *glans, lak,
vernis.*
2finish I ⟨onov ww⟩ ● *eindigen;* – off with
eindigen met; she must have –ed with Jamie *ze schijnt het uitgemaakt te hebben
met Jamie;* I haven't –ed with you yet *ik
ben met jou nog niet klaar* ● *finishen* ● *uiteindelijk terechtkomen;* – up in jail *in de
gevangenis belanden* II ⟨ov ww⟩ ● ⟨vaak
~ off⟩ *beëindigen, afmaken, een einde
maken aan;* – (off) a book *een boek uitle-
zen* ● ⟨vaak ~ off, ~ up⟩ *opgebruiken,
opeten, opdrinken* ● *afwerken, voltooien,
de laatste hand leggen aan;* – (up) cleaning *ophouden met schoonmaken* ‖↓ the
last lap nearly –ed me (off) *de laatste ron-*

de was mij bijna teveel. **finished** ['fɪnɪʃt] I
⟨bn, attr⟩ ● *(goed) afgewerkt, verzorgd* II
⟨bn, pred⟩ ● *klaar, af;* those days are – *die
tijden zijn voorbij* ● *geruïneerd, uitgeput;*
he's – as a politician *als politicus is hij er
geweest.*
'finishing line ⟨sport⟩ ● *eindstreep* ⟨ook
fig.⟩, *finish.* **'finishing school** ● *school ter
voltooiing v.d. opvoeding.* **'finishing
'touch** ● *laatste hand;* put the –es to *de
laatste hand leggen aan.*
finite ['faɪnaɪt] ● *eindig* ⟨ook wisk.⟩, *beperkt.*
fink [fɪŋk] ● ⟨AE; sl.⟩ *stakingsbreker* ● ⟨AE;
sl.⟩ *(stille) verklikker, verlinker.*
Finn [fɪn] ● *Fin(se).* **Finnish** ['fɪnɪʃ] ● ⟨bn⟩
Fins ● ⟨zn⟩ *Fins* ⟨taal⟩.
fiord ['fiːɔːd,fjɔːd] zie FJORD.
fir [fəː] ● *spar(reboom)* ● *sparrehout.*
1fire ['faɪə] ⟨zn⟩ ● *vuur, haard(vuur);* catch –
vlam vatten ● *brand;* fight – with – *vuur
met vuur bestrijden;* set on –, set – to *in
brand steken;* on – *in brand;* ⟨fig.⟩ *in vuur
(en vlam)* ● *het vuren, vuur, schot;* line of –
vuurlijn; cease/open – *het vuur staken/
openen;* be/come under – *onder vuur genomen worden* ⟨ook fig.⟩ ● ⟨BE⟩ *kachel* ‖
preach – and brimstone *hel en verdoemenis preken;* go through – and water *door
het vuur gaan;* zie ook ⟨sprw.⟩ SMOKE.
2fire I ⟨onov ww⟩ ● *aanslaan, ontsteken*
⟨v.e. motor⟩ II ⟨onov en ov ww⟩ ● *stoken*
● *bakken* ⟨aardewerk⟩ ● *schieten, (af)vu-
ren* ⟨ook fig.⟩; – questions *vragen afvuren;* – away! *brand maar los!* (met het
stellen v. vragen⟩; – off a speech *een
speech afsteken;* – at/(up)on sth. *op iets
schieten* III ⟨ov ww⟩ ● *in brand steken,
doen ontvlammen* ⟨ook fig.⟩; – the imagination *zeer tot de verbeelding spreken* ●
↓ *ontslaan.*
'fire alarm ● *brandalarm.*
'firearm ● *vuurwapen.*
'fireball ● *vuurbol.* **'fire bomb** ● *brandbom.*
'firebrand ● *brandhout,* ⟨fig.⟩ *stokebrand.*
'firebreak ● *brandlaan, brandstrook.* **'fire
brigade** ● *brandweer(korps).* **'firecracker**
● *voetzoeker.* **'fire department** ⟨AE⟩ ●
brandweer(korps). **'fire drill** ● *brand-
(weer)oefening.* **'fire-eater** ● *vuurvreter,
ijzervreter.* **'fire engine** ● *brandweerauto.*
'fire escape ● *brandtrap.* **'fire extinguisher** ● *(brand)blusapparaat.* **'fire fighter** ●
brandbestrijder. **'fire-fighting** ● *brandbe-
strijdings-.*
'firefly ● *glimworm.*
'fireguard ● *vuurscherm.* **'fire-hose** ●
brandslang. **'fire hydrant** ● *brandkraan.*
'fire insurance ● *brandverzekering.* **'fire**

irons ● *haardstel, kachelgereedschap.* **'firelight** ● *vuurgloed.* **'firelighter** ● *aanmaakblokje.* **fireman** ['faɪəmən] ● *brandweerman.* **'fireplace** ● *open haard.* **'fireproof** ● ⟨bn⟩ *vuurvast, brandvrij* ● ⟨ww⟩ *vuurvast maken, brandvrij maken.* **'fire-raising** ● *brandstichting.* **fire safety** ● *brandveiligheid.* **'fireside** ● ⟨zn⟩ *(hoekje bij de) haard, het huiselijk leven* ● ⟨bn⟩ *intiem, knus.* **'fire station** ● *brandweerkazerne.* **'firetrap** ● *brandgevaarlijk gebouw.* **'firewatcher** ⟨BE⟩ ● *brandwacht* ⟨ihb. tijdens bombardementen⟩. **'firewater** ⟨↓, scherts.⟩ ● *sterke drank.* **'fire wood** ● *brandhout.* **'fireworks** ● *vuurwerk* ⟨ook fig.⟩, ⟨ihb.⟩ *woedeuitbarsting.*

'firing line ● *vuurlinie, vuurlijn.* **'firing squad** ● *vuurpeloton.*

1 firm [fə:m] ⟨zn⟩ ● *firma.*

2 firm ⟨bn; -ness⟩ ● *vast, stevig, hard* ● ⟨hand.⟩ *stabiel* ● *zeker, vast;* keep a – hand on *een vaste greep houden op* ● *standvastig, streng, ferm;* – decision *definitieve beslissing;* take a – line *zich (kei) hard opstellen;* be – with children *streng zijn tegen kinderen.*

3 firm I ⟨onov ww⟩ ● *stevig(er)/vast(er) worden* II ⟨ov ww⟩ ● *stevig(er)/vast(er) maken.*

4 firm ⟨bw⟩ ● *stevig, volhardend;* hold – to one's belief *vast van iets overtuigd blijven;* stand – *op zijn stuk blijven.*

firmament ['fə:məmənt] ⟨the⟩ ● *firmament.*

1 first [fə:st] I ⟨telb zn⟩ *niet te scheiden v.h. vnw⟩ ● *eerste* ⟨v.d. maand, v. versnelling enz.⟩ ● ⟨sport⟩ *eerste plaats, overwinning, winnaar* ● ⟨BE; universiteit⟩ *hoogste cijfer,* ⟨ongeveer⟩ *summa cum laude* II ⟨n-telb zn⟩ ● *begin;* at – *eerst;* from the – *van in het begin;* it was a disaster from – to last *het was een compleet fiasco.*

2 first ⟨telw.; als vnw⟩ ● *eerste.*

3 first ⟨bw⟩ ● *eerst;* when did you – meet? *wanneer hebben jullie elkaar voor het eerst ontmoet?;* – and foremost *in de eerste plaats;* – off we visited Dover *om te beginnen bezochten wij Dover;* – of all *in de eerste plaats, om te beginnen* ● *liever, eerder* ∥ ⟨sprw.⟩ first come, first served *die eerst komt, eerst maalt.*

4 first ⟨telw; als det⟩ ● *eerste,* ⟨fig.⟩ *voornaamste;* ⟨BE⟩ – form *eerste klas* ⟨school⟩; he doesn't know the – thing about maths *hij kent niet de allerelementairste begrippen van de wiskunde.*

first aid kit ● *EHBO-doos.* **first aid station** ● *eerstehulppost.*

'first-'born ● ⟨bn⟩ *eerstgeboren* ● ⟨zn⟩ *eerstgeborene.* **first-class** ● *eerste klas;* – post/mail ⟨ongeveer⟩ *gewone post* ⟨in Eng.: sneller dan second-class⟩; ⟨AE⟩ *brievenpost.* **'first-de'gree** ● *eerstegraads.* **'first-'hand** ● *uit de eerste hand.* **firstly** ['fə:stli], **first** ● *ten/als eerste.* **'first name** ● *voornaam.* **'first-'rate** ↓ ● *prima, eersterangs.*

'firtree ● zie FIR.

fiscal ['fɪskl] ● *fiscaal, belasting(s)-.*

1 fish [fɪʃ] ⟨zn⟩ ● *vis;* – and chips *(gebakken) vis met patat* ∥ like a – out of water *als een vis op het droge;* ↓ drink like a – *drinken als een tempelier;* have other – to fry *wel wat belangrijkers te doen hebben.*

2 fish I ⟨onov ww⟩ ● *vissen* ⟨ook fig.⟩, *hengelen;* ↓ – for compliments *vissen naar complimentjes* II ⟨ov ww⟩ ● *(be)vissen;* – out a piece of paper from a bag *een papiertje uit een tas opdiepen.*

'fish bone ● *(vis)graat.* **'fish bowl** ● *viskom.* **'fish cake** ● ⟨ongeveer⟩ *viscroquetje.* **fisherman** ['fɪʃəmən] ● *visser, sportvisser.* **fishery** ['fɪʃəri] ● *visserij(industrie)* ● ⟨vnl. mv.⟩ *visgrond, visplaats.*

fish 'finger ⟨vnl. BE⟩ ● *visstick.* **'fishhook** ● *vishaak.*

fishing ['fɪʃɪŋ] ● *het vissen, hengelsport.* **fishing grounds** ● *visgronden.* **'fishing line** ● *vislijn.* **'fishing rod** ● *hengel.* **'fishing tackle** ● *vistuig.*

'fish knife ● *vismes.* **'fishmonger** ⟨vnl. BE⟩ ● *visboer.* **'fishpond** ● *visvijver.* **'fish slice** ⟨BE⟩ ● *vismes* ⟨voorsnijmes⟩. **'fish stick** ⟨vnl. AE⟩ ● *visstick.* **'fishwife** ⟨bel.⟩ *viswijf.* **fishy** ['fɪʃi] ● *visachtig* ● ⟨sl.⟩ *verdacht;* a – story *een verhaal met een luchtje eraan.*

fission ['fɪʃn] ● *splijting,* ⟨biol.⟩ *(cel)deling;* nuclear – *atoomsplitsing.* **fissure** ['fɪʃə] ● *spleet, kloof.*

fist [fɪst] ● *vuist.* **fistful** ['fɪstfʊl] ● *handvol.*

1 fit [fɪt] I ⟨telb zn⟩ ● *vlaag, opwelling;* by/in –s (and starts) *bij vlagen* ● ⟨med.⟩ *aanval, stuip, toeval* ⟨ook fig.⟩; give s.o. a – *iem. de stuipen op het lijf jagen;* ⟨fig.⟩ have a – *erg kwaad worden* II ⟨telb en n-telb zn⟩ ● *het (goed) passen/zitten;* be a good – *goed zitten;* be a tight – *(te) strak zitten* ⟨v. kledingstuk⟩; *te/erg nauw zijn* ⟨v. doorgang⟩.

2 fit I ⟨bn, attr en pred⟩ ● *geschikt;* – to print *geschikt om (af) te drukken* ● *gezond, fit;* as – as a fiddle *zo gezond als een vis* II ⟨bn, pred⟩ ● *betamelijk, gepast;* think/see – to do sth. *het juist/gepast achten (om) iets te doen;* not – to be seen *ontoonbaar* ● *waard, bekwaam;* he is not – to hold a candle to you *hij kan niet in je schaduw staan.*

3 fit ⟨AE fit, fit⟩ I ⟨onov ww⟩ ●*geschikt/passend zijn, passen;* it –s like a glove *het zit als gegoten* ‖ zie ook ⟨sprw.⟩ CAP; zie FIT IN II ⟨ov ww⟩ ●*passen, voegen* ●*geschikt/passend maken* ●⟨+with⟩ *voorzien (van), uitrusten (met)* ●*aanbrengen, monteren;* zie FIT IN, FIT OUT, FIT UP.

fitful ['fɪtfl] ●*ongeregeld, onbestendig, rusteloos* ⟨mbt. slaap⟩.

'**fit 'in** I ⟨onov ww⟩ ●*aangepast zijn, zich aanpassen aan;* – with *in overeenstemming zijn met* ●*kloppen* II ⟨ov ww⟩ ●*inpassen, plaats/tijd vinden voor* ‖ fit sth. in with sth. *iets ergens bij aanpassen.*

fitment ['fɪtmənt] ⟨vnl. mv.⟩ ●*toebehoren,* ⟨vnl. BE⟩ *uitrusting.*

fitness ['fɪtnəs] ●*het passend/geschikt zijn;* – for a job *geschiktheid voor een baan* ●*fitheid, goede conditie.*

'**fit 'out** ●*uitrusten, voorzien.* **fitted** ['fɪtɪd] ●*(volledig) uitgerust, compleet;* – kitchen *volledig uitgeruste keuken;* – with *met, voorzien van* ●*vast;* – carpet *vast/kamerbreed tapijt* ●*aangemeten, maat-* ⟨v. kleding⟩ ‖ – sheet *hoeslaken.* **fitter** ['fɪtə] ●*monteur, installateur.* **fitting** ['fɪtɪŋ] I ⟨telb zn⟩ ●⟨vaak mv.⟩ *hulpstuk, accessoire* ●⟨mode⟩ *pasbeurt* ●⟨mode⟩ *maat* II ⟨telb en n-telb zn⟩ ●*inrichting, uitrusting* ●⟨tech.⟩ *montage, installatie* ●⟨mv.⟩ *toebehoren.* '**fit 'up** ●*toerusten, aanbrengen;* – a room with new wiring *nieuwe bedrading aanleggen in een kamer* ●*inrichten.*

five [faɪv] ●*vijf* ⟨ook voorwerp/groep ter waarde/grootte v. vijf⟩. '**five-day** 'week ● *vijfdaagse werkweek.* '**fivefold** ●*vijfvoudig.* '**five o''clock 'shadow** ↓ ●*zware baardgroei* ⟨zodat je er 's middags ongeschoren uitziet⟩. **fiver** ['faɪvə] ↓ ●*briefje v. vijf.*

1 fix [fɪks] ⟨zn⟩ ●*moeilijke situatie;* be in/ get o.s. into a – *in de knel zitten/raken* ●↓ *doorgestoken kaart* ●⟨scheep., luchtv.⟩ *kruispeiling* ●⟨sl.⟩ *shot, dosis.*

2 fix ⟨ww⟩ ●*vastmaken, bevestigen, monteren;* – sth. in the mind *iets in de geest prenten;* – the blame on s.o. *iem. de schuld geven;* – sth. onto sth. *iets ergens aan vastmaken* ●*vasthouden, trekken* ⟨aandacht⟩, *fixeren* ⟨blik⟩; – one's eyes/ attention (up)on sth. *de blik/aandacht fixeren/vestigen op iets* ●*vastleggen, bepalen, afspreken* ⟨prijs, datum, plaats⟩ ●*regelen, schikken* ⟨ong.⟩ the thing was –ed *het was doorgestoken kaart* ●*opknappen,*

repareren, in orde brengen ●⟨sl.⟩ *(iem.) betaald zetten;* I'll – him! *ik krijg hem wel te pakken!* ●*bereiden, maken;* – sth. up *iets klaarmaken* ●⟨schei.⟩ *een vastere vorm doen aannemen;* zie FIX UP.

fixation [fɪk'seɪʃn] ●*bevestiging, bepaling, vastlegging* ●⟨psych.⟩ *fixatie.*

fixed [fɪkst] I ⟨bn, attr en pred⟩ ●*vast;* – idea *idee-fixe;* – income *vast inkomen* ●*vastgelegd, afgesproken* ●*afgesproken, oneerlijk;* a – race *een verkochte wedstrijd* II ⟨bn, pred⟩ ●*voorzien van* ⟨vnl. geld⟩; be well – *er warmpjes bijzitten.*

fixer ['fɪksə] ●*klusjesman* ●⟨foto.⟩ *fixeer-(zout)* ●*tussenpersoon* ⟨vnl. voor onwettige zaken⟩.

fixity ['fɪksəti] ●*vastheid, vastberadenheid.*

fixture ['fɪkstʃə] ●⟨ben. voor⟩ *iets dat/iem. die ergens vast bij hoort, blijver, leiding* ⟨in gebouw⟩, *sanitair* ●⟨BE⟩ *wedstrijd* ⟨op vastgestelde datum⟩, *vaste datum* ⟨voor wedstrijd⟩.

'**fix 'up** ●*regelen, voorzien van;* ↓ fix it/things up (with s.o.) *zorgen dat het voor elkaar komt (door met iem. te praten);* fix s.o. up with a job *iem. aan een baan(tje) helpen* ●*onderdak geven aan.*

1 fizz [fɪz] I ⟨telb zn⟩ ●*gebruis, gesis, geschuim* II ⟨n-telb zn⟩ ↓ ●*mousserende drank,* ⟨ihb.⟩ *champagne.*

2 fizz ⟨ww⟩ ●*sissen, bruisen, mousseren.*

fizzle ['fɪzl] ●*(zachtjes) sissen, sputteren* ‖ ↓ – out *met een sisser aflopen.*

fizzy ['fɪzi] ●*bruisend;* – lemonade *prik(limonade).*

fjord [fjɔːd], **fiord** [fiːˈɔːd] ●*fjord.*

flabbergast ['flæbəgɑːst] ↓ ●*verbijsteren, overdonderen;* be –ed at/by *verstomd staan van/door.*

flabby ['flæbi] ●*kwabbig, slap* ⟨v. spieren⟩ ● *slap, zwak* ⟨v. karakter⟩.

flaccid ['flæksɪd] ●*slap, zacht.*

1 flag [flæg] ⟨zn⟩ ●*vlag;* – of truce *witte vlag;* show the – ⟨fig.⟩ *je gezicht laten zien* ‖ ↓ keep the – flying *doorgaan met de strijd, volharden.*

2 flag I ⟨onov ww⟩ ●*verslappen, verflauwen* ⟨aandacht⟩ II ⟨ov ww⟩ ●*met vlaggen versieren/markeren* ●*doen stoppen (met zwaaibewegingen), aanhouden;* – (down) a taxi *een taxi aanroepen.* '**flag day** ⟨BE⟩ ●*collectedag, speldjesdag.*

flagellate ['flædʒɪleɪt] ●*geselen, kastijden.*

flagon ['flægən] ●*schenkkan, (buik)fles.*

'**flagpole** ●*vlaggestok.*

flagrant ['fleɪɡrənt] ●*flagrant, in het oog springend.*

'**flagship** ●*vlaggeschip.* '**flagstaff** ●*vlagge-*

stok.
'**flagstone** ● *flagstone, tuintegel.*
1 flail [fleɪl] ⟨zn⟩ ● *(dors)vlegel.*
2 flail ⟨ww⟩ ● *dorsen* ● *wild zwaaien/slaan (met).*
flair [fleə] ● *flair, bijzondere handigheid.*
1 flake [fleɪk] ⟨zn⟩ ● *vlok, schilfer,* ⟨verf⟩ *bladder.*
2 flake ⟨ww⟩ ● *(af)schilferen, pellen* ‖ ↓ *– out omvallen van vermoeidheid; gaan slapen; flauwvallen.* **flaky** ['fleɪki] ● *vlokkig* ● *schilferachtig* ● ⟨AE; sl.⟩ *geschift, maf.*
flamboyant [flæm'bɔɪənt] ● *schitterend, flamboyant* ● *opzichtig, zwierig.*
1 flame [fleɪm] ⟨zn⟩ ● *vlam,* ⟨vaak mv.⟩ *vuur, hitte;* in –s *in vuur en vlam; burst into –(s) in brand vliegen* ● *geliefde, liefde;* ↓ *an old – een oude vlam.*
2 flame ⟨ww⟩ ● *vlammen, ontvlammen, opvlammen* ● *schitteren, gloeien.*
'**flame-thrower** ● *vlammenwerper.*
flaming ['fleɪmɪŋ] ● *heet, brandend* ● ⟨sl.⟩ *verdomd* ‖ a – *row een hooglopende ruzie.*
flamingo [flə'mɪŋgoʊ] ● *flamingo.*
flammable ['flæməbl] ● *brandbaar, explosief.*
flan [flæn] ● ⟨ongeveer⟩ *kleine vla(ai).*
flange [flændʒ] ● *flens.*
1 flank [flæŋk] ⟨zn⟩ ● *zijkant, flank* ● ⟨cul.⟩ *ribstuk.*
2 flank ⟨ww⟩ ● *flankeren;* –ed by trees *met bomen erlangs.*
1 flannel ['flænl] ⟨zn⟩ ● *flanel* ● ⟨BE⟩ *washandje* ● ⟨BE; ↓⟩ *mooi praatje, smoesjes* ● ⟨mv.⟩ *flanellen kleding;* a pair of –s *een witte flanellen (sport/cricket)pantalon.*
2 flannel ⟨bn⟩ ● *flanellen.*
3 flannel ⟨ww⟩ ⟨BE⟩ ● ⟨sl.⟩ *stroop om de mond smeren, vleien.*
1 flap [flæp] ⟨zn⟩ ● *geflapper, geklap* ● *klep, flap, (afhangende) rand, (neerslaand) blad* ⟨v. tafel⟩ ● *vleugelklep* ⟨v. vliegtuig⟩ ● *tik* ‖ be (all) in a – *in paniek/opgewonden zijn.*
2 flap I ⟨onov ww⟩ ● *flapp(er)en, klepp(er)en, slaan* ● *vliegen* II ⟨ov ww⟩ ● *op en neer bewegen, flappe(re)n, slaan met.*
'**flapjack** ● *(klein) pannekoekje* ● ⟨BE⟩ *zoet haverkoekje.*
1 flare [fleə] ⟨zn⟩ ● *flakkerend licht, flikkering* ● *signaalvlam, vuursignaal.*
2 flare ⟨ww⟩ ● *flakkeren, vlammen* ● *opflakkeren, opvlammen;* – up *opflakkeren* ⟨ook fig.⟩ ● *klokken, uitwaaieren* ⟨v. rok, broek⟩ ‖ with –d *nostrils met gesperde neusgaten* ⟨bv. v. woede⟩.
flared [fleəd] ● *gerend, uitlopend* ⟨v. rok, broek⟩.
'**flare-path** ● *verlichte landingsbaan/start-*

baan. '**flare-up** ● *opflakkering, uitbarsting.*
1 flash [flæʃ] ⟨zn⟩ ● *(licht)flits, vlam, (op)flikkering;* –es of lightning *bliksemschichten;* – in the pan *toevalstreffer;* quick as a – *razend snel;* in a – *in een flits* ● *het flitsen, flits(licht), flitsapparaat* ● *kort (nieuws)bericht* ● *opwelling, vlaag;* a – of inspiration *een flits van inspiratie;* a – of wit *een geestige inval* ● ⟨AE; ↓⟩ *zaklantaarn.*
2 flash ⟨bn⟩ ● *plotseling (opkomend);* – flood *plotselinge overstroming* ● ↓ *opzichtig, poenig.*
3 flash I ⟨onov ww⟩ ● *opvlammen, (plotseling) ontvlammen* ⟨ook fig.⟩; – out/up (at s.o.) *opvliegen (tegen iem.)* ● *flikkeren, flitsen, schitteren* ● *snel voorbijflitsen;* – past/by *voorbijvliegen* ● ⟨sl.⟩ *potloodventen* ⟨aan exhibitionisme doen⟩ ‖ – into view/sight *plotseling in het gezichtsveld verschijnen* II ⟨ov ww⟩ ● *(doen) flitsen, (doen) flikkeren;* – a look at s.o. *een blik op iem. werpen;* – a smile at s.o. *even naar iem. lachen* ● *(over)seinen* ● *plotseling/opvallend laten zien.*
'**flashback** ⟨film., lit.⟩ ● *flash-back, terugblik.*
'**flash 'back** ● *een flashback gebruiken* ● *in een flits terugdenken.* '**flash bulb** ⟨foto.⟩ ● *flitslamp(je).* '**flashcube** ⟨foto.⟩ ● *flitsblokje.* **flasher** ['flæʃə] ● *flitser, knipperlicht* ● ⟨sl.⟩ *potloodventer* ⟨exhibitionist⟩. '**flash gun** ⟨foto.⟩ ● *flitser.* '**flashlight** ● *flitslicht, lichtflits, signaallicht* ● ⟨vnl. AE⟩ *zaklantaarn.* '**flash point** ● *vlampunt, ontvlammingspunt,* ⟨fig.⟩ *kookpunt* ⟨waarop woede e.d. losbarst⟩.
flashy ['flæʃi] ● *opzichtig, poenig.*
flask [flɑːsk] ● *flacon,* ⟨schei.⟩ *kolf* ● *veldfles* ● *thermosfles.*
1 flat [flæt] ⟨zn⟩ ● *vlakte, vlak terrein* ● *flat, etage, appartement;* ⟨BE⟩ a block of –s *een flatgebouw* ● *platte kant* ● *lekke band* ● ⟨muz.⟩ *mol(teken).*
2 flat I ⟨bn, attr en pred⟩ ● *vlak, plat* ● *laag, niet hoog, plat* ⟨ook v. voeten⟩ ● *zonder prik* ● *effen, gelijkmatig* ⟨kleur, verf⟩ ● *bot, vierkant, absoluut* ⟨ontkenning, weigering⟩ ● *leeg, plat* ⟨band⟩ ● ⟨hand.⟩ *vast* ⟨loon, tarief⟩ ‖ be in a – spin *in de war/opgewonden zijn* II ⟨bn, pred⟩ ● *saai, oninteressant, mat, flauw* ⟨eten⟩; fall – *mislukken, geen effect oogsten* ● ⟨muz.⟩ *te laag* III ⟨bn, attr, bn, attr post⟩ ● *rond, op de kop af;* ten seconds – *op de kop af tien seconden* IV ⟨bn, attr post⟩ ⟨muz.⟩ ● *mol, mineur.*
3 flat ⟨bw⟩ ● *plat, vlak;* knock s.o. – *iem. tegen de grond slaan* ● ↓ *helemaal;* – broke

helemaal platzak; – out *(op) volle kracht* ⟨werken⟩ ●↓ *botweg* ●⟨muz.⟩ *(een halve toon) lager, te laag.*

'**flat-'bottomed** ⟨scheep.⟩ ●*platboomd.* '**flatfish** ●*platvis.* '**flat-'footed** ●*met platvoeten* ●↓ *bot, resoluut.* '**flat-iron** ●*strijkijzer.*

flatlet ['flætlɪt] ⟨BE⟩ ●*flatje.*

flatly ['flætli] ●*uitdrukkingsloos, mat* ⟨spreken enz.⟩ ●*botweg, kortaf* ⟨weigeren⟩.

'**flat racing** ⟨paardesport⟩ ●*het vlakkebaanrennen.*

'**flat rate** ●*uniform tarief;* at/for a – *tegen een vast tarief.*

flatten ['flætn] I ⟨onov ww⟩ ●*plat(ter) worden, vlak worden;* – out *plat(ter) worden; horizontaal gaan liggen* ⟨v. vliegtuig⟩ ● *verschalen* ⟨v. bier⟩ ●*flauw worden, dof worden* II ⟨ov ww⟩ ●*afplatten, effenen;* – out *afvlakken, effenen; horizontaal trekken* ⟨vliegtuig⟩ ●*flauw(er) maken, dof maken* ●*vernederen, klein krijgen.*

flatter ['flætə] ●*vleien* ●*flatteren;* the portrait –s him *het portret flatteert hem/is geflatteerd.* **flatterer** ['flæt(ə)rə] ●*vleier.* **flattering** ['flæt(ə)rɪŋ] ●*vleiend, flatteus, geflatteerd.* **flattery** ['flæt(ə)ri] ●*vleierij.*

flatulence ['flætjʊləns] ●*winderigheid.*

flaunt [flɔ:nt] ●*pronken met.*

flautist ['flɔ:tɪst] ⟨muz.⟩ ●*fluitist.*

1 **flavour** ['fleɪvə] ⟨zn⟩ ●*smaak, aroma, geur;* it has an unpleasant – ⟨fig.⟩ *er zit een luchtje aan* ●*karakter.*

2 **flavour** ⟨ww⟩ ●(+with) *op smaak brengen met, kruiden.* **flavoured** ['fleɪvəd] ● *gekruid.* **flavouring** ['fleɪvrɪŋ] ●*smaakstof, kruid(erij).* **flavourless** ['fleɪvələs] ● *smaakloos, zonder smaak/geur.*

1 **flaw** [flɔ:] ⟨zn⟩ ●*barst(je), breuk(je)* ●*gebrek, fout.*

2 **flaw** ⟨ww⟩ ●*(doen) barsten* ●*ontsieren, bederven.*

flawless ['flɔ:ləs] ●*gaaf, vlekkeloos.*

flax [flæks] ●*vlas.* **flaxen** ['flæksn] ●*vlassig* ●*vlaskleurig;* – hair *vlashaar.*

flay [fleɪ] ●*villen* ●*afranselen,* ⟨fig.⟩ *hekelen.*

flea [fli:] ●*vlo* ●*watervlo* ‖ go away with a – in his ear *v. e. koude kermis thuiskomen.* '**fleabite** ●*vlooiebeet.* '**flea collar** ●*vlooienband.* '**flea market** ●*vlooienmarkt, rommelmarkt.* '**flea-pit** ⟨sl.⟩ ●*gore/goedkope bioscoop, goor/goedkoop theater.*

1 **fleck** [flek] ⟨zn⟩ ●*vlek(je), spikkel(tje)* ‖ a – of dust *een stofje.*

2 **fleck** ⟨ww⟩ ●*(be)spikkelen, vlekken.*

fledged [fledʒd] ●*(vlieg)vlug* ⟨vogel⟩, *kunnende vliegen.* **fledg(e)ling** ['fledʒlɪŋ] ●

(vliegvlugge) jonge vogel, ⟨fig.⟩ *beginneling.*

flee [fli:] ⟨fled, fled [fled]⟩ ●*(ont)vluchten.*

1 **fleece** [fli:s] ⟨zn⟩ ●*(schaaps)vacht* ●*vlies* ⟨afgeschoren wollaag⟩.

2 **fleece** ⟨ww⟩ ●↓ *afzetten, het vel over de oren halen.*

fleecy ['fli:si] ●*wollig, wolachtig, schape-;* – clouds *schapewolkjes.*

fleet [fli:t] ●*vloot* ●*schare;* a – of cars/taxis *een wagenpark.*

fleeting ['fli:tɪŋ] ●*vluchtig, vergankelijk* ● *kortstondig, vlug.*

'**Fleet Street** ●*Fleet Street* ⟨in Londen⟩ ●*de Londense pers.*

Fleming ['flemɪŋ] ●*Vlaming.* **Flemish** ['flemɪʃ] ●⟨bn⟩ *Vlaams* ●⟨eig.n.⟩ *Vlaams, de Vlaamse taal.*

flesh [fleʃ] ●*vlees;* – and blood *het lichaam, een mens(elijk wezen);* one's own – and blood *je eigen vlees en bloed;* the pleasures of the – *de vleselijke lusten;* put on – *aankomen, dik(ker) worden;* in the – *in levenden lijve* ●*vruchtvlees* ‖ zie ook ⟨sprw.⟩ SPIRIT.

fleshings ['fleʃɪŋz] ●*vleeskleurig maillot/tricot.*

fleshly ['fleʃli] ●*vleselijk, lijfelijk.* **flesh out** ● *dikker (doen) worden.* '**flesh-wound** ● *vleeswond.* **fleshy** ['fleʃi] ●*vlezig* ●*dik.*

flew (verl. t.) zie FLY.

1 **flex** [fleks] ⟨zn⟩ ⟨BE⟩ ●*(elektrisch) snoer.*

2 **flex** ⟨ww⟩ ●*buigen.* **flexib|le** ['fleksəbl] ⟨zn: **-ility**⟩ ●*buigzaam, soepel;* – working hours *variabele werktijd* ●*meegaand, plooibaar.*

flexitime ['fleksɪtaɪm] ⟨BE⟩ ●*variabele werktijd.*

1 **flick** [flɪk] I ⟨telb zn⟩ ●*tik, slag* ●*ruk;* a – of the wrist *een snelle polsbeweging* II ⟨mv.⟩ ↓ *bios.*

2 **flick** ⟨ww⟩ ●*even aanraken, aantikken, afschudden, aanknippen* ⟨schakelaar⟩; the horse –ed the flies away/off with its tail *het paard joeg de vliegen weg met zijn staart;* – crumbs from/off the table *kruimels van de tafel vegen* ‖ – through a newspaper *een krant doorbladeren.*

1 **flicker** ['flɪkə] ⟨zn⟩ ●*trilling, (op)flikkering, flikkerend licht* ●*vleugje, straaltje;* a – of hope *een sprankje hoop.*

2 **flicker** ⟨ww⟩ ●*trillen, fladderen, wapperen, flikkeren* ●*heen en weer bewegen.*

'**flick knife** ⟨BE⟩ ●*stiletto, springmes.*

flier zie FLYER.

flight [flaɪt] ●*vlucht, het vliegen, baan* ⟨v. projectiel, bal⟩, ⟨fig.⟩ *opwelling;* a – of imagination *tomeloze fantasie;* take (to) –

op de vlucht slaan; – of capital *kapitaal-vlucht* ● *zwerm, vlucht, troep* ● *trap;* a – of stairs *een trap* ● *het vervliegen.*
'**flight control** ● *vluchtleiding.*
'**flight deck** ● *vliegdek* ● *cockpit* ⟨v. passagiersvliegtuig⟩. '**flight engi'neer** ● *boordwerktuigkundige.* '**flight recorder** ● *vluchtregistrator, zwarte doos.*
flighty ['flaɪti] ● *grillig, wispelturig.*
1 flimsy ['flɪmzi] ⟨zn⟩ ● *doorslagvel, doorslagpapier.*
2 flimsy ⟨bn⟩ ● *broos, kwetsbaar, dun* ● *onbenullig, onnozel.*
flinch [flɪntʃ] ● *terugwijken, terugdeinzen* ⟨v. angst, pijn⟩; without –ing *zonder een spier te vertrekken;* ⟨fig.⟩ not – from one's duty *zich niet onttrekken aan zijn plicht.*
1 fling [flɪŋ] ⟨zn⟩ ● *worp, gooi* ● *uitspatting* ‖ have one's/a – *uitspatten;* have a – (at) *een poging wagen.*
2 fling ⟨ww; flung, flung [flʊŋ]⟩ ● *gooien, (weg)smijten, (af)werpen;* – on/off one's clothes *in/uit zijn kleren schieten;* – up one's arms in horror *zijn armen van afgrijzen in de lucht gooien;* – an accusation at s.o. *iem. een beschuldiging naar het hoofd slingeren;* – o.s. into sth. *zich ergens op werpen* ● *wegstormen, (boos) weglopen;* – away/off in rage *woedend weglopen.*
flint [flɪnt] ● *vuursteen.*
1 flip [flɪp] ⟨zn⟩ ● *tik, mep, (vinger)knip.*
2 flip ⟨bn⟩ ↓ ● *brutaal.*
3 flip I ⟨onov ww⟩ ● ⟨sl.⟩ *flippen, maf worden;* zie FLIP OVER II ⟨ov ww⟩ ● *wegtikken, wegschieten (met de vingers);* – a coin *kruis of munt gooien* ● *omdraaien;* zie FLIP OVER, FLIP THROUGH.
'**flip-flop** ● *(plastic/rubber) slipper, sandaal.*
'**flip 'over** ● *omdraaien.*
flippancy ['flɪpənsi] ● *oneerbiedigheid, luchthartigheid.* **flippant** ['flɪpənt] ● *oneerbiedig, spottend.*
flipper ['flɪpə] ● *vin, zwempoot* ⟨v. zeehond enz.⟩ ● *zwemvlies* ⟨v. kikvorsman⟩.
flipping ['flɪpɪŋ] ⟨BE; sl.⟩ ● *verdomd, godvergeten.*
'**flip side** ● *B-kant (v. grammofoonplaat).*
'**flip 'through** ● *doorbladeren, snel doorlezen.*
1 flirt [flɜːt] ⟨zn⟩ ● *flirt.*
2 flirt ⟨ww⟩ ● *flirten, koketteren;* zie FLIRT WITH. **flirtation** [flɜːˈteɪʃn] ● *flirt, het flirten* ● *kortstondige belangstelling.* **flirtatious** [flɜːˈteɪʃəs] ● *flirterig, flirtziek.* '**flirt with** ● *flirten met,* ⟨fig.⟩ *spelen met;* we – the idea of *we spelen met de gedachte om.*
1 flit [flɪt] ⟨zn⟩ ⟨BE; ↓⟩ ‖ do a (moonlight) –

met de noorderzon vertrekken.
2 flit ⟨ww⟩ ● *snel heen en weer bewegen, zweven, vliegen;* thoughts –ted through his mind *gedachten schoten hem door het hoofd.*
1 float [fləʊt] ⟨zn⟩ ● *drijvend voorwerp, vlot, boei, dobber* ● *drijflichaam, drijver* ● *kar, wagen* ● *geldbedrag, contanten, kleingeld* ● ⟨amb.⟩ *strijkbord* ⟨v. stucadoor⟩.
2 float I ⟨onov ww⟩ ● *drijven, dobberen* ● *vlot komen* ⟨v. schip⟩ ● *zweven* ● *zwerven* II ⟨ov ww⟩ ● *doen drijven* ● *vlot maken* ⟨schip e.d.⟩ ● *doen zweven* ● *voorstellen, rondvertellen;* – an idea *met een idee naar voren komen;* – a rumour *praatjes in de wereld brengen* ● ⟨hand.⟩ *oprichten* ⟨bv. bedrijf, door uitgifte v. aandelen⟩. **floating** ['fləʊtɪŋ] ● *drijvend* ● *veranderlijk, variabel;* ⟨hand.⟩ – debt *vlottende schuld;* – voter *zwevende kiezer.*
1 flock [flɒk] I ⟨telb zn⟩ ● *vlokje* II ⟨zn⟩ ● *troep, zwerm, kudde* ● *menigte, schare.*
2 flock ⟨ww⟩ ● *bijeenkomen;* – in *toestromen;* – together *bijeenkomen* ‖ zie ook ⟨sprw.⟩ BIRD.
floe [fləʊ] ● *ijsschots, drijfijs.*
flog [flɒɡ] ● *slaan, afranselen;* – obedience into s.o. *bij iem. de gehoorzaamheid erin ranselen.* **flogging** ['flɒɡɪŋ] ● *pak ransel* ● *het afranselen.*
1 flood [flʌd] ⟨zn⟩ ● *vloed* ● *stroom, vloed;* – of reactions *stortvloed v. reacties* ● *overstroming;* the river is in – *de rivier is buiten zijn oevers getreden* ● ⟨F-; the⟩ *zondvloed;* Noah's Flood *de zondvloed.*
2 flood I ⟨onov ww⟩ ● *(over)stromen* ● *buiten zijn oevers treden* II ⟨ov ww⟩ ● *(doen) overstromen;* they were –ed out *ze werden door het water (uit hun huis) verdreven* ● *onder water zetten.*
'**floodgate** ● *sluisdeur* ⟨fig.⟩, *sluis;* open the –s *de sluizen openzetten.*
1 floodlight ⟨zn⟩ ● *schijnwerper.*
2 'floodlight ⟨ww⟩ ● *verlichten met schijnwerpers/spots.*
'**floodmark** ● *hoogwaterlijn.* '**flood tide** ● *vloed, hoogtij.*
1 floor [flɔː] I ⟨telb zn⟩ ● *vloer, grond;* first – ⟨BE⟩ *eerste verdieping;* ⟨AE⟩ *begane grond, parterre* ● *verdieping* ● *minimum, bodemprijs, minimumloon* ● *bodem* II ⟨n-telb zn⟩ ● *vergaderzaal* ⟨v.h. parlement⟩ ● *recht om het woord te voeren;* he was given the – *hem werd het woord verleend;* take the – *het woord nemen/voeren* ‖ take the – *(gaan) dansen;* wipe the – with s.o. *de vloer met iem. aanvegen.*
2 floor ⟨ww⟩ ● *van een vloer voorzien* ● *vloe-*

ren ⟨ook fig.⟩, *knock-out slaan;* his arguments –ed me *tegen zijn argumenten kon ik niet op* ●*van de wijs brengen, perplex doen staan.*

'**floorboard** ●*vloerplank.* '**floorcloth** ●*dweil.* '**floor lamp** ⟨AE⟩ ●*staande lamp, schemerlamp.* '**floor manager** ●*floor manager, hoofd v. technische t.v.-ploeg* ●*afdelingschef* ⟨in warenhuis⟩. '**floor plan** ● *grondplan, bouwtekening.* '**floor show** ● *floorshow, striptease.* '**floorwalker** ●*afdelingschef* ⟨in warenhuis⟩.

floozy ['fluːzi] ⟨sl.⟩ ●*hoertje, sletje.*

1**flop** [flɒp] ⟨zn⟩ ●*smak, plof* ●↓ *mislukking.*

2**flop** ⟨ww⟩ ●*smakken, ploffen, plonzen;* – down in a chair *neerploffen in een stoel* ● ↓ *mislukken, floppen.*

3**flop** ⟨bw⟩ ●*met een smak/plof/plons.*

floppy ['flɒpi] ●*slap.*

floppy disk ⟨comp.⟩ ●*floppy (disk), diskette.*

flora ['flɔːrə] ●*flora.* **floral** ['flɔːrəl] ●*gebloemd, bloemetjes-* ●*mbt. flora, planten-.*

florid ['flɒrɪd] ●*bloemrijk, (overdreven) sierlijk* ●*blozend, hoogrood.*

florin ['flɒrɪn] ●*florijn, gulden* ●*florin* ⟨Engelse munt v. 2 shilling, tot 1971⟩.

florist ['flɒrɪst] ●*bloemist;* –'s *bloemenwinkel.*

floss [flɒs] ●*vloszijde;* dental – *tandzijde* ● *borduurzijde.*

flotilla [flə'tɪlə] ●*flottielje, smaldeel.*

flotsam ['flɒtsəm] ●*drijfhout, wrakhout, rotzooi;* ⟨fig.⟩ – and jetsam *uitgestotenen.*

1**flounce** [flaʊns] ⟨zn⟩ ●*zwaai, schok* ●*(gerimpelde) strook* ⟨aan kledingstuk⟩.

2**flounce** ⟨ww⟩ ●*zwaaien* ⟨v. lichaam⟩, *schokken* ●*driftig/ongeduldig lopen;* he –d out in a temper *hij stormde driftig naar buiten;* – about the room *opgewonden door de kamer ijsberen.*

1**flounder** ['flaʊndə] ⟨zn⟩ ●*bot* ⟨platvis⟩.

2**flounder** ⟨ww⟩ ●*ploeteren* ●*stuntelen, van zijn stuk gebracht worden, hakkelen.*

1**flour** ['flaʊə] ⟨zn⟩ ●*meel, (meel)bloem.*

2**flour** ⟨ww⟩ ●*met meel/bloem bestrooien.*

1**flourish** ['flʌrɪʃ] ⟨zn⟩ ●*krul, sierletter* ● *bloemrijke uitdrukking* ●*zwierig gebaar* ● *fanfare, geschal;* – of trumpets *trompetgeschal.*

2**flourish** I ⟨onov ww⟩ ●*gedijen, bloeien* ● *floreren, succes hebben* II ⟨ov ww⟩ ●*tonen, zwaaien/wuiven met.*

floury ['flaʊəri] ●*melig, bedekt met meel/bloem;* – potatoes *bloemige aardappelen.*

flout [flaʊt], ⟨AE ook⟩ **flaunt** ●*in de wind slaan, negeren.*

1**flow** [floʊ] ⟨zn⟩ ●*stroom, stroming* ● *vloed, overvloed;* she kept up a cheerful – of conversation *ze bleef vrolijk doorbabbelen* ‖ ebb and – *eb en vloed.*

2**flow** ⟨ww⟩ ●*vloeien, stromen;* conversation began to – *de conversatie begon op gang te komen* ●*golven, loshangen* ⟨v. haar, kledingstuk⟩ ●*opkomen* ⟨v. vloed⟩; zie FLOW FROM.

'**flow chart** ●*stroomschema.*

1**flower** ['flaʊə] I ⟨telb zn⟩ ●*bloem* II ⟨n-telb zn⟩ ●*bloem, keur* ●*bloei;* in the – of his age *in de bloei van zijn leven;* in – *in bloei.*

2**flower** ⟨ww⟩ ●*bloeien, tot bloei (ge)komen* ⟨zijn⟩. '**flowerbed** ●*bloembed, bloemperk.* **flowered** ['flaʊəd] ●*gebloemd.* '**flower garden** ●*bloementuin.* '**flower people** ●*bloemenkinderen, hippies.* '**flowerpot** ●*bloempot.* '**flower power** ●*flower-power.* **flowery** ['flaʊəri] ●*bloemrijk* ●*gebloemd, bloem(en)-.*

'**flow from** ●*voortvloeien uit, voortkomen uit.* **flowing** ['floʊɪŋ] ●*vloeiend* ●*loshangend, golvend.*

flown ⟨volt. deelw.⟩ zie FLY.

flu [fluː] ⟨verk.⟩ influenza↓ ●*griep.*

fluctuate ['flʌktʃʊeɪt] ●*schommelen, variëren.* **fluctuation** ['flʌktʃʊ'eɪʃn] ●*schommeling, verandering.*

flue [fluː] ●*schoorsteenpijp, rookkanaal.*

fluency ['fluːənsi] ●*vloeiendheid, welbespraaktheid, beheersing* ⟨v.e. taal⟩. **fluent** ['fluːənt] ●*welbespraakt, vlot, vloeiend;* be – in English *vloeiend Engels spreken.*

1**fluff** [flʌf] I ⟨telb zn⟩ ●↓ *blunder, verspreking* II ⟨n-telb zn⟩ ●*pluis(jes), dons.*

2**fluff** ⟨ww⟩ ●↓ *blunderen, zich verspreken* ⟨op toneel⟩; the player –ed the catch *de speler liet de bal vallen.* '**fluff 'out,** '**fluff 'up** ●*opschudden, opkloppen;* – the pillows *de kussens opschudden* ●*opzetten.*

fluffy ['flʌfi] ●*donzig, pluizig.*

1**fluid** ['fluːɪd] ⟨zn⟩ ●*vloeistof,* ⟨nat.⟩ *fluïdum.*

2**fluid** ⟨bn; zn: -ity⟩ ●*vloeibaar, niet vast, vloeiend* ●*veranderlijk.*

fluke [fluːk] ●*meevaller, mazzel;* by a – *door stom geluk.*

flummox ['flʌməks]↓ ●*in verwarring brengen, perplex doen staan.*

flung [flʌŋ] ⟨verl. t. en verl. deelw.⟩ zie FLING.

flunk [flʌŋk] ⟨AE; ↓⟩ ●*(doen) zakken, (doen) stralen (voor)*⟨voor examen⟩. '**flunk 'out** ⟨AE; ↓⟩ ●*weggestuurd worden* ⟨v. school of universiteit⟩.

fluoresc|ent [flʊə'resnt] ⟨zn: -ence⟩ ●*fluorescerend;* – lamp *TL-buis.*

fluorid|ate ['fluərɪdeɪt] ⟨zn: **-ation**⟩ ● *fluorideren.* **fluoride** ['fluəraɪd] ● *fluoride.* **fluorine** ['fluəriːn] ● *fluor.*

1 flurry ['flʌri] ⟨zn⟩ ● *vlaag* ⟨ook fig.⟩, *windvlaag/stoot, (korte) bui;* flurries of snow *sneeuwvlagen/buien;* in a – of excitement *in een vlaag v. opwinding* ● *opwinding, beroering;* be (all) in a – *opgewonden zijn.*

2 flurry ⟨ww⟩ ● *van de wijs brengen, zenuwachtig maken.*

1 flush [flʌʃ] ⟨zn⟩ ● *vloed, (plotselinge) stroom* ● *(water)spoeling;* give the teapot a – *spoel de theepot even om* ● *(plotselinge) overvloed, weelderige groei* ● *opwinding, roes;* in the first – of victory *in de overwinningsroes* ● *blos* ● ⟨kaartspel⟩ *flush* ⟨serie kaarten v. zelfde kleur⟩.

2 flush ⟨bn⟩ ● *rijkelijk voorzien,* ⟨ihb.⟩ *goed bij kas* ● *gelijk, vlak;* – with the wall *gelijk met de muur.*

3 flush I ⟨onov ww⟩ ● *doorspoelen, doortrekken* ⟨v. toilet⟩ ● *kleuren, blozen* II ⟨ov ww⟩ ● *(schoon)spoelen, om/uit/doorspoelen;* – sth. away/down *iets wegspoelen* ● *onder water zetten* ● *doen kleuren/ blozen* ● *op/verjagen;* – s.o. out of/from his hiding place *iem. uit zijn schuilplaats verjagen* ‖ –ed with happiness *dolgelukkig;* –ed with victory *in een overwinningsroes.*

Flushing ['flʌʃɪŋ] ● *Vlissingen.*

1 fluster ['flʌstə] ⟨zn⟩ ● *opwinding, verwarring;* be in a – *opgewonden zijn.*

2 fluster ⟨ww⟩ ● *van de wijs brengen, verwarren, zenuwachtig maken.*

1 flute [fluːt] ⟨zn⟩ ● *fluit.*

2 flute ⟨ww⟩ ● *groeven, van gleuven voorzien;* ⟨bouwk.⟩ –d pillars *gecanneleerde zuilen.* **flutist** zie FLAUTIST.

1 flutter ['flʌtə] ⟨zn⟩ ● *gefladder, geklapper* ● *opwinding, drukte;* be in a – *opgewonden zijn* ● ↓ *gokje;* have a – *een gokje wagen.*

2 flutter I ⟨onov ww⟩ ● *fladderen, klapwieken, dwarrelen, wapperen* ● *zenuwachtig/ opgewonden rondlopen* ● *(snel) kloppen* ● *trillen (van opwinding)* II ⟨ov ww⟩ ● *fladderen met, klapwieken met* ● *snel (heen en weer) bewegen, doen klapperen/wapperen;* – one's eyelids *met de ogen knipperen.*

flux [flʌks] I ⟨telb en n-telb zn⟩ ● *vloed, stroom* II ⟨n-telb zn⟩ ● *voortdurende verandering;* everything was in a state of – *er waren steeds nieuwe ontwikkelingen.*

1 fly [flaɪ] I ⟨telb zn⟩ ● *vlieg;* not harm/hurt a – *geen vlieg kwaad doen* ● ⟨hengelsport⟩ *(kunst)vlieg* ● *gulp* ● *tentdeur, flap* ‖ a – in

the ointment *een kleinigheid die het geheel bederft;* ↓ there are no flies on her *ze is niet op haar achterhoofd gevallen* II ⟨mv.⟩ ● ↓ *gulp.*

2 fly ⟨bn⟩ ↓ ● *uitgeslapen, uitgekookt.*

3 fly (flew [fluː], flown [floʊn]) I ⟨onov ww⟩ ● *vliegen;* – at ⟨fig.⟩ *uitvallen tegen;* – into *landen op* ⟨luchthaven⟩ ● *wapperen* ⟨v. vlag, haar⟩, *fladderen* ● ⟨ben. voor⟩ *zich snel voortbewegen, vliegen, snellen, vluchten, omvliegen* ⟨v. tijd⟩; let – *(af)schieten/vuren; laten schieten;* ↓ we're very late, we must – *we zijn erg laat, we moeten rennen;* the door flew open *de deur werd plotseling geopend;* – into a rage/passion *in woede ontsteken;* – upon s.o. *iem. aanvliegen* ‖ zie ook ⟨sprw.⟩ TIME II ⟨ov ww⟩ ● *vliegen, besturen;* – a plane in *een vliegtuig aan de grond zetten* ● *vliegen (met)* ⟨luchtvaartmaatschappij⟩ ● *vliegen over* ● *laten vliegen* ⟨duif⟩, *oplaten* ⟨vlieger⟩ ● *voeren, laten wapperen* ⟨vlag⟩ ● *ontvluchten* ‖ – sth. into *iets per vliegtuig aanvoeren in.*

'flyaway ● *los(hangend)* ⟨v. haar⟩.

'flyblown ● *door vliegen bevuild* ● *besmet, bezoedeld.*

'fly-by-night ↓ ● *onbetrouwbaar, louche.*

'flycatcher ● ⟨dierk.⟩ *vliegenvanger.*

flyer, flier ['flaɪə] ● *vlieger* ⟨vogel⟩ ● ↓ *hoogvlieger, kei* ● *vliegenier, piloot* ● ⟨AE⟩ *vlugschrift, folder.* **'fly-fish** ● *vissen met een kunstvlieg.* **flying** ['flaɪɪŋ] ● *vliegend;* – jump/leap *sprong met aanloop;* – saucer *vliegende schotel* ● *(los)hangend* ● *(zeer) snel, vliegend;* – start *vliegende start* ⟨ook fig.⟩ ● *kortstondig* ‖ with – colours *met vlag en wimpel.* **'flying boat** ● *vliegboot.* **'flying squad** ● *vliegende brigade, mobiele eenheid.*

'flyleaf ⟨druk.⟩ ● *(losse helft v.) schutblad.*

'fly-over ● ⟨BE⟩ *viaduct* ⟨over snelweg⟩.

'flypaper ● *vliegenpapier.*

'flypast ⟨BE⟩ ● *luchtparade.*

'flysheet ● *buitentent.*

'flyspeck ● *vliegestrontje,* ⟨fig.⟩ *spatje.* **'fly spray** ● *anti-vliegenspray.* **'fly strip** ● *vliegenvanger.* **'fly swatter** ● *vliegemepper.* **'flytrap** ● *vliegenvanger.*

'flyweight ⟨sport⟩ ● *vlieggewicht.* **'flywheel** ● *vliegwiel.*

foal [foʊl] ● *veulen;* in – *drachtig.*

1 foam [foʊm] ⟨zn⟩ ● *schuim* ● *schuimrubber.*

2 foam ⟨ww⟩ ● *schuimen* ● *schuimbekken;* – at the mouth *schuimbekken* ⟨ook fig.⟩.

'foam 'rubber ● *schuimrubber.* **foamy** ['foʊmi] ● *schuimend.*

fob [fɒb] ● *horlogeketting*. **'fob 'off** ● *afschepen* ● ⟨+on⟩ *aansmeren*.
'fob watch ● *zakhorloge*.
focal ['foʊkl] ● *brandpunts-*; – distance/length *brandpuntsafstand*. **'focal 'point** ● *brandpunt* ⟨ook fig.⟩, *middelpunt*.
foci ['foʊkaɪ, -saɪ] ⟨mv.⟩ zie FOCUS.
1 focus ['foʊkəs] ⟨mv.: ook foci⟩ I ⟨telb zn⟩ ● ⟨nat., wisk.⟩ *brandpunt, focus,* ⟨fig.⟩ *middelpunt, centrum* II ⟨n-telb zn⟩ ● *scherpte;* ⟨foto.⟩ depth of – *scherptediepte;* in(to) – *scherp;* bring sth. into – *scherpstellen op iets;* out of – *onscherp*.
2 focus ⟨ww⟩ ● *in een brandpunt (doen) samenkomen* ● *(zich) concentreren;* – on *zich concentreren op;* – one's attention on *zijn aandacht concentreren op* ● *(zich) scherpstellen/instellen*.
fodder ['fɒdə] ● *(droog) veevoeder, voer* ⟨ook fig.⟩.
foe [foʊ] ● *vijand*.
foetus, fetus ['fi:təs] ● *foetus*.
1 fog [fɒg] ⟨zn⟩ ● *mist, nevel* ⟨ook fig.⟩; be in a – *er niets van snappen* ● ⟨foto.⟩ *sluier*.
2 fog I ⟨onov ww⟩ ● *in mist gehuld worden* ● *beslaan;* my glasses –ged up *mijn bril besloeg* II ⟨ov ww⟩ ● *in mist/nevels hullen* ⟨ook fig.⟩, *onduidelijk maken, vertroebelen* ● *doen beslaan*.
'fog bank ● *mistbank*. **'fogbound** ● *door mist opgehouden* ● *in mist gehuld*. **foggy** ['fɒgi] ● *mistig, (zeer) nevelig,* ⟨ook fig.⟩ *onduidelijk, vaag;* ↓ I haven't the foggiest (idea) *(ik heb) geen flauw idee*. **'foghorn** ● *misthoorn*. **'fog lamp, 'fog light** ● *mistlamp*. **'fog signal** ⟨BE; spoorwegen⟩ ● *mistsignaal*.
fogy, fogey ['foʊgi] ● *ouwe zeur/sok*.
foible ['fɔɪbl] ● *zwak, zwak punt*.
1 foil [fɔɪl] I ⟨telb zn⟩ ● *contrast;* be a – to *beter doen uitkomen* ● *floret* II ⟨n-telb zn⟩ ● *folie*.
2 foil ⟨ww⟩ ● *verijdelen, verhinderen;* – s.o.'s plans *iemands plannen dwarsbomen*.
foist [fɔɪst] ● *opdringen;* – o.s. (up)on s.o. *zich aan iem. opdringen* ● *aansmeren;* he –ed off the old model on the woman *hij smeerde de vrouw het oude model aan*.
1 fold [foʊld] I ⟨telb zn⟩ ● *vouw, plooi, kronkel(ing), kreuk* ● ⟨geol.⟩ *(aard)plooi* ● *schaapskooi* II ⟨n-telb zn⟩ ● *het vouwen* III ⟨zn⟩ ● *kudde,* ⟨fig.⟩ *kerk;* return to the – *in de schoot der kerk/v. zijn familie terugkeren*.
2 fold I ⟨onov ww⟩ ● *opvouwbaar zijn, zich (laten) opvouwen* ● ↓ *op de fles gaan;* zie FOLD UP II ⟨ov ww⟩ ● *vouwen, opvouwen* ●

wikkelen ● *(om)sluiten;* she –ed her arms about/round me *ze sloeg haar armen om me heen;* – s.o. in one's arms *iem. in zijn armen sluiten* ● *hullen* ⟨in mist⟩ ● *over elkaar leggen/doen, kruisen* ⟨armen⟩, *intrekken;* zie FOLD UP.
'foldaway, 'foldup ● *vouw-, (op)klap-, opvouwbaar*. **folder** ['foʊldə] ● *folder, (reclame)blaadje* ● *map(je)*. **folding** ['foʊldɪŋ] ● *opvouwbaar, opklapbaar;* – door *vouwdeur*. **'fold 'up** I ⟨onov ww⟩ ● *failliet gaan, over de kop gaan* II ⟨ov ww⟩ ● *opvouwen, opklappen*.
foliage ['foʊliɪdʒ] ● *gebladerte, loof*.
folio ['foʊlioʊ] ● *foliant* ⟨boek in folioformaat⟩ ● ⟨druk.⟩ *folioblad* ⟨eenmaal gevouwen blad⟩.
folk [foʊk], ⟨↓ ook⟩ **folks** [foʊks] ↓ ● *familie, oude lui* ● *luitjes, mensen;* well, –s, what shall we do? *nou, jongens, wat doen we?*.
'folk dance ● *volksdans*. **folklore** ['foʊklɔ:] ● *folklore* ● *volkskunde*. **'folk music** ● *folkmuziek, volksmuziek*. **'folk singer** ● *zanger(es)* v. *folksongs/volksliedjes*. **'folk song** ● *folksong, volksliedje*.
folksy ['foʊksi] ↓ ● *gewoon, eenvoudig* ● *mbt./v. volkskunst*.
'folk tale ● *volksverhaal*.
follow ['fɒloʊ] I ⟨onov en ov ww⟩ ● *volgen, erna komen, achternalopen/gaan, achternazitten, achtervolgen, komen na, volgen op, opvolgen, in de gaten houden, begrijpen, bijhouden* ⟨nieuws⟩, *handelen naar, uitvoeren* ⟨bevel, advies⟩, *voortvloeien uit;* – the rules *zich aan de regels houden;* – s.o. home *met iem. mee naar huis lopen/gaan;* – on *verder gaan* ⟨na onderbreking⟩; – out *(nauwkeurig) opvolgen/uitvoeren;* afmaken; – through *(nauwkeurig) uitvoeren; voltooien;* – up *(op korte afstand) volgen; vervolgen; gebruik maken van; nagaan;* – (up)on *volgen op;* the outcome is as –s *het resultaat is als volgt;* it –s that I am in favour of the scheme *ik ben derhalve voor het plan;* would you like anything to –? *wilt u nog iets toe?* II ⟨ov ww⟩ ● *uitoefenen, beoefenen;* – the law *advocaat zijn* ● *streven naar*. **follower** ['fɒloʊə] ● *aanhanger, volgeling*.
1 following ['fɒloʊɪŋ] ⟨zn⟩ ● *aanhang*.
2 following ⟨bn⟩ ● *volgend;* the – *het volgende, de volgende(n)* ● *mee, in de rug* ⟨wind⟩.
3 following ⟨vz⟩ ● *na, volgende op*.
'follow-through ● *voltooiing, afwerking*.
'follow-up ● *vervolg, voortzetting* ● ⟨med.⟩ *nazorg*. **'follow-up care** ⟨med.⟩ ● *nazorg*.
folly ['fɒli] ● *dwaasheid, dwaas/dom gedrag*.

foment [fou'ment] ● *aanstoken, aanmoedigen, stimuleren.*

fond [fɒnd] ● *liefhebbend, teder, innig* ● *dierbaar, lief;* his *–est wish* zijn liefste wens ● *al te lief* ● *al te optimistisch, onnozel;* she *–ly imagines that ...* ze is zo naïef te denken dat ... ‖ be – of *gek zijn op;* ↓ er een handje van hebben te; *zie ook* ⟨sprw.⟩ ABSENCE.

fondle ['fɒndl] ● *liefkozen, strelen, aaien.*

fondness ['fɒn(d)nəs] ● *tederheid* ● *voorliefde* ● *al te groot optimisme, dwaasheid.*

fondu(e) ['fɒndju:] ● *fondue.*

font [fɒnt] ● *(doop)vont.*

food [fu:d] I ⟨telb zn⟩ ● *voedingsartikel, eetwaar;* frozen *–s diepvriesprodukten* II ⟨ntelb zn⟩ ● *voedsel, eten, voeding* ⟨ook fig.⟩; – *for thought/reflection stof tot nadenken.* '**food poisoning** ● *voedselvergiftiging.* '**food shortage** ● *voedseltekort.* '**foodstuff** ● *levensmiddel, voedingsmiddel.* '**food value** ● *voedingswaarde.*

1 **fool** [fu:l] I ⟨telb zn⟩ ● *dwaas, gek, stommeling;* more – him *hij had beter kunnen weten;* make a – of o.s. *zich (dwaas) aanstellen;* make a – of s.o. *iem. voor de gek houden;* be – enough to *zo dwaas zijn om te* ● *nar;* act/play the – *gek doen* ‖ he's nobody's/no – *hij is niet van gisteren;* ⟨sprw.⟩ fools rush in where angels fear to tread ± *bezint eer gij begint* II ⟨telb en ntelb zn⟩ ● *dessert van stijf geklopte room, ei, suiker en vruchten.*

2 **fool** ⟨bn⟩ ⟨vnl. AE; ↓⟩ ● *dwaas, stom.*

3 **fool** I ⟨onov ww⟩ ● *gek doen;* – (about/ around) with *spelen met;* flirten met ● *lanterfanten;* – about/around *rondlummelen* II ⟨ov ww⟩ ● *voor de gek houden, ertussen nemen;* he *–ed her into believing he's a guitarist hij maakte haar wijs dat hij gitarist is.* **foolery** ['fu:ləri] ● *dwaasheid.* '**foolhardy** ● *onbezonnen, roekeloos.* **foolish** ['fu:lɪʃ] ● *dwaas, dom, stom* ‖ zie ook ⟨sprw.⟩ PENNY. '**foolproof** ● *volkomen veilig/ongevaarlijk* ● *kinderlijk eenvoudig* ● *onfeilbaar.* **foolscap** ['fu:lskæp] ● *klein-foliopapier* ⟨ongeveer 33 × 40 cm⟩. '**fool's 'errand** ● *nodeloze tocht/onderneming;* send s.o. on a – *iem. voor niks laten gaan.* '**fool's 'mate** ⟨schaken⟩ ● *gekkenmat.* '**fool's 'paradise** ⟨geen mv.⟩ ● ⟨ongeveer⟩ *droomwereld;* live in a – *zichzelf voor de gek houden.*

1 **foot** [fʊt] ⟨mv.: feet⟩ ⟨zn⟩ ● *voet* ⟨ook v. berg, bladzij, kous enz.⟩; on – *te voet;* op handen, (even) gaan liggen; on – *te voet;* op handen, beter ● *(vers)voet* ●

poot ⟨v. tafel⟩ ● *voeteneinde* ⟨v. bed⟩ ● *onderste/achterste deel, (uit)einde* ‖ have a – in both camps *geen partij kiezen;* have a – in the door *de eerste stap gezet hebben;* have/keep one's feet on the ground *met beide benen op de grond staan;* carry/sweep s.o. off his feet *iem. meeslepen;* fall on one's feet *mazzel hebben;* find one's feet *op eigen benen kunnen staan;* get to one's feet *opstaan;* jump to one's feet *opspringen;* keep (on) one's feet *op de been blijven;* put one's – down *streng optreden;* ↓ put one's – in it *een flater slaan;* my –! *kom nou!.*

2 **foot** ⟨zn; mv.: foot, feet⟩ ● *voet* ⟨lengtemaat⟩.

3 **foot** I ⟨onov en ov ww⟩ ‖ ↓ – it *lopen, te voet gaan* II ⟨ov ww⟩ ● *een voet breien aan* ⟨kous⟩ ● ↓ *betalen.* **footage** ['fʊtɪdʒ] ● *(stuk) film.* '**foot-and-'mouth (disease)** ● *mond- en klauwzeer.*

'**football** I ⟨telb zn⟩ ● *voetbal* ⟨bal⟩, *rugbybal* II ⟨n-telb zn⟩ ● ⟨vnl. BE⟩ *voetbal* ⟨sport⟩, ⟨AE⟩ *Amerikaans football.* '**footballer** ['fʊtbɔ:lə] ● *voetballer.* '**football pools** ⟨the⟩ ● *voetbaltoto.*

'**foot brake** ● *voetrem.* '**footbridge** ● *voet(gangers)brug.* '**footfall** ● *(geluid v.) voetstap.*

'**foothill** ● *uitloper* ⟨v.e. gebergte⟩.

'**foothold** ● *steun(punt) voor de voet* ● *vaste voet, steunpunt;* get a – *vaste voet krijgen.* **footing** ['fʊtɪŋ] ⟨vnl. enk.⟩ ● *steun (voor de voet), houvast,* ⟨fig.⟩ *vaste voet;* lose one's – *uit/wegglijden* ● *basis* ● *niveau, sterkte* ● *voet, verstandhouding;* on a friendly – *op vriendschappelijke voet;* on the same – *op gelijke voet.* '**footlights** ● *voetlicht.* '**footloose** ● *vrij, ongebonden;* she is – and fancyfree *ze is zo vrij als een vogel in de lucht.* **footman** ['fʊtmən] ● *lakei, livreiknecht.* '**footmark** ● *voetafdruk, voetstap.* '**footnote** ● *voetnoot.* '**footpath** ● *voetpad.* '**footprint** ● *voetafdruk, voetspoor.*

footsie ['fʊtsi] ↓ ● *(het) voetje wrijven.*

footslog ['fʊtslɒg] ↓ ● *(voort)sjokken, sjouwen.*

'**footsore** ● *met pijnlijke voeten.*

'**footstep** ● *voetstap;* follow/tread in s.o.'s –s *in iemands voetsporen treden.* '**footstool** ● *voetenbankje.* '**footwear** ● *schoeisel.* '**footwork** ⟨sport; dans⟩ ● *voetenwerk.*

foppish ['fɒpɪʃ] ● *fatterig, dandyachtig.*

1 **for** [fɔ:] ⟨zn⟩ ● *voorstemmer, voorstander.*

2 **for** [fə, ⟨sterk⟩fɔ:] ⟨vz⟩ ● ⟨doel of reden; ook fig.⟩ *voor, om, wegens;* send – the boy *stuur iemand om de jongen (te ha-*

len); long – home *verlangen naar huis;* do it – Jill *doe het voor Jill;* set out – Paris *vertrekken met bestemming Parijs;* you're – it! *er zwaait wat voor je!;* what – *waarom* ● *voor, wat betreft, in verhouding met;* – all his cheek he'll lose *ondanks al zijn brutaliteit zal hij verliezen;* an ear – music *een muzikaal gehoor;* it's not – me to *het is niet aan mij om te;* so much – that *dat is dat;* I – one will not do it *ik zal het in elk geval niet doen;* John, – one, objects *John bijvoorbeeld heeft bezwaren;* – all that *toch;* ⟨om een bijzin in te leiden⟩ – all (that) *niettegenstaande (dat), alhoewel;* – all I care *voor mijn part;* – once *voor een keer* ● ⟨tgov. against⟩ *vóór;* be – *instemmen met;* I am – leaving *ik stel voor te vertrekken;* – and against *voor en tegen* ● *in de plaats van;* he spoke – Helen *hij sprak in plaats v. Helen* ● *als;* dolls – presents *poppen als geschenk* ● ⟨naamgeving⟩ *naar;* nicknamed 'shiny' – his baldness *bijgenaamd 'shiny' om zijn kaalheid* ● ⟨omvang of afstand⟩ *over, gedurende;* he could see – miles *hij kon mijlenver in de omtrek zien;* a cheque – £50 *een cheque ter waarde van £50* ‖ – her to go to Germany would mean that ... *als zij naar Duitsland zou gaan, zou dat inhouden dat ...;* – her to leave us is impossible *het is onmogelijk dat zij ons zou verlaten;* – this to work it is necessary to *wil dit lukken, dan is het nodig te.*

3 for [fə, ⟨sterk⟩fɔ:] ⟨vw⟩ ● *want.*

1 forage ['fɒrɪdʒ] **I** ⟨telb en n-telb zn⟩ ● *fourageiring* **II** ⟨n-telb zn⟩ ● *veevoer, fourage.*

2 forage ⟨ww⟩ ● *naar voedsel zoeken* ● *zoeken.*

foray ['fɒreɪ] ● *strooptocht;* make a – *op strooptocht gaan* ● ↓ *uitstapje.*

forbear [fɔ:'beə] ⟨forbare, forborne⟩ ● *zich onthouden;* – punishing s.o. *ervan afzien iem. te straffen;* – from *zich verre houden van.* **forbearance** [fɔ:'beərəns] ● *verdraagzaamheid, geduld.* **forbearing** [fɔ:'beərɪŋ] ● *verdraagzaam, geduldig.*

forbid [fə'bɪd] ⟨forbade [-'beɪd], forbidden [-'bɪdn]⟩ ● *verbieden, ontzeggen* ● *voorkomen;* God –! *God verhoede!.* **forbidden** [fə'bɪdn] ● *verboden.* **forbidding** [fə'bɪdɪŋ] ● *afstotelijk, afschrikwekkend, onaanlokkelijk.*

1 force [fɔ:s] **I** ⟨telb zn⟩ ● *macht, krijgsmacht;* ↓ the – *de politie(macht/korps)* ● *ploeg, groep* **II** ⟨telb en n-telb zn⟩ ● *kracht, geweld, macht;* by – of arms *gewapenderhand;* by – of circumstances *door omstandigheden gedwongen;* the – of gravity *de* zwaartekracht; the – of his words *de overtuigingskracht v. zijn woorden;* join –s (with) *de krachten bundelen (met);* by – *met geweld;* by – of door middel van; by/ from – of habit *uit gewoonte* **III** ⟨n-telb zn⟩ ● ⟨jur.⟩ *(rechts)geldigheid;* a new law has come into –/has been put into – *een nieuwe wet werd van kracht* ● *werkelijke betekenis, belang* ‖ in (great) – *in groten getale* **IV** ⟨mv.; Forces⟩ ● *strijdkrachten, krijgsmacht;* join the Forces *in militaire dienst gaan.*

2 force ⟨ww⟩ ● *dwingen, (door)drijven, forceren;* – a smile/one's voice *een glimlach/zijn stem forceren;* – back *terugdrijven;* – sth. down *iets met moeite binnenkrijgen;* – a plane down *een vliegtuig dwingen tot landen;* – it out *het met moeite uitbrengen;* – the prices up *de prijzen opdrijven;* he wants to – his ideas down our throats *hij wil zijn ideeën met geweld aan ons opdringen;* – sth. from/out of s.o. *iets v. iem. afdwingen;* – sth. on/upon s.o. *iem. iets opdringen* ● *forceren, open/doorbreken;* the burglar –d an entry *de inbreker verschafte zich met geweld toegang* ● *trekken* ⟨planten⟩, *forceren.*

forced [fɔ:st] ● *gedwongen, onvrijwillig, geforceerd;* – labour *dwangarbeid;* – landing *noodlanding;* – tomatoes *kastomaten.* **'force feed** ⟨tech.⟩ ● *smering onder druk.* **'force-feed** ● *dwingen te eten,* ⟨ihb.⟩ *vloeibaar voedsel toedienen.* **forceful** ['fɔ:sfl] ● *krachtig, sterk.*

'forcemeat ● *gehakt, vleesvulsel.*

forceps ['fɔ:seps] ● *tang, verlostang.*

'forceps delivery ⟨med.⟩ ● *tangverlossing.*

forcible ['fɔ:səbl] ● *gewelddadig, krachtig* ● *overtuigend.*

1 ford [fɔ:d] ⟨zn⟩ ● *doorwaadbare plaats.*

2 ford ⟨ww⟩ ● *doorwaden.*

1 fore [fɔ:] ⟨zn⟩ ● *het voorste gedeelte;* ⟨fig.⟩ come to the – *op de voorgrond treden.*

2 fore ⟨bw⟩ ⟨vnl. scheep.⟩ ● *vooraan, voor;* ⟨scheep.⟩ – and aft *langsscheeps.*

'forearm ● *onderarm.*

forebear ['fɔ:beə] ● *voorvader, voorouder.*

forebode [fɔ:'boud] ● *voorspellen, aankondigen.* **foreboding** [fɔ:'boudɪŋ] ● *(akelig) voorgevoel.*

1 forecast ['fɔ:kɑ:st] ⟨zn⟩ ● *voorspelling, verwachting* ⟨ihb. v. weer⟩.

2 forecast ⟨ww⟩ ● *voorspellen.*

foreclose [fɔ:'klouz] ⟨jur.⟩ ● *executeren* ⟨ihb. hypotheek⟩; the bank –d on the mortgage *de bank executeerde de hypotheek.*

'forecourt ● voorhof, voorplein.
'forefather ● voorvader.
'forefinger ● wijsvinger. 'forefoot ● voorpoot. 'forefront ● voorste deel, voorste gelid/geledern, voorgevel.
1 forego, forgo [fɔːˈgoʊ] ⟨ww; forewent [-ˈwent], foregone [-ˈgɒn]⟩ ● zich onthouden van, het zonder (iets) doen.
2 forego [fɔːˈgoʊ] ⟨ww⟩ ● zie FORGO ‖ a foregone conclusion een uitgemaakte zaak. foregoing ['fɔːgoʊɪŋ] ● voorafgaand, voornoemd.
'foreground ● voorgrond. forehead ['fɒrɪd] ● voorhoofd.
foreign ['fɒrɪn] ● buitenlands; – affairs buitenlandse zaken; – aid ontwikkelingshulp; – exchange deviezen; monetaire handel met het buitenland; Foreign Office Ministerie v. Buitenlandse Zaken; ⟨BE⟩ Foreign Minister/Secretary Minister v. Buitenlandse Zaken ● vreemd, ongewoon, van buiten, irrelevant, niet behorende bij/in; rudeness is – to her grofheid is haar vreemd. foreigner ['fɒrɪnə] ● buitenlander, vreemdeling.
'foreknowledge ● voorkennis.
'foreleg ● voorpoot. 'forelock ● voorlok, voorhaar.
foreman ['fɔːmən] ● voorzitter v. jury ● voorman, ploegbaas.
1 foremost ['fɔːmoʊst] ⟨bn⟩ ● voorst(e), eerst(e), belangrijkst.
2 foremost ⟨bw⟩ ● voorop, als eerste.
'forename ● vóórnaam.
forensic [fəˈrensɪk, -zɪk] ● gerechtelijk, forensisch; – medicine gerechtelijke geneeskunde.
'foreor'dain ● voorbeschikken.
'forepart ● voorste deel, eerste deel. 'foreplay ● voorspel. 'forerunner ● voorbode ● voorloper.
fore'see ● voorzien. foreseeable [fɔːˈsiːəbl] ● te voorzien ● afzienbaar; in the – future in de nabije toekomst.
fore'shadow ● aankondigen, de voorbode zijn van.
'foreshore ● het harde strand ⟨tussen eb en vloed⟩.
'fore'shorten ● verkorten.
'foresight ● vooruitziende blik ● toekomstplanning. 'foreskin ● voorhuid.
forest ['fɒrɪst] ● woud ⟨ook fig.⟩, bos.
forestall [fɔːˈstɔːl] ● vóór zijn ● vooruitlopen op ● (ver)hinderen, voorkomen.
forester ['fɒrɪstə] ● boswachter, houtvester. forestry ['fɒrɪstri] ● houtvesterij, boswachterij ● bosbouwkunde.
'foretaste ● voorproef(je). foretell [fɔːˈtel] ●

voorspellen. 'forethought ● voorzorg; have the – to save money er van te voren aan denken om geld te sparen.
forever, ⟨BE vnl.⟩ for ever [fəˈrevə] ● (voor) eeuwig, voorgoed; – and ever voor eeuwig (en altijd) ● aldoor.
fore'warn ● van te voren waarschuwen ‖ ⟨sprw.⟩ forwarned is forearmed een gewaarschuwd man telt voor twee.
'forewoman ● vrouwelijke opzichter, vrouwelijke ploegbaas.
'foreword ● voorwoord.
1 forfeit ['fɔːfɪt] ⟨zn⟩ ● het verbeurde, boete, straf; play (at) –s pandverbeuren.
2 forfeit ⟨bn⟩ ● verbeurd.
3 forfeit ⟨ww⟩ ● verbeuren, verspelen. forfeiture ['fɔːfɪtʃə] ● verbeurdverklaring, verlies, boete.
forgather [fɔːˈgæðə] ● bijeenkomen, samenkomen.
forgave ⟨verl. t.⟩ zie FORGIVE.
1 forge [fɔːdʒ] ⟨zn⟩ ● smidse, smederij ● smidsvuur.
2 forge I ⟨onov ww⟩ ‖ – ahead gestadig vorderingen maken II ⟨ov ww⟩ ● smeden ⟨ook fig.⟩, bedenken ● vervalsen. forger ['fɔːdʒə] ● vervalser, valsemunter. forgery ['fɔːdʒəri] ● vervalsing, namaak ● het vervalsen, valsheid in geschrifte.
forget [fəˈget] ⟨forgot [-ˈgɒt], forgotten [-ˈgɒtn] /AE/schr. ook forgot⟩ ● vergeten; – to do sth. iets nalaten/vergeten te doen; – o.s. zichzelf vergeten; zijn zelfbeheersing verliezen; ↓ – it laat maar, denk er maar niet meer aan; not –ting en niet te vergeten. forgetful [fəˈgetfl] ● vergeetachtig. for'get-me-not ⟨plantk.⟩ ● vergeet-mij-nietje.
forgivable [fəˈgɪvəbl] ● vergeeflijk.
forgive [fəˈgɪv] ⟨forgave [-ˈgeɪv], forgiven [-ˈgɪvn]⟩ ● vergeven ● kwijtschelden ‖ zie ook ⟨sprw.⟩ ERR. forgiveness [fəˈgɪvnəs] ● vergiffenis. forgiving [fəˈgɪvɪŋ] ● vergevensgezind.
forgo zie FOREGO[1].
1 fork [fɔːk] ⟨zn⟩ ● vork, gaffel, hooi/mestvork enz. ● tweesprong, vertakking.
2 fork I ⟨onov ww⟩ ● zich vertakken II ⟨ov ww⟩ ● dragen met een vork, opprikken/opsteken met een vork. forked [fɔːkt] ● gevorkt; – lightning zigzagbliksem; – tongue gespleten tong. 'forklift, 'forklift 'truck ● vorkheftruck. fork out ● (geld) dokken/ophikken.
forlorn [fəˈlɔːn] ● verlaten, eenzaam ● troosteloos ‖ – hope hopeloze/wanhopige onderneming; laatste hoop.
1 form [fɔːm] ⟨zn⟩ ● vorm, gedaante, soort ●

vorm(geving), opzet ● *formulier* ● *formaliteit,* ⟨bij uitbr.⟩ *etiquette(regel);* as a matter of – *bij wijze v. formaliteit;* cursing is bad – *vloeken is onbehoorlijk* ●⟨vnl. sport⟩ *conditie, vorm;* in – *in vorm/goede conditie;* be on –, be in great – *goed op dreef zijn* ●*(school)klas* ●⟨druk.⟩ *(druk)vorm.*

2 form I ⟨onov ww⟩ ●*zich vormen* ‖ – up *zich in rijen opstellen* **II** ⟨ov ww⟩ ●*vormen* ● *maken, opvatten* ⟨plan⟩; – a club *een club oprichten;* – an opinion *zich een oordeel vormen.*

formal ['fɔːml] ●*formeel, officieel, volgens de regels;* – dress *avondkleding* ●*vormelijk, stijf;* – visit *beleefdheidsbezoek.*

formalism ['fɔːməlɪzm] ●*formalisme.* **formality** [fɔː'mæləti] ●*vormelijkheid, stijfheid* ●*formaliteit;* a mere – *zuiver een formaliteit.* **formalize** ['fɔːməlaɪz] ●*formaliseren, formeel maken* ● *stileren, de juiste vorm geven aan.*

format ['fɔːmæt] ●*(boek)formaat* ● *opzet.*

formation [fɔː'meɪʃn] ●*vorming* ●*formatie* ⟨ook geol., mil.⟩, *opstelling.* **formative** ['fɔːməfɪv] ●*vormend, vormings-.*

1 former ['fɔːmə] ⟨zn⟩ ●⟨in samenstellingen⟩ *leerling* ⟨v.e. bep. klas⟩; ⟨BE⟩ second– *tweedeklasser.*

2 former ⟨vnw⟩ ●*eerste, eerstgenoemde* ⟨v. twee⟩.

3 former ⟨det⟩ ●*vroeger, voorafgaand, vorig.*

formerly ['fɔːməli] ●*vroeger, voorheen.*

formidable ['fɔːmɪdəbl, fə'mɪ-] ●*ontzagwekkend, gevreesd* ●*formidabel, indrukwekkend.*

formless ['fɔːmləs] ●*vorm(e)loos, ongestructureerd.*

formula ['fɔːmjʊlə] ⟨mv.: ook formulae [-liː]⟩ ●*formule,* ⟨fig.⟩ *cliché* ●*formule, recept.*

formulate ['fɔːmjʊleɪt] ●*formuleren* ●*opstellen, ontwerpen.* **formulation** ['fɔːmjʊ'leɪʃn] ●*formulering.*

fornicate ['fɔːnɪkeɪt] ⟨zn: -ation⟩ ●*overspel plegen.*

forsake [fə'seɪk] ⟨forsook [-'sʊk], forsaken [-'seɪkən]⟩ ●*verzaken (aan)* ●*verlaten, in de steek laten, opgeven.*

forswear [fɔː'sweə] ●*afzweren.*

fort [fɔːt] ●*fort, vesting* ‖ hold the – *de zaken waarnemen/aan de gang houden.*

forte ['fɔːteɪ] ●*fort, sterke zijde, sterk punt* ⟨v. persoon⟩.

forth [fɔːθ] ●*voort, te voorschijn;* bring – *voortbrengen* ‖ and so – *enzovoort(s);* from that day – *van die dag af.* **forthco-**

ming ['fɔːθ'kʌmɪŋ] ●*aanstaand, verwacht* ●*tegemoetkomend, behulpzaam* ●*beschikbaar;* an explanation was not – *een verklaring bleef uit.* **forthright** ['fɔːθraɪt] ●*rechtuit, openhartig, direct.* **forthwith** ['fɔːθ'wɪθ] ●*onmiddellijk, meteen.*

fortieth ['fɔːtɪəθ] ●*veertigste,* ⟨als zn⟩ *veertigste deel.*

fortify ['fɔːtɪfaɪ] ⟨zn: -ication⟩ ●*versterken, verstevigen* ●*oppeppen, sterken* ‖ fortified food *verrijkt voedsel;* fortified wine *gealcoholiseerde wijn.*

fortitude ['fɔːtɪtjuːd] ●*standvastigheid, vastberadenheid.*

fortnight ['fɔːtnaɪt] ●*veertien dagen, twee weken;* Tuesday – *dinsdag over veertien dagen;* in a – *over veertien dagen.* **fortnightly** ['fɔːtnaɪtli] ●⟨bn⟩ *veertiendaags* ● ⟨bw⟩ *om de twee weken, eens in de veertien dagen.*

fortress ['fɔːtrɪs] ●*vesting, versterkte stad, fort.*

fortuitous [fɔː'tjuːətəs] ●*toevallig.*

fortunate ['fɔːtʃnət] ●*gelukkig.* **fortunately** ['fɔːtʃnətli] ●zie FORTUNATE ●*gelukkig, gelukkigerwijs.*

fortune ['fɔːtʃn, -tʃuːn] ●*fortuin, voorspoed, geluk* ●*lotgeval;* the –s of war *de oorlogslotgevallen;* tell –s *de toekomst voorspellen* ●*lot* ●*fortuin, vermogen* ‖ ⟨sprw.⟩ fortune favours the bold/brave ± *wie niet waagt, die niet wint.* **'fortune hunter** ●*gelukzoeker/zoekster.* **'fortune-teller** ●*waarzegger/zegster.*

forty ['fɔːti] ●*veertig;* a man in his forties *een man van in de veertig;* in the forties *in de jaren veertig;* temperatures in the forties *temperaturen boven de veertig (graden).*

1 'forty-'five ['fɔːti'faɪv] ⟨zn⟩ ↓ ●*(pistool v.) kaliber 45* ●*45-toerenplaat.*

2 forty-five ⟨telw⟩ ●*vijfenveertig.*

forum ['fɔːrəm] ●*forum, plein* ●*openbare discussie(gelegenheid), forum(discussie).*

1 forward ['fɔːwəd] ⟨zn⟩ ⟨sport⟩ ●*voorspeler.*

2 forward ⟨bn⟩ ●*voorwaarts, naar voren (gericht)* ●*vroegrijp, voorlijk, vroeg* ●*arrogant, brutaal* ●*vooraan gelegen* ●*bereid;* she is always – with help *zij staat altijd klaar om te helpen* ●*gevorderd* ●*vooruitstrevend, geavanceerd.*

3 forward ⟨ww⟩ ●*bevorderen, vooruithelpen* ●*doorzenden, nazenden* ⟨post⟩ ●*zenden, (ver)sturen.*

4 forward ['fɔrəd] ⟨bw⟩ ⟨scheep., luchtv.⟩ ● *vooraan, voorin* ●*naar voren.*

5 forward, forwards ['fɔːwədz] ⟨bw⟩ ●*voor-*

waarts, vooruit, naar voren; backward(s) and – *vooruit en achteruit; heen en weer* ‖ from today – *vanaf heden.*

forwarding ['fɔ:wədɪŋ] ● *expeditie, verzending.* **'forwarding address** ● *nazendadres.* **'forwarding agent** ● *expediteur.*

'forward-looking ● *vooruitziend, op de toekomst gericht.*

forwent, forewent ⟨verl. t.⟩ zie FOREGO[1].

1 fossil ['fɒsl] ⟨zn⟩ ● *fossiel* ● ⟨bel.⟩ *ouderwets persoon.*

2 fossil (bn) ● *fossiel, versteend.* **fossilize** ['fɒsɪlaɪz] ● *(doen) verstenen* ● *(doen) verstarren, in onbruik (doen) raken.*

foster ['fɒstə] ● *koesteren, aanmoedigen, cultiveren* ● *als pleegkind opnemen* ⟨zonder adoptie⟩. **'foster brother** ● *pleegbroe(de)r.* **'foster child** ● *pleegkind.* **'foster daughter** ● *pleegdochter.* **'foster father** ● *pleegvader.* **'foster mother** ● *pleegmoeder.* **'foster parent** ● *pleegouder.*

fought ⟨verl. t. en volt. deelw.⟩ zie FIGHT.

1 foul [faʊl] ⟨zn⟩ ● ⟨sport⟩ *overtreding, fout.*

2 foul (bn; -ness) ● *vuil, stinkend, smerig, vies;* – weather *vies/vuil weer* ● *vuil, vulgair;* a – murder *een laffe moord;* a – temper *een vreselijk humeur;* – language *obscene taal* ● ⟨sport⟩ *onsportief, gemeen, vals;* ⟨vaak fig.⟩ – play *onsportief/vals spel, boze opzet;* by fair means and – *met alle oirbare en onoirbare middelen* ● ⟨sl.⟩ *beroerd, verschrikkelijk* ● *verstopt;* – wind *tegenwind* ‖ fall – (of) *in aanvaring komen (met); in conflict komen (met);* run – of *stoten op.*

3 foul I ⟨onov ww⟩ ● *vuil worden* ● ⟨sport⟩ *een overtreding begaan* ● *in de war raken* ● *verstopt raken* **II** ⟨ov ww⟩ ● *bevuilen* ● ⟨sport⟩ *een overtreding begaan tegenover* ● *versperren, blokkeren;* zie FOUL UP.

'foul-'mouthed ● *vuil in de mond, vulgair.*

'foul 'up ↓ ● *verknoeien.* **'foul-up ↓** ● *verwarring, onderbreking.*

1 found [faʊnd] ⟨ww; vaak pass.⟩ ● *grondvesten* ● *stichten, oprichten* ● *baseren;* –ed (up)on reality *gebaseerd op de werkelijkheid* ● *gieten* ⟨metaal⟩.

2 found ⟨verl. t. en volt. deelw.⟩ zie FIND.

foundation [faʊn'deɪʃn] ● *stichting, fonds, oprichting* ● ⟨vaak mv.⟩ *fundering* ⟨ook fig.⟩, *fundament, basis;* the –s of grammar *de grondbeginselen v.d. grammatica* ● zie FOUNDATION CREAM ● zie FOUNDATION GARMENT. **foun'dation cream** ● *foundation, basiscrème* ⟨bij make-up⟩. **foun'dation garment** ● *foundation, lingerie.* **foun-'dation stone** ● *eerste steen.*

1 founder ['faʊndə] ⟨zn⟩ ● *stichter, oprich-*

ter, grondlegger.

2 founder ⟨ww⟩ ● *mislukken* ● *zinken, vergaan.*

'founder 'member ● *mede-oprichter.* **'founding 'father** ● *stichter* ⟨vnl. mbt. staatslieden v.d. Am. revolutie⟩ ● *grondlegger.*

foundling ['faʊndlɪŋ] ● *vondeling.*

foundry ['faʊndri] ● *(metaal)gieterij.*

fount [faʊnt] ● *bron, schatkamer* ⟨fig.⟩.

fountain ['faʊntɪn] ● *fontein* ● *bron* ⟨ook fig.⟩. **'fountainhead** ● *bron, oorsprong.*

'fountain pen ● *vulpen.*

four [fɔ:] ● *vier* ⟨ook voorwerp/groep ter waarde/grootte v. vier⟩, ⟨ihb.⟩ *viertal, (bemanning v.e.) vierriemsboot* ‖ be/go on all –s *op handen en knieën lopen, kruipen.* **'four-'footed** ● *viervoetig.* **four-leaf clover, four-leaved clover** ● *klavertjevier.* **'four-letter 'word** ⟨euf.⟩ ● *schuttingwoord, drieletterwoord.*

'four-'poster, 'four-poster 'bed ● *hemelbed.*

foursome ['fɔ:səm] ● *viertal, kwartet.*

'foursquare ● *vierkant, solide* ● *resoluut, vastbesloten.* **'four-star** ● *vier-sterren-* ⟨v. hotel e.d.⟩, *uitstekend,* ⟨BE; benzine⟩ *super.* **fourteen** ['fɔ:'ti:n] ● *veertien* ⟨ook voorwerp/groep ter waarde/grootte v. veertien⟩. **fourteenth** ['fɔ:'ti:nθ] ● *veertiende,* ⟨als zn⟩ *veertiende deel.* **fourth** [fɔ:θ] ● *vierde,* ⟨als zn⟩ *vierde deel, kwart.* **fourthly** ['fɔ:θli], **fourth** ● *ten/als vierde.* **'four-wheel 'drive** ● *(auto met) vierwielaandrijving.*

fowl [faʊl] ● *kip, hoen, haan* ● *gevogelte* ⟨voor consumptie⟩. **'fowl pest** ● *hoenderpest.*

1 fox [fɒks] ⟨zn⟩ ● *vos* ⟨ook fig.⟩ ● *vossebont.*

2 fox ⟨ww⟩ ● ↓ *beetnemen* ● ↓ *in de war brengen.*

'foxhound ● *voor de vossejacht getrainde hond, jachthond.* **'fox-hunt** ● *vossejacht.* **fox-hunting** ['fɒkshʌntɪŋ] ● *vossejacht.* **'fox 'terrier** ● *fox-terrier.*

1 foxtrot ⟨zn⟩ ● *foxtrot.*

2 foxtrot ⟨ww⟩ ● *de foxtrot dansen.*

foxy ['fɒksi] ● *vosachtig, sluw* ● *roodbruin* ● ⟨AE; sl.⟩ *aantrekkelijk.*

foyer ['fɔɪeɪ] ● *foyer.*

fracas ['fræka:] ● *ruzie, vechtpartij.*

fraction ['frækʃn] ● *breuk* ● *fractie, (klein) beetje;* a – of a second *een fractie v.e. seconde.* **fractional** ['frækʃnəl] ● *te verwaarlozen, uiterst klein* ● ⟨wisk.⟩ *fractioneel.*

fractious ['frækʃəs] ● *onhandelbaar, dwars* ● *humeurig.*

1 fracture ['fræktʃə] ⟨zn⟩ ● ⟨med.⟩ *fractuur, (bot)breuk* ● *scheur, barst, breuk.*

2 fracture ⟨ww⟩ ⟨vnl. ↑ of med.⟩ ● *breken.*

frag|ile ['frædʒaɪl] ⟨zn: **-ility**⟩ ● *fragiel, breekbaar, broos.*

1 fragment ['frægmənt] ⟨zn⟩ ● *fragment, deel, (brok)stuk.*

2 fragment [fræg'ment] ⟨ww; zn: **-ation**⟩ ● *versplinteren.* **fragmentary** ['frægməntri] ● *fragmentarisch.* **fragmen'tation bomb** ● *fragmentatiebom.*

fragrance ['freɪgrəns] ● *geur, geurigheid.* **fragrant** ['freɪgrənt] ● *geurig, welriekend.*

frail [freɪl] ● *breekbaar, zwak, tenger, teer.* **frailty** ['freɪlti] ● *zwakte, fout(je)* ● *zwakheid, broosheid.*

1 frame [freɪm] ⟨zn⟩ ● *geraamte* ⟨v.e. constructie⟩, *skelet, frame* ⟨v. fiets⟩, *chassis* ● *lijst, kozijn,* ⟨ook mv.⟩ *montuur* ⟨v. bril⟩, *raam* ⟨v. venster, weeftoestel e.d.⟩ ● *achtergrond, omlijsting* ● *lichaam, bouw* ● ⟨vaak fig.⟩ *structuur, opzet;* –*(s) of reference referentiekader* ● *broeikas* ● ⟨film., t.v.⟩ *kader, beeld(je)*‖ – *of mind gemoedsgesteldheid.*

2 frame ⟨ww⟩ ● *ontwerpen, uitdenken, formuleren, vormen, verzinnen* ● *inlijsten, omlijsten* ● *bouwen, construeren* ● ↓ *(iem.) erin luizen, (opzettelijk) vals beschuldigen.*

'**frame-up** ↓ ● *complot, gearrangeerde beschuldiging.*

'**framework** ● *geraamte, raam, gestel* ● *structuur, opbouw, kader.*

France [frɑ:ns] ● *Frankrijk.*

franchise ['fræntʃaɪz] ● *stemrecht* ● ⟨hand.⟩ *concessie* ● ⟨hand.⟩ *systeemlicentie.*

Franciscan [fræn'sɪskən] ● ⟨bn⟩ *franciscaans, franciscaner* ● ⟨zn⟩ *franciscaan.*

Franco-German ● *Frans-Duits.*

1 frank [fræŋk] ⟨bn; -ness⟩ ● ⟨+with⟩ *openhartig (tegen), oprecht;* zie FRANKLY.

2 frank ⟨ww⟩ ● *frankeren* ● *automatisch frankeren.*

frankfurter ['fræŋkfə:tə] ● *Frankfurter worstje.*

frankincense ['fræŋkɪnsens] ● *wierookhars.*

'**frankingmachine** ⟨BE⟩ ● *frankeermachine.*

frankly ['fræŋkli] ● zie FRANK ● *eerlijk gezegd.*

frantic ['fræntɪk] ● *dol, buiten zichzelf, uitzinnig;* – *with pain gek v.d. pijn* ● ↓ *verwoed, paniekerig.*

fraternal [frə'tə:nl] ● *broederlijk.* **fraternity** [frə'tə:nəti] ● *broederschap* ● ⟨AE⟩ *studentenclub/sociëteit* ⟨voor mannen⟩. **fraternize** ['frætənaɪz] ● *zich verbroederen.*

fratricide ['frætrɪsaɪd] ● *broeder/zustermoord.*

fraud [frɔ:d] ● *bedrog, fraude* ● *bedrieger* ● *bedriegerij.*

fraudul|ent ['frɔ:djʊlənt] ⟨zn: **-ence**⟩ ● *bedrieglijk, vals.*

fraught [frɔ:t] ● *vol, beladen* ● ↓ *bezorgd.*

1 fray [freɪ] ⟨zn⟩ ● *strijd, gevecht.*

2 fray ⟨ww⟩ ● *rafelen* ‖ –*ed nerves overbelaste zenuwen;* a –*ed temper een geprikkeld humeur.*

1 freak [fri:k] ⟨zn⟩ ● *gril, kuur* ● *rariteit, abnormaal verschijnsel* ● *wangedrocht, monster* ● *zonderling* ● ↓ *fan(aticus), freak, fanaat.*

2 freak ⟨bn⟩ ● *abnormaal, ongewoon.*

'**freak-out** ● *trip.* '**freak 'out** ● *opgewonden raken (onder invloed van drugs), uitfreaken.*

freckle ['frekl] ● *sproet, zomersproet.* **freckled** ● *sproeterig;* a –*d nose een neus vol sproeten.*

1 free [fri:] ⟨bn⟩ ● *vrij, onbelemmerd;* a – *agent iem. die onafhankelijk kan handelen;* – *fall vrije val* ⟨zonder parachute⟩; *give/allow s.o.* a – *hand iem. de vrije hand laten;* ⟨sport⟩ – *kick vrije trap;* – *speech vrijheid v. meningsuiting;* ⟨tech.⟩ – *wheel vrijwiel, vrijloop;* – *will vrije wil;* you are – *to do what you like je mag doen wat je wil;* feel – *to do sth. iets met een gerust hart (kunnen) doen;* set – *vrijlaten;* – from care *vrij van zorgen;* – *of charge gratis;* – of tax *belastingvrij* ● *vrij, gratis;* – *on board vrij/franco aan boord;* – *port vrijhaven;* for – *gratis* ● *vrij, zonder staatsinmenging;* – *enterprise (de) vrije onderneming;* – trade *(de) vrijhandel* ● *vrij, niet bezet, niet in gebruik, niet vast, los, leeg;* is this seat –? *is deze plaats vrij?* ● *vrijmoedig, vrijpostig;* – *and easy ongedwongen;* make – with *schaamteloos gebruik maken van, (te) vrij omgaan met* ● *vrijgevig, gul, royaal.*

2 free ⟨ww⟩ ● *bevrijden, vrijlaten* ● *verlossen, losmaken, vrijstellen.*

3 free ⟨bw⟩ ● *vrij, los, ongehinderd* ● *gratis* ● ⟨hand.⟩ *franco.*

freebie ['fri:bi:] ↓ ● *krijgertje.*

freedom ['fri:dəm] ● *vrijheid;* – *of the press persvrijheid;* – *of speech vrijheid v. meningsuiting* ● *vrijstelling, vrijwaring;* – *from fear vrij zijn van angst*‖ he was given the – *of the city hij verkreeg de burgerrechten/het ereburgerschap v.d. stad;* I enjoy the – *of his library ik heb de (vrije) beschikking over zijn bibliotheek.*

'**free-'floating** ● *zwevend, besluiteloos.*

free-for-all ['fri:fə'rɔ:l] ↓ ● *algemene ruzie, algemeen gevecht.*

'**freehand** ● *uit de vrije hand;* draw – *uit de vrije hand tekenen.*

freehold ['fri:hoʊld] ● ⟨bn⟩ *in volledig ei-*

gendom ●⟨zn⟩ *volledig eigendomsrecht, vrij bezit.* **freeholder** ['fri:hoʊldə] ●*(vrije/ volledige) eigenaar.*

'**free 'house** ⟨BE⟩ ●*onafhankelijk slijter, niet aan een brouwerij gebonden café.* **free lance** ['fri:lɑ:ns] ●⟨bn⟩ *freelance, zelfstandig* ●⟨vnl.: free-lancer⟩ ⟨zn⟩ *freelancer, onafhankelijk journalist/medewerker enz..* **free-lance** ●*freelance werken.*

freeloader ['fri:loʊdə] ⟨sl.⟩ ●*klaploper, profiteur.*

freely ●*vrij(elijk), openlijk* ●*overvloedig;* bleed – *erg bloeden;* give – *gul geven.* **freeman** ['fri:mən] ●*vrij man* ●*ereburger.* '**free 'mason** ⟨vaak F-⟩ ●*vrijmetselaar.* '**free-range** ●*scharrel-;* – eggs *scharreleieren.*

'**free 'standing** ●*vrijstaand.*   '**freestyle** ● ⟨zwemsport⟩ *vrije slag, (borst)crawl* ● ⟨worstelsport e.d.⟩ *vrije stijl.* '**free 'thinker** ●*vrijdenker.*

'**freeway** ⟨AE⟩ ●*snelweg.*

'**free 'wheel** ●*freewheelen* ⟨ook fig.⟩, *fietsen zonder te trappen.*

1 **freeze** [fri:z] ⟨zn⟩ ●*vorst, vorstperiode* ● *bevriezing;* a wage – *een loonstop.*

2 **freeze** ⟨froze [froʊz], frozen ['froʊzn]⟩ I ⟨onov ww⟩ ●*vriezen* II ⟨onov en ov ww⟩ ● *bevriezen* ⟨ook fig.⟩, *verstijven, ijzig behandelen;* make one's blood – *het bloed in de aderen doen stollen;* – out ↓ *uitsluiten* ●⟨vaak +over/up⟩ *bevriezen, dichtvriezen* ●*invriezen;* I am freezing *ik zie blauw v.d. kou* ‖ frozen with fear *verstijfd v. angst.* '**freeze-'dry** ●*vriesdrogen.* **freezer** ['fri:zə] ●*diepvriezer* ●*vriesvak.*

1 **freezing** ['fri:zɪŋ] ⟨zn⟩ ↓ ●*vriespunt, 0° C, 32° F.*

2 **freezing** ⟨bn⟩ ●*ijzig, ijskoud.* '**freezing compartment** ●*vriesvak.* '**freezing point** ●*vriespunt, 0° C, 32° F.*

1 **freight** [freɪt] ⟨zn⟩ ●*vracht(goed/goederen)* ●*vrachtprijs.*

2 **freight** ⟨ww⟩ ●*bevrachten, (be)laden* ●*als vracht verzenden.* '**freight car** ⟨AE⟩ ●*goederenwagon.* **freighter** ['freɪtə] ●*vrachtschip* ●*vrachtvliegtuig.* '**freighttrain** ⟨AE⟩ ●*goederentrein.*

1 **French** [frentʃ] I ⟨eig.n.⟩ ●*Frans, de Franse taal* II ⟨mv.; the⟩ ●*de Fransen.*

2 **French** ⟨bn⟩ ●*Frans;* – bread/loaf *stokbrood* ‖ ⟨BE⟩ – bean *sperzieboon;* ⟨AE⟩ – doors *openslaande (tuin/balcon)deuren;* ⟨AE⟩ – fried potatoes, ↓ –fries *patat, (patates) frites;* – kiss *tongzoen;* take – leave *er tussenuit knijpen;* ↓ – letter *condoom, kapotje;* – windows *openslaande (tuin/balkon/terras)deuren.* **Frenchman** ['frentʃ-

mən] ●*Fransman.* '**Frenchwoman** ●*Française.*

frenetic [frɪ'netɪk] ●*dol, razend, als een bezetene.*

frenzied ['frenzid] ●*waanzinnig, dol.* **frenzy** ['frenzi] ●*(vlaag van) waanzin, razernij;* a – of despair *een vlaag v. wanhoop.*

frequency ['fri:kwənsi] ●*frequentie, (herhaald) voorkomen;* the – of his pulse seems normal *(de snelheid v.) zijn pols lijkt normaal* ●⟨nat.⟩ *frequentie, trillingsgetal,* ⟨radio⟩ *golflengte.*

1 **frequent** ['fri:kwənt] ⟨bn⟩ ●*frequent, herhaaldelijk voorkomend, veelvuldig.*

2 **frequent** [frɪ'kwent] ⟨ww⟩ ●*frequenteren, regelmatig/vaak bezoeken.*

fresco ['freskoʊ] ●*fresco.*

fresh [freʃ] ⟨-ness⟩ ●*vers, pas gebakken, vers geplukt* ⟨enz.⟩; – paint! *pas geverfd!;* – from the oven *zo uit de oven* ●*nieuw* ● zoet ⟨v. water⟩ ●*zuiver, helder;* – air *frisse/zuivere lucht;* – colours *heldere kleuren* ●*fris, koel;* a – breeze *een frisse bries* ⟨windkracht 5⟩ ●*gezond, fit;* as – as a daisy *zo fris als een hoentje* ●*onervaren, nieuw, groen* ● ↓ *brutaal* ‖ break – ground *baanbrekend werk verrichten.*

fresh- ●*pas, vers;* fresh-caught fish *versgevangen vis.*

freshen ['freʃn] ⟨meteo.⟩ ●*in kracht toenemen.* **freshen up** I ⟨onov ww⟩ ●*zich verfrissen* II ⟨ov ww⟩ ●*opfrissen, (doen) opfleuren* ●⟨wdk ww⟩ *zich verfrissen.*

fresher ['freʃə] ↓ ●*eerstejaars(student).* **freshman** ['freʃmən] ●*eerstejaars(student).*

'**freshwater** ‖ – fish *zoetwatervissen.*

1 **fret** [fret] ⟨zn⟩ ● ↓ *(staat v.) ongerustheid.*

2 **fret** I ⟨onov ww⟩ ●*zich ergeren, zich opvreten (van ergernis), zich zorgen maken;* what's he –ting about? *waar zit hij over te kniezen?* II ⟨ov ww⟩ ●*ergeren, ongerust maken.* **fretful** ['fretfl] ●*kribbig, geïrriteerd.*

fretsaw ['fretsɔ:] ●*figuurzaag, schrobzaag.* **fretwork** ['fretwə:k] ●*sierzaagwerk, snijwerk.*

Freudian ['frɔɪdɪən] ‖ a – slip *een Freudiaanse verspreking.*

friar ['fraɪə] ●*monnik, broeder.*

friction ['frɪkʃn] ●*wrijving, frictie, onenigheid.*

Friday ['fraɪdi, -deɪ] ●⟨zn en bw⟩ *vrijdag;* zie MONDAY voor voorbeelden.

fridge [frɪdʒ] ↓ ●*koelkast, ijskast.*

1 **fried** [fraɪd] ⟨bn⟩ ●*gebakken;* – egg *spiegelei.*

2 **fried** ⟨verl. t. en volt. deelw.⟩ zie FRY.

friend [frend] ●*vriend(in), kameraad, kennis, collega;* my learned/honourable – *geachte collega;* after their quarrel they made –s again *na hun ruzie legden ze het weer bij;* make –s with s.o. *bevriend raken met* ‖ the Society of Friends *de Quakers;* ⟨sprw.⟩ a friend in need (is a friend indeed) *in nood leert men zijn vrienden kennen.* **friendless** ['fren(d)ləs] ●*zonder vrienden.* **friendly** ['fren(d)li] ⟨bw: in a friendly manner⟩ ●*vriendelijk, welwillend* ●*vriendschappelijk, bevriend, gunstig gezind.* **friendship** ['fren(d)ʃɪp] ●*vriendschap.*

frieze ['friːz] ⟨bouwk.⟩ ●*fries.*

frigate ['frɪɡət] ●*fregat.*

fright [fraɪt] ●*angst, vrees, schrik;* give a – *de schrik op 't lijf jagen;* he took – *de schrik sloeg hem om 't hart* ● ↓ *iets/iem. om bang van te worden;* you look a – with that hat on *met die hoed zie je er uit als een vogelverschrikker.* **frighten** ['fraɪtn] ● *bang maken, doen schrikken;* we were –ed to death *we schrokken ons dood;* – away/off *afschrikken, wegjagen;* be –ed of snakes *bang voor slangen zijn.* **frightening** ['fraɪtnɪŋ] ●*vreselijk.* **frightful** ['fraɪtfl] ●*vreselijk, afschuwelijk.*

frigid ['frɪdʒɪd] ⟨zn: -ity⟩ ●*koud* ⟨ook fig.⟩, *koel, onvriendelijk* ●*frigide.*

frill [frɪl] ●*volant, (sier)strook* ●⟨vnl. mv.⟩ *franje* ⟨ook fig.⟩ ●⟨conf.⟩ *ruche.* **frilly** ['frɪli] ●*met (veel) roesjes/kantjes.*

1 fringe [frɪndʒ] ⟨zn⟩ ●*franje* ● *rand, (buiten)kant, periferie* ● *randgroepering;* the –s of society *de zelfkant v.d. maatschappij* ●*pony, ponyhaar.*

2 fringe ⟨ww⟩ ●*met franjes versieren* ●*omzomen.*

'**fringe benefit** ⟨vnl. mv.⟩ ●*secundaire arbeidsvoorwaarde.*

'**fringe theatre** ●*alternatief theater.*

frippery ['frɪpəri] ●*snuisterij, prul.*

frisbee ['frɪzbi] ●*frisbee.*

frisk [frɪsk] I ⟨onov ww⟩ ●*dartelen, huppelen* II ⟨ov ww⟩ ● ↓ *(vluchtig) doorzoeken, fouilleren.* **frisky** ['frɪski] ●*dartel, speels.*

fritter ['frɪtə] ●*beignet.*

'**fritter a'way** ●*verkwisten, verspillen.*

frivolity [frɪ'vɒləti] ●*frivoliteit, lichtzinnigheid* ●*onnozele opmerking/daad.* **frivolous** ['frɪv(ə)ləs] ●*onbelangrijk* ●*frivool, lichtzinnig.*

1 frizz [frɪz] ⟨zn⟩ ↓ ●*kroeshaar;* a – of black hair *een zwarte kroeskop.*

2 frizz ⟨ww⟩ ●*kroezend maken.*

frizzle ['frɪzl] I ⟨onov ww⟩ ●*sissen, knetteren* ⟨in de pan⟩ II ⟨ov ww⟩ ●*laten sissen, laten*

knetteren ⟨in de pan⟩, *braden, bakken.*

frizzy ['frɪzi] ●*gekroesd.*

fro [frəʊ] zie TO.

frock [frɒk] ●*jurk, japon* ●*pij* ⟨ook fig.⟩.

'**frock coat** ●*geklede, lange jas* ⟨19e eeuw⟩.

frog [frɒɡ] ●*kikker* ● ⟨bel.⟩ *Fransoos* ‖ have a – in one's throat *een kikker in de keel hebben.* **frogman** ['frɒɡmən] ●*kikvorsman.*

'**frog-march** ●*bij de armen pakken en voortduwen.* '**frogspawn** ●*kikkerdril.*

1 frolic ['frɒlɪk] ⟨zn⟩ ●*pret, lol, gekheid.*

2 frolic ⟨ww⟩ ●*(rond)dartelen* ●*pret maken.*

from [frəm, ⟨sterk⟩frɒm] ●*van, vanaf, vanuit;* people – America *mensen uit Amerika;* – childhood *van kindsbeen af;* – 3 to 6 days *3 tot 6 dagen;* judge – the facts *oordelen naar de feiten;* speak – the heart *(recht) uit het hart spreken;* paint – nature *schilderen naar de natuur;* – bad to worse *van kwaad tot erger;* tell her this – me *zeg haar dit namens mij;* (in) a week – now *over een week;* – now on, as – now *van nu af aan.*

1 front [frʌnt] ⟨zn⟩ ●*voorkant, voorste gedeelte;* come to the – *naar voren komen;* the driver sits in (the) – *de bestuurder zit voorin;* in – of *voor, in aanwezigheid van* ●⟨mil.⟩ *front* ⟨ook fig.⟩; on all –s *op alle fronten, in alle opzichten* ●*façade* ⟨ook fig.⟩, *schijn, dekmantel, stroman;* show/ put on a bold – *zich moedig voordoen* ●*(strand)boulevard* ●⟨meteo.⟩ *front* ● *front(je), halfhemdje* ‖ have the – to do sth. *het lef hebben om iets te doen.*

2 front ⟨bn⟩ ●*voorst, eerst, voor-;* – line ⟨ook fig.⟩ *frontlijn, frontlinie;* – runner *koploper;* be in the – rank *op de eerste rij zitten, belangrijk zijn;* ⟨BE⟩ – bench *voorste bank* ⟨in parlement⟩ ●*façade-, mantel-;* – man *stroman.*

3 front ⟨ww⟩ ●*uitzien;* a house –ing north *een huis dat (met zijn voorgevel) op het noorden ligt.*

4 front ⟨bw⟩ ●*vooraan;* ↓ up – *helemaal vooraan.*

frontage ['frʌntɪdʒ] ●*voorkant, voorgevel.*

frontal ['frʌntl] ●*frontaal, voor-, front-* ⟨ook meteo.⟩; – attack *frontale aanval* ●⟨med.⟩ *voorhoofds-.*

front door ●*voordeur.*

frontier ['frʌntɪə] ●*grens* ⟨ook fig.⟩, *grensgebied.* **frontiersman** ['frʌntɪəzmən] ● *grensbewoner* ●⟨AE; gesch.⟩ *pionier, kolonist.*

frontispiece ['frʌntɪspiːs] ●⟨boek.⟩ *frontispice, titelplaat.*

'**front'line** ●*frontlijn, frontlinie* ⟨ook fig.⟩.

'**front** '**page** ● *voorpagina*. '**front-page**
'**news** ● *voorpaginanieuws*. '**front-wheel-**
'**drive** ● *voorwielaandrijving*.
1 **frost** [frɒst] ⟨zn⟩ ● *vorst;* there was five degrees of – *het vroor vijf graden* ● *rijp, ijs-*
bloemen.
2 **frost I** ⟨onov ww⟩ ●⟨+over⟩ *met rijp be-*
dekt worden **II** ⟨ov ww⟩ ● *berijpen* ● *be-*
vriezen ⟨plant enz.⟩ ● *glaceren* ⟨cake⟩ ●
matteren ⟨glas, metaal⟩; *–ed glass*
matglas.
'**frostbite** ● *bevriezing*. '**frostbitten** ● *bevro-*
ren.
frosting ['frɒstɪŋ] ●⟨cul.⟩ *suikerglazuur*.
frosty ['frɒsti] ● *vriezend, (vries)koud*, ⟨fig.⟩
ijzig ● *bevroren* ● *berijpt*.
1 **froth** [frɒθ] ⟨zn⟩ ● *schuim* ● *oppervlakkig-*
heid, zeepbel ● *gebazel*.
2 **froth** ⟨ww⟩ ● *schuimen, schuimbekken;* –
at the mouth *schuimbekken*. **froth up** ●
doen schuimen.
1 **frown** [fraʊn] ⟨zn⟩ ● *frons, fronsende blik,*
afkeuring.
2 **frown** ⟨ww⟩ ● *de wenkbrauwen fronsen,*
streng kijken; ⟨fig.⟩ – at/(up)on *afkeu-*
ren(d staan tegenover). **frowning** ['fraʊ-
nɪŋ] ● *fronsend, streng*.
froze ⟨verl. t.⟩ zie FREEZE. **frozen** ['frəʊzn] ●
bevroren; – over *dichtgevroren* ● *(ijs)koud*
⟨ook fig.⟩, *ijzig* ● *diepvries-;* – food *diep-*
vriesvoedsel ● *(ver)stijf(d)* ‖ – assets *be-*
vroren tegoed.
frugal ['fruːgl] ⟨zn: **-ity**⟩ ●⟨+of⟩ *zuinig (met)*
● *karig, sober*.
1 **fruit** [fruːt] **I** ⟨telb zn⟩ ● *vrucht* ● ⟨vaak mv.⟩
opbrengst, resultaat **II** ⟨n-telb zn⟩ ● *fruit,*
vruchten. -
2 **fruit** ⟨ww⟩ ● *vrucht(en) dragen* ⟨ook fig.⟩.
fruitcake ['fruːtkeɪk] ● *vruchtencake*. **fruite-**
rer ['fruːtrə] ⟨vnl. BE⟩ ● *fruithandelaar*.
fruitful ['fruːtfl] ● *vruchtbaar* ⟨ook fig.⟩, *pro-*
duktief.
fruition [fruːˈɪʃn] ● *vervulling, verwezenlij-*
king; come to – *in vervulling gaan*.
'**fruit juice** ● *vruchtesap*. '**fruit knife** ● *fruit-*
mesje.
fruitless ['fruːtləs] ● *vruchteloos, vergeefs*.
'**fruit machine** ⟨BE⟩ ● *fruitautomaat, (soort)*
gokautomaat. '**fruit** '**salad** ● *vruchtensla*.
fruity ['fruːti] ● *fruitig* ● ↓ *pikant, gewaagd*
● ↓ *vol* ⟨v. stem⟩; a –laugh *een vette lach*.
frump [frʌmp] ⟨bel.⟩ ● *slons, t(r)ut(je)*.
frustrate ['frʌstreɪt] ● *frustreren, verijdelen;*
– s.o. in his plans, – s.o.'s plans *iemands*
plannen dwarsbomen.   **frustration**
['frʌˈstreɪʃn] ● *frustratie, teleurstelling,*
verijdeling.
1 **fry** [fraɪ] ⟨zn; mv.: fry; vaak mv.⟩ ● *jong(e*

vis), broed(sel).
2 **fry** ⟨ww⟩ ● *braden, bakken;* fried egg *spie-*
gelei ‖ – up *(op)warmen/bakken*. '**frying**
pan ● *braadpan, koekepan* ‖ from/out of
the – *into the fire van de wal in de sloot*.
'**fry-up** ● *het snel even iets (op)bakken*
voor een maaltijd ⟨eieren, worstjes, aardappelen enz.⟩ ● *maaltijd bereid als in 0.1*.
1 **fuck** [fʌk] ⟨zn⟩ ↓ ● *neukpartij* ‖ I don't give a
– *het kan me geen zak schelen;* Fuck! *ver-*
domme!, barst!.
2 **fuck** ⟨ww⟩ ↓ ● *neuken* ● *verdommen;* – it!
krijg de klere!; hou op!; – you (Charley)!
loop naar de verdommenis!; (go) – yourself! *krijg de klere!;* zie FUCK ABOUT, FUCK
OFF, FUCK UP. '**fuck a**'**bout**, '**fuck a**'**round** ↓
●⟨+with⟩ *(aan)rotzooien (met), (aan)-*
klooien. **fuck-all** ['fʌkɔːl] ●⟨zn en bn⟩
geen reet/kloot. **fucker** ['fʌkə] ↓ ● *kloot-*
(zak). **fucking** ['fʌkɪŋ] ↓ ● *verdomd;* that's
none of your – business *dat gaat je geen*
donder aan; – hell! *barst!*. '**fuck** '**off** ↓ ●
opsodemieteren, opdonderen. '**fuck** '**up**
↓ ● *verpesten*.
fuddled ['fʌdld] ● *verward*, ⟨ihb.⟩ *beneveld*.
fuddy-duddy ['fʌdidʌdi] ↓ ●⟨zn⟩ *ouwe sok* ●
⟨bn⟩ *ouderwets*.
1 **fudge** [fʌdʒ] ⟨zn⟩ ● *zachte caramel*.
2 **fudge** ⟨ww⟩ ● *knoeien (met)* ● *er omheen*
draaien ● *in elkaar flansen;* – up *in elkaar*
flansen.
1 **fuel** ['fjʊəl] ⟨zn⟩ ● *brandstof,* ⟨fig.⟩ *voedsel*
‖ add – to the flames *olie op het vuur gie-*
ten.
2 **fuel I** ⟨onov ww⟩ ● *tanken* **II** ⟨ov ww⟩ ● *van*
brandstof voorzien.
'**fuel gauge** ● *benzinemeter*. '**fuel injection** ●
brandstofinspuiting. '**fuel oil** ● *stookolie,*
huisbrandolie. '**fuel tank** ● *brandstoftank*.
fug [fʌg] ↓ ● *bedomptheid, mufheid*.
fuggy ['fʌgi] ↓ ● *bedompt, muf*.
1 **fugitive** ['fjuːdʒətɪv] ⟨zn⟩ ● *vluchteling;* –
from justice/the law *voortvluchtige*.
2 **fugitive** ⟨bn⟩ ● *vluchtend, voortvluchtig* ●
vluchtig, kortstondig.
fugue [fjuːg] ● ⟨muz.⟩ *fuga*.
fulcrum ['fʊlkrəm, 'fʌl-] ⟨mv.: ook fulcra
[-krə]⟩ ● *draaipunt* ⟨v. hefboom⟩.
fulfil, fulfill [fʊlˈfɪl] ● *volbrengen, vervullen,*
uitvoeren; – a condition *aan een voor-*
waarde voldoen; – a purpose *aan een*
doel beantwoorden; – a want *in een be-*
hoefte voorzien; – o.s. *zich waarmaken*.
fulfilment, fulfillment [fʊlˈfɪlmənt] ● *ver-*
vulling, uitvoering ● *voldoening, bevredi-*
ging.
1 **full** [fʊl] ⟨zn⟩ ● *geheel;* in – *volledig;* pay in
– *tot de laatste cent betalen;* to the – *ten*

volle, geheel.
2**full** ⟨bn⟩ •*vol, volledig, voltallig;*↓– of
beans *met pit, energiek;* – blood *volbloed;* – board *volledig pension;* come –
circle *weer terugkomen bij het begin;* –
dress *avondkledij/toilet;* a – hour *een vol
uur;* – house ⟨theater e.d.⟩ *volle zaal;* –
marks! *en een zoen van de juffrouw;* –
marks for effort *een tien voor vlijt;* ⟨fig.⟩
give – marks for sth. *iets hoog aanslaan;* –
name and address *volledige naam en
adres;* (at) – pelt *in allerijl;* – professor *gewoon hoogleraar;* (at) – speed *(in) volle
vaart;* – stop *punt* ⟨leesteken⟩; come to a
– stop *(plotseling) tot stilstand komen;* in
– swing *in volle gang;* (at) – tilt *in volle
vaart;* in – view *open en bloot;* – of o.s. *vol
van zichzelf;* he was – of it *hij was er vol
van.*
3**full** ⟨bw⟩ •*volledig, helemaal* •*zeer;* know
sth. – well *iets zeer goed weten* •*vlak,
recht;* hit s.o. – on the nose *iem. pal op zijn
neus slaan.*
'**fullback** •*full-back, achterspeler* ⟨vnl. in
Am. football⟩.
'**full-'blooded** •*volbloed, raszuiver* •*energiek.* '**full-'blown** •*in volle bloei* •*goed
ontwikkeld, volslagen;* – war *regelrechte
oorlog.* '**full-'bodied** •*zwaar, stevig* ⟨v.
wijn⟩. '**full-'dress** •*groot opgezet, gala-;*
– debate *belangrijk debat.* '**full-'face** •*en
face.* '**full-'grown** •*volwassen, volgroeid.*
'**full-'length** •*volledig* ⟨v. roman e.d.⟩ •
avondvullend ⟨v. theatervoorstelling⟩ •
ten voeten uit ⟨v. portret⟩ •*tot aan de
grond, tot op de enkels* ⟨v. kleding⟩ ‖ –
mirror *passpiegel.* **fullness** ['fʊlnəs] •*vol-
(ledig)heid.* '**full-page** •*over een hele pagina.* '**full-ranking** •*eersterangs.* '**full-
scale** •*volledig, levensgroot.* '**full-'time** •
full-time, met volledige dagtaak. '**full 'up**
•*helemaal vol, volgeboekt.* **fully** ['fʊli] •
volledig, geheel •*ten minste;* – an hour
minstens een uur.
'**fully-'fledged** •*geheel bevederd* ⟨v. vogel⟩
•*volwassen* •*echt.*
fulminate ['fʊlmɪneɪt, fʌl-] •⟨+against⟩ *ful-
mineren (tegen), heftig uitvaren (tegen).*
fulsome ['fʊlsəm] •*overdreven.*
fumble I ⟨onov ww⟩ •*struikelen, hakkelen,
klunzen* II ⟨onov en ov ww⟩ •*tasten, morrelen (aan), rommelen (in);* – at/with morrelen aan. **fumbler** ['fʌmblə] •*knoeier,
prutser.*
1**fume** [fju:m] ⟨zn; vaak mv.⟩ •*(onwelrie-
kende/giftige) damp, rook.*
2**fume** ⟨ww⟩ •*roken, dampen* •*opstijgen*
⟨v. damp⟩ •⟨fig.⟩ *koken* ⟨v. woede⟩.

fumigate ['fju:mɪgeɪt] •*uitroken, zuiveren.*
1**fun** [fʌn] ⟨zn⟩ •*pret, vermaak, plezier;*↓–
and games *pretmakerij;* be full of – *een
echte grapjas zijn;* be good/great – *erg
amusant zijn;* make – of, poke – at *voor de
gek houden, de draak steken met;* for/in –
voor de grap; for –, for the – of it/the thing
voor de aardigheid.
2**fun** ⟨bn⟩ ⟨vnl. AE⟩ •*prettig, amusant, gezellig;* a – person *een aardig iem..*
1**function** ['fʌŋ(k)ʃn] ⟨zn⟩ •⟨ook wisk.⟩
functie, taak, werking •*plechtigheid, ceremonie.*
2**function** ⟨ww⟩ •*functioneren, werken;* –
as *fungeren als.* **functional** ['fʌŋ(k)ʃnəl] •
functioneel ⟨ook med.⟩, *doelmatig.* **func-
tionary** ['fʌŋ(k)ʃənri] •*functionaris, beambte.*
1**fund** [fʌnd] I ⟨telb zn⟩ •*fonds* •*voorraad;* a
– of knowledge *een schat aan kennis* II
⟨mv.⟩ •*fondsen, geld, kapitaal.*
2**fund** ⟨ww⟩ •*consolideren* ⟨schulden⟩ •*financieren, fondsen bezorgen voor.*
1**fundamental** ['fʌndə'mentl] ⟨zn⟩ •*(grond)
beginsel, grondslag, fundament.*
2**fundamental** ⟨bn⟩ •*fundamenteel,
grond-, basis-;* – particle *elementair
deeltje;* ⟨muz.⟩ – tone *grondtoon.* **funda-
mentally** ['fʌndə'mentəli] •*in de grond,
eigenlijk.*
funeral ['fju:nrəl] •*begrafenis(plechtigheid)*
•⟨sl.⟩ *zorg;* that is your (own) – *dat is
jouw zaak.* '**funeral contractor,** '**funeral
director** •*begrafenisondernemer.* '**funeral march** •*dodenmars.* '**funeral parlour,**
⟨AE ook⟩ '**funeral home** •*rouwkamer.*
'**funeral pile,** '**funeral pyre** •*brandstapel*
⟨voor lijkverbranding⟩. '**funeral procession** •*begrafenisstoet.* '**funeral service** •
rouwdienst.
funerary ['fju:nrəri] •*begrafenis-, sterf-.* **fu-
nereal** [fjʊ'nɪərɪəl] •*akelig, droevig, triest;*
a – expression *begrafenisgezicht.*
'**fun-fair** ⟨BE⟩ •*pretpark* •*kermis.*
fungi ['fʌŋgaɪ, 'fʌ̃dʒaɪ] ⟨mv.⟩ zie FUNGUS.
fungicide ['fʌndʒɪsaɪd] •*schimmel/zwam-
mendodend middel.*
fungus ['fʌŋgəs] ⟨mv.: ook fungi⟩ •*fungus,
paddestoel, schimmel.*
funicular (railway) [fjʊ'nɪkjʊlə] •*kabelspoor-
(weg).*
1**funk** [fʌŋk] I ⟨telb zn⟩ ⟨sl.⟩ •*schrik, angst;*
be in a (blue) – *in de rats zitten* II ⟨n-telb
zn⟩ •*funk* ⟨muziekstijl⟩.
2**funk** ⟨ww⟩ ⟨sl.⟩ •*bang zijn (voor/om), niet
(aan)durven.*
funky ['fʌŋki] •*funky* ⟨v. muziek⟩ •⟨sl.⟩
mieters, fijn.

1funnel ['fʌnl] ⟨zn⟩ ●*trechter* ●*koker, pijp, schoorsteen(pijp)*⟨vnl. v. stoomschip⟩.
2funnel ⟨ww⟩ ●*(als) door een trechter (doen) stromen.*
funnily ['fʌnəli] ●*zie* FUNNY ●*vreemd genoeg;* – (enough), he didn't come *vreemd genoeg kwam hij niet.*
funnies ['fʌniz] ●*strips* ⟨in dagblad⟩.
funny ['fʌni] ●*grappig, leuk* ●*vreemd, gek* ● ↓ *misselijk;* feel – *zich onwel voelen* ●⟨↓; euf.⟩ *gek, krankzinnig;* go – *gek worden* ‖ do you mean – haha or – peculiar? *bedoel je gek als grappig of gek als ongewoon?*.
'**funny bone** ↓ ●*telefoonbotje* ⟨in elleboog⟩.
'**funny business** ↓ ●*bedriegerij, geen zuivere koffie.*
1fur [fə:] ⟨zn⟩ ●*vacht* ●*bont, pels(werk), bontjas* ●*aanslag, beslag* ‖ make the – fly *een conflict uitlokken.*
2fur ⟨bn⟩ ●*bonten, bont-;* – coat *bontmantel.*
3fur ⟨ww⟩ ●⟨vaak +up⟩ *(doen) aanslaan, (doen) beslaan;* a –red tongue *een beslagen tong.*
furbish ['fə:bɪʃ] ●*oppoetsen* ⟨ook fig.⟩, *opknappen.*
furious ['fjʊərɪəs] ●*woedend, razend;* – at sth. *razend om iets;* – with s.o. *woest op iem.* ●*fel, verwoed, heftig.*
furl [fə:l] ●*oprollen, dicht/opvouwen.*
furlong ['fə:lɒŋ] ●*furlong* ⟨lengtemaat⟩.
furlough ['fə:loʊ] ●*verlof;* on – *met verlof.*
furnace ['fə:nɪs] ●*oven, verwarmingsketel, hoogoven,* ⟨fig. ook⟩ *(te) hete ruimte.*
furnish ['fə:nɪʃ] ●*verschaffen, leveren;* – s.o. with sth. *iem. van iets voorzien* ●*uitrusten, meubileren.* **furnishings** ['fə:nɪʃɪŋz] ● *woninginrichting, meubilering.*
furniture ['fə:nɪtʃə] ●*meubilair, meubels;* a piece of – *een meubelstuk.* '**furniture van** ●*verhuiswagen.*
furore [fjuːˈrɔːri], ⟨AE vnl.⟩ **furor** ['fjʊrɔː] ● *furore, opwinding* ●*razernij.*
furrier ['fʌrɪə] ●*bontwerker* ●*bonthandelaar.*
1furrow ['fʌroʊ] ⟨zn⟩ ●*voor, groef, rimpel.*
2furrow ⟨ww⟩ ●*doorploegen, groeven, rimpelen.*
furry ['fə:ri] ●*bont-* ●*bontachtig* ●*met bont bekleed/gevoerd.*
1further ['fə:ðə] ⟨bn; vergr. trap v. far⟩ ● *verder, nader;* on – consideration *bij nader inzien;* ⟨BE⟩ – education *voortgezet onderwijs voor volwassenen;* till – notice *tot nadere kennisgeving.*
2further ⟨ww⟩ ●*bevorderen, stimuleren.*
3further ⟨bw⟩ ●*verder, nader;* inquire – *nadere inlichtingen inwinnen;* look – *elders*

zoeken.
furtherance ['fə:ðrəns] ●*bevordering, ontwikkeling;* in – of *ter bevordering van.*
furthermore ['fə:ðəˈmɔː] ●*verder, bovendien.* **furthermost** ['fə:ðəmoʊst] ●*verst.*
furthest ['fə:ðɪst] ⟨overtr. trap v. far⟩ ●*verst.*
furtive ['fə:tɪv] ●*steels, heimelijk.*
fury ['fjʊəri] ●*woede(aanval), razernij;* in a – *razend;* ↓ like – *als de bliksem* ●⟨F-⟩ *furie.*
1fuse [fjuːz] ⟨zn⟩ ●*lont* ●*ontsteker* ●⟨elek.⟩ *zekering, stop;* a – has blown *er is een zekering gesprongen* ●*kortsluiting, storing.*
2fuse I ⟨onov en ov ww⟩ ●*(doen) smelten* ⟨v. zekering enz.⟩ ●*(doen) ineensmelten* ⟨v. metalen enz.⟩ ●*(doen) uitvallen* ⟨v. elektrisch apparaat⟩ II ⟨ov ww⟩ ●*van zekeringen voorzien.*
fuselage ['fjuːzɪlɑːʒ] ●*vliegtuigromp, fuselage.*
fusion ['fjuːʒn] ●*fusie, (samen)smelting, mengeling, kernfusie;* nuclear – *kernfusie.* '**fusion bomb** ●*waterstofbom.*
1fuss [fʌs] ⟨zn⟩ ●*(nodeloze) drukte, omhaal, ophef;* kick up/make a – *heibel maken;* make a – of/over *overdreven aandacht schenken aan* ‖ what's the –? *wat is er (aan de hand)?.*
2fuss I ⟨onov ww⟩ ●⟨+about⟩ *zich druk maken (om), drukte maken;* – about *zenuwachtig rondlopen;* – over s.o. *overdreven aandacht schenken aan iem.* II ⟨ov ww⟩ ● *zenuwachtig maken.* **fussy** ['fʌsi] ●*(overdreven) druk* ●*pietluttig, moeilijk;* ⟨BE; ↓ ⟩ I'm not – *het is mij om het even* ●*(overdreven) versierd.*
fusty ['fʌsti] ●*duf, muf,* ⟨fig.⟩ *bekrompen.*
futile ['fjuːtaɪl] ●*futiel, vergeefs, doelloos.* **futility** [fjuːˈtɪləti] ●*nutteloosheid, nietigheid, doelloosheid.*
1future ['fjuːtʃə] ⟨zn⟩ ●*toekomst;* for the/in – *voortaan, in 't vervolg.*
2future ⟨bn⟩ ●*toekomstig, toekomend, aanstaande.* **futuristic** ['fjuːtʃəˈrɪstɪk] ●*futuristisch.*
fuzz [fʌz] ● ↓ *dons, pluis, donzig haar* ●⟨the⟩ ⟨sl.⟩ ⟨de politie⟩. **fuzzy** ['fʌzi] ●*donzig, pluizig* ●*kroes, krullig* ●*vaag* ●*verward.*

G

1 gab [gæb] ⟨zn⟩ ↓ ●*gebabbel;* have the gift of the – *goed v.d. tongriem gesneden zijn.*
2 gab ⟨ww⟩ ●*kakelen.*
1 gabble ['gæbl] ⟨zn⟩ ●*gekakel, gekwebbel.*
2 gabble I ⟨onov ww⟩ ●*kakelen, kwebbelen*
II ⟨onov en ov ww⟩ ●*(af)raffelen.*
gable ['geɪbl] ●*gevelspits.* **gabled** ['geɪbld]
●*met gevelspits;* – *house huis met punt-gevel(s).*
gad about ['gæd ə'baʊt], **gad around** ●*rond-dolen, rondzwerven.*
'**gadfly** ●*paardevlieg, horzel.*
gadget ['gædʒɪt] ●*dingetje, apparaatje, snufje.* **gadgetry** ['gædʒɪtri] ●*snufjes.*
Gaelic ['geɪlɪk] ●⟨bn⟩ *Gaëlisch* ⟨Schots, Iers en Manx Keltisch⟩ ●⟨zn⟩ *Gaëlisch* ⟨taal⟩.
gaff [gæf] ‖ ⟨sl.⟩ blow the – (on s.o.) *(iem. ver)klikken.*
gaffe [gæf] ●*blunder.*
gaffer ['gæfə] ●⟨gew.⟩ *opa, oude man* ● ↓ *ouwe, baas.*
1 gag [gæg] ⟨zn⟩ ●*(mond)prop, knevel* ● ↓ *grap.*
2 gag I ⟨onov ww⟩ ●*kokhalzen* **II** ⟨ov ww⟩ ●*een prop in de mond stoppen,* ⟨fig.⟩ *de mond snoeren.*
gaga ['gɑːgɑː] ⟨sl.⟩ ●*kierewiet;* go – *kinds worden* ‖ go – over *vallen voor/op.*
gage [geɪdʒ] zie GAUGE.
gaggle ['gægl] ●*vlucht (ganzen)* ●*(snate-rend) gezelschap.*
gaiety ['geɪəti] ●*vrolijkheid, pret.* **gaily** zie GAY[2].
1 gain [geɪn] ⟨zn⟩ ●*aanwinst* ●*groei, stij-ging* ●⟨vaak mv.⟩ *winst;* do sth. for – *iets uit winstbejag doen.*
2 gain I ⟨onov ww⟩ ●*winnen;* – on *terrein winnen op, inhalen* ●*groeien;* – in power *aan kracht winnen* ●*voorlopen* ⟨v. uur-werk⟩ **II** ⟨ov ww⟩ ●*winnen, verkrijgen, be-halen;* – a livelihood *de kost verdienen;* – recognition *erkenning krijgen;* – speed *versnellen;* – the victory/the day *de over-winning behalen;* – weight *aankomen* ● *bereiken* ‖ zie ook ⟨sprw.⟩ VENTURE. **gain-ful** ['geɪnfl] ●*winstgevend, lucratief* ●*be-taald;* – employment *betaald werk.*

gainsay ['geɪn'seɪ] ⟨gainsaid, gainsaid [-'sed]⟩ ●*tegenspreken, ontkennen.*
'**gainst** zie AGAINST.
gait [geɪt] ●*gang, pas, loop.*
gaiter ['geɪtə] ●*beenkap, slobkous.*
gal [gæl] ● ↓ *griet.*
gala ['gɑːlə] ●*gala* ●⟨BE⟩ *sportfeest.*
galaxy ['gæləksi] ●*melkweg,* ⟨fig.⟩ *uitgele-zen gezelschap.*
gale [geɪl] ●⟨meteo.⟩ *storm, harde wind* ● *uitbarsting* ⟨v. lachen enz.⟩.
1 gall [gɔːl] ⟨zn⟩ ●⟨sl.⟩ *brutaliteit;* he did not have the – to kiss her *hij had niet het lef om haar te kussen.*
2 gall ⟨ww⟩ ●*(mateloos) irriteren, razend maken.*
1 gallant ['gælənt, gə'lænt] ⟨zn⟩ ↑ ●*(mode) fat, dandy* ●*galant heer, cavalier.*
2 gallant ['gælənt, ⟨in bet. 0.3⟩ gə'lænt] ⟨bn⟩ ●*dapper, moedig* ●*galant, hoffelijk.* **gal-lantry** ['gæləntri] ●*moed, dapperheid* ● *galanterie, hoffelijkheid.*
'**gallbladder** ●*galblaas.*
galleon ['gælɪən] ●*galjoen.*
gallery ['gæləri] ●*galerij, (zuilen)gang* ●*ga-lerij, balkon* ●*museum(zaal)* ●*(kunst)gale-rie* ●*galerij(publiek), engelenbak;* ⟨fig.⟩ play to the – *op het publiek spelen.*
galley ['gæli] ●*galei* ●*kombuis.*
Gallic ['gælɪk] ●*Gallisch,* ⟨vaak scherts.⟩ *Frans.*
gallicism ['gælɪsɪzm] ●*gallicisme.*
gallivant ['gælɪvænt] ↓ ●*boemelen, op stap zijn;* – about *boemelen.*
gallon ['gælən] ●*gallon* ⟨inhoudsmaat⟩.
1 gallop ['gæləp] ⟨zn⟩ ●*galop;* full – *volle galop;* at a – *in galop;* ⟨fig.⟩ *op een hol-letje.*
2 gallop ⟨ww⟩ ●*galopperen,* ⟨fig.⟩ *zich haasten, vliegen;* – over/through sth. *iets afraffelen.*
gallows ['gæləʊz] ●*galg.* '**gallows humour** ●*galgehumor.*
'**gallstone** ●*galsteen.*
Gallup poll ['gæləp pɒʊl] ●*opinieonderzoek/ peiling.*
galore [gə'lɔː] ●*in overvloed;* money – *geld zat.*
galosh(e) [gə'lɒʃ] ●*galoche, overschoen.*
galvanic ['gæl'vænɪk] ●*galvanisch* ⟨ook fig.⟩, *opzienbarend.* **galvanize** ['gæl-vənaɪz] ●*galvaniseren* ⟨ook fig.⟩, *prikke-len, opzwepen;* – s.o. into action *iem. tot actie aansporen* ‖ –d iron *gegalvaniseerd/ verzinkt ijzer.*
gambit ['gæmbɪt] ●⟨schaken⟩ *gambiet* ● *(slimme) openingszet, tactische zet.*
1 gamble ['gæmbl] ⟨zn⟩ ●*gok(je)* ⟨ook fig.⟩,

riskante zaak; take a – (on) *een gokje wagen (op);* it is a – *het is een loterij/gok.*

2 **gamble** I ⟨onov ww⟩ ● *gokken, spelen, dobbelen, speculeren;* – on *gokken/rekenen op* II ⟨ov ww⟩ ● *op het spel zetten;* – away *vergokken.* **gambler** ['gæmblə] ● *gokker.* **gambling** ['gæmblɪŋ] ● *gokkerij.* '**gambling den,** '**gambling joint ,** '**gambling house** ● *goktent.*

1 **gambol** ['gæmbl] ⟨zn⟩ ● *capriool, bokkesprong.*

2 **gambol** ⟨ww⟩ ● *dartelen, huppelen.*

1 **game** [geɪm] I ⟨telb zn⟩ ● *spel* ⟨ook fig.⟩, *wedstrijd, partij;* – of chance *kans/hazardspel;* play a good/poor – *goed/slecht spelen;* play the – *eerlijk (spel) spelen;* play a waiting – *een afwachtende houding aannemen;* it's all in the – *het hoort er (allemaal) bij;* be off one's – *uit vorm/niet op dreef zijn* ● ⟨tennis⟩ *game* ● ⟨kaartspel⟩ *manche* ● *plan(netje), spel(letje);* give the – away *het plan(netje) verklappen;* two can play (at) that – *dat spelletje kan ik ook spelen;* none of your (little) –s! *geen kunstjes!;* the – is up *het spel is uit, nu hangen wij/jullie;* be up to some – *iets in zijn schild voeren* ‖ *beat/play s.o. at his own* – *iem. een koekje v. eigen deeg geven* II ⟨telb en n-telb zn⟩ ● *grap(je), pret(je);* play –s with s.o. *iem. voor de gek houden* III ⟨n-telb zn⟩ ● *wild* ⟨ook cul.⟩ IV ⟨mv.⟩ ● *spelen, (atletiek)wedstrijden* ● *gym(nastiek), sport* ⟨op school⟩.

2 **game** ⟨bn⟩ ● *dapper, kranig, flink* ● *bereid;* be – to do sth. *bereid zijn om iets te doen;* I am – *ik doe mee;* be – for sth. *tot iets bereid zijn.*

3 **game,** ⟨BE; ↓ ook⟩ **gammy** ['gæmi] ⟨bn⟩ ● *lam, kreupel* ⟨v. arm, been⟩.

4 **game** ⟨ww⟩ ● *gokken.*

'**game bag** ● *weitas, jagerstas.* '**gamekeeper** ● *jachtopziener.* '**game licence** ● *jachtakte.*

gamesmanship ['geɪmzmənʃɪp] ● *gewiekstheid* ⟨in het spel⟩.

'**games master** ⟨BE⟩ ● *sportleraar, gymleraar.* '**games mistress** ⟨BE⟩ ● *sportlerares, gymlerares.*

gamey zie GAMY.

'**gaming table** ● *goktafel.*

'**gamma ray** ● *gammastraal.*

gammon ['gæmən] ● *(gekookte) achterham* ● *gerookte ham* ⟨om te bakken⟩.

gammy zie GAME³.

gamut ['gæmət] ● ⟨muz.⟩ *gamma, toonladder,* ⟨ook fig.⟩ *scala, reeks;* run the – *het hele gamma doorlopen.*

gamy, gamey ['geɪmi] ● *naar wild smakend*

● *adellijk (ruikend/smakend)* ⟨v. wild⟩.

gander ['gændə] ● *gander, mannetjesgans* ● ↓ *blik, kijkje.*

gang [gæŋ] ● *groep mensen, (boeven/gangster)bende, troep,* ↓ *kliek, ploeg* ⟨arbeiders⟩. '**gang-leader** ● *bendeleider.*

gangling ['gæŋglɪŋ] ● *slungelig.*

'**gangplank** ⟨scheep.⟩ ● *loopplank.*

gangrene ['gæŋgriːn] ● *gangreen, koudvuur.* **gangrenous** ['gæŋgrɪnəs] ● *door gangreen aangetast.*

gangster ['gæŋstə] ● *gangster.*

gang 'up ● *een bende/groep vormen, zich verenigen;* ↓ – against/on *samenspannen tegen, aanvallen.*

gangway ['gæŋweɪ] ● *doorgang* ● ⟨BE⟩ *(gang)pad* ⟨in kerk, schouwburg enz.⟩ ● ⟨scheep.⟩ *loopplank.*

gannet ['gænɪt] ● ⟨dierk.⟩ *jan-van-gent.*

gantry ['gæntri] ● *rijbrug* ⟨v. loopkraan⟩ ● ⟨spoorwegen⟩ *portaal* ● *lanceertoren* ⟨v. raket⟩.

gaol zie JAIL. **gaoler** zie JAILER.

gap [gæp] ● *opening, gat, kloof, interval, leemte, hiaat, tekort;* bridge/close/fill/stop a – *een kloof overbruggen, een hiaat vullen, een tekort aanvullen.*

gape [geɪp] ● *geopend/gebarsten zijn, gapen;* gaping wound *gapende wonde* ● *staren;* – at *aangapen/staren* ‖ make s.o. – *iem. versteld doen staan.*

'**gap-toothed** ● *met uiteenstaande tanden.*

1 **garage** ['gærɑːʒ, -ɪdʒ] ⟨zn⟩ ● *garage, garagebedrijf.*

2 **garage** ⟨ww⟩ ● *stallen* ● *naar de garage brengen.*

1 **garb** [gɑːb] ⟨zn⟩ ● *dracht, kledij.*

2 **garb** ⟨ww⟩ ● *kleden;* –ed in black *in het zwart (gekleed).*

garbage ['gɑːbɪdʒ] ● *(keuken)afval, huisvuil* ● *rotzooi, onzin.* '**garbage can** ⟨AE⟩ ● *vuilnisbak.* '**garbage collector,** '**garbage man** ⟨AE⟩ ● *vuilnisman.* '**garbage truck** ⟨AE⟩ ● *vuilniswagen.*

garble ['gɑːbl] ● *onvolledige voorstelling geven van, verkeerd voorstellen, verdraaien.*

1 **garden** ['gɑːdn] ⟨zn⟩ ● *tuin;* the – of Eden *de hof v. Eden;* ↓ lead up the – (path) *om de tuin leiden.*

2 **garden** ⟨ww⟩ ● *tuinieren.*

'**garden 'city,** ⟨BE⟩ '**garden 'suburb** ● *tuinstad.* **gardener** ['gɑːdnə] ● *tuinman, tuinier.* **gardening** ['gɑːdnɪŋ] ● *het tuinieren.* '**garden party** ● *tuinfeest.*

gargantuan [gɑːˈgæntʃʊən] ● *gigantisch.*

1 **gargle** ['gɑːgl] ⟨zn⟩ ● *gorgeldrank.*

2 **gargle** ⟨ww⟩ ● *gorgelen.*

gargoyle ['gɑ:gɔɪl] ● *spuier, waterspuwer.*
garish ['geərɪʃ] ● *fel, schel* ● *bont, opzichtig.*
1 garland ['gɑ:lənd] ⟨zn⟩ ● *guirlande, slinger* ● *lauwer(krans).*
2 garland ⟨ww⟩ ● *omkransen, bekransen.*
garlic ['gɑ:lɪk] ● *knoflook;* a clove of – *een teentje knoflook.*
garment ['gɑ:mənt] ● *kledingstuk.*
garnet ['gɑ:nɪt] ● *granaat(steen).*
1 garnish ['gɑ:nɪʃ], **garnishing** ['gɑ:nɪʃɪŋ] ⟨zn⟩ ● *garnering, versiering.*
2 garnish ⟨ww⟩ ● *garneren.*
garret ['gærɪt] ● *zolderkamertje.*
1 garrison ['gærɪsn] ⟨zn⟩ ● *garnizoen(splaats).*
2 garrison ⟨ww⟩ ● *bezetten (met een garnizoen)* ● *in garnizoen leggen.*
garrulity [gə'ru:ləti] ● *praatzucht.* **garrulous** ['gærələs] ● *kletserig, praatziek.*
garter ['gɑ:tə] ● *kouseband,* ⟨AE ook⟩ *jar(re)tel(le)* ● ⟨the G-⟩ *(Orde van de) Kouseband.* **'garter belt** ⟨vnl. AE⟩ ● *jar(re)tel(le) gordel.*
1 gas [gæs] ⟨zn⟩ ● *gas* ● ⟨AE⟩ *benzine;* step on the – *gas geven* ● ↓ *gezwam, gelul* ● ⟨vnl. AE; sl.⟩ *succes(nummer).*
2 gas I ⟨onov ww⟩ ● ↓ *leuteren* **II** ⟨ov ww⟩ ● *(ver)gassen.*
'gasbag ● ↓ *windbuil, kletsmeier.*
'gas chamber ● *gaskamer.* **'gas cooker** ● *gasfornuis, gasstel.* **gaseous** ['gæsɪəs] ● *gasachtig, gasvormig, gas-.* **'gasfield** ● *gasveld.* **'gas fire** ● *gaskachel.* **'gas fitter** ● *gasfitter.*
1 gash [gæʃ] ⟨zn⟩ ● *houw, jaap, gapende wonde.*
2 gash ⟨ww⟩ ● *een jaap toedienen, openrijten.*
'gasholder ● *gashouder, gasreservoir.*
gasket ['gæskɪt] ● *pakking.*
'gaslight ● *gaslamp.* **'gas main** ● *hoofd(gas) leiding.* **'gasman** ● *meteropnemer.* **'gas mask** ● *gasmaker.* **'gasmeter** ● *gasmeter.* **gasoline, gasolene** ['gæsə'li:n] ● ⟨vnl. AE⟩ *benzine.* **gasometer** [gæ'sʊmɪtə] ● *gashouder, gasreservoir.*
1 gasp [gɑ:sp] ⟨zn⟩ ● *snik;* with a – *met stokkende adem.*
2 gasp I ⟨onov ww⟩ ● *(naar adem) snakken, naar lucht happen;* – for breath *naar adem snakken;* – at sth. *paf staan v. iets* ● *hijgen* **II** ⟨ov ww⟩ ● *hijgend uitbrengen;* – out *uitstoten.*
'gas ring ● *gaspit, gaskomfoor.* **'gas station** ⟨vnl. AE⟩ ● *benzinestation.* **'gastank** ● *gashouder* ● ⟨AE⟩ *benzinetank.* **'gas tap** ● *gaskraan.*
gastric ['gæstrɪk] ● *maag-;* – juices *maagsap-*

(pen). **gastritis** [gæ'straɪtɪs] ● *maag-(slijmvlies)ontsteking.* **gastroenteritis** ['gæstrouentə'raɪtɪs] ● *maagdarmcatarre.*
gastronome ['gæstrənoum] ● *gastronoom, fijnproever.* **gastronomic** ['gæstrə'nɒmɪk] ● *gastronomisch.* **gastronomy** [gæ'strɒnəmi] ● *gastronomie.*
'gasworks ● *gasfabriek, gasbedrijf.*
gate [geɪt] ● *poort(je), deur, hek, ingang, slagboom, sluis(deur), uitgang* ⟨op luchthaven⟩ ● ⟨sport⟩ ⟨aantal betalende toeschouwers⟩; a – of 2000 *2000 man publiek* ● ⟨sport⟩ *entreegelden, recette.*
'gatecrash ↓ ● *(ongenood) binnenvallen* ⟨op een feestje enz.⟩. **'gatecrasher** ↓ ● *ongenode gast.*
'gatehouse ● *poorthuis, portierswoning.* **'gatekeeper** ● *portier* ● *baanwachter, overwegwachter.* **'gate money** ⟨sport⟩ ● *entreegelden, recette.* **'gatepost** ● *deurpost, hekpaal* ‖ ↓ between you and me and the – *onder ons gezegd en gezwegen.* **'gateway** ● *poort, in/uit/doorgang;* the – to success *de poort tot succes.*
1 gather ['gæðə] ⟨zn⟩ ● *plooi,* ⟨mv.⟩ *plooisel.*
2 gather I ⟨onov ww⟩ ● *zich verzamelen;* – round s.o./sth. *zich rond iem./iets scharen* ● *zich op(een)hopen;* there is a storm –ing *er komt een bui opzetten* ● *toenemen* ● *rijpen* ⟨v. zweer⟩ **II** ⟨ov ww⟩ ● *verzamelen, samenbrengen, op(een)hopen, vergaren, plukken, oogsten;* – (one's) strength *op krachten komen;* – wood *hout sprokkelen;* – in *binnenhalen, oogsten;* – up *oprapen, bij elkaar nemen; verzamelen* ⟨gedachten⟩; – o.s. up *zich oprichten* ● *doen toenemen, vergroten;* – speed *op snelheid komen* ● *plooien, rimpelen* ● *opmaken, afleiden;* he's gone to work, I – *hij is naar z'n werk, begrijp ik;* – from *afleiden/opmaken uit;* I – that *ik krijg de indruk dat* ‖ zie ook ⟨sprw.⟩ ROLLING. **gathering** ['gæðrɪŋ] ● *bijeenkomst, vergadering* ● *verzameling* ● *plooisel, inneming, frons.*
gauche [gouʃ] ● *onhandig, onbeholpen.*
gaudy ['gɔ:di] ● *opzichtig, schel, bont.*
1 gauge, ⟨AE ook⟩ **gage** [geɪdʒ] ⟨zn⟩ ● ⟨ben. voor⟩ *(standaard/ijk)maat, kaliber* ⟨ook v. vuurwapens⟩, *spoorbreedte/wijdte* ● ⟨ben. voor⟩ *meetinstrument, meter, peilglas, maatstok, regenmeter* ● ⟨vaak: gage⟩ *criterium, maatstaf.*
2 gauge, ⟨vnl. AE ook⟩ **gage** ⟨ww⟩ ● *meten, peilen* ● *schatten, taxeren.*
gaunt [gɔ:nt] ● *uitgemergeld, vel over been* ● *somber, grimmig.*
gauntlet ['gɔ:ntlɪt] ● *kaphandschoen, sport/*

werkhandschoen; throw down the – *iem. uitdagen;* pick/take up the – *de uitdaging aanvaarden* ● *spitsroeden;* run the – *spitsroeden (moeten) lopen.*

gauze ['gɔːz] ● *gaas.*

gave ⟨verl. t.⟩ zie GIVE.

gavel ['gævl] ● *(voorzitters/afslagers)hamer.*

gawd [gɔːd] ⟨vnl. in uitroepen⟩ ↓ ● *god; –! god allemachtig!.*

gawk [gɔːk] ↓ ● *gapen;* – at sth. *naar iets staan gapen.*

gawky ['gɔːki] ↓ ● *klungelig, onhandig.*

gawp zie GAWK.

1 gay [geɪ] ⟨zn⟩ ● *homo(fiel).*

2 gay ⟨bn; gaily; -ness⟩ ● *vrolijk, opgeruimd* ● *luchtig* ● *fleurig, bont* ● ⟨euf.⟩ *los(bandig)* ● *homoseksueel;* – lib *flikkerfront.*

1 gaze [geɪz] ⟨zn⟩ ● *starende/strakke blik.*

2 gaze ⟨ww⟩ ● *staren, aangapen;* – at/on *aanstaren.*

gazelle [gə'zel] ● *gazel(le).*

gazette [gə'zet] ● *krant* ● *Staatscourant.* **gazetteer** ['gæzə'tɪə] ● *geografisch woordenboek, geografische index.*

gazump [gə'zʌmp] ⟨sl.⟩ ● *oplichten* ⟨vnl. door prijs v. huis te verhogen na bod aanvaard te hebben⟩.

G.B. ⟨afk.⟩ Great Britain.

G.C.E. ⟨afk.⟩ ⟨BE⟩ General Certificate of Education.

G.C.S.E. ⟨afk.⟩ General Certificate of Secondary Education ⟨BE⟩ ● *middelbaar schoolexamen met verschillende niveaus dat vanaf 1988 zowel CSE als GCE 'O' level vervangt.*

1 gear [gɪə] ⟨zn⟩ ● *toestel, apparaat, inrichting;* landing – *landingsgestel* ● *drijfwerk, transmissie, koppeling, versnelling* ⟨v. auto⟩, *gearing, versnelling* ⟨v. fiets⟩; reverse – *achteruit;* top – *hoogste versnelling;* put in/throw into – *in (de) versnelling zetten;* throw out of – *debrayeren, ontkoppelen;* in – *in de versnelling* ● *uitrusting, gereedschap, kledij, spullen* ● *tuig.*

2 gear ⟨ww⟩ ‖ – (o.s.) up (for) *zich klaarmaken (voor);* zie GEAR TO. **'gearbox** ● *versnellingsbak* ⟨v. auto⟩. **gearing** ['gɪərɪŋ] ● *tandwieloverbrenging, transmissie.* **'gearlever, 'gearstick** , ⟨vnl. AE⟩ **'gearshift** ● *(versnellings)pook.*

'gear to ● *afstemmen op;* be geared to *ingesteld zijn op, berekend zijn op.*

gee [dʒiː], **gee whiz(z)** ['dʒiː'wɪz] ⟨AE; ↓⟩ ● *jee(tje)!, gossie.*

geese [giːs] ⟨mv.⟩ zie GOOSE.

geezer ['giːzə] ⟨sl.⟩ ● *(ouwe) vent/kerel.*

geisha ['geɪʃə] ● *geisha.*

1 gel [dʒel] ⟨zn⟩ ● *gel.*

2 gel, jell ⟨ww⟩ ● *gel(ei)achtig worden, stollen* ● ⟨vnl. BE⟩ *vorm krijgen* ⟨v. ideeën e.d.⟩, *lukken.*

gelatin ['dʒelətɪn], **gelatine** ['dʒeləti:n] ● *gelatine(achtige stof).*

gelding ['geldɪŋ] ● *castraat,* ⟨ihb.⟩ *ruin.*

gem [dʒem] ● *edelsteen, juweel* ● *kleinood, juweeltje.*

gen [dʒen] ⟨BE; ↓⟩ ● *(juiste en volledige) informatie;* all the – on their plans *alle details over hun plannen.*

gender ['dʒendə] ● *(grammaticaal) geslacht.*

gene ['dʒiːn] (biol.) ● *gen, geen, determinant.*

genealogical ['dʒiːnɪə'lɒdʒɪkl] ● *genealogisch;* – tree *stamboom.* **genealogist** ['dʒiːni'ælədʒɪst] ● *geslachtkundige.* **genealogy** ['dʒiːni'ælədʒi] ● *genealogie, familiekunde.*

genera ['dʒenərə] ⟨mv.⟩ zie GENUS.

1 general ['dʒenrəl] ⟨zn⟩ ● *generaal, veldheer* ‖ in – *in/over 't algemeen.*

2 general ⟨bn⟩ ● *algemeen, algeheel, gewoon, hoofd-;* – anaesthetic *algehele verdoving;* – assembly *algemene vergadering* ⟨ihb. wetgevende vergadering v. Am. staat⟩; – election *algemene verkiezingen;* – headquarters *centraal hoofdkwartier;* in the – interest *in het openbaar/algemeen belang;* General Post Office *hoofdpostkantoor;* the – public *het grote publiek;* as a – rule *in/over 't algemeen;* in a – way *in algemene zin* ‖ ⟨AE⟩ – delivery *poste restante;* – practitioner *huisarts;* – staff *generale staf.*

generality ['dʒenə'ræləti] ● *algemeenheid.* **generalization** ['dʒenrəlaɪ'zeɪʃn] ● *generalisatie.* **generalize** ['dʒenrəlaɪz] ● *generaliseren;* – from sth. *algemene conclusies trekken uit iets.* **generally** ['dʒenrəli] ● *gewoonlijk, doorgaans* ● *algemeen;* – known *algemeen bekend* ● *in/over 't algemeen;* – speaking *in/over 't algemeen.* **'general-'purpose** ● *voor algemeen gebruik, universeel.*

generate ['dʒenəreɪt] ● *genereren* ⟨ook wisk.⟩, *doen ontstaan, voortbrengen;* – electricity *elektriciteit opwekken;* – heat *warmte ontwikkelen.*

generation ['dʒenə'reɪʃn] ● *generatie, geslacht* ● *voortbrenging, generatie, voortplanting.* **gene'ration gap** ● *generatiekloof.*

generator ['dʒenəreɪtə] ● *generator.*

generic [dʒɪ'nərɪk] ● *generisch, geslachts-* ● *algemeen.*

generosity ['dʒenə'rɒsəti] ● *vrijgevigheid, gulheid.* **generous** ['dʒenrəs] ● *groot-*

moedig, edel(moedig) • *vrijgevig, gul* • *overvloedig, rijk(elijk).*

genesis ['dʒenɪsɪs] • *ontstaan, wording.*

genetic [dʒɪ'netɪk] • *genetisch;* – engineering *genetische manipulatie.* **genetics** [dʒɪ'netɪks] • *genetica, erfelijkheidsleer.*

genial ['dʒi:nɪəl] • *mild, zacht, aangenaam, warm* ⟨v. weer/klimaat/lucht enz.⟩ • *vriendelijk, sympathiek, joviaal.* **geniality** ['dʒi:ni'æləti] • *hartelijkheid, sympathie, vriendelijkheid.*

genie ['dʒi:ni], **djinn** [dʒɪn] • *geest* ⟨in Arabische vertellingen⟩.

genital ['dʒenɪtl] • *genitaal, geslachts-.* **genitalia** ['dʒenɪ'teɪlɪə], **genitals** ['dʒenɪtlz] • *genitaliën, geslachtsorganen.*

genitive ['dʒenətɪv] ⟨taal.⟩ • *genitief, tweede naamval.*

1 genius ['dʒi:nɪəs] ⟨zn⟩ • *karakter, geest;* the – of this century *de geest v. deze eeuw* • *genie* ⟨persoon⟩; be a – at *geniaal zijn in* • *talent;* have a – for *aanleg hebben voor/ om* • *genialiteit;* a woman of – *een geniale vrouw.*

2 genius ⟨zn; mv.: genii⟩ • *geest;* evil – *kwade genius.*

genocide ['dʒenəsaɪd] • *volkerenmoord.*

genre ['ʒɒnrə] • *genre, soort, type.*

gent [dʒent] ⟨↓ of scherts.⟩ • *gentleman, heer* ‖ ⟨BE; ↓⟩ the Gents *het herentoilet.*

genteel [dʒen'ti:l] • ⟨vaak iron.⟩ *chic* • *geaffecteerd, aanstellerig* • *deftig, voornaam.*

gentile ['dʒentaɪl] • ⟨bn⟩ *niet-joods* • ⟨zn⟩ *niet-Jood.*

gentility [dʒen'tɪləti] • *deftigheid, voornaamheid, welopgevoedheid.*

gentle ['dʒentl] • *zacht, licht;* – breeze *lichte koelte, zachte wind;* – slope *zachte helling* • *teder, vriendelijk;* the – sex *het zwakke geslacht* • *kalm, rustig.* '**gentlefolk(s)** • *mensen v. goede familie.* **gentleman** ['dʒentlmən] • *gentleman, man* ⟨beleefd taalgebruik⟩; Ladies and Gentlemen! *Dames en Heren!* • *edelman.* '**gentleman** '**farmer** • *hereboer.* **gentlemanlike** ['dʒentlmənlaɪk], **gentlemanly** ['dʒentlmənli] • *voornaam, als een (echte) heer (betaamt).* '**gentleman's** a'**greement**, '**gentlemen's** a'**greement** • *herenakkoord.* '**gentlewoman** ⟨vero.⟩ • *(adellijke/ beschaafde) dame.*

gentry ['dʒentri] • *gentry, lage(re) adel, voorname stand;* landed – *(groot)grondbezitters, lage landadel.*

genuflect ['dʒenjʊflekt] • *knielen, de knie(ën) buigen.* **genuflection,** ⟨vnl. BE⟩ **genuflexion** ['dʒenjʊ'flekʃn] • *kniebuiging, knieval.*

genuine ['dʒenjʊɪn] ⟨-ness⟩ • *echt* • *oprecht, ongeveinsd.*

'**gen 'up** ⟨BE; ↓⟩ • *(zich) informeren;* – about/on sth. *(zich) grondig (laten) informeren over iets.*

genus ['dʒi:nəs] ⟨mv.: genera⟩ • ⟨biol.⟩ *genus, geslacht.*

geographer [dʒi'ɒgrəfə] • *geograaf, aardrijkskundige.* **geographical** ['dʒɪə'græfɪkl] • *geografisch, aardrijkskundig.* **geography** [dʒi'ɒgrəfi] • *geografie, aardrijkskunde.*

geological ['dʒɪə'lɒdʒɪkl] • *geologisch.* **geologist** [dʒi'ɒlədʒɪst] • *geoloog.* **geology** [dʒi'ɒlədʒi] • *geologie.*

geometric(al) ['dʒɪə'metrɪk(l)] • *geometrisch, meetkundig.* **geometry** [dʒi'ɒmɪtri] • *geometrie, meetkunde.*

geophysical ['dʒi:oʌ'fɪzɪkl] • *geofysisch.* **geophysics** [-'fɪzɪks] • *geofysica.*

Georgian ['dʒɔ:dʒən] • *Georgisch* ⟨v. Georgia of Georgië⟩ • *Georgian* ⟨mbt. de tijd v. George I tot IV of George V en VI⟩.

geranium [dʒɪ'reɪnɪəm] • *geranium.*

geriatric ['dʒeri'ætrɪk] • ⟨bn⟩ *geriatrisch, ouderdoms-* • ⟨zn⟩ *geriatrisch patiënt.* **geriatrics** ['dʒeri'ætrɪks] • *geriatrie, ouderdomszorg.*

germ [dʒɜ:m] • *kiem,* ⟨fig.⟩ *oorsprong* • ⟨med.⟩ *ziektekiem, bacil.*

1 German ['dʒɜ:mən] I ⟨eig.n.⟩ • *Duits* II ⟨telb zn⟩ • *Duitse(r).*

2 German ⟨bn⟩ • *Duits;* – Democratic Republic *Duitse Democratische Republiek;* – Federal Republic *Duitse Bondsrepubliek* ‖ – measles *rodehond.*

germane [dʒɜ:'meɪn] • *relevant;* – to *van belang voor, relevant voor.*

Germanic [dʒɜ:'mænɪk] • *Germaans* • *Duits.* **Germany** ['dʒɜ:m(ə)ni] • *Duitsland.*

germicide ['dʒɜ:mɪsaɪd] • *kiemdodend middel.* **germinal** ['dʒɜ:mɪnl] • *kiem-* • *embryonaal* ⟨ook fig.⟩. **germinate** ['dʒɜ:mɪneɪt] ⟨zn: -ation⟩ ⟨ook fig.⟩ I ⟨onov ww⟩ • *ontkiemen, ontspruiten* II ⟨ov ww⟩ • *doen ontkiemen, doen ontspruiten.*

'**germ 'warfare** • *biologische oorlogvoering.*

gerontology ['dʒerɒn'tɒlədʒi] • *gerontologie, ouderdomskunde.*

gerrymander ['dʒeri'mændə] • *knoeien (met de indeling in kiesdistricten).*

gestation [dʒe'steɪʃn] • *dracht, zwangerschap(speriode);* in – ⟨fig.⟩ *in wording.*

gesticulate [dʒe'stɪkjʊleɪt] ⟨zn: -ation⟩ • *gesticuleren, gebaren.*

1 gesture ['dʒestʃə] ⟨zn⟩ • *gebaar,* ⟨fig.⟩ *geste, teken.*

2 gesture I ⟨onov ww⟩ • *gesticuleren, gebaren* **II** ⟨ov ww⟩ • *(met gebaren) te kennen geven.*

get [get] ⟨got, got, vero., beh. in AE of in BE in vaste verbindingen gotten⟩ **I** ⟨onov ww⟩ • *(ge)raken, komen, gaan, bereiken;* – ready *zich klaarmaken;* he's –ting to be an old man *hij is een oude man aan het worden;* – to do sth. *erin slagen/ertoe komen iets te doen;* – done with *afmaken;* – lost *verdwalen;* ⟨AE⟩ – lost! *loop naar de maan!;* – ahead *vooruitkomen;* – ahead of *achter zich laten;* – behind *achterop raken;* – home *thuiskomen;* – home to *doordringen tot* ⟨↓; fig.⟩; ⟨↓; fig.⟩ – nowhere/somewhere *niets/iets bereiken;* ⟨sl.⟩ – there *er komen, succes boeken;* ↓ – together *bijeenkomen;* ↓ – back together *zich verzoenen;* – among *verzeild raken tussen;* – at *bereiken, te pakken krijgen, komen aan/achter/bij;* ↓ *bedoelen; bekritiseren; ertussen nemen;* stop –ting at me! *laat me met rust!;* what are you –ting at? *wat bedoel je daarmee?;* – at the truth *de waarheid achterhalen;* – in contact/touch with *contact opnemen met;* – into sth. *ergens in (verzeild) raken;* – into the car *in de auto stappen;* – into debt *schulden maken;* – into a habit *een gewoonte aankweken;* – into a school *toegelaten worden tot een school;* – into trouble *in moeilijkheden geraken;* – into yoga *aan yoga gaan doen;* what's got into you? *wat bezielt je?;* – on(to) a subject *bij een onderwerp belanden;* – on(to) the plane *op het vliegtuig stappen;* – out of sth. *ergens uitraken, zich ergens uit redden;* – out of bed *uit bed komen;* – out of a habit *een gewoonte ontwennen;* – out of the way *uit de weg gaan;* – to *bereiken, kunnen beginnen aan, toekomen aan;* – to the top (of the ladder/tree) *de top bereiken;* – to work on time *op tijd op zijn werk komen;* – to s.o. *iem. aangrijpen; iem. ergeren* • *beginnen, aanvangen;* ↓ – cracking *aan de slag gaan;* – going/moving! *vooruit!;* – going *op dreef komen* ⟨v. persoon⟩; *op gang komen* ⟨v. feestje, machine e.d.⟩; – to know s.o. *iem. leren kennen;* – to like sth. *ergens de smaak v. te pakken krijgen;* – talking *een gesprek aanknopen;* he got to wondering ... *hij begon zich af te vragen ...* ‖ ⟨sl.⟩ – stuffed! *val dood!;* ⟨sl.⟩ – weaving *haast maken;* zie GET ABOUT, GET ACROSS, GET ALONG, GET (A)ROUND, GET AWAY, GET BACK, GET BY, GET DOWN, GET IN, GET OFF, GET ON, GET OUT, GET OVER, GET ROUND, GET THROUGH, GET UP **II** ⟨ov ww⟩ • *(ver)krijgen,*

verwerven; – a blow on the head *een klap op zijn kop krijgen;* – leave *verlof krijgen;* – a letter *een brief ontvangen;* – a look at *te zien krijgen;* – measles *de mazelen krijgen;* – what's coming to one *krijgen wat men verdient;* – little by sth. *ergens weinig baat bij vinden;* ⟨sl.⟩ she'll – hers *ze gaat er aan;* – from/out of *krijgen v.;* – sth. out of s.o. *iets v. iem. loskrijgen;* – sth. out of sth. *ergens iets aan hebben* • *(zich) aanschaffen, kopen;* – a hat *zich een hoed aanschaffen* • *bezorgen, verschaffen;* – s.o. some food/a place *iem. te eten/onderdak geven;* – sth. for s.o. *iets voor iem. halen* • *doen geraken, doen komen/gaan/bereiken, brengen, krijgen;* – sth. going *iets op gang krijgen;* – s.o. talking *iem. aan de praat krijgen;* ⟨↓; fig.⟩ it –s you nowhere *je bereikt er niets mee;* – together *bijeenbrengen, inzamelen;* – sth. into one's head *zich iets in het hoofd halen;* – sth. into a room *iets in een kamer binnenkrijgen;* – s.o. into trouble *iem. in moeilijkheden brengen;* – s.o. out of sth. *iem. aan iets helpen ontsnappen;* – sth. out of a room *iets een kamer uitkrijgen;* – sth. through the door *iets door de deur krijgen* • *maken, doen worden, klaarmaken;* – dinner (ready) *het avondmaal bereiden;* let me – this clear/straight *laat me dit even duidelijk stellen;* – ready *klaarmaken;* – one's hair cut *zijn haar laten knippen;* – sth. done *iets gedaan krijgen* • *nemen, (ont)vangen, grijpen, (binnen)halen;* – Peking on the radio *radio Peking ontvangen;* – the six o'clock train *de trein v. zes uur nemen;* go and – your breakfast! *ga maar ontbijten!;* I'll – it *ik neem wel op* ⟨telefoon⟩ • *ertoe/zover krijgen;* – s.o. to do sth. *iem. ertoe krijgen iets te doen* • ↓ *hebben, krijgen;* in Arabic you – a lot of guttural sounds *in het Arabisch heb je veel keelklanken;* as soon as I – time *zodra ik tijd heb* • ↓ *raken* ⟨ook fig.⟩; what has – got him? *wat bezielt hem?* • ↓ *ergeren;* it really –s me when *ik erger me dood wanneer* • ↓ *snappen, begrijpen;* – it? *gesnapt?;* I don't – you *ik begrijp je niet;* you've got it! *je hebt het geraden!* ‖ – sth./ s.o. wrong *iets/iem. verkeerd begrijpen;* zie GET ACROSS, GET (A)ROUND, GET AWAY, GET BACK, GET DOWN, GET IN, GET OFF, GET ON, GET OUT, GET OVER, GET THROUGH, GET UP **III** ⟨kww⟩ • *(ge)raken, worden;* – better *beter worden;* – excited *zich opwinden;* – used to *wennen aan* **IV** ⟨hww⟩ • *worden;* – married *trouwen;* – wounded *gewond raken;* – punished *gestraft worden;* zie

HAVE GOT.

get about zie GET (A)ROUND. **'get a'cross I** ⟨onov ww⟩ •*oversteken* •*begrepen worden, aanslaan* ⟨v. idee enz.⟩, *succes hebben* •*overkomen* ⟨v. persoon⟩, *begrepen worden* **II** ⟨ov ww⟩ •↓ *doen begrijpen; get one's thoughts across to s.o. zijn gedachten aan iem. duidelijk maken* **III** ⟨ww + vz⟩ •*oversteken* ⟨bv. straat⟩. **'get a'long** •*opschieten, vorderen* •*(zich) redden, het maken;* they are getting along very well *ze maken het heel goed* •⟨+with⟩ *(kunnen) opschieten (met);* they – very well *ze kunnen het goed met elkaar vinden* ||↓ – with you! *maak dat je wegkomt!;* ⟨fig.⟩ *onzin!.* **'get (a)'round I** ⟨onov ww⟩ •*op de been zijn* ⟨na ziekte⟩ •↓ *rondreizen, overal komen* •*zich verspreiden* ⟨v. nieuws⟩ •*toekomen;* – to sth. *aan iets kunnen beginnen; ergens de tijd voor vinden* **II** ⟨ww + vz⟩ •*overwinnen* ⟨probleem⟩ •*ontwijken, omzeilen, ontduiken* ⟨regels, wet⟩ •*ompraten* ⟨iem.⟩, *overtuigen.* **get-at-able** ['get'ætəbl] •*bereikbaar, toegankelijk.* **'getaway** •↓ •*ontsnapping;* make one's – *ontsnappen.* **'get a'way I** ⟨onov ww⟩ •*wegkomen, weggaan;* ⟨fig.⟩ did you manage to – this summer? *heb je deze zomer wat vakantie kunnen nemen?;* ↓ – (with you)! ⟨fig.⟩ *onzin!* •*ontsnappen, ontkomen;* – from *ontsnappen aan;* you can't – from this *hier kun je niet (meer) onderuit* || – from it all *er eens uit gaan/breken;* he'll never – with it *dat lukt hem nooit;* commit a crime and – with it *ongestraft een misdaad bedrijven* **II** ⟨ov ww⟩ •*weghalen, verwijderen.* **'get 'back I** ⟨onov ww⟩ •*terugkomen, teruggaan;* ⟨fig.⟩ – on sth. *op iets terugkomen;* – to one's books *zijn studies hervatten;* –! *terug!, naar buiten!* **II** ⟨ov ww⟩ •*terugkrijgen.* **'get 'by** •↓ *zich er doorheen slaan, zich redden* •*er (net) mee door kunnen.* **'get 'down I** ⟨onov ww⟩ •*dalen, naar beneden gaan/komen, afstappen, uitstappen;* – on one's knees *op zijn knieën gaan (zitten)* || – to sth. *aan iets toekomen;* – to business *terzake komen;* – to work *aan het werk gaan* **II** ⟨ov ww⟩ •*doen dalen, naar binnen krijgen* ⟨voedsel⟩ •*neerschrijven* •↓ *deprimeren, ontmoedigen.* **'get 'in I** ⟨onov ww⟩ •*binnenkomen, verkozen worden* ⟨politicus⟩; ↓ – on the act *mogen meedoen;* ↓ – with *aanpappen met* •*aankomen* ⟨v. vliegtuig enz.⟩ •*instappen* ⟨in voertuig⟩ **II** ⟨ov ww⟩ •*binnenbrengen, binnenhalen* ⟨oogst⟩; I couldn't get a word in (edgeways) *ik kon er geen speld*

tussen krijgen. **'get 'off I** ⟨onov ww⟩ •*afstappen, uitstappen* •*klaar zijn (met werk)* •*vertrekken, beginnen;* – to a good start *goed beginnen* •*in slaap vallen* •*vrijkomen, er goed afkomen;* – cheaply/lightly *er goedkoop/licht v. afkomen* •↓ *opgewonden raken* ||↓ tell s.o. where he/she gets/can –, *tell s.o. where to* – *iem. op zijn nummer/plaats zetten;* ⟨vnl. BE; ↓⟩ – with *het aanleggen met* **II** ⟨ov ww⟩ •*in slaap doen vallen* •*er goed doen afkomen, vrijspraak krijgen voor* •*(op)sturen* ⟨brief enz.⟩, *wegsturen* •*eraf krijgen* •*uittrekken* ⟨kleding, schoenen⟩ **III** ⟨ww + vz⟩ •*afstappen v.* ⟨fiets; stoep, grasveld enz.⟩, *afstijgen v.* ⟨paard⟩; – the bus *uit de bus stappen* •*klaar zijn met;* I got off work late *ik was pas laat met werk klaar.* **'get 'on I** ⟨onov ww⟩ •*vooruitkomen, opschieten;* – with one's work *goed opschieten met zijn werk* •*zich redden, het stellen;* – without sth. *het zonder iets kunnen stellen* •⟨+with⟩ *(kunnen) opschieten (met)* •*opstappen* ⟨mbt. paard, fiets⟩, *opstijgen, instappen* ⟨mbt. bus, vliegtuig⟩ || time is getting on *de tijd staat niet stil;* he's getting on for fifty *hij loopt tegen de vijftig;* – to s.o. *iem. contacteren; iem. op het spoor komen* ⟨misdadiger⟩; – with one's work *verdergaan met zijn werk;* he's getting on (in years) *hij wordt oud* **II** ⟨ov ww⟩ •*aantrekken, opzetten* **III** ⟨ww + vz⟩ •*stappen/klimmen op* ⟨fiets, paard, rots enz.⟩, *stappen in* ⟨vliegtuig e.d.⟩. **'get 'out I** ⟨onov ww⟩ •*uitlekken, bekend worden* •*naar buiten gaan, weggaan* •*ontkomen, ontsnappen* •*afstappen, uitstappen* **II** ⟨ov ww⟩ •*eruit halen/krijgen* ⟨splinter, vlekken enz.; ook fig.⟩ •*uitbrengen, publiceren* •*uitbrengen, hakkelen;* – a few words *een paar woordjes stamelen.* **get over I** ⟨ov ww⟩ •*overbrengen* ⟨bedoeling e.d.⟩, *duidelijk maken* || get sth. over (with), get sth. over and done with *ergens een eind aan maken; doorzetten* **II** ⟨ww + vz⟩ •*klimmen/raken over* ⟨bv. hek⟩ •*te boven komen* ⟨ziekte; ook fig.⟩, *genezen v.;* – s.o. *iem. (kunnen) vergeten* •*overwinnen* ⟨moeilijkheid⟩ || I still can't – the fact that … *ik heb nog steeds moeite met het feit dat ….* **get round** zie GET (A)ROUND. **'get 'through I** ⟨onov ww⟩ •*(er)doorkomen, goedgekeurd worden* ⟨v. wetsvoorstel⟩, *verbinding krijgen* ⟨per telefoon enz.⟩, *begrepen worden;* – to *bereiken, doordringen tot; begrepen worden door;* – with *afmaken* **II** ⟨ov ww⟩ •*laten goedkeuren, erdoor krijgen* ⟨ook ivm. examens⟩ •*aan*

zijn verstand brengen III ⟨ww + vz⟩ ●
heenraken door ⟨tijd, geld, kleding, werk⟩
●*slagen voor* ⟨examen⟩ ●*goedgekeurd*
worden door ⟨v. wetsontwerp⟩. '**get-to-**
gether ↓ ●*bijeenkomst.* '**getup** ●*uitrus-*
ting, kostuum ●*uitvoering.* '**get-up-and-**
'**go** ↓ ●*pit, energie.* '**get 'up** I ⟨onov ww⟩ ●
opstaan ●*opstijgen* ●*opsteken* ⟨v. wind
enz.⟩ ‖ – to *gaan naar, benaderen;* what is
he getting up to now? *wat voert hij nu*
weer in zijn schild? II ⟨ov ww⟩ ●*doen op-*
staan, doen stijgen ●*organiseren, op*
touw zetten ⟨feestje, toneelstuk⟩ ●*opma-*
ken, aankleden; get o.s./s.o. up as *zich/*
iem. verkleden als ●*maken, ontwikkelen;*
– speed *versnellen;* – an appetite *honger*
krijgen.

geyser ['gi:zə] ●*geiser, (warme) springbron*
●⟨BE⟩ *(gas)geiser.*

ghastly ['gɑːstli] ●*afschuwelijk, afgrijselijk*
●*(doods)bleek, akelig.*

gherkin ['gəːkɪn] ●*augurk.*

ghetto ['getoʊ] ●*getto.*

'**ghetto blaster** ●*gettoblaster.*

1 **ghost** [goʊst] ⟨zn⟩ ●*geest, spook(verschij-*
ning) ●*zweem, spoor, greintje;* not have
the – of a chance *geen schijn van kans*
hebben ‖ give up the – *de geest geven,*
sterven.

2 **ghost** ⟨ww⟩ ●*als ghost-writer schrijven.*

ghostly ['goʊs(t)li] ●*spookachtig, spook-.*

'**ghost town** ●*spookstad.* '**ghostwriter** ●
ghost-writer ⟨anoniem schrijver in opdracht v.e. ander⟩.

ghoul [guːl] ●*lijkenetende geest,* ⟨fig.⟩ *en-*
gerd, monster. **ghoulish** [guːlɪʃ] ●*demo-*
nisch, gruwelijk.

GI ['dʒiːˈaɪ] ⟨AE; ↓⟩ ●*soldaat.*

giant ['dʒaɪənt] ● *reus.* **giantess**
['dʒaɪəntɪs] ●*reuzin.*

gibber ['dʒɪbə] ●*brabbelen.* **gibberish**
['dʒɪbərɪʃ] ●*gebrabbel, kromtaal.*

gibbet ['dʒɪbɪt] ●*galg.*

gibbon ['gɪbən] ●*gibbon.*

1 **gibe, jibe** [dʒaɪb] ⟨zn⟩ ●*spottende opmer-*
king, schimpscheut, spot(ternij).

2 **gibe, jibe** ⟨ww⟩ ●*(be)spotten;* – at *de*
draak steken met.

giblet ['dʒɪblɪt] ⟨vnl. mv.⟩ ●*(eetbaar) or-*
gaan ⟨v. gevogelte: hart, lever, maag⟩.

giddy ['gɪdi] ●*duizelig, draaierig* ●*duize-*
lingwekkend ●*lichtzinnig.*

gift [gɪft] ●*cadeau, geschenk, gift* ●*gave,*
aanleg; have the – of (the) gab *welbe-*
spraakt/rad v. tong zijn ●*begevingsrecht;*
that office is not in his – *hij kan dat ambt*
niet vergeven. **gifted** ['gɪftɪd] ●*begaafd,*
talentvol, intelligent. '**gift-horse** ‖ don't

look a – in the mouth *je moet een gegeven*
paard niet in de bek zien. '**gift shop** ●*sou-*
venierwinkel(tje). '**gift wrap** ●*als ca-*
deautje inpakken.

gig [gɪg] ●*sjees* ● ↓ *optreden, concert.*

gigantic [dʒaɪˈgæntɪk] ●*gigantisch, reus-*
achtig (groot).

1 **giggle** ['gɪgl] ⟨zn⟩ ●*gegiechel, giechelbui;*
have the –s *de slappe lach hebben.*

2 **giggle** ⟨ww⟩ ●*giechelen (van).*

gigolo ['ʒɪgəloʊ, 'dʒɪ-] ●*gigolo.*

gild [gɪld] ⟨ook gilt, gilt [gɪlt]⟩ ●*vergulden.*
gilded ['gɪldɪd] ●*verguld* ●*rijk, welvarend.*

1 **gill** [dʒɪl] ⟨zn⟩ ●*gill* ⟨inhoudsmaat⟩ ●⟨BE;
gew.⟩ *kwart gill* ⟨¹⁄₈ liter⟩.

2 **gill** [gɪl] ⟨zn⟩ ●*kieuw.*

1 **gilt** [gɪlt] ⟨zn⟩ ●*verguldsel.*

2 **gilt** [gɪlt] ⟨verl. t. en volt. deelw.⟩ zie GILD².

'**gilt-'edged** ●*goudgerand* ●⟨geldw.⟩ *solide;*
– shares *goudgerande/solide aandelen.*

gimlet ['gɪmlɪt] ●*fretboor, houtboor;* ⟨fig.⟩
eyes like –s *doordringende blik.*

gimme ['gɪmi] ⟨samentr. v. give me⟩ ↓ ●*geef*
mij, toe (nou).

gimmick ['gɪmɪk] ↓ ●*truc(je), vondst.* **gim-**
micky ['gɪmɪki] ↓ ●*op effect/publiciteit ge-*
richt ⟨v. produkten⟩.

gin [dʒɪn] ●*gin, jenever.*

ginger ['dʒɪndʒə] ●*gember* ●*fut, enthou-*
siasme ●⟨vaak attr⟩ *rood(achtig bruin/*
geel), ⟨voor persoon⟩ *rooie.* '**ginger 'ale,**
'**ginger 'beer** ●*gemberbier.* '**gingerbread**
●*gembercake, peperkoek.*

'**ginger group** ⟨BE⟩ ●*pressiegroep, actie-*
groep.

gingerly ['dʒɪndʒəli] ●*voorzichtig, behoed-*
zaam.

'**ginger 'up** ●*stimuleren, oppeppen.*

gingivitis ['dʒɪndʒɪ'vaɪtɪs] ●*tandvleesont-*
steking.

ginseng ['dʒɪnseŋ] ●*ginseng(plant).*

gipsy, gypsy ['dʒɪpsi] ●*zigeuner(in).*

giraffe [dʒɪ'rɑːf] ●*giraf(fe).*

gird [gəːd] ●*(om)gorden, aangorden* ●*uit-*
rusten.

girder ['gəːdə] ●*steunbalk, draagbalk.*

1 **girdle** ['gəːdl] ⟨zn⟩ ●*gordel, (buik)riem,*
korset, ⟨fig.⟩ *kring.*

2 **girdle** ⟨ww⟩ ●*omgorden, insluiten, omrin-*
gen.

girl [gəːl] ●*meisje* ●*dienstmeisje.* '**girl 'Fri-**
day ●*secretaresse,* ⟨ongeveer⟩ *meisje*
voor alle werk. '**girl friend** ●*vriendin(ne-*
tje), meisje.

'**Girl 'Guide** ⟨vnl. BE⟩ ●*padvindster.*

girlhood ['gəːlhʊd] ●*meisjesjaren, jeugd.*

girlie ['gəːli] ↓ ●*met veel naakt, naakt-;* –
magazine *seksblad.* **girlish** ['gəːlɪʃ] ●

meisjesachtig, meisjes-.

'**Girl Scout** ⟨AE⟩ ● *padvindster.*

giro ['dʒaɪərou] ⟨BE⟩ ● *giro(dienst);* National Giro *postgiro.*

girth [gə:θ] ● *buikriem, buikgordel, koppel-(riem)* ● *omtrek.*

gist [dʒɪst] ⟨the⟩ ● *hoofdgedachte, essentie, kern.*

1 **give** [gɪv] ⟨zn⟩ ● *het meegeven, elasticiteit;* there is no – in him *hij is niet erg soepel.*

2 **give** ⟨gave [geɪv], given ['gɪvn]⟩ I ⟨onov ww⟩ ● *(aalmoezen) geven* ● *meegeven, bezwijken, (door)buigen, toegeven* ‖ – on-(to) *uitzien op, uitkomen op, toegang geven tot;* ↓ what –s? *wat is er gaande?;* zie GIVE IN, GIVE OUT, GIVE OVER, GIVE UP ‖ ⟨ov ww⟩ ● *geven, schenken, overhandigen;* – one's estate to *zijn landgoed vermaken aan;* – him my best wishes *doe hem de groeten van mij;* – o.s. *zich helemaal overgeven* ⟨aan iem.⟩; – s.o. into custody *iem. aan de politie overleveren* ● *geven, verlenen, verschaffen;* – me the good old days *geef mij maar de goeie ouwe tijd;* it's –n me much pain *het heeft me veel pijn gedaan;* – pleasure *erg aangenaam zijn;* – him some rest *gun hem wat rust;* we were –n three hours' rest *we kregen drie uur rust;* – trouble *last bezorgen;* he's been –n two years *hij heeft twee jaar (gevangenisstraf) gekregen;* – s.o. to understand/know *iem. te verstaan/kennen geven;* I'll – you that *dat geef ik toe* ● *geven, opofferen;* – one's life for *zijn leven geven voor* ● ⟨met zn⟩ *doen* ⟨wat zn uitdrukt⟩; – a cry *een kreet slaken;* – proof of one's courage *zijn moed tonen;* – a ring *opbellen;* – a shrug of the shoulders *zijn schouders ophalen* ● *geven, aanbieden;* – a dinner *een diner aanbieden* ● *(op)geven, meedelen;* the teacher gave us three exercises (to do) *de onderwijzer heeft ons drie oefeningen opgegeven (als huiswerk);* – information *informatie verstrekken* ● *geven, voortbrengen;* – bad results *slechte resultaten opleveren;* – off *(af)geven, verspreiden* ‖ – or take 5 minutes *5 minuutjes meer of minder;* – as good as one gets *met gelijke munt betalen;* – it s.o. straight *iem. er flink v. langs geven;* don't – me that *(hou op met die) onzin;* zie ook ⟨sprw.⟩ DOG, INCH; zie GIVE AWAY, GIVE BACK, GIVE IN, GIVE OUT, GIVE OVER, GIVE UP.

'**give-and-'take** ● *geven en nemen, compromis.* '**giveaway** ↓ ● *cadeautje* ● *(ongewild) verraad;* her eyes were a dead – *haar ogen verrieden alles.* '**give a'way** ● *weggeven,*

cadeau doen ● *uitdelen* ⟨prijzen⟩ ● *verraden, verklappen* ● *ten huwelijk geven.* '**giveaway price** ● *weggeefprijs.* '**give 'back** ● *teruggeven.* '**give 'in** I ⟨onov ww⟩ ● *(+to) toegeven (aan), zich gewonnen geven* ‖ ⟨ov ww⟩ ● *inleveren.*

1 **given** ['gɪvn] I ⟨bn, attr en pred⟩ ● *gegeven, bepaald;* at a – time *op een bepaald ogenblik;* at any – time *om het even wanneer* ‖ ⟨bn, pred⟩ ● *geneigd;* – to drinking *verslaafd aan de drank;* he is – to boasting *hij pocht graag.*

2 **given** ⟨vz, vw⟩ ● ⟨vz⟩ *gezien* ● ⟨vw; vaak met +that⟩ *aangezien;* – (that) you don't like it *aangezien je het niet leuk vindt.*

'**given name** ⟨AE⟩ ● *voornaam, doopnaam.*

'**give 'out** I ⟨onov ww⟩ ● *bezwijken, opraken* ‖ ⟨ov ww⟩ ● *aankondigen, meedelen, publiceren;* give o.s. out to be a doctor *zich voor dokter uitgeven* ● *afgeven* ● *uitdelen.*

'**give 'over** I ⟨onov ww⟩ ↓ ● *ophouden, stoppen* ‖ ⟨ov ww⟩ ● *stoppen* ● *overhandigen, overleveren* ● *overgeven, wijden, gebruiken;* give o.s. over to gambling *zich overgeven aan het gokken.* **giver** ['gɪvə] ● *gever/geefster.* '**give 'up** I ⟨onov ww⟩ ● *(het) opgeven;* – on *geen hoop meer hebben voor* ‖ ⟨ov ww⟩ ● *opgeven, afstand doen v., alle hoop opgeven voor* ⟨ook med.⟩; – one's seat *zijn zitplaats afstaan;* – for dead *als dood beschouwen;* – smoking *stoppen met roken* ● *overgeven, overleveren;* give o.s. up *zich gevangen geven* ● *onthullen, verraden.*

glacé ['glæseɪ] ● *geglansd, glanzend* ● *geglaceerd, gekonfijt.*

glacial ['gleɪʃl] ● *ijs-* ⟨ook fig.⟩, *ijzig, ijskoud.*

glacier ['glæsɪə] ● *gletsjer.*

glad [glæd] ● *blij, verheugd;* be – to see the back of s.o. *iem. gaarne zien vertrekken;* I'd be – to! *met plezier!;* I'll be – to help *ik wil je graag helpen;* – about/at/of *blij om, verheugd om/over.* **gladden** ['glædn] ● *blij maken, verblijden.*

glade [gleɪd] ● *open plek* ⟨in het bos⟩.

gladiator ['glædɪeɪtə] ● *gladiator.*

gladly ['glædli] ● zie GLAD ● *graag, met plezier.*

'**glad rags** ↓ ● *zondagse plunje.*

glamorize ['glæməraɪz] ● *(zeer) aantrekkelijk/aanlokkelijk maken, idealiseren.* **glamorous** ['glæmrəs] ● *(zeer) aantrekkelijk, betoverend (mooi).*

glamour ['glæmə] ● *betovering, bekoring;* cast a – over *betoveren.*

1 **glance** [glɑ:ns] ⟨zn⟩ ● *(vluchtige) blik, oogopslag;* at a – *met één oogopslag.*

2 **glance** ⟨ww⟩ ● *(vluchtig) kijken;* – at *een*

blik werpen op; – over/through *(even) in-kijken/bekijken, doorkijken* ● *glinsteren* ‖ – off *afschampen, afstuiten.*

glancing ['glɑːnsɪŋ] ● *afschampend, schamp-.*

gland [glænd] ● *klier.* **glandular** ['glændjʊlə] ● *klierachtig, klier-.*

1 glare [gleə] I ⟨telb zn⟩ ● *woeste/boze/drei-gende blik* II ⟨telb en n-telb zn⟩ ● *hel/ver-blindend licht* ⟨ook fig.⟩.

2 glare ⟨ww⟩ ● *fel schijnen;* the sun –d down on our backs *de zon brandde (fel) op onze rug* ● *boos kijken;* – at *woedend/dreigend/boos aankijken.* **glaring** ['gleərɪŋ] ● *ver-blindend, fel;* – colours *schreeuwende kleuren* ● *woest;* – eyes *vlammende ogen* ● *opvallend, flagrant;* – error *grove fout/vergissing.*

glass [glɑːs] I ⟨telb zn⟩ ● *glas, (drink)glas, spiegel, glaasje* ⟨drank⟩ II ⟨n-telb zn⟩ ● *glas(werk)* ● *glas, (broei)kassen* ‖ ⟨sprw.⟩ people who live in glass houses should not throw stones *wie in een glazen huisje zit, moet niet met stenen gooien* III ⟨mv.⟩ ● *bril;* two pairs of –es *twee brillen* ● *(ver-re/toneel)kijker.* '**glass cutter** ● *glassnij-der* ⟨persoon en werktuig⟩. '**glass 'fibre** ● *glasvezel.* '**glasshouse** ● ⟨BE⟩ *(broei)kas.* '**glassware** ● *glaswerk.* '**glass 'wool** ● *glaswol.* '**glassworks** ● *glasfabriek, glas-blazerij.* **glassy** ['glɑːsi] ● *glasachtig, gla-zig, (spiegel)glad* ● *wezenloos, apathisch.*

glaucoma [glɔːˈkəʊmə] ⟨med.⟩ ● *groene staar* ⟨oogziekte⟩.

1 glaze [gleɪz] ⟨zn⟩ ● *glazuur(laag), glaceer-sel.*

2 glaze I ⟨onov ww⟩ ● ⟨vaak +over⟩ *glazig worden, breken* ⟨v. ogen⟩ II ⟨ov ww⟩ ● *beglazen, in glas zetten* ● *verglazen, glazu-ren, glaceren.* **glazed** ['gleɪzd] ● *glazen;* double-glazed windows *dubbele ramen* ● *geglazuurd, geglaceerd* ● *glazig;* – eyes *wezenloze blik.* **glazier** ['gleɪzɪə] ● *glazen-maker.* **glazing** ['gleɪzɪŋ] ● *glazuur(laag), glaceersel* ● *beglazing, ruiten;* double – *dubbele ramen.*

1 gleam [gliːm] ⟨zn⟩ ● *schijnsel, glans, straal(tje)* ⟨ook fig.⟩; not a – of hope *geen sprankje hoop.*

2 gleam ⟨ww⟩ ● *schijnen, glanzen, schitte-ren.*

glean [gliːn] I ⟨onov ww⟩ ● *aren lezen/verza-melen* II ⟨ov ww⟩ ● *verzamelen* ⟨aren⟩ ● *moeizaam vergaren* ⟨informatie⟩. **glean-ings** ['gliːnɪŋz] ● *verzamelde aren* ● *(moei-zaam) verzamelde informatie.*

glee [gliː] I ⟨telb zn⟩ ● *driestemmig/meer-stemmig lied* II ⟨n-telb zn⟩ ● *vreugde, op-*

gewektheid. '**glee club** ● *zangvereniging.* **gleeful** ['gliːfʊl] ● *vreugdevol, opgewekt.*

glen [glen] ● *nauwe vallei* ⟨vnl. in Schot-land, Ierland⟩.

glib [glɪb] ● *vlot, rad v. tong,* ⟨ong.⟩ *glad, handig.*

1 glide [glaɪd] ⟨zn⟩ ● *glijdende beweging.*

2 glide ⟨ww⟩ ● *glijden, sluipen, zweven;* – across the room *door de kamer zweven/sluipen* ● ⟨luchtv.⟩ *zweven.* **glider** ['glaɪdə] ● *zweefvliegtuig* ● *zweefvlieger.* **gliding** ['glaɪdɪŋ] ● *het zweefvliegen.*

1 glimmer ['glɪmə] ⟨zn⟩ ● *zwak licht/schijn-sel, glinstering* ● *straaltje* ⟨fig.⟩; – of hope *sprankje hoop;* not a – of understanding *geen flauw benul.*

2 glimmer ⟨ww⟩ ● *zwak schijnen, glimmen.*

1 glimpse [glɪmps] ⟨zn⟩ ● *glimp;* catch/get a – of *een glimp opvangen v..*

2 glimpse ⟨ww⟩ ● *een glimp opvangen v..*

1 glint [glɪnt] ⟨zn⟩ ● *schittering, gefonkel;* have a mean – in one's eye *een gemene blik in zijn ogen hebben.*

2 glint ⟨ww⟩ ● *schitteren, fonkelen, glinste-ren.*

glisten ['glɪsn] ● *schitteren, glinsteren, glim-men;* – with *schitteren/fonkelen v..*

1 glitter ['glɪtə] ⟨zn⟩ ● *geschitter, glinstering* ● *aantrekkelijkheid, betovering* ● *glitter.*

2 glitter ⟨ww⟩ ● *schitteren, blinken, glinste-ren* ‖ ⟨sprw.⟩ all that glitters is not gold *het is niet al goud wat er blinkt.* **glittering** ['glɪtrɪŋ] ● *schitterend, glinsterend* ● *prachtig, betoverend.*

gloat [gləʊt] ● *begerig kijken* ● *zich verlusti-gen;* – over/(up)on *zich verkneukelen in.*

glob [glɒb] ↓ ● *klont, klodder, kwak.*

global ['gləʊbl] ● *wereldomvattend, wereld-* ● *algemeen, globaal.*

globe [gləʊb] ● *globe, aarde, wereldbol* ● ⟨ben. voor⟩ *glazen vat/houder, lampekap, (lamp)ballon, viskom.* '**globetrotter** ● *glo-betrotter, wereldreiziger.*

globular ['glɒbjʊlə] ● *bolvormig.* **globule** ['glɒbjuːl] ● *druppeltje, bolletje.*

gloom [gluːm] ● *duisternis* ● *zwaarmoedig-heid, somberheid.* **gloomy** ['gluːmi] ● *duister, (half)donker* ● *mistroostig, som-ber* ● *weinig hoopgevend.*

glorif|y ['glɔːrɪfaɪ] ⟨zn: **-ication**⟩ ● *verheerlij-ken* ● *ophemelen* ● *mooier voorstellen, verfraaien.*

glorious ['glɔːrɪəs] ● *roemrijk, glorieus* ● *prachtig* ● ↓ *alleraangenaamst, prettig;* – fun *dolle pret.* **glory** ['glɔːri] ● *glorie, eer, roem* ● *lof;* – to the Father *eer aan de Va-der* ● *glorie, pracht, trots, gloriedaad* ● *(hemelse) glorie.*

'**glory in** •*zich verheugen in, blij zijn met* •*trots zijn op, prat gaan op.*

1**gloss** [glɒs] I ⟨telb zn⟩ •*verklarende aantekening, toelichting* II ⟨zn⟩ •*glans* •*glamour, schone schijn.*

2**gloss** ⟨ww⟩ •*van aantekeningen voorzien;* zie GLOSS OVER.

glossary ['glɒs(ə)ri] •*glossarium.*

gloss over •*verbloemen, goedpraten, verdoezelen* ⟨gedrag, fouten⟩.

'**gloss 'paint** •*(hoog)glansverf.*

1**glossy** ['glɒsi] ⟨zn⟩ •*populair (roddel/mode)blad* ⟨op glanzend papier gedrukt⟩.

2**glossy** ⟨bn⟩ •*glanzend, blinkend, glad; –* paper *glanzend papier* ‖ – magazine *populair (roddel/mode)blad.*

glove [glʌv] •*handschoen* ⟨ook sport⟩; fit like a – *als gegoten zitten* ‖ the –s are off *het wordt menens.* '**glove compartment** •*handschoen(en)kastje* ⟨in auto⟩.

1**glow** [gloʊ] ⟨zn⟩ •*gloed* •*blos;* the – of health *een gezonde blos/(rode) kleur.*

2**glow** ⟨ww⟩ •*gloeien, glimmen* •*blozen* ‖ – with pride *zo trots als een pauw zijn.*

glower ['glaʊə] •(+at) *dreigend kijken (naar), boos/kwaad (aan)kijken.*

glowing ['gloʊɪŋ] •*gloeiend; –* cheeks *blozende wangen* •*gloedvol;* a – account *een enthousiast verslag.* '**glowworm** •*glimworm.*

glucose ['glu:koʊs] •*glucose, druivesuiker.*

1**glue** [glu:] ⟨zn⟩ •*lijm.*

2**glue** ⟨ww; tegenw. deelw. ook gluing⟩ •*lijmen, vastkleven;* ⟨fig.⟩ his eyes were –d to the girl *hij kon zijn ogen niet van het meisje afhouden* •*dichtbij houden/blijven;* my son stayed –d to my side *mijn zoon week niet van mijn zijde.*

'**glue-sniffing** •*lijm/solutiesnuiven.* **gluey** ['glu:i] •*kleverig, plakkerig.*

glum [glʌm] •*mistroostig, sip, terneergeslagen.*

1**glut** [glʌt] ⟨zn⟩ •*overvloed* •*overschot, overvoering.*

2**glut** ⟨ww⟩ •*volstoppen; –* o.s. with zich *volstoppen met* •*(over)verzadigen, overvoeren* ⟨markt⟩.

glutinous ['glu:tɪnəs] •*kleverig, plakkerig.*

glutton ['glʌtn] •*slokop, gulzigaard;* he's a real – for punishment *hij heeft het graag zwaar; –* for work *werkezel.* **gluttonous** ['glʌtnəs] •*gulzig, vraatzuchtig.* **gluttony** ['glʌtni] •*gulzigheid, vraatzucht.*

glycerol ['glɪs(ə)rɒl], **glycerin(e)** [-ri:n, -rɪn] ⟨schei.⟩ •*glycerol, glycerine.*

gnarled [nɑ:ld] •*knoestig, knokig.*

gnash [næʃ] •*knarsetanden; –* one's teeth *tandenknarsen.*

gnat [næt] •*mug, muskiet* ‖ strain at a –/at –s *muggeziften.*

gnaw [nɔ:] ⟨volt. deelw. ook gnawn [nɔ:n]⟩ I ⟨onov ww⟩ •*knagen* ⟨ook fig.⟩; – (away) at *knagen aan, wegknagen;* sorrow –ed at him *leed kwelde hem* II ⟨ov ww⟩ •*knagen aan* ⟨ook fig.⟩, *kwellen; –(uit)knagen, afknagen.* **gnawing** ['nɔ:ɪŋ] •*knagend, kwellend.*

gnome [noʊm] •*aardmannetje, kabouter.*

gnu [nu:] •*gnoe, wildebeest.*

1**go** [goʊ] ⟨zn⟩ ↓ •*poging;* have a – at sth. *eens iets proberen* •*beurt;* at/in one – *in één klap* •*pit, fut, energie;* be full of – *veel energie hebben* •*aanval;* have a – at een *aanval doen op; v. leer trekken tegen* •*portie, hoeveelheid;* the beer is 50 p a – *de pils is 50 pence per glas* ‖ make a – of it *er een succes v. maken;* it 's all – *het is een drukte v. jewelste; (up)on the – in de weer, in volle actie; (it 's) no – het kan niet, het lukt nooit.*

2**go** ⟨bn⟩ ↓ •*goed functionerend, in orde;* ⟨ruim.⟩ all systems (are) – *(we zijn) startklaar.*

3**go** ⟨went, gone⟩ I ⟨onov ww⟩ •*gaan, vertrekken, beginnen;* (right) from the word – *vanaf het begin; –* to find s.o. *iem. gaan zoeken; –* fishing *uit vissen gaan;* let – *laten gaan, loslaten;* look where you are –ing! *kijk uit je doppen!; –* shopping *gaan winkelen;* who –es there? *wie daar?* ⟨vraag naar wachtwoord⟩; ⟨fig.⟩ I wouldn't – so far as to say that *dat zou ik niet durven zeggen; –* on gaan op/met ⟨vakantie, safari⟩; – on the pill *aan de pil gaan;* ready, steady, –! *klaar voor de start? af!* •*gaan, lopen, reizen; –* by air/car met het vliegtuig/de auto *reizen; –* for a walk *een wandeling maken; –* abroad *naar het buitenland gaan* •*gaan (naar), voeren (naar)* ⟨ook fig.⟩, *reiken, zich uitstrekken; –* from bad to worse *v. kwaad tot erger vervallen;* the difference –es deep *het verschil is erg groot* •*(voortdurend) zijn* ⟨in een bep. toestand⟩; be a good actor as actors – *nowadays een goed acteur zijn vergeleken met de andere acteurs; –* in fear of one's life *voor zijn leven vrezen;* as things – *in vergelijking, in het algemeen; –* armed *gewapend zijn;* how are things –ing? *hoe gaat het ermee?* •*gaan, lopen, draaien, werken* ⟨v. toestel, systeem, fabriek enz.⟩; – slow *een langzaam-aan-actie houden* •*afgaan* ⟨v. geweer⟩, *aflopen, luiden* ⟨v. klok e.d.⟩ •*verstrijken, (voorbij)gaan* ⟨v. tijd⟩; ten days to – *to/before Easter nog tien dagen (te gaan) en* *dan is het Pasen* ● *gaan* ⟨mbt. afstand⟩; five miles to – *nog vijf mijl af te leggen* ● *gaan, luiden* ⟨v. gedicht, verhaal⟩; the story –es that *het verhaal doet de ronde dat;* the tune –es like this *het wijsje klinkt als volgt* ● *aflopen;* – well *goed aflopen* ● *vorderen, opschieten;* how is the work going? *hoe vordert het (met het) werk?* ● *gelden, gezag hebben* ⟨v. oordeel, persoon⟩; that –es for all of us *dat geldt voor ons allemaal* ● *er vanaf komen;* – free *vrijuit gaan;* – unpunished *ongestraft wegkomen* ● *(weg)gaan, verkocht worden* ⟨v. koopwaar⟩; –ing!, –ing!, –ne! *eenmaal! andermaal! verkocht!* ● *besteed worden* ⟨v. geld, tijd⟩; – on *besteed worden/gespendeerd worden aan* ● *verdwijnen* ⟨ook fig.⟩; my sight is –ing *mijn ogen worden minder goed;* my complaints went unnoticed *mijn klachten werden niet gehoord* ● *weggaan, vertrekken, heengaan* ⟨ook fig.⟩ ● *stuk gaan* ⟨apparaat, kleding e.d.⟩, *bezwijken* ● *gaan, thuishoren;* the forks – in the top drawer *de vorken horen in de bovenste la* ‖ my car must – *mijn auto moet weg;* what he says –es *wat hij zegt, gebeurt ook;* this –es to prove I'm right *dit bewijst dat ik gelijk heb;* it only –es to show *zo zie je maar;* if these things are –ing begging I'll take them *als niemand (anders) ze wil, neem ik ze wel;* ⟨BE; ↓⟩ – and do sth. *iets gaan doen;* ⟨BE; ↓⟩ – and get sth. *iets gaan halen;* let o.s. – *zich laten gaan, zich ontspannen;* anything –es *alles is toegestaan;* – before *voorafgaan* ⟨in de tijd⟩; – one better *(één) meer bieden;* ⟨fig.⟩ *het beter doen, overtreffen;* – carefully *heel behoedzaam te werk gaan;* – easy *het rustig(er) aan (gaan) doen;* ↓ – easy on *geen druk uitoefenen op; matig/voorzichtig zijn met;* ↓ here –es! *daar gaat ie (dan)!;* ↓ here we – again *daar gaan we weer, daar heb je het weer;* there you – *asjeblieft; daar heb je het (al);* – wrong *zich vergissen; fout/mis gaan;* ↓ *stuk gaan* ⟨v. apparaat⟩; ⟨AE⟩ to – *om mee te nemen* ⟨bv. warme gerechten⟩; zie ook ⟨sprw.⟩ EASY, HERE; zie GO ABOUT, GO AFTER, GO AGAINST, GO AHEAD, GO ALONG, GO (A) ROUND, GO AT, GO AWAY, GO BACK, GO BEYOND, GO BY, GO DOWN, GO FAR, GO FOR, GO IN, GO INTO, GO OFF, GO ON, GO OUT, GO OVER, GO ROUND, GO THROUGH, GO TO, GO TOGETHER, GO UNDER, GO UP, GO WITH, GO WITHOUT **II** ⟨ov ww⟩ ● *afleggen, gaan;* – the same way *dezelfde kant opgaan;* – the shortest way *de kortste weg nemen* ‖ – it alone *iets/het helemaal alleen doen;* – it strong *er*

hard tegenaan gaan **III** ⟨kww⟩ ● *worden, gaan;* ⟨pol.⟩ Liverpool went Labour *Liverpool ging over naar/werd Labour;* – bad *slecht worden, bederven;* – blind *blind worden;* – broke *al zijn geld kwijtraken;* – hungry *honger krijgen;* – ill/sick *ziek worden;* the milk went sour *de melk werd zuur.*

'go a'bout I ⟨onov ww⟩ ● *rondlopen, (rond) reizen* ● *de ronde doen* ⟨v. gerucht⟩ ● *omgang hebben;* – with s.o. *verkering hebben/zich ophouden met iem.* **II** ⟨ww + vz⟩ ● *aanvatten, aanpakken, zich bezighouden met.*

1 goad [goud] ⟨zn⟩ ● *prikkel, prikstok* ⟨v. veedrijver⟩ ● *prikkel, stimulans.*

2 goad ⟨ww⟩ ● *drijven,* ⟨fig.⟩ *aanzetten, prikkelen.*

'go 'after ● *(achter)nalopen* ● *nastreven, najagen.* **'go against** ● *ingaan tegen* ● *indruisen tegen, in strijd zijn met* ● *nadelig aflopen voor, nadelig uitvallen voor.* **'go a'head** ● *voorafgaan, voorgaan* ● *beginnen;* –! *ga je gang!, begin maar!* ● *verder gaan* ‖ he just went ahead and did it *hij ging het gewoon doen.*

1 'go-ahead ⟨zn⟩ ↓ ● *toestemming;* give the – *toestemming/het startsein geven.*

2 go-ahead ⟨bn⟩ ↓ ● *voortvarend, ondernemend.*

goal [goul] ● *doel* ● ⟨sport⟩ *doel* ● ⟨sport⟩ *doelpunt;* kick/make/score a – *een doelpunt maken/scoren.* **'goalkeeper,** ↓ **goalie** ['gouli] ⟨sport⟩ ● *keeper, doelverdediger.* **'goal line** ⟨sport⟩ ● *doellijn.* **'goalmouth** ⟨sport⟩ ● *doelmond.*

'go a'long ● *voortgaan (met), doorgaan (met)* ● *vorderen, vooruitgaan.* **'go a'long with** ● *meegaan met* ⟨ook fig.⟩, *akkoord gaan met, bijvallen* ‖ – you! *loop heen!.*

'goal post ⟨sport⟩ ● *(doel)paal.*

'go (a)'round ● *rondgaan (in), rondlopen, de ronde doen* ⟨v. gerucht e.d.⟩; you can't – complaining all of the time! *je kan toch niet de hele tijd lopen mokken!;* – with s.o. *met iem. gaan* ● *voldoende zijn (voor);* there are enough chairs to – (everybody) *er zijn genoeg stoelen voor iedereen.*

'go-as-you-'please ● *niet aan regels gebonden;* – atmosphere *vanavond-is-alles-goed sfeer* ‖ – ticket *algemeen abonnement, passe-partout.*

goat [gout] ● *geit* ‖ act/play the (giddy) – *gek doen;* ↓ get s.o.'s – *iem. ergeren.*

'go at ● *aanvallen,* ⟨fig.⟩ *v. leer trekken tegen* ● *aanpakken* ⟨taak⟩.

goatee [gou'ti:] ● *(geite)sik.*

'go a'way ● *weggaan, vertrekken.* **'go 'back**

●*teruggaan, terugkeren* ●*teruggaan, dateren;* this tradition goes back to the Middle Ages *deze traditie gaat terug tot/dateert van de middeleeuwen.* **'go 'back on** ●*terugnemen, terugkomen op* ⟨woord(en) e.d.⟩ ●*verraden.*

gobbet ['gɒbɪt] ●*homp, brok.*

gobble ['gɒbl] **I** ⟨onov ww⟩ ●*klokken* ⟨v. kalkoen⟩ **II** ⟨ov ww⟩ ●*opschrokken;* – down/up *naar binnen schrokken.*

'go-between ●*tussenpersoon, bemiddelaar.*

'go beyond ●*overschrijden, te buiten gaan;* – one's duty *buiten zijn boekje gaan.*

goblet ['gɒblɪt] ●*bokaal, drinkglas* ⟨op voet⟩.

goblin ['gɒblɪn] ●*(boze) kabouter, kwelgeest.*

'go 'by I ⟨onov ww⟩ ●*voorbijgaan* ⟨ook fig.⟩, *passeren* **II** ⟨ww + vz⟩ ●*zich baseren op, zich laten leiden door;* – the book *volgens het boekje handelen.*

'go-cart ●*karretje* ⟨speelgoed voor kinderen⟩.

god [gɒd] ●⟨G-⟩ *God;* in God 's name!, for God's sake! *in godsnaam!;* God forbid *God verhoede;* God (alone) knows where I left my wallet! *God weet/mag weten waar ik mijn portefeuille heb gelaten!;* thank God! *Goddank!;* God willing *zo God het wil* ●*(af)god* ‖ the –s *het schellinkje;* ⟨sprw.⟩ God helps those who help themselves *help uzelf, zo helpt u God;* zie ook ⟨sprw.⟩ MAN.

'God-'awful ↓ ●*(gods)gruwelijk, afgrijselijk.*

'godchild ●*petekind.*

'god'dam(n), 'god'damned ●*verdomd, vervloekt;* –! *(god)verdomme!.*

'goddaughter ●*peetdochter.*

goddess ['gɒdɪs] ●*godin.*

'godfather ⟨ook fig.⟩ ●*peetvader, peter.*

'god-fearing ●*godvrezend.* **'godforsaken** ●*(van)godverlaten* ●*triest, ellendig.* **'godhead** ['gɒdhed] ●*godheid, goddelijkheid.* **godless** ['gɒdləs] ●*goddeloos.* **godlike** ['gɒdlaɪk] ●*goddelijk.* **godly** ['gɒdli] ●*vroom, godvruchtig.*

'godmother ●*meter, peettante.*

'go 'down ●*naar beneden gaan/leiden;* – to the country *naar het platteland afzakken;* – to the sea *naar zee gaan* ●*dalen* ⟨v. prijs, temperatuur⟩ ●*zinken, ondergaan* ⟨schip, persoon⟩ ●*ondergaan* ⟨v. zon e.d.⟩ ●*verslechteren, vallen,* ⟨fig.⟩ *verslagen worden* ⟨v.e. stad enz.⟩, *geveld worden (door)* ⟨ziekte⟩; – on one's knees *op de knieën vallen;* – with measles *de mazelen krijgen* ●*erin gaan* ⟨v. eten⟩ ●*in de smaak vallen;* ↓ – like a bomb *enthousiast ontvangen*

worden ●*te boek gesteld worden;* – in history *de geschiedenis ingaan* ●⟨BE⟩ *de universiteit verlaten* ⟨tijdelijk of voorgoed⟩.

'godparent ●*peet, doopgetuige.*

'godsend ●*meevaller, buitenkansje, godsgeschenk.*

'godson ●*peetzoon.*

godspeed ['gɒd'spiːd] ‖ bid/wish s.o. – *iem. veel geluk/een goede reis toewensen.*

goer ['gəʊə] ●*iem. die/iets dat snel gaat* ⟨bv. auto⟩ ●*echte liefhebber* ⟨v. seks⟩.

'go 'far ●*het ver brengen* ●*toereiken(d zijn), lang meegaan* ‖ far gone *ver heen.* **'go for** ●*gaan om, (gaan) halen;* – a walk *een wandeling maken* ●*gelden voor, v. toepassing zijn op* ●*(ver)kiezen, aangetrokken worden door, prachtig vinden* ●*verkocht worden voor;* – for a song *voor een prikje v.d. hand gaan* ●*aanvallen, te lijf gaan* ‖ – nothing/(very) little *niets/(erg) weinig uithalen.*

'go-getter ●*doorzetter, streber.*

goggle ['gɒgl] ●*staren;* – at *aangapen.* **'goggle box** ⟨BE; sl.⟩ ●*kijkkas(t), buis, t.v..* **goggles** ['gɒglz] ●*veiligheidsbril, sneeuwbril, stofbril.*

'go-go ‖ – girl/dancer *go-go girl/danseres.*

'go 'in ●*naar binnen gaan* ●*schuilgaan* ⟨v. zon, maan enz.⟩. **'go 'in for** ●*(gaan) deelnemen aan, zich aanmelden voor* ⟨een examen, wedstrijd enz.⟩ ●*(gaan) doen aan* ⟨hobby, sport e.d.⟩.

1 going ['gəʊɪŋ] ⟨zn⟩ ●*het gaan;* comings and –s *komen en gaan* ⟨ook fig.⟩ ●*toestand* ⟨v. renbaan, terrein e.d.⟩ ●*het vorderen, gang;* be heavy – *moeilijk/zwaar zijn* ‖ while the – is good *nu het nog kan.*

2 going ⟨bn⟩ ●*voorhanden;* the best car – *de beste auto die er bestaat;* there is a good job – *er is een goede betrekking vacant* ●*(goed) werkend* ●*gangbaar;* the – rate *het gangbare tarief* ‖ – on fifteen *bijna vijftien (jaar).*

'going-'over ↓ ●*onderzoek* ●*uitbrander, aframmeling.*

'goings-'on ↓ ●*voorvallen, dingen;* there was all sorts of – *er gebeurde van alles.*

'go into ●*binnengaan (in)* ●*gaan in, deelnemen aan;* – business *zakenman worden* ●*komen/(ge)raken in* ⟨bep. toestand⟩; – a coma *in coma raken* ●*(nader) ingaan op, zich verdiepen in, onderzoeken;* – (the) details *in detail treden.*

'go-kart ⟨BE⟩ ●*skelter.*

gold [gəʊld] ●*goud* ‖ zie ook ⟨sprw.⟩ GLITTER. **'gold digger** ●*goudzoeker.*

golden ['gəʊldən] ●*gouden, gulden;* the

Golden Age *de Gouden Eeuw;* – hand-shake *gouden handdruk;* the – mean *de gulden middenweg;* – opportunity *buiten-kans;* – rule *gulden regel;* – wedding (an-niversary) *gouden bruiloft* ‖ kill the goose that lays the – eggs *de kip met de gouden eieren slachten.*

'**gold fever** ● *goudkoorts.*

'**goldfinch** ● *distelvink.*

'**goldfish** ● *goudvis.*

'**gold 'leaf** ● *bladgoud.* '**gold mine** ⟨ook fig.⟩ ● *goudmijn.* '**gold 'plate** ● *verguld tafel-gerei* ● *goudpleet.* '**gold rush** ● *trek naar de goudvelden.* '**goldsmith** ● *goudsmid.*

golf [gɒlf] ⟨sport⟩ ● ⟨zn⟩ *golf* ● ⟨ww⟩ *golfen, golf spelen.* '**golf ball** ● *golfbal.* '**golf club** ● *golfclub* ⟨vereniging⟩ ● *golfclub, golf-stok.* '**golf course,** '**golf links** ● *golfbaan.* **golfer** ['gɒlfə] ● *golfspeler.*

goliath [gəˈlaɪəθ] ● *goliath, reus.*

golliwog, gollywog ['gɒliwɒg] ● *lappen ne-gerpop.*

golly ['gɒli] ↓ ● *gossie(mijne).*

gondola ['gɒndələ] ● *gondel.* **gondolier** ['gɒndəˈlɪə] ● *gondelier.*

1 **gone** [gɒn] ⟨bn⟩ ● *verloren;* a – cause *een hopeloze zaak;* be a – man *een mislukke-ling zijn* ● *voorbij, vertrokken* ‖ far – *ver heen;* be – on *(smoor)verliefd zijn op.*

2 **gone** ⟨vz⟩ ● *over;* it's – three *het is over drieën.*

gong [gɒŋ] ● *gong.*

gonna ['gənə, ⟨sterk⟩'gɒnə] ⟨samentr. v. going to⟩ ⟨BE sl., AE ook ↓⟩.

goo [guː] ● *kleverig goedje.*

1 **good** [gʊd] I ⟨n-telb zn⟩ ● *goed, welzijn;* milk does you – *melk is goed voor u;* it will do him all the – in the world *hij zal er erg v. opknappen/opkikkeren;* he will come to no – *het zal slecht met hem aflopen;* for his (own) – *om zijn eigen bestwil* ● *voor-deel;* it's no – (my) talking to her *het heeft geen zin met haar te praten;* what is the – of it? *wat voor nut heeft het?;* it's no – *het heeft geen zin, het wordt niks;* ⟨vaak iron.⟩ much – may it do you! *geluk ermee!* ‖ – and evil *goed en kwaad;* be after/up to no – *niets goeds in de zin hebben;* for – (and all) *voorgoed;* ⟨sprw.⟩ good rid-dance (to bad rubbish) *opgeruimd staat netjes;* too much of a good thing (is good for nothing) *overdaad schaadt;* one good turn deserves another *de ene dienst is de andere waard;* zie ook ⟨sprw.⟩ ENOUGH, MISS, NEWS, NOD II ⟨mv.⟩ ● *(koop)waar, ar-tikelen;* deliver the –s *de goederen (af)le-veren;* ⟨fig.⟩ volledig aan de verwachtin-gen voldoen ● ⟨vnl. BE⟩ *goederen* ⟨voor

treinvervoer⟩, ⟨vnl. AE⟩ *vracht.*

2 **good** ⟨bn; better ['betə], best [best]⟩ ● *goed, knap, kundig;* – looks *knapheid;* – sense *gezond verstand;* – for you, ⟨BE; gew.⟩ – on you *goed zo, knap (v. je)* ● *goed, correct, juist;* the – cause *de goede zaak;* all in – time *alles op zijn tijd;* make – *het maken, slagen* ⟨vnl. financieel⟩; *goed-maken; vergoeden* ⟨schulden⟩; *nakomen* ⟨belofte⟩; *herstellen* ⟨schade⟩ ● *goed, fatsoenlijk;* (in) – faith *(te) goede(r) trouw;* make – one's escape *slagen in een ont-snapping* ● *aardig, lief, goed, gehoor-zaam;* – humour *opgewektheid;* my – man *mijn beste man; mijn lieve man* ⟨ver-ontwaardigd⟩; – nature *goedaardigheid;* put in a – word for *een goed woordje doen voor;* be – enough (to) *wees zo vriendelijk* ● *goed, aangenaam, voordelig, lekker;* beer is not – for her *bier is niet goed voor haar;* – buy *koopje;* through the – offices of *door de goede diensten v.;* – afternoon *goedemiddag;* – evening *goedenavond;* – morning *goedemorgen;* – night *goede-nacht, welterusten;* have a – time *zich amuseren;* feel – *zich lekker voelen* ● *aan-zienlijk, aardig groot/veel/lang etc.;* stand a – chance *een goede kans maken;* a – while *een hele poos;* a – deal/many *heel wat;* a – hour/ten miles *ruim een uur/tien mijl* ‖ a – excuse *een goed/geldig excuus;* be in s.o.'s – books *bij iem. in een goed blaadje staan;* there's a – boy/girl *wees nu eens lief, toe nou;* Good Friday *Goede Vrijdag;* – God! *goeie genade!;* as – as gold *erg braaf/lief* ⟨v. kind⟩; – heavens! *lieve hemel!;* keep – hours *op tijd naar bed gaan;* make s.o. appear in a – light *iem. in een gunstig daglicht stellen;* – luck *(veel) geluk;* have a – mind to *veel zin heb-ben in;* in – spirits *blij;* it's a – thing that *het is maar goed dat;* a – thing too! *maar goed ook!;* too much of a – thing *teveel v.h. goede;* make – time *goed/lekker op-schieten;* do s.o. a – turn *iem. een dienst bewijzen;* – old Harry *(die) goeie ouwe Harry;* as – as *zo goed als, nagenoeg;* be – at *goed/knap zijn in;* be – for £100,000 *100.000 pond kunnen betalen;* be – for an-other couple of years *nog wel een paar jaar meekunnen.*

3 **good** ⟨bw⟩ ⟨vnl. AE; ↓⟩ ● *goed* ‖ – and ... *heel erg ....*

1 **good-bye** ['gʊd'baɪ] ⟨zn⟩ ● *afscheid;* ⟨↓; fig.⟩ you can kiss – to that *dat kan je wel vergeten.*

2 **good-bye** ⟨tw⟩ ● *tot ziens.*

'**good-for-nothing** ● ⟨bn⟩ *waardeloos* ● ⟨zn⟩

nietsnut, deugniet. **'good-'humoured** ●
goedmoedig, opgewekt. **goodie** zie
GOODY. **'good-'looking** ●*knap, mooi.*
goodly ['gʊdli] ●*aanzienlijk, flink* ⟨v. hoe-
veelheid⟩; a – sum of money *een aanzien-
lijke som (geld).*
'good-'natured ●*opgewekt, aardig.* **good-
ness** ['gʊdnəs] ●*goedheid, het goede* ‖ –
gracious! *lieve hemel!;* have the – to answer, please *wees zo vriendelijk te antwoorden, a.u.b.;* thank –! *goddank!;* –
me! *wel, heb je (me) ooit!;* (my) –! *goeie
genade!.*
'goods train ⟨BE⟩ ●*goederentrein.*
'good-'tempered *goedgehumeurd.* **'good-
'will** ●*goodwill, welwillendheid* ●⟨hand.⟩
goodwill ⟨deel v.d. activa⟩ ●⟨hand.⟩
cliëntele ⟨commerciële waarde v.e. zaak⟩.
1 goody, ⟨sl.⟩ **goodie** ['gʊdi] ⟨zn⟩ ●⟨vnl.
mv.⟩ *lekkernij.*
2 goody ⟨tw⟩ ⟨kind.⟩ ●*jippie!, leuk!.*
'goody-'goody ●*kwezel, schijnheilige.*
gooey ['gu:i] ↓ ●*kleverig, slijmerig, mierzoet*
●*sentimenteel.*
1 goof [gu:f] ⟨zn⟩ ⟨sl.⟩ ●*sufkop* ●⟨vnl. AE⟩
blunder.
2 goof ⟨ww⟩ ⟨sl.⟩ ●⟨vnl. AE⟩ *miskleunen,
een flater begaan.*
'go 'off I ⟨onov ww⟩ ●*weggaan* ⟨ook fig.⟩; –
with *ervandoor gaan met* ●*afgaan* ⟨v.
alarm, geweer⟩, *ontploffen, aflopen* ⟨v.
wekker⟩ ●*afnemen* ⟨v. pijn⟩ ●*slechter
worden, achteruit gaan, verwelken, bederven* ⟨v. voedsel⟩ ●*in slaap vallen* ●
flauwvallen ●*verlopen, (af)lopen* ⟨v. ge-
beurtenissen⟩ ●*afslaan* ⟨v. verwarming⟩,
uitgaan ⟨v. licht⟩ **II** ⟨ww + vz⟩ ●*afgaan/af-
stappen v.* ●*niet meer leuk vinden.*
goofy ['gu:fi] ⟨sl.⟩ ●*belachelijk, gek.*
goon [gu:n] ⟨sl.⟩ ●*sufferd, idioot* ●⟨vnl. AE⟩
belager, vervolger ⟨ingehuurd om arbeiders te terroriseren⟩.
'go 'on I ⟨onov ww⟩ ●*voortgaan/duren* ⟨ook
fig.⟩, *doorgaan (met);* he went on to say
that *hij zei vervolgens/voegde er nog aan
toe dat* ●*vooruitgaan* ⟨fig.⟩, *vorderen* ●
verstrijken, verlopen ●*(door)zaniken;* –
about *doorzeuren over* ●*gebeuren,
plaatsvinden* ●*zich gedragen* ●*tekeergaan;* – at s.o. *tegen iem. uitvaren* ●*aanslaan* ⟨v. verwarming⟩, *aangaan* ⟨v. licht⟩
‖ enough to be going/go on with *genoeg
om mee rond te komen;* be going on for
eighty *tegen de tachtig lopen;* – (with
you)! *ach man!, ga toch fietsen!* **II** ⟨ww +
vz⟩ ●*aangaan op, zich laten leiden door;*
nothing to – *niets om op voort te gaan.*
goose [gu:s] ⟨mv.: geese⟩ ●*gans* ●*gansje,*

onbenul ‖ ⟨sl.⟩ cook s.o.'s – *iem. een
spaak in het wiel steken;* he/she cannot
say boo to a – *hij/zij doet geen vlieg
kwaad;* zie ook ⟨sprw.⟩ SAUCE.
gooseberry ['gʊzbri] ●*kruisbes(sestruik)* ‖
⟨vnl. BE⟩ play – *het vijfde rad/wiel aan de
wagen zijn.*
'goose flesh ⟨fig.⟩ ●*kippevel.* **'goose pim-
ples** ⟨fig.⟩ ●*kippevel.*
'go 'out ●*uitgaan, van huis gaan;* – on strike
in staking gaan; – to Canada *naar Canada
vertrekken/emigreren;* ↓ – with *uitgaan
met, verkering hebben met* ●*verspreid
worden* ⟨v. nieuws⟩, *uitgezonden worden*
⟨v. programma⟩ ●*uitgaan* ⟨v. vuur, licht⟩
●*heengaan* ⟨v. minister, regering e.d.⟩ ●
uit de mode raken ●*ten einde lopen* ⟨v.
periode⟩ ●*teruglopen, eb worden* ⟨v.
zee⟩ ●*uit werken gaan* ⟨v. vrouw⟩ ●⟨+to⟩
uitgaan naar ⟨v. affectie⟩ ‖ go (all) out for
sth. *zich volledig inzetten voor iets.* **'go
'out of** ●*verlaten, uitgaan* ⟨een ruimte⟩ ●
verdwijnen uit; – fashion *uit de mode
gaan;* – use *in onbruik raken, buiten gebruik raken.* **'go 'over I** ⟨onov ww⟩ ●
⟨+to⟩ *overlopen (naar), overschakelen
(op), overgaan (tot)* ⟨andere partij e.d.⟩;
we now – to our reporter on the spot *we
schakelen nu over naar onze verslaggever
ter plaatse* ●⟨+to⟩ *gaan (naar)* **II** ⟨ww +
vz⟩ ●*doornemen* ⟨tekst⟩, ⟨bij uitbr.⟩ *herhalen* ●*natrekken, checken* ⟨beweringen
e.d.⟩ ●*(grondig) bekijken.*
Gordian knot ['gɔ:dɪən nɔt] ‖ cut the – *de
(Gordiaanse) knoop doorhakken.*
1 gore [gɔ:] ⟨zn⟩ ●*geronnen bloed, gestold
bloed.*
2 gore ⟨ww⟩ ●*doorboren, spietsen* ⟨met
slagtand/horens⟩.
gorge [gɔ:dʒ] ●*kloof, bergengte.*
gorge on, gorge with ⟨wdk ww⟩ ●⟨+o.s.⟩
zich volproppen met.
gorgeous ['gɔ:dʒəs] ●*schitterend, prachtig.*
gorilla [gə'rɪlə] ●*gorilla.*
gormless ['gɔ:mləs] ⟨BE; ↓⟩ ●*stom, dom.*
'go 'round ●⟨+to⟩ *langsgaan (bij)* ⟨iem.⟩ ●
(rond)draaien; zie GO ⟨A⟩ROUND VOOR AN-
DERE BETEKENISSEN.
gorse ['gɔ:s] ●*gaspeldoorn.*
gory ['gɔ:ri] ●*bloederig, bloedig.*
gosh [gɒʃ] ●*gossie(mijne), jeminee.*
gosling ['gɒzlɪŋ] ●*gansje, jonge gans.*
'go-'slow ⟨BE⟩ ●*langzaam-aan-actie.*
gospel ['gɒspl] ●*evangelie* ⟨ook fig.⟩; he
takes sth. for – *iets voor werkelijkheid aannemen.* **'gospel song** ●*gospel(song)*
⟨swingend kerkgezang⟩. **'gospel 'truth** ●
absolute waarheid.

gossamer ['gɒsəmə] ● *herfstdraad, spinrag* ● *gaas, fijn en licht weefsel.*

1 gossip ['gɒsɪp] ⟨zn⟩ ● *roddel, kletspraat* ● *roddelaar(ster).*

2 gossip ⟨ww⟩ ● *roddelen.* **'gossip column** ● *roddelrubriek.* **gossipy** ['gɒsɪpi] ● *praatziek, roddelachtig.*

got [gɒt] ⟨verl. t. en volt. deelw.⟩ zie GET.

Goth [gɒθ] ● *Goot.*

1 Gothic ['gɒθɪk] ⟨zn⟩ ● *Gotisch* ⟨taal⟩.

2 Gothic ⟨bn⟩ ● *Gotisch* ● ⟨bouwk.⟩ *gotisch* ● ⟨druk.⟩ *gotisch* ● *gotisch* ⟨mbt. de 18e-19e-eeuwse griezelromans⟩.

'go through I ⟨onov ww⟩ ● *aangenomen worden* ⟨v. voorstel, wet e.d⟩, *erdoor komen* ● *doorgaan* ⟨v. afspraak⟩ ‖ – *with doorgaan met* **II** ⟨ww + vz⟩ ● *opmaken, ergens doorheen zijn/gaan;* the book went through five editions *er zijn vijf drukken v.h. boek verschenen* ● *doorzoeken* ⟨bagage⟩, *nagaan* ⟨bewering e.d.⟩, *doornemen* ⟨tekst⟩ ● *doormaken, ondergaan* ● *gaan door.* **'go to** ● *gaan naar* ⟨ook fig.⟩ ● *zich getroosten;* – great/considerable expense *er heel wat geld tegenaan gooien;* – great trouble *zich veel moeite getroosten* ● *beginnen, gaan;* – work *aan het werk gaan* ‖ – it! *zet 'm op!.* **'go to'gether** ● *samengaan* ● *bij elkaar passen.*

gotta ['gɒtə] ⟨samentr. v. (have) got to⟩.

gotten ['gɒtn] ⟨volt. deelw.⟩ ⟨AE⟩ zie GET.

1 gouge [gaʊdʒ] ⟨zn⟩ ● *guts(beitel).*

2 gouge ⟨ww⟩ ● *(uit)gutsen, uitsteken;* – out s.o.'s eyes *iem. de ogen uitsteken.*

goulash ['guːlæʃ] ● *goelasj.*

'go 'under ● *ondergaan* ● *failliet gaan, bankroet gaan.* **'go 'up** ● *opgaan, naar boven gaan* ● *stijgen, omhooggaan* ⟨v. prijs e.d.⟩ ● *in de lucht vliegen;* – in smoke *in rook opgaan* ● *gebouwd worden* ⟨v. gebouw⟩ ● ⟨BE⟩ *gaan* ⟨naar Londen/het noorden/de universiteit⟩.

gourd [gʊəd] ● *kalebas, pompoen* ● *kalebasfles.*

gout [gaʊt] ● ⟨med.⟩ *jicht.*

govern ['gʌvn] ● *regeren, besturen;* –ing body *bestuurslichaam, raad van beheer* ● *bepalen, beheersen.*

governess ['gʌvənɪs] ● *gouvernante.*

government ['gʌvn(n)mənt] ● *regering(s-vorm), (staats)bestuur, kabinet.* **governmental** ['gʌvn'mentl] ● *regerings-, bestuurs-, overheids-.* **'government 'leader** ● *regeringsleider.* **'government se'curities** ● *staatsfondsen.* **'government 'spending** ● *overheidsuitgaven.*

governor ['gʌvnə] ● *gouverneur* ● *bestuurder, president* ⟨v. bank⟩, *directeur* ⟨v. ge-

vangenis⟩ ● ⟨sl.⟩⟨aanspreekvorm⟩ *ouwe, ouwe heer, baas.*

'Governor-'General ● *Gouverneur-Generaal.*

'go with ● *meegaan met;* – the crowd/stream/times/tide *met de stroom meegaan* ● *samengaan, gepaard gaan met, passen bij* ● ↓ *omgaan met* ⟨jongen/meisje⟩. **'go with'out** ● *het stellen zonder* ‖ it goes without saying *het spreekt vanzelf.*

gown [gaʊn] ● *toga, tabbaard* ● *lang kledingstuk, nachthemd, ochtendjas* ● *lange jurk, avondjapon.*

G.P. ⟨afk.⟩ General Practitioner.

G.P.O. ⟨afk.⟩ General Post Office.

1 grab [græb] ⟨zn⟩ ● *greep, graai;* make a – at/for sth. *ergens naar grijpen;* ↓ up for –s *voor het grijpen/pakken.*

2 grab I ⟨onov ww⟩ ● *graaien, grijpen;* – at your chance *grijp je kans* **II** ⟨ov ww⟩ ● *grijpen, vastpakken* ● *bemachtigen, in de wacht slepen* ⟨ook fig.⟩ ‖ ↓ how does that – you? *wat denk je daarvan?.*

1 grace [greɪs] ⟨zn⟩ ● *bevalligheid, gratie* ● ⟨goedheid⟩ *fatsoen;* with (a) bad – *onvriendelijk, met tegenzin;* with (a) good – *vriendelijk, welwillend;* he had the – to say he was sorry *hij was zo beleefd te zeggen dat het hem speet* ● *uitstel, genade;* a day's – *een dag uitstel* ⟨v. betaling⟩ ● *(dank)gebed* ⟨voor of na maaltijd⟩ ● *genade, gunst* ⟨vnl. v. God⟩; be in s.o.'s good –s *bij iem. in de gratie staan;* fall from – ⟨fig.⟩ *uit de gratie raken* ● *Excellentie* ⟨aanspreekvorm v. aartsbisschop, hertog⟩ ‖ his smile is his saving – *zijn glimlach maakt al het overige goed;* the three Graces *de drie gratiën.*

2 grace ⟨ww⟩ ● *opluisteren, sieren* ⟨ook fig.⟩ ● *vereren, begunstigen.*

graceful ['greɪsfl] ● *gracieus, bevallig, elegant* ● *aangenaam, correct.* **graceless** ['greɪsləs] ● *onelegant, lomp* ● *onbeschaamd.*

gracious ['greɪʃəs] ● *minzaam, hoffelijk* ● *genadig* ⟨vnl. mbt. God⟩ ● ⟨↓; in uitroepen⟩ *allemachtig* ‖ Her Gracious Majesty *Hare goedgunstige Majesteit;* – living *leven als een prins;* good –! *goeie genade!.*

gradation [grə'deɪʃn] ● *(geleidelijke) overgang, verloop, gradatie* ● *nuance(ring), stap, trede.*

1 grade [greɪd] ⟨zn⟩ ● *rang, niveau, kwaliteit;* – A milk *melk v.d. hoogste kwaliteit* ● ⟨AE⟩ *klas* ⟨op lagere school⟩ ● ⟨AE⟩ *cijfer* ⟨v. schoolwerk⟩; make the – *slagen, aan de eisen voldoen* ● ⟨vnl. AE⟩ *gradiënt, hellingshoek.*

2 grade ⟨ww⟩ ● *kwalificeren, rangschikken,*

sorteren ⟨naar grootte, kwaliteit e.d.⟩ • ⟨AE⟩ *een cijfer geven, beoordelen; zie* GRADE DOWN, GRADE UP.

'**grade crossing** ⟨AE⟩ •*(bewaakte) overweg.*

'**grade 'down** •*verminderen, degraderen.*

grader ['greɪdə] •⟨AE; school.⟩ *leerling uit de ... klas;* fourth – *leerling uit de vierde klas.*

'**grade school** ⟨AE⟩ •*lagere school, basisschool.*

'**grade 'up** •*verbeteren.*

'**gradient** ['grɪdɪənt] •*helling, stijging, hellingshoek.*

gradual ['grædʒʋəl] •*geleidelijk, trapsgewijs.* **gradually** ['grædʒəli] •*langzamerhand, geleidelijk aan.*

1 graduate ['grædʒʋət] ⟨zn⟩ •*afgestudeerde* •⟨AE⟩ *gediplomeerde, iem. met diploma.*

2 graduate ['grædʒʋeɪt] **I** ⟨onov ww⟩ •*een bul/diploma behalen,* ⟨AE ook⟩ *een getuigschrift behalen;* he has –d in law from Yale *hij heeft aan Yale een titel/bul in de rechten behaald* **II** ⟨ov ww⟩ •*diplomeren,* ⟨AE ook⟩ *getuigschrift uitreiken aan* • *v.e. (schaal)verdeling voorzien, verdelen in graden;* –d cylinder *maatglas.*

'**graduate school** ⟨AE⟩ •*(hoge)school waar diploma's boven de 'bachelor's degree' behaald kunnen worden.* '**graduate student** •*doctorandus.*

graduation ['grædʒʋ'eɪ[n] •*schaalverdeling, maatstreep* •*uitreiking/overhandiging v. diploma, het afstuderen.*

graffiti [grə'fi:ti] •*graffiti, opschriften, muurtekeningen.*

1 graft [grɑ:ft] ⟨zn⟩ •*ent,* ⟨med.⟩ *transplantaat* •⟨vnl. AE; ↓⟩ *(politiek) geknoei, omkoperij* •⟨vnl. AE; ↓⟩ *smeergeld.*

2 graft I ⟨onov ww⟩ • ↓ *hard werken* **II** ⟨ov ww⟩ •*enten, inplanten* •*verenigen.*

grafter ['grɑ:ftə] •*enter* •⟨vnl. AE⟩ *iem.* ⟨ihb. een politicus⟩ *die corruptie bedrijft* • ↓ *harde werker.*

Grail [greɪl] •*Graal.*

grain [greɪn] •*graankorrel* •*graan, koren* • *korrel(tje),* ⟨fig.⟩ *greintje, zier;* take his words with a – of salt *neem wat hij zegt met een korreltje zout* •*grein* ⟨gewichtsmaat⟩ •*textuur, draad* ⟨v. weefsel⟩, *draad, vlam* ⟨in hout⟩, *nerf* ⟨v. leer⟩, *structuur* ⟨v. gesteente⟩; go against the – *tegen de draad in gaan* ⟨ook fig.⟩.

gram, gramme [græm] •*gram.*

grammar ['græmə] •*spraakkunst, grammatica* •*(correct) taalgebruik.* '**grammar school** •⟨BE⟩ *middelbare school,* ⟨ongeveer⟩ *havo, gymnasium, atheneum* •

⟨AE⟩ *voortgezet lagere school,* ⟨ongeveer⟩ *mavo.*

grammatical [grə'mætɪkl] •*grammaticaal.*

gramme zie GRAM.

Grammy ['græmi] ⟨AE⟩ •*gouden (grammofoon)plaat.*

gramophone ['græməfoʋn] •*platenspeler.*

gran [græn] ⟨BE; kind.⟩ •*oma.*

granary ['grænəri] •*graanschuur, graanzolder.*

1 grand [grænd] ⟨zn⟩ • ↓ *vleugel(piano)* • ⟨BE; ↓⟩ *duizend pond* •⟨AE; sl.⟩ *duizend dollar.*

2 grand ⟨bn⟩ •*voornaam, gewichtig, groots* •*prachtig, indrukwekkend* • ↓ *fantastisch* •*totaal* •*hoofd-, belangrijkste,* ⟨in titels⟩ *groot-;* – duke *groothertog;* ⟨schaken⟩ – master *grootmeester* ‖ Grand National *jaarlijkse hindernisren voor paarden te Aintree;* – piano *vleugel(piano);* make a – slam ⟨kaartspel⟩ *groot slem maken;* ⟨sport⟩ *alle wedstrijden in een reeks winnen;* – old man *nestor.*

grandad, granddad ['grændæd] •*opa, grootvader.* **grandchild** ['græntʃaɪld] • *kleinkind.* **granddaughter** ['grændɔ:tə] • *kleindochter.*

grandeur ['grændʒə] •*grootsheid, pracht.*

grandfather ['græn(d)fɑ:ðə] •*grootvader.* '**grandfather 'clock** •*staande klok.*

grandiloquent [græn'dɪləkwənt] •*hoogdravend, bombastisch, gezwollen.*

grandiose ['grændɪoʋs] •⟨ong.⟩ *pompeus, hoogdravend.*

grandma ['grænmɑ:] •*oma.* '**grandmother** •*grootmoeder.* **grandpa** ['grænpɑ:] • *opa, grootvader.* '**grandparent** •*grootouder.* **grandson** ['græn(d)sʌn] •*kleinzoon.*

'**grandstand** •*(hoofd/ere)tribune.*

grange [greɪndʒ] •*landhuis* ⟨vaak met boerderij⟩.

granite ['grænɪt] •*graniet.*

granny, grannie ['græni] •*oma, opoe, grootje.*

1 grant [grɑ:nt] ⟨zn⟩ •*subsidie, toelage, beurs.*

2 grant ⟨ww⟩ •*toekennen, inwilligen, verlenen, toestaan;* – a request *een verzoek inwilligen* •*toegeven, erkennen;* –ed; but... *akkoord; maar ...;* I must – you that *dat moet ik je toegeven* ‖ take sth. for –ed *iets als (te) vanzelfsprekend beschouwen;* I take the rest for –ed *de rest geloof ik wel.*

granular ['grænjʋlə] •*korrelig, gekorreld.*

granulate ['grænjʋleɪt] •*korrelen, granuleren;* –d sugar *kristalsuiker.* **granule** ['grænju:l] •*korreltje.*

grape [greɪp] •*druif.*

'**grapefruit** ● *grapefruit, pompelmoes.*
'**grapevine** ● *wijnstok, wingerd* ● *officieuze/ geheime informatieverspreiding, geruchtenmolen;* I heard it on the – *het is me ter ore gekomen.*
1 graph [grɑ:f] ⟨zn⟩ ● *grafiek, grafische voorstelling.*
2 graph ⟨ww⟩ ● *grafisch voorstellen;* – sth. out *iets in grafiek brengen.*
graphic ['græfɪk] ● *grafisch;* the – arts *de grafische kunsten* ● *treffend, levendig;* a – contrast *een opvallend verschil.* **graphics** ['græfɪks] ● *grafiek, grafische kunst, grafische media.*
graphite ['græfaɪt] ● *grafiet.*
graphology [grə'fɒlədʒi] ● *grafologie.*
'**graph paper** ● *millimeterpapier.*
grapnel ['græpnl] ⟨scheep.⟩ ● *dreg(anker), werpanker* ● *enterhaak.*
grapple ['græpl] ● ⟨+with⟩ *worstelen (met)* ⟨ook fig.⟩, *slaags raken (met);* – with a problem *met een probleem worstelen.*
'**grappling iron** ⟨scheep.⟩ ● *dreg(anker), werpanker* ● *enterhaak.*
1 grasp [grɑ:sp] ⟨zn⟩ ● *greep* ⟨ook fig.⟩, *macht* ● *houvast* ● *bereik* ● *begrip, bevatting;* that is beyond my – *dat gaat mijn petje te boven.*
2 grasp I ⟨onov ww⟩ ● *grijpen* II ⟨ov ww⟩ ● *grijpen, vastpakken* ● *vatten, begrijpen.*
grasping ['grɑ:spɪŋ] ● *hebberig, inhalig.*
1 grass [grɑ:s] I ⟨telb zn⟩ ● ⟨BE; sl.⟩ *verklikker* II ⟨n-telb zn⟩ ● *gras* ● *grasland, weiland;* be at – *in de wei zijn* ● ⟨sl.⟩ *marihuana, weed* ‖ cut the – from under s.o.'s feet *iem. het gras voor de voeten wegmaaien;* put s.o./send s.o./turn s.o. out to – *iem. eruit gooien/sturen.*
2 grass I ⟨onov ww⟩ ● ⟨BE; sl.⟩ *klikken* ⟨bij de politie⟩; – on s.o. *iem. verraden* II ⟨ov ww⟩ ● *met gras bedekken/bezaaien;* – over a field *een stuk land aan gras leggen.*
grasshopper ['grɑ:ʃɒpə] ● *sprinkhaan.*
'**grassland** ● *grasland, weide.*
1 '**grass**'**roots** ⟨zn⟩ ● *gewone mensen, de basis.*
2 '**grassroots** ⟨bn⟩ ● *van gewone mensen, uit de basis;* the – opinion *de publieke/algemene opinie.* '**grass** '**widow** ● *onbestorven weduwe, groene weduwe.* '**grass** '**widower** ● *onbestorven weduwnaar.*
grassy ['grɑ:si] ● *grazig, grasrijk* ● *grasachtig.*
1 grate [greɪt] ⟨zn⟩ ● *rooster, haardrooster* ● *traliewerk.*
2 grate I ⟨onov ww⟩ ● *knarsen* ● *irriterend werken;* the noise –d on my nerves *het lawaai werkte op mijn zenuwen* II ⟨ov ww⟩

● *raspen* ● *knarsen met;* – one's teeth *zijn tanden knarsen.*
grateful ['greɪtfl] ● *dankbaar;* I am – to you for your help *ik ben u dankbaar voor uw hulp.*
grater ['greɪtə] ● *rasp.*
gratification ['grætɪfɪ'keɪʃn] ● *voldoening, bevrediging.* **gratify** ['grætɪfaɪ] ● *behagen, genoegen doen* ● *voldoen, bevredigen.* **gratifying** ['grætɪfaɪɪŋ] ● *bevredigend, behaaglijk, prettig.*
1 grating ['greɪtɪŋ] ⟨zn⟩ ● *rooster, traliewerk.*
2 grating ⟨bn⟩ ● *schurend, raspend* ● *irriterend.*
gratis ['grætɪs, 'greɪtɪs] ● *gratis, kosteloos.*
gratitude ['grætɪtju:d] ● *dankbaarheid, dank.*
gratuitous [grə'tju:ətəs] ● *ongegrond, nodeloos* ● *gratis, kosteloos.* **gratuity** [grə'tju:əti] ● *gift, fooi* ● ⟨BE⟩ *speciale premie* (bij verlaten v. werk of (leger)dienst⟩, *gratificatie.*
1 grave [greɪv] ⟨zn⟩ ● *graf,* ⟨fig.⟩ *dood;* silent as the – *zwijgend/stil als het graf;* dig one's own – *zichzelf te gronde richten.*
2 grave ⟨bn⟩ ● *belangrijk, gewichtig* ● *ernstig, zwaar, erg, plechtig.*
'**gravedigger** ● *doodgraver.*
1 gravel ['grævl] ⟨zn⟩ ● *grind, kiezel.*
2 gravel ⟨ww⟩ ● *begrinten;* –led path *grindpad.*
graven ['greɪvn] ‖ – image *afgodsbeeld;* – in/ on my memory *in mijn geheugen geprent/gegrift.*
'**gravestone** ● *grafsteen.* '**graveyard** ● *kerkhof, begraafplaats.*
gravitate ['grævɪteɪt] ● *graviteren, (be)zinken* ● *aangetrokken worden, neigen, overhellen.* **gravitation** ['grævɪ'teɪʃn] ● *gravitatie, zwaartekracht.* **gravitational** ['grævɪ'teɪʃnəl] ● *gravitatie-;* – field *gravitatieveld.*
gravity ['grævəti] ● *ernst, serieusheid* ● *zwaartekracht.*
gravy ['greɪvi] ● *jus, vleessaus* ● ⟨sl.⟩ *gemakkelijk verdiend geld, voordeeltje.*
'**gravy boat** ● *juskom* ⟨met schenktuit(en)⟩.
'**gravy train** ⟨sl.⟩ ‖ get on the – *aan een winstgevend zaakje meedoen.*
gray zie GREY.
1 graze [greɪz] ⟨zn⟩ ● *schampschot* ● *schaafwond, schram.*
2 graze I ⟨onov ww⟩ ● *grazen* II ⟨ov ww⟩ ● *laten grazen, weiden, hoeden* ● *licht(jes) aanraken, schampen;* he –d his arm against the wall *hij schaafde zijn arm tegen de muur.*

1 grease [gri:s] ⟨zn⟩ •*vet, smeer.*
2 grease [gri:s, gri:z] ⟨ww⟩ •*invetten, oliën, smeren.*
'**grease gun** •*vetspuit.*   '**grease paint** • *schmink, make-up.* '**greaseproof** ‖–*paper vetvrij papier.*
greasy ['gri:si, -zi] •*vettig, vet* •*glibberig.*
1 great [greɪt] I ⟨telb zn⟩ •*grote, vooraanstaande figuur;* the –s of industry *de groten v.d. industrie* II ⟨zn; the⟩ •*groten, prominente figuren.*
2 great ⟨-ness⟩ I ⟨bn, attr en pred⟩ •↓ *geweldig, fantastisch* II ⟨bn, attr⟩ •*groot, belangrijk;* Great Britain *Groot-Brittannië;* Greater London *Groot Londen;* the Great Powers *de grote mogendheden* •*groot, zwaar;* a – crisis *een ernstige crisis;* a – loss *een zwaar verlies* •*lang, hoog* ⟨(leef) tijd⟩; live to a – age *een hoge leeftijd bereiken* •*groot, enthousiast;* a – reader *een verwoed lezer* •⟨vaak vóór bn⟩ ↓ *reuze-, enorm;* a – big tree *een kanjer v.e. boom* ‖ a – deal *heel wat;* at – length *uitvoerig;* go to – lengths *erg ver gaan, erg zijn best doen;* no – shakes *niets bijzonders;* set – store by/on *grote waarde hechten aan;* the –est thing since sliced bread *iets fantastisch;* a – many *heel wat, een heleboel;* zie ook ⟨sprw.⟩ TIME III ⟨bn, pred⟩ •*goed, bedreven;* he is – at golf *hij is een geweldige golfer* •*geïnteresseerd;* be – on *erg veel weten over.*
3 great ⟨bw⟩ ↓ •*uitstekend, heel goed.*
great- [greɪt] ⟨vormt verwantschapswoorden⟩ •*over-;* great-grandfather *overgrootvader;* great-great-grandfather *betovergrootvader* •*achter-;* great-grandchild *achterkleinkind* •*oud-;* great-aunt *oudtante.*
'**greatcoat** • *(zware)(heren)overjas.*
greatly ['greɪtli] •zie GREAT; – moved *zeer ontroerd* •*zeer, erg, buitengewoon.*
Grecian ['gri:ʃn] •*Grieks.* **Greece** [gri:s] • *Griekenland.*
greed [gri:d] •*hebzucht, hebberigheid* • *gulzigheid.* **greedy** ['gri:di] •*gulzig* •*hebzuchtig, begerig;* – for money *geldzuchtig.*
1 Greek [gri:k] I ⟨eig.n.⟩ •*Grieks* ⟨taal⟩; ⟨fig.⟩ that is – to me *dat is Grieks voor me* II ⟨telb zn⟩ •*Griek.*
2 Greek ⟨bn⟩ •*Grieks.*
1 green [gri:n] I ⟨telb zn⟩ •*grasveld, brink, dorpsplein* •⟨golf⟩ *green* II ⟨n-telb zn⟩ • *groen* III ⟨mv.⟩ •*(blad)groenten.*
2 green I ⟨bn, attr en pred⟩ •*groen;* – card *groene kaart* ⟨internationaal autoverzekeringsdocument⟩ •*groen, onrijp,* ⟨fig.⟩ *onervaren;* – apples *groene/zure appels* •

bleek, ziekelijk ‖ the Green Isle *het Groene eiland* ⟨Ierland⟩; – vegetables *bladgroenten;* – pepper *groene paprika;* ↓ Green Beret *commando(soldaat);* have – fingers/a – thumb *talent hebben voor plantenverzorging;* be – about the gills *er ziek uitzien;* give s.o. the – light *iem. het groene licht geven;* – peas *doperwten* II ⟨bn, pred⟩ •*jaloers;* – with envy *scheel v. afgunst.*
'**greenbelt** •*groenstrook, gordel v. groen (rond een stad).* **greenery** ['gri:nəri] • *groen, bladeren en groene takken.*
'**greenfly** •*bladluis.*
'**greengage** ['gri:ŋgeɪdz] •*reine-claude* ⟨pruim⟩.
'**greengrocer** ⟨vnl. BE⟩ •*groenteman.* '**greengrocery** ⟨vnl. BE⟩ •*groentewinkel.*
'**greenhorn** •*groentje, beginneling.*
'**greenhouse** •*serre, broeikas.*
greenish ['gri:nɪʃ] •*groenachtig.*
'**Greenland** •*Groenland.*
Greenwich (Mean) Time ['grɪnɪdʒ ('mi:n) taɪm] •*Greenwich-tijd.*
'**greenwood** •*groen woud.*
greet [gri:t] •*begroeten, groeten.* **greeting** ['gri:tɪŋ] •*groet;* exchange –s *elkaar begroeten.*
gregarious [grɪ'geərɪəs] •⟨dierk.⟩ *in kudde(n)/kolonie(s) levend;* a – animal *een kuddedier* •*van gezelschap houdend.*
grenade [grɪ'neɪd] •*(hand)granaat.*
grenadier [grenə'dɪə] •*grenadier.*
grew ⟨verl. t.⟩ zie GROW.
1 grey, ⟨AE sp.⟩ **gray** [greɪ] I ⟨telb zn⟩ • *schimmel* ⟨paard⟩ II ⟨telb en n-telb zn⟩ • *grijs, grijze kleur.*
2 grey, ⟨AE sp.⟩ **gray** ⟨bn⟩ •*grijs, grauw;* his face turned – *zijn gezicht werd (as)grauw* •*somber* •*saai, kleurloos* •*anoniem* ⟨personen⟩ ‖ Grey Friar *franciscaan.*
3 grey, ⟨AE sp.⟩ **gray** ⟨ww⟩ •*grijs worden/ maken.* '**grey-'haired** •*grijs;* go – over sth. *ergens grijze haren van krijgen.*
'**greyhound** •*hazewind(hond)* •⟨AE⟩ *Greyhoundbus* ⟨grote bus voor lange-afstandsreizen⟩. '**greyhound racing** •*het windhondenrennen.*
greyish, ⟨AE sp.⟩ **grayish** ['greɪɪʃ] •*grijsachtig.*
grid [grɪd] •*rooster, traliewerk* •*raster, coördinatenstelsel/net* ⟨v. landkaart⟩ • *netwerk, hoogspanningsnet;* ⟨BE⟩ the national – *het nationale elektriciteitsnet.*
griddle ['grɪdl] •*kookplaat, bakplaat* ⟨v. kachel, fornuis⟩.
'**gridiron** •*rooster, grillrooster.*
grief [gri:f] I ⟨telb zn⟩ •*grote zorg, bron v.*

leed II ⟨n-telb zn⟩ ●*leed, verdriet, smart;* come to – *verongelukken* ⟨ook fig.⟩; *mislukken; vallen; –-stricken (door leed) getroffen* ‖ good –! *lieve hemel!.*

grievance ['gri:vns] ●*grief* ●*wrok;* nurse a – against s.o. *wrok tegen iem. koesteren.*

grieve [gri:v] I ⟨onov ww⟩ ●*treuren;* – for s.o./over s.o.'s death *treuren om iemands dood* II ⟨ov ww⟩ ●*bedroeven, verdriet veroorzaken;* it –s me to hear that *het spijt mij dat te horen.* **grievous** ['gri:vəs] ●*zwaar, ernstig;* ⟨jur.⟩ – bodily harm *zwaar lichamelijk letsel* ●*verschrikkelijk, afschuwelijk.*

1 grill [grɪl] ⟨zn⟩ ●*grill, rooster* ●*geroosterd (vlees)gerecht* ●⟨verk.⟩ grill-room.

2 grill I ⟨onov en ov ww⟩ ●*roosteren, grilleren; –ing on the beach op het strand liggen bakken* II ⟨ov ww⟩ ●*aan een kruisverhoor onderwerpen.*

grille, grill [grɪl] ●*traliewerk, rooster, traliehek(je).*

'grill-room, grill ●*grill-room, grill-restaurant.*

grim [grɪm] ●*onverbiddelijk, meedogenloos* ●*akelig, beroerd; –* prospects *ongunstige vooruitzichten* ‖ hang/hold on to sth. like – death *zich ergens wanhopig aan vastklampen.*

1 grimace [grɪ'meɪs] ⟨zn⟩ ●*grimas, grijns.*

2 grimace ⟨ww⟩ ●*een (lelijk) gezicht trekken, grimassen.*

grime [graɪm] ●*vuil, roet.* **grimy** ['graɪmi] ●*vuil, goor.*

1 grin [grɪn] ⟨zn⟩ ●*brede glimlach* ●*grijns.*

2 grin ⟨ww⟩ ●*grijnzen, glimlachen; –* and bear it *zich flink houden.*

1 grind [graɪnd] ⟨zn⟩ ●↓ *inspanning, (vervelend) karwei;* the dull daily – *de (saaie) dagelijkse sleur* ●⟨AE; ↓⟩ *blokker.*

2 grind ⟨ground, ground [graʊnd]⟩ I ⟨onov ww⟩ ●↓ *ploeteren;* he is –ing away at his maths *hij zit op zijn wiskunde te blokken* II ⟨onov en ov ww⟩ ●*knarsen, schuren; –* to a halt *tot stilstand komen* ⟨ook fig.⟩ III ⟨ov ww⟩ ●*verbrijzelen, (ver)malen, (fig.) onderdrukken; –ing poverty schrijnende armoede;* people ground down by taxes/tyranny *mensen verpletterd onder de belastingdruk/onderdrukt door tirannie* ●*slijpen* ●*draaien* ⟨draaiorgel e.d.⟩ ‖ – one's cigarette into the rug *zijn sigaret in het tapijt (uit)trappen.* **grinder** ['graɪndə] ●*molen* ●*slijper, slijpmachine* ●*kies* ●⟨AE; ↓⟩ *blokker.* **'grind 'out** ●*uitbrengen, opdreunen* ⟨voortdurend en machinaal⟩. **'grindstone** ●*slijpsteen* ‖ get back to the – *weer aan het werk gaan.*

gringo ['grɪŋgoʊ] ⟨vaak bel.⟩ ●*vreemdeling* ⟨vnl. Amerikaan of Engelsman in Latijns-Amerika⟩.

1 grip [grɪp] ⟨zn⟩ ●*greep, houvast;* come/get to –s with s.o. *met iem. beginnen te vechten* ●*macht,* ⟨fig.⟩ *begrip, vat;* he has a firm – on his children *hij heeft zijn kinderen goed in de hand;* come to –s with a problem *een probleem aanpakken;* ↓ keep/take a – on o.s. *zich beheersen, zichzelf in de hand houden* ●*handvat.*

2 grip ⟨ww⟩ ●*vastpakken, grijpen, vasthouden,* ⟨fig.⟩ *pakken;* a –ping story *een boeiend verhaal.*

1 gripe [graɪp] I ⟨telb zn⟩ ●↓ *klacht, bezwaar* II ⟨mv.⟩ ●*kolieken, buikkramp(en).*

2 gripe ⟨ww⟩ ●↓ *klagen; –* about sth./at s.o. over *iets/tegen iem. mopperen.*

grisly ['grɪzli] ●*griezelig, akelig* ●*weerzinwekkend.*

grist [grɪst] ‖ it brings – to the mill *het zet zoden aan de dijk;* it 's all – to s.o.'s mill *het is allemaal koren op zijn molen.*

gristle ['grɪsl] ●*kraakbeen* ⟨vnl. in vlees⟩.

1 grit [grɪt] ⟨zn⟩ ●*gruis, zand* ●↓ *lef, durf* ●⟨mv.⟩ *gort, grutten.*

2 grit I ⟨onov en ov ww⟩ ●*knarsen; –* one's teeth *knarsetanden* ⟨ook fig.⟩ II ⟨ov ww⟩ ‖ – the icy roads *de gladde wegen met zand bestrooien.*

grizzle ['grɪzl] ⟨BE; ↓⟩ ●*janken* ⟨v. kind⟩, *jengelen* ●*mopperen.*

grizzled ['grɪzld] ●*grijs, grauw.*

grizzly ['grɪzli], **'grizzly 'bear** ●*grizzly(beer).*

1 groan [groʊn] ⟨zn⟩ ●*(ge)kreun, gesteun* ●*gekraak* ⟨v. hout onder zware last⟩.

2 groan I ⟨onov ww⟩ ●*kreunen, kermen, steunen* ●*gebukt gaan* ⟨onder last⟩, *zuchten* II ⟨ov ww⟩ ●*al kreunend uiten.*

grocer ['groʊsə] ●*kruidenier.* **grocery** ['groʊsri] ●*kruidenierswinkel* ●⟨mv.⟩ *kruidenierswaren.*

grog [grɒg] ●*grog, grok.*

groggy ['grɒgi] ●*onvast op de benen, wankel, suf.*

groin [grɔɪn] ●*lies.*

1 groom [gru:m, grʊm] ⟨zn⟩ ●*stalknecht* ●*bruidegom.*

2 groom ⟨ww⟩ ●*verzorgen* ⟨vnl. paarden⟩, *roskammen* ●*voorbereiden* ⟨op politieke loopbaan e.d.⟩.

1 groove [gru:v] ⟨zn⟩ ●*groef, gleuf, sponning* ●*routine, sleur;* find one's –, get into the – *zijn draai vinden;* be stuck in the – *in een sleur zitten* ●⟨sl.⟩ *iets mieters.*

2 groove I ⟨onov ww⟩ ●⟨sl.⟩ *zich amuseren, zich lekker voelen* II ⟨ov ww⟩ ●*groeven.*

groovy ['gru:vi] ●*hip, te gek, prima.*

grope I 〈onov ww〉 •*tasten, rondtasten; –*
for an answer *onzeker naar een antwoord
zoeken* **II** 〈ov ww〉 •*betasten* 〈vnl. met
seksuele bedoelingen〉 ‖ – one's way *zijn
weg op de tast zoeken.* **gropingly** ['group-
ɪŋli] •*tastend,* 〈fig.〉 *onzeker.*

1 gross [grous] 〈zn〉 •*gros, 12 dozijn;* by the
– *bij dozijnen, bij het gros.*

2 gross 〈bn〉 •*grof, dik, lomp* •*grof, uitgesproken;* – injustice *uitgesproken onrechtvaardigheid* •*bruto, totaal;* – national product *bruto nationaal produkt* •*grof,
vulgair.*

3 gross 〈ww〉 •*een bruto winst hebben van,
in totaal verdienen/opbrengen.*

grotesque [grou'tesk] •*grotesk, zonderling,
belachelijk.*

grotto ['grɒtou] •*grot.*

grotty ['grɒti] 〈sl.〉 •*rottig, waardeloos, beroerd.*

1 grouch [grautʃ] 〈zn〉 •*mopperpot* •*reden
tot mopperen.*

2 grouch 〈ww〉 •*mopperen.* **grouchy**
['grautʃi] •*mopperig.*

1 ground [graund] **I** 〈telb zn〉 •*terrein* 〈vnl.
in samenstellingen〉 •*grond, reden* 〈v.
handeling, redenering〉; on religious –s
uit godsdienstige overwegingen •*grondlaag, ondergrond* •〈BE〉 *vloer* **II** 〈telb en
n-telb zn〉 〈elek.〉 •*aarde, aardleiding* **III**
〈n-telb zn〉 •〈vaak the〉 *grond, bodem;*
bring sth. to the – *iets te gronde richten;*
fall to the – *falen, in duigen vallen;* go to –
onderduiken 〈v. persoon〉; touch – *vaste
grond onder de voeten krijgen;* get off the
– *op gang komen* •*gebied* 〈vnl. fig.〉,
grondgebied; break (new/fresh) – *nieuw
terrein betreden;* cover much – *een lange
afstand afleggen; veel onderwerpen bestrijken;* gain/make – *veld winnen; erop
vooruit gaan;* give/lose – *terrein verliezen,
wijken;* hold/keep/stand one's – *standhouden, voet bij stuk houden;* shift one's
– *van argument/mening veranderen* ‖ cut
the – from under s.o.'s feet *iem. het gras
voor de voeten wegmaaien;* it suits him
down to the – *dat komt hem uitstekend v.
pas* **IV** 〈mv.〉 •*gronden, park* 〈rondom ge-
bouw〉; a house standing in its own –s *een
huis, geheel door eigen grond omgeven* •
koffiedik.

2 ground I 〈onov ww〉 •〈scheep.〉 *aan de
grond lopen* **II** 〈ov ww〉 •*gronden, baseren* •〈vnl. pass.〉 *onderleggen;* be well
–ed in Latin *een goede kennis v.h. Latijn
hebben* •*aan de grond houden* 〈vliegtuig,
vliegenier〉 •*laten stranden* 〈schip〉 •
〈AE; elek.〉 *aarden.*

3 ground 〈verl. t. en volt. deelw.〉 zie GRIND.

'**ground cloth** 〈AE〉 •*grondzeil.* '**ground-
'combat troops,** '**ground troops** •*grondstrijdkrachten.* '**ground control** 〈luchtv.,
ruim.〉 •*vluchtleiding.* '**ground crew** •
grondpersoneel 〈op luchthaven〉.
'**ground** '**floor** •*benedenverdieping, parterre, gelijkvloers.* '**ground forces** •
grondstrijdkrachten. '**ground frost** •*vorst
aan de grond, nachtvorst.*

grounding ['graundɪŋ] •*scholing, training,
basisvorming.*

groundless ['graundləs] •*ongegrond.*
'**groundnut** 〈BE〉 •*aardnoot, pinda.*
'**ground plan** •*plattegrond,* 〈fig.〉 *ontwerp, blauwdruk.* '**ground rent** •*grond-
pacht, erfpacht.* '**ground rule** 〈vaak mv.〉
•*grondbeginsel, grondregel.* '**ground-
sheet** •*grondzeil.* **groundsman** ['graun(d)
zmən] 〈vnl. BE〉 •*terreinknecht* •*tuinman.*
'**ground staff** 〈BE〉 •*grondpersoneel* 〈op
luchthaven/basis〉 •*terreinpersoneel* 〈op
sportveld〉.

'**ground swell** •*vloedgolf* 〈v. opinie e.d.〉.
'**ground-to-'air missile** 〈mil.〉 •*grond-lucht-
wapen.* '**ground-to-'ground missile**
〈mil.〉 •*grond-grond-wapen.* '**groundwa-
ter** •*grondwater.* '**groundwork** 〈the〉 •
grondslag, basis.

1 group [gru:p] 〈zn〉 •*groep* •*(pop)groep.*

2 group I 〈onov ww〉 •*zich groeperen* **II** 〈ov
ww〉 •*groeperen, in groepen plaatsen/
verdelen.*

groupie ['gru:pi] 〈sl.〉 •*groupie* 〈meisje dat
idool op toernee volgt〉.

grouping ['gru:pɪŋ] •*groepering.* '**group**
'**practice** •*groepspraktijk.* '**group** '**therapy** •*groepstherapie.*

1 grouse [graus] 〈zn〉 •*korhoen,* 〈BE ihb.〉
sneeuwhoen.

2 grouse 〈ww〉 • ‖ *mopperen.*

grove [grouv] •*bosje.*

grovel ['grɒvl] •*kruipen* 〈vnl. fig.〉; – before
s.o. *voor iem. kruipen.*

grow [grou] 〈grew [gru:], grown [groun]〉 **I**
〈onov ww〉 •*groeien, ontstaan;* – wild *in
het wild groeien;* 〈fig.〉 – away from s.o. *v.
iem. vervreemden;* – up *opgroeien; ontstaan;* 〈fig.〉 – into a job *ingewerkt raken;*
– out of *ontstaan/voortkomen uit; ontgroeien;* – out of one's clothes *uit zijn kleren groeien* •*aangroeien, zich ontwikkelen;* classical music starts to – on me *ik begin v. klassieke muziek te houden* ‖ – up!
doe niet zo kinderachtig! **II** 〈ov ww〉 •*kweken, verbouwen* •*laten staan/groeien*
〈baard〉 ‖ –n up/over with weeds *met onkruid begroeid* **III** 〈kww〉 •*worden, gaan;*

she's –n (into) a woman *ze is een volwassen vrouw geworden;* – cold/old *koud/ oud worden;* you will – to like him *je gaat hem wel aardig vinden* ‖ zie ook ⟨sprw.⟩ ABSENCE. **grower** ['groʊə] ●*kweker, verbouwer.* **growing** ['groʊɪŋ] ●*groeiend* ‖ – weather *groeizaam weer.* '**growing pains** ●*groeistuipen/pijnen* ●*kinderziekten* ⟨fig.⟩.

1 growl [graʊl] ⟨zn⟩ ●*gegrom* ●*snauw, grauw* ●*gerommel.*

2 growl I ⟨onov ww⟩ ●*grommen* ●*rommelen* **II** ⟨onov en ov ww⟩ ●*snauwen, grauwen;* – out sth. *iets (toe)snauwen.*

grown [groʊn] **I** ⟨bn, attr en pred; vnl. als suffix⟩ ●*gekweekt;* home— vegetables *zelfgekweekte groenten* ●*begroeid* **II** ⟨bn, attr⟩ ●*volgroeid, volwassen.* '**grown-up** ●⟨bn⟩ *volwassen* ●⟨zn⟩ *volwassene.*

growth [groʊθ] **I** ⟨telb zn⟩ ●*gewas, produkt* ●*gezwel, uitwas* ●*begroeiing* **II** ⟨zn⟩ ●*groei, ontwikkeling* ●*toename, uitbreiding* ‖ tomatoes of foreign – *tomaten uit het buitenland.* '**growth rate** ●*groeitempo.*

1 grub [grʌb] **I** ⟨telb zn⟩ ●*larve, made* **II** ⟨ntelb zn⟩ ⟨sl.⟩ ●*eten, voer.*

2 grub I ⟨onov ww⟩ ●*wroeten, graven* **II** ⟨ov ww⟩ ●*opgraven;* – out/up *uitgraven.*

grubby ['grʌbi] ●*vuil, vies, smerig.*

1 grudge [grʌdʒ] ⟨zn⟩ ●*wrok, rancune, grief;* have/ ⟨AE⟩ hold a –/–s against s.o. *een wrok tegen iem. hebben* ‖ pay off an old – *een oude rekening vereffenen.*

2 grudge ⟨ww⟩ ●*misgunnen* ●*met tegenzin doen/geven.* **grudging** ['grʌdʒɪŋ] ●*onwillig.* **grudgingly** ['grʌdʒɪŋli] ●zie GRUDGING ●*met tegenzin.*

gruel ['gru:əl] ●*watergruwel, (dunne) havergort.*

gruelling ['gru:əlɪŋ] ●*afmattend, slopend;* – test *zeer zware test.*

gruesome ['gru:səm] ●*gruwelijk, afschuwelijk.*

gruff [grʌf] ●*nors, bars.*

1 grumble ['grʌmbl] ⟨zn⟩ ●*gemopper, gebrom* ●*gerommel* ⟨donder⟩.

2 grumble I ⟨onov ww⟩ ●*rommelen* ⟨v. donder⟩ **II** ⟨onov en ov ww⟩ ●*mopperen, brommen.* **grumbler** ['grʌmblə] ●*mopperaar.*

grumpy ['grʌmpi] ●*knorrig, humeurig.*

1 grunt [grʌnt] ⟨zn⟩ ●*(ge)knor, gegrom.*

2 grunt ⟨ww⟩ ●*knorren, brommen, grommen.*

G-string ['dʒi:strɪŋ] ●*G-strings* ⟨soort tangaslip⟩.

1 guarantee ['gærən'ti:] ⟨zn⟩ ●*borg, garant*

●*waarborg, garantie(bewijs)*⟨ ↓ , ook fig.⟩, *zekerheid.*

2 guarantee ⟨ww⟩ ●*garanderen, waarborgen* ●*vrijwaren;* – against/from sth. *vrijwaren/waarborgen tegen* ●↓ *garanderen, beloven.*

guarantor ['gærən'tɔ:] ⟨jur.⟩ ●*borg, garant.*

1 guard [gɑ:d] **I** ⟨telb zn⟩ ●*bewaker,* ⟨AE⟩ *gevangenbewaarder* ●⟨BE⟩ *conducteur* ⟨op trein⟩ ●⟨BE⟩ *lid v.e. garderegiment,* ⟨mv.⟩ *gardetroepen* ●*beveiliging/bescherming(smiddel), scherm, kap* **II** ⟨ntelb zn⟩ ●*wacht, bewaking, waakzaamheid;* be on/keep/stand – *de wacht houden, op wacht staan;* the changing of the – *het aflossen v.d. wacht;* off (one's) – *niet op zijn hoede;* catch s.o. off (his) – *iem. overrompelen;* be on (one's) – against *bedacht zijn op* **III** ⟨zn⟩ ●*garde, (lijf)wacht;* – of honour *erewacht;* under armed – *onder gewapende escorte/begeleiding.*

2 guard I ⟨onov ww⟩ ‖ – against sth. *zich voor iets hoeden* **II** ⟨ov ww⟩ ●*bewaken, behoeden, bewaren* ⟨geheim⟩ ●*beschermen, beschutten.*

'**guard dog** ●*waakhond.*

guarded ['gɑ:dɪd] ●*voorzichtig, bedekt* ⟨termen⟩.

'**guardhouse,** '**guardroom** ⟨mil.⟩ ●*wachthuis.* **guardian** ['gɑ:dɪən] ●*bewaker, beschermer* ●*voogd(es), curator.* '**guardian 'angel** ●*beschermengel, engelbewaarder.* **guardianship** ['gɑ:dɪənʃɪp] ●*voogdij(schap), bescherming.* '**guardrail** ●*leuning, reling* ●*vangrail.* **guardsman** ['gɑ:dzmən] ●*gardesoldaat, gardeofficier.*

guer(r)illero ['gerə'ljeroʊ] ●*guerrilla(strijder).*

gue(r)rilla [gə'rɪlə] ●*guerrilla(strijder).*

1 guess [ges] ⟨zn⟩ ●*gis(sing), ruwe schatting;* your – is as good as mine *ik weet het net zo min als jij;* make/have a – (at sth.) *(naar iets) raden;* it's anybody's/anyone's – *dat is niet te zeggen;* at a – *naar schatting;* at a – I should say that ... *ik schat dat ....*

2 guess ⟨ww⟩ ●*raden, schatten, gissen;* ↓ keep s.o. –ing *iem. in het ongewisse laten;* – at sth. *naar iets raden* ●⟨AE; ↓ ⟩ *denken.*

'**guesswork** ●*giswerk, het raden.*

guest [gest] ●*gast, logé;* – of honour *eregast* ●*genodigde, introducé* ‖ be my –! *ga je gang!.* '**guestchamber,** '**guest room** ●*logeerkamer.* '**guesthouse** ●*pension.* '**guest night** ●*avond voor introducés* ⟨v. club enz.⟩. '**guest worker** ●*gastarbeider.*

1 guffaw [gə'fɔ:] ⟨zn⟩ ●*bulderende lach.*

2 guffaw ⟨ww⟩ ●*bulderen v.h. lachen.*

guidance ['gaɪdns] ● *leiding* ● *advies, hulp;* vocational – *beroepsvoorlichting.*

1 guide [gaɪd] ⟨zn⟩ ● *gids* ● *leidraad* ● ⟨BE⟩ *padvindster, gids* ● ⟨verk.⟩ guidebook.

2 guide ⟨ww⟩ ● *leiden, gidsen, de weg wijzen, (be)geleiden;* –d missiles *geleide projectielen/wapens;* a –d tour *een rondleiding* ● *als leidraad dienen voor.* '**guidebook** ● *handleiding* ● *(reis)gids.* '**guide dog** ● *geleidehond.*

'**guideline** ● *richtlijn.*

guiding ● *leidend;* he needs a – hand from time to time *hij moet af en toe op de juiste weg geholpen worden;* – principle *leidend beginsel.*

guild [gɪld] ● *gilde.*

guilder ['gɪldə] ● *gulden.*

'**guild'hall** ● *gildehuis* ● *stadhuis.*

guile [gaɪl] ● *slinksheid, bedrog, valsheid.* **guileless** ['gaɪlləs] ● *argeloos, onschuldig.*

guillotine ['gɪləti:n] ● *guillotine, valbijl* ● *papiersnijmachine.*

guilt [gɪlt] ● *schuld, schuldgevoel.* **guiltless** ['gɪltləs] ● *schuldeloos, onschuldig.* **guilty** ['gɪlti] ● *schuldig, schuldbewust;* a – conscience *een slecht geweten;* ⟨jur.⟩ plead – *schuld bekennen;* ⟨jur.⟩ find – of a crime *schuldig bevinden aan een misdaad.*

guinea ['gɪni] ● *gienje* ⟨oude gouden munt ter waarde van 21 shilling⟩.

'**guinea pig** ● *cavia, Guinees biggetje* ● *proefkonijn.*

guise [gaɪz] ● *uiterlijk, gedaante;* in the – of a clown *uitgedost als clown* ● *mom, voorwendsel;* in/under the – of *onder het mom v..*

guitar [gɪ'tɑ:] ● *gitaar.* **guitarist** [gɪ'tɑ:rɪst] ● *gitaarspeler/speelster.*

gulch [gʌltʃ] ⟨AE⟩ ● *ravijn.*

gulf [gʌlf] ● *golf* ● *afgrond, kloof* ⟨ook fig.⟩.

'**Gulf stream** ● *Golfstroom.*

gull [gʌl] ● *meeuw.*

gullet ['gʌlɪt] ● *keel(gat), strot.*

gullible ['gʌləbl] ● *makkelijk beet te nemen, lichtgelovig.*

gully, gulley ['gʌli] ● *geul, ravijn, greppel.*

1 gulp [gʌlp] ⟨zn⟩ ● *teug, slok* ● *slikbeweging.*

2 gulp I ⟨onov ww⟩ ● *naar adem snakken* **II** ⟨onov en ov ww⟩ ● *schrokken, slokken, slikken;* he –ed down his drink *hij sloeg zijn borrel achterover* ‖ – back/down *onderdrukken.*

1 gum [gʌm] ⟨zn⟩ ● ⟨vnl. mv.⟩ *tandvlees* ● *gom(hars)* ● ⟨AE⟩ *kauwgum* ● *Arabische gom.*

2 gum ⟨ww⟩ ● *gommen, plakken* ‖ – up the works *de boel in de war sturen.*

'**gumboot** ● *rubberlaars.*

'**gumdrop** ⟨AE⟩ ● *gombal.*

gummy ['gʌmi] ● *kleverig.*

gumption ['gʌm(p)ʃn] ↓ ● *initiatief, ondernemingslust* ● *gewiekstheid, pienterheid.*

'**gum tree** ● *gomboom* ‖ up a – *in de nesten.*

1 gun [gʌn] ⟨zn⟩ ● *kanon* ● *(jacht)geweer, pistool* ● *spuitpistool* ‖ beat/jump the – *te vroeg v. start gaan;* ⟨fig.⟩ *op de zaak vooruitlopen;* spike s.o.'s –s *iem. de wind uit de zeilen nemen;* stick to one's –s *voet bij stuk houden.*

2 gun ⟨ww⟩ ● ⟨vaak +down⟩ *neerschieten, doodschieten* ‖ he –ned the engine *hij liet de motor razen.*

'**gunboat** ● *kanonneerboot.* '**gun dog** ● *jachthond.* '**gunfight** ● *vuurgevecht.* '**gunfire** ● *schoten, kanonvuur.*

gunge [gʌndʒ] ⟨BE; sl.⟩ ● *smurrie, kleeftroep.*

gunman ['gʌnmən] ● *gangster, moordenaar;* two gunmen *twee gewapende mannen.* **gunner** ['gʌnə] ● *artillerist, kanonnier* ● *boordschutter* ● ⟨AE; scheep.⟩ *konstabel.* '**gunpoint** ‖ at – *onder bedreiging v.e. vuurwapen, onder schot.* '**gunpowder** ● *buskruit.*

'**Gunpowder Plot** ● *het Buskruitverraad* ⟨samenzwering v. Guy Fawkes om het Parlement op te blazen in november 1605⟩.

'**gunrunner** ● *wapensmokkelaar.* '**gunrunning** ● *wapensmokkel.* '**gunshot I** ⟨telb zn⟩ ● *schot;* a – wound *een kogelwond/ schotwond* **II** ⟨n-telb zn⟩ ● *hagel* ● *schootsafstand.* '**gunsmith** ● *wapensmid.*

1 gurgle ['gə:gl] ⟨zn⟩ ● *gekir* ⟨v. baby⟩, *geklok, gemurmel.*

2 gurgle ⟨ww⟩ ● *kirren, klokken, murmelen.*

guru ['goru:] ● *goeroe.*

1 gush [gʌʃ] ⟨zn⟩ ● *stroom* ⟨ook fig.⟩, *vloed, uitbarsting.*

2 gush ⟨ww⟩ ● *stromen, gutsen* ● ⟨+over⟩ *dwepen (met), overdreven doen (over/tegen).* **gusher** ['gʌʃə] ● *dweper, iem. die overdreven doet* ● *spuiter* ⟨oliebron⟩. **gushing** ['gʌʃɪŋ] ● *dweperig, overdreven.*

gusset ['gʌsɪt] ● *geer, inzetstuk.*

gust [gʌst] ● *(wind)vlaag* ● *uitbarsting.*

gusto ['gʌstoʊ] ● *animo, geestdrift;* with ⟨great⟩ – *enthousiast* ● *smaak, genot.*

gusty ['gʌsti] ● *vlagerig, met windstoten, stormachtig.*

1 gut [gʌt] **I** ⟨telb en n-telb zn⟩ ● *darm, catgut* **II** ⟨mv.⟩ ● *ingewanden* ● ↓ *lef, durf* ‖ ↓ hate s.o.'s –s *grondig de pest hebben aan iem.;* ↓ sweat/work one's –s out *zich een ongeluk werken.*

2 gut ⟨bn⟩ ● *instinctief, onberedeneerd;* a –

reaction *een (zuiver) gevoelsmatige reactie.*

3 gut ⟨ww⟩ ● *ontweien, uithalen* ● *uitbranden* ⟨v. gebouw⟩ ● *uitbreken* ⟨gebouw⟩.

gutless ['gʌtləs] ● *laf.* **gutsy** ['gʌtsi] ↓ ● *gulzig* ● *dapper, flink.*

1 gutter ['gʌtə] ⟨zn⟩ ● *goot* ⟨ook fig.⟩, *geul, dakgoot;* taken out/picked up out of the – *uit de goot opgeraapt.*

2 gutter ⟨ww⟩ ● *druipen* ⟨v. kaars⟩.

'gutter 'press ● *roddelpers.*

guttural ['gʌtərəl] ● *gutturaal, keel-.*

guv [gʌv], **guvnor** ['gʌvnə] ⟨BE; sl.⟩ ● *baas* ● *ouwe heer* ⟨vader⟩ ● *meneer.*

guy [gaɪ] ● ↓ *kerel, vent, man* ● ⟨BE⟩ *Guy Fawkes-pop* ● ⟨verk.⟩ guy rope.

'Guy 'Fawkes Night ● *Guy Fawkes-avond* ⟨5 november, viering v.h. Buskruitverraad⟩.

'guy rope ● *stormlijn* ● *tui, borg.*

guzzle ['gʌzl] ● *zwelgen, (ver)brassen, (op) zuipen.*

gym [dʒɪm] ● *gymlokaal* ● *gym, gymnastiek.*

gymkhana [dʒɪm'kɑ:nə] ● *gymkana, sportfeest, behendigheidswedstrijd* ⟨ihb. voor ruiters⟩.

gymnasium [dʒɪm'neɪzɪəm] ● *gymnastieklokaal.*

gymnast ['dʒɪmnæst] ● *gymnast.*

gymnastic [dʒɪm'næstɪk] ● *gymnastiek-.*
gymnastics [dʒɪm'næstɪks] ● *gymnastiek.*

'gym shoe ● *gymschoen.* **'gymslip** ⟨BE⟩ ● *overgooier* ⟨met ceintuur⟩, *tuniek* ⟨deel v.h. schooluniform⟩.

gynaecologist ['gaɪnɪ'kɒlədʒɪst] ● *gynaecoloog, vrouwenarts.* **gynaecolog|y** ['gaɪnɪ'kɒlədʒi] ⟨bn: -ical⟩ ● *gynaecologie.*

1 gyp [dʒɪp] ⟨zn⟩ ↓ ● *hevige pijn;* give s.o. – *iem. op zijn duvel geven;* my back's giving me – again *ik heb weer eens last van mijn rug.*

2 gyp ⟨ww⟩ ● *beduvelen, oplichten.*

gypsum ['dʒɪpsəm] ● *gips.*

gypsy zie GIPSY.

gyrate [dʒaɪ'reɪt] ● *(rond)tollen, (rond)draaien.* **gyration** [dʒaɪ'reɪʃn] I ⟨telb zn⟩ ● *winding, draai* II ⟨n-telb zn⟩ ● *(om)wenteling.*

gyroscope ['dʒaɪrəskoʊp] ● *gyroscoop.*

ha zie HA(H).

habeas corpus ['heɪbɪəs 'kɔ:pəs] ⟨jur.⟩ ● *bevel(schrift) tot voorleiding;* writ of – *bevel-(schrift) tot voorleiding.*

haberdasher ['hæbədæʃə] ● ⟨BE⟩ *fourniturenhandelaar, handelaar in garen en band* ● ⟨AE⟩ *verkoper v. herenmode(artikelen).*
haberdashery ['hæbədæʃəri] ● ⟨BE⟩ *fournituren, garen, band* ● ⟨AE⟩ *herenmode-(artikelen).*

habit ['hæbɪt] I ⟨telb zn⟩ ● *habijt* II ⟨telb en n-telb zn⟩ ● *gewoonte, hebbelijkheid;* fall/get into the – *de gewoonte aannemen;* get out of/↓ kick the – of doing sth. *(de gewoonte) afleren om iets te doen;* from (force of) – *uit gewoonte;* be in the – of doing sth. *gewoon zijn iets te doen* ● ↓ *(drug)verslaving.*

habitable ['hæbɪtəbl] ● *bewoonbaar.*

habitat ['hæbɪtæt] ● *natuurlijke omgeving* ⟨v. plant/dier⟩, *habitat, woongebied.*

habitation ['hæbɪ'teɪʃn] I ⟨telb zn⟩ ● *woning* II ⟨n-telb zn⟩ ● *bewoning.*

habitual [hə'bɪtʃʊəl] I ⟨bn, attr en pred⟩ ● *gewoon(lijk), gebruikelijk* II ⟨bn, attr⟩ ● *gewoonte-;* – criminal *recidivist.* **habitually** [hə'bɪtʃʊəli] ● zie HABITUAL ● *doorgaans* ● *uit gewoonte.* **habituate** [hə'bɪtʃʊeɪt] ● *(ge)wennen;* – o.s. to *zich wennen aan.*

1 hack [hæk] I ⟨telb zn⟩ ● *huurpaard, knol* ● *broodschrijver* II ⟨telb en n-telb zn⟩ ● *houw, snee, jaap, trap(wond).*

2 hack I ⟨onov ww⟩ ● *(paard)rijden* II ⟨onov en ov ww⟩ ● *hakken, houwen, een jaap geven;* – down *omhakken;* – off a branch *een tak afkappen;* – at sth. *in iets hakken, op iets in houwen.*

hacker ['hækə] ● *(computer)kraker.*

hacking cough ['hækɪŋ 'kɒf] ● *kuchhoest, droge hoest.*

hackles ['hæklz] ● *nekveren, nekharen* ‖ get s.o.'s – up *iem. razend/woest maken.*

'hackney cab, 'hackney carriage ['hækni] ● *taxi, huurrijtuig.*

hackneyed ['hæknɪd] ● *afgezaagd, banaal.*

'hacksaw ● *ijzerzaag.*

had [d, (h)əd, ⟨sterk⟩hæd] ⟨verl. t. en volt.

deelw.⟩ zie HAVE.
haddock ['hædək], ⟨Sch. E⟩ **haddie** ['hædi] ●
schelvis.
hadn't ['hædnt] ⟨samentr. v. had not⟩.
haemoglobin ['hi:mə'gloʊbɪn] ● *hemoglo-
bine, rodebloedkleurstof.*
haemophilia ['hi:mə'fɪliə, 'hemə-] ● *hemofi-
lie, bloederziekte.* **haemophiliac** ['hi:-
mə'fɪliæk, 'hemə-] ● *hemofiliepatiënt.*
haemorrhage ['hemərɪdʒ] ● *bloeding.* **hae-
morrhoids** ['hemərɔɪdz] ● *aambeien.*
haft [hɑ:ft] ● *handvat, heft.*
hag [hæg] ● *(lelijke oude) heks.*
haggard ['hægəd] ● *verwilderd uitziend,
wild* ⟨v. blik⟩, *hologig, afgetobd.*
haggis ['hægɪs] ● *haggis* ⟨Schots gerecht
waarbij ingewanden v. schaap worden
gekookt in de maag v.h. dier⟩.
1 haggle ['hægl] ⟨zn⟩ ● *gekibbel, gekijf* ● *ge-
marchandeer.*
2 haggle ⟨ww⟩ ● *kibbelen* ● *pingelen, afdingen;* – with s.o. about/over sth. *met iem.
over iets marchanderen.*
ha(h) [hɑ:] ● *kuch(je), ha* ∥ –! *a(hum)!; (a)
ha!; hoezo?.*
ha-ha ['hɑ:'hɑ:] ● *haha.*
1 hail [heɪl] ⟨zn⟩ ● *hagel,* ⟨fig.⟩ *regen, stortvloed* ● *(welkomst)groet;* – to you! *saluut!.*
2 hail I ⟨onov ww⟩ ● *hagelen* ⟨ook fig.⟩,
neerkomen (als hagel) **II** ⟨ov ww⟩ ● *begroeten* ● *begroeten als* ∥ – a taxi *een taxi
(aan)roepen.*
'hail from ● *komen uit, afkomstig zijn van* ⟨v.
schip, personen⟩.
'hailstone ● *hagelsteen.* **'hailstorm** ● *hagel-
bui.*
hair [heə] ● *haar, haren;* do one's – *zijn haar
kammen;* let one's – down ⟨↓; fig.⟩ *zich
laten gaan* ∥↓ get in s.o.'s – *iem. in de haren zitten;* not harm a – on s.o.'s head *iem.
geen haar krenken;*↓ keep your – on!
maak je niet dik!; split –s *haarkloven;*↓
without turning a – *zonder een spier te
vertrekken.* **'hair'breadth, 'hair's
'breadth** ● *haarbreed(te)* ∥ escape death
by a – *ternauwernood aan de dood ontsnappen.* **'hairbrush** ● *haarborstel.* **'hair-
cut** ● *het knippen;* have a – *zijn haar laten
knippen* ● *kapsel.* **'hairdo** ↓ ● *kapsel.* **'hair-
dresser** ● *kapper.* **'hair drier, 'hair dryer** ●
haardroger. **'hair-dye** ● *haarverf.* **'hair-
grip** ● *(haar)speld(je).* **hairless** ['heələs] ●
onbehaard, kaal. **'hairline** ● *haargrens* ●
(fijn) streepje ⟨verk.⟩ hairline crack.
'hairline 'crack ● *haarscheur(tje).* **'hairnet**
● *haarnet(je).*
'hairpiece ● *haarstuk(je), toupet.* **'hairpin** ●

haarspeld ● ⟨verk.⟩ hairpin bend. **'hairpin
'bend** ● *haarspeldbocht.* **'hair-raiser** ↓ ●
*iets huiveringwekkends, griezelverhaal/
film.* **'hair-raising** ↓ ● *huiveringwekkend.*
'hair slide ⟨BE⟩ ● *(haar)speldje.* **'hairsplit-
ting** ● *haarkloverij.* **'hair spray** ● *haarlak.*
'hair style ● *kapsel.* **'hair stylist** ● *(dames)
kapper.* **'hair tonic** ● *haarmiddel.* **hairy**
['heəri] ● *harig, behaard* ● *haarachtig* ●
⟨sl.⟩ *hachelijk, riskant.*
hale [heɪl] ● *gezond, kras* ⟨vnl. v. oude men-
sen⟩; – and hearty *fris en gezond.*
1 half [hɑ:f] ⟨zn; mv.: halves [hɑ:vz]⟩ ● *helft,
half(je);* cut in –/into halves *halveren* ● *een
half/halve, halve pint* ⟨ongeveer 0,28 l⟩,
⟨sport⟩ *speelhelft* ∥↓ go halves with s.o. in
sth. *de kosten v. iets met iem. samsam delen;* he's too clever by – *hij is veel te sluw;*
do sth. by halves *iets maar half doen;*↓
that was a game and a – *dat was me een
wedstrijd.*
2 half ⟨vnw⟩ ● *de helft;* – of it was spoilt, – of
them were spoilt *de helft was bedorven.*
3 half ⟨bw⟩ ● *half,*↓ *bijna;* – dead *half dood;* I
– wish *ik zou bijna willen;* – as much/many
again *anderhalf maal zoveel;* – past one
halftwee; – and – *half en/om half* ⟨ook
fig.⟩ ∥↓ he didn't – get mad *hij werd me
daar toch razend;*↓ not – bad *lang niet
kwaad* (= schitterend; understatement⟩.
4 half ⟨det, predet⟩ ● *half, de helft v.;* – an
hour, a – hour *een half uur;* – the profits *de
helft v.d. winst.*
'halfback, half ⟨sport⟩ ● *halfback, middenspeler.* **'half-'baked** ● *halfgaar,* ⟨fig.⟩ *gebrekkig.* **'half-'board** ● *half pension.* **'half-
breed** ● ⟨bn⟩ *halfbloed, bastaard-* ● ⟨zn⟩
halfbloed. **'half brother** ● *halfbroer.* **'half-
caste** ● ⟨bn⟩ *halfbloed* ⟨soms ong.⟩ ●
⟨zn⟩ *halfbloed,* ⟨ihb.⟩ *Indische jongen.*
'half 'cock ∥ go off (at) – *mislukken (door
overijld handelen).* **'half'hearted** ● *half-
hartig, halfslachtig.* **'half-'holiday** ● *vrije
middag* ⟨vnl. op scholen⟩.
half-hourly ● *om het half uur.* **'half-life**
⟨nat.⟩ ● *halveringstijd.* **'half-light** ● *sche-
mering.* **'half-'mast** ∥ at – *halfstok.* **'half-
measure** ● *halve maatregel;* they don't do
things by –s *zij nemen geen halve maatregelen.* **'half-'moon** ● *halvemaan.* **half-
penny** ['heɪpni] ⟨mv.: ook halfpence⟩ ●
halve penny, Engelse halve stuiver. **'half
sister** ● *halfzuster.* **'half-'term** ⟨BE⟩ ●
⟨school⟩ *korte vakantie* ⟨bv. krokus/
herfstvakantie⟩.
'half-'timbered ● *vakwerk-;* a – house *een
huis met vakwerkgevel.*
1 'half-'time ⟨zn⟩ ● ⟨sport⟩ *rust* ● *halve*

werktijd, halve dagen; be on – *halve dagen werken; een deeltijdbaan hebben.*
2 **'half-time** ⟨bn; bw⟩ ● *deeltijd-, voor de halve (werk)tijd.*
'**half-truth** ● *halve waarheid.*
1 **halfway** ['hɑ:f'weɪ] ⟨bn⟩ ● *in het midden* ● *halfslachtig, gedeeltelijk;* – measures *halve maatregelen.*
2 **halfway** ⟨bw⟩ ● *halverwege, halfweg.*
'**halfway 'house** ● *pleisterplaats* ● *rehabilitatiecentrum, reclasseringscentrum* ● ⟨scherts.⟩ *compromis.* '**half-wit** ● *halve gare.* '**half-'witted** ● *halfwijs, halfgaar.* '**half-'yearly** ● *halfjaarlijks, om de zes maanden.*
halibut ['hælɪbət] ● *heilbot.*
hall [hɔ:l] ● *zaal* ● *openbaar gebouw;* the Hall of Justice *het paleis v. justitie* ● *groot herenhuis* ● *vestibule, hal, gang* ● ⟨BE⟩ *studenten(te)huis, (maaltijd in) eetzaal;* ⟨BE⟩ – of residence *studentenhuis/flat.*
1 '**hallmark** ⟨zn⟩ ● *stempel* ⟨ook fig.⟩, *keur* ⟨op goud of zilver⟩, *waarmerk, kenmerk.*
2 **hallmark** ⟨ww⟩ ● *stempelen, waarmerken.*
hallo [hə'lou] ● *hallo!, hé!.*
hallow ['hælou] ● *heiligen, wijden.* **hallowed** ['hæloud] ● *gewijd, heilig.*
Halloween, Hallowe'en ['hælou'i:n] ⟨AE, Sch. E⟩ ● *avond voor Allerheiligen* ⟨waarop kinderen zich verkleden⟩.
'**hall 'porter** ⟨BE⟩ ● *portier.*
'**hallstand** ● *halmeubel* ⟨om jassen en hoeden op te hangen en met een la voor handschoenen⟩.
hallucin|ate [hə'lu:sɪneɪt] ⟨zn: **-ation**⟩ ● *hallucineren, hallucinaties hebben.* **hallucinogenic** [hə'lu:sɪnə'dʒenɪk] ● *hallucinogeen.*
'**hallway** ● *portaal, hal, vestibule.*
halo ['heɪlou] ● *halo* ● *stralenkrans, aureool,* ⟨fig.⟩ *glans, luister.*
halogen ['hælədʒen] ● *halogeen.*
1 **halt** [hɔ:lt] I ⟨telb zn⟩ ● ⟨BE⟩ *klein spoorwegstation* II ⟨n-telb zn⟩ ● *halt, stilstand, rust;* call a – to *een halt toeroepen;* come to a – *tot stilstand komen;* make a – *halt houden.*
2 **halt** I ⟨onov ww⟩ ● *halt houden, stoppen, pauzeren* II ⟨ov ww⟩ ● *halt doen houden, tot stilstand brengen, stoppen.*
halter ['hɔ:ltə] ● *halster* ● *strop.* '**halterneck** ● *in halterlijn* ⟨damesmode⟩.
halting ['hɔ:ltɪŋ] ● *weifelend, aarzelend, onzeker;* a – voice *een stokkende stem.*
halve [hɑ:v] ● *halveren, in tweeën delen.* **halves** ⟨mv.⟩ zie HALF.
1 **ham** [hæm] ⟨zn⟩ ● *ham* ● *dij, bil* ● ↓ *amateur* ● *derderangs acteur.*

2 **ham** ⟨ww⟩ ⟨sl.⟩ ● *overacteren, overdrijven;* – up *zich aanstellen.*
'**ham actor** ● *derderangs acteur.*
hamburger ['hæmbə:gə] ● *hamburger.*
'**ham'fisted,** '**ham'handed** ● *onhandig.*
hamlet ['hæmlɪt] ● *gehucht.*
1 **hammer** ['hæmə] ⟨zn⟩ ● *hamer;* come under the – *geveild worden;* ⟨sport⟩ throwing the – *hamerslingeren* ‖ go at it – and tongs *er uit alle macht tegenaan gaan.*
2 **hammer** I ⟨onov ww⟩ ● *hameren;* – (away) at *er op loshameren/losbeuken* ‖ – (away) at sth. *op iets zwoegen* II ⟨ov ww⟩ ● *hameren, smeden* ● ↓ *verslaan, inmaken* ● ↓ *scherp bekritiseren* ‖ – out a compromise solution *(moeizaam) een compromis uitwerken.*
hammock ['hæmək] ● *hangmat.*
1 **hamper** ['hæmpə] ⟨zn⟩ ● *(grote) sluitmand* ⟨vnl. voor voedingsmiddelen⟩; Christmas – *kerstpakket;* picnic – *picknickmand* ● ⟨AE⟩ *wasmand.*
2 **hamper** ⟨ww⟩ ● *belemmeren, storen,* ⟨fig.⟩ *hinderen.*
hamster ['hæmstə] ● *hamster.*
1 '**hamstring** ['hæmstrɪŋ] ⟨zn⟩ ● *kniepees.*
2 **hamstring** ⟨ww; hamstrung, hamstrung⟩ ● *verlammen, frustreren.*
1 **hand** [hænd] I ⟨telb zn⟩ ● *hand;* bind/tie s.o. – and foot *iem. aan handen en voeten binden* ⟨ook fig.⟩; – (elkaar) de hand geven; shake s.o.'s –, shake –s with s.o. *iem. de hand geven/schudden;* –s off! *bemoei je er niet mee!;* –s up! *handen omhoog!;* at – *dichtbij;* ⟨fig.⟩ *op handen;* close/near at – *heel dichtbij;* by – *met de hand;* in – *in de hand;* ⟨fig.⟩ *voorhanden,* – in – *hand in hand;* make money – over fist *geld als water verdienen* ● *voorpoot* ● *arbeider, werkman, bemanningslid;* all –s on deck! *alle hens aan dek!* ● *vakman;* an old – *een ouwe rot;* be a poor – at sth. *geen slag van iets hebben* ● *(kaart)speler* ● *wijzer* ⟨v. klok⟩ ● *kaart(en)* ⟨aan een speler toebedeeld⟩, overplay one's – *te veel wagen;* play into s.o.'s –s *iem. in de kaart spelen;* show one's – *zijn kaarten op tafel leggen* ● *handbreed(te)* ⟨ca. 10 cm⟩ ● *kant, richting;* at my left – *aan mijn linkerhand;* on the one/other – *aan de ene/andere kant* ‖ serve s.o. – and foot *iem. op zijn wenken bedienen;* be – in/and glove with s.o. *dikke vrienden zijn met iem.;* they are – in glove *ze zijn twee handen op één buik;* be/go – in – *samengaan;* he has bitten the – that fed him *hij bevuilde het eigen nest;* not do a –'s turn *geen hand uitsteken;* force s.o.'s – *iem. tot handelen*

dwingen; keep your –s off! *hou je handen thuis!*; lay/put one's – on *de hand weten te leggen op*; turn/set/put one's – to sth. *iets ondernemen*; wash one's – s of sth. *zijn handen van iets aftrekken*; win –s down *op één been winnen*; at the –s of s.o. *van-(wege)/door iem.*; live from – to mouth *van de hand in de tand leven*; have money in – *geld ter beschikking hebben*; cash in – *contanten in kas*; the work is well in – *het werk schiet goed op*; we have plenty of time in – *we hebben nog tijd genoeg*; the matter in – *de lopende zaak*; hold o.s. in – *zich beheersen*; be on – *beschikbaar zijn*; out of – *voor de vuist weg*; refuse sth. out of – *iets botweg weigeren*; have s.o. eating out of one's – *iem. volledig in zijn macht hebben*; to – *bij de hand, dichtbij*; ready to – *kant en klaar*; come to – *in het bezit komen*; a –-to-mouth existence *een leven van dag tot dag*; with one – (tied) behind one's back *zonder enige moeite*; (at) first/second – *uit de eerste/tweede hand*; ⟨sprw.⟩ many hands make light work *veel handen maken licht werk*; zie ook ⟨sprw.⟩ BIRD **II** ⟨n-telb zn⟩ ● *handschrift*, ↑ *handtekening*; set/put one's – to a document *zijn hand(tekening) onder een dokument plaatsen*; write a legible – *een leesbaar handschrift hebben* ● *hulp*; give/lend s.o. a (helping) – *iem. een handje helpen* ● *aandeel*; take a – (in) *een rol spelen (in)*; have a – in sth. *bij iets betrokken zijn* ● ↓ *applaus*; the actress got a big – *de actrice kreeg een daverend applaus* ‖ ask for s.o.'s – *iem. ten huwelijk vragen*; try one's – at (doing) sth. *iets proberen*; get one's – in at sth. *iets onder de knie krijgen*; keep one's – in *in oefening blijven*; have the situation well in – *de toestand goed in handen hebben*; take in – *onder handen nemen*; get out of – *uit de hand lopen* **III** ⟨mv.⟩ ● *macht, beschikking*; in good –s *in goede handen*; change –s *in andere handen overgaan*; lay (one's) –s on sth. *de hand leggen op iets*; the matter is in the –s of the police *de zaak is in handen v.d. politie*; have sth. on one's –s *verantwoordelijkheid dragen voor iets*; the children are off my –s *de kinderen zijn de deur uit*; take sth. off/out of s.o.'s –s *iem. iets uit handen nemen*.

2 hand ⟨ww⟩ ● *overhandigen, (aan)geven;* – round *ronddelen* ‖ ↓ you have to – it to her *dat moet je haar nageven*; zie HAND DOWN, HAND IN, HAND ON, HAND OUT, HAND OVER.

'**handbag** ● *handtas(je)*. '**handball** ● *handbal*. '**handbill** ● *strooibiljet, circulaire*.

'**handbook** ● *handboek* ● *handleiding, gids*. '**handbrake** ● *handrem*. '**handcart** ● *handkar*. '**handcuff** ● *de handboeien omdoen*. '**handcuffs** ● *handboeien*.

'**hand 'down** ● ⟨vaak pass.⟩ *overleveren* ⟨traditie enz.⟩, *overgaan* ⟨bezit⟩ ● *aangeven*.

handful ['hændfʊl] ● *hand(je)vol* ● ↓ *lastig kind/ding*; that child is a – *ik heb mijn handen vol aan dat kind*. '**hand-grenade** ● *handgranaat*.

1 handicap ['hændikæp] ⟨zn⟩ ● *handicap, nadeel* ● ⟨sport⟩ *handicap, (wedren met) voorgift*.

2 handicap ⟨ww⟩ ● *benadelen, belemmeren, hinderen* ● ⟨sport⟩ *de voorgift bepalen voor*. **handicapped** ● *gehandicapt, invalide*; the – *de gehandicapten* ● ⟨sport⟩ *op handicap, met een handicap*.

handicraft ['hændikrɑːft] ● *handvaardigheid, handwerk*.

'**hand 'in** ● *inleveren* ● *aanbieden, indienen;* – one's resignation *zijn ontslag indienen*.

handiwork ['hændiwəːk] ● *(hand)werk*.

handkerchief ['hæŋkətʃɪf, -tʃiːf] ● *zakdoek*.

1 handle ['hændl] ⟨zn⟩ ● *handvat, hendel, steel* ● *knop, kruk, klink* ● *gevest, heft, greep* ● *oor* ‖ ↓ fly off the – *opvliegen;* don't give your enemies a – against you *laat je vijanden geen vat op je krijgen*.

2 handle I ⟨onov ww⟩ ● *zich laten hanteren/bedienen* ⟨auto, boot⟩; this car –s beautifully in bends *deze auto ligt prachtig in de bocht* **II** ⟨ov ww⟩ ● *aanraken, betasten* ⟨met de handen⟩ ● *hanteren, bedienen* ● *leiden, beheren* ● *behandelen, omgaan met* ● *verwerken, afhandelen* ● *aanpakken;* can he – that situation? *kan hij die situatie aan?* ● *verhandelen, handelen in*.

'**handlebar** ⟨vaak mv.⟩ ● *stuur* ⟨v. fiets⟩.

handler ['hændlə] ● *africhter, trainer*.

handling ['hændlɪŋ] ● *aanraking* ● *behandeling, hantering* ● *transport, vervoer* ⟨v. goederen⟩.

'**hand-luggage** ● *handbagage*. '**hand'made** ● *met de hand gemaakt*. '**hand-me-down** ⟨AE⟩ ● *afdankertje*.

'**hand 'on** ● *doorgeven, verder geven* ● *overleveren* ⟨traditie enz.⟩.

'**handout** ● *gift, aalmoes* ● *stencil, folder* ● *handout* ⟨korte samenvatting, hoofdpunten op een rijtje⟩.

'**hand 'out** ● *rond/uitdelen*.

'**hand 'over** ● *overhandigen* ⟨vnl. geld⟩, *overdragen;* – s.o./hand s.o. over to the police *iem. aan de politie overleveren;* – power to s.o. *aan iem. de macht overdragen*.

'**hand-'pick** ●*zorgvuldig uitkiezen.* '**handrail** ●*leuning.* '**handshake** ●*handdruk.*

handsome ['hæn(t)səm] ●*mooi, knap* 〈man〉, *elegant, statig* 〈vrouw〉, *goed van proporties* 〈huis〉, *indrukwekkend* 〈compliment〉 ●*royaal, gul* 〈beloning, prijs〉, *ruim.*

'**handstand** 〈sport〉 ●*handstand.* '**handwork** ●*handwerk.* '**handwriting** ●*(hand) schrift.* '**hand'written** ●*met de hand geschreven.*

handy ['hændi] ●*bij de hand, binnen bereik* ●*handig;* come in – *van pas komen.*

handyman ●*klusjesman, manusje-van-alles.*

1 hang [hæŋ] 〈zn〉 ●*het vallen* 〈v. stof〉, *het zitten* 〈v. kleding〉 ‖↓ get (into) the – *of sth. de slag van iets krijgen;* ↓ I don't give a – *ik geef er geen zier om.*

2 hang 〈hung, hung [hʌŋ]〉 **I** 〈onov ww〉 ● 〈hanged, hanged〉 *hangen, opgehangen worden* ●*zweven, blijven hangen* ●*zitten* 〈kleding〉, *(neer)vallen* 〈stof〉 ‖ – *loose kalm blijven;* – *behind achterblijven;* 〈AE〉 – in there *volhouden;* she hung on(to) his every word *zij was één en al oor;* – on s.o.'s lips *aan iemands lippen hangen;* – onto sth. *proberen te (be)houden;* – over one's head *iem. boven het hoofd hangen;* zie HANG (A)ROUND/ABOUT, HANG BACK, HANG ON, HANG OUT, HANG TOGETHER, HANG UP **II** 〈ov ww〉 ●〈hanged, hanged〉 *(op)-hangen* 〈ook als straf〉; – *wallpaper behangen* ●*behangen* ●*laten hangen;* – one's head (in shame) *het hoofd (schuldbewust) laten hangen* ‖↓ I'll be –ed if ... *ik mag hangen als ...;* ↓ – it (all)! *naar de hel ermee!;* zie HANG OUT, HANG UP.

hangar ['hæŋə] ●*hanga(a)r, vliegtuigloods.*

'**hang (a)'round,** 〈BE〉 '**hang a'bout** ↓ ●*rondlummelen* ●*wachten.* '**hang 'back** ●*zich afzijdig houden, aarzelen;* – from doing sth. *aarzelen iets te doen.*

'**hangdog** ●*beschaamd, schuldbewust.*

'**hanger** ['hæŋə] ●*kleerhanger.*

'**hanger-'on** 〈ong.〉 ●*(slaafse) volgeling.*

'**hang-glide** 〈sport〉 ●*deltavliegen, zeilvliegen.* '**hangglider** 〈sport〉 ●*deltavlieger* 〈zowel toestel als gebruiker〉, *zeilvlieger.*

1 hanging ['hæŋɪŋ] **I** 〈telb zn〉 ●〈meestal mv.〉 *wandtapijt, wandbekleding* **II** 〈telb en n-telb zn〉 ●*ophanging, het ophangen.*

2 hanging 〈bn〉 ●*hangend, overhangend, hang-.*

hangman ['hæŋmən] ●*beul.*

'**hang 'on** ↓ ●*zich (stevig) vasthouden, blijven (hangen);* – to *zich vasthouden aan* ●*volhouden, het niet opgeven* ●*even wachten, aan de lijn blijven* 〈telefoon〉; – (a

minute)! *ogenblikje!.* '**hangout** 〈AE; ↓〉 ●*verblijf, stamkroeg, ontmoetingsplaats.*

'**hang 'out I** 〈onov ww〉 〈sl.〉 ●*uithangen, zich ophouden* **II** 〈ov ww〉 ●*uithangen, ophangen* 〈was〉 ‖ 〈sl.〉 let it all – *zichzelf zijn; doen waar men zin in heeft.* **hangover** ['hæŋouvə] ●*kater* ●*overblijfsel.*

'**hang to'gether** ●*(blijven) samenwerken, één lijn trekken* ●*samenhangen.* '**hangup** 〈sl.〉 ●*complex, obsessie.* '**hang 'up I** 〈onov ww〉 ●*ophangen* 〈telefoon〉; and then she hung up on me *en toen gooide ze de hoorn op de haak* **II** 〈ov ww〉 ●*ophangen* ‖ 〈sl.〉 be hung up on/about sth. *complexen hebben over iets.*

hank [hæŋk] ●*streng* 〈garen〉.

hanker ['hæŋkə] ●〈+after/for〉 *hunkeren (naar).* **hankering** ['hæŋkərɪŋ] ●〈+after/for〉 *vurig verlangen (naar).*

hanky, hankie ['hæŋki] ↓ ●*zakdoek.*

hanky-panky ['hæŋki'pæŋki] ↓ ●*hocus-pocus, bedriegerij* ●*gescharrel.*

haphazard ['hæp'hæzəd] ●*toevallig, op goed geluk (af), lukraak.*

happen ['hæpən] ●*(toevallig) gebeuren;* as it –s *toevallig, zoals het nu eenmaal gaat;* it (so) –ed that we heard it *toevallig hoorden we het;* should anything – to him *mocht hem iets overkomen* ●*toevallig verschijnen, toevallig komen/gaan* ‖ if you – to see him *mocht u hem zien;* I –ed (up) on it *ik trof het toevallig aan;* zie ook 〈sprw.〉 ACCIDENT. **happening** ['hæpənɪŋ] ●*gebeurtenis* ●〈AE; ↓〉 *happening.*

happily ['hæpɪli] ●zie HAPPY ●*gelukkiger-wijs.* **happy** ['hæpi] (-iness) **I** 〈bn, attr en pred〉 ●*gelukkig, blij* ●*gepast, gelukkig* 〈taal, gedrag, suggestie〉 ‖ (strike) the – *medium de gulden middenweg (inslaan)* **II** 〈bn, attr〉 ●*voorspoedig, gelukkig;* Happy Birthday *prettige verjaardag;* Happy New Year *Gelukkig Nieuwjaar* ‖ many – returns (of the day)! *nog vele jaren!* **III** 〈bn, pred〉 ●*verheugd;* I'll be – to accept your kind invitation *ik neem uw uitnodiging graag aan.* '**happy-go-'lucky** ●*zorgeloos, onbezorgd.*

1 harangue [hə'ræŋ] 〈zn〉 ●*heftige rede, tirade.*

2 harangue 〈ww〉 ●*(heftig) toespreken.*

harass ['hærəs] 〈zn: **-ment**〉 ●*treiteren* ●*teisteren, voortdurend bestoken/lastig vallen.*

harbinger ['hɑ:bɪndʒə] ●*voorbode, voorloper.*

1 harbour ['hɑ:bə] 〈zn〉 ●*haven* ●*schuilplaats.*

2 harbour 〈ww〉 ●*herbergen, onderdak ver-*

lenen ⟨misdadiger⟩ ●*koesteren* ⟨gevoelens⟩.

1 hard [hɑːd] **I** ⟨bn, attr en pred⟩ ● *hard, vast, taai; –* currency *harde valuta; –* drink/liquor *sterkedrank; –* drug *hard-drug;* a – winter *een strenge winter; –* and fast rule/line *vaste regel* ● *hard* ⟨gedrag, karakter⟩, *hardvochtig;* drive a – bargain *keihard onderhandelen;* ⟨AE; ↓⟩ – sell *agressieve verkoopmethode;* learn sth. the – way *door bittere ervaring leren;* be – (up)on s.o. *onaardig/streng zijn tegen iem.* ● *moeilijk, hard; –* labour *dwangarbeid;* she gave him a – time *hij kreeg het zwaar te verduren van haar; –* times *moeilijke tijden; –* to believe *moeilijk te geloven; –* of hearing *hardhorend* ‖ – cash *klinkende munt; –* feelings *wrok(gevoelens);* no – feelings? *even goede vrienden?;* ⟨BE⟩ lines *pech;* as – as nails *ongevoelig;* a – nut to crack *een harde noot (om te kraken);* ⟨BE⟩ – shoulder *vluchtstrook;* play – to get *zich ongenaakbaar opstellen; –* by *vlakbij;* zie HARD UP **II** ⟨bn, attr⟩ ● *hard;* a – drinker *een stevige drinker;* a – worker *een harde werker.*

2 hard ⟨bw⟩ ● *hard, krachtig, zwaar;* it comes – *het valt zwaar;* be – done by *te kort gedaan zijn;* be – hit *zwaar getroffen zijn;* look – *aandachtig kijken;* think – *diep nadenken;* be – on s.o.'s heel(s)/trail *iem. op de hielen zitten* ● *met moeite;* be – put to (do sth.) *het moeilijk vinden (om iets te doen);* traditions die – *tradities verdwijnen niet gauw;* take sth. – *zwaar lijden onder iets* ● *dicht(bij).*

'**hard-back** ⟨ook: 'hard-'bound, 'hard-cover⟩ ⟨bn⟩ *gebonden* ⟨boek⟩ ● ⟨zn⟩ *gebonden boek.* '**hard-'bitten** ●*verbeten, verstokt.* '**hard-board** ● *(hard)board, houtvezelplaat.* '**hard-'boiled** ● *hardgekookt* ● *hard, ongevoelig.* '**hard** '**core** ● *harde porno* ● *harde kern* ⟨v. vereniging e.d.⟩. '**hard-core** ●*verstokt, aartsconservatief* ● *hard* ⟨porno⟩. '**hard-'earned** ● *zuur verdiend.*

harden ['hɑːdn] ● *(ver)harden, hard/ongevoelig worden/maken;* this –ed her in her determination *dit stijfde haar in haar vastberadenheid* ‖ become –ed to sth. *aan iets wennen.*

'**hard-hat** ● *helm* ⟨ter bescherming⟩. '**hard-'headed** ● *praktisch, nuchter.* '**hard-'hearted** ● *hardvochtig.* '**hard-'liner** ● *voorstander v.e. harde-lijnpolitiek.*

hardly ['hɑːdli] ● *nauwelijks, amper;* we had – arrived when it began to rain *we waren er nog maar net toen het begon te rege-*

nen; – anything *bijna niets; –* anybody *vrijwel niemand; –* ever *bijna/praktisch nooit.*

hardness ['hɑːdnəs] ● *hardheid.*

'**hard-'pressed** ● *in moeilijkheden;* be – for time *in tijdnood zitten.*

hardship ['hɑːdʃip] ● *ontbering, tegenspoed.* **hard up** ● *slecht bij kas* ‖ be – for sth. *grote behoefte aan iets hebben.* '**hardware** ● *ijzerwaren, (huis)gereedschap* ● ⟨tech.⟩ *hardware* ⟨ook v. computer⟩, *apparatuur.* '**hard-'wearing** ⟨BE⟩ ● *duurzaam, sterk* ⟨schoenen e.d.⟩. '**hardwood** ● *hardhout.*

hardy ['hɑːdi] ● *sterk* ● *koen, onverschrokken* ● *winterhard* ⟨planten⟩.

1 hare [heə] ⟨zn⟩ ● *haas.*

2 hare ⟨ww⟩ ⟨BE; ↓⟩ ● *hard rennen; –* off *hard wegrennen.* '**hare-brained** ● *onbezonnen, onbesuisd.* '**hare**'**lip** ● *hazelip.*

harem ['heərəm] ● *harem.*

haricot ['hærɪkou], '**haricot** '**bean** ● *snijboon.*

hark [hɑːk] ● *luisteren.* '**hark** '**back** ● *terugkeren;* ↓ – to the past *het verleden weer ophalen.*

harlequin ['hɑːlɪkwɪn] ● *harlekijn.*

harlot ['hɑːlət] ⟨vero.⟩ ● *hoer.*

1 harm [hɑːm] ⟨zn⟩ ● *kwaad, schade;* be/do no – *geen kwaad kunnen;* she came to no –, no – came to her *er overkwam/geschiedde haar geen kwaad;* do s.o. no – *iem. geen kwaad doen;* out of –'s way *in veiligheid.*

2 harm ⟨ww⟩ ● *kwaad doen, schade berokkenen, letsel toebrengen.* **harmful** ['hɑːmfl] ● *schadelijk, nadelig.*

harmless ['hɑːmləs] ● *onschadelijk, ongevaarlijk* ● *onschuldig, argeloos.*

harmonic [hɑːˈmɒnɪk] ⟨muz., nat.⟩ ● *harmonisch.*

harmonica [hɑːˈmɒnɪkə] ● *(mond)harmonica.*

harmonious [hɑːˈmouniəs] ● *harmonieus.*

harmonium [hɑːˈmouniəm] ● *harmonium.*

harmonize ['hɑːmənaiz] **I** ⟨onov ww⟩ ● ⟨+with⟩ *harmoniëren (met), overeenstemmen (met), bij elkaar passen* **II** ⟨ov ww⟩ ● *harmoniseren, doen overeenstemmen.* **harmony** ['hɑːməni] ● *harmonie, eensgezindheid, overeenstemming.*

1 harness ['hɑːnis] ⟨zn⟩ ● *gareel, (paarde)tuig* ‖ die in – *in het harnas sterven.*

2 harness ⟨ww⟩ ● *optuigen, inspannen* ⟨paard⟩ ● *aanwenden, gebruiken* ⟨(natuurlijke) energiebronnen⟩.

harp [hɑːp] ● *harp.* **harpist** ['hɑːpist] ● *harpspeler.*

harp '**on** [hɑ:p ɒn] ● *zaniken; –* about sth. *doorzeuren over iets.*

harpoon ['hɑ:'pu:n] ● ⟨zn⟩ *harpoen* ● ⟨ww⟩ *harpoeneren.*

harpsichord ['hɑ:psɪkɔ:d] ● *klavecimbel.*

1 harrow ['hærəʊ] ⟨zn⟩ ● *eg.*

2 harrow ⟨ww⟩ ● *eggen.* **harrowing** ['hærəʊɪŋ] ● *aangrijpend.*

harry ['hæri] ● *bestoken* ⟨vijand⟩ ● *lastig vallen.*

harsh [hɑ:ʃ] ● *ruw, wrang, verblindend* ⟨licht⟩, *krassend* ⟨geluid⟩ ● *wreed, hardvochtig.*

hart [hɑ:t] ● *mannetjeshert.*

harum-scarum ['heərəm'skeərəm] ↓ ● *onbesuisd.*

1 harvest ['hɑ:vɪst] ⟨zn⟩ ● *oogst(tijd).*

2 harvest ⟨ww⟩ ● *oogsten, vergaren.* **harvester** ['hɑ:vɪstə] ● *oogster* ● *oogstmachine.* '**harvest** '**festival** ● *oogstdienst.*

has [z, (h)əz, s, ⟨sterk⟩hæz] ⟨onvolt. tegenw. t. 3e pers enk.⟩ zie HAVE.

has-been ['hæzbɪn] ↓ ● *iem. die/iets dat heeft afgedaan, achterhaald iets/iem..*

1 hash [hæʃ] ⟨zn⟩ ● *hachee* ● ⟨sl.⟩ *hasj(iesj)* ‖ make a – of it *de boel verknoeien.*

2 hash ⟨ww⟩ ● ⟨vaak +up⟩ *(fijn)hakken* ‖ ⟨sl.⟩ – up *verknoeien.*

hashish ['hæʃɪʃ] ● *hasjiesj.*

hasp [hæsp] ● *grendel, beugel* ⟨v.e. slot⟩, ⟨tech.⟩ *overval.*

1 hassle ['hæsl] ⟨zn⟩ ↓ ● *gedoe;* a real – *een zware opgave, een heel gedoe.*

2 hassle ⟨ww⟩ ↓ ● *lastig vallen.*

haste [heɪst] ● *haast, spoed;* make – *zich haasten* ● *overhaasting* ‖ ⟨sprw.⟩ more haste, less speed *haastige spoed is zelden goed.* **hasten** ['heɪsn] I ⟨onov ww⟩ ● *zich haasten, snellen* II ⟨ov ww⟩ ● *verhaasten, versnellen.* **hasty** ['heɪsti] ● *haastig* ● *overhaast* ● *onbezonnen.*

hat [hæt] ● *hoed* ‖ ⟨BE; sl.⟩ bad – *een kwaaie;* beat/knock into a cocked – *afranselen;* ⟨fig.⟩ *de grond inboren;* I'll eat my – if ... *ik mag doodvallen als ...;* keep sth. under one's – *iets geheim houden;* pass/ send the – (round) *met de pet rondgaan;* ⟨fig.⟩ take off one's – to s.o. *zijn pet(je) afnemen voor iem.;* ⟨sl.⟩ talk through one's – *nonsens verkopen;* my –! *nou breekt mijn klomp!; nonsens!.*

1 hatch [hætʃ] ⟨zn⟩ ● *luik, dienluikje* ● *sluisdeur, sluispoort* ‖ ⟨sl.⟩ down the – *proost!.*

2 hatch I ⟨onov ww⟩ ● ⟨vaak +out⟩ *uit het ei komen* ⟨v. kuiken⟩, *openbreken* ⟨v. ei(erschaal)⟩ II ⟨ov ww⟩ ● ⟨vaak +out⟩ *uitbroeden, broeden* ● *beramen;* – up a plan *een plan smeden.*

hatchback ['hætʃbæk] ● *vijfde deur* ⟨auto⟩ ● *vijfdeursauto.*

hatchery ['hætʃəri] ● *broedplaats, kwekerij* ⟨vnl. voor vis⟩.

hatchet ['hætʃɪt] ● *bijltje, (hand)bijl* ‖ ↓ bury the – *de strijdbijl begraven.* '**hatchet man** ● *huurmoordenaar* ● ⟨ong.⟩ *handlanger.*

'**hatchway** ● *luikgat, (luik)opening, trap in luikgat.*

1 hate [heɪt] ⟨zn⟩ ● ↓ *gehate persoon, gehaat iets* ● *haat.*

2 hate ⟨ww⟩ ● *haten, een hekel hebben aan* ● ↓ *het jammer vinden;* I – having to tell you ... *het spijt me u te moeten zeggen ....* **hateful** ['heɪtfl] ● *gehaat, weerzinwekkend* ● *hatelijk.*

'**hat-pin** ● *hoedespeld.* '**hat rack** ● *(hoede) kapstok.*

hatred ['heɪtrɪd] ● *haat, afschuw.*

hatter ['hætə] ● *hoedenmaker/maakster.*

'**hat trick** ⟨sport⟩ ● *hattrick.*

haughty ['hɔ:ti] ● *trots, hooghartig.*

1 haul [hɔ:l] ⟨zn⟩ ● *haal, trek, het halen, het trekken* ● *vangst, buit* ● *afstand;* a fourmile – *een traject v. vier mijl.*

2 haul I ⟨onov ww⟩ ● *trekken* ● ⟨scheep.⟩ *van koers veranderen* II ⟨ov ww⟩ ● *halen, ophalen* ⟨met inspanning⟩ ● – down one's flag/colours *de vlag strijken* ● *vervoeren* ● *slepen* ⟨voor de rechter⟩; zie HAUL UP. **haulage** ['hɔ:lɪdʒ] ● *het slepen* ● *vervoer, transport* ● *transportkosten.* **haulier** ['hɔ:lɪə] ● *vrachtrijder, expediteur.* '**haul** '**up** ● *ophalen, inhalen* ● *slepen* ⟨voor de rechter⟩.

haunch [hɔ:ntʃ] ● ⟨vaak mv.⟩ *lende, bil, dij;* on one's –es *op zijn hurken* ● ⟨cul.⟩ *lendestuk, bout.*

1 haunt [hɔ:nt] ⟨zn⟩ ● *veelbezochte/gewone (verblijf)plaats, trefpunt,* ⟨ong.⟩ *hol.*

2 haunt ⟨ww⟩ ● *zich altijd ophouden in, regelmatig bezoeken* ● *rondspoken in, rondwaren in;* –ed castle *spookkasteel/slot* ● *achtervolgen, niet loslaten.*

1 have [hæv] ⟨zn⟩ ‖ the –s and the have-nots *de rijken en de armen.*

2 have, ⟨in I ↓ ook⟩ **have got** ⟨had, had⟩ I ⟨ov ww⟩ ● *hebben, bezitten, houden;* he's got billions *hij heeft miljarden;* you can – that old car if you want *je mag die oude kar houden als je wil;* I've got it *ik weet het (weer);* ↓ he has it in him (to do a thing like that) *hij is ertoe in staat (zoiets te doen);* you – sth. there *daar zeg je (me) wat, daar zit wat in;* – sth. about/on one *iets bij zich hebben* ● *krijgen, ontvangen;* this book is nowhere to be had *dit boek is nergens te krijgen;* may I – this dance from you? *mag* *ik deze dans v. u?;* we've had no news *we hebben geen nieuws (ontvangen)* ● *nemen, gebruiken* ⟨eten, drinken e.d.⟩; – breakfast *ontbijten;* – a cigarette *een sigaret nemen/roken* ● *hebben, genieten v., lijden aan;* – a headache *hoofdpijn hebben;* – a good time *het naar zijn zin hebben;* you – it badly *je hebt het lelijk te pakken* ● ⟨met nw. dat een activiteit uitdrukt; vaak te vertalen door ww van dat nw.⟩ ↓ *hebben, maken, nemen* ⟨enz.⟩; – a bath *een bad nemen;* – a try *(het) proberen;* – a walk *een wandeling maken* ● *toelaten, dulden;* I won't – such conduct *ik duld zulk gedrag niet;* I won't – you say such things *ik duld niet dat u zoiets zegt* ● ⟨met nw. en onb w. met to⟩ *hebben te;* I still – quite a bit of work to do *ik heb nog heel wat te doen* ● ⟨met nw. en onb w. of volt. deelw.⟩ *laten, opdracht geven te;* – one's hair cut *zijn haar laten knippen;* he's finally had it done *hij heeft het eindelijk laten doen* ● ⟨met nw. en complement v.h. voorwerp⟩ *aan het ... krijgen, maken dat;* he finally had his audience laughing *eindelijk kreeg hij zijn publiek aan het lachen* ● ⟨met nw. en onb w. of volt. deelw.⟩ *het moeten beleven dat;* he's had his friends desert him *hij heeft het moeten meemaken dat zijn vrienden hem in de steek lieten* ● *in huis hebben, te gast hebben,* ⟨bij uitbr.⟩ *uitnodigen;* – s.o. (a)round/in/over *iem. (eens) uitnodigen;* we are having the painters in next week *volgende week zijn de schilders bij ons in huis aan het werk* ● *krijgen* ⟨kind⟩ ● ↓ *te pakken hebben* ⟨lett. en fig.⟩; you've got me there *jij wint; geen idee, daar vraag je me wat* ● ⟨BE; sl.⟩ *bedriegen;* John's been had *ze hebben John beetgenomen* ‖ he had it coming to him *hij kreeg zijn verdiende loon;* – it (that) *zeggen (dat), beweren (dat);* rumour has it that ... *het gerucht gaat dat ...;* – it (from s.o.) *het (van iem.) gehoord hebben, het weten (van iem.);* ↓ – had it *de klos/pineut zijn; dood zijn; het beu zijn;* – sth. off *iets uit het hoofd kennen;* ⟨BE; ↓⟩ – it away/off (with s.o.) *neuken (met iem.);* – it in for s.o. *de pik hebben op iem.;* – it/the matter out with s.o. *het (probleem) uitpraten/uitvechten met iem.;* ⟨BE⟩ – s.o. up (for sth.) *iem. voor de rechtbank brengen (wegens iets);* – sth. on s.o. *belastend materiaal tegen iem. hebben;* you – nothing on me *je kunt me niks maken;* – sth. on/over *beter zijn dan, een streepje voor hebben op;* – nothing on *niet kunnen tippen aan;* zie HAVE (GOT) ON ‖ ⟨hww⟩ ● *hebben, zijn;* I –

worked *ik heb gewerkt;* he has died *hij is gestorven* ● ⟨alleen in aanv. w. verl. t.⟩ ↑ *had(den)/was/waren, indien/als;* had he claimed that, he would have been mistaken *had hij dat beweerd, dan zou hij zich vergist hebben;* I had better/best forget it *ik moest dat maar vergeten;* I'd just as soon die *ik zou net zo lief doodgaan;* zie HAVE GOT, HAVE GOT TO, HAVE TO.

have got zie HAVE². **have got on** zie HAVE ON. **have got to** zie HAVE TO.

haven ['heɪvn] ● *(veilige) haven, toevluchtsoord.*

'**have-'not** ⟨vnl. mv.⟩ ● *have-not, arme drommel.*

haven't ['hævnt] ⟨samentr. v. have not⟩.

'**have 'on** ● ⟨↓ ook: 'have got 'on⟩ *aanhebben* ⟨kleren⟩, *ophebben* ⟨hoed⟩ ● ↓ *voor de gek houden.*

haversack ['hævəsæk] ⟨vnl. mil.⟩ ● *broodzak, proviandtas.*

'**have to,** ⟨↓ ook⟩ **have 'got to** ● *moeten, verplicht/gedwongen zijn om te;* we – go now *we moeten nu weg;* he didn't – do that *dat had hij niet hoeven doen.*

havoc ['hævək] ● *verwoesting, vernieling,* ⟨fig.⟩ *verwarring;* play – among/with, make – of, wreak – on *totaal verwoesten; grondig in de war sturen.*

1 haw [hɔ:] ⟨zn⟩ ● *bes v.d. haagdoorn.*

2 haw ⟨ww⟩ ● *hm zeggen, zijn keel schrapen.*

3 haw ⟨tw⟩ ● *hm, hum, hem.*

Hawaiian [hə'waɪən] ● ⟨bn⟩ *Hawaïaans* ● ⟨eig.n.⟩ *Hawaïaans* (taal) ● ⟨telb zn⟩ *bewoner v. Hawaï.*

1 hawk [hɔ:k] ⟨zn⟩ ● ⟨dierk.⟩ *havik,* ⟨bij uitbr. ben. voor⟩ *(kleinere) roofvogel* ● *havik* ⟨fig.⟩, *oorlogszuchtig persoon.*

2 hawk ⟨ww⟩ ● *venten (met), langs de deur verkopen* ● *verspreiden.* **hawker** ['hɔ:kə] ● *(straat)venter, marskramer.*

'**hawk'eyed** ● *met haviksogen, scherpziend.*

hawser ['hɔ:zə] ● *kabeltouw, tros.*

hawthorn ['hɔ:θɔ:n] ● *haagdoorn, meidoorn.*

hay [heɪ] ● *hooi* ‖ hit the – *gaan pitten/slapen;* roll in the – *vrijen;* ⟨sprw.⟩ make hay while the sun shines *men moet het ijzer smeden als het heet is.*

'**haycock** ● *hooiopper, stapel hooi.* '**hay fever** ● *hooikoorts.* '**haymaking** ● *het hooien.* '**haystack,** '**hayrick** ● *hooiberg.*

'**haywire** ↓ ● *in de war, door elkaar;* my plans went – *mijn plannen liepen in het honderd.*

1 hazard ['hæzəd] ⟨zn⟩ ● *gevaar, risico;* be at/in – *op het spel staan.*

2 hazard ⟨ww⟩ ●*in de waagschaal stellen, wagen, riskeren* ●*zich wagen aan, wagen;* – a guess *een gok wagen.* **hazardous** [ˈhæzədəs] ●*gevaarlijk, riskant.*

haze [heɪz] ●*nevel(sluier), damp, waas,* ⟨fig.⟩ *verwardheid;* in a – *in verwarring.*

hazel [ˈheɪzl] ●*hazelaar, hazelnotestruik* ● *hazelnotehout* ●*hazelnootbruin.* '**hazelnut** ●*hazelnoot.*

hazy [ˈheɪzɪ] ●*nevelig, wazig,* ⟨fig.⟩ *vaag, onduidelijk;* be – about sth. *vaag zijn over iets.*

'**H-bomb** ●*H-bom* ⟨waterstofbom⟩.

1 he [hi:] ⟨zn⟩ ●*hij, man(netje), jongen, mannetjesdier.*

2 he [(h)i, ⟨sterk⟩ hi:] ⟨vnw⟩ zie HIM ●*hij.*

1 head [hed] ⟨zn⟩ ●*hoofd, kop;* – and shoulders above *met kop en schouders erbovenuit;* – first/foremost *voorover;* taller by a – *een kop groter* ●*hoofd, verstand;* get/take sth. into one's – *zich iets in het hoofd zetten;* success has gone to/turned his – *het succes is hem naar het hoofd gestegen;* put one's –s together *de koppen bij elkaar steken;* put sth. into s.o.'s – *iem. iets suggereren;* that is above/over my – *dat gaat boven mijn pet;* a – for mathematics *een wiskundeknobbel;* off/out of one's – *niet goed bij zijn verstand* ● ⟨plantk.⟩ *hoofdje, kruin, krop* ●*schuim-(kraag)*⟨op bier⟩ ●*top, bovenkant* ●*(opname/wis)kop* ⟨v. band/videorecorder⟩ ●*crisis;* that brought the matter to a – *daarmee werd de zaak op de spits gedreven;* come to a – *een kritiek punt bereiken* ●*boveneinde, hoofd(einde)* ●*opschrift, hoofd, kop* ●*voorkant, kop, spits, hoofd* ⟨ook v. ploeg⟩ ●*meerdere, leider, hoofd;* – of state *staatshoofd* ●*stuk (vee);* 50 – of cattle *50 stuks vee* ‖ –s or tails? *kruis of munt?;* have one's – in the clouds *met het hoofd in de wolken lopen;* bang one's – against a brick wall *met het hoofd tegen de muur lopen;* – over ears/heels *tot over zijn oren;* from – to foot *van top tot teen;* I could not make – or tail of it *ik kon er geen touw aan vastknopen;* beat/knock s.o.'s – off *iem. totaal verslaan;* bite/snap s.o.'s – off *iem. afsnauwen;* keep one's – *zijn kalmte bewaren;* laugh one's – off *zich een ongeluk lachen;* lose one's – ⟨fig.⟩ *het hoofd verliezen;* shout one's – off *vreselijk tekeergaan;* have one's – screwed on right *niet gek zijn;* have a swollen – *verwaand zijn;* be promoted over one's – *gepasseerd worden;* £ 1 a – *£ 1 per persoon;* zie ook ⟨sprw.⟩ TWO.

2 head I ⟨onov ww⟩ ●*gaan;* the plane –ed north *het vliegtuig zette koers naar het noorden;* zie HEAD FOR **II** ⟨ov ww⟩ ●*aan het hoofd staan van, voorop lopen* ●*bovenaan plaatsen, bovenaan staan op* ●⟨voetbal⟩ *koppen;* zie HEAD OFF.

'**headache** ●*hoofdpijn* ● ↓ *probleem, vervelende kwestie.* '**headband** ●*hoofdband.* '**headboard** ●*(plank aan het) hoofdeinde* ⟨v. bed⟩. '**headdress** ●*hoofdtooi.* **header** [ˈhedə] ●⟨voetbal⟩ *kopbal* ●*duik(eling);* take a – *een duikeling maken.* '**head'first** ●*voorover* ●*onbesuisd.*

'**head for** ●*afgaan op, koers zetten naar;* you are heading for trouble *als jij zo doorgaat krijg je narigheid.*

'**headgear** ●*hoofddeksel.* '**headhunter** ● *koppensneller* ●*headhunter* ⟨bemiddelaar bij werving hoger personeel/topfunctionarissen e.d.⟩. **heading** [ˈhedɪŋ] ●*opschrift, titel, kop.* '**headlamp** ●*koplamp.* **headland** [ˈhedlənd] ●*kaap, landtong.* **headless** [ˈhedləs] ●*zonder hoofd.* '**headlight** ●*koplamp.*

1 'headline ⟨zn⟩ ●*(krante)kop, opschrift;* hit the –s *volop in het nieuws komen* ‖ the –s *hoofdpunten v.h. nieuws.*

2 headline ⟨ww⟩ ●*met vette koppen aankondigen.*

'**headlong** ●*voorover, met het hoofd voorover* ●*overijld, hals over kop.* **headman** [ˈhedmən] ●*dorpshoofd, stamhoofd.* '**head'master** ●*schoolhoofd, rector.* '**head'mistress** ●*schoolhoofd.*

'**head 'off** ●*onderscheppen, van richting doen veranderen* ●*voorkomen.*

'**head-'on** ●*frontaal, van voren.* '**headphones** ●*koptelefoon.* '**headpiece** ● *hoofddeksel,* ⟨ihb.⟩ *helm* ●*vignet, titelvignet.* '**head'quarters** ●*hoofdbureau, hoofdkantoor,* ⟨mil.⟩ *hoofdkwartier.* '**head rest** ●*hoofdsteun* ⟨bv. in auto⟩. '**headroom** ●*vrije hoogte, doorrijhoogte.* '**headset** ⟨vnl. AE⟩ ●*koptelefoon.* '**headshrinker** ●⟨sl.⟩ *zieleknijper, psychiater.* '**head'start** ●(+on/over⟩ *voorsprong (op)*⟨ook fig.⟩. '**headstone** ●*grafsteen.* '**headstrong** ●*koppig, eigenzinnig.* '**headway** ●*voortgang;*⟨fig.⟩ make–*vooruitgang boeken.* '**head wind** ●*tegenwind.*

heady [ˈhedi] ●*onstuimig, wild* ●*bedwelmend, dronken makend* ⟨wijn⟩.

heal [hi:l] ●⟨vaak +over⟩ *genezen, herstellen.* '**healer** [ˈhi:lə] ●*genezer* ‖ zie ook ⟨sprw.⟩ TIME.

health [helθ] ●*gezondheid;* be in good – *een goede gezondheid genieten* ‖ drink (to) s.o.'s – *op iemands gezondheid drinken.* '**health care** ●*gezondheidszorg.* '**health**

food ●*gezonde/natuurlijke voeding.*
'**health food shop,** 〈AE〉 **health food store**
●*reformwinkel.* **healthful** ['helθfʊl] ●*gezond, heilzaam.* **healthy** ['helθi] ●*gezond;*
he has a – respect for my father *hij heeft een groot ontzag voor mijn vader.*

1 heap [hi:p] 〈zn〉 ●*hoop* ●↓ *boel, massa;*
we've got –s of time *we hebben nog zeeën van tijd;* I've heard that –s of times *ik heb dat al zo vaak gehoord;* it was –s better *het was stukken beter.*

2 heap 〈ww〉 ●(+up) *ophopen, (op)stapelen* ●*overladen;* she –ed reproaches (up) on her mother *zij overstelpte haar moeder met verwijten.*

hear [hɪə] 〈heard, heard [hə:d]〉 I 〈onov en ov ww〉 ●*horen;* – from *bericht krijgen van, horen van;* – of/about *horen van/over* ‖ –! –! *bravo!* II 〈ov ww〉 ●*luisteren naar,* 〈jur.〉 *(ver)horen, verhoren* 〈gebed〉; his case will be heard next month *zijn zaak wordt volgende maand behandeld;* we will – him out *wij zullen hem laten uitspreken* ●*vernemen, kennisnemen van, horen.* **hearer** ['hɪərə] ●*(toe)hoorder.* **hearing** ['hɪərɪŋ] I 〈telb zn〉 ●*gehoor, hearing, hoorzitting;* he would not even give us a – *hij wilde zelfs niet eens naar ons luisteren* ●〈jur.〉 *behandeling* 〈v.e. zaak〉, 〈AE〉 *verhoor* II 〈n-telb zn〉 ●*gehoor;* hard of – *hardhorend* ‖ out of/within – (distance) *buiten/binnen gehoorsafstand.* **hearing aid** ●*(ge)hoorapparaat.* '**hearsay** ●*praatjes, geruchten;* I know it from – *ik weet het van horen zeggen.*

hearse [hə:s] ●*lijkwagen.*

heart [hɑ:t] ●*hart, binnenste;* wear one's – on one's sleeve *zijn hart op de tong dragen;* to his –'s content *naar hartelust;* they have their own interests at – *zij hebben hun eigen belangen voor ogen;* he put his – (and soul) into his work *hij legde zich met hart en ziel op zijn werk toe;* set one's – on sth. *zijn zinnen op iets zetten;* she took it to – *zij trok het zich aan;* with all one's – *van ganser harte;* at – *in zijn hart, eigenlijk;* in one's – of –s *in het diepst v. zijn hart* ●*kern, hart, essentie* ●〈kaartspel〉 *harten(kaart)* ●*moed;* he had his – in his boots *hij had de moed verloren;* not have the – *de moed niet hebben;* lose – *de moed verliezen;* take – *moed vatten, zich vermannen* ‖ a change of – *verandering v. gedachten;* cross one's – (and hope to die) *plechtig beloven;* eat one's – out *wegkwijnen (v. verdriet/verlangen);* not find it in one's – *het niet over zijn hart kunnen verkrijgen;* (learn) by – *uit het hoofd (leren);*

zie ook 〈sprw.〉 ABSENCE, FAINT. '**heartache** ●*hartzeer, zielesmart.* '**heart attack** ●*hartaanval.* '**heartbeat** ●*hartslag, hartklopping.* '**heartbreak** ●*hartzeer, diepe teleurstelling.* '**heartbreaking** ●*hartbrekend, hartverscheurend.* '**heartbroken** ●*met een gebroken hart, diepbedroefd.* '**heartburn** ●*(brandend) maagzuur.* '**heart condition** ●*hartaandoening;* have a – *hartpatiënt(e) zijn.* '**heart disease** ●*hartkwaal.*

hearten ['hɑ:tn] ●*bemoedigen, moed geven.*

'**heart failure** ●*hartverlamming.* '**heartfelt** ●*hartgrondig, oprecht.*

hearth [hɑ:θ] ●*haard(stede),* 〈fig.〉 *huis;* – and home *huis en haard.*

heartily ['hɑ:tɪli] ●*van harte, oprecht, vriendelijk* ●*flink;* eat – *stevig eten* ●*hartgrondig.* **heartless** ['hɑ:tləs] ●*harteloos, hardvochtig.* '**heartrending** ●*hartverscheurend.* '**heartsick** ●*neerslachtig, mismoedig.* '**heart strings** ‖ tug at s.o.'s – *iem. zeer (ont)roeren.* '**heartthrob** ●〈sl.〉 *droomprins.* '**heart-to-'heart** ●〈bn〉 *openhartig, vrij(uit)* ●〈zn〉 *openhartig gesprek.* '**heartwarming** ●*hartverwarmend.* **hearty** ●*hartelijk, vriendelijk* ●*gezond, flink;* a – meal *een stevig maal* ●〈BE; ↓〉 *(al te) joviaal.*

1 heat [hi:t] 〈zn〉 ●*warmte, hitte* ●〈nat.〉 *warmte* ●*vuur, drift, heftigheid* ●〈sl.〉 *druk, dwang;* turn/put the – on s.o. *iem. onder druk zetten* ●*loopsheid;* 〈BE〉 on/ 〈AE〉 at – *loops, tochtig* ●*voorwedstrijd, serie, voorronde.*

2 heat I 〈onov ww〉 ‖ – up *heet/warm worden* II 〈ov ww〉 ●*verhitten, verwarmen;* – up *opwarmen.* **heated** ['hi:tɪd] ●*opgewonden;* – discussion *verhitte discussie.* **heater** ['hi:tə] ●*kachel, verwarming(stoestel).*

heath [hi:θ] ●*heide.*

1 heathen ['hi:ðn] 〈zn〉 ●*heiden.*

2 heathen 〈bn〉 ●*heidens.* **heathenish** ['hi:ðənɪʃ] ●*heidens.*

heather ['heðə] ●*heide(kruid), struikheide, dopheide.*

heating ['hi:tɪŋ] ●*verwarming(ssysteem).*

'**heat rash** ●*hittepuistje, hitteblaar* ●*hitteuitslag.* '**heat spot** ●*hittepuistje.* '**heat stroke** ●*zonnesteek.* '**heat wave** ●*hittegolf.*

1 heave [hi:v] 〈zn〉 ●*hijs, het op en neer gaan;* the – of the sea *de deining v.d. zee* ●*ruk.*

2 heave 〈vnl. scheep.: hove, hove [hoʊv]〉 I 〈onov ww〉 ●*(op)zwellen, rijzen;* his stomach –d *zijn maag draaide ervan om* ●*op en* *neer gaan* ● *trekken* ‖ ⟨scheep.⟩ – to *bij-draaien* II ⟨ov ww⟩ ● *opheffen, (op)hijsen* ● *slaken;* she –d a groan *zij kreunde* ● ↓ *gooien, smijten.*

heaven [ˈhevn] ● *hemel;* move – and earth *hemel en aarde bewegen* ● *hemelgewelf, uitspansel;* the –s opened *de hemelslui-zen gingen open* ‖ in Heaven's name, for Heaven's sake *in hemelsnaam;* thank –(s)! *de hemel zij dank!;* Heaven only knows! *dat mag de hemel weten!.* **heavenly** [ˈhevnli] I ⟨bn, attr en pred⟩ ↓ ● *zalig, heer-lijk* II ⟨bn, attr⟩ ● *hemels, goddelijk* ● *he-mel-;* – bodies *hemellichamen.* **'heaven-'sent** ● *door de hemel gezonden.*

1 heavy [ˈhevi] ⟨bn⟩ ● *zwaar* ⟨ook mil., nat.⟩; a – fog *een dichte mist;* – industry *zware industrie;* – with *zwaar beladen met;* – with the smell of roses *doortrokken v.d. geur v. rozen* ● *zwaar, hevig;* a – drinker *een zware drinker;* – necking/petting *ste-vige vrijpartij;* – seas *zware zeeën;* a – sleeper *een vaste slaper;* – traffic *druk ver-keer; vrachtverkeer* ● *moeilijk (te bewer-ken), moeilijk te verteren* ⟨ook fig.⟩; I find it – going *ik schiet slecht op* ● *(zwaar) be-wolkt* ● *log, traag (v. begrip)* ● *serieus* ⟨krant, toneelrol⟩, *zwaar op de hand* ● *streng* ● *zwaar, drukkend* ● *zwaarmoedig* ‖ make – weather of sth. *moeilijk maken wat makkelijk is.*

2 heavy ⟨bw⟩ ● *zwaar;* time hung – on her hands *de tijd viel haar lang;* lie – *zwaar wegen/drukken.*

'heavy-'duty ● *berekend op zwaar werk, voor zwaar gebruik.* **'heavy-'handed** ● *onhan-dig, onbeholpen* ● *tactloos.* **'heavy-'hearted** ● *zwaarmoedig.* **'heavy-'laden** ● *zwaar beladen* ● *veel zorgen hebbend.* **'heavy'set** ● *zwaargebouwd, gezet.* **'heavyweight** ● *zwaar iem.* ● *zwaarge-wicht* ⟨worstelaar/bokser⟩ ● *kopstuk, zwaargewicht.*

Hebrew [ˈhiːbruː] ● ⟨bn⟩ *Hebreeuws* ● ⟨eig.n.⟩ *Hebreeuws* ⟨taal⟩ ● ⟨telb zn⟩ *He-breeër/Hebreeuw, jood(se).*

heck [hek] ● ⟨sl.; euf. voor hell⟩ *donder;* a – of a lot *ontzettend veel;* –! *verdorie!.*

heckle [hekl] ● *de orde verstoren door de spreker steeds te onderbreken* ● *steeds onderbreken* ⟨spreker⟩. **heckler** [ˈheklə] ● *iem. die een spreker met lastige vragen bestookt.*

hectare [ˈhektɑː] ● *hectare.*

hectic [ˈhektɪk] ● *koortsachtig, jachtig, druk.*

hector [ˈhektə] ● *koeioneren, intimideren.*

he'd [(h)id] ⟨samentr. v. he would, he had⟩.

1 hedge [hedʒ] ⟨zn⟩ ● *heg, haag* ● *dekking*

⟨tegen verliezen⟩, *waarborg.*

2 hedge I ⟨onov ww⟩ ● *een slag om de arm houden, ergens omheen draaien* II ⟨ov ww⟩ ● *omheinen,* ⟨fig.⟩ *omsluiten;* – about/around/in with *omringen/omgeven met* ● *dekken* ⟨weddenschappen, specu-laties⟩.

hedgehog [ˈhedʒ(h)ɒg] ● *egel.*

'hedge 'in ● *omheinen,* ⟨fig.⟩ *belemmeren;* hedged in by rules and regulations *door regels en voorschriften omringd.* **'hedge-row** ● *haag.*

heebie-jeebies [ˈhiːbiˈdʒiːbiz] ↓ ● *zenuwen;* that gives me the – *daar krijg ik de kriebels van.*

1 heed [hiːd] ⟨zn⟩ ● *aandacht, zorg;* give/pay – to *aandacht schenken aan;* take – of *let-ten op.*

2 heed ⟨ww⟩ ● *acht slaan op, zorg/aandacht besteden aan.* **heedless** [ˈhiːdləs] ● *achte-loos, onoplettend;* be – of *niet letten op, in de wind slaan.*

heehaw [ˈhiːhɔː] ● *ia, gebalk* ⟨v. ezel⟩ ● *ge-brul* ⟨luide onbeschaamde lach⟩.

1 heel [hiːl] ⟨zn⟩ ● *hiel* ⟨ook v. kous⟩, *hak* ⟨ook v. schoen⟩ ● *uiteinde, kapje* ⟨v. brood⟩ ● ⟨sl.⟩ *schoft* ‖ bring to – *kleinkrij-gen, in het gareel brengen;* dig one's –s in *het been stijfhouden;* he took to his –s *hij koos het hazepad;* turn on one's – *zich plotseling omdraaien;* down at – *met scheve hakken, afgetrapt;* ⟨fig.⟩ *have-loos;* at/on/upon the –s *op de hielen, vlak achter;* under s.o.'s – *geknecht door iem.;* –! *achter!* ⟨tegen hond⟩.

2 heel I ⟨onov ww⟩ ‖ – over *overhellen* II ⟨ov ww⟩ ● *hielen, hakken zetten op.*

hefty [ˈhefti] ● *fors, potig* ● *zwaar, lijvig* ‖ a – blow *een fikse klap.*

hegemony [hɪˈgeməni] ● *hegemonie, over-wicht.*

heifer [ˈhefə] ● *vaars(kalf).*

height [haɪt] ● *hoogte, lengte;* 4 feet in – *4 voet hoog* ● *hoogtepunt, toppunt;* the – of summer *hartje zomer;* at its – *op zijn hoogtepunt* ● *terreinverheffing, hoogte.* **heighten** [ˈhaɪtn] ● *verhogen, (doen) toe-nemen, verhevigen.*

heinous [ˈheɪnəs, hiː-] ● *gruwelijk.*

heir [eə] ● *erfgenaam* ‖ – to the throne *troon-opvolger.* **'heiress** [ˈeərɪs] ● *erfgename.* **'heirloom** [ˈeəluːm] ● *erfstuk.*

held [held] ⟨verl. t. en volt. deelw.⟩ zie HOLD.

helicopter [ˈhelɪkɒptə] ● *helicopter.*

heliport [ˈhelɪpɔːt] ● *heliport, helihaven.*

helium [ˈhiːlɪəm] ● *helium.*

hell [hel] ● *hel* ⟨ook fig.⟩ ‖ come – and/or high water *wat er zich ook voordoet;* get –

op zijn donder krijgen; go to – *loop naar de hel/duivel;* there will be – *to pay dan heb je de poppen aan het dansen;* play (merry) – *with in het honderd laten lopen* ⟨plannen⟩; raise – *de boel op stelten zetten;* what the –, I'll just do it *ach wat, ik doe het gewoon;* who the – said that? *wie zei dat, verdomme?;* for the – of it *voor de gein, zomaar;* like – (you will) *om de donder niet;* work like – *als een gek werken;* the/to – with it *barst maar!;* one – of a dirty trick/a helluva dirty trick *een smerige streek; –! verdorie!, verdomme!.*

he'll [(h)il, ⟨sterk⟩hiːl] ⟨samentr. v. he will, he shall⟩.

'hell'bent ↓ ● ⟨+on/for⟩ *vastbesloten (om).*

'hellcat ● *feeks.*

1 hellish ['helɪʃ] ⟨bn⟩ ● *hels.*

2 hellish ⟨bw⟩ ↓ ● *drommels;* – expensive *vreselijk duur.*

hello [həˈloʊ, 'heˈloʊ], **hallo, hullo** ● *hallo* ● *hé* ⟨kreet v. verbazing⟩.

helm [helm] ● *helmstok,* ⟨ook fig.⟩ *stuurrad, roer.*

helmet ['helmɪt] ● *helm.*

helmsman ['helmzmən] ● *roerganger, stuurman.*

1 help [help] ⟨zn⟩ ● *hulp, steun, bijstand;* it was not of much – to him *hij heeft er niet veel aan gehad* ● *help(st)er, dienstmeisje, werkster* ● *remedie;* there is no – for it *er is niets aan/tegen te doen.*

2 help ⟨ww⟩ ● *helpen, bijstaan, (onder)steunen;* – along/forward *vooruithelpen, bevorderen;* – s.o. off/on with his coat *iem. uit/in zijn jas helpen;* – out *bijspringen; aanvullen* ● *opscheppen, bedienen;* – yourself *ga je gang;* tast toe ● ⟨met ontkenning⟩ *nalaten;* we could not – but smile *wij moesten wel glimlachen, of we wilden of niet;* I could not – myself *ik kon niet anders* ‖ if I can – it *als het aan mij ligt;* it can't be –ed *er is niets aan te doen;* he cannot – himself *hij kan er niets aan doen;* zie ook ⟨sprw.⟩ GOD, LITTLE. **helpful** ['helpfl] ● *nuttig* ● *behulpzaam.* **helping** ['helpɪŋ] ● *portie* ⟨eten⟩. **helpless** ['helpləs] ● *hulpeloos;* – with laughter *slap v.d. lach* ● *onbeholpen.*

1 helter-skelter ['heltəˈskeltə] ⟨zn⟩ ● ⟨BE⟩ *(spiraalvormige, lange) roetsjbaan.*

2 helter-skelter ⟨bn⟩ ● *onbesuisd, woest* ● *wanordelijk.*

3 helter-skelter ⟨bw⟩ ● *holderdebolder, hals over kop, kriskras.*

1 hem [hem] ⟨zn⟩ ● *boord, zoom.*

2 hem ⟨ww⟩ ● *(om)zomen;* – about/(a)round *omringen;* feel –med in *zich ingekapseld voelen.*

3 hem [mhm] ⟨tw⟩ ● *hum, h'm.*

he-man ● *he-man, mannetjesputter.*

hemisphere ['hemɪsfɪə] ● *hemisfeer, halve bol,* ⟨aardr.⟩ *halfrond.*

hemline ● *zoom.*

hemlock ['hemlɒk] ● *dollekervel* ⟨plant⟩, *dollekervelgif.*

hemo- zie HAEMO-.

hemp [hemp] ● *hennep, cannabis.*

'hemstitch ● *open zoomsteek.*

hen [hen] ● *hoen, hen, kip* ● *pop* ⟨v. vogel⟩.

hence [hens] ● *van nu (af);* five years – *over vijf jaar* ● *vandaar.* **'hence'forth** ● *van nu af aan, voortaan.*

henchman ['hentʃmən] ● *volgeling, aanhanger* ● *trawant.*

'henhouse ● *kippenhok.*

henna ['henə] ● *henna* ⟨plant, verf⟩. **hennaed** ['henəd] ● *met henna geverfd, hennakleurig.*

'henparty ⟨↓, scherts.⟩ ● *dameskransje.* **'henpecked** ['henpekt] ● *onder de plak (zittend);* a – husband *een pantoffelheld.*

hepatitis ['hepəˈtaɪtɪs] ● *hepatitis, geelzucht.*

1 her [(h)ə, əː, ⟨sterk⟩həː] ⟨vnw⟩ ● *haar* ● ⟨vnl. ↓⟩ *zij;* that's – *dat is ze.*

2 her ⟨det⟩ ● *haar.*

1 herald ['herəld] ⟨zn⟩ ● *heraut* ● *bode* ● *voorbode.*

2 herald ⟨ww⟩ ● *aankondigen;* – in *inluiden.* **heraldic** [heˈrældɪk] ● *heraldisch, wapenkundig.* **heraldry** ['herəldri] ● *heraldiek, wapenkunde.*

herb [həːb] ● *kruid.* **herbaceous** [həˈbeɪʃəs] ● *kruidachtig;* – border *border v. overblijvende (bloeiende) planten.* **herbal** ['həːbl] ● *kruiden-.* **herbalist** ['həːbəlɪst] ● *kruidkundige* ● *kruidenhandelaar* ● *kruidengenezer.*

herbivorous [həˈbɪvrəs] ● *herbivoor.*

'herb 'tea ● *kruidenthee.*

Herculean ['həːkjʊˈliːən] ● *(als) v. Hercules, herculisch.*

1 herd [həːd] ⟨zn⟩ ● *kudde, troep,* ⟨ong.⟩ *massa;* the (common/vulgar) – *de massa.*

2 herd ⟨ww⟩ ● *hoeden;* – together *samendrijven.* **herdsman** ['həːdzmən] ● *veehoeder, herder.*

1 here [hɪə] ⟨zn⟩ ● *hier;* where do we go from –? *hoe gaan/moeten we nu verder?;* near – *hier in de buurt.*

2 here ⟨bw⟩ ● *hier, hierheen;* ↓ – we are *daar zijn we dan; (zie)zo;* ↓ – you are *hier, alsjeblieft;* –'s to you *op je gezondheid;* – and now *nu meteen;* – and there *hier en daar;* –, there and everywhere *overal;* ⟨fig.⟩ it is neither – nor there *het raakt kant nog wal*‖ –! *hé(, zeg)!; hier!* ⟨tegen hond⟩; *present!* ⟨op appel⟩; ⟨sprw.⟩ here today (and) gone tomorrow *heden gezond, morgen in de grond.* **'herea'bouts** ● *hier in de buurt, hieromtrent.*

1 'here'after ⟨zn⟩ ● *hiernamaals.*

2 hereafter ⟨bw⟩ ● *hierna, voortaan, verderop.*

'here'by ● *hierbij* ● *hierdoor.*

hereditary [hɪ'redɪtri] ● *erfelijk, erf-.* **heredity** [hɪ'redəti] ● *erfelijkheid.*

heresy ['herɪsi] ● *ketterij.* **heretic** ['herɪtɪk] ● ⟨bn⟩ *ketters* ● ⟨zn⟩ *ketter.*

'here'to ● *hiertoe, dit betreffend.*

'hereup'on ● *hierop, hierna* ● *op dit punt.*

'here'with ● *hiermee* ● *hierbij, bij deze(n).*

heritable ['herɪtəbl] ● *erfelijk, erf-* ● *erfgerechtigd.* **heritage** ['herɪtɪdʒ] ⟨vnl. enk.⟩ ● *erfenis, erfgoed* ⟨ook fig.⟩.

hermaphrodite [hə:'mæfrədət] ● *hermafrodiet* ● *tweeslachtige/biseksuele plant.*

hermetic [hə:'metɪk] ● *hermetisch, luchtdicht.*

hermit ['hə:mɪt] ● *kluizenaar.* **hermitage** ['hə:mɪtɪdʒ] ● *kluizenaarshut.*

hernia ['hə:nɪə] ● *hernia,* ⟨ihb.⟩ *(lies)breuk.*

hero ['hɪərou] ● *held* ● *hoofdpersoon.* **heroic** [hɪ'rouɪk] ● *heroïsch, heldhaftig* ● *helden-* ● *hoogdravend.* **heroics** [hɪ'rouɪks] ● *bombast, melodramatisch gedrag.*

heroin ['herouɪn] ● *heroïne.*

heroine ['herouɪn] ● *heldin* ● *vrouwelijke hoofdpersoon.* **heroism** ['herouɪzm] ● *heroïsme, heldenmoed.*

heron ['herən] ● *reiger.*

herpes ['hə:pi:z] ● *herpes.*

herring ['herɪŋ] ● *haring.* **'herringbone** ● *(stof met) visgraat(dessin).* **'herring gull** ● *zilvermeeuw.*

hers [hə:z] ● *van haar;* the ring was – *de ring was van haar* ● *het hare/de hare(n);* a friend of – *een vriend van haar.* **herself** [(h)ə'self, hə:-] ● *zich, haarzelf, zichzelf;* she is not – *ze is zichzelf niet;* (all) by – *alleen, op eigen houtje* ● *zelf;* Mary did it – *Mary deed het zelf/alleen.*

he's [(h)iz, ⟨sterk⟩hi:z] ⟨samentr. v. he is, he has⟩.

hesitancy ['hezɪtənsi] ● *aarzeling.* **hesitant** ['hezɪtənt] ● *aarzelend, besluiteloos.* **hesitate** ['hezɪteɪt] ● *aarzelen, weifelen, schromen* ‖ ⟨sprw.⟩ he who hesitates is lost *wie aarzelt, is verloren.* **hesitating** ['hezɪteɪtɪŋ] ● *aarzelend, weifelend.* **hesitation** ['hezɪ'teɪʃn] ● *aarzeling, schroom.*

hessian ['hesɪən] ● *jute.*

hetero ['het(ə)rou] ● ⟨bn en zn⟩ *hetero(seksueel).*

heterodox [-dɒks] ● *heterodox.*

heterogeneity ['het(ə)roudʒɪ'ni:əti] ● *heterogeniteit.* **heterogeneous** [-'dʒi:nɪəs] ● *heterogeen, ongelijksoortig.*

heterosexual [-'sekʃuəl] ● ⟨bn en zn⟩ *heteroseksueel.*

het up ['het'ʌp] ↓ ● *opgewonden, geïrriteerd.*

hew [hju:] ⟨volt. deelw. ook hewn [hju:n]⟩ I ⟨onov en ov ww⟩ ● *houwen, (be)kappen;* – down *kappen* ⟨bomen⟩; *neermaaien* ⟨mensen⟩; – off *afhakken* II ⟨ov ww⟩ ● *uithouwen.*

1 hex [heks] ⟨zn⟩ ⟨AE⟩ ● *vloek.*

2 hex ⟨ww⟩ ⟨AE⟩ ● *(be)heksen, (be)toveren.*

hexagon ['heksəgən] ⟨wisk.⟩ ● *hexagon, zeshoek.*

hey [heɪ] ● *hei, hé, hoi;* – presto *hocus-pocus pilatus pas; pats-boem.*

heyday ['heɪdeɪ] ● *bloei, beste tijd;* in the – of his fame *op het toppunt van zijn roem.*

hi [haɪ] ● ⟨BE⟩ *hé* ● ⟨AE; ↓⟩ *hallo, hoi.*

hiatus [haɪ'eɪtəs] ● *hiaat, gaping, leemte.*

hibern|ate ['haɪbəneɪt] ⟨zn: **-ation**⟩ ● *een winterslaap houden* ⟨ook fig.⟩.

1 hiccup, hiccough ['hɪkʌp, -kəp] ⟨zn⟩ ● *hik* ● ⟨mv.; the⟩ *de hik.*

2 hiccup, hiccough ⟨ww⟩ ● *hikken, de hik hebben.*

hick [hɪk] ⟨AE; ↓⟩ ● *provinciaal, (boeren)kinkel.*

hickory ['hɪkəri] ● *bitternoot* ⟨Am. noteboom⟩ ● *hickory(hout).*

1 hide [haɪd] ⟨zn⟩ ● *(diere)huid, vel* ‖ not find – (n)or hair of sth. *geen spoor van iets ontdekken;* save one's (own) – *zijn eigen hachje redden.*

2 hide ⟨hid [hɪd], hidden ['hɪdn]⟩ I ⟨onov ww⟩ ● *zich verbergen* II ⟨ov ww⟩ ● *verbergen, verschuilen;* hidden reserves *geheime reserves;* – the truth from s.o. *de waarheid voor iem. verbergen.* **'hide-and- 'seek** ● *verstoppertje.* **hideaway** ['haɪdəweɪ] ↓ ● *schuilplaats.* **hidebound** ['haɪdbaund] ● *bekrompen.*

hideous ['hɪdɪəs] ● *afschuwelijk, afzichtelijk.*

'hide-out ↓ ● *schuilplaats.*

hiding ['haɪdɪŋ] ● *het verborgen zijn;* be in – *zich schuilhouden;* go into – *zich verbergen* ● ↓ *pak rammel.* **'hiding-place** ● *schuilplaats.*

hierarchical [haɪə'rɑ:kɪkl] ● *hiërarchisch.* **hierarchy** ['haɪərɑ:ki] ⟨ook fig.⟩ ● *hiërarchie.*

hieroglyph ['haɪrəglɪf] ⟨bn: **-ic**⟩ ● *hiëroglief.* **hieroglyphics** ['haɪrə'glɪfɪks] ● *hiëroglie-*

fen, hiëroglifisch schrift.

hi-fi ['haɪˈfaɪ] ⟨verk.⟩ high fidelity ● *hi-fi ge-luidsinstallatie* ● ⟨vaak attr⟩ *hi-fi.*

higgledy-piggledy ['hɪgldɪˈpɪgldi] ● *romme-lig, wanordelijk.*

1 high [haɪ] ⟨zn⟩ ● *(hoogte)record, toppunt;* hit a – *een hoogtepunt bereiken* ●⟨meteo.⟩ *hogedrukgebied* ●⟨sl.⟩ *roes, euforie, het high-zijn* ⟨door druggebruik⟩ ● *hoogste versnelling;* move into – *in de hoogste versnelling zetten* ‖ from on – *uit de hemel.*

2 high I ⟨bn, attr en pred⟩ ● *hoog, hoogge-plaatst, verheven;* – circles *hogere kringen;* – command *opperbevel;* ⟨BE⟩ High Court (of Justice) *Hooggerechtshof;* – fashion *haute couture;* High Mass *hoog-mis;* a – opinion of *een hoge dunk van;* ⟨ook meteo.⟩ – pressure *hoge druk;* ↓ *agressiviteit* ⟨v. verkooptechniek e.d.⟩; – priest *hogepriester;* – society *de hogere kringen;* – tide *hoogwater;* – water *hoog-water* ● *intens, sterk;* a – wind *een harde wind* ● *vrolijk;* in – spirits *vrolijk* ‖ – treason *hoogverraad;* the – sea(s) *de volle zee;* ⟨BE⟩ – tea *vroeg warm eten, vaak met thee;* come hell or – water *wat er ook gebeurt;* – and dry *gestrand;* ⟨fig.⟩ *zonder middelen;* – and mighty *uit de hoogte;* ↓ a – old time *een mieterse tijd* **II** ⟨bn, attr⟩ ● *gevorderd, hoog;* – noon *midden op de dag;* – season *hoogseizoen;* – summer *hoogzomer;* it's – time we went *het is de hoogste tijd om te gaan* **III** ⟨bn, pred⟩ ↓ ● *aangeschoten* ●(+on) *bedwelmd (door), high (van);* – as a kite *zo stoned als een garnaal.*

3 high ⟨bw⟩ ● *hoog, zeer* ‖ feelings ran – *de emoties liepen hoog op;* search – and low *in alle hoeken zoeken.*

'**highball** ⟨AE⟩ ● *long drink, whiskysoda.*
'**high'born** ● *van adellijke geboorte.*
'**highbrow** ↓ ● ⟨bn⟩ *geleerd;* it is too – for him *het gaat hem boven zijn pet* ●⟨zn⟩ *(semi-)intellectueel.* '**highchair** ● *hoge kinderstoel.*

'**High 'Church** ● *High Church.*

'**high-'class** ● *eersteklas, prima* ● *voornaam.*
highfalutin ['haɪfəˈluːtɪn] ↓ ● *hoogdra-vend.* '**high-fi'delity** ● *hi-fi-.* '**high-'flown** ● *verheven, pretentieus.* '**high'flyer,** '**high'flier** ● *hoogvlieger, ambitieus iem..* '**high'flying** ● *ambitieus, eerzuchtig.* '**high'grade** ● *hoogwaardig.* '**high'han-ded** ● *eigenmachtig, aanmatigend, autoritair.* '**high-'heeled** ● *met hoge hakken.* '**high 'jinks** ● *dolle pret.* '**high jump** ⟨the⟩ ● *het hoogspringen* ‖ ↓ he'll be for the – *er*

zwaait wat voor hem. **highland** ['haɪlənd] ● *hoogland;* the Highlands *de Schotse Hooglanden.* **highlander** ['haɪləndə] ● *be-woner v.h. hoogland,* ⟨H-⟩ *bewoner v.d. Schotse Hooglanden.* '**high-level** ● *op/ van hoog niveau.* '**high life** ● *beau monde* ● *high life* ⟨populaire muziek en dans in West-Afrika⟩.

1 'highlight ⟨zn⟩ ●⟨tech.⟩ *lichtste deel* ● *hoogtepunt.*

2 'highlight ⟨ww⟩ ● *naar voren halen, doen uitkomen.*

highly ['haɪli] ● zie HIGH; – paid officials *goed betaalde ambtenaren* ● *zeer, erg, in hoge mate* ● *met lof;* speak – of *loven;* think – of *een hoge dunk hebben van.* **highly-strung** zie HIGH-STRUNG. '**high-'minded** ● *hoogstaand, verheven.* **highness** ['haɪnəs] ●⟨H-⟩ *hoogheid* ● *hoogte, verhevenheid.* '**high-'pitched** ● *hoog, schel* ● *steil* ⟨dak⟩. '**high-'powered** ● *krachtig, met groot ver-mogen* ⟨motor⟩, *energiek.* **high-'pres-sure** ● *hogedruk-;* – area *hogedrukgebied* ● *agressief* ⟨verkoper e.d.⟩. '**high-'princi-pled** ● *met hoogstaande principes.* '**high-'ranking** ● *hoog/hoger* ⟨in rang⟩. '**high-'rise** ● *hoog;* – flats *torenflats.* '**highroad** ⟨vnl. BE⟩ ● *hoofdweg, grote weg,* ⟨fig.⟩ *(directe) weg.* '**high school** ⟨AE⟩ ● *middelbare school.*

'**high-'sounding** ● *hoogdravend.* '**high-'speed** ● *snel, met grote snelheid.* '**high-'spirited** ● *levendig, vurig* ⟨v. paard enz.⟩ ● *ondernemend, stoutmoedig.* '**high spot** ● *hoogtepunt.* '**high street** ● *hoofdstraat.* '**high-'strung,** '**highly-'strung** ● *nerveus, overgevoelig.* '**hightail** ⟨AE; sl.⟩ ● *ervan-door gaan;* – it '*m smeren.* **high-tech, hi-tech** ['haɪˈtek] ● *geavanceerd technisch.* '**high-tech'nology** ● *geavanceerde tech-nologie.* '**high-'tension** ⟨elek.⟩ ● *hoog-spannings-.* '**high-'water mark** ● *hoog-waterpeil,* ⟨fig.⟩ *hoogtepunt.* '**highway** ● *grote weg, verkeersweg,* ⟨BE; fig.⟩ *(direc-te) weg.*

'**Highway 'Code** ● *verkeersreglement.*

highwayman ['haɪweɪmən] ● *struikrover.*

1 hijack ['haɪdʒæk] ⟨zn⟩ ● *kaping.*

2 hijack ⟨ww⟩ ● *kapen.* **hijacker** ['haɪdʒækə] ● *kaper.*

1 hike [haɪk] ⟨zn⟩ ● *lange wandeling, trek-tocht* ●⟨AE⟩ *verhoging* ⟨bv. prijzen⟩.

2 hike I ⟨onov ww⟩ ● *lopen, wandelen, trek-ken* **II** ⟨ov ww⟩ ● ⟨+up⟩ *ophijsen, optrek-ken* ●⟨AE⟩ *verhogen.* **hiker** ['haɪkə] ● *wandelaar.*

hilarious [hɪˈleərɪəs] ● *vrolijk, uitgelaten.* **hi-larity** [hɪˈlærəti] ● *hilariteit, vrolijkheid.*

hill [hɪl] ● *heuvel* ‖ ⟨vnl. AE⟩ over the – *over zijn hoogtepunt heen.*

hillbilly ['hɪlbɪli] ⟨AE; vnl. ong.⟩ ● *(boeren) kinkel.*

hillock ['hɪlək] ● *heuveltje.*

'**hillside** ● *helling.* '**hilltop** ● *heuveltop.* **hilly** ['hɪli] ● *heuvelachtig.*

hilt [hɪlt] ● *gevest, handvat* ‖ (up)to the – *volkomen.*

him [(h)ɪm, ⟨sterk⟩hɪm] ● *hem* ● *hij* ⟨vnl. ↓⟩; look, it's – *kijk daar is hij.* **himself** [(h)ɪm'self] ⟨3e pers enk. m.⟩ ● *zich, zichzelf;* he is not – *hij is zichzelf niet;* beside – with joy *uitzinnig van vreugde;* (all) by – *alleen, op eigen houtje* ● *zelf, hemzelf;* Jack did it – *Jack deed het zelf/alleen;* he – had done it *hij zelf had het gedaan.*

1 hind [haɪnd] ⟨zn⟩ ● *hinde.*

2 hind ⟨bn⟩ ● *achterst* ‖ talk the – leg(s) off a donkey *iem. de oren v.h. hoofd kletsen.*

hinder ['hɪndə] ● *belemmeren, hinderen* ● ⟨+from⟩ *beletten (te), verhinderen.*

hindmost ['haɪn(d)moʊst] ● *achterst.* '**hind-** '**quarters** ● *achterdeel, achterlijf.*

hindrance ['hɪndrəns] ● *belemmering, hindernis.*

hindsight ['haɪn(d)saɪt] ● *wijsheid achteraf;* with – *achteraf gezien.*

Hindu ['hɪndu:] ● ⟨bn⟩ *Hindoes* ● ⟨zn⟩ *Hindoe.* **Hinduism** ['hɪndu:ɪzm] ● *hindoeïsme.*

1 hinge [hɪndʒ] ⟨zn⟩ ● *scharnier,* ⟨fig.⟩ *spil.*

2 hinge I ⟨onov ww⟩ ● *scharnieren;* ⟨fig.⟩ – on/upon *draaien om* II ⟨ov ww⟩ ● *v.e. scharnier voorzien.*

1 hint [hɪnt] ⟨zn⟩ ● *wenk, hint, tikje;* drop a – *een hint geven;* take a – *een wenk ter harte nemen.*

2 hint I ⟨onov ww⟩ ● *aanwijzingen geven;* – at *zinspelen op* II ⟨ov ww⟩ ● *laten doorschemeren.*

hinterland ['hɪntəlænd] ● *achterland.*

1 hip [hɪp] ⟨zn⟩ ● *heup.*

2 hip ⟨bn⟩ ● *hip, modern.*

3 hip ⟨tw⟩ ‖ –, –, hurrah! *hiep, hiep, hoera!.*

'**hip bath** ● *zitbad.*

hippie, hippy ['hɪpi] ● *hippie.*

hippo ['hɪpoʊ] ↓ *nijlpaard.*

'**hip pocket** ● *heupzak, achterzak.*

hippodrome ['hɪpədroʊm] ● *hippodrome, renbaan* ● *theater voor variété.*

hippopotamus ['hɪpə'pɒtəməs] ⟨mv.: ook hippopotami [-maɪ]⟩ ● *nijlpaard.*

hippy zie HIPPIE.

1 hire ['haɪə] ⟨zn⟩ ● *huur, (dienst)loon,* ⟨fig.⟩ *beloning;* for/on – *te huur.*

2 hire ⟨ww⟩ ● *huren, in dienst nemen* ● ⟨vnl. BE⟩ *verhuren;* – out *verhuren.* **hireling**

['haɪəlɪŋ] ⟨vnl. ong.⟩ ● *huurling.* '**hire** '**purchase** ● *huurkoop;* on – *op afbetaling.*

1 his [(h)ɪz, ⟨sterk⟩hɪz] ⟨vnw⟩ ● *van hem, het/de zijne;* these boots are – *deze laarzen zijn van hem* ● *het zijne, de zijne(n);* a hobby of – *een hobby v. hem.*

2 his ⟨det⟩ ● *zijn.*

1 hiss [hɪs] ⟨zn⟩ ● *sissend geluid.*

2 hiss I ⟨onov en ov ww⟩ ● *sissen* II ⟨ov ww⟩ ● *uitfluiten;* – off/away/down *van het podium fluiten.*

historian [hɪ'stɔ:rɪən] ● *historicus.* **historic** [hɪ'stɒrɪk] ● *historisch, beroemd.* **historical** [hɪ'stɒrɪkl] ● *historisch, geschiedkundig.*

history ['hɪstri] ● *geschiedenis;* ancient/past – *verleden tijd;* medieval – *geschiedenis v.d. middeleeuwen;* make – *geschiedenis maken* ● *historisch verhaal.*

histrionic ['hɪstri'ɒnɪk] ● *toneel-* ● *theatraal.* **histrionics** ['hɪstri'ɒnɪks] ● *aanstellerij* ● *toneelkunst.*

1 hit [hɪt] ⟨zn⟩ ● *klap, slag* ● *treffer* ● *steek (onder water)* ● *hit, succesnummer;* make a – (with) *succes hebben (bij).*

2 hit ⟨hit, hit [hɪt]⟩ I ⟨onov ww⟩ ‖ – home *doel treffen* II ⟨onov en ov ww⟩ ● *slaan, geven* ⟨een klap⟩; ⟨fig.⟩ – a man when he is down *iem. een trap nageven;* – and run *doorrijden na aanrijding;* – back (at) *terugslaan;* ⟨fig.⟩ *van repliek dienen;* – at *slaan naar* ● *stoten (op), botsen (tegen);* zie HIT OUT, HIT (UP)ON III ⟨ov ww⟩ ● *treffen* ⟨ook fig.⟩, *raken;* be hard hit *zwaar getroffen zijn* ● *bereiken, aantreffen;* – (the) town *de stad bereiken* ‖ ‖ – it off (with) *het (samen) goed kunnen vinden (met).* '**hit- and-**'**run** ● *mbt. het doorrijden* ⟨na een aanrijding⟩.

1 hitch [hɪtʃ] ⟨zn⟩ ● *ruk* ● *storing, hapering* ● ⟨scheep.⟩ *knoop* ● ⟨sl.⟩ *rit(je), lift.*

2 hitch I ⟨onov ww⟩ ● *liften* II ⟨ov ww⟩ ● *vastmaken, vasthaken;* – a horse to a cart *een paard voor een wagen spannen* ● *liften;* – a ride *liften* ‖ get –ed *trouwen;* – up *optrekken.*

hitchhike ['hɪtʃhaɪk] ● *liften.* **hitchhiker** ['hɪtʃhaɪkə] ● *lifter/liftster.*

hither ['hɪðə] ↑ *herwaarts;* – and thither *her en der.* **hitherto** ['hɪðə'tu:] ↑ ● *tot nu toe, tot dusver.*

'**hit list** ⟨sl.⟩ ● *zwarte lijst* ⟨v. personen of zaken die geëlimineerd moeten worden⟩.

'**hit man** ⟨AE; sl.⟩ ● *huurmoordenaar.*

'**hit-or-**'**miss** ● *lukraak, in het wilde weg.*

'**hit** '**out** ● *krachtig slaan* ● *aanvallen* ‖ – at *uithalen naar.*

'**hit parade** ● *hitparade.*

'hit (up)on ●bedenken, komen op ⟨een idee⟩.

HIV ⟨afk.⟩ human immunodeficiency virus ●HIV-virus ⟨veroorzaakt AIDS⟩.

hive [haɪv] ●bijenkorf ⟨ook fig.⟩ ●zwerm, ⟨fig.⟩ menigte ●⟨mv.⟩ netelroos ‖ what a – of industry! wat een drukte/nijverheid!. 'hive 'off I ⟨onov ww⟩ ●⟨fig.⟩ zich afscheiden II ⟨ov ww⟩ ⟨BE⟩ ●afstoten ⟨bedrijfsonderdelen⟩.

ho [hoʊ] ●hé, hallo.

1 hoard [hɔːd] ⟨zn⟩ ●(geheime) voorraad, schat.

2 hoard I ⟨onov en ov ww⟩ ●hamsteren; – up oppotten II ⟨ov ww⟩ ●koesteren ⟨verlangen enz.⟩.

hoarding ['hɔːdɪŋ] ●(tijdelijke) schutting ● ⟨BE⟩ reclamebord.

'hoarfrost ●rijp.

hoarse [hɔːs] ●hees, schor.

hoary ['hɔːri] ●grijs ●grijsharig ●oud, eerbiedwaardig; a – joke een ouwe bak.

1 hoax [hoʊks] ⟨zn⟩ ●bedrog; the bomb scare turned out to be a – de bommelding bleek vals (alarm); the painting was a – het schilderij was een vervalsing.

2 hoax ⟨ww⟩ ●om de tuin leiden; – s.o. into believing that iem. laten geloven dat ....

hob [hɒb] ●kookplaat ⟨v.e. fornuis⟩ ●zijplaat v.d. haard.

hobble ['hɒbl] ●(doen) strompelen ●kluisteren, aan elkaar binden ⟨benen⟩.

hobby ['hɒbi] ●hobby, liefhebberij. 'hobbyhorse ●hobbelpaard ●stokpaardje ⟨ook fig.⟩.

hobgoblin ['hɒbgɒblɪn] ●kobold ●boeman.

hobnail ['hɒbneɪl] ●schoenspijker; – boots spijkerschoenen.

hobnob ['hɒbnɒb] ●⟨vaak +with⟩ vriendschappelijk omgaan (met).

hobo ['hoʊboʊ] ⟨AE⟩ ●hobo, zwerver.

Hobson's choice ['hɒbsnz 'tʃɔɪs] ●het geen keus hebben.

1 hock [hɒk] ⟨zn⟩ ●spronggewricht ●⟨vnl. BE⟩ rijnwijn ‖ ↓ in – in de lommerd; in de nor.

2 hock ⟨ww⟩ ●↓ verpanden.

hockey ['hɒki] ●hockey ●⟨vnl. AE⟩ ijshockey.

hocus-pocus ['hoʊkəs 'poʊkəs] ●hocus-pocus, gegoochel, bedriegerij.

hod [hɒd] ●aandraagbak ⟨voor bakstenen enz.⟩, kalkbak.

hodgepodge zie HOTCHPOTCH.

1 hoe [hoʊ] ⟨zn⟩ ●schoffel.

2 hoe ⟨ww⟩ ●schoffelen.

1 hog [hɒg] ⟨zn⟩ ●varken ●zwijn ⟨ook fig.⟩, veelvraat ‖ ⟨sl.⟩ go the whole – iets grondig doen.

2 hog ⟨ww⟩ ●↓ inpikken, zich toeëigenen; – the road de hele weg opeisen.

Hogmanay ['hɒgməneɪ] ⟨Sch. E⟩ ●oudejaarsdag.

'hogwash ●rommel, rotzooi, larie.

hoi polloi ['hɔɪ pə'lɔɪ] ⟨the⟩ ●het volk, het gepeupel.

1 hoist [hɔɪst] ⟨zn⟩ ●zet, duw ●hijstoestel, takel.

2 hoist ⟨ww⟩ ●hijsen, takelen.

hoity-toity ['hɔɪti 'tɔɪti] ●hooghartig, arrogant.

hokum ['hoʊkəm] ●⟨sl.⟩ onzin.

1 hold [hoʊld] ⟨zn⟩ ●greep, houvast, ⟨fig.⟩ invloed; catch/get/grab – of te pakken krijgen; get a – on vat krijgen op; have a – over s.o. macht over iem. hebben; lose – of zijn greep verliezen op; keep – of vasthouden; take – vastgrijpen; ⟨fig.⟩ aanslaan ●(scheeps)ruim.

2 hold ⟨held, held [held]⟩ I ⟨onov ww⟩ ● houden, het uithouden; – by/to zich houden aan ●van kracht zijn, gelden; – good/true for gelden voor ●doorgaan, aanhouden, goed blijven ⟨v. weer⟩; zie HOLD BACK, HOLD FORTH, HOLD OFF, HOLD ON, HOLD ON TO, HOLD OUT, HOLD UP, HOLD WITH II ⟨ov ww⟩ ●vasthouden (aan), ⟨fig.⟩ boeien; will you – the line? wilt u even aan het toestel blijven?; – one's nose zijn neus dichtknijpen; – s.o. to his promise iem. aan zijn belofte houden ●(kunnen) bevatten, inhouden; he cannot – his liquor hij kan niet goed tegen drank ●hebben; – a title een titel dragen ●bekleden ⟨bv. functie⟩ ●doen plaatsvinden, houden; – a conversation een gesprek voeren ●in bedwang houden, weerhouden; there is no –ing her zij is niet te stuiten; – in in bedwang houden; – under onderdrukken ●↓ ophouden met, stoppen; – everything! stop! ●menen, beschouwen als; – s.o. to be a fool iem. dom vinden; – sth. cheap/dear weinig/veel waarde aan iets hechten; – sth. against s.o. iem. iets verwijten ‖ – it! stop!; – one's own zich handhaven, niet achteruitgaan ⟨v.e. zieke⟩; – one's own with opgewassen zijn tegen; zie HOLD BACK, HOLD DOWN, HOLD OFF, HOLD OUT, HOLD OVER, HOLD UP.

'holdall ●reistas. 'hold 'back I ⟨onov ww⟩ ● aarzelen, schromen; – from zich weerhouden van II ⟨ov ww⟩ ●tegenhouden, inhouden ●achterhouden, voor zich houden.

'hold 'down ●laag houden ⟨prijzen⟩ ●in bedwang houden, onderdrukken ●(blijven) houden; hold one's job down zijn baan houden. holder ['hoʊldə] ●houder, *bezitter, drager* ⟨v.e. titel⟩ ● *sigarettepijpje.* 'hold 'forth ●⟨+on⟩ *oreren (over), een betoog houden (over).*

holding ['hoʊldɪŋ] ●*grond in eigendom of pacht, pachtgoed* ●⟨vaak mv.⟩ *bezit* ⟨v. aandelen enz.⟩, *eigendom.* 'holding company ⟨hand.⟩ ●*holding company.*

'hold 'off I ⟨onov ww⟩ ●*uitblijven* ●*geen actie ondernemen* II ⟨ov ww⟩ ●*uitstellen* ● *weerstaan.* 'hold 'on ●*volhouden* ●*zich vasthouden* ● ↓ *wachten, niet ophangen* ⟨telefoon⟩. 'hold 'on to ●*vasthouden, niet loslaten* ● ↓ *houden.* 'hold 'out I ⟨onov ww⟩ ●*standhouden, volhouden* ●*weigeren toe te geven* ‖ – for *blijven eisen;* – on *iets geheim houden voor* II ⟨ov ww⟩ ● *bieden* ⟨hoop⟩ ●*uitsteken* ⟨hand⟩. 'hold 'over ●*aanhouden* ●*verdagen, uitstellen* ●*dreigen met;* hold s.o.'s past over him *iem. met zijn verleden achtervolgen.* 'holdup ●*oponthoud* ●*roofoverval,* ⟨fig.⟩ *overval.* 'hold 'up I ⟨onov ww⟩ ●*standhouden* II ⟨ov ww⟩ ●*(onder)steunen* ●*omhoog houden, opsteken* ⟨hand⟩; – as an example *tot voorbeeld stellen;* – to ridicule/scorn *bespotten* ●*ophouden, tegenhouden, vertragen* ●*overvallen.* 'hold with ⟨vnl. ontkennend⟩ ⟨sl.⟩ ●*goedkeuren, meegaan met.*

1 hole [hoʊl] ⟨zn⟩ ●*gat, kuil* ●*hol* ⟨v. dier⟩ ● *hok, krot* ●*penibele situatie;* in a – *in het nauw* ●⟨biljart⟩ *zak* ●⟨golf⟩ *hole* ●*opening;* make a – in ⟨fig.⟩ *duchtig aanspreken;* ⟨fig.⟩ pick –s in *aanmerkingen maken op.*

2 hole I ⟨onov ww⟩ zie HOLE UP II ⟨ov ww⟩ ● *een gat/opening maken in, doorboren* ●*in een gat plaatsen/slaan* ⟨bv. bal⟩.

'hole-and-'corner ●*onderhands.*

'hole 'up ⟨sl.⟩ ●*zich schuilhouden.*

1 holiday ['hɒlɪdi, -deɪ] ⟨zn⟩ ●*feestdag;* public – *officiële feestdag* ●*vakantiedag* ● ⟨ook mv.⟩ ⟨vnl. BE⟩ *vakantie,* ⟨vaak attr⟩ *vrije tijd;* take a – *vrijaf nemen;* on – *op/ met vakantie.*

2 holiday ⟨ww⟩ ●*met/op vakantie zijn.* 'holiday-maker ●*vakantieganger.*

holiness ['hoʊlɪnəs] ●*heiligheid.*

1 holler ['hɒlə] ⟨zn⟩ ●*schreeuw.*

2 holler ⟨ww⟩ ●*schreeuwen.*

1 hollow ['hɒloʊ] ⟨zn⟩ ●*holte, dal.*

2 hollow ⟨bn⟩ ●*hol* ●*zonder inhoud, onoprecht.*

3 hollow ⟨bw⟩ ●*volkomen;* beat s.o. – *iem. totaal verslaan.* hollow out ●*uithollen, graven.*

holly ['hɒli] ●*hulst.*

hollyhock ['hɒlihɒk] ●*stokroos.*

holocaust ['hɒləkɔ:st] ●*holocaust, vernietiging.*

holster ['hoʊlstə] ●*holster.*

1 holy ['hoʊli] ⟨zn⟩ ‖.the Holy of Holies *het heilige der heiligen.*

2 holy ⟨bn⟩ ●*heilig, gewijd, vroom;* the Holy Scripture/Writ *de Heilige Schrift;* ⟨R.-K.⟩ the Holy See *de Heilige Stoel;* ⟨R.-K.⟩ the Holy Week *de Goede Week* ‖ a – terror *een vreselijk kind;* a holier-than-thou attitude *een superieure/schijnheilige houding.*

homage ['hɒmɪdʒ] ●*hulde;* pay/do – to *eer/ hulde bewijzen aan.*

1 home [hoʊm] ⟨zn⟩ ●*huis, verblijf* ●*thuis;* leave – *het ouderlijk huis verlaten;* be at – *thuis zijn;* at – 9 to 11 *spreekuur van 9 tot 11;* ⟨fig.⟩ at – in/on/with *thuis/goed in;* make yourself at – *doe alsof je thuis bent;* it's a – (away) from – *het is een tweede thuis* ●*geboortegrond;* back/at – *bij ons* ⟨enz.⟩ *thuis, in mijn* ⟨enz.⟩ *geboortedorp/ stad/land* ●*bakermat, zetel* ●*(te)huis* ● ⟨sport, spel⟩ *eindstreep, (thuis)honk* ‖ zie ook ⟨sprw.⟩ CHARITY, ENGLISHMAN, PLACE.

2 home ⟨bn⟩ ●*huis-, thuis-;* – cooking *eenvoudige kost;* – economics *huishoudkunde;* ⟨BE⟩ – help *gezinshulp;* – movie *zelf opgenomen film* ●*huiselijk;* – life *het huiselijk leven* ●*binnenlands, uit eigen land;* ⟨BE⟩ the Home Office *het Ministerie v. Binnenlandse Zaken;* Home Rule *zelfbestuur;* ⟨BE⟩ the Home Secretary *de Minister v. Binnenlandse Zaken* ●*raak;* a – truth *de harde waarheid* ‖ the – straight/stretch *de laatste etappe* ⟨op renbaan⟩; ⟨fig.⟩ *de laatste loodjes.*

3 home ⟨ww⟩ ●*naar huis gaan/vliegen/teruggaan* ‖ – (in) on *zich richten op* ⟨v. vliegtuig enz.⟩; *koersen op* ⟨een baken⟩.

4 home ⟨bw⟩ ●*naar huis* ●*(weer) thuis;* arrive/get – *thuiskomen* ●*naar het doel, raak;* at last it's come – to me how much I owe my parents *ineens drong het tot mij door hoeveel ik mijn ouders verschuldigd ben;* hit/strike – *doel treffen* ●*zo ver mogelijk;* drive a nail – *een spijker vast slaan.*

'home address ●*privéadres.* 'home 'baked ● *eigengebakken.* 'home-'brew ●*zelf gebrouwen bier.* 'homecoming ●*thuiskomst.* 'home com'puter ●*huiscomputer.* 'home game ●*thuiswedstrijd.* 'home ground ●*eigen bodem,* ⟨fig.⟩ *vertrouwd terrein.* 'home'grown ●*inlands, van eigen bodem.* 'homeland ●*geboorteland* ● ⟨Z. Afr. E⟩ *thuisland.* homeless ['hoʊmləs] ●*dakloos.* homelike ['hoʊmlaɪk] ● *huiselijk.*

homely ['hoʊmli] ●*eenvoudig* ●*alledaags* ●

⟨AE⟩ *lelijk* ⟨v. personen⟩.
'**home**'**made** ●*eigengemaakt.* '**homemaker**
⟨AE⟩ ●⟨ongeveer⟩ *huisvrouw.* '**home-
sick** ‖ be/feel – *heimwee hebben.* **home-
sickness** ['hoʊmsɪknəs] ●*heimwee.*
'**home side** ⟨sport⟩ ●*thuisclub.* '**homespun** ●⟨bn⟩ *zelfgesponnen* ●⟨bn⟩ *eenvoudig* ●⟨zn⟩ *homespun* ⟨stof⟩. **home-
stead** ['hoʊmsted] ●*huis met erf en bijge-
bouwen* ●*hofstede, boerderij.* '**home-
'town** ●*geboorteplaats.*
1 **homeward** ['hoʊmwəd] ⟨bn⟩ ●*(op weg)
naar huis.*
2 **homeward, homewards** ['hoʊmwədz]
⟨bw⟩ ●*huiswaarts;* homeward bound *op
de thuisreis.* '**homework** ●*huiswerk;* do
one's – *zich (grondig) voorbereiden.*
homey zie HOMY.
homicidal ['hɒmɪ'saɪdl] ●*moorddadig; –
tendencies moordneigingen.* **homicide**
['hɒmɪsaɪd] ●*doodslag, moord* ●*pleger v.
doodslag, moordenaar.*
homing ['hoʊmɪŋ] ●*(naar huis) terugkerend; –* pigeon *postduif* ●*doelzoekend,
geleid* ⟨v. projectiel⟩.
homo ['hoʊmoʊ] ● ↓ *homo(fiel).*
homoeopath, homeopath ['hoʊmɪəpæθ]
⟨bn: **-ic**⟩ ●*homeopaat.* **homoeopathy,
homeopathy** ['hoʊmi'ɒpəθi] ●*homeopa-
t(h)ie.*
homogeneity ['hoʊmədʒɪ'niːəti] ●*homoge-
niteit.* **homogeneous** ['hoʊmə'dʒiːnɪəs] ●
homogeen, gelijksoortig.
homosexual ['hoʊmə'sekʃʊəl] ⟨zn: **-ity**⟩ ●
⟨bn en zn⟩ *homoseksueel.*
homy, ⟨vnl. AE sp.⟩ **homey** ['hoʊmi] ↓ ●*gezellig, knus.*
Hon. ⟨afk.⟩ Honorary, Honourable.
1 **hone** [hoʊn] ⟨zn⟩ ●*slijpsteen.*
2 **hone** ⟨ww⟩ ●*slijpen.*
honest ['ɒnɪst] ●*eerlijk, oprecht;* earn/turn
an – penny *een eerlijk stuk brood verdienen* ●*braaf* ‖ make an – woman of *trouwen
met* ⟨na een affaire⟩. **honestly** ['ɒnɪstli] ●
zie HONEST ●⟨aan het begin v.d. zin⟩ *eerlijk; –,* did you believe him? *eerlijk, geloof-
de je hem?.* '**honest-to-goodness** ↓ ●*echt,
onvervalst.* **honesty** ['ɒnɪsti] ●*eerlijkheid,
oprechtheid* ‖ ⟨sprw.⟩ honesty is the best
policy *eerlijk duurt het langst.*
honey ['hʌni] ●*honing* ● ↓ *schat, liefje.*
'**honeybee** ●*honingbij.*
1 '**honeycomb** ⟨zn⟩ ●*honingraat* ●*honin-
graatmotief.*
2 **honeycomb** ⟨ww⟩ ‖ –ed with *doorzeefd
met, doortrokken van.*
honeyed ['hʌnid] ●*(honing)zoet,* ⟨fig.⟩
vleiend.

1 '**honeymoon** ⟨zn⟩ ●*huwelijksreis, witte-
broodsweken.*
2 **honeymoon** ⟨ww⟩ ●*op huwelijksreis zijn/
gaan.*
'**honeysuckle** ●*kamperfoelie.*
1 **honk** [hɒŋk] ⟨zn⟩ ●*schreeuw* ⟨v. gans⟩ ●
getoeter ⟨v. claxon⟩.
2 **honk** ⟨ww⟩ ●*schreeuwen* ⟨v. gans⟩ ●
(doen) toeteren; he –ed the horn *hij toe-
terde.*
honorary ['ɒnrəri] ●*honorair, ere-, onbezol-
digd; –* degree *eredoctoraat.*
1 **honour** ['ɒnə] I ⟨telb zn⟩ ●*eer(bewijs);* military –s *militaire eer;* she's an – to her parents *zij strekt haar ouders tot eer* II ⟨n-telb
zn⟩ ●*eer, hulde;* ↓ – bright *op mijn erewoord;* do – to s.o., do s.o. – *iem. eer bewijzen;* it does him –, it is to his – *het strekt
hem tot eer;* do s.o. the – of visiting him/of
a visit *iem. met een bezoek vereren;* in – of
ter ere van ‖ Your/His Honour *Edelachtbare* ⟨aanspreekvorm voor rechters⟩ III
⟨mv.⟩ ●⟨onderwijs⟩ *lof;* graduate with –s
cum laude slagen ‖ do the –s *de honneurs
waarnemen.*
2 **honour** ⟨ww⟩ ●*eren, in ere houden, eer
bewijzen* ●*honoreren* ⟨wissel e.d.⟩. **honourable** ['ɒnrəbl] I ⟨bn, attr en pred⟩ ●*eer-
zaam, respectabel* ●*eervol, honorabel* ●
rechtschapen II ⟨bn, attr; H-⟩ ●⟨onge-
veer⟩ *hooggeboren, edelachtbaar* ‖ Most/
Right Honourable *edel(hoog)achtbaar.*
'**honours degree** ⟨BE; onderwijs⟩ ●*ge-
specialiseerde eerste graad.* '**honours list**
⟨BE⟩ ●*onderscheidingenlijst* ⟨v. personen met een koninklijke onderscheiding⟩.
hood [hʊd] ●*kap, capuchon* ●*overkapping,
vouwdak* ⟨v. auto⟩, *kap* ⟨v. rijtuig, kinder-
wagen⟩ ●*beschermkap, wasemkap* ●
⟨AE⟩ *motorkap* ●zie HOODLUM. **hooded**
['hʊdɪd] ●*met een kap, bedekt; –* eyes
halfdichte ogen.
hoodlum ['huːdləm] ●*gangster* ●*(jonge)
vandaal.*
hoodwink ['hʊdwɪŋk] ●*bedotten.*
hooey ['huːi] ⟨sl.⟩ ●*onzin, kletskoek.*
hoof [huːf] ⟨mv.: ook hooves⟩ ●*hoef;* on the
– *levend* ⟨v. slachtvee⟩.
1 **hook** [hʊk] ⟨zn⟩ ●*(telefoon)haak; –* and
eye *haak en oog;* off the – *van de haak* ⟨te-
lefoon⟩ ●*vishaak* ●*hoek, landtong* ●⟨golf,
cricket⟩ *boogbal* ●⟨boksen⟩ *hoekstoot* ↓ ‖
–, line and sinker *helemaal;* by – or by
crook *hoe dan ook, op eerlijke of oneerlijke wijze;* ↓ get/let s.o. off the – *iem. uit de
puree halen.*
2 **hook** ⟨ww⟩ ●*vastgrijpen met een haak,
vasthaken, aanhaken; –* on *vasthaken* ●

aan de haak slaan ⟨ook fig.⟩, *strikken* ● ⟨boksen⟩ *een hoekstoot geven;* zie HOOK UP. **hooked** [hʊkt] I ⟨bn, attr en pred⟩ ● *haakvormig;* a – nose *een haak/haviksneus* ● *met een haak/haken* II ⟨bn, pred⟩ ● ⟨+on⟩ ⟨sl.⟩ *verslaafd (aan)* ⟨ihb. drugs⟩; ⟨fig.⟩ he's completely – on that girl *hij is helemaal bezeten van dat meisje.*

hooker [ˈhʊkə] ● ⟨AE; sl.⟩ *hoer.*

'**hook-up** ● *relaiscircuit/net,* ⟨ihb.⟩ *(radio/televisie)zendercircuit/net;* a nationwide – *een uitzending over alle zenders.*

'**hook** '**up** ● ⟨+with⟩ *aansluiten (op), verbinden (met)* ● *aan/vasthaken.*

hook(e)y [ˈhʊki] ⟨AE; ↓⟩ ‖ play – *spijbelen.*

hooligan [ˈhuːlɪɡən] ● *(jonge) vandaal, herrieschopper.* **hooliganism** [ˈhuːlɪɡənɪzm] ● *vandalisme.*

1 hoop [huːp] ⟨zn⟩ ● *hoepel, ring,* ⟨croquet⟩ *boogje* ‖ go through the –(s) *het zwaar te verduren hebben;* put s.o. through the –(s) *iem. het vuur na aan de schenen leggen.*

2 hoop ⟨ww⟩ ● *(een) hoepel(s) leggen om, (met hoepels) beslaan.*

hooray [hʊˈreɪ] ● *hoera.*

1 hoot [huːt] ⟨zn⟩ ● *gekras* ⟨v.e. uil⟩ ● *getoet* ● *gejouw* ● ↓ *giller* ‖ ↓ he doesn't give/care a –/two –s *het kan hem geen moer schelen.*

2 hoot ⟨ww⟩ ● *krassen, schreeuwen* ● *toeteren (met)* ● *uitjouwen;* – down a speaker *een spreker wegfluiten;* – at s.o., – s.o. off the stage *iem. uitjouwen, iem. wegjouwen* ● ↓ *schateren.* **hooter** [ˈhuːtə] ● *sirene,* ⟨ihb.⟩ *fabrieksfluit/sirene.*

hoover [ˈhuːvə] ● ⟨zn⟩ *stofzuiger* ● ⟨ww⟩ *stofzuigen.*

hooves [huːvz] ⟨mv.⟩ zie HOOF.

1 hop [hɒp] ⟨zn⟩ ● *hink(el)sprong(etje), huppelsprong(etje)* ● ↓ *dansje, dansfeest* ● ↓ *reisje* ● ⟨vnl. mv.⟩ *hop(plant/bel)* ‖ ↓ catch s.o. on the – *iem. verrassen/overrompelen;* ↓ keep s.o. on the – *iem. geen rust gunnen;* ↓ on the – *druk in de weer.*

2 hop I ⟨onov ww⟩ ● *hinkelen, huppen, wippen;* ↓ – in/out *in/uitstappen* II ⟨ov ww⟩ ● *overheen springen/wippen/huppen* ● ↓ *springen in/op* ⟨bus, trein⟩ ‖ ⟨sl.⟩ – it! *donder op!.*

1 hope [hoʊp] ⟨zn⟩ ● *hoop(volle verwachting);* hope against – *tegen beter weten in blijven hopen;* live in –(s) *(blijven) hopen;* not a –! *weinig kans!;* beyond/past – *hopeloos* ‖ zie ook ⟨sprw.⟩ LIFE.

2 hope ⟨ww⟩ ● ⟨+for⟩ *hopen (op);* – for the best *er het beste (maar) van hopen.* **hopeful** [ˈhoʊpfl] ● ⟨bn⟩ *hoopvol, veelbelo-*

vend; I'm not very – of success *ik heb niet veel hoop op een geslaagde afloop* ● ⟨zn⟩ *veelbelovend persoon.* **hopefully** [ˈhoʊpfli] ● zie HOPEFUL ● *hopelijk;* –, he will come *het is te hopen dat hij komt.* **hopeless** [ˈhoʊpləs] ● *hopeloos, uitzichtloos.*

hopped-up [ˈhɒpt ˈʌp] ● ↓ *opgevoerd* ⟨v. motor⟩ ● ⟨sl.⟩ *opgepept* ⟨ten gevolge v. druggebruik⟩.

hopper [ˈhɒpə] ● *(graan/steenkool/brandstof)hopper.*

'**hopscotch** ● *hinkelspel.*

horde [hɔːd] ● *horde, meute.*

horizon [həˈraɪzn] ● *horizon.* **horizontal** [ˈhɒrɪˈzɒntl] ● *horizontaal;* – bar *rekstok.*

hormone [ˈhɔːmoʊn] ● *hormoon.*

horn [hɔːn] I ⟨telb zn⟩ ● ⟨ben. voor⟩ *hoorn(achtig iets), horen, (voel)hoorn* ● *toeter, claxon* ● ↓ *toeter, trompet* ‖ on the –s of a dilemma *voor een dilemma* II ⟨n-telb zn⟩ ● *hoorn* ⟨als stofnaam⟩. **horned** [hɔːnd] ● *gehoornd;* – cattle *hoornvee.*

hornet [ˈhɔːnɪt] ● *horzel.* **hornet's nest** ● *wespennest* ‖ stir up a – *zich in een wespennest steken.*

'**horn** '**in** ⟨sl.⟩ ● *zich opdringen;* – on a conversation *zich met een gesprek gaan bemoeien.*

'**horn**'**rimmed** ● *met hoornen rand/montuur* ⟨v. bril⟩.

horny [ˈhɔːni] ● *eeltig* ● ⟨sl.⟩ *geil.*

horoscope [ˈhɒrəskoʊp] ● *horoscoop;* cast a – *een horoscoop opmaken.*

horrendous [həˈrendəs] ↓ ● *afgrijselijk, afschuwelijk.*

horrible [ˈhɒrəbl] ● *afschuwelijk, vreselijk, verschrikkelijk.*

horrid [ˈhɒrɪd] ● *vreselijk, verschrikkelijk* ● ↓ *akelig.* **horrific** [həˈrɪfɪk] ● *weerzinwekkend, afschuwelijk.* **horrify** [ˈhɒrɪfaɪ] ● *met afschuw vervullen, schokken, ontstellen.*

horror [ˈhɒrə] ● *(ver)schrik(king), gruwel, ontzetting;* have a – of cats *gruwen van katten* ● ⟨mv.; the⟩ *kriebels* ‖ you little –! *klein kreng dat je bent!.* '**horror film** ● *griezelfilm.* '**horror-stricken,** '**horror-struck** ● *van afgrijzen vervuld, ontzet.*

horse [hɔːs] ● *paard;* eat/work like a – *eten/werken als een paard* ● *(droog)rek, schraag* ● *bok* ⟨gymnastiektoestel⟩, ⟨soms⟩ *paard* ● ⟨heroïne⟩ ● *cavalerie* ‖ ↓ (straight) from the –'s mouth *uit de eerste hand;* ↓ hold your –s! *rustig aan!;* zie ook ⟨sprw.⟩ NOD, STABLE.

'**horse a**'**bout/a**'**round** ↓ ● *dollen, stoeien.*

'**horseback** ● *paarderug;* three men on – *drie mannen te paard.* '**horse box** ⟨BE⟩ ● *paar-*

detrailer. **'horse 'chestnut** ●*paardekas-tanje.* **'horseflesh** ●*paardevlees,* ⟨bij uit-br.⟩ *paarden;* a good judge of – *een paar-denkenner.* **'horsefly** ●*daas, paardevlieg.* **'horsehair** ●*paardehaar.* **'horselaugh** ● *bulderend gelach.* **horseman** ['hɔːsmən] ● *ruiter.*

horsemanship ['hɔːmənʃɪp] ●*ruiterkunst.* **'horse opera** ⟨scherts.⟩ ●*western.* **'horse-play** ●*stoeipartij, geravot.* **'horsepower** ● *paardekracht.* **'horserace** ●*(paarden) koers, paardenwedren.* **'horse racing** ● *paardenrennen.* **'horseradish** ●*mie-rik(swortel).* **'horse sense** ↓ ●*gezond ver-stand.* **horseshoe** ['hɔːʃʃuː] ●*(hoef)ijzer.* **'horse trading** ●*paardenhandel,* ⟨bij uit-br.⟩ ⟨ong.⟩ *koehandel.* **'horsewoman** ● *amazone, paardrijdster.*

horsey ['hɔːsi] ●*paard(e)-, paardachtig* ● *paardesport minnend, verzot op paarden.*

horticulture ['hɔːtɪkʌltʃə] ●*tuinbouw.* **horti-culturist** ['hɔːtɪ'kʌltʃrəlɪst] ●*tuinder.*

1 hose [həʊz] I ⟨telb en n-telb zn⟩ ●*(brand/tuin)slang* II ⟨mv.⟩ ●*kousen,* ⟨ihb.⟩ *nylons* ●*sokken.*

2 hose ⟨ww⟩ ●*(met een slang) bespuiten;* – down a car *een auto schoonspuiten.* **'hosepipe** ●*(brand/tuin)slang.*

hosier ['həʊzɪə] ●*verkoper v. kousen/sokken en herenondergoed.* **hosiery** ['həʊzɪəri] ● *(handel in) kousen/sokken en herenonder-goed.*

hospitable ['hɒspɪtəbl, hə'spɪ-] ●*gastvrij, hartelijk.*

hospital ['hɒspɪtl] ●*ziekenhuis.* **hospitality** ['hɒspɪ'tæləti] ●*gastvrijheid.* **hospitalize** ['hɒspɪtəlaɪz] ●*(laten) opnemen in een ziekenhuis.*

1 host [həʊst] I ⟨telb zn⟩ ●*gastheer* ⟨ook biol.⟩ ●⟨BE⟩ *waard* ●⟨ook H-⟩ *(heilige) hostie* II ⟨zn⟩ ●*massa, menigte.*

2 host ⟨ww⟩ ●*optreden als gastheer voor/bij;* – a television programme *een televi-sieprogramma presenteren.*

hostage ['hɒstɪdʒ] ●*gijzelaar;* take s.o. – *iem. gijzelen.*

hostel ['hɒstl] ●*jeugdherberg* ●⟨vnl. BE⟩ *te-huis, studentenhuis, pension.*

1 hound [haʊnd] ⟨zn⟩ ●*(jacht)hond* ●⟨ong.⟩ *hond(svot).*

hostess ['həʊstɪs] ●*gastvrouw* ●*hostess* ● ⟨vnl. BE⟩ *stewardess.*

hostil|e ['hɒstaɪl] ⟨zn: **-ity**⟩ ●*vijandelijk* ●*vij-andig;* – to change *conservatief.* **hostili-ties** [hɒ'stɪlətiz] ●*vijandelijkheden, oor-log(shandelingen).*

1 hot [hɒt] ⟨bn⟩ ●*heet, warm, scherp, pi-kant, vurig, heetgebakerd,↓ geil, opge-wonden,* ⟨tech.⟩ *radioactief;* ⟨vnl. mv.⟩ – flush *opvlieger, opvlieging;* – spring/well

heet/warmwaterbron; – and bothered *geërgerd;* am I getting –? *word ik warm?* ⟨al radend⟩; ⟨sl.⟩ – for *geil op* ●*vers* ⟨v. spoor⟩, recent ⟨v. nieuws⟩; – off the press *vers v.d. pers* ●⟨sl.⟩ *(pas) gestolen, link* ● *hot* ⟨v. jazz⟩ ●⟨elek.⟩ *onder spanning* ‖↓ – air *gezwets;* sell like – cakes *als warme broodjes de winkel uitvliegen;* get – under the collar *in woede ontsteken;* a – potato *een heet hangijzer;* drop s.o. like a – pota-to *iem. als een baksteen laten vallen;*↓ – stuff *bink; prima spul; gestolen goed;* be – on s.o.'s trail *iem. op de hielen zitten;* be in/get into – water *in de problemen zitten/raken;* make it – for s.o. *iem. het vuur na aan de schenen leggen;* not so – *niet zo geweldig;* – on astrology *gek op/bedreven in astrologie.*

2 hot ⟨bw⟩ ●*heet* ‖ blow – and cold *nu eens voor dan weer tegen zijn.*

'hotbed ●*broeikas* ●*broeinest.* **'hot'blood-ed** ●*warmbloedig, vurig* ●*opvliegend.*

hotchpotch ['hɒtʃpɒtʃ], ⟨AE vnl.⟩ **hodge-podge** ['hɒdʒpɒdʒ] ●*mengelmoes, alle-gaartje.*

'hot dog ●*hotdog, worstbroodje.*

hotel ['həʊ'tel] ●*hotel.* **hotelier** [həʊ'telɪə] ● *hotelier, hotelhouder.*

'hotfoot ●⟨bw⟩ in grote haast ●⟨ww⟩ *zich haasten;* – it *(weg)rennen.* **'hothead** ● *heethoofd, driftkop.* **'hot'headed** ●*heet-hoofdig.* **'hothouse** ●*(broei)kas.* **'hot line** ●*hot line* ⟨directe (telefoon)verbinding⟩. **hotly** ['hɒtli] ●zie HOT ●*vurig, fel* ●*verhit, heet.* **'hot plate** ●*kookplaat(je), warm-houdplaat(je).* **'hotpot** ●*jachtschotel.* **'hot rod** ⟨AE; sl.⟩ ●*scheurijzer, opgevoer-de auto.*

hots [hɒts] ⟨AE; ↓⟩ ‖ have the – for *verkik-kerd zijn op; geilen op.*

'hot seat ⟨the⟩ ●⟨sl.⟩ *elektrische stoel* ●↓ *moeilijke positie;* be in the – *in een lastig parket zitten.* **'hot spot** ●*kritiek(e) gebied/plek* ●*netelige situatie.* **'hot-'tempered** ● *heethoofdig.* **'hot 'up** I ⟨onov ww⟩ ●*he-vig(er) worden* II ⟨ov ww⟩ ●*verhevigen, intensiveren.* **hot-'water bottle** ●*kruik.*

2 hound ⟨ww⟩ ●*(met jachthond(en)) jagen op,* ⟨ook fig.⟩ *nazitten* ●*opjagen, belagen;* be –ed out by colleagues *door collega's weggetreiterd worden.*

hour ['aʊə] ●*uur;* a late – *(op een) laat (tijd-stip);* after –s *na sluitings/kantoortijd;* for –s *urenlang;* on the – *op het hele uur;* at all –s *de gehele tijd.* **'hourglass** ●*zandlo-per.* **'hour hand** ●*uurwijzer, kleine wijzer.*

hourly ['aʊəli] ● *uurlijks, ieder uur (plaats-vindend)* ● *uur-, per uur* ‖ I expect a tele-phone call – *ik verwacht elk moment een telefoontje.*

1 house [haʊs] ⟨zn; mv.: houses ['haʊzɪz]⟩ ● *huis, woning, behuizing, (handels)huis;* ⟨fig.⟩ put/set one's – in order *orde op za-ken stellen;* on the – *v.h. huis, (rondje) v.d zaak* ● *(gebouw v.) volksvertegenwoordi-ging, kamer;* the House of Commons *het Lagerhuis;* the House of Lords *het Hoger-huis;* the Houses of Parliament *het parle-ment;* the House of Representatives *het Huis v. Afgevaardigden* ● *(konings/vor-sten)huis* ● *(bioscoop/schouwburg)zaal, voorstelling;* ⟨fig.⟩ bring the – down *staande ovaties oogsten* ● *(afdeling v.) in-ternaat, schoolafdeling* ‖ like a – on fire *krachtig; (vliegens)vlug; prima, uitste-kend;* keep – *(het) huishouden (doen);* zie ook ⟨sprw.⟩ GLASS.

2 house [haʊz] ⟨ww⟩ ● *huisvesten, onder-dak bieden aan* ● *(op)bergen, opslaan.*

'**house agent** ⟨BE⟩ ● *makelaar (in onroerend goed).* '**house arrest** ● *huisarrest.* '**house-boat** ● *woonboot.* '**housebound** ● *aan huis gebonden, thuiszittend.* '**house-breaker** ● *inbreker* (ihb. bij daglicht).

'**housecoat** ● *ochtendjas.* '**housecraft** ⟨BE⟩ ● *huishoudkunde.* **household** ['haʊs-hoʊld] ● *(de gezamenlijke) huisbewoners/genoten, huisgezin.* ● *huishoudbudget.* **householder** ['haʊs-hoʊldə] ● *gezinshoofd.* '**household 'word,** '**household 'name** ● *begrip, beken-de naam.* '**housekeeper** ● *huishoudster.* '**housekeeping** ● *huishouden* ● ⟨verk.⟩ housekeeping money. '**housekeeping money** ● *huishoudgeld.* '**housemaid** ● *dienstmeisje.*

houseman ['haʊsmən] ● ⟨BE⟩ *(intern) assis-tent-arts* (in ziekenhuis). '**housemaster** ● *huismeester* ⟨v. (afdeling v.) internaat⟩: '**housemistress** ● *vr. huismeester.* '**house party** ● *house party* ⟨meerdaags onthaal op een landhuis⟩. '**house physician** ● *in-tern/inwonend arts* ⟨in ziekenhuis⟩. '**house-proud** ⟨ook ong.⟩ ● *(overdreven) netjes* ⟨in huis⟩. '**houseroom** ● *onderdak, (berg)ruimte;* ⟨fig.⟩ I wouldn't give such a chair – *ik zou zo'n stoel niet eens gratis willen hebben.* '**house surgeon** ● *intern/inwonendchirurg* ⟨in ziekenhuis⟩. '**house-to-'house** ● *huis-aan-huis.* '**housetops** ‖ ⟨fig.⟩ proclaim/shout from the – *van de daken verkondigen/schreeuwen.* '**house-trailer** ⟨AE⟩ ● *(woon)caravan.* '**house-trained** ⟨BE⟩ ● *zindelijk.* '**housewarming**

● *inwijdingsfeest* ⟨v.e. huis⟩. '**housewife** ● *huisvrouw.* '**housework** ● *huishoudelijk werk.*

housing ['haʊzɪŋ] ● *huisvesting, woonvoor-ziening;* live in bad – *slecht gehuisvest zijn* ● ⟨tech.⟩ *huis.* '**housing association** ● *wo-ningbouwvereniging/corporatie.* '**hous-ing estate,** ⟨AE vnl.⟩ '**housing develop-ment,** '**housing project** ● *nieuw/woning-bouwproject* ● *woonwijk.*

hove [hoʊv] ⟨verl. t. en volt. deelw.⟩ zie HEAVE.

hovel [hɒvl] ● *krot, bouwval.*

hover ['hɒvə] ● *hangen (boven), (blijven) zweven* ⟨v. vogels enz.⟩ ● *rondhangen, blijven hangen.*

'**hovercraft** ● *hovercraft.*

1 how [haʊ] ⟨bw⟩ ● *hoe;* – about John? *wat doe je (dan) met John?* ● *hoe, waarom;* – come she is late? *hoe komt het dat ze te laat is?* ‖ – are things? *hoe gaat het er-mee?;* ↓ – idiotic can you get/be? *kan het nog gekker?;* – kind of you! *wat vriendelijk v. u!;* – do you do? *aangenaam, hoe maakt u het?;* ↓ –'s that for stupid *wat vind je v. zoiets stoms?;* – are you? *hoe gaat/is het?;* – about John? *hoe stelt John het?;* – about an ice-cream? *wat vind je van een ijsje?;* ↓ and –! *en hoe!, (nou) en of!.*

2 how ⟨vw⟩ ● *zoals;* colour it – *you like kleur het zoals je wilt.*

how-do-you-do, how-d'ye-do ['haʊdʒə'du:] ↓‖ ⟨iron.⟩ a fine/nice/pretty – *een fraaie boel.* **howdy** ['haʊdi] ⟨AE, gew.; ↓⟩ ● *hal-lo, hoi.*

however [haʊ'evə] ● ⟨bw⟩ *hoe ... ook* ● ⟨bw⟩ *echter;* I wanted to buy it; –, I decid-ed not to *ik wilde het kopen, toch besloot ik het niet te doen* ● ⟨bw⟩ ↓ *hoe (in 's he-melsnaam/toch);* – did you manage to come? *hoe ben je erin geslaagd te ko-men?* ● ⟨vw⟩ *hoe ... maar, zoals ... maar;* – he tried, it wouldn't go in *hoe hij het ook probeerde, het wilde er niet in.*

1 howl [haʊl] ⟨zn⟩ ● *gehuil, brul, gil;* –s of derision *hoongelach.*

2 howl ⟨ww⟩ ● *huilen, krijsen;* the wind –ed *de wind loeide;* the speaker was –ed down *de spreker werd weggehoond/over-schreeuwd;* – with laughter *gieren van het lachen.* **howler** ['haʊlə] ● ↓ *flater, blun-der.* **howling** ['haʊlɪŋ] ● ⟨sl.⟩ *gigantisch, enorm;* a – success *een geweldig succes.*

h.p. ⟨afk.⟩ ● *horsepower H.P.* ● *hire pur-chase;* on – *op huurkoopbasis;* ⟨onge-veer⟩ *op afbetaling.*

H.Q. ⟨afk.⟩ *headquarters.*

hub [hʌb] ● *naaf* ● *centrum, middelpunt.*

hubbub [ˈhʌbʌb] ●*rumoer, kabaal* ●*tumult.*
hubby [ˈhʌbi] ↓ ●*manlief.*
'**hubcap** ●*naaf/wieldop.*
huckleberry [ˈhʌklbri] ●*gewone/blauwe bosbes.*
huckster [ˈhʌkstə] ⟨vnl. ong.⟩ ●*(straat)venter* ●⟨AE⟩ *reclameschrijver* ⟨voor radio en t.v.⟩.
1 **huddle** [ˈhʌdl] ⟨zn⟩ ●*(dicht opeengepakte) groep/massa, menigte.*
2 **huddle** ⟨ww⟩ ●*bijeenkruipen; –* together *bij elkaar kruipen* ●⟨+up⟩ *in elkaar kruipen/duiken, ineenkrimpen.*
hue [hju:] ●*kleur(schakering), tint* ‖ raise a – and cry *tekeergaan, (luid) protesteren.*
1 **huff** [hʌf] ⟨zn⟩ ●*boze bui;* go into a – *op zijn teentjes getrapt zijn.*
2 **huff** ⟨ww⟩ ●*blazen, puffen.* **huffy** [ˈhʌfi] ● *verontwaardigd, geërgerd.*
1 **hug** [hʌg] ⟨zn⟩ ●*omhelzing, knuffel.*
2 **hug** ⟨ww⟩ ●*omarmen, omhelzen, tegen zich aandrukken* ●*koesteren, (zich) vasthouden aan* ●*dicht in de buurt blijven van; –* the shore *dicht bij de kust blijven.*
huge [hju:dʒ] ●*reusachtig, kolossaal, enorm.*
huh [hə, hʌh] ●*hè, hmm.*
hulk [hʌlk] ●*(scheeps)casco/romp, hulk* ●*vleesklomp, kolos.*
hulking [ˈhʌlkɪŋ] ●*log, lomp, kolossaal.*
1 **hull** [hʌl] ⟨zn⟩ ●*(scheeps)romp* ●*(peule)schil,* ⟨fig.⟩ *omhulsel.*
2 **hull** ⟨ww⟩ ●*doppen, pellen.*
hullabaloo [ˈhʌləbəˈluː] ●*kabaal, herrie.*
hullo [həˈloʊ] ●*hallo.*
1 **hum** [hʌm] ⟨zn⟩ ●*(ge)brom, gezoem.*
2 **hum** I ⟨onov ww⟩ ●*zoemen, brommen* ● *bruisen; –* with activity *gonzen v.d. bedrijvigheid* ‖ ⟨BE⟩ – *and* haw/ha *hemmen, hummen* II ⟨onov en ov ww⟩ ●*neuriën.*
3 **hum** [mmm] ⟨tw⟩ ●*eh, h'm, hum.*
1 **human** [ˈhju:mən] ⟨zn⟩ ●*mens.*
2 **human** ⟨bn⟩ ●*menselijk, mensen-; –* being *mens; –* rights *mensenrechten;* I'm only – *ik ben (ook) maar een mens* ‖ zie ook ⟨sprw.⟩ ERR.
humane [hju:ˈmeɪn] ●*humaan, menselijk* ‖ – killer *schiet/slachtmasker* ⟨om dier pijnloos te doden⟩.
humanism [ˈhju:mənɪzm] ●*humanisme.*
humanist [ˈhju:mənɪst] ⟨bn: -**ic**⟩ ●*humanist.* **humanitarian** [hju:ˈmænɪˈteəriən] ● ⟨bn⟩ *humanitair, menslievend* ●⟨zn⟩ *filantroop.* **humanity** [hju:ˈmænəti] I ⟨ntelb zn⟩ ●*mensdom* ●*mens(elijk)heid* ● *menselijkheid, menslievendheid* II ⟨mv.⟩ ●*humaniora, geesteswetenschappen.*
humanize, -ise [ˈhju:mənaɪz] ●*mense-*

lijk(er) worden/maken, vermenselijken.
humankind [ˈhju:mənˈkaɪnd] ●*mensheid.*
1 **humble** [ˈhʌmbl] ⟨bn⟩ ●*bescheiden, onderdanig* ●*nederig, eenvoudig* ‖ eat – pie *een toontje lager zingen, inbinden.*
2 **humble** ⟨ww⟩ ●*vernederen.*
1 **humbug** [ˈhʌmbʌg] I ⟨telb zn⟩ ●*bedrieger, oplichter* ●⟨BE⟩ *pepermuntballetje* II ⟨ntelb zn⟩ ●*onzin, larie* ●*bluf.*
2 **humbug** ⟨ww⟩ ●*misleiden, bedriegen.*
humdinger [ˈhʌmdɪŋə] ⟨AE; sl.⟩ ●*geweldenaar, kraan* ●*knaller.*
humdrum [ˈhʌmdrʌm] ●*saai, vervelend, eentonig.*
humid [ˈhju:mɪd] ●*vochtig.* **humidify** [hju:ˈmɪdɪfaɪ] ●*bevochtigen.* **humidity** [hju:ˈmɪdəti] ●*(lucht)vochtigheid.*
humili|**ate** [hju:ˈmɪlieɪt] ⟨zn: -**ation**⟩ ●*vernederen.* **humility** [hju:ˈmɪləti] ●*nederigheid, bescheidenheid.*
hummingbird [ˈhʌmɪŋbə:d] ●*kolibrie.*
hummock [ˈhʌmək] ●*heuveltje.*
humorist [ˈhju:mərɪst] ●*humorist.* **humorous** [-rəs] ●*humoristisch, grappig.*
1 **humour** [ˈhju:mə] ⟨zn⟩ ●*humor;* sense of – *gevoel voor humor* ●*humeur, stemming;* in a bad – *in een slechte bui.*
2 **humour** ⟨ww⟩ ●*toegeven; –* a child *een kind zijn zin geven.*
1 **hump** [hʌmp] ⟨zn⟩ ●*bult, bochel* ●⟨BE; sl.; the⟩ *landerigheid;* it gives me the – *ik krijg er de balen van* ‖ be over the – *het ergste achter de rug hebben.*
2 **hump** ⟨ww⟩ ●*welven, ronden* ● ↓ *torsen, (mee)zeulen.*
'**humpback** ●*bochel, bult* ●*gebochelde.*
'**humpbacked** ●*gebocheld.*
humph [pf, hm, hʌmf] ●*h'm, pff.*
1 **hunch** [hʌntʃ] ⟨zn⟩ ●*voorgevoel, intuïtief/vaag idee;* play one's – *op zijn gevoel afgaan.*
2 **hunch** ⟨ww⟩ ●*krommen, optrekken* ⟨schouders⟩.
'**hunchback** ●*gebochelde.* '**hunchbacked** ● *gebocheld.*
hundred [ˈhʌndrɪd] ●*honderd* ⟨ook voorwerp/groep ter waarde/grootte v. honderd⟩, ⟨fig.⟩ *talloos.* **hundredth** [ˈhʌndrɪdθ] ●*honderdste,* ⟨als zn⟩ *honderdste deel.* '**hundredweight** ●⟨BE⟩ *hundredweight, Engelse centenaar* ● ⟨AE⟩ *hundredweight, Amerikaanse centenaar.*
hung ⟨verl. t. en volt. deelw.⟩ zie HANG.
Hungarian [hʌŋˈgeəriən] ●⟨bn⟩ *Hongaars* ●⟨eig.n.⟩ *Hongaars* ⟨taal⟩ ●⟨telb zn⟩ *Hongaar(se).* **Hungary** [ˈhʌŋgəri] ●*Hongarije.*

1 hunger ['hʌŋgə] ⟨zn⟩ ● *honger,* ⟨fig.⟩ *hunkering;* a – *for sth. een hevig verlangen naar iets.*
2 hunger ⟨ww⟩ ● *hongeren,* ⟨fig.⟩ *hunkeren; –* for/after *hunkeren naar.*
'**hunger march** ● *hongeroptocht.* '**hunger strike** ● *hongerstaking.*
'**hung 'over** ↓ ● *met een kater.*
hungry ['hʌŋgri] ● *hongerig, uitgehongerd,* ⟨fig.; +for⟩ *hunkerend (naar);* feel – *honger hebben* ● *schraal* ⟨v. grond⟩ ‖ – work *werk waar je honger van krijgt.*
'**hung 'up** ⟨sl.⟩ ‖ – on *geobsedeerd door; verslingerd aan.*
hunk [hʌŋk] ● *homp, brok* ● ⟨sl.⟩ *(lekker) stuk.*
1 hunt [hʌnt] ⟨zn⟩ ● *jacht(partij),* ⟨BE vnl.⟩ *vossejacht,* ⟨fig.⟩ *zoektocht* ● *jachtgezelschap* ● *jachtgebied.*
2 hunt I ⟨onov ww⟩ ● *jagen, op (vosse)jacht zijn* ● *zoeken; –* after/for an address *speuren naar een adres* II ⟨ov ww⟩ ● *jagen op, jacht maken op* ● *afjagen, doorzoeken;* zie HUNT DOWN, HUNT OUT, HUNT UP. '**hunt 'down** ● *opsporen, najagen.* **hunter** ['hʌntə] ● *jager* (ook fig.) ● *jachtpaard.*
hunting ['hʌntɪŋ] ● *jacht,* ⟨BE vnl.⟩ *vossejacht.* '**hunting ground** ⟨vnl. fig.⟩ ● *jachtgebied, jachtterrein.* '**hunt 'out** ● *opdiepen, opsporen.* **huntsman** [hʌntsmən] ● *jager* ● *jachtmeester.* '**hunt 'up** ● *opzoeken.*
1 hurdle ['hə:dl] ⟨zn⟩ ● *horde, hindernis, obstakel* (ook fig.) ● ⟨mv.⟩ *horden(loop/ ren).*
2 hurdle ⟨ww⟩ ● *springen over, nemen* ⟨een hindernis⟩. **hurdler** ['hə:dlə] ● *hordenloper.*
hurl [hə:l] ● *smijten, slingeren; –* reproaches at one another *elkaar verwijten naar het hoofd slingeren.*
hurly-burly ['hə:li'bə:li] ● *kabaal, rumoer.*
hurray, hooray [hʊ'rei], **hurrah** [hʊ'rɑ:] ● *hoera.*
hurricane ['hʌrɪkən] ● *orkaan, cycloon.* '**hurricane lamp,** '**hurricane lantern** ● *stormlamp.*
hurried ['hʌrid] ● *haastig, gehaast.*
1 hurry ['hʌri] ⟨zn⟩ ● *haast;* I'm in a – *ik heb haast;* ↓ find another job in a – *gauw/gemakkelijk ander werk vinden.*
2 hurry I ⟨onov ww⟩ ● *zich haasten, haast maken; –* up! *schiet op!* II ⟨ov ww⟩ ● *tot haast aanzetten, opjagen* ● *bespoedigen; –* one's pace *zijn pas versnellen; –* up a job *haast maken met een klus.*
1 hurt [hə:t] ⟨zn⟩ ● *pijn(lijke zaak)* ● *kwetsuur, letsel, wond.*

2 hurt ⟨hurt, hurt [hə:t]⟩ I ⟨onov ww⟩ ● *pijn/zeer doen;* it won't – to cut down on spending *het kan geen kwaad om te bezuinigen* II ⟨ov ww⟩ ● *bezeren, verwonden* ● *krenken, kwetsen;* feel – *zich gekrenkt voelen* ● *schade toebrengen/afbreuk doen aan.* **hurtful** ['hə:tfl] ● *schadelijk* ● *kwetsend.*
hurtle ['hə:tl] ● *razen, suizen.*
1 husband ['hʌzbənd] ⟨zn⟩ ● *man, echtgenoot.*
2 husband ⟨ww⟩ ● *zuinig omgaan met, sparen.* **husbandry** ['hʌzbəndri] ● *landbouw en veeteelt;* animal – *veeteelt.*
1 hush [hʌʃ] ⟨zn⟩ ● *stilte.*
2 hush I ⟨onov ww⟩ ● *tot rust/bedaren komen* ‖ –! *stil!* II ⟨ov ww⟩ ● *tot zwijgen brengen; –* up *verzwijgen, doodzwijgen* ● *tot bedaren brengen.* '**hush-'hush** ↓ ● *(diep) geheim.* '**hush money** ● *zwijggeld.*
1 husk [hʌsk] ⟨zn⟩ ● *schil(letje)* ● *omhulsel, lege dop.*
2 husk ⟨ww⟩ ● *schillen, pellen.*
1 husky ['hʌski] ⟨zn⟩ ● *eskimohond.*
2 husky ⟨bn⟩ ● *schor, hees* ● ↓ *fors, potig.*
hussy ['hʌsi] ● *brutaaltje, ondeugd;* brazen/ shameless – *brutaal nest* ● *slet.*
hustings ['hʌstɪŋz] ● *(toespraken tijdens) verkiezingscampagne.*
1 hustle ['hʌsl] ⟨zn; geen mv.⟩ ● *gedrang, bedrijvigheid, drukte.*
2 hustle I ⟨onov ww⟩ ● *dringen, duwen* ● *zich haasten, hard werken* ● ⟨AE; ↓⟩ *pezen, als hoer werken* II ⟨ov ww⟩ ● *proppen, (op)jagen, duwen;* she –d him out of the house *ze werkte hem het huis uit* ● ⟨AE; ↓⟩ *bewerken* ⟨bv. klanten⟩. **hustler** ['hʌslə] ● *harde werker* ● ⟨AE; ↓⟩ *sjacheraar* ● ⟨AE; ↓⟩ *hoer.*
hut [hʌt] ● *hut(je), huisje, keet, barak.*
hutch [hʌtʃ] ● *(konijne)hok.*
hyacinth ['haiəsinθ] ● *hyacint.*
hyaena zie HYENA.
hybrid ['haibrid] ● ⟨bn⟩ *hybride-* ● ⟨zn⟩ *kruising.*
hydrant ['haidrənt] ● *brandkraan, hydrant.*
hydraulic [hai'drɒlik] ● *hydraulisch.* **hydraulics** [hai'drɒliks] ● *hydraulica.*
hydrocarbon [-'kɑ:bən] ⟨schei.⟩ ● *koolwaterstof.* **hydrochloric acid** [-klɒrik 'æsid] ● *zoutzuur.* **hydroelectric** [-i'lektrik] ● *hydro-elektrisch.*
hydrofoil [-fɔil] ● *(draag)vleugelboot.*
hydrogen ['haidrədʒən] ⟨schei.⟩ ● *waterstof.* '**hydrogen bomb** ● *waterstofbom.* '**hydrogen pe'roxide** ⟨schei.⟩ ● *waterstofperoxide.*
hydrophobia [-'foubiə] ● *watervrees.* **hy-**

droplane ['haɪdrəpleɪn] ●*glijboot.* **hydroponics** [-'pɒnɪks] ●*watercultuur* 〈plantenteelt in water〉. **hydropower** [-paʊə] ●*waterkracht.*

hyena, hyaena [haɪ'i:nə] ●*hyena.*

hygiene ['haɪdʒi:n] ●*hygiëne, gezondheidsleer/zorg.* **hygienic** ['haɪ'dʒi:nɪk] ●*hygiënisch.*

hymen ['haɪmən] ●*maagdenvlies.*

hymn [hɪm] ●*hymne, kerkgezang.* **hymnal** ['hɪmnəl], '**hymnbook** ●*gezangboek.*

hype [haɪp] 〈sl.〉 **I** 〈telb zn〉 ●*opgeblazen persoon/zaak* 〈door media/reclame〉 **II** 〈ntelb zn〉 ●*opgeklopte/schreeuwerige reclame.*

hyperbola [haɪ'pə:bələ] 〈wisk.〉 ●*hyperbool.* **hyperbole** [haɪ'pə:bəli] 〈lit.〉 ●*hyperbool, overdrijving.*

hypercritical [-'krɪtɪkl] ●*hyper/overkritisch.*

hypermarket [-mɑ:kɪt] 〈BE〉 ●*hypermarkt.*

hypersensitive [-'sensɪtɪv] ●*hypergevoelig.*

hypertension [-'tenʃn] ●*verhoogde/(te) hoge bloeddruk.*

hyphen ['haɪfn] ●*verbindingsstreepje.* **hyphenate** ['haɪfəneɪt] ●*afbreken, door een koppelteken verbinden.*

hypnosis [hɪp'noʊsɪs] ●*hypnose.*

hypnotic [hɪp'nɒtɪk] ●*hypnotisch, hypnotiserend.* **hypnotism** ['hɪpnətɪzm] ●*hypnotisme.* **hypnotist** ['hɪpnətɪst] ●*hypnotiseur.* **hypnotize** ['hɪpnətaɪz] ●*hypnotiseren* 〈ook fig.〉.

hypochondria ['haɪpə'kɒndrɪə] ●*hypochondrie.* **hypochondriac** [-'kɒndriæk] ●〈bn〉 *hypochondrisch* ●〈zn〉 *hypochonder.*

hypocrisy [hɪ'pɒkrəsi] ●*hypocrisie, schijnheiligheid.* **hypocrite** ['hɪpəkrɪt] ●*hypocriet, huichelaar.* **hypocritical** ['hɪpə'krɪtɪkl] ●*hypocriet, schijnheilig.*

1 hypodermic [-'də:mɪk] 〈zn〉 ●*(injectie)naald/spuit.*

2 hypodermic 〈bn〉 ●*onderhuids;* – *needle injectienaald.*

hypotenuse [haɪ'pɒtənju:z] ●*hypotenusa, schuine zijde* 〈v.e. rechthoekige driehoek〉.

hypothesis [haɪ'pɒθəsɪs] 〈mv.: hypotheses [-si:z]〉 ●*hypothese, veronderstelling.* **hypothesize** [haɪ'pɒθəsaɪz] ●*(als hypothese) aannemen, veronderstellen.*

hypothetical ['haɪpə'θetɪkl] ●*hypothetisch, verondersteld.*

hysterectomy ['hɪstə'rektəmi] 〈med.〉 ●*hysterectomie.*

hysteria [hɪ'stɪərɪə] ●*hysterie.* **hysteric** [hɪ'sterɪk] ●*hystericus/hysterica.* **hysterical** [hɪ'sterɪkl] ●*hysterisch.* **hysterics** [hɪ'sterɪks] ●*hysterische aanval(len), ze-* *nuwtoeval;* go into/have – *hysterische aanvallen krijgen.*

i, I [aɪ] ‖ dot the –'s and cross the t's *de puntjes op de i zetten.*

1 l [aɪ] ⟨zn⟩ ●*zelf, ik.*

2 l ⟨vnw⟩ ●*ik;* ↑ it is – *ik ben het.*

Iberian [aɪˈbɪərɪən] ●*Iberisch;* – *Peninsula Iberisch schiereiland.*

ibex [ˈaɪbeks] ●*steenbok.*

ibid. [ˈɪbɪd] ⟨afk.⟩ ibidem ●*ibid..*

ibidem [ˈɪbɪdem] ●*ibidem, aldaar.*

1 ice [aɪs] ⟨zn⟩ ●*ijs* ●*ijs(je)* ‖ break the – *het ijs breken;* ↓ cut no – (with s.o.) *geen indruk maken (op iem.).*

2 ice I ⟨onov ww⟩ ●(+over/up) *bevriezen, dichtvriezen* **II** ⟨ov ww⟩ ●*(met ijs) koelen;* –d drinks *(ijs)gekoelde dranken* ●⟨cul.⟩ *glaceren.*

'ice age ●*ijstijd.* **iceberg** [ˈaɪsbəːg] ●*ijsberg.* **'iceberg lettuce** ●*(krop) ijsbergsla.* **'ice-bound** ●*ingevroren, door ijs ingesloten.* **'icebox** ●*koelbox* ●⟨AE⟩ *koelkast, ijskast.* **'icebreaker** ●*ijsbreker.* **'ice cap** ●*ijskap.* **'ice-'cold** ●*ijskoud.* **'ice 'cream** ●*ijs(je), roomijs(je).* **'ice-cream 'soda** ●*(soda)sorbet.* **'ice cube** ●*ijsblokje.* **'ice floe** ●*ijsschots.* **'ice hockey** ●*ijshockey.*

Icelander [ˈaɪsləndə] ●*IJslander.* **Icelandic** [aɪsˈlændɪk] ●⟨bn⟩ *IJslands* ●⟨zn⟩ *IJslands* ⟨taal⟩.

'ice lolly ●*ijslolly, waterijsje.* **'ice pack** ●*pakijs(veld)* ●⟨vnl. BE⟩ *ijskompres.* **'ice rink** ●*(overdekte) ijsbaan.* **'ice skate** ●*schaats.* **'ice-skate** ●*schaatsen.*

icicle [ˈaɪsɪkl] ●*ijskegel, ijspegel.*

icing [ˈaɪsɪŋ] ●*suikerglazuur, glaceersel.* **icing sugar** ⟨BE⟩ ●*poedersuiker.*

icon, ikon [ˈaɪkɒn] ●*ico(o)n.*

iconoclast [aɪˈkɒnəklæst] ●*beeldenstormer,* ⟨fig.⟩ *iem. die heilige huisjes omverschopt.*

icy [ˈaɪsi] ●*ijzig, ijskoud, ijsachtig;* ⟨fig.⟩ an – look *een ijzige blik* ●*met ijs bedekt;* an – road *een gladde weg.*

I'd [aɪd] ⟨samentr. v. I had, I would, I should⟩.

idea [aɪˈdɪə] ●*idee, denkbeeld, begrip, gedachte;* put –s into s.o.'s head *iem. op (vreemde) gedachten brengen;* what an

–!, the (very) –! *wat een idee!, hoe kom je erbij!.*

1 ideal [aɪˈdɪəl] ⟨zn⟩ ●*ideaal.*

2 ideal ⟨bn⟩ ●*ideaal* ●*ideëel, denkbeeldig* ● *idealistisch.*

idealism [ˈaɪˈdɪəlɪzm] ●*idealisme.* **idealist** [ˈaɪˈdɪəlɪst] ●*idealist.* **idealistic** [ˈaɪdɪəˈlɪstɪk] ●*idealistisch.* **idealize** [aɪˈdɪəlaɪz] ●*idealiseren.* **ideally** [aɪˈdɪəli] ●zie IDEAL[2] ●*idealiter, in het gunstigste geval.*

identical [aɪˈdentɪkl] ●*gelijk(luidend/waardig);* – twins *eeneiige tweeling;* – with/to *identiek met/aan.*

identifiable [aɪˈdentɪˈfaɪəbl] ●*identificeerbaar, herkenbaar.* **identification** [aɪˈdentɪfɪˈkeɪ∫n] ●*identificatie* ●*identiteitsbewijs, legitimatie.* **identi'cation card** ● *legitimatiebewijs.* **identify** [aɪˈdentɪfaɪ] I ⟨onov ww⟩ ●(+with) *zich identificeren (met), zich vereenzelvigen (met)* **II** ⟨ov ww⟩ ●*identificeren, de identiteit vaststellen v., in verband brengen;* s.o. who is identified with a fascist party *iem. die in verband gebracht wordt met een fascistische partij.*

identikit [aɪˈdentɪkɪt] ⟨BE⟩ ●*compositietekening.*

identity [aɪˈdentəti] ●*identiteit, persoon-(lijkheid)* ●*volmaakte gelijkenis.* **i'dentity card, I'D card** ●*legitimatie(bewijs), persoonsbewijs.*

ideological [ˈaɪdɪəˈlɒdʒɪkl] ●*ideologisch.* **ideologist** [ˈaɪdiˈɒlədʒɪst] ●*ideoloog.* **ideology** [ˈaɪdiˈɒlədʒi] ●*ideologie.*

idiocy [ˈɪdɪəsi] ●*idiotie, idiootheid, dwaasheid.*

idiom [ˈɪdɪəm] ●*idiomatische uitdrukking* ● *idioom, taaleigen* ●*dialect.* **idiomatic** [ˈɪdɪəˈmætɪk] ●*idiomatisch.*

idiosyncrasy [ˈɪdɪəˈsɪŋkrəsi] ●*eigenaardigheid, typerend kenmerk.* **idiosyncratic** [ˈɪdɪəsɪŋˈkrætɪk] ●*eigenaardig, persoonlijk.*

idiot [ˈɪdɪət] ●*idioot.* **idiotic** [ɪdiˈɒtɪk] ● *idioot.*

1 idle [ˈaɪdl] ⟨bn; -ness⟩ ●*werkloos, inactief* ●*lui* ●*doelloos, zinloos;* – gossip *loze kletspraat* ●*ongebruikt, onbenut;* – machines *stilstaande machines.*

2 idle ⟨ww⟩ ●*nietsdoen, luieren* ●*stationair draaien/lopen* ⟨v. motor⟩. **'idle a'way** ● *verdoen* ⟨tijd⟩. **idler** [ˈaɪdlə] ●*leegloper.*

idol [ˈaɪdl] ●*afgod(sbeeld)* ●*idool, favoriet.*

idolater [aɪˈdɒlətə] ●*afgodendienaar* ●*dweper, aanbidder.* **idolatrous** [aɪˈdɒlətrəs] ● *idolaat, afgodisch.* **idolatry** [aɪˈdɒlətri] ● *idolatrie, verafgoding.*

idolize [ˈaɪdlaɪz] ●*verafgoden, aanbidden.*

idyl(l) [ˈɪdl] ● *idylle.* **idyllic** [ɪˈdɪlɪk] ● *idyllisch.*
i.e. ⟨afk.⟩ id est ● *d.w.z..*
1 if [ɪf] ⟨zn⟩ ‖↓ –s and buts *maren, bedenkingen.*
2 if I ⟨ondersch vw⟩ ● *indien, als, zo;* look for insects and, – any, destroy them *let op insekten, en als er zijn, vernietig ze;* – anything *indien dan al iets, dan ...;* – not *zo niet, zo neen;* – so zo ja ● *of;* I wonder – she is happy *ik vraag mij af of ze gelukkig is* ● *zij het, al;* a talented – arrogant young man *een begaafde, zij het arrogante, jongeman;* protest, – only to pester them *protesteer, al was/is het maar om hen te pesten* ‖ ⟨vw; ondersch en nevensch⟩ ‖ – only *als ... maar.*
iffy [ˈɪfi] ↓ ● *onzeker.*
igloo [ˈɪgluː] ● *iglo.*
igneous [ˈɪgnɪəs] ‖ – rocks *stollingsgesteente.*
ignite [ɪgˈnaɪt] I ⟨onov ww⟩ ● *ontbranden, vlam vatten* II ⟨ov ww⟩ ● *in brand steken, aansteken.* **ignition** [ɪgˈnɪʃn] ● *ontsteking* ⟨v. auto⟩ ● *ontbranding.* **ig'nition key** ● *contactsleuteltje.*
ignoble [ɪgˈnoʊbl] ● *laag(hartig), eerloos.*
ignominious [ˈɪgnəˈmɪnɪəs] ● *schandelijk, smadelijk.* **ignominy** [ˈɪgnəmɪni] ● *schande(lijkheid), smaad.*
ignoramus [ˈɪgnəˈreɪməs] ● *onbenul, domkop.*
ignorance [ˈɪgnərəns] ● *onwetendheid, onkunde.* **ignorant** [ˈɪgnərənt] ● *onwetend;* – of a fact *onkundig van een feit* ● *dom, onontwikkeld.*
ignore [ɪgˈnɔː] ● *negeren, veronachtzamen.*
ikon zie ICON.
ilk [ɪlk] ↓ ● *soort, slag;* politicians of that – *dat soort politici.*
1 ill [ɪl] ⟨zn⟩ ● ⟨vaak mv.⟩ *tegenslag* ● *kwaad, onheil;* speak – of *kwaadspreken van.*
2 ill ⟨worse [wəːs], worst [wəːst]⟩ I ⟨bn, attr en pred⟩ ● *ziek;* fall/be taken – *ziek worden* II ⟨bn, attr⟩ ● *slecht;* – health *slechte gezondheid;* – humour/temper *slecht humeur* ● *schadelijk, nadelig;* – luck *pech* ‖ – feeling *haatdragendheid, wrok.*
3 ill ⟨bw⟩ ● *slecht, kwalijk;* – at ease *slecht op zijn/haar gemak* ● *nauwelijks, amper.*
I'll [aɪl] ⟨samentr. v. I will, I shall⟩.
'ill-ad'vised ● *onverstandig, onbezonnen.* **'ill-as'sorted** ● *slecht (bij elkaar) passend.* **'ill-'bred** ● *onopgevoed, ongemanierd.* **'ill-dis'posed** ● *kwaadgezind, kwaadwillig* ● *afkerig;* – towards a plan *gekant tegen een plan.*
illegal [ɪˈliːgl] ● *onwettig, illegaal, onrecht-*

matig. **illegality** [ˈɪlɪˈgæləti] ● *onwettigheid, onrechtmatigheid.*
illegible [ɪˈledʒəbl] ● *onleesbaar.*
illegitimacy [ˈɪlɪˈdʒɪtɪməsi] ● *onwettigheid.* **illegitimate** [ˈɪlɪˈdʒɪtɪmət] ● *onrechtmatig* ● *onwettig* ⟨ihb. v. kind⟩, *buitenechtelijk* ● *ongewettigd.*
'ill-e'quipped ● *slecht toegerust.* **'ill-'fated** ● *gedoemd te mislukken* ● *noodlottig.* **'ill-'favoured** ● *onaantrekkelijk, lelijk.* **'ill-'gotten** ● *oneerlijk verkregen;* – gains *gestolen goed.*
illiberal [ɪˈlɪbrəl] ● *onverdraagzaam* ● *bekrompen.*
illicit [ɪˈlɪsɪt] ● *onwettig, illegaal, ongeoorloofd.*
illimitable [ɪˈlɪmɪtəbl] ● *grenzeloos, onmetelijk.*
illiteracy [ɪˈlɪtrəsi] ● *ongeletterdheid.* **illiterate** [ɪˈlɪtrət] ● ⟨bn⟩ *ongeletterd, analfabeet* ● ⟨zn⟩ *analfabeet, ongeletterde.*
'ill-'judged ● *onverstandig, onbezonnen.* **'ill-'mannered** ● *ongemanierd.* **'ill-'natured** ● *nors, onvriendelijk.*
illness [ˈɪlnəs] ● *ziekte, kwaal.*
illogical [ɪˈlɒdʒɪkl] ● *onlogisch.*
'ill-pre'pared ● *slecht voorbereid.* **'ill-'starred** ● *onder een ongelukkig gesternte geboren, door tegenslag geteisterd.* **'ill-'tempered** ● *slecht gehumeurd.* **'ill-'timed** ● *misplaatst, op een ongeschikt ogenblik.* **'ill-'treat** ⟨zn: -ment⟩ ● *slecht behandelen, mishandelen.*
illuminate [ɪˈluːmɪneɪt] ● ⟨ook fig.⟩ *verlichten, belichten, licht werpen op* ● ⟨boek., gesch.⟩ *illumineren, verluchten* ● *toelichten.* **illuminating** [ɪˈluːmɪneɪtɪŋ] ● *verhelderend.* **illumination** [ɪˈluːmɪˈneɪʃn] ● ⟨boek., gesch.⟩ *verluchting, illustratie* ● *verlichting* ● ⟨mv.⟩ *feestverlichting.*
illumine [ɪˈluːmɪn] ⟨ook fig.⟩ ● *verlichten.*
illusion [ɪˈluːʒn] ● *illusie, waandenkbeeld* ● *(zins)begoocheling, zelfbedrog.* **illusory** [ɪˈluːsri], **illusive** [ɪˈluːsɪv] ● *illusoir, denkbeeldig, bedrieglijk.*
illustrate [ˈɪləstreɪt] ● *illustreren, verduidelijken, toelichten.* **illustration** [ˈɪləˈstreɪʃn] ● *illustratie, toelichting, afbeelding;* by way of – *bij wijze v. illustratie/voorbeeld.* **illustrative** [ˈɪləstreɪtɪv] ● *illustratief.* **illustrator** [ˈɪləstreɪtə] ● *illustrator.*
illustrious [ɪˈlʌstrɪəs] ● *illuster, vermaard.*
I'm [aɪm] ⟨samentr. v. I am⟩.
image [ˈɪmɪdʒ] ● *beeld, afbeelding* ● *evenbeeld;* he's the (very/spitting) – of his father *hij lijkt (sprekend/als twee druppels water) op zijn vader* ● *imago, reputatie.* **'image-building** ● *beeld/imagovorming.*

imagery ['ımıdʒri] ● *beeldspraak.*
imaginable [ı'mædʒnəbl] ● *voorstelbaar, denkbaar.* imaginary [ı'mædʒənri] ● *denkbeeldig, imaginair.* imagination [ı'mædʒı'neıʃn] ● *verbeelding(skracht), voorstelling(svermogen), fantasie.* imaginative [ı'mædʒınətıv] ● *fantasierijk, verbeeldingsvol, vindingrijk.*
imagine [ı'mædʒın] ● *zich verbeelden/voorstellen, zich indenken; just – that/it! stel je voor! ● veronderstellen* ‖ *–! denk je eens in!.*
imam ['ı'mɑ:m, 'ı'mæm] ● *imam.*
imbalance [ım'bæləns] ● *onevenwichtigheid.*
imbecile ['ımbəsi:l] ● ⟨bn⟩ *imbeciel, dwaas* ● ⟨zn⟩ *imbeciel, stommeling.* imbecility ['ımbə'sıləti] ● *imbeciliteit.*
imbed zie EMBED.
imbibe [ım'baıb] ● *(op)drinken,* ⟨fig.⟩ *in zich opnemen, absorberen.*
imbue [ım'bju:] ● *(door)drenken* ⟨ook fig.⟩, *doordringen; –d with hatred van haat vervuld.*
imitate ['ımıteıt] ● *nadoen, navolgen, imiteren.* imitation [ımı'teıʃn] ● *imitatie, navolging, namaak; –* leather *kunst/namaakleer.* imitative ['ımıtətıv] ● *imiterend, nabootsend.* imitator ['ımıteıtə] ● *imitator.*
immaculate [ı'mækjʊlət] ● *vlekkeloos, onbevlekt ● onberispelijk.*
immaterial ['ımə'tıərıəl] ● *onstoffelijk ● onbelangrijk, irrelevant.*
immature ['ımə'tʃʊə] ● *onvolgroeid, onrijp, onvolwassen.*
immeasurable [ı'meʒrəbl] ● *onmetelijk, oneindig.*
immediacy [ı'mi:dıəsi] ● *directheid.* immediate [ı'mi:dıət] ● *direct, onmiddellijk* ‖ my *–* family *mijn naaste familie.* immediately [ı'mi:dıətli] ● ⟨bw⟩ *meteen, onmiddellijk* ● ⟨vw⟩ *zodra.*
immemorial ['ımı'mɔ:rıəl] ● *onheuglijk, eeuwenoud; from time – sinds mensenheugenis.*
immense [ı'mens] ● *immens, onmetelijk, oneindig.* immensity [ı'mensəti] ● *onmetelijkheid, oneindigheid.*
immerse [ı'mə:s] ● *(onder)dompelen ● verdiepen, verzinken; he –s himself completely in his work hij gaat helemaal op in zijn werk.* immersion [ı'mə:ʃn] ● *onderdompeling,* ⟨fig.⟩ *verdieptheid.* im'mersion heater ● *dompelaar.*
immigrant ['ımıgrənt] ● *immigrant.* 'immigrant 'worker ● *gastarbeider.*
immigrate ['ımıgreıt] ● *immigreren.* immigration ['ımı'greıʃn] ● *immigratie.*

imminence ['ımınəns] ● *dreiging, nabijheid, nadering* ⟨ihb. v. gevaar⟩. imminent ['ımınənt] ● *dreigend, op handen zijnd; a* storm is – *er dreigt onweer.*
immobile [ı'moʊbaıl] ● *onbeweeglijk, roerloos.* immobilize [ı'moʊbılaız] ● *onbeweeglijk maken, stil/lamleggen; the* troops were –d *de troepen liepen vast.*
immoderate [ı'mɒdrət] ● *on/overmatig, buitensporig.*
immodest [ı'mɒdıst] ● *onbescheiden, arrogant ● onfatsoenlijk.*
immoral [ı'mɒrəl] ● *immoreel, onzedelijk.* immorality ['ımə'ræləti] ● *immoraliteit, onzedelijkheid.*
immortal [ı'mɔ:tl] ● *onsterfelijk.* immortality ['ımɔ:'tæləti] ● *onsterfelijkheid.* immortalize [ı'mɔ:təlaız] ● *vereeuwigen, onsterfelijk maken.*
immovable [ı'mu:vəbl] ● *onbeweeglijk, onverplaatsbaar ● onwrikbaar.*
immune [ı'mju:n] ● *immuun, onvatbaar; – against/from/to immuun voor; – from* punishment *vrijgesteld/gevrijwaard v. straf.* immunity [ı'mju:nəti] ● *immuniteit, onvatbaarheid, onschendbaarheid; – from taxation vrijstelling v. belasting.* immunize ['ımjʊnaız] ⟨med.⟩ ● *immuniseren.*
immure [ı'mjʊə] ● *opsluiten.*
immutable [ı'mju:təbl] ● *onveranderlijk.*
imp [ımp] ● *duiveltje ● deugniet.*
impact ['ımpækt] ● *schok, botsing, inslag ● schokeffect, (krachtige) invloed.*
impair [ım'peə] ● *schaden, benadelen, verslechteren.*
impale [ım'peıl] ● *spietsen, doorboren.*
impalpable ['ım'pælpəbl] ● *ontastbaar,* ⟨fig.⟩ *ongrijpbaar.*
impart [ım'pɑ:t] ● *verlenen, verschaffen ● meedelen.*
impartial [ım'pɑ:ʃl] ● *onpartijdig.* impartiality [ım'pɑ:ʃi'æləti] ● *onpartijdigheid.*
impassable ['ım'pɑ:səbl] ● *onbegaanbaar, onoverschrijdbaar.*
impasse [æm'pɑ:s] ● *impasse.*
impassioned [ım'pæʃnd] ● *bezield, hartstochtelijk.*
impassive [ım'pæsıv] ⟨zn: -ity⟩ ● *ongevoelig, gevoelloos, onbewogen.*
impatience [ım'peıʃns] ● *ongeduld ● afkeer.* impatient [ım'peıʃnt] ● *ongeduldig* ‖ *– for* the weekend *verlangend naar het weekend.*
impeach [ım'pi:tʃ] ● *beschuldigen, in staat v. beschuldiging stellen* ⟨bv. de president van de U.S.A.⟩. impeachment [ım'pi:tʃmənt] ● *beschuldiging, aankla-*

gingsprocedure.
impeccable [ɪmˈpekəbl] ● *feilloos* ● *onberispelijk.*
impecunious [ˈɪmpɪˈkjuːnɪəs] ● *onbemiddeld.*
impede [ɪmˈpiːd] ● *belemmeren, (ver)hinderen.* **impediment** [ɪmˈpedɪmənt] ● *beletsel, belemmering* ● *gebrek.* **impedimenta** [ɪmˈpedɪˈmentə] ● *bagage, ballast.*
impel [ɪmˈpel] ● *aanzetten, aanmoedigen* ● *voortdrijven.*
impending [ɪmˈpendɪŋ] ● *dreigend, aanstaand.*
impenetrable [ˈɪmˈpenɪtrəbl] ● *ondoordringbaar, ontoegankelijk,* ⟨fig.⟩ *ondoorgrondelijk.*
imperative [ɪmˈperətɪv] ● *noodzakelijk* ● *verplicht* ● *gebiedend.*
imperceptible [ˈɪmpəˈseptəbl] ● *onwaarneembaar, onzichtbaar.*
imperfect [ɪmˈpəˈfɪkt] ● *onvolmaakt, onvolkomen.* **imperfection** [ˈɪmpəˈfekʃn] ● *onvolkomenheid, gebrek(kigheid).*
imperial [ɪmˈpɪərɪəl] ● *keizerlijk, rijks-,* ⟨gesch.⟩ *mbt. het Britse rijk* ● *Brits* ⟨v. maten en gewichten⟩. **imperialism** [ɪmˈpɪərɪəlɪzm] ● *imperialisme.* **imperialist** [ɪmˈpɪərɪəlɪst] ⟨bn: -ic⟩ ● *imperialist.*
imperil [ɪmˈperɪl] ● *in gevaar brengen.*
imperious [ɪmˈpɪərɪəs] ● *aanmatigend* ● *dwingend.*
imperishable [ɪmˈperɪʃəbl] ● *onvergankelijk, onverslijtbaar.*
impermeable [ɪmˈpəːmɪəbl] ● *ondoordringbaar,* ⟨ihb.⟩ *waterdicht.*
impersonal [ɪmˈpəːsnl] ● *onpersoonlijk.*
impersonate [ɪmˈpəːsəneɪt] ● *imiteren* ● *verpersoonlijken* ● *zich uitgeven voor.* **impersonation** [ɪmˈpəːsəˈneɪʃn] ● *imitatie* ● *impersonatie.*
impertinence [ɪmˈpəːtɪnəns] ● *onbeschaamdheid.* **impertinent** [ɪmˈpəːtɪnənt] ● *onbeschaamd, brutaal* ● *irrelevant.*
imperturbable [ˈɪmpəˈtəːbəbl] ● *onverstoorbaar.*
impervious [ɪmˈpəːvɪəs] ● *ondoordringbaar* ● *onontvankelijk, ongevoelig.*
impetuosity [ɪmˈpetʃʊˈɒsəti] ● *onstuimigheid.* **impetuous** [ɪmˈpetʃʊəs] ● *onstuimig, impulsief.*
impetus [ˈɪmpɪtəs] ● *impuls, stimulans* ● *drijf/stuwkracht.*
impiety [ɪmˈpaɪəti] ● *goddeloosheid, oneerbiedigheid.*
impinge (up)on [ɪmˈpɪndʒ] ● *v. invloed zijn op* ● *inbreuk maken op.*
impious [ˈɪmpɪəs] ● *oneerbiedig, goddeloos.*

impish [ˈɪmpɪʃ] ● *ondeugend, schelms.*
implacable [ɪmˈplækəbl] ● *onverbiddelijk, onvermurwbaar.*
implant [ɪmˈplɑːnt] ● *(in)planten* ● *inprenten* ● ⟨med.⟩ *inplanteren.*
implausible [ɪmˈplɔːzəbl] ● *onwaarschijnlijk.*
1 implement [ˈɪmplɪmənt] ⟨zn⟩ ● *werktuig, gereedschap.*
2 implement [ˈɪmplɪment] ⟨ww; zn: -ation⟩ ● *ten uitvoer brengen, verwezenlijken;* – a promise *een belofte nakomen.*
implicate [ˈɪmplɪkeɪt] ● *betrekken, verwikkelen.* **implication** [ˈɪmplɪˈkeɪʃn] ● *implicatie, (onuitgesproken) suggestie;* by – *bij implicatie* ● *betrokkenheid.*
implicit [ɪmˈplɪsɪt] ● *impliciet, stilzwijgend* ‖ – faith *onvoorwaardelijk geloof.* **implied** [ɪmˈplaɪd] ● *impliciet, onuitgesproken.*
implore [ɪmˈplɔː] ● *smeken.*
imply [ɪmˈplaɪ] ● *impliceren, met zich meebrengen* ● *suggereren, duiden/doelen op.*
impolite [ˈɪmpəˈlaɪt] ● *onbeleefd.*
impolitic [ˈɪmˈpɒlɪtɪk] ● *ontactisch, onverstandig.*
imponderable [ɪmˈpɒndrəbl] ● ⟨bn⟩ *moeilijk inschatbaar* ● ⟨zn⟩ *onzekerheidsfactor.*
1 import [ˈɪmpɔːt] ⟨zn⟩ ● ⟨vnl. mv.⟩ *invoerartikel* ● *invoer* ● ↑ *portee, betekenis.*
2 import [ɪmˈpɔːt] ⟨ww⟩ ● *invoeren* ● ↑ *betekenen, inhouden.*
importance [ɪmˈpɔːtns] ● *belang(rijkheid), gewicht(igheid), betekenis.* **important** [ɪmˈpɔːtnt] ● *belangrijk.*
importation [ˈɪmpɔːˈteɪʃn] ● *invoer(artikel).*
importer [ɪmˈpɔːtə] ● *importeur, invoerder.*
importunate [ɪmˈpɔːtʃʊnət] ● *aandringend, hardnekkig.* **importune** [ˈɪmpəˈtjuːn] ● *lastig vallen.* **importunity** [ˈɪmpəˈtjuːnəti] ● *opdringerigheid.*
impose [ɪmˈpəʊz] ● *opleggen, afdwingen;* – a task *een taak opleggen;* the man –d himself as our leader *de man wierp zich op als onze leider* ● *opdringen;* – o.s./one's company (up)on *zich/zijn gezelschap opdringen aan.* **im'pose (up)on** ● *gebruik/misbruik maken v., tot last zijn;* – s.o./s.o.'s hospitality *misbruik maken v. iem./iemands gastvrijheid.* **imposing** [ɪmˈpəʊzɪŋ] ● *imponerend, indrukwekkend.* **imposition** [ˈɪmpəˈzɪʃn] ● *belasting* ● *(opgelegde) last;* don't you think it an – to stay with them? *lijkt het je niet te veel gevraagd om bij ze te blijven logeren?.*
impossibility [ɪmˈpɒsəˈbɪləti] ● *onmogelijkheid.* **impossible** [ɪmˈpɒsəbl] ● *onmogelijk.*
impostor [ɪmˈpɒstə] ● *bedrieger.* **imposture**

[ɪmˈpɒstʃə] ●*bedrog, oplichting.*
impotence [ˈɪmpətəns] ●*machteloosheid* ●
impotentie. impotent [ˈɪmpətənt] ●
machteloos ●*impotent.*
impound [ɪmˈpaʊnd] ●*beslag leggen op.*
impoverish [ɪmˈpɒvərɪʃ] ●*verarmen* ●*uitputten.*
impracticable [ɪmˈpræktɪkəbl] ●*onuitvoerbaar, onrealiseerbaar* ●*onbegaanbaar.*
impractical [ɪmˈpræktɪkl] ●*onpraktisch,
onhandig.*
imprecise [ˈɪmprɪˈsaɪs] ●*onnauwkeurig.*
impregnable [ɪmˈpregnəbl] ●*onneembaar,
onaantastbaar.*
impregnate [ˈɪmpregneɪt] ●*zwanger maken*
●*bevruchten* ●*(door)drenken, verzadigen.*
impresario [ˈɪmprɪˈsɑːriəʊ] ●*impresario* ●
theateragent.
impress [ɪmˈpres] ●*af/in/opdrukken* ●*(een)
indruk maken op, imponeren; –ed at/by/
with onder de indruk v.* ●*doordringen v.,
inprenten.*
impression [ɪmˈpreʃn] ●*af/indruk* ●*indruk,
impressie; under the – that ... in de veronderstelling dat ...* ●*impressie, karikaturale
uitbeelding* ●〈boek.〉 *druk, oplage.* im-
pressionable [ɪmˈpreʃnəbl] ●*ontvankelijk,
beïnvloedbaar.*
impressionism [ɪmˈpreʃənɪzm] 〈kunst〉 ●*im-
pressionisme.* impressionist [ɪmˈpreʃ-
ənɪst] ●〈bn〉 *impressionistisch* 〈kunst〉 ●
〈zn〉 *imitator* ●〈zn〉 *impressionist*
〈kunst〉. impressionistic [ɪmˈpreʃəˈnɪstɪk]
●*impressionistisch.*
impressive [ɪmˈpresɪv] ●*indrukwekkend.*
1 imprint [ˈɪmprɪnt] 〈zn〉 ●*af/indruk, spoor,
stempel.*
2 imprint [ɪmˈprɪnt] 〈ww〉 ●*(af/in)drukken,*
〈fig.〉 *inprenten.*
imprison [ɪmˈprɪzn] ●*in de gevangenis zetten, gevangennemen.* imprisonment
[ɪmˈprɪznmənt] ●*gevangenneming, gevangenschap.*
improbability [ˈɪmprɒbəˈbɪləti] ●*onwaarschijnlijkheid.* improbable [ɪmˈprɒbəbl] ●
onwaarschijnlijk.
impromptu [ɪmˈprɒmptjuː] ●*onvoorbereid,
geïmproviseerd.*
improper [ɪmˈprɒpə] ●*ongepast* ●*onjuist,
ongeschikt* ●*onfatsoenlijk; an – suggestion een oneerbaar voorstel.* impropriety
[ˈɪmprəˈpraɪəti] ●*ongepastheid* ●*onfatsoenlijkheid.*
improve [ɪmˈpruːv] I 〈onov ww〉 ●*vooruitgaan, beter worden* II 〈onov en ov ww〉 ●
verbeteren, doen stijgen, ontwikkelen.
improvement [ɪmˈpruːvmənt] ●*verbete-*

ring, vooruitgang. im'prove (up)on ●*verbeteren* ‖ – a previous performance *een
eerdere prestatie overtreffen.*
improvidence [ɪnˈprɒvɪd(ə)ns] ●*zorgeloos-
heid.* improvident [ɪmˈprɒvɪd(ə)nt] ●*zorgeloos.*
improvisation [ˈɪmprəvaɪˈzeɪʃn] ●*improvisa-
tie.* improvise [ˈɪmprəvaɪz] ●*improviseren.*
imprudent [ɪmˈpruːdnt] ●*onvoorzichtig, ondoordacht.*
impud|ent [ˈɪmpjʊd(ə)nt] 〈zn: -ence〉 ●
schaamteloos, brutaal.
impugn [ɪmˈpjuːn] ●*in twijfel trekken.*
impulse [ˈɪmpʌls] ●*impuls* 〈ook med., nat.,
tech.〉, *puls* ●*opwelling, impuls(iviteit);
act on – impulsief te werk gaan* ●*drijfveer*
●*stimulans, prikkel.* 'impulse buy ●*im-
pulsaankoop.* 'impulse buying ●*impuls-
aankoop.*
impulsion [ɪmˈpʌlʃn] ●*impuls, aandrang.*
impulsive [ɪmˈpʌlsɪv] ●*impulsief.*
impunity [ɪmˈpjuːnəti] ‖ with – *straffeloos,
ongestraft.*
impure [ɪmˈpjʊə] ●*onzuiver, verontreinigd*
●*oneerbaar, onzedig.*
impurity [ɪmˈpjʊərəti] ●*onzuiverheid, ver-
ontreiniging.*
imputation [ˈɪmpjuːˈteɪʃn] ●*toeschrijving,
aantijging, beschuldiging.*
impute [ɪmˈpjuːt] ●*toeschrijven, wijten,
aanwrijven.*
1 in 〈zn〉 zie INS.
2 in 〈bn〉 ●*inwonend, binnen-* ●↓ *modieus,
in* ●*exclusief; in-crowd kliekje, wereldje.*
3 in [ɪn] 〈bw〉 ●*binnen, naar binnen, erin;
built – ingebouwd; come –! (kom) binnen!;* I flew – today *ik ben vandaag met
het vliegtuig aangekomen* ‖ have friends –
*vrienden (thuis) ontvangen; pears are –
het is perentijd; –* between *er tussen(in);*
know somebody – and out *iem. door en
door kennen; –* between *tussen;* zie BE IN,
COME IN *etc..*
4 in 〈vz〉 ●*in;* wounded – the leg *aan het
been gewond; –* my opinion *naar mijn
mening;* play – the street *op straat spelen;*
be – one's twenties *in de twintig zijn* ●
〈tijd〉 *in, binnen; –* the morning *'s ochtends;* I have not been out – months *ik ben
in geen maanden uit geweest; –* a minute
*over een minuutje; it melts – heating het
smelt als het verwarmd wordt* ●*wat betreft, in;* the latest thing – computers *het
laatste snufje op hęt gebied van computers;* he is – oil *hij zit in de olie-industrie; –*
deal – cereals *handelen in granen;* be – it
erbij betrokken zijn, meedoen; he is not –

it *hij telt niet mee;* there's nothing – it *het heeft niets om het lijf* ●⟨verhouding, maat, graad⟩ *in, op, uit;* sell – ones *per stuk verkopen;* one – twenty *één op twintig* ‖ painted – red *roodgeverfd;* be – love *verliefd zijn;* – payment of *ter betaling v.;* – Russian *in het Russisch;* – bloom *in bloei, bloeiende;* be – luck *geluk hebben;* £100 – taxes *£100 aan belastingen;* difficult – that it demands concentration *moeilijk omdat het concentratie vergt;* zie BE IN.

inability ['ɪnə'bɪləti] ●*onvermogen, onmacht.*

inaccessib|le ['ɪnæk'sesəbl] ⟨zn: -ility⟩ ●*ontoegankelijk, onbereikbaar, ongenaakbaar.*

inaccuracy [ɪn'ækjʊrəsi] ●*onnauwkeurigheid, fout.* **inaccurate** [ɪn'ækjʊrət] ●*onnauwkeurig* ●*foutief.*

inaction ['ɪn'ækʃn], **inactivity** ['ɪnæk'tɪvəti] ● *inactiviteit.* **inactive** ['ɪn'æktɪv] ●*inactief, passief, werkeloos* ●*ongebruikt, buiten dienst.*

inadequacy ['ɪn'ædɪkwəsi] ●*ontoereikendheid, tekort(koming), gebrek.* **inadequate** ['ɪn'ædɪkwət] ●*ontoereikend, onvoldoende, ongeschikt.*

inadmissible ['ɪnəd'mɪsəbl] ●*ontoelaatbaar.*

inadvertent ['ɪnəd'vɜːtnt] ●*onoplettend, onachtzaam* ●*onopzettelijk.*

inalienable ['ɪn'eɪlɪənəbl] ●*onvervreemdbaar.*

inane [ɪ'neɪn] ●*leeg, zinloos.*

inanimate ['ɪn'ænɪmət] ●*levenloos, onbezield.*

inanity [ɪ'nænəti] ●*leegheid, zinloosheid.*

inapplicable [ɪn'æplɪkəbl,'ɪnə'plɪkəbl] ●*ontoepasselijk, ontoepasbaar, onbruikbaar.*

inappropriate ['ɪnə'prəʊprɪət] ●*ongepast, misplaatst.*

inapt ['ɪn'æpt] ●*ontoepasselijk, ongeschikt.* **inaptitude** [ɪn'æptɪtjuːd] ●*ongeschiktheid.*

inarticulate ['ɪnɑː'tɪkjʊlət] ●*onduidelijk, onverstaanbaar, onsamenhangend* ●*onduidelijk sprekend.*

'inas'much as ●*aangezien, omdat.*

inattention ['ɪnə'tenʃn] ●*onoplettendheid.* **inattentive** ['ɪnə'tentɪv] ●*onoplettend, achteloos.*

inaudible ['ɪn'ɔːdəbl] ●*onhoorbaar.*

inaugural [ɪ'nɔːgjʊrəǝ] ●*inaugureel, openings-, inwijdings-;* the president's – address *de inaugurele rede v.d. president.* **inaugurate** [ɪ'nɔːgjʊreɪt] ●⟨vnl. pass.⟩ *installeren, (in een ambt/functie) bevestigen* ●*(feestelijk) openen* ●*inluiden, aankondigen.* **inauguration** [ɪ'nɔːgjʊ'reɪʃn] ●*instal-*

latie(plechtigheid), inauguratie, inhuldiging.

inauspicious ['ɪnɔː'spɪʃəs] ●*onheilspellend, ongunstig.*

inboard ['ɪnbɔːd] ●*binnenboords.*

inborn ['ɪn'bɔːn] ●*aan/ingeboren.*

inbound ['ɪnbaʊnd] ⟨AE⟩ ●*binnen/thuiskomend.*

inbred ['ɪn'bred] ●*uit inteelt voortgekomen* ●*aangeboren.* **inbreeding** ['ɪnbriːdɪŋ] ● *inteelt.*

Inc. ⟨afk.⟩ Incorporated ⟨AE⟩ ●*N.V..*

incalculable [ɪn'kælkjʊləbl] ●*onberekenbaar* ●*onvoorspelbaar.*

incandescence ['ɪŋkæn'desns] ●*gloeiing, (licht)uitstraling.* **incandescent** ['ɪŋkæn'desnt] ●*gloeiend, witgloeiend;* – lamp *gloeilamp.*

incantation ['ɪŋkæn'teɪʃn] ●*bezwering, (tover)spreuk.*

incapab|le ['ɪn'keɪpəbl] ⟨zn: -ility⟩ ●*onbekwaam, machteloos;* drunk and – *dronken en onbekwaam;* – of *niet in staat tot.*

incapacitate ['ɪnkə'pæsɪteɪt] ●*uitschakelen, ongeschikt maken.* **incapacity** ['ɪŋkə-'pæsəti] ●*onvermogen, onmacht;* – for work *arbeidsongeschiktheid.*

incarcerate [ɪn'kɑːsəreɪt] ●*gevangenzetten.*

1 incarnate [ɪn'kɑːnət] ⟨bn⟩ ●*vleesgeworden;* the devil – *de duivel in eigen persoon.*

2 incarnate [ɪn'kɑːneɪt] ⟨ww⟩ ●*belichamen* ●*concretiseren, vorm geven (aan).* **incarnation** ['ɪŋkɑː'neɪʃn] ●*incarnatie, belichaming.*

incautious ['ɪn'kɔːʃəs] ●*onvoorzichtig.*

1 incendiary [ɪn'sendɪəri] ⟨zn⟩ ●*brandbom* ●*brandstichter.*

2 incendiary ⟨bn⟩ ●*opruiend* ‖ – bomb *brandbom.*

1 incense ['ɪnsens] ⟨zn⟩ ●*wierook.*

2 incense [ɪn'sens] ⟨ww⟩ ●*(ernstig) ontstemmen, razend maken;* –d at/by *verbolgen over.*

incentive [ɪn'sentɪv] ●*stimulans, aansporing, motief.*

inception [ɪn'sepʃn] ●*aanvang, begin.*

incessant [ɪn'sesnt] ●*onophoudelijk, voortdurend.*

incest ['ɪnsest] ●*incest.* **incestuous** [ɪn'sestʃʊəs] ●*incestueus* ⟨ook fig.⟩.

1 inch ['ɪntʃ] ⟨zn⟩ ●*(Engelse) duim* ⟨lengtemaat⟩; not budge/give an – *geen duimbreed wijken;* every – a gentleman *op-en-top een heer* ‖ – by – *beetje bij beetje;* by –es *op een haar na;* we came within an – of death *het scheelde maar weinig of we waren dood geweest;* ⟨sprw.⟩ give him an inch and he'll take a yard/mile *als men hem een vinger geeft, neemt hij de hele hand.*

2 inch I ⟨onov ww⟩ ● *schuifelen, langzaam/ moeizaam voortgaan* **II** ⟨ov ww⟩ ● *voetje voor voetje afleggen; –* one's way through *zich moeizaam een weg banen door* ● *langzaam/moeizaam verplaatsen.*

incidence ['ɪnsɪdəns] ● *(mate v.) optreden/ voorkomen, frequentie;* a high – of disease *een hoog ziektecijfer.*

incident ['ɪnsɪdənt] ● *incident, voorval* ● *episode.*

1 incidental ['ɪnsɪ'dentl] ⟨zn; vnl. mv.⟩ ● *bijkomstigheid.*

2 incidental ⟨bn⟩ ● *bijkomend, bijkomstig; –* expenses *onvoorziene uitgaven; –* to *samenhangend met.* **incidentally** ['ɪnsɪ-'dentli] ● *terloops* ● *overigens, tussen twee haakjes.*

incinerate [ɪn'sɪnəreɪt] ● *(tot as) verbranden, verassen.* **incinerator** [ɪn'sɪnəreɪtə] ● *(vuil)verbrandingsoven.*

incipient [ɪn'sɪpɪənt] ● *beginnend.*

incise [ɪn'saɪz] ● *insnijden, inkerven.* **incision** [ɪn'sɪʒn] ● *insnijding, snee.* **incisive** [ɪn'saɪsɪv] ● *scherp(zinnig)* ● *doortastend.* **incisor** [ɪn'saɪzə] ● *snijtand.*

incite [ɪn'saɪt] ⟨zn: -ment⟩ ● *opwekken, aanzetten* ● *opstoken, ophitsen.*

inclement [ɪn'klemənt] ● *guur, bar.*

inclination ['ɪŋklɪ'neɪʃn] ● *glooiing, helling(spercentage)* ● *neiging, voorkeur.*

1 incline ['ɪŋklaɪn] ⟨zn⟩ ● *helling, glooiing.*

2 incline [ɪn'klaɪn] **I** ⟨onov ww⟩ ● *neigen, geneigd zijn, een neiging vertonen; –* I – to/towards fatness *ik heb aanleg om dik te worden* **II** ⟨onov en ov ww⟩ ● *(doen) hellen, overhellen* **III** ⟨ov ww⟩ ● *buigen* ● *beïnvloeden;* your words do not – me to change my mind *ik zie in uw woorden geen aanleiding om uw gedachten te veranderen;* I am –d to think so *ik neig tot die gedachte.* **inclined** [ɪn'klaɪnd] **I** ⟨bn, attr en pred⟩ ● *hellend; –* plane *hellend vlak* **II** ⟨bn, pred⟩ ● *geneigd, bereid;* if you feel so – *als u daar zin in heeft.*

inclose zie ENCLOSE. **inclosure** zie ENCLOSURE.

include [ɪn'klu:d] ● *omvatten, bevatten, insluiten;* ⟨↓, scherts.⟩ – out *uitsluiten, niet meerekenen* ● *opnemen, toevoegen.* **included** [ɪn'klu:dɪd] ● *incluis, inbegrepen;* postage – *inclusief porto(kosten).* **including** [ɪn'klu:dɪŋ] ● *inclusief;* 10 days – today *10 dagen, vandaag meegerekend;* up to and – *tot en met.* **inclusion** [ɪn'klu:ʒn] ● *insluiting, meerekening.* **inclusive**

[ɪn'klu:sɪv] ● *inclusief;* pages 60 to 100 – *pagina 60 tot en met 100.*

incognito ['ɪŋkɒg'ni:tou] ● *incognito, anoniem.*

incoherent ['ɪŋkou'hɪərənt] ● *incoherent, onsamenhangend.*

income ['ɪŋkʌm,-kəm] ● *inkomen, inkomsten.* '**income tax** ● *inkomstenbelasting.*

incoming ['ɪnkʌmɪŋ] ● *inkomend, binnenkomend; –* tide *opkomend tij* ● *opvolgend, nieuw.*

incommensurate ['ɪŋkə'menʃrət] ● *onevenredig,* ⟨ihb.⟩ *ontoereikend.*

incommunicado ['ɪŋkəmju:ni'ka:dou] ● *(v.d. buitenwereld) afgeschermd* ● *niet te spreken.*

incomparable [ɪn'kɒmprəbl] ● *onvergelijkbaar, weergaloos.*

incompatible ['ɪŋkəm'pætəbl] ● *onverenigbaar, (tegen)strijdig.*

incompetence [ɪn'kɒmpɪt(ə)ns] ● *incompetentie, onbekwaamheid.* **incompetent** ['ɪn'kɒmpɪt(ə)nt] ● *incompetent, onbekwaam.*

incomplete ['ɪŋkəm'pli:t] ● *onvolledig* ● *onvolkomen.*

incomprehensible ['ɪŋkɒmprɪ'hensəbl] ● *onbegrijpelijk.* **incomprehension** ['ɪŋkɒmprɪ'henʃn] ● *onbegrip.*

inconceivable ['ɪŋkən'si:vəbl] ● *onvoorstelbaar, ondenkbaar.*

inconclusive ['ɪŋkən'klu:sɪv] ● *niet doorslaggevend, onovertuigend* ● *onbeslist.*

incongruity ['ɪŋkən'gru:əti] ● *ongerijmdheid, incongruentie.* **incongruous** [ɪn'kɒŋgruəs] ● *ongerijmd, strijdig* ● *detonerend* ● *misplaatst.*

inconsequent ['ɪn'kɒnsɪkwənt], **inconsequential** [-'kwenʃl] ● *inconsequent, onlogisch* ● *onbetekenend, onbeduidend.*

inconsiderable ['ɪŋkən'sɪdrəbl] ● *onaanzienlijk.*

inconsiderate ['ɪŋkən'sɪdrət] ● *onattent, onachtzaam, onnadenkend.*

inconsistency ['ɪŋkən'sɪstənsi] ● *inconsistentie.* **inconsistent** ['ɪŋkən'sɪstənt] ● *inconsistent, onlogisch* ● *onverenigbaar, strijdig.*

inconsolable ['ɪŋkən'souləbl] ● *ontroostbaar.*

inconspicuous ['ɪŋkən'spɪkjuəs] ● *onopvallend.*

inconstant ['ɪn'kɒnstənt] ● *wisselvallig, wispelturig.*

incontestable ['ɪŋkən'testəbl] ● *onbetwistbaar, onweerlegbaar.*

incontinence [ɪn'kɒntɪnəns] ● *incontinentie.* **incontinent** [ɪn'kɒntɪnənt] ● *incontinent,* *onzindelijk.*

incontrovertible [ˈɪŋkɒntrəˈvəːtəbl] ●*on-weerlegbaar.*

1 inconvenience [ˈɪŋkənˈviːnɪəns] ⟨zn⟩ ●*on-gemak, ongerief.*

2 inconvenience ⟨ww⟩ ●*ongerief/overlast bezorgen.* **inconvenient** [ˈɪŋkənˈviːnɪənt] ●*storend, ongeriefelijk, ongelegen.*

incorporate [ɪnˈkɔːpəreɪt] ●*opnemen, ver-enigen, incorporeren* ●*omvatten, bevat-ten.* **incorporated** [ɪnˈkɔːpəreɪtɪd] ●*als rechtspersoon/naamloze vennootschap erkend;* Jones – ⟨ongeveer⟩ *Jones N.V..*

incorrect [ˈɪŋkəˈrekt] ●*incorrect, onjuist, on-gepast.*

incorrigible [ɪnˈkɒrɪdʒəbl] ●*onverbeterlijk, onuitroeibaar.*

incorruptible [ˈɪŋkəˈrʌptəbl] ●*onbederfelijk, onvergankelijk* ●*onkreukbaar.*

1 increase [ˈɪŋkriːs] ⟨zn⟩ ●*toename, groei, aanwas;* be on the – *toenemen* ●*verho-ging.*

2 increase [ɪnˈkriːs] **I** ⟨onov ww⟩ ●*toene-men, (aan)groeien, stijgen* **II** ⟨ov ww⟩ ●*vergroten, verhogen.* **increasingly** [ɪnˈkriːsɪŋli] ●*in toenemende mate, meer en meer; –* worse *hoe langer hoe erger.*

incredible [ɪnˈkredəbl] ●*ongelofelijk, onge-loofwaardig.*

incredulity [ˈɪŋkrɪˈdjuːləti] ●*ongelovigheid.* **incredulous** [ɪnˈkredjʊləs] ●*ongelovig;* be – of *geen geloof hechten aan.*

increment [ˈɪŋkrɪmənt] ●*toename, (waarde) vermeerdering* ●⟨v. salaris⟩, *periodieke verhoging.*

incriminate [ɪnˈkrɪmɪneɪt] ●*beschuldigen* ●*bezwaren;* incriminating statements *be-zwarende verklaringen.*

incrust zie ENCRUST.

incubate [ˈɪŋkjʊbeɪt] **I** ⟨onov ww⟩ ●*broeden* **II** ⟨ov ww⟩ ●*uitbroeden* ⟨ook fig.⟩. **incu-bation** [ˈɪŋkjʊˈbeɪʃn] ●*uitbroeding* ●⟨med.⟩ *incubatie(tijd).* **incubator** [ˈɪŋkjʊ-beɪtə] ●*broedmachine* ●*couveuse.*

inculcate [ˈɪŋkʌlkeɪt] ●*inprenten.*

1 incumbent [ɪnˈkʌmbənt] ⟨zn⟩ ●*bekleder v.e. kerkelijk ambt* ●*ambtsdrager, functio-naris.*

2 incumbent ⟨bn⟩ ●*zittend;* the – governor *de zittende gouverneur*‖↑ *it's –* (up)on you to ... *het is jouw plicht om ....*

incur [ɪnˈkəː] ●*oplopen, zich op de hals ha-len.*

incurable [ˈɪnˈkjʊərəbl] ●*ongeneeslijk* ⟨ook fig.⟩; – pessimism *onuitroeibaar pessi-misme.*

incursion [ɪnˈkəːʃn] ●*inval, invasie.*

indebted [ɪnˈdetɪd] ●*schuldig, verschul-*

digd; be – to s.o. for ... *iem. dank verschul-digd zijn voor ....* **indebtedness** [ɪn-ˈdetɪdnəs] ●*verschuldigdheid* ●*schul-d(en).*

indecency [ɪnˈdiːsnsi] ●*onfatsoenlijkheid.* **indecent** [ɪnˈdiːsnt] ●*onfatsoenlijk, onbe-hoorlijk; –* assault *aanranding; –* exposure *openbare schennis der eerbaarheid, (ge-val v.) exhibitionisme.*

indecision [ˈɪndɪˈsɪʒn] ●*besluiteloosheid.* **indecisive** [ˈɪndɪˈsaɪsɪv] ●*niet afdoend;* the battle was – *de slag was niet beslis-send* ●*besluiteloos.*

indeed [ɪnˈdiːd] ●*inderdaad;* is it blue? – *is het blauw?* inderdaad ●*in feite, sterker nog;* I don't mind. –, I would be pleased *ik vind het best. Sterker nog, ik zou het leuk vinden* ●⟨om 'very' te versterken⟩ *(daad) werkelijk;* very kind – *werkelijk zeer vrien-delijk* ●*toegegeven; –* it is true, but ... *het is uiteraard waar, maar ...* ●⟨na een woord, om dat te benadrukken⟩ *echt;* that's a surprise – *dat is echt een verras-sing* ●*belachelijk!, ja ja;* well paid, –! We can't even afford this dictionary *goed be-taald! Laat me niet lachen. Wij kunnen dit woordenboek zelfs niet betalen.*

indefatigable [ˈɪndɪˈfætɪgəbl] ●*onvermoei-baar.*

indefensible [ˈɪndɪˈfensəbl] ●*onverdedig-baar.*

indefinable [ˈɪndɪˈfaɪnəbl] ●*ondefinieerbaar.* **indefinite** [ɪnˈdefnɪt] ●*onduidelijk, vaag;* postponed –ly *voor onbepaalde tijd uitge-steld* ●*onbepaald, onbegrensd.*

indelible [ɪnˈdeləbl] ●*onuitwisbaar* ●*veeg-vast; –* pencil *veeg/watervast potlood.*

indelicate [ɪnˈdelɪkət] ●*onbehoorlijk* ●*sma-keloos* ●*tactloos.*

indemnification [ɪnˈdemnɪfɪˈkeɪʃn] ●*scha-deloosstelling, vergoeding.* **indemnify** [ɪnˈdemnɪfaɪ] ●*vrijwaren; –* s.o. against/ from *iem. vrijwaren tegen/voor* ●*schade-loosstellen.* **indemnity** [ɪnˈdemnəti] ●*schadeloosstelling* ●*garantie, (aanspra-kelijkheids)verzekering.*

indent [ɪnˈdent] **I** ⟨onov ww⟩ ●*een schrifte-lijke bestelling doen* **II** ⟨onov en ov ww⟩ ⟨druk.⟩ ●*(laten) inspringen* ⟨regel⟩ **III** ⟨ov ww⟩ ●*kartelen, inkepen;* an –ed coastline *een grillige kustlijn.* **indentation** [ˈɪnden-ˈteɪʃn] ●*keep, snede* ●*inspringing.*

independence [ˈɪndɪˈpendəns] ●*onafhanke-lijkheid.*

Inde'pendence Day ●*onafhankelijkheids-dag.*

independent ●*onafhankelijk, partijloos; of* – means *financieel onafhankelijk;* ⟨BE⟩ –

school *particuliere school*.

indescribable ['ɪndɪ'skraɪbəbl] ● *onbeschrijflijk*.

indestructible ['ɪndɪ'strʌktəbl] ● *onverwoestbaar, onvernietigbaar*.

indeterminable ['ɪndɪ'tə:mɪnəbl] ● *onbepaalbaar*. **indeterminate** ['ɪndɪ'tə:mɪnət] ● *onbepaald, onbeslist* ● *onduidelijk, vaag*.

1 index ['ɪndeks] ⟨zn; mv.: ook indices⟩ ● *index, indexcijfer* ● *aanwijzing, vingerwijzing* ● *(bibliotheek)catalogus* ● ⟨boek.⟩ *register, index*.

2 index ⟨ww⟩ ● *indexeren* ● *duiden/wijzen op*. **indexation** ['ɪndek'seɪʃn] ● *indexering* ⟨ook ec.⟩.

'**index finger** ● *wijsvinger*.

1 Indian ['ɪndɪən] ⟨zn⟩ ● *Indiër* ● *Indiaan;* American – *Indiaan;* Red – *Indiaan*.

2 Indian ⟨bn⟩ ● *Indiaas,* ⟨gesch.⟩ *Indisch* ● *Indiaans* ‖ in – file *in ganzenmars;* ⟨BE⟩ – ink *Oostindische inkt;* – summer ⟨(warme) nazomer⟩.

'**India 'rubber** ● *gum* ● *gummi, rubber*.

indicate ['ɪndɪkeɪt] ● *aangeven, aanduiden;* the cyclist –d left *de fietser stak zijn linkerhand uit* ● *duiden/wijzen op* ● *te kennen geven*. **indication** ['ɪndɪ'keɪʃn] ● *aanwijzing, indicatie, teken*. **indicative** [ɪn'dɪkətɪv] ● *aanwijzend;* be – of *kenmerkend zijn van/voor*. **indicator** ['ɪndɪkeɪtə] ● *wijzer(tje), meter* ● *aanwijzing, indicatie* ● *richtingaanwijzer*.

indices ['ɪndɪsi:z] ⟨mv.⟩ zie INDEX.

indict [ɪn'daɪt] ⟨zn: **-ment**⟩ ● (+for) *aanklagen (wegens)*. **indictable** [ɪn'daɪtəbl] ● *(als misdrijf) strafbaar*.

indifference [ɪn'dɪfrəns] ● *onverschilligheid*. **indifferent** [ɪn'dɪfrənt] ● *onverschillig;* – to hardship *ongevoelig voor tegenspoed* ● *(middel)matig* ● *onpartijdig, neutraal*.

indigenous [ɪn'dɪdʒənəs] ● *inheems* ● *aangeboren*.

indigent ['ɪndɪdʒənt] ↑ ● *behoeftig, arm*.

indigestible ['ɪndɪ'dʒestəbl,'-daɪ-] ● *onverteerbaar* ⟨ook fig.⟩.

indigestion ['ɪndɪ'dʒestʃən, -daɪ-] ● *indigestie*.

indignant [ɪn'dɪgnənt] ● *verontwaardigd*. **indignation** ['ɪndɪg'neɪʃn] ● *verontwaardiging*.

indignity [ɪn'dɪgnəti] ● *vernedering, belediging, hoon*.

indigo ['ɪndɪgoʊ] ● *indigo*.

indirect ['ɪndɪ'rekt, -daɪ-] ● *indirect, niet rechtstreeks* ⟨taal.⟩ – speech *indirecte rede* ● *ontwijkend, onoprecht*.

indiscernible ['ɪndɪ'sə:nəbl] ● *onwaarneem-*

baar, onzichtbaar.

indiscreet ['ɪndɪ'skri:t] ● *indiscreet*. **indiscretion** ['ɪndɪ'skreʃn] ● *indiscretie;* an – of his youth *een misstap uit zijn jeugd*.

indiscriminate ['ɪndɪ'skrɪmɪnət] ● *onkritisch, onzorgvuldig* ● *lukraak;* deal out – blows *in het wilde weg om zich heen slaan*.

indispensable ['ɪndɪ'spensəbl] ● *onontbeerlijk, onmisbaar, essentieel*.

indisposed ['ɪndɪ'spoʊzd] ● *onwel* ⟨en dus niet in staat een bepaald iets te doen⟩. **indisposition** ['ɪndɪspə'zɪʃn] ● *onpasselijkheid* ● *onwil(ligheid)*.

indisputable ['ɪndɪ'spju:təbl] ● *onbetwistbaar*.

indistinct ['ɪndɪ'stɪŋkt] ● *onduidelijk, vaag*. **indistinguishable** ['ɪndɪ'stɪŋgwɪʃəbl] ● *niet te onderscheiden*.

1 individual ['ɪndɪ'vɪdʒʊəl] ⟨zn⟩ ● *individu, enkeling, persoon*.

2 individual ⟨bn⟩ ● *individueel, persoonlijk* ● *afzonderlijk;* each – case *elk geval afzonderlijk* ● *karakteristiek*.

individualism ['ɪndɪ'vɪdʒʊəlɪzm] ● *individualisme*. **individualist** ['ɪndɪ'vɪdʒʊəlɪst] ● *individualist*. **individualist(ic)** ['ɪndɪvɪdʒʊə'lɪst(ɪk)] ● *individualistisch*. **individuality** ['ɪndɪvɪdʒʊ'æləti] ● *individualiteit, persoonlijkheid*. **individualize** ['ɪndɪ'vɪdʒʊəlaɪz] ● *toesnijden, aanpassen* ● *individualiseren, onderscheiden*.

indivisible ['ɪndɪ'vɪzəbl] ● *ondeelbaar*.

indoctrinate [ɪn'dɒktrɪneɪt] ● *indoctrineren*.

indolent ['ɪndələnt] ● *indolent, traag*.

indomitable [ɪn'dɒmɪtəbl] ● *ontembaar, onbedwingbaar*.

Indonesian ['ɪndə'ni:ʒn,-'ni:zɪən] ● ⟨bn⟩ *Indonesisch* ● ⟨eig.n.⟩ *Indonesisch* ⟨taal⟩ ● ⟨telb zn⟩ *Indonesiër*.

indoor ['ɪndɔ:] ● *binnen-;* – aerial *kamerantenne;* – sports *zaalsporten*. **indoors** ['ɪn'dɔ:z] ● *binnen(shuis), naar binnen*.

indubitable [ɪn'dju:bɪtəbl] ● *onbetwijfelbaar*.

induce [ɪn'dju:s] ● *bewegen tot, brengen tot* ● *teweegbrengen, veroorzaken, leiden tot,* ⟨med.⟩ *opwekken* ⟨weeën⟩. **inducement** [ɪn'dju:smənt] ● *aansporing, stimulans, prikkel*.

induct [ɪn'dʌkt] ● *installeren, inhuldigen*. **induction** [ɪn'dʌkʃn] ● *installatie, inhuldiging* ● *opwekking* ⟨v. weeën⟩ ● ⟨logica, nat.⟩ *inductie*. **in'duction coil** ⟨nat.⟩ ● *inductieklos*. **inductive** [ɪn'dʌktɪv] ● ⟨logica⟩ *inductief*.

indulge [ɪn'dʌldʒ] **I** ⟨onov ww⟩ ● *zich laten gaan, zich te goed doen,* ↓ *zich te buiten gaan aan drank;* – in *zich (de luxe) permit-*

teren (v.) II ⟨ov ww⟩ ●*toegeven aan* ● *(zich) uitleven (in).* **indulgence** [ɪnˈdʌldʒəns] ●*toegeving, inwilliging* ● *toegeeflijkheid* ●*verzet(je), genoegen, (bron v.) vermaak* ●⟨R.-K.⟩ *aflaat* ‖ – in strong drink *overmatig drankgebruik.* **indulgent** [ɪnˈdʌldʒənt] ●*toegeeflijk.*

industrial [ɪnˈdʌstrɪəl] ●*industrieel;* – estate *fabrieks/industrieterrein* ● *geïndustrialiseerd;* the – nations *de industrielanden ‖* – action *acties (in de bedrijven);* – relations *arbeidsverhoudingen.* **industrialist** [ɪnˈdʌstrɪəlɪst] ●*industrieel.* **industrial|ize** [ˈɪndʌstrɪəlaɪz] ⟨zn: **-ization**⟩ ●*industrialiseren.*

industrious [ɪnˈdʌstrɪəs] ●*nijver, vlijtig.*

industry [ˈɪndəstrɪ] ●*industrie* ●*vlijt, (werk) ijver.*

1 inebriate [ɪˈniːbrɪət, -brɪeɪt] ⟨zn⟩ ●*dronkaard.*

2 inebriate ⟨bn⟩ ●*dronken.*

3 inebriate [ɪˈniːbrɪeɪt] ⟨ww⟩ ●*dronken maken* ⟨ook fig.⟩.

inedible [ɪnˈedəbl] ●*oneetbaar.*

ineffable [ɪnˈefəbl] ●*onuitsprekelijk.*

ineffaceable [ˈɪnɪˈfeɪsəbl] ●*onuitwisbaar.*

ineffective [ˈɪnɪˈfektɪv] ●*ineffectief* ●*inefficiënt, ondoelmatig.* **ineffectual** [ˈɪnɪˈfektʃʊəl] ●*vruchteloos* ●*incapabel.*

inefficient [ˈɪnɪˈfɪʃnt] ●*inefficiënt, ondoelmatig, onpraktisch.*

inelegant [ɪnˈelɪgənt] ●*onelegant, stijf.*

ineligible [ɪnˈelɪdʒəbl] ●*onverkiesbaar, ongeschikt;* – to vote *niet stemgerechtigd.*

inept [ɪˈnept] ●*dwaas* ●*onbeholpen, onbekwaam.* **ineptitude** [ɪˈneptɪtjuːd] ●*dwaasheid.*

inequality [ˈɪnɪˈkwɒlətɪ] ●*ongelijkheid.*

inequitable [ɪnˈekwɪtəbl] ●*onrechtvaardig.* **inequity** [ɪnˈekwətɪ] ●*onrechtvaardigheid.*

ineradicable [ˈɪnɪˈrædɪkəbl] ●*onuitroeibaar.*

inert [ɪˈnɜːt] ●*inert, traag, mat;* – gas *inert/ edel gas.* **inertia** [ɪˈnɜːʃə] ●*inertie, traagheid.*

inescapable [ˈɪnɪˈskeɪpəbl] ●*onontkoombaar.*

inessential ●⟨bn⟩ *bijkomstig* ●⟨zn; vnl. mv.⟩ *bijkomstigheid.*

inestimable [ɪnˈestɪməbl] ●*onschatbaar.*

inevitab|le [ˈɪnˈevɪtəbl] ⟨zn: **-ility**⟩ ●*onvermijdelijk.*

inexact [ˈɪnɪgˈzækt] ●*onnauwkeurig.*

inexcusable [ˈɪnɪkˈskjuːzəbl] ●*onvergeeflijk.*

inexhaustible [ˈɪnɪgˈzɔːstəbl] ●*onuitputtelijk, onvermoeibaar.*

inexorable [ɪnˈeksrəbl] ●*onverbiddelijk.*

inexpedient [ˈɪnɪkˈspiːdɪənt] ●*ondoelmatig, ongeschikt, onraadzaam.*

inexpensive [ˈɪnɪkˈspensɪv] ●*voordelig, goedkoop.*

inexperience [ˈɪnɪkˈspɪərɪəns] ●*onervarenheid.* **inexperienced** [ˈɪnɪkˈspɪərɪənst] ● *onervaren.*

inexpert [ˈɪnˈekspɜːt] ●*ondeskundig.*

inexplicable [ˈɪnɪkˈsplɪkəbl, ɪnˈeksplɪ-] ●*onverklaarbaar.*

inextricable [ˈɪnˈekstrɪkəbl, ˈɪnɪkˈstr-] ●*onontwarbaar* ●*onlosmakelijk.*

infallible [ɪnˈfæləbl] ●*onfeilbaar* ●*feilloos.*

infamous [ˈɪnfəməs] ●*berucht* ●*schandelijk.* **infamy** [ˈɪnfəmɪ] ●*beruchtheid* ●*schanddaad.*

infancy [ˈɪnfənsɪ] ●*kindsheid, eerste jeugd* ⟨onder 7 jaar⟩ ●*beginstadium;* in its – *in de kinderschoenen.*

infant [ˈɪnfənt] ●⟨zn⟩ *jong kind* ⟨onder 7 jaar⟩ ●⟨bn⟩ *kinder-* ●⟨bn⟩ *opkomend, in de kinderschoenen.* **infanticide** [ɪnˈfæntɪsaɪd] ●*kindermoord.* **infantile** [ˈɪnfəntaɪl] ●*infantiel, kinderachtig* ●*kinder-;* – paralysis *kinderverlamming.*

infantry [ˈɪnfəntrɪ] ●*infanterie.* **infantryman** [ˈɪnfəntrɪmən] ●*infanterist.*

'infant school ⟨BE⟩ ●*kleuterschool.*

infatuated [ɪnˈfætʃʊeɪtɪd] ●*gek, dol, (smoor) verliefd;* be – with s.o. *gek zijn op iem..* **infatuation** [ɪnˈfætʃʊˈeɪʃn] ●*verliefdheid.*

infect [ɪnˈfekt] ●*besmetten* ⟨ook fig.⟩, *infecteren* ●*bederven.* **infection** [ɪnˈfekʃn] ●*infectie* ⟨ook fig.⟩, *infectieziekte.* **infectious** [ɪnˈfekʃəs] ●*besmettelijk* ●*aanstekelijk.*

infer [ɪnˈfɜː] ●⟨+from⟩ *concluderen (uit), afleiden* ●*impliceren, inhouden.* **inference** [ˈɪnfrəns] ●*gevolgtrekking.* **inferential** [ˈɪnfəˈrenʃl] ●*afleidbaar* ●*afgeleid.*

inferior ●⟨bn⟩ *lager, minder, ondergeschikt* ●⟨bn⟩ *inferieur, minderwaardig;* be – to *onderdoen voor* ●⟨zn⟩ *ondergeschikte.* **inferiority** [ɪnˈfɪərɪˈɒrətɪ] ●*minderwaardigheid.* inferi'ority complex ⟨psych.⟩ ●*minderwaardigheidscomplex.*

infernal [ɪnˈfɜːnl] ●*hels, duivels* ● ↓ *afschuwelijk.* **inferno** [ɪnˈfɜːnoʊ] ●*hel.*

infertile [ɪnˈfɜːtaɪl] ●*onvruchtbaar.*

infest [ɪnˈfest] ●*teisteren, onveilig maken;* be –ed with *vergeven zijn van.*

infidel [ˈɪnfɪdl] ●⟨bn⟩ *ongelovig* ●⟨zn⟩ *ongelovige.* **infidelity** [ˈɪnfɪˈdelətɪ] ●*ontrouw.*

infield [ˈɪnfiːld] ●⟨honkbal⟩ *binnenveld(ers).* **infielder** [ˈɪnfiːldə] ⟨honkbal⟩ ● *binnenvelder.*

infighting [ˈɪnfaɪtɪŋ] ●*onderlinge strijd, verborgen machtsstrijd.*

infiltr|ate [ˈɪnfɪltreɪt] ⟨zn: **-ation**⟩ I ⟨onov ww⟩ ●⟨+into⟩ *infiltreren (in)* II ⟨ov ww⟩ ●

doordringen, infiltreren in. **infiltrator** ['ɪnfɪltreɪtə] ● *infiltrant, indringer.*

1 infinite ['ɪnfɪnɪt] ⟨zn⟩ ● *oneindigheid;* the – *het heelal;* the Infinite *God.*

2 infinite ⟨bn⟩ ● *oneindig* ● *buitengemeen groot/veel.* **infinitesimal** ['ɪnfɪnɪ'tesɪml] ● *oneindig klein.*

infinitive [ɪn'fɪnətɪv] ⟨taal.⟩ ● *infinitief.*

infinity [ɪn'fɪnəti] ● *oneindigheid.*

infirm ['ɪn'fə:m] ● *zwak;* – of purpose *besluiteloos.*

infirmary [ɪn'fə:məri] ● *ziekenhuis, ziekenzaal.*

infirmity [ɪn'fə:məti] ● *zwakheid* ● *gebrek, kwaal.*

inflame [ɪn'fleɪm] I ⟨onov en ov ww⟩ ● *ontsteken, ontstoken raken;* an –d eye *een ontstoken oog* II ⟨ov ww⟩ ● *opwinden, kwaad maken.*

inflammable [ɪn'flæməbl] ● *ontvlambaar,* ⟨fig.⟩ *opvliegend.* **inflammation** ['ɪnflə'meɪʃn] ● *ontsteking.* **inflammatory** [ɪn'flæmətri] ● *opwindend, opruiend.*

inflatable [ɪn'fleɪtəbl] ● *opblaasbaar.* **inflate** [ɪn'fleɪt] I ⟨onov ww⟩ ● *opgeblazen worden* II ⟨ov ww⟩ ● *opblazen* ● ⟨ec.⟩ *inflateren, kunstmatig opdrijven* ⟨bv. prijzen⟩. **inflated** [ɪn'fleɪtɪd] ● *opgeblazen,* ⟨fig.⟩ *bombastisch* ⟨v. taal⟩. **inflation** [ɪn'fleɪʃn] ● ⟨ec.⟩ *inflatie.*

inflect [ɪn'flekt] ● *van toonaard veranderen* ● ⟨taal.⟩ *verbuigen.* **inflection,** ⟨BE sp. vnl.⟩ **inflexion** [ɪn'flekʃn] ● *buiging* ● *stembuiging.*

inflexib|le [ɪn'fleksəbl] ⟨zn: **-ility**⟩ ● *onbuigbaar* ⟨ook fig.⟩, *onbuigzaam.*

inflict [ɪn'flɪkt] ● *opleggen* ● *toedienen, toebrengen;* – a blow on/upon s.o. *iem. een klap geven.*

'**in-flight** ‖ – movie *tijdens de vlucht vertoonde film.*

inflow ['ɪnfloʊ] ● *toevloed, toestroming.*

1 influence ['ɪnfluəns] ⟨zn⟩ ● *invloed, macht;* use one's – *zijn invloed aanwenden;* – on/upon *(onbewuste) invloed op;* have – over/with s.o. *overwicht over iem. hebben* ‖ ↓ under the – *onder invloed.*

2 influence ⟨ww⟩ ● *beïnvloeden, invloed hebben op.* **influential** ['ɪnflu'ənʃl] ● *invloedrijk.*

influenza ['ɪnflu'enzə] ● *griep.*

influx ['ɪnflʌks] ● *toevloed, instroming.*

info ['ɪnfoʊ] ↓ ● *info, informatie.*

inform [ɪn'fɔ:m] I ⟨onov ww⟩ ● *een klacht indienen;* – against/(up)on s.o. *iem. aanklagen/aanbrengen* II ⟨ov ww⟩ ● *informeren, op de hoogte stellen;* – s.o. about/of *iem. inlichten over* ● *berichten, meedelen.*

informal [ɪn'fɔ:ml] ● *informeel, niet officieel, ongedwongen.* **informality** ['ɪnfɔ:'mæləti] ● *informaliteit.*

informant [ɪn'fɔ:mənt] ● *informant, zegsman.*

informatics ['ɪnfə'mætɪks] ● *informatica.*

information ['ɪnfə'meɪʃn] ● *informatie, inlichting(en);* bits/pieces of – on sth. *informatie/inlichtingen over iets.* **infor'mation science** ● *informatica.* **infor'mation storage** ⟨comp.⟩ ● *(machine-leesbare) informatieopslag.*

informative [ɪn'fɔ:mətɪv] ● *informatief, leerzaam.* **informed** [ɪn'fɔ:md] ● *ingelicht;* ill— *slecht op de hoogte;* well— *goed ingelicht* ● *ontwikkeld.* **informer** [ɪn'fɔ:mə] ● *informant, politiespion.*

infraction [ɪn'frækʃn] ● *schending.*

infra dig ['ɪnfrə 'dɪg] ⟨verk.⟩ infra dignitatem ↓ ● *beneden iemands waardigheid.*

infrared ['ɪnfrə'red] ● *infrarood.*

infrastructure ['ɪnfrəstrʌktʃə] ● *infrastructuur.*

infrequent ['ɪn'fri:kwənt] ● *zeldzaam.* **infrequently** [ɪn'fri:kwəntli] ● *zie* INFREQUENT ● *zelden.*

infringe [ɪn'frɪndʒ] ⟨zn: **-ment**⟩ I ⟨onov ww⟩ ● *(+(up)on) inbreuk maken (op)* II ⟨ov ww⟩ ● *schenden, overtreden* ⟨overeenkomst e.d.⟩.

infuriate [ɪn'fjʊərieɪt] ● *razend maken.*

infuse [ɪn'fju:z] ● *(in)gieten, ingeven* ● *bezielen, inprenten;* – courage into s.o./– s.o. with courage *iem. moed inblazen* ● *(laten) trekken* ⟨(v.) thee⟩. **infusion** [ɪn'fju:ʒn] ● *infusie, aftreksel* ● *toevoeging, inbreng.*

ingenious [ɪn'dʒi:nɪəs] ● *ingenieus, vernuftig.*

ingenuity ['ɪndʒɪ'nju:əti] ● *vindingrijkheid, vernuft.* **ingenuous** [ɪn'dʒenjʊəs] ● *onschuldig, ongekunsteld* ● *eerlijk.*

'**inglenook** ● *hoekje/zitplaats bij de haard.*

ingoing ['ɪngoʊɪn] ● *binnengaand;* the – owners of the villa *de nieuwe eigenaars v.d. villa.*

ingot ['ɪngət] ● *baar, (goud)staaf.*

ingraft zie ENGRAFT.

ingrained ['ɪn'greɪnd] ● *ingeworteld* ● *verstokt, doortrapt.*

ingratiate [ɪn'greɪʃieɪt] ‖ – o.s. with s.o. *bij iem. in de gunst trachten te komen.* **ingratiating** [ɪn'greɪʃieɪtɪn] ● *innemend, vleiend.*

ingratitude [ɪn'grætɪtju:d] ● *ondankbaarheid.*

ingredient [ɪn'gri:dɪənt] ● *ingrediënt.*

inhabit [ɪn'hæbɪt] ● *bewonen, wonen in.* **inhabitable** [ɪn'hæbɪtəbl] ● *bewoonbaar.*

inhabitant [ɪn'hæbɪtənt] ●*bewoner, inwoner.*

inhale [ɪn'heɪl] ●*inademen, inhaleren.* **inhaler** [ɪn'heɪlə] ●*inhaleertoestel* ●*respirator, ademhalingstoestel.*

inherent [ɪn'hɪərənt] ●*inherent, intrinsiek, eigen.*

inherit [ɪn'herɪt] ●*erven.* **inheritance** [ɪn'herɪtəns] ●*erfenis, nalatenschap.* **inheritor** [ɪn'herɪtə] ●*erfgenaam.*

inhibit [ɪn'hɪbɪt] ●*verbieden* ●*hinderen, onderdrukken;* – s.o. from doing sth. *iem. ervan weerhouden iets te doen.* **inhibited** [ɪn'hɪbɪtɪd] ●*geremd.* **inhibition** ['ɪnhɪ-'bɪʃn] ●*remming, geremdheid.*

inhospitable ['ɪnhɒ'spɪtəbl, ɪn'hɒ-] ●*ongastvrij.*

inhuman [ɪn'hju:mən] ●*onmenselijk, wreed.* **inhumane** ['ɪnhju:'meɪn] ●*inhumaan, onmenslievend.* **inhumanity** ['ɪn-hju:'mænəti] ●*wreedheid.*

inimical [ɪ'nɪmɪkl] ●*vijandig* ●⟨+to⟩ *schadelijk (voor).*

inimitable [ɪ'nɪmɪtəbl] ●*onnavolgbaar, weergaloos.*

iniquitous [ɪ'nɪkwɪtəs] ●*(hoogst) onrechtvaardig.* **iniquity** [ɪ'nɪkwəti] ●*onrechtvaardigheid, ongerechtigheid.*

1 initial [ɪ'nɪʃl] ⟨zn⟩ ●*initiaal, begin/hoofdletter,* ⟨mv. ook⟩ *paraaf.*

2 initial ⟨bn⟩ ●*begin-, eerste;* – stage *begin/aanvangsstadium.*

3 initial ⟨ww⟩ ●*paraferen, voorzien van zijn paraaf.*

initially [ɪ'nɪʃli] ●*aanvankelijk, in het begin.*

1 initiate [ɪ'nɪʃɪət] ⟨zn⟩ ●*ingewijde.*

2 initi|ate [ɪ'nɪʃieɪt] ⟨ww; zn: -ation⟩ ●*beginnen, in werking stellen, het initiatief nemen tot* ●⟨+into⟩ *inwijden (in).*

initiative [ɪ'nɪʃətɪv] ●*initiatief;* take the – *het initiatief nemen;* on one's own – *op eigen initiatief.*

inject [ɪn'dʒekt] ●*injecteren;* – s.o. with sth. *iem. iets inspuiten* ●*inbrengen;* – a little life into a community *een gemeenschap wat leven inblazen.* **injection** [ɪn'dʒekʃn] ●*injectie* ⟨ook fig.⟩, *inbrenging.*

injudicious ['ɪndʒʊ'dɪʃəs] ●*onverstandig.*

injunction [ɪn'dʒʌŋkʃn] ●*(uitdrukkelijk) bevel, gebod,* ⟨jur.⟩ *gerechtelijk bevel.*

injure ['ɪndʒə] ●*(ver)wonden, kwetsen, blesseren* ●*benadelen, beledigen;* – s.o.'s honour *iemands goede naam aantasten.* **injurious** [ɪn'dʒʊərɪəs] ●*nadelig, schadelijk* ●*beledigend.* **injury** ['ɪndʒəri] ●*verwonding, letsel;* suffer minor injuries *lichte verwondingen oplopen* ●*schade, onrecht.* '**injury time** ⟨BE; sport⟩ ●*blessure-*

tijd.

injustice [ɪn'dʒʌstɪs] ●*onrechtvaardigheid;* do s.o. an – *iem. onrecht doen.*

1 ink [ɪŋk] ⟨zn⟩ ●*inkt.*

2 ink ⟨ww⟩ ●*inkten* ●*met inkt overtrekken;* – in a drawing *een tekening met inkt invullen.*

'**inkbottle** ●*inktpot.*

inkling ['ɪŋklɪŋ] ●*flauw vermoeden, vaag idee.*

'**inkstand** ●*inktstel.* '**inkwell** ●*inktpot.* **inky** ['ɪŋki] ●*met inkt besmeurd* ●*inktachtig.*

inlaid ['ɪn'leɪd] ●*ingelegd.*

inland ['ɪnlænd, 'ɪnlənd] ●⟨bn⟩ *binnenlands;* – town *stad in het binnenland* ●⟨bw⟩ *landinwaarts.*

'**Inland 'Revenue** ⟨BE⟩ ●*staatsbelastinginkomsten* ●⟨the⟩ *belastingdienst.*

in-law ['ɪnlɔ:] ●*aangetrouwd familielid,* ⟨mv. ook⟩ *schoonouders.*

1 inlay ['ɪnleɪ] ⟨zn⟩ ●*inlegwerk, mozaïek* ●⟨tandheelkunde⟩ *vulling, inlay.*

2 inlay [ɪn'leɪ] ⟨ww⟩ ●*inleggen.*

inlet ['ɪnlet] ●*inham, kreek* ●*inlaat* ⟨voor vloeistoffen⟩.

inmate ['ɪnmeɪt] ●*(mede)bewoner, kamer/huisgenoot, patiënt, gevangene.*

inmost ['ɪnmoʊst], **innermost** ['ɪnəmoʊst] ●*binnenst* ●*diepst, geheimst.*

inn [ɪn] ●*herberg*‖⟨BE⟩ Inns of Court *Inns of Court* ⟨een viertal juridische orden v. advocaten⟩.

innards ['ɪnədz] ↓ ●*ingewanden.*

innate ['ɪ'neɪt] ●*aangeboren, ingeboren.*

inner ['ɪnə] ●*binnenst, innerlijk;* – tube *binnenband* ●*verborgen, intiem;* the – circle *kring v. vertrouwelingen.* '**inner-'city** ●*binnenstad.* **innermost** zie INMOST.

inning ['ɪnɪŋ] ●⟨honkbal⟩ *slagbeurt, inning(s).* **innings** ['ɪnɪŋz] ⟨mv.: innings⟩ ⟨cricket⟩ ●*slagbeurt, innings;* ⟨fig.⟩ have a good – *een lang en gelukkig leven leiden.*

'**innkeeper** ●*waard.*

innocence ['ɪnəsns] ●*onschuld.*

1 innocent ['ɪnəsnt] ⟨zn⟩ ●*onschuldige,* ⟨Innocents⟩ *onnozele kinderen.*

2 innocent ⟨bn⟩ ●*onschuldig, schuldeloos;* – of the charge *onschuldig aan de telastlegging* ●*onschadelijk.*

innocuous [ɪ'nɒkjʊəs] ●*onschadelijk.*

innov|ate ['ɪnəveɪt] ⟨zn: -ation⟩ ●*vernieuwen.*

innovative ['ɪnəveɪtɪv] ●*vernieuwend.* **innovator** ['ɪnəveɪtə] ●*vernieuwer.*

innuendo ['ɪnju'endoʊ] ●*(bedekte) toespeling.*

innumerable [ɪ'nju:mərəbl] ●*ontelbaar, talloos.*

inoculate [ɪ'nɒkjʊleɪt] ● *inenten* ⟨met vaccin⟩. **inoculation** [ɪ'nɒkjʊ'leɪʃn] ● *inenting* ⟨met vaccin⟩.

inoffensive ['ɪnə'fensɪv] ● *onschuldig, onschadelijk.*

inoperable [ɪn'ɒprəbl] ● ⟨med.⟩ *inoperabel.* **inoperative** [ɪn'ɒprətɪv] ● *niet in werking, niet van kracht.*

inopportune ['ɪn'ɒpətju:n] ● *ongelegen (komend), inopportuun.*

inordinate [ɪ'nɔ:dnət] ● *buitensporig, onmatig.*

inorganic ['ɪnɔ:'gænɪk] ● *anorganisch.*

'in-patient ● *(intern verpleegd) patiënt.*

1 input ['ɪnpʊt] ⟨zn⟩ ● *toevoer, invoer, inbreng* ● ⟨elek.⟩⟨comp.⟩ *input, invoer.*

2 input ⟨ww⟩ ⟨comp.⟩ ● *invoeren.*

inquest ['ɪŋkwest] ● *gerechtelijk onderzoek, lijkschouwing.*

inquire, enquire [ɪn'kwaɪə] I ⟨onov ww⟩ ● ⟨+into⟩ *een onderzoek instellen (naar)* II ⟨onov en ov ww⟩ ● *(na)vragen, onderzoeken; –* about sth. *informeren naar iets; –* after s.o. *naar iemands gezondheid informeren; –* for sth./s.o. *om iets/naar iem. vragen; –* of s.o. *bij iem. informeren.* **inquirer, enquirer** [ɪn'kwaɪərə] ● *vragensteller.* **inquiring, enquiring** [ɪn'kwaɪərɪŋ] ● *onderzoekend, leergierig* ⟨geest e.d.⟩, *vragend* ⟨bv. blik⟩. **inquiry, enquiry** [ɪn'kwaɪəri] ● ⟨+into⟩ *onderzoek (naar), (na)vraag, enquête, informatie;* make inquiries *inlichtingen inwinnen;* on – *bij navraag.*

inquisition ['ɪŋkwɪ'zɪʃn] ● *(gerechtelijk) onderzoek;* ⟨gesch.⟩ the Inquisition *de Inquisitie.* **inquisitive** [ɪn'kwɪzətɪv] ● *nieuwsgierig.*

inroad ['ɪnrəʊd] ● *vijandelijke invasie* ● *inbreuk, aantasting;* the holidays make –s (up)on/into my budget *de vakantie vormt een aanslag op mijn portemonnee.*

ins [ɪnz] ‖ the – and outs *de fijne kneepjes (v.h. vak).*

insalubrious ['ɪnsə'lu:brɪəs] ● *ongezond.*

insane [ɪn'seɪn] ● *krankzinnig* ⟨ook fig.⟩. **insanity** [ɪn'sænəti] ● *krankzinnigheid.*

insatiable [ɪn'seɪʃəbl] ● *onverzadigbaar.*

inscribe [ɪn'skraɪb] ● ⟨+in(to), on⟩ *(in)schrijven (in), (in)graveren,* ⟨fig.⟩ *(in)prenten* ● *opdragen, van een opdracht voorzien* ⟨boek enz.⟩. **inscription** [ɪn'skrɪpʃn] ● *inscriptie, opschrift* ● *opdracht* ⟨in boek enz.⟩.

inscrutable [ɪn'skru:təbl] ● *ondoorgrondelijk, raadselachtig.*

insect ['ɪnsekt] ● *insekt.* **insecticide** [ɪn'sektɪsaɪd] ● *insekticide.*

insecure ['ɪnsɪ'kjʊə] ● *onveilig* ● *onzeker.* **insecurity** ['ɪnsɪ'kjʊərəti] ● *onveiligheid* ● *onzekerheid.*

inseminate [ɪn'semɪneɪt] ● *bevruchten.* **insemination** [ɪn'semɪ'neɪʃn] ● *bevruchting;* artificial – *kunstmatige inseminatie.*

insensible [ɪn'sensəbl] ● *onwaarneembaar* ● *gevoelloos, bewusteloos* ● *ongevoelig, onbewust;* be – of the danger *zich niet v.h. gevaar bewust zijn.* **insensitive** ['ɪn'sensətɪv] ● *ongevoelig, tactloos; –* to the feelings of others *onverschillig voor de gevoelens v. anderen.*

inseparable ['ɪn'seprəbl] ● *onscheidbaar, onafscheidelijk.*

1 insert ['ɪnsə:t] ⟨zn⟩ ● *tussenvoegsel, bijlage, inzetstuk.*

2 insert [ɪn'sə:t] ⟨ww⟩ ● *inzetten, tussenvoegen; –* a coin *een muntstuk inwerpen.* **insertion** [ɪn'sə:ʃn] ● *tussenvoeging, plaatsing* ⟨in krant⟩ ● *tussenzetsel.*

'in-'service ● *tijdens het werk (plaatsvindend).* **in-'service training** ● *(beroepsgebonden) bijscholing.*

1 inset ['ɪnset] ⟨zn⟩ ● *bijvoegsel, bijlage, inlegvel(len)* ● *inzetsel, tussenzetsel.*

2 'in'set ⟨ww⟩ ● *invoegen, inleggen, tussenzetten, inzetten.*

'inshore ● *dicht bij de kust, naar/onder de kust; –* fishing *kustvisserij.*

1 inside ['ɪn'saɪd] ⟨zn⟩ ● *binnenkant, huizenkant* ⟨v. trottoir⟩ ● ⟨vaak mv.⟩ ↓ *ingewanden, inwendige delen.*

2 'inside ⟨bn⟩ ● *binnen-, binnenste;* the – track *de binnenbaan* ● *v. ingewijden; –* information *inlichtingen v. ingewijden* ‖↓ – job *inbraak/diefstal door bekenden.*

3 'in'side ⟨bw⟩ ● *(naar) binnen, binnen in/langs/door;* turn sth. – out *iets binnenstebuiten keren* ● ⟨sl.⟩ *in de bak/gevangenis* ‖ ↓ – of a week *binnen een week.*

4 'in'side ⟨vz⟩ ● *(binnen)in* ● *(in) minder dan; –* an hour *binnen een uur.*

insider ['ɪn'saɪdə] ● *insider, ingewijde.*

insidious [ɪn'sɪdɪəs] ● *verraderlijk, geniepig.*

insight ['ɪnsaɪt] ● ⟨+into⟩ *inzicht (in), begrip (van).*

insignia [ɪn'sɪgnɪə] ● *insignes, onderscheidingstekenen.*

insignific|ant ['ɪnsɪg'nɪfɪkənt] ⟨zn: -ance⟩ ● *onbeduidend, onbelangrijk.*

insinc|ere ['ɪnsɪn'sɪə] ⟨zn: -erity⟩ ● *onoprecht.*

insinuate [ɪn'sɪnjʊeɪt] ● *insinueren, indirect suggereren* ‖ he was trying to – himself into the minister's favour *hij probeerde bij de minister in het gevlij/de gunst te komen.* **insinuation** [ɪn'sɪnjʊ'eɪʃn] ● *insinua-*

tie, bedekte toespeling.

insipid [ɪnˈsɪpɪd] ● *smakeloos, flauw* ● *nietszeggend.*

insist [ɪnˈsɪst] ● ⟨+(up)on⟩ *(erop) aandringen, volhouden, erop staan;* I – (up)on an apology *ik eis een verontschuldiging;* – on one's innocence *in zijn onschuld volharden.* **insistence** [ɪnˈsɪstəns] ● *aandrang, eis* ● *volharding.* **insistent** [ɪnˈsɪstənt] ● *vasthoudend, dringend, hardnekkig.*

'**inso'far as** ● *voor zover.*

insole [ˈɪnsoʊl] ● *binnenzool, inlegzool.*

insol|ent [ˈɪnsələnt] ⟨zn: **-ence**⟩ ● *onbeschaamd, brutaal.*

insoluble [ɪnˈsɒljʊbl] ● *onoplosbaar.*

insolvency [ˈɪnˈsɒlvənsɪ] ● *insolventie, onvermogen (om te betalen).* **insolvent** [ˈɪnˈsɒlvənt] ● *insolvent, onvermogend,* ⟨scherts.⟩ *bankroet.*

insomnia [ɪnˈsɒmnɪə] ● *slapeloosheid.*

'**inso'much as** ● *zodanig dat, aangezien.*

inspect [ɪnˈspekt] ● *inspecteren, onderzoeken, keuren.* **inspection** [ɪnˈspekʃn] ● *inspectie, onderzoek, controle;* on – *bij nader onderzoek.* **in'spection copy** ● *exemplaar ter inzage.*

inspector [ɪnˈspektə] ● *inspecteur* ⟨BE ook v. politie⟩, *opzichter, controleur;* ⟨BE⟩ – of taxes *inspecteur der belastingen.*

inspiration [ˌɪnspɪˈreɪʃn] ● *inspiratie* ● *inval, ingeving.* **inspire** [ɪnˈspaɪə] ● *inspireren, bezielen* ● *opwekken, doen ontstaan.* **inspired** [ɪnˈspaɪəd] ● *geïnspireerd, geniaal.*

instability [ˌɪnstəˈbɪlətɪ] ● *onvastheid, onstabiliteit* ● *labiliteit.*

install [ɪnˈstɔːl] ● *installeren, aanbrengen, plaatsen.* **installation** [ˌɪnstəˈleɪʃn] ● *toestel, installatie, apparaat* ● *installatie* ⟨in ambt⟩ ● *aanleg, installering.*

in'stallment plan ⟨AE⟩ ● *afbetalingssyteem, huurkoop(systeem).* **instalment** [ɪnˈstɔːlmənt] ● *(afbetalings)termijn* ● *aflevering* ⟨v. verhaal, t.v.-programma enz.⟩.

1 instance [ˈɪnstəns] ⟨zn⟩ ● *geval, voorbeeld;* for – *bijvoorbeeld* ‖ at the – of *op verzoek v.;* in the first – *in eerste instantie;* in de eerste plaats.

2 instance ⟨ww⟩ ● *een voorbeeld geven van, aanhalen.*

1 instant [ˈɪnstənt] ⟨zn⟩ ● *moment, ogenblik(je);* the – (that) I saw her *zodra ik haar zag;* go this –! *ga onmiddellijk!.*

2 instant ⟨bn⟩ ● *onmiddellijk* ● *kant-enklaar, instant;* – coffee *oploskoffie* ‖ the 12th – *de twaalfde dezer.* **instantaneous** [ˌɪnstənˈteɪnɪəs] ● *onmiddellijk.* **instantly** [ˈɪnstəntlɪ] ● *onmiddellijk, terstond.*

instead [ɪnˈsted] ● *in plaats daarvan;* – of *in plaats v..*

instep [ˈɪnstep] ● *wreef* ⟨v. voet⟩ ● *instap* ⟨v. schoen⟩.

instigate [ˈɪnstɪgeɪt] ● *teweegbrengen* ● *aanzetten, ophitsen.* **instigation** [ˌɪnstɪˈgeɪʃn] ‖ at Peter's – *op aandrang/instigatie v. Peter.* **instigator** [ˈɪnstɪgeɪtə] ● *aanstichter.*

instil [ɪnˈstɪl] ● *bijbrengen, langzaam aan inprenten.*

instinct [ˈɪnstɪŋkt] ● *instinct, intuïtie.* **instinctive** [ɪnˈstɪŋktɪv] ● *instinctief, intuïtief.*

1 institute [ˈɪnstɪtjuːt] ⟨zn⟩ ● *instituut, instelling.*

2 institute ⟨ww⟩ ● *stichten, invoeren, in/opstellen* ‖ – proceedings against s.o. *een rechtszaak tegen iem. aanspannen.*

institution [ˌɪnstɪˈtjuːʃn] ● *instelling, invoering* ● *gevestigde gewoonte* ● *instituut, instelling* ● *inrichting, gesticht.*

instruct [ɪnˈstrʌkt] ● *onderwijzen, onderrichten* ● *opdragen, bevelen.* **instruction** [ɪnˈstrʌkʃn] ● *onderricht* ● *instructie, voorschrift, opdracht;* –s for use *handleiding.* **instructive** [ɪnˈstrʌktɪv] ● *instructief, leerzaam.* **instructor** [ɪnˈstrʌktə] ● *instructeur, leraar* ● ⟨AE⟩ *docent* ⟨aan universiteit/college⟩. **instructress** [ɪnˈstrʌktrɪs] ● *instructrice.*

instrument [ˈɪnstrəmənt] ● *instrument, gereedschap, werktuig* ⟨ook fig.⟩ ● *(muziek) instrument.* **instrumental** [ˌɪnstrəˈmentl] ● ⟨+in⟩ *behulpzaam (bij);* be – in *een belangrijke rol spelen bij* ● ⟨muz.⟩ *instrumentaal.* **instrumentalist** [ˈɪnstrəˈmentlɪst] ● *bespeler v.e. (muziek)instrument, instrument(al)ist.* **instrumentation** [ˌɪnstrəmenˈteɪʃn] ● ⟨muz.⟩ *instrumentatie.* '**instrument panel** ● *instrumentenbord/paneel.*

insubordin|ate [ˌɪnsəˈbɔːdənət] ⟨zn: **-ation**⟩ ● *ongehoorzaam, opstandig.*

insubstantial [ˌɪnsəbˈstænʃl] ● *onecht* ● *krachteloos, zwak;* an – charge *een ongefundeerde aanklacht.*

insufferable [ɪnˈsʌfrəbl] ● *on(ver)draaglijk, onuitstaanbaar.*

insufficient [ˌɪnsəˈfɪʃnt] ● *ontoereikend, onvoldoende.*

insular [ˈɪnsjʊlə] ⟨zn: **-ity**⟩ ● *eiland-, insulair, geïsoleerd* ● *bekrompen.*

insulate [ˈɪnsjʊleɪt] ● ⟨+from⟩ *isoleren (van), afschermen (van)* ● *isoleren* ⟨warmte, geluid⟩. **insulation** [ˌɪnsjʊˈleɪʃn] ● *isolatie, afzondering* ● *isolatiemateriaal.* **insulator** [ˈɪnsjʊleɪtə] ● *isolatie(middel),* ⟨elek.⟩ *isolator.*

insulin [ˈɪnsjʊlɪn] ⟨med.⟩ ● *insuline.*

1 insult ['ɪnsʌlt] ⟨zn⟩ ● *belediging*.
2 insult [ɪn'sʌlt] ⟨ww⟩ ● *beledigen*.
insuperable [ɪn'su:prəbl] ● *onoverkomelijk*.
insupportable ['ɪnsə'pɔ:təbl] ● *on(ver) draaglijk*.
insurance [ɪn'ʃuərəns] ● *verzekering, assurantie*. **in'surance agent** ● *verzekeringsagent*. **in'surance company** ● *verzekeringsmaatschappij*. **in'surance policy** ● *verzekeringspolis*.
insure [ɪn'ʃuə] ● *verzekeren* ● ⟨AE⟩ *garanderen, veilig stellen*. **insured** [ɪn'ʃuəd] ● *verzekerde,* ⟨ww enk. of mv.⟩ *verzekerden*.
insurer [ɪn'ʃuərə] ● *verzekeraar, assuradeur*.
insurgent [ɪn'sə:dʒənt] ● ⟨bn⟩ *oproerig, rebels* ● ⟨zn⟩ *opstandeling*.
insurmountable ['ɪnsə'mountəbl] ● *onoverkomelijk*.
insurrection ['ɪnsə'rekʃn] ● *oproer, opstand*.
intact [ɪn'tækt] ● *intact, ongeschonden, gaaf*.
intake ['ɪnteɪk] ● *inlaat/toevoer, ingelaten/opgenomen hoeveelheid* ● *opneming, opname, toegelaten aantal; an – of breath een inademing*.
intangible [ɪn'tændʒəbl] ● *ongrijpbaar, ondefinieerbaar* ‖ *– assets immateriële goederen*.
integer ['ɪntɪdʒə] ● *geheel getal*.
integral ['ɪntɪgrəl] ● *wezenlijk* ● *volledig, integraal*.
integrate ['ɪntɪgreɪt] I ⟨onov ww⟩ ● *geïntegreerd worden, integreren* II ⟨ov ww⟩ ● *integreren, tot een geheel samenvoegen* ● *als gelijkwaardig opnemen* ⟨bv. minderheden⟩, *integreren,* ⟨vnl. AE⟩ *de rassenscheiding opheffen in*. **integration** ['ɪntɪ'greɪʃn] ● *integratie, het integreren* ● *opheffing v. (rassen)ongelijkheid*.
integrity [ɪn'tegrəti] ● *integriteit* ● *ongeschonden toestand, eenheid*.
intellect ['ɪntɪlekt] ● *intellect, verstand*. **intellectual** ['ɪntə'lektʃuəl] ● ⟨bn⟩ *intellectueel, verstandelijk, rationeel* ● ⟨zn⟩ *intellectueel*.
intelligence [ɪn'telɪdʒns] ● *intelligentie, verstand(elijk vermogen)* ● *informatie, nieuws, inlichtingen* ● *inlichtingendienst*. **in'telligence quotient** ● *intelligentiequotiënt, I.Q.*. **in'telligence service** ● *inlichtingendienst, geheime dienst*.
intelligent [ɪn'telɪdʒnt] ● *intelligent, slim*. **intelligentsia** [ɪn'telɪ'dʒentsɪə] ● *(de) intelligentsia, (de) intellectuelen*. **intelligible** [ɪn'telɪdʒəbl] ● *begrijpelijk, verstaanbaar*.
intemperate [ɪn'temprət] ● *buitensporig,*

heftig, extreem.
intend [ɪn'tend] ● *van plan zijn, bedoelen, in de zin hebben* ● *bestemmen, bedoelen*. **intended** [ɪn'tendɪd] ● *toekomstig, aanstaand; my – mijn aanstaande*.
intense [ɪn'tens] ● *intens, sterk, zeer hevig; an – boy een zeer gevoelige jongen*. **intensify** [ɪn'tensɪfaɪ] ● *intens(er) worden, versterken, toenemen, verhevigen, intensiveren*. **intensity** [ɪn'tensəti] ● *intensiteit, sterkte, (mate van) hevigheid/kracht*. **intensive** [ɪn'tensɪv] ● *intensief, heftig, (in)gespannen; – care intensieve verpleging, intensive care*.
1 intent [ɪn'tent] ⟨zn⟩ ● *bedoeling, voornemen* ‖ *to all –s and purposes feitelijk, in (praktisch) alle opzichten*.
2 intent ⟨bn⟩ ● *(in)gespannen, aandachtig* ● *vastbesloten; be – on/upon revenge zinnen/uit zijn op wraak*.
intention [ɪn'tenʃn] ● *bedoeling, oogmerk, voornemen*. **intentional** [ɪn'tenʃnəl] ● *opzettelijk, expres*.
inter [ɪn'tə:] ● *ter aarde bestellen, begraven*.
interact ['ɪntə'rækt] ● *op elkaar inwerken*. **interaction** ['ɪntə'rækʃn] ● *wisselwerking, interactie*.
intercede ['ɪntəsi:d] ● *een goed woordje doen* ● *bemiddelen, tussenbeide komen*.
intercept [-'sept] ● *onderscheppen, afsnijden*. **interception** [-'sepʃn] ● *onderschepping*. **interceptor** [-'septə] ● *interceptor, onderschepper* ⟨vliegtuig⟩.
intercession [-'seʃn] ● *tussenkomst, bemiddeling, voorspraak*.
1 interchange [-tʃeɪndʒ] ⟨zn⟩ ● *uitwisseling, ruil(ing)* ● *knooppunt* ⟨v. snelwegen⟩.
2 interchange [-'tʃeɪndʒ] ⟨ww⟩ ● *uitwisselen, ruilen* ● *(onderling) verwisselen*. **interchangeable** [-'tʃeɪndʒəbl] ● *uitwisselbaar* ● *(onderling) verwisselbaar*.
intercollegiate [-kə'li:dʒət] ● *tussen 'colleges'; – games collegewedstrijden*.
intercom [-kɒm] ● *intercom*.
intercontinental [-kɒntɪ'nentl] ● *intercontinentaal; – ballistic missile intercontinentale raket, lange-afstandraket*.
intercourse [-kɔ:s] ● *omgang, sociaal verkeer* ● *(geslachts)gemeenschap; sexual – geslachtsgemeenschap*.
interdenominational [-dɪnɒmɪ'neɪʃnəl] ● *interkerkelijk*.
interdepend|**ent** [-dɪ'pendənt] ⟨zn: -ence⟩ ● *onderling afhankelijk, afhankelijk van elkaar*.
1 interest ['ɪntrɪst] ⟨zn⟩ ● *interesse, (voorwerp v.) belangstelling; take much/a great – in zich sterk interesseren voor* ● ⟨vaak

mv.) *(eigen)belang, interesse, voordeel;*
a matter of great – *een zaak v. groot be-*
lang; in the – of *in het belang v.* • *belang,*
recht ⟨op winst uit een onderneming⟩ •
rente; at 7% – *tegen 7% rente* •⟨vaak
mv.) *(groep v.) belanghebbenden.*

2 interest ⟨ww⟩ • *interesseren, belangstel-*
ling wekken; – s.o. in sth. *iem. voor iets in-*
teresseren. **interested** ['intristïd] • *be-*
langstellend, geïnteresseerd • *belangheb-*
bend, betrokken. **'interest-'free** ‖ *an –*
loan *een renteloze lening.* **interesting**
['intristiŋ] • *interessant, belangwekkend.*
'interest rate • *rentevoet.*

interface ['intəfeis] • *raakvlak, grensvlak.*

interfere ['intəfiə] • *hinderen, belemmeren;*
an interfering bitch *een bemoeiziek wijf; –*
in *zich mengen in;* don't – *hou je erbuiten;*
zie INTERFERE WITH. **interference** ['intə-
'fiərəns] • *(ver)storing, belemmering* • *in-*
menging, bemoeienis •⟨nat.⟩ *interferen-*
tie. **inter'fere with** • *zich bemoeien met* •
⟨euf.⟩ *zich vergrijpen aan.*

1 interim ['intərim] ⟨zn⟩ • *interim, tussen-*
tijd; in the – *intussen.*

2 interim ⟨bn⟩ • *tijdelijk, voorlopig;* an – report *een tussentijds rapport.*

1 interior [in'tiəriə] ⟨zn⟩ • *binnenste* • *inte-*
rieur ⟨v. huis; ook afbeelding⟩ • *binnen-*
land(en); ⟨AE⟩ Department of the Interior
Ministerie v. Binnenlandse Zaken.

2 interior ⟨bn⟩ • *inwendig, binnen-* • *bin-*
nenshuis • *innerlijk* • *binnenlands.* **in'te-
rior 'decorator** • *binnenhuisarchitect.*

interject [-'dʒekt] • *ertussen werpen, op-*
merken. **interjection** [-'dʒekʃn] • *tussen-*
werpsel • *uitroep.*

interlace [-'leis] • *dooreenvlechten, ineen-*
strengelen.

interlock [-'lɒk] I ⟨onov ww⟩ • *in elkaar grij-*
pen, nauw met elkaar verbonden zijn II
⟨ov ww⟩ • *met elkaar verbinden, aaneen-*
koppelen.

interlocutor [-'lɒkjutə] • *gesprekspartner.*

interloper [-loupə] • *indringer.*

interlude [-lu:d] • *onderbreking, pauze* •
tussenstuk, tussenspel, intermezzo.

intermarriage [-'mæridʒ] • *gemengd huwe-*
lijk. **intermarry** [-'mæri] • *een gemengd*
huwelijk aangaan • *onderling trouwen.*

intermediary [-'mi:diəri] •⟨bn⟩ *bemidde-*
lend •⟨zn⟩ *tussenpersoon, bemiddelaar.*

intermediate [-'mi:diət] • *tussenliggend; --*
range ballistic missile *middellange-af-*
standsraket.

interment [in'tə:mənt] • *teraardebestelling,*
begrafenis.

interminable [in'tə:minəbl] • *eindeloos.*

intermingle ['intə'miŋgl] • *(zich) (ver)men-*
gen.

intermission [-'miʃn] • *onderbreking, pauze;*
without – *ononderbroken.* **intermittent**
[-'mitnt] • *met tussenpozen (verschijnend/*
werkend), onderbroken.

1 intern, interne ['intə:n] ⟨zn⟩ ⟨AE⟩ • *inwo-*
nend (co-)assistent.

2 intern [in'tə:n] ⟨ww⟩ • *interneren.*

internal [in'tə:nl] • *inwendig, innerlijk, bin-*
nen- • *binnenlands.* **internalize**
[in'tə:nəlaiz] • *zich eigen maken.*

1 international [-'næʃnəl] ⟨zn⟩ • *interland-*
(wedstrijd) • *international, interlandspe-*
ler.

2 international ⟨bn⟩ • *internationaal.* **inter-
nationalism** [-'næʃnəlizm] • *internationa-*
lisme. **internationalize** [-'næʃnəlaiz] • *in-*
ternationaliseren.

internecine [-'ni:sain] • *elkaar verwoestend*
• *moorddadig.*

internee ['intə:'ni:] • *geïnterneerde.*

internist [in'tə:nist] ⟨med.⟩ • *internist.*

internment [in'tə:nmənt] • *internering.* **in-
'ternment camp** • *interneringskamp.*

interpellate [in'tə:pəleit] ⟨zn: -ation⟩ • *in-*
terpelleren, onderbreken.

interpersonal [-'pə:snəl] • *intermenselijk.*

interplanetary [-'plænətri] • *interplanetair.*

interplay [-plei] • *interactie, wisselwerking.*

interpolate [in'tə:pəleit] ⟨zn: -ation⟩ • *in-*
terpoleren, inlassen, tussenvoegen.

interpose ['intə'pouz] I ⟨onov ww⟩ • *tussen-*
beide komen II ⟨ov ww⟩ • *tussenplaatsen*
• *onderbreken.*

interpret [in'tə:prit] I ⟨onov ww⟩ • *tolken* II
⟨ov ww⟩ • *interpreteren, uitleggen, opvat-*
ten • *vertolken* • *(mondeling) vertalen.* **interpretation** [in'tə:prə'teiʃn] • *interpreta-*
tie, uitleg • *vertolking.* **interpreter** [in-
'tə:pritə] • *tolk* • *iem. die interpreteert, uit-*
legger.

interracial [-'reiʃl] • *tussen (verschillende)*
rassen.

interregnum [-'regnəm] ⟨mv.: ook interreg-
na [-nə]⟩ • *interregnum, tussenregering.*

interrelate [-ri'leit] I ⟨onov ww⟩ • *met elkaar*
in verband staan II ⟨ov ww⟩ • *met elkaar in*
verband brengen.

interrogate [in'terəgeit] ⟨zn: -ation⟩ • *on-*
dervragen, verhoren.

interrogator [in'terəgeitə] • *ondervrager.*

interrupt ['intə'rʌpt] • *onderbreken, afbre-*
ken, belemmeren • *interrumperen, in de*
rede vallen, storen. **interruption** ['intə-
'rʌpʃn] • *onderbreking, afbreking, inter-*
ruptie.

intersect [-'sekt] I ⟨onov ww⟩ • *elkaar krui-*

sen **II** ⟨ov ww⟩ ●*(door)snijden, kruisen.*
intersection [-'sekʃn] ●*(weg)kruising, kruispunt, snijpunt.*
intersperse [-'spə:s] ●*verspreid zetten/leggen;* a speech –d with Latin words *een met Latijn doorspekte toespraak* ●*afwisselen.*
1 interstate [-steɪt], '**interstate 'highway** ⟨zn⟩ ●*autoweg (die staten onderling verbindt).*
2 interstate ⟨bn⟩ ⟨vnl. AE⟩ ●*tussen (de) staten.*
interstice [ɪn'tə:stɪs] ●*nauwe tussenruimte, spleet.*
intertwine [-'twaɪn] **I** ⟨onov ww⟩ ●*zich in elkaar strengelen* **II** ⟨ov ww⟩ ●*ineenstrengelen, dooreenvlechten.*
interval ['ɪntəvl] ●*tussenruimte, interval, tussentijd* ●*pauze.*
intervene [-'vi:n] ●*tussenbeide komen, ertussen komen;* if nothing –s *als er niets tussenkomt* ●*ertussen liggen.* **intervention** [-'venʃn] ●*tussenkomst, inmenging, ingreep.*
1 interview [-vju:] ⟨zn⟩ ●*(persoonlijk) onderhoud, sollicitatiegesprek* ●*interview, vraaggesprek.*
2 interview ⟨ww⟩ ●*interviewen, een sollicitatiegesprek houden met.* **interviewee** [-vju:'i:] ●*ondervraagde, geïnterviewde.* **interviewer** [-vju:ə] ●*interviewer.*
interweave [-'wi:v] **I** ⟨onov ww⟩ ●*zich in elkaar strengelen, zich dooreenweven* **II** ⟨ov ww⟩ ●*ineenvlechten.*
intestine [ɪn'testɪn] ⟨vaak mv. met enk. bet.⟩ ●*darm;* large *– dikke darm;* small *– dunne darm.*
intimacy ['ɪntɪməsi] ●*intimiteit, vertrouwelijkheid* ●*intieme omgang/handeling(en),* ⟨ihb.⟩ *geslachtsverkeer.*
1 intimate ['ɪntɪmət] ⟨zn⟩ ●*boezemvriend(in).*
2 intimate ⟨bn⟩ ●*intiem* ⟨ook seksueel⟩*, innig, vertrouwd* ●*vertrouwelijk* ●*grondig;* an *– knowledge of Latin een gedegen kennis v.h. Latijn.*
3 intimate ['ɪntɪmeɪt] ⟨ww⟩ ●*suggereren, laten doorschemeren.* **intimation** ['ɪntɪ'meɪʃn] ●*aanduiding, suggestie, hint.*
intimidate [ɪn'tɪmɪdeɪt] ●*intimideren, bang maken.* **intimidation** [ɪn'tɪmɪ'deɪʃn] ●*intimidatie, bangmakerij.*
into ['ɪntə, 'ɪntʊ, ⟨sterk⟩'ɪntu:] ●*in;* marry *– a wealthy family trouwen met iemand van rijke afkomst;* look *– the matter de zaak bestuderen;* ↓ he's – Zen these days *tegenwoordig interesseert hij zich voor Zen*

●*tot, in;* put lots of work *– a plan veel werk steken in een plan* ●*tot ... in;* far *– the night tot diep in de nacht* ‖ 4 – 8 gives 2 *acht gedeeld door vier is twee;* talk somebody *– leaving iem. ompraten om te gaan.*
intolerable [ɪn'tɒlərəbl] ●*on(ver)draaglijk.*
intoler|ant [ɪn'tɒlərənt] ⟨zn: **-ance**⟩ ●⟨+of⟩ *onverdraagzaam (tegenover).*
intonation ['ɪntə'neɪʃn] ●*intonatie.*
intone [ɪn'toun] ●*opdreunen.*
intoxicant [ɪn'tɒksɪkənt] ●*bedwelmend middel,* ⟨ihb.⟩ *alcoholische/sterke drank.*
intoxic|ate [ɪn'tɒksɪkeɪt] ⟨zn: **-ation**⟩ ●*dronken maken* ●*in vervoering brengen.*
intractable [ɪn'træktəbl] ●*onhandelbaar, hardnekkig* ⟨probleem⟩.
intransigent [ɪn'trænsɪdʒənt, -zɪ-] ●*onbuigzaam, onverzoenlijk.*
intransitive [ɪn'trænsɪtɪv] (taal.) ●⟨bn⟩ *onovergankelijk* ●⟨zn⟩ *onovergankelijk werkwoord.*
intravenous [-'vi:nəs] ●*intraveneus, in de ader(en).*
intrench zie ENTRENCH.
intrepid [ɪn'trepɪd] ●*onverschrokken.*
intricacy ['ɪntrɪkəsi] ●*ingewikkeldheid, gecompliceerdheid.* **intricate** ['ɪntrɪkət] ●*ingewikkeld, complex.*
1 intrigue [ɪn'tri:g,'ɪntri:g] ⟨zn⟩ ●*intrige, gekonkel, samenzwering.*
2 intrigue [ɪn'tri:g] **I** ⟨onov ww⟩ ●*intrigeren, samenzweren* **II** ⟨ov ww⟩ ●*intrigeren, nieuwsgierig maken.*
intrinsic [ɪn'trɪnsɪk] ●*intrinsiek, innerlijk.*
introduce ['ɪntrə'dju:s] ●*introduceren, voorstellen, inleiden;* – to *voorstellen aan* ⟨iem.⟩*; kennis laten maken met* ⟨iets⟩ ●*invoeren, introduceren, naar voren brengen;* – a new subject *een nieuw onderwerp aansnijden* ●*indienen* ⟨wetsontwerp⟩. **introduction** ['ɪntrə'dʌkʃn] ●*inleiding, introductie, voorwoord* ●*invoering.* **introductory** ['ɪntrə'dʌktri] ●*inleidend;* – remarks *inleidende opmerkingen.*
introspection [-'spekʃn] ●*introspectie, zelfonderzoek.* **introspective** [-'spektɪv] ●*introspectief.*
introvert [-'və:t] ●*in zichzelf gekeerd persoon.* **introverted** [-'və:tɪd] ●*introvert, in zichzelf gekeerd.*
intrude [ɪn'tru:d] **I** ⟨onov ww⟩ ●*(zich) binnendringen, zich opdringen* ●*ongelegen komen, storen;* let's not – on/upon his time *any longer laten wij niet langer onnodig beslag leggen op zijn tijd* **II** ⟨ov ww⟩ ●*binnendringen, opdringen.* **intruder** [ɪn'tru:də] ●*indringer.*
intrusion [ɪn'tru:ʒn] ●*binnendringing, in-*

dringing, inbreuk. **intrusive** [ɪnˈtruːsɪv] ●
opdringerig.

intrust zie ENTRUST.

intuition [ˈɪntjʊˈɪʃn] ● *intuïtie, ingeving.* **intuitive** [ɪnˈtjuːɪtɪv] ● *intuïtief.*

inundate [ˈɪnəndeɪt] ● *onder water zetten, overstelpen.* **inundation** [ˈɪnənˈdeɪʃn] ● *overstroming ● stroom, stort(vloed).*

inure [ɪˈnjʊə] ● *gewennen, harden.*

invade [ɪnˈveɪd] ● *binnenvallen, binnendringen ● in groten getale neerstrijken in ● inbreuk maken op.* **invader** [ɪnˈveɪdə] ● *indringer.*

1 invalid [ˈɪnvəlɪd] 〈zn〉 ● *invalide.*

2 invalid [ˈɪnˈvælɪd] 〈bn〉 ● *ongegrond ● ongeldig, onwettig.*

3 invalid [ˈɪnvəlɪd] I 〈bn, attr en pred〉 ● *invalide* II 〈bn, attr〉 ● *invaliden-, zieken-; – chair rolstoel.*

4 invalid [ˈɪnvəlɪd,-liːd] 〈ww〉 ● *invalide verklaren;* they were –ed out of the army *zij werden lichamelijk afgekeurd en uit de dienst ontslagen.*

invalidate [ɪnˈvælɪdeɪt] ● *ongeldig maken/ verklaren, nietig/krachteloos maken;* his arguments were –d *zijn argumenten werden ontzenuwd.*

invalidity [ˈɪnvəˈlɪdəti] ● *ongeldigheid ● invaliditeit.*

invaluable [ɪnˈvæljʊəbl] ● *onschatbaar, van onschatbare waarde.*

invariable [ɪnˈveərɪəbl] ● *onveranderlijk, constant.* **invariably** [ɪnˈveərɪəbli] ● *onveranderlijk, steeds.*

invasion [ɪnˈveɪʒn] ● *invasie* 〈ook fig.〉; the – of Italy *de invasie in Italië ● inbreuk, schending.*

invective [ɪnˈvektɪv] ● *scheldwoord(en).*

inveigh [ɪnˈveɪ] ● *krachtig protesteren, uitvaren.*

inveigle [ɪnˈveɪgl,-ˈviːgl] ● *verleiden, overhalen; –* s.o. into stealing *iem. ertoe brengen om te stelen.*

invent [ɪnˈvent] ● *uitvinden ● bedenken, verzinnen.* **invention** [ɪnˈvenʃn] I 〈telb en n-telb zn〉 ● *uitvinding ● bedenksel, verzinsel* II 〈n-telb zn〉 ● *inventiviteit, vindingrijkheid* ‖ zie ook 〈sprw.〉 NECESSITY. **inventive** [ɪnˈventɪv] (-ness) ● *inventief, vindingrijk.* **inventor** [ɪnˈventə] ● *uitvinder.*

inventory [ˈɪnventrɪ] ● *inventaris(lijst), boedelbeschrijving.*

inverse [ˈɪnˈvəːs] ● 〈bn〉 *omgekeerd;* these things are in – proportion/relation to each other *deze dingen zijn omgekeerd evenredig aan elkaar ●* 〈zn〉 *omgekeerde.* **inversion** [ɪnˈvəːʃn] ● *inversie.*

invert [ɪnˈvəːt] ● *omkeren;* 〈BE〉 –ed com-

mas *aanhalingstekens.*

invertebrate [ɪnˈvəːtɪbrət,-breɪt] ● 〈bn〉 *ongewerveld ●* 〈bn〉 *zonder ruggegraat, zwak ●* 〈zn〉 *ongewerveld dier ●* 〈zn〉 *slappeling.*

invest [ɪnˈvest] ● *investeren, beleggen ● bekleden* 〈ook met macht e.d.〉 ● *installeren* 〈in ambt〉.

investigate [ɪnˈvestɪgeɪt] ● *onderzoeken, nasporen.* **investigation** [ɪnˈvestɪˈgeɪʃn] ● *onderzoek.* **investigative** [ɪnˈvestɪgətɪv] ● *onderzoeks-, onderzoekend; –* journalism *dieptejournalistiek.* **investigator** [ɪnˈvestɪgeɪtə] ● *onderzoeker ● detective.*

investment [ɪnˈves(t)mənt] ● *investering, (geld)belegging ● bekleding* 〈met ambtsgezag〉. **investor** [ɪnˈvestə] ● *(geld)belegger.*

inveterate [ɪnˈvetərət] ● *ingeworteld, hardnekkig ● verstokt, onverbeterlijk.*

invidious [ɪnˈvɪdɪəs] ● *aanstootgevend, ergerlijk ● hatelijk.*

invigilate [ɪnˈvɪdʒɪleɪt] ● *surveilleren* 〈bij examen〉. **invigilator** [ɪnˈvɪdʒɪleɪtə] ● *surveillant.*

invigorate [ɪnˈvɪgəreɪt] ● *(ver)sterken, kracht geven.*

invincible [ɪnˈvɪnsəbl] ● *onoverwinnelijk* ‖ – faith *onwankelbare trouw.*

inviolable [ɪnˈvaɪələbl] ● *onschendbaar.*

invisible ● *onzichtbaar; –* exports/imports *onzichtbare uitvoer/invoer.*

invitation [ˈɪnvɪˈteɪʃn] ● *uitnodiging.*

1 invite [ˈɪnvaɪt] 〈zn〉 ↓ ● *uitnodiging.*

2 invite [ɪnˈvaɪt] 〈ww〉 ● *uitnodigen, inviteren; –* s.o. to/for dinner *iem. te eten uitnodigen ● uitnodigen, verzoeken ● vragen om, uitlokken ● aanlokken;* the fruit was displayed invitingly *het fruit was aantrekkelijk uitgestald.*

invocation [ˈɪnvəˈkeɪʃn] ● *aanroeping, invocatie.*

1 invoice [ˈɪnvɔɪs] 〈zn〉 ● *factuur.*

2 invoice 〈ww〉 ● *factureren.*

invoke [ɪnˈvəʊk] ● *aanroepen ● een beroep doen op ● bidden om; –* mercy on/upon *smeken om genade voor ● oproepen.*

involuntary [ɪnˈvɒləntrɪ] ● *onwillekeurig.*

involve [ɪnˈvɒlv] ● *betrekken, verwikkelen;* the persons –d *de betrokkenen; –d* in *betrokken bij;* be –d with *een verhouding hebben met ● (met zich) meebrengen;* there need not be any risk –d *er hoeft geen risico aan verbonden te zijn;* large sums of money are –d *er zijn grote bedragen mee gemoeid ● ingewikkeld maken;* –d sentences *moeilijk geconstrueerde zinnen.*

involvement [ɪnˈvɒlvmənt] ● *betrokken-*

heid, verwikkeling ● ingewikkeldheid.
invulnerable [ɪn'vʌlnrəbl] ● *onkwetsbaar.*
1 inward ['ɪnwəd] ⟨bn⟩ ● *innerlijk, inwendig*
● *binnenwaarts.*
2 inward, inwards ⟨bw⟩ ● *binnenwaarts,*
naar binnen. **inwardly** ['ɪnwədli] ● *inner-*
lijk ● in zichzelf.
iodine ['aɪədi:n] ● *jodium.*
ion ['aɪən] ● *ion.*
Ionic [aɪ'ɒnɪk] ● *Ionisch.*
iota [aɪ'outə] ● *jota,* ⟨fig.⟩ *greintje; not an/*
one – geen jota.
IOU ⟨oorspr. afk.⟩ I owe you ● *schuldbeken-*
tenis.
IQ ⟨afk.⟩ Intelligence Quotient ● *I.Q..*
IRA ⟨aɪɑ:'reɪ⟩ ⟨afk.⟩ Irish Republican Army ●
IRA.
Iranian [ɪ'reɪnɪən, ɪ'rɑ:-] ● ⟨bn⟩ *Iraans* ●
⟨eig.n.⟩ *Iraans* ⟨taal⟩ ● ⟨telb zn⟩ *Iraniër.*
Iraq [ɪ'rɑ:k,ɪ'ræk] ● *Irak.* **Iraqi** [ɪ'rɑ:ki,ɪ'ræki]
● ⟨bn⟩ *Iraaks* ● ⟨zn⟩ *Irakees.*
irascible [ɪ'ræsəbl] ● *prikkelbaar, opvlie-*
gend.
irate ['aɪ'reɪt] ● *ziedend, woedend.*
Ireland ['aɪələnd] ● *Ierland.*
iridescent ['ɪrɪ'desnt] ● *regenboogkleurig.*
iridology [ɪrɪ'dɒləʒi] ● *iriscopie.*
iris ['aɪərɪs] ● *iris* ⟨v. oog⟩ ● *lis, iris.*
1 Irish ['aɪərɪʃ] I ⟨eig.n.⟩ ● *Iers* II ⟨mv.; the⟩ ●
de Ieren.
2 Irish ⟨bn⟩ ● *Iers; –* coffee *Irish coffee* ⟨met
whisky en slagroom⟩; *–* stew *Ierse stoof-*
schotel/hutspot. **Irishman** ['aɪərɪʃmən] ●
Ier. **'Irishwoman** ● *Ierse.*
irk [ə:k] ● *ergeren.* **irksome** ['ə:ksəm] ● *er-*
gerlijk, hinderlijk.
1 iron ['aɪən] I ⟨telb zn⟩ ● *ijzer, strijkijzer, fri-*
seerijzer, brandijzer etc. ● ⟨vaak mv.⟩
boei, stijgbeugel ‖ have many –s in the fire
veel ijzers in het vuur hebben; have too
many –s in the fire *te veel hooi op z'n vork
genomen hebben* II ⟨n-telb zn⟩ ● *ijzer;* cast
– gietijzer; wrought *– smeedijzer.*
2 iron ⟨bn⟩ ● *ijzeren, ijzer- ● ijzeren, bikkel-
hard;* rule with an *–* hand *met ijzeren vuist
regeren* ‖ the Iron Curtain *het ijzeren gordijn.*
3 iron ⟨ww⟩ ● *strijken;* ⟨fig.⟩ *– out* problems
*problemen gladstrijken/uit de wereld hel-
pen.*
'Iron Age ⟨the⟩ ● *ijzertijd(perk).*
ironic(al) [aɪ'rɒnɪk(l)] ● *ironisch, spottend;*
ironically, he was arrested by his best
friend *ironisch genoeg werd hij door zijn
beste vriend gearresteerd.*
ironing ['aɪənɪŋ] ● *het strijken ● strijkgoed.*
'ironing board ● *strijkplank.*
'ironmonger ⟨BE⟩ ● *ijzerhandelaar.* **'iron-**

mongery ⟨BE⟩ I ⟨telb zn⟩ ● *ijzerhandel* II
⟨n-telb zn⟩ ● *ijzerwaren.* **'iron ration**
⟨vaak mv.⟩ ● *noodrantsoen, ijzeren voorraad.* **'ironware** ● *ijzerwaren.* **'ironwork** ●
ijzerwerk ● ⟨mv.⟩ ijzerfabriek, ijzergieterij.
irony ['aɪrəni] ● *ironie.*
irradiate [ɪ'reɪdieɪt] ● *schijnen op, verlichten
● bestralen* ⟨ook met röntgenstralen e.d.⟩
● *doen stralen.*
irrational [ɪ'ræʃnəl] ● *irrationeel, onlogisch,
onredelijk; –* behaviour *onberekenbaar
gedrag.*
irreconcilable [ɪrekən'saɪləbl] ● *onverzoenlijk ● onverenigbaar.*
irrecoverable ['ɪrɪ'kʌvrəbl] ● *onherstelbaar ●
onherroepelijk ● oninbaar.*
irredeemable ['ɪrɪ'di:məbl] ● *onherstelbaar
● onverbeterlijk.*
irreducible ['ɪrɪ'dju:səbl] ● *onherleidbaar,
niet vereenvoudigbaar.*
irrefutable ['ɪrɪ'fju:təbl] ● *onweerlegbaar,
onbetwistbaar.*
1 irregular [ɪ'regjʊlə] ⟨zn; vaak mv.⟩ ● *lid v.
ongeregelde troepen.*
2 irregular ⟨bn; zn: -ity⟩ ● *onregelmatig, abnormaal ● ongelijk(matig) ● ongeregeld* ‖ –
verbs *onregelmatige werkwoorden.*
irrelevance [ɪ'reləvəns], **irrelevancy** [-si] ●
ontoepasselijkheid, irrelevantie. **irrelevant** [ɪ'reləvənt] ● *irrelevant, niet ter zake
(doend).*
irremediable ['ɪrɪ'mi:dɪəbl] ● *onherstelbaar.*
irreparable [ɪ'reprəbl] ● *onherstelbaar.*
irreplaceable ['ɪrɪ'pleɪsəbl] ● *onvervang-
baar.*
irrepressible ['ɪrɪ'presəbl] ● *onbedwingbaar,
onstuitbaar.*
irreproachable ['ɪrɪ'proutʃəbl] ● *onberispelijk.*
irresistible ['ɪrɪ'zɪstəbl] ● *onweerstaanbaar,
onbedwingbaar.*
irresolute [ɪ'rezəlu:t] ● *besluiteloos.*
irrespective ['ɪrɪ'spektɪv] ● *toch, sowieso; –*
of *ongeacht; –* of whether it was necessary or not *of het nu noodzakelijk was of
niet.*
irresponsible ['ɪrɪ'spɒnsəbl] ● *onverant-
woord(elijk), ontoerekenbaar.*
irretrievable ['ɪrɪ'tri:vəbl] ● *onherstelbaar,
reddeloos (verloren).*
irreverent [ɪ'revrənt] ● *oneerbiedig.*
irreversible ['ɪrɪ'və:səbl] ● *onomkeerbaar,
onherroepelijk.*
irrevocable [ɪ'revəkəbl] ● *onherroepelijk.*
irrigate ['ɪrɪgeɪt] ● *irrigeren, bevloeien, begieten.* **irrigation** ['ɪrɪ'geɪʃn] ● *irrigatie, be-
vloeiing, besproeiing.*
irritab|le ['ɪrɪtəbl] ⟨zn: -ility⟩ ● *lichtgeraakt,*

prikkelbaar. **irritant** ['ɪrɪtənt] ●*irriterend/ prikkelend middel.* **irritate** ['ɪrɪteɪt] ●*irriteren, ergeren* ●*irriteren, prikkelen* ⟨huid e.d.⟩. **irritation** ['ɪrɪ'teɪʃn] ●*irritatie, ergernis, geprikkeldheid* ●*irritatie, branderigheid.*

is [(ɪ)z, s, ⟨sterk⟩ɪz] ⟨3e persoon enk. tegenw. t.⟩ zie BE.

Islam ['ɪz'lɑːm] ●*islam.* **Islamic** [ɪz'læmɪk] ● *islamitisch, mohammedaans.*

island ['aɪlənd] ●*eiland* ●*vluchtheuvel.* **islander** ['aɪləndə] ●*eilandbewoner.*

isle [aɪl] ⟨in specifieke combinaties⟩ ●*eiland;* the Isle of Wight *het eiland Wight.* **islet** ['aɪlɪt] ●*eilandje.*

isolate ['aɪsəleɪt] ●*isoleren, afzonderen.* **isolated** ['aɪsəleɪtɪd] ●*afgelegen, geïsoleerd.* **isolation** ['aɪsə'leɪʃn] ●*afzondering, isolement.* **isolationism** ['aɪsə'leɪʃənɪzm] ⟨pol.⟩ ●*isolationisme.*

isosceles [aɪ'sɒsɪliːz] ⟨wisk.⟩ || – triangle *gelijkbenige driehoek.*

Israeli [ɪz'reɪli] ●⟨bn⟩ *Israëlisch* ●⟨zn⟩ *Israëli, bewoner van Israël.* **Israelite** ['ɪzrəlaɪt] ●*Israëlitisch.*

1 issue ['ɪʃuː] **I** ⟨telb zn⟩ ●*uitgave, nummer* ⟨v. tijdschrift⟩, *uitgifte, emissie* || die without – *kinderloos sterven* **II** ⟨telb en n-telb zn⟩ ●*kwestie, (belangrijk) punt, probleem;* force the – *een beslissing forceren;* take – with s.o. *het met iem. oneens zijn;* make an – of sth. *ergens een punt van maken;* the point/matter at – *het punt dat aan de orde is;* they are at – on this point *op dit punt zijn ze het niet met elkaar eens* **III** ⟨n-telb zn⟩ ●*publikatie, uitgave, emissie;* the day of – *de dag van publikatie* ● *uitstroming, afvloeiing, lozing.*

2 issue I ⟨onov ww⟩ ●*uitkomen, verschijnen;* – forth/out *tevoorschijn komen* ● *voortkomen, voortvloeien* **II** ⟨ov ww⟩ ● *uitbrengen, in circulatie/omloop brengen, uitvaardigen;* they –d a new series of stamps *ze gaven een nieuwe serie postzegels uit* ●*verstrekken;* – sth. to s.o., – s.o. with sth. *iets aan iem. verstrekken* ●*uitstorten, uitspuwen.*

isthmus ['ɪsməs] ●*landengte.*

it [ɪt] ●*het* ●⟨ben. voor⟩ *het* ⟨in de context bekende referent⟩, *hét, het neusje v.d. zalm, het probleem,* ⟨bij kinderspelen⟩ *tikkertje* ⟨enz.⟩; this dress is really – *deze jurk is het einde;* that's –, I've finished *dat was het dan, klaar is Kees;* yes, that's – *ja, zo is het;* that's – *dat is 't hem nu juist;* this is – *nu komt het erop aan; ja, inderdaad* || – says in this book that ... *er staat in dit boek dat ...;* foot – *de benenwagen nemen;* – is

me *ik ben het;* who is –? *wie is het/daar?;* they made a day of – *ze gingen een dagje uit.*

Italian [ɪ'tæljən] ●⟨bn⟩ *Italiaans* ●⟨telb zn⟩ *Italiaan/Italiaanse* ●⟨eig.n.⟩ *Italiaans* ⟨taal⟩.

1 italic [ɪ'tælɪk] ⟨zn; vnl. mv.⟩ ●*cursief;* my –s *cursivering van mij;* in –s *cursief.*

2 italic ⟨bn⟩ ●*cursief.* **italicize** [ɪ'tælɪsaɪz] ● *cursiveren.*

Italy ['ɪtəli] ●*Italië.*

1 itch [ɪtʃ] ⟨zn; vnl. enk.⟩ ●*jeuk;* I've got an – *ik heb jeuk* ●*verlangen;* he has an – to go abroad *hij wil dolgraag naar het buitenland.*

2 itch ⟨ww⟩ ●*jeuken* ●*jeuk hebben* ●*graag willen;* she was –ing to tell her *ze zat te popelen om het haar te vertellen.* **itchy** ['ɪtʃi] ●*jeukend, jeukerig.*

it'd ['ɪtəd] ⟨samentr. v. it would, it had⟩.

item ['aɪtəm] ●*item, punt, nummer;* the last – on the account *de laatste post op de rekening* ●*artikel, (nieuws)bericht.* **itemize** ['aɪtəmaɪz] ●*specificeren.*

itinerant [aɪ'tɪnərənt] ●*(rond)trekkend.* **itinerary** [aɪ'tɪnərəri] ●*reis/routebeschrijving* ●*reisroute.*

it'll ['ɪtl] ⟨samentr. v. it will⟩.

its [ɪts] ⟨3e persoon enk. onz.⟩ ●*zijn/haar, ervan.*

it's [ɪts] ⟨samentr. v. it is, it has⟩.

itself [ɪt'self] ●*zich, zichzelf;* the animal hurt – *het dier bezeerde zich;* by – *alleen, op eigen kracht;* in – *op zichzelf* ●*zelf;* the watch – was not in the box *het horloge zelf zat niet in de doos.*

I've [aɪv] ⟨samentr. v. I have⟩.

ivory ['aɪvri] **I** ⟨telb zn⟩ ●*ivoren voorwerp,↓ biljartbal,* ⟨vnl. mv.⟩ *tand, (piano)toets, dobbelstenen* **II** ⟨n-telb zn⟩ ●*ivoor* ● *ivoorkleur.*

'Ivory 'Coast ⟨the⟩ ●*Ivoorkust.*

'ivory 'tower ●*ivoren toren.*

ivy ['aɪvi] ●*klimop.*

'Ivy League ●*Ivy League* ⟨groep befaamde universiteiten in Noord-Oost U.S.A.⟩.

1 jab [dʒæb] ⟨zn⟩ ● *por, steek* ● ⟨boksen⟩ *(linkse) directe* ● ↓ *prik, injectie.*
2 jab ⟨ww⟩ ● *porren, stoten, stompen.*
1 jabber ['dʒæbə] ⟨zn⟩ ● *gebrabbel, gekwebbel.*
2 jabber ⟨ww⟩ ● *brabbelen, kwebbelen.*
jack [dʒæk] **I** (eig.n.; J-) ‖ *before you can/ could say* – Robinson *vliegensvlug* **II** ⟨telb zn⟩ ● *hefboom, vijzel, krik, stut, (zaag)bok* ● ⟨kaartspel⟩ *boer* ‖ ⟨sprw.⟩ jack of all trades and master of none *twaalf ambachten, dertien ongelukken;* zie ook ⟨sprw.⟩ WORK.
jackal ['dʒækɔ:l] ● *jakhals.*
jackass ['dʒækæs] ● *ezel* ⟨ook fig.⟩.
'jackboot ● *kaplaars.*
'jackdaw ● *(kerk)kauw.*
jacket ['dʒækɪt] ● *jas(je), colbert(je)* ● *omhulsel, bekleding, mantel* ● *stofomslag* ⟨v. boek⟩ ● *(plate)hoes* ● *schil* ⟨v. aardappel⟩.
'jack 'in ⟨sl.⟩ ● *opgeven, eraan geven.*
'jack-in-the-box ● *duiveltje in een doosje.*
1 'jackknife ⟨zn⟩ ● *(groot) knipmes.*
2 jackknife ⟨ww⟩ ● *dubbelklappen, scharen* ⟨v. vrachtwagen met oplegger⟩.
'jack-of-'all-trades ● *manusje van alles.*
'jack-o'-'lantern ● *dwaallicht* ● ⟨AE⟩ *(uitgeholde) pompoen.*
'jackpot ● *pot* ⟨bij poker, gokautomaat enz.⟩, *jackpot;* hit the – *winnen* ⟨bij poker enz.⟩; ⟨fig.⟩ *boffen.*
'jack 'up ● *opkrikken,* ⟨fig. ook⟩ *opvijzelen, opdrijven* ⟨prijzen e.d.⟩.
jade [dʒeɪd] ● *jade* ● *lichtgroen.* **jaded** ['dʒeɪdɪd] ● *afgemat, uitgeput.*
jag [dʒæg] ● *uitsteeksel, punt, tand.* **jagged** ['dʒægɪd] ● *getand, gekarteld, puntig;* – edge *scherpe rand.*
jaguar ['dʒægjʊə] ● *jaguar.*
1 jail, ⟨BE sp. vnl.⟩ **gaol** [dʒeɪl] ⟨zn⟩ ● *gevangenis* ● *huis v. bewaring.*
2 jail ⟨ww⟩ ● *gevangen zetten.*
'jailbird ↓ ● *bajesklant.* **'jailbreak** ● *ontsnapping uit de gevangenis, uitbraak.* **jailer** [dʒeɪlə] ● *cipier, gevangenbewaarder.*
jalopy [dʒə'lɒpi] ● *rammelkast, ouwe brik* ● *rammelkist, vliegende doodskist.*

1 jam [dʒæm] **I** ⟨telb zn⟩ ● *opstopping, gedrang* ● ↓ *knel, moeilijkheden;* be in a – *in de knoei zitten* **II** ⟨n-telb zn⟩ ● *jam* ● ⟨BE⟩ *makkie;* this job isn't all – *dit karwei is geen lachertje.*
2 jam I ⟨onov ww⟩ ● *vast (blijven) zitten, blokkeren, vastraken;* the lid –med *het deksel raakte klem;* the machine –med *de machine liep vast* ● *dringen* ● *jammen* **II** ⟨ov ww⟩ ● *vast zetten, klemmen, knellen* ● *(met kracht) drijven;* – the brakes on *op de rem gaan staan* ● *(vol)proppen* ● *blokkeren, verstoppen* ● ⟨radio⟩ *storen.*
jamb [dʒæm] ● *stijl* ⟨v. deur, venster⟩.
jamboree ['dʒæmbə'ri:] ● *jamboree, padvindersreünie.*
jam-full ['dʒæm'fʊl], **jam-packed** ['dʒæm-'pækt] ● *propvol, barstens/nokvol.* **'jam jar** ● *jampot(je).* **'jam session** ● *jam session.*
jangle ['dʒæŋgl] **I** ⟨onov ww⟩ ● *kletteren, rinkelen, rammelen* ● *schril klinken* **II** ⟨ov ww⟩ ● *doen kletteren, doen rinkelen/rammelen* ● *schril doen klinken* ● *van streek maken;* it –d his nerves *het vrat aan zijn zenuwen.*
janitor ['dʒænɪtə] ● *portier* ● ⟨vnl. AE⟩ *conciërge, huisbewaarder.*
January ['dʒænjʊəri] ● *januari.*
Jap [dʒæp] ⟨↓; vaak ong.⟩ ● *Jap, Japannees.* **Japanese** ['dʒæpə'ni:z] ● ⟨bn⟩ *Japans* ● ⟨eig.n.⟩ *Japans* ⟨taal⟩ ● ⟨telb zn⟩ *Japanner, Japanse.*
1 jar [dʒɑ:] ⟨zn⟩ ● *schok, onaangename verrassing* ● *pot, (stop)fles, kruik.*
2 jar I ⟨onov ww⟩ ● *knarsen, vals klinken;* his voice –s on my ears *zijn stem doet pijn aan mijn oren* ● *schokken, dreunen* ● *botsen, in strijd zijn;* –ring opinions *botsende meningen* **II** ⟨ov ww⟩ ● *schokken, doen trillen,* ⟨fig.⟩ *onaangenaam verrassen;* –ring news *schokkend nieuws.*
jargon ['dʒɑ:gən] ● *jargon, vaktaal,* ⟨ong.⟩ *taaltje.*
jasmin(e) ['dʒæzmɪn] ● *jasmijn.*
1 jaundice ['dʒɔ:ndɪs] ⟨zn⟩ ● *geelzucht.*
2 jaundice ⟨ww⟩ ● *afgunstig maken, verbitteren;* envy had –d her judgement *afgunst had haar oordeel negatief beïnvloed;* take a –d view of the matter *een scheve kijk op de zaak hebben.*
1 jaunt [dʒɔ:nt] ⟨zn⟩ ● *uitstapje, snoepreisje.*
2 jaunt ⟨ww⟩ ● *een uitstapje maken.* **jaunty** ['dʒɔ:nti] ● *zwierig* ● *monter, vrolijk, zelfverzekerd.*
javelin ['dʒævlɪn] **I** ⟨telb zn⟩ ● *speer* **II** ⟨n-telb zn⟩ ⟨sport⟩ ● *speerwerpen.*

1 jaw [dʒɔ:] I ⟨telb zn⟩ ● *kaak;* lower/upper – *onder/bovenkaak* ● ↓ *babbel;* have a – *een boom opzetten* II ⟨mv.⟩ ● *bek* ⟨v. dier⟩ ● *klemplaat/blok* ⟨v. werktuig⟩, *bek* ● *greep;* the –s of death *de klauwen v.d. dood.*
2 jaw ⟨ww⟩ ⟨sl.⟩ ● *kletsen, zwammen.*
'jawbone ● *kaakbeen.* **'jawbreaker** ● ⟨moeilijk uit te spreken woord⟩.
jay [dʒeɪ] ● *(Vlaamse) gaai.*
'jaywalk ● *roekeloos oversteken/op straat lopen.* **'jaywalker** ● *roekeloze voetganger.*
jazz [dʒæz] ● *jazz* ● ⟨sl.⟩ *onzin* ‖ and all that – *en nog meer v. die dingen.* **'jazz 'up** ↓ ● *opvrolijken, opfleuren.* **jazzy** ['dʒæzi] ● *swingend, jazzachtig* ● ↓ *druk, opzichtig, kakelbont.*
jealous ['dʒeləs] ● *jaloers, afgunstig;* – of *jaloers op* ● *(overdreven) waakzaam, nauwlettend;* guard –ly *angstvallig bewaken.* **jealousy** ['dʒeləsi] ● *jaloersheid, afgunst, jaloezie* ● *(overdreven) waakzaamheid;* – for *bezorgdheid over.*
jeans [dʒi:nz] ● *spijkerbroek, jeans.*
jeep [dʒi:p] ● *jeep.*
1 jeer ['dʒɪə] ⟨zn⟩ ● *schimpscheut,* ⟨in mv.⟩ *gejouw, hoon.*
2 jeer I ⟨onov ww⟩ ‖ – at s.o. *iem. uitlachen/ uitjouwen* II ⟨ov ww⟩ ● *uitjouwen.*
Jehovah [dʒɪ'houvə] ● *Jehova;* –'s Witness *Jehova's Getuige.*
jejune [dʒɪ'dʒu:n] ● *saai* ● *kinderachtig, onbenullig.*
jell [dʒel], ⟨BE sp. ook⟩ **gel** [dʒel] ● *(doen) opstijven, geleiachtig (doen) worden* ● ↓ *vorm krijgen/geven.*
jellied ['dʒelid] ● *in gelei.*
jello ['dʒelou] ⟨AE⟩ ● *gelatinedessert/pudding.*
jelly ['dʒeli] ● *gelei, gelatine(pudding), jam.* **jellyfish** ['dʒelifɪʃ] ● *kwal.*
jemmy ['dʒemi] ● *koevoet, breekijzer.*
jeopardize ['dʒepədaɪz] ● *in gevaar brengen;* – one's life *zijn leven wagen.* **jeopardy** ['dʒepədi] ● *gevaar;* put one's future in – *zijn toekomst op het spel zetten.*
1 jerk [dʒə:k] ⟨zn⟩ ● *ruk, schok, trek* ● *zenuwtrek* ● ⟨sl.⟩ *lul, zak.*
2 jerk I ⟨onov ww⟩ ● *schokken;* – to a halt *met een ruk stoppen;* zie JERK OFF II ⟨ov ww⟩ ● *rukken, stoten, trekken.*
jerkin ['dʒə:kɪn] ● *(wam)buis.*
'jerk 'off ⟨sl.⟩ ● *zich aftrekken* ⟨masturberen⟩.
jerky ['dʒə:ki] ● *schokkerig, hortend;* move along jerkily *zich met horten en stoten voortbewegen.*
jerry-build ['dʒeribɪld] ● *aan revolutiebouw doen;* jerrybuilt houses *revolutiebouw.*

jerrycan ['dʒerikæn] ● *jerrycan.*
jersey ['dʒə:zi] ● *jersey, (sport)trui* ● *jersey* ⟨tricot-weefsel⟩.
1 jest [dʒest] ⟨zn⟩ ● *grap* ● *scherts;* in – *voor de grap* ‖ zie ook ⟨sprw.⟩ TRUE.
2 jest ⟨ww⟩ ● *grappen maken, schertsen.*
jester ['dʒestə] ● ⟨gesch.⟩ *nar.*
Jesuit ['dʒezjuɪt] ● *jezuïet,* ⟨ong.⟩ *intrigant, huichelaar.* **Jesuitical** ['dʒezju'ɪtɪkl] ● *jezuïtisch,* ⟨ong.⟩ *doortrapt.*
Jesus ['dʒi:zəs] ● *Jezus* ‖ – (Christ)! *Jesus!, god allemachtig!.*
1 jet [dʒet] I ⟨telb zn⟩ ● *straal* ⟨v. water enz.⟩ ● *(gas)vlam, pit* ● ↓ *jet, straalvliegtuig* II ⟨n-telb zn⟩ ● *git.*
2 jet I ⟨onov ww⟩ ● *per jet reizen* II ⟨onov en ov ww⟩ ● *spuiten, uitspuiten, uitwerpen.*
'jet 'black ● *gitzwart.* **'jet 'engine** ● *straalmotor.* **'jetfoil** ● *draagvleugelboot.* **'jet lag** ● *jet lag* ⟨effect op het lichaam v. tijdsverschil bij lange vliegtuigreizen⟩. **'jet plane** ● *straalvliegtuig.* **'jet-pro'pelled** ● *met straalaandrijving.*
jetsam ['dʒetsəm] ● *strandgoed, strandvond.*
'jet set ● *jet set, elite.*
jettison ['dʒetɪsn] ● *overboord gooien, prijsgeven.*
jetty ['dʒeti] ● *pier, havendam/hoofd.*
Jew [dʒu:] ● *jood.*
jewel ['dʒu:əl] ● *juweel* ⟨ook fig.⟩ ● *steen* ⟨in uurwerk⟩. **jewelled** ● *met juwelen versierd.* **jeweller** ['dʒu:ələ] ● *juwelier.* **jewellery** ['dʒu:əlri, 'dʒu:ləri] ● *juwelen, sieraden.*
Jewess ['dʒu:ɪs] ● *jodin.* **Jewish** ['dʒu:ɪʃ] ● *joods.*
1 jib [dʒɪb] ⟨zn⟩ ● ⟨scheep.⟩ *kluiver* ● *laadboom, (kraan/zwaai)arm* ‖ I don't like the cut of his – *zijn smoel staat me niet aan.*
2 jib ⟨ww⟩ ● *weigeren (verder te gaan)* ⟨v. paard⟩ ● *terugkrabbelen;* – at *terugdeinzen voor, zich afkerig tonen van.*
jibe zie GIBE.
jiffy ['dʒɪfi], **jiff** [dʒɪf] ● ↓ *momentje;* I won't be a – *ik kom zo;* in a – *in een mum van tijd.*
jiffybag ['dʒɪfibæg] ● *luchtkussenenvelop.*
1 jig [dʒɪg] ⟨zn⟩ ● *jig, horlepijp.*
2 jig ⟨ww⟩ ● *de horlepijp dansen* ● *op en neer (doen) wippen, (doen) huppelen.*
jigger ['dʒɪgə] ● ↓ *ding(etje)* ● *maatglaasje* ⟨voor ongeveer 42,5 g sterke drank⟩.
jiggered ['dʒɪgəd] ↓ ‖ I'll be –! *wel heb ik ooit!.*
jiggery-pokery ['dʒɪgəri'poukəri] ↓ ● *gekonkelefoes, knoeierij.*
jiggle ['dʒɪgl] I ⟨onov ww⟩ ● *schommelen,*

wiegen II ⟨ov ww⟩ ●*(zacht) rukken aan, wrikken.*

jigsaw [ˈdʒɪgsɔ:] ●*figuurzaag* ●⟨verk.⟩ jigsaw puzzle. **'jigsaw puzzle** ●*(leg)puzzel.*

jilt [dʒɪlt] ●*afwijzen, de bons geven.*

'Jim 'Crow ⟨ook attr⟩ ⟨AE⟩ ●*discriminatie* ⟨v. negers⟩.

jim-jams [ˈdʒɪmdʒæmz] ⟨sl.⟩ ●*zenuwen, kriebels.*

jimmy zie JEMMY.

1 jingle [ˈdʒɪŋgl] ⟨zn⟩ ●*geklingel, gerinkel, getinkel* ●*jingle* ⟨op de radio⟩.

2 jingle ⟨ww⟩ ●*(doen/laten) klingelen, (doen) rinkelen/tingelen.*

jingo [ˈdʒɪŋgoʊ] ●*jingo* ⟨oorlogszuchtig patriot⟩ ‖ by (the living) –! *verdomme!.* **jingoism** [ˈdʒɪŋgoʊɪzm] ●*jingoïsme.*

1 jinx [dʒɪŋks] ⟨zn⟩ ↓●*onheilsbrenger* ● *doem, vloek.*

2 jinx ⟨ww⟩ ↓‖ be –ed *pech hebben, een ongeluksvogel zijn.*

jitterbug [ˈdʒɪtəbʌg] ●*jitterbug* ⟨dans⟩.

jitters [ˈdʒɪtəz] ●*kriebels, zenuwen;* give s.o. the – *iem. nerveus maken.* **jittery** [ˈdʒɪtəri] ●*zenuwachtig.*

1 jive [dʒaɪv] ⟨zn⟩ ●*jive* ⟨dans⟩ ●⟨AE; sl.⟩ *slap gelul.*

2 jive ⟨ww⟩ ●*de jive dansen.*

1 job [dʒɒb] ⟨zn⟩ ●*karwei, klus, werk;* have a – to get sth. done *aan iets de handen vol hebben;* make a (good) – of sth. *iets goed/ grondig afwerken;* on the – *aan/op het werk, bezig* ●*baan(tje), vak, taak;* out of a – *zonder werk* ●*zaak(je), handel(tje), zwendel(tje)* ●↓ *geval, ding;* that car of yours is a beautiful – *die wagen van je is een prachtslee* ●⟨sl.⟩ *kraak* ‖ give up sth. as a bad – *iets als een hopeloos geval beschouwen;* make the best of a bad – *ergens nog het beste v. maken;* he's gone, and a good – too *hij is weg, en maar goed ook;* that should do the – *zo/daarmee moet het lukken;* it was just the – *het kwam precies van pas.*

2 job I ⟨onov ww⟩ ●*klussen, karweitjes doen;* –bing gardener *tuinman in losse dienst* II ⟨onov en ov ww⟩ ●*makelen, (ver) handelen* ⟨vnl. effecten⟩. **jobber** [ˈdʒɒbə] ●*(effecten)makelaar.* **'job centre** ●*arbeidsbureau.* **'job hunting** ●*het zoeken naar werk.* **jobless** [ˈdʒɒbləs] ●*zonder werk, werkloos.* **'job opportunity** ●*werkgelegenheid;* the need for job opportunities *de behoefte aan arbeidsplaatsen.* **'job sharing** ●*(het werken met/invoeren v.) deeltijdbanen.*

jock [dʒɒk] ●↓ *atleet.*

1 jockey [ˈdʒɒki] ⟨zn⟩ ●*jockey.*

2 jockey ⟨ww⟩ ●*manoeuvreren;* – for position *met de ellebogen werken.*

'jockstrap ↓●*suspensoir* ⟨v. sportlui⟩.

jocular [ˈdʒɒkjʊlə] ⟨zn: -ity⟩ ●*schertsend, grappig.* **jocund** [ˈdʒɒkənd] ●*vrolijk, blijmoedig.*

jodhpurs [ˈdʒɒdpəz] ●*rijbroek;* a pair of – *een rijbroek.*

1 jog [dʒɒg] ⟨zn⟩ ●*duw(tje), schok, stootje* ● *sukkeldraf(je)* ●*een stukje joggen.*

2 jog I ⟨onov ww⟩ ●*joggen, trimmen* ●*op een sukkeldraf(je) lopen;* – along/on *voortsukkelen* II ⟨onov en ov ww⟩ ●*hotsen, schudden* III ⟨ov ww⟩ ●*(aan)stoten, een duw(tje) geven* ‖ – s.o.'s memory *iemands geheugen opfrissen.* **jogger** [ˈdʒɒgə] ●*jogger.*

joggle [ˈdʒɒgl] ●*heen en weer/op en neer schudden.*

'jogtrot ●*sukkeldraf(je), lichte draf.*

john [dʒɒn] I ⟨eig.n.: J-⟩ ‖ – Bull *de Engelsman, de Engelsen* II ⟨telb zn⟩ ●⟨the⟩⟨AE; ↓⟩ *W.C..*

1 join [dʒɔɪn] ⟨zn⟩ ●*verbinding(sstuk), voeg, naad.*

2 join I ⟨onov ww⟩ ●*samenkomen, zich verenigen, elkaar ontmoeten, uitkomen op* ● *zich aansluiten, meedoen;* can I – in? *mag ik meedoen?;* – up *dienstnemen (bij het leger), lid worden, zich aansluiten (bij)* II ⟨ov ww⟩ ●*verenigen, samenbrengen, verbinden;* – the main road *op de hoofdweg uitkomen;* – together/up (with) *samenvoegen* ●*zich aansluiten bij, meedoen met;* – the army *dienst nemen (bij het leger);* – ship *aanmonsteren;* will you – us? *doe/eet/ga je mee?, kom je bij ons zitten?.*

joiner [ˈdʒɔɪnə] ●*schrijnwerker, meubelmaker.* **joinery** [ˈdʒɔɪnəri] ●*schrijnwerk, fijn timmerwerk.*

1 joint [dʒɔɪnt] ⟨zn⟩ ●*verbinding(sstuk), voeg, naad* ●*gewricht, geleding, scharnier;* out of – ⟨ook fig.⟩ *ontwricht; uit het lid, uit de voegen* ●⟨vnl. BE⟩ *braadstuk, (groot) stuk vlees* ●⟨sl.⟩ *tent, kroeg* ●⟨sl.⟩ *joint, stickie.*

2 joint ⟨bn⟩ ●*gezamenlijk, gemeenschappelijk;* – owners *medeëigenaars;* – stock *maatschappelijk kapitaal.*

3 joint ⟨ww⟩ ●*verbinden, lassen;* a –ed doll *een ledenpop.*

'joint-'stock company ●*maatschappij op aandelen.*

joist [dʒɔɪst] ●*(dwars)balk, bint.*

1 joke [dʒoʊk] ⟨zn⟩ ●*grap(je), mop;* I don't see the – *ik vind het helemaal niet grappig;* he can't take a – *hij kan niet tegen een* *grapje;* go beyond a – *te ver gaan, niet leuk zijn;* play a – on s.o. *iem. een poets bakken;* the – is on s.o. *deze grap gaat ten koste van iem.;* ↓ no – *geen grapje/gekheid.*

2 joke ⟨ww⟩ ●*grappen maken, schertsen;* you must be joking! *dat meen je niet!;* joking apart *in alle ernst.* **joker** ['dʒoʊkə] ● *grapjas* ●⟨kaartspel⟩ *joker* ●⟨sl.⟩ *kerel.*

jollity ['dʒɒləti] ●*uitgelatenheid, joligheid.*

1 jolly ['dʒɒli] ⟨bn⟩ ●*plezierig, prettig* ●*vrolijk, jolig* ‖ ⟨BE; ↓⟩ it's a – shame *het is een grote schande.*

2 jolly ⟨ww⟩ ●*vleien, bepraten;* – along/up *bepraten;* – s.o. into sth. *iem. tot iets overhalen.*

3 jolly ⟨bw⟩ ⟨BE; ↓⟩ ●*heel, zeer, aardig;* a – good fellow *een beste/patente kerel;* have – good luck *boffen;* – miserable *erg beroerd;* you – well will! *en nou en of je het doet!.*

1 jolt [dʒoʊlt] ⟨zn⟩ ●*schok, ruk, stoot,* ⟨fig. ook⟩ *ontnuchtering.*

2 jolt I ⟨onov ww⟩ ●*schokken, horten, stoten* II ⟨ov ww⟩ ●*schokken,* ⟨fig.⟩ *verwarren.*

Jones ['dʒoʊnz] ‖ keep up with the –es *z'n stand ophouden, niet willen onderdoen voor de buren.*

josh [dʒʌʃ] ⟨AE; ↓⟩ I ⟨onov ww⟩ ●*grapjes maken* II ⟨ov ww⟩ ●*plagen.*

'**joss stick** ●*(Chinees) wierookstokje.*

1 jostle ['dʒɒsl] ⟨zn⟩ ●*gedrang, drukte.*

2 jostle ⟨ww⟩ ●*(ver)dringen, (weg)duwen, (weg)stoten.*

1 jot [dʒɒt] ⟨zn⟩ ●*jota* ⟨alleen fig.⟩; I don't care a – *het kan me geen zier schelen.*

2 jot ⟨ww⟩ ●⟨+down⟩ *(vlug) noteren, neerpennen.* **jotter** ['dʒɒtə] ●*bloconote, notitieboekje.* **jotting** ['dʒɒtɪŋ] ●*losse aantekening, notitie.*

joule [dʒuːl] ●*joule* ⟨eenheid v. arbeid⟩.

journal ['dʒəːnl] ●*dagboek, journaal* ●*dagblad* ●*tijdschrift.* **journalese** ['dʒəːnəˈliːz] ⟨vaak ong.⟩ ●*krantetaal.* **journalism** ['dʒəːnəlɪzm] ●*journalistiek.* **journalist** ['dʒəːnəlɪst] ⟨bn: -ic⟩ ●*journalist(e).*

1 journey ['dʒəːni] ⟨zn⟩ ●*reis, tocht* ⟨vnl. over land⟩.

2 journey ⟨ww⟩ ●*reizen.*

journeyman ['dʒəːnɪmən] ●*handlanger, knecht.*

1 joust [dʒaʊst] ⟨zn⟩ ●*steekspel* ●⟨mv.⟩ *toernooi.*

2 joust ⟨ww⟩ ●*aan een steekspel deelnemen.*

jovial ['dʒoʊvɪəl] ⟨zn: -ity⟩ ●*joviaal, vrolijk.*

jowl [dʒaʊl] ●*kaak, wang.*

joy [dʒɔɪ] I ⟨telb zn⟩ ●*bron v. vreugde* II ⟨n-telb zn⟩ ●*vreugde, genot, blijdschap;* wish s.o. – *iem. geluk toewensen* ●⟨BE; ↓⟩ *succes.* **joyful** ['dʒɔɪfl], ⟨↑ ook⟩ **joyous** ['dʒɔɪəs] ●*blij, opgewekt* ●*verheugend, heerlijk.* **joyless** ['dʒɔɪləs] ●*vreugdeloos, treurig.* '**joyride** ↓ ●*joyride, sluikrit.* '**joy stick** ●*stuurstang* ⟨v. vliegtuig⟩, *bedieningsknuppeltje* ⟨v. videospelen enz.⟩.

jubilant ['dʒuːbɪlənt] ●*jubelend, juichend.* **jubilation** ['dʒuːbɪˈleɪʃn] ●*uitbundigheid, gejubel, gejuich.*

jubilee ['dʒuːbɪliː, -ˈliː] ●*jubileum.*

Judaism ['dʒuːdeɪɪzm] ●*judaïsme.*

Judas ['dʒuːdəs] ●*Judas, verrader.*

judder ['dʒʌdə] ●*trillen, schudden.*

1 judge [dʒʌdʒ] ⟨zn⟩ ●*rechter* ●*jurylid, beoordelaar* ⟨bij prijsvraag e.d.⟩ ●*kenner, expert;* good – of character *mensenkenner.*

2 judge I ⟨onov ww⟩ ●*rechtspreken* ●*oordelen;* judging by/from his manner *naar zijn houding te oordelen* II ⟨ov ww⟩ ●*rechtspreken over, berechten;* – a case *rechtspreken in een zaak* ●*beoordelen, achten, schatten;* – s.o. by his actions *iem. naar zijn daden beoordelen.*

judg(e)ment ['dʒʌdʒmənt] ●*oordeel, uitspraak, vonnis;* pass – on *een oordeel vellen over;* pronounce (a) – *een uitspraak doen;* in my – *naar mijn mening* ●⟨vaak iron.⟩ *straf (v. God), godsgericht* ●*inzicht;* use one's – *zijn (gezond) verstand gebruiken;* against one's better – *tegen beter weten in.*

'**Judg(e)ment Day** ●*Laatste Oordeel.*

judicature ['dʒuːdɪkətʃə] ●*rechterlijke macht* ●*rechtspleging, rechtspraak.* **judicial** [dʒuːˈdɪʃl] ●*gerechtelijk, rechterlijk, rechter(s)-;* bring/take – proceedings against s.o. *een proces tegen iem. aanspannen.* **judiciary** [dʒuːˈdɪʃəri] ●*rechtswezen, rechterlijke macht.* **judicious** [dʒuːˈdɪʃəs] ●*verstandig, voorzichtig.*

judo ['dʒuːdoʊ] ●*judo.*

1 jug [dʒʌg] ⟨zn⟩ ●*kan(netje)* ●⟨AE⟩ *kruik.*

2 jug ⟨ww⟩ ●*stoven* ⟨haas, konijn⟩.

juggernaut ['dʒʌgənɔːt] ●*moloch* ●⟨BE; ↓⟩ *grote vrachtwagen.*

juggle ['dʒʌgl] ●⟨+with⟩ *jongleren (met)* ●⟨+with⟩ *knoeien (met).* **juggler** ['dʒʌglə] ●*jongleur.*

jugular ['dʒʌgjʊlə], '**jugular vein** ●*halsader;* go for the – *naar de keel vliegen.*

1 juice [dʒuːs] I ⟨telb en n-telb zn⟩ ●*sap* ‖ let s.o. stew in their own – *iem. in zijn eigen vet gaar laten koken* II ⟨n-telb zn⟩ ⟨sl.⟩ ● *brandstof, elektriciteit* ⟨e.d.⟩.

2 juice ⟨ww⟩ ‖↓– up *oppeppen*.
juicy ['dʒu:si] ●*sappig* ●↓ *vet, winstgevend*
● ↓ *pittig, pikant*.
jukebox ['dʒu:kbɒks] ●*juke-box*.
July [dʒʊ'laɪ] ●*juli*.
1 jumble ['dʒʌmbl] ⟨zn⟩ ●*warboel, troep* ●
mengelmoes.
2 jumble ⟨ww⟩ ●*dooreengooien, dooreen-
haspelen, samenflansen;* –d up/together
dooreengegooid.
'jumble sale ⟨BE⟩ ●*liefdadigheidsbazaar*.
1 jumbo ['dʒʌmboʊ] ⟨zn⟩ ●⟨verk.⟩ *jumbo*
jet.
2 jumbo, 'jumbo-sized ⟨bn⟩ ●*jumbo-, reu-
ze-*. **'jumbo jet** ●*jumbo(jet)*.
1 jump [dʒʌmp] ⟨zn⟩ ●*sprong,* ⟨fig.⟩ *(plot-
selinge/snelle) stijging, schok* ●⟨sport⟩
hindernis‖ ⟨sl.⟩ get/have the – on s.o. *iem.
te vlug af zijn*.
2 jump I ⟨onov ww⟩ ●*springen;* he –ed at
him *hij sprong op hem toe;* ⟨fig.⟩ he –ed
at the offer *hij greep het aanbod met beide
handen aan;* – on s.o. *iem. te lijf gaan;*
⟨fig.⟩ *uitvaren tegen iem.* ●*omhoogschieten;* prices –ed sharply *de prijzen gingen
steil de hoogte in* ●*opspringen, opschrikken* ●*verspringen*‖ – to conclusions *overhaaste conclusies trekken;*↓– to it *zich
haasten (om iets te doen)* **II** ⟨ov ww⟩ ●
springen over; the train –ed the rails *de
trein liep uit de rails* ●*overslaan;* – a chapter *een hoofdstuk overslaan* ●*weglopen
van*.
jumped-up ['dʒʌm(p)tʌp] ●*parvenu(achtig), net gearriveerd*. **jumper** ['dʒʌmpə] ●
springer ●⟨BE⟩ *pullover, (dames)trui* ●
⟨AE⟩ *overgooier*. **'jumping-'off place,
'jumping-'off point** ●*beginpunt, uitgangspunt*. **'jump suit** ●*overall*. **jumpy**
['dʒʌmpi] ●*gespannen* ●*lichtgeraakt,
prikkelbaar*.
junction ['dʒʌŋkʃn] ●*verbinding(spunt), ver-
eniging(spunt/plaats)*. **juncture** ['dʒʌŋk-
tʃə] ●*tijdsgewricht, toestand;* at this – *onder de huidige omstandigheden*.
June [dʒu:n] ●*juni*.
jungle ['dʒʌŋgl] ●*jungle, oerwoud* ●*warboel*.
1 junior ['dʒu:nɪə] ⟨zn⟩ ●*jongere;* he's my –
by two years *hij is twee jaar jonger dan ik*
●*mindere, ondergeschikte* ●⟨BE⟩ *school-
kind* ⟨ongeveer 7-11 jaar⟩ ●⟨AE⟩ *derde-
jaars* ⟨bij een cursusduur v. 4 jaar⟩.
2 junior ⟨bn⟩ ●*jonger, junior* ⟨achter na-
men⟩ ●*lager/laagst geplaatst, ondergeschikt;* – clerk *jongste bediende*. **'junior
college** ⟨AE⟩ ●⟨ongeveer⟩ *universiteit*
⟨met alleen de eerste twee jaren v.d. uni-

versitaire opleiding⟩.
'junior 'high (school) ⟨AE⟩ ●*middenschool,
brugschool*.
juniper ['dʒu:nɪpə] ●*jeneverbes(struik)*.
junk [dʒʌnk] ●*(oude) rommel, rotzooi* ●*jonk*
●⟨sl.⟩ *junk* ⟨heroïne⟩.
junket ['dʒʌŋkɪt] ●*(zaken)reis(je), snoepreisje*.
junketing ['dʒʌŋkɪtɪŋ] ●*(feestelijk) onthaal*.
'junk food ●*junk food, ongezonde kost*.
junkie ['dʒʌŋki] ●*junkie, (drug)verslaafde*.
'junk mail ●*huis-aan-huis-post, reclame-
drukwerk*.
junta ['dʒʌntə, 'hʊntə] ●*junta*.
juridical ['dʒʊə'rɪdɪkl] ●*gerechtelijk*. **juris-
diction** ['dʒʊərɪs'dɪkʃn] ●*rechtspraak* ●
(rechts)bevoegdheid, jurisdictie ●*rechts-
gebied, ressort*. **jurisprudence** ['dʒʊərɪs-
'pru:dns] ●*rechtswetenschap* ●*jurispru-
dentie*. **jurist** ['dʒʊərɪst] ●*jurist, rechts-
kundige*.
juror ['dʒʊərə] ●*jurylid*. **jury** ['dʒʊəri] ⟨vnl.
jur.⟩ ●*jury*. **'jury box** ●*jurytribune, (de) ju-
rybank(en)*. **juryman** ['dʒʊərimən] ●*jurylid*. **'jurywoman** ●*vrouwelijk jurylid*.
1 just [dʒʌst] ⟨bn⟩ ●*billijk, rechtvaardig* ●
(wel)verdiend; get/receive one's – *deserts
zijn verdiende loon krijgen* ●*gegrond, gerechtvaardigd* ●*juist*.
2 just ⟨bw⟩ ●*precies, juist, net;* – about *zo-
wat, zo ongeveer;* – now *net op dit moment; daarnet;* – like him *net iets voor
hem* ●*amper, (maar) net;* – a little *een tikkeltje (maar);* – a minute, please *(een)
ogenblikje a.u.b.* ●*net, zoëven;* they've
(only) – arrived *ze zijn er (nog maar) net* ●
↓ *gewoon, (alleen) maar;* that's – one of
those things *dat gaat nu eenmaal zo;* it –
doesn't make sense *het slaat gewoon nergens op;* – wait and see *wacht maar, dan
zul je eens zien;* – like that *zo maar* ● ↓ *gewoonweg, in één woord*‖ – the same *toch*.
justice ['dʒʌstɪs] **I** ⟨telb zn⟩ ●*rechter;* Justice of the Peace *politierechter;* ⟨AZN⟩
vrederechter **II** ⟨n-telb zn⟩ ●*gerechtigheid, rechtmatigheid, recht(vaardigheid);*
do o.s. – *aan de verwachtingen voldoen;*
to do him – *ere wie ere toekomt;* they did –
to the meal *ze deden de maaltijd eer aan* ●
gerecht, justitie; Court of Justice *Rechtbank;* bring s.o. to – *iem. voor het gerecht
brengen*.
justifiable ['dʒʌstɪfaɪəbl, -'faɪəbl] ●*gerechtvaardigd* ●*verdedigbaar*. **justification**
['dʒʌstɪfɪ'keɪʃn] ●*rechtvaardiging;* in – of
ter rechtvaardiging van. **justify**
['dʒʌstɪfaɪ] ●*rechtvaardigen;* we were
clearly justified in sacking him *we hebben*

hem terecht ontslagen ●*verdedigen, ver-antwoorden* ●*in het gelijk stellen; am I justified in thinking that ... heb ik gelijk als ik denk dat ...* ‖ zie ook ⟨sprw.⟩ END.
jut [dʒʌt] ●⟨vaak +out⟩ *uitsteken, (voor)uit-springen.*
jute [dʒuːt] ●*jute.*
1 juvenile [ˈdʒuːvənaɪl] ⟨zn⟩ ●*jongere, jeug-dig/jong persoon* ●*jeune premier.*
2 juvenile ⟨bn⟩ ●*jeugdig, jong, kinder-; –court kinderrechter; – delinquency jeugd-criminaliteit; –* delinquents *jeugddelin-quenten* ●*kinderachtig.*
juxtapose [ˈdʒʌkstəˈpouz] ●*naast elkaar plaatsen.* **juxtaposition** [ˈdʒʌkstəpəˈzɪʃn] ●*juxtapositie.*

kale [keɪl] ●*(boeren)kool.*
kaleidoscope [kəˈlaɪdəskoup] ●*caleidos-coop* ⟨ook fig.⟩.
kangaroo [ˈkæŋɡəˈruː] ●*kangoeroe.*
'kangaroo 'court ●*onwettige rechtbank, volksgericht* ⟨bv. v. arbeiders, gevange-nen⟩.
karate [kəˈrɑːti] ⟨sport⟩ ●*karate.*
kayak [ˈkaɪæk] ●*kajak.*
KB ⟨afk.⟩ *kilobyte(s)* ●*Kb.*
keel [kiːl] ●⟨scheep.⟩ *kiel.* **'keelhaul** ●*kiel-halen.* **keel over** ●*omvallen, omrollen.*
keen [kiːn] ⟨-ness⟩ ●*scherp* ⟨ook fig.⟩, *bij-tend, fel, hevig* ⟨v. wind, vorst; ook v. strijd, concurrentie⟩ ●*scherp, helder* ⟨v. zintuigen, verstand⟩; *she has a –* intelli-gence *ze is heel kien* ●*vurig, enthousiast; a –* interest in *een levendige belangstel-ling voor; – on gespitst op, gebrand op; he is – on winning hij wil dolgraag win-nen.*
1 keep [kiːp] **I** ⟨telb zn⟩ ●*burchttoren* ‖↓ for –s *voor altijd, voorgoed;* play for – me-nens/voor het 'echte' *spelen* **II** ⟨n-telb zn⟩ ●*(levens)onderhoud, kost, voedsel;* earn your – *de kost verdienen.*
2 keep ⟨kept, kept⟩ **I** ⟨onov ww⟩ ●*blijven, doorgaan met; – cool! houd je kalm!; – left links houden; – going door (blijven) gaan; – talking! blijf praten!; how is John –ing? hoe gaat het met John?; – ahead voor blijven; – away (from) wegblijven (van); – back op een afstand blijven; – down verborgen blijven; – down! bukken/kop omlaag!; – indoors in huis blijven; if the rain –s off als het droog blijft; – off/out! verboden toegang!; – together bij el-kaar blijven; – ahead of (een stapje) voor blijven; – from smoking niet roken; – off uit de buurt blijven v.; vermijden; – off al-cohol de drank laten staan; – off the grass verboden op het gras te lopen; – out of zich niet bemoeien met* ●*goed blijven* ⟨v. voedsel⟩; ⟨fig.⟩ *your news will have to –a bit dat nieuwtje v. jou moet maar even wachten* ●⟨BE; ↓⟩ *wonen* ⟨vnl. universi-teit v. Cambridge⟩; zie KEEP AT, KEEP IN,

KEEP IN WITH, KEEP ON, KEEP TO, KEEP UP ‖ ⟨ov ww⟩ ●*houden, zich houden aan;* come and – me company *kom me gezelschap houden;* – a promise *een belofte nakomen;* – the Sabbath *de sabbat in acht nemen;* – a secret *een geheim bewaren* ● *houden, onderhouden, eropna houden;* – chickens *kippen houden;* – a hotel *een hotel hebben;* – a mistress *een maîtresse hebben;* – one's wife *z'n vrouw onderhouden* ●*(in bezit) hebben/houden, bewaren,* ⟨bij uitbr. ook⟩ *in voorraad hebben, verkopen;*↓ you can – it *je mag het houden* ● *hoeden, beschermen;* may God – you *God behoede/beware u* ●*houden* ⟨in bep. toestand⟩, ⟨bij uitbr. ook⟩ *ophouden, tegenhouden;* – it clean *houd het netjes;* – sth. going *iets aan de gang houden;* – s.o. waiting *iem. laten wachten;* what kept you (so long)? *wat heeft je zo (lang) opgehouden?;* – the fans away *de fans uit de buurt houden;* – back *tegenhouden;* achterhouden, geheimhouden;* – down *binnenhouden* ⟨voedsel⟩; *laag houden; onderdrukken, inhouden* ⟨woede⟩; – your head down! *bukken!;* – off *op een afstand houden;* – s.o. out *iem. buitensluiten;* – together *bij elkaar houden;* they kept him under with morphine *ze hielden hem bewusteloos met morfine;* – the bad news from his father *het slechte nieuws voor z'n vader verborgen houden;* – the girls from scratching each other *zorg dat de meisjes elkaar niet krabben;* – your hands off me! *blijf met je fikken van me af!;* – them out of harm's way *zorg dat ze geen gevaar lopen* ●*bijhouden* ⟨(dag)boek e.d.⟩; Mary used to – (the) accounts *Mary hield de boeken bij* ● *houden, blijven in/op;* – one's bed *het bed houden;* – your seat! *blijf (toch) zitten!* ‖ zie ook ⟨sprw.⟩ APPLE; zie KEEP IN, KEEP ON, KEEP UP.

'**keep at** ●*door blijven gaan met;* – it! *ga zo door!.* **keeper** ['ki:pə] ●*bewaarder, oppasser, bewaker, suppoost* ●*keeper, doelverdediger,* ⟨cricket⟩ *wicketkeeper* ‖ zie ook ⟨sprw.⟩ FINDER. '**keep 'in** I ⟨onov ww⟩ ●*binnen blijven* II ⟨ov ww⟩ ● I ●*na laten blijven, school laten blijven* ●*aan laten, niet uit laten gaan* ⟨vuur⟩. **keeping** ['ki:pɪŋ] ● *bewaring, hoede;* in safe – *in veilige bewaring* ●*overeenstemming, harmonie;* in – with *in overeenstemming met.* '**keep 'in with** ●*(proberen) op goede voet (te) blijven met.* '**keep 'on** I ⟨onov ww⟩ ●*volhouden, doorgaan;* he keeps on telling jokes *hij blijft maar grappen vertellen* ●*doorgaan, verdergaan* ●*blijven praten/zeuren;*

don't – at me *blijf me niet aan m'n kop zeuren* II ⟨ov ww⟩ ●*aanhouden, ophouden, blijven dragen* ⟨kleding, hoed⟩ ●*aanhouden, (in dienst) houden.* **keepsake** ['ki:pseɪk] ●*aandenken, souvenir;* for a – *als aandenken.* '**keep to** ●*blijven bij, (zich) houden (aan);* – the point *bij het onderwerp blijven;* you must – the schedule *je moet je aan het schema houden;* she always keeps (herself) to herself *ze is erg op zichzelf* ●*houden;* – the left *links houden/ rijden* ●*blijven in;* – one's bed *het bed houden.* '**keep 'up** I ⟨onov ww⟩ ●*overeind blijven, blijven staan, hoog blijven* ●*aanhouden;* I do hope that the weather keeps up *ik hoop wel dat het weer mooi blijft* ●*bijblijven, bijhouden;* I can't – with you *ik kan je niet bijhouden;* – with friends abroad *contact houden met vrienden in het buitenland;* – with one's neighbours *niet bij de buren achterblijven;* – with the times *bij de tijd blijven* II ⟨ov ww⟩ ●*omhooghouden, ophouden* ●*hoog houden* ●*onderhouden, bijhouden* ●*doorgaan met, handhaven, volhouden;* – the conversation *de conversatie gaande houden;* – the good work! *ga zo door!;* keep it up! *ga zo door!* ●*uit bed houden, wakker houden.*
keg [keg] ●*vaatje.*
ken [ken] ‖ that is beyond/outside my – *dat gaat boven mijn pet.*
kennel [kenl] ●*hondehok* ●⟨AE⟩ *kennel.* **kennels** ['kenlz] ⟨BE⟩ ●*kennel.*
Kenyan ['kenɪən, 'ki:-] ●⟨bn⟩ *Kenyaas* ● ⟨zn⟩ *Kenyaan.*
kept [kept] ⟨verl. t. en volt. deelw.⟩ zie KEEP.
kerb, ⟨AE sp.⟩ **curb** [kə:b] ●*stoeprand, trottoirband.* '**kerbstone** ●*trottoirband.*
kerchief ['kə:tʃɪf] ●*hoofddoek, halsdoek.*
kerfuffle [kə'fʌfl] ●*opschudding.*
kernel ['kə:nl] ●*kern.*
kerosene ['kerəsi:n] ⟨vnl. AE⟩ ●*(lampen)petroleum.*
kestrel ['kestrəl] ●*torenvalk.*
ketchup ['ketʃəp] ●*ketchup.*
kettle [ketl] ●*ketel.* '**kettledrum** ●*keteltrom(mel), pauk.*
1 key [ki:] ⟨zn; ook attr⟩ ●*sleutel,* ⟨fig.⟩ *toegang, oplossing, verklaring* ●⟨muz.⟩ *toon* ⟨ook fig.⟩, ⟨muz.⟩ *toonaard;* in – *zuiver;* out of –, off – *vals* ●*toets* ⟨v. piano, schrijfmachine e.d.⟩, *klep* ⟨v. blaasinstrument⟩.
2 key ⟨ww⟩ ●*stemmen* ●*afstemmen, aanpassen;* –ed to *afgestemd op;* zie KEY UP.
'**keyboard** ●*toetsenbord, klavier* ●⟨vaak mv.⟩ *klavier/toetsinstrument.* '**key 'figure** ●*sleutelfiguur.* '**keyhole** ●*sleutelgat.* '**key 'industry** ●*sleutelindustrie.* '**key 'is-**

sue ● *hoofdthema.* '**key '`job** ● *sleutelpositie.* **key man** ● *sleutelpersoon, centrale figuur, spil.* '**keynote** ● ⟨muz.⟩ *grondtoon* ● *hoofdgedachte, grondgedachte.* '**key 'position** ● *sleutelpositie.*
'**key punch** ⟨AE⟩ ● *ponsmachine.* '**keypuncher** ⟨AE⟩ ● *ponstypist(e).* '**key 'question** ● *hamvraag.* '**key ring** ● *sleutelring.* '**key 'role** ● *sleutelrol.* '**keystone** ● *sluitsteen* ● *hoeksteen, fundament.* '**key 'up** ● *opwinden;* the boy looked keyed up *de jongen zag er gespannen uit.* '**key word** ● *sleutelwoord.*
khaki ['kɑ:ki] ● *kaki(kleur/stof).*
kibbutz [kɪ'bʊts] ⟨mv.: ook kibbutzim ['kɪbʊt'si:m]⟩ ● *kibboets.*
1 **kick** [kɪk] **I** ⟨telb zn⟩ ● *schop, trap;* ⟨fig.⟩ a – in the teeth *een slag in het gezicht* ● *terugslag* ⟨v. geweer⟩ ● ↓ *kick, stimulans;* do sth. for –s *iets voor de lol/sensatie doen* **II** ⟨n-telb zn⟩ ● *kracht, fut, energie;* this martini has a lot of – in it *deze martini is heel koppig.*
2 **kick I** ⟨onov ww⟩ ● *schoppen, trappen;* ⟨voetbal⟩ – off *aftrappen* ● ↓ *er tegenaan schoppen;* – against/at *protesteren/rebelleren tegen;* zie KICK ABOUT, KICK AROUND **II** ⟨ov ww⟩ ● *schoppen, trappen,* ⟨voetbal⟩ *inschoppen;* – downstairs *de trap af schoppen;* ⟨fig.⟩ *degraderen;* – out *eruit schoppen, ontslaan;* ⟨fig.⟩ – upstairs *wegpromoveren* ● ↓ *kappen met* ⟨verslaving e.d.⟩ ‖ – a person when he is down *iem. nog verder de grond intrappen;* zie KICK ABOUT, KICK AROUND. '**kick a'bout I** ⟨onov ww⟩ ● *rondslingeren* **II** ⟨ov ww⟩ ● *grof behandelen* **III** ⟨ww + vz⟩ ● *rondreizen in* ● *rondslingeren in.* '**kick a'round I** ⟨onov ww⟩ ● *rondslingeren* **II** ⟨ov ww⟩ ● *grof behandelen* ● *commanderen* ● *stoeien met;* kick the idea around *met het idee stoeien* **III** ⟨ww + vz⟩ ● *rondreizen in* ● *rondslingeren in.* '**kickback** ● *smeergeld.* '**kickoff** ● ⟨voetbal⟩ *aftrap* ● ↓ *begin.*
1 **kid** [kɪd] ⟨zn⟩ ● *jong geitje, bokje* ● *kind, joch, jong,* ⟨AE; ↓⟩ *jong mens;* ⟨AE; ↓⟩ college –s *(universiteits)studenten;* that's –(s') stuff *dat is kinderspel* ● *geiteleer.*
2 **kid** ⟨bn⟩ ● ⟨vnl. AE; ↓⟩ *jonger;* – brother/sister *jonger broertje/zusje* ● *geiteleren;* ⟨fig.⟩ handle/treat (s.o.) with – gloves *(iem.) met fluwelen handschoentjes aanpakken.*
3 **kid** ⟨ww⟩ ● *plagen, voor de gek houden;* you're –ding (me) *dat meen je niet;* no –ding? *meen je dat?;* no –ding! *ongelooflijk!.*
kiddie, kiddy ['kɪdi] ● *jong, joch, knul.*

kidnap ['kɪdnæp] ● *ontvoeren, kidnappen.* **kidnapper** ['kɪdnæpə] ● *ontvoerder, kidnapper.*
kidney ['kɪdni] ● *nier.* '**kidney bean** ● *(donkerrode) boon.* '**kidney machine** ● *kunstnier.*
1 **kill** [kɪl] ⟨zn⟩ ● *buit, (gedode) prooi* ‖ be in at the – *erbij zijn als de prooi gedood wordt;* ⟨fig.⟩ *bij de overwinning aanwezig zijn.*
2 **kill** ⟨ww⟩ ● ⟨ook fig.⟩ *doden, ombrengen;* ⟨fig.⟩ – a bottle of wine *een fles wijn soldaat maken;* ⟨fig.⟩ my feet are –ing me *ik verga van de pijn in mijn voeten;* ⟨fig.⟩ – with kindness *met (overdreven) vriendelijkheid overstelpen;* – off *afmaken, uitroeien;* be –ed *om het leven komen* ● *neutraliseren, tenietdoen* ● *afzetten* ⟨motor⟩ ● *vetoën, wegstemmen* ● ⟨voetbal⟩ *doodmaken* ‖ dressed (fit) to – *er piekfijn uit zien;* zie ook ⟨sprw.⟩ CURIOSITY. **killer** ['kɪlə] ● *moordenaar.* '**killer disease** ● *dodelijke ziekte.*
1 **killing** ['kɪlɪŋ] ⟨zn⟩ ● *moord* ‖ make a – *zijn slag slaan, groot succes hebben.*
2 **killing** ⟨bn⟩ ● *dodelijk* ● *slopend, moordend.*
'**killjoy** ● *spelbreker.*
kiln [kɪln] ● *pottenbakkersoven, kalkoven.*
kilo ['ki:loʊ] ● *kilo(gram).* **kilogramme, kilogram** [-græm] ● *kilogram.* **kilometre** [kɪ'lɒmɪtə] ● *kilometer.*
kilt [kɪlt] ● *kilt.*
kin [kɪn] ● *familie;* kith and – *vrienden en verwanten;* next of – *naaste verwanten/familie.*
1 **kind** [kaɪnd] ⟨zn⟩ ● *soort, type, aard;* be (of) s.o.'s – *iemands type zijn;* sth. of the – *iets dergelijks;* nothing of the – *niets v. dien aard, geen sprake van;* three of a – *drie dezelfde(n);* a – of *een soort;* all –s of *allerlei* ‖ pay in – *in natura betalen;* ⟨fig.⟩ *met gelijke munt terugbetalen.*
2 **kind** ⟨bn⟩ ● *vriendelijk, aardig;* with – regards *met vriendelijke groeten;* would you be – enough to/so – as to open the window *zoudt u zo vriendelijk willen zijn het raam open te doen.*
kinda ['kaɪndə], **kind of** ↓ *wel, best, nogal;* he's – cute *hij is wel leuk;* I was – scared *ik was een beetje bang.*
kindergarten ['kɪndəgɑ:tn] ● *kleuterschool.*
'**kind'hearted** ● *vriendelijk, aardig.*
kindle ['kɪndl] **I** ⟨onov ww⟩ ● *ontbranden, (op)vlammen* **II** ⟨ov ww⟩ ● *ontsteken, aansteken, doen (ont)branden* ● *opwekken.*
kindling ['kɪndlɪŋ] ● *aanmaakhout.*
1 **kindly** ['kaɪndli] ⟨bn; bw: in a kindly fash-

ion) ● *vriendelijk, (goed)aardig.*
2 kindly ⟨bw⟩ ● *zie* KIND[2]; thank you – *hartelijk bedankt* ● *alstublieft;* – acknowledge bevestigen a.u.b..
kindness ['kaɪndnəs] ● *vriendelijke daad, iets aardigs, gunst* ● *vriendelijkheid;* out of – *uit goedheid.*
1 kindred ['kɪndrɪd] **I** ⟨n-telb zn⟩ ● *verwantschap* **II** ⟨mv.⟩ ● *verwanten, familie(leden).*
2 kindred ⟨bn⟩ ‖ a – spirit *een verwante geest.*
kinetic [kɪ'netɪk, kaɪ-] ● *kinetisch.* **kinetics** [kɪ'netɪks, kaɪ-] ● *kinetica, bewegingsleer.*
kinfolk(s) zie KINSFOLK.
king [kɪŋ] ● *koning* ● ⟨schaakspel, kaartspel⟩ *koning, heer.* **kingdom** ['kɪŋdəm] ● *koninkrijk, rijk.* **'kingdom 'come** ↓ *het hiernamaals;* blow to – *naar de andere wereld helpen.* **'kingfisher** ● *ijsvogel.* **kingly** ['kɪŋli] ● *koninklijk.* **'kingmaker** ● *iem. die een ander aan de macht brengt.* **'king pin** ● ⟨bowling⟩ *koning* ● *spil* ⟨fig.⟩, *leidende figuur.*
'King's 'English, 'Queen's 'English ⟨BE⟩ ● *standaard Engels.*
kingship ['kɪŋʃɪp] ● *koningschap.* **'king-size(d)** ● *kingsize, extra lang/groot.*
kink [kɪŋk] ● *kink, kronkel, slag* ⟨in kabel, touw e.d.⟩, *knik* ⟨in draad e.d.⟩, *krul* ⟨in haar⟩ ● *kronkel, eigenaardigheid.*
kinky ['kɪŋki] ● *kroezig, kroes-* ● ↓ *pervers* ● ⟨sl.⟩ *sexy, opwindend* ⟨v. kleren⟩.
kinsfolk ['kɪnzfoʊk], **kinfolk(s)** ['kɪnfoʊk(s)] ● *familie(leden).* **kinship** ['kɪnʃɪp] ● *verwantschap.* **kinsman** ['kɪnzmən] ● *(bloed)verwant.* **kinswoman** ● *(bloed)verwante.*
kiosk ['kiːɒsk] ● *kiosk* ● ⟨BE⟩ *telefooncel.*
1 kip [kɪp] ⟨zn⟩ ⟨BE; ↓⟩ ● *slaapplaats* ● *dutje.*
2 kip ⟨ww⟩ ⟨BE; ↓⟩ ● ⟨ook +down⟩ *(gaan) pitten, (gaan) maffen.*
kipper ['kɪpə] ● *gedroogde/gerookte (zoute) haring.*
kirk [kəːk] ⟨Sch. E⟩ ● *kerk.*
1 kiss [kɪs] ⟨zn⟩ ● *kus, zoen;* blow a – *een kushandje geven* ‖ – of death *doodsteek;* ⟨vnl. BE⟩ – of life *mond-op-mondbeademing;* ⟨bij uitbr.⟩ *reddingsactie.*
2 kiss ⟨ww⟩ ● *kussen, elkaar kussen* ● *(even/licht) raken,* ⟨biljarten⟩ *klotsen (tegen).*
kisser ['kɪsə] ● *kusser* ● ⟨sl.⟩ *snoet, waffel.*
1 kit [kɪt] **I** ⟨telb zn⟩ ● *(gereedschaps)kist* ● *bouwdoos/pakket* **II** ⟨telb en n-telb zn⟩ ● *uitrusting, uitmonstering* ‖ ⟨sl.⟩ the whole – *(and caboodle) de hele rataplan.*
2 kit ⟨ww⟩ ● ⟨+out/up⟩ *uitrusten, uitmonsteren.*
'kit bag ⟨vnl. BE⟩ ● *plunjezak.*

kitchen ['kɪtʃɪn] ● *keuken.* **kitchenette** ['kɪtʃɪ'net] ● *keukentje, kitchenette.* **'kitchen 'garden** ● *moestuin.* **'kitchen 'sink** ● *aanrecht, gootsteen* ‖ she arrived with everything but the – *ze had haar hele hebben en houden meegebracht.* **'kitchen table** ● *keukentafel.* **'kitchen unit** ● *keukenblok.*
kite [kaɪt] ● *vlieger;* fly a – *vliegeren;* ⟨fig.⟩ *een balletje opgooien* ● ⟨dierk.⟩ *wouw* ‖ ⟨AE; ↓⟩ go fly a – *maak dat je weg komt.*
kith [kɪθ] zie KIN.
kitsch [kɪtʃ] ● *kitsch.*
kitten ['kɪtn] ● *katje, poesje* ‖ have –s *de zenuwen hebben.* **kittenish** ['kɪtnɪʃ] ● *als een katje, speels* ● *flirterig.*
kitty ['kɪti] ● *katje* ● *pot, inzet* ⟨bij kaartspel⟩ ● ↓ *pot, kas.*
klaxon ['klæksən] ● *claxon.*
kleenex ['kliːneks] ⟨merknaam⟩ ● *tissue, papieren zakdoek.*
kleptomania ['kleptə'meɪnɪə] ● *kleptomanie.* **kleptomaniac** ['kleptə'meɪnɪæk] ● *kleptomaan.*
knack [næk] ● *handigheid, slag;* get the – of sth. *de slag te pakken krijgen v. iets* ● *truc, handigheidje;* there's a – in it *je moet de truc even doorhebben.*
knackered ['nækəd] ⟨sl.⟩ ● *bekaf, doodop.*
'knapsack ● *knapzak, plunjezak.*
knave [neɪv] ● ⟨kaartspel⟩ *boer* ● ⟨vero.⟩ *schurk.*
knead [niːd] ● *(dooreen)kneden* ● *kneden, masseren* ⟨bv. spier⟩.
1 knee [niː] ⟨zn⟩ ● *knie;* be on one's –s *op de knieën liggen;* ⟨fig.⟩ bring s.o. to his –s *iem. op de knieën krijgen/klein krijgen* ● *kniestuk.*
2 knee ⟨ww⟩ ● *een knietje geven, met de knie stoten.*
'knee breeches ● *kniebroek.* **'kneecap** ● ⟨zn⟩ *knieschijf* ● ⟨ww⟩ *door de knieschijven schieten.* **'knee-'deep** ● *kniehoog, tot de knie(ën) reikend.* **'knee-'high** ● *kniehoog, tot de knieën reikend.*
kneel [niːl] ⟨knelt [nelt], /AE ook kneeled [niːld], knelt/AE ook kneeled⟩ ● ⟨vaak +down⟩ *knielen, geknield zitten.*
'knees-up ⟨BE; ↓⟩ ● *knalfuif.*
knell [nel] ● *doodsklok* ⟨ook fig.⟩.
knew [njuː] ⟨verl. t.⟩ zie KNOW.
knickerbockers ['nɪkəbɒkəz] ● *knickerbocker, wijde kniebroek.*
1 knickers ['nɪkəz] ⟨zn⟩ ● ↓ *slipje, onderbroek* ⟨v. vrouw⟩ ‖ ⟨BE⟩ don't get your – in a twist *doe niet zo opgewonden.*
2 knickers ⟨tw⟩ ⟨sl.⟩ ● *verdorie.*
knickknack ['nɪknæk] ● *prul(letje), snuisterij.*
1 knife [naɪf] ⟨zn; mv.: knives⟩ ● *mes* ‖ turn/

twist the – *nog een trap nageven.*
2 knife ⟨ww⟩ ● *(door)steken, aan het mes rijgen.*
'knife-edge ● *snede* ⟨v. mes⟩ ● *mes* ⟨v. balans⟩ ‖ on a – about *in grote spanning over;* be balanced on a – *heel onzeker zijn* ⟨v. uitkomst⟩. **'knife-sharpener** ● *messenslijper.*

1 knight [naɪt] ⟨zn⟩ ● *ridder* ● *knight, ridder* ⟨Eng. titel⟩; Knight of the Garter *ridder in de orde v.d. Kouseband* ● ⟨schaakspel⟩ *paard.*
2 knight ⟨ww⟩ ● *tot ridder slaan, ridderen.* **knighthood** ['naɪthʊd] I ⟨telb en n-telb zn⟩ ● *ridderorde;* confer a – on s.o. *iem. ridderen* II ⟨n-telb zn⟩ ● *ridderschap.* **knightly** ['naɪtli] ● *ridderlijk.*

knit [nɪt] ⟨ook knit⟩ I ⟨onov ww⟩ ● *één worden* II ⟨onov en ov ww⟩ ● *breien;* – one, purl one *één recht, één averecht(s) (breien)* ● *fronsen, samentrekken;* zie KNIT UP III ⟨ov ww⟩ ● *verweven;* (their interests are) closely – *(hun belangen zijn) nauw verweven.* **knitter** ['nɪtə] ● *brei(st)er.* **knitting** ['nɪtɪŋ] ● *het breien* ● *breiwerk.* **'knitting machine** ● *breimachine.* **'knitting needle, 'knitting pin** ● *breinaald, breipen.* **'knit 'up** I ⟨onov ww⟩ ‖ this wool knits up easily *deze wol breit gemakkelijk* II ⟨ov ww⟩ ● *afbreien.* **'knitwear** ● *gebreide kleding.*

knives [naɪvz] ⟨mv.⟩ zie KNIFE.

knob [nɒb] ● *knop* ● *knobbel* ● *brok(je), klontje.* **knobbly** ['nɒbli] ⟨vnl. BE⟩ ● *knobbelig.* **knobby** ['nɒbi] ⟨vnl. AE⟩ ● *knobbelig.*

1 knock [nɒk] ⟨zn⟩ ● *slag, klap,* ⟨ihb.⟩ *klop, tik* ● ⟨sl.⟩ *oplazer, (kritische/financiële) optater;* take a lot of –s *heel wat te verduren krijgen.*
2 knock I ⟨onov ww⟩ ● *kloppen* ⟨v. verbrandingsmotor⟩ ‖ – against sth. *tegen iets (op) botsen* II ⟨onov en ov ww⟩ ● *kloppen;* – at/on a door *op een deur kloppen/tikken;* zie KNOCK ABOUT, KNOCK AROUND, KNOCK OFF, KNOCK UP III ⟨ov ww⟩ ● *(hard) slaan, meppen, stoten (tegen);* – a hole/nail in *een gat/spijker slaan in* ● ⟨sl.⟩ *(af)kraken* ● ⟨BE; sl.⟩ *met stomheid slaan* ‖ the news –ed him sideways *hij was met stomheid geslagen door het nieuws;* the news –ed him for six *hij was met stomheid geslagen door het nieuws;* zie KNOCK BACK, KNOCK DOWN, KNOCK OFF, KNOCK OUT, KNOCK OVER, KNOCK TOGETHER.
'knockabout ● *gooi-en-smijt-* ⟨vnl. mbt. films⟩ ● *rouwdouw, raus-;* – clothes *rauskleren.* **'knock a'bout, 'knock**

a'round ‖ I ⟨onov ww⟩ ● *rondhangen* ● *rondzwerven;* – with *optrekken met;* ⟨BE; ↓⟩ *scharrelen met* II ⟨ov ww⟩ ● *een pak slaag geven, toetakelen* ● *bekijken, bespreken.* **'knock 'back** ↓ ● *achteroverslaan* ⟨drank⟩ ● *een rib uit het lijf zijn v., kosten.*
1 'knockdown ⟨zn⟩ ⟨boksen⟩ ● *knock-down* ⟨het (tijdelijk) neergaan⟩.
2 knockdown ⟨bn⟩ ● *verpletterend* ● *spotgoedkoop;* – price *afbraakprijs.* **'knock 'down** ● *neerhalen, tegen de grond slaan,* ⟨fig.⟩ *vloeren* ● *slopen, tegen de grond gooien* ● *aanrijden* ● *afdingen;* knock s.o. down a pound *een pond bij iem. afdingen* ● *(sterk) afprijzen;* knocked down price *afbraakprijs.* **knocker** ['nɒkə] ● ⟨verk.⟩ *doorknocker (deur)klopper* ● ⟨mv.⟩ *tieten.*

knock-kneed ['nɒk'ni:d] ● *met x-benen.*
'knock 'off I ⟨onov en ov ww⟩ ● *(af)nokken (met), kappen (met) werk*⟩; ⟨sl.⟩ knock it off(, will you)! *laat dat!* II ⟨ov ww⟩ ● *goedkoper geven, korting geven* ● ↓ *in elkaar draaien/flansen* ● ⟨sl.⟩ *mollen, afmaken* ● ⟨sl.⟩ *jatten, (bij uitbr.) beroven* ● ⟨BE; sl.⟩ *naaien.* **'knockout** ● ⟨boksen⟩ *knock-out* ● ⟨sport⟩ *eliminatietoernooi/ronde,* ⟨ongeveer⟩ *voorronde* ● ↓ *onweerstaanbaar/ verpletterend iem./iets, spetter;* you look a – *je ziet eruit om te stelen.* **'knock 'out** ● *vloeren, knock-out slaan* ● ↓ *met stomheid slaan, verbijsteren* ● *verdoven* ⟨v. medicijn⟩ ● ⟨ihb. sport⟩ *uitschakelen* ‖ ⟨AE; sl.⟩ that really knocked me out *ik ben er helemaal kapot van.* **'knock 'over** ● *omgooien, aan/overrijden.* **'knock to'gether** ● *in elkaar flansen.* **'knock 'up** I ⟨onov ww⟩ ⟨tennis⟩ ● *inslaan* II ⟨ov ww⟩ ● *in elkaar flansen/draaien* ● ⟨BE; ↓⟩ *wakker kloppen, wekken* ● ⟨AE; sl.⟩ *zwanger maken.* **'knock-up** ⟨tennis⟩ ● *warming-up, het inslaan.*

knoll [nəʊl] ● *heuveltje.*

1 knot [nɒt] ⟨zn⟩ ● *knoop,* ⟨bij uitbr.⟩ *strik* ● *knoop* ⟨fig.⟩, *moeilijkheid* ● *kwast, (k)noest* ● *knobbel* ● *kluitje mensen* ● ⟨luchtv., scheep.⟩ *knoop* ‖ get tied (up) into –s ⟨over⟩ *de kluts kwijt raken (v./over).*
2 knot I ⟨onov ww⟩ ● *knopen, in de knoop raken* II ⟨ov ww⟩ ● *(vast)knopen, een knoop leggen in* ● *dichtknopen.* **knotty** ['nɒti] ● *knoestig* ⟨v. hout⟩ ● *ingewikkeld, lastig.*

1 know [nəʊ] ⟨zn⟩ ‖ in the – *ingewijd; (goed) op de hoogte.*
2 know ⟨knew [nju:], known [nəʊn]⟩ I ⟨onov en ov ww⟩ ● *weten, beseffen;* if you – what I mean *als je begrijpt wat ik bedoel;* for all I – he may be in China *misschien zit*

hij in China, weet ik veel/wie weet; ↓ you – *weet je (wel); je weet wel; –* what's what *zijn weetje weten; –* who's who *alles van iedereen weten;* not that I – of *niet dat ik weet;* I – of her, but I don't – her *ik heb van haar gehoord, maar ik ken haar niet* ‖ you – what/something? *zal ik je eens wat vertellen?;* ↓ (well) what do you – (about that)? *wat zeg je (me) daarvan?; –* better than to do sth. *(wel) zo verstandig zijn iets te laten* **II** (ov ww) ●*kennen; –* one's way *de weg weten* ●*kennen, ervaren; –* no/not – fear *geen angst kennen* ●*herkennen;* I knew Jane by her walk *ik herkende Jane aan haar manier v. lopen* ‖ – backwards (and forwards) *kennen als zijn broekzak.*

'**know-all,** ↓ '**know-it-all** ●*wijsneus, betweter.* '**know-how** ●*know-how, technische kennis.*

1 knowing ['noʊɪŋ] (zn) ‖ there's no – *het valt niet te voorspellen.*

2 knowing (bn) ●*veelbetekenend; –* look *blik v. verstandhouding* ●*(wel/doel)bewust; –ly hurt s.o. iem. bewust pijn doen.*

knowledge ['nɒlɪdʒ] ●*kennis, wetenschap;* to the best of one's – (and belief) *naar mijn beste weten;* to my – *zover ik weet;* without s.o.'s – *buiten iemands (mede)weten* ●*kennis, informatie;* it came to my – *ik heb vernomen* ●*kennis, geleerdheid.*

knowledgeable ['nɒlɪdʒəbl] ●*goed geïnformeerd, goed op de hoogte;* be – about *verstand hebben van.*

known [noʊn] ●*bekend; –* to everyone as *bij iedereen bekend staand als* ‖ make o.s. – to *zich voorstellen aan.*

knuckle [nʌkl] ●*knokkel* ‖ rap on/over the –s *op de vingers tikken;* near the – *tegen het onbetamelijke aan* (v. mop). **knuckle down** ●(+to) *zich serieus wijden (aan)* (karwei), *aanpakken.* '**knuckleduster** ●*boksbeugel.* **knuckle under** ●(+to) *buigen (voor), zwichten.*

KO, ko (afk.) knockout ↓ ●(zn) *k.o.* ●(ww) *knock-out slaan.*

koala [koʊˈɑːlə], **ko'ala 'bear** ●*koala, buidelbeer(tje).*

kooky ['kuːki] (AE; sl.) ●*verknipt, geschift.*

Koran ['kɔːˈrɑːn] ●*koran.*

Korean [kəˈrɪən] ●(bn) *Koreaans* ●(eig.n.) *Koreaans* (taal) ●(telb zn) *Koreaan.*

kosher ['koʊʃə] ●*ko(o)sjer* ‖ ↓ *koosjer, in orde.*

kowtow ['kaʊˈtaʊ] ●(+to) *door het stof gaan (voor), zich vernederen.*

kudos ['kjuːdɒs] ↓ ●*roem, eer* ●*toejuiching(en), schouderklop(jes).*

L (afk.) learner driver (BE).

lab [læb] (verk.) laboratory ↓ ●*lab, laboratorium* ●*practicum.*

1 label ['leɪbl] (zn) ●*etiket, label* ●*label, platenmaatschappij* ●(vaak ong.) *etiket, kwalificatie.*

2 label (ww) ●*etiketteren, labelen* ●(vaak ong.) *bestempelen als.*

laboratory [ləˈbɒrətri] ●*laboratorium, proefruimte.*

laborious [ləˈbɔːrɪəs] ●*afmattend* ●*moeizaam.*

'**labor union** (AE) ●*vakbond.*

1 labour ['leɪbə] **I** (eig.n.; L-) ●*Labour(-partij)* (in Engeland) **II** (telb zn) ‖ – of love *(met/uit) liefde (verricht) werk* **III** (n-telb zn) ●*arbeid, werk* (ihb. in loondienst) ●*(barens)weeën* ●*bevalling;* be in – *bevallen.*

2 labour I (onov ww) ●*arbeiden, werken* ●*zich inspannen, ploeteren* ●*moeizaam vooruitkomen;* zie LABOUR UNDER **II** (ov ww) ●*uitputtend behandelen.*

'**Labour Day** ●*Dag v.d. Arbeid.*

laboured ['leɪbəd] ●*moeizaam.* **labourer** ['leɪb(ə)rə] ●*(hand)arbeider,* (ihb.) *ongeschoolde arbeider.* '**labour force** ●*beroepsbevolking.* '**labour market** ●*arbeidsmarkt.*

'**Labour Party** ●*Labour-partij* (in Engeland) ●*arbeiderspartij.*

'**laboursaving** ●*arbeidsbesparend.* '**labour under** ●*te kampen hebben met; –* the delusion/illusion that *in de waan verkeren dat.*

laburnum [ləˈbəːnəm] (plantk.) ●*laburnum,* (ihb.) *goudenregen.*

labyrinth ['læbərɪnθ] ●*doolhof, labyrint.*

1 lace [leɪs] (zn) ●*veter, koord* ●*kant(werk).*

2 lace (ww) ●(vaak +up) *rijgen, dicht/vastmaken met veter* ●*(door)vlechten* ‖ – tea with rum *een scheutje rum in de thee doen.*

lacerate ['læsəreɪt] ●*(open)rijten, (ver)scheuren.* **laceration** ['læsəˈreɪʃn] ●*scheur,* (ihb.) *rijtwond.*

lachrymose ['lækrɪmoʊs] ●*huilerig.*

1 lack [læk] (zn) ●*gebrek, tekort;* die for/

through – of food *sterven door voedselgebrek* ● *behoefte*.

2 lack I ⟨onov ww⟩ ● *ontbreken* ● *ontoereikend zijn* ‖ – for nothing *aan niets gebrek hebben* **II** ⟨ov ww⟩ ● *ontberen* ● *gebrek hebben aan, te kort komen*.

lackadaisical ['lækə'deɪzɪkl] ● *lusteloos*.

lackey ['læki] ● *lakei* ● *kruiper, pluimstrijker*.

lacking ['lækɪŋ] ● *niet voorhanden, afwezig*; be – in *gebrek hebben aan; van node hebben* ● ⟨BE; ↓⟩ *achterlijk*.

'lacklustre ● *dof, glansloos* ⟨ihb. v. ogen⟩.

laconic [lə'kɒnɪk] ● *kort en krachtig, laconiek*.

1 lacquer ['lækə] ⟨zn⟩ ● *(blanke) lak, vernis* ● *(haar)lak*.

2 lacquer ⟨ww⟩ ● *lakken, vernissen*.

lactic ['læktɪk] ⟨schei.⟩ ‖ – acid *melkzuur*.

lacuna [lə'kju:nə] ⟨mv.: ook lacunae [-ni:]⟩ ● *lacune, leemte*.

lacy ['leɪsi] ● *kanten* ● *kantachtig*.

lad [læd] ● *jongen, knul, jongeman* ‖ ↓ be one of the –s *erbij horen*.

1 ladder ['lædə] ⟨zn⟩ ● *ladder* ⟨ook fig.⟩ ● ⟨BE⟩ *ladder* ⟨in kous⟩.

2 ladder ⟨ww⟩ ⟨BE⟩ ● *(doen) ladderen* ⟨kous⟩.

laddie ['lædi] ● *joch, knul*.

laden ['leɪdn] ● *(zwaar) beladen/belast*.

la-di-da zie LAH-DI-DAH.

Ladies(') ['leɪdiz], ⟨AE⟩ **'Ladies(') room** ● *dames(toilet)*.

'ladies' man ● *charmeur, vrouwenliefhebber*.

lading ['leɪdɪŋ] ● *lading, vracht, bevrachting*.

1 ladle ['leɪdl] ⟨zn⟩ ● *soeplepel*.

2 ladle ⟨ww⟩ ● *opscheppen, oplepelen, ronddelen* ● ⟨+out⟩ *kwistig ronddelen*.

lady ['leɪdi] ● *dame, (beschaafde) vrouw*; ladies and gentlemen *dames en heren*; ⟨AE⟩ First Lady *presidentsvrouw* ● *vrouw die leiding geeft, vrouw des huizes* ● ⟨L-⟩ ⟨BE⟩ *lady, adellijke dame* ● ⟨attr⟩ *vrouw-(elijk(e))*; – doctor *vrouwelijke arts* ‖ zie ook ⟨sprw.⟩ FAINT. **'ladybird**, ⟨AE⟩ **'ladybug** ● *lieveheersbeestje*. **'lady-in-'waiting** ⟨BE⟩ ● *hofdame*. **'lady-killer** ● *vrouwenjager, (ras)versierder*. **ladylike** ['leɪdilaɪk] ● *zoals een dame betaamt/past* ● *gracieus*.

ladyship ['leɪdiʃɪp] ⟨vaak L-⟩ ● *(waardigheid v.) lady*; her/your – *mevrouw de barones/gravin enz..*

1 lag [læg] ⟨zn⟩ ● *tijdsverloop, achterstand* ● ⟨sl.⟩ *bajesklant*.

2 lag I ⟨onov ww⟩ ● ⟨+behind⟩ *achterblijven, achteraan komen* **II** ⟨ov ww⟩ ● *bekleden, isoleren* ⟨leidingen e.d.⟩.

lager ['lɑːgə], **'lager beer** ● *(blond) bier*, ⟨on-

eig.⟩ *pils*.

lagging ['lægɪŋ] ● *bekleding(smateriaal), isolatie(materiaal)*.

lagoon ● *lagune*.

la(h)-di-da(h) ['lɑːdi'dɑː] ● *geaffecteerd, verwaand*.

laid [leɪd] ⟨verl. t., volt. deelw.⟩ zie LAY.

'laid'back ⟨sl.⟩ ● *relaxed, ontspannen*.

lain [leɪn] ⟨volt. deelw.⟩ zie LIE.

lair [leə] ● *hol, leger* ⟨v. wild dier⟩ ● *hol* ⟨fig.⟩, *schuilplaats*.

laird [leəd] ⟨Sch. E⟩ ● *landheer*.

laity ['leɪəti] ⟨the⟩ ● *de leken/niet-geestelijken* ● *de leken/niet-deskundigen*.

lake ['leɪk] ● *meer* ‖ the Lakes *het Lake District*.

lam [læm] **I** ⟨onov ww⟩ ‖ – into s.o. *iem. een pak slaag geven*; ⟨fig.⟩ *iem. te lijf gaan* **II** ⟨ov ww⟩ ● *afrossen, een pak slaag geven*.

lama ['lɑːmə] ● *lama, boeddhistische priester*.

1 lamb [læm] ⟨zn⟩ ● *lam(metje)* ● *lam(svlees)* ● *lief/onschuldig kind, schatje*.

2 lamb ⟨ww⟩ ● *lammeren; –ing season lammertijd*. **'lambskin** ● *lamsvacht, lamsbont*. **'lamb's wool** ● *lamswol*.

lame [leɪm] ● *mank, kreupel* ● *onbevredigend, nietszeggend*; – excuse *zwak excuus* ● *kreupel* ⟨v. metrum⟩ ‖ – duck *slappeling; zielig figuur*; ⟨AE⟩ *demissionair functionaris*.

1 lament [lə'ment] ⟨zn⟩ ● *weeklacht, jammerklacht* ● *klaagzang, klaaglied*.

2 lament ⟨onov ww⟩ ● ⟨+over⟩ *(wee)klagen (over), jammeren (over)* ● *treuren* **II** ⟨ov ww⟩ ● *(diep) betreuren*. **lamentable** ['læməntəbl,lə'mentəbl] ● *betreurenswaardig, beklagenswaard(ig)* ● *erbarmelijk (slecht)*. **lamentation** ['læmən'teɪʃn] ● *smart* ● *weeklacht*.

1 laminate ['læmɪneɪt,'læmɪnət] ⟨zn⟩ ● *laminaat, gelaagd/plaatvormig produkt*.

2 laminate ['læmɪneɪt] ⟨ww⟩ ● *lamineren, tot dunne platen pletten* ⟨metaal⟩, *laagsgewijs vervaardigen; –d wood tri/multiplex*.

lamp [læmp] ● *lamp*.

lampoon ['læm'pu:n] ● ⟨zn⟩ *satire, schotschrift* ● ⟨ww⟩ *hekelen, een satire/schotschrift schrijven op/tegen*.

'lamppost ● *lantaarnpaal*. **'lampshade** ● *lampekap*.

1 lance [lɑːns] ⟨zn⟩ ● *lans, speer*.

2 lance ⟨ww⟩ ● ⟨med.⟩ *opensnijden/doorprikken (met lancet)*.

'lance 'corporal ⟨mil.⟩ ● *vice-korporaal*.

lancet ['lɑːnsɪt] ● *lancet*.

1 land [lænd] ⟨zn⟩ ● *(vaste)land* ● *land-*

(streek), staat ● *(bouw)land* ● *grondgebied*
● ⟨mv.⟩ *land(erijen);* own houses and –s
huizen en grond bezitten ‖ desert – *woes-
tijn(gebied);* see how the – lies *bekijken
hoe de zaken ervoor staan;* make – *land in
zicht krijgen.*
2 land I ⟨onov ww⟩ ● *landen, aan land gaan*
● *landen* ⟨v. vliegtuig⟩ ● *(be)landen, terechtkomen;* ↓– (up) in prison *de gevangenis in draaien* ‖ ↓ I –ed up in Rome *uiteindelijk belandde ik in Rome* II ⟨ov ww⟩ ●
aan land/wal brengen/zetten ● *aan de
grond zetten* ⟨vliegtuig⟩ ● *doen belanden;*
↓– s.o. in a mess *iem. in de knoei brengen*
● *binnenhalen/brengen* ⟨vis⟩ ● ↓ *in de
wacht slepen, bemachtigen* ● ↓ *verkopen*
⟨klap⟩.
'**land agent** ⟨vnl. BE⟩ ● *rentmeester.*
landau ['lændɔ:] ● *landauer.*
landed ['lændɪd] ● *land-, grond-, uit land bestaand;* – property *grondbezit* ● *land bezittend;* – gentry/nobility *landadel;* (the) – in-
terest(s) *de (groot)grondbezitters.* '**land-
fall** ● *het in zicht komen v. land.*
land forces ⟨mil.⟩ ● *landstrijdkrachten, land-
macht.*
landing ['lændɪŋ] ● *landingsplaats, steiger,
aanlegplaats* ● *landing* ⟨v. vliegtuig⟩, *het
aan wal gaan/zetten* ● *overloop, (trap)por-
taal.* '**landing craft** ⟨mil.⟩ ● *landingsvaar-
tuig.* '**landing field,** '**landing strip**
⟨luchtv.⟩ ● *landingsterrein, landingsstrook.* '**landing gear** ⟨luchtv.⟩ ● *landingsgestel.* '**landing net** ● *schepnet.* '**landing
stage** ● *(aanleg)steiger, losplaats.*
'**landlady** ● *hospita, pensionhoudster, waar-
din* ● *huisbazin, vrouw v.d. huisbaas.*
'**landlocked** ● *geheel door land omgeven.*
'**landlord** ● *landheer, pachtheer* ● *huisbaas, pensionhouder, waard.* **landlubber**
['lændlʌbə] ● *landrot.* '**landmark** ● *grenspaal* ● *oriëntatiepunt, baken* ● *mijlpaal,
keerpunt.* '**land mine** ⟨mil.⟩ ● *landmijn.*
'**landowner** ● *grondbezitter.* '**land reform**
● *landhervorming.*
1 landscape ['læn(d)skeɪp] ⟨zn⟩ ● *landschap.*
2 landscape ⟨ww⟩ ● *verfraaien dmv. land-
schapsarchitectuur.* '**landscape** '**gardening** ● *tuinarchitectuur, landschapsarchi-
tectuur.*
1 landslide ['læn(d)slaɪd] ⟨zn⟩ ● *aardver-
schuiving* (ook fig.); win by a – *een verpletterende overwinning behalen.*
2 landslide ⟨bn⟩ ‖ – victory *verpletterende
overwinning.*
1 landward ['lændwəd] ⟨bn⟩ ● *landwaarts,
aan de landzijde.*
2 landward, ⟨vnl. BE ook⟩ **landwards**
['lændwədz] ⟨bw⟩ ● *landwaarts* ● *landinwaarts.*
lane [leɪn] ● *(land)weggetje* ⟨in straatnamen
L-⟩, *laantje* ● ⟨scheep.⟩ *(voorgeschreven)
vaarweg, vaargeul* ● ⟨luchtv.⟩ *(voorgeschreven) vliegroute* ● ⟨verkeer⟩ *rijstrook*
● ⟨sport, ihb. atletiek, roeien, zwemmen⟩
baan.
language ['læŋgwɪdʒ] ● *taal,* ⟨tech.⟩ *com-
putertaal, gebarentaal;* foreign –s *vreemde talen* ● *taal/woordgebruik;* mind one's
– *op zijn woorden letten.* '**language laboratory** ● *talenpracticum.*
languid ['læŋgwɪd] ● *willoos, lusteloos, (s)
loom, slap.*
languish ['læŋgwɪʃ] ● *(weg)kwijnen, verslappen* ● (+for) *smachten (naar).* **lan-
guishing** ['læŋgwɪʃɪŋ] ● *smachtend;* – look
smachtende blik.
languor ['læŋgə] ● *lusteloosheid, matheid* ●
lome stilte, zwoelheid ● ⟨vaak mv.⟩
smachtend verlangen. **languorous**
['læŋgərəs] ● *smachtend* ● *lusteloos, mat*
● *zwoel, loom.*
lank [læŋk] ● *schraal, (brood)mager* ● *slap,
sluik* ⟨v. haar⟩. **lanky** ['læŋki] ● *slun-
gel(acht)ig.*
lantern ['læntən] ● *lantaarn.*
lanyard ['lænjəd] ● *koord* ⟨om de nek, voor
mes, fluit e.d.⟩.
Laotian ['laʊʃn] ● ⟨bn⟩ *Laotisch, Laotiaans* ●
⟨zn⟩ *Laotiaan, bewoner v. Laos.*
1 lap [læp] ⟨zn⟩ ● *schoot* ⟨ook v. kleding-
stuk⟩ ● ⟨sport⟩ *(baan)ronde* ● *etappe*
⟨ihb. v. reis⟩; last – *laatste ruk* ‖ in the – of
the gods *in de schoot der goden/toe-
komst;* live in the – of luxury *in weelde baden.*
2 lap I ⟨onov ww⟩ ● (+against) *kabbelen (tegen), klotsen (tegen)* II ⟨onov en ov ww⟩ ●
likken, oplikken; – up *oplikken, opslorpen;*
⟨↓, ook fig.⟩ *verslinden* III ⟨ov ww⟩ ● *omgeven, ómwikkelen* ● ⟨sport⟩ *lappen, een
(of meer) ronde(n) voorsprong nemen op.*
'**lap dog** ● *schoothond(je).*
lapel [lə'pel] ● *revers, lapel.*
Lapp ['læp] ● ⟨ook: Lappish ['læpɪʃ]⟩ ⟨bn⟩
Lap(land)s, in het Laps ● ⟨ook: Lappish
['læpɪʃ]⟩ ⟨eig.n.⟩ *Laps (taal)* ● ⟨ook: Lap-
lander ['læplændə]⟩ ⟨telb zn⟩ *Lap(lander),
Laplandse.*
1 lapse [læps] ⟨zn⟩ ● *kleine vergissing, fout-
(je)* ● *misstap, (af)dwaling* ● *(tijds)verloop,
periode.*
2 lapse ⟨ww⟩ ● *aflaten, verslappen;* – from
duty *zijn plicht verzaken* ● *vervallen, terugvallen;* – into silence *in stilzwijgen verzinken* ● *verlopen* ● ⟨jur.⟩ *vervallen, verlo-*

pen. **lapsed** [læpst] ●*afvallig* ●⟨jur.⟩ *verlopen, vervallen.*

'**lapwing** ●*kievi(e)t.*

larceny ['lɑːsni] ⟨vnl. jur.⟩ ●*diefstal.*

larch [lɑːtʃ] ⟨plantk.⟩ ●*lariks.*

1 lard [lɑːd] ⟨zn⟩ ●*varkensvet, reuzel.*

2 lard ⟨ww⟩ ●*larderen* (ook fig.), *doorspekken; –ed with oaths doorspekt met vloeken.*

larder ['lɑːdə] ●*provisiekamer, provisiekast.*

1 large [lɑːdʒ] ⟨zn⟩ ⟨+at⟩ ‖ *the murderer is still at – de moordenaar is nog steeds op vrije voeten;* the people at – *het gros v.d. mensen;* talk/write at – about *uitvoerig ingaan op.*

2 large ⟨bn⟩ ●*groot, omvangrijk, ruim* ● *veelomvattend, ver(re)gaand, verstrekkend* ‖ as – as life *in levenden lijve,* hoogstpersoonlijk; –r than life *overdreven, buiten proporties.*

3 large ⟨bw⟩ ●*groot.* **largely** ['lɑːdʒli] ●*grotendeels, hoofdzakelijk, voornamelijk.*
'**large-'minded** ●*ruimdenkend.* '**large-'scale** ●*groot(schalig), op grote schaal; – map kaart met grote schaal.*

lark [lɑːk] ●*grap, (onschuldig) geintje; for a – voor de gein* ●*leeuwerik.* **lark about, lark around** ●*geintjes/streken uithalen, dollen.*

larva ['lɑːvə] ⟨mv.: larvae [-viː]⟩ ●*larve.*

laryngitis ['lærɪn'dʒaɪtɪs] ⟨med.⟩ ●*strottehoofdontsteking.* **larynx** ['lærɪŋks] ●*strottehoofd.*

lascivious [lə'sɪvɪəs] ●*wellustig, geil.*

laser ['leɪzə] ⟨tech.⟩ ●*laser; – beams laserstralen.*

1 lash ['læʃ] ⟨zn⟩ ●*zweepkoord, zweepeinde* ●*zweepslag* ●*wimper* ●⟨the⟩ *geseling* (ook fig.).

2 lash I ⟨onov en ov ww⟩ ●*slaan, zwiepen* ⟨bv. v. staart⟩ ●*geselen, striemen* ⟨v. regen⟩, *beuken* ⟨v. golven⟩; zie LASH OUT **II** ⟨ov ww⟩ ●*geselen* (ook fig.) ●*(stevig) vastbinden,* ⟨scheep.⟩ *sjorren.*

lashing ['læʃɪŋ] ●*koord, touw,* ⟨scheep.⟩ *sjorring* ●*pak slaag, pak rammel* ●⟨mv.⟩ ↓ *lading; –s of drink sloten drank.*

'**lash 'out** ●⟨+at, against⟩ *(plotseling/heftig) slaan/schoppen (naar), uithalen (naar)* ● ⟨+at, against⟩ *uitvallen (tegen), v. leer trekken (tegen)* ● ↓ *veel uitgeven; – on een vermogen spenderen aan.*

lass [læs], **lassie** ['læsi] ●⟨vnl. Sch. E⟩ *meisje.*

lassitude ['læsɪtjuːd] ●*vermoeidheid* ●*onverschilligheid.*

lasso [læ'suː,'læsou] ●⟨zn⟩ *lasso* ●⟨ww⟩ *met een lasso vangen.*

1 last [lɑːst] ⟨zn⟩ ●*(schoenmakers)leest.*

2 last I ⟨onov ww⟩ ●*duren* ●*meegaan, houdbaar zijn* ‖ – out *niet opraken; het volhouden* **II** ⟨onov en ov ww⟩ ●*toereikend zijn (voor), voldoende zijn (voor).*

3 last ⟨telw.; the; als vnw⟩ ●*de/het laatste* ⟨v.e. reeks⟩; breathe one's – *zijn laatste adem uitblazen;* fight to/till the – *vechten tot het uiterste* ●*het einde;* that was the – I saw of him *sindsdien heb ik niets meer van hem gehoord;* we have seen the – of him *die zien we niet meer terug* ‖ at (long) – *(uit)eindelijk, tenslotte;* ⟨sprw.⟩ the last straw breaks the camel's back *de laatste druppel doet de emmer overlopen.*

4 last ⟨bw⟩ ●*als laatste; – but not least (als) laatste, maar (daarom) niet minder belangrijk* ●*(voor) het laatst* zie LASTLY.

5 last ⟨telw⟩ ●*laatste* (ook fig.), *vorige, verleden;* ⟨rel.⟩ the – judgement *het laatste oordeel;* on his – legs *met zijn laatste krachten;* – night *gister(en)avond, vannacht;* – Tuesday *vorige week dinsdag;* the – but one *de voorlaatste* ●*uiterste;* my – aim *mijn uiteindelijke doel* ‖ that's the – straw *dat doet de deur dicht;* ⟨rel.⟩ the Last Supper *het Laatste Avondmaal;* the – word in cars *het nieuwste op het gebied v. auto's;* ↓ down to every – detail *tot in de kleinste details;* ↓ she ate every – scrap of food *ze at alles tot en met de laatste kruimel op.*

lasting ['lɑːstɪŋ] ●*blijvend, aanhoudend, duurzaam.*

lastly ['lɑːstli] ●*ten slotte, tot slot.* '**last-minute** ●*allerlaatst, uiterst.*

1 latch [lætʃ] ⟨zn⟩ ●*klink* ⟨v. deur/hek⟩; off the – *op een kier;* on the – *op de klink* ⟨niet op slot⟩ ●*veerslot.*

2 latch I ⟨onov ww⟩ zie LATCH ON TO **II** ⟨onov en ov ww⟩ ●*met een klink/veerslot sluiten; – a door een deur op de klink doen.*
'**latchkey** ●*huissleutel.* '**latchkey child** ● *sleutelkind.* '**latch 'on to,** '**latch 'onto** ↓ ● *snappen* ●*zich vastklampen aan.*

1 late [leɪt] ⟨bn⟩ ●*te laat; five minutes – vijf minuten te laat* ●*laat, gevorderd;* at a – hour *laat (op de dag), diep in de nacht;* in the – thirties *aan het eind v.d. jaren dertig;* keep – hours *het (altijd) laat maken;* at the –st *op zijn laatst* ●*recent, v.d. laatste tijd;* her –st novel *haar nieuwste/laatst verschenen boek* ●*voormalig, vorig;* the – foreign minister *de oud-minister v. buitenlandse zaken* ●*(onlangs) overleden, wijlen.*

2 late ⟨bw⟩ ●*te laat* ●*laat, op een laat tijdstip;* –r on *later; naderhand;* as – as the twentieth century *nog tot in de twintigste eeuw*‖ of – *onlangs, kort geleden;* ⟨sprw.⟩ it is never too late to mend *het is nooit te laat om je leven te beteren;* zie ook ⟨sprw.⟩ BETTER. **'latecomer** ●*laatkomer.*

lately ['leɪtli] ●*onlangs, kort geleden.*

latent ['leɪtnt] ●*latent, verborgen.*

1 lateral ['lætərəl] ⟨zn⟩ ●*zijstuk, uitsteeksel,* ⟨ihb.⟩ *zijtak/stengel.*

2 lateral ⟨bn⟩ ●*zij-, aan/vanaf/naar de zijkant.*

latex ['leɪteks] ●*(rubber)latex.*

lath [lɑ:θ] ●*tengel, latwerk.*

lathe [leɪð] ●*draaibank.*

1 lather ['lɑ:ðə] ⟨zn⟩ ●*(zeep)schuim,* ⟨ihb.⟩ *scheerschuim* ●*schuimig zweet* ⟨v. paard⟩ ‖↓ in a – *opgejaagd.*

2 lather I ⟨onov ww⟩ ●*schuimen* ⟨v. zeep⟩ **II** ⟨ov ww⟩ ●*inzepen.*

1 Latin ['lætɪn] I ⟨eig.n.⟩ ●*Latijn* ⟨taal⟩ **II** ⟨telb zn⟩ ●*Romaan.*

2 Latin ⟨bn⟩ ●*Latijns;* – America *Latijns-Amerika.* **Latin-American** ●*Latijns-Amerikaans.*

latish ['leɪtɪʃ] ●*aan de late kant.*

latitude ['lætɪtju:d] ●⟨vnl. mv.⟩ *luchtstreek, zone* ●⟨aardr.⟩ *(geografische) breedte;* the – of the island is 40 degrees north *het eiland ligt op 40 graden noorderbreedte* ● *speelruimte, vrijheid.*

latrine [lə'tri:n] ●*latrine.*

1 latter ['lætə] ⟨vnw; the⟩ ↑ ●*de/het laatstgenoemde* ⟨v. twee⟩, *de/het tweede.*

2 latter ⟨det⟩ ↑ ●*laatstgenoemd* ⟨v.twee⟩, *tweede* ●*laatst;* in his – years *in zijn laatste/latere jaren.* **latterly** ['lætəli] ●*recentelijk, de laatste tijd.*

lattice ['lætɪs], **'latticework** ●*raster(werk), traliewerk, rooster.* **'lattice 'window** ● *glas-in-loodraam.*

Latvia ['lætvɪə] ●*Letland.* **Latvian** ['lætvɪən] ●⟨bn⟩ *Lets, Letlands* ●⟨eig.n.⟩ *Lets* ⟨taal⟩ ●⟨telb zn⟩ *Let, Letlander.*

laud [lɔ:d] ●*loven, prijzen.* **laudable** ['lɔ:dəbl] ●*lof/prijzenswaardig.*

1 laugh [lɑ:f] ⟨zn⟩ ●*lach, gelach* ●↓ *geintje, lolletje;* for –s *voor de lol* ‖ have the last – *het laatst lachen.*

2 laugh I ⟨onov ww⟩ ●*lachen;* zie LAUGH AT **II** ⟨ov ww⟩ ●*lachend uiten/zeggen* ‖ – off *met een lach/grapje afdoen;* zie LAUGH AWAY. **laughable** ['lɑ:fəbl] ●*komisch, leuk* ●*lachwekkend, belachelijk.* **'laugh at** ● *uitlachen* ●*lachen om.* **'laugh a'way** ● *weglachen, met een lach afdoen.*

1 laughing ['lɑ:fɪŋ] ⟨zn⟩ ●*gelach, het lachen.*

2 laughing ⟨bn⟩ ●*lachend* ●*om te lachen;* no – matter *een serieuze zaak.* **'laugh-**

ingstock ●*mikpunt/doelwit (v. spot e.d.).*

laughter ['lɑ:ftə] ●*gelach.*

1 launch [lɔ:ntʃ] ⟨zn⟩ ●*motorbarkas, motorsloep* ●*tewaterlating* ●*lancering.*

2 launch I ⟨onov ww⟩ ●⟨vaak +out⟩ *(energiek) iets (nieuws) beginnen;* – out into business for o.s. *voor zichzelf beginnen;* – into *zich storten/zich werpen op* **II** ⟨ov ww⟩ ●*lanceren, afvuren, werpen/slingeren* ●*lanceren, uitbrengen;* ⟨fig.⟩ – a blow *een klap uitdelen* ●*te water laten* ●*op gang brengen, op touw zetten.* **'launching pad, 'lauching site** ●⟨mil., ruim.⟩ *lanceerplatform,* ⟨ruim.⟩ *lanceerbasis.*

launder ['lɔ:ndə] ●*wassen (en strijken)* ● ⟨sl.⟩ *witmaken* ⟨zwart geld⟩. **launderette** ['lɔ:nd(ə)'ret], ⟨AE⟩ **laundromat** ['lɔ:ndrəmæt] ●*wasserette.*

laundry ['lɔ:ndri] ●*wasserij* ●*was, wasgoed.* **'laundry basket** ⟨BE⟩ ●*wasmand.*

laurel ['lɒrəl] ●*laurier* ●⟨vaak mv.⟩ *lauwerkrans, lauwer, erepalm* ●⟨mv.⟩ *lauweren;* rest on one's –s *op zijn lauweren rusten.*

lav [læv] ⟨verk.⟩ lavatory ↓ ●*plee.*

lava ['lɑ:və] ●*lava.*

lavatory ['lævətri] ●*toilet, w.c..*

lavender ['lævɪndə] ●*lavendel* ●⟨vaak attr⟩ *lavendelblauw.*

1 lavish ['lævɪʃ] ⟨bn⟩ ●*kwistig, gul* ●*overvloedig, overdadig.*

2 lavish ⟨ww⟩ ●*kwistig/met gulle hand geven/schenken;* – sth. on s.o. *iem. overladen met iets.*

law [lɔ:] ●*wet, recht(sregel);* ⟨jur.⟩ – of nations *volkenrecht;* – and order *orde en gezag, recht en orde;* be a – unto o.s. *zijn eigen wetten stellen* ●*wet(geving)* ●*rechten(studie), rechtsgeleerdheid;* ⟨vnl. BE⟩ read – *rechten studeren* ●*advocatuur, juridische stand* ●*justitie, gerecht;* go to – *naar de rechter stappen* ●*(spel)regel, wet, wetmatigheid* ●↓ *politie* ‖ – of the jungle *recht v.d. sterkste;* lay down the – *de wet voorschrijven.* **'law-abiding** ●*gezagsgetrouw.* **'lawbreaker** ●*(wets)overtreder.* **'lawcourt** ●*rechtscollege, rechtbank.* **lawful** ['lɔ:fl] ●*wettig, legaal* ●*rechtmatig.* **lawless** ['lɔ:ləs] ●*wetteloos* ●*onstuimig, wild.*

lawn [lɔ:n] ●*gazon, grasveld/perk* ●*batist, linnen.* **'lawn mower** ●*grasmaaier.* **'lawn 'tennis** ●*tennis* ⟨ihb. op buitenbaan⟩.

'lawsuit ●*proces, (rechts)geding.*

lawyer ['lɔ:jə] ●*advocaat, (juridisch) raadsman/adviseur* ●*jurist.*

lax [læks] ●*laks, nalatig, nonchalant* ●*slap* ⟨ook fig.⟩, *los, niet streng.*

laxative ['læksətɪv] ⟨med.⟩ ●⟨bn⟩ *laxerend*

● 〈zn〉 *laxeermiddel.*
laxity ['læksəti] ● *slordigheid* ● *slapheid, los-heid.*
1 lay [leɪ] 〈zn〉 ● *ligging;* 〈AE〉 the – of the land 〈fig.〉 *de stand v. zaken* ● ↑ *lied* ● 〈sl.〉 *vrouw als seksueel object, wip, num-mertje.*
2 lay 〈bn〉 ● 〈rel.〉 *leke(n)-; –* preacher *leke-priester* ● *leken-, amateur-; –* opinion *le-kenmening.*
3 lay 〈laid, laid [leɪd]〉 **I** 〈onov ww〉 ● 〈volks. voor lie〉 *leggen* ‖ 〈sl.〉 *– low zich gedeisd houden;* ↓ *– into ervan langs geven* 〈ook fig.〉; zie LAY ABOUT, LAY OFF, LAY OVER **II** 〈onov en ov ww〉 ● *leggen* 〈eieren〉 **III** 〈ov ww〉 ● *leggen, neerleggen; –* carpet *vloer-bedekking leggen* ● 〈ben. voor〉 *installe-ren, leggen, plaatsen, zetten, dekken* 〈ta-fel〉; *– a* snare/trap *een strik/val zetten* ● 〈ben. voor〉 *in een bep. toestand brengen, leggen, zetten, brengen; –* in ashes *in de as leggen; –* bare *blootleggen;* 〈fig.〉 *aan het licht brengen; –* low *tegen de grond werken; (vernietigend) verslaan;* 〈fig.〉 *vellen; –* waste *verwoesten* ● *verdrijven, doen bedaren; –* s.o.'s doubts *iemands twijfel(s) wegnemen/sussen* ● *beleggen, bekleden* ● *op het spel zetten, (ver)wed-den; –* a wager *een weddenschap afslui-ten* ● 〈+(up)on〉 *opleggen, belasten met* 〈verantwoordelijkheid e.d.〉; *– a* penalty (up)on s.o. *iem. een boete/straf opleggen* ● 〈sl.〉 *naaien, een beurt geven* ‖ *– in in-slaan;* zie LAY ASIDE, LAY DOWN, LAY OFF, LAY ON, LAY OPEN, LAY OUT, LAY UP.
4 lay 〈verl. t.〉 zie LIE.
'**lay a'bout** ● *wild (om zich heen) slaan.* '**layabout** ↓ ● *leegloper, nietsnut.* '**lay a-'side**, '**lay 'by** ● *opzij leggen, sparen, weg-leggen* ● *laten varen, opgeven.* '**lay-by** ● *parkeerplaats, parkeerhaven* 〈langs auto-weg〉. '**lay 'down** ● *neerleggen; –* one's tools *staken;* lay o.s. down *gaan liggen* ● *vastleggen, voorschrijven, bepalen; –* a procedure *een procedure uitstippelen* ● *opgeven, neerleggen* 〈ambt〉; *–* hopes *de hoop laten varen.*
1 layer ['leɪə] 〈zn〉 ● *laag* ● *legger* 〈ihb. kip〉, *leghen.*
2 layer 〈ww〉 ● *gelaagd maken, in lagen aan-brengen.*
layman ['leɪmən] ● 〈rel.〉 *leek* ● *leek, ama-teur.* '**layoff** ● *(tijdelijk) ontslag* ● *(periode v.) tijdelijke werkloosheid.* '**lay 'off I** 〈on-ov ww〉 ● ↓ *stoppen, ophouden; –,* will you? *laat dat, ja?* **II** 〈ov ww〉 ● *(tijdelijk) ontslaan* **III** 〈ww + vz〉 ↓ ● *afblijven van, met rust laten.* '**lay 'on** ● *zorgen voor; –* a

car *een auto regelen; –* electricity *elektrici-teit aanleggen* ‖ lay it on (thick) *(sterk/flink) overdrijven.* '**lay 'open** ● *openhalen* 〈huid〉 ● *blootleggen, aan het licht bren-gen* ‖ lay o.s. open to *zich blootstellen aan* 〈kritiek e.d.〉. '**layout** ● *indeling, ontwerp, bouwplan* ● 〈druk.〉 *opmaak, lay-out.* '**lay 'out** ● *spenderen, uitgeven* ● ↓ *neerslaan,* 〈ihb. sport〉 *uitschakelen* ● *rangschikken, indelen, vormgeven,* 〈druk.〉 *opmaken* ● *uitspreiden,* 〈ihb.〉 *klaarleggen* 〈kleding〉 ● *afleggen, opbaren* 〈lijk〉. '**lay 'over** 〈AE〉 ● *zijn reis onderbreken.* '**lay 'up** ● *een voorraad aanleggen v., inslaan* ● *uit de roulatie halen, het bed doen houden.*
1 laze [leɪz] 〈zn〉 ↓ ● *korte (rust)pauze.*
2 laze 〈ww〉 ● *luieren; –* about/around *rond-lummelen.*
lazy ['leɪzi] ● *lui* ● *traag* ‖ *–*day *lome/drukken-de dag.* '**lazybones** ● *luiwammes.*
'**L-driver** 〈verk.〉 learner-driver 〈BE〉 ● *leer-ling-automobilist.*
1 lead [led] 〈zn〉 ● *lood* ● 〈scheep.〉 *peillood* ● *(potlood)stift* ‖ 〈sl.〉 swing the *– lijntrek-ken.*
2 lead [liːd] 〈zn〉 ● *leiding;* take the *– de lei-ding nemen; het initiatief nemen* ● *aan-knopingspunt, aanwijzing, suggestie* ● 〈ihb. sport〉 *leiding, eerste plaats* ● *voor-sprong* ● 〈kaartspel〉 *het uitkomen;* whose *–* is it? *wie moet er uitkomen?* ● 〈film., dram.〉 *hoofdrol, hoofdrolspeler* ● 〈journalistiek〉 *hoofdartikel, openingsarti-kel* ● 〈elek.〉 *voedingsdraad/leiding* ● 〈vnl. BE〉 *(honde)lijn.*
3 lead [liːd] 〈led, led [led]〉 **I** 〈onov ww〉 ‖ *–* up to *(uiteindelijk) resulteren in; een voor-bereiding zijn tot* **II** 〈onov en ov ww〉 ● *de weg wijzen, (bege)leiden* ● *aan de leiding gaan, aanvoeren,* 〈sport〉 *vóórstaan,* 〈fig.〉 *de toon aangeven; –* the fashion *de toon aangeven op modegebied* ● *voeren, leiden* 〈v. weg〉, 〈fig.〉 *resulteren in; –* to disaster *tot rampspoed leiden* ● *leiden, het bevel hebben (over)* ‖ *–* off (with) *be-ginnen/openen (met);* zie ook 〈sprw.〉 ROAD **III** 〈ov ww〉 ● *leiden, (mee)voeren* 〈bij de hand e.d.〉 ● *brengen tot; –* s.o. to think that *iem. in de waan brengen dat* ● *leiden* 〈bestaan/leven〉 ‖ *–* (s.o.) astray *(iem.) op een dwaalspoor/het verkeerde pad brengen; –* (s.o.) on *iem. iets wijsma-ken.*
leaden ['ledn] ● *loden* ● *loodgrijs* ● *zwaar, deprimerend.*
leader ['liːdə] ● *leider, aanvoerder, gids* ● 〈ben. voor〉 *eerste/voorste,* 〈pol.〉 *partij-leider,* 〈BE; muz.〉 *concertmeester,* 〈AE;

muz.⟩ *dirigent* •⟨vnl. BE; journalistiek⟩ *hoofdcommentaar.* **leadership** ['li:dəʃɪp] •*leiderschap* •*leiding.*

1 leading ['ledɪŋ] ⟨zn⟩ •*loodrand/strook* ⟨om glas⟩.

2 leading ['li:dɪŋ] ⟨bn⟩ •*voornaam(st), hoofd-, toonaangevend;* – actor/actress *hoofdrolspeler/speelster* •*leidend* •*eerste, voorste;* ⟨jur.⟩ – counsel *hoofdverdediger* ⟨in Groot-Brittannië⟩ ‖ – article *(hoofd)commentaar, redactioneel artikel;* – light *invloedrijk persoon;* – question *suggestieve vraag.* **lead singer** ['li:d 'sɪŋə] •*leadzanger.*

1 leaf [li:f] ⟨zn; mv.: leaves⟩ •*blad* ⟨v. boom/plant⟩; come into – *blad krijgen* • *blad(zijde)* ⟨v. boek⟩ •*insteek/uitschuifblad* ⟨v. tafel⟩ ‖ take a – out of s.o.'s book *iem. navolgen.*

2 leaf ⟨ww⟩ ‖ – through *(snel) doorbladeren.*

leaflet ['li:flɪt] •*foldertje* ⟨meestal één bladzijde⟩. **leafy** ['li:fi] •*gebladerd, met bladeren, lommerrijk.*

league [li:g] •*(ver)bond, liga* –⟨sport⟩ *bond,* ⟨bij uitbr.⟩ *competitie* •↓ *klasse, niveau;* she's not in my – *ik kan niet aan haar tippen* ⟨vaak ong.⟩ in – with *samenspannend met.*

1 leak [li:k] ⟨zn⟩ •*lek(kage);* ↓ take a – *pissen* •*uitlekking* ⟨v. gegevens⟩.

2 leak I ⟨onov ww⟩ •*(weg)lekken;* ⟨fig.⟩ – out *uitlekken, bekend worden* II ⟨onov en ov ww⟩ •*lekken, lek zijn, doorlaten* III ⟨ov ww⟩ •*laten uitlekken;* – information (out) to the papers *gegevens aan de kranten doorspelen.* **leakage** ['li:kɪdʒ] •*lekkage, lek(king).* **leaky** ['li:ki] •*lek(kend).*

1 lean [li:n] ⟨zn⟩ •*schuinestand* •⟨cul.⟩ *mager vlees.*

2 lean ⟨bn⟩ •*mager, schraal* ⟨ook cul.⟩ •*karig, arm(zalig);* – years *magere jaren.*

3 lean ⟨vnl. BE ook leant, leant [lent]⟩ I ⟨onov ww⟩ •*leunen* •*zich buigen;* – over to s.o. *zich naar iem. overbuigen* •*hellen, scheef staan;* the Leaning Tower of Pisa *de scheve toren v. Pisa* ‖ ⟨fig.⟩ – over backwards *alle mogelijke moeite doen;* – to/ ⟨BE⟩ towards/ ⟨AE⟩ toward *neigen tot;* ↓ – on *onder druk zetten;* – (up)on *steunen op* II ⟨ov ww⟩ •*laten steunen* •*buigen, doen hellen.*

leaning ['li:nɪŋ] •*neiging.*

'**lean-to** •⟨ongeveer⟩ *afdak;* – shed *aangebouwde loods.*

1 leap [li:p] ⟨zn⟩ •*sprong* ‖ by –s and bounds *hals over kop;* ⟨fig.⟩ a – in the dark *een sprong in het duister.*

2 leap ⟨ook leapt, leapt [lept]⟩ I ⟨onov ww⟩ •

(op)springen ‖ – out (at s.o.) *opvallen (bij iem.);* – into fame *plotseling beroemd worden;* – at *met beide handen aangrijpen* ⟨kans e.d.⟩; zie ook ⟨sprw.⟩ LOOK II ⟨ov ww⟩ •*met een sprong overbruggen, springen over.*

1 '**leapfrog** ⟨zn⟩ •*haasje-over.*

2 leapfrog I ⟨onov ww⟩ •*sprongsgewijs vorderen/vooruitkomen* II ⟨onov en ov ww⟩ •*haasje-over spelen.*

'**leap year** •*schrikkeljaar.*

learn [lə:n] ⟨ook learnt, learnt [lə:nt]⟩ I ⟨onov ww⟩ •*leren;* – to be a dancer *een balletopleiding volgen;* – how to play the piano *piano leren spelen* •*horen, vernemen;* – of sth. from the papers *iets uit/via de krant te weten komen* ‖ zie ook ⟨sprw.⟩ LIVE II ⟨ov ww⟩ •*leren;* – (by heart/rote) *uit het hoofd leren* •*vernemen, horen van;* I – t it from the papers *ik heb het uit de krant.* **learned** ['lə:nɪd] •*geleerd* •*wetenschappelijk, academisch;* – periodical *wetenschappelijk tijdschrift.* **learner** ['lə:nə] •*leerling* •⟨ook: 'learner-'driver⟩ ⟨BE⟩ *leerling-automobilist.* **learning** ['lə:nɪŋ] •*studie* •*(wetenschappelijke) kennis, geleerdheid.* '**learning disability** •*leerstoornis.*

1 lease [li:s] ⟨zn⟩ •*pacht, pachtcontract* • *(ver)huur, (ver)huurcontract* ‖ take sth. on –, take a – on sth. *iets huren, iets pachten;* put sth. out to – *iets verhuren, iets verpachten;* by/on – *in huur, in pacht.*

2 lease ⟨ww⟩ •*pachten* •*verpachten* •*huren* •*verhuren.*

1 '**leasehold** ⟨zn⟩ •*pachtbezit/grond* •*gehuurd bezit.*

2 leasehold ⟨bn⟩ •*pacht-, gepacht* •*huur-, gehuurd.* '**leaseholder** •*pachter* •*huurder.*

leash [li:ʃ] •*(honde)lijn, riem.*

1 least [li:st] ⟨bn; overtr. trap v. little⟩ • *kleinste, geringste, minste;* ⟨wisk.⟩ – common multiple *kleinste gemene veelvoud.*

2 least ⟨vnw; the; overtr. trap v. little⟩ •*minste;* to say the – (of it) *om het zachtjes uit te drukken;* at (the) – *seven minstens zeven;* you might at – answer me *je zou me ten minste kunnen antwoorden;* it didn't bother me in the – *het stoorde mij niet in het minst* ‖ ⟨sprw.⟩ least said, soonest mended *zwijgen en denken kan niemand krenken, spreken is zilver, zwijgen is goud.*

3 least ⟨bw⟩ •*minst;* it doesn't bother me the – *het stoort me niet in het minst.*

4 least ⟨det; overtr. trap v. little⟩ •*minst(e).*

1 leather ['leðə] ⟨zn⟩ ●*leer.*
2 leather ⟨bn⟩ ●*leren, v. leer.*
leatherette ['leðə'ret] ●*kunstleer, imitatie-leer.* **leathery** ['leðə)ri] ●*leerachtig, taai* ⟨mbt. vlees e.d.⟩.
1 leave [li:v] ⟨zn⟩ ●*toestemming; –* of ab-sence *verlof, vakantie;* by/with your – *met uw permissie* ●*verlof* ⟨ihb. mbt. overheid/leger⟩, ⟨vnl. enk.⟩ *vakantie;* on – *met ver-lof* ‖ he must have taken – of his senses *hij moet krankzinnig zijn geworden;* take (one's) – (of s.o.) *(iem.) vaarwel zeggen.*
2 leave ⟨left, left [left]⟩ **I** ⟨onov en ov ww⟩ ●*weggaan (bij/van), verlaten, vertrekken; –* one's wife *bij zijn vrouw weggaan; –* for work *naar zijn werk vertrekken* ‖ ⟨sprw.⟩ leave well alone ± *het betere is vaak de vijand van het goede;* zie LEAVE OFF **II** ⟨ov ww⟩ ●*laten liggen/staan, achterlaten; –* one's umbrella *zijn paraplu vergeten; –* about/around *laten (rond)slingeren* ●*la-ten staan, onaangeroerd laten; –* one's food *eten laten staan; –* (sth.) undone *(iets) ongedaan laten; –* (sth.) unsaid *over iets zwijgen;* be left with *(blijven) zitten met* ●*afgeven, achterlaten; –* a note for s.o. *een boodschap voor iem. achterlaten* ●*toevertrouwen, in bewaring geven* ●*na-laten, achterlaten; –* two children *twee kinderen achterlaten; –* (s.o.) a fortune *(iem.) een vermogen nalaten* ‖ – (s.o.) alone *(iem.) met rust laten; –* much/a lot/sth./nothing to be desired *veel/een hoop/iets/niets te wensen over laten; –* it at that *het er (maar) bij laten; –* aside *buiten be-schouwing laten;* I'll – it up to you *ik laat het aan jou over; –* (people) to themselves *zich niet bemoeien met (mensen); –* s.o. to it *iem. aan zijn lot overlaten;* four from six –s two *zes min vier is twee;* zie LEAVE BE-HIND, LEAVE ON, LEAVE OUT, LEAVE OVER.
'**leave be'hind** ●*thuis laten, vergeten (mee te nemen)* ●*achterlaten, in de steek laten* ●*achter zich laten.*
1 leaven ['levn] ⟨zn⟩ ●*rijsmiddel, gist/bak-poeder.*
2 leaven ⟨ww⟩ ●*gist/zuurdeeg toevoegen aan* ●*doen gisten.*
'**leave 'off I** ⟨onov ww⟩ ●*ophouden, stoppen* **II** ⟨ov ww⟩ ●*uit laten* ⟨kleding⟩, *niet meer dragen* ●*stoppen met.* '**leave 'on** ●*aan la-ten* (staan). '**leave 'out** ●*buiten laten (lig-gen/staan), weglaten, overslaan.* '**leave 'over** ●*(als rest) overlaten* ●*(op de agen-da) laten staan, uitstellen.*
leaves [li:vz] ⟨mv.⟩ zie LEAF.
'**leave-taking** ●*afscheid.*
leavings ['li:vɪŋz] ●*overblijfsel(en),* ⟨ihb.⟩

etensresten.
Lebanese ['lebə'ni:z] ●⟨bn⟩ *Libanees* ●⟨zn⟩ *Libanees, inwoner v. Libanon.*
lecher ['letʃə] ●*geile bok, geilaard.* **lecher-ous** ['letʃərəs] ●*wellustig* ●*geil.* **lechery** ['letʃəri] ●*wellust* ●*geilheid.*
lectern ['lektən] ●*lessenaar.*
1 lecture ['lektʃə] ⟨zn⟩ ●*lezing, voordracht* ●*college* ●*preek, berisping;* read s.o. a – *iem. de les lezen.*
2 lecture I ⟨onov en ov ww⟩ ●*spreken (voor), lezing(en) geven (voor)* ●*college geven (aan)* **II** ⟨ov ww⟩ ●*de les lezen.* **lec-turer** ['lektʃərə] ●*spreker, houder v. lezing* ●*docent* ⟨in het hoger onderwijs⟩. **lec-tureship** ['lektʃəʃɪp] ●*docentschap* ⟨in het hoger onderwijs⟩.
led [led] ⟨verl. t. en volt. deelw.⟩ zie LEAD.
ledge [ledʒ] ●*richel, (uitstekende) rand.*
ledger ['ledʒə] ●⟨boekhouden⟩ *grootboek,* ⟨AE ook⟩ *register.*
lee [li:] **I** ⟨telb zn⟩ ●*luwte, beschutting* ●⟨ook: 'lee side⟩ ⟨scheep.⟩ *lij(zijde)* **II** ⟨mv.⟩ ●*droesem, bezinksel.*
leech [li:tʃ] ●*bloedzuiger,* ⟨fig.⟩ *uitzuiger, parasiet.*
leek [li:k] ●*prei.*
1 leer [lɪə] ⟨zn⟩ ●*wellustige blik* ●*wrede grijns, vuile blik.*
2 leer ⟨ww⟩ ●*loeren, schuinse blikken wer-pen* ●*verlekkerd kijken; –* at the neigh-bour's wife *geile blikken werpen naar de buurvrouw.*
'**lee 'shore** ⟨scheep.⟩ ●*lagerwal, kust aan lij-zijde.* **leeward** ⟨scheep.⟩ ●⟨bn⟩ *lij-, bene-denwinds* ●⟨bn en bw⟩ *lijwaarts, naar lij.* '**leeway** ●*speelruimte, speling* ‖ make up – *zich uit de narigheid werken; verloren tijd goedmaken.*
1 left [left] **I** ⟨telb zn⟩ ●*linkerhand,* ⟨boksen⟩ *linkse* **II** ⟨n-telb zn⟩ ●⟨the⟩ *linkerkant, links, linkerhand;* turn to the – *links af-slaan;* on your – *aan uw linkerhand* **III** ⟨n-telb zn; vaak L-; the⟩ ●⟨pol.⟩ *links* ●*linker-vleugel.*
2 left ⟨bn⟩ ●*linker, links* ●⟨ook L-; pol.⟩ *links.*
3 left ⟨verl. t. en volt. deelw.⟩ zie LEAVE.
4 left ⟨bw⟩ ●*links* ●*naar links;* turn – *linksaf slaan.* '**left-hand** ●*links, linker; –* bend *bocht naar links; –* drive *linkse besturing* ⟨v. auto⟩. '**left-'handed** ●*links(handig)* ●*links, bedoeld voor gebruik met de linker-hand; –* scissors *schaar voor linkshandi-gen.* '**left-'hander** ●*linkshandige.* **leftist** ['leftɪst] ⟨pol.⟩ ●⟨bn⟩ *links, progressief* ●⟨zn⟩ *progressief, radicaal.*
'**left 'luggage office** ⟨BE⟩ ●*bagagedepot.*

leftovers ['leftouvəz] ● *(etens)restjes, kliekje(s)*.

'left 'wing I ⟨n-telb zn; the⟩ ⟨mil., sport⟩ ● *linkervleugel* II ⟨zn; the; ook L- W-⟩ ⟨pol.⟩ ● *linkervleugel, links*. **'left-'winger** ● ⟨pol.⟩ *lid v.d. linkervleugel* ● ⟨sport⟩ *linksbuiten*. **lefty** ['lefti] ↓ ● ⟨pol.⟩ *lid v.d. linkervleugel*.

1 leg [leg] I ⟨telb zn⟩ ● *been* ● *poot* ● *(broeks)pijp* ● *poot* ⟨v. meubel e.d.⟩ ● *etappe* ⟨v. reis, wedstrijd e.d.⟩, *estafetteonderdeel, manche* ⟨v. wedstrijd⟩ ‖ *feel/find one's –s leren staan; leren lopen; get s.o. back on his –s iem. er weer bovenop helpen; give s.o. a – up iem. een voetje geven;* ⟨fig.⟩ *iem. een handje helpen; keep one's –s zich staande houden; pull s.o.'s – iem. voor de gek houden;* not have a – to stand on *geen poot hebben om op te staan;* stretch one's –s *de benen strekken;* take to one's –s *zich uit de voeten maken;* walk s.o. off his –s *iem. laten lopen tot hij erbij neervalt;* be (up) on one's –s *op de been zijn* II ⟨telb en n-telb zn⟩ ⟨cul.⟩ ● *poot* ⟨v. gevogelte⟩ ● *bout* ⟨v. kalf/lam/schaap⟩; – of mutton *schapebout* ● *schenkel* III ⟨n-telb zn⟩ ⟨cricket⟩ ● *veldhelft aan linkerzijde v. rechtshandige batsman (en omgekeerd)*.

2 leg ⟨ww⟩ ‖ – it *de benen nemen; te voet gaan*.

legacy ['legəsi] ● *erfenis, legaat*.

legal ['li:gl] ● *wettig, legaal, rechtsgeldig;* – age *(wettelijke) meerderjarigheid;* – tender *wettig betaalmiddel* ● *wettelijk* ● *jur., gerechtelijk, rechtskundig;* take – action/ proceedings against s.o. *gerechtelijke stappen tegen iem. ondernemen;* – advice *juridisch(e) advies;* – adviser/representative *(juridisch) raadsman;* ⟨BE⟩ (free) – aid *kosteloze rechtsbijstand*. **legality** [lɪ'gælәti] ● *wettigheid, rechtsgeldigheid, rechtmatigheid*. **legal**|**ize** ['li:gәlaɪz] ⟨zn: **-ization**⟩ ● *legaliseren, wettig maken*.

legation [lɪ'geɪʃn] ● *legatie, gezantschap*.

legend ● *legende* ● *randschrift, opschrift* ⟨op munt⟩ ● *onderschrift* ● *legende, verklaring der tekens* ⟨bv. v. landkaart⟩. **legendary** ['ledʒәndri] ● *legendarisch* ⟨ook fig.⟩.

legging ['legɪŋ] ⟨vnl. mv.⟩ ● *beenkap, beenbeschermer*. **leggy** ['legi] ● *langbenig*.

legible ['ledʒәbl] ● *leesbaar*.

1 legion ['li:dʒәn] ⟨zn⟩ ● *legioen* ● *menigte, massa*.

2 legion ⟨bn⟩ ● *zeer veel;* their numbers/ they are – *zij zijn met velen*.

legionary ['li:dʒәnri] ● *legionair, legioensoldaat*.

legislate ['ledʒɪsleɪt] ● ⟨+against/for⟩ *wetten maken/uitvaardigen (tegen/ten behoeve v.)*. **legislation** ['ledʒɪs'leɪʃn] ● *wetgeving*. **legislative** ['ledʒɪsәtɪv] ● *wetgevend* ● *wets-*. **legislator** ['ledʒɪsleɪtә] ● *wetgever*. **legislature** ['ledʒɪsleɪtʃә, -Іәtʃ ə] ● *wetgevende macht*.

legitimacy [lɪ'dʒɪtɪmәsi] ● *wettigheid, legitimiteit* ● *wettigheid, rechtmatigheid* ● *geldigheid, gegrondheid*. **legitimate** [lɪ'dʒɪtɪmәt] ● *wettig, uit een wettig huwelijk;* – child *wettig kind* ● *wettig, rechtmatig* ● *geldig, gegrond, gewettigd;* – purpose *gerechtvaardigd doel*. **legitimatize** [lɪ'dʒɪtɪmaɪz], **legitimize** [lɪ'dʒɪtɪmaɪz] ● *wettigen, wettig/geldig maken* ● *erkennen* ⟨kind⟩.

'legroom ● *beenruimte*. **'leg up** ● *steuntje, duwtje* ⟨in de goede richting⟩. **'leg warmer** ● *beenwarmer*.

1 leisure ['leʒә] ⟨zn⟩ ● *(vrije) tijd;* at – *vrij; ontspannen;* at one's – *als men tijd heeft, als het schikt*.

2 leisure ⟨bn⟩ ● *vrij;* – hours/time *vrije uren/ tijd* ● *vrijetijds-* ⟨v. kleding⟩. **leisured** ['leʒәd] ● *onbezet, vrij* ● *ongehaast, ontspannen*. **leisurely** ['leʒәli] ● *ongehaast, op zijn gemak*. **'leisure wear** ● *vrijetijdskledij*.

lemon ['lemәn] ● *citroen*.

lemonade ['lemә'neɪd] ● ⟨BE⟩ *(koolzuurhoudende)(citroen)limonade*.

'lemon juice ● *citroensap*. **'lemon 'soda** ⟨AE⟩ ● *(koolzuurhoudende) (citroen)limonade*. **'lemon 'squash** ⟨BE⟩ ● *citroensiroop* ● *citroenlimonade* ⟨v. citroensiroop en water⟩. **'lemon squeezer** ● *citroenpers*.

lend [lend] ⟨lent, lent [lent]⟩ ● *(uit)lenen* ● *verlenen, geven;* – support to *steun verlenen aan* ‖ – itself to *zich (goed) lenen tot*. **'lending library** ● *uitleenbibliotheek, leesbibliotheek*.

length [leŋ(k)θ] I ⟨telb zn⟩ ● *eind(je), stuk(je);* – of iron *staaf ijzer* ● *lengte, grootte* II ⟨telb en n-telb zn⟩ ● *lengte* ⟨bv. tgov. breedte/hoogte⟩ ● *lengte, duur* ‖ go to considerable/great –s *erg z'n best doen;* at – *langdurig; ten slotte; uitvoerig; diepgaand;* go (to) all –s/any –(s) *er alles voor over hebben* III ⟨n-telb zn⟩ ● ⟨the⟩ *gehele lengte;* they strolled the – of the boulevard *ze wandelden de hele boulevard af*. **lengthen** ['leŋ (k)θәn] I ⟨onov ww⟩ ● *lengen, langer worden* II ⟨ov ww⟩ ● *verlengen*. **lengthwise** ['leŋ(k)θwaɪz] ● *overlangs, in de lengte (richting)*. **lengthy** ['leŋ(k)θi] ● *langdurig, ellenlang* ● *langdradig*.

leni|ent ['li:nɪənt] ⟨zn: **-ence, -ency**⟩ ● *inschikkelijk, toegevend* ● *mild.*

lens [lenz] ● *lens* ⟨ook nat., anat.⟩.

lent ⟨verl. t. en volt. deelw.⟩ zie LEND.

Lent [lent] ⟨R.-K.⟩ ● *vasten(tijd).*

lentil ['lentl] ● *linze.*

leopard ['lepəd] ● *panter,* ⟨ihb.⟩ *luipaard* ‖ ⟨sprw.⟩ the leopard cannot change his spots ± *een vos verliest wel zijn haren maar niet zijn streken.* **leopardess** ['lepədɪs] ● *wijfjesluipaard.*

leotard ['li:əta:d] ⟨vaak mv.⟩ ● *tricot, ballet/gympakje.*

leper ['lepə] ● *melaatse.* **leprosy** ['leprəsi] ● *lepra, melaatsheid.* **leprous** ['leprəs] ● *melaats.*

lesbian ['lezbɪən] ● ⟨bn⟩ *lesbisch* ● ⟨zn⟩ *lesbienne.*

lesion ['li:ʒn] ● *(ver)wond(ing), letsel.*

1 less [les] ⟨bn; fungeert als vergr. trap v. little/small⟩ ● *kleiner;* no – a person than *niemand minder dan.*

2 less ⟨vnw; vergr. trap v. little, inf. ook v. few⟩ ● *minder;* ⟨scherts.⟩ in – than no time *in minder dan geen tijd;* ↓ – of your cheek! *wat minder brutaal jij!.*

3 less ⟨bw; vergr. trap v. little⟩ ● *minder;* more or – *min of meer* ‖ none the – *niettemin.*

4 less ⟨vz⟩ ● *zonder, verminderd met;* a year – one month *een jaar min één maand.*

5 less ⟨det; vergr. trap v. little, inf. ook v. few⟩ ● *minder;* – meat *minder vlees.* **lessen** ['lesn] ● *(ver)minderen, (doen) afnemen/teruglopen.*

1 lesser ['lesə] ⟨bn⟩ ● *minder, kleiner, onbelangrijker,* ⟨ihb. v. twee zaken⟩ *minst(e), kleinst(e);* ⟨choose⟩ the – (of two) evil(s) *het minste (v. twee) kwa(a)d(en)(kiezen).*

2 lesser ⟨bw; vnl. in comb. met volt. deelw.⟩ ● *minder* ‖ lesser-known *minder bekend.*

lesson ['lesn] ● *les* ● *les, leerzame ervaring;* let this be a – to you *laat dit een les voor je zijn* ● ⟨rel.⟩ *schriftlezing, bijbellezing* ‖ learn one's – *zijn les(je) leren;* teach s.o. a – *iem. een lesje geven.*

lest [lest] ↑ ● *(voor het geval/uit vrees) dat, opdat niet.*

1 let [let] **I** ⟨telb zn⟩ ● ⟨sport, ihb. tennis⟩ *let(bal), overgespeeld(e) bal/punt* ● ⟨BE⟩ *huur, verhuur* ⟨v. woning⟩ ● ⟨BE⟩ *huurwoning* **II** ⟨n-telb zn⟩ ● *beletsel, belemmering;* ⟨jur.⟩ without – or hindrance *vrijelijk, zonder (enig) beletsel.*

2 let ⟨let, let⟩ **I** ⟨onov ww⟩ ‖ ↓ – on (about/that) *verklappen (dat);* ↓ – on (that) *net doen (alsof);* zie LET UP **II** ⟨ov ww⟩ ● *laten, toestaan;* – s.o. go *iem. laten gaan;* – sth.

be known *iets laten weten* ● ⟨vnl. geb. w.⟩ *laten;* – me hear/know *hou me op de hoogte;* – me see *eens kijken;* – 's face it *laten we wel wezen* ● ⟨wisk.⟩ *stellen;* – x be y/z *stel x is y/z, gegeven x is y/z* ● ⟨vnl. BE⟩ *verhuren* ‖ – s.o. be *iem. met rust laten;* – sth. be *iets laten rusten;* – drop/fall *(zich) laten (ont)vallen;* – fly (at) *uithalen (naar);* – go (of) *loslaten; uit zijn hoofd zetten;* – o.s. go *zich laten gaan;* ↓ – it go at that *het ergens bij laten;* ⟨sl.⟩ – it all hang out *alle remmingen opzijzetten;* – s.o. have it *iem. de volle laag geven;* – pass *onweersproken laten;* – slip *laten uitlekken; voorbij laten gaan* ⟨kans⟩; – s.o. stew *iem. in zijn eigen sop laten gaarkoken;* – through *laten passeren, doorlaten;* – into *binnenlaten; in vertrouwen nemen over, vertellen;* zie LET DOWN, LET IN, LET OFF, LET OUT. **'let-down** ● *afknapper, teleurstelling.* **'let 'down** ● *neerlaten;* – the sails *de zeilen strijken* ● *uitleggen* ⟨kleding⟩ ● ↓ *teleurstellen, in de steek laten* ● *leeg laten lopen* ⟨band⟩.

lethal ['li:θl] ● *dodelijk, fataal.*

lethargic [lɪ'θɑ:dʒɪk] ● *lethargisch, (s)loom.* **lethargy** ['leθədʒi] ● *lethargie, (s)loomheid.*

'let 'in ● *binnenlaten, toelaten;* – a possibility *een mogelijkheid openlaten;* let o.s. in *zich toegang verschaffen* ‖ – for *opschepen met;* let o.s. in for *zich op de hals halen;* – on *in vertrouwen nemen over; inlichten over.* **'let 'off** ● *afzetten, laten uitstappen* ● *afvuren, afsteken;* – a gun *een pistool afvuren* ● *vrijuit laten gaan, vrijstellen van;* be – with *er afkomen met.* **'let 'out** ● *uitnemen, wijder maken* ⟨kleding⟩ ● *laten uitlekken, bekend maken* ● *laten ontsnappen, vrijlaten, laten gaan;* let the air out of a balloon *een ballon laten leeglopen* ● *slaken, geven* ⟨gil⟩ ● ⟨vnl. BE⟩ *verhuren.*

let's [lets] ⟨samentr. v. let us⟩.

letter ['letə] **I** ⟨telb zn⟩ ● *letter* ● *brief;* – of credence *geloofsbrief;* – of credit *kredietbrief;* – of introduction *aanbevelingsbrief;* covering – *begeleidend schrijven;* by – *per brief, schriftelijk* **II** ⟨n-telb zn⟩ ● *letter, letterlijke inhoud* ⟨tgov. geest⟩; in – and spirit *naar letter en geest;* to the – *naar de letter;* tot in detail **III** ⟨mv.⟩ ● *letteren, literatuur.* **'letter bomb** ● *bombrief.* **'letterbox** ⟨vnl. BE⟩ ● *brievenbus.* **lettered** ['letəd] ● *geletterd, belezen, erudiet.* **'letterhead** ● *briefhoofd.* **lettering** ['letrɪŋ] ● *belettering, letters.*

Lettish ['letɪʃ] ● ⟨bn⟩ *Lets, v./mbt. de Letten*

● ⟨zn⟩ *Lets* ⟨taal⟩.
lettuce ['letɪs] ● *sla.*
'letup ● *vermindering, afname.* **'let 'up** ● *minder worden, afnemen, gaan liggen* ‖↓ – on *milder/minder streng behandelen.*
leukemia, leukaemia [luːˈkiːmɪə] ● *leukemie, bloedkanker.*
1 level ['levl] **I** ⟨telb zn⟩ ● *peil, niveau, hoogte; –* of achievement/production *prestatie/produktiepeil;* on a – with *op gelijke hoogte met;* ⟨fig.⟩ *op gelijke voet met* ● *vlak, (vlak) oppervlak* ● ⟨vnl. AE⟩ *waterpas* ‖↓ on the – *rechtdoorzee; bonafide; goudeerlijk;* zie A LEVEL, O LEVEL **II** ⟨n-telb zn⟩ ● *niveau;* at ministerial – *op ministerieel niveau.*
2 level ⟨bn⟩ ● *waterpas, horizontaal* ● *vlak, effen; –* teaspoon *afgestreken theelepel* ● *gelijk, even hoog/ver;* ⟨BE⟩ – crossing *overweg;* draw – with *op gelijke hoogte komen met* ● *gelijkmatig;* in a – voice *zonder stemverheffing* ● *gelijkwaardig* ● *strak* ⟨v. blik⟩ ‖↓ (do) one's – best *zijn uiterste best (doen).*
3 level I ⟨onov ww⟩ ‖ – with s.o. on sth. *(eerlijk) voor iets uitkomen tegen iem.* **II** ⟨onov en ov ww⟩ ● *richten, aanleggen, uitbrengen* ⟨kritiek e.d.⟩; – a charge against/at s.o. *een beschuldiging tegen iem. uitbrengen;* – (a weapon) at s.o. *(een wapen) op iem. richten* ‖ – off *gelijk/vlak maken; –* off/out *(zich)(op een bepaald niveau) stabiliseren; –* out *gelijk/vlak maken* **III** ⟨ov ww⟩ ● *egaliseren* ● *nivelleren, op gelijk niveau brengen; –* down *tot hetzelfde niveau omlaag brengen; –* up *tot hetzelfde niveau omhoog brengen* ● *met de grond gelijk maken* ● *tegen de grond slaan.*
4 level ⟨bw⟩ ● *vlak, horizontaal, waterpas.* **'level'headed** ● *nuchter, afgewogen.*
1 lever ['liːvə] ⟨zn⟩ ● *hefboom* ● *werktuig* ⟨alleen fig.⟩, *pressiemiddel* ● *hendel, handgreep/vat.*
2 lever ⟨ww⟩ ● *opheffen/verplaatsen dmv. hefboom, tillen/(los)wrikken;* ⟨fig.⟩ – s.o. out of his job *iem. wegmanoeuvreren.* **leverage** ['liːvrɪdʒ] ● *hefboomkracht* ● *macht, invloed.*
leveret ['levrɪt] ● *jonge haas.*
leviathan [lɪˈvaɪəθən] ● *kolos, gevaarte, reus.*
levis, levi's ['liːvaɪz] ⟨merknaam⟩ ● *levi's, spijkerbroek.*
levitate ['levɪteɪt] ● *(doen) zweven.*
levity ['levəti] ● *lichtzinnigheid, lichtvaardigheid.*
1 levy ['levi] ⟨zn⟩ ● *heffing, vordering,* ⟨ihb.⟩ *belastingheffing* ● *rekrutering.*

2 levy ⟨ww⟩ ● *heffen, opleggen; –* a tax on gambling *een belasting heffen op de kansspelen.*
lewd [luːd] ● *wellustig* ● *obsceen, schunnig.*
lexicography ['leksɪˈkɒɡrəfi] ● *lexicografie, het samenstellen v. woordenboeken.*
lexicon ['leksɪkən] ● *oude-talenwoordenboek* ● *lexicon, woordenschat.*
liability ['laɪəˈbɪləti] ● *(wettelijke ver-) plicht(ing)* ● ⟨+for⟩ *(wettelijke) aansprakelijkheid (voor)* ● ⟨mv.⟩ ⟨hand.⟩ *passiva, lasten, schulden* ● ↓ *blok-aan-het-been.* **liable** ['laɪəbl] ● *(wettelijk) verplicht; –* for tax *belastingplichtig* ● ⟨+for⟩ *aansprakelijk (voor), verantwoordelijk (voor)* ● *onderhevig, onderworpen; –* to penalty *strafbaar* ● *vatbaar; –* to colds *gauw/vaak verkouden* ● *de neiging hebbend, het risico lopend* ⟨vnl. met iets negatiefs⟩; trouble is – to occur *er zal wel narigheid van komen.*
liaison [liˈeɪzn] ● *liaison* ⟨ook mil.⟩, *verbinding, samenwerkingsverband* ● *liaison, buitenechtelijke verhouding.*
liana [liːˈɑːnə, liˈænə] ● *liaan.*
liar ['laɪə] ● *leugenaar.*
lib [lɪb] ⟨verk.⟩ liberation↓ ● ⟨ongeveer⟩ *emancipatie/bevrijding(sbeweging).*
1 libel ['laɪbl] ⟨zn⟩ ● *smaad, laster* ● ↓ *belastering; –* on s.o. *belediging voor iem..*
2 libel ⟨ww⟩ ● *belasteren.* **libellous** ['laɪbləs] ● *lasterlijk, smadelijk* ● *(be)lasterend.*
1 liberal ['lɪbrəl] ⟨zn⟩ ● *liberaal* ⟨ook pol.⟩, ⟨AE⟩ *linkse rakker.*
2 liberal ⟨bn⟩ ● *ruimdenkend, onbekrompen, liberaal* ● *royaal, vrijgevig* ● *overvloedig* ● *veelzijdig; –* education *brede ontwikkeling* ● ⟨pol.⟩ *liberaal,* ⟨AE⟩ *links* ● ⟨AE⟩ *alfa-; –* arts *alfawetenschappen* ‖ – arts *vrije kunsten.* **liberalism** ['lɪbrəlɪzm] ⟨pol.⟩ ● *liberalisme.* **liberality** ['lɪbəˈræləti], **liberalness** ['lɪbrəlnəs] ● *vrijgevigheid* ● *onbekrompenheid.* **liberal**|**ize** ['lɪbrəlaɪz] ⟨zn: -ization⟩ ● *liberaliseren, versoepelen.*
liberate ['lɪbəreɪt] ● *bevrijden* ● ⟨schei.⟩ *vrijmaken.* **liberated** ['lɪbəreɪtɪd] ● *geëmancipeerd* ⟨maatschappelijk, seksueel⟩. **liberation** ['lɪbəˈreɪʃn] ● *bevrijding.* **liberator** ['lɪbəreɪtə] ● *bevrijder.*
libero ['lɪbərou] ⟨voetbal⟩ ● *libero, vrije verdediger.*
libertine ['lɪbətiːn] ● *libertijn, losbandig iem..*
liberty ['lɪbəti] **I** ⟨telb zn⟩ ● *vrijheid, vrijpostigheid;* take the – of saying *zo vrij zijn (om) te zeggen;* take liberties with s.o. *zich vrijheden veroorloven tegen iem.* **II** ⟨n-telb zn⟩ ● *vrijheid; –* of conscience *gewe-*

tensvrijheid ‖ at – *(in) vrij(heid);* you're at – to *het staat je vrij (om) te.*

librarian [laɪˈbreərɪən] ● *bibliothecaris/esse.*
library [ˈlaɪb(rə)ri] ● *bibliotheek.* '**library pictures** ● *archiefbeelden.*
Libyan [ˈlɪbɪən] ● ⟨bn⟩ *Libisch* ● ⟨zn⟩ *Libiër.*
lice [laɪs] ⟨mv.⟩ zie LOUSE.
licence, ⟨AE sp. vnl.⟩ **license** [ˈlaɪsns] I ⟨telb zn⟩ ● *vergunning, licentie, verlof* II ⟨n-telb zn⟩ ● *permissie, toestemming* ● *willekeur, misbruik v. vrijheid* ● *losbandigheid* ● *(artistieke) vrijheid.*
license, ⟨AE sp. vnl.⟩ **licence** ● *(een) vergunning verlenen (aan),* ⟨ihb. BE⟩ *een drank-vergunning verlenen (aan);* –d to sell to-bacco *met tabaksvergunning.* **licensee** [ˈlaɪsnˈsiː] ● *vergunninghouder* ⟨ihb. v.e. drank/tabaksvergunning⟩. '**license plate** ⟨AE⟩ ● *nummerbord.* '**licensing laws** ⟨the⟩ ⟨BE⟩ ● *drankwet.*
licentious [laɪˈsenʃəs] ● *wellustig, losban-dig.*
lichen [ˈlaɪkən, ˈlɪtʃn] ● *korstmos.*
1 lick [lɪk] I ⟨telb zn⟩ ● *lik, veeg* II ⟨telb en n-telb zn⟩ ↓ ● *(vliegende) vaart;* (at) full –, at a great – *met een noodgang.*
2 lick I ⟨onov en ov ww⟩ ● *lekken, (licht) spe-len (langs)* ⟨v. golven/vlammen⟩ II ⟨ov ww⟩ ● *likken* ● ↓ *een pak slaag geven* ⟨ook fig.⟩, *ervan langs geven.*
licking [ˈlɪkɪŋ] ⟨ook fig.⟩ ● *pak rammel;* the team got a – *het team werd ingemaakt.*
licorice zie LIQUORICE.
lid [lɪd] ● *deksel, klep* ● *(oog)lid* ‖ take the – off *onthullingen doen;* ↓ put the – on *een halt toeroepen, paal en perk stellen aan;* ⟨BE; ↓⟩ that puts the – on *dat doet de deur dicht.*
lido [ˈliːdoʊ] ⟨BE⟩ ● *(bad)strand* ● *(open-lucht)zwembad.*
1 lie [laɪ] ⟨zn⟩ ● *leugen;* tell a – *liegen* ● *lig-ging, situering, positie;* ⟨BE⟩ the – of the land ⟨fig.⟩ *de stand van zaken* ● *leger* ⟨v. dier⟩ ‖ give s.o. the – *iem. van een leugen beschuldigen;* give the – to *weerleggen.*
2 lie I ⟨onov ww; lied, lying⟩ ● *liegen;* you–d to me *je loog tegen mij* II ⟨ov ww⟩ ‖ – o.s. into trouble *zich door leugens in de nes-ten werken;* – o.s. out of sth. *zich ergens uitliegen.*
3 lie ⟨ww; lay [leɪ], lain [leɪn], lying⟩ ● *lig-gen, rusten;* – ill *ziek in bed liggen;* – asleep *liggen te slapen;* ⟨vnl. BE; sl.⟩ – doggo *zich schuil/gedeisd houden* ● *gaan liggen;* – back *achteroverleunen* ● *zich be-vinden* ⟨op een plaats/in een toestand⟩, *liggen;* – in ambush *in een hinderlaag lig-gen;* – in ruins *in puin liggen;* – heavy

zwaar op de maag liggen; (zwaar) op het geweten drukken; – at anchor *voor anker liggen;* my sympathy –s with ... *mijn sym-pathie gaat uit naar ...* ‖ here –s ... *hier ligt/ rust ...;* ⟨fig.⟩ I don't know what –s in store for me *ik weet niet wat me te wachten staat;* zie ook ⟨sprw.⟩ SLEEP; zie LIE ABOUT, LIE AHEAD, LIE DOWN, LIE IN, LIE OVER, LIE UP, LIE WITH.
'**lie aˈbout** ● *luieren, niksen* ● *rondslingeren* ⟨v. voorwerpen⟩. '**lie aˈhead** ● *in het ver-schiet liggen, te wachten staan.*
'**lie detector** ● *leugendetector.*
'**lie ˈdown** ● *(gaan) liggen/rusten;* ⟨fig.⟩ we won't take this lying down *we laten dit niet over onze kant gaan;* ↓ – on the job *het rustig aan doen* ‖ – under *over zijn kant la-ten gaan.* '**lie-ˈdown** ● ↓ *dutje, (middag) slaapje.*
liege [liːdʒ] ⟨gesch.⟩ ● *leenheer* ● *leenman.*
'**lie ˈin** ● ⟨BE; ↓⟩ *uitslapen.* '**lie-ˈin** ● ⟨BE; ↓⟩ *uurtje/ochtendje uitslapen, het uitslapen.*
'**lie ˈover** ● *blijven liggen, uitgesteld wor-den.*
lieu [luː] ‖ in – of *in plaats van.*
'**lie ˈup** ● *zich schuilhouden* ● *het bed hou-den, platliggen.*
lieutenant [lefˈtenənt] ● *luitenant, plaatsver-vanger* ● ⟨mil.⟩ *luitenant* ● ⟨Am. politie⟩ ⟨ongeveer⟩ *inspecteur.*
'**lie with** ● *zijn aan, de verantwoordelijkheid zijn van;* the choice lies with her *de keuze is aan haar.*
life [laɪf] ⟨mv.: lives⟩ I ⟨telb zn⟩ ● *levend we-zen;* several lives were lost *verscheidene mensen kwamen om het leven* II ⟨telb en n-telb zn⟩ ● *leven, levensduur, levensbe-schrijving/verhaal;* get the fright of one's – *zich doodschrikken;* bring to – *(weer) bij-brengen;* ⟨fig.⟩ *tot leven brengen;* come to – *bijkomen; tot leven komen;* ⟨fig.⟩ *geïnteresseerd raken;* take one's (own) – *zelfmoord plegen;* take s.o.'s – *iem. om het leven brengen;* for – *voor het leven;* for the – of me I couldn't remember it *al sla je me dood, ik weet het echt niet meer;* run for one's – *rennen voor je leven;* painted from – *naar het leven geschil-derd;* this is the –! *dit is/noem ik nog eens leven!* ‖ take one's – in one's (own) hands *zijn leven in de waagschaal stellen;* es-cape with – and limb *het er levend afbren-gen;* the – (and soul) of the party *de gang-maker v.h. feest;* ↓ not on your – *nooit van zijn leven;* his records are his – *zijn platen zijn zijn lust en zijn leven;* ⟨sprw.⟩ while there is life there is hope *zolang er leven is, is er hoop;* zie ook ⟨sprw.⟩ VARIETY III

⟨n-telb zn⟩ ⟨verk.⟩ life imprisonment↓ ● *levenslang(e gevangenisstraf)*. **'life assurance, 'life insurance** ●*levensverzekering.* **'life belt** ● *redding(s)gordel.* **'lifeboat** ● *redding(s)boot.* **'life buoy** ● *redding(s) boei.* **'life ex'pectancy** ● *levensverwachting.* **'lifeguard** ● *bad/strandmeester.* **'life im'prisonment** ● *levenslang(e gevangenisstraf).* **life insurance** zie LIFE ASSURANCE. **'life jacket** ● *redding(s)/zwemvest.* **lifeless** ['laɪfləs] ● *levenloos, dood,* ⟨fig.⟩ *lusteloos.* **lifelike** ['laɪflaɪk] ● *levensecht.* **'life line** ● *redding(s)lijn* ● *vitale verbindingslijn.* **'lifelong** ● *levenslang.* **'life preserver** ● ⟨vnl. AE⟩ *redding(s)boei/gordel/ vest.* **lifer** ['laɪfə] ⟨sl.⟩ ● *tot levenslang veroordeelde.* **'life raft** ● *redding(s)boot/vlot.* **'life 'sentence** ● *(veroordeling tot) levenslang.* **'life-size(d)** ● *levensgroot.* **'life span** ● *(potentiële) levensduur.* **'lifestyle** ● *levensstijl.* **'lifetime** ● *levensduur,* ⟨ihb.⟩ *mensenleven;* the chance of a – *een unieke kans.* **'life'work** ● *levenswerk.*

1 lift [lɪft] I ⟨telb zn⟩ ● ⟨vnl. BE⟩ *(goederen/ personen)lift* ● *lift, gratis (auto)rit* ● *(ver)heffing, hijs(ing), optrekking* ● *duwtje/ steuntje in de rug* ● ↓ *opkikker* II ⟨telb en n-telb zn⟩ ⟨luchtv.⟩ ● *lift, opwaartse druk, draagkracht.*
2 lift I ⟨onov ww⟩ ● *(op)stijgen, omhooggaan/komen;* ⟨luchtv., ruim.⟩ – off *opstijgen, starten* ● *optrekken* ⟨v. mist enz.⟩ II ⟨ov ww⟩ ● *(omhoog/op)tillen, omhoog/ optrekken;* – one's eyes *zijn ogen opslaan;* not – a hand/finger *geen hand/vinger/poot uitsteken;* – down *aftillen, neerlaten* ● *opheffen, afschaffen;* – a blockade *een blokkade opheffen* ● *verheffen;* this news will – his spirits *dit nieuws zal hem opbeuren* ‖ – up one's voice *zijn stem verheffen.* **'lift-off** ⟨ruim.⟩ ● *lancering.*
ligament ['lɪgəmənt] ● ⟨anat.⟩ *gewrichtsband.*
1 light [laɪt] I ⟨telb zn⟩ ● *vuurtje;* can you give me a –, please? *heeft u misschien een vuurtje voor me?* ● *ruit(je)* ‖ set (a) – to sth. *iets in de fik steken* II ⟨telb en n-telb zn⟩ ● *licht, verlichting;* ⟨bk.⟩ – and shade *licht en schaduw;* bring/come to – *aan het licht brengen/komen;* reversing – *achteruitrijlamp;* see the – *tot inzicht komen;* shed/ throw – (up)on *licht werpen op* ‖ a shining – *een lichtend voorbeeld;* go out like a – *onmiddellijk ingeslapen zijn;* in (the) – of this statement *in het licht van/gezien deze verklaring* III ⟨mv.⟩ ● *voetlicht* ‖ according to one's –s *naar iemands beste vermogen; naar eigen inzicht.*

2 light ⟨bn⟩ ● *licht, helder* ● *licht* ⟨lett. en fig.⟩, *niet zwaar;* – clothing *lichte kledij;* – food *licht (verteerbaar) voedsel;* – of heart *licht/luchthartig;* – industry *lichte industrie;* ⟨mil.⟩ – infantry *lichte infanterie;* – reading *lichte lectuur;* make – of *niet zwaar tillen aan* ‖ zie ook ⟨sprw.⟩ HAND.
3 light ⟨ook lit, lit [lɪt]⟩ I ⟨onov ww⟩ ● *ontbranden, vlam vatten* ● *aan gaan* ⟨v. lamp enz.⟩; zie LIGHT ON, LIGHT UP II ⟨ov ww⟩ ● *aansteken* ● *verlichten, beschijnen* ● *doen ophelderen;* a smile lit her face *een glimlach deed haar gezicht opleven;* zie LIGHT UP.
4 light ⟨bw⟩ ● *licht;* travel – *weinig bagage bij zich hebben.*
'light bulb ● *(gloei)lamp.*
lighten ['laɪtn] I ⟨onov ww⟩ ● *opleven, opfleuren* ● *ophelderen/klaren* II ⟨ov ww⟩ ● *verlichten, ontlasten* ● *verlichten, verhelderen.*
lighter ['laɪtə] ● *aansteker.*
'light-'fingered ● *vingervlug* ● *met lange vingers.* **'light-'footed** ● *licht/snelvoetig.* **'light'headed** ● *ijl/licht/warhoofdig.* **'light'hearted** ● *licht/luchthartig.* **'lighthouse** ● *vuurtoren.* **lighting** ['laɪtɪŋ] ● *verlichting.* **lightly** ['laɪtli] ● *licht(jes), een ietsje* ● *licht(jes), gemakkelijk* ● *luchtig.* **'light meter** ⟨foto.⟩ ● *belichtingsmeter.* **lightness** ['laɪtnəs] ● *lichtheid* ⟨ook fig.⟩, *geringe zwaarte* ● *lichtheid, helderheid.*
lightning ['laɪtnɪŋ] ● *bliksem;* like (greased) – *als de (gesmeerde) bliksem* ‖ ⟨sprw.⟩ lightning never strikes twice (in the same place) ± *de duivel danst niet altijd voor één mans deur.* **'lightning conductor** ● *bliksemafleider.* **'lightning 'strike** ● *onaangekondigde/plotselinge staking.*
'light on, light up'on ● *bij toeval vinden, aantreffen.* **'light pen** ⟨comp.⟩ ● *lichtpen.* **'light signal** ● *lichtsignaal.* **'light 'up** I ⟨onov ww⟩ ● *(ver)licht(ing) aansteken* ● ↓ *(een sigaar/sigaret/pijp) opsteken* ● *ophelderen/klaren;* his eyes lit up with greed *zijn ogen begonnen te schitteren van hebzucht* II ⟨ov ww⟩ ● *aansteken* ● *verlichten.* **'lightweight** ⟨vnl. sport⟩ ● *lichtgewicht* ⟨ook fig.⟩. **'light-year** ● *lichtjaar.*
likable, likeable ['laɪkəbl] ● *innemend, aardig, sympathiek.*
1 like [laɪk] I ⟨telb zn⟩ ● *(soort)gelijke;* ↓ the –s of us *mensen als wij* ‖ and the – *en dergelijke;* I've never seen the – *zo iets heb ik nog nooit meegemaakt* II ⟨mv.⟩ ● *voorkeuren;* –s and dislikes *sympathieën en antipathieën.*
2 like ⟨bn⟩ ● *soortgelijk;* they are as – as two

peas (in a pod) *ze lijken op elkaar als twee druppels water;* – quantities *gelijksoortige grootheden.*

3 like I ⟨onov ww⟩ ● *willen;* if you – *zo u wilt, als je wilt* II ⟨ov ww⟩ ● *houden van, (prettig) vinden, (graag) willen;* would you – a cup of tea? *wilt u een kopje thee?;* I'd – to do that *dat zou ik best willen;* ⟨iron.⟩ I – that! *mooi is dat!;* how do you – my new car? *wat vind je van mijn nieuwe auto?;* how do you – your egg? *hoe wilt u uw ei?;* how do you – that! *wat zeg je me daarvan!* || ⟨sprw.⟩ if you don't like it, then you can lump it *doe het toch maar, of je het leuk vindt of niet.*

4 like ⟨bw⟩ ↓ ● ⟨vnl. aan het eind v.d. zin, als stopwoord⟩ *weet je, wel;* he thinks he's clever – *hij vindt zichzelf best wel slim* ● *nou, zoiets als;* he had ... – ... a hat on *hij had zoiets als een hoed op.*

5 like ⟨vz⟩ ● *als, zoals;* cry – a baby *huilen als een kind;* it is – John to forget it *typisch voor John om het te vergeten;* it looks – rain *er is regen op komst;* it's not – her *het is haar stijl niet;* – that *zo, op die wijze;* just – that *zo maar (even);* what is he –? *wat voor iemand is hij?;* what's it – outside? *wat voor weer is het?* ● *(zoals) bijvoorbeeld;* her hobbies, – reading and writing *haar hobbies, zoals lezen en schrijven* || it hurts – anything *het doet erg veel pijn;* that's more – it *dat begint er op te lijken;* there's nothing – a ... *er gaat niets boven een ...;* something – five days *om en nabij vijf dagen.*

6 like ⟨vw⟩ ● *(zo)als;* I want a dress – Mary has *ik wil zo'n jurk als Mary heeft* ● ⟨AE⟩ *alsof;* it looks – he will win *het ziet ernaar uit dat hij zal winnen.*

likeable zie LIKABLE.

likelihood ['laɪklihʊd] ● *waarschijnlijkheid;* in all – *naar alle waarschijnlijkheid.*

1 likely ['laɪkli] ⟨bn⟩ ● *waarschijnlijk, aannemelijk,* ⟨bij uitbr.⟩ *kansrijk;* he is the most – candidate for the job *hij komt het meest in aanmerking voor de baan;* ⟨iron.⟩ a – story! *dat geloof ik graag!.*

2 likely ⟨bw⟩ ● *waarschijnlijk;* not –! *kun je net denken!;* as – as not *eerder wel dan niet.*

'like-'minded ● *gelijkgestemd.* **liken** ['laɪkən] || – sth. to sth. else *iets vergelijken met iets anders.* **likeness** ['laɪknəs] ● *gelijkenis;* it's a good – *het lijkt er goed op* ⟨bv. v. foto⟩.

likewise ['laɪkwaɪz] ● *evenzo* ● *evenzeer.*

liking ['laɪkɪŋ] ⟨geen mv.⟩ ● *voorkeur, voorliefde;* have a – for *houden van* || is everything to your –? *is alles naar uw zin?.*

lilac ['laɪlək] ● *sering* ● *lila.*
1 lilt [lɪlt] ⟨zn⟩ ● *zangerig accent* ● *verende tred.*
2 lilt ⟨ww⟩ || a –ing voice *een zangerige stem.*
lily ['lɪli] ● *lelie;* – of the valley *lelietje-van-dalen.*
limb [lɪm] ● *lid(maat)* ⟨mv.: ledematen⟩, *arm, been* ● *(dikke/grote) tak* || ↓ out on a – *op zichzelf aangewezen.*
1 limber ['lɪmbə] ⟨bn⟩ ● *lenig, soepel.*
2 limber ⟨ww⟩ || – up *de spieren losmaken.*
limbo ['lɪmboʊ] ● ⟨rel.⟩ *voorportaal (der hel)* ● *limbo* ⟨dans⟩ || be in – *in onzekerheid verkeren.*
lime [laɪm] I ⟨telb zn⟩ ● *tropische citroen* ● *linde* II ⟨n-telb zn⟩ ● *gebrande/ongebluste kalk.* **'lime juice** ● *citroensap.* **'limelight** || in the – *in de schijnwerpers/publiciteit.*
limerick ['lɪmərɪk] ● *limerick.*
'limestone ● *kalksteen.* **'lime tree** ● *lindeboom.*
1 limit ['lɪmɪt] ⟨zn⟩ ● *limiet, (uiterste) grens;* ⟨AE; vnl. mil.⟩ off –s (to) *verboden terrein (voor);* within –s *binnen redelijke grenzen;* ↓ you're the – *je bent onmogelijk.*
2 limit ⟨ww⟩ ● *begrenzen, beperken.* **limitation** ['lɪmɪ'teɪʃn] ● *beperking, begrenzing.* **limited** ['lɪmɪtɪd] ● *beperkt, gelimiteerd;* ⟨druk.⟩ – edition *beperkte oplage* || Jones Limited *Jones N.V., de N.V. Jones.* **limitless** ['lɪmɪtləs] ● *onbegrensd.*
limousine ['lɪmə'ziːn] ● *limousine.*
1 limp [lɪmp] ⟨zn⟩ ● *kreupele/slepende gang;* he walks with a – *hij trekt met zijn been.*
2 limp ⟨bn⟩ ● *slap* || ⟨sl.⟩ – wrist *mietje, homo.*
3 limp ⟨ww⟩ ● *mank lopen, slecht ter been zijn.*
limpet ['lɪmpɪt] ● *zeeslak* || hold on/cling like a – (to) *zich vastklampen (aan).*
limpid ['lɪmpɪd] ● *(glas/kristal)helder.*
linden ['lɪndən] ● *linde.*
1 line [laɪn] I ⟨telb zn⟩ ● *lijn, snoer, koord;* hold the –, please *blijft u even aan de lijn?* ● *streep, lijn;* – of fire *vuurlijn;* – of sight/vision *gezichtslijn;* we must draw the – somewhere *we moeten ergens een grens trekken;* in – with *in het verlengde van;* ⟨fig.⟩ in overeenstemming met ● *rij (naast/achter elkaar),* ⟨mil.⟩ *linie;* bring into – *tot de orde roepen;* come/fall into – *op één lijn gaan zitten, zich schikken;* stand in – *in de rij gaan staan;* all along the – *over de (ge)hele linie* ⟨ook fig.⟩; *van begin tot eind* ● ↓ *kort briefje;* drop s.o. a – *iem. een briefje schrijven* ● *(beleids/gedrags)lijn;* in

the – of duty *plichtshalve* ● *koers, route, weg* ⟨ook fig.⟩; – of least resistance *weg van de minste weerstand* ● *lijndienst* ● *spoorweglijn* ● *terrein* ⟨fig.⟩, *vlak, branche;* banking is his – *hij zit in het bankwezen* ● *assortiment, soort artikel* ‖ get a – on inlichtingen inwinnen over; keep s.o. in – *iem. in de hand houden;* lay it on the – *open kaart spelen;* sign on the dotted – *(een contract) ondertekenen;* ↓ *niet tegenstribbelen;* toe the – *in het gareel blijven;* out of – *uit de pas, over de schreef* ‖ ⟨mv.⟩ ● ⟨dram.⟩ *tekst, rol* ● ⟨BE⟩ *strafwerk* ● *methode, aanpak;* do sth. along/on the wrong –s *iets verkeerd aanpakken.*

2 line I ⟨onov ww⟩ zie LINE UP II ⟨ov ww⟩ ● *liniëren;* –d paper *gelinieerd papier* ● *rimpelen* ● *flankeren;* a road –d with trees *een weg met (rijen) bomen erlangs* ● *voeren, bekleden* ‖ – one's *nest/pocket(s)/purse zijn zakken vullen;* zie LINE UP.

lineage ['lɪnɪɪdʒ] ● *geslacht, nageslacht* ● *afkomst.*

lineal ['lɪnɪəl] ● *in rechte lijn (afstammend), rechtstreeks.*

lineament ['lɪnɪəmənt] ⟨vnl. mv.⟩ ● *(gelaats)trek.*

linear ['lɪnɪə] ● *lineair, recht(lijnig)* ● ⟨nat., wisk.⟩ *lineair;* – equation *lineaire vergelijking* ‖ – measure *lengtemaat.*

'line drawing ● *lijntekening, pen/potloodtekening.*

linen ['lɪnɪn] ● *linnen* ● *linnengoed.*

'line printer ⟨comp.⟩ ● *regeldrukker.* **liner** ['laɪnə] ● *lijnboot/schip* ● *lijntoestel.* **linesman** ['laɪnzmən] ● ⟨sport⟩ *grensrechter* ● *lijnwerker.* **'line 'up** I ⟨onov ww⟩ ● *in de/ een rij gaan staan;* ⟨fig.⟩ – alongside/with zich opstellen naast; ⟨fig.⟩ – behind *pal staan achter* II ⟨ov ww⟩ ● *opstellen in (een) rij(en)* ● *op een rij zetten, samenbrengen.* **'line-up** ⟨vnl. enk.⟩ ● *opstelling* ⟨ook sport⟩ ● *programma.*

linger ['lɪŋɡə] ● *treuzelen, dralen;* – over details *lang stilstaan bij details* ● *kwijnen* ● *voortleven.*

lingerie ['lɒnʒərɪ:, 'læn-] ● *lingerie, damesondergoed.*

lingering ['lɪŋɡərɪŋ] ● *blijvend* ● *slepend* ⟨v. ziekte⟩.

lingo ['lɪŋɡoʊ] ⟨ ↓ ; ong., scherts.⟩ ● *taal(tje).*

linguist ['lɪŋɡwɪst] ● *talenkenner;* he's a good – *hij spreekt zijn talen* ● *taalkundige.* **linguistic** [lɪŋˈɡwɪstɪk] ● *taalkundig.* **linguistics** [lɪŋˈɡwɪstɪks] ● *taalkunde, linguïstiek;* applied – *toegepaste taalkunde.*

liniment ['lɪnɪmənt] ● *(massage-)olie, smeersel.*

lining ['laɪnɪŋ] ● *voering(stof), bekleding* ‖ zie ook ⟨sprw.⟩ CLOUD.

1 link [lɪŋk] I ⟨telb zn⟩ ● *schakel* ⟨ook fig.⟩, *verbinding, verband* ● ⟨vnl. mv.⟩ *manchetknoop* II ⟨mv.⟩ ● ⟨sport⟩ *(golf)links, golfbaan.*

2 link I ⟨onov ww⟩ ● *een verbinding vormen, zich verbinden;* – up *zich aaneensluiten* II ⟨ov ww⟩ ● *verbinden;* – hands *de handen ineenslaan, koppeling.* **linkage** ● *aaneenschakeling, koppeling.* **linkman** ['lɪŋkmæn] ● ⟨BE⟩ *presentator.* **'linkup** ● *verbinding, koppeling.*

lino ['laɪnoʊ] ⟨verk.⟩ *linoleum* ↓ ● *linoleum.* **linoleum** [lɪˈnoʊlɪəm] ● *linoleum.*

linseed ['lɪnsɪːd] ● *lijnzaad.*

lint [lɪnt] ● *(Engels) pluksel* ⟨als verbandmiddel⟩.

lintel ['lɪntl] ⟨bouwk.⟩ ● *latei(balk).*

lion ['laɪən] ● *leeuw* ⟨fig. voor persoon⟩ ● *coryfee, idool* ‖ the –'s share *het leeuwedeel.* **lioness** ['laɪənɪs] ● *leeuwin.*

lionize ['laɪənaɪz] ● *op een voetstuk plaatsen.*

lip [lɪp] I ⟨telb zn⟩ ● *lip;* ⟨fig.⟩ hang on s.o.'s –s *aan iemands lippen hangen* ● *rand* ‖ zie ook ⟨sprw.⟩ SLIP II ⟨n-telb zn⟩ ⟨sl.⟩ ● *grote bek;* we don't want none of your – *hou jij je praatjes maar voor je.* **'lip gloss** ● *lippenglans, lip gloss.* **'lip-read** ● *liplezen.* **'lip service** ● *lippendienst;* give/pay – to *lippendienst bewijzen aan.* **'lipstick** ● *lippenstift.*

liquefy ['lɪkwɪfaɪ] ● *vloeibaar worden/maken.*

liqueur [lɪˈkjʊə] ● *likeur(tje).*

1 liquid ['lɪkwɪd] ⟨zn⟩ ● *vloeistof.*

2 liquid ⟨bn⟩ ● *vloeibaar* ● *(kristal)helder, glanzend;* – eyes *glanzende ogen* ● *welluidend;* – sounds *melodieuze klanken* ● ⟨ec.⟩ *liquide, vlottend;* – assets *liquide middelen.*

liquidate ['lɪkwɪdeɪt] ● *liquideren, vereffenen* ⟨schuld⟩, *opheffen* ⟨onderneming⟩ ● *uit de weg ruimen.* **liquidation** ['lɪkwɪ'deɪʃn] ● *liquidatie* ● *eliminatie.*

liquidity [lɪˈkwɪdəti] ● ⟨ec.⟩ *liquiditeit.* **liquidize** ['lɪkwɪdaɪz] ● *vloeibaar maken* ● *fijnhakken, uitpersen* ⟨groente, fruit⟩. **liquidizer** ['lɪkwɪdaɪzə] ⟨BE⟩ ● *mengbeker, sapcentrifuge.*

liquor ['lɪkə] I ⟨telb en n-telb zn⟩ ● *alcoholische drank,* ⟨ihb. AE⟩ *sterke drank* II ⟨n-telb zn⟩ ● *(kook)vocht, (groente)nat, jus.*

liquorice, licorice ['lɪk(ə)rɪʃ, -rɪs] ● *drop.*

'liquor store ⟨vnl. AE⟩ ● *slijterij.*

1 lisp [lɪsp] ⟨zn⟩ ● *slissende uitspraak;* he speaks with a – *hij slist.*

2 lisp ⟨ww⟩ ● *lispelen, slissen.*
lissom(e) ['lɪsəm] ● *soepel, lenig.*
1 list [lɪst] **I** ⟨telb zn⟩ ● *lijst, tabel* ● ⟨vnl. scheep.⟩ *slagzij* **II** ⟨mv.⟩ ● *strijdperk;* enter the –s (against) *in het krijt treden (tegen).*
2 list I ⟨onov ww⟩ ● ⟨vnl. scheep.⟩ *slagzij maken* **II** ⟨ov ww⟩ ● *een lijst maken van, rangschikken in een lijst* ● *op een lijst zetten;* ⟨BE⟩ *–ed buildings op de monumentenlijst geplaatste gebouwen.*
listen ● *luisteren;* – in (to) *afluisteren;* – for strange sounds *luisteren of men vreemde geluiden hoort;* – to *luisteren naar.* **listener** ['lɪsnə] ● *luisteraar.*
listless ['lɪstləs] ● *lusteloos, futloos.*
'**list price** ● *adviesprijs.*
lit [lɪt] ⟨verl. t. en volt. deelw.⟩ zie LIGHT.
litany ['lɪtəni] ● *litanie.*
lite [laɪt] ↓ ● *licht (verteerbaar), luchtig.*
literacy ['lɪtrəsi] ● *het kunnen lezen en schrijven.*
literal ● *letterlijk, letter-* ● *prozaïsch, fantasieloos.* **literary** ['lɪtrəri] ● *literair, letterkundig* ● *schrijftalig, literair.* **literate** ● *geletterd, kunnende lezen en schrijven* ● *geletterd, belezen.* **literature** ['lɪtrətʃə] ● *literatuur, letterkunde* ● ↓ *informatiemateriaal.*
lithe [laɪð] ● *soepel, lenig.*
lithograph ['lɪθəɡrɑːf] ● *litho(grafie), steendruk(prent).* **lithography** [lɪˈθɒɡrəfi] ● *lithografie, steendruk(kunst).*
Lithuania ['lɪθjʊˈeɪnɪə] ● *Litouwen.* **Lithuanian** ['lɪθjʊˈeɪnɪən] ● ⟨bn⟩ *Litouws* ● ⟨telb zn⟩ *Litouwer.*
litigant ['lɪtɪɡənt] ● *procederende (partij).* **litigate** ['lɪtɪɡeɪt] ● *procederen (over).* **litigation** ['lɪtɪˈɡeɪʃn] ● *proces, rechtszaak.*
litigious [lɪˈtɪdʒəs] ● ⟨vnl. ong.⟩ *procesziek, snel tot procederen geneigd.*
litmus ['lɪtməs] ● *lakmoes.*
litre ['liːtə] ● *liter.*
1 litter ['lɪtə] ⟨zn⟩ ● *rommel, troep* ● *(lig/stal) stro, afdekstro* ⟨voor planten⟩ ● *nest (jongen)* ● *draagkoets/stoel* ● *draagbaar.*
2 litter I ⟨onov en ov ww⟩ ● *werpen, jongen* **II** ⟨ov ww⟩ ● *een rommel maken v.* ● *rondstrooien;* – about/around *rond laten slingeren* ● *strooien.* '**litterbag** ⟨AE⟩ ● *vuilniszak(je).* '**litterbin** ● *afvalbak.* '**litterlout,** ⟨AE⟩ '**litterbug** ● *smeerpoets.*
1 little ['lɪtl] ⟨bn⟩ ● *klein, -je, -tje, -pje;* a – bit *een (klein) beetje;* – finger *pink;* his – sister *zijn kleine(re)/jongere zusje;* her – ones *haar kinderen/* ⟨v. dier⟩ *jongen* ● *klein-(geestig/zielig)* || ⟨sprw.⟩ little things please little minds *kleine mensen, kleine wensen.*

2 little ⟨vnw⟩ ● *weinig, beetje;* make – of sth. *ergens weinig v. begrijpen; ergens weinig belang aan hechten;* think – of s.o *geen hoge dunk v. iem. hebben;* – by – *beetje bij beetje* || ⟨sprw.⟩ little by little, and bit by bit *voetje voor voetje en beetje bij beetje,* ± *langzaam aan, dan breekt het lijntje niet;* every little helps *alle beetjes helpen.*
3 little ⟨bw⟩ ● *weinig, amper;* – known facts *weinig bekende feiten* ● *in het geheel niet;* – did he know that... *hij had er geen flauw benul van dat....*
4 little ⟨det⟩ ● *weinig, gering;* a – effort *een beetje/wat moeite.*
liturgy ['lɪtədʒi] ⟨bn: -ical⟩ ● *liturgie.*
livable, liveable ['lɪvəbl] ● *bewoonbaar* ● *leefbaar* || his behaviour is not – with *zijn gedrag is niet te harden.*
1 live [laɪv] **I** ⟨bn, attr en pred⟩ ● *live, direct;* – broadcast *directe uitzending* ● *levendig, actief;* a – topic *een actueel onderwerp* ● *onder spanning/stroom staand;* – wire ⟨fig.⟩ *energieke figuur* || – ammunition/ cartridges *scherpe munitie/patronen* **II** ⟨bn, attr⟩ ● *levend, in leven (zijnd)* || | a real – horse! *een heus/levensgroot paard!.*
2 live [lɪv] **I** ⟨onov ww⟩ ● *leven, bestaan;* you/we – and learn *de wonderen zijn de wereld nog niet uit;* – together *samenwonen;* – above/beyond one's means *boven zijn stand leven;* – by leven *v.; zich houden aan;* – for *leven voor; toeleven naar;* – off *leven v.* ⟨ook ong.⟩; – off the land *zijn eigen groente verbouwen;* – out of cans/ tins *van blikjesvoedsel;* she –s with a foreigner *ze woont samen met een buitenlander;* – with a situation *(hebben leren) leven met een situatie;* you'll – to be ninety *jij haalt de negentig nog* ● *wonen;* – in *inwonen, intern zijn* ● *voortleven;* this patient won't – *deze patiënt haalt het niet* || ⟨sprw.⟩ live and learn *het leven is een leerschool;* live and let live *men moet leven en laten leven;* zie ook ⟨sprw.⟩ GLASS; zie LIVE UP TO **II** ⟨ov ww⟩ ● *leven;* – a double life *een dubbelleven leiden* ● *beleven, meemaken;* – over again *opnieuw beleven* || ↓ – it up *het ervan nemen;* zie LIVE DOWN.
liveable zie LIVABLE.
'**live 'down** ● *zich rehabiliteren voor;* – a poor performance *zich revancheren voor een matig optreden.*
'**live-in** ● ⟨bn⟩ *samenwonend* ● ⟨zn⟩ *vriend(in) met wie men samenwoont.*
livelihood ['laɪvlihʊd] ● *levensonderhoud;* earn/gain one's – *de kost verdienen.*

lively ['laɪvli] ● *levendig;* – colours *spreken-de kleuren.*

liven ['laɪvn] ↓ ● *verlevendigen;* – up *opfleuren, opvrolijken.*

liver ['lɪvə] I ⟨telb zn⟩ ● *iem. die op een bep. manier leeft;* cheap – *iem. die goedkoop leeft* II ⟨telb en n-telb zn⟩ ● *lever.*

liverish ['lɪvrɪʃ] ● *misselijk.*

'**liver sausage** ● *leverworst.*

livery ['lɪvri] ● *livrei, uniform,* ⟨bij uitbr.⟩ *kledij.*

lives [laɪvz] ⟨mv.⟩ zie LIFE.

livestock ['laɪvstɒk] ● *vee, levende have.*

'**live 'up to** ● *naleven, waarmaken;* – one's reputation *zijn naam eer aan doen.*

livid ['lɪvɪd] ● *loodgrijs* ● *lijkbleek, asgrauw* ● ↓ *hels, des duivels.*

1 living ['lɪvɪŋ] I ⟨telb zn⟩ ● *inkomen, kostwinning;* earn/make a – (as/out of/by) *de kost verdienen (als)* ● ⟨BE; rel.⟩ *predikantsplaats* II ⟨n-telb zn⟩ ● *leven.*

2 living ⟨bn⟩ ● *levend;* (with)in – memory *bij mensenheugenis* ‖ ↓ knock the – daylights out of s.o. *iem. een ongenadig pak op zijn donder geven;* ↓ scare the – daylights out of s.o. *iem. de stuipen op het lijf jagen;* he's the – image of his father *hij is het evenbeeld v. zijn vader.*

'**living conditions** ● *woon/levensomstandigheden.* '**living room** ● *woonkamer.* '**living standard** ● *levensstandaard.*

living 'wage ● *voldoende loon.*

lizard ['lɪzəd] ● *hagedis.*

'**ll** [(ə)l] ⟨verk.⟩ shall, will.

llama ['lɑːmə] ● *lama(stof/wol).*

1 load [loʊd] ⟨zn⟩ ● *lading, last* ⟨ook fig.⟩; ⟨fig.⟩ that takes a – off my mind *dat is een pak van mijn hart* ● *belasting* ● ⟨vaak mv.⟩ ↓ *hoop, massa's;* that's a – of bull *dat is een hoop gelul;* they have –s of money *ze zwemmen in het geld.*

2 load I ⟨onov ww⟩ ● *laden, geladen worden;* the lorries were –ing up at the factory *de vrachtwagens stonden te laden bij de fabriek* II ⟨ov ww⟩ ● *laden, bevrachten;* ⟨fig.⟩ they –ed her with compliments *ze werd met complimenten overladen* ● *laden* ⟨vuurwapens, camera⟩. **loaded** ['loʊdɪd] I ⟨bn, attr en pred⟩ ● *geladen* ⟨ook fig.⟩, *emotioneel geladen* ● *vervalst* ⟨o.m. v. dobbelstenen⟩ ● ↓ *stomdronken* ‖ a – question *een strikvraag* II ⟨bn, pred⟩ ↓ ● *schatrijk.*

loaf ['loʊf] ⟨mv.: loaves⟩ ● *brood;* a – of brown bread *een bruin brood* ● ↓ *kop;* use your – for once *denk nu eens een keer na.*

'**loaf 'about,** '**loaf 'around** ● *rondhangen, lummelen.* **loafer** ['loʊfə] ● *leegloper* ●

⟨AE⟩ *lage schoen, loafer.*

loam [loʊm] ● *leem.*

1 loan [loʊn] ● *lening* ● *leen, tijdelijk gebruik;* have sth. on – from s.o. *iets van iem. te leen hebben.*

2 loan ⟨ww⟩ ● *lenen, uitlenen;* – money to a friend *geld aan een vriend lenen.* '**loan collection** ● *collectie in bruikleen.* '**loanword** ● *leenwoord.*

loath, loth [loʊθ] ● *ongenegen, afkerig;* he was – to *hij had er een hekel aan om.*

loathe [loʊð] ● *verafschuwen.* **loathing** ['loʊðɪŋ] ● *afkeer.* **loathsome** ['loʊðsəm] ● *walgelijk.*

loaves ['loʊvz] ⟨mv.⟩ zie LOAF.

1 lob [lɒb] ⟨zn⟩ ● ⟨tennis⟩ lob, *hoge boogbal.*

2 lob ⟨ww⟩ ● ⟨tennis⟩ *lobben* ● ↓ *gooien.*

1 lobby ['lɒbi] ⟨zn⟩ ● *hal, portaal* ● *foyer* ● *wandelgang* ● *lobby, pressiegroep.*

2 lobby I ⟨onov ww⟩ ● *lobbyen, druk uitoefenen op de politieke besluitvorming* II ⟨ov ww⟩ ● *in de wandelgangen bewerken* ⟨parlementsleden⟩ ‖ the bill was lobbied through parliament *een lobby zorgde ervoor dat de wet door het parlement werd aangenomen.* **lobbyist** ['lɒbiːɪst] ● *lobbyist, lid v. pressiegroep.*

lobe [loʊb] ● *(oor)lel* ● *kwab, lob* ⟨v. hersenen, longen⟩.

lobster ['lɒbstə] ● *zeekreeft.*

1 local ['loʊkl] ⟨zn⟩ ● ⟨vaak mv.⟩ *plaatselijke bewoner* ● ⟨BE; ↓⟩ *stamcafé, stamkroeg.*

2 local ⟨bn⟩ ● *plaatselijk, lokaal, buurt-;* ⟨BE⟩ – authority *plaatselijke overheid;* – colour *couleur locale* ‖ – anaesthetic *plaatselijke verdovingsmiddel.* **locale** [loʊˈkɑːl] ↑ ● *plaats* v. *handeling.* **locality** [loʊˈkæləti] ● *plaats, district, buurt.* **localize** ['loʊkəlaɪz] ● *lokaliseren, tot een bep. plaats beperken.* '**local time** ● *plaatselijke tijd.*

locate [loʊˈkeɪt] I ⟨onov ww⟩ ⟨AE⟩ ● *zich vestigen, gaan wonen* II ⟨ov ww⟩ ● *de positie bepalen* v., *opsporen* ● *vestigen, plaatsen;* the estate was –d on the bank of a river *het landgoed was gelegen aan de oever* v.e. *rivier.* **location** [loʊˈkeɪʃn] I ⟨telb zn⟩ ● *plaats, ligging, positie* ⟨voor filmopnamen⟩; on – *op locatie* II ⟨n-telb zn⟩ ● *plaatsbepaling, locatie.*

loch [lɒx, lɒk] ⟨Sch. E⟩ ● *meer* ● *smalle zeearm.*

loci ['loʊsaɪ] ⟨mv.⟩ zie LOCUS.

1 lock [lɒk] ⟨zn⟩ ● *(haar)lok* ● *slot* ⟨ook v. vuurwapens⟩, *sluiting;* under – and key *achter slot en grendel* ● *(schut)sluis* ● *houdgreep* ‖ –, stock, and barrel *alles inbe-*

grepen.

2lock I ⟨onov ww⟩ ●*sluiten;* the doors wouldn't – *de deuren wilden niet sluiten* ● *vastlopen;* zie LOCK ON, LOCK UP **II** ⟨ov ww⟩ ●*(af)sluiten, op slot doen;* the child had –ed himself in/out *het kind had zichzelf ingesloten/buitengesloten;* – out workmen *arbeiders de toegang ontzeggen* ⟨tot fabriek⟩ ● *wegsluiten, opsluiten* ⟨ook fig.⟩; – away valuables *kostbaarheden opbergen* ● *vasthouden, (om)klemmen* ‖ zie ook ⟨sprw.⟩ STABLE; zie LOCK UP.

locker ['lɒkə] ●*kast(je), kluis* ⟨bv. voor kleding, bagage⟩. '**locker room** ●*kleedkamer* ⟨met kasten⟩.

locket ['lɒkɪt] ●*medaillon.*

'**lockjaw** ⟨med.⟩ ●*tetanus, klem,* ⟨ihb.⟩ *kaakkramp.* '**lockkeeper** ●*sluiswachter.* '**lock 'on** ●*doel zoeken en automatisch volgen* ⟨v. raket, radar⟩; missiles can – to their targets *raketten kunnen hun doelen automatisch volgen.* '**lockout** ●*uitsluiting* ⟨v. werknemers bij dreigende staking/bezetting⟩. '**locksmith** ●*slotenmaker.* '**lockup** ● ↓ *arrestantenhok, nor.* **lock up I** ⟨onov ww⟩ ●*afsluiten, alles op slot doen* **II** ⟨ov ww⟩ ● *op slot doen, afsluiten* ●*opbergen* ●*beleggen;* his money is locked up in land *zijn geld is vastgelegd in land* ●*opsluiten* ⟨in gevang, gekkenhuis⟩.

locomotion ['loʊkə'moʊʃn] ●*beweging.*

locomotive ['loʊkə'moʊtɪv] ●*locomotief.*

locum tenens ['loʊkəm 'ti:nenz], ↓ **locum** ● *plaatsvervanger.*

locus ['loʊkəs] ⟨mv.: loci⟩ ●*plaats, punt.*

locust ['loʊkəst] ●*sprinkhaan.*

locution [loʊ'kju:ʃn] ●*uitdrukking.*

lode [loʊd] ●*metaalader.*

1lodge [lɒdʒ] ⟨zn⟩ ●*(schuil)hut* ●*personeelswoning, portierswoning* ●*portiersloge* ●*jachthuis* ●*(vrijmetselaars)loge.*

2lodge I ⟨onov ww⟩ ●*(tijdelijk) wonen, logeren;* – at a friend's/with a friend *bij een vriend wonen* ●*blijven zitten;* the bullet –d in the ceiling *de kogel bleef in het plafond steken* **II** ⟨ov ww⟩ ●*onderdak geven, logeren, (tijdelijk) huisvesten* ●*bevatten* ●*plaatsen, (vast)zetten, leggen* ●*deponeren, in bewaring geven* ●*indienen, voorleggen;* – a complaint *een aanklacht indienen.* **lodger** ['lɒdʒə] ●*kamerbewoner, (kamer)huurder.* **lodging** ['lɒdʒɪŋ] ●*onderdak, huisvesting, logies* ●⟨mv.⟩ *(gehuurde) kamer(s).* '**lodging house** ●*logement, huis waar men kamers verhuurt.*

1loft [lɒft] ⟨zn⟩ ●*zolder, vliering* ●*tribune* ⟨in kerk⟩, *galerij* ●⟨AE⟩ *bovenverdieping* ⟨v. fabriek/warenhuis⟩.

2loft ⟨ww⟩ ⟨sport⟩ ●*hoog slaan, een boogbal slaan.*

lofty ['lɒfti] ●*torenhoog* ●*verheven, edel* ● *hooghartig.*

1log [lɒg] ⟨zn⟩ ●*blok(hout), boomstam* ● *logboek, scheepsjournaal* ‖ sleep like a – *slapen als een os/blok.*

2log ⟨ww⟩ ●*in het logboek opschrijven* ●*afleggen* ⟨afstand⟩.

loganberry ['loʊgənbri] ●*loganbes* ⟨kruising tussen braam en framboos⟩.

logarithm ['lɒgərɪðm] ●*logaritme.*

'**logbook** ●*logboek, scheepsjournaal, journaal v.e. vliegtuig, werkverslag* ●⟨BE⟩ *registratiebewijs* ⟨v. auto⟩. '**log 'cabin** ● *blokhut.*

logger ['lɒgə] ⟨AE⟩ ●*houthakker.*

'**loggerhead** ‖ they are always at –s with each other *ze liggen altijd met elkaar overhoop.*

logic ['lɒdʒɪk] ●*logica.* **logical** ['lɒdʒɪkl] ●*logisch.* **logically** ['lɒdʒɪkli] ●zie LOGICAL ● *logischerwijze.* **logician** [lə'dʒɪʃn] ●*beoefenaar v.d. logica.*

logistics [lə'dʒɪstɪks] ●*logistiek.*

'**logjam** ●*opstopping* ⟨v. houtvlotten op een rivier⟩ ●⟨AE⟩ *impasse, uitzichtloze situatie.*

logo ['loʊgoʊ] ●*logo, beeldmerk.*

loin [lɔɪn] ●*lende* ●⟨cul.⟩ *lendestuk, lendevlees* ‖ gird (up) one's –s (to) *zich opmaken (tot).* '**loincloth** ●*lendendoek.*

loiter ['lɔɪtə] **I** ⟨onov ww⟩ ●*talmen, treuzelen;* – about/around *rondhangen;* – with intent *zich verdacht ophouden* **II** ⟨ov ww⟩ ●*verlummelen;* – away one's time *zijn tijd verdoen.* **loiterer** ['lɔɪtərə] ●*treuzelaar.*

loll [lɒl] ●*(rond)hangen, lummelen;* – about/around *staan te niksen* ‖ the dog's tongue was –ing out *de hond liet zijn tong uit zijn bek hangen.*

lollipop ['lɒlipɒp] ●*(ijs)lollie.*

'**lollipop man** ⟨BE; ↓⟩ ●*klaar-over.*

lollop ['lɒləp] ↓ ●*slungelen, zwalken.*

lolly ['lɒli] ● ↓ *lollie* ●⟨BE; sl.⟩ *poen.*

lone [loʊn] ●*alleen, verlaten, eenzaam;* – wolf *iem. die zijn eigen weg gaat.* **lonely** ['loʊnli] (-iness) ●*eenzaam, verlaten, alleen;* – hearts (club) *alleenstaandenclub.* **loner** ['loʊnə] ●*eenling.* **lonesome** ['loʊnsəm] ●*eenzaam, alleen.*

1long [lɒŋ] ⟨zn⟩ ●*lange tijd;* before – *binnenkort, spoedig;* he won't stay for – *hij zal niet (voor) lang blijven* ‖ tell the – and the short of it *de grote lijnen uiteenzetten.*

2long ⟨bn; longer ['lɒŋgə], longest ['lɒŋgɪst]⟩ ●*lang, langgerekt, langdurig;* a – haul *een hele ruk* ⟨bv. lange reis⟩; to cut a – story short *om kort te gaan, samenge-*

vat; in the – term *op den duur;* ⟨BE⟩ – vac(ation) *zomervakantie;* ⟨com.⟩ – wave (s) *lange golf* ● *onwaarschijnlijk;* – bet/ odds ⟨ongeveer⟩ *tien tegen een;* he stands a – chance *hij maakt weinig kans* ‖ the – arm of the law *de lange arm der wet;* ⟨BE⟩ not by a – chalk *op geen stukken na;* – division *staartdeling;* – drink *longdrink;* make/pull a – face *ongelukkig kijken;* ⟨ongeveer⟩ *een lang gezicht trekken;* – johns *lange onderbroek;* in the – run *uiteindelijk;* – shot *gok, waagstuk;* not by a – shot *bijlange niet;* – in the tooth *lang in de mond, aftands;* take a – view *dingen op de lange termijn bekijken;* have come a – way *van ver gekomen zijn, erg veranderd zijn;* go a – way (towards) *veel helpen;* £ 1 doesn't go a – way *these days met een pond kom je tegenwoordig niet ver meer.*
3 long ⟨ww⟩ ● ⟨vaak +for⟩ *hevig verlangen (naar), hunkeren.*
4 long ⟨bw⟩ ● *lang, lange tijd;* all night – *de hele nacht;* don't be – *maak het kort;* as/so – as *zo lang, mits;* ↓ so –! *tot ziens!;* no/not any –er *niet langer/meer;* he's – about his work *hij doet lang over zijn werk;* be – in doing sth. *lang over iets doen.* **'longa-'waited** ● *langverwacht.* **'long-'distance** ● *ver, lange-afstands-;* ⟨AE⟩ – call *internationaal telefoongesprek.* **'long-'drawn, 'long-drawn-'out** ● *langgerekt, langdradig.* **longevity** [lɒn'dʒevəti] ● *lang leven, lange levensduur.* **'long'haired** ⟨vnl. bel.⟩ ● *langharig.* **'longhand** ● *(gewoon) handschrift.*
1 longing ['lɒŋɪŋ] ⟨zn⟩ ● *verlangen, hunkering.*
2 longing ⟨bn⟩ ● *vol verlangen, smachtend.*
longish ['lɒŋɪʃ] ● *vrij lang.*
longitude ['lɒndʒɪtju:d] ● ⟨aardr.⟩ *(geografische) lengte.*
longitudinal ['lɒndʒɪtju:dnəl] ● *in de lengte;* – stripes *overlangse strepen.*
'long jump ⟨the⟩ ⟨BE; sport⟩ ● *(het) vérspringen.* **'long-'lasting** ● *langdurig.* **'long-'lived** ● *lang levend* ● *van lange duur, hardnekkig.* **'long player** ● *langspeelplaat.* **'long-'playing** ‖ – record *langspeelplaat.* **'long-'range** ● *lange-afstand-, verdragend* ⟨v. vliegtuig, raket enz.⟩ ● *op (lange) termijn, termijn-.*
longshoreman ['lɒnʃɔ:mən] ⟨AE⟩ ● *havenarbeider.*
'long-'sighted ● *vérziend.* **'long-'standing** ● *oud, al lang bestaand.* **'long-'suffering** ● *lankmoedig.* **'long-'term** ● *langlopend, op lange termijn.* **'long-'winded** ● *langdradig.*

loo [lu:] ● ⟨BE; ↓⟩ *W.C., plee.*
1 look [lʊk] **I** ⟨telb zn⟩ ● *blik, kijkje;* let's have a – *laten we even een kijkje nemen* ● *(gelaats)uitdrukking, blik* ● ⟨vaak mv.⟩ *uiterlijk, aanzien;* I don't like the –(s) of him *zijn gezicht staat me niet aan;* by the –(s) of it/ things *zo te zien* ‖ the new – for the summer *de nieuwe zomermode* **II** ⟨mv.⟩ ● *uiterlijk, schoonheid;* lose one's –s *minder mooi worden.*
2 look I ⟨onov ww⟩ ● *kijken, zien;* – about/ around *rondkijken;* ⟨fig.⟩ – about for a job *naar een baan zoeken;* – ahead *vooruitzien* ⟨ook fig.⟩; – on *toekijken;* – at *kijken naar; beschouwen, onderzoeken;* to – at him ... *naar zijn uiterlijk te oordelen ...* ● *uitkijken, uitzien, liggen;* – onto/towards *uitzien/uitkijken op;* – to the south *op het zuiden liggen* ● *wijzen* ⟨in bep. richting⟩, *(bep. kant) uitgaan* ‖ – down (up)on *neerkijken op;* – here! *kijk eens (even hier)!, luister eens!;* – in on s.o. *bij iem. aanlopen;* – after *passen op, zich bekommeren om; toezien op;* – after o.s., – after one's own interests *voor zichzelf zorgen;* – for *zoeken (naar);* – for trouble *om moeilijkheden vragen;* – forward to *tegemoet zien, verlangen naar;* – into *onderzoeken;* – (up)on s.o. as *iem. beschouwen als;* ⟨sprw.⟩ look before you leap *bezint eer gij begint;* zie LOOK BACK, LOOK OUT, LOOK ROUND, LOOK THROUGH, LOOK TO, LOOK UP **II** ⟨ov ww⟩ ● *kijken (naar), zien;* – who's here! *kijk eens wie daar aankomt/wie hebben we hier!* ● *(door een blik) te kennen geven;* her eyes –ed distrust *haar ogen drukten wantrouwen uit* ● *eruitzien als;* – one's age *aan iem. zijn leeftijd afzien;* he isn't –ing himself today *hij is niet geheel zichzelf vandaag* ● *zorgen;* – that ... *ervoor zorgen dat ...;* zie LOOK OUT, LOOK OVER, LOOK THROUGH, LOOK UP **III** ⟨kww⟩ ● *lijken (te zijn), uitzien;* ⟨AE⟩ – good/bad *goed/ slecht lijken te gaan, er goed/slecht uitzien;* – ill/well *er slecht/goed uitzien;* – like *eruitzien als, lijken op;* it –s like snow *er is sneeuw op komst.* **'look-alike** ● *dubbelganger.* **'look 'back** ● *achterom kijken* ⟨ook fig.⟩; looking back ... *achteraf ...* ‖ since then he has never looked back *vanaf dat moment ging het hem steeds beter.*
looker ['lʊkə] ● ↓ *knappe verschijning;* she is a real (good) – *ze is een echte schoonheid.* **'looker-'on, onlooker** ['ɒnlʊkə] ● *toeschouwer.* **'look-in** ↓ ● *kans op succes.* **'looking glass** ● *spiegel.* **'look 'out I** ⟨onov ww⟩ ● *naar buiten kijken;* – of the window *uit het raam kijken* ● *oppas-*

sen; –! voorzichtig!, pas op! ‖ – for a new car *uitkijken naar een nieuwe auto;* the room looks out on the garden *de kamer ziet uit op de tuin* ‖ ⟨ov ww⟩ ●*opzoeken, opduikelen.* '**look-out** ●*het uitkijken;* keep a – *een oogje in het zeil houden;* be on the – for *op zoek zijn naar* ●*uitkijkpost* ●*uitzicht.* '**look** 'over ●*doornemen, doorkijken.* '**look-over** ●*oppervlakkige inspectie.* '**look 'round I** ⟨onov ww⟩ ●*rondkijken* ‖ ⟨ww + vz⟩ ●*bekijken, bezoeken;* – the town *een kijkje in de stad nemen.* '**look through I** ⟨ov ww⟩ ●*goed bekijken, doornemen* ‖ ⟨ww + vz⟩ ●*kijken door* ● *niet (willen) zien;* look right/straight through s.o. *straal langs iem. heen kijken* ●*doorkijken, doorbladeren.* '**look to** ●*zorgen voor;* – it that ... *zorg ervoor, dat ...* ● *denken om* ●*vertrouwen op;* don't – her for help *verwacht van haar geen hulp.* '**look 'up I** ⟨onov ww⟩ ●*beter worden* ⟨v. handel bv.⟩, *vooruitgaan* ‖ – to *opkijken naar/tegen* ‖ ⟨ov ww⟩ ●*opzoeken, naslaan* ●↓ *opzoeken* ‖ look s.o. up and down *iem. van het hoofd tot de voeten opnemen.*
1loom [lu:m] ⟨zn⟩ ●*weefgetouw.*
2loom ⟨ww⟩ ●*opdoemen* ⟨ook fig.⟩, *dreigend verschijnen;* – large *onevenredig belangrijk lijken.*
loony ['lu:nɪ]↓●⟨bn⟩ *geschift, gek* ●⟨zn⟩ *gek.* '**loony bin** ↓ ●*gekkenhuis.*
1loop [lu:p] ⟨zn⟩ ●*lus, strop, bocht* ●*ringlijn* ⟨v. tram, trein e.d.⟩ ●⟨luchtv.⟩ *looping* ● ⟨med.⟩ *spiraaltje.*
2loop I ⟨onov ww⟩ ●*een lus vormen* ● ⟨luchtv.⟩ *een looping uitvoeren* ‖ ⟨ov ww⟩ ●*een lus/lussen maken in, met een lus vast/dichtmaken.*
'**loophole** ●*uitvlucht, uitweg.*
1loose [lu:s] ⟨zn⟩ ●*(staat v.) vrijheid;* on the – *aan de zwier.*
2loose ⟨bn⟩ ●*los, slap;* – ends *losse eindjes;* ⟨fig.⟩ *onafgewerkte zaken;* have a screw – *ze zien vliegen* ●*vrij;* break – *uitbreken;* cut – *zich losmaken;* let – *vrij laten, de vrije hand laten* ●*wijd, ruim* ●*onnauwkeurig* ‖ have a – tongue *loslippig zijn;* a – woman *een lichtzinnige vrouw;* be at a – end *niets omhanden hebben.*
3loose ⟨ww⟩ ●*losmaken, bevrijden* ●*afschieten;* – off a volley *een salvo afvuren.*
4loose ⟨bw⟩ ●*losjes.* '**loose-leaf** ●*losbladig.* **loosely** ['lu:slɪ] ●zie LOOSE ●*losjes, vaag, in het wilde weg.*
loosen ['lu:sn] I ⟨onov ww⟩ ●*losgaan, ontspannen, verslappen;* – up *zich opwarmen* ‖ ⟨ov ww⟩ ●*los(ser) maken, laten*

verslappen/vieren; – up *doen ontspannen.*
1loot [lu:t] ⟨zn⟩ ●*(oorlogs)buit, gestolen goed.*
2loot ⟨ww⟩ ●*plunderen, roven.*
lop [lɒp] ●*afsnoeien, afkappen;* – off a leg *een been afhakken.*
1lope [loʊp] ⟨zn⟩ ●*lange, soepele stap.*
2lope ⟨ww⟩ ●*zich met lange, soepele stappen voortbewegen.*
'**lop-'eared** ●*met hangende oren;* – rabbit *hangoor(konijn).* '**lop'sided** ●*scheef* ●*ongebalanceerd, eenzijdig.*
loquacious [loʊ'kweɪʃəs] ●*praatziek.*
1lord [lɔ:d] I ⟨eig.n.; L-⟩ ●*(de) Heer, God;* the Lord's Prayer *het Onze Vader;* ↓ good Lord! *goeie hemel!* ‖ ⟨telb zn⟩ ●*heer, vorst, koning* ●*lord, edelachtbare;* live like a – *als een vorst leven;* My Lord *edelachtbare, heer* ‖‖ ⟨mv.; the Lords⟩ ●*het Hogerhuis.*
2lord ⟨ww⟩ ●*de baas spelen;* – it over iem. *de baas spelen.*
'**Lord 'Chancellor, 'Lord High 'Chancellor** ⟨BE⟩ ●*voorzitter v.h. Hogerhuis.*
lordly ['lɔ:dlɪ] ●*hooghartig, arrogant.*
'**Lord 'Mayor** ●*burgemeester* ⟨v. grote stad in Groot-Brittannië⟩.
lordship ['lɔ:dʃɪp] ●*Lord* ⟨aanspreektitel v. lord en rechter⟩, ⟨ongeveer⟩ *edele heer, edelachtbare;* ⟨ook iron.⟩ his – *Lord, mijnheer.*
lore [lɔ:] ●*traditionele kennis, overlevering.*
lorry ['lɒrɪ] ⟨BE⟩ ●*vrachtauto.*
lose [lu:z] ⟨lost, lost [lɒst]⟩ I ⟨onov ww⟩ ● *verliezen;* – out on sth. *er (geld) bij inschieten;* – on *(geld) verliezen bij* ‖ zie ook ⟨sprw.⟩ SWING ‖ ⟨onov en ov ww⟩ ●*achterlopen* ⟨v. horloge e.d.⟩ ‖‖ ⟨ov ww⟩ ● *verliezen, kwijtraken, verspelen;* – colour *bleek worden;* – sight of *uit het oog verliezen;* – one's temper *boos worden;* – no time in (doing sth.) *geen tijd verspillen met (iets);* – one's way *de weg kwijtraken;* – o.s. in *geheel opgaan in* ●*doen verliezen;* it lost him his job *het kostte hem zijn baan* ●*missen;* – the post *te laat zijn voor de buslichting.* **loser** ['lu:zə] ●*verliezer;* born – *geboren verliezer.* **losing** ['lu:zɪŋ] ●*verliezend, verlieslijdend* ●*kansloos;* – battle *bij voorbaat verloren slag.*
loss [lɒs] I ⟨telb zn⟩ ●*verlies;* sell at a – *met verlies v.d. hand doen* ●*nadeel, schade* ‖ be at a – (what to do) *niet weten wat men doen moet;* be at a – for words *met de mond vol tanden staan* ‖ ⟨mv.⟩ ⟨euf.⟩ ● *doden, slachtoffers.*
'**loss 'leader** ●*lokartikel.*

lost [lɒst] **I** ⟨bn, attr en pred⟩ ● *verloren, kwijt; –* property (department) *(afdeling) gevonden voorwerpen;* get – *verloren raken* ● *verdwaald;* get – *de weg kwijt raken* ● *gemist; –* chance *gemiste kans* ● *omgekomen, verongelukt* ‖ get –! *donder op!;* zie ook ⟨sprw.⟩ HESITATE **II** ⟨bn, pred⟩ ● *in gedachten verzonken; –* in thought *in gedachten verzonken* ● *verspild;* that is – (up)on her *dat is aan haar verspild.*

lot [lɒt] **I** ⟨telb zn⟩ ● ⟨vaak mv.⟩ *aantal, heleboel;* a – of books/–s of books *een heleboel boeken;* things have changed a – *er is nogal wat veranderd* ● *portie, aandeel* ● *kavel, perceel, partij* ● *lot;* cast/draw –s *loten* ● *(nood)lot, levenslot;* cast/throw in one's – with *mee gaan doen met* ● ⟨vnl. AE⟩ *stuk grond, terrein* **II** ⟨zn⟩ ● *groep, aantal dingen/mensen;* that's the – *dat is alles* **III** ⟨mv.⟩ ● *veel, een hoop; –*s and –s *ontzettend veel, hopen.*

loth zie LOATH.

lotion ['louʃn] ● *lotion.*

lottery ['lɒtri] ● *loterij.*

lotus ['loutəs] ● *lotus(bloem).*

1 loud [laʊd] ⟨bn; -ness⟩ ● *luid(ruchtig), hard* ● *opzichtig, schreeuwend* ⟨v. kleur⟩ ‖ zie ook ⟨sprw.⟩ ACTION.

2 loud ⟨bw⟩ ● *luid, hard;* out – *hardop.* **'loud-'hailer** ● *megafoon.* **'loudmouth** ● *luidruchtig persoon.* **'loud-'speaker** ● *luidspreker, box.*

1 lounge [laʊndʒ] ⟨zn⟩ ● *lounge, hal, foyer* ● *zitkamer, conversatiezaal* ● *slentergang.*

2 lounge ⟨ww⟩ ● *luieren, (rond)hangen; –* about/around *rondhangen.*

'lounge bar ⟨BE⟩ ● *(nette) bar.* **'lounge suit** ⟨vnl. BE⟩ ● *wandelkostuum.*

lour, ⟨AE sp.⟩ **lower** ['laʊə] ● *er dreigend uitzien* ⟨lucht, weer⟩ ● *dreigend kijken; –* at/(up)on s.o. *iem. nors aankijken.* **louring,** ⟨AE sp.⟩ **lowering** ['laʊərɪŋ] ● *somber, dreigend.*

louse [laʊs] ● ⟨mv.: lice [laɪs]⟩ *luis* ● ⟨mv.: louses ['laʊsɪz]⟩ ↓ *rat, rotzak.* **louse up** ● ⟨sl.⟩ *grondig bederven, verpesten.* **lousy** ['laʊzi] ● *vol luizen* ● ↓ *waardeloos, vuil, beroerd.*

lout [laʊt] ● *(boeren)pummel.*

louvre ['lu:və] ● *lat* ⟨in zonneblind/jaloezieën⟩ ● ⟨mv.⟩ *jaloezieën, zonneblind.*

lovable ['lʌvəbl] ● *lief, beminnelijk.*

1 love [lʌv] **I** ⟨telb zn⟩ ● *liefje* ● ↓ *snoes, geliefd persoon* ⟨ook man⟩ **II** ⟨telb en n-telb zn⟩ ● *liefde;* be/fall in – with s.o. *verliefd zijn/worden op iem.* ‖ music is a great – of his *muziek is een v. zijn grote liefdes;* not for – or money *niet voor geld of goeie woorden;* there is no – lost between them *ze kunnen elkaar niet zien of luchten;* make – to *vrijen met;* zie ook ⟨sprw.⟩ FAIR, LUCKY **III** ⟨n-telb zn⟩ ● *groeten;* mother sends her – *moeder laat je groeten* ● ⟨sport⟩ *love, nul; –* all *nul-nul.*

2 love I ⟨onov ww⟩ ● *liefde voelen, verliefd zijn* **II** ⟨ov ww⟩ ● *houden van, liefhebben, graag mogen* ● *heerlijk vinden;* he –s swimming/to go swimming *hij is dol op zwemmen* ‖ ⟨sprw.⟩ love me, love my dog *als je echt van mij houdt, accepteer je ook mijn fouten.*

'love affair ● *liefdesverhouding.* **'lovebird** ⟨vnl. mv.⟩ ● ↓ *verliefde.* **loveless** ['lʌvləs] ● *liefdeloos.* **'love letter** ● *liefdesbrief.*

1 lovely ['lʌvli] ⟨zn⟩ ● ↓ *schoonheid, mooie meid.*

2 lovely ⟨bn⟩ ● *mooi, lieftallig* ● ↓ *leuk, prettig, fijn.*

'lovemaking ● *vrijerij, geslachtsgemeenschap.*

lover ['lʌvə] **I** ⟨telb zn⟩ ● *minnaar* ● *liefhebber/ster* **II** ⟨mv.⟩ ● *verliefd paar, stel.*

lovesick ['lʌvsɪk] ● *smachtend v. liefde.* **'love song** ● *liefdeslied.* **'love story** ● *liefdesgeschiedenis.*

loving ['lʌvɪŋ] ● *liefhebbend, liefdevol, teder.*

1 low [lou] ⟨zn⟩ ● *laag terrein* ● *dieptepunt, laag punt;* we bought at an all-time – *we kochten voor de laagste prijs die ooit betaald was* ● ⟨meteo.⟩ *lagedrukgebied.*

2 low I ⟨bn, attr en pred⟩ ● *laag;* the Low Countries *de Lage Landen; –* gear *lage versnelling; –* grade *lage kwaliteit;* ⟨meteo.⟩ – pressure *lage druk; –* tide *laagwater, eb; –* water *laag water;* at –est *op z'n laagst* ● *diep, diep uitgesneden, neder- –* laaggeboren, *van eenvoudige afkomst* ● *laag(hartig); –* trick *rotstreek* ● *plat, ordinair; –* expression *ordinaire uitdrukking* ● *zacht, niet luid, laag* ⟨toon⟩; speak in a – voice *zacht praten* ● *ongelukkig, depressief; –* spirits *neerslachtigheid* ‖ – comedy *klucht;* keep a – profile *zich gedeisd houden;* zie LOW-FAT **II** ⟨bn, pred⟩ ● *ter aarde, op de grond;* lay – *vloeren;* ⟨fig.⟩ *te gronde richten* ● *verborgen;* ↓ lie – *zich gedeisd/schuil houden* ● *zwak, slap.*

3 low ⟨ww⟩ ● *loeien.*

4 low ⟨bw⟩ ● *laag, diep* ● *zacht, stil* ● *diep* ⟨v. geluid⟩, *laag* ● *bijna op;* be/get/run – *opraken, bijna op zijn.* **'low'born** ● *van lage komaf.* **'low'bred** ● *vulgair, onopgevoed.* **'lowbrow** ⟨↓; ong.⟩ ● ⟨bn⟩ *niet intellectueel* ● ⟨zn⟩ *niet-intellectueel.* **'low-'class** ● *van lage afkomst.* **'low'cut** ● *laag uitge-*

sneden. '**lowdown** ⟨sl.⟩ • *fijne v.d. zaak, feiten.* '**low-'down** ↓ • *laag, gemeen.*

1 lower ['loʊə] ⟨bn; vergr. trap v. low⟩ • *zie* LOW • *lager, onder-; –* classes *lagere stand(en); –* deck *benedendek* • ⟨aardr.⟩ *neder-, beneden-* ‖ Lower Chamber/House *Lagerhuis* ⟨Britse Tweede Kamer⟩; ⟨druk.⟩ – case *onderkast, kleine letter(s).*

2 lower I ⟨onov ww⟩ • *afnemen, minder worden, zakken* • *zie* LOUR **II** ⟨ov ww⟩ • *lager maken, doen zakken* • *neerlaten, laten zakken; –* one's eyes *de ogen neerslaan* • *verminderen, doen afnemen; –* one's voice *zachter praten* ‖ – o.s. *zich verlagen.*

'**lower-'case** ⟨druk.⟩ • *onderkast, in/met kleine letters.*

'**low-'fat** • *met laag vetgehalte, halfvol; –* margarine *halvarine; –* milk *magere melk.* '**low-'key**, '**low-'keyed** • *rustig, ingehouden.* **lowland** ['loʊlənd] **I** ⟨n-telb zn⟩ • *laagland* **II** ⟨mv.⟩ • *laagland* • ⟨Lowlands; the⟩ *de Schotse Laaglanden.* **lowly** ['loʊli] • *bescheiden, laag* ⟨in rang⟩. '**low-lying** • *laag(gelegen).* '**low-'minded** • *laag(hartig).* '**low-'necked** • *gedecolleteerd.* '**low-'pitched** • *laag(klinkend), diep* • *laag, niet steil/hoog.* '**low-rise** • ⟨bn⟩ *laagbouw-* • ⟨zn⟩ *laagbouw.* '**low season** • *laagseizoen.* '**low 'speed bump** • *verkeersdrempel.* '**low-'spirited** • *terneergeslagen.*

loyal ['lɔɪəl] • *trouw, loyaal.* **loyalist** ['lɔɪəlɪst] • *(regerings)getrouwe.* **loyalty** ['lɔɪəlti] • *loyaliteit, trouw* • ⟨mv.⟩ *banden, binding.*

lozenge ['lɒzɪndʒ] • *ruit, ruitvormig iets* • *(hoest)tablet.*

L-plate ['elpleɪt] ⟨BE⟩ • *L-plaat* ⟨op lesauto⟩.

Ltd ⟨afk.⟩ *limited.*

lubricant ['lu:brɪkənt] • *smeermiddel* • *glijmiddel.*

lubric|ate ['lu:brɪkeɪt] ⟨zn: **-ation**⟩ • *(door) smeren, oliën; –*d sheath *condoom met glijmiddel.*

lucern(e) [lu:'sə:n] ⟨BE; plantk.⟩ • *luzerne, alfalfa.*

lucid ['lu:sɪd] • *helder, duidelijk* ⟨ook fig.⟩ • *bij zijn verstand;* ⟨psych.⟩ a – interval *een helder ogenblik.*

luck [lʌk] • *geluk, toeval, succes;* bad/hard – *pech;* good – *succes;* worse – *pech gehad, jammer;* push one's – *te veel risico's nemen;* let's do it once more for – *laten we het nog een keer doen, misschien brengt dat geluk;* be in – *geluk hebben;* be out of –, be down on one's – *pech hebben;* with – *als alles goed gaat;* no such – *helaas niet.* **luckily** ['lʌkɪli] • *zie* LUCKY • *gelukkig;*

–, John did it for me *gelukkig heeft John het voor me gedaan.* **luckless** ['lʌkləs] • *onfortuinlijk.* **lucky** ['lʌki] • *gelukkig, fortuinlijk; –* shot *gelukstreffer* • *gelukbrengend; –* charm *talisman;* ⟨BE⟩ – dip *grabbelton* ‖ ⟨sprw.⟩ lucky at cards, unlucky in love *gelukkig in het spel, ongelukkig in de liefde.*

lucrative ['lu:krətɪv] • *winstgevend, lucratief.*

ludicrous ['lu:dɪkrəs] • *belachelijk, bespottelijk.*

ludo ['lu:doʊ] ⟨BE⟩ • ⟨ongeveer⟩ *mens-erger-je-niet.*

lug [lʌg] • *(voort)trekken, zeulen; –* sth. along *iets meesleuren.*

luggage ['lʌgɪdʒ] • *bagage;* left – *afgegeven bagage.* '**luggage-carrier** • *bagagedrager.* '**luggage rack** • *bagagerek.*

lugger ['lʌgə] ⟨scheep.⟩ • *logger.*

lugubrious [lu:'gu:brɪəs] • *luguber, naargeestig, treurig.*

lukewarm ['lu:k'wɔ:m] • *lauw* • *niet erg enthousiast.*

1 lull [lʌl] ⟨zn⟩ • *korte rust/stilte.*

2 lull I ⟨onov ww⟩ • *afnemen, gaan liggen* **II** ⟨ov ww⟩ • *sussen, kalmeren; –* to sleep *in slaap sussen* • *in slaap brengen.*

lullaby ['lʌləbaɪ] • *slaapliedje.*

lumbago [lʌm'beɪgoʊ] ⟨med.⟩ • *spit.*

1 lumber ['lʌmbə] ⟨zn⟩ • ⟨vnl. BE⟩ *rommel, afgedankt meubilair* • ⟨vnl. AE⟩ *half bewerkt hout, timmerhout.*

2 lumber I ⟨onov ww⟩ • *sjokken, zich log voortbewegen, denderen* **II** ⟨ov ww⟩ • ⟨BE; ↓⟩ *opzadelen* ⟨met iets vervelends/ moeilijks⟩. '**lumberjack** • ⟨vnl. AE⟩ *houthakker.* **lumberman** ['lʌmbəmən] ⟨AE⟩ • *bosbouwer, houthakker.* '**lumber room** ⟨vnl. BE⟩ • *rommelkamer.* '**lumberyard** • *houthandel.*

luminary ['lu:mɪnri] • *ster, uitblinker.*

luminous ['lu:mɪnəs] • *lichtgevend,* ⟨fig.⟩ *helder, duidelijk.*

1 lump [lʌmp] ⟨zn⟩ • *klont, klomp, brok;* ⟨fig.⟩ with a – in my throat *met een brok in mijn keel* • *bult, knobbel;* a – in the breast *een gezwel in de borst* • *massa, hoop.*

2 lump ⟨ww⟩ • *bij elkaar gooien; –* together *onder één noemer brengen* • ↓ *slikken;* you'll have to like it or – it *je hebt het maar te slikken* ‖ *zie ook* ⟨sprw.⟩ LIKE.

lumpish ['lʌmpɪʃ] • *log, lomp,* ⟨fig.⟩ *dom, suf.*

'**lump 'sum** • *bedrag ineens, ronde som.*

lumpy ['lʌmpi] • *vol klontjes, klonterig.*

lunacy ['lu:nəsi] • *waanzin.*

lunar ['lu:nə] • *van/mbt. de maan, maan-; –*

eclipse *maansverduistering; –* month *maanmaand* ⟨29¹/₂ dag⟩.
1 lunatic ['lu:nətɪk] ⟨zn⟩ ●*krankzinnige, gek.*
2 lunatic ⟨bn⟩ ●*krankzinnig* ‖ the – fringe *het extremistische deel* ⟨v.e. groepering⟩. **'lunatic asylum** ●*gekkenhuis.*
1 lunch [lʌntʃ] ⟨zn⟩ ●*lunch.*
2 lunch ⟨ww⟩ ●*lunchen; –* in *thuis lunchen; –* out *buitenshuis lunchen.* **'lunch break** ● *lunchpauze.* **luncheon** ['lʌntʃn] ●↑ *lunch.* **'luncheon meat** ⟨BE⟩ ●⟨ongeveer⟩ *lunchworst (uit blik).* **'lunch hour, 'lunch time** ● *lunchtijd.* **'luncheon voucher** ●*maaltijdbon.*
lung [lʌŋ] ●*long.*
1 lunge [lʌndʒ] ⟨zn⟩ ●*stoot, uitval.*
2 lunge ⟨ww⟩ ●⟨+at⟩ *uitvallen (naar), een uitval doen.*
1 lurch [lə:tʃ] ⟨zn⟩ ●*ruk, plotselinge slingerbeweging;* give a – *een slinger maken* ‖↓ leave s.o. in the – *iem. in de steek laten.*
2 lurch ⟨ww⟩ ●*slingeren.*
1 lure [l(j)ʊə] ⟨zn⟩ ●*lokmiddel, lokaas* ●*verleiding.*
2 lure ⟨ww⟩ ●*(ver)lokken; –* into *verlokken tot.*
lurid ['l(j)ʊrɪd] ●*schril, zeer fel (gekleurd)* ● *luguber, choquerend.*
lurk [lə:k] ●*op de loer liggen* ●*verborgen zijn;* –ing unemployment *latente/verborgen werkloosheid.*
luscious ['lʌʃəs] ●*heerlijk, buitengewoon lekker;* a – girl *een verrukkelijk meisje.*
lush, lushy ['lʌʃi] ●*welig, overdadig groeiend* ⟨bv. v. gras⟩ ●↓ *weelderig, luxueus.*
lust [lʌst] **I** ⟨telb zn⟩ ●*sterk verlangen, lust;* a – for power *een verlangen naar macht* **II** ⟨n-telb zn⟩ ●*wellust, (zinnelijke) lust.* **'lust after, 'lust for** ●*hevig verlangen naar, begeren.* **lustful** ['lʌstfl] ●*wellustig.*
lustre ['lʌstə] ⟨ook fig.⟩ ●*glans, schittering, luister;* add – to *glans geven aan.* **lustrous** ['lʌstrəs] ●*glanzend, schitterend.*
lusty ['lʌsti] ⟨-iness⟩ ●*krachtig, flink.*
lute [lu:t] ●*luit.*
luv [lʌv] ⟨BE; ↓, vaak scherts.⟩ ●*schatje.*
luxuriance [lʌgˈzjʊərɪəns] ●*overvloed, weelderigheid.* **luxuriant** [lʌgˈzjʊərɪənt, ləgˈʒʊə-] ●*weelderig, overdadig.* **luxuriate** [lʌgˈzjʊərɪeɪt, ləgˈʒʊə-] ●*welig tieren* ‖ – in *ten volle genieten v..*
luxurious [lʌgˈzjʊərɪəs, ləgˈzʊə-] ●*luxueus, weelderig; –* dinner *luxe diner.* **luxury** ['lʌkʃ(ə)ri] ⟨vaak attr⟩ ●*weelde, luxe;* a life of – *een luxueus leven* ●*luxe(artikel)* ● *weelderigheid.*
lying ['laɪɪn] ●*leugenachtig.*

'lying-'in ●*bevalling* ●*kraambed.*
lymph [lɪmf] ●*lymf(e), weefselvocht.*
'lymph gland ●*lymf(e)klier.*
lynch [lɪntʃ] ●*lynchen.*
lynx [lɪŋks] ●*lynx.*
lyre ['laɪə] ●*lier.*
1 lyric ['lɪrɪk] ⟨zn⟩ ●*lyrisch gedicht* ●⟨mv.⟩ *tekst* ⟨v. populair lied⟩.
2 lyric ⟨bn⟩ ●*lyrisch.* **lyrical** ['lɪrɪkl] ●*lyrisch* ⟨ook fig.⟩, *uitbundig;* become – about/over sth. *lyrisch worden over iets.* **lyricism** ['lɪrɪsɪzm] ●*lyriek* ●*lyrisme.*

ma [mɑ:] ↓ ●*ma.*
ma'am [mæm, mɑ:m, məm] ⟨verk.⟩ madam
  ●*mevrouw.*
mac [mæk] ↓ ●⟨verk. v. macintosh⟩ ⟨vnl.
  BE⟩ *regenjas.*
macabre [mə'kɑ:b(rə)] ●*macaber.*
macadam [mə'kædəm] ●*macadam.*
macaroon ['mækə'ru:n] ●*bitterkoekje,
  amandelkoekje.*
mace [meɪs] ●⟨gesch.⟩ *goedendag,* ⟨bij uitbr.⟩ *knuppel* ●*scepter, staf* ⟨ihb. v. spreker in Brits Lagerhuis⟩ ●*foelie.*
macerate ['mæsəreɪt] ●*weken, week/zacht
  worden/maken.*
Mach [mæk] ⟨luchtv.⟩ ●*mach.*
machete [mə'ʃeti] ●*machete, kapmes.*
machination ['mækɪ'neɪʃn] ●*machinatie,
  kuiperij* ●⟨vnl. mv.⟩ *intrige.*
1 machine [mə'ʃi:n] ⟨zn⟩ ●*machine* ⟨ook
  fig.⟩, *werktuig, apparaat* ●*(partij)organi-
  satie; political* – *partijapparaat.*
2 machine ⟨ww⟩ ●*machinaal bewerken,
  machinaal drukken.*
ma'chine gun ●⟨zn⟩ *machinegeweer* ●
  ⟨ww⟩ *mitrailleren, met een machinegeweer beschieten.* **ma'chine-'made** ●*machinaal (gemaakt/vervaardigd).* **machine-
  ry** [mə'ʃi:nəri] ●*machinerie* ⟨ook fig.⟩,
  machinepark, systeem, apparaat ●*(machine)onderdelen.* **ma'chine shop** ●*ma-
  chinewerkplaats.* **ma'chine tool** ●*werk-
  tuigmachine.*
machinist [mə'ʃi:nɪst] ●*machinevakman,
  monteur, werktuigkundige, machinenaai-
  (st)er, machinebankwerker* ●*vakman voor
  werktuigmachines.*
'**Mach number** ⟨luchtv.⟩ ●*(getal v.) mach.*
mackerel ['mækrəl] ●*makreel.*
mackintosh ['mækɪntɒʃ] ⟨BE⟩ ●*regenjas.*
macrobiotic ['mækroʊbaɪ'ɒtɪk] ●*macrobio-
  tisch.*
macrocosm [-kɒzm] ●*macrokosmos.*
mad [mæd] I ⟨bn, attr en pred⟩ ●*gek, krankzinnig; go* – *gek worden; drive/send s.o.–
  iem. gek maken; raving* – *stapelgek* ⟨ook
  fig.⟩; *(run) like* – *(rennen) als een gek/be-
  zetene* ●*dwaas, onzinnig; – project onbe-*

zonnen onderneming ●*dol, onstuimig* ‖ –
  as a hatter/a March hare *stapelgek* II ⟨bn,
  pred⟩ ●⟨+about, on⟩ *verzot (op), wild (enthousiast)(over)* ●⟨+at/about sth.; at/with
  s.o.⟩ ↓ *boos (op), woedend (op, om); get* –
  kwaad worden ‖ hopping – *pisnijdig;* –
  with joy *gek v. vreugde;* – with pain *buiten
  zichzelf v. pijn.*
madam ['mædəm] ●*mevrouw, juffrouw*
  ⟨ook als aanspreektitel⟩ ●⟨euf.⟩ *bordeelhoudster.*
madden ['mædn] ●*gek maken* ●*woedend
  maken.* **maddening** ['mædnɪŋ] ●*gek makend* ●*erg vervelend.*
made ⟨verl. t. en volt. deelw.⟩ zie MAKE.
  '**made-to-'measure** ●*maat-* ⟨v. kleding⟩.
'**madhouse** ●*gekkenhuis* ⟨ook fig.⟩. **madly**
  ['mædli] ●*zie* MAD ●*furieus, als een bezetene* ●*heel (erg);* – in love *waanzinnig verliefd.* **madman** ['mædmən] ●*gek, dolle-
  man.* **madness** ['mædnəs] ●*krankzinnigheid, waanzin* ●*dwaasheid* ●*razernij.*
madrigal ['mædrɪgl] ●*madrigaal.*
maelstrom ['meɪlstrəm] ●*draaikolk* ●*maalstroom* ⟨ook fig.⟩.
maestro ['maɪstroʊ] ⟨vaak muz.⟩ ●*maëstro.*
mag [mæg] ●⟨verk.⟩ magazine ↓ *tijdschrift.*
  magazine ['mægə'zi:n] ●*tijdschrift, magazine* ●*munitiedepot* ●*magazijn* ⟨v. ge-
  weer⟩.
magenta [mə'dʒentə] ●*magenta* ⟨kleur⟩.
maggot ['mægət] ●*made.* **maggoty**
  ['mægəti] ●*vol maden, wormstekig.*
Magi ['meɪdʒaɪ] ⟨mv.⟩ zie MAGUS.
1 magic ['mædʒɪk] ⟨zn⟩ ●*magie* ⟨ook fig.⟩,
  toverkunst; as if by –, like – *als bij tover-
  slag.*
2 magic ⟨bn⟩ ●*magisch, tover-* ●*betoverend* ‖ – carpet *vliegend tapijt;* – eye *af-
  stemoog* ⟨v. radio⟩; *foto-elektrische cel;* –
  lantern *toverlantaarn.* **magical**
  ['mædʒɪkl] ●*betoverend* ●*magisch.* **ma-
  gician** [mə'dʒɪʃn] ●*tovenaar* ●*goochelaar.*
magisterial ['mædʒɪ'stɪəriəl] I ⟨bn, attr en
  pred⟩ ●*gezaghebbend* ⟨ook fig.⟩ ●*autoritair* II ⟨bn, attr⟩ ●*magistraat(s)-.*
magistrate ['mædʒɪstreɪt, -strət] ●*politierechter,* ⟨BE⟩ *vrederechter.*
magnanimity ['mægnə'nɪməti] ●*grootmoe-
  digheid.* **magnanimous** [mæg'nænɪməs]
  ●*grootmoedig, edelmoedig.*
magnate ['mægneɪt, -nət] ●*magnaat.*
magnesium [mæg'ni:zɪəm] ●*magnesium.*
magnet ['mægnɪt] ●*magneet* ⟨ook fig.⟩.
  magnetic [mæg'netɪk] ●*magnetisch;* –
  needle *magneetnaald;* – north *magneti-
  sche noordpool;* – tape *magneetband*
  ⟨voor bandrecorder e.d.⟩ ●*onweerstaan-*

baar. **magnetism** ['mægnɪtɪzm] ● *magnetisme* ● *aantrekkingskracht.* **magnetize** ['mægnɪtaɪz] ● *magnetiseren* ● *fascineren.*

magneto [mæg'ni:toʊ] ● *magneetontsteker.*

magnification ['mægnɪfɪ'keɪʃn] ● *vergroting;* these binoculars have a – of twenty *deze verrekijker vergroot twintig keer.*

magnificence [mæg'nɪfɪsns] ● *pracht, weelde* ● *grootsheid.* **magnificent** [mæg-'nɪfɪsnt] ● *prachtig, luisterrijk, groots.*

magnifier ['mægnɪfaɪə] ● *vergrootglas* ● *vergroter.* **magnify** ['mægnɪfaɪ] ● *vergroten, overdrijven.* '**magnifying glass** ● *vergrootglas.*

magnitude ['mægnɪtju:d] ● *belang(rijkheid);* of the first – *v.h. grootste gewicht* ● *omvang, grootte.*

magnum ['mægnəm] ● *anderhalve liter fles.*

magpie ['mægpaɪ] ● *ekster* ● *verzamelaar.*

magus ['meɪɡəs] ⟨mv.: magi⟩ ‖ the Magi *de drie koningen, de wijzen uit het Oosten.*

maharaja(h) ['mɑ:(h)ə'rɑ:dʒə] ● *maharadja.*

mahogany [mə'hɒɡəni] ● *mahonie.*

maid [meɪd] ● (ook: 'maidservant) *hulp, dienstmeisje* ● ↑ *meisje, juffrouw* ‖ – of honour *(ongehuwde) hofdame;* ⟨AE⟩ *eerste bruidsmeisje.*

1 maiden ['meɪdn] ⟨zn⟩ ● ↑ *meisje, juffrouw.*

2 maiden ⟨bn⟩ ● *ongetrouwd* ⟨v. vrouw⟩ ● *eerste* ⟨v. reis, vlucht⟩; – speech *maidenspeech* ⟨vnl. in parlement⟩ ‖ – name *meisjesnaam.*

1 mail [meɪl] ⟨zn⟩ ● *post, brieven* ● *maliënkolder.*

2 mail ⟨ww⟩ ● *posten, per post versturen* ● *(be)pantseren.* '**mailbag** ● *postzak.* '**mailboat** ● *mailboot, postboot.* '**mail bomb** ● *bombrief.* '**mailbox** ⟨AE⟩ ● *brievenbus.* '**mailing address** ● *postadres.* '**mailing list** ● *adressenlijst, verzendlijst.* '**mailman** ⟨AE⟩ ● *postbode.* '**mail 'order** ● *postorder.*

maim [meɪm] ● *verminken.*

1 main [meɪn] ⟨zn⟩ ● *hoofdleiding* ⟨v. gas, elektriciteit, water⟩, *hoofdbuis, hoofdkabel* ● *hoofdafvoer, riool* ● ⟨mv.; ook attr⟩ *elektriciteit, lichtnet, gasnet, waterleiding;* connected to the –s *(op het elektriciteitsnet) aangesloten* ‖ in the – *voor het grootste gedeelte; in het algemeen.*

2 main ⟨bn⟩ ● *hoofd-, belangrijkste, voornaamste;* – body of the army *hoofdmacht v.h. leger;* – line *hoofdlijn* ⟨v. spoorwegen⟩ ‖ by – force *met alle macht;* – deck

hoofddek, opperdek; have an eye to the – chance *op eigenbelang uit zijn.* '**mainframe** ⟨comp.⟩ ● *centrale verwerkingseenheid.* **mainland** ['meɪnlənd] ● *vasteland* ● *hoofdeiland.* **mainsail** ['meɪnseɪl, 'meɪnsl] ⟨scheep.⟩ ● *grootzeil.* '**mainspring** ● *drijfveer, drijfkracht.* '**mainstay** ● *steunpilaar, pijler.* '**mainstream** ● *heersende stroming.*

maintain ['meɪn'teɪn] ● *handhaven, behouden, in stand houden;* – a correspondence *een correspondentie aanhouden;* – war *oorlog (blijven) voeren* ● *onderhouden* ⟨huis, gezin⟩, *een onderhoudsbeurt geven* ● *beweren;* our daughter –s her innocence *onze dochter zegt dat ze onschuldig is* ● *verdedigen;* – an opinion *een mening verdedigen* ● *steunen* ⟨zaak, partij⟩. **maintenance** ['meɪntənəns] ● *handhaving* ⟨v. wet bv.⟩ ● *onderhoud* ⟨v. huis, machine⟩ ● *levensonderhoud* ● *toelage* ⟨aan vrouw, kind⟩, ⟨ihb.⟩ *alimentatie.* '**maintenance man** ● *onderhoudsmonteur.* '**maintenance order** ⟨jur.⟩ ● *bevel tot betaling v. alimentatie aan ex-vrouw.*

maison(n)ette ['meɪzə'net] ● *huisje, flatje* ● *maisonnette.*

maize [meɪz] ⟨vnl. BE⟩ ● *maïs.*

majestic [mə'dʒestɪk] ● *majestueus.* **majesty** ['mædʒɪsti] ● *majesteit.*

1 major ['meɪdʒə] ⟨zn⟩ ● *meerderjarige* ● ⟨mil.⟩ *majoor* ● ⟨AE⟩ *hoofdvak* ⟨v. studie⟩ ● ⟨AE⟩ *hoofdvakstudent.*

2 major I ⟨bn, attr en pred⟩ ● *groot/groter, voornaamste;* – road *hoofdweg, voorrangsweg* ● ⟨muz.⟩ *in majeur;* C – *C grote terts;* – third *grote terts* ‖ – operation *zware/ernstige operatie* II ⟨bn, attr post⟩ ● *senior, de oudere;* Rowland – *Rowland senior.*

majorette ['meɪdʒə'ret] ● *majorette.*

'**major 'general** ● *generaal-majoor.*

'**major in** ⟨AE⟩ ● *als hoofdvak(ken) hebben.*

majority [mə'dʒɒrəti] ● *meerderheid* ● ⟨jur.⟩ *meerderjarigheid* ‖ in the – *in de meerderheid.*

1 make [meɪk] I ⟨telb zn⟩ ● *merk* ● *natuur, karakter, soort;* a man of your – *een man v. jouw slag* II ⟨n-telb zn⟩ ● *fabricage* ● *maaksel, fabrikaat;* of bad – *van slechte makelij* ‖ ⟨sl.⟩ on the – *op (eigen) voordeel uit; op de versiertoer* ⟨v. man/vrouw⟩; that young man is really on the – *die jongeman is een echte streber.*

2 make ⟨made, made [meɪd]⟩ I ⟨onov ww⟩ ● *doen, zich gedragen;* ↓ – like a lion *een leeuw spelen/nadoen;* – as if/though *doen alsof; op het punt staan* ● *gaan, zich bege-*

ven; we were making toward(s) the woods *wij gingen naar de bossen* ● *op het punt staan;* they made to depart *zij stonden op het punt te vertrekken* ‖ – believe *doen alsof;* you'll have to – do with this old pair of trousers *je zult het met deze oude broek moeten doen;* – off *hem smeren, ervandoor gaan;* – away with o.s. *zich v. kant maken;* – away with *doden; meenemen, jatten;* – off with *wegnemen, jatten;* – at s.o. *op iem. afstormen;* ⟨AE; ↓⟩ – with *brengen; uitvoeren;* – with the drinks *kom op met de drank(jes);* – with the show *kom op met de show;* zie MAKE FOR, MAKE OUT, MAKE UP ‖ ⟨ov ww⟩ ● *maken, fabriceren, scheppen, voortbrengen, bereiden, (op)maken, opstellen* ⟨wet, testament⟩; – coffee/tea *koffie/thee zetten;* – dinner *het warme eten klaarmaken;* – room *plaats maken;* – over a dress *een jurk vermaken;* ⟨fig.⟩ show them what you are made of *toon wat je waard bent;* a bridge made of stone *een brug v. steen, een stenen brug;* they made a cupboard out of oak *zij maakten een kast v. eikehout;* that boy's as fast/ bad as they make 'em *die jongen is zo snel/slecht als maar kan* ● *in een bep. toestand/positie brengen, maken, vormen, benoemen tot;* the letter made mother happy *de brief maakte moeder blij;* the workers made him their spokesman *de arbeiders maakten hem tot hun woordvoerder;* – the news public *het nieuws openbaar maken;* – over sth. (into) *iets veranderen (in);* you've made such a happy man out of me *je hebt v. mij zo'n gelukkig mens gemaakt* ● *(ver)krijgen, binnenhalen* ⟨winst⟩, *hebben* ⟨succes⟩, *lijden* ⟨verlies⟩, *verdienen, scoren, maken* ⟨punt enz.⟩; – a lot of money *veel geld verdienen;* ⟨kaartspel⟩ – a trick *een slag maken, een slag binnenhalen* ● *laten, ertoe brengen, maken dat;* the police made Randy sign the confession *de politie dwong Randy de bekentenis te tekenen;* the story made her laugh *het verhaal maakte haar aan het lachen;* he made himself heard by speaking loud and clear *hij maakte zichzelf verstaanbaar door hard en duidelijk te spreken* ● *schatten (op);* what do you – the time? *hoe laat heeft u het?* ● *(geschikt) zijn (voor), worden;* this boy will never – a musician *deze jongen zal nooit een musicus worden;* she will – you the perfect secretary *zij zal de volmaakte secretaresse voor je zijn;* that novel –s pleasant reading *die roman laat zich lekker lezen;* the man is made for this job *de man is geknipt voor*

deze baan ● *afleggen;* – a few more miles *nog een paar mijl afleggen* ● *bereiken, halen* ⟨snelheid⟩, *gaan, halen, pakken* ⟨trein⟩, *in zicht krijgen* ⟨land⟩; – the front pages *de voorpagina's halen;* – an appointment *op tijd zijn voor een afspraak;* this car –s a hundred and thirty km/h *deze auto haalt honderddertig km/u;* I wonder how that player could – this team *ik vraag me af hoe die speler in dit team kon komen;* – port *de haven binnenlopen;* have it made *op rozen zitten;* – it *op tijd zijn, het halen;* ⟨fig.⟩ *succes hebben, slagen* ● *doen* ⟨met handeling als object⟩, *verrichten, uitvoeren* ⟨onderzoek⟩, *geven* ⟨belofte⟩, *nemen* ⟨proef⟩, *houden* ⟨redevoering⟩; – a phone call *opbellen;* – a decision *een beslissing nemen, beslissen* ● *opmaken* ⟨bed⟩ ● *versieren,* ⟨ihb.⟩ *naar bed gaan met* ● ↓ *tot een succes maken, de finishing touch geven* ‖ a hundred pence – a pound *honderd pence is een pond;* this fool can – or break/mar the project *deze gek kan het project maken of breken;* – sth. do *zich met iets behelpen;* three and four – seven *drie en vier is zeven;* ⟨sl.⟩ – it *een nummertje maken, naaien;* let's – it next week *laten we (voor) volgende week afspreken;* – little of *onbelangrijk vinden; weinig hebben aan; weinig begrijpen v.;* – the most of *er het beste v. maken; zoveel mogelijk profiteren v.;* – much of *belangrijk vinden; veel hebben aan; veel begrijpen van; veel werk maken van* ⟨bv. meisje⟩; – nothing of *gemakkelijk doen (over); niets begrijpen v.;* ↓ want to – sth. of it? *zocht je soms mot?;* – over (to) *vermaken (aan), overmaken (aan);* what do you – of that story? *wat denk jij v. dat verhaal?;* they couldn't – anything of my notes *ze begrepen niets van mijn aantekeningen;* zie MAKE OUT, MAKE UP.

1 'make-believe ⟨zn⟩ ● *schijn, fantasie, het doen alsof.*

2 make-believe ⟨bn⟩ ● *schijn-, fantasie-.*

'make for ● *gaan naar, zich begeven naar* ● *afstormen op* ● *bevorderen, leiden tot, bijdragen tot.* **'make 'out I** ⟨onov ww⟩ ↓ ● *klaarspelen, het maken, zich redden* ● *vrijen* ‖ ⟨ov ww⟩ ● *uitschrijven, opmaken;* – a cheque *een cheque uitschrijven* ● *beweren;* she makes herself out to be very rich *zij beweert dat ze erg rijk is;* he made out that ... *hij beweerde dat ...* ● *onderscheiden, zien* ● *ontcijferen* ● *begrijpen, snappen;* I can't make her out *ik kan geen hoogte v. haar krijgen;* we couldn't – if/ whether *we konden er niet achter komen/*

wisten niet of ●*voorstellen (als);* they made him out to be a hypocrite *zij maakten hem uit voor hypocriet* ‖ how do you make that out? *hoe kom je daar bij?.* **maker** ['meɪkə] ●*maker, fabrikant* ‖ the/our Maker *de/onze Schepper.* '**make-shift** ● ⟨bn⟩ *voorlopig, tijdelijk, nood-* ●⟨zn⟩ *tijdelijke vervanging, noodoplossing.* '**make 'up I** ⟨onov ww⟩ ●*zich opmaken, zich schminken* ●*zich verzoenen* ‖ – for *weer goed maken;* – to s.o. *bij iem. in de gunst zien te komen;* – to s.o. for sth. *iem. iets vergoeden; iets goedmaken met/bij iem.* **II** ⟨ov ww⟩ ●*opmaken, schminken* ● *bijleggen* ⟨ruzie⟩; make it up (with s.o.) *het weer goed maken (met iem.)* ●*volledig/voltallig maken, aanvullen;* father made up the difference of three pound *vader legde de ontbrekende drie pond bij* ● *vergoeden, goedmaken;* – lost ground of the schade inhalen; – a loss *een verlies goedmaken* ●*verzinnen;* – an excuse *een excuus verzinnen* ●*opmaken* ⟨pagina e.d.⟩ ●*vormen;* forty men and thirty-seven women made up the whole tribe *veertig mannen en zevenendertig vrouwen vormden de hele stam;* the group was made up of four musicians *de groep bestond uit vier muzikanten* ●*maken, opstellen, klaarmaken* ⟨medicijn⟩, *bereiden;* – a shirt *een overhemd maken* ●*opmaken* ⟨bed⟩ ●*aanleggen* ⟨vuur, kachel⟩. **make-up** ['meɪkʌp] ●*make-up,* ⟨ihb.⟩ *schmink, grimeersel* ●*aard, karakter, natuur* ●*samenstelling* ●⟨druk.⟩ *opmaak.*
making ['meɪkɪŋ] ●*vervaardiging* ●⟨mv.⟩ *ingrediënten* ⟨ook fig.⟩, *(juiste) kwaliteiten;* have the –s of a film director *het in zich hebben om een filmregisseur te worden* ‖ study will be the – of him *studie zal hem hoger op brengen;* in the – *in voorbereiding; in spe.*
maladjusted ['mælə'dʒʌstɪd] ●⟨psych.⟩ *onaangepast.* **maladjustment** ['mælə'dʒʌs(t)mənt] ●⟨psych.⟩ *onaangepastheid.*
maladministration ['mælədmɪnɪ'streɪʃn] ● *wanbestuur.*
maladroit ['mælə'drɔɪt] ●*onhandig* ⟨ook fig.⟩, *tactloos.*
malaise [mə'leɪz] ●*malaise.*
malapropism ['mæləprɒpɪzm] ●*(grappige) verspreking.*
malaria [mə'leərɪə] ⟨med.⟩ ●*malaria.* **malarial** [mə'leərɪəl] ●*malaria-.*
Malay [mə'leɪ] ●⟨bn⟩ *Maleis* ●⟨eig.n.⟩ *Maleis* ⟨taal⟩ ●⟨telb zn⟩ *Maleier.* **Malaysia** [mə'leɪzɪə] ●*Maleisië.* **Malaysian** [mə'leɪzɪən] ●⟨bn⟩ *Maleis* ●⟨zn⟩ *Maleier,*

Maleisiër.
malcontent ['mælkəntent] ●*ontevredene.*
1 male [meɪl] ⟨zn⟩ ●*mannelijk persoon* ●*mannetje* ⟨dier⟩.
2 male I ⟨bn, attr en pred⟩ ●*mannelijk;* – chauvinism *(mannelijk) seksisme;* ⟨sl.⟩ – chauvinist pig *vuile seksist;* – choir *mannenkoor* **II** ⟨bn, attr⟩ ⟨biol., tech.⟩ ●*mannetjes-* ‖ – screw *vaarschroef.*
malefactor ['mælɪfæktə] ●*boosdoener.*
malevol|ent [mə'levələnt] ⟨zn: **-ence**⟩ ● *kwaadwillig.*
malformation ['mælfɔ:'meɪʃn] ●*misvorming.* **malformed** ['mæl'fɔ:md] ●*misvormd.*
1 malfunction ['mæl'fʌŋkʃn] ⟨zn⟩ ⟨tech.⟩ ● *storing, defect.*
2 malfunction ⟨ww⟩ ⟨tech.⟩ ●*defect zijn, slecht werken.*
malice ['mælɪs] ●*kwaadwilligheid, boosaardigheid;* bear – towards/to/against s.o. *(een) wrok tegen iem. koesteren.* **malicious** [mə'lɪʃəs] ●*kwaadwillig, boosaardig.*
1 malign [mə'laɪn] ⟨bn⟩ ●*schadelijk* ● *kwaadwillig.*
2 malign ⟨ww⟩ ●*kwaad spreken van, belasteren.* **malignancy** [mə'lɪgnənsi] ●*kwaadwilligheid* ●*kwaadaardigheid* ⟨v. ziekte⟩. **malignant** [mə'lɪgnənt] ●*kwaadwillig, boosaardig* ●*kwaadaardig* ⟨v. ziekte⟩.
malinger [mə'lɪŋgə] ●*simuleren, zich ziek houden.* **malingerer** [mə'lɪŋgərə] ●*simulant.*
mall [mɔ:l, mæl] ●*winkelpromenade.*
mallard ['mæləd] ●*wilde eend.*
malleable ['mælɪəbl] ●*pletbaar* ⟨vnl. mbt. metaal⟩, ⟨fig.⟩ *kneedbaar.*
mallet ['mælɪt] ●*houten hamer.*
malnutrition ['mælnju'trɪʃn] ●*ondervoeding.* **malodorous** ['mæl'oudrəs] ●*onwelriekend.* **malpractice** ['mæl'præktɪs] ● *kwade praktijk* ●⟨jur.⟩ *ambtsovertreding, medische fout, nalatigheid.*
malt [mɔ:lt] ●*mout, malt.*
Maltese ['mɔ:l'ti:z] ●⟨bn⟩ *Maltees* ●⟨eig.n.⟩ *Maltees* ⟨taal⟩ ●⟨telb zn⟩ *Maltees, Maltezer.*
maltreat ['mæl'tri:t] ⟨zn: **-ment**⟩ ●*mishandelen.*
mam [mæm] ⟨verk.⟩ *mammy↓* ●*mam(s).*
mammal ['mæml] ●*zoogdier.*
mammary ['mæməri] ●*mbt. de borst;* – gland *borstklier.*
mammoth ['mæməθ] ●⟨zn⟩ *mammoet* ● ⟨bn⟩ *mammoet-.*
mammy ['mæmi] ●*mammie.*
1 man [mæn] ⟨zn; mv.: men [men]⟩ ●*man,*

de man, echtgenoot, ↓ *minnaar, partner;* – of *means/substance/property bemiddeld/ vermogend man;* – of *men voortreffelijk mens; the* – in/on the street *de gewone man;* – about town *man v.d. wereld, play- boy;* – of his word *een man v. zijn woord;* – of the world *iem. met ervaring;* my (good) –! *m'n beste kerel!;* the very – *net wie men zocht;* drowning – *drenkeling;* it is not in a – *dat kan een mens niet;* (as) – to –/ (as) one – to another *van man tot man* ● *mens;* the rights of Man *de mensenrech- ten;* – for – *stuk voor stuk;* as a/one – *als één man* ● *ondergeschikte,* ⟨mil.⟩ *soldaat,* ⟨mv.⟩ *manschappen;* I'm your – *op mij mag/kan je rekenen* ● *stuk* ⟨v. schaakspel e.d.⟩ ‖ make a – of *volwassen/een man maken van;* made – *geslaagd man;* be – enough to *mans genoeg zijn om;* (all) to a – *eensgezind;* ⟨sprw.⟩ every man has his price *iedereen is te koop,* ± *alles heeft zijn prijs;* man proposes, God disposes *de mens wikt, God beschikt;* one man's meat is another man's poison *wat de ene niet lust, daar eet de ander zich dik aan;* zie ook ⟨sprw.⟩ DEAD, TIME.
2 man ⟨ww⟩ ● *bemannen, bezetten;* –ned crossing *bewaakte overweg.*
1 manacle ['mænəkl] ⟨zn⟩ ● *handboei.*
2 manacle ⟨ww⟩ ● *in de boeien slaan, vast- leggen.*
manage ['mænɪdʒ] **I** ⟨onov ww⟩ ● *rondko- men, zich behelpen* ● *slagen, het klaarspe- len;* I'll – *het lukt me wel* **II** ⟨ov ww⟩ ● *han- teren* ● *leiden, besturen, beheren* ⟨zaak⟩ ● *beheersen* ● *slagen in, aankunnen;* I can- not – another mouthful *ik krijg er geen hap meer in;* she –d a smile *ze wist een glim- lach op te brengen.* **manageable** ['mænɪdʒəbl] ● *handelbaar, beheersbaar.*
management ['mænɪdʒmənt] **I** ⟨n-telb zn⟩ ● *beheer, management, bestuur* ● *overleg, beleid* **II** ⟨zn⟩ ● *bestuur, manage- ment, werkgevers.* **'management team** ● *beleidsteam.*
manager ['mænɪdʒə] ● *bestuurder, chef, di- recteur* ⟨v. onderneming⟩, *manager* ⟨v. sportploeg⟩, *impresario* ⟨v. zanger⟩ ● *be- heerder;* she is a good – *ze weet met geld om te gaan.* **manageress** ['mænɪdʒə'res] ● *bestuurster* ● *beheerster.* **managerial** ['mænɪ'dʒɪərɪəl] ● *bestuurs-, directeurs-.* **managing** ['mænɪdʒɪŋ] ‖ – director *direc- teur.*
mandarin ['mændərɪn] ● ⟨M-⟩ *Mandarijns* ⟨taal⟩, *Chinees* ● ⟨gesch.⟩ *mandarijn* ⟨ook fig.; ong.⟩, *bureaucraat* ● *manda- rijntje.* **'mandarin 'orange** ● *mandarijntje.*

1 mandate ['mændeɪt] ⟨zn⟩ ● *mandaat.*
2 mandate ⟨ww⟩ ● *onder mandaat stellen;* –d territory *mandaatgebied.*
mandatory ● *bevel-* ● *verplicht.*
'man-day ● *mandag.*
mandible ['mændəbl] ● *kaak, onderkaak* ● *deel v.e. vogelsnavel* ● *kauwwerktuig* ⟨v. insekt⟩.
mandolin(e) ['mændə'lɪn] ● *mandoline.*
mane [meɪn] ● *manen.*
'man-eater ● *menseneter.* **'man-eating** ● *mensenetend.*
maneuver zie MANOEUVRE.
'man 'Friday ● *handlanger, rechterhand.*
manful ['mænfl] ● *manhaftig, dapper.*
manganese ['mæŋgəniːz] ● *mangaan.*
mange [meɪndʒ] ● *schurft.*
manger ['meɪndʒə] ● *trog, krib(be).*
1 mangle ['mæŋgl] ⟨zn⟩ ● *mangel, wringer.*
2 mangle ⟨ww⟩ ● *mangelen* ● *verscheuren, verminken, havenen,* ⟨fig.⟩ *verknoeien.*
mango ['mæŋgoʊ] ● *mango.*
mangrove ['mæŋgroʊv] ● *mangrove.*
mangy ['meɪndʒɪ] ● *schurftig.*
manhandle ['mæn'hændl, -'hændl] ● *ruw be- handelen, toetakelen* ● *door mankracht verplaatsen.*
'manhole ● *mangat.* **manhood** ['mænhʊd] ● *mannelijkheid* ● *volwassenheid* ● *manne- lijke bevolking.* **'man-hour** ● *manuur.*
mania ['meɪnɪə] ● *manie, waanzin* ● *zucht;* he has football – *hij is voetbalgek.* **maniac** ['meɪnɪæk] ● *maniak, waanzinnige.* **ma- niacal** [mə'naɪəkl] ● *maniakaal.*
manic ['mænɪk] ● *manisch.* **'manic-de'pres- sive** ● *manisch-depressief.*
manicure ['mænɪkjʊə] ● ⟨zn⟩ *manicure* ● ⟨ww⟩ *manicuren.* **manicurist** ['mænɪkjʊərɪst] ● *manicure* ⟨persoon⟩.
1 manifest ['mænɪfest] ⟨zn⟩ ● ⟨vnl. scheep.⟩ *manifest.*
2 manifest ⟨bn⟩ ● *zichtbaar* ● *duidelijk, klaarblijkelijk.*
3 manifest ⟨ww⟩ ● *zichtbaar maken, ken- baar/duidelijk maken* ● *vertonen, aan de dag leggen.* **manifestation** ['mænɪfe'steɪʃn] ● *manifestatie* ● *openba- ring* ● *uiting.*
manifesto ['mænɪ'festoʊ] ● *manifest.*
1 manifold ['mænɪfoʊld] ⟨zn⟩ ● ⟨tech.⟩ *spruitstuk.*
2 manifold ⟨bn⟩ ● *veelvuldig, verscheiden.*
Manilla, Manila [mə'nɪlə] ⟨ook m-⟩ ● *manil- la(hennep)* ● *mannillapapier.*
manipulate [mə'nɪpjʊleɪt] ● *hanteren* ⟨toe- stel⟩ ● *manipuleren* ⟨ook med.⟩ ● *knoeien met* ⟨tekst, cijfers⟩. **manipulation** [mə'nɪpjʊ'leɪʃn] ● *manipulatie* ● *hantering.*

mankind ['mæn'kaɪnd] • *het mensdom, de mensheid.*

manly ['mænli] • *mannelijk, manhaftig.* **'man-'made** • *door de mens gemaakt, kunstmatig;* – fibre *kunstvezel.*

manna ['mænə] • *manna,* ⟨fig.⟩ *hemelse gave.*

manned [mænd] • *bemand.*

mannequin ['mænɪkɪn] • *mannequin* • *etalagepop.*

manner ['mænə] • *manier, wijze;* in a – *in zekere zin;* in a – of speaking *bij wijze van spreken* • *houding, gedrag* • *soort;* by no/ not by any – of means *in geen geval;* what – of man is he? *wat voor een man is hij?;* all – of *allerlei* • ⟨mv.⟩ *manieren, goed gedrag;* bad –s *slechte manieren;* teach s.o. –s *iem. mores leren.* **mannered** ['mænəd] • *gemaniëreerd, gekunsteld.* **mannerism** ['mænərɪzm] • *maniërisme* • *gemaniëreerdheid, gekunsteldheid.*

mannish ['mænɪʃ] ⟨ong.⟩ • *manachtig, mannelijk* ⟨v. vrouwen⟩.

1 manoeuvre, ⟨AE   sp.⟩   **maneuver** [mə'nu:və] ⟨zn⟩ • *manoeuvre* ⟨mil., scheep. vaak mv.⟩.

2 manoeuvre, ⟨AE sp.⟩ **maneuver** ⟨ww⟩ • *manoeuvreren,* ⟨mil.⟩ *op manoeuvre zijn,* ⟨fig.⟩ *slinks handelen;* – s.o. into a good job *een goed baantje voor iem. versieren.*

manor ['mænə] • *manor, groot (heren)huis met omliggende gronden* • ⟨BE; sl.⟩ *politiedistrict.* **'manor house** • *manor, herenhuis.*

manpower ['mænpaʊə] • *mankracht* • *arbeidskrachten.*

manse [mæns] ⟨vnl. Sch. E⟩ • *pastorie.*

manservant ['mænsə:vənt] • *knecht.*

mansion [mænʃn] • *herenhuis* • ⟨mv.⟩ ⟨BE⟩ *(flat)gebouw;* Holborn Mansions *Holbornhuis, Holbornflat.*

'man-size, man-sized ['mænsaɪzd] • *flink, kolossaal.* **manslaughter** ['mænslɔ:tə] • *doodslag.*

'mantelpiece • *schoorsteenmantel.*

1 mantle ['mæntl] ⟨zn⟩ • *mantel,* ⟨fig.⟩ *dekmantel, dek.*

2 mantle ⟨ww⟩ • *dekken, bedekken.*

'man-to-'man • *v. man tot man, openhartig.*

1 manual ['mænjʊəl] ⟨zn⟩ • *handboek.*

2 manual ⟨bn⟩ • *hand-;* – control *handbediening;* – labour *handenarbeid;* – worker *handarbeider.*

1 manufacture ['mænjʊ'fæktʃə] ⟨zn⟩ • ⟨vnl. mv.⟩ *fabrikaat, produkt* • *vervaardiging, fabricage.*

2 manufacture ⟨ww⟩ • *vervaardigen, verwerken, produceren* • *verzinnen.* **manu-**

facturer ['mænjʊ'fæktʃərə] • *fabrikant.*

1 manure [mə'njʊə] ⟨zn⟩ • *mest.*

2 manure ⟨ww⟩ • *bemesten.*

manuscript ['mænjʊskrɪpt] • *manuscript, handschrift.*

Manx [mæŋks] • ⟨bn⟩ *Manx-;* – cat *manxkat* • ⟨eig.n.⟩ *taal v.h. eiland Man* • ⟨telb zn⟩ *Manxman.*

1 many ['meni] ⟨vnw; vergr. trap more [mɔ:], overtr. trap most [moʊst]⟩ • *vele(n);* –'s the tale he told them *talrijk zijn de verhalen die hij aan hen verteld heeft;* –'s the time *dikwijls;* and as – again *en nog eens zoveel;* the – *het (gewone) volk* ‖ I was (one) too – for him *ik was hem de baas.*

2 many ⟨vergr. trap more, overtr. trap most⟩ **I** ⟨onb det⟩ • *veel;* a great – houses *een groot aantal huizen;* as – ... as *zoveel ... als* **II** ⟨predet; alleen met het onb lidw⟩ • *menig(e);* – a one *menigeen;* – a time *menigmaal;* he travelled for – a year *hij reisde vele jaren.* **'many'sided** • *veelzijdig* ⟨ook fig.⟩, *complex.*

1 map [mæp] ⟨zn⟩ • *kaart;* ↓ that village is off the – *dat dorp is aan het andere eind v.d. wereld* ‖ put on the – *de aandacht vestigen op.*

2 map ⟨ww⟩ • *in kaart brengen;* – out *in kaart brengen;* ⟨fig.⟩ *plannen, indelen.*

maple [meɪpl] • *esdoorn.* **'maple leaf** • *esdoornblad* ⟨embleem v. Canada⟩. **'maple 'syrup** • *ahornstroop.*

mar [mɑ:] • *bederven, ontsieren;* make or – a plan *een plan doen slagen of mislukken.*

marathon ['mærəθən] • ⟨zn⟩ *marat(h)on-(loop)* • ⟨bn⟩ *marat(h)on, ellenlang.*

maraud [mə'rɔ:d] • *plunderen, roven.*

1 marble ['mɑ:bl] ⟨zn⟩ • *marmer* • *marmeren beeld* • *knikker* ‖ ⟨BE; sl.⟩ he's lost his –s *er zit bij hem een steekje los.*

2 marble ⟨bn⟩ • *marmeren* • *gemarmerd.*

3 marble ⟨ww⟩ • *marmeren;* –d paper *gemarmerd papier.* **marbles** ['mɑ:blz] ‖ play – *knikkeren.*

1 march [mɑ:tʃ] ⟨zn⟩ • *mars* • *opmars;* on the – *in opmars* • *loop, vooruitgang,* ⟨fig.⟩ *ontwikkeling;* the – of science *de evolutie v.d. wetenschap* ‖ steal a – on s.o. *iem. te vlug af zijn.*

2 march I ⟨onov ww⟩ • *marcheren, aanrukken;* – for peace *voor de vrede betogen;* – on a town *naar een stad oprukken* **II** ⟨ov ww⟩ • *doen marcheren;* – s.o. *leiden;* be –ed away/off *weggeleid worden.*

March [mɑ:tʃ] • *maart.*

'marching order ⟨mil.⟩ • ⟨vnl. mv.⟩ *marsorder* • ⟨BE⟩ *ontslag* ⟨vnl. uit militaire*

dienst⟩, ⟨fig., scherts.⟩ *afwijzing* ⟨v. aan-
bidder⟩.
marchioness ['mɑ:ʃə'nes] ● *markiezin.*
'**march-past** ⟨mil.⟩ ● *defilé.*
mare [meə] ● *merrie.*
'**mare's nest** ‖ find a – *blij zijn met een dode
mus.*
margarine ['mɑ:dʒə'ri:n, 'mɑ:gə-] ● *margarine.*
marge [mɑ:dʒ] ⟨verk.⟩ margarine ⟨BE; ↓⟩ ●
margarine.
margin ['mɑ:dʒɪn] ● *marge,* ⟨beurs⟩ *surplus;* – of error *foutenmarge;* – of safety
veiligheidsmarge; leave a – *speelruimte
laten* ● *rand* ● *kantlijn* ● *grens.* **marginal**
['mɑ:dʒɪnl] ● *in de marge/kantlijn geschreven;* – notes *kanttekeningen* ● *mar-
ginaal, onbeduidend;* of – importance *van
ondergeschikt belang;* ⟨BE; pol.⟩ – seat
onzekere zetel.
marigold ['mærɪgoʊld] ● *goudsbloem.*
marijuana, marihuana ['mærɪ'wɑ:nə,
-'hwɑ:nə] ● *marihuana.*
marina [mə'ri:nə] ● *jachthaven.*
1 **marinade** ['mærɪ'neɪd] ⟨zn⟩ ● *marinade.*
2 **marinade, marinate** ['mærɪneɪt] ⟨ww⟩ ●
marineren.
1 **marine** [mə'ri:n] ⟨zn⟩ ● *marine, vloot* ● *ma-
rinier* ‖ tell that to the (horse) –s! *maak dat
de kat wijs!.*
2 **marine** ⟨bn⟩ ● *zee-;* – plants *zeegewassen;*
– route *zee(vaart)route.*
mariner ['mærɪnə] ● *zeeman, matroos.*
marionette ['mærɪə'net] ● *marionet.*
marital ['mærɪtl] ● *echtelijk, huwelijks-;* –
bonds *huwelijksbanden.*
maritime ['mærɪtaɪm] ● *maritiem;* – law
zeerecht; – powers *zeemachten.*
marjoram ['mɑ:dʒərəm] ● *marjolein.*
1 **mark** [mɑ:k] ⟨zn⟩ ● *teken, kenteken,* ⟨fig.⟩
blijk; as a – of my esteem *als blijk v. mijn
achting* ● *teken, spoor, vlek,* ⟨fig.⟩ *indruk;*
leave one's – on *zijn stempel drukken op;*
make one's – *zich onderscheiden* ● ⟨rap-
port)cijfer, punt* ● *peil, standaard;* above/
below the – *boven/beneden peil;* I don't
feel quite up to the – *ik voel me niet helemaal fit/in orde* ● ⟨vnl. met telwoord⟩ *model, type;* ⟨scherts.⟩ – one *verouderd model* ● *doel, doelwit;* ⟨fig.⟩ hit the – *in de
roos schieten;* beside/off the – *ernaast* ‖
not quick off the – *niet vlug (v. begrip);* on
your –s, get set, go! *op uw plaatsen!
klaar? af!.*
2 **mark** I ⟨onov ww⟩ ● *vlekken (maken/krij-
gen)* II ⟨ov ww⟩ ● *merken, tekenen, onderscheiden, aanduiden;* his birth –s the beginning of a new era *zijn geboorte luidt*

het begin v.e. nieuw tijdperk in; – the occasion *de gelegenheid luister bijzetten;* –
time *de pas markeren;* ⟨fig.⟩ *niet opschieten;* –ed for life *voor het leven getekend* ●
beoordelen, cijfers geven voor ⟨school-
werk⟩ ● *prijzen, met prijskaartje* ● *letten
op* ⟨woorden bv.⟩; – how it is done *let op
hoe het gedaan wordt* ● *bestemmen* ●
⟨vaak pass.⟩ *vlekken, tekenen* ⟨dier⟩; zie
MARK DOWN, MARK OFF, MARK OUT, MARK UP.
'**markdown** ● *prijsverlaging.* '**mark
'down** ● *noteren, opschrijven* ● *eruitpik-
ken, bestemmen* ● *afprijzen* ● *een lager cijfer geven.* **marked** [mɑ:kt] ● *duidelijk;* a –
preference *een uitgesproken voorkeur* ‖ a
– man *iem. die wordt beloerd* ⟨m.n. door
moordenaar⟩; *ten dode opgeschreven
man.* **marker** ['mɑ:kə] ● *teken, kenteken,
baken, boekelegger.*
1 **market** ['mɑ:kɪt] ⟨zn⟩ ● *markt, handel, afzetgebied;* be in the – for sth. *iets willen
kopen;* put on the – *op de markt brengen*
● *marktprijs* ● *markt, beurs;* play the – *speculeren* ● ⟨+for⟩ *vraag (naar).*
2 **market** I ⟨onov ww⟩ ● *inkopen doen;* ⟨AE⟩
go –ing *boodschappen gaan doen* II ⟨ov
ww⟩ ● *op de markt brengen* ● *verhandelen.* **marketable** ['mɑ:kɪtəbl] ● *verkoopbaar.* '**market economy** ● *vrije-markteco-
nomie.* '**market 'garden** ⟨BE⟩ ● *groentekwekerij, tuinderij.* '**market 'gardener**
⟨BE⟩ ● *groentekweker, tuinder.* '**market
'gardening** ⟨BE⟩ ● *groenteteelt, tuinderij.*
'**market hall** ● *markthal.* **marketing**
['mɑ:kətɪŋ] ● *markthandel* ● *marketing,
marktonderzoek.* '**marketplace** ● *markt-
plein* ● *markt.* '**market 'price** ● *marktprijs.*
'**market re'search** ● *marktonderzoek.*
'**market stake** ● *marktaandeel.* '**market
town** ● *marktstad.* '**market value** ● *markt-
waarde.*
marking ['mɑ:kɪŋ] ● *tekening* ⟨v. dier e.d.⟩ ●
(ken)teken. '**marking ink** ● *merkinkt.*
'**mark 'off** ● *afmerken, afbakenen, aangeven.* '**mark 'out** ● *afbakenen, markeren* ●
uitkiezen, bestemmen.
marksman ['mɑ:ksmən] ● *scherpschutter.*
'**markup** ● *prijsstijging.* '**mark 'up** ● *in prijs
verhogen.*
marmalade ['mɑ:məleɪd] ● *marmelade.*
marmot ['mɑ:mət] ● *marmot.*
1 **maroon** [mə'ru:n] ⟨zn⟩ ● *vuurpijl, lichtsein*
● *kastanjebruin.*
2 **maroon** ⟨ww⟩ ● *achterlaten,* ⟨fig.⟩ *aan zijn
lot overlaten* ● *isoleren, afsnijden.*
marquee [mɑ:'ki:] ● *feesttent.*
marquis, ⟨BE ook⟩ **marquess** ['mɑ:kwɪs] ●
markies.

marriage ['mærɪdʒ] ●*huwelijk; –* of convenience *verstandshuwelijk;* cousin by –
aangetrouwde neef; give/take/ask in – *ten
huwelijk geven/nemen/vragen.* **marriage-
able** ['mærɪdʒəbl] ●*huwbaar.* '**marriage
(guidance) counsellor** ●*huwelijksconsu-
lent(e).* '**marriage licence** ●*(ambtelijke)
huwelijkstoestemming.* '**marriage lines**
⟨BE; ↓⟩●*huwelijksakte.* '**marriage settlement** ●*huwelijksvoorwaarden.*

married ['mærid] ●*gehuwd;* a – couple *een
echtpaar/getrouwd stel* ●*huwelijks-.*

marrow ['mærou] **I** ⟨telb zn⟩ ●*(eetbare)
pompoen;* ⟨BE⟩ vegetable – *eetbare pompoen* **II** ⟨n-telb zn⟩ ●*merg* ⟨ook fig.⟩; to
the – *door merg en been* ●*kern, pit.* '**mar-
rowbone** ●*mergpijp.*

marry ['mæri] ●*trouwen (met), in het huwelijk treden (met);* be/get married *trouwen* ‖
– off one's daughters *zijn dochters aan de
man brengen;* be married to sth. *ergens
aan verknocht zijn.*

marsh [mɑːʃ] ●*moeras.*

1 marshal ['mɑːʃl] ⟨zn⟩ ●*(veld)maarschalk* ●
hofmaarschalk ●*hoofd v. ordedienst* ●
⟨AE⟩ *hoofd v. politie,* ⟨ongeveer⟩ *sheriff.*

2 marshal **I** ⟨onov en ov ww⟩ ●*(zich) opstel-
len/rangschikken* **II** ⟨ov ww⟩ ●*leiden, (be)
geleiden.*

marshalling yard ['mɑːʃlɪŋ jɑːd] ●*rangeer-
terrein.*

marshmallow ['mɑːʃˈmælou] ●*marshmallow.*

marshy ['mɑːʃi] ●*moerassig.*

marsupial [mɑːˈsjuːpɪəl] ●*buideldier.*

mart [mɑːt] ●*handelscentrum.*

marten ['mɑːtɪn] ●*marter(bont).*

martial ['mɑːʃl] ●*krijgs-;* – arts *(Oosterse)
gevechtskunsten* ⟨karate, judo e.d.⟩; –
law *krijgswet* ●*krijgshaftig.*

Martian ['mɑːʃn] ●⟨bn⟩ *Martiaans, Mars-* ●
⟨zn⟩ *Marsbewoner.*

1 martyr ['mɑːtə] ⟨zn⟩ ●*martelaar* ⟨ook
fig.⟩.

2 martyr ⟨ww⟩ ●*de marteldood doen sterven* ●*martelen.* **martyrdom** ['mɑːtədəm]
●*martelaarschap* ●*marteldood* ●*marteling.*

1 marvel ['mɑːvl] ⟨zn⟩ ●*wonder;* do/work –s
wonderen verrichten.

2 marvel ⟨ww⟩ ●⟨+at⟩ *zich verwonderen
(over), zich verbazen (over).* **marvellous**
['mɑːvləs] ●*wonderbaar* ●*prachtig, fantastisch.*

Marxist ['mɑːksɪst] ●⟨bn⟩ *marxistisch* ●
⟨zn⟩ *marxist.*

marzipan ['mɑːzɪpæn] ●*marsepein(tje).*

mascara [mæˈskɑːrə] ●*mascara.*

mascot ['mæskət] ●*mascotte.*

masculine ['mæskjəlɪn] ●*mannelijk* ●*manachtig.*

1 mash [mæʃ] ⟨zn⟩ ●*(warm) mengvoer* ●
⟨brouwerij⟩ *beslag* ●⟨BE; sl.⟩ *puree.*

2 mash ⟨ww⟩ ●*fijnstampen, fijnmaken;* –ed
potatoes *(aardappel)puree.*

1 mask [mɑːsk] ⟨zn⟩ ●*masker.*

2 mask **I** ⟨onov ww⟩ ●*zich vermommen* **II**
⟨ov ww⟩ ●*maskeren, vermommen* ●*verbergen.* **masked** [mɑːskt] ●*gemaskerd;* –
ball *gemaskerd bal.* **masking tape**
['mɑːskɪŋ teɪp] ●*afplakband.*

masochism ['mæsəkɪzm] ●*masochisme.*
masochist ['mæsəkɪst] ⟨bn: **-ic**⟩ ●*masochist.*

mason ['meɪsn] ●*metselaar* ●⟨M-⟩ *vrijmetselaar.*

Masonic [məˈsɒnɪk] ●*vrijmetselaars-.*

masonry ['meɪsnri] ●*metselwerk.*

1 masquerade ['mæskəˈreɪd] ⟨zn⟩ ●*maske-
rade* ●*vermomming.*

2 masquerade ⟨ww⟩ ●⟨+as⟩ *zich vermommen (als), zich voordoen (als).*

1 mass [mæs] ⟨zn⟩ ●*massa, hoop, menigte;*
a – of *één en al;* the –es *de massa* ●⟨elek.,
nat.⟩ *massa* ●⟨R.-K.⟩ *mis;* High/Low –
hoogmis/stille mis; say – *de mis lezen.*

2 mass ⟨ww⟩ ●*(zich) verzamelen, (zich)
groeperen;* – troops *troepen concentreren.*

1 massacre ['mæsəkə] ⟨zn⟩ ●*bloedbad* ●⟨↓
; fig.⟩ *afslachting* ⟨ihb. in sport⟩.

2 massacre ⟨ww⟩ ●*uitmoorden* ●↓ *in de
pan hakken.*

1 massage ['mæsɑːʒ] ⟨zn⟩ ●*massage.*

2 massage ⟨ww⟩ ●*masseren.* **mas'sage
parlor** ⟨AE⟩ ●*massagehuis* ⟨vaak euf.
voor bordeel/seksclub⟩.

masseur [mæˈsəː] ●*masseur.* **masseuse**
[mæˈsəːz] ●*masseuse.*

massive ['mæsɪv] ●*massief, zwaar* ●*groots,
indrukwekkend* ●*massaal.*

'**mass 'media** ●*massamedia.* '**mass 'meeting** ●*massabijeenkomst.* '**mass-pro'duce**
●*in massa produceren.*

mast [mɑːst] ●*mast.*

1 master ['mɑːstə] ⟨zn⟩ ●*meester, heer,
baas,* ⟨vnl. BE⟩ *schoolmeester;* the
French – *de leraar Frans;* – of the house
heer des huizes ‖ Master of Arts/Science
⟨ongeveer⟩ *doctorandus in de letteren/
wetenschappen;* Master of Ceremonies
ceremoniemeester; zie ook ⟨sprw.⟩ JACK.

2 master ⟨bn⟩ ●*hoofd-, voornaamste.*

3 master ⟨ww⟩ ●*overmeesteren, de baas/
machtig worden* ⟨ook fig.⟩, *te boven komen.*

'**master card** ●*hoogste kaart*, ⟨fig.⟩ *(hoge)
troef.* '**master copy** ●*origineel.* **masterful**
['mɑ:stəfl] ●*meesterachtig, bazig* ●*meesterlijk.* '**master key** ●*loper, passepartout.*
masterly ['mɑ:stəli] ●*meesterlijk.*
1 '**mastermind** ⟨zn⟩ ●*brein.*
2 **mastermind** ⟨ww⟩ ●*uitdenken;* he –ed the
project *hij was het brein achter het project.*
'**masterpiece,** '**masterwork** ●*meesterstuk/
werk.* '**masterstroke** ●*meesterlijke zet.*
mastery ['mɑ:stri] ●*meesterschap;* the –
over de overhand op ●*beheersing;* – of
the language *taalbeheersing.*
masticate ['mæstɪkeɪt] ●*kauwen.*
masturb|ate ['mæstəbeɪt] ⟨zn: -ation⟩ ●
masturberen.
1 **mat** [mæt] ⟨zn⟩ ●*mat(je)*(ook fig.; sport),
deurmat ●*tafelmatje, onderzettertje* ●*klit;*
a – of hair *een wirwar van haren.*
2 **mat** ⟨bn⟩ ●*mat, dof.*
3 **mat** ⟨ww⟩ ●*klitten, in de war raken, verwarren; –*ted hair *verward/geklit haar.*
1 **match** [mætʃ] ⟨zn⟩ ●*gelijke;* find/meet
one's – *zijns gelijke vinden;* be a – for *opgewassen zijn tegen;* be more than a – for
s.o. *iem. de baas zijn* ●*wedstrijd, match* ●
huwelijk; make a (happy) – (of it) *een (gelukkig) huwelijk sluiten* ●*partij, (potentiële) huwelijkspartner* ●*paar, stel (bij elkaar
passende zaken)* ●*lucifer.*
2 **match** I ⟨onov ww⟩ ●*(bij elkaar) passen;*
–ing colours *bij elkaar passende kleuren* II
⟨ov ww⟩ ●*evenaren, opgewassen zijn tegen;* can you – that? *kan je dat net zo goed
doen?;* they are well –ed *zij zijn aan elkaar
gewaagd* ●*vergelijken;* – o.s. against s.o.
zich met iem. meten ●*passen bij;* they are
well –ed *ze passen goed bij elkaar* ●*doen
passen, aanpassen;* – jobs and applicants
*het juiste werk voor de juiste kandidaten
uitzoeken;* – to *in overeenstemming brengen met.*
'**matchbox** ●*lucifersdoosje.* **matchless**
['mætʃləs] ●*weergaloos, niet te evenaren.*
'**matchmaker** ●*koppelaar(ster).* '**match-
making** ●*het koppelen.* '**match point**
⟨sport⟩ ●*matchpoint.* '**matchstick** ●*luci-
fershoutje.* '**matchwood** ●*lucifershout* ●
splinters.
1 **mate** [meɪt] I ⟨telb zn⟩ ●*maat, kameraad* ●
(huwelijks)partner, mannetje, wijfje (vnl.
v. vogels) ●*helper* (v. ambachtsman),
gezel ●*stuurman* II ⟨telb en n-telb zn⟩
⟨schaken⟩ ●*mat.*
2 **mate** I ⟨onov ww⟩ ●*paren* II ⟨ov ww⟩ ●
koppelen, doen paren.
1 **material** [mə'tɪərɪəl] ⟨zn⟩ ●*materiaal,*

grondstof ●*soort;* made of the right – *uit
het goede hout gesneden.*
2 **material** ⟨bn⟩ ●*materieel, stoffelijk, lichamelijk* ●*belangrijk, wezenlijk;* ⟨jur.⟩ – evidence *concreet bewijs;* – witness *door-
slaggevend(e) getuige(nis).*
materialism [mə'tɪərɪəlɪzm] ●*materialisme.*
materialist [mə'tɪərɪəlɪst] ●*materialist.*
materialist(ic) ●*materialistisch.*
materialize [mə'tɪərɪəlaɪz] ●*werkelijkheid
worden* ●*zich materialiseren, te voorschijn komen* ⟨v. geest⟩.
maternal [mə'tə:nl] ●*moeder-;* – love *moe-
derliefde*‖– uncle *oom v. moederszijde;* –
care *zwangerschapszorg.*
maternity [mə'tə:nəti] ●*moederschap.* **ma-
'ternity dress** ●*positiejurk.* **ma'ternity
home, ma'ternity hospital** ●*kraamkliniek.*
ma'ternity leave ●*zwangerschapsverlof.*
ma'ternity ward ●*kraamafdeling.*
matey ['meɪti] ↓ ●*vriendschappelijk;* be –
with s.o. *beste maatjes met iem. zijn.*
mathematical ['mæθɪ'mætɪkl] ●*wiskundig*
●*precies, exact.* **mathematician**
['mæθɪmə'tɪʃn] ●*wiskundige.* **mathematics** ['mæθɪ'mætɪks] ●*wiskunde.*
maths [mæθs], ⟨AE⟩ **math** [mæθ] ⟨verk.⟩
mathematics ↓ ●*wiskunde.*
matinée ['mætɪneɪ] ●*matinee.*
'**mating season** ●*paartijd.*
matriarchy ['meɪtrɪɑ:ki] ●*matriarchaat.*
matrices ['meɪtrɪsi:ʒ] ⟨mv.⟩ zie MATRIX.
matricul|ate [mə'trɪkjʊleɪt] ⟨zn: -ation⟩ ●
zich (laten) inschrijven als student.
matrimonial ['mætrɪ'mouʊnɪəl] ●*huwelijks-.*
matrimony ['mætrɪməni] ●*huwelijk.*
matrix ['meɪtrɪks] ⟨mv.: ook matrices⟩ ●*matrijs, gietvorm* ●⟨comp., wisk.⟩ *matrix.*
matron ['meɪtrən] ●*matrone* ●⟨BE⟩ *directrice, hoofdverpleegster.* **matronly**
['meɪtrənli] ●*matroneachtig* ●⟨ong.⟩ *aan
de dikke kant.*
matt [mæt] ●*mat.*
1 **matter** ['mætə] I ⟨telb zn⟩ ●*aangelegenheid* ●*kwestie;* it's a – of opinion *daar kan
over gediscussiëerd worden;* a – of time
een kwestie v. tijd; no laughing – *niets om
te lachen;* for that –/the – of that *wat dat
betreft;* in the – of *inzake*‖ as a – of course
vanzelfsprekend; as a – of fact *eigenlijk* II
⟨n-telb zn⟩ ●*materie, stof* ●*stof, materiaal, inhoud* ●*etter, pus*‖ no – (het) *maakt
niet uit;* no – how/when *om het even hoe/
wanneer;* what is the –?/the – with him?
wat is er (aan de hand)?/wat scheelt hem?.
2 **matter** ⟨ww⟩ ●*van belang zijn, betekenen;*
it doesn't – *het geeft niet/doet er niet toe;*
what does it –? *wat zou het/dat?.*

'matter-of-'course ● *vanzelfsprekend.* 'mat-
ter-of-'fact ● *zakelijk, nuchter.*
matting ['mætɪŋ] ● *matwerk, matten.*
mattock ['mætək] ● *houweel.*
mattress ['mætrɪs] ● *matras.*
1 mature [mə'tʃʊə] ⟨bn⟩ ● *rijp, volgroeid* ●
volwassen ● *weloverwogen* ● *belegen*
⟨kaas, wijn⟩ ● *vervallen* ⟨wissel⟩.
2 mature I ⟨onov ww⟩ ● *rijpen, tot rijpheid*
komen ● *volgroeien, zich volledig ontwik-*
kelen ● *volwassen worden* ● *vervallen* ⟨v.
wissel e.d.⟩ II ⟨ov ww⟩ ● *laten rijpen.*
maturity [mə'tʃʊərəti] ● *rijpheid* ● *volgroeid-*
heid ● *volwassenheid* ● *vervaltijd* ⟨v. wissel e.d.⟩.
maudlin ['mɔːdlɪn] ● *overdreven sentimen-*
teel.
maul [mɔːl] ● *verscheuren, aan flarden*
scheuren ⟨ook fig.⟩.
mausoleum ['mɔːsə'lɪəm] ● *mausoleum.*
mauve [mouv] ● *mauve.*
maverick ['mævrɪk] ⟨AE⟩ ● *non-conformist,*
individualist.
maw [mɔː] ● *pens, maag* ⟨v. dier⟩ ● *muil,*
bek ⟨vnl. fig.⟩.
mawkish ['mɔːkɪʃ] ● *overdreven sentimen-*
teel.
maxi ['mæksi] ↓ ● *maxi.*
maxim ['mæksɪm] ● *spreuk, grondregel.*
maximal ['mæksɪml] ● *maximaal.* **maximal-**
ly ['mæksɪməli] ● *hoogstens.* **maximize**
['mæksɪmaɪz] ● *maximaliseren, tot het ui-*
terste vergroten.
1 maximum ['mæksɪməm] ⟨zn⟩ ● *maxi-*
mum.
2 maximum ⟨bn⟩ ● *maximaal, hoogste;* –
speed topsnelheid.
may ⟨might [maɪt]⟩ ● ⟨toelating⟩ *mogen;* – I
ask why you think so? mag ik vragen
waarom je dat denkt? ● ⟨mogelijkheid⟩
kunnen; they – *arrive later ze komen mis-*
schien later; be that as it – *hoe het ook zij;*
she – *be right misschien heeft ze wel gelijk*
● ⟨in wensen⟩ *mogen;* – *he reign! moge*
hij lang heersen! ‖ I hope he – *recover, but*
I fear he – *not ik hoop dat hij beter wordt,*
maar ik vrees v. niet.
May [meɪ] ● *mei.*
maybe ['meɪbi] ● *misschien, wellicht.*
'mayday ● *may-day, noodsignaal.*
'May Day ● *1 mei, dag v.d. arbeid.*
'mayfly ● *eendagsvlieg.*
mayhem ['meɪhem] ● ↓ *rotzooi; cause/cre-*
ate – *herrie schoppen.*
mayonnaise ['meɪə'neɪz] ● *mayonaise.*
mayor [meə] ● *burgemeester.* **mayoress**
['meərɪs] ● *vrouwelijke burgemeester* ●
vrouw v.d. burgemeester.

maze [meɪz] ● *doolhof* ⟨ook fig.⟩.
me [mi, ⟨sterk⟩mi:] ● *mij* ● ⟨vnl. ↓⟩ *ik; it is* –
ik ben het.
meadow ['medoʊ] ● *wei(de), grasland.*
meagre ['miːgə] ● *mager, dun* ● *schraal*
⟨maaltijd e.d.⟩.
meal [miːl] ● *maal(tijd);* –s *on wheels Ta-*
feltje-dek-je ⟨aan huis bezorgde (warme)
maaltijd, voor bejaarden e.d.⟩ ● *meel.*
'mealtime ● *etenstijd.* **mealy** ['miːli] ● *me-*
lig. 'mealy-'mouthed ● *zoetsappig, niet*
oprecht.
1 mean [miːn] I ⟨telb zn⟩ ● *middelmaat,*
⟨fig.⟩ *middenweg* ● *gemiddelde (waarde)*
II ⟨mv.⟩ ● *middel; by* –s *of door middel*
van; a –s *to an end een middel om een*
doel te bereiken; by all (manner of) –s *in*
elk geval; op alle mogelijke manieren; by
no –s, *not by any* (manner of) –s *in geen*
geval ● *middelen (van bestaan); man of* –s
bemiddeld man; live beyond one's –s *bo-*
ven zijn stand leven ‖ zie ook ⟨sprw.⟩ END.
2 mean ⟨-ness⟩ I ⟨bn, attr en pred⟩ ● *ge-*
meen, laag ● *gierig; be* – *over money*
krenterig met geld zijn ● *armzalig* ● ⟨AE⟩
kwaadaardig, vals II ⟨bn, attr⟩ ● *gemid-*
deld, doorsnee-; – *life gemiddelde levens-*
duur; – *price middenprijs* ● *gebrekkig; no*
– *cook een buitengewone kok.*
3 mean ⟨meant, meant [ment]⟩ I ⟨onov ww⟩
● *het bedoelen;* – *ill/well* (by s.o.) *het*
slecht/goed menen (met iem.) II ⟨ov ww⟩
● *betekenen, willen zeggen* ● *bedoelen;*
what do you – *by that? wat bedoel je daar-*
mee?; wat heeft dat te betekenen? ● *de*
bedoeling hebben, voorhebben; – *busi-*
ness vastberaden zijn; he –s *you no harm*
hij wil je geen kwaad doen; I – *to leave to-*
morrow ik ben van plan morgen te ver-
trekken ● *menen; get out, and I* – *it! eruit,*
en ik meen het! ● *bestemmen* ● *beteke-*
nen, neerkomen op; those clouds – *rain*
die wolken voorspellen regen.
meander [mi'ændə] ● *zich (in bochten) slin-*
geren, kronkelen ⟨v. rivier⟩ ● *(rond)dolen.*
meanderings [mi'ændərɪŋz] ● *slinger/*
kronkelpad, gekronkel.
1 meaning ['miːnɪŋ] ⟨zn⟩ ● *betekenis, zin* ●
bedoeling; I could not grasp his – *ik be-*
greep niet wat hij bedoelde.
2 meaning ⟨bn⟩ ● *veelbetekenend.*
meaningful ['miːnɪŋfl] ● *v. (grote) betekenis*
● *zinvol.* **meaningless** ['miːnɪŋləs] ● *zon-*
der betekenis ● *zinloos.*
meant ⟨verl. t. en volt. deelw.⟩ zie MEAN.
'meantime ‖ in the – *ondertussen.* 'mean-
while, ↓ meantime ● *ondertussen.*
measles ['miːzlz] ● *mazelen.* **measly** ['miːzli]

• ↓ *armzalig;* – tip *hondefooi.*
measurable ['meʒrəbl] • *meetbaar* • *v. bete-kenis.*
1 measure ['meʒə] I ⟨telb zn⟩ • *maat(beker)* • *maatstok/lat/lint* • *maatstaf* • *maatregel, stap;* take strong –s *geen halve maatrege-len nemen;* half –s *halve maatregelen* II ⟨telb en n-telb zn⟩ • *maat, mate;* – of time *tijdmaat;* in (a) great/large – *in hoge/rui-me mate;* ⟨fig.⟩ get the – of s.o. *zich een oordeel over iem. vormen;* ⟨BE⟩ made to – *op maat gemaakt;* take s.o.'s – *iem. de maat nemen;* ⟨fig.⟩ *zich een oordeel over iem. vormen;* beyond – *buitenmate* ‖ – for – *leer om leer.*
2 measure I ⟨onov ww⟩ zie MEASURE UP II ⟨onov en ov ww⟩ • *meten, af/op/toe/uit-meten, de maat nemen;* the room –s three metres by four *de kamer meet/is drie bij vier (meter);* – off/out *afmeten* ⟨stof enz.⟩; – out *toemeten* III ⟨ov ww⟩ • *beoordelen* • *opnemen.* **measured** ['meʒəd] • *welover-wogen, zorgvuldig* ⟨v. taalgebruik⟩ • *ge-lijkmatig.* **measurement** ['meʒəmənt] • ⟨vnl. mv.⟩ *afmeting, maat* • *meting.*
'**measure** 'up • *voldoen;* – to *voldoen aan.*
'**measuring tape** • *meetlint, centimeter.*
meat [mi:t] • *vlees* • *essentie;* there is no real – in the story *het verhaal heeft weinig om het lijf* ‖ this is – and drink to me *dit is mijn lust en mijn leven;* zie ook ⟨sprw.⟩ MAN. '**meatball** • *gehaktbal* • ⟨sl.⟩ *uilskui-ken.* '**meat** 'pie • *vleespastei(tje).* **meaty** ['mi:ti] • *vlezig, lijvig* • *vleesachtig* • *ste-vig.*
mechanic [mɪ'kænɪk] • *mecanicien, techni-cus, monteur.* **mechanical** [mɪ'kænɪkl] • *mechanisch, machinaal,* ⟨fig.⟩ *ongeïnspi-reerd* • *werktuig(bouw)kundig;* – engi-neer *werktuig(bouw)kundig ingenieur;* – engineering *werktuig(bouw)kunde.* **me-chanics** [mɪ'kænɪks] • *mechanica, werk-tuigkunde* • *mechanisme* • *techniek.*
mechanism ['mekənɪzm] • *mechanisme, mechaniek.* **mechanistic** [mekə'nɪstɪk] • ⟨fil.⟩ *mechanistisch* • *mechanisch.* **me-chan|ize** ['mekənaɪz] ⟨zn: -ization⟩ • *me-chaniseren.*
medal ['medl] • *medaille.* **medallion** [mɪ'dælɪən] • *gedenkpenning, (grote) me-daille* • *medaillon.* **medallist** ['medlɪst] • *medaillewinnaar.*
meddle in ['medl ɪn] • *zich bemoeien met, zich inlaten met.* **meddler** ['medlə] • *be-moeial.* **meddlesome** ['medlsəm], **med-dling** ['medlɪŋ] • *bemoeiziek.* '**meddle with** • *zich bemoeien met, zich inlaten met.*

media ['mi:dɪə] • *media, (massa)communi-catiemiddelen.*
mediaeval zie MEDIEVAL.
mediate ['mi:dɪeɪt] ⟨zn: -ation⟩ • *bemidde-len.* **mediator** ['mi:dɪeɪtə] • *bemiddelaar.*
medic ['medɪk] ↓ • *medisch student* • *dokter.*
1 medical ['medɪkl] ⟨zn⟩ ↓ • *(medisch) on-derzoek, keuring.*
2 medical ⟨bn⟩ • *medisch;* – care *gezond-heidszorg;* – examination *medisch onder-zoek* • *geneeskundig* ⟨tgov. heelkundig⟩.
medicament [mɪ'dɪkəmənt, 'medɪ-] • *medi-cijn.*
Medicare ['medɪkeə] ⟨AE⟩ • *gezondheids-zorg voor bejaarden.*
medicate ['medɪkeɪt] • *medisch verzorgen* ‖ –d bath *geneeskrachtig bad;* –d coffee *ge-zondheidskoffie.* **medication** ['medɪ'keɪʃn] • *medicijn(en)* • *medicatie.*
medicinal [mɪ'dɪsnəl] • *geneeskrachtig* • *ge-neeskundig, medisch.* **medicine** ['medsn] • *geneesmiddel* • *geneeskunde* ‖ get some/a little of one's own – *een koekje v. eigen deeg krijgen.* '**medicine chest** • *me-dicijnkastje.* '**medicine man** • *medicijn-man.*
medieval ['medi'i:vl, me'di:vl], **mediaeval** • *middeleeuws.*
mediocre ['mi:di'oukə] • *middelmatig.* **me-diocrity** ['mi:di'ɒkrəti] • *middelmatigheid* • *middelmatig mens.*
meditate ['medɪteɪt] I ⟨onov ww⟩ • *diep na-denken;* – (up)on *overpeinzen* • *mediite-ren* II ⟨ov ww⟩ • *overpeinzen, overdenken* • *v. plan zijn, beramen.* **meditation** ['medɪ'teɪʃn] • *overpeinzing, bespiegeling* • *meditatie.* **meditative** ['medɪtətɪv] • *na-denkend, beschouwend.*
Mediterranean ['medɪtə'reɪnɪən] • *mediter-raan, mbt./v.het Middellandse-Zeege-bied;* the – (Sea) *de Middellandse Zee.*
1 medium ['mi:dɪəm] ⟨zn⟩ ⟨spiritisme⟩ • *medium.*
2 medium ⟨zn; mv.: ook media⟩ • *midden-weg, compromis* • *medium, middel;* – of circulation/exchange *betalings/ruilmiddel* • *(natuurlijke) omgeving, milieu* • *uitings-vorm, kunstvorm;* zie MEDIA.
3 medium ⟨bn⟩ • *gemiddeld, doorsnee-;* a car in the – range *een auto uit de midden-klasse;* in the – term *op middellange ter-mijn;* ⟨radio⟩ – wave *middengolf.* '**me-dium-range** ‖ – missiles *middellange af-standsraketten.* '**medium-'sized** • *middelgroot.* '**medium-term** • *op middel-lange termijn.*
medley ['medli] • *mengelmoes, bonte ver-zameling* • ⟨muz.⟩ *potpourri, medley.*

'**medley relay** ⟨zwemmen⟩ ● *wisselslagesta- fette.*

meek [mi:k] ● *gedwee* ● *bescheiden;* he's – and mild *hij is een lieve goeierd;* ⟨ong.⟩ *hij laat over zich lopen* ● *zachtmoedig.*

1 meet [mi:t] ⟨zn⟩ ● ⟨vnl. BE⟩ *samenkomst* ⟨voor de jacht⟩, *jachtgezelschap* ● ⟨AE; atletiek⟩ *ontmoeting, wedstrijd.*

2 meet ⟨met, met [met]⟩ **I** ⟨onov ww⟩ ● *el- kaar ontmoeten;* ↓ – up with *tegen het lijf lopen* ● *samenkomen, bijeenkomen* ● *ken- nismaken;* zie MEET WITH **II** ⟨ov ww⟩ ● *ont- moeten, treffen, tegenkomen;* run to – s.o. *iem. tegemoet rennen;* ⟨fig.⟩ – s.o. half- way *iem. tegemoet komen* ● *(aan)raken* ● *kennismaken met;* pleased to – you *aan- genaam* ● *afhalen;* I'll – your train *ik kom je van de trein afhalen* ● *behandelen, het hoofd bieden;* – criticism *kritiek weerleg- gen* ● *tegemoet komen (aan), voldoen (aan), vervullen* ⟨hoop, behoefte⟩; – the bill *de rekening voldoen;* – the expenses *de kosten dekken* ‖ – one's death *de dood vinden.*

meeting ['mi:tɪŋ] ● *ontmoeting* ⟨ook sport⟩, *treffen* ● *bijeenkomst, vergadering.* '**meet- ingplace** ● *ontmoetingsplaats.* '**meeting point** ● *trefpunt, ontmoetingspunt.*

'**meet with** ● *ondervinden, ondergaan;* – ap- proval *instemming vinden;* – difficulties *moeilijkheden ondervinden* ● *tegen het lijf lopen* ● ⟨AE⟩ *een ontmoeting hebben met.*

megabyte ['megəbaɪt] ⟨comp.⟩ ● *megabyte* ⟨1 miljoen bytes⟩.

megalomania ['megəloʊ'meɪnɪə] ● *megalo- manie.* **megalomaniac** ['megəloʊ'me- ɪnɪæk] ● *megalomaan.*

megaphone ['megəfoʊn] ● *megafoon.*

megastar ['megəstɑː] ● *supersuperster* ⟨bv. popartiest⟩, *megaster.*

melancholic ['melən'kɒlɪk] ● ⟨bn⟩ *melan- cholisch, zwaarmoedig* ● ⟨zn⟩ *melancho- licus.*

1 melancholy ['melənkəli] ⟨zn⟩ ● *melancho- lie, zwaarmoedigheid.*

2 melancholy ⟨bn⟩ ● *melancholisch, zwaar- moedig* ● *droevig, triest.*

mêlée ['meleɪ] ● *(strijd)gewoel.*

mellifluous [mɪ'lɪflʊəs] ● *zoetvloeiend.*

1 mellow ['meloʊ] ⟨bn⟩ ● *rijp, sappig* ⟨v. fruit⟩ ● *zacht, warm, vol* ⟨v. geluid, kleur, smaak⟩ ● *gerijpt, zacht(moedig)* ● *joviaal, hartelijk.*

2 mellow ⟨ww⟩ ● *rijpen* ⟨zie ook mellow[1]⟩.

melodic [mɪ'lɒdɪk] ● *melodisch* ● *melo- dieus.* **melodious** [mɪ'loʊdɪəs] ● *melo- dieus, welluidend.*

melodrama ['melədrɑ:mə] ● *melodrama.* **melodramatic** ['melədrə'mætɪk] ● *melo- dramatisch.*

melody ['melədi] ● *melodie.*

melon ['melən] ● *meloen.*

melt [melt] ● *smelten* ⟨ook fig.⟩, *(zich) op- lossen;* – down *omsmelten;* his heart –ed at her tears *haar tranen deden zijn hart smelten.* '**melt a'way** ● *wegsmelten.* '**meltdown** ● *het afsmelten* ⟨bij kernreac- tor⟩. **melting** ['meltɪŋ] ● *smeltend,* ⟨fig.⟩ *sentimenteel.* '**meltingpoint** ● *smeltpunt.* '**meltingpot** ● *smeltkroes* ⟨ook fig.⟩.

member ['membə] ● *lid, lidmaat, (onder) deel, lichaamsdeel;* – of Parliament *parle- mentslid;* – state *lidstaat.* **membership** ['membəʃɪp] **I** ⟨n-telb zn⟩ ● *lidmaatschap* **II** ⟨zn⟩ ● *ledental.*

membrane ['membreɪn] ● *membraan.*

memento [mɪ'mentoʊ] ● *memento.*

memo ['memoʊ] ⟨verk.⟩ memorandum.

memoir ['memwɑ:] ● *gedenkschrift, biogra- fie* ● ⟨zelden enk.⟩ *memoires.*

'**memo pad** ● *notitieblok.*

memorable ['memrəbl] ● *gedenkwaardig.*

memorandum ['memə'rændəm] ⟨mv.: me- moranda [-də]⟩ ● *memorandum, aanteke- ning, informele nota.*

1 memorial [mɪ'mɔ:rɪəl] ⟨zn⟩ ● *gedenkte- ken, monument* ● *herdenking(splechtig- heid).*

2 memorial ⟨bn⟩ ● *gedenk-;* – service *her- denkingsdienst.*

Me'morial Day ● *Memorial Day* ⟨in de U.S.A. voor de slachtoffers van alle oorlo- gen, meestal 30 mei⟩.

memorize ['meməraɪz] ● *uit het hoofd leren* ● *onthouden.*

memory ['memri] ● *geheugen* ⟨ook comp.⟩, *herinnering;* commit sth. to – *iets uit het hoofd leren;* within living – *bij mensen- heugenis;* from – *van buiten* ● *herinne- ring, aandenken;* in – of *ter (na)gedachte- nis aan.*

men [men] ⟨mv.⟩ zie MAN[1].

1 menace ['menɪs] ⟨zn⟩ ● *(be)dreiging* ● *last- post, gevaar.*

2 menace ⟨ww⟩ ● *(be)dreigen.*

1 mend [mend] ⟨zn⟩ ‖ he's on the – *hij is aan de beterende hand.*

2 mend I ⟨onov ww⟩ ● *er weer bovenop ko- men, herstellen* ● *zich (ver)beteren* **II** ⟨ov ww⟩ ● *herstellen, repareren;* – stockings *kousen stoppen;* – your manner *gedraag je* ● *verbeteren* ‖ zie ook ⟨sprw.⟩ LATE, LEAST.

mendacious [men'deɪ(ə)s] ● *leugenachtig.* **mendacity** [men'dæsəti] ● *leugenachtig-*

heid.

mending ['mendɪŋ] ● *herstelling, reparatie* ● *verstelwerk.*

menfolk ['menfoʊk], ⟨AE ook⟩ **menfolks** [-foʊks] ↓ ● *mansvolk.*

menial ['miːnɪəl] ⟨vaak ong.⟩ ● ⟨bn⟩ *ondergeschikt, oninteressant;* a – *occupation een min baantje* ● ⟨zn⟩ *dienstbode, knecht, meid.*

meningitis ['menɪn'dʒaɪtɪs] ● *hersenvliesontsteking.*

menopause ['menəpɔːz] ● *menopauze.*

'men's room ⟨AE⟩ ● *herentoilet.*

menstrual ['menstrʊəl] ● *menstruaal;* – *cycle menstruatiecyclus;* – *period menstruatie.* **menstru|ate** ['menstrʊeɪt] ⟨zn: -ation⟩ ● *menstrueren.*

mental ['mentl] I ⟨bn, attr en pred⟩ ● *geestelijk, mentaal, psychisch;* – *age intelligentieleeftijd;* – *deficiency zwakzinnigheid;* – *illness zenuwziekte;* –ly *deficient/handicapped geestelijk gehandicapt;* –ly *retarded achterlijk* II ⟨bn, attr⟩ ● *hoofd-, met het hoofd/de geest;* – *arithmetic hoofdrekenen;* make a – *note of sth. iets in zijn oren knopen* III ⟨bn, pred⟩ ↓ ● *geestelijk gehandicapt, zwakzinnig.* **'mental home** ● *psychiatrische inrichting.* **'mental 'hospital** ● *kliniek voor geesteszieken.*

mentality [men'tæləti] ● *mentaliteit.* **'mental patient** ● *zenuwpatiënt.*

1 mention ['menʃn] ⟨zn⟩ ● *vermelding;* make – of *vermelden.*

2 mention ⟨ww⟩ ● *vermelden;* did I hear my name –ed? *hoorde ik mijn naam noemen?;* not to – *om (nog maar) niet te spreken van* || don't – it *geen dank.*

mentor ['mentɔː] ● *mentor.*

menu ['menjuː] ● *m· nu, (menu)kaart.*

MEP ⟨afk.⟩ Member of European Parliament.

mercantile ['məːkəntaɪl] ● *handels-, koopmans-.*

mercenary ['məːsnri] ● ⟨bn⟩ *geldbelust* ● ⟨bn⟩ *gehuurd;* – *troops huurtroepen* ● ⟨zn⟩ *huurling.*

merchandise ['məːtʃəndaɪz] ● *koopwaar, handelswaar.*

1 merchant ['məːtʃənt] ⟨zn⟩ ● *groothandelaar, koopman.*

2 merchant ⟨bn⟩ ● *koopvaardij-;* – *service/* ⟨BE⟩ navy/ ⟨AE⟩ marine *koopvaardijvloot* ● *handels-, koopmans-.*

merciful ['məːsɪfl] ● *genadig, barmhartig* ● *gelukkig.* **merciless** ['məːsɪləs] ● *genadeloos;* a –ruler *een meedogenloos heerser.*

mercurial [məːˈkʊərɪəl] ● *kwiek, beweeglijk, veranderlijk.* **mercury** ['məːkjʊri] ● *kwik-*

(zilver).

mercy ['məːsi] I ⟨telb zn⟩ ● *zegen;* it's a – that *(wat) een geluk dat* II ⟨n-telb zn⟩ ● *genade, barmhartigheid* || throw o.s. on a person's – *een beroep doen op iemands goedheid;* ⟨vaak iron.⟩ left to the (tender) mercies of *overgeleverd aan de goedheid van;* at the – of *in de macht van.* **'mercy killing** ● *euthanasie.*

mere [mɪə] ● *louter, puur;* by the –st chance *door stom toeval;* a – *child (nog) maar een kind;* at the – thought of it *alleen al de gedachte eraan;* a – 10 pounds *niet meer dan 10 pond.* **merely** ['mɪəli] ● *slechts, enkel, alleen.*

meretricious [merɪ'trɪʃəs] ● *schoonschijnend.*

merge [məːdʒ] I ⟨onov ww⟩ ● ⟨+with⟩ *opgaan (in), samensmelten (met), fuseren (met)* ● *(geleidelijk) overgaan (in elkaar)* II ⟨ov ww⟩ ● *doen opgaan in, doen samensmelten met;* –d in *ingelijfd bij.* **merger** ['məːdʒə] ● ⟨ec.⟩ *fusie.*

meridian [məˈrɪdɪən] ● *meridiaan, middaglijn* ● ⟨fig.⟩ *hoogtepunt.*

meringue [məˈræŋ] ● *schuim(gebakje), schuimpje.*

1 merit ['merɪt] ⟨zn⟩ ● *verdienste;* the –s and demerits of sth. *de voors en tegens v. iets;* judge sth. on its (own) –s *iets op zijn eigen waarde beoordelen.*

2 merit ⟨ww⟩ ● *verdienen, waard zijn.*

meritocracy ['merɪ'tɒkrəsi] ● *meritocratie* ⟨ prestatiemaatschappij⟩.

mermaid ['məːmeɪd] ● *(zee)meermin.*

merriment ['merɪmənt] ● *vrolijkheid.*

merry ['meri] ● *vrolijk;* Merry Christmas *Vrolijk Kerstfeest* ● ↓ *aangeschoten* || make – *pret maken.*

'merry-go-round ● *draaimolen.*

'merrymaking ● *pret(makerij), feestvreugde.*

1 mesh [meʃ] ⟨zn⟩ ● *maas,* ⟨fig. ook⟩ *strik* ● *net(werk);* a – of lies *een netwerk v. leugens* || out of – *uitgeschakeld* ⟨vnl. v. tandwielen⟩.

2 mesh ⟨ww⟩ ● ⟨+with⟩ *ineengrijpen, ingeschakeld zijn,* ⟨fig.⟩ *harmoniëren (met).*

mesmerize ['mezməraɪz] || –d at his appearance *gebiologeerd door zijn verschijning.*

1 mess [mes] ⟨zn⟩ ● *puinhoop, troep, (war)boel;* his life was a – *zijn leven was een mislukking;* make a – of *in de war schoppen;* the house was in a pretty – *het huis was een puinhoop* ● *vuile boel* ● *moeilijkheid;* get o.s. into a – *zichzelf in moeilijkheden brengen* ● ⟨ook mv.⟩ *mess, kantine* || you're a – *je ziet er vreselijk uit.*

2 mess I ⟨onov ww⟩ ● *knoeien* ● ⟨vnl. mil.⟩

eten; zie MESS WITH II ⟨ov ww⟩ zie MESS ABOUT, MESS UP. **'mess a'bout, 'mess a'round** ↓I ⟨onov ww⟩ ● *rondhangen; don't* – with people like him *laat je met mensen zoals hij niet in* ● *flauwekul verkopen* ● *knoeien, rotzooien* II ⟨ov ww⟩ ● *rotzooien met;* stop messing my daughter about *handen af van mijn dochter.*

message ['mesɪdʒ] ● *boodschap;*↓(I) got the – *begrepen* ● *bericht.*

messenger ['mesndʒə] ● *boodschapper, bode, koerier.* **'messenger boy** ● *boodschappenjongen* ● ⟨fig.⟩ *loopjongen.*

Messiah [mɪ'saɪə] ● *Messias, Heiland.*

Messrs. ['mesəz] ● *H.H., (de) Heren* ● *Fa., Firma.*

'mess 'up ↓ ● *in de war sturen, verknoeien* ● *smerig/vuil maken.* **'mess-up** ↓ ● *warboel, misverstand.* **'mess with** ↓ ● *lastigvallen; don't* – me *laat me met rust.* **messy** ['mesi] ● *vuil, vies* ● *slordig, verward.*

met [met] ⟨verl. t. en volt. deelw.⟩ zie MEET.

Met [met] zie MET OFFICE.

metabolic ['metə'bɒlɪk] ● *metabolisch.* **metabolism** [mɪ'tæbəlɪzm] ● *metabolisme, stofwisseling.*

1 metal ['metl] ⟨zn⟩ ● *metaal.*

2 metal ⟨bn⟩ ● *metalen.*

3 metal ⟨ww⟩ ● ⟨BE; wwb.⟩ *(met steenslag) verharden.*

metallic [mɪ'tælɪk] ● *metalen* ● *metaalhoudend.*

metallurgy [mɪ'tælədʒi] ● *metallurgie, metaalkunde.*

'metalwork ● *metaalwerk* ● *metaalbewerking.* **'metalworker** ● *metaalbewerker.*

metamorphosis [-'mɔ:fəsɪs] ⟨mv.: metamorphoses [-si:z]⟩ ● *metamorfose, gedaanteverwisseling.*

metaphor ['metəfə, -fɔ:] ● *metafoor, beeld(spraak).* **metaphorical** ['metə'fɒrɪkl] ● *metaforisch.*

metaphysical [-'fɪzɪkl] ● *metafysisch, bovennatuurlijk* ● ⟨vaak ong.⟩ *abstract, oversubtiel.* **metaphysics** [-'fɪzɪks] ● *metafysica.*

meteor ['mi:tɪə] ● *meteoor.* **meteoric** ['mi:ti'ɒrɪk] ● *meteoor-* ● *meteorisch* || ⟨fig.⟩ a – rise to power *een bliksemsnelle opgang naar de macht.* **meteorite** ['mi:tɪəraɪt] ● *meteoriet.* **meteorologist** ['mi:tɪə'rɒlədʒɪst] ● *meteoroloog, weerkundige.* **meteorolog|y** ['mi:tɪə'rɒlədʒi] ⟨bn: -ical⟩ ● *meteorologie.*

mete out [mi:t aut] ● *toemeten, toedienen.*

meter ['mi:tə] ● *meter, meettoestel* ● zie METRE.

methane ['mi:θeɪn] ● *met(h)aan(gas).*

method ['meθəd] ● *methode;* –s of payment *wijzen van betaling.* **methodical** [mɪ'θɒdɪkl] ● *methodisch, zorgvuldig.* **methodolog|y** ['meθə'dɒlədʒi] ⟨bn: -ical⟩ ● *methodologie.*

meticulous [mɪ'tɪkjuləs] ● *uiterst nauwgezet.*

'Met Office ⟨the⟩ ⟨verk.⟩ Meteorological office ↓ ● *Meteorologisch Instituut.*

metre ['mi:tə] ● *meter* ● *metrum.*

metric ['metrɪk] ● *metriek;* – system *metriek stelsel;* ↓ go – *overschakelen op het metrieke stelsel.* **metrical** ['metrɪkl] ● *metrisch.* **metric|ize** ['metrɪsaɪz] ⟨zn: -ation⟩ ● *overschakelen op het metrieke stelsel.*

metronome ['metrənoum] ⟨muz.⟩ ● *metronoom.*

metropolis [mɪ'trɒpəlɪs] ● *metropool.*

1 metropolitan ['metrə'pɒlɪtən] ⟨zn⟩ ● ⟨rel.⟩ *metropoliet, aartsbisschop* ● *bewoner v.e. metropool.*

2 metropolitan ⟨bn⟩ ● *metropolitaans, aartsbisschoppelijk* ● *hoofdstedelijk.*

mettle ['metl] ● *moed, kracht;* a man of – *een man met pit;* show/prove one's – *zijn karakter tonen.* **mettlesome** ['metlsəm] ● *kranig, dapper.*

1 mew [mju:] I ⟨telb en n-telb zn⟩ ● *gem(i)auw* II ⟨mv.⟩ ● *stall(ing)en* ⟨vroeger voor paarden, nu voor auto's⟩, *straatje met tot woonhuizen omgebouwde stall(ing)en.*

2 mew ⟨ww⟩ ● *miauwen.*

Mexican ['meksɪkən] ● ⟨bn⟩ *Mexicaans* ● ⟨zn⟩ *Mexicaan(se).*

mezzanine ['mezəni:n, 'metsə-] ● *tussenverdieping.*

1 miaow [mi'au] ⟨zn⟩ ● *miauw.*

2 miaow ⟨ww⟩ ● *miauwen.*

mica ['maɪkə] ● *mica.*

mice [maɪs] ⟨mv.⟩ zie MOUSE.

mickey ['mɪki] || take the – out of s.o. *iem. voor de gek houden.*

micro ['maɪkrou] ↓ ● *micro(computer).*

microbe ['maɪkroub] ● *microbe.*

microbiolog|y [-baɪ'ɒlədʒi] ⟨bn: -ical⟩ ● *microbiologie.* **microchip** [-tʃɪp] ⟨comp.⟩ ● *microchip.* **microcomputer** [-kəmpju:tə] ● *microcomputer.* **microcosm** ['maɪkrəkɒzm] ● *microkosmos.* **microelectronics** ['maɪkrouɪlek'trɒnɪks] ● *micro-elektronica.* **microfiche** ['maɪkrəfi:ʃ] ● *microfiche.*

1 microfilm [-fɪlm] ⟨zn⟩ ● *microfilm.*

2 microfilm ⟨ww⟩ ● *op microfilm vastleggen.*

micron ['maɪkrɒn] ● *micron.*

micro-organism [-'ɔ:gənɪzm] ● *micro-organisme.* **microphone** ['maɪkrəfoun] ● *mi-*

crofoon. **microprocessor** [-'prɔʊsesə] ● *microprocessor, microcomputer.*

microscope ['maɪkrəskʊp] ● *microscoop.* **microscopic** [-'skɒpɪk] ● *microscopisch (klein).*

microwave [-weɪv] ● *microgolf.*

'**microwave oven** ● *magnetronoven.*

mid [mɪd] ↑ ● *te midden van.*

mid(-) [mɪd] ● *midden, het midden van;* in – air *in de lucht;* –(-)June *half juni;* in –(-) ocean *in volle zee.*

midday ['mɪd'deɪ] ● *middag.*

midden ['mɪdn] ● *mesthoop.*

1 middle ['mɪdl] ⟨zn⟩ ● *midden;* in the – of the night *in het holst v.d. nacht;* in the – of nowhere *in een of ander (godvergeten) gat;* in the – (of) *middenin* ● *middel, taille* ‖ keep to the – of the road *de (gulden) middenweg nemen.*

2 middle ⟨bn⟩ ● *middelst, midden, tussen-;* – age *middelbare leeftijd;* Middle Ages *middeleeuwen;* – class *middenstand;* ⟨attr ook⟩ *kleinburgerlijk;* – finger *middelvinger;* – life *middelbare leeftijd* ‖ – distance ⟨atletiek⟩ *middellange afstand;* Middle East *Midden-Oosten.*

'**middle-'aged** ● *van/op middelbare leeftijd.* '**middle age(d)'spread** ⟨scherts.⟩ ● *buikje.* '**middlebrow** ↓ ● ⟨bn en zn⟩ *semi-intellectueel.* '**middle 'course** ● *middenweg, compromis.* '**middleman** ● *tussenpersoon.* '**middle 'name** ● *tweede voornaam* ● *tweede natuur;* sobriety is his – *hij is de soberheid in persoon.* '**middle-of-the-'road** ● *gematigd.* '**middle school** ● *middenschool.* '**middleweight** ⟨sport⟩ ● *middengewicht.*

1 middling ⟨bn⟩ ● *middelmatig, tamelijk (goed).*

2 middling ⟨bw⟩ ↓ ● *tamelijk.*

midfield ['mɪd'fi:ld] ⟨voetbal⟩ ● *middenveld.*

midge [mɪdʒ] ● *mug.*

midget ['mɪdʒɪt] ● ⟨bn⟩ *mini-;* – golf *midgetgolf* ● ⟨zn⟩ *dwerg, lilliputter.*

midi ['mɪdi] ● *midi-.*

midland ['mɪdlənd] ● *binnenland, centraal gewest.*

Midlands ['mɪdləndz] ⟨the⟩ ● *Midden-Engeland;* a – town *een stad in Midden-Engeland.*

'**midlife** ● *middelbare leeftijd;* a – crisis *een crisis op middelbare leeftijd.* '**midmost** ● *middelste.*

'**midnight** ● *middernacht.* '**midnight 'oil** ‖ burn the – *werken tot diep in de nacht.* '**midpoint** ● *middelpunt.* **midriff** ['mɪdrɪf] ● *middenrif.*

midshipman ['mɪdʃɪpmən] ● *adelborst.*

midships ['mɪdʃɪps] ● *midscheeps.*

midst [mɪdst] ● *midden;* in the – of the fight *in het heetst van de strijd;* the enemy is in our – *de vijand is in ons midden.*

'**mid'summer** ● *midzomer, hartje zomer.*

'**Midsummer('s) 'Day** ● *midzomerdag.*

'**mid'term** ● *midden v.e. academisch trimester of politieke ambtstermijn.* '**mid'way** ● *halverwege;* stand – between *het midden houden tussen.* '**mid'week** ● *het midden v.d. week.*

'**Mid'west** ● *Midwesten* ⟨v.d. U.S.A.⟩.

'**midwife** ● *vroedvrouw.* '**mid'winter** ● *midwinter, midden in de winter.*

mien [mi:n] ↑ ● *voorkomen, gelaatsuitdrukking.*

miffed [mɪfd] ● *op de tenen getrapt.*

1 might [maɪt] ⟨zn⟩ ● *macht, kracht;* with – and main *met man en macht.*

2 might ⟨ww; verl. t. v. may; ontkennende verk. mightn't ['maɪtnt]⟩ ● ⟨toelating⟩ *mocht(en), zou(den) mogen;* – I ask you a question? *zou ik u een vraag mogen stellen?* ● ⟨mogelijkheid⟩ *kon(den), zou(den) (misschien) kunnen;* it – be a good idea to ... *het zou misschien goed zijn te ...;* I – have known *ik had het kunnen weten;* ⟨als verwijt⟩ you – have warned us *je had ons toch kunnen waarschuwen.*

'**might-have-been** ● *gemiste kans;* oh, for the glorious –s *het had zo mooi kunnen zijn.*

mightily ['maɪtɪli] ● *zie* MIGHTY[1] ● ↓ *zeer, erg.*

1 mighty ['maɪti] ⟨bn⟩ ● *machtig* ● *indrukwekkend* ● ↓ *geweldig* ‖ *zie ook* ⟨sprw.⟩ PEN.

2 mighty ⟨bw⟩ ↓ ● *zeer, erg;* that is – easy *dat is een peul(e)schil.*

migraine ['mi:greɪn] ● *migraine(aanval).*

migrant ['maɪgrənt] ● ⟨bn⟩ *migrerend, trek-;* – seasonal workers *rondtrekkende seizoenarbeiders* ● ⟨zn⟩ *migrant, seizoenarbeider, trekvogel.*

migr|ate [maɪ'greɪt] ⟨zn: -ation⟩ ● *migreren, trekken, verhuizen.*

migratory ['maɪgrətri] ● *migrerend, zwervend;* – bird *trekvogel.*

mike [maɪk] ⟨verk.⟩ microphone ↓ ● *microfoon.*

1 mild [maɪld] ⟨zn⟩ ⟨BE; ↓⟩ ● *licht bier.*

2 mild ⟨bn⟩ ● *mild, zacht(aardig);* – attempt *schuchtere poging;* only –ly interested *slechts matig geïnteresseerd;* to put it –ly *om het zachtjes uit te drukken* ● *zwak, licht, flauw;* – flavoured tabacco *tabak met een zacht aroma.*

1 mildew ['mɪldju:] ⟨zn⟩ ● *schimmel* ● *meeldauw.*

2 mildew ⟨ww⟩ ● *(doen) schimmelen.*

mile [maɪl] ●*mijl*, ⟨fig.⟩ *grote afstand;* she's feeling –s better *ze voelt zich stukken beter;* ⟨sl.⟩ stick out a – *in het oog springen;* he is/his thoughts are –s away *hij is met zijn gedachten mijlen hier vandaan;* be –s out *er stukken naast zitten* ● *hardloopwedstrijd v.e. mijl* ‖ zie ook ⟨sprw.⟩ INCH, MISS. **mileage** ['maɪlɪdʒ] ●*totaal aantal afgelegde mijlen,* ⟨vnl. AE; ↓; fig.⟩ *profijt* ● ⟨verk.⟩ mileage allowance. '**mileage allowance** ●*onkostenvergoeding per mijl,* ⟨ongeveer⟩ *kilometervergoeding.* '**milepost** ⟨ook fig.⟩ ●*mijlpaal.* '**milestone** ⟨ook fig.⟩ ●*mijlpaal.*
militant ['mɪlɪtənt] ●⟨bn en zn⟩ *militant.*
militarism ['mɪlɪtərɪzm] ●*militarisme.* **militarist** ['mɪlɪtərɪst] ●*militarist.* **militaristic** ['mɪlɪtə'rɪstɪk] ●*militaristisch.* **militarize** ['mɪlɪtəraɪz] ●*militariseren* ‖ – a frontier *een grens als militair gebied inrichten.*
1 military ['mɪlɪtri] ⟨zn⟩ ●*leger, militairen.*
2 military ⟨bn⟩ ●*militair, krijgs-;* – service *(leger)dienst.*
militate ['mɪlɪteɪt] ●*pleiten;* – against *pleiten tegen.*
militia [mɪ'lɪʃə] ●*militie(leger), burgerleger.*
1 milk [mɪlk] ⟨zn⟩ ●*melk;* the – of human kindness *menselijke goed(aardig)heid;* condensed/evaporated – *gecondenseerde/geëvaporeerde melk;* skim(med) – *magere, afgeroomde melk;* a cow in – *een melkgevende koe* ‖ (it's no use) cry(ing) over spilt – *gedane zaken nemen geen keer.*
2 milk I ⟨onov ww⟩ ●*melk geven* **II** ⟨onov en ov ww⟩ ●*melken* **III** ⟨ov ww⟩ ●*exploiteren, uitbuiten.*
'**milk bar** ●*melksalon.* '**milk 'chocolate** ●*melkchocola(de).* **milker** ['mɪlkə] ●*melk(st)er* ●*melkkoe.* '**milk-float** ⟨BE⟩ ●*melkwagentje.* '**milk loaf** ●*melkbrood.* '**milkmaid** ●*melkmeid, melkster.* **milkman** ['mɪlkmən] ●*melkboer.* '**milk powder** ●*melkpoeder.* '**milk product** ●*melkprodukt.* '**milk shake** ●*milkshake.* '**milksop** ●*bangerik, huilebalk.* '**milk tooth** ●*melktand.* **milky** ['mɪlki] ●*melkachtig* ‖ the Milky Way *de melkweg.*
1 mill [mɪl] ⟨zn⟩ ●*molen, malerij* ●*fabriek* ‖ put s.o. through the– *iem. flink onder handen nemen;* have been through the – *het klappen v.d. zweep kennen.*
2 mill ⟨ww⟩ ●*malen* ●*(metaal) pletten, walsen.* '**mill a'bout**, '**mill a'round** ●*(ordeloos) rondlopen, krioelen.*
millennium [mɪ'lenɪəm] ⟨mv.: ook millennia⟩ ●*millennium, periode van duizend jaar.*

miller ['mɪlə] ●*molenaar.*
millet ['mɪlɪt] ●*gierst.*
milligram(me) [-græm] ●*milligram.* **millilitre** [-li:tə] ●*milliliter.* **millimetre** [-mi:tə] ● *millimeter.*
milliner ['mɪlɪnə] ●*modiste, hoedenmaakster/maker.* **millinery** ['mɪlɪnri] ●*modeartikelen* ⟨ihb. dameshoeden⟩.
million ['mɪlɪən] ●*miljoen,* ⟨fig.⟩ *talloos.* **millionaire** ['mɪlɪə'neə] ●*miljonair.* **millionth** ['mɪlɪənθ] ●*miljoenste,* ⟨als zn⟩ *miljoenste deel.*
millipede ['mɪlɪpi:d] ●*duizendpoot.*
'**millstone** ●*molensteen* ⟨ook fig.⟩; that's like a – round my neck *dat is me als een molensteen op het hart.*
1 mime [maɪm] ⟨zn⟩ ●*mime, (panto)mimespeler* ●*nabootsing.*
2 mime I ⟨onov ww⟩ ●*mimen* **II** ⟨ov ww⟩ ● *mimisch uitdrukken/uitbeelden.*
1 mimeograph ['mɪmɪəgrɑːf] ⟨zn⟩ ●*mimeograaf, kopieermachine* ●*stencil, kopie.*
2 mimeograph ⟨ww⟩ ●*stencilen, kopiëren.*
1 mimic ['mɪmɪk] ⟨zn⟩ ●*mimespeler, nabootser, naäper* ⟨ook dieren⟩.
2 mimic ⟨bn⟩ ●*nagebootst, schijn-* ●*camouflerend.*
3 mimic ⟨ww⟩ ●*nabootsen, naäpen.* **mimicry** ['mɪmɪkri] ●*nabootsing.*
minaret ['mɪnə'ret] ●*minaret.*
1 mince [mɪns] ⟨zn⟩ ●⟨vooral BE⟩ *gehakt (vlees)* ●⟨AE⟩⟨verk.⟩ mincemeat.
2 mince I ⟨onov ww⟩ ●*trippelen* **II** ⟨ov ww⟩ ●*fijnhakken;* –d meat *gehakt (vlees)* ‖ she didn't – her words *zij nam geen blad voor de mond;* not – matters/the matter *er geen doekjes om winden.* '**mincemeat** ● *pasteivulling* ‖ make – of *in de pan hakken;* geen stukje heel laten van ⟨een argument⟩. '**mince(d) 'pie** ●*zoet pastei(tje)* ⟨gevuld met mincemeat⟩. **mincer** ['mɪnsə] ●*gehaktmolen.*
1 mind [maɪnd] **I** ⟨telb zn⟩ ●*mening, opinie;* speak one's – *zijn mening zeggen;* be of the same/one/a – *dezelfde mening toegedaan zijn;* be in two –s *het met zichzelf oneens zijn;* to my – *volgens mij* ●*bedoeling;* have half a – to *min of meer geneigd zijn om;* ⟨iron.⟩ *veel zin hebben om;* change one's – *zich bedenken;* make up one's – *tot een besluit komen* ●*geest* ⟨persoon⟩; the best –s in the country *de knapste koppen v.h. land* **II** ⟨telb en n-telb zn⟩ ●*geest, gemoed;* put/set s.o.'s – at rest *iem. geruststellen;* have sth. on one's – *iets op zijn hart hebben;* what's on your –? *waarover loop je te piekeren?* ●*verstand;* drive s.o. out of his – *iem. gek ma-*

ken; lose one's – *gek worden* ●*wil, zin-(nen);* set one's – on sth. *zijn zinnen op iets zetten;* have sth. in – *iets v. plan zijn* ● *gedachte(n);* bear in – *in gedachten houden;* cross/enter one's – *bij iem. opkomen;* get/put out of one's – *uit zijn hoofd zetten;* give/put/set one's – to *zijn aandacht richten op;* set one's – to sth. *zich ergens op concentreren;* it'll take my – off things *het zal mij wat afleiden;* his – is on women *hij is met zijn gedachten bij de vrouwtjes* ●*herinnering;* bring/call sth. to – *zich iets herinneren; doen denken aan;* come/spring to – *te binnen schieten;* keep in – *niet vergeten;* it slipped my – *het is mij ontschoten;* whom do you have in –? *aan wie denk je?* ‖ zie ook ⟨sprw.⟩ LITTLE.

2 mind [maɪnd] **I** ⟨onov ww⟩ ●*opletten, oppassen;* ↓– (you), I would prefer not to *maar ik zou het liever niet doen;* ↓ stay away from the fireplace, – *maar blij de open haard wegblijven hoor;* zie MIND OUT **II** ⟨onov en ov ww⟩ ●*bezwaren hebben (tegen), zich storen aan;* he doesn't – the cold weather *het koude weer deert hem niet;* would you – ringing? *zou je 's willen opbellen?;* would you –? *zou je 't erg vinden?;* if you don't – *als je er geen bezwaren tegen hebt* ●*gehoorzamen* **III** ⟨ov ww⟩ ●*denken aan, letten op;* – the step *kijk uit voor het opstapje;* – one's own business *zich met zijn eigen zaken bemoeien;* don't – me *maak je maar niet druk om mij;* never – *maak je geen zorgen; het geeft niet;* never (you) – *het gaat je niet aan;* never – the expense *de kosten spelen geen rol* ● *zorgen voor, oppassen, bedienen;* – the shop *de winkel runnen* ‖ – you go to the dentist *denk erom dat je nog naar de tandarts moet.*

'**mind-blowing** ↓ ●*hallucinogeen, extatisch* ● *verwarrend.* '**mind-boggling** ↓ ●*verbijsterend.* **minded** ['maɪndɪd] ●*geneigd;* he could do it if he were so – *hij zou het kunnen doen als hij er (maar) zin in had.* '**mind-expanding** ↓ ●*bewustzijnsverruimend.* **mindful** ['maɪndfl] ●*indachtig, denkend aan;* – of one's duties *zijn plichten indachtig.* **mindless** ['maɪndləs] **I** ⟨bn, attr en pred⟩ ● ↑ *geesteloos* ●*dwaas, dom* **II** ⟨bn, pred⟩ ●*niet lettend op;* – of danger *zonder oog voor gevaar.* '**mind 'out** ● ⟨+for⟩ *oppassen (voor).* '**mindreader** ● *gedachtenlezer.* '**mindreading** ●*gedachtenlezen.* '**mind's 'eye** ●*geestesoog, verbeelding.*

1 mine [maɪn] ⟨zn⟩ ●*mijn,* ⟨fig.⟩ *goudmijn;* a – of information *een rijke bron v. infor-*

matie.

2 mine I ⟨onov ww⟩ ●*in een mijn werken;* – for gold *naar goud zoeken* ●*mijnen leggen* **II** ⟨ov ww⟩ ●*uitgraven, ontginnen* ● ⟨mil. of fig.⟩ *ondermijnen, opblazen;* the cruiser was –d and sank *de kruiser liep op een mijn en zonk.*

3 mine ⟨vnw⟩ ●*van mij;* that box is – *die doos is van mij* ●*de mijne(n), het mijne;* a friend of – *een vriend van mij.*

'**minefield** ⟨ook fig.⟩ ●*mijnenveld.* '**minelayer** ●*mijnenlegger.*

miner ['maɪnə] ●*mijnwerker.*

mineral ['mɪnərəl] ● ⟨bn⟩ *delfstoffen-* ●⟨zn⟩ *mineraal* ●⟨zn⟩ ⟨vnl. mv.⟩ ⟨BE⟩ *mineraalwater, spuitwater.* **mineralogy** ['mɪnə'rælədʒi] ●*mineralogie.* '**mineral oil** ●⟨BE⟩ *aardolie, (ruwe) petroleum.* '**mineral water** ●*mineraalwater, spuitwater.*

'**minesweeper** ●*mijnenveger.*

mingle ['mɪŋgl] **I** ⟨onov ww⟩ ●*zich mengen;* – in *meedoen aan* **II** ⟨ov ww⟩ ●*(ver)mengen.*

mini ['mɪni] ↓ ●⟨bn⟩ *mini-* ●⟨zn⟩ *mini* ⟨verk. minicar, miniskirt enz.⟩.

miniature ['mɪnətʃə] ●*miniatuur.*

'**minibus** ●*minibus.* '**minicab** ●*minitaxi.* '**minicar** ●*miniauto.* '**minicomputer** ●*mini(computer).*

minim ['mɪnɪm] ⟨BE; muz.⟩ ●*halve noot.*

minimal ['mɪnɪml] ●*minimaal.* **minimize** ['mɪnɪmaɪz] ●*minimaliseren, vergoelijken.* **minimum** ['mɪnɪməm] ●*minimum;* keep sth. to a/the – *iets tot het minimum beperkt houden.* '**minimum 'wage** ●*minimumloon.*

mining ['maɪnɪŋ] ●*mijnbouw.* '**mining disaster** ●*mijnramp.* '**mining engineer** ● *mijnbouwkundig ingenieur.* '**mining industry** ●*mijnindustrie.* '**mining town** ● *mijnstad(je).*

minion ['mɪnɪən] ●⟨vaak ong. of scherts.⟩ *gunsteling, slaafs volgeling.*

'**miniskirt** ●*minirok(je).*

minister ['mɪnɪstə] ●*minister;* Minister of the Crown *minister (v.h. Britse kabinet);* Minister of State *onderminister* ⟨in Brits departement⟩ ●*gezant* ●*geestelijke, predikant.* **ministerial** ['mɪnɪ'stɪərɪəl] ●*ministerieel;* – crisis *regeringscrisis.*

'**minister to** ● ↑ *bijstaan, verzorgen.*

ministration ['mɪnɪ'streɪʃn] ●*(geestelijke) bijstand, hulp.*

ministry ['mɪnɪstri] **I** ⟨telb zn⟩ ●*ministerie* **II** ⟨n-telb zn⟩ ●*geestelijk ambt;* enter the – *geestelijke/predikant worden* **III** ⟨zn⟩ ● *geestelijkheid.*

mink [mɪŋk] ●*nertsbont, nertsmantel.*
'**mink 'coat** ●*nertsmantel.*
minnow ['mɪnoʊ] ●*witvis.*
1 minor ['maɪnə] ⟨zn⟩ ●*minderjarige.*
2 minor I ⟨bn, attr en pred⟩ ●*minder, kleiner, vrij klein* ●*minder belangrijk, lager; –* poet *minder belangrijke dichter; –* road *secundaire weg* ●*minderjarig* **II** ⟨bn, attr, bn, attr post⟩ ⟨muz.⟩ ●*mineur;* A – *a klein(e-terts);* in a – key *in mineur* ⟨ook fig.⟩.
minority [maɪ'nɒrəti] ●*minderheid* ●*minderjarigheid.* **mi'nority government** ● *minderheidsregering.*
minster ['mɪnstə] ●*kloosterkerk.*
minstrel ['mɪnstrəl] ●*minstreel.*
1 mint [mɪnt] ⟨zn⟩ ●*munt* ⟨gebouw⟩,↓ *bom duiten* ●*pepermuntje* ⟨plantk.⟩ *munt.*
2 mint ⟨ww⟩ ●*munten; – a new expression een nieuwe uitdrukking creëren.*
'**mint con'dition** ●*perfecte staat;* in – *puntgaaf.*
'**mint 'sauce** ●*muntsaus.*
1 minus ['maɪnəs] ⟨zn⟩ ●*minteken.*
2 minus I ⟨bn, attr⟩ ●*negatief* ⟨vnl. wisk., nat.⟩ **II** ⟨bn, attr post⟩ ⟨school.⟩ ●*-min, iets minder goed dan;* a B— *een B-min.*
3 minus ⟨vz⟩ ●⟨vnl. wisk.⟩ *min(us),* ⟨meteo.⟩ *min; –* six (degrees centigrade) *zes graden onder nul* ●⟨scherts.⟩ *zonder.*
minuscule ['mɪnəskjuːl] ●*minuscuul.*
'**minus sign** ●*minteken.*
1 minute ['mɪnɪt] ⟨zn⟩ ●*minuut, ogenblik;*↓ wait a – *wacht eens even;* I won't be a – *ik ben zo klaar;*↓ just a –! *moment!;* in a – *zo dadelijk;* the – (that) I saw him *zodra ik hem zag* ●*nota, memorandum* ●⟨mv.; the⟩ *notulen.*
2 minute [maɪ'njuːt] ⟨bn⟩ ●*miniem, onbeduidend;* cut the bread up –ly *het brood in kleine stukjes snijden* ●*minutieus, gedetailleerd.*
3 minute ['mɪnɪt] ⟨ww⟩ ●*notuleren.*
'**minute hand** ●*grote wijzer.*
minx [mɪŋks] ●*brutale meid.*
miracle ['mɪrəkl] ●*mirakel, wonder.* **miraculous** [mɪ'rækjʊləs] ●*wonderbaarlijk.*
mirage ['mɪrɑːʒ] ●*luchtspiegeling* ●*droombeeld, hersenschim.*
mire [maɪə] ●*slijk* ‖ be/find o.s./stick in the – *in de knoei zitten.*
1 mirror ['mɪrə] ⟨zn⟩ ●*spiegel.*
2 mirror ⟨ww⟩ ●*(weer/af)spiegelen, weerkaatsen.*
'**mirror 'image** ●*spiegelbeeld.*
mirth [mə:θ] ●*vrolijkheid.* **mirthful** ['mə:θfl] ●*vrolijk.* **mirthless** ['mə:θləs] ●*vreugdeloos.*
'**misad'venture** ●*tegenspoed, ongeluk;* ⟨jur.⟩ death by – *dood door ongeluk.*
'**misal'liance** ●*ongelukkige verbintenis,* ⟨vnl.⟩ *mesalliance.*
misanthrope ['mɪsnθroʊp, 'mɪzn-] ●*mensenhater.* **misanthropic** ['mɪsn'θrɒpɪk, 'mɪzn-] ●*misantropisch.* **misanthropy** [mɪ'sænθrəpi, -'zæn-] ●*misantropie.*
'**misap'pl|y** ⟨zn: **-ication**⟩ ●*verkeerd toepassen/gebruiken.*
'**misappre'hend** ●*misverstaan.* '**misappre-'hension** ●*misverstand, misvatting;* under the – that ... *in de waan dat* ....
'**misap'propriate** ⟨jur.⟩ ●*een onwettige bestemming geven,* ⟨ihb.⟩ *verduisteren.*
misbegotten ['mɪsbɪ'gɒtn] ⟨ong. of scherts.⟩ ●*verachtelijk* ●*waardeloos* ⟨idee bv.⟩.
'**misbe'have** ●*zich misdragen.* '**misbe'haviour** ●*wangedrag.*
'**mis'calcul|ate** ⟨zn: **-ation**⟩ **I** ⟨onov ww⟩ ● *zich misrekenen* **II** ⟨ov ww⟩ ●*verkeerd schatten, onjuist berekenen.*
miscarriage ['mɪs'kærɪdʒ] ●*miskraam* ‖ – of justice *rechterlijke dwaling.* **miscarry** ['mɪs'kæri] ●*mislukken, falen* ●*een miskraam hebben.*
'**mis'cast** ●⟨vnl. pass.⟩⟨dram., film.⟩ *een ongeschikte rol geven aan.*
miscellaneous ['mɪsə'leɪnɪəs] ●*gemengd, gevarieerd.* **miscellany** [mɪ'seləni] ●*mengeling.*
'**mis'chance** ●*ongeluk, tegenslag;* by – *per ongeluk.*
mischief ['mɪstʃɪf] ●*kattekwaad;* get into – *kattekwaad uithalen* ●*ondeugendheid* ● *onheil, schade;* the – had been done *het kwaad was al geschied.* **mischievous** ['mɪstʃɪvəs] ●*schadelijk, nadelig;* spread – rumours *kwalijke geruchten verspreiden* ●*schalks, speels.*
'**miscon'ceive** ●*verkeerd begrijpen.* '**miscon'ception** ●*verkeerde opvatting, misvatting.*
1 'mis'conduct ⟨zn⟩ ●*wangedrag* ●⟨jur.⟩ *ambtsmisdrijf.*
2 'miscon'duct I ⟨onov ww⟩ ●*zich misdragen* **II** ⟨ov ww⟩ ●*slecht beheren.*
'**miscon'struction** ●*verkeerde interpretatie, misverstand.* '**miscon'strue** ●*verkeerd interpreteren/begrijpen.*
misdeal ⟨kaartspel⟩ ●*vergeven, fout delen.*
'**mis'deed** ●*wandaad, misdaad.*
'**misde'meanour** ⟨jur.⟩ ●*misdrijf.*
'**misdi'rect** ●*verkeerd leiden, de verkeerde weg wijzen.*
miser ['maɪzə] ●*vrek.*
miserable ['mɪzrəbl] ●*beroerd, ellendig* ●*karig, armzalig* ●*waardeloos.*

miserly ['maɪzəli] ●*vrekkig.*

misery ['mɪz(ə)ri] ●*ellende;* put an animal out of its – *een dier uit zijn lijden helpen* ● ⟨vnl. mv.⟩ *tegenslag, beproeving.*

'**mis'fire** ●*ketsen, niet afgaan* ●*niet aanslaan, zijn uitwerking missen.*

misfit ['mɪsfɪt] ●*onaangepast iemand.*

misfortune [mɪs'fɔ:tʃən] ●*ongeluk, tegenspoed.*

'**mis'giving** ●*bang vermoeden;* they had serious –s about recommending him *ze twijfelden er ernstig aan of ze hem konden aanbevelen.*

'**mis'govern** ⟨zn: **-ment**⟩ ●*slecht besturen.*

misguide [mɪs'gaɪd] ●⟨fig.⟩ *op een dwaalspoor brengen.* **misguided** [mɪs'gaɪdɪd] ● *misleid, verdwaasd* ●*ondoordacht.*

mishap ['mɪshæp] ●*ongeluk(je);* a journey without – *een reis zonder incidenten.*

'**mis'hear** ●*verkeerd horen.*

mishmash ['mɪʃmæʃ] ●*mengelmoes, allegaartje.*

'**misin'form** ●*verkeerd inlichten.*

misinterpret ['mɪsɪn'tə:prɪt] ●*verkeerd interpreteren.* **misinterpretation** ['mɪsɪntə:prɪ'teɪʃn] ●*verkeerde interpretatie;* open to – *voor verkeerde uitleg vatbaar.*

misjudge [mɪs'dʒʌdʒ] ●*verkeerd (be)oordelen, zich vergissen (in).*

mislay [mɪs'leɪ] ⟨mislaid, mislaid [mɪs'leɪd]⟩ ●*zoekmaken,* ⟨euf.⟩ *verliezen.*

mislead [mɪs'li:d] ⟨misled, misled [mɪs'led]⟩ ●*misleiden, bedriegen.* **misleading** [mɪs'li:dɪŋ] ●*misleidend, bedrieglijk.*

mismanage ['mɪs'mænɪdʒ] ●*verkeerd beheren, verkeerd aanpakken.* **mismanagement** ['mɪs'mænɪdʒmənt] ●*wanbeheer.*

1 mismatch ['mɪsmætʃ] ⟨zn⟩ ●*verkeerde combinatie, verkeerd huwelijk.*

2 mismatch ['mɪs'mætʃ] ⟨ww⟩ ●*slecht combineren, een verkeerd huwelijk doen aangaan;* –ed colours *vloekende kleuren.*

misname ['mɪs'neɪm] ●*een verkeerde naam geven.* **misnomer** ['mɪs'noʊmə] ●*verkeerde benaming.*

misogynist [mɪ'sɒdʒɪnɪst] ●*vrouwenhater.*

misplace ['mɪs'pleɪs] ●*misplaatsen.*

1 misprint ['mɪsprɪnt] ⟨zn⟩ ●*drukfout.*

2 misprint ⟨ww⟩ ●*verkeerd drukken.*

mispronounce ['mɪsprə'naʊns] ●*verkeerd uitpreken.* **mispronunciation** ['mɪsprənʌnsi'eɪʃn] ●*verkeerde uitspraak.*

misquote ['mɪs'kwoʊt] ●*onjuist aanhalen, incorrect citeren.*

misread ['mɪs'ri:d] ⟨misread, misread ['mɪs'red]⟩ ●*verkeerd lezen, verkeerd interpreteren.*

misrepresent ['mɪsreprɪ'zent] ⟨zn: **-ation**⟩ ● *verkeerd voorstellen, in een verkeerd daglicht stellen.*

1 miss [mɪs] ⟨zn⟩ ●*misser, misslag;* give sth. a – *iets laten voorbijgaan* ‖ ⟨sprw.⟩ a miss is as good as a mile *mis is mis.*

2 miss I ⟨onov ww⟩ ●*missen* ●*haperen, weigeren* ●⟨enkel in -ing vorm⟩ *ontbreken;* the book is –ing *het boek ontbreekt* ●*mislopen, falen;* zie MISS OUT **II** ⟨ov ww⟩ ●*missen, niet raken;* – the mark *het doel missen;* ⟨fig.⟩ *de plank misslaan* ●*te laat komen voor;* – s.o. *een afspraak mislopen* ● *niet opmerken;* – a joke *een mop niet snappen* ●*vermissen;* they'll never – it *ze zullen nooit merken dat het verdwenen is* ‖ he narrowly –ed the accident *hij ontsnapte ternauwernood aan het ongeluk;* zie MISS OUT.

Miss [mɪs] ●*Mejuffrouw, Juffrouw* ⟨gevolgd door naam⟩; ↑ the –es Brown, ↓ the – Browns *de (jonge)dames Brown* ●*Miss* ⟨verkozen schoonheid⟩ ●⟨ook m-⟩ *jongedame.*

missal ['mɪsl] ●*missaal, misboek.*

misshapen ['mɪs'ʃeɪpən] ●*misvormd.*

missile ['mɪsaɪl] ●*projectiel* ●*raket.*

missing ['mɪsɪŋ] ●*ontbrekend;* the – link *de ontbrekende schakel* ●*vermist* ●*verloren, weg.*

mission ['mɪʃn] ●*afvaardiging, legatie* ●*roeping, zending;* her – in life *haar levenstaak* ●*opdracht.*

missionary ['mɪʃənri] ●⟨bn⟩ *zendings-* ● ⟨bn⟩ *zendelings-* ●⟨zn⟩ *missionaris, zendeling.*

'**mission con'trol** ⟨ruim.⟩ ●*controlecentrum.*

'**miss 'out I** ⟨onov ww⟩ ‖ – on the fun *de pret mislopen* **II** ⟨ov ww⟩ ●*vergeten* ●*overslaan.*

misspell ['mɪs'spel] ●*verkeerd spellen.*

misspend ['mɪs'spend] ⟨misspent, misspent ['mɪs'spent]⟩ ●*verspillen.*

missus, missis ['mɪsɪz] ⟨the⟩ ⟨volks., scherts.⟩ *moeder de vrouw.*

1 mist [mɪst] ⟨zn⟩ ●*mist* ⟨ook fig.⟩, *nevel* ● *waas;* a – of tears *een floers v. tranen.*

2 mist I ⟨onov ww⟩ ●⟨+over/up⟩ *beslaan* ● *benevveld worden* ●*wazig worden* ⟨v. ogen bv.⟩ **II** ⟨ov ww⟩ ●*met nevel bedekken, beslaan.*

1 mistake [mɪ'steɪk] ⟨zn⟩ ●*fout;* my – *ik vergis me;* by – *per ongeluk;* ↓ and no –, there's no – about it *daar kun je van op aan* ●*dwaling.*

2 mistake ⟨ww; mistook, mistaken⟩ ●*verkeerd begrijpen, verkeerd beoordelen, verkeerd kiezen* ●⟨+for⟩ *verwarren (met)* ‖

there's no mistaking him with his orange hat *je kunt hem eenvoudig niet mislopen met zijn oranje hoed*. **mistaken** [mɪ'steɪkən] ● *verkeerd (begrepen), mis;* – ideas about foreigners *vooroordelen over vreemdelingen*; be – about *zich vergissen omtrent*.

mister ['mɪstə] ● ⟨meestal afgekort Mr⟩ *Mijnheer, De Heer* ⟨gevolgd door naam⟩; Mr Chairman *mijnheer de voorzitter* ● ⟨volks. of kind.⟩ *meneer;* what's the time, –? *hoe laat is het, meneer?*.

mistime ['mɪs'taɪm] ● *op het verkeerde ogenblik doen/zeggen;* the general –d his attack *de generaal viel op het verkeerde tijdstip aan*.

mistletoe ['mɪsltoʊ] ● *maretak*.

mistress ['mɪstrɪs] ● *vrouw des huizes, meesteres, bazin;* she is her own – *zij is haar eigen baas* ● ⟨BE⟩ *lerares* ● *maitresse*.

mistrial ['mɪs'traɪəl] ⟨jur.⟩ ● *nietig geding* ⟨wegens procedurefout⟩.

1 mistrust ['mɪs'trʌst] ⟨zn⟩ ● *wantrouwen*.

2 mistrust ⟨ww⟩ ● *wantrouwen*. **mistrustful** [mɪs'trʌstfl] ● *wantrouwig;* be – of *wantrouwen*.

misty ['mɪsti] ● *mistig* ● *nevelig*, ⟨fig.⟩ *vaag;* eyes – with tears *betraande ogen*.

misunderstand ['mɪsʌndə'stænd] (misunderstood, misunderstood) ● *niet begrijpen* ● *verkeerd begrijpen*. **misunderstanding** ['mɪsʌndə'stændɪŋ] ● *misverstand* ● *geschil* ● *onbegrip*.

1 misuse ['mɪs'ju:s] ⟨zn⟩ ● *misbruik* ● *verkeerd gebruik*.

2 misuse ['mɪs'ju:z] ⟨ww⟩ ● *misbruiken* ● *verkeerd gebruiken*.

mite [maɪt] ● ⟨dierk.⟩ *mijt* ● *ietsjes;* only a – less expensive *maar een tikkeltje minder duur*.

mitig|ate ['mɪtɪgeɪt] ⟨zn⟩ *-ation*⟩ ● *lenigen, verlichten* ● *matigen;* ⟨jur.⟩ mitigating circumstances *verzachtende omstandigheden*.

mitre ['maɪtə] ● *mijter*.

mitt [mɪt] ● *want* ● ⟨honkbal⟩ *(vang)handschoen* ● ⟨sl.⟩ *hand*.

mitten ['mɪtn] ● *want, vuisthandschoen* ● ⟨sl.⟩ *bokshandschoen*.

1 mix [mɪks] ⟨zn⟩ ● *mengsel, cocktail* ● ↓ *mengelmoes*.

2 mix I ⟨onov ww⟩ ● *zich (laten)(ver)mengen* ● *kunnen opschieten;* they don't – well *ze kunnen niet met elkaar opschieten;* zie MIX IN **II** ⟨ov ww⟩ ● *(ver)mengen, dooreenmengen;* ⟨fig.⟩ – business with pleasure *het nuttige met het aangename vereni-*

gen; – one's drinks *door elkaar drinken* ● *bereiden,* mixen ● *mixen* ⟨geluid⟩ ‖↓ – it (up) *elkaar in de haren zitten;* zie MIX IN, MIX UP. **mixed** [mɪkst] ● *gemengd, vermengd;* – bag *allegaartje;* technology is a – blessing *de technologie heeft voor- en nadelen;* don't tell this joke in – company *vertel deze mop maar niet waar dames bij zijn;* ⟨tennis⟩ – doubles *gemengd dubbel*. '**mixed 'up I** ⟨bn, attr en pred⟩ ● *in de war* **II** ⟨bn, pred⟩ ● *betrokken, verwikkeld*. **mixer** ['mɪksə] ● *mengtoestel, (keuken)mixer* ‖ a bad – *een eenzelvig mens;* a good – *een gezellig/onderhoudend mens*. '**mix 'in** ● *goed (ver)mengen*.

mixture ['mɪkstʃə] ● *mengsel, mengeling*. '**mix 'up** ● *verwarren* ● *in de war brengen, door elkaar gooien*. '**mix-up** ↓ ● *verwarring, warboel*.

1 mnemonic [nɪ'mɒnɪk] ⟨zn⟩ ● *geheugensteuntje*.

2 mnemonic ⟨bn⟩ ● *mnemotechnisch;* – device *geheugensteuntje*.

mo [moʊ] ⟨afk.⟩ moment ↓ ● *ogenblik*.

1 moan [moʊn] ⟨zn⟩ ● *(ge)kreun, gekerm* ● *geklaag, gejammer*.

2 moan ⟨ww⟩ ● *kermen, kreunen* ● *klagen, jammeren*.

moat [moʊt] ● *(wal)gracht*.

1 mob [mɒb] ⟨zn⟩ ● ⟨the⟩ *gepeupel* ● *menigte* ● *bende* ● ⟨sl.⟩ *kliek*.

2 mob ⟨ww⟩ ● *lastig vallen, drommen rondom*.

mob|ile ['moʊbaɪl] ⟨zn: **-ility**⟩ ● ⟨bn⟩ *beweeglijk, mobiel, los, levendig* ⟨v. gezicht⟩; John is not – to-day *John heeft vandaag geen vervoer* ● ⟨bn⟩ *veranderlijk* ⟨v. persoon, geest⟩, ⟨fig.⟩ *flexibel* ● ⟨zn⟩ *mobile, mobiel* ‖ a – home *kampeerauto*.

mobil|ize ['moʊbɪlaɪz] ⟨zn: **-ization**⟩ ⟨mil. of fig.⟩ ● *mobiliseren;* he –d all his forces *hij verzamelde al zijn krachten*.

mobster ['mɒbstə] ● *bendelid, gangster*.

moccasin ['mɒkəsɪn] ● *moccasin*.

1 mock [mɒk] ⟨bn⟩ ● *onecht, nagemaakt;* – battle/fight *spiegelgevecht;* – trial *schijnproces*.

2 mock I ⟨onov ww⟩ ● *spotten* **II** ⟨ov ww⟩ ● *bespotten* ● *trotseren, tarten*. **mockery** ['mɒkəri] ● *bespotting, hoon;* make a – of *de spot drijven met* ● *aanfluiting, schijnvertoning*. **mockingly** ['mɒkɪŋli] ● *spottend*.

modal ['moʊdl] ● *modaal*.

mode [moʊd] ● *wijze, manier, methode* ● *gebruik*.

1 model ['mɒdl] ⟨zn⟩ ● *model, maquette;* stand – *poseren* ● *type* ⟨v. auto bv.⟩ ● *ex-*

clusief model ⟨kledingstuk⟩ •toonbeeld, voorbeeld.
²**model** ⟨bn⟩ •model- •perfect.
³**model** I ⟨onov ww⟩ •als mannequin/model optreden II ⟨ov ww⟩ •modelleren, boetseren •vervaardigen naar een voorbeeld; – sth. after/(up)on sth. iets maken/ ontwerpen naar het voorbeeld v. iets; ⟨fig.⟩ he –led himself (up)on his teacher hij nam een voorbeeld aan zijn leraar • (als mannequin) showen.
¹**moderate** ['mɒdrət] ⟨zn; bn⟩ •⟨bn⟩ gematigd, matig; – prices redelijke/lage prijzen •⟨zn⟩ gematigde.
²**moderate** ['mɒdəreɪt] ⟨zn: -ion⟩ I ⟨onov ww⟩ •zich matigen.•afnemen II ⟨ov ww⟩ •matigen.
modern ['mɒdn] •⟨bn⟩ modern; – history nieuwe geschiedenis; – languages levende talen •⟨bn⟩ nieuwerwets •⟨zn⟩ iem. uit de nieuwe tijd. 'modern-day •hedendaags; a – version een moderne versie.
modernism ['mɒdnɪzm] •modernisme. **modernist** ['mɒdnɪst] •modernist. **modernize** ['mɒdnaɪz] •moderniseren, (zich) vernieuwen.
modest ['mɒdɪst] •bescheiden •niet groot/ opzichtig •redelijk. **modesty** ['mɒdɪsti] • bescheidenheid •redelijkheid.
modicum ['mɒdɪkəm] •een beetje; not a – of logic geen greintje logica.
modification ['mɒdɪfɪ'keɪʃn] •wijziging • verzachting. **modify** ['mɒdɪfaɪ] •wijzigen •verzachten, afzwakken.
modish ['moʊdɪʃ] ⟨vaak ong.⟩ •modieus.
modul|ate ['mɒdjʊleɪt] ⟨zn: -ation⟩ I ⟨onov en ov ww⟩ •moduleren II ⟨ov ww⟩ •regelen, afstemmen.
module ['mɒdju:l] •modulus, maat(staf), ⟨bouwk.⟩ bouwelement •moduul ⟨ook ruim.⟩; lunar – maanlander.
mogul ['moʊgl] •mogol ⟨invloedrijk iem.⟩.
mohair ['moʊheə] •mohair.
Mohammedan zie MUHAMMADAN.
moist [mɔɪst] •vochtig, klam. **moisten** ['mɔɪsn] I ⟨onov ww⟩ •vochtig worden II ⟨ov ww⟩ •bevochtigen. **moisture** ['mɔɪstʃə] •vocht(igheid). **moisturize** ['mɔɪstʃəraɪz] •bevochtigen; moisturizing cream vochtinbrengende crème.
molar ['moʊlə] •⟨bn⟩ mbt. de maaltand(en) •⟨zn⟩ (ware) kies.
molasses [mə'læsɪz] •melasse •⟨AE⟩ stroop.
mole [moʊl] •mol •(kleine) moedervlek • pier, golfbreker •↓ spion, mol.
molecular [mə'lekjʊlə] •moleculair. **molecule** ['mɒlɪkju:l] •molecule.

'**molehill** •molshoop.
molest [mə'lest] •lastig vallen, molesteren. **molestation** ['moʊle'steɪʃn] •hinder, overlast.
mollify ['mɒlɪfaɪ] •bedaren •vertederen, vermurwen.
mollusc ['mɒləsk] •weekdier.
mollycoddle ['mɒlɪkɒdl] ⟨ong.⟩ •in de watten leggen.
molten ['moʊltən] •gesmolten.
mom zie MUM.
moment ['moʊmənt] •(geschikt) ogenblik, moment; – of truth uur der waarheid; a – ago (zo)juist; for the – voorlopig; in a – ogenblikkelijk; just a/one –, please een ogenblikje alstublieft •tijdstip; at the – op het ogenblik; at this – in time momenteel; to the – op de minuut af •belang, gewicht; of (great) – v. (groot) belang. **momentary** ['moʊməntri] •kortstondig, vluchtig. **momentous** [moʊ'mentəs] •gewichtig. **momentum** [moʊ'mentəm] •⟨nat.⟩ hoeveelheid beweging, impuls •vaart ⟨ook fig.⟩, (stuw)kracht; gain/gather – aan stootkracht winnen.
momma ['mɒmə], **mommy** ['mɒmi] ⟨AE; kind.⟩ •mammie.
monarch ['mɒnək] •monarch; absolute – absoluut vorst. **monarchy** ['mɒnəki] • monarchie.
monastery ['mɒnəstri] •(mannen)klooster.
monastic [mə'næstɪk] •klooster-, monnik(en)-.
Monday ['mʌndi, -deɪ] •⟨zn en bw⟩ maandag; the baker came/is coming (on) – de bakker kwam/komt maandag; the baker comes on –/on a – de bakker komt maandags/op een maandag; he works (on) –s hij werkt maandags.
monetary ['mʌnɪtri] •monetair; – reform munthervorming.
money ['mʌni] •geld; ⟨BE; ↓⟩ – for jam/for old rope gauw/gemakkelijk verdiend geld; one's –'s worth waar voor je geld; throw good – after bad goed geld naar kwaad geld gooien; ↓ made of – stinkend rijk; put – on wedden op; there is – in it er valt geld aan te verdienen ‖ put one's – where one's mouth is de daad bij het woord voegen; he made his – producing films hij is rijk geworden als filmproducent; ⟨sprw.⟩ money talks met geld gooi je deuren open; money is the root of all evil geld/bezit is de wortel van alle kwaad; zie ook ⟨sprw.⟩ TIME. '**money-box** •geldbus, spaarpot. '**money changer** •(geld)wisselaar. **moneyed** ['mʌnid] ↑ •welgesteld. '**moneygrubber** •geldwolf. '**moneygrub-**

bing ●*schraperig, inhalig.* '**moneylender**
●*geldschieter.* '**money-maker** ●*money-*
maker ●*winstgevende zaak.* '**money mar-**
ket ●*geldmarkt.* **money order** ⟨geldw.⟩ ●
postwissel. '**money spinner** ⟨BE; ↓⟩ ●
winstgevende zaak.
mongol ['mɒŋgl] ●⟨bn; M-⟩ *Mongools* ●
⟨bn⟩ *mongools, lijdend aan mongolisme*
●⟨zn; M-⟩ *Mongool(se)* ●⟨zn⟩ *mongool-*
(tje).
mongrel ['mʌŋgrəl] ●⟨ook scherts., bel.⟩
bastaard(hond) ●*mengvorm, kruising.*
1 **monitor** ['mɒnɪtə] ⟨zn⟩ ●*mentor, monitor,*
leraarshulpje ●*controleapparaat, monitor*
●*mee/afluisteraar* ⟨bij radio en telefonie⟩.
2 **monitor** ⟨ww⟩ ●*controleren, meeluisteren*
met, afluisteren, toezicht houden op.
monk [mʌŋk] ●*(klooster)monnik.*
monkey ['mʌŋki] ●*aap;* ↓ make a – (out) of
s.o. *iem. voor aap zetten* ● ↓ *deugniet.*
'**monkey 'about,** '**monkey 'around** ↓ ●*de*
aap uithangen; – with *klooien met.* '**mon-**
key business ↓ ●*apestreken, kattekwaad.*
'**monkey wrench** ●*Engelse sleutel,*
schroefsleutel.
mono ['mɒnoʊ] ●*mono;* a – radio broadcast
een uitzending in mono.
monochrome [-kroʊm] ●*monochroom,*
zwart-wit.
monocle ['mɒnəkl] ●*monocle.*
monogamous [mə'nɒgəməs] ●*monogaam.*
monogamy [mə'nɒgəmi] ●*monogamie.*
monogram ['mɒnəgræm] ●*monogram,*
naamteken.
monograph [-grɑːf] ●*monografie.*
monolith [-lɪθ] ●*monoliet.* **monolithic**
[-'lɪθɪk] ●*monolithisch;* the – buildings of
a great city *de steen/betonkolossen v.e.*
grote stad.
monologue ['mɒnəlɒg] ●*monoloog, alleen-*
spraak.
monopolize [mə'nɒpəlaɪz] ●*monopolise-*
ren. **monopoly** [mə'nɒpəli] ●*monopolie,*
alleenrecht.
monorail ['mɒnəreɪl] ●*monorail(baan).*
monosyllabic ['mɒnəsɪ'læbɪk] ●*eenletter-*
grepig, monosyllabisch, ⟨fig.⟩ *kortaf;* a –
man *een man van weinig woorden.* **mo-**
nosyllable [-sɪləbl] ●*monosyllabe, eenlet-*
tergrepig woord; speak in –s *kortaf spre-*
ken.
monotone [-toʊn] ⟨geen mv.⟩ ●*monotone*
manier van spreken. **monotonous**
[mə'nɒtnəs] ●*monotoon, eentonig.* **mo-**
notony [mə'nɒtni] ●*monotonie, eentonig-*
heid.
monsoon ['mɒn'suːn] ●*moesson.*
monster ['mɒnstə] ●*monster* ●*onmens* ●

⟨vaak attr⟩ *kanjer;* – potatoes *enorme*
aardappelen. **monstrosity** [mɒn'strɒsəti]
●*monstruositeit, wanprodukt.* **mon-**
strous ['mɒnstrəs] ●*monsterlijk* ●*enorm.*
month [mʌnθ] ●*maand* ‖ I won't do it in a –
of Sundays *ik doe het in geen honderd*
jaar.
1 **monthly** ['mʌnθli] ⟨zn⟩ ●*maandblad.*
2 **monthly** ⟨bn; bw⟩ ●*maandelijks.*
monument ['mɒnjʊmənt] ●*monument, ge-*
denkteken, ⟨soms iron.⟩ *schoolvoor-*
beeld. **monumental** ['mɒnjʊ'mentl] ●*mo-*
numentaal ●*kolossaal.*
1 **moo** [muː] ⟨zn⟩ ●*boe(geluid)*⟨v. koe⟩.
2 **moo** ⟨ww⟩ ●*loeien.*
mooch [muːtʃ] ⟨sl.⟩ ●⟨AE⟩ *bietsen, schooi-*
en. '**mooch a'bout,** '**mooch a'round** ↓ ●
rondlummelen.
mood [muːd] ●*stemming, bui;* a man of –s
een humeurig man; in no – for/to *niet in*
de stemming voor/om ●⟨taal.⟩ *wijs.*
moody ['muːdi] ●*humeurig, wispelturig* ●
slechtgehumeurd.
moon [muːn] ●*maan* ●⟨the⟩ *iets onbereik-*
baars ‖ cry/reach for the – *de maan met de*
handen willen grijpen; promise s.o. the –
iem. gouden bergen beloven; be over the
– *in de zevende hemel zijn.* '**moon a'bout,**
'**moon a'round** ●*rondhangen.* '**moon**
a'way ●*verlummelen* ⟨tijd⟩. '**moonbeam**
●*manestraal.*
1 '**moonlight** ⟨zn⟩ ●*maanlicht.*
2 **moonlight** ⟨ww⟩ ↓ ●*een bijbaantje heb-*
ben, bijverdienen ●*zwart werken.* '**moon-**
lighter ●*iem. die twee banen/een bij-*
baantje heeft, ⟨ongeveer⟩ *schnabbelaar.*
moonlit ['muːnlɪt] ●*maanbeschenen, met*
maanlicht overgoten. '**moon over** ●*dag-*
dromen over. '**moonshine** ● ↓ *geklets,*
gezwam ●⟨sl.⟩ *illegaal gestookte sterke*
drank. '**moonstone** ⟨mijnw.⟩ ●*maan-*
steen. '**moonstruck** ● ↓ *warhoofdig, ge-*
schift. **moony** ['muːni] ● ↓ *dromerig.*
1 **moor** [mʊə] ⟨zn; vaak mv. met enk. bet.⟩ ●
⟨BE⟩ *hei(de), woeste grond.*
2 **moor** ⟨ww⟩ ●*(aan/af/vast)meren.*
Moor [mʊə] ●*Moor.*
mooring ['mʊərɪŋ] ●*meertros, landvast* ●
⟨ook mv. met enk. bet.⟩ *ligplaats.*
moorland ['mʊələnd] ⟨ook in mv. met enk.
bet.⟩ ⟨BE⟩ ●*heide(landschap).*
moose [muːs] ●*Amerikaanse eland.*
1 **moot** [muːt] ⟨bn⟩ ●*onbeslist;* a – point/
question *een onopgeloste kwestie/onuit-*
gemaakte zaak.
2 **moot** ⟨ww⟩ ●*aan de orde stellen.*
1 **mop** [mɒp] ⟨zn⟩ ●*zwabber, stokdweil* ●*af-*
waskwast ● ↓ *haarbos, ragebol.*

2 mop ⟨ww⟩ ●*(aan/schoon) dweilen, zwabberen* ●*(af)vegen; –* one's brow *zich het zweet van het voorhoofd wissen;* zie MOP UP.

mope [moʊp] ●*kniezen; –* about/(a)round *lusteloos rondhangen.*

moped ['moʊped] ⟨BE⟩ ●*bromfiets.*

'mop 'up ●*opdweilen, opnemen* ●*opslokken* ● ↓ *afhandelen* ‖ mopping-up operations *zuiveringsacties.* '**mop-up** ↓ ●⟨fig.⟩ *grote schoonmaak, opruiming.*

1 moral ['mɒrəl] ⟨zn⟩ ●*moraal, (zeden)les* ● *stelregel, principe* ●⟨mv.⟩ *zeden, zedelijke beginselen.*

2 moral ⟨bn⟩ ●*moreel, zedelijk, ethisch;* it's a – certainty/–ly certain *het is zo goed als zeker;* – law *moreel recht* ●*deugdzaam.*

morale [məˈrɑːl] ●*moreel, mentale veerkracht.*

moralist ['mɒrəlɪst] ⟨bn: -ic⟩ ●*moralist, zedenmeester.* **morality** [məˈræləti] ●*moraliteit, zedenleer, moraal;* commercial – *ethiek v.h. zakendoen.* **moralize** ['mɒrəlaɪz] ●*moraliseren, zedenpreken.*

morass [məˈræs] ●*moeras,* ⟨fig.⟩ *poel, uitzichtloze situatie.*

moratorium [ˌmɒrəˈtɔːriəm] ●*moratorium, algemeen uitstel van betaling* ●*(tijdelijk) verbod of uitstel.*

morbid ['mɔːbɪd] ●*morbide, ziekelijk.* **morbidity** [mɔːˈbɪdəti] ●*morbiditeit, ziekelijkheid* ●*ziektecijfer.*

mordant ['mɔːdnt] ●*bijtend, scherp.*

1 more [mɔː] ⟨vnw; vergr. trap v. much en many⟩ ●*meer;* –'s the pity *des te erger;* there is some – *er is nog wat;* there are some – *er zijn er nog enkele(n)* ‖ and what's – *en daarbij komt nog dat;* we are going to see – of him *we gaan hem nog vaker zien.*

2 more ⟨bw; vergr. trap v. much⟩ ●*meer, eerder; –* or less *min of meer, zo ongeveer;* once – *nog eens/een keer;* ↓ – *than happy overgelukkig* ●⟨duidt vergr. trap aan⟩ *-er, meer; –* difficult *moeilijker; –* easily *makkelijker* ‖ I can't afford it, and no – can you *ik kan het mij niet permitteren en jij evenmin.*

3 more ⟨det; vergr. trap v. much en many⟩ ● *meer;* no – bread *geen brood meer;* one – try *nog een poging;* the – people there are the happier he feels *hoe meer mensen er zijn, hoe gelukkiger hij zich voelt.*

moreover [mɔːˈroʊvə] ●*bovendien.*

morgue [mɔːg] ●*lijkenhuis.*

moribund ['mɒrɪbʌnd] ●*stervend, ten dode opgeschreven.*

Mormon ['mɔːmən] ●⟨bn⟩ *mormoons* ● ⟨zn⟩ *mormoon.*

morning ['mɔːnɪŋ] ●*ochtend, morgen;* in the – *'s morgens; morgenochtend.* '**morning-'after pill** ●*morning-after pil(l).* '**morning coat** ●*jacquet.* '**morning dress** ●*jacquet(kostuum)* ●*colbertkostuum.* '**morning 'paper** ●*ochtendblad.* '**morning star** ●*morgenster.*

Morocco [məˈrɒkoʊ] ●*Marokko.* **mo'rocco ('leather)** ●*marokijn(leer).*

moron ['mɔːrɒn] ⟨bn: -ic⟩ ●*zwakzinnige* ● ⟨bel.⟩ *imbeciel.*

morose [məˈroʊs] ●*nors, chagrijnig.*

morphine ['mɔːfiːn], **morphia** ['mɔːfiə] ● *morfine.*

Morse (code) ['mɔːs ('koʊd)] ●*morse(alfabet).*

morsel ['mɔːsl] ●*hap, stuk(je);* he hasn't got a – of sense *hij heeft geen greintje verstand.*

1 mortal ['mɔːtl] ⟨zn⟩ ●*sterveling,* ⟨scherts.⟩ *schepsel.*

2 mortal I ⟨bn, attr en pred⟩ ●*sterfelijk, vergankelijk* ●*dodelijk* **II** ⟨bn, attr⟩ ●*doods-, dodelijk, enorm; –* enemy *aartsvijand; –* fear *doodsangst(en);* it's a – shame *het is een grof schandaal;* a – sin *een doodzonde* ●*dodelijk vervelend;* wait a – time *een eeuwigheid wachten.* **mortality** [mɔːˈtæləti] ●*sterftecijfer* ●*sterfelijkheid.* **mor'tality rate** ●*sterftecijfer.* **mortally** ['mɔːtəli] ● *dodelijk* ●*doods-, enorm; –* afraid *doodsbang.*

1 mortar ['mɔːtə] ⟨zn⟩ ●*vijzel* ●*mortier* ● *mortel, (metsel)specie.*

2 mortar ⟨ww⟩ ●*(vast)metselen.*

1 mortgage ['mɔːgɪdʒ] ⟨zn⟩ ●*hypotheek(bedrag).*

2 mortgage ⟨ww⟩ ●*(ver)hypothekeren.*

mortician [mɔːˈtɪʃn] ⟨AE⟩ ●*begrafenisondernemer.*

mortification [ˌmɔːtɪfɪˈkeɪʃn] ●*zelfkastijding; –* of the flesh *het doden v.h. vlees* ● *(diepe) gekrenktheid;* to his – *tot zijn schande.* **mortify** ['mɔːtɪfaɪ] ●*tuchtigen, kastijden; –* the flesh *het vlees doden* ● *krenken, kwetsen.*

mortise, mortice ['mɔːtɪs] ●*tapgat, spiegat.* '**mortise lock** ●*insteekslot.*

mortuary ['mɔːtʃʊəri] ●*lijkenhuis, mortuarium.*

mosaic [moʊˈzeɪɪk] ●*mozaïek.*

mosey ['moʊzi] ⟨AE; ↓⟩ ●*(voort)slenteren, kuieren.*

Moslem zie MUSLIM.

mosque [mɒsk] ●*moskee.*

mosquito [məˈskiːtoʊ] ●*muskiet.* **mo'squito net** ●*klamboe, muskietennet.*

moss [mɒs] ● *mos* ‖ zie ook ⟨sprw.⟩ ROLLING.
'**moss-grown** ● *bemost*. **mossy** ['mɒsi] ●
bemost ● *mossig;* – green *mosgroen*.

1 **most** [moʊst] ⟨vnw; overtr. trap v. much
en many⟩ ● *meeste(n);* twelve at (the) –/at
the very – *hoogstens twaalf;* his work is
better than – *hij werkt beter dan de meeste mensen*.

2 **most** ⟨bw; overtr. trap v. much⟩ ● *meest,
hoogst, zeer;* – probably he won't come
hoogstwaarschijnlijk komt hij niet; – of all
I like books *bovenal/voor alles houd ik v.
boeken* ● ⟨duidt overtr. trap aan⟩ *-st(e);*
the – difficult problem *het moeilijkste probleem*.

3 **most** ⟨det; overtr. trap v. much and many⟩
● *meeste;* for the – part *grotendeels*.
mostly ['moʊstli] ● *grotendeels, voornamelijk, meestal*.

M.O.T. ⟨afk.⟩ Ministry of Transport ⟨BE; ↓⟩
● zie M.O.T.-TEST.

motel [moʊ'tel] ● *motel*.

moth [mɒθ] ● *mot* ● *nachtvlinder*. '**mothball**
● *mottebal;* ⟨fig.⟩ in –*s in de motteballen*.
'**moth-eaten** ● *mottig, aangevreten door
de mot* ● ⟨ong.⟩ *versleten*.

1 **mother** ['mʌðə] ⟨zn⟩ ● *moeder* ⟨ook fig.⟩,
bron, oorsprong ● *moeder(-overste);* – superior *moeder-overste* ‖ zie ook ⟨sprw.⟩
NECESSITY.

2 **mother** ⟨ww⟩ ● *baren* ⟨vaak fig.⟩ ● *(be)
moederen, betuttelen*.

'**mother country** ● *vaderland, geboorteland*
● *moederland, land v. herkomst*. **mother-
hood** ['mʌðəhʊd] ● *moederschap*. '**moth-
er-in-law** ● *schoonmoeder*.

motherly ['mʌðəli] ● *moederlijk*. '**mother-
of-'pearl** ● *paarlemoer*. '**mother's son** ●
man; every – *iedereen, niemand uitgezonderd*. '**mother-to-'be** ● *aanstaande
moeder*. '**mother 'tongue** ● *moedertaal*.

motif [moʊ'tiːf] ● *(leid)motief, (grond)the-
ma*.

1 **motion** ['moʊʃn] I ⟨telb zn⟩ ● *beweging,
gebaar, wenk* ● *motie* ‖ go through the –*s
plichtmatig verrichten;* net doen alsof II
⟨n-telb zn⟩ ● *beweging;* in slow – *vertraagd;* put/set sth. in – *iets in beweging
zetten*.

2 **motion** ⟨ww⟩ ● *wenken, door een gebaar
te kennen geven*.

motionless ['moʊʃnləs] ● *onbeweeglijk*.
'**motion 'picture** ● *(speel)film*.

motivate ['moʊtɪveɪt] ● *motiveren*. **motiva-
tion** ['moʊtɪ'veɪʃn] ● *motivering* ● *motiva-
tie, gemotiveerdheid*.

1 **motive** ['moʊtɪv] ⟨zn⟩ ● *motief, beweegreden*.

2 **motive** ⟨bn⟩ ● *beweging veroorzakend;* –
power *beweegkracht*.

motiveless ['moʊtɪvləs] ● *ongemotiveerd*.

motley ['mɒtli] ● ⟨ong.⟩ *samengeraapt;* –
crew *zootje ongeregeld* ● *bont*.

motocross ['moʊtoʊkrɒs] ● *motorcross*.

1 **motor** ['moʊtə] ⟨zn⟩ ● *motor* ● ⟨BE⟩ zie
MOTORCAR.

2 **motor** ⟨bn⟩ ● *motor-;* – industry *autoin-
dustrie* ● *motorisch;* – nerve *motorische
zenuw*.

3 **motor** ⟨ww⟩ ● ⟨verouderend⟩ *per auto reizen*.

'**motorbike** ● ⟨BE⟩ *motor(fiets)* ● ⟨AE⟩ *bromfiets*. '**motorboat** ● *motorboot*. '**motorcar** ● *auto(mobiel)*. '**motorcycle** ● *motor-
(fiets)*. '**motorcyclist** ● *motorrijder*. '**mo-
tor home** ● *kampeerauto, camper*. '**moto-
ring** ['moʊtərɪŋ] ● *(het) autorijden*. **mo-
torist** ['moʊtərɪst] ● *automobilist*. **motor-
ize** ['moʊtəraɪz] ● *motoriseren*. '**motor
vehicle** ● *motorvoertuig*. '**motorway**
⟨BE⟩ ● *autosnelweg*.

'**M.O.'T.-test** ⟨BE; ↓⟩ ● *verplichte jaarlijkse
keuring* ⟨voor auto's ouder dan 3 jaar⟩.

mottled ['mɒtld] ● *gevlekt, gespikkeld*.

motto ['mɒtoʊ] ● *devies, lijfspreuk*.

1 **mould** [moʊld] I ⟨telb zn⟩ ● *vorm, mal, matrijs,* ⟨cul.⟩ *pudding(vorm),* ⟨fig.⟩ *aard,
karakter;* cast in the same – *uit hetzelfde
hout gesneden* II ⟨telb en n-telb zn⟩ ●
schimmel III ⟨n-telb zn⟩ ● *teelaarde, blad-
aarde*.

2 **mould** ⟨ww⟩ ● *vormen, kneden, modelleren;* ⟨fig.⟩ – a person's character *iemands
karakter vormen;* –ed on *naar het voorbeeld van*.

moulder ['moʊldə] ● *(tot stof) vergaan, ver-
molmen, verrotten*.

moulding ['moʊldɪŋ] ● *afgietsel, afdruk* ●
⟨bouwk.⟩ *lijstwerk, profiel*.

mouldy ['moʊldi] ● *beschimmeld, schimme-
lig* ● *muf*.

1 **moult** [moʊlt] ⟨zn⟩ ● *rui*.

2 **moult,** ⟨AE sp.⟩ **molt** ⟨ww⟩ ● *ruien, verha-
ren, vervellen*.

mound [maʊnd] ● *aardhoop, (graf)heuvel,*
⟨fig.⟩ *berg, hoop*.

1 **mount** [maʊnt] ⟨zn⟩ ● *berg;* Mount Everest *de Mount Everest* ● *rijdier* ● *standaard*
⟨in etalage⟩, *voet* ⟨v. bokaal⟩, *zetting,
montering* ⟨v. juwelen⟩, *opplak/opzetkar-
ton* ⟨v. foto, plaatje⟩.

2 **mount** I ⟨onov ww⟩ ● *(op)stijgen;* the expenses kept –ing up *de uitgaven liepen
steeds hoger op* II ⟨ov ww⟩ ● *bestijgen,
beklimmen, opgaan* ● *te paard zetten, laten rijden;* –ed police *bereden politie* ● *iets*

op iets plaatsen, voeren ⟨stukken ge-schut⟩, *opstellen* ⟨geweren enz.⟩, *opplak-ken, opzetten* ⟨foto's⟩ ●*organiseren; –* an attack *een aanval inzetten.*

mountain ['maʊntɪn] ●*berg, hoop* ‖ make a – out of a molehill *van een mug een olifant maken.* '**mountain chain** ●*bergketen.* **mountaineer** [maʊntɪ'nɪə] ●*bergbeklim-mer/ster.* **mountaineering** ['maʊntɪ'nɪərɪŋ] ●*bergsport.* **mountain-ous** ['maʊntɪnəs] ●*bergachtig, berg-* ● *reusachtig.* '**mountain range** ●*bergkam, bergketen.* '**mountainside** ●*berghelling.* '**mountaintop** ●*bergtop.*

mountebank ['maʊ[es–7]n[va.2ɛɪ]–[va-.2ɛɪes%]tɪbæŋk] ●*kwakzalver, charlatan.*

mourn [mɔ:n] I ⟨onov ww⟩ ●⟨+for, over⟩ *rouwen (om), treuren* ●*rouw dragen* ‖ ⟨ov ww⟩ ●*betreuren.* **mourner** ['mɔ:nə] ● *rouwdrager/draagster, treurende.* **mournful** ['mɔ:nfl] ●*bedroefd, triest.* **mourning** ['mɔ:nɪŋ] ●*rouw, rouwdracht;* go into – *de rouw aannemen.*

mouse [maʊs] ⟨mv.: mice⟩ ●*muis* ⟨ook comp.⟩ ●↓ *bangerik* ‖ zie ook ⟨sprw.⟩ CAT. '**mousetrap** ['maʊstræp] ●*muizeval.*

mousse [mu:s] ⟨cul.⟩ ●*mousse.*

moustache [mə'stɑ:ʃ] ●*snor.*

mousy ['maʊsi] ●*muisachtig* ●*muisgrijs* ●*ti-mide.*

1 mouth [maʊθ] ⟨mv.: mouths [maʊðz]⟩ ● *mond, muil, bek;* by word of – *mondeling;* a big – *een grote bek;* shut your –! *hou je mond/bek!;* keep one's – shut *niets ver-klappen;* it makes my – water *het is om van te watertanden;* it sounds odd in his – *uit zijn mond klinkt het gek* ●*opening, monding* ⟨v. rivier⟩, *mond* ⟨v. haven enz.⟩ ‖ shoot one's – off *zijn mond voorbij-praten;* ↓ down in the – *terneergeslagen.*

2 mouth [maʊð] ⟨ww⟩ ●*declameren, geaf-fecteerd (uit)spreken/zeggen.*

mouthful ['maʊθfʊl] ●*mond(je)vol* ●⟨↓, scherts.⟩ *hele mond vol, een lang woord.* '**mouth organ** ●*mondharmonica.* **mouth-piece** ['maʊθpi:s] ●*mondstuk;* speak through the – *in de hoorn spreken* ●↓ *spreekbuis, woordvoerder.* **mouthwash** ['maʊθwɒʃ] ●*mondspoeling.*

1 move [mu:v] ⟨zn⟩ ●*beweging;* ↓ get a – on *aanpakken; opschieten* ●*verhuizing;* be on the – *op trek zijn* ⟨v. vogels⟩; *op reis zijn* ●*zet;* make a – *een zet doen* ●*stap, maatregel;* make a – *opstaan* ⟨v. tafel⟩; *opstappen, het initiatief nemen; maatre-gelen treffen;* make –s to stop the war *stappen ondernemen om de oorlog te sta-ken.*

2 move I ⟨onov ww⟩ ●*(zich) bewegen;* it's time to be moving *het is tijd om te vertrek-ken; –* along *doorlopen; –* off, please *ver-dwijn!, hoepel op!; –* over *inschikken, op-schuiven;* they –d into a flat *ze betrokken een flat* ●*vorderen, opschieten;* that car is really moving *die auto rijdt echt hard;* suddenly things began to – *plotseling kwam er leven in de brouwerij;* keep mov-ing! *blijf doorgaan!, doorlopen!* ●⟨bord-spel⟩ *zetten, aan zet zijn* ●*stappen onder-nemen* ●*verkeren;* he –s in the highest cir-cles *hij beweegt zich in de hoogste krin-gen* ●*verhuizen;* they –d away *ze trokken weg/verhuisden* ●*een voorstel/verzoek doen; –* for adjournment *verdaging voor-stellen;* zie MOVE ABOUT, MOVE DOWN, MOVE IN, MOVE ON, MOVE OUT, MOVE UP ‖ ⟨ov ww⟩ ●*bewegen, (ver)roeren;* that door wouldn't – *er was in die deur geen bewe-ging te krijgen* ●*verplaatsen,* ⟨sport⟩ *zet-ten, verschuiven* ●*verhuizen, overbren-gen* ●*opwekken, (ont)roeren;* it –d him to laughter *het werkte op zijn lachspieren;* he is –d to tears *hij is tot tranen toe ge-roerd* ●*drijven, aanzetten;* when the spirit –s him *als hij geïnspireerd wordt;* the moving spirit *de drijvende kracht* ●*voor-stellen* ‖ – the bowels *zijn behoefte doen;* zie MOVE DOWN, MOVE ON, MOVE UP.

1 mov(e)able ['mu:vəbl] ⟨zn⟩ ●*meubelstuk* ●⟨mv.⟩ *roerende goederen.*

2 mov(e)able ⟨bn⟩ ●*beweegbaar, los* ●*ver-plaatsbaar* ●*roerend* ⟨v. feestdagen⟩, *ver-anderlijk* ●⟨jur.⟩ *roerend; –* property *roe-rend(e) goed(eren).*

'**move a'bout,** '**move a'round** ●*rondreizen* ● *rondlopen/drentelen* ●*dikwijls verhuizen.* '**move 'down** I ⟨onov ww⟩ ●*in een lagere klas komen, in rang teruggezet worden* ‖ ⟨ov ww⟩ ●*naar een lagere klas/in rang te-rugzetten.* '**move 'in** ●*intrekken, betrek-ken* ⟨huis, flat enz.⟩; – with s.o. *bij iem. in-trekken* ●*optrekken, inrijden/afrijden* ⟨op⟩; the police moved in on the crowd *de politie reed op de menigte in.*

movement ['mu:vmənt] ●*beweging, voort-gang, ontwikkeling, trend,* ⟨med.⟩ *stoel-gang;* an upward – in the price of oil *een stijging v.d. olieprijzen* ●*beweging;* the feminist – *de vrouwenbeweging* ●*gang-werk, mechaniek* ●⟨muz.⟩ *beweging, deel.*

'**move 'on** I ⟨onov ww⟩ ●*verdergaan, door-gaan* ●*vooruitkomen* ‖ ⟨ov ww⟩ ●*iem. ge-bieden door te lopen/rijden/gaan.* '**move 'out** ●*verhuizen, vertrekken.*

mover ['mu:və] ●*verhuizer* ●*indiener v.e.*

voorstel.
'move 'up I ⟨onov ww⟩ ● *in een hogere klas komen, in rang opklimmen* ● *oprukken* **II** ⟨ov ww⟩ ● *bevorderen* ⟨sport, school enz.⟩.
movie ['muːvi] ⟨meestal mv.: the⟩ ● *film;* go to the –s *naar de film gaan* ● *bioscoop.* **moviegoer** ['muːviɡoʊə] ● *bioscoopbezoeker,* ⟨bij uitbr.⟩ *cinefiel.* '**movie star** ⟨AE⟩ ● *filmster.*
moving ['muːvɪŋ] ● *ontroerend, aandoenlijk* ● *bewegend, bewegings-;* – *staircase/stairway roltrap.*
'**moving van** ● *verhuiswagen.*
mow ⟨volt. deelw. ook mown [moʊn]⟩ ● *maaien;* – *down soldiers soldaten neermaaien.* **mower** ['moʊə] ● *maaier* ● *maaimachine, grasmaaier.*
MP ⟨afk.⟩ Member of Parliament ● *MP.*
Mr ['mɪstə] ⟨mv.: Messrs ['mesəz]⟩ ⟨afk.⟩ mister ● *M., Dhr..*
Mrs ['mɪsɪz] ⟨mv.: Mmes [meɪ'dɑːm]⟩ ⟨afk.⟩ mistress ● *Mevr..*
Ms [mɪz] ⟨mv.: Mses, Mss ['mɪzɪz]⟩ ⟨zgn. afk.⟩ ● *Mw.* ⟨ipv. Miss of Mrs.⟩.
1 much [mʌtʃ] ⟨vnw; more [mɔː], most [moʊst]⟩ ● *veel;* it's not up to – *het stelt niet veel voor* ‖ he said as – *hij zei iets wat daarop neerkwam;* I thought as – *dat dacht ik al;* it was as – as I could do to ... *ik had er mijn handen vol mee om ...;* he's not – of a sportsman *als sportman stelt hij niet veel voor;* well, so – for that *dat was dan dat.*
2 much ⟨bw; more, most⟩ ● ⟨graad⟩ *veel, zeer, erg;* she was – the oldest *zij was verreweg de oudste;* he was – pleased with it *hij was er erg mee ingenomen;* he didn't so – want to meet John as (to meet) John's sister *hij wilde niet zozeer John ontmoeten als (wel) Johns zuster;* – as he would have liked to go *hoe graag hij ook was gegaan;* – to my surprise *tot mijn grote verrassing* ● ⟨duur en frequentie⟩ *veel, vaak, lang* ● *ongeveer, bijna;* they were – the same size *ze waren ongeveer even groot.*
3 much ⟨det; more, most⟩ ● *veel;* he uses as – paint as you do *hij gebruikt evenveel verf als jij* ‖ so – rubbish *allemaal/niets dan nonsens.* **muchness** ['mʌtʃnəs] ‖ much of a – *lood om oud ijzer.*
1 muck [mʌk] ⟨zn⟩ ● ↓ *troep, rommel* ● *(natte) mest, drek* ● ↓ *viezigheid.*
2 muck ⟨ww⟩ ● *bemesten* ‖ – out *uitmesten;* ↓ – up *bevuilen, verknoeien, in de war gooien.* '**muck a'bout,** '**muck a'round** ⟨vnl. BE; ↓⟩ ● *niksen, lummelen* ● *klieren;*

– with *knoeien met.* '**muck 'in** ↓ ● *meehelpen.* '**muckraker** ● *schandaaltjesjager.* **muckraking** ● *vuilspuiterij.* **mucky** ['mʌki] ↓ ● *vies, vuil, smerig.*
mucous ['mjuːkəs] ‖ – membrane *slijmvlies.* **mucus** ['mjuːkəs] ● *slijm.*
mud [mʌd] ● *modder, slijk,* ⟨fig.⟩ *roddel;* drag s.o.'s name through the – *iem. door het slijk halen;* fling/sling/throw – at s.o. *iem. door de modder sleuren* ● *leem* ‖ ⟨scherts.⟩ (here's) – in your eye! *proost!.* '**mud bath** ● *modderbad.*
1 muddle ['mʌdl] ⟨zn⟩ ● *verwarring, warboel;* make a – of *verknoeien;* in a – *in de war.*
2 muddle I ⟨onov ww⟩ ● *wat aanknoeien;* – along *voortmodderen;* – through *met vallen en opstaan het einde halen* **II** ⟨ov ww⟩ ● ⟨vaak +up⟩ *door elkaar gooien, verwarren* ● *in de war brengen;* a bit –d *een beetje in de war.*
'**muddle'headed** ● *warrig, dom.*
1 muddy ['mʌdi] ⟨bn⟩ ● *modderig* ● *troebel* ● *vaal, dof* ● *warhoofdig, verward.*
2 muddy ⟨ww⟩ ● *bemodderen, vuil maken.*
'**mud flat** ⟨vaak mv.⟩ ● *wad, slik.* '**mudguard** ● *spatbord.* '**mud pie** ● *zandtaartje.*
muesli ['mjuːzli] ● *muesli.*
1 muff [mʌf] ⟨zn⟩ ● *mof* ● *fiasco;* make a – of it *de zaak verknoeien.*
2 muff ⟨ww⟩ ● ⟨sport⟩ *missen* ● *verknoeien.*
muffin ['mʌfɪn] ● ⟨BE⟩ *muffin, theegebakje* ⟨plat, rond cakeje⟩ ● ⟨AE⟩ *cakeje.*
muffle ['mʌfl] ● *warm inpakken, warm toedekken* ● *dempen* ⟨geluid⟩. **muffler** ['mʌflə] ● *das* ● *geluiddemper,* ⟨AE⟩ *knalpot.*
1 mug [mʌɡ] ⟨zn⟩ ● *mok, beker* ● ↓ *kop, smoel* ● ⟨BE; ↓⟩ *sufferd, sul.*
2 mug ⟨ww⟩ ● *aanvallen en beroven;* zie MUG UP. **mugger** ['mʌɡə] ● *straatrover.*
muggins ['mʌɡɪnz] ↓ ● *sul, sufferd.*
muggy ['mʌɡi] ● *benauwd, drukkend.*
'**mug's game** ⟨BE; ↓⟩ ● *zinloze bezigheid, gekkenwerk.*
'**mug 'up** ● ⟨BE⟩ *uit je hoofd leren, erin stampen.*
Muhammadan [mʊ'hæmədn], **Mohammedan** [moʊ'hæmɪdn] ● ⟨bn⟩ *mohammedaans* ● ⟨zn⟩ *mohammedaan.*
mulberry ['mʌlbri] ● *moerbeiboom.*
mule [mjuːl] ● *muildier.* **mulish** ['mjuːlɪʃ] ● *koppig.*
mull [mʌl] ‖ –ed wine *bisschopswijn;* – sth. over *iets (grondig) overwegen/overpeinzen.*
mullet ['mʌlɪt] ⟨dierk.⟩ ● *harder* ● *zeebarbeel.*

multifamily [-ˈfæm(ɪ)li] ● *voor meerdere gezinnen;* – *house meergezinswoning.* **multifarious** [ˈmʌltɪˈfeərɪəs] ● *veelsoortig, uiteenlopend.* **multilateral** [-ˈlætrəl] ● *veelzijdig* ●⟨pol.⟩ *multilateraal.* **multilingual** [-ˈlɪŋgwəl] ● *meertalig, veeltalig.* **multimillionaire** [-mɪljəˈneə] ● *multimiljonair.* **multinational** [-ˈnæʃnəl] ●⟨bn⟩ *multinationaal* ●⟨zn⟩ *multinational.*

1 multiple [ˈmʌltɪpl] ⟨zn⟩ ⟨wisk.⟩ ● *veelvoud.*

2 multiple ⟨bn⟩ ● *veelvoudig;* – *choice multiple choice;* ⟨vaak attr⟩ *meerkeuze-;* ⟨BE⟩ – *shop/store grootwinkelbedrijf* ● *veelsoortig;* ⟨med.⟩ – *sclerosis multiple sclerose* ●⟨plantk.⟩ *samengesteld.*

multiplication [ˈmʌltɪplɪˈkeɪʃn] ●⟨wisk.⟩ *vermenigvuldiging* ● *vermeerdering.* **multipliˈcation sign** ⟨wisk.⟩ ● *maalteken.* **multipliˈcation table** ⟨wisk.⟩ ● *tafel v. vermenigvuldiging.*

multiplicity [ˈmʌltɪˈplɪsəti] ● *veelheid, massa* ● *veelsoortigheid.*

multiply [ˈmʌltɪplaɪ] **I** ⟨onov ww⟩ ● *zich vermeerderen, groeien* ● *zich vermenigvuldigen* **II** ⟨ov ww⟩ ● *vermenigvuldigen;* – *three by four drie met vier vermenigvuldigen* ● *vergroten, vermeerderen.*

multipurpose [-ˈpə:pəs] ● *veelzijdig, voor meerdere doeleinden geschikt.* **multiracial** [-ˈreɪʃə] ● *multiraciaal.* **multistorey** [-stɔːri] ● *met meerdere verdiepingen;* – *block torenflat.* **multistorey (carpark)** ● *parkeergarage* ⟨bovengronds⟩.

multitude [ˈmʌltɪtjuːd] ● *massa;* a – *of ideas een grote hoeveelheid ideeën* ● *menigte.* **multitudinous** [ˈmʌltɪˈtjuːdɪnəs] ● *talrijk* ● *veelsoortig.*

1 mum [mʌm], **mom** [mɒm] ⟨zn⟩ ● *mamma, mam(s).*

2 mum ⟨bn⟩ ● *stil;* keep – *zijn mondje dicht houden.*

3 mum ⟨tw⟩ ● *mondje dicht!, sst!;* –'s the word! *mondje dicht!.*

mumble [ˈmʌmbl] ● *mompelen, prevelen.*

mumbo jumbo [ˈmʌmbou ˈdʒʌmbou] ● *abracadabra* ● *poppenkast.*

mummify [ˈmʌmɪfaɪ] ● *mummificeren, balsemen.*

mummy [ˈmʌmi] ● *mummie* ●⟨AE: mommy [ˈmɒmi]⟩↓ *mammie, mam(s).*

mumps [mʌmps] ⟨the⟩ ●⟨med.⟩ *de bof.*

munch [mʌntʃ] ● *kauwen (op), knabbelen (op).*

mundane [ˈmʌnˈdeɪn] ● *mondain, werelds* ● *gewoon, afgezaagd.*

municipal [mjuˈnɪsɪpl] ● *gemeentelijk, gemeente-, stedelijk;* – *corporation stadsbe-*

stuur. **municipality** [mjuːˈnɪsɪˈpæləti] ● *gemeente* ● *gemeentebestuur.*

munificent [mjuˈnɪfɪsnt] ● *vrijgevig, royaal.*

munition [mjuːˈnɪʃn] ⟨meestal mv.⟩ ● *munitie.*

mural [ˈmjʊərəl] ●⟨zn⟩ *muurschildering* ● ⟨bn⟩ *muur-, wand-;* – painting *muurschildering.*

1 murder [ˈməːdə] ⟨zn⟩ ● *moord;* ↓ get away with – *alles kunnen maken.*

2 murder ⟨ww⟩ ● *vermoorden* ● ↓ *verknoeien.* **murderer** [ˈməːdrə] ● *moordenaar.* **murderess** [ˈməːdrɪs] ● *moordenares.* **murderous** [ˈməːdrəs] ● *moordzuchtig* ● *moorddadig.*

murky [ˈməːki] ● *duister, donker, somber*‖ – affairs *weinig verheffende zaken.*

1 murmur [ˈməːmə] ⟨zn⟩ ● *gemurmel, geruis* ⟨v. beekje⟩ ● *gemopper* ● *gemompel.*

2 murmur ⟨ww⟩ ● *mompelen* ● *ruisen, suizen* ● *mopperen.*

muscle [ˈmʌsl] ● *spier;* not move a – *geen spier vertrekken* ● *(spier)kracht, macht.* **'muscle 'in** ⟨AE; ↓⟩ ● *zich indringen;* – on *zich indringen in.* **'muscleman** ● *bodybuilder.*

muscular [ˈmʌskjʊlə] ● *spier-* ● *gespierd.*

1 muse [mjuːz] ⟨zn⟩ ● *muze,* ⟨fig. ook⟩ *inspiratie.*

2 muse ⟨ww⟩ ●⟨+about, over, on⟩ *peinzen (over), mijmeren.*

museum [mjuːˈzɪəm] ● *museum.* **muˈseum piece** ● ⟨ook scherts.⟩ *museumstuk.*

mush [mʌʃ] ● *moes, brij* ●⟨AE⟩ *maïsmeelpap.*

1 mushroom [ˈmʌʃruːm, -rʊm] ⟨zn⟩ ● *champignon* ● *(eetbare) paddestoel* ● *atoomwolk, paddestoelwolk* ● *explosieve groei.*

2 mushroom ⟨ww⟩ ● *zich snel ontwikkelen, als paddestoelen uit de grond schieten.*

mushy [ˈmʌʃi] ● *papperig, zacht* ● ↓ *halfzacht, sentimenteel.*

music [ˈmjuːzɪk] ● *muziek;* it was – to my ears *het klonk me als muziek in de oren*‖ face the – *de consequenties aanvaarden.*

1 musical [ˈmjuːzɪkl] ⟨zn⟩ ● *musical.*

2 musical I ⟨bn, attr en pred⟩ ● *muzikaal* ● *welluidend* **II** ⟨bn, attr⟩ ● *muziek-*‖ ⟨BE⟩ – box *muziekdoos;* – chairs *stoelendans.*

'music box ⟨AE⟩ ● *muziekdoos.* **'music-hall** ⟨BE⟩ ● *variété(theater).*

musician [mjuːˈzɪʃn] ● *musicus.*

'music scene ● *muziekwereld.* **'music stand** ● *muziekstandaard.*

musk [mʌsk] ● *muskus.*

musket [ˈmʌskɪt] ● *musket.* **musketeer** [ˈmʌskɪˈtɪə] ● *musketier.*

'muskrat ● *muskusrat.*

musky ['mʌski] ● *muskusachtig.*
Muslim ['mʌzlɪm, 'mʊz-], **Moslem** ['mɒzlɪm] ● ⟨bn⟩ *mohammedaans* ● ⟨zn⟩ *mohammedaan, moslim.*
muslin ['mʌzlɪn] ● *mousseline.*
1 muss [mʌs] ⟨zn⟩ ⟨AE; ↓⟩ ● *wanorde.*
2 muss ⟨ww⟩ ⟨AE; ↓⟩ ● *in de war maken* ⟨haar, kleding⟩; – *up one's suit zijn pak ruïneren.*
mussel ['mʌsl] ● *mossel.*
mussy ['mʌsi] ⟨AE; ↓⟩ ● *rommelig, in de war.*
1 must [mʌst] ⟨zn⟩ ● *noodzaak, vereiste, must;* when you are in Paris, the Louvre is a – *als je in Parijs bent, moet je beslist naar het Louvre toe.*
2 must [məs(t), ⟨sterk⟩mʌst] ⟨ww⟩ ● *moeten,* ⟨in indirecte rede ook⟩ *moest(en);* you – come and see us *je moet ons beslist eens komen opzoeken;* laugh if you – *lach maar als je het niet kunt laten* ● ⟨verbod; steeds met ontkenning⟩ *mogen;* you – not go near the water *je mag niet dichtbij het water komen* ‖ she – have known beforehand *ze moet het al van tevoren geweten hebben.*
mustang ['mʌstæŋ] ● *mustang.*
mustard ['mʌstəd] ● *mosterd.*
1 muster ['mʌstə] ⟨zn⟩ ⟨vnl. mil., scheep.⟩ ● *appel, inspectie; pass* – *er mee door kunnen* ● *verzameling.*
2 muster I ⟨onov ww⟩ ● *zich verzamelen, bijeenkomen* ⟨voor inspectie⟩ **II** ⟨ov ww⟩ ● *verzamelen, bijeenroepen* ⟨manschappen voor inspectie⟩ ● *verzamelen* ⟨moed, krachten⟩; – *up one's courage al zijn moed bijeenrapen.*
musty ['mʌsti] ⟨-iness⟩ ● *muf;* – air *bedompte lucht.*
mutable ['mju:təbl] ● *veranderlijk.* **mutation** [mju:'teɪʃn] ● *verandering* ● ⟨biol.⟩ *mutatie.*
1 mute [mju:t] ⟨zn⟩ ● *(doof)stomme.*
2 mute ⟨bn⟩ ● *stom* ● *zwijgend, stil, sprakeloos.*
3 mute ⟨ww⟩ ● *dempen* ⟨vnl. muziekinstrument⟩.
mutil|ate ['mju:tɪleɪt] ⟨zn: -ation⟩ ● *verminken, toetakelen* ⟨ook fig.⟩.
mutineer ['mju:tɪ'nɪə] ● *muiter.* **mutinous** ['mju:tɪnəs] ● *muitend, opstandig.*
1 mutiny ['mju:tɪni] ⟨zn⟩ ● *muiterij, opstand.*
2 mutiny ⟨ww⟩ ● *muiten;* – against *in opstand komen tegen.*
mutt [mʌt] ● ⟨sl.⟩ *halve gare.*
1 mutter ['mʌtə] ⟨zn; meestal enk.⟩ ● *gemompel* ● *gemopper.*

2 mutter ⟨ww⟩ ● *mompelen* ● *mopperen.*
mutton ['mʌtn] ● *schapevlees* ‖ – dressed as lamb *een te jeugdig geklede vrouw.* '**mutton'chop I** ⟨telb zn⟩ ● *schaapskotelet* **II** ⟨mv.⟩ ● *bakkebaarden.*
mutual ['mju:tʃʊəl] ● *wederzijds, wederkerig;* – consent *wederzijds goedvinden* ● ↓ *gemeenschappelijk;* – interests *gemeenschappelijke belangen.*
muzak ['mju:zæk] ⟨vaak ong.⟩ ● *achtergrondmuziek.*
1 muzzle ['mʌzl] ⟨zn⟩ ● *snuit, muil* ⟨v. dier⟩ ● *mond, tromp* ⟨v. geweer⟩ ● *muilkorf.*
2 muzzle ⟨ww⟩ ● *muilkorven* ⟨ook fig.⟩, *de mond snoeren.*
muzzy ['mʌzi] ● *wazig, vaag* ● *beneveld, verward.*
my [maɪ, ⟨inf.⟩mi] ● *mijn;* – dear boy *beste jongen* ‖ – (oh –) *hee/o jee;* –, – *wel, wel.*
myopia [maɪ'oʊpɪə] ● *bijziendheid.* **myopic** [maɪ'ɒpɪk] ● *bijziend* ● *kortzichtig.*
1 myriad ['mɪrɪəd] ⟨zn⟩ ● *groot aantal;* –s of people *drommen mensen.*
2 myriad ⟨bn⟩ ● *ontelbaar.*
myrrh [mə:] ● *mirre.*
myself [maɪ'self, ⟨inf.⟩mɪ-] ⟨1e pers enk.⟩ ● *mij, mezelf;* I am not – today *ik voel me niet al te best vandaag* ● *zelf;* I'll go – *ik zal zelf gaan;* I – told her so *ik zelf heb het haar gezegd.*
mysterious [mɪ'stɪərɪəs] ● *geheimzinnig.* **mystery** ['mɪstri] ● *geheim, mysterie, raadsel* ● *geheimzinnigheid.* '**mystery play** ● *mysteriespel.*
1 mystic ['mɪstɪk] ⟨zn⟩ ● *mysticus.*
2 mystic ⟨bn⟩ ● *mystiek* ● *raadselachtig.*
mystical ['mɪstɪkl] ● *mystiek.* **mysticism** ['mɪstɪsɪzm] ● *mystiek* ● *mysticisme.*
mystif|y ['mɪstɪfaɪ] ⟨zn: -ication⟩ ● *verbijsteren, verwarren.*
mystique [mɪ'sti:k] ● *aura, bijzondere aantrekkingskracht.*
myth [mɪθ] ● *mythe* ● *fabel* ● *verzinsel, fictie.* **mythical** ['mɪθɪkl] ● *mythisch* ● *fictief, imaginair.*
mythological ['mɪθə'lɒdʒɪkl] ● *mythologisch.* **mythology** [mɪ'θɒlədʒi] ● *mythologie.*

nab [næb] ↓ ● *snappen, (op)pakken.*

nadir ['neɪdɪə] ● *nadir* ● *dieptepunt.*

1 nag [næg] ⟨zn⟩ ● ↓ *knol, slecht/oud paard* ● ↓ *zeurkous.*

2 nag ⟨ww⟩ ● *zeuren, zaniken; – at s.o. iem. aan het hoofd zeuren.* **nagger** ['nægə] ● *zeurkous.*

1 nail [neɪl] ⟨zn⟩ ● *nagel* ● *spijker;* hit the (right) – on the head *de spijker op de kop slaan* ‖ be a – in s.o.'s coffin *een nagel aan iemands doodkist zijn;* pay on the – *contant betalen.*

2 nail ⟨ww⟩ ● *(vast)spijkeren* ● *vastnagelen* ● *betrappen, snappen;* zie NAIL DOWN, NAIL UP.

'**nail brush** ● *nagelborstel.* '**nail 'down** ● *vastspijkeren, vasttimmeren* ● *vaststellen, bepalen* ● *vastleggen, houden aan;* we nailed him down to his promise *we hielden hem aan zijn belofte.* '**nail file** ● *nagelvijl.* '**nail polish** ⟨AE⟩ ● *nagellak.* '**nail scissors** ● *nagelschaar(tje).* '**nail 'up** ● *dichtspijkeren, dichttimmeren* ● *(op)hangen.* '**nail varnish** ⟨BE⟩ ● *nagellak.*

naïve, naive [naɪ'i:v] ● *naïef.* **naïvety, naivety** [naɪ'i:vəti], **naïveté** [naɪ'i:vteɪ] ● *naïveteit.*

naked ['neɪkɪd] ● *naakt, bloot* ● *onbedekt, kaal* ‖ the – eye *het blote oog;* – truth *naakte waarheid.*

1 name [neɪm] ⟨zn⟩ ● *naam, benaming;* put down one's – for *zich opgeven voor;* take s.o.'s – in vain *iemands naam ijdel gebruiken;* what's-his-name? *hoe heet hij ook al weer?;* a man by the – of Jones *iem. die Jones heet;* he knows all his students by – *hij kent al zijn studenten bij naam;* I know him by – *ik ken hem van naam;* he hasn't a penny to his – *hij heeft geen cent;* I can't put a – to him *ik kan hem niet precies thuisbrengen;* first – *voornaam;* ⟨vnl. BE⟩ second – *familienaam, achternaam* ● *reputatie, naam;* make a – for o.s. *naam maken;* he has a – for avarice *hij staat als gierig bekend* ‖ ↓ the – of the game is … *waar het om gaat is …;* drag s.o.'s – through the mire *iemands naam door het slijk halen;* ↓

his – is mud *hij heeft een reputatie v. likmevestje;* call s.o. –s *iem. uitschelden;* lend one's – to *zijn naam lenen aan;* in the – of *in (de) naam van;* zie ook ⟨sprw.⟩ DOG.

2 name ⟨ww⟩ ● *noemen, een naam geven;* she was –d after her mother, ⟨AE ook⟩ she was –d for her mother *ze was naar haar moeder genoemd* ● *dopen* ⟨schip⟩ ● *(op) noemen* ● *benoemen, aanstellen* ‖ ↓ you – it *noem maar op.*

'**name day** ● *naamdag.* '**namedrop** ● *opscheppen, met namen strooien* ⟨van bekende persoonlijkheden⟩. '**namedropping** ● *opschepperij.* **nameless** ['neɪmləs] ● *naamloos, anoniem, onbekend;* a person who shall be – *iem. wiens naam ik niet zal noemen* ● *afschuwelijk* ● *onduidelijk.* **namely** ['neɪmli] ● *namelijk.* '**nameplate** ● *naambord(je).* **namesake** ['neɪmseɪk] ● *naamgenoot.*

nanny ['næni] ● *kinderjuffrouw.* '**nanny goat** ● *geit.*

1 nap [næp] ⟨zn⟩ ● *dutje, tukje* ● *vleug* ⟨v. weefsel⟩.

2 nap ⟨ww⟩ ● *dutten, doezelen;* catch s.o. –ping *iem. betrappen.*

napalm ['neɪpɑ:m] ● *napalm.*

nape [neɪp] ● *(achterkant v.d.) nek; –* of the neck *nek.*

napkin ['næpkɪn] ● *servet* ● ⟨BE⟩ *luier.* '**napkin ring** ● *servetring.*

nappy ['næpi] ⟨BE; ↓⟩ ● *luier.*

narcissus [nɑ:'sɪsəs] ⟨mv.: ook narcissi [-saɪ]⟩ ● *narcis.*

narcotic [nɑ:'kɒtɪk] ● ⟨bn⟩ *verdovend, slaapverwekkend; –* addiction *verslaving aan verdovende middelen* ● ⟨zn⟩ *verdovend middel, slaapmiddel.*

1 nark [nɑ:k] ⟨zn⟩ ⟨BE; sl.⟩ ● *verklikker.*

2 nark ⟨ww⟩ ● ↓ *kwaad maken;* she felt –ed at/by his words *zijn woorden ergerden haar.*

narr|ate [nə'reɪt] ⟨zn: -ation⟩ ● *vertellen, verhalen.*

narrative ['nærətɪv] ● ⟨zn⟩ *verhaal, vertelling* ● ⟨bn⟩ *verhalend, verhaal-.* **narrator** [nə'reɪtə] ● *verteller.*

1 narrow ['næroʊ] ⟨zn; vaak mv.⟩ ● *engte, zeeëngte.*

2 narrow ⟨bn⟩ ● *smal, nauw, eng;* by a – margin *op het nippertje* ● *beperkt, gering;* a – majority *een kleine meerderheid* ● *bekrompen* ● *nauwgezet, precies* ‖ it was a – escape/ ↓ a – squeak *het was op het nippertje; –* gauge *smalspoor;* in the –est sense *strikt genomen.*

3 narrow ⟨ww⟩ ● *versmallen, vernauwen;*

she –ed her eyes *ze kneep haar ogen dicht*
● *verkleinen, verminderen.* 'narrow
'down ● *beperken, terugbrengen;* it nar-
rowed down to this *het kwam (ten slotte)
hierop neer.* narrowly ['nærouli] ● zie
NARROW ● *net, juist, ternauwernood* ●
zorgvuldig, nauwgezet. 'narrow-'minded
● *bekrompen, kleingeestig.*
1 nasal ['neɪzl] ⟨zn⟩ ● *neusklank.*
2 nasal ⟨bn⟩ ● *neus- ● nasaal.*
nascent ['næsnt] ● *ontluikend, beginnend.*
nasturtium [nə'stə:ʃm] ⟨plantk.⟩ ● *Oostindische kers ● waterkers.*
nasty ['nɑ:sti] ● *smerig, vuil, vies ● schunnig, schuin ● onaangenaam, onprettig ●
lastig, hinderlijk ● gemeen, vals, hatelijk;*
he turned – when I refused to leave *hij
werd giftig/onbeschoft toen ik niet wilde
weggaan;* was he – to you? *deed hij onaardig tegen je? ● ernstig;* a – accident *een
ernstig ongeluk;* a – cold *een zware verkoudheid* ‖ – weather! *wat een vies
weertje!.*
natal ['neɪtl] ● *geboorte-;* his – day *zijn verjaardag.*
nation ['neɪʃn] ● *natie, volk, staat.*
1 national ['næʃnəl] ⟨zn⟩ ● *landgenoot ●
staatsburger.*
2 national ⟨bn⟩ ● *nationaal, rijks-, staats-,
volks-;* – anthem *volkslied;* – debt *staats-
schuld;* – government *nationaal kabinet;*
⟨BE⟩ (on the) National Health Service *(op
kosten v.d.) Nationale Gezondheidszorg;*
⟨BE⟩ National Insurance *sociale verzekering;* – park *nationaal park;* ⟨vaak N- S-⟩
⟨BE⟩ – service *militaire dienst ● landelijke,
nationaal;* – holiday *nationale feestdag/
vrije dag.*
nationalism ['næʃnəlɪzm] ● *nationalisme.*
nationalist ['næʃnəlɪst] ● *nationalist.* na-
tionalist(ic) ['næʃnə'lɪst(ɪk)] ● *nationalis-
tisch.*
nationality ['næʃə'næləti] ● *nationaliteit.*
national|ize, -ise ['næʃnəlaɪz] ⟨zn: -ization⟩
● *nationaliseren, naasten.*
'nation'wide ● *landelijk, door het hele land.*
1 native ['neɪtɪv] ⟨zn⟩ ● *inwoner, bewoner;* a
– of Dublin *een geboren Dubliner ●* ⟨vaak
ong.⟩ *inboorling, inlander ● inheemse
dier/plantesoort.*
2 native I ⟨bn, attr en pred⟩ ● *autochtoon, inheems;* go – *zich aanpassen aan de plaatselijke bevolking/gebruiken;* an animal –
to Europe *een inheemse Europese dier-
soort ● aangeboren* II ⟨bn, attr⟩ ● *geboor-
te-;* his – Canada *zijn geboorteland Canada;* – language *moedertaal;* a – speaker of
English *iem. met Engels als moedertaal ●*

⟨vaak ong.⟩ *inlands, inheems.*
nativity [nə'tɪvəti] ● ⟨the; N-⟩ *geboorte-
(feest) v. Christus, Kerstmis.* na'tivity
play ● *kerstspel.*
NATO, Nato ['neɪtou] ⟨afk.⟩ North Atlantic
Treaty Organization ● *Navo, Nato.*
1 natter ['nætə] ⟨zn⟩ ⟨BE; ↓⟩ ● *geklets.*
2 natter ⟨ww⟩ ⟨BE; ↓⟩ ● *kletsen, babbelen.*
natty ['næti] ↓ ● *sjiek, netjes, keurig ● handig.*
1 natural ['nætʃrəl] ⟨zn⟩ ● ↓ *natuurtalent;*
John's a – for the job *John is geknipt voor
die baan.*
2 natural I ⟨bn, attr en pred⟩ ● *natuurlijk, na-
tuur-;* – death *natuurlijke dood;* – gas
aardgas; – history *natuurlijke historie,
biologie;* – resources *natuurlijke hulp-
bronnen/rijkdommen;* – science *natuurwetenschap ● aangeboren ● normaal, begrijpelijk ● ongedwongen, ongekunsteld* ‖
learning languages comes – to him *talen
leren gaat hem heel gemakkelijk af* II ⟨bn,
attr⟩ ● *geboren;* he's a – linguist *hij heeft
een talenknobbel ● onecht, buitenechtelijk
● echt;* his – parents *zijn echte ouders.*
naturalism ['nætʃrəlɪzm] ● *naturalisme.* naturalist ['nætʃrəlɪst] ⟨bn: -ic⟩ ● *naturalist ●
natuurkenner.* natural|ize ['nætʃrəlaɪz]
⟨zn: -ization⟩ ● *naturaliseren ● doen in-
burgeren, overnemen ● inheems maken*
⟨planten, dieren⟩. naturally ['nætʃrəli] ●
zie NATURAL ● *natuurlijk, vanzelfsprekend,
uiteraard ● van nature* ‖ it comes –/↓ natural to her *het gaat haar gemakkelijk af.*
nature ['neɪtʃə] I ⟨telb zn⟩ ● *wezen, natuur,
karakter;* he is stubborn by – *hij is koppig
v. aard;* by/from/in the (very) – of the case/
of things *uit de aard der zaak ● aard;*
things of this – *dit soort dingen* II ⟨n-telb
zn⟩ ● *de natuur;* ⟨fig.⟩ let – take its course
de zaken op hun beloop laten; against –
wonderbaarlijk; tegennatuurlijk; paint
from – *schilderen naar de natuur.* 'nature
cure ● *natuurgeneeswijze.* 'nature lover ●
natuurliefhebber. 'nature reserve ● *natuurreservaat.* 'nature trail ● *natuurpad.*
naturism ['neɪtʃərɪzm] ● *naturisme, nudisme.* naturist ['neɪtʃərɪst] ● *naturist, nudist.*
naturopath ['neɪtʃrəpæθ] ● *natuurgenezer.*
naturopath|y ['neɪtʃə'rɒpəθi] ⟨bn: -ic⟩ ●
natuurgeneeskunde.
1 naught, nought [nɔ:t] ⟨vnw⟩ ● *nul, niets;*
bring to – *doen mislukken;* come to – *op
niets uitlopen.*
2 naught, nought ⟨telw⟩ ● *nul* ‖ ⟨BE⟩ –s and
crosses *boter, kaas en eieren* ⟨kinderspel-
letje⟩.
naughty ['nɔ:ti] ● *ondeugend, stout ● slecht,*

onfatsoenlijk.

nausea ['nɔːzɪə, -sɪə] ● *misselijkheid.* **nauseate** ['nɔːziːeɪt, -siː-] ● *misselijk maken* ⟨ook fig.⟩; he was –d at the sight of it *het vervulde hem met afschuw.* **nauseous** ['nɔːzɪəs, -sɪəs] ● *misselijk makend* ⟨ook fig.⟩, *walgelijk.*

nautical ['nɔːtɪkl] ● *nautisch, zee(vaart)-; –* mile *zeemijl.*

naval ['neɪvl] ● *zee-, scheeps- ● marine-, vloot-; –* battle *zeeslag; –* officer *marineofficier; –* power *zeemogendheid.*

nave [neɪv] ● *schip* ⟨v. kerk⟩.

navel ['neɪvl] ● *navel.*

navigable ['nævɪgəbl] ● *bevaarbaar ● zeewaardig ● bestuurbaar.* **navigate** ['nævɪgeɪt] I ⟨onov ww⟩ ● *navigeren ● varen ● de route aangeven* ⟨in auto⟩ II ⟨ov ww⟩ ● *bevaren ● besturen ● loodsen* ⟨fig.⟩. **navigation** ['nævɪ'geɪʃn] ● *navigatie, stuurmanskunst, luchtvaart.* **navigator** ['nævɪgeɪtə] ● ⟨luchtv.⟩ *navigator* ● ⟨scheep.⟩ *navigatieofficier.*

navvy ['nævi] ⟨BE⟩ ● *grondwerker.*

navy ['neɪvi] I ⟨telb zn⟩ ● *oorlogsvloot, zeemacht* II ⟨zn⟩ ● *marine* III ⟨n-telb zn⟩ ⟨verk.⟩ navy blue ● *marineblauw.* '**navy 'blue** ● *marineblauw.*

nay [neɪ] ● *nee(n) ● tegenstemmer.*

Nazism ['nɑːtsɪzm] ● *nazisme.*

1 near [nɪə] ⟨bn⟩ ● *dichtbij(gelegen);* Near East *Nabije Oosten;* the – side of the river *deze kant v.d. rivier ● nauw verwant;* my –est relation *mijn naaste bloedverwant;* our –est and dearest *zij die ons het meest dierbaar zijn ● intiem* ⟨vriend⟩ ● *krenterig ● nauwkeurig* ⟨vertaling⟩ ‖ he had a – escape,↓ it was a – thing *het was maar op het nippertje;* it was a – miss *het was bijna raak* ⟨ook fig.⟩.

2 near ⟨ww⟩ ● *naderen.*

3 near ⟨bw⟩ ● *dichtbij, nabij;* draw – *naderen;* they were – famished *ze waren bijna v.d. honger gestorven;* as – as makes no difference *zo goed als;* ↓ nowhere/not anywhere – as clever *lang niet zo slim;* she was – to tears *het huilen stond haar nader dan het lachen.*

4 near ⟨vz⟩ ● *dichtbij, nabij;* she was – death *ze was bijna/op sterven na dood;* go/come – to doing sth. *iets bijna doen.*

near- [nɪə] ● *bijna, nagenoeg;* near-perfect *vrijwel perfect ● nauw;* near-related *nauw verwant.*

1 'near'by ⟨bn⟩ ● *dichtbij(gelegen), naburig.*

2 nearby ⟨bw⟩ ● *dichtbij.*

nearly ['nɪəli] ● *bijna, haast, vrijwel ● na, van nabij; –* related *nauw verwant* ‖ not – *lang*

niet, op geen stukken na. '**nearside** ⟨vnl. BE⟩ ● *bijde(r)hands;* the – wheel *het linker wiel.* '**near'sighted** ● *bijziend.*

neat [niːt] ● *net(jes), keurig ● puur, zonder ijs/water* ⟨v. drank⟩ ● *handig, slim ● smaakvol* ● ⟨AE; sl.⟩ *prima ● bondig.*

nebula ['nebjʊlə] ⟨mv.: ook nebulae [-liː]⟩ ● ⟨ster.⟩ *nevel.* **nebulous** ['nebjʊləs] ● *nevelig* ⟨ook fig.⟩, *troebel, vaag.*

necessarily ['nesɪ'serɪli] ● *noodzakelijk(erwijs), onvermijdelijk.*

1 necessary ['nesɪsri] I ⟨telb zn⟩ ● *behoefte, vereiste;* the – het benodigde II ⟨mv.⟩ ● *benodigdheden ● (levens)behoeften.*

2 necessary ⟨bn⟩ ● *noodzakelijk, nodig ● onontbeerlijk ● onontkoombaar, onvermijdelijk; –* evil *noodzakelijk kwaad.*

necessitate [nɪ'sesɪteɪt] ● *noodzaken, nopen tot, vereisen.* **necessity** [nɪ'sesəti] ● *noodzaak ● noodzakelijkheid ● behoefte, vereiste ● nood, armoe* ‖ of – *noodzakelijkerwijs, onvermijdelijk;* ⟨sprw.⟩ necessity is the mother of invention *nood zoekt list.*

1 neck [nek] ⟨zn⟩ ● *hals, nek;* ⟨sport⟩ by a – *met een halslengte (verschil);* ⟨sport⟩ – and – *nek aan nek ● hals(lijn), kraag ● hals(vormig voorwerp),* ⟨bv.⟩ *flessehals ● (land)engte* ‖ break one's – *zich uit de naad werken;* ↓ breathe down s.o.'s – *iem. op de vingers kijken;* ⟨sl.⟩ get it in the – *het voor zijn kiezen krijgen;* risk one's – *zijn leven wagen;* ↓ stick one's – out *zich kwetsbaar opstellen;* ↓ up to one's – in (debt) *tot zijn nek in (de schuld).*

2 neck ⟨ww⟩ ↓ ● *vrijen (met), kussen.*

neckerchief ['nekətʃɪf] ● *halsdoek(je).*

necklace ['neklɪs] ● *(hals)ketting.* **necklet** ['neklɪt] ● *(hals)kettinkje.* '**neckline** ● *kraag/halslijn.* '**necktie** ⟨vnl. AE⟩ ● *stropdas.*

necromancy ['nekrəmænsi] ● *magie, tovenarij.*

nectar ['nektə] ● *nectar, godendrank.*

nectarine ['nektəriːn] ● *nectarine(perzik).*

née [neɪ] ● *geboren;* Mrs Albert Corde(,) – Raresh *Mevr. Corde, geboren Raresh.*

1 need [niːd] I ⟨telb en n-telb zn⟩ ● *behoefte, nood;* a – for love *een behoefte aan liefde;* have – of *behoefte/gebrek hebben aan;* people in – of help *hulpbehoevenden* II ⟨n-telb zn⟩ ● *noodzaak;* there's no – for you to leave yet *je hoeft nog niet weg (te gaan) ● armoede* ‖ if – be *desnoods, als het moet;* zie ook ⟨sprw.⟩ FRIEND.

2 need I ⟨ov ww⟩ ● *nodig hebben, vereisen;* this –s doing/to be done urgently *dit moet dringend gedaan worden* II ⟨hww; 3e pers enk. need⟩ ● *hoeven, moeten;* all he – do is ... *al wat hij moet doen is ...;* he – not panic *hij hoeft niet in paniek te raken;* we – not have worried *we hadden ons geen zorgen hoeven te maken.*

1 needle ['ni:dl] ⟨zn⟩ ●*naald, breinaald, magneetnaald, injectienaald, grammofoonnaald, dennenaald;* look for a – in a haystack *een speld in een hooiberg zoeken* ‖↓ get the – *pissig worden;* ↓ give s.o. the – *iem. stangen.*

2 needle ⟨ww⟩ ●↓ *stangen, pesten.*

needless ['ni:dləs] ●*nodeloos, onnodig;* – to say ... *overbodig te zeggen ....*

'**needlewoman** ●*naaister.* '**needlework** ● *naaiwerk* ●*naaldwerk, handwerk(en).*

needn't ['ni:dnt] ⟨samentr. v. need not⟩.

needy ['ni:di] ●*behoeftig, arm.*

nefarious [nɪ'feərɪəs] ●*misdadig, schandelijk.*

negate [nɪ'geɪt] ●*tenietdoen* ●*ontkennen.* **negation** [nɪ'geɪʃn] ●*ontkenning.*

1 negative ['negətɪv] ⟨zn⟩ ●*afwijzing* ●*ontkenning;* the answer is in the – *het antwoord luidt nee/is ontkennend* ●*weigering* ●⟨foto.⟩ *negatief* ●⟨wisk.⟩ *negatieve grootheid.*

2 negative ⟨bn⟩ ●*negatief;* the – sign *het minteken* ●*ontkennend, afwijzend;* – criticism *afbrekende kritiek.*

3 negative ⟨ww⟩ ●*afwijzen, verwerpen* ● *ontkennen* ●*logenstraffen.*

4 negative ⟨tw⟩ ●*nee.*

1 neglect [nɪ'glekt] ⟨zn⟩ ●*verwaarlozing* ● *onachtzaamheid* ●*verzuim;* – of duty *plichtsverzuim.*

2 neglect ⟨ww⟩ ●*veronachtzamen, verwaarlozen;* – a warning *een waarschuwing in de wind slaan* ●*verzuimen, nalaten.* **neglectful** [nɪ'glektfl] ●*achteloos, slordig, nalatig;* he's – of his duties *hij verzuimt zijn plichten.*

negligee ['neglɪʒeɪ] ●*negligé.*

negligence ['neglɪdʒəns] ●*achteloosheid, onachtzaamheid.* **negligent** ['neglɪdʒənt] ●*onachtzaam, achteloos* ●*achteloos, ongedwongen.* **negligible** ['neglɪdʒəbl] ● *verwaarloosbaar, niet noemenswaardig.*

negotiable [nɪ'gouʃəbl] ●*bespreekbaar* ● *verhandelbaar, inwisselbaar* ●*begaan/berijdbaar.* **negotiate** [nɪ'gouʃieɪt] I ⟨onov ww⟩ ●*onderhandelen* II ⟨ov ww⟩ ●*(na onderhandeling) sluiten, afsluiten* ●↓ *nemen, door/overheen komen,* ⟨bij uitbr.⟩ *tot een goed einde brengen;* – a sharp bend *een scherpe bocht nemen* ●*inwisselen.* **ne'gotiating table** ●*onderhandelingstafel.* **negotiation** [nɪ'gouʃi'eɪʃn] ● ⟨vaak mv.⟩ *onderhandeling.* **negotiator**

[nɪ'gouʃieɪtə] ●*onderhandelaar.*

Negress ['ni:grɪs] ⟨vooral in U.S.A. bel.⟩ ● *negerin.*

Negro [ni:grou] ⟨vooral in U.S.A. bel.⟩ ●*neger.*

1 neigh [neɪ] ⟨zn⟩ ●*(ge)hinnik.*

2 neigh ⟨ww⟩ ●*hinniken.*

1 neighbour ['neɪbə] ⟨zn⟩ ●*buurman/vrouw* ●*medemens, naaste.*

2 neighbour I ⟨onov ww⟩ ‖– on *grenzen aan* II ⟨ov ww⟩ ●*grenzen aan.*

neighbourhood ['neɪbəhud] ●*buurt, wijk* ● *nabijheid, omgeving* ‖I paid a sum in the – of 150 dollars *ik heb om en nabij de 150 dollar betaald.* **neighbouring** ['neɪbrɪŋ] ● *belendend, aangrenzend.* **neighbourly** ['neɪbəli] ●*zoals een goede buur betaamt, behulpzaam, vriendelijk.*

1 neither ['naɪðə] ⟨vnw⟩ ●*geen van beide(n).*

2 neither ⟨bw⟩ ●*evenmin, ook niet;* she cannot play and – can I *zij kan niet spelen en ik ook niet.*

3 neither ⟨det⟩ ●*geen van beide;* – candidate *geen van beide kandidaten.*

4 neither ⟨vw⟩ ●(+nor) *noch;* – Jack nor Jill *noch Jack, noch Jill.*

nemesis ['nemɪsɪs] ●*wrekende gerechtigheid.*

neocolonialism [-kə'lounɪəlɪzm] ●*neokolonialisme.*

neolithic ['ni:ə'lɪθɪk] ●*neolithisch.*

neologism [ni'olədʒɪzm] ●*neologisme, nieuw woord.*

neon ['ni:ɒn] ●*neon.* '**neon light,** '**neon lamp** ●*neonlamp, T.L.-buis, neonlicht.* '**neon sign** ●*licht/neonreclame.*

nephew ['nevju:, 'nef-] ●*neef.*

nepotism ['nepətɪzm] ●*nepotisme.*

1 nerve [nə:v] I ⟨telb zn⟩ ●*zenuw;* ⟨fig.⟩ touch a – *een gevoelige plek raken* ●*lef, brutaliteit;* you've got a –! *jij durft, zeg!* ● ⟨plantk.⟩ *(blad)nerf* II ⟨n-telb zn⟩ ●*moed, durf;* get up the – to do sth. *de moed opbrengen om iets te doen;* lose one's – *de moed verliezen* III ⟨mv.⟩ ●*zenuwen, nervositeit;* get on s.o.'s –s *op iemands zenuwen werken* ●*zenuwen, zelfbeheersing.*

2 nerve ⟨ww⟩ ●*sterken, stalen;* – o.s. for *zich oppeppen voor/moed inspreken om.*

'**nerve centre** ⟨fig.⟩ ●*zenuwcentrum.* **nerveless** ['nə:vləs] ●*krachteloos, zwak* ●*koelbloedig.* '**nerve-(w)racking** ●*zenuwslopend.*

nervous ['nə:vəs] ⟨-ness⟩ ●*zenuwachtig* ● *nerveus, zenuw-;* – breakdown *zenuwinstorting/inzinking;* (central) – system *(centraal) zenuwstelsel* ●*angstig, bang;* – of *bang voor/om te.* **nervy** ['nəːvi] ●*zenuw-achtig.*

1 nest [nest] 〈zn〉 ●*nest* 〈ook fig.〉 ●*broei-nest, haard* || feather one's – *zijn zakken vullen.*

2 nest 〈ww〉 ●*(zich) nestelen.* '**nest egg** ● *appeltje voor de dorst.* **nestle** ['nesl] ●*zich nestelen, lekker (gaan) zitten/liggen* ● *schurken;* – up against/to s.o. *dicht tegen iem. aankruipen.* **nestling** ['nes(t)lɪŋ] ● *nestvogel.*

1 net [net] 〈zn〉 ●*net* ●〈fig.〉 *net, web, strik* ● *netmateriaal* ● *nettobedrag.*

2 net, 〈BE sp. ook〉 **nett** 〈bn〉 ●*netto, schoon;* – profit *nettowinst.*

3 net 〈ww〉 ●*(in een net) vangen,* 〈ook fig.〉 *(ver)strikken* ●*(met een net) af/bedekken* ●〈sport〉 *in het net slaan* ●〈BE sp. ook: nett〉 *(netto) opbrengen, (netto) verdie-nen.*

'**netball** 〈sport〉 ●*(dames)korfbal.*

nether ['neðə] 〈vero. of scherts.〉 ●*onder-, neder-, beneden-;* – regions/world *schim-menrijk, onderwereld.*

Netherlands ['neðələndz] 〈the〉 ●*Neder-land.*

nett zie NET.

netting ['netɪŋ] ●*net(werk).*

1 nettle ['netl] 〈zn〉 ●*(brand)netel* || grasp the – *de koe bij de horens vatten.*

2 nettle 〈ww〉 ●*irriteren, ergeren.* '**nettle rash** 〈med.〉 ●*netelroos.*

'**network** ●*net(werk)* ●*radio- en televisie-maatschappij, omroep.*

neural ['njʊərəl] ●*zenuw-.* **neuralgia** [njʊˈrældʒə] ●*neuralgie, zenuwpijn.*

neurologist [njʊˈrɒlədʒɪst] ●*neuroloog.* **neurology** [njʊˈrɒlədʒi] ●*neurologie.*

neurosis [njʊˈroʊsɪs] 〈mv.: neuroses [-siːz]〉 ●*neurose.*

neurosurgery ['njʊəroʊˈsəːdʒəri] ●*neuro-chirurgie.*

neurotic [njʊˈrɒtɪk] ●〈bn〉 *neurotisch* ●〈zn〉 *neuroticus, neuroot.*

1 neuter ['njuːtə] 〈zn〉 ●*geslachtloos/gecas-treerd dier, geslachtloze plant.*

2 neuter 〈bn〉 ●*neutraal.*

3 neuter 〈ww〉 ●〈euf.〉 *helpen, castreren, steriliseren* 〈dier〉.

1 neutral ['njuːtrəl] 〈zn〉 ●*neutrale, onpartij-dige* ●〈tech.〉 *vrijloop;* in – *in z'n vrij* 〈ver-snelling〉.

2 neutral 〈bn〉 ●*neutraal* 〈ook schei.〉, *on-partijdig* ●*onzijdig, geslachtloos* || in – gear *in z'n vrij.* **neutrality** [njuːˈtræləti] ● *neutraliteit.* **neutralize** ['njuːtrəlaɪz] ●*neu-traliseren.*

neutron ['njuːtrɒn] ●*neutron.* '**neutron bomb** ●*neutronenbom.*

never ['nevə] ●*nooit, nimmer;* –-ending *al-tijddurend;* –-to-be-forgotten *onvergete-lijk;* I – remember her saying that *ik kan me niet herinneren dat ze dat ooit gezegd heeft;* – ever *nooit ofte nimmer* || this'll – do *dit is niks;* he – so/as much as looked! *hij keek niet eens!;* 〈BE; sl.〉 on the –— *op afbetaling;* – a geen (enkel); well, I –! *(wel) heb je (nu) ooit!;* Never Never Land *luilek-kerland;* zie ook 〈sprw.〉 BETTER. **never-more** ['nevəˈmɔː] ●*nimmermeer.*

nevertheless [ˌnevəðəˈles] ●*niettemin, des-ondanks.*

new [njuː] 〈-ness〉 ●*nieuw, ongebruikt, re-cent;* – moon *nieuwe maan;* – town *nieuwbouwstad;* the New World *de Nieu-we Wereld;* – year *nieuwjaar* || – broom *frisse wind;* turn over a – leaf *met een schone lei beginnen;* break – ground *nieu-we wegen banen;* get/give (s.o./sth.) a – lease of/ 〈AE〉 on life *de levensduur ver-lengen (v. persoon/voorwerp), (iem.) een hart onder de riem steken;* I'm – to the job *ik werk hier nog maar pas;* 〈sprw.〉 a new broom sweeps clean *nieuwe bezems ve-gen schoon;* zie ook 〈sprw.〉 OLD. '**new-born** ●*pasgeboren.* **newcomer** ['njuːkʌmə] ●*nieuwkomer, beginner.* '**new'fangled** 〈ong.〉 ●*nieuwerwets.*

newly ['njuːli] ●*onlangs, pas;* – wed *pas getrouwd.* '**newly-wed** 〈vnl. mv.〉 ●*jong-gehuwde, pas getrouwde.*

news [njuːz] ●*nieuws;* ↓ break the – to s.o. *(als eerste) iem. het (slechte) nieuws ver-tellen;* be in the – *in het nieuws zijn;* that is – to me *dat is nieuw voor mij* ●*nieuws(be-richten)* || 〈sprw.〉 no news is good news *geen nieuws is goed nieuws.* '**news agen-cy** ●*persagentschap.* '**news agent** 〈BE〉 ● *kranten/tijdschriftenverkoper.* '**newsboy** ● *krantenjongen.* '**newscast** ●*nieuwsuit-zending.* **newscaster** ['njuːzkɑːstə] ● *nieuwslezer.* '**news dealer** 〈AE〉 ●*kran-ten/tijdschriftenverkoper.* '**newsflash** ● *nieuwsflits.*

'**news headlines** ●*hoofdpunten v.h. nieuws.* '**newsletter** ●*nieuwsbrief.* **newspaper** ['njuːspeɪpə] ●*krant.* '**newspaper report** ●*krantebericht.* '**newsprint** ●*krantepa-pier.* '**newsreader** 〈BE〉 ●*nieuwslezer.* '**newsreel** ●*(bioscoop)journaal.* '**news-room** ●*redactie(kamer).*

'**newssheet** ●*nieuwsblad/bulletin.* '**news-stand** ●*kiosk.* '**newsworthy** ●*met vol-doende nieuwswaarde, actueel.*

newsy ['njuːzi] ↓ ●*met nieuwtjes (gevuld).*

newt [njuːt] ●*watersalamander.*

'New Year's 'Day ●*nieuwjaarsdag*. 'New Year's 'Eve ●*oudejaar(savond/sdag)*.
New Zealand ['nju: 'zi:lənd] ●*Nieuw-Zeeland*.
1 next [nekst] ⟨bn⟩ ●*volgend* ⟨v. plaats⟩, *na*, *naast;* she lives – door *ze woont hiernaast;* the girl – door *het meisje v. hiernaast;* be – door to ⟨fig.⟩ *grenzen aan;* the – turn past the traffic lights *de eerste afslag na de stoplichten;* the – best *het beste op één na* ●*volgend* ⟨v. tijd⟩, *aanstaand;* – Monday *volgende week maandag;* the – few weeks *de komende weken* ‖ the – thing I knew I was lying in the gutter *vóór ik goed en wel wist wat er gebeurde lag ik in de goot*.
2 next ⟨vnw, telw.⟩ ●*(eerst)volgende;* –, please *volgende graag* ‖ – of kin *(naaste) bloedverwant(en), nabestaande(n)*.
3 next ⟨bw⟩ ●⟨plaats; ook fig.⟩ *daarnaast;* what –? *wat (krijgen we) nu?;* ⟨ong.⟩ *kan het nog gekker?;* he placed his chair – to mine *hij zette zijn stoel naast de mijne* ● ⟨tijd; ook fig.⟩ *daarna, de volgende keer* ‖ – to impossible *bijna onmogelijk;* for – to nothing *bijna voor niks*. 'next-'door ●*naburig;* we are – neighbours *we wonen naast elkaar*.
nexus ['neksəs] ●*(ver)band* ●*reeks, keten*.
nib [nɪb] ●*pen, kroontjespen*.
1 nibble ['nɪbl] ⟨zn⟩ ●*hapje*.
2 nibble I ⟨onov ww⟩ ●*knabbelen, knagen* ● *interesse tonen* II ⟨ov ww⟩ ●*knabbelen/ knagen aan*.
nice [naɪs] ●*aardig, vriendelijk;* ⟨iron.⟩ you're a – friend! *mooie vriend ben jij!* ● *mooi, goed* ●*leuk, prettig;* a – day *een mooie dag* ●*genuanceerd, verfijnd;* a – observer *een oplettend observator* ● ⟨soms ong.⟩ *fijn, keurig;* a – accent *een bekakt accent* ●*kies(keurig), precies* ‖ – and warm/fast *lekker warm/hard*. 'nice-'looking ●*mooi, goed uitziend*. nicely ['naɪsli] ●*aardig* ●*goed* ●*fraai* ‖ this'll do – *dit is mooi zat zo*.
nicety ['naɪsəti] I ⟨telb zn; vaak mv.⟩ ●*detail, subtiliteit, nuance* ‖ to a – *precies, tot in de finesses* II ⟨n-telb zn⟩ ●*nauwkeurigheid* ● *subtiliteit*.
niche [nɪtʃ, ni:ʃ] ●*nis* ●*plek(je), hoekje;* he's found his – *hij heeft zijn draai gevonden*.
1 nick [nɪk] ⟨zn⟩ ●*kerf, keep;* in bad/poor – *er slecht aan toe;* in good – *in prima conditie* ●*snee(tje)* ●⟨BE; sl.⟩ *bajes, nor* ‖ in the – of time *op het nippertje*.
2 nick ⟨ww⟩ ●*inkepen/kerven, krassen* ● ⟨vnl. BE; ↓⟩ *jatten* ●⟨BE; sl.⟩ *in de kraag grijpen*.

1 nickel ['nɪkl] I ⟨telb zn⟩ ●*vijfcentstuk* ⟨in Canada en U.S.A.⟩, *stuiver* II ⟨n-telb zn⟩ ● *nikkel*.
2 nickel ⟨ww⟩ ●*vernikkelen*.
1 nickname ['nɪkneɪm] ⟨zn⟩ ●*bijnaam*.
2 nickname ⟨ww⟩ ●*een bijnaam geven (aan)*.
nicotine ['nɪkəti:n, -'ti:n] ●*nicotine*.
niece [ni:s] ●*nicht*.
niff [nɪf] ⟨geen mv.⟩ ●⟨BE; ↓⟩ ●*lucht, stank*. niffy ['nɪfi] ⟨BE; ↓⟩ ●*stinkend*.
nifty ['nɪfti] ⟨sl.⟩ ●*jofel, tof* ●*handig* ●*sjiek, snel*.
Nigerian [naɪ'dʒɪərɪən] ●⟨bn⟩ *Nigeriaans* ● ⟨zn⟩ *Nigeriaan*.
niggard ['nɪgəd] ⟨ong.⟩ ●*vrek*. niggardly ['nɪgədli] ⟨ong.⟩ ●*vrekkig* ●*karig, schamel*.
nigger ['nɪgə] ●⟨bel.⟩ *nikker, neger*.
niggle ['nɪgl] ●*vitten* ●*zeuren;* – at s.o.'s mind *iem. niet met rust laten*. niggling ['nɪglɪŋ] ●*knagend, hardnekkig* ●*piete-peuterig*.
nigh [naɪ] zie NEAR.
night [naɪt] ●*nacht, avond;* – and day *dag en nacht;* stay the – *blijven slapen;* – after – *avond aan avond;* at/by – *'s nachts, 's avonds;* all – (long) *heel de avond/nacht (door);* first – *première(-avond);* last – *gisteravond, vannacht* ‖ make a – of it *nacht-braken, doorhalen;* ⟨↓, scherts.⟩ –! *(wel) truste!*. 'night-blindness ●*nachtblindheid*. 'nightcap ●*slaapmuts(je)* ⟨ook drankje⟩. 'nightclothes ●*nachtgoed*. 'nightclub ●*nachtclub*. 'nightdress, 'nightgown ‖, nightie ['naɪti] ●*nachthemd/(ja)pon*. 'nightfall ●*vallen v.d. avond*. 'nighthawk ●↓ *nachtbraker/mens*.
nightie zie NIGHTDRESS. nightingale ['naɪtɪŋgeɪl] ●*nachtegaal*. 'nightlife ● *nachtleven*. 'nightlong ●*nachtelijk, een nacht lang*. nightly ['naɪtli] ●*nachtelijk, elke nacht/avond, 's nachts/avonds*. 'nightmare ●*nachtmerrie*. 'night owl ●*nachtbraker/mens*. 'night porter ●*nachtportier*.
nights [naɪts] ⟨vnl. AE⟩ ●*'s nachts, elke nacht*.
'night school ●*avondschool*. 'night shift ● *nachtdienst* ●*nachtploeg*. 'nightshirt ● *nachthemd*. 'nightstick ⟨AE⟩ ●*(politie) knuppel*. 'nighttime ●*nacht(elijk uur)*. 'night 'watchman ●*nachtwaker*.
nihil‖ism ['naɪɪlɪzm] ⟨bn: -istic⟩ ●*nihilisme*.
nihilist ['naɪɪlɪst] ●*nihilist*.
nil [nɪl] ●*nihil, niets, nul;* three— *drie-nul*.
nimble ['nɪmbl] ●*behendig, vlug, lichtvoetig*

● *gevat, spits.*

nimbus ['nɪmbəs] ● *stralenkrans* ● ⟨meteo.⟩ *regenwolk.*

nincompoop ['nɪŋkəmpu:p] ● *oelewapper, druiloor.*

nine [naɪn] ● *negen* ⟨ook voorwerp/groep ter waarde/grootte v. negen⟩ ‖ he was dressed (up) to the –s *hij was piekfijn gekleed.* **'nine days' 'wonder** ● *eendagsvlieg.* **'ninepin** ● *kegel.* **'ninepins** ● *kegelen.* **nineteen** ['naɪn'ti:n] ● *negentien* ⟨ook voorwerp/groep ter waarde/grootte v. negentien⟩. **nineteenth** ['naɪn-'ti:nθ] ● *negentiende,* ⟨als zn⟩ *negentiende deel.* **ninetieth** ['naɪntiɪθ] ● *negentigste,* ⟨als zn⟩ *negentigste deel.* **ninety** ['naɪnti] ● *negentig* ⟨ook voorwerp/groep ter waarde/grootte v. negentig⟩.

ninny ['nɪni] ● *imbeciel, sukkel.*

ninth [naɪnθ] ● *negende,* ⟨als zn⟩ *negende deel.*

1 nip [nɪp] ⟨zn⟩ ● *kneep, beet* ● *(bijtende) kou;* there was a – in the air *het was nogal fris(jes)* ● ↓ *slokje, borrel.*

2 nip I ⟨onov ww⟩ ● ⟨+out⟩⟨BE; ↓⟩ *eventjes (weg)gaan, rennen;* – in *binnenwippen* **II** ⟨ov ww⟩ ● *knijpen, bijten* ⟨ook v. dier⟩ ● ⟨+off⟩ *afknippen/knijpen.*

Nip ⟨sl.; ong.⟩ ● ⟨bn⟩ *Japans* ● ⟨zn⟩ *Jap.*

nipper ['nɪpə] ● ⟨BE; sl.⟩ *peuter* ● ⟨mv.⟩ *tang, nijptang, buigtang.*

nipple ['nɪpl] ● *tepel* ● ⟨vnl. AE⟩ *speen* ⟨v. zuigfles⟩ ● ⟨tech.⟩ *(smeer)nippel.*

nippy ['nɪpi] ● ⟨BE; ↓⟩ *vlug, snel* ● *fris(jes), koud.*

nit [nɪt] ● *neet, luizeëi* ● ↓ *stommeling, idioot.*

nitpicking ['nɪtpɪkɪŋ] ↓ ● ⟨bn⟩ *muggezifterig* ● ⟨zn⟩ *muggezifterij.*

nitrate ['naɪtreɪt, -trət] ● *nitraat* ● *nitraatmeststof.*

nitrogen ['naɪtrədʒən] ● *stikstof.*

nitty-gritty ['nɪti'grɪti] ● *kern, essentie.*

nitwit ['nɪtwɪt] ↓ ● *onbenul, idioot.*

1 no [noʊ] ⟨zn⟩ ● *neen* ● *negatieve stem, tegenstemmer;* the –es had it *de meerderheid was tegen;* I won't take – for an answer *ik sta erop, je kunt niet weigeren.*

2 no ⟨bw⟩ ● *nee(n);* oh –! *'t is niet waar!;* –! *neen toch!* ● *niet, geenszins;* – better than *niet beter dan;* tell me whether or – you are coming *zeg me of je komt of niet;* I was told by the mayor himself, – less *niemand minder dan de burgemeester zelf heeft het me verteld.*

3 no ⟨det⟩ ● *geen;* there was – talking sense

with her *er viel niet met haar te praten* ● *haast geen;* in – time *in een (mini)mum van tijd;* zie NO-ONE.

nob [nɒb] ⟨sl.⟩ ● *hoge ome/piet.*

nobble ['nɒbl] ⟨BE; sl.⟩ ● ⟨sport⟩ *uitschakelen* ⟨paard, hond; ihb. door doping⟩ ● *omkopen, bepraten* ⟨persoon⟩.

nobility [noʊ'bɪləti] ● *adel, adelstand* ● *edelmoedigheid, nobelheid.*

1 noble ['noʊbl] ⟨zn⟩ ● *edelman/vrouw.*

2 noble ⟨bn⟩ ● *adellijk, van adel* ● *edel, nobel* ● *prachtig, groots* ● *edel* ⟨metaal, gas⟩. **nobleman** ['noʊblmən] ● *edelman.* **'noble-'minded** ● *grootmoedig, edelmoedig.* **'noblewoman** ● *edelvrouw, dame van adel.*

nobly ['noʊbli] ● *op grootmoedige wijze* ● *adellijk;* – born *van adel.*

1 nobody ['noʊbədi] ⟨zn⟩ ● *onbelangrijk persoon, nul.*

2 nobody ⟨vnw⟩ ● *niemand.*

nocturnal [nɒk'tə:nl] ● *nachtelijk, nacht-.*

1 nod [nɒd] ⟨zn⟩ ● *knik(je), wenk(je);* give (s.o.) a – *(iem. toe)knikken;* ↓ on the – *op de pof; zonder discussie* ‖ ⟨sprw.⟩ a nod is as good as a wink to a blind horse *een goede verstaander heeft maar een half woord nodig.*

2 nod I ⟨onov ww⟩ ● *knikken, ja knikken;* have a –ding acquaintance with s.o./sth. *iem./iets oppervlakkig kennen* ● ⟨+off⟩ *knikkebollen, in slaap vallen* **II** ⟨ov ww⟩ ● *knikken met* ⟨hoofd⟩ ● *door knikken te kennen geven* ⟨goedkeuring, groet, toestemming⟩; – approval *goedkeurend knikken.*

node [noʊd] ● *knoest* ● ⟨plantk., nat.⟩ *knoop.*

nodule ['nɒdju:l] ● *knoestje* ● ⟨anat.⟩ *knobbeltje, klein gezwel.*

Noel [noʊ'el] ● *Kerst(mis).*

noggin ['nɒgɪn] ● *slokje, glaasje* ● ⟨sl.⟩ *kop, hersenpan.*

'no-'go 'area ● *verboden wijk/gebied* ⟨bv. in Noord-Ierland⟩.

'no-good ↓ ● ⟨bn⟩ *waardeloos* ● ⟨zn⟩ *nietsnut.*

'nohow ↓ ● ⟨scherts.⟩ *op geen enkele manier, helemaal niet.*

noise [nɔɪz] ● *geluid, gerucht;* make (sympathetic) –s *(positief) reageren* ● *lawaai, leven, rumoer* ● ⟨tech.⟩ *ruis, storing* ‖↓ make a – about sth. *luidruchtig klagen over iets.* **'noise a'bout, 'noise a'broad, 'noise a'round** ⟨vaak pass.⟩ ● *ruchtbaarheid geven aan;* it is being noised abroad that *het gerucht gaat dat.* **noiseless** ['nɔɪzləs] ● *geruisloos, stil.* **noisy** ['nɔɪzi] ●

lawaaierig, luidruchtig, gehorig.
nomad ['nɔʊmæd] ● *nomade.* **nomadic** [nɔ-
ʊ'mædɪk] ● *nomadisch, nomaden-* ●
(rond)zwervend.
'**no man's land** ● *niemandsland* ⟨ook fig.;
mil.⟩.
nomenclature [nɔʊ'menklətʃə] ● *nomencla-
tuur, terminologie.*
nominal ['nɔmɪnl] ● *in naam (alléén);* – partner *vennoot in naam (alléén)* ● *zo goed als
geen, symbolisch* ⟨bv. bedrag⟩; at (a) –
price *voor een spotprijs* ● ⟨ec.⟩ *nominaal.*
nominate ['nɔmɪneɪt] ● ⟨+as/for⟩ *kandidaat
stellen (als/voor), voordragen* ● *benoemen.* **nomination** ['nɔmɪ'neɪʃn] ● *kandi-
daatstelling, voordracht, nominatie* ● *benoeming.*
nominee ['nɔmɪ'ni:] ● *voorgedragene, kandidaat* ● *benoemde.*
nonagenarian ['nɔʊnədʒɪ'neərɪən] ● *negen-
tigjarige.*
nonaggression ['nɔnə'greʃn] ‖ – pact/agree-
ment *niet-aanvalsverdrag.* **non-alcoholic**
['nɔnælkə'hɔlɪk] ● *alcoholvrij, niet-alcoholisch.* **nonaligned** ['nɔnə'laɪnd] ⟨pol.⟩ ●
niet-gebonden, neutraal ⟨land⟩. **nona-
lignment** [-ə'laɪnmənt] ⟨pol.⟩ ● *het neu-
traal/niet gebonden zijn.*
nonce [nɔns] ‖ for the – *voor het ogenblik,
voorlopig.*
nonchal|ant ['nɔnʃələnt] ⟨zn: -ance⟩ ● *non-
chalant, onverschillig.*
noncombatant [-'kɔmbətənt] ● *niet-strijder.*
noncommissioned [-kə'mɪʃnd] ⟨mil.⟩ ‖ –
officer *onderofficier.* **noncommittal**
[-kə'mɪtl] ● *neutraal, terughoudend, vrij-
blijvend* ⟨antwoord⟩. **nonconformist**
[-kən'fɔ:mɪst] ● *non-conformist* ● ⟨N-⟩
⟨rel.⟩ *niet-anglicaans protestant.* **non-
conformity** [-kən'fɔ:məti] ● *non-confor-
misme.* **noncontributory** [-kən'trɪbjʊtri] ●
zonder premiebetaling ⟨bv. pensioenre-
geling⟩. **noncooperation** [-kɔʊɒpə'reɪʃn]
● *het niet samenwerken, weigering v. medewerking.* **nondescript** [-dɪskrɪpt] ● *nondescript, nietszeggend, onbeduidend.*
1 none [nʌn] ⟨vnw⟩ ● *geen (enkele), niemand, niets;* – but the best is good
enough *alleen het beste is goed genoeg;*
I'll have – of your tricks *ik moet niets hebben van jouw streken;* – other than the
President *niemand anders dan de president.*
2 none ⟨bw⟩ ● *helemaal niet, niet erg;* she
was – the wiser *ze was er niets wijzer op
geworden;* she's – too bright *ze is niet al
te slim;* they were – too rich *ze waren helemaal niet rijk;* zie NONETHELESS.

nonentity [nɒ'nentəti] ● *onbetekenend(e)
persoon/zaak, onbenul.*
nonetheless ['nʌnðə'les] ● *niettemin, toch.*
ncnevent [-ɪ'vent] ↓ *afknapper.* **nonexis-
tent** [-ɪg'zɪstənt] ● *niet-bestaand.* **non-
flammable** [-'flæməbl] ● *onbrandbaar.*
noninterference [-ɪntə'fɪərəns], **noninter-
vention** [-'venʃn] ● *non-interventie.* **noni-
ron** [-'aɪən] ● *no-iron, zelfstrijkend.* **non-
member** [-'membə] ● *niet-lid.*
'**no-'nonsense** ● *zakelijk, praktisch.*
nonparty [-'pɑ:ti] ⟨pol.⟩ ● *niet aan een partij
gebonden.* **nonpayment** [-'peɪmənt] ●
wanbetaling, het niet betalen.
nonplus [-'plʌs] ● *van zijn stuk brengen.*
nonprofit(making) [-'prɒfɪt] ● *zonder winstbejag* ● *geen winst makend.* **nonprolifera-
tion** [-prəlɪfə'reɪʃn] ● *non-proliferatie* ⟨v.
kernwapens⟩, *niet-vermeerdering.* **non-
resident** [-'rezɪdənt] ● *persoon die niet
verblijft* ⟨in bep. land, hotel⟩, *buitenlander, bezoeker* ⟨v.e. hotel⟩; – student *uit-
wonende student.* **nonreturnable**
[-rɪ'tə:nəbl] ● *zonder statiegeld.* **nonsense**
['nɒnsns] ● *onzin, nonsens, flauwekul;*
make – of, ⟨BE ook⟩ make a – of *tenietdoen, het effect bederven van;* stand no –
geen gekheid/flauwekul dulden ● *non-
sensversjes/poëzie.* **nonsensical**
[nɒn'sensɪkl] ● *onzinnig, absurd.* **non-
smoker** [-'smɔʊkə] ● *niet-roker* ● ⟨BE⟩
coupé(gedeelte) voor niet-rokers. **non-
starter** [-'stɑ:tə] ⟨BE; ↓⟩ ● *kansloze per-
soon/zaak.* **nonstick** [-'stɪk] ● *tefal-, (met
een) antiaanbak(laag).* **nonstop** [-'stɒp] ●
non-stop, doorgaand ⟨trein⟩, *zonder tus-
senlandingen* ⟨vlucht⟩, *direct* ⟨verbin-
ding⟩. **non-U** [-'ju:] ⟨verk.⟩ non-Upper
Class ⟨vnl. BE; ↓, scherts.⟩ ● *niet gebruikelijk bij de hogere standen* ⟨bv. uitdrukking, gedrag⟩. **nonunion** [-'ju:nɪən] ● *niet
aangesloten bij een vakbond* ● *geen vak-
bonds-.* **nonviol|ent** [-'vaɪələnt] ⟨zn:
-ence⟩ ● *geweldloos* ⟨demonstratie e.d.⟩.
nonwhite [-'waɪt] ● ⟨bn⟩ *niet-blank* ● ⟨zn⟩
niet-blanke.
noodle ['nu:dl] ● ⟨vnl. mv.⟩ *(soort eier)ver-
micelli.*
nook [nʊk] ● *(rustig) hoek(je), plek(je);*
search every – and cranny *in elk hoekje en
gaatje zoeken.*
noon [nu:n] ● *middag(uur), twaalf uur 's
middags.*
no-one ['nɔʊwʌn] ● *niemand.*
noose [nu:s] ● *lus, strik, strop.*
nope [nɔʊp] ⟨AE; ↓⟩ ● *nee.*
'**no place** ⟨AE; ↓⟩ ● *nergens.*
1 nor [nɔ:] ⟨bw⟩ ⟨BE⟩ ● *evenmin, ook niet;*

you don't like melon? – do I *je houdt niet van meloen? ik ook niet.*

2 nor ⟨vw⟩ ●⟨vaak na neither⟩ *noch, en ook niet;* neither Jill – Sheila *noch Jill noch Sheila;* she neither spoke – smiled *ze sprak noch lachte.*

Nordic ['nɔːdɪk] ●*Noords, Scandinavisch.*

norm [nɔːm] ●*norm, standaard.*

1 normal ['nɔːml] ⟨zn⟩ ●*het normale, gemiddelde;* above/below – *boven/onder normaal.*

2 normal ⟨bn⟩ ●*normaal, gewoon, standaard.* **normality** [nɔː'mæləti] ●*normaliteit, normale/gewone toestand.* **normal|-ize** ['nɔːməlaɪz] ⟨zn: -ization⟩ ●*normaal worden/maken, normaliseren.*

Norman ['nɔːmən] ●*Normandisch.*

1 north [nɔːθ] ⟨zn⟩ ●*het noorden* ⟨windrichting⟩, *noord;* (to the) – of *ten noorden van* ●⟨the⟩ *het Noorden* ⟨v. land⟩.

2 north ⟨bn⟩ ●*noord(-), noordelijk, noordwaarts;* the North Pole *de Noordpool;* the North Sea *de Noordzee.*

3 north ⟨bw⟩ ●*noordwaarts, van/naar/in het noorden;* ↓ live up – *in het noorden v.h. land wonen.*

'North-A'merican ●*Noordamerikaan(s).*

'northbound ●*die/dat naar het noorden gaat/reist* ⟨verkeer, weg⟩. **'north'east** ⟨zn; the⟩ *noordoosten* ●⟨bn⟩ *noordoostelijk* ●⟨bw⟩ *in/naar/uit het noordoosten, ten noordoosten.* **'north'easter** ['nɔːθ'iːstə] ⟨vnl. enk.⟩ ●*noordoostenwind.* **'north'easterly** ●*noordoostelijk.* **'north'eastern** ●*noordoostelijk.*

northerly ['nɔːðəli] ●⟨bn⟩ *noordelijk* ●⟨bw⟩ *uit/naar het noorden.* **northern** ['nɔːðən] ●*noordelijk, noorden-, noord(-);* the – lights *het noorderlicht.* **northerner** ['nɔːðənə] ●*noorderling* ⟨bewoner v.h. noorden v.e. land⟩. **northernmost** ['nɔːðənməʊst] ●*noordelijkst.*

northward ['nɔːθwəd] ●*noord(waarts), noordelijk.* **northwards** ['nɔːθwədz], **northward** ●*noordwaarts.* **'north'west** ⟨zn; the; ook N-⟩ *noordwesten* ●⟨bn⟩ *noordwestelijk* ●⟨bw⟩ *in/naar/uit het noordwesten, ten noordwesten.* **northwester** ['nɔːθ'westə] ●*noordwestenwind.* **'north'westerly** ●*noordwestelijk.* **'north'western** ●*noordwest(elijk).*

Norway ['nɔːweɪ] ●*Noorwegen.* **Norwegian** ['nɔː'wiːdʒən] ●⟨bn⟩ *Noors* ●⟨eig.n.⟩ *Noors* ⟨taal⟩ ●⟨telb zn⟩ *Noor.*

1 nose [nəʊz] ⟨zn⟩ ●*neus,* (fig.) *reukzin, speurzin;* (right) under s.o.'s (very) – *vlak voor zijn neus/ogen* ●*punt, neus* ⟨v. vliegtuig, auto, schoen⟩ ‖ cut off one's – to spite one's face *(in een woedebui) zijn eigen glazen/ruiten ingooien;* follow one's – *zijn instinct volgen;* have a – for sth. *ergens een fijne neus voor hebben;* keep one's – to the grindstone *voortdurend hard werken;* keep one's – out of s.o.'s affairs *zich met zijn eigen zaken bemoeien;* lead s.o. by the – *met iem. kunnen doen wat men wil;* look down one's – at s.o. *neerkijken op iem.;* pay through the – (for) *zich laten afzetten (voor);* poke/stick one's – into s.o.'s affairs *zijn neus in andermans zaken steken;* put s.o.'s – out of joint *iem. voor het hoofd stoten; iem. jaloers maken;* rub s.o.'s – in it/the dirt *iem. iets onder de neus wrijven;* turn up one's – at *zijn neus ophalen voor.*

2 nose I ⟨onov ww⟩ ●*zich (voorzichtig) een weg banen* ⟨v. schip, auto⟩; zie NOSE ABOUT **II** ⟨ov ww⟩ ●*zich banen* ⟨een weg⟩, *zich voortbewegen;* she –d the car through the traffic *ze manoeuvreerde de auto door het verkeer;* zie NOSE ABOUT, NOSE OUT. **'nose a'bout, 'nose a'round** ●*rondneuzen (in), rondsnuffelen (in).* **'nosebag** ⟨vnl. BE⟩ ●*voederzak* ⟨v. paard⟩. **'nosebleed** ●*bloedneus.* **'nose dive** ●⟨luchtv.⟩ *duikvlucht* ●*plotselinge (prijs)daling.* **'nose-dive** ●⟨luchtv.⟩ *een duikvlucht maken* ●*plotseling dalen.* **'nosegay** ●*ruiker(tje), corsage.* **'nose 'out** ↓ ●*ontdekken, erachter komen.*

nosey zie NOSY.

nosh [nɒʃ] ⟨vnl. BE; sl.⟩ ●*eten.*

nostalgia [nɒ'stældʒə] ●*nostalgie, verlangen (naar het verleden).* **nostalgic** [nɒ'stældʒɪk] ●*nostalgisch.*

nostril ['nɒstrɪl] ●*neusgat, neusvleugel.*

nosy, nosey ['nəʊzi] ●↓ *bemoeiziek, nieuwsgierig;* Nosey Parker *bemoeial, nieuwsgierig Aagje.*

not [nɒt] ●*niet;* – a thing *helemaal niets;* I hope – *ik hoop van niet;* ↓ – to say *misschien zelfs, om niet te zeggen;* – at all *geen dank;* – least *vooral;* – only ... but (also) *niet alleen ..., maar (ook);* – that I want to know *niet (om)dat ik het wil weten.*

1 notable ['nəʊtəbl] ⟨zn⟩ ●*notabele, belangrijk/vooraanstaand persoon.*

2 notable ⟨bn⟩ ●*opmerkelijk, merkwaardig, opvallend.* **notably** ['nəʊtəbli] ●zie NOTABLE ●*in het bijzonder, met name.*

notary ['nəʊtəri] ●*notaris;* – public *notaris.*

notation [nəʊ'teɪʃn] ●*notatie* ⟨muziek, schaken e.d.⟩, *schrijfwijze; chemical* – *chemisch(e) tekenschrift/symbolen.*

1 notch [nɒtʃ] ⟨zn⟩ ●*keep, kerf, inkeping* ●↓ *graad, klasse.*

2 notch ⟨ww⟩ ● *(in)kepen, (in)kerven, insnij-den* ●⟨↓; vaak +up⟩ *(be)halen* ⟨overwinning, punten⟩, *binnenhalen.*

1 note [noʊt] ⟨zn⟩ ● ⟨vaak mv.⟩ *aantekening, notitie;* make –s *aantekeningen maken;* make a – of your expenses *houd bij wat voor onkosten je maakt* ● *briefje, berichtje,* ⟨ihb.⟩ *(diplomatieke) nota* ● *(voet) noot* ● *biljet, briefje* ● ⟨muz.⟩ *toon, noot* ● *(onder)toon;* – of carelessness *een zekere achteloosheid;* sound/strike a – of warning *een waarschuwend geluid laten horen* ● *aanzien, belang;* of – v. belang, *van een reputatie, algemeen bekend* ● *aandacht, nota;* take – of *notitie nemen van* ‖ ⟨fig.⟩ compare –s *ervaringen/ideeën uitwisselen.*

2 note ⟨ww⟩ ● *nota nemen van, letten op* ● *(op)merken* ● *opmerken, melding maken van* ●⟨+down⟩ *opschrijven, noteren.*

'notebook ● *notitieboekje.* **noted** ['noʊtɪd] ● ⟨+for⟩ *beroemd (om/wegens), bekend.* **'notepaper** ● *postpapier.* **'noteworthy** ● *vermeldenswaardig, opmerkelijk.*

1 nothing ['nʌθɪŋ] ⟨zn⟩ ● *nul, waardeloos iem.* ● *kleinigheid, niets, niemendalletje.*

2 nothing ⟨vnw⟩ ● *niets;* it's – *'t stelt niets voor;* she did – (else) but/than grumble *ze zat alleen maar te mopperen* ‖ in – flat *in een mum v. tijd;* it's – *graag gedaan;* there was – for it but to call a doctor *er zat niets anders op dan een dokter op te bellen;* for – *tevergeefs; gratis;* there's – in/to it *er klopt niets van; 't is een makkie;* it's – to me *het doet me niets;* – if not sly *uitermate/heel erg sluw.*

3 nothing ⟨bw⟩ ● *helemaal niet;* my painting is – like/near as/so good as yours *mijn schilderij is bij lange na niet zo goed als het jouwe.*

nothingness ['nʌθɪŋnəs] ● *(het) niets* ● *leegte.*

1 notice ['noʊtɪs] ⟨zn⟩ ● *(voorafgaande) kennisgeving, waarschuwing,* ⟨ihb.⟩ *opzegging* ⟨v. huur/arbeidscontract⟩; give one's – *zijn ontslag indienen;* give the maid (a month's) – *de dienstbode (met een maand) opzeggen;* at a moment's/a minute's – *direct, zonder bericht vooraf;* at two hours' – *binnen twee uur* ● *aandacht;* I'd like to bring this book to your – *ik zou dit boek onder uw aandacht willen brengen;* when the CD became a success the other record companies suddenly sat up and took – *toen de CD een succes werd, schrokken de andere platenmaatschappijen wakker;* take (no) – of *(geen) acht slaan op* ● *mededeling, bericht;* – of

marriage *huwelijksaankondiging* ● *bespreking, recensie.*

2 notice ⟨ww⟩ ● *(op)merken, zien, waarnemen* ● *vermelden, een opmerking maken over.* **noticeable** ['noʊtɪsəbl] ● *merkbaar* ● *opmerkelijk.* **'notice board** ⟨BE⟩ ● *mededelingenbord, prikbord.*

notifiable ['noʊtɪfaɪəbl] ● *met aangifteplicht* ⟨ihb. v. bep. ziekten⟩. **notification** ['noʊtɪfɪ'keɪʃn] ● *aangifte* ● *mededeling.* **notify** ['noʊtɪfaɪ] ● *informeren, bekend maken, op de hoogte stellen;* – a birth *aangifte doen v.e. geboorte.*

notion ['noʊʃn] ● *begrip, concept* ● *idee, mening, veronderstelling;* she had no – of what I was talking about *ze had geen benul waar ik het over had* ● *gril, wild idee* ● ⟨mv.⟩ ⟨AE⟩ *fournituren.* **notional** ['noʊʃnəl] ● *hypothetisch, denkbeeldig.*

notoriety ['noʊtə'raɪəti] ● *notoriteit, beruchtheid.* **notorious** [noʊ'tɔːrɪəs] ● *algemeen (ongunstig) bekend, berucht.*

1 notwithstanding ['nɒtwɪð'stændɪŋ, -wɪθ-] ⟨bw⟩ ● *desondanks, ondanks dat.*

2 notwithstanding ⟨vz; soms achtergeplaatst⟩ ● *ondanks, niettegenstaande.*

3 notwithstanding ⟨vw⟩ ● *hoewel, niettegenstaande (het feit).*

nougat ['nuːgɑː] ● *noga.*

nought zie NAUGHT.

noun [naʊn] ⟨taal.⟩ ● *zelfstandig naamwoord.*

nourish ['nʌrɪʃ] ● *voeden* ⟨ook fig.⟩; –ing food *voedzaam eten* ● *koesteren.*

nourishment ['nʌrɪʃmənt] ● *voeding* ● *voedsel.*

1 novel ['nɒvl] ⟨zn⟩ ● *roman.*

2 novel ⟨bn⟩ ● *nieuw, ongekend;* – ideas *verrassende ideeën.*

novelette ['nɒvə'let] ● *novelle* ● ⟨BE⟩ *romannetje.* **novelist** ['nɒv(ə)lɪst] ● *romanschrijver.*

novelty ['nɒvlti] ● ⟨vaak mv.⟩ *nieuwigheidje, (modieus) nieuwtje* ● *nieuwigheid, nieuws, iets onbekends;* the – soon wore off *het nieuwe was er al gauw af.*

November [noʊ'vembə] ● *november.*

novice ['nɒvɪs] ● ⟨rel.⟩ *novice* ● *beginneling, nieuweling.*

1 now [naʊ] ⟨zn⟩ ● *nu;* every – and again, every – and then *zo nu en dan;* before – *vroeger, tot nu toe;* by – *ondertussen;* for – *voorlopig;* from – on *v. nu af aan;* until –, up till –, up to – *tot nu toe.*

2 now ⟨bw⟩ ● *nu;* with prices – rising, – falling *met prijzen die nu eens stijgen, dan weer dalen;* – what do you mean? *maar wat bedoel je nu eigenlijk?;* – and again/

then *zo nu en dan;* just – *zoëven, daarnet; nu;* – then, where do you think you're going? *zo, en waar dacht jij heen te gaan?;* that's settled, – for the next question *dat is geregeld, en nu de volgende vraag.*

3 now ⟨vw⟩ ● *nu (dat), gezien (dat).*

nowadays ['naʊədeɪz] ● *tegenwoordig, vandaag de dag.*

nowhere ['nəʊweə] ● *nergens;* it got him – *het leverde hem niets op;* she is – when it comes to running *als het op rennen aankomt, is zij nergens;* she is – near as bright as him *ze is lang niet zo intelligent als hij;* miles away from – *mijlen van de bewoonde wereld vandaan;* he started from – but became famous *hij kwam uit het niets maar werd beroemd.*

noxious ['nɒkʃəs] ⟨ook fig.⟩ ● *schadelijk, verderfelijk.*

nozzle ['nɒzl] ● *tuit, pijp* ⟨tech.⟩ *(straal)pijp, mondstuk.*

nth [enθ] ● ⟨wisk.⟩ *nde;* – power *nde macht* ‖ for the – time *voor de zoveelste keer.*

nuance ['njuːɑːns] ● *nuance, schakering.*

nub [nʌb] ● ↓ *kern(punt), essentie.*

nubile ['njuːbaɪl] ● *huwbaar* ⟨v. vrouw⟩, *aantrekkelijk.*

nuclear ['njuːklɪə] ● ⟨nat.⟩ *nucleair, kern-, atoom-;* – physics *kernfysica;* – disarmament *nucleaire ontwapening;* – energy *kernenergie;* – fission *kernsplitsing;* – (power) plant/station *kerncentrale;* – war *kernoorlog;* – reactor *kernreactor;* – waste *kernafval* ‖ ⟨sociologie⟩ – family *nucleair gezin.*

nucleus ['njuːklɪəs] ⟨mv.: nuclei⟩ ● *kern* ⟨ook fig.⟩, ⟨biol.⟩ *(cel)kern.*

1 nude [njuːd] ⟨zn⟩ ● ⟨kunst⟩ *naakt (model)* ‖ in the – *naakt.*

2 nude ⟨bn⟩ ● *naakt.*

1 nudge [nʌdʒ] ⟨zn⟩ ● *stoot(je), por.*

2 nudge ⟨ww⟩ ● *(zachtjes) aanstoten* ⟨met de elleboog⟩ ● *zachtjes duwen.*

nudism ['njuːdɪzm] ● *nudisme.* **nudist** ['njuːdɪst] ● *nudist.* '**nudist camp** ● *nudistenkamp.*

nudity ['njuːdəti] ● *naaktheid.*

nugatory ['njuːgətri] ● *waardeloos.*

nugget ['nʌgɪt] ● *(goud)klompje* ● *juweel(tje)* ⟨fig.⟩.

nuisance ['njuːsns] I ⟨telb zn⟩ ● *lastig iem./ iets, lastpost;* make a – of o.s. *lastig zijn* II ⟨telb en n-telb zn⟩ ● *(over)last, hinder;* what a – *wat vervelend.*

1 nuke [njuːk] ⟨zn⟩ ⟨vnl. AE; ↓⟩ ● ⟨verk.⟩ nuclear weapon *kernwapen.*

2 nuke ⟨ww⟩ ● *met kernwapens aanvallen.*

null ● ⟨jur.⟩ *niet-bindend, nietig;* – and void

v. nul en gener waarde. **nullify** ['nʌlɪfaɪ] ● *nietig verklaren* ● *opheffen, tenietdoen.* **nullity** ['nʌləti] ● ⟨jur.⟩ *nietigheid, ongeldigheid.*

1 numb [nʌm] ⟨bn⟩ ● ⟨+with⟩ *verstijfd (van), verdoofd, verkleumd.*

2 numb ⟨ww⟩ ● *verlammen* ⟨ook fig.⟩, *doen verstijven* ● *verdoven.*

1 number ['nʌmbə] I ⟨telb zn⟩ ● *getal* ● *aantal;* in – *in aantal;* –s of cats *een heleboel katten;* to the – of (twenty) *(twintig) in getal;* any – of *ontelbaar veel* ● *nummer;* published in –s *in afleveringen verschenen* ● *gezelschap, groep* ‖ his – has come up/is up *het is met hem gedaan;* ↓ have/ get s.o.'s – *iem. doorhebben;* – one ⟨sl.⟩ *best;* always think of – one *altijd alleen maar aan zichzelf denken;* my – one problem *mijn grootste probleem* II ⟨mv.⟩ ● *getallen, het rekenen;* be good at –s *goed zijn in rekenen* ‖ win by (force of) –s *winnen door getalsterkte;* zie ook ⟨sprw.⟩ SAFETY.

2 number I ⟨onov en ov ww⟩ ● *tellen* ● *vormen* ⟨aantal⟩, *bedragen* ● *tellen, behoren tot;* I – him among my best friends *hij behoort tot mijn beste vrienden* ‖ his days are –ed *zijn dagen zijn geteld* II ⟨ov ww⟩ ● *nummeren.* **numberless** ['nʌmbələs] ● *ontelbaar, talloos.* '**number plate** ⟨BE⟩ ● *nummerplaat, nummerbord.*

num(b)skull ['nʌmskʌl] ↓ ● *stomkop.*

1 numeral ['njuːmrəl] ⟨zn⟩ ● *cijfer.*

2 numeral ⟨bn⟩ ● *getal(s)-, v. getallen.*

numerate ['njuːmərət] ⟨BE⟩ ● *met een wiskundige basiskennis.* **numerator** ['njuːməreɪtə] ⟨wisk.⟩ ● *teller.*

numerical [njuː'merɪkl] ● *in aantal;* – superiority *(overmacht door) getalsterkte* ● *numeriek, getals-;* – value *numerieke waarde;* ⟨wisk.⟩ *absolute waarde.*

numerous ['njuːmrəs] ● *talrijk.*

nun [nʌn] ● *non.* **nunnery** ['nʌnəri] ● *nonnenklooster.*

nuptial ['nʌpʃl] ● *huwelijks-.* **nuptials** ['nʌpʃlz] ● *huwelijk.*

1 nurse [nɜːs] ⟨zn⟩ ● *verpleegster/pleger, verpleegkundige;* registered – *verpleegkundige met staatsdiploma* ● *kindermeisje* ● *voedster.*

2 nurse I ⟨onov ww⟩ ● *aan de borst zijn* II ⟨ov ww⟩ ● *verplegen* ● *verzorgen* ● *zogen, borstvoeding geven* ● *behandelen, genezen;* – s.o. back to health *door verpleging iem. weer gezond krijgen* ● *koesteren;* – a grievance/grudge against s.o. *een grief/ wrok tegen iem. koesteren;* – plants *planten met zorg omgeven/koesteren.* '**nurse-**

maid ● *kindermeisje.* **nursery** ['nəːsri] ●
kinderkamer ● *crèche, kinderdagverblijf* ●
(boom/planten)kwekerij. **nurseryman**
['nəːsrimən] ● *(boom/planten)kweker.*
'**nursery rhyme** ● *kinderversje.* '**nursery
school** ● *peuterklas* ⟨voor kinderen beneden de vijf jaar⟩. '**nursery slopes** ⟨skiën⟩
● *piste voor beginners.*
nursing ['nəːsɪŋ] ● *verpleging, verzorging* ●
verpleegkunde. '**nursing home** ● *ver-
pleeghuis* ● ⟨BE⟩ *particulier ziekenhuis.*
1 nurture ['nəːtʃə] ⟨zn⟩ ● *opvoeding, vorming.*
2 nurture ⟨ww⟩ ● *voeden* ● *koesteren, verzorgen* ● *opvoeden.*
nut [nʌt] ● *noot* ● *moer* ● ⟨sl.⟩ *halve gare* ●
⟨sl.⟩ *fanaat, gek* ● ⟨vnl. mv.⟩ ⟨AE; sl.⟩ *bal*
⟨testikel⟩ ‖↓ –s *and bolts grondbeginselen, hoofdzaken;* ⟨BE; ↓⟩ *do one's – razend zijn;* off *one's – niet goed bij zijn
hoofd;* ⟨sl.⟩ –s! *onzin!, gelul!.* '**nut**-
'**brown** ● *hazelnootbruin, roodbruin.*
'**nutcracker** ● *notekraker.* '**nuthouse** ⟨sl.⟩
● *gekkenhuis.*
nutmeg ['nʌtmeg] ● *nootmuskaat.*
nutrient ['njuːtrɪənt] ● ⟨bn⟩ *voedend, voe-
dings-* ● ⟨zn⟩ *voedings/bouwstof.* **nutri-
ment** ['njuːtrɪmənt] ● *voeding, voedingsmiddel.* **nutrition** [njuːtrɪʃn] ● *voeding.*
nutritional [njuːtrɪʃnəl] ● *voedings-.* **nu-
tritious** [njuːtrɪʃəs] ● *voedzaam.* **nutritive**
['njuːtrətɪv] ● *voedings-; – value voedingswaarde* ● *voedzaam.*
nuts [nʌts] ↓ ● *gek, getikt;* go *– gek worden;*
be *– about/on/over gek zijn op.*
'**nutshell** ● *notedop* ⟨ook fig.⟩.
nutty ['nʌti] ● *met (veel) noten* ● *naar noten
smakend* ● ↓ *gek, getikt.*
nuzzle ['nʌzl] ● *(be)snuffelen* ● *(zich) nestelen, (zich) vlijen.*
nylon ['naɪlɒn] **I** ⟨n-telb zn⟩ ● *nylon* **II** ⟨mv.⟩
● *nylons.*
nymph [nɪmf] ● *nimf.*
nymphomania ['nɪmfə'meɪnɪə] ● *nymfoma-
nie.* **nymphomaniac** ['nɪmfə'meɪniæk] ●
nymfomane.

o' [ə] ● ⟨verk.⟩ of *van;* five –clock *vijf uur.*
oaf [oʊf] ● *klungel* ● *lummel, lomperd.* **oaf-
ish** ['oʊfɪʃ] ● *klungelig* ● *lomp, pummelig.*
oak [oʊk] **I** ⟨telb zn⟩ ● *eik* **II** ⟨n-telb zn⟩ ● *ei-
ken, eikehout.* '**oak tree** ● *eik.*
oar [ɔː] ● *roeispaan, (roei)riem* ‖ put/stick
one's – in *zich ermee bemoeien.* **oarsman**
['ɔːzmən] ● *roeier.* **oarsmanship**
['ɔːzmənʃɪp] ● *roeikunst.* '**oarswoman** ●
roeister.
oasis [oʊ'eɪsɪs] ⟨mv.: oases [-siːz]⟩ ● *oase.*
oat [oʊt] **I** ⟨telb zn⟩ ⟨plantk.⟩ ● *haver* **II** ⟨mv.⟩
● *haver, haverkorrels;* rolled –s *havervlok-
ken.*
oath [oʊθ] ⟨mv.: oaths [oʊðz]⟩ ● *eed;* take/
swear an *– een eed afleggen;* under *– onder ede* ● *vloek.*
'**oatmeal** ● *havermeel/vlokken.*
obduracy ['ɒbdjʊrəsi] ● *verstoktheid* ● *on-
verzettelijkheid.* **obdurate** ['ɒbdjʊrət] ●
onverbeterlijk, koppig ● *onverzettelijk.*
obedience [ə'biːdɪəns] ● *gehoorzaamheid.*
obedient [ə'biːdɪənt] ● *gehoorzaam.*
obeisance [oʊ'beɪsns] **I** ⟨telb en n-telb zn⟩ ●
buiging **II** ⟨n-telb zn⟩ ● *eerbied;* pay – to
zijn respect betuigen aan.
obelisk ['ɒbəlɪsk] ● *obelisk.*
obese [oʊ'biːs] ● *zwaarlijvig, corpulent.*
obesity [oʊ'biːsəti] ● *zwaarlijvigheid, cor-
pulentie.*
obey [ə'beɪ] ● *gehoorzamen (aan), opvolgen.*
obituary [ə'bɪtʃʊəri] ● ⟨zn⟩ *overlijdensbe-
richt* ● ⟨bn⟩ *overlijdens-; – notice overlij-
densbericht.*
1 object ['ɒbdʒɪkt] ⟨zn⟩ ● *voorwerp, object* ●
doel ‖ money is no *– geld speelt geen rol.*
2 object [əb'dʒekt] ⟨ww⟩ ● *bezwaar hebben/
maken.* **objection** [əb'dʒekʃn] ● *bezwaar,
tegenwerping;* raise –s *bezwaren maken*
● *afkeuring.* **objectionable** [əb'dʒekʃnəbl]
● *bedenkelijk, aan bezwaar onderhevig* ●
onaangenaam ● *aanstootgevend.*
1 objective [əb'dʒektɪv] ⟨zn⟩ ● *doel(stelling),
oogmerk.*
2 objective ⟨bn⟩ ● *objectief, onpartijdig.* **ob-
jectivity** ['ɒbdʒek'tɪvəti] ● *objectiviteit, on-*

partijdigheid.

'**object lesson** ●*aanschouwelijke les* ●*praktisch voorbeeld, toonbeeld.*

obligate ['ɒblɪgeɪt] ●*verplichten;* feel –d to do sth. *zich verplicht voelen iets te doen.*
obligation ['ɒblɪ'geɪʃn] ●*verplichting;* place s.o. under an – *iem. aan zich verplichten.* **obligatory** [ə'blɪgətri] ●*verplicht.*

oblige [ə'blaɪdʒ] I ⟨onov ww⟩ ●*het genoegen doen;* – with a song *een lied ten beste geven* II ⟨ov ww⟩ ●*aan zich verplichten;* (I'm) much –d (to you) *dank u zeer;* could you – me by opening the door? *wilt u zo vriendelijk zijn de deur voor mij te openen?* ●*verplichten, (ver)binden;* I feel –d to say that ... *ik voel me verplicht te zeggen dat ....* **obliging** [ə'blaɪdʒɪŋ] ●*attent, voorkomend, behulpzaam.*

1**oblique** [ə'bli:k] ⟨zn⟩ ●*schuine streep.*
2**oblique** ⟨bn⟩ ●*schuin, scheef, hellend;* – stroke *schuine streep* ●*indirect, ontwijkend.*

obliter|ate [ə'blɪtəreɪt] ⟨zn: -ation⟩ ●*uitwissen;* ⟨fig.⟩ – o.s. *zichzelf wegcijferen* ●*doen verdwijnen, verwijderen.*

oblivion [ə'blɪvɪən] ●*vergetelheid;* fall/sink into – *in vergetelheid raken.* **oblivious** [ə'blɪvɪəs] ●*onbewust;* – of *niet lettend op, vergetend;* –of/to *zich niet bewust v..*

oblong ['ɒblɒŋ] ●⟨bn⟩ *rechthoekig* ●⟨zn⟩ *rechthoek.*

obnoxious [əb'nɒkʃəs] ●*aanstootgevend* ●*(uiterst) onaangenaam;* an – child *een oervervelend kind.*

oboe ['oʊboʊ] ●*hobo.* **oboist** ['oʊboʊɪst] ●*hoboist.*

obscene [əb'si:n] ●*obsceen, onzedelijk.* **obscenity** [əb'senəti] ●*obsceniteit, onzedelijkheid,* ⟨mv.⟩ *vuile taal, vuiligheden.*

1**obscure** [əb'skjʊə] ⟨bn⟩ ●*obscuur, cryptisch, onduidelijk* ●*obscuur, onbekend* ●*verborgen, onopgemerkt.*
2**obscure** ⟨ww⟩ ●*verduisteren, verdoezelen* ●*verbergen.* **obscurity** [əb'skjʊərəti] ●*duisterheid, duister* ●*onbekendheid* ●*onduidelijkheid, onbegrijpelijkheid.*

obsequious [əb'si:kwɪəs] ●*kruiperig, onderdanig.*

observable [əb'ə:vəbl] ●*waarneembaar, merkbaar.*

observance [əb'zə:vns] I ⟨telb zn⟩ ●⟨vaak mv.⟩ *(godsdienstige) plechtigheid, ceremonie* II ⟨n-telb zn⟩ ●*inachtneming, naleving.* **observant** [əb'zə:vnt] ●*opmerkzaam, oplettend* ●*inachtnemend, eerbiedigend* ⟨wet, plicht⟩.

observation ['ɒbzə'veɪʃn] I ⟨telb zn⟩ ●*op-*

merking II ⟨telb en n-telb zn⟩ ●*waarneming, observatie;* keep s.o. under – *iem. in de gaten (blijven) houden; iem. in observatie houden* III ⟨n-telb zn⟩ ●*waarnemingsvermogen.* **obser'vation post** ⟨mil.⟩ ●*observatiepost.*

observatory [əb'zə:vətri] ●*observatorium, sterrenwacht.*

observe [əb'zə:v] ●*opmerken* ●*naleven, in acht nemen* ●*waarnemen, observeren* ●*(be)merken, gewaar worden;* he was –d to break in/–d breaking in *hij werd gezien terwijl hij aan het inbreken was.* **observer** [əb'zə:və] ●*toeschouwer* ●*waarnemer, observator.* **observing** [əb'zə:vɪŋ] ●*opmerkzaam, oplettend.*

obsess [əb'ses] ●*obsederen;* –ed by/with *geobsedeerd/bezeten door.* **obsession** [əb'seʃn] ●*obsessie, dwanggedachte* ●*bezetenheid.* **obsessional** [əb'seʃnəl] ●*tot een obsessie geworden* ●*geobsedeerd, bezeten.* **obsessive** [əb'sesɪv] ●*obsederend* ●*bezeten.*

obsolescent ['ɒbsə'lesnt] ●*verouderend, in onbruik rakend.* **obsolete** ['ɒbsəli:t] ●*verouderd.*

obstacle ['ɒbstəkl] ●*obstakel, belemmering.* '**obstacle race** ●*hindernisren.*

obstetrician ['ɒbstɪ'trɪʃn] ●*verloskundige.* **obstetrics** [əb'stetrɪks] ●*verloskunde.*

obstinacy ['ɒbstɪnəsi] ●*halsstarrigheid, koppigheid* ●*hardnekkigheid* ⟨ook v. ziekte⟩. **obstinate** ['ɒbstɪnət] ●*halsstarrig, obstinaat* ●*hardnekkig.*

obstreperous [əb'strepərəs] ●*luidruchtig, rumoerig.*

obstruct [əb'strʌkt] ●*versperren, blokkeren* ●*belemmeren* ●⟨sport⟩ *hinderen, afhouden.* **obstruction** [əb'strʌkʃn] ●*belemmering, hindernis* ●*versperring, obstakel* ●*obstructie* ⟨ook sport, med.⟩. **obstructive** [əb'strʌktɪʌ] ●*obstructief* ●*belemmerend, hinderend.*

obtain [əb'teɪn] ●*(ver)krijgen, behalen.* **obtainable** [əb'teɪnəbl] ●*verkrijgbaar, te behalen.*

obtrude [əb'tru:d] I ⟨onov ww⟩ ●*zich opdringen* II ⟨ov ww⟩ ●⟨+(up)on⟩ *opdringen (aan)* ●*uitsteken.* **obtrusive** [əb'tru:sɪv] ●*opdringerig* ●*opvallend.*

obtuse [əb'tju:s] ●*stomp* ⟨ook wisk.⟩ ●*traag v. begrip, stompzinnig.*

obviate ['ɒbvieɪt] ●*ondervangen, uit de weg ruimen, voorkomen.*

obvious ['ɒbvɪəs] I ⟨bn, attr en pred⟩ ●*duidelijk* ●*voor de hand liggend, doorzichtig* II ⟨bn, attr⟩ ●*juist;* the – man for the job *de aangewezen man voor het karweitje.* **ob-**

viously ['ɒbvɪəsli] ●zie OBVIOUS ●*duidelijk, kennelijk.*

1 occasion [ə'keɪʒn] I ⟨telb zn⟩ ●*evenement, gelegenheid* II ⟨telb en n-telb zn⟩ ●*gelegenheid;* to be equal to the – *tegen de situatie opgewassen zijn;* on rare –s *heel af en toe;* on the – of your birthday *ter gelegenheid v. je verjaardag;* on this – *bij deze gelegenheid* ●*aanleiding;* give – to *aanleiding geven tot* III ⟨n-telb zn⟩ ●*reden, grond;* you have no – to leave *jij hebt geen reden om weg te gaan.*

2 occasion ⟨ww⟩ ●*veroorzaken, aanleiding geven tot.*

occasional [ə'keɪʒnəl] I ⟨bn, attr en pred⟩ ● *nu en dan voorkomend;* – showers *verspreide buien;* then there is the – tramp *en dan komt er af en toe een zwerver* II ⟨bn, attr⟩ ●*gelegenheids-;* – verse *gelegenheidspoëzie.* **occasionally** [ə'keɪʒnəli] ● zie OCCASIONAL ●*nu en dan, af en toe.*

Occidental ['ɒksɪ'dentl] ●*occidentaal, westers.*

occult ['ɒkʌlt, ə'kʌlt] ●*occult, geheim, verborgen;* the – *het occulte.*

occupancy ['ɒkjʊpənsi] ●*bewoning, pachting, huur.* **occupant** ['ɒkjʊpənt] ●*bewoner/woonster* ●*inzittende* ⟨v. auto⟩.

occupation ['ɒkjʊ'peɪʃn] I ⟨telb zn⟩ ●*beroep* ●*bezigheid* II ⟨n-telb zn⟩ ●*bezetting* ●*bewoning.* **occupational** ['ɒkjʊ'peɪʃnəl] ●*beroeps-;* – hazard *beroepsrisico* ‖ – therapist *bezigheidstherapeut.*

occupier ['ɒkjʊpaɪə] ⟨BE⟩ ●*bewoner, huurder, eigenaar.* **occupy** ['ɒkjʊpaɪ] ●*bezetten, bezet houden* ●*in beslag nemen;* it will – a lot of his time *het zal veel v. zijn tijd in beslag nemen;* – space *ruimte innemen* ●*bezighouden;* it occupies my mind *het houdt me bezig;* – o.s. with *zich bezighouden met* ●*bekleden* ⟨ambt⟩ ●*bewonen, betrekken.*

occur [ə'kə:] ●*voorkomen, aangetroffen worden* ●*opkomen, invallen;* it simply did not – to him *het kwam eenvoudigweg niet bij hem op* ●*gebeuren, zich voordoen.* **occurrence** [ə'kʌrəns] ●*voorval, gebeurtenis* ●*het voorkomen.*

ocean ['oʊʃn] ●*oceaan* ‖ –s of money *een zee v. geld;* –s of time *zeeën v. tijd.* '**ocean-going** ‖ – vessel *zeeschip.* **oceanic** ['oʊʃi'ænɪk] ●*oceanisch, oceaan-.* **oceanography** ['oʊʃə'nɒɡrəfi] ●*oceanografie.*

ochre ['oʊkə] ●*oker.*

o'clock [ə'klɒk] ●*uur;* ten – *tien uur.*

octagon ['ɒktəgən] ⟨bn: -al⟩ ●*achthoek.*

octane ['ɒkteɪn] ●*octaan.*

octave ['ɒktɪv] ⟨muz.⟩ ●*octaaf.*

October [ɒk'toʊbə] ●*oktober.*

octogenarian ['ɒktoʊdʒɪ'neərɪən] ●*tachtigjarige.*

octopus ['ɒktəpəs] ●*octopus, achtarmige inktvis.*

ocular ['ɒkjʊlə] ●*oculair, oog-.*   **oculist** ['ɒkjʊlɪst] ●*oogarts.*

O.D., OD ['oʊ'di:] ⟨sl.⟩ ●⟨zn⟩ *overdosis (drugs)* ●⟨ww⟩ *ziek worden v./sterven aan een overdosis.*

odd [ɒd] I ⟨bn, attr en pred⟩ ●*oneven* ● *vreemd, zonderling* II ⟨bn, attr⟩ ●*overblijvend;* you can keep the – change *je mag het wisselgeld houden* ●*toevallig, onverwacht;* earn some – money *iets extra verdienen;* he drops in at – times *hij komt zo nu en dan eens langs* ●*los;* an – issue *een losse aflevering;* – job *klusje* ‖ – man out ↓ *vreemde eend;* what's the – man out in the following list? *welke hoort in het volgende rijtje niet thuis?* III ⟨bn, attr post⟩ ●*iets meer dan;* sixty pounds – *iets meer dan zestig pond;* three hundred – *driehonderd en nog wat;* 60-odd persons *ruim 60 personen.* '**oddball** ⟨vnl. AE; ↓⟩ ●*rare snuiter.* **oddity** ['ɒdəti] ●*eigenaardigheid* ●*vreemde snuiter* ●*iets vreemds* ●*vreemdheid, excentriciteit.* '**odd-'jobber,** '**odd-'jobman** ●*manusje van alles, klusjesman.* **oddment** ['ɒdmənt] ●*overblijfsel, restant* ●⟨mv.⟩ *prullen.*

odds [ɒdz] ●*ongelijkheid, verschil;* that makes no – *dat maakt niets uit* ●*onenigheid;* be at – with *in onenigheid leven met* ●*(grote) kans, waarschijnlijkheid;* the – are even *er is evenveel kans voor als tegen;* the – are against/on his winning the election *naar alle waarschijnlijkheid zal hij de verkiezingen verliezen/winnen;* the – are that she will do it *de kans is groot dat ze het doet* ●*verhouding tussen de inzetten bij weddenschap;* take – of one to ten *een inzet accepteren van één tegen tien* ● ⟨sport⟩ *voorgift, voorsprong;* give/receive – *voorgift geven/krijgen* ‖ – and ends *prullen;* ⟨BE; sl.⟩ – and sods *rommel.*

'**odds-'on** ●*hoogstwaarschijnlijk, zo goed als zeker;* an – favourite *een uitgesproken favoriet.*

ode [oʊd] ●*ode.*

odious ['oʊdɪəs] ●*hatelijk, weerzinwekkend.*

odour ['oʊdə] ●*geur, stank, lucht(je),* ⟨fig.⟩ *zweem* ‖ be in good/bad – with *goed/ slecht aangeschreven staan bij.* **odourless** ['oʊdələs] ●*geurloos, reukloos.*

oecumenical zie ECUMENICAL.

o'er zie OVER.

oesophagus, esophagus [iː'sɒfəgəs] ⟨med.⟩
● *slokdarm.*

oestrogen, estrogen ['iːstrədʒən] ● *(o)estro-geen (hormoon).*

of [ə(v), ⟨sterk⟩ɒv] ● ⟨afstand in plaats of tijd; ook fig.⟩ *van;* south – the city *ten zuiden v.d. stad* ● ⟨herkomst, reden⟩ *(af-komstig) van, uit;* produce – France *Frans produkt;* – necessity *uit noodzaak;* die – shame *doodgaan v. schaamte;* – itself *vanzelf, uit zichzelf;* that's sweet – you *dat is lief van je* ● ⟨samenstelling, inhoud⟩ *be-staande uit, van;* a distance – 50 km *een afstand v. 50 km;* a gown – silk *een zijden gewaad* ● *betreffende, over, van;* the truth – the story *de waarheid over dit verhaal* ● ⟨identificerend kenmerk, zoals hoedanig-heid, plaats, tijd enz.⟩ *van, te, bij;* men – courage *mannen met moed;* a child – six *een kind v. zes jaar;* the battle – Waterloo *de slag bij Waterloo;* be – importance/val-ue – *v. belang/waarde zijn* ● ⟨bezit⟩ *van;* a book – May's *een boek v. May, een v. Mays boeken;* look at that sweater – hers! *kijk eens naar die trui van d'r!* ● ⟨tijd⟩ ⟨AE⟩ *voor;* a quarter – the hour *een kwartier vóór het uur* ‖ love – nature *liefde voor de natuur;* none – his friends *geen v. zijn vrienden;* twenty years – marriage *twintig jaar huwelijk;* you – all people! *uitgere-kend jij!;* the Isle – Man *het eiland Man;* the month – May *de maand mei;* they like to go out – an evening *ze gaan graag eens een avondje uit;* a pound – flour *een pond bloem;* five – us *vijf mensen v./uit onze groep.*

1 off [ɒf] I ⟨bn, attr en pred⟩ ● *vrij;* my hus-band is – today *mijn man heeft vandaag vrij* ● *minder (goed), slecht(er)* II ⟨bn, attr⟩ ● *verder (gelegen), ver(ste)* ● ⟨vnl. BE⟩ *rechter(-), rechts* ● ⟨hoogst⟩ *onwaarschijn-lijk;* – chance *kleine/geringe kans;* ↓ go somewhere on the – chance *op goed ge-luk ergens naar toe gaan* ‖ during the – season *buiten het (hoog)seizoen* III ⟨bn, pred⟩ ● *bedorven* ⟨v. voedsel⟩, *zuur* ● *(v.h. menu) afgevoerd* ● *v.d. baan, afge-last* ● *weg, gestart;* be/get – to a good start *goed beginnen* ● *uit(geschakeld), niet aan;* the water is – *het water is niet aan-gesloten* ● *uit* ⟨v. kleding⟩ ● *mis;* his guess was slightly – *hij zat er enigszins naast* ‖ a bit – *niet in de haak, niet zoals het hoort.*

2 off [bw; vaak predikatief] ● *weg, (er)af;* three miles – *drie mijl daarvandaan;* chase the dog – *de hond wegjagen;* doze – *wegdommelen;* run a few pounds – *er een paar pondjes afrennen;* far – in the moun-

tains *ver weg in de bergen;* – with his head *maak hem een kopje kleiner;* – with it *weg ermee;* – with you *maak dat je weg-komt* ● ⟨einde, voltooiing of onderbre-king⟩ *af, uit, helemaal;* a day – *een dagje vrij;* kill – *uitroeien;* turn – the radio *zet de radio af* ‖ 5% – *met 5% korting;* – and on *af en toe;* be well/badly – *rijk/arm zijn;* zie BE OFF, GET OFF ETC..

3 off ⟨vz⟩ ● ⟨mbt. een beweging; ook fig.⟩ *van, van af;* he got – the bus *hij stapte uit de bus;* she fell – the chair *zij viel van de stoel;* take your hands – me *hou je handen thuis* ● ⟨bron⟩ *van, uit;* he swam too far – shore *hij zwom te ver de zee in;* I bought it – a gypsy *ik heb het v.e. zigeuner gekocht* ● ⟨einde of onderbreking⟩ *van ... af;* – duty *vrij (van dienst), buiten dienst;* I've gone – fish *ik lust geen vis meer* ● ⟨ligging mbt. een plaats; ook fig.⟩ *van ... af, naast;* a house – the road *een huis opzij van de weg;* an alley – the square *een steegje dat op het plein uitkomt* ● *onder, beneden;* three percent – the price *drie procent on-der de prijs.*

offal ['ɒfl] ● *afval, slachtafval.*

'**off'beat** ● *ongebruikelijk, onconventioneel.*
'**off-'Broadway** ⟨AE; dram.⟩ ● *experimen-teel, niet-commercieel.* '**off-'colour** ● *on-fatsoenlijk;* an – joke *een schuine grap* ● ⟨vnl. BE⟩ *onwel, niet lekker.* '**off-day** ● *on-geluksdag;* this is one of my –s *ik heb van-daag mijn dag weer niet.*

offence [ə'fens] ● *overtreding, misdrijf;* commit an – *een overtreding begaan;* make an act an – *een daad strafbaar stel-len* ● ⟨sport⟩ *aanvallende ploeg* ● *beledi-ging, aanstoot, ergernis;* cause/give – to s.o. *iem. beledigen;* take – at *aanstoot ne-men aan;* no – (meant) *het was niet kwaad bedoeld.* **offend** [ə'fend] I ⟨onov ww⟩ ● *kwaad doen, zondigen;* the verdict –s against all principles of justice *het vonnis is een aanfluiting v. alle rechtsprincipes* II ⟨ov ww⟩ ● *beledigen* ⟨ook fig.⟩, *grieven, boos maken;* glaring colours that – the eye *schreeuwende kleuren die pijn doen aan de ogen.* **offender** [ə'fendə] ● *overtre-der, zondaar;* an old – *een recidivist;* first – first offender ⟨iem. met een voordien blanco strafblad⟩.

1 offensive [ə'fensɪv] ⟨zn⟩ ● *aanval, offen-sief,* ⟨fig.⟩ *campagne;* take/go into the – *in het offensief gaan.*
2 offensive ⟨bn⟩ ● *offensief, aanvallend* ● *beledigend, aanstootgevend* ● *walgelijk.*

1 offer ['ɒfə] ⟨zn⟩ ● *aanbod, aanbieding, bod;* an – of marriage *een huwelijksaan-*

zoek; be on – *in de aanbieding zijn, te koop zijn.*

2 offer I ⟨onov en ov ww; wdk ww⟩ ● *voorkomen, optreden;* as occasion –s *wanneer de gelegenheid zich voordoet* II ⟨ov ww⟩ ● *(aan)bieden, geven, schenken;* – one's opinions *zijn mening ten beste geven;* – a prize *een prijs uitloven;* he –ed £ 100 *hij bood honderd pond;* he –ed to drive me home *hij bood aan me naar huis te brengen.* **offering** ['ɒfrɪŋ] ● *offer(gave)* ● *aanbieding, aanbod.*

'**off'hand** I ⟨bn, attr en pred⟩ ● *nonchalant, achteloos, ruw* II ⟨bn, attr⟩ ● *onvoorbereid;* – remarks *ondoordachte opmerkingen.*

office ['ɒfɪs] I ⟨telb zn⟩ ● ⟨vaak mv.⟩ *dienst, zorg;* good –s *goede diensten* ● *kantoor, bureau* ‖ the Foreign – *het ministerie v. Buitenlandse Zaken* II ⟨telb en n-telb zn⟩ ● *ambt, openbare betrekking, functie;* take – *een ambt aanvaarden;* hold – *een ambt bekleden* ‖ be in – *aan het bewind zijn.* '**office-block** ● *kantoorgebouw.* '**office boy** ● *loopjongen, kantoorjongen.* '**office hours** ● *kantooruren* ● *spreekuren.*

officer ['ɒfɪsə] ● *ambtenaar, functionaris* ● *iem. die een belangrijke functie bekleedt, directeur, voorzitter* ⟨enz.⟩; clerical/executive – *(hoge) regeringsfunctionaris* ● *politieagent* ● *officier* ⟨mil., koopvaardij, ridderorde⟩.

1 official [ə'fɪʃl] ⟨zn⟩ ● *beambte, functionaris, ambtenaar,* ⟨sport⟩ *official.*

2 official ⟨bn⟩ ● *officieel, ambtelijk;* – duties *ambtsbezigheden;* – receiver *curator* ⟨bij faillissement⟩. **officialdom** [ə'fɪʃldəm] ⟨vaak ong.⟩ ● *ambtenarij, bureaucratie.* **officialese** [əfɪʃə'liːz] ⟨ong.⟩ ● *stadhuistaal, ambtenarenlatijn.*

officiate [ə'fɪʃieɪt] ● ⟨R.-K.⟩ *officiëren;* – at a marriage ceremony *een huwelijksmis celebreren* ● *officieel optreden;* – as chairman *(officieel) als voorzitter dienst doen.*

officious [ə'fɪʃəs] ● *bemoeiziek, opdringerig* ● *overgedienstig.*

offing ['ɒfɪŋ] ‖ in the – *in het verschiet, op handen.*

'**off-'key** ● *vals, uit de toon.* '**off-licence** ⟨BE⟩ ● *slijtvergunning* ● *slijterij, drankzaak.* '**off-'load** ● ⟨BE⟩ *dumpen.* '**off-'peak** ● *buiten het hoogseizoen/de spits/piek-(uren);* – tariff *goedkoop tarief* ⟨v. stroom⟩. '**offprint** ● *overdruk.* '**off-'putting** ⟨BE⟩ ● *ontmoedigend* ● ↓ *afstotelijk.* '**off-season** ● *stille/slappe tijd.* **offset** ['ɒf'set] ● *compenseren, opwegen tegen, neutraliseren;* – against *zetten tegenover.*

'**offshoot** ● *uitloper* ⟨ook fig.⟩, *zijtak.*

1 'off'shore ⟨bn⟩ ● *voor/uit de kust;* – fishing *zeevisserij* ● *aflandig;* – wind *aflandige wind.*

2 'off'shore ⟨bw⟩ ● *voor de kust* ● *zeewaarts* ⟨v. wind⟩.

1 'offside I ⟨telb zn⟩ ⟨vnl. BE⟩ ● *rechterkant* ⟨v. auto, weg enz.⟩ II ⟨telb en n-telb zn⟩ ⟨sport⟩ ● *buitenspel(positie).*

2 'off'side ⟨bn; bw⟩ ⟨sport⟩ ● *buitenspel-, off side;* the – rule *de buitenspelregel.*

'**offspring** ● *kroost, nakomeling(en).* '**off-stage** ● *achter (de coulissen/schermen).* '**off-street** ● *naast de weg, in een zijstraat;* there are – parking facilities *er is parkeerruimte in de buurt.* '**off-the-'peg** ● *confectie-* ⟨v. kleding⟩. '**off-the-'record** ● *onofficieel.* '**off-the-'wall** ⟨AE; ↓⟩ ● *geschift.* '**off-'white** ● *gebroken wit.*

often ['ɒfn, 'ɒftən] ● *dikwijls, vaak;* as – as not *de helft v.d. keren, vaak;* more – than not *meer wel dan niet* ‖ every so – *nu en dan.*

ogle ['ougl] I ⟨onov ww⟩ ● ⟨+at⟩ *lonken (naar)* II ⟨ov ww⟩ ● *toelonken, lonken naar.*

ogre ['ougə] ● *mensenetende reus,* ⟨bij uitbr.⟩ *boeman.* **ogress** ['ougrɪs] ● *mensenetende reuzin,* ⟨bij uitbr.⟩ *angstaanjagende vrouw.*

oh, O , o [ou] ● *o!, och! ach!;* – yes! *o ja!, ja zeker!;* – yes? *zo?, o ja?;* – well *och, och kom* ‖ – boy! *sjonge!.*

1 oil [ɔɪl] I ⟨telb zn⟩ ● ⟨vnl. mv.⟩ *olieverf;* paint in –s *in/met olieverf schilderen* ● ⟨vnl. mv.⟩ *olieverfschilderij* II ⟨telb en n-telb zn⟩ ● *olie* ⟨AE⟩ *petroleum* ‖ pour – on troubled waters *olie op de golven gooien, de gemoederen bedaren;* strike – *olie aanboren;* ⟨fig.⟩ *plotseling rijk worden.*

2 oil ⟨ww⟩ ● *smeren, (be)oliën, insmeren.*

'**oil-bearing** ● *oliehoudend.* '**oil cake** ● *lijnkoek(en).* '**oilcan** ● *oliespuit.* '**oil-change** ● *olieverversing.* '**oilcloth** ● *wasdoek.* '**oil field** ● *olieveld.* '**oil-fired** ● *met olie gestookt.* '**oil heater** ● *petroleumkachel, oliekachel.*

'**oil paint** ● *olieverf.* '**oil painting** ● *olieverfschilderij.* '**oil-producing** ● *olieproducerend.* '**oil rig** ● *booreiland.* '**oilskin** ● *oliejas* ● ⟨mv.⟩ *oliepak.* '**oil slick** ● *olievlek* ⟨op water⟩. '**oil tanker** ● *olietanker.* '**oil well,** '**oil spring** ● *(aard)oliebron, olieput.*

oily ['ɔɪli] ● *olieachtig, geolied, vettig* ● ⟨ong.⟩ *kruiperig, vleiend;* an – tongue *een gladde tong.*

ointment ['ɔɪntmənt] ● *zalf, smeersel.*

1 OK, okay ['ou'keɪ] ⟨zn⟩ ↓ ● *goedkeuring, fiat.*

2 OK, okay 〈bn; bw〉↓ • *o.k., in orde, akkoord, afgesproken;* it looks – now *nu ziet het er goed uit.*

3 OK, okay 〈ww〉↓ • *zijn fiat geven aan, goedkeuren.*

1 old [ould] 〈zn〉 • *vroeger tijden, het verleden;* of – there were dwarves *lang geleden bestonden er dwergen;* heroes of – *helden uit het verleden.*

2 old I 〈bn, attr en pred〉 • *oud;* – age *ouderdom, hoge leeftijd;* 〈vnl. BE; ↓〉 – boy/girl *vadertje, moedertje, oudje;* – maid *oude vrijster;* as – as the hills *zo oud als de weg naar Rome;* the – *de bejaarden* • *versleten;* – clothes *oude/versleten kleren* • *oud, v.d. leeftijd v.;* a 17-year– girl *een zeventienjarig meisje* • *ervaren;* an – hand at poaching *een doorgewinterde stroper;* an – offender *een recidivist* • *verouderd, ouderwets;* the – guard/school *mensen v.d. oude stempel* ‖ an – bird *een slimme vogel;* a chip off the – block *helemaal zijn/ haar vader/moeder;* – maid *oud wijf;* – moon *laatste kwartier v.d. maan;*↓ – woman *lastige/vitterige vrouw;* 〈sprw.〉 you cannot teach an old dog new tricks *oude beren dansen leren is zwepen verknoeien* **II** 〈bn, attr〉 • *oud, lang bekend;* 〈vnl. BE; ↓〉 – boy/girl *ouwe/beste jongen, beste meid;* the (same) – story *hetzelfde liedje;* – stuff *oude koek* • *vroeger, ex-, oud-;* the good – days/times *de goede oude tijd;* 〈fig.〉 pay off – scores *een oude rekening vereffenen* ‖ – boy/girl *oud-leerling(e) (v. Engelse school);*↓ – hat *ouwe koek;*↓ the/my – lady *mijn ouwetje;* moeder (de vrouw); the – man ↓ *de ouwe* 〈ook scheepskapitein〉; *de baas* 〈ook echtgenoot〉; *mijn ouweheer;* – master *(schilderij v.) oude meester;*↓ in any – place *waar je maar kan denken;*↓ any – thing will do *alles is goed/bruikbaar;*↓ any – time *om het even wanneer;* the Old World *de Oude Wereld;*↓ any – how *hoe ook.*

'old-age 'pension • *(ouderdoms)pensioen, AOW.* **'old-age 'pensioner** • *gepensioneerde, AOW'er.* **'old-'boy network** 〈BE〉 • *vriendjespolitiek* 〈v. vroegere schoolgenoten, vnl. v. public schools〉. **olden** ['ouldən]↑‖ in – days/times *voorheen.* **'old-es'tablished** • *gevestigd, vanouds bestaand.* **'old-'fashioned** • *ouderwets, conservatief.* **oldie** ['ouldi]↓ • *oude grap/ grammofoonplaat.* **oldish** ['ouldiʃ] • *ouwelijk, nogal oud.* **'old-school 'tie** • *vriendjespolitiek* 〈v. oud-leerlingen v. Engelse scholen〉. **'old-'timer** 〈vnl. AE〉 • *oudgediende, oude rot.* **'old 'wives' tale** •

oudewijvenpraat. **'old-world** • *ouderwets, v. vroeger* • 〈vaak O-W-〉 *v.d. Oude Wereld.*

oleander ['ouli'ændə] • *oleander.*

'O level 〈afk.〉 ordinary level 〈BE〉 • *(examenvak op) eindexamenniveau, ongeveer Havo.*

olfactory [ɒl'fækt(ə)ri] • *reuk-.*

oligarchy ['ɒligɑːki] • *oligarchie.*

1 olive ['ɒliv] 〈zn〉 • *olijf(boom)* • *olijfhout* • *olijfgroen.*

2 olive 〈bn〉 • *olijfkleurig.* **'olive branch** • *olijftak* ‖ hold out an – *de hand reiken.* **'olive 'green** • *olijfgroen.* **'olive 'oil** • *olijfolie.* **'olive tree** • *olijfboom.*

Olympiad [ə'limpiæd] • *olympiade.*

Olympic [ə'limpik] • *olympisch;* the – Games *de Olympische Spelen.* **Olympics** [ə'limpiks] 〈(the)〉 • *Olympische Spelen.*

ombudsman ['ɒmbudzmən] 〈ook O-〉 • *ombudsman.*

omelet(te) ['ɒmlit] • *omelet.*

omen ['oumən] • *omen, voorteken.*

ominous ['ɒminəs] • *onheilspellend, dreigend.*

omission [ə'miʃn] **I** 〈telb zn〉 • *weglating, omissie, verzuim* **II** 〈n-telb zn〉 • *het weglaten, het overslaan.*

omit [ə'mit] • *weglaten* • *verzuimen, nalaten.*

1 omnibus ['ɒmnibəs] 〈zn〉 • 〈boek.〉 *omnibus(uitgave).*

2 omnibus 〈bn〉 • *omnibus-, verzamel-;* – book/edition *omnibus(uitgave).*

omnipotent [ɒm'nipətənt] • *almachtig.* **omnipresent** [-'preznt] • *alomtegenwoordig.* **omniscient** [ɒm'niʃnt] • *alwetend.* **omnivorous** [ɒm'nivərəs] 〈dierk.; ook fig.〉 • *allesetend;* an – reader *een allesverslindende lezer.*

1 on [ɒn] 〈bn〉 • *aan(gesloten)* 〈apparaat, kraan e.d.〉; the telly is always – there *daar staat de t.v. altijd aan* • *aan de gang;* what's – tonight? *wat is er vanavond te doen?, welke film draait er vanavond?, wat is er op t.v. vanavond?* • *op* 〈toneel〉 • *aan de beurt, dienstdoend* ‖ I'm –! *o.k., ik doe mee;* your plan is not – *je plan(netje) gaat niet door;* the wedding is – *het huwelijk gaat door.*

2 on 〈bw; vaak predikatief〉 • *in werking, aan;* have you anything – tonight? *heb je plannen voor vanavond?;* put a record – *zet een plaat op;* turn the lights – *steek het licht aan* • 〈v. kledingstukken〉 *aan;* she's got a funny hat – *ze heeft een rare hoed op* • *verder, voort, door;* come –! *schiet op!;* go –! *ga maar door, toe!;* send – *nazen-*

den; speak – *door blijven praten;* they travelled – *ze reisden verder;* walk – *dóórlopen;* later – *later;* and so – *enzovoort;* well – *into the night diep in de nacht;* well – in years *op gevorderde leeftijd;* (talk) – and – *alsmaar door (praten);* from that moment – *vanaf dat ogenblik* ● ⟨plaats- of richtingaanduidend; ook fig.⟩ *op, tegen;* they collided head – *ze botsten frontaal;* she looked – *ze keek toe* ‖ – and off *(zo) nu en dan;* zie BE ON, HAVE ON ETC..

3 on, ⟨meer ↑ en in sommige uitdr.⟩ **upon** ⟨vz⟩ ● ⟨plaats of richting; ook fig.⟩ *op, in, aan;* the sun revolves – its axis *de zon draait om haar as;* live – bread and water *leven van water en brood;* a stain – her dress *een vlek op haar jurk;* travel – a plane *met het vliegtuig reizen;* war – poverty *oorlog tegen de armoede;* announced – the radio *op de radio aangekondigd;* a shop – the main street *een winkel in de hoofdstraat;* get – the train *instappen;* hang – the wall *aan de muur hangen;* I had no money – me *ik had geen geld op zak* ● *bij;* – your right *aan de rechterkant;* a house – the river *een huis bij de rivier;* just – sixty people *amper zestig mensen* ● ⟨tijd⟩ *op, bij;* – his departure *bij zijn vertrek;* – the stroke of midnight *klokslag middernacht;* come – Tuesday *kom dinsdag;* – opening the door *bij het openen v.d. deur;* – reading the letter she fainted *(net) toen ze de brief gelezen had, viel ze flauw* ● ⟨toestand⟩ *in, met;* the patient is – antibiotics *de patiënt krijgt antibiotica;* be – fire *in brand staan;* – holiday *met vakantie* ● *over, betreffende;* take pity – the poor *medelijden hebben met de armen;* agree – a solution *tot een akkoord komen over een oplossing* ● *ten koste v.;* the joke was – Mary *de grap was ten koste van Mary;* this round is – me *dit rondje is voor mij;* zie BE ON.

1 once [wʌns] ⟨zn⟩ ● *één keer;* he only said it the – *hij zei het maar één keer;* that/this – *die/deze ene keer.*

2 once ⟨bw⟩ ● *eenmaal, eens, één keer;* – again/more *opnieuw, nog eens;* – too often *een keer teveel;* – or twice *zo nu en dan, van tijd tot tijd;* (all) at – *tegelijk, samen;* – and for all *voorgoed;* – in a while *een enkele keer* ● *vroeger;* – upon a time there was ... *er was eens ...* ‖ at – *onmiddellijk;* all at – *plots(eling), ineens.*

3 once ⟨vw⟩ ● *als eenmaal, zodra;* – you are ready, we'll leave *zodra je klaar bent, zullen we gaan.*

'once-over ↓ ‖ give s.o. the – *iem. vluchtig be-*

kijken.

oncoming ['ɒŋkʌmɪŋ] ● *naderend* ● *tegemoetkomend;* – traffic *tegenliggers.*

1 one [wʌn] ⟨zn⟩ ● *één,* ⟨ben. voor⟩ *iets ter grootte/waarde v. één;* by –s and twos *alleen of in groepjes v. twee;* ⟨fig.⟩ *heel geleidelijk;* these come only in –s *deze worden alleen per stuk verkocht.*

2 one [ən] **I** ⟨onb vnw⟩ ● ⟨als vervanging voor eerder genoemd woord; meestal onvertaald⟩ *(er) een,* ⟨ben. voor⟩ *(er) eentje* ⟨grap, drankje, snuiter enz.⟩; the best –s *de beste(n);* ↓ you are a (nice/fine) – *jij bent me d'r eentje;* give him – *geef hem er een van; geef hem een optater;* let's have (a quick) – *laten we er (gauw) eentje gaan drinken;* the – that I like best *degene die ik het leukst vind;* he was – up on me *hij was me net de baas;* he's a – for music *hij is een muziekliefhebber;* this – *deze hier* ● ↑ men; – must never pride ⟨BE⟩ oneself/ ⟨AE⟩ himself on ⟨BE⟩ one's/ ⟨AE⟩ his achievements *men mag nooit prat gaan op zijn prestaties* **II** ⟨telw; als vnw⟩ ● *één;* – after another *de een na de andere;* – or two *één of twee;* he and I are at – (with one another) *hij en ik zijn het (roerend) eens (met elkaar);* – by – *een voor een;* – of the members *een v.d. leden;* as – *als één man* ‖ – and all *iedereen;* I, for –, will refuse *ik zal in ieder geval weigeren;* (all) in – *(allemaal) tegelijkertijd;* ↓ done it in –! *in één keer!;* zie ONE ANOTHER.

3 one I ⟨onb det⟩ ● *een zeker(e), ene;* – day he left *op een goeie dag vertrok hij;* we'll meet again – day *we zullen elkaar ooit weer ontmoeten;* – Mr. Smith *een zekere Mr. Smith* **II** ⟨telw; als det⟩ ● *één,* ⟨fig.⟩ *de/ hetzelfde,* ⟨AE; ↓⟩ *hartstikke;* this is – good book *dit is een hartstikke goed boek;* from – chore to another *v.h. 'ene klusje naar het andere;* they are all – colour *ze hebben allemaal dezelfde kleur;* my – and only friend *mijn enige echte vriend;* – and the same thing *één en dezelfde zaak.*

'one an'other ● *elkaar.*

'one-'armed ● *eenarmig;* ↓ – bandit *eenarmige bandiet* ⟨gokautomaat⟩. **'one-horse** ● *met één paard* ⟨rijtuig e.d.⟩ ● ↓ *derderangs, pover;* – town *gat.* **'one'liner** ● *(heel) korte grap/mop.* **'one-man** ● *eenmans-;* – band *eenmansformatie, straatmuzikant.* **'one-night 'stand** ↓ ● *eenmalig optreden/concert* ● *liefje/liefde voor een nacht.*

1 one-off ⟨zn⟩ ⟨BE⟩ ● *eenmalig iets.*

2 'one-'off ⟨bn⟩ ● *exclusief* ● ⟨BE⟩ *eenmalig.*

'one-'piece ● *uit één stuk, eendelig;* – bath-

ing suit *badpak.*
onerous ['ɒnərəs] ●*lastig, drukkend.*
oneself [wʌn'self] ●*zich(zelf);* one should try always to be – *men moet altijd proberen zichzelf te zijn;* come to – *tot zichzelf komen;* by – *in z'n eentje* ●*zelf;* one should do it – *men zou het zelf moeten doen.*
'**one-'sided** ●*eenzijdig* ●*partijdig.* '**one-time** ●*voormalig, oud-.* '**one-to-'one** ●*een-op-een, punt voor punt.* '**one-track** ‖ – mind *eenzijdige geest;* have a – mind *bij alles aan één ding denken.* **one-'upmanship**↓ ●(*ongeveer*) *slagvaardigheid, kunst de ander steeds een slag voor te zijn.* '**one-'way** ●*in één richting;* – street *straat met eenrichtingverkeer;* – traffic *eenrichtingverkeer;* – ticket (to) *enkele reis (naar).*
'**ongoing** ●*voortdurend, aanhoudend.*
onion ['ʌnjən] ●*ui* ●⟨sl.⟩ *knikker, bol* ‖ ⟨sl.⟩ know one's –s *zijn vak verstaan.*
'**onlooker** ●*toeschouwer.*
1 only ['oʊnli] ⟨bn⟩ ●*enig;* an – child *een enig kind;* his one and – friend *zijn enige echte vriend;* my one and – hope *de enige hoop die me nog rest* ●*best, (meest) geschikt.*
2 only ⟨bw⟩ ●*slechts, alleen (maar), maar;* – think! *stel je voor!;* I've – just enough money *ik heb maar net genoeg geld;* she was – too glad *ze was maar al te blij;* if – als ... *maar;* we walked for two hours, – to find out that ... *we liepen twee uur, maar enkel om te ontdekken dat ...* ● (*bij tijdsbepalingen*) *pas, nog;* the train has – just left *de trein is nog maar net weg;* she told me – last week that ... *ze vertelde het me vorige week nog dat ...;* he arrived – yesterday *hij arriveerde gisteren pas.*
3 only ⟨vw⟩ ●*alleen, maar;* I like it, – I cannot afford it *ik vind het mooi, maar ik kan het niet betalen.*
onrush ['ɒnrʌʃ] ●*toeloop, toestroming, stormloop.*
onset ['ɒnset] ⟨the⟩ ●*begin, aanvang;* at the first – *bij het (eerste) begin.*
1 'on'shore ⟨bn⟩ ●*aanlandig;* – breeze *zeebries* ●*kust-;* – fishing *kustvisserij.*
2 onshore ⟨bw⟩ ●*land(in)waarts* ●*aan land.*
onslaught ['ɒnslɔ:t] ●*(hevige) aanval.*
'**on-the-job-'training** ●*opleiding in de praktijk.*
on to, onto ['ɒntə, 'ɒntʊ, ⟨sterk⟩'ɒntu:] ●*op;* it fell – the floor *het viel op de grond;* he leapt – the roof *hij sprong op het dak* ●*op het spoor v.;* the police are at last – the murderer *de politie is de moordenaar eindelijk op het spoor.*
onus ['oʊnəs] ⟨the⟩ ●*last, plicht.*

1 onward ['ɒnwəd] ⟨bn⟩ ●*voorwaarts;* the – march of technology *de technologische vooruitgang.*
2 onward, ⟨vnl. BE ook⟩ **onwards** ['ɒnwədz] ⟨bw⟩ ●*voorwaarts, vooruit;* from the 16th century – *sedert/vanaf de 16de eeuw.*
oodles ['u:dlz] ⟨sl.⟩ ●*hopen;* have – of money *bulken van de centen.*
oomph [ʊm(p)f] ⟨sl.⟩ ●*geestdrift, pit, vitaliteit.*
oops [ʊps] ↓ ●*oei, jee(tje).*
1 ooze [u:z] ⟨zn⟩ ●*modder, slijk, drab.*
2 ooze I ⟨onov ww⟩ ●*sijpelen, doordringen, druppelen* ●*(uit)zweten* ‖ – with *druipen/doortrokken zijn v.* **II** ⟨ov ww⟩ ●*afscheiden, uitwasemen,* ⟨fig.⟩ *doortrokken zijn van;* they – self-importance *de verwaandheid druipt van hen af.*
opacity [oʊ'pæsəti] ●*onduidelijkheid* ●*ondoorschijnendheid.*
opal ['oʊpl] ●*opaal(steen).*
opaque [oʊ'peɪk] ●*ondoorschijnend, ondoorzichtig* ●*onduidelijk, onbegrijpelijk.*
1 open ['oʊpən] ⟨zn; the⟩ ●*(de) open ruimte, open lucht/veld/zee,* ⟨fig.⟩ *openbaarheid;* be in the – *(algemeen) bekend zijn;* bring into the – *bekend/openbaar maken;* come (out) into the – *open kaart spelen* ⟨v. iem.⟩; *aan het licht komen* ⟨v. iets⟩; in the – *buiten(shuis), in de open lucht.*
2 open ⟨bn⟩ ●*open;* – book *open(geslagen) boek;* ⟨fig.⟩ keep an eye – (for) *in de gaten houden;* keep one's eyes – *goed opletten;* ⟨fig.⟩ with one's eyes – *bij zijn/haar volle verstand;* – harbour *ijsvrije haven;* – passage *vrije doorgang;* in the – air *in de open lucht;* – to *toegankelijk voor* ●*open(staand), vacant, onbeslist;* – question *open vraag;* it is – to you to *het staat je vrij te;* there are four courses – to us *we kunnen vier dingen doen;* lay o.s. (wide) – to *zich (helemaal) blootstellen aan;* leave/keep one's options – *zich nergens op vastleggen* ●*openbaar, (algemeen) bekend, openlijk;* – contempt *onverholen minachting;* – letter *open brief;* – secret *publiek geheim* ●*open(hartig);* admit –ly *eerlijk uitkomen voor;* be – with *open kaart spelen met* ●*open(baar), vrij toegankelijk;* – championship *open kampioenschap;* ⟨jur.⟩ – court *terechtzitting met open deuren* ‖ with – arms *met open armen;* keep – house *erg gastvrij zijn;* with – mouth *sprakeloos van verbazing;* lay o.s. – to ridicule *zich belachelijk maken;* be – to an offer *bereid zijn een aanbod in overweging te nemen;* have/keep an – mind on *openstaan voor.*

3 open I ⟨onov ww⟩ ● *opengaan, (zich) ope- nen;* – into/onto the garden *uitkomen in/ op de tuin* ● *openen, beginnen* ⟨v. spre- ker⟩ ● *opendoen, (een boek) openslaan;* zie OPEN OUT, OPEN UP **II** ⟨ov ww⟩ ● *openen, opendoen, openmaken;* – a can *een blik opendraaien;* – a new road through the jungle *een nieuwe weg aanleggen door de rimboe* ● *openen, voor geopend ver- klaren, starten;* – fire at/on *het vuur ope- nen op* ● *openleggen, toelichten;* – one's heart/mind to s.o. *bij iem. zijn hart uitstor- ten* ● *openstellen;* – one's heart to *zijn ge- moed openstellen voor;* zie OPEN OUT, OPEN UP.

'open-'air ● *openlucht-, buiten-.* **'open'cast** ● *bovengronds;* – mining *dagbouw.* **'open-'ended** ● *open, met een open ein- de;* – discussion *vrije/open discussie.* **opener** ['oupənə] ● *(blik/fles)opener, ope- ningsnummer, openingsronde;* a stan- dard – *een klassiek begin.* **'open-'eyed** ● *aandachtig, met de ogen wijd open* ● *ver- baasd, met grote ogen.* **'open'handed** ● *gul.* **'open-'hearted** ● *openhartig* ● *harte- lijk.*

1 opening ['oupənɪŋ] **I** ⟨telb zn⟩ ● *opening, begin, inleiding* ● *opening, kans;* new –s for trade *nieuwe afzetgebieden* ● *vacature* **II** ⟨telb en n-telb zn⟩ ● *opening, het ope- nen, gat.*

2 opening ⟨bn⟩ ● *openings-, inleidend;* a few – remarks *enkele opmerkingen voor- af.* **'opening 'night** ● *première.* **'opening time** ● *openingstijd,* ⟨ihb.⟩ *tijdstip waarop de pubs opengaan.*

openly ['oupənli] ● *open(hartig).* **'open- 'minded** ● *onbevooroordeeld, ruimden- kend.* **'open-'mouthed** ● *sprakeloos* ⟨v. verbazing⟩. **'open 'out I** ⟨onov ww⟩ ● *bre- der worden;* – into *uitmonden in* ⟨v. ri- vier⟩ ● *opengaan,* ⟨fig.⟩ *zijn hart luchten* **II** ⟨ov ww⟩ ● *openvouwen, openleggen.* **'open-'plan** ⟨bouwk.⟩ ● *met weinig tus- senmuren;* an – office *een kantoortuin.* **'open season** ● *open seizoen, jachtsei- zoen, hengelseizoen.* **'open 'up I** ⟨onov ww⟩ ● *opengaan, zich openen,* ⟨fig.⟩ *los- komen, vrijuit (gaan) spreken* ● ⟨vnl. geb. w.⟩ *(de deur) opendoen* **II** ⟨ov ww⟩ ● *ope- nen, openmaken, toegankelijk maken;* – new oil fields *nieuwe olievelden in exploi- tatie brengen* ● *zichtbaar maken* ⟨ook fig.⟩, *blootleggen* ● *openen, beginnen.* **opera** ['ɔprə] ● *opera.* **operable** ['ɔprəbl] ● *bruikbaar* ● *uitvoerbaar, realiseerbaar.* **'opera glasses** ● *toneelkijker.* **'opera house**

● *opera(gebouw).*

operate ['ɔpəreɪt] **I** ⟨onov ww⟩ ● *werkzaam zijn, functioneren;* the tractor –s on diesel oil *de tractor rijdt op dieselolie* ● *uitwer- king hebben, werken, van kracht zijn* ⟨v. tarief, verdrag, wet⟩ ● *te werk gaan, ope- reren,* ⟨med. ook⟩ *een operatie doen;* – on s.o. for appendicitis *iem. opereren aan de blindedarm* **II** ⟨ov ww⟩ ● *bewerken* ● *be- dienen* ⟨machine, toestel⟩, *besturen;* be –d by *werken op* ⟨stoom, elektriciteit⟩ ● *beheren;* – a coalmine *een steenkoolmijn exploiteren.* **operating** ['ɔpəreɪtɪŋ] ● *werkzaam* ● *werk(ings)-, bedrijfs-* ⟨v. ma- chine, bedrijf⟩; – efficiency *bedrijfseffi- ciëntie* ⟨v. motor⟩; – expenses *bedrijfs- kosten.* **'operating table** ● *operatietafel.* **'operating theatre** ● *operatiezaal.*

operation ['ɔpə'reɪʃn] **I** ⟨telb zn⟩ ● *operatie, handeling, onderneming,* ⟨mil. ook⟩ *mili- taire actie;* perform an – on s.o. for appen- dicitis *iem. opereren aan de blindedarm* **II** ⟨n-telb zn⟩ ● *werking;* ready for – *bedrijfs- klaar;* be in – *in werking/van kracht zijn;* come into – *in werking treden, ingaan* ⟨v. wet⟩ ● *bediening* ● *beheer.* **operational** ['ɔpə'reɪʃnəl] ● *operationeel, bedrijfsklaar,* ⟨ihb.⟩ *gevechtsklaar;* an – airplane *een startklaar vliegtuig* ● *operationeel, be- drijfs-;* – costs *bedrijfskosten.*

1 operative ['ɔprətɪv] ⟨zn⟩ ● ⟨vaak euf.⟩ *(ge- schoold) (fabrieks)arbeider* ● ⟨AE⟩ *(privé) detective.*

2 operative ⟨bn⟩ ● *doeltreffend* ● *werkzaam, in werking, van kracht* ● *meest relevant, voornaamste.*

operator ['ɔpəreɪtə] ● *iem. die machine/toe- stel/schakelbord bedient, operateur, tele- fonist(e), bestuurder* ● *ondernemer* ● ⟨↓; vaak ong.⟩ *linkmichel.*

operetta ['ɔpə'retə] ● *operette.* **ophthalmic** ['ɔpfθælmɪk] ● *oogheelkundig;* ⟨BE⟩ – optician *(gediplomeerd) opticien.* **ophthalmologist** ['ɔfθæl'mɒlədʒɪst] ● *oogarts.* **ophthalmology** [-'mɒlədʒi] ● *oogheelkunde.*

opiate ['oupɪət] ● *opiaat.*

opinion [ə'pɪnjən] ● *mening, oordeel, opi- nie;* a matter of – *een kwestie v. opvatting;* in my – *naar mijn mening/gevoel;* be of (the) – that *v. mening zijn dat* ● *(hoge) dunk;* have a high – of *een hoge dunk heb- ben van* ● *advies* ⟨v. deskundige⟩; have a second – *bijkomend advies inwinnen.*

opinionated [ə'pɪnjəneɪtɪd] ● *koppig, eigen- wijs.*

o'pinion poll ● *opinieonderzoek, opiniepei- ling.*

opium ['oupɪəm] ● *opium.*

opossum [ə'pɒsəm] ● *opossum, (Amerikaanse) buidelrat.*

opponent [ə'pounənt] ● *opponent, tegenstander, tegenspeler.*

opportune ['ɒpətjuːn] ● *opportuun, geschikt, gunstig (gekozen).* opportunism ['ɒpə'tjuːnɪzm] ● *opportunisme.* opportunist ['ɒpə'tjuːnɪst] ● ⟨bn; ook -ic⟩ *opportunistisch* ● ⟨zn⟩ *opportunist.* opportunity ['ɒpə'tjuːnəti] ● *(gunstige/geschikte) gelegenheid, kans;* take/seize the – to *van de gelegenheid gebruik maken om.*

oppose [ə'pouz] ● *tegen(over)stellen* ● *zich verzetten tegen, bestrijden.* opposed [ə'pouzd] ● *tegen(over)gesteld;* be – to *tegen(over)gesteld zijn aan* ● *tegen;* be – to *(gekant) zijn tegen* ‖ as – to *in tegenstelling met/tot.* opposing [ə'pouzɪŋ] ● *tegenoverstaand, tegenoverliggend* ● *tegen-,* ⟨sport⟩ *vijandig;* the – team *de tegenpartij.*

1 opposite ['ɒpəzɪt] ⟨zn⟩ ● *tegen(over)gestelde, tegendeel;* be –s *elkaars tegenpolen zijn;* she meant quite the – *ze bedoelde juist het tegendeel.*

2 opposite I ⟨bn, attr en pred⟩ ● *tegen(over)gesteld, tegenoverliggend, tegen-;* – number *ambtgenoot, collega;* the – sex *het andere geslacht;* be – from/to *tegen(over)gesteld zijn aan* II ⟨bn, attr post⟩ ● *tegenover, aan de overkant.*

3 opposite ⟨bw⟩ ● *tegenover, aan de overkant;* – to *tegenover.*

4 opposite ⟨vz⟩ ● *tegenover.*

opposition ['ɒpə'zɪʃn] I ⟨zn⟩ ● *oppositie;* in – to *tegen(over), in strijd met* ● *oppositie, verzet, tegenkanting* II ⟨zn⟩ ● *oppositie(groep/partij).*

oppress [ə'pres] ● *onderdrukken* ● *benauwen, neerslachtig maken.* oppression [ə'preʃn] ● *benauwing, neerslachtigheid* ● *onderdrukking(smaatregel).* oppressive [ə'presɪv] ● *onderdrukkend* ● *benauwend, deprimerend;* –ly *hot drukkend/ondraaglijk heet.* oppressor [ə'presə] ● *onderdrukker.*

opt [ɒpt] ● ⟨+for⟩ *opteren (voor), kiezen;* zie OPT OUT.

optic ['ɒptɪk] ● *gezichts-, oog-, optisch.* optical ['ɒptɪkl] ● *optisch, gezichts-;* – illusion *gezichtsbedrog.* optician [ɒp'tɪʃn] ● *opticien.* optics ['ɒptɪks] ● *optica.*

optimism ['ɒptɪmɪzm] ● ⟨bn: -istic⟩ ● *optimisme.*

optimist ['ɒptɪmɪst] ● *optimist.*

1 optimum ['ɒptɪməm] ⟨zn⟩ ● *optimum.*

2 optimum ⟨bn⟩ ● *optimaal.*

option ['ɒpʃn] ● ⟨geldw., hand.⟩ *optie* ● *keus/keuze;* keep/leave one's –s open *(nog) geen definitieve keuze doen;* ⟨ongeveer⟩ *zich op de vlakte houden.* optional ['ɒpʃnəl] ● *keuze-, facultatief;* – subject *keuzevak.*

'opt 'out ● *niet meer (willen) meedoen, zich terugtrekken;* – of *niet meer (willen) meedoen aan;* opzeggen ⟨contract⟩.

opulent ['ɒpjulənt] ⟨zn: -ence⟩ ● *overvloedig, rijk, weelderig.*

opus ['oupəs] ⟨mv.: ook opera⟩ ● ⟨vaak iron.⟩ *opus, werk(stuk).*

or [ɔː] ● *of, ofwel, anders gezegd;* she wrote a book, – a treatise *ze schreef een boek of, beter gezegd, een verhandeling* ● *of (anders);* tell me – I'll kill you! *vertel het mij of ik vermoord je!.*

oracle ['ɒrəkl] ● *orakel.* oracular [ə'rækjulə] ● *orakelachtig, orakel-.*

1 oral ['ɔːrəl] ⟨zn; vnl. mv.⟩ ● *mondeling (examen).*

2 oral ⟨bn⟩ ● *mondeling, oraal* ● *door de mond;* – administration *orale toediening* ⟨v. geneesmiddel⟩.

1 orange ['ɒrɪndʒ] ⟨zn⟩ ● *sinaasappel* ● *oranje(kleur).*

2 orange ⟨bn⟩ ● *oranje(kleurig), roodgeel.*

'orange juice ● *jus d'orange, sinaasappelsap.* 'orange 'marmalade ● *sinaasappelmarmelade.* 'orange peel ● *sinaasappelschil.*

orang-utan(g), orangoutan(g) [ɔː'ræŋuː'tæn, -tæŋ] ● *orang-oetan(g).*

oration [ɔː'reɪʃn] ● *oratie, rede(voering).* orator ['ɒrətə] ● *redenaar.* oratorical ['ɒrə'tɒrɪkl] ● *oratorisch;* – contest *voordrachtwedstrijd.* oratory ['ɒrətri] ● *oratorium, (bid/huis)kapel* ● *redenaarskunst.*

orb [ɔːb] ● *bol.*

1 orbit ['ɔːbɪt] ⟨zn⟩ ● *kring* ⟨alleen fig.⟩, *(invloeds)sfeer* ● *baan* ⟨v. planeet, elektron enz.⟩, *omloop;* put into – round the earth *in een baan rond de aarde brengen.*

2 orbit ⟨ww⟩ ● *een baan beschrijven (rond)* ● *in een baan brengen.* orbital ['ɔːbɪtl] ● ⟨ruim., nat.⟩ *orbitaal;* – velocity *omloopsnelheid* ● *ring-* ⟨v. (auto/spoor)baan⟩.

orchard ['ɔːtʃəd] ● *boomgaard.*

orchestra ['ɔːkɪstrə] ● *orkest.* orchestral [ɔː'kestrəl] ● *orkestraal* ⟨ook fig.⟩, *orkest-.* 'orchestra pit ● *orkest(bak).*

orchestrate ['ɔːkɪstreɪt] ⟨zn: -ation⟩ ● *orkestreren,* ⟨fig.⟩ *organiseren.*

orchid ['ɔːkɪd] ● *orchidee.*

ordain [ɔː'deɪn] ⟨zn: -ment⟩ ● ⟨rel.⟩ *(tot geestelijke/priester) wijden* ● *(voor)beschikken* ⟨v. God, noodlot⟩ ● *verordenen, bepalen* 〈v. wet, gezagsorgaan〉.

ordeal [ɔːˈdiːl] ●*beproeving,* 〈fig.〉 *pijnlijke ervaring* ●〈gesch.〉 *godsoordeel;* – by fire *vuurproef.*

1 order [ˈɔːdə] **I** 〈telb zn〉 ●*orde* 〈ook biol., nat., wisk.〉, *stand, rang, klasse, soort;* 〈BE〉 in/of/ 〈AE〉 on the – of *in de orde (v. grootte) van* ●*(klooster/ridder)orde;* the Order of the Garter *de Orde v.d. Kouseband* 〈hoogste ridderorde in Engeland〉 ‖ take (holy) –s *(tot) priester (gewijd) worden* **II** 〈telb en n-telb zn〉 ●〈vaak mv.〉 *bevel;* by – of *op bevel/in opdracht van;* be under –s to *bevel (gekregen) hebben te* ● 〈geldw.〉 *(betalings)opdracht;* postal – *postwissel;* – to transfer *(giro-)overschrijving* ●*bestelling;* two –s of French fries *twee porties frites;* made to – *op bestelling gemaakt;* place an – for sth. *iets bestellen;* take –s *bestellingen opnemen* 〈v. ober enz.〉; be on – *in bestelling zijn* ‖↓ –s are –s *(een) bevel is (een) bevel* **III** 〈n-telb zn〉 ●*(rang/volg)orde;* in – of importance *in (volg)orde v. belangrijkheid;* out of – *niet op volgorde* ●*orde(lijkheid), ordening,* 〈mil.〉 *opstelling;* in good – *netjes in orde;* leave one's affairs in – *orde op zaken stellen;* put/set sth. in – *orde scheppen in iets;* out of – *defect* ●*(dag)orde, agenda, reglement* 〈v. vergadering enz.〉; Order! (Order!) *Tot de orde!;* be the – of the day *aan de orde v.d. dag zijn* 〈ook fig.〉; call s.o. to – *iem. tot de orde roepen;* in – *in orde, geoorloofd;* be out of – *buiten de orde gaan* 〈v. spreker〉; *(nog) niet aan de orde zijn* 〈v. voorstel enz.〉 ●*orde;* disturb public – *de openbare orde verstoren;* keep – *de orde handhaven* ‖ in – that *opdat;* in – to *ten einde.*

2 order I 〈onov ww〉 ●*bevelen* ●*bestellen* **II** 〈ov ww〉 ●*ordenen, (rang)schikken;* – one's affairs better *zijn zaken beter regelen* ●*(een) bevel/opdracht geven, het bevel geven (tot), gelasten, voorschrijven* 〈v. dokter〉 ●*bestellen* ‖ – s.o. about/around *iem. (steeds) commanderen;* – s.o. off *van het veld sturen* 〈v. scheidsrechter〉; zie ORDER OUT.

'**order book** ●*orderboek.*

ordered [ˈɔːdəd] ●*geordend, ordelijk.*

'**order form** ●*bestelformulier.*

1 orderly [ˈɔːdəli] 〈zn〉 ●〈mil.〉 *ordonnans* ●*zaalhulp* 〈in ziekenhuis〉, 〈mil.〉 *hospitaalsoldaat.*

2 orderly 〈bn〉 ●*ordelijk, geregeld.*

'**order 'out** ●*wegsturen* ●*laten uitrukken* 〈oproerpolitie enz.〉.

'**order paper** ●*agenda, dagorde* 〈v. (parle-

ments)zitting enz.〉.

ordinal [ˈɔːdɪnl] ●〈bn〉 *rang-;* – numbers *rangtelwoorden* ●〈zn〉 *rangtelwoord.*

ordinance [ˈɔːdɪnəns] ●*verordening.*

ordinarily [ˈɔːdnərɪli] ●zie ORDINARY[2] ●*gewoonlijk, in de regel.*

1 ordinary [ˈɔːdnri] 〈zn〉 ‖ out of the – *ongewoon.*

2 ordinary 〈bn〉 ●*gewoon, normaal,* 〈ong.〉 *doordeweeks, middelmatig;* 〈BE〉 – level *standaarddiploma/eindexamen (v.d. middelbare school);* – seaman *(rang v.) lichtmatroos, gemeen matroos.*

ordination [ˌɔːdɪˈneɪʃn] ●〈rel.〉 *ordinatie, wijding.*

ordnance [ˈɔːdnəns] ●*(zwaar) geschut* ●*militaire voorraden en materieel.* '**ordnance 'survey map** ●*topografische kaart, stafkaart.*

ordure [ˈɔːdjʊə] ●*uitwerpselen, drek.*

ore [ɔː] ●*erts.*

organ [ˈɔːgən] ●*orgel* ●*orgaan;* –s of speech *spraakorganen* ●*orgaan, instrument, instelling.* '**organ grinder** ●*orgeldraaier.*

organic [ɔːˈgænɪk] ●*organisch* ●*(organisch-)biologisch, natuurlijk;* – food *natuurvoeding.* **organism** [ˈɔːgənɪzm] ●*organisme.*

organist [ˈɔːgənɪst] ●*organist.*

organization [ˌɔːgənaɪˈzeɪʃn] ●*organisatie, structuur, vereniging.* **organizational** [ˌɔːgənaɪˈzeɪʃnəl] ●*organisatorisch, organisatie-.* **organize, -ise** [ˈɔːgənaɪz] **I** 〈onov ww〉 ●*zich organiseren* **II** 〈ov ww〉 ●*organiseren, regelen* ●*lid worden v.* 〈vakbond〉. **organized** [ˈɔːgənaɪzd] ●*georganiseerd, aangesloten* 〈v. vakbondsleden〉. **organizer** [ˈɔːgənaɪzə] ●*organisator.*

orgasm [ˈɔːgæzm] ●*orgasme.*

orgy [ˈɔːdʒi] ●*orgie, bacchanaal, uitspatting.*

oriel (window) [ˈɔːrɪəl] ●*erker, erkervenster.*

1 orient [ˈɔːrɪənt] 〈zn, bn〉 ●〈bn〉 ↑ *oriëntaal, oosters* ●〈zn; O-〉 *Oriënt, Oosten.*

2 orient [ˈɔːrɪent], 〈vnl. BE ook〉 **orientate** [ˈɔːrɪənteɪt] 〈ww〉 ●*richten* ●*oriënteren, situeren;* – o.s. *zich oriënteren.*

oriental [ˌɔːriˈentl] ●〈bn〉 *oosters* ●〈zn; O-〉 *oosterling.*

orientate zie ORIENT[2]. **orientation** [ˌɔːrɪənˈteɪʃn] ●*oriëntatie, oriëntering.*

orifice [ˈɒrɪfɪs] ●*opening, mond.*

origin [ˈɒrɪdʒɪn] 〈vaak mv. met enk. bet.〉 ●*oorsprong, origine, bron, afkomst;* country of – *land v. herkomst;* the – of a fight *de oorzaak v.e. ruzie.*

1 original [əˈrɪdʒnəl] ⟨zn⟩ • ⟨vaak the⟩ *(het) origineel, oorspronkelijk(e) stuk/versie/ taal;* read Dante in the – *Dante in het Italiaans lezen.*

2 original ⟨bn⟩ • *origineel, oorspronkelijk; –* sin *erfzonde.* **originality** [əˈrɪdʒəˈnælɪti] • *originaliteit, oorspronkelijkheid.*

originate [əˈrɪdʒəneɪt] • *ontstaan, beginnen, voortkomen; –* from/in sth. *voortkomen uit/zijn oorsprong vinden in iets; –* from/ with s.o. *opkomen bij iem..*

1 ornament [ˈɔːnəmənt] ⟨zn⟩ • *ornament, sieraad, versiering.*

2 ornament ⟨ww⟩ • *(ver)sieren.* **ornamental** [ˈɔːnəˈmentl] ⟨ook ong.⟩ • *sier-, decoratief.*

ornate [ɔːˈneɪt] • *sierlijk, barok.*

ornithologist [ˈɔːnɪˈθɒlədʒɪst] • *vogelkenner.* **ornithology** [ˈɔːnɪˈθɒlədʒi] • *vogelkunde.*

1 orphan [ˈɔːfn] ⟨zn⟩ • *wees.*

2 orphan ⟨ww⟩ • *tot wees maken.* **orphanage** [ˈɔːfɪnɪdʒ] • *weeshuis.*

orthodontic [ˈɔːθəˈdɒntɪk] • *orthodontisch.* **orthodontics** [ˈɔːθəˈdɒntɪks] • *orthodontie.*

orthodox [ˈɔːθədɒks] • *orthodox • conservatief, conventioneel, gewoon.* **orthodoxy** [-dɒksi] • *orthodox(e) praktijk/gewoonte/ idee • orthodoxie.*

orthography [ɔːˈθɒɡrəfi] • *orthografie, spellingsleer.*

orthopaedic [ˈɔːθəˈpiːdɪk] • *orthopedisch.* **orthopaedics** [-ˈpiːdɪks] • *orthopedie.* **orthopaedist** [-ˈpiːdɪst] • *orthopedist, orthopeed.*

oscillate [ˈɒsɪleɪt] • ⟨vnl. tech.⟩ *oscilleren, slingeren;* oscillating current *wisselstroom • weifelen.* **oscillation** [ˈɒsɪˈleɪʃn] • *oscillatie, schommeling.*

osier [ˈəʊzɪə] • ⟨plantk.⟩ *katwilg, bindwilg.*

osmosis [ɒzˈməʊsɪs] • *osmose.*

ossify [ˈɒsɪfaɪ] • *(doen) verbenen, verstenen,* ⟨fig.⟩ *verharden, afstompen.*

ostensible [ɒˈstensəbl] • *ogenschijnlijk, schijnbaar.*

ostentation [ˈɒstənˈteɪʃn] • *vertoon, praal- (zucht).* **ostentatious** [ˈɒstənˈteɪʃəs] • *opzichtig, praalziek, pretentieus.*

osteopath [ˈɒstɪəpæθ] • *osteopaat, orthopedist.*

ostracize [ˈɒstrəsaɪz] • *verbannen,* ⟨fig.⟩ *uitstoten.*

ostrich [ˈɒstrɪtʃ] • *struisvogel.*

1 other [ˈʌðə] ⟨bn⟩ • *anders, verschillend;* none – than John *niemand anders dan John;* I don't want you to be – than what you are *ik wil niet dat je anders zou zijn dan je bent.*

2 other ⟨vnw⟩ • *andere(n);* some time or – *ooit eens;* someone or – *iemand;* one after the – *na elkaar;* among –s *onder andere;* zie A.N. OTHER, EACH OTHER, OTHER THAN.

3 other ⟨det⟩ • *ander(e);* every – day *om de andere dag;* on the – hand *daarentegen* ‖ the – day/night *een paar dagen/avonden geleden.*

'other than • *behalve.*

1 otherwise [ˈʌðəwaɪz] ⟨bn⟩ • *anders;* mothers, married and/or – *moeders, al dan niet gehuwd.*

2 otherwise ⟨bw⟩ • *anders, in andere opzichten;* be – engaged *andere dingen te doen hebben;* by train or – *per trein of hoe dan ook* • ⟨aan het begin v.d. zin⟩ *anders;* go now; – it'll be too late *ga nu, anders wordt het te laat.*

otherworldly [ˈʌðəˈwəːldli] • *bovenaards.*

otter [ˈɒtə] • *(vis)otter.*

ouch [aʊtʃ] • *ai, au* ⟨uitroep v. pijn, ergernis e.d.⟩.

ought to [ˈɔːtə, ˈɔːtʊ] • ⟨gebod, verbod, verplichting⟩ *moeten, zou moeten;* you – be grateful *je zou dankbaar moeten zijn;* one – help one's neighbour *men moet zijn naaste helpen* • ⟨onderstelling⟩ *moeten, zullen, zou moeten;* she – be on her way home *ze zou nu op weg naar huis moeten zijn;* this – do the trick *dit zou het probleem moeten oplossen.*

ounce [aʊns] • *(Engels/Amerikaans) ons, ounce,* ⟨fig.⟩ *klein beetje, greintje.*

our [ˈaʊə] • *ons, onze, van ons.* **ours** [ˈaʊəz] • ⟨predikatief gebruikt⟩ *van ons, de/het onze;* the decision is – *de beslissing ligt bij ons • de onze(n)/het onze;* your books have words and – have pictures *in jullie boeken staan woorden en in die van ons plaatjes;* a friend of – *een vriend van ons.* **ourselves** [aʊəˈselvz], **ourself** • *ons, onszelf;* we busied – with organizing the party *we hielden ons bezig met het organiseren van het feestje • zelf;* we went – *we gingen zelf.*

oust [aʊst] • *verdrijven, afzetten; –* s.o. from *iem. ontheffen van/uit • verdringen.*

1 out [aʊt] ⟨zn⟩ • *uitweg* ⟨ook fig.⟩ • *uitvlucht, excuus.*

2 out ⟨bw; vaak predikatief⟩ • *uit, buiten, weg;* an evening – *een avondje uit;* journey – *heenreis;* the ball was – *de bal was buiten (de lijnen);* smoking is –! *er wordt niet gerookt!; –* there *daarginds; –*! *d'r uit!; –* it goes!/with it! *vertel op!;* you're –! *jij doet/telt niet (meer) mee • buiten be-*

wustzijn, buiten gevecht, ↓ *in slaap,* ⟨sl.⟩ *dronken* ● *niet (meer) in werking, uit;* day – *vrije dag* ● *uit, openbaar;* the sun is – *de zon schijnt* ● ↓ *uit de mode* ● *ernaast* ⟨bij schattingen⟩ ‖ she is – for trouble *ze zoekt moeilijkheden;* zie BE OUT, COME OUT ETC., WAY-OUT.

3 out ⟨vz⟩ ● *uit;* I looked – the window *ik keek uit het venster;* from – the window *vanuit het raam.*

'out-and-'out ● *volledig, door en door;* an – supporter of the programme *een verdediger v.h. programma door dik en dun.* **outback** ['aʊtbæk] ⟨vnl. Austr. E⟩ ● ⟨bn⟩ *van/ in het binnenland* ● ⟨zn; the⟩ *binnenland.* **'out'balance** ● *zwaarder wegen dan, belangrijker zijn dan.* **'out'bid** ● *meer bieden dan, overtroeven.* **'outboard** ‖ – motor *buitenboordmotor.* **outbreak** ['aʊtbreɪk] ● *uitbarsting, het uitbreken.* **'outbuilding** ● *bijgebouw.* **outburst** ['aʊtbə:st] ● *uitbarsting, uitval.* **outcast** ['aʊtkɑ:st] ● ⟨bn⟩ *uitgestoten, verworpen* ● ⟨zn⟩ *verschoppeling, verworpene.* **'out'class** ● *overtreffen, overklassen.* **outcome** ['aʊtkʌm] ● *resultaat, uitslag.* **outcrop** ['aʊtkrɒp] ● ⟨geol.⟩ *dagzomende aardlaag/ader.* **outcry** ['aʊtkraɪ] ● *schreeuw* ● *protest;* public – against/over *publiek protest tegen.* **'out'dated, 'out-of-'date** ● *achterhaald, ouderwets.* **'out-'distance** ● *achter zich laten, overtreffen.* **'out'do** ● *overtreffen.* **outdoor** ['aʊtdɔ:], **out (-of-) doors** ['aʊtəv'dɔ:z] ● *openlucht-, buiten(shuis)-.* **1 outdoors** ['aʊt'dɔ:z], **out-of-doors** ⟨zn⟩ ● *openlucht;* a man of the – *een buitenmens.* **2 outdoors, out-of-doors** ⟨bw⟩ ● *buiten(shuis).* **outer** ['aʊtə] ● *buitenste, aan de buitenzijde, buiten-;* – space *de ruimte.* **outermost** ['aʊtəmoʊst], **outmost** ['aʊtmoʊst] ● *buitenste, uiterste.* **'out'face** ● *(de blik) trotseren (van), van zijn stuk brengen.* **'outfield** ⟨cricket, honkbal⟩ ● *buitenveld* ● *buitenvelders.* **'outfielder** ⟨cricket, honkbal⟩ ● *buitenvelder.* **1 outfit** ['aʊtfɪt] I ⟨telb zn⟩ ● *uitrusting, toerusting;* ↓ the whole – *de hele handel* II ⟨zn⟩ ↓ ● *groep, gezelschap, team, ploeg.* **2 outfit** ⟨ww⟩ ● *uitrusten;* – with *voorzien van.* **'out'flank** ● ⟨mil.⟩ *overvleugelen, omtrekken* ● *verschalken.* **'outflow** ● *uitloop, afvoer* ● *uitstroming, uit/afvloeiing.* **'out'fox** ● *te slim af zijn.* **outgoing** ['aʊtgoʊɪŋ] ● *extravert, hartelijk* ● *vertrekkend, uitgaand,*

heengaand; – tide *aflopend tij.* **outgoings** ['aʊtgoʊɪŋz] ● *uitgaven.* **'out'grow** ● *ontgroeien (aan), afleren, te boven komen* ● *boven het hoofd groeien, groter worden dan.* **outgrowth** ['aʊtgroʊθ] ● *produkt, uitvloeisel.* **outhouse** ['aʊthaʊs] ● *bijgebouw* ● ⟨AE⟩ *buiten W.C..* **outing** ['aʊtɪŋ] ● *uitstap(je), uitje.* **outlandish** ['aʊt-'lændɪʃ] ● *vreemd, bizar.* **'out'last** ● *langer meegaan dan, overleven.* **1 outlaw** ['aʊtlɔ:] ⟨zn⟩ ● *vogelvrijverklaarde, bandiet.* **2 'out'law** ⟨ww⟩ ● *verbieden, vogelvrij verklaren.* **1 outlay** ['aʊtleɪ] ⟨zn⟩ ● *uitgave(n).* **2 'out'lay** ⟨ww; -laid⟩ ● *uitgeven, besteden.* **outlet** ['aʊtlet] ● *uitlaat(klep), afvoerkanaal,* ⟨fig.⟩ *uitingsmogelijkheid* ● *afzetgebied* ● *verkooppunt* ● ⟨AE; elek.⟩ *(wand)contactdoos.* **1 outline** ['aʊtlaɪn] ⟨zn⟩ ● *omtrek(lijn)* ● *schets, overzicht;* in broad – *in grote trekken* ● ⟨mv.⟩ *(hoofd)trekken, hoofdpunten.* **2 outline** ⟨ww⟩ ● *schetsen, samenvatten* ● *omlijnen;* –d against *zich aftekenend tegen.* **'out'live** ● *overleven, doorstaan.* **outlook** ['aʊtlʊk] ● *uitzicht* ● *vooruitzicht, verwachting* ● *kijk, oordeel;* a narrow – on life *een bekrompen levensopvatting.* **outlying** ['aʊtlaɪɪŋ] ● *buiten-, afgelegen.* **'out'manoeuvre** ● *te slim af zijn.* **'out'match** ● *overtreffen.* **outmoded** ['aʊt'moʊdɪd] ● *verouderd.* **outmost** zie OUTERMOST. **'out-'number** ● *in aantal overtreffen.* **'out of** ● *buiten, uit (... weg);* he took it – the bag *hij haalde het uit de zak;* – focus *onscherp;* feel – it *zich buitengesloten voelen;* one – four *een op vier* ● ⟨duidt herkomst, oorzaak aan⟩ *uit, vanuit;* translated – Greek *vertaald uit het Grieks;* act – pity *uit medelijden handelen* ● *zonder, -loos;* – breath *buiten adem;* he was cheated – his money *z'n geld werd hem ontfutseld.* **'out-of-'court** ‖ an – settlement *een overeenkomst zonder tussenkomst v.h. gerecht.* **out-of-date** zie OUTDATED. **out-of-doors** zie OUTDOORS. **'out-of-'pocket** ‖ – expenses *contante uitgaven.* **'out-of-the-'way** ● *afgelegen* ● *onbekend.* **'outpatient** ● *niet in ziekenhuis verpleegd patiënt.* **'outpatient(s') clinic** ● *polikliniek.* **'out'play** ● *beter spelen dan.* **outpost** ['aʊtpoʊst] ● *voorpost* ● *buitenpost.* **out-pouring** ['aʊtpɔ:rɪŋ] ● *stroom* ● ⟨vnl. mv.⟩ *ontboezeming.* **output** ['aʊtpʊt] ● *opbrengst, produktie, nuttig effect, vermo-*

gen, ⟨elek.⟩ *uitgangsvermogen,* ⟨comp.⟩ *output.*

1 outrage ['aʊtreɪdʒ] ⟨zn⟩ ● *geweld(daad), aanslag, belediging, schandaal* ● *verontwaardiging.*

2 outrage ⟨ww⟩ ● *geweld aandoen, beledigen, krenken* ● *verontwaardigd maken.*

outrageous [aʊt'reɪdʒəs] ● *buitensporig* ● *gewelddadig* ● *schandelijk, ongehoord, afschuwelijk.*

outré ['u:treɪ] ● *buitenissig, onbehoorlijk.*

'out'ride ● *sneller/beter rijden dan, achter zich laten.* **'outrider** ● *voorrijder, escorte.*

1 outright ['aʊtraɪt] ⟨bn⟩ ● *totaal, volledig* ● *direct.*

2 'out'right ⟨bw⟩ ● *helemaal* ● *ineens;* kill – *ter plaatse afmaken* ● *openlijk.*

'out'run ● *harder lopen dan, inhalen, ontsnappen aan* ● *te buiten gaan.* **'out'sell** ● *meer verkopen dan* ● *meer verkocht worden dan.* **outset** ['aʊtset] ● *begin;* at the – *bij/in het begin;* from the (very) – *van meet af aan.* **'out'shine** ● ⟨fig.⟩ *overschaduwen.*

1 outside ['aʊtsaɪd] ⟨zn⟩ ● *buiten(kant), buitenste, uiterlijk;* on the – *van buiten* ● *buitenwereld* ● *uiterste;* at the (very) – *uiterlijk.*

2 'outside ⟨bn⟩ ● *buiten-, van buiten(af);* – broadcast *uitzending v. buiten de studio;* the – world *de buitenwereld* ● *klein;* an – chance *een miniem kansje* ● *uiterst.*

3 outside ⟨bw⟩ ● *buiten, buitenshuis;* I went – *ik ging naar buiten.* **'out'side (of)** ● *buiten* ● *behalve, uitgezonderd.* **outsider** ['aʊt'saɪdə] ● *buitenstaander* ● *zonderling* ● ⟨sport⟩ *outsider* ⟨vnl. paard⟩.

'outsize, 'outsized ● *extra groot.* **outskirts** ['aʊtskə:ts] ● *buitenwijken, randgebied;* on the – of town *aan de rand v.d. stad.* **'out'smart** ● *te slim af zijn.* **'out'spoken** ● *open(hartig), ronduit.* **outstanding** ['aʊt'stændɪŋ] ● *opmerkelijk, bijzonder, voortreffelijk* ● *onafgedaan, onbeslist, onbetaald;* – debts *uitstaande schulden;* – work *werk dat nog afgehandeld moet worden.* **'out'stay** ● *langer blijven dan;* – one's welcome *langer blijven dan men welkom is.* **'out'stretch** ● *uitstrekken.* **'out'strip** ● *achter zich laten* ● *overtreffen.* **'out'talk** ● *overbluffen, omverpraten.* **'out'vote** ● *overstemmen, wegstemmen.*

1 outward ['aʊtwəd] ⟨bn⟩ ● *buitenwaarts;* – journey *heenreis* ● *uitwendig;* to all – appearances *ogenschijnlijk.*

2 outward, outwards ['aʊtwədz] ⟨bw⟩ ● *naar buiten, buitenwaarts;* – bound *op de uitreis.* **outwardly** ['aʊtwədli] ● *klaarblij-*

kelijk, ogenschijnlijk.

'out'weigh ● *zwaarder wegen dan* ● *goedmaken;* – the disadvantages *de nadelen compenseren.* **'out'wit** ● *te slim af zijn.*

'outwork ● *thuiswerk* ● *buitenwerk.* **'outworker** ● *thuiswerker/ster.* **'out'worn** ● *verouderd.*

ova ['oʊvə] ⟨mv.⟩ zie OVUM.

1 oval ['oʊvl] ⟨zn⟩ ● *ovaal.*

2 oval ⟨bn⟩ ● *ovaal(vormig), eivormig.*

ovary ['oʊvəri] ● *eierstok,* ⟨plantk.⟩ *vruchtbeginsel.*

ovation [oʊ'veɪʃn] ● *ovatie.*

oven ['ʌvn] ● *oven.* **'ovenware** ● *vuurvaste schotels.*

1 over ['oʊvə] ⟨bw⟩ ● ⟨richting; ook fig.⟩ *over, omver;* ask him – for the evening *nodig hem voor een avondje uit;* throw the ball – *gooi de bal naar de overkant* ● ⟨plaats⟩ *daarover, aan de overkant;* – in France *(daarginds) in Frankrijk;* – here *hier (te lande);* – there *daarginds;* – at your place *bij jou thuis;* – (to you) ⟨fig.⟩ *jouw beurt* ● ⟨graad⟩ *boven, meer, te;* he's – particular *'t is een pietje precies;* some apples were left – *er bleven enkele appelen over;* a hundred and – *meer dan honderd* ● *af, over;* the show is – *het spektakel is afgelopen* ● *helemaal, volledig;* they talked the matter – *de zaak werd grondig besproken* ● *opnieuw;* do it a few times – *doe het een paar keer achter elkaar;* – and – again *telkens weer;* – again *opnieuw* ‖ she painted the stains – *ze verfde over de vlekken heen;* he's mud all – *hij zit onder de modder;* that's him all – *dat is typisch voor hem;* zie BE OVER, COME OVER ETC..

2 over ⟨vz⟩ ● ⟨plaats; ook fig.⟩ *over, op, boven ... uit;* put a cover – the child *leg een deken over het kind;* chat – a cup of tea *keuvelen bij een kopje thee;* buy nothing – fifty francs *koop niets boven de vijftig frank;* – and above these problems *behalve/buiten deze problemen* ● ⟨lengte, oppervlakte enz.⟩ *door, over;* – the past five weeks *gedurende de afgelopen vijf weken;* spots all – my arm *vlekken over mijn hele arm;* speak – the phone *door de telefoon spreken;* all – England *in/over heel Engeland* ● ⟨richting⟩ *naar de overkant van, over;* he climbed – the wall *hij klom over de muur* ● ⟨plaats⟩ *aan de overkant van;* they lived – the post office *ze woonden tegenover het postkantoor* ● *betreffende, over, om;* all this fuss – a trifle *zo'n drukte om een kleinigheid* ‖ I'm – my neck in trouble *ik zit tot over mijn oren in de* *problemen;* zie BE OVER.

'**overa'bundant** ● *al te overvloedig, overda-dig.* '**over'act** ● *overdrijven, overacteren.*

1 **overall** ['ouvɔːl] ⟨zn⟩ ● ⟨BE⟩ *overal, jas-schort* ● ⟨mv.⟩ *overal.*

2 **overall** ⟨bn⟩ ● *totaal, geheel* ● *globaal.*

3 **overall** ['ouvɔːl] ⟨bw⟩ ● *in totaal* ● *glo-baal.*

'**over'anxious** ● *overbezorgd.* '**over'awe** ● *ontzag inboezemen, intimideren.* '**over-'balance** ● *het evenwicht verliezen.* '**over-'bearing** ● *dominerend, bazig, aanmati-gend.* '**over'bid** ⟨ook kaartspel⟩ ● *over-bieden, meer bieden (dan).* '**overboard** ● *overboord;* ⌊ go – (for) *wild enthousiast worden/zijn (over);* throw – *overboord gooien* ⟨ook fig.⟩. '**over'burden** ⟨ook fig.⟩ ● *overbelasten, overladen.* '**over'busy** ● *te druk (bezig).* '**over'careful** ● *overzorg-vuldig.* '**over'cast** ● *betrokken* ● *donker.* '**over'cautious** ● *te voorzichtig.*

1 '**overcharge** ⟨zn⟩ ● *overbelasting* ● *over-vraging.*

2 '**over'charge** I ⟨onov ww⟩ ● *overvragen, te veel vragen* II ⟨ov ww⟩ ● *overbelasten* ● *overvragen;* – a person *iem. te veel laten betalen.*

'**overcoat** ● *overjas.*

1 '**over'come** ⟨bn⟩ ● *overwonnen, over-mand;* – by the heat *door de warmte be-vangen;* – by/with grief *door leed over-mand.*

2 '**over'come** ⟨ww⟩ ● *overwinnen, te boven komen;* – a habit *een gewoonte afleren.*

'**over'confident** ● *overmoedig.* '**over'credu-lous** ● *(al te) lichtgelovig.* '**over'crowded** ● *overvol* ● *overbevolkt.* '**over'do** ● *over-drijven, te veel gebruiken;* – things/it *te hard werken, overdrijven.* '**overdose** ● *overdosis.* '**overdraft** ● *bankschuld, voor-schot in lopende rekening.* '**over'draw** ● *overdisponeren;* – one's account *meer geld opnemen dan op zijn (bank)rekening staat.* '**over'dress** ● *(zich) te netjes/opzich-tig kleden.* '**overdrive** ● *overversnelling, overdrive.* '**over'due** ● *te laat, over tijd, achterstallig.* '**over'eat** ● *te veel eten.* '**over'estimate** ● *overschatten.* '**overex-'pose** ● ⟨foto.⟩ *overbelichten.*

1 '**overflow** ⟨zn⟩ ● *overstroming* ● *overloop-(pijp)* ● *overschot.*

2 '**over'flow** ⟨ww⟩ ⟨ook fig.⟩ ● *overstromen, (doen) overlopen;* full to –ing *boordevol.*

'**over'grown** ● ⟨+with⟩ *overgroeid (door), overwoekerd (door)* ● *uit zijn krachten ge-groeid, opgeschoten.*

overhand, '**over'handed** ● *overhands.*

1 '**overhang** ⟨zn⟩ ● *overhang(end gedeelte),*

uitsteeksel.

2 '**over'hang** I ⟨onov en ov ww⟩ ● *overhan-gen, uitsteken* II ⟨ov ww⟩ ● *boven het hoofd hangen.*

1 '**overhaul** ⟨zn⟩ ● *revisie, controlebeurt.*

2 '**over'haul** ⟨ww⟩ ● *grondig nazien, revise-ren,* ⟨bij uitbr.⟩ *repareren* ● *inhalen.*

1 '**overhead** ⟨zn⟩ ● ⟨AE; BE mv.⟩ *overhead-kosten, algemene onkosten.*

2 **overhead** ⟨bn⟩ ● *hoog, in de lucht;* – rail-way *luchtspoorweg* ‖ – charges/expenses *overheadkosten, vaste bedrijfsuitgaven.*

3 '**over'head** ⟨bw⟩ ● *boven het hoofd, (hoog) in de lucht.*

'**over'hear** ● *toevallig horen* ● *afluisteren.* '**over'heat** ⟨ook fig.⟩ I ⟨onov ww⟩ ● *over-verhit worden* II ⟨ov ww⟩ ● *te heet maken/stoken.* '**over'joyed** ● ⟨+at⟩ *in de wolken (over), verrukt (om).* '**overkill** ● *overkill.* '**over'laden** ● *overladen, overbelast.*

1 '**overland** ⟨bn⟩ ● *over land (gaand).*

2 '**over'land** ⟨bw⟩ ● *te land, over land.*

1 '**overlap** ⟨zn⟩ ● *overlap(ping).*

2 '**over'lap** I ⟨onov ww⟩ ● *elkaar overlappen, gedeeltelijk samenvallen* II ⟨ov ww⟩ ● *overlappen, gedeeltelijk bedekken.*

1 '**overlay** ⟨zn⟩ ● *laagje.*

2 '**over'lay** ⟨ww⟩ ● *bedekken, bekleden, overtrekken* ● *fineren.*

'**over'leaf** ● *aan ommezijde.*

1 '**overload** ⟨zn⟩ ● *overbelasting.*

2 '**over'load** ⟨ww⟩ ● *te zwaar (be)laden, overbelasten.*

'**over'look** ● *overzien, uitkijken op* ● *over het hoofd zien* ● *door de vingers zien.* '**over-lord** ● *opperheer.* **overly** ['ouvəli] ⟨vnl. AE, Sch. E⟩ ● *(al) te, overdreven.* '**over'man** ● *overbemannen.* **overmuch** ● *te zeer/veel, overdreven.*

1 '**overnight** ⟨bn⟩ ● *nachtelijk* ● *plotseling.*

2 **overnight** ⟨bw⟩ ● *tijdens de nacht;* stay – *overnachten* ● *zomaar ineens;* become fa-mous – *v.d. ene dag op de andere be-roemd worden.*

'**overpass** ● *viaduct.* '**over'pay** ● *te veel (loon) betalen.* '**over'play** ● *overdreven acteren, overdrijven.* '**over'populated** ● *overbevolkt.* '**overpopu'lation** ● *overbe-volking.* '**over'power** ● *overweldigen, overmannen* ● *bevangen.* '**over'power-ing** ● *overweldigend* ● *onweerstaanbaar.* '**over'price** ● *teveel vragen voor, te duur maken.* '**over'rate** ● *overschatten.* '**over-'reach** ● *verder reiken dan, voorbijstre-ven;* – o.s. *te veel wagen.* '**over-re'action** ● *te sterke reactie.* '**over'ride** ● *met voeten treden, terzijde schuiven, voorbijgaan aan;* – one's commission *zijn boekje te* *buiten gaan;* – a law *een wet ter zijde schuiven.* '**over**'**riding** ● *doorslaggevend.* '**over**'**rule** ● *verwerpen, terzijde schuiven* ⟨bezwaar bv.⟩ ● *herroepen, nietig verklaren.* '**over**'**run** I ⟨onov ww⟩ ● ⟨fig.⟩ *uitlopen* II ⟨ov ww⟩ ● *overstrómen* ⟨ook fig.⟩ ● *onder de voet lopen, veroveren* ● *overschrijden* ⟨tijdslimiet⟩ ● *overgroeien.*

1'**over**'**seas** ⟨bn⟩ ● *overzees, buitenlands.*
2**overseas** ⟨bw⟩ ● *overzee, in (de) overzeese gebieden.*

'**over**'**see** ● *toezicht houden (op).* '**over**'**seer** ● *opzichter, voorman.* '**over**'**sell** ● *overdreven (aan)prijzen.* '**over**'**sexed** ● *oversekst;* – person *seksmaniak.* '**over**'**shadow** ● *overschaduwen,* ⟨fig.⟩ *domineren.* '**overshoe** ● *overschoen.* '**over**'**shoot** I ⟨onov ww⟩ ● *te ver gaan/schieten* ⟨ook fig.⟩ II ⟨ov ww⟩ ● *voorbijschieten, verder gaan dan.* '**oversight** ● *onoplettendheid, vergissing* ● *supervisie.* '**over**'**simplify** ● *oversimplificeren.* '**oversize(d)** ● *bovenmaats, te groot.*

'**over**'**sleep** ⟨wdk ww⟩ ● *(zich) verslapen.* '**over**'**spend** I ⟨onov en ov ww; wdk ww⟩ ● *te veel uitgeven* II ⟨ov ww⟩ ● *meer uitgeven dan.* '**overspill** ● ⟨BE⟩ *overloop* ⟨v. bevolkingsoverschot⟩. '**overspill town** ⟨BE⟩ ● *overloopgemeente.* '**over**'**staff** ● *overbezetten, van te veel personeel voorzien.* '**over**'**state** ⟨zn: **-ment**⟩ ● *overdrijven.* '**over**'**stay** ● *langer blijven dan.* '**over**'**step** ● *overschrijden.* '**over**'**strung** ● *overspannen, nerveus.* '**oversub**'**scribe** ⟨vnl. volt. deelw.⟩ ● *overtékenen* ⟨lening enz.⟩.

overt ['ouvə:t] ● *open(lijk), onverholen.*

'**over**'**take** ● *inhalen* ● *overvallen, verrassen.* '**over**'**tax** ● *te zwaar belasten* ● *overbelasten.*

1'**overthrow** ⟨zn⟩ ● *val, omverwerping.*
2'**over**'**throw** ⟨ww⟩ ● *om(ver)werpen, ten val brengen.*

1'**overtime** ⟨zn⟩ ● *(loon voor) overuren, overwerk(geld).*
2**overtime** ⟨bw⟩ ‖ work – *overuren maken.*

'**overtone** ● ⟨vnl. mv.⟩ ⟨fig.⟩ *ondertoon, implicatie.*

overture ['ouvətʃuə] ⟨muz.; fig. vaak mv.⟩ ● *ouverture, inleiding, voorstel;* make –s (to) *toenadering zoeken (tot).*

'**over**'**turn** I ⟨onov ww⟩ ● *omslaan* II ⟨ov ww⟩ ● *doen omslaan, ten val brengen.* '**over**'**value** ● *overwaarderen.* '**overview** ● *overzicht.* **overweening** ['ouvə'wi:nɪŋ] ● *aanmatigend* ● *buitensporig.*

1'**overweight** ⟨zn⟩ ● *over(ge)wicht, te zware last.*

2**overweight** ⟨bn⟩ ● *te zwaar.* **overwhelm** ['ouvə'welm] ● *bedelven, verpletteren;* –ed with grief *door leed overmand.* **overwhelming** ['ouvə'welmɪŋ] ● *overweldigend, verpletterend.*

1'**overwork** ⟨zn⟩ ● *te veel/zwaar werk.*
2'**over**'**work** I ⟨onov ww⟩ ● *te hard werken* II ⟨ov ww⟩ ● *te hard laten werken, uitputten* ● *te vaak gebruiken.*

overwrought ['ouvə'rɔ:t] ● *overspannen.*

ovul|ate ['ɒvjuleɪt] ⟨zn: **-ation**⟩ ● *ovuleren.*

ovum ['ouvəm] ⟨mv.: ova⟩ ● *ovum, ei(tje), eicel.*

ow [au] ● *au.*

owe [ou] ● *schuldig zijn, verplicht/verschuldigd zijn;* – sth. to s.o. *iem. iets schuldig zijn* ● (+to) *te danken hebben (aan).* **owing** ['ouɪŋ] ● *verschuldigd, schuldig, onbetaald;* how much is – to you? *hoeveel komt u nog toe?* ● (+to) *te danken (aan).* '**owing to** ● *wegens, ten gevolge van.*

owl [aul] ● *uil.* **owlish** ['aulɪʃ] ● *uilachtig, uilig* ⟨ook fig.⟩.

1**own** [oun] ⟨bn, vnw⟩ ● *eigen, eigen bezit/familie;* an – goal *een doelpunt in eigen doel;* take the law into one's – hands *het recht in eigen handen nemen;* let s.o. stew in his – juice *iem. in zijn eigen sop gaar laten koken;* be one's – man *zijn eigen heer en meester zijn;* the truth for its – sake *de waarheid om zich(zelf);* ↓ do one's – thing *zijn (eigen) zin doen;* my time is my – *ik heb de tijd aan mezelf;* for one's – use *voor eigen gebruik;* not have a moment/second to call one's – *geen moment voor zichzelf hebben;* he finally came into his – *eindelijk kreeg hij wat hem toekwam;* it has a value all its – *het heeft een heel bijzondere waarde;* he has a computer of his – *hij heeft zijn eigen computer;* have a way of his – *zo zijn eigen manier van doen hebben* ‖ beat s.o. at his – game *iem. met zijn eigen wapens verslaan;* ↓ in one's – right *op zichzelf (staande);* in his – (good) time *wanneer het hem zo uitkomt/uitkwam;* get (some of) one's – back *op s.o. het iem. betaald zetten;* hold one's – *standhouden;* hold one's – with/against *opgewassen zijn tegen;* on one's – *in zijn eentje; op zichzelf; op eigen houtje.*

2**own** I ⟨onov ww⟩ ● *bekennen, toegeven;* ↓ – up (to) *opbiechten* II ⟨ov ww⟩ ● *bezitten.* **owner** ['ounə] ● *eigenaar.* '**owner**-'**occupier** ⟨vnl. BE⟩ ● *bewoner v. eigen woning, eigenaar-bewoner.* **ownership** ['ounəʃɪp] ● *eigendom(srecht).*

ox [ɒks] ⟨mv.: oxen⟩ ● *os* ● *rund.*

Oxbridge ['ɒksbrɪdʒ] ⟨BE⟩ ● *Oxbridge, Ox-*

ford en Cambridge.
'**oxcart** ●*ossekar.*
oxen ['ɒksn] ⟨mv.⟩ zie ox.
oxide ['ɒksaɪd] ●*oxyde.* **oxidize** ['ɒksɪdaɪz]
●*oxyderen.*
'**oxtail** ●*ossestaart.* '**oxtail** '**soup** ●*osse-
staartsoep.*
oxyacetylene ['ɒksɪə'setɪli:n] ●*met acety-
leen en zuurstof; –* blowpipe/torch *las-
brander; –* burner *snijbrander.*
oxygen ['ɒksɪdʒən] ●*zuurstof.* '**oxygen
mask** ●*zuurstofmasker.* '**oxygen tent** ●
zuurstoftent.
oyster ['ɔɪstə] ●*oester.* '**oyster bank** ●*oes-
terbank.* '**oyster bed** ●*oesterbed.* '**oyster
farm** ●*oesterkwekerij.*
oz ⟨afk.⟩ ounce(s).
ozone ['oʊzoʊn] ●*ozon* ●↓ *frisse/zuivere
lucht.*

p, P [pi:] ‖ mind one's p's and q's *op zijn
woorden/tellen passen.*
pa [pɑ:] ↓ ●*pa.*
1pace [peɪs] ⟨zn⟩ ●*pas, stap* ●*gang* ⟨v.
paard⟩, *telgang* ●*tempo, gang;* keep –
(with) *gelijke tred houden (met);* set the –
(for s.o.) *het tempo aangeven (voor iem.);*
⟨fig.⟩ *de toon aangeven;* stand the – *het
tempo volhouden;* at a slow – *langzaam* ‖
put s.o. through his –s *iem. laten tonen
wat hij kan;* show (off) one's –s *laten zien
wat men kan.*
2pace I ⟨onov ww⟩ ●*stappen; –* up and
down *ijsberen* II ⟨ov ww⟩ ●*op en neer
stappen in; –* a room *heen en weer lopen
in een kamer* ●⟨vaak +off/out⟩ *afstappen,
afpassen* ●*het tempo aangeven voor,
gang maken.* '**pacemaker** ●⟨vnl. AE ook:
'pacesetter⟩ ⟨sport⟩ *haas* ●⟨med.⟩ *pacemaker.*
pacific [pə'sɪfɪk] ●*vreedzaam, vredelievend*
‖ the Pacific Ocean *de Grote Oceaan.*
Pacific [pə'sɪfɪk] ⟨the⟩ ●*(de) Grote/Stille
Oceaan.*
pacifier ['pæsɪfaɪə] ●⟨vnl. AE⟩ *fopspeen* ●↑
vredestichter. **pacifism** ['pæsɪfɪzm] ●*pa-
cifisme.* **pacifist** ['pæsɪfɪst] ●*pacifist.* **pa-
cify** ['pæsɪfaɪ] ●*kalmeren, de rust/vrede
herstellen in.*
1pack [pæk] I ⟨zn⟩ ●*pak, (rug)zak, last, be-
pakking, verpakking* ●⟨BE⟩ *pak/spel kaarten,* ⟨AE⟩ *pakje* ⟨sigaretten⟩; – of lies *pak
leugens; –* of nonsense *hoop onzin* ●*(veld
v.) pakijs* ●⟨med.⟩ *kompres* II ⟨zn⟩ ●*troep,
bende, horde, meute* ⟨jachthonden bv.⟩,
vloot ⟨v. onderzeeërs, gevechtsvliegtui-
gen⟩.
2pack I ⟨onov ww⟩ ●*(in)pakken, zijn koffer
pakken* ●*zich laten inpakken* ●*samenklit-
ten* ‖ – up *ermee uitscheiden* II ⟨ov ww⟩ ●
(in)pakken, verpakken; –ed lunch *lunch-
pakket* ●*samenpakken, samenpersen; –*
in crowds *volle zalen trekken;* the theatre
was –ed with people *het theater was afge-
laden* ●*bepakken, volproppen;* ↓ –ed out
propvol ●*partijdig samenstellen* ⟨jury⟩ ●
⟨vnl. AE; ↓⟩ *op zak hebben* ‖ – s.o. off *iem.*

(ver) wegsturen; ↓ – it in/up *ermee ophouden.*

1 package ['pækɪdʒ] ⟨zn⟩ ●*pakket, pak(je)* ● *verpakking.*

2 package ⟨ww⟩ ●*verpakken, inpakken.* '**package deal** ●*speciale aanbieding* ● *package deal, koppelverkoop.* '**package holiday,** '**package tour** ●*geheel verzorgde vakantie.*

'**pack animal** ●*pakdier, lastdier.* **packed** [pækt] ●*zie* PACK ●*opeengepakt* ●*volgepropt, overvol.* **packer** ['pækə] ●*(in)pakker, emballeur, verpakker.* **packet** [pækɪt] ●*pak(je);* ⟨fig.⟩ a – of trouble *een hoop last* ● ↓ *bom geld* ●*pakketboot.* '**packet boat** ●*pakketboot.* '**packhorse** ●*pakpaard, lastpaard.* '**pack ice** ●*pakijs.* **packing** ['pækɪŋ] ●*verpakking* ●*pakking, dichtingsmiddel.* '**packing case** ●*pakkist.*

pact [pækt] ●*pact, verdrag.*

1 pad [pæd] ⟨zn⟩ ●*kussen(tje), opvulsel, stootkussen, onderlegger, stempelkussen,* ⟨sport⟩ *beenkap, beenbeschermer* ● *blocnote* ●*(landings/lanceer)platform* ● *zoolkussen(tje)*⟨v. dier⟩ ● ↓ *verblijf, huis.*

2 pad I ⟨onov ww⟩ ●*trippelen, lopen, stappen* II ⟨ov ww⟩ ●⟨ook +out⟩ *(op)vullen;* –ded cell *gecapitonneerde isoleercel;* –ded envelope *luchtkussenenveloppe* ● ⟨ook +out⟩ *rekken* ⟨zin, tekst enz.⟩. **padding** ['pædɪŋ] ●*(op)vulsel* ●*bladvulling.*

1 paddle ['pædl] ●*paddel, roeispaan, schoep* ⟨v. scheprad⟩ ●*grote lepel, spatel.*

2 paddle I ⟨onov ww⟩ ●*pootje baden, plassen (met water)* II ⟨onov en ov ww⟩ ● *(voort)paddelen* III ⟨ov ww⟩ ⟨vnl. AE; ↓⟩ ● *voor de billen geven.* '**paddle boat,** '**paddle steamer** ●*rader(stoom)boot.* '**paddle wheel** ●*scheprad.*

'**paddling pool** ●*pierenbad.*

paddock ['pædək] ●*paddock, omheinde wei* ⟨bij stal of renbaan⟩.

paddy ['pædi] ●⟨P-⟩ ↓ *Ier* ●⟨BE; ↓⟩ *woedeaanval* ●*padieveld.* '**paddy field** ●*padieveld, rijstveld.*

padlock ['pædlɒk] ●⟨zn⟩ *hangslot* ●⟨ww⟩ *met een hangslot vastmaken.*

padre ['pɑːdri] ●*padre* ⟨priester⟩ ● ↓ *aal(moezenier).*

paed- zie PED-.

pagan ['peɪgən] ●⟨bn⟩ *heidens* ●⟨zn⟩ *heiden.* **pagandom** ['peɪgəndəm], **paganism** [-ɪzm] ●*heidendom.*

1 page [peɪdʒ] ⟨zn⟩ ●*pagina, bladzijde* ●*page, (schild)knaap.*

2 page ⟨ww⟩ ●*pagineren* ●*de naam laten omroepen van.*

pageant ['pædʒənt] ●*(praal)vertoning,*

spektakel ●*historisch schouwspel.* **pageantry** ['pædʒəntri] ●*praal(vertoning).*

'**page boy** ●*page* ●*pagekop(je).*

pager ['peɪdʒə] ●*pieper* ⟨oproepapparaatje⟩.

pagination ['pædʒɪ'neɪʃn] ●*paginering.*

pagoda [pə'goʊdə] ●*pagode.*

1 paid [peɪd] ⟨bn⟩ ●*betaald, voldaan* ●*betaald, gesalarieerd*‖ ⟨BE⟩ put – to *een eind maken aan.*

2 paid ⟨verl. t.⟩ zie PAY.

'**paid-'up** ●*betaald, voldaan;* – member *lid dat zijn contributie heeft betaald.*

pail [peɪl] ●*emmer(vol).*

1 pain [peɪn] I ⟨zn⟩ ●*pijn, leed, lijden;* put s.o. out of his – *iem. uit zijn lijden verlossen* ● ↓ *lastpost;* he's a real – (in the neck/ass) *hij is werkelijk onuitstaanbaar* ‖ on/under – of *op straffe van* II ⟨mv.⟩ ● *moeite;* go to/take great –s *zich veel moeite geven/getroosten;* be at –s (to do sth.) *zich tot het uiterste inspannen (om iets te doen).*

2 pain ⟨ww⟩ ●*pijn doen, leed doen.* **pained** [peɪnd] ●*gepijnigd, pijnlijk, bedroefd.* **painful** ['peɪnfl] ●*pijnlijk* ●*moeilijk, moeizaam.* '**painkiller** ●*pijnstillend middel.* **painless** ['peɪnləs] ●*pijnloos* ●*moeiteloos.*

painstaking ['peɪnzteɪkɪn] ●*nauwgezet, ijverig;* avoid s.o. –ly *iem. angstvallig vermijden.*

1 paint [peɪnt] I ⟨zn⟩ ●*kleurstof, verf;* wet –! *pas geverfd!* II ⟨mv.⟩ ●*schilderdoos;* box of –s *verfdoos.*

2 paint I ⟨onov en ov ww⟩ ●*verven, (be-) schilderen* ●⟨vaak ong.⟩ *(zich) verven, (zich) opmaken* II ⟨ov ww⟩ ●*afschilderen;* – a picture of *een beeld schetsen van.* '**paint box** ●*verfdoos.* '**paintbrush** ● *verfkwast* ●*penseel.* **painter** ['peɪntə] ● *schilder* ●⟨scheep.⟩ *vanglijn, meertouw.* **painting** ['peɪntɪŋ] ●*schilderij* ●*schilderkunst* ●*schilderwerk.* '**paintwork** ●*lak, verfwerk, verflaag.*

1 pair [peə] ⟨zn; mv.: ook pair⟩ ●*paar, twee(tal);* a – of gloves *een paar handschoenen;* in –s *twee aan twee* ●*andere* ⟨v.e. paar⟩; where is the – to this sock? *waar is de tweede sok?* ● *tweespan* ‖ – of scissors *schaar;* – of spectacles *bril;* – of trousers *broek.*

2 pair ⟨ww⟩ ●*paren, een paar (doen) vormen, paarsgewijze rangschikken;* – off in *paren plaatsen/heengaan; koppelen;* – up *paren (doen) vormen* ⟨bij werk, sport enz.⟩.

paisley ['peɪzli] ●*paisley* ⟨stof met gedraaide kleurige motieven⟩.

pajamas zie PYJAMAS.

Pakistani ['pækɪ'stɑːni] ●⟨bn⟩ *Pakistaans* ● ⟨zn⟩ *Pakistani, Pakistaan.*

pal [pæl] ↓ ● *makker.*

palace ['pælɪs] ● *paleis* ●⟨the⟩ *het hof.*

palaeography ['pælɪ'ɒgrəfi] ● *paleografie.*

palaeontology ['pælɪɒn'tɒlədʒi] ● *paleonto-logie.*

palatable ['pælətəbl] ● *smakelijk* ● *aange-naam, aanvaardbaar.*

palate ['pælət] ● *gehemelte,* ⟨fig.⟩ *smaak.*

palatial [pə'leɪʃl] ● *paleisachtig, schitterend.*

palaver [pə'lɑːvə] ● *gepalaver, gewauwel.*

1 pale [peɪl] ⟨zn⟩ ● *(schutting)paal, staak* ‖ *beyond the – buiten de perken, ongeoor-loofd.*

2 pale ⟨bn⟩ ● *(ziekelijk) bleek, licht-, flets; –* blue *lichtblauw;* look *– er pips uitzien;* turn *– verbleken* ● *zwak.*

3 pale ⟨ww⟩ ● *bleek worden, verbleken* ⟨ook fig.⟩.

'paleface ● *bleekgezicht, blanke.*

paleo- zie PALAEO-.

Palestinian ['pælɪ'stɪnɪən] ●⟨bn⟩ *Palestijns* ●⟨zn⟩ *Palestijn.*

palette ['pælɪt] ● *(schilders)palet.*

paling ['peɪlɪŋ] I ⟨zn⟩ ● *(schutting)paal, staak* II ⟨mv.⟩ ● *schutting, omheining.*

palisade ['pælɪ'seɪd] ● *palissade* ●⟨vnl. mv.⟩ ⟨AE⟩ *(steile) kliffen.*

palish ['peɪlɪʃ] ● *bleekjes, witjes.*

1 pall [pɔːl] ⟨zn⟩ ● *lijkkleed* ● *doodkist* ● *man-tel* ⟨alleen fig.⟩, *sluier; – of smoke rook-sluier.*

2 pall ⟨ww⟩ ● *vervelend worden, zijn aan-trekkelijkheid verliezen.*

'pallbearer ● *slippedrager* ⟨niet fig.⟩, *(baar) drager.*

pallet ['pælɪt] ● *strozak, stromatras* ● *pallet, laadbord.*

palliate ['pælieɪt] ● *verzachten* ● *vergoelij-ken.* **palliative** ['pælɪətɪv] ●⟨bn⟩ *verzach-tend, pijnstillend* ●⟨bn⟩ *vergoelijkend* ● ⟨zn⟩ *pijnstiller.*

pallid ['pælɪd] ● *(ziekelijk) bleek* ● *mat, flauw.* **pallor** ['pælə] ● *(ziekelijke) bleek-heid.*

pally ['pæli] ↓ ● *vriendschappelijk;* be *– with* beste maatjes zijn met.

1 palm [pɑːm] ⟨zn⟩ ● *palm(boom)* ● *palm-(tak),* ⟨bij uitbr.⟩ *overwinning* ●*(hand)* palm ‖ have/hold s.o. in the *– of one's* hand *iem. geheel in zijn macht hebben;* cross s.o.'s *– (with silver) iem. omkopen;* grease s.o.'s *– iem. omkopen.*

2 palm ⟨ww⟩ ● *(in de hand) verbergen, weg-toveren;* zie PALM OFF.

palmist ['pɑːmɪst] ● *handlijnkundige.* **palm-istry** ['pɑːmɪstri] ● *handlijnkunde.*

'palm 'off ↓ ● *aansmeren;* palm sth. off on s.o. *iem. iets aansmeren* ● *afschepen; –* s.o. with some story *iem. zoethouden met een verhaaltje.* **'palm oil** ● *palmolie.*

'Palm 'Sunday ● *Palmzondag.*

'palm tree ● *palm(boom).*

palpable ['pælpəbl] ● *tastbaar, voelbaar,* ⟨fig.⟩ *duidelijk.*

palp|ate ['pæ1peɪt] ⟨zn: -ation⟩ ⟨vnl. med.⟩ ● *bekloppen, betasten.*

palpitate ['pælpɪteɪt] ● *(hevig/snel) kloppen* ⟨v. hart⟩ ● *trillen; –* with fear *beven van angst.* **palpitation** ['pælpɪ'teɪʃn] ⟨med.⟩ ● *hartklopping, palpitatie* ● *het bonzen* ⟨v. hart⟩.

palsied ['pɔːlzɪd] ●⟨med.⟩ *verlamd.* **palsy** ['pɔːlzi] ⟨med.⟩ ● *verlamming;* cerebral *– hersenverlamming.*

paltry ['pɔːltri] ● *waardeloos, onbeteke-nend;* two *– dollars twee armzalige dol-lars* ● *verachtelijk.*

'pal 'up ↓ ● *vriendjes worden; –* with s.o. *goe-de maatjes worden met iem..*

pampa ['pæmpə] ⟨vnl. mv.⟩ ● *pampa.*

pamper ['pæmpə] ● *verwennen.*

pamphlet ['pæmflɪt] ● *pamflet,* ⟨ihb.⟩ *vlug-schrift.*

1 pan [pæn] ⟨zn⟩ ● *pan, braad/koekepan* ● *schaal* ⟨v. weegschaal⟩, *toiletpot.*

2 pan [pæn] I ⟨onov ww⟩ ● *(goud)erts wassen* ●⟨film.⟩ *pannen, panora-misch filmen;* zie PAN OUT II ⟨ov ww⟩ ● *wassen in goudzeef* ● ↓ *scherp bekritise-ren* ●⟨film.⟩ *pannen, doen meedraaien* ⟨de camera⟩.

panacea ['pænə'siːə] ⟨vaak ong.⟩ ● *panacee, wondermiddel.*

panache [pə'næʃ, pə'nɑːʃ] ● *zwier.*

panama ('hat) ['pænə'mɑː] ● *panama-(hoed).*

pancake ['pænkeɪk] ● *pannekoek;* as flat as a *– zo plat als een dubbeltje.* **'pancake 'lan-ding** ⟨luchtv.⟩ ● *buiklanding.* **'pancake 'roll** ⟨BE⟩ ● *loempia.*

pancreas ['pæŋkrɪəs] ● *pancreas, al-vleesklier.*

panda ['pændə] ● *panda.*

'Panda car ⟨BE; ↓⟩ ● *(politie)patrouillewa-gen.* **'Panda crossing** ⟨BE⟩ ● *zebra(pad)* ⟨met drukknopbediening⟩.

pand(a)emonium ['pændɪ'moʊnɪəm] ● *vol-strekte verwarring, chaos, tumult.*

'pander to ● *toegeven aan, ter wille zijn aan;* newspapers *– people's interest in sensa-tion kranten buiten de menselijke sensa-tielust uit.*

pandit zie PUNDIT.
pane [peɪn] ● *(venster)ruit, glasruit.*
panegyric [ˌpænɪˈdʒɪrɪk] ● *lofrede.*
1 panel [ˈpænl] I ⟨telb zn⟩ ● *paneel, vlak, (muur)vak, (wand)plaat* ● *(gekleurd) inzetstuk* ⟨v. kleed⟩ ● *schakelbord, paneel* ● ⟨schilderkunst⟩ *paneel* ● *naamlijst* II ⟨zn⟩ ● *panel, comité.*
2 panel ⟨ww⟩ ● *met panelen bekleden, lambrizeren.*
'panel discussion ● *forum(gesprek).*
panelling [ˈpænlɪŋ] ● *lambrizering, paneelwerk.*
panellist [ˈpænlɪst] ● *panellid.*
pang [pæŋ] ● ⟨ook fig.⟩ *plotselinge pijn, steek; –s* of remorse *hevige gewetenswroeging.*
panhandle [ˈpænhænd1] ⟨AE; ↓⟩ ● *bedelen.* **panhandler** [ˈpænhændlə] ⟨AE; ↓⟩ ● *bedelaar.*
1 panic [ˈpænɪk] ⟨zn⟩ ● ⟨ook attr⟩ *paniek; get into a – (about) in paniek raken (over).*
2 panic ⟨ww; panicked⟩ ● *in paniek raken/brengen, angstig worden/maken.* **panicky** [ˈpænɪki] ↓ ● *paniekerig, angstig.*
'panic-stricken ● *angstig, in paniek.*
pannier [ˈpænɪə] ● *(draag)mand, (draag)korf* ● *fietstas.*
panoplied [ˈpænəplid] ⟨ook fig.⟩ ● *volledig toegerust, in feesttooi.* **panoply** [ˈpænəpli] ● *(volledige) wapenuitrusting* ● *(volledige) uitrusting.*
panorama [ˌpænəˈrɑːmə] ⟨bn: **-ic**⟩ ● *panorama.*
'pan 'out ● *uitvallen; – well een groot succes worden.*
'panpipes [ˈpænpaɪps] ● *pan(s)fluit.*
pansy [ˈpænzi] ● *(driekleurig) viooltje* ● zie PANSY (BOY). **'pansy (boy)** ⟨ong.⟩ ● *nicht, flikker.*
1 pant [pænt] ⟨zn⟩ ● *hijgende beweging, snak.*
2 pant [pænt] I ⟨onov ww⟩ ● *hijgen,* ⟨fig.⟩ *snakken; –ing for/after breath naar adem snakkend* II ⟨ov ww⟩ ‖ *– out a few words enkele woorden uitbrengen.*
pantheism [ˈpænθiɪzm] ● *pantheïsme.* **pantheist** [ˈpænθiɪst] ⟨bn: **-ic**⟩ ● *pantheïst.*
pantheon [ˈpænθiən] ● *pantheon, eretempel.*
panther [ˈpænθə] ● *panter* ● ⟨AE⟩ *poema.*
panties [ˈpæntiz] ⟨ook attr⟩ ● *kinderbroekje* ● *(dames)broekje, slipje.*
pantomime [ˈpæntəmaɪm] ● ⟨dram.⟩ *(panto)mime* ● ⟨BE⟩ *(humoristische) kindermusical* ⟨rond Kerstmis opgevoerd⟩.

pantry [ˈpæntri] ● *provisiekast, voorraadkamer.*
pants [pænts] ↓ ● ⟨vnl. AE⟩ *(lange) broek;* ⟨fig.⟩ wear the *– de broek aanhebben* ● *(dames)onderbroek* ● ⟨vnl. BE⟩ *(heren)onderbroek* ‖ scare s.o.'s *– off iem. de stuipen op het lijf jagen.*
pantyhose, pantihose [ˈpæntihoʊz] ● *panty (kous).*
pap [pæp] ● *pap, moes* ● ⟨AE⟩ *leesvoer.*
papa [pəˈpɑː] ⟨kind.⟩ ● *papa.*
papacy [ˈpeɪpəsi] ● *pausdom, pausschap.*
papal [ˈpeɪpl] ● *pauselijk.*
papaya [pəˈpaɪə] ⟨plantk.⟩ ● *papaja(vrucht).*
1 paper [ˈpeɪpə] I ⟨telb zn⟩ ● *blad/vel papier, papiertje* ● ↓ *dagblad, krant* ● *(schriftelijke) test; set a – een test opgeven* ● *paper, verhandeling;* read/deliver a *– een lezing houden* ● *document* II ⟨telb en n-telb zn⟩ ● *behang(selpapier)* III ⟨n-telb zn⟩ ● *papier; commit to – op papier zetten;* ⟨fig.⟩ on *– op papier, in theorie* ● *(waarde)papier, papiergeld* IV ⟨mv.⟩ ● *papieren, identiteitspapieren.*
2 paper ⟨ww⟩ ● *behangen; – over verdoezelen.*
'paperback ● *paperback, pocket(boek).* **'paper boy** ● *krantenjongen.* **'paper chase** ● *snipperjacht.* **'paperclip** ● *paperclip, papierklem.* **'paperhanger** ● *behanger.* **'paperknife** ● *papiermes, briefopener.* **'paper mill** ● *papierfabriek.* **'paper money** ● *papiergeld.* **'paper 'tiger** ● *papieren tijger, schijnmacht.* **'paperweight** ● *pressepapier.* **'paperwork** ● *papierwerk, administief werk.* **papery** [ˈpeɪp(ə)ri] ● *papierachtig.*
papier-mâché [ˈpæpieɪ ˈmæʃeɪ, -ˈpeɪpə-] ● *papier-maché.*
papist [ˈpeɪpɪst] ● *papist.*
paprika [ˈpæprɪkə] ● *paprika.*
papyrus [pəˈpaɪrəs] ⟨mv.: ook papyri [-raɪ]⟩ ● *papyrus(plant)* ● *papyrus* ⟨papier⟩ ● *papyrus(tekst/rol).*
par [pɑː] I ● ⟨ook attr⟩⟨geldw.⟩ *pari, nominale waarde;* at *– op pari; above – boven pari; below – onder pari* ● *gemiddelde/normale toestand;* ↓ be up to *– zich goed voelen, voldoende zijn* ● ⟨golf⟩ *par* ⟨maximum aantal slagen dat een goede speler onder normale omstandigheden nodig heeft om bal in hole te krijgen⟩ ‖ be on/to a *– (with) gelijk zijn (aan), op één lijn staan (met).*
parable [ˈpærəbl] ● *parabel, gelijkenis.*
parabola [pəˈræbələ] ⟨wisk.⟩ ● *parabool.* **parabolic** [ˈpærəˈbɒlɪk] ● *parabolisch, paraboolvormig.*

1 parachute ['pærəʃuːt] ⟨zn⟩ ● *parachute.*
2 parachute I ⟨onov ww⟩ ● *aan/met een parachute neerkomen* **II** ⟨ov ww⟩ ● *parachuteren, aan een parachute neerlaten.* **'parachute troops** ● *para(chute)troepen.* **parachutist** ['pærəʃuːtɪst] ● *parachutist.*
1 parade [pə'reɪd] ⟨zn⟩ ● *parade, (uiterlijk) vertoon, show;* make a – of *pronken met* ● *paradeplaats* ● *optocht* ● ⟨vnl. mil.⟩ *parade, défilé;* be on – *paraderen;* ⟨fig.⟩ *pronken* ● *promenade.*
2 parade I ⟨onov ww⟩ ● *paraderen, een optocht houden* ● *paraderen, pronken* ● ⟨mil.⟩ *aantreden, parade houden* **II** ⟨ov ww⟩ ● *paraderen door, een optocht houden door* ● *paraderen met, te koop lopen met.*
pa'rade ground ● *paradeplaats, exercitieplein.*
paradigm ['pærədaɪm] ● *paradigma, voorbeeld, model.*
paradise ['pærədaɪs] ● *paradijs.* **paradisiac(al)** ['pærədɪ'saɪək(l)] ● *paradijselijk.*
paradox ['pærədɒks] ● *paradox.* **paradoxical** ['pærə'dɒksɪkl] ● *paradoxaal, tegenstrijdig.*
paraffin ['pærəfɪn] ● *(harde) paraffine* ● ⟨BE⟩ *kerosine, paraffineolie.* **'paraffin 'oil** ⟨BE⟩ ● *kerosine, paraffineolie.* **'paraffin 'wax** ● *(harde) paraffine.*
paragon ['pærəgən] ● *toonbeeld;* – of virtue *toonbeeld v. deugd.*
1 paragraph ['pærəgrɑːf] ⟨zn⟩ ● *paragraaf, alinea,* ⟨jur.⟩ *lid* ● *krantebericht(je).*
2 paragraph ⟨ww⟩ ● *in paragrafen verdelen.*
parakeet ['pærəkiːt] ● *parkiet.*
1 parallel ['pærəlel] ⟨zn⟩ ● *parallel,* ⟨fig.⟩ *gelijkenis;* draw a – (between) *een vergelijking maken (tussen);* without (a) – *zonder weerga* ● ⟨elek.⟩ *parallel(schakeling)* ● ⟨aardr.⟩ *parallel, breedtecirkel;* – of latitude *breedtecirkel.*
2 parallel ⟨bn⟩ ● *parallel,* ⟨fig.⟩ *overeenkomend;* ⟨gymnastiek⟩ – bars *brug, gelijke leggers;* – to/with *evenwijdig met; vergelijkbaar met.*
3 parallel ⟨ww⟩ ● *vergelijken;* – sth. with *iets op één lijn stellen met* ● *evenaren, overeenstemmen met.* **parallelism** ['pærəlelɪzm] ● *parallellisme,* ⟨fig.⟩ *overeenkomst.* **parallelogram** ['pærə'leləgræm] ● *paralellogram.*
paralyse ['pærəlaɪz] ● *verlammen* ⟨ook fig.⟩, *lamleggen,* ⟨fig.⟩ *onmacht.* **paralysis** [pə'rælɪsɪs] ● *verlamming,* ⟨fig.⟩ *onmacht.*
1 paralytic ['pærə'lɪtɪk] ⟨zn⟩ ● ⟨ook fig.⟩ *lamme, verlamde.*
2 paralytic ⟨bn⟩ ● *verlamd, lam* ● ⟨BE; sl.⟩

bezopen.
paramedic [-'medɪk] ● *paramedicus.*
parameter [pə'ræmɪtə] ● *parameter, kenmerkende grootheid,* ⟨bij uitbr.⟩ *(bepaalbare) factor.*
paramilitary ['pærə'mɪlɪtri] ● *paramilitair.*
paramount ['pærəmaʊnt] ● *hoogst, voornaamst;* of – importance *van het grootste belang.*
paranoia ['pærə'nɔɪə] ⟨med.⟩ ● *paranoia, vervolgingswaanzin.* **paranoid** ['pærənɔɪd] ● ⟨bn⟩ *paranoïde* ● ⟨zn⟩ *paranoialijder.*
paranormal ['pærə'nɔːml] ● *paranormaal.*
parapet ['pærəpɪt, -pet] ● *balustrade, (brug)leuning, muurtje.*
paraphernalia ['pærəfə'neɪlɪə] ● *uitrusting, toebehoren;* photographic – *fotospullen.*
1 paraphrase ['pærəfreɪz] ⟨zn⟩ ● *parafrase, omschrijving.*
2 paraphrase ⟨ww⟩ ● *parafraseren, vrij weergeven.*
parapsychology [-saɪ'kɒlədʒi] ● *parapsychologie.*
paras ['pærəz] ⟨verk.⟩ paratroops ↓ ● *paratroepen.*
parasite ['pærəsaɪt] ● *parasiet,* ⟨fig.⟩ *profiteur.* **parasitic(al)** [-'sɪtɪk(l)] ● *parasitisch, parasitair,* ⟨fig.⟩ *profiterend.*
parasol ['pærəsɒl] ● *parasol, zonnescherm.*
paratrooper ['pærətruːpə] ● *para(troeper).* **paratroops** [-truːps] ● *para(chute)troepen.*
paratyphoid [-'taɪfɔɪd] ⟨med.⟩ ● *paratyfus.*
parboil ['pɑːbɔɪl] ⟨cul.⟩ ● *blancheren, even aan de kook brengen.*
parcel ['pɑːsl] **I** ⟨zn⟩ ● *pak(je), pakket* ● *perceel, lap/stuk grond* **II** ⟨mv.⟩ ● *bestelgoed(eren).* **parcel (out)** ● *verdelen, uitdelen.* **'parcel post** ● *pakketpost.* **parcel up** ● *inpakken.*
parch [pɑːtʃ] ● *verdorren, uitdrogen;* –ed with thirst *uitgedroogd (v.d. dorst).*
parchment ['pɑːtʃmənt] ● *perkament(papier).*
1 pardon ['pɑːdn] ⟨zn⟩ ● ⟨jur.⟩ *kwijtschelding (v. straf), gratie(verlening);* general – *amnestie* ● *vergiffenis, pardon* ‖ (I) beg (your) – *neemt u mij niet kwalijk* ⟨ook iron.⟩; – *pardon, wat zei u?.*
2 pardon ⟨ww⟩ ● *vergeven, een straf kwijtschelden* ● *verontschuldigen;* – me for coming too late *neemt u mij niet kwalijk dat ik te laat kom.* **pardonable** ['pɑːdnəbl] ● *vergeeflijk.*
pare [peə] ● *(af)knippen, schillen* ● *afsnijden* ● *reduceren, besnoeien;* – away/down the expenses *de uitgaven beperken.*
parent ['peərənt] ● *ouder, vader, moeder* ●

⟨vaak attr⟩ ⟨biol.⟩ *moederdier, moeder-plant,* ⟨fig.⟩ *moederinstelling* ● *oorzaak, bron.* **parentage** ['peərəntɪdʒ] ● *afkomst, geboorte.* **parental** [pə'rentl] ● *ouderlijk.* 'parent company ● *moedermaatschappij.*

parenthesis [pə'renθɪsɪs] ⟨mv.: parentheses [pə'renθɪsi:z]⟩ ● *parenthese, tussenzin* ● ⟨vaak mv.⟩ *ronde haak/haken* ⟨ook wisk.⟩; in –/parentheses *tussen (twee) haakjes* ⟨ook fig.⟩. **parenthetical** ['pærən'θetɪkl] ● *parenthetisch, tussen haakjes.*

parenthood ['peərənθʊd] ● *ouderschap.* 'parent-'teacher association ● *oudercommissie* ⟨v. school⟩.

pariah [pə'raɪə] ● *paria* ● *verschoppeling.*

paring ['peərɪŋ] ⟨vaak mv.⟩ ● *schil, afknipsel.*

parish ['pærɪʃ] ● *parochie, kerkelijke gemeente* ● ⟨BE⟩ *gemeente, district* ● ↓ *werkterrein.* 'parish 'clerk ● *koster.* 'parish 'council ⟨BE⟩ ● *gemeenteraad.* **parishioner** [pə'rɪʃənə] ● *parochiaan, gemeentelid.* 'parish priest ● *parochiepriester, pastoor.*

Parisian [pə'rɪzɪən] ● ⟨bn⟩ *Parijs, mbt./v. Parijs* ● ⟨zn⟩ *Parijzenaar/Parisienne.*

parity ['pærəti] ● *gelijkheid, gelijkwaardigheid* ● ⟨geldw.⟩ *pari(teit).*

1 park [pɑːk] ⟨zn⟩ ● *(natuur)park;* national – *natuurreservaat.*

2 park I ⟨onov en ov ww⟩ ● *parkeren* **II** ⟨ov ww⟩ ● ↓ *(tijdelijk) plaatsen, (achter)laten;* ↓ – o.s. *gaan zitten.*

parka ['pɑːkə] ● *parka, anorak.*

parking ['pɑːkɪŋ] ● *(het) parkeren, parkeergelegenheid;* no – *verboden te parkeren.* 'parking lot ⟨AE⟩ ● *parkeerterrein.* 'parking meter ● *parkeermeter.* 'parking place ● *parkeerplaats.*

'park keeper ⟨BE⟩ ● *parkwachter.*

'parkway ⟨AE⟩ ● *snelweg* ⟨brede weg door fraai landschap⟩.

parky ['pɑːki] ⟨BE; sl.⟩ ● *kil, koel.*

parlance ['pɑːləns] ● *zegswijze, taal;* in legal – *in rechtstaal.*

1 parley ['pɑːli] ⟨zn⟩ ● *debat, discussie,* ⟨ihb.⟩ *(wapenstilstands)onderhandeling.*

2 parley ⟨ww⟩ ● *onderhandelen.*

parliament ['pɑːləmənt] ● *parlement.* **parliamentarian** ['pɑːləmen'teərɪən] ● *parlementslid.* **parliamentary** ['pɑːlə'mentri] ● *parlementair, parlements-.*

parlour ['pɑːlə] ● *salon,* ⟨bij uitbr.⟩ *woonkamer, zitkamer.* 'parlour game ● *gezelschapsspel,* ⟨ihb.⟩ *woordspel.* 'parlourmaid ⟨BE⟩ ● *dienstmeisje.*

parochial [pə'roʊkɪəl] ● *parochiaal, parochie-* ● *bekrompen, provinciaal.*

1 parody ['pærədi] ⟨zn⟩ ● *parodie.*

2 parody ⟨ww⟩ ● *parodiëren.*

1 parole [pə'roʊl] ⟨zn⟩ ● ⟨jur.⟩ *voorwaardelijke vrijlating, parooltijd;* on – *voorwaardelijk vrijgelaten.*

2 parole ⟨ww⟩ ⟨jur.⟩ ● *voorwaardelijk vrijlaten, op parool vrijlaten.*

paroxysm ['pærəksɪzm] ● *(gevoels)uitbarsting, aanval;* – of anger *woedeaanval;* – of laughter *hevige lachbui.*

parquet ['pɑːkeɪ, 'pɑːki] ● *parket(vloer).*

parricide ['pærɪsaɪd] **I** ⟨telb zn⟩ ● *vadermoordenaar/moedermoordenaar* **II** ⟨n-telb zn⟩ ● *vadermoord/moedermoord.*

1 parrot ['pærət] ⟨zn⟩ ● *papegaai* ⟨ook fig.⟩, *naprater.*

2 parrot ⟨ww⟩ ● *napraten.*

parrot-cry ● *slogan, leus.*

parrot fashion ↓ ● *onnadenkend, machinaal, uit het hoofd.*

1 parry ['pæri] ⟨zn⟩ ● *afweermanoeuvre,* ⟨ihb. schermen⟩ *parade.*

2 parry I ⟨onov ww⟩ ● *een aanval afwenden* ⟨ook fig.⟩ **II** ⟨ov ww⟩ ● *afwenden, (af)weren* ● *ontwijken;* – a question *zich van een vraag afmaken.*

parse [pɑːz] ● *taalkundig ontleden* ⟨woord, zin⟩.

parsimonious ['pɑːsɪ'moʊnɪəs] ● *vrekkig.* **parsimony** ['pɑːsɪməni] ● *vrekkigheid.*

parsley ['pɑːsli] ● *peterselie.*

parsnip ['pɑːsnɪp] ⟨plantk.⟩ ● *pastinaak(wortel).*

parson ['pɑːsn] ● *predikant* ⟨in Anglicaanse kerk⟩, ↓ *dominee, pastoor.* **parsonage** ['pɑːsnɪdʒ] ● *pastorie.*

1 part [pɑːt] **I** ⟨telb zn⟩ ● *(onder)deel, aflevering* ● ⟨dram.⟩ *rol;* ⟨fig.⟩ play a – *een rol spelen, veinzen;* ⟨fig.⟩ play a – in *een rol spelen bij/in* **II** ⟨telb en n-telb zn⟩ ● *deel, gedeelte, stuk;* it is – of the game *het hoort er bij;* the better/best/greater/most – *het overgrote deel;* the dreadful – of it *het verschrikkelijke ervan* ● *aandeel, part;* do one's – *zijn plicht vervullen* ‖ – and parcel of *een essentieel onderdeel van;* take – in *deelnemen aan;* for my – *wat mij betreft;* in –(s) *gedeeltelijk, ten dele;* on the – of *van de kant van;* for the most – *meestal, in de meeste gevallen;* zie ook ⟨sprw.⟩ DIS-CRETION **III** ⟨n-telb zn⟩ ● *zijde, kant;* take the – of *de zijde kiezen van* **IV** ⟨mv.⟩ ● *streek, gebied.*

2 part I ⟨onov ww⟩ ● *van/uit elkaar gaan, scheiden;* – (as) friends *als vrienden uit elkaar gaan;* zie PART FROM, PART WITH **II** ⟨ov

ww⟩ •*scheiden, (ver)delen, breken* •*een scheiding kammen in* ⟨haar⟩.
3part ⟨bw⟩ •*deels, gedeeltelijk.*
partake [pɑːˈteɪk] ⟨partook [pɑːˈtʊk], partaken [-ˈteɪkən]⟩ •⟨+of⟩ *deelnemen (aan); –* in the festivities *aan de festiviteiten deelnemen.*
'**part from** •*scheiden van* •*afstand doen van.*
partial [ˈpɪːʃɑ] **I** ⟨bn, attr en pred⟩ •*partijdig* •*gedeeltelijk* **II** ⟨bn, pred⟩ •⟨+to⟩ *verzot (op), gesteld (op).* **partiality** [ˈpɑːʃiˈæləti] •*partijdigheid* •*voorkeur (voor).*
partially [ˈpɑːʃəli] •*gedeeltelijk.*
participant [pɑːˈtɪsɪpənt], **participator** [-peɪtə] •*deelnemer, participant.* **participate** [pɑːˈtɪsɪpeɪt] •⟨+in⟩ *deelnemen (aan), betrokken zijn (bij).* **participation** [pɑːˈtɪsɪˈpeɪʃn] •*participatie, deelname* • ⟨ec.⟩ *winstdeling.*
participle [ˈpɑːtsɪpl] ⟨taal.⟩ •*deelwoord;* past – *voltooid deelwoord;* present – *tegenwoordig deelwoord.*
particle [ˈpɑːtɪkl] •*deeltje,* ⟨fig.⟩ *beetje, greintje;* ⟨nat.⟩ elementary – *elementair deeltje.*
1particular [pəˈtɪkjʊlə] ⟨zn⟩ •*bijzonderheid, detail;* go into –s *in detail treden;* in – *in het bijzonder* •⟨mv.⟩ *feiten* •⟨mv.⟩ *personalia.*
2particular I ⟨bn, attr en pred⟩ •*bijzonder, afzonderlijk* •⟨+about/over⟩ *nauwgezet (in), kieskeurig (in/op);* be very – *het erg nauw nemen* •*uitvoerig* **II** ⟨bn, attr⟩ •*bijzonder, uitzonderlijk;* for no – reason *zomaar.* **particularize** [pəˈtɪkjʊləraɪz] **I** ⟨onov ww⟩ •*details geven, in bijzonderheden treden* **II** ⟨ov ww⟩ •*specificeren.* **particularly** [pəˈtɪkj(ʊl)əli] •*zie* PARTICULAR² •*(in het) bijzonder, vooral;* not – smart *niet bepaald slim.*
parting [ˈpɑːtɪŋ] •*scheiding* ⟨AE ook: in haar⟩; at the – of the ways *op de tweesprong (der wegen)*⟨ook fig.⟩ •*vertrek, afscheid.* '**parting** '**shot** •*laatste woord, hatelijke toespeling.*
partisan [ˈpɑːtɪˈzæn] •*partijganger, aanhanger* •⟨ook attr⟩ *partizaan.* **partisanship** [ˈpɑːtɪzænʃɪp] •*partijgeest.*
1partition [pɑːˈtɪʃn] ⟨zn⟩ •*(ver)deling, scheiding* •*scheid(ing)smuur, tussenmuur.*
2partition ⟨ww⟩ •*(ver)delen, indelen; –* off *afscheiden* ⟨dmv. scheidsmuur⟩.
partly [ˈpɑːtli] •*gedeeltelijk.*
1partner [ˈpɑːtnə] ⟨zn⟩ •*partner, deelgenoot,* ⟨hand.⟩ *vennoot* •*(huwelijks)partner.*

2partner ⟨ww⟩ •⟨vaak +up⟩ *partner zijn (van)* •⟨vaak +up⟩ *als partner geven, koppelen aan.* **partnership** [ˈpɑːtnəʃɪp] •*partnerschap, deelgenootschap;* enter into – with *zich associëren met* •*vennootschap.*
partook [pɑːˈtʊk] ⟨verl. t.⟩ zie PARTAKE.
'**part** '**owner** •*medeëigenaar.*
partridge [ˈpɑːtrɪdʒ] •*patrijs.*
'**part**-'**time** •*in deeltijd;* work – *een deeltijdbaan hebben.* '**part**-'**timer** •*part-timewerker.*
'**part with** •*afstand doen van, opgeven* •*verlaten.*
party [ˈpɑːti] •*(politieke) partij;* parliamentary – *kamerfractie* •*gezelschap, groep* •*feestje* •*partij, participant, medeplichtige; –* concerned *belanghebbende;* be a – to *deelnemen aan;* ⟨ong.⟩ *medeplichtig zijn aan;* become a – to *toetreden tot* •↓ *persoon, figuur*‖ third – *derde* ⟨ook jur.⟩. '**party** '**leader** •*partijleider.* '**party** '**leadership** •*partijleiding.* '**party line** •*partijlijn, partijprogramma* •*gemeenschappelijke (telefoon)lijn.* '**party** '**politics** •*partijpolitiek.* '**party** '**spirit** •*partijgeest.*
parvenu [ˈpɑːvənjuː] •*parvenu.*
PASCAL [ˈpæskl] ⟨comp.⟩ •*PASCAL* ⟨computertaal⟩.
1pass [pɑːs] ⟨zn⟩ •*(berg)pas, doorgang* •*geslaagd examen,* ⟨BE⟩ *voldoende* •*(kritische) toestand;* ↓ things came to/reached a (pretty/fine/sad) – *het is een mooie boel geworden;* it/things had come to such a – that *het was zo ver gekomen dat* •*pas, toegangsbewijs* •⟨voetbal⟩ *pass* ‖ ↓ make a – at a girl *een meisje trachten te versieren.*
2pass I ⟨onov ww⟩ •*(verder) gaan, (door) lopen; –* along *doorlopen; –* from a solid to an oily state *van een vaste in een olieachtige stof overgaan* •*voorbijgaan, passeren, overgaan;* time –es quickly *de tijd vliegt voorbij; –* on the left *links inhalen; –* unnoticed *niet opgemerkt worden* •*passeren, er door(heen) raken/komen;* no –ing (permitted) *geen doorgang;* please, let me – *mag ik er even langs* •*algemeen bekend staan (als); –* by/under the name of *bekend staan als; –* as/for *doorgaan voor* •*aanvaard/aangenomen worden, slagen* ⟨voor examen(onderdeel)⟩, *door de beugel kunnen* ⟨grove taal bv.⟩; the bill –ed *het wetsvoorstel werd aangenomen* •↑ *gebeuren;* come to – *gebeuren* • ⟨kaartspel⟩ *passen* •*overgemaakt/overgedragen worden;* the estate –ed to the son *het landgoed werd aan de zoon vermaakt* •⟨sport⟩ *passeren, een pass ge-*

ven; zie PASS AWAY, PASS BETWEEN, PASS BY, PASS IN(TO), PASS OFF, PASS ON, PASS OUT, PASS OVER, PASS THROUGH II ⟨ov ww⟩ ● *passeren, voorbijlopen, voorbijtrekken;* – a car *een auto inhalen* ● *gaan/lopen door;* ⟨fig.⟩ no secret –ed her lips *er kwam geen geheim over haar lippen* ● *(door)geven, overhandigen;* – the salt *het zout doorgeven* ● *goedkeuren, aanvaarden* ● *slagen in/voor;* – an exam *voor een examen slagen* ● *komen door, aanvaard worden door;* the bill –ed the senate *het wetsvoorstel werd door de senaat bekrachtigd* ● *overschrijden, te boven gaan* ● *laten gaan;* – one's hand across/over one's forehead *met zijn hand over zijn voorhoofd strijken* ● ⟨sport⟩ *passeren, toespelen, doorspelen* ● *uiten, leveren* ⟨kritiek⟩; – judgement (up)on *een oordeel vellen over;* – an opinion *een oordeel/idee geven* ● *overdragen* ● *doorbrengen* ⟨tijd bv.⟩ ‖ – blood *bloed afscheiden;* zie PASS AWAY, PASS BY, PASS DOWN, PASS OFF, PASS ON, PASS OUT, PASS OVER, PASS UP.

passable ['pɑːsəbl] ● *begaanbaar* ● *redelijk, tamelijk, vrij goed.*

passage ['pæsɪdʒ] ● *(het) voorbijgaan;* give s.o. – *iem. doorgang verlenen* ● *(recht op) doortocht, vrije doorgang* ● *aanneming* ⟨v.e. wet⟩ ● *passage, doorgang, overtocht;* home – *thuisreis;* work one's – *voor zijn overtocht aan boord werken* ● *gang* ● *passage, plaats* ⟨bv. in boek⟩. **passage-way** ● *gang.*

passenger ['pæsɪndʒə] ● *passagier, reiziger* ● ↓ *profiteur* ⟨in groep⟩, *klaploper.* **passenger train** ● *passagierstrein.*

passer-'by ● *(toevallige) voorbijganger.*

1 passing ['pɑːsɪŋ] ⟨zn⟩ ● *het voorbijgaan, het verdwijnen;* in – *terloops* ● ⟨euf.⟩ *het heengaan, dood.*

2 passing ⟨bn⟩ ● *voorbijgaand* ● *vluchtig, kortstondig, terloops.*

pass into ● *veranderen in, worden.*

passion ['pæʃn] ● *passie, (hartstochtelijke) liefde* ● *woedeaanval;* fly into a – *in woede uitbarsten* ● ⟨P-; the⟩ ⟨rel.⟩ *passie(verhaal).* **passionate** ['pæʃnət] ● *gepassio-*

neerd, hartstochtelijk, vurig. '**passion fruit** ● *passievrucht.* **passionless** ['pæʃnləs] ● *zonder hartstocht.* '**passion play** ⟨ook P-⟩ ⟨rel.⟩ ● *passiespel.*

1 passive ['pæsɪv] ⟨zn⟩ ⟨taal.⟩ ● *passieve/lijdende vorm.*

2 passive ⟨bn⟩ ● *passief;* – resistance *lijdelijk verzet;* – smoker *meeroker, passieve roker.* **passivity** [pæ'sɪvəti] ● *passiviteit.*

'**passkey** ● *huissleutel* ● *loper.*

'**pass 'off** I ⟨onov ww⟩ ● *(geleidelijk) voorbijgaan, weggaan, verlopen* ‖ – as *doorgaan voor* II ⟨ov ww⟩ ● *uitgeven;* pass s.o. off as/for *iem. laten doorgaan voor.* '**pass 'on** I ⟨onov ww⟩ ● *verder lopen, doorlopen;* – to *overgaan tot* ● ⟨euf.⟩ *sterven, heengaan* II ⟨ov ww⟩ ● *doorgeven, (verder)geven;* pass it on *zegt het voort.* '**pass 'out** I ⟨onov ww⟩ ● ↓ *flauw vallen* ● ⟨BE⟩ *promoveren* ⟨op/aan mil. academie⟩, *zijn diploma behalen* II ⟨ov ww⟩ ● *verdelen, uitdelen.* '**pass 'over** I ⟨onov ww⟩ ⟨euf.⟩ ● *sterven* II ⟨ov ww⟩ ● *laten voorbijgaan;* – an opportunity *een kans laten schieten* ● *voorbijgaan aan, over het hoofd zien;* pass it over in silence *er zwijgend aan voorbijgaan.*

Passover ['pɑːsouvə] ● *Pascha* ⟨joods paasfeest⟩.

passport ['pɑːspɔːt] ● *paspoort* ● *toegang;* ⟨fig.⟩ the – to happiness *de sleutel tot het geluk.*

'**pass through** ● *ervaren, doormaken* ● *passeren, trekken door.* '**pass 'up** ● *laten voorbijgaan, laten schieten.*

'**password** ● *wachtwoord.*

1 past [pɑːst] ⟨zn⟩ ● *verleden (tijd)* ⟨ook taal.⟩; ⟨euf.⟩ a woman with a – *een vrouw met een verleden.*

2 past I ⟨bn, attr en pred⟩ ● *voorbij(gegaan), over* ‖ – history *voltooid verleden tijd* II ⟨bn, attr⟩ ● *vroeger, gewezen* ● ⟨taal.⟩ *verleden;* – participle *voltooid deelwoord;* – tense *verleden tijd* III ⟨bn, attr, bn, attr post⟩ ● *voorbij(gegaan), geleden;* in times – *in vroegere tijden* ‖ for some time – *sinds enige tijd.*

3 past ⟨bw⟩ ● *voorbij, langs;* a man rushed – *een man kwam voorbijgestormd.*

4 past ⟨vz⟩ ● *voorbij;* – help *niet meer te helpen;* – all hope *hopeloos;* he cycled – *our house hij fietste voorbij/langs ons huis;* just – sixty *net over de zestig;* it's – our understanding *het gaat ons begrip te boven;* half – three *half vier.*

1 paste [peɪst] ⟨zn⟩ ● *deeg* ⟨voor gebak⟩ ● *pâté, puree* ● *stijfsel(pap), plaksel* ● *pasta* ● *imitatiediamant.*

2 paste ⟨ww⟩ ● *plakken, volplakken;* zie PASTE UP.

1 pasteboard ['peɪs(t)bɔ:d] ⟨zn⟩ ● *karton.*

2 pasteboard ⟨bn⟩ ● *kartonnen* ● *zwak, slap.*

pastel ['pæstl] ● *pastel* ● *pastelkleur.*

'**paste 'up** ● *aanplakken* ● *dichtplakken.*

pasteur|ize ['pæstʃəraɪz] ⟨zn: -ization⟩ ● *pasteuriseren.*

pastille [pæ'sti:l] ● *pastille.*

pastime ['pɑ:staɪm] ● *tijdverdrijf.*

pasting ['peɪstɪŋ] ● *pak slaag, zware nederlaag.*

pastor ['pɑ:stə] ● *predikant, dominee, pastoor.*

1 pastoral ['pɑ:strəl] ⟨zn⟩ ● *pastorale* ● *landelijk tafereel/schilderij* ● ⟨R.-K.⟩ *herderlijke brief.*

2 pastoral ⟨bn⟩ ● *herders-* ● *pastoraal, idyllisch* ● ⟨rel.⟩ *pastoraal, herderlijk; –* care *zielzorg;* – letter *herderlijke brief.*

pastry ['peɪstri] ● *(korst)deeg* ● *gebak(jes)* ● *gebakje.*

1 pasture ['pɑ:stʃə] ⟨zn⟩ ● *weiland* ● *gras* ‖ ⟨ ↓ ; fig.⟩ put out to – *op stal zetten.*

2 pasture ⟨ww⟩ ● *(laten) grazen, weiden.*

1 pasty ['pæsti] ⟨zn⟩ ● *(vlees)pastei.*

2 pasty ⟨bn⟩ ● *bleek(jes), mat.*

1 pat [pæt] ⟨zn⟩ ● *klopje* ● *stukje, klontje* ⟨vnl. boter⟩ ‖ – on the back *(goedkeurend) (schouder)klopje;* ⟨fig.⟩ *aanmoedigend woordje;* give o.s. a – on the back *zichzelf feliciteren.*

2 pat ⟨bn⟩ ● *passend;* a – solution *een pasklare oplossing* ● *ingestudeerd, (al te) gemakkelijk* ● *paraat.*

3 pat ⟨ww⟩ ● *tikken op, (zachtjes) kloppen op, aaien* ‖ – down *platstrijken; platkloppen.*

4 pat ⟨bw⟩ ● *geschikt, gepast* ● *paraat;* have one's answer – *zijn antwoord klaar hebben* ● *perfect;* have/know sth. (off) – *iets uit het hoofd/op zijn duimpje kennen.*

1 patch [pætʃ] ⟨zn⟩ ● ⟨ben. voor⟩ *lap(je), stuk (stof), ooglap* ● *schoonheidspleister-(tje)* ● *vlek* ● *lapje grond, veldje* ● ⟨BE; ↓⟩ *district, gebied, werkterrein* ● *stuk(je);* –es of fog *flarden mist;* in –es *op sommige plaatsen/momenten* ‖ ↓ not a – on *helemaal niet te vergelijken met.*

2 patch ⟨ww⟩ ● *(een) lap(pen) naaien op/in* ● *(op)lappen, verstellen, samenflansen;* zie PATCH UP. '**patch pocket** ● *opgenaaide zak.* '**patch 'up** ● *(op)lappen, verstellen* ● *(haastig) bijleggen* ⟨ruzie e.d.⟩ ● *samenflansen.* '**patchwork** ● *patchwork, lapjeswerk.* '**patchwork 'quilt** ● *lappendeken.*

patchy ['pætʃi] ● *gevlekt* ● *in flarden voorkomend* ⟨mist⟩ ● *onregelmatig;* – knowl-

edge *fragmentarische kennis;* – work *ongelijk werk.*

pate [peɪt] ↓ ● *kop, knikker;* bald – *kale knikker.*

pâté ['pæteɪ] ● *pâté, wildpastei.*

patella [pə'telə] ● *knieschijf.*

1 patent ['peɪtnt] ⟨zn⟩ ● *patent, octrooi;* take out a – for *een patent nemen op.*

2 patent ['peɪtnt] I ⟨bn, attr en pred⟩ ● *duidelijk* II ⟨bn, attr⟩ ● *patent-;* – medicine *patentgeneesmiddel(en); wondermiddel* ● ↓ *slim, vindingrijk* ‖ – leather *lakleer.*

3 patent ['peɪtnt] ⟨ww⟩ ● *een patent verkrijgen voor* ● *patenteren.* **patentee** ['peɪn·'ti:] ● *patenthouder.* '**patent office** ● *octrooibureau.*

paternal [pə'tə:nl] ● *vaderlijk* ⟨ook fig.⟩ ● *langs vaderszijde;* – grandmother *grootmoeder v. vaders kant.* **paternalism** [pə'tə:nəlɪzm] ⟨vaak ong.⟩ ● *paternalisme.* **paternalist(ic)** [pə'tə:nəlɪst(ɪk)] ⟨vaak ong.⟩ ● *paternalistisch.* **paternity** [pə'tə:nəti] ● *vaderschap.*

path [pɑ:θ] ⟨mv.: paths [pɑ:ðz]⟩ ● *pad, weg* ● *baan* ⟨bv. v. kogel, komeet⟩.

pathetic [pə'θetɪk] ● *pathetisch* ● *zielig, jammerlijk.*

'**pathfinder** ● *verkenner,* ⟨fig.⟩ *pionier.*

pathological ['pæθə'lɒdʒɪkl] ● *pathologisch, ziekelijk* ⟨ook fig.⟩. **pathologist** [pə'θɒlədʒɪst] ● *patholoog.* **pathology** [pə'θɒlədʒi] ● *pathologie.*

pathos ['peɪθɒs] ● *pathos, aandoenlijkheid.*

'**pathway** ● *pad.*

patience ['peɪʃns] ● *geduld;* have no – with *niet kunnen verdragen* ● ⟨BE⟩ *patience* ⟨kaartspel⟩ ‖ ⟨sprw.⟩ patience is a virtue *geduld is een schone zaak.*

1 patient ['peɪʃnt] ⟨zn⟩ ● *patiënt.*

2 patient ⟨bn⟩ ● *geduldig, verdraagzaam.*

patina ['pætɪnə] ● *patina.*

patio ['pætɪoʊ] ● *patio, terras.*

patriarch ['peɪtriɑ:k] ⟨bn: -al⟩ ● *patriarch.* **patriarchy** ['peɪtriɑ:ki] ● *patriarchaat.*

patrician [pə'trɪʃn] ● ⟨bn⟩ *patricisch* ● ⟨zn⟩ *patriciër.*

patricide ['pætrɪsaɪd] ● *vadermoordenaar* ● *vadermoord.*

patrimonial ['pætrɪ'moʊnɪəl] ● *patrimoniaal, geërfd.* **patrimony** ['pætrɪməni] ● *patrimonium, erfdeel.*

patriot ['pætrɪət] ● *patriot.* **patriotic** ['pætri'ɒtɪk] ● *patriottisch.* **patriotism** ['pætrɪətɪzm] ● *patriottisme, vaderlandsliefde.*

1 patrol [pə'troʊl] ⟨zn⟩ ● *(verkennings)patrouille;* A.A. – *wegenwacht* ● *patrouille, (inspectie)ronde.*

2 patrol ⟨ww⟩ ● *patrouilleren, de ronde doen*. **pa'trol boat** ● *patrouilleboot*. **pa'trol car** ● *politiewagen*. **patrolman** [pə'trəʊlmən] ● ⟨BE⟩ *wegenwachter* ● ⟨AE⟩ *politieagent*. **pa'trol wagon** ⟨AE⟩ ● *arrestantenwagen*.

patron ['peɪtrən] ● *patroon* ● *(vaste) klant* ● *patroonheilige*. **patronage** ['pætrənɪdʒ] ● *steun, bescherming* ● *benoemingsrecht* ● *klandizie, clientèle*. **patroness** ['peɪtrənɪs] ● *patrones, beschermheilige*. **patronize, -ise** ['pætrənaɪz] ● *patron(is)eren, beschermen* ● *klant zijn van* ● *uit de hoogte behandelen*. **patronizing** ['pætrənaɪzɪŋ] ● *neerbuigend, minzaam*. **'patron 'saint** ● *patroon(heilige)*.

1 patter ['pætə] ⟨zn⟩ ● *taaltje* ● *geratel, geklets* ● *gekletter, getrippel* ⟨v. voeten⟩.

2 patter ⟨ww⟩ ● *ratelen, kletsen* ● *kletteren* ● *trippelen*.

1 pattern ['pætn] ⟨zn⟩ ● ⟨ook attr⟩ *model; a – of virtue een toonbeeld v. deugd* ● *patroon, model; cut to one – op dezelfde leest geschoeid* ● *staal, monster*.

2 pattern ⟨ww⟩ ● *vormen, modelleren; – after/(up)on modelleren/vormen naar; – o.s. on s.o. iem. tot voorbeeld nemen* ● ⟨+with⟩ *versieren (met)*.

'pattern book ● *stalenboek*.

patty ['pæti] ● *pasteitje*.

paunch [pɔːntʃ] ● *buik(je)*, ⟨ong.⟩ *pens*. **paunchy** ['pɔːntʃi] ● *dik(buikig)*.

pauper ['pɔːpə] ● *pauper, arme*. **pauperism** ['pɔːpərɪzm] ● *pauperisme, armoede*. **pauperize** ['pɔːpəraɪz] ● *(ver)pauperiseren, verarmen*.

1 pause [pɔːz] ⟨zn⟩ ● *pauze, onderbreking, rust*, ⟨ihb.⟩ *weifeling* ‖ *give s.o. – iem. doen aarzelen*.

2 pause ⟨ww⟩ ● *pauzeren, pauze/rust houden* ● *talmen, aarzelen, nadenken; – (up)on stilstaan bij*.

pave [peɪv] ● *bestraten, plaveien*. **paved** ['peɪvd] ● *bestraat, geplaveid* ‖ *–with good intentions vol goede voornemens*. **pavement** ['peɪvmənt] ● *bestrating, wegdek, plaveisel* ● ⟨BE⟩ *trottoir* ● ⟨AE⟩ *rijweg*. **'pavement artist** ● *trottoirschilder*.

pavilion [pə'vɪlɪən] ● *paviljoen*, ⟨BE⟩ *cricket-paviljoen, clubhuis*.

paving ['peɪvɪŋ] ● *bestrating, wegdek, plaveisel*. **'paving stone** ● *straatsteen, tegel*.

1 paw [pɔː] ⟨zn⟩ ● *poot* ⟨ook als schrift⟩, *klauw* ● ↓ *hand*.

2 paw I ⟨onov ww⟩ ● *krabben; – at krabben op* II ⟨ov ww⟩ ● *ruw aanpakken, betasten* ● *bekrabben*.

1 pawn [pɔːn] ⟨zn⟩ ● *(onder)pand; at/in –*

verpand ● *pion* ⟨in schaakspel⟩, ⟨fig.⟩ *marionet*.

2 pawn ⟨ww⟩ ● *verpanden, belenen*. **'pawnbroker** ● *lommerdhouder, pandjesbaas*. **'pawnshop** ● *pandjeshuis, lommerd*. **'pawn ticket** ● *lommerdbriefje*.

1 pay [peɪ] ⟨zn⟩ ● *betaling* ● *loon, salaris; on full – met behoud v. salaris* ‖ *in the – of in dienst van*.

2 pay ⟨paid, paid [peɪd]⟩ I ⟨onov ww⟩ ● *betalen*, ⟨fig.⟩ *boeten; – down contant betalen* ● *renderen, lonend zijn; it doesn't – het is de moeite niet* ‖ *zie ook* ⟨sprw.⟩ CRIME; *zie* PAY FOR, PAY OFF, PAY OUT, PAY UP II ⟨ov ww⟩ ● *betalen; – cash contant betalen; – a dividend een dividend uitkeren; – down als voorschot betalen; – over (uit)betalen* ● *belonen* ⟨fig.⟩ ● *schenken, verlenen; – attention opletten, aandacht schenken* ● *lonend zijn (voor); it didn't – him at all het bracht hem niets op* ‖ *– as you earn loonbelasting; zie ook* ⟨sprw.⟩ PIPER; *zie* PAY BACK, PAY OFF, PAY OUT, PAY UP. **payable** ['peɪəbl] ● *betaalbaar, verschuldigd;* make *– betaalbaar stellen* ⟨wissel⟩; *– to ten gunste van*. **'pay 'back** ● *terugbetalen*, ⟨fig.⟩ *betaald zetten*. **'pay-bed** ● *ziekenhuisbed* ⟨waarvoor betaald moet worden door particulier verzekerde⟩. **'paycheck** ⟨AE⟩ ● *looncheque, salaris*. **'payday** ● *betaaldag*.

PAYE ⟨afk.⟩ pay as you earn.

payee ['peɪ'iː] ● *begunstigde, ontvanger* ⟨v. wissel e.d.⟩. **'pay envelope** ⟨AE⟩ ● *loonzakje*. **payer** ['peɪə] ● *betaler/betaalster*. **'pay for** ● *betalen (voor),* ⟨fig.⟩ *boeten/opdraaien voor*. **'pay freeze** ● *loonstop*. **paying** ['peɪɪŋ] ● *lonend, rendabel*. **'paying 'guest** ● *betalende logé*. **'paying-in slip** ● *stortingsreçu*. **'payload** ● *betalende vracht* ⟨in schip, vliegtuig⟩ ● ⟨tech.⟩ *nuttige last, springlading* ⟨in bom/raket⟩. **'paymaster** ● *betaalmeester*. **payment** ['peɪmənt] ● *betaling, loon* ● *bedrag, storting;* make monthly *–s on the car de auto maandelijks afbetalen* ‖ *in – for services rendered als beloning voor bewezen diensten*.

'pay 'off I ⟨onov ww⟩ ● *(de moeite) lonen* II ⟨ov ww⟩ ● *betalen en ontslaan* ● *(af)betalen, vereffenen* ● *steekpenningen geven, afkopen*. **'pay-off** ⟨ook attr⟩ ↓ ● *betaling* ● ⟨fig.⟩ *afrekening* ● *resultaat, inkomsten* ● *steekpenningen* ● *climax, ontknoping*. **'pay-office** ● *betaalkantoor*. **payola** [peɪ'əʊlə] ⟨vnl. AE⟩ ● *omkoperij* ● *steekpenning(en)*. **'pay 'out** I ⟨onov en ov ww⟩ ● *uitbetalen* ● ⟨+on⟩ *(geld) uitgeven/weg-*

geven *(voor)* II ⟨ov ww⟩ ● ⟨scheep.⟩ *vieren* ⟨touw, kabel⟩. **'pay packet** ⟨BE⟩ ● *loonzakje.* **'pay phone** ● *munttelefoontoestel.* **'payroll** ● *loonlijst.* **'pay slip** ● *loonstrookje.* **'pay station** ⟨AE⟩ ● *telefooncel.* **'pay television** ● *betaaltelevisie* ● *munttelevisietoestel.* **'pay 'up** ● *betalen.*

pea [piː] ● *erwt;* green *–s erwtjes* ‖ as like as two *–s* (in a pod) *(op elkaar lijkend) als twee druppels water.*

peace [piːs] ● *vrede;* make – with *vrede sluiten met* ● ⟨vnl. the⟩ *openbare orde;* break/keep the *– de openbare orde verstoren/handhaven* ● *rust, kalmte; –* of mind *gemoedsrust;* hold/keep one's *– zich koest houden* ‖ make one's *– with zich verzoenen met;* at *– with in harmonie met;* be at *– de eeuwige rust genieten.* **peaceable** [piːsəbl] ● *vredelievend* ● *vredig.* **peaceful** [piːsfl] ● *vredig* ● *vreedzaam, vredesgezind.* **'peacekeeping force** ● *vredesstrijdkrachten, vredesmacht.* **'peacemaker** ● *vredestichter.* **'peace pipe** ● *vredespijp.* **'peace talks** ● *vredesonderhandelingen.* **'peacetime** ● *vredestijd.*

peach [piːtʃ] ● *perzik* ● ↓ *pracht;* a – of a dress *een snoezig jurkie;* a – of a housewife *een prima huisvrouw.*

peacock [ˈpiːkɒk] ● *(mannetjes)pauw* ⟨ook fig.⟩, *dikdoener.* **'peacock 'blue** ● *pauwblauw.*

1 peak [piːk] ⟨zn⟩ ● *piek, spits, punt,* ⟨fig.⟩ *hoogtepunt, toppunt* ● *(berg)piek, (hoge) berg* ● *klep* ⟨v. pet⟩.

2 peak ⟨ww⟩ ● *een piek/hoogtepunt bereiken,* ⟨sport⟩ *pieken.* **peaked** [piːkt] ● *ziekelijk, mager* ● *punt-, spits* ‖ a – cap *een pet.* **'peak hour** ● *spitsuur, piekuur.* **'peak 'load** ⟨elek.⟩ ● *maximale belasting.* **'peak month** ● *topmaand.* **peaky** [ˈpiːki] ● *ziekelijk.*

1 peal [piːl] ⟨zn⟩ ● *klokkengelui* ● *luide klank; –s* of laughter *lachsalvo's;* a – of thunder *een donderslag.*

2 peal ⟨ww⟩ ● *luiden* ● *galmen, (doen) klinken.*

peanut [ˈpiːnʌt] ● *pinda* ● ⟨mv.⟩ ⟨AE; ↓⟩ *kleinigheid, een schijntje.* **'peanut butter** ● *pindakaas.*

pear [peə] ● *peer* ● *pereboom.*

pearl [pəːl] ● *parel* ⟨ook fig.⟩ ‖ cast *–s* before swine *paarlen voor de zwijnen werpen.* **'pearl 'barley** ● *parelgerst.* **'pearl diver, 'pearl fisher** ● *parelduiker.* **pearly** [ˈpəːli] ● *parelachtig; –* teeth *parelwitte tanden.*

peasant [ˈpeznt] ● *(kleine) boer* ● *plattelander* ● *(boeren)kinkel.* **peasantry** [ˈpezntri] ⟨ww enk. of mv.; vnl. the⟩ ● *plattelandsbe-*

volking ● *boerenstand.*

'pea-'soup(er) ↓ ● *erwtensoep, dikke mist.*

peat [piːt] ● *turf, (laag)veen.* **'peat bog** ● *veengrond.* **peaty** [ˈpiːti] ● *turfachtig, veenachtig.*

pebble [ˈpebl] ● *kiezelsteen, grind.* **'pebble dash** ● *grindpleister, grindsteen.* **pebbly** [ˈpebli] ● *bekiezeld, met grind bedekt.*

peccadillo [ˌpekəˈdɪloʊ] ● *pekelzonde, kleine zonde.*

1 peck [pek] ⟨zn⟩ ● *pik* ● ↓ *vluchtige zoen.*

2 peck I ⟨onov ww⟩ ● ⟨+at⟩ *pikken (in, naar);* – at ⟨fig.⟩ *vitten op; met lange tanden eten van* II ⟨ov ww⟩ ● *pikken, oppikken* ● ↓ *vluchtig zoenen.*

pecker [ˈpekə] ● ⟨AE; ↓⟩ *lul* ‖ ⟨BE; ↓⟩ keep your *– up kop op!.*

'pecking order ● *pikorde* ● ⟨scherts.⟩ *hiërarchie.*

peckish [ˈpekɪʃ] ● ↓ *hongerig.*

pectoral [ˈpekt(ə)rəl] ● *borst-.*

peculiar [pɪˈkjuːlɪə] ● *vreemd, eigenaardig;* I feel rather *– ik voel me niet zo lekker* ● *bijzonder* ● ⟨+to⟩ *eigen (aan), typisch (voor).* **peculiarity** [pɪˌkjuːliˈærəti] ● *eigenaardigheid, bijzonderheid, merkwaardigheid* ● *(typisch) kenmerk.*

pecuniary [pɪˈkjuːnɪəri] ● *pecuniair, financieel; –* loss *geldverlies.*

pedagogic(al) [ˌpedəˈɡɒdʒɪk(l)] ● *opvoedkundig, pedagogisch.* **pedagogue** [ˈpedəɡɒɡ] ● *pedagoog.* **pedagogy** [ˈpedəɡɒdʒi] ● *pedagogiek.*

1 pedal [ˈpedl] ⟨zn⟩ ● *pedaal, trapper.*

2 pedal I ⟨onov ww⟩ ● *fietsen* II ⟨onov en ov ww⟩ ● *trappen.*

'pedal bin ● *pedaalemmer.* **'pedal boat** ● *waterfiets.* **pedal(l)o** [ˈpedəloʊ] ● *waterfiets.*

pedant [ˈpednt] ● *pedant iem., muggezifter.* **pedantic** [pɪˈdæntɪk] ● *pedant.* **pedantry** [ˈpedntri] ● *pedanterie.*

peddle [ˈpedl] ● *(uit)venten, aan de man brengen; –* dope/drugs *drugs verkopen* ● *rondstrooien; –* gossip *roddel(praatjes) verkopen.*

pedestal [ˈpedɪstl] ● *voetstuk;* ⟨fig.⟩ knock s.o. off his *– iem. van zijn voetstuk stoten;* ⟨fig.⟩ put s.o. on a *– iem. op een voetstuk plaatsen.*

1 pedestrian [pɪˈdestrɪən] ⟨zn⟩ ● *voetganger.*

2 pedestrian ⟨bn⟩ ● *voetgangers-, wandel-; –* crossing *voetgangersoversteekplaats; –* precinct *autovrij gebied* ● *(dood)gewoon.*

pediatrician, paediatrician [ˌpiːdɪəˈtrɪʃn] ● *pediater, kinderarts.* **pediatrics, paediatrics** [ˌpiːdiˈætrɪks] ● *pediatrie, kinderge-*

neeskunde.
pedicure ['pedɪkjʊə] ●*pedicure.*
1 pedigree ['pedɪgri:] ⟨zn⟩ ●*stamboom* ●
stamboek ⟨v. dieren⟩ ●*goede komaf.*
2 pedigree ⟨bn⟩ ●*ras-;* – cattle *stamboek-*
vee. **pedigreed** ['pedɪgrid] ●*ras-.*
pedlar, ⟨AE sp. ook⟩ **peddler** ['pedlə] ●*ven-*
ter ●*drugdealer* ●*verspreider* ⟨v.
praatjes⟩.
1 pee [pi:] ⟨zn⟩ ↓ ●*plas, urine;* go for/have a
– *een plasje gaan doen.*
2 pee ⟨ww⟩ ↓ ●*plassen.*
1 peek [pi:k] ⟨zn⟩ ●*kijkje;* have a – at *een*
(vlugge) blik werpen op.
2 peek ⟨ww⟩ ●*gluren* ●⟨+at⟩ *vluchtig kijken*
(naar).
1 peel [pi:l] ⟨zn⟩ ●*schil.*
2 peel I ⟨onov ww⟩ ●⟨ook +off⟩ *afpellen, af-*
bladderen ⟨v. verf⟩, *vervellen;* – off *af-*
schilferen van ●⟨+off⟩ ↓ *zich uitkleden* **II**
⟨ov ww⟩ ●*schillen, pellen;* – off *uittrekken*
⟨kleren⟩; – the skin off a banana *de schil*
van een banaan afhalen. **peeler** ['pi:lə] ●
schiller, schilmes(je). **peeling** ['pi:lɪŋ]
⟨vnl. mv.⟩ ●*(aardappel)schil.*
1 peep [pi:p] ⟨zn⟩ ●*piep* ●*kik, woord* ●
(vluchtige/steelse) blik, kijkje; take a – at
vluchtig bekijken ‖ at the – of dawn *bij het*
krieken v.d. dag.
2 peep ⟨ww⟩ ●⟨+at⟩ *gluren (naar)* ●⟨+at⟩
vluchtig kijken (naar) ●*te voorschijn ko-*
men; – out *opduiken* ●*piepen* ‖ –ing Tom
voyeur; gluurder.
'peephole ●*kijkgaatje.* **'peepshow** ●*kijkkast*
●*peepshow* ⟨seksattractie⟩.
1 peer [pɪə] ⟨zn⟩ ●*peer* ⟨lid v.d. hoge adel⟩
●*gelijke, collega* ‖ – of the realm *edelman*
die lid is v. het Hogerhuis.
2 peer ⟨ww⟩ ●*turen, staren.*
peerage ['pɪərɪdʒ] ●*peerschap, adelstand.*
peeress ['pɪərɪs] ●*(vrouwelijke) peer* ●
vrouw v.e. peer. **'peer group** ●*(groep v.)*
gelijken, collega's; younger than his – *jon-*
ger dan zijn leeftijdgenoten. **peerless**
['pɪələs] ●*weergaloos.*
peeve [pi:v] ↓ ●*irriteren;* get –d quickly *licht-*
geraakt zijn. **peevish** ['pi:vɪʃ] ●*chagrijnig,*
slechtgehumeurd.
1 peg [peg] ⟨zn⟩ ●*pin, pen* ●*schroef* ⟨v.e.
snaarinstrument⟩ ●*(tent)haring* ●*paal* ●
kapstok ⟨ook fig.⟩; as a – to hang their
complaints on *als voorwendsel om te*
kunnen klagen; buy clothes off the – *con-*
fectiekleding kopen ●⟨BE⟩ *wasknijper* ‖
take s.o. down a – (or two) *iem. een*
toontje lager doen zingen.
2 peg I ⟨onov ww⟩ zie PEG AWAY, PEG OUT **II**
⟨ov ww⟩ ●*vastpennen, vastpinnen;* –

down a flap *een zeil vastpennen;* – s.o.
down ↓ *iem. vastpinnen/leggen* ●⟨BE⟩
(met wasknijpers) ophangen ●*doorprie-*
men ●⟨ec.⟩ *bevriezen;* zie PEG OUT. **peg**
away ●⟨+at⟩ *doorwerken/zwoegen (aan).*
'peg leg ↓ ●*houten been.* **'peg 'out I** ⟨on-
ov ww⟩ ↓ ●*zijn laatste adem uitblazen;* to
feel pegged out *nog nauwelijks op zijn be-*
nen kunnen staan **II** ⟨ov ww⟩ ●*afpalen, af-*
bakenen.
pejorative [prɪ'dʒɒrətɪv] ●*pejoratief, ongun-*
stig.
Pekingese ['pi:kɪŋ'i:z], **Pekinese** ['pi:kə'ni:z]
●⟨ook p-⟩ *pekinees* ⟨hond⟩.
pelican ['pelɪkən] ●*pelikaan.* **'pelican cros-**
sing ⟨vnl. BE⟩ ●*oversteekplaats* ⟨met te
bedienen verkeerslichten⟩.
pellet ['pelɪt] ●*balletje, prop(je)* ●*kogeltje,*
hagelkorrel ●⟨vnl. BE⟩ *pil(letje).*
pellucid [prɪ'lu:sɪd] ●*doorzichtig, helder.*
1 pelt [pelt] ⟨zn⟩ ●*vacht, huid, vel.*
2 pelt I ⟨onov ww⟩ ●*(neer)kletteren;* ⟨vnl.
BE⟩ it's –ing (down) with rain *het regent*
dat het giet ●*hollen;* – down a hill *een*
heuvel afrennen **II** ⟨ov ww⟩ ●*bekogelen,*
bestoken ⟨ook fig.⟩.
pelvis ['pelvɪs] ●*bekken.*
1 pen [pen] ⟨zn⟩ ●*pen, balpen, vulpen;* put –
to paper *de pen op het papier zetten* ●*hok,*
kooi, cel ‖ ⟨sprw.⟩ the pen is mightier than
the sword *de pen is machtiger dan het*
zwaard.
2 pen ⟨ww⟩ ●*op papier zetten, pennen* ●*op-*
sluiten; – in *opsluiten;* – up *opsluiten.*
penal ['pi:nl] ●*straf-;* – code *strafwetboek;* –
laws *strafrècht* ●*strafbaar* ●*zwaar* ‖ – servitude *dwangarbeid.* **'penal colony, 'pe-**
nal settlement ●*strafkolonie.* **penalize**
['pi:n(ə)laɪz] ●*straffen, een straf opleggen*
●*benadelen, achterstellen* ●⟨sport⟩ *een*
strafschop toekennen. **penalty** ['penlti] ●
(geld/gevangenis)straf, boete; on/under –
of *op straffe van* ●*(nadelig) gevolg;* pay
the – of *de gevolgen dragen van* ●⟨voet-
bal⟩ *strafschop.* **'penalty area** ⟨voetbal⟩
●*strafschopgebied.* **'penalty box** ⟨ijshoc-
key⟩ ●*strafbank.* **'penalty clause** ⟨jur.⟩ ●
(paragraaf/passage met) strafbepaling.
'penalty kick ⟨voetbal⟩ ●*strafschop.*
penance ['penəns] ●*penitentie* ⟨ook fig.⟩,
boete(doening), straf.
'pen-and-'ink ●*pen-;* – sketch *pentekening.*
pence [pens] ⟨mv.⟩ zie PENNY.
penchant ['pentʃənt,'pɑ:nʃɑ] ⟨vnl. enk.⟩ ●
neiging, voorliefde.
1 pencil ['pensl] ⟨zn⟩ ●*potlood* ●⟨kosme-
tiek⟩ *(maquilleer)stift* ●⟨nat.⟩ *bundel.*
2 pencil ⟨ww⟩ ●*(met potlood) kleuren;* –led

eyebrows *zwartgemaakte wenkbrauwen*
● *schetsen* ⟨ook fig.⟩ ● *in potlood (op/uit)
schrijven.* **'pencil sharpener** ● *punteslij-
per.*
pendant ['pendənt] ● *hanger(tje), oorhan-
ger.*
pendent ● *(neer)hangend* ● *overhangend.*
1 pending ['pendɪŋ] ⟨bn⟩ ● *hangend, onbeslist* ● *ophanden (zijnd), aanstaand.*
2 pending ⟨vz⟩ ● *in afwachting van.*
pendulous ['pendjʊləs] ● *(neer)hangend.*
pendulum ['pendjʊləm] ● *slinger,* ⟨bij uitbr.
ook⟩ *slingerbeweging.*
penetrate ['penɪtreɪt] I ⟨onov ww⟩ ● *doordringen* II ⟨ov ww⟩ ● *(dóór)dringen (tot)
in, dringen door* ● *doorgronden* ● *doorzien;* – *s.o.'s disguise iemands vermomming doorzien.* **penetrating** ['penɪtreɪtɪŋ]
● *doordringend, scherp(zinnig)* ● *diepgaand.* **penetration** ['penɪ'treɪʃn] ● *het in/
door/binnendringen* ● *scherpzinnigheid,
inzicht.*
'pen-friend, ⟨AE⟩ **'pen pal** ● *(buitenlandse)
correspondentievriend(in).*
penguin ['peŋgwɪn] ● *pinguïn.*
penicillin ['penɪ'sɪlɪn] ● *penicilline.*
peninsula [pɪ'nɪnsjʊlə] ● *schiereiland.* **pen-
insular** [pɪ'nɪnsjʊlə] ● *als/van/mbt. een
schiereiland.*
penis ['piːnɪs] ● *penis.*
penitence ['penɪtəns] ● *berouw.* **penitent** ●
berouwvol, boetvaardig.
penitential ['penɪ'tenʃl] ● *berouwvol, boetvaardig* ● *boet(e)-.*
penitentiary ['penɪ'tenʃəri] ● ⟨AE⟩ *gevangenis.*
'penknife ● *zak(knip)mes.* **penmanship**
['penmənʃɪp] ● *schoonschrijfkunst.* **'pen
name** ● *pseudoniem.*
pennant ['penənt] ● *wimpel.*
penniless ['penɪləs] ● *zonder geld, arm.*
penny ['peni] ⟨mv.: pence [pens], pennies⟩
● *penny, stuiver, cent* ‖ not have a – to
one's name *geen rooie duit bezitten;* a –
for your thoughts *wat zit je toch te denken?;* the – has dropped *ik* ⟨enz.⟩ *heb het
door, ik snap 'm;* ⟨euf.⟩ spend a – *een kleine boodschap doen* ⟨naar de w.c.⟩; two/
ten a – *twaalf/dertien in een dozijn;*
⟨sprw.⟩ take care of the pence and the
pounds will take care of themselves *die
het kleine niet eert, is het grote niet
weerd;* penny wise, pound foolish *sommige mensen zijn zuinig als het om kleine
bedragen gaat, terwijl ze grote bedragen
over de balk gooien;* in for a penny, in for
a pound *wie A zegt, moet ook B zeggen.*
'penny-pinching ● *vrekkig.* **'penny whis-**

tle ● *(speelgoed)fluitje.* **'penny-'wise** ● *op
de kleintjes lettend.* **pennyworth, penn-
'orth** ['peniwəθ, 'penəθ] ● *(de waarde v.e.)
penny;* a – of sweets *(voor) een penny
snoepjes.*
pen pal zie PEN-FRIEND. **'pen-pusher** ⟨bel.⟩ ●
pennelikker, klerk.
1 pension ['pɑːnsjɔ̃] ⟨zn⟩ ● *pension.*
2 pension ['penʃn] ⟨zn⟩ ● *pensioen;* draw
one's – *zijn pensioen krijgen;* retire on a –
met pensioen gaan. **pensionable**
['penʃnəbl] ● *pensioengerechtigd.* **pensioner** ['penʃənə] ● *gepensioneerde.*
'pension 'off ● *pensioneren.* **'pension
scheme** ● *pensioenregeling.*
pensive ['pensɪv] ● *peinzend, (diep) in gedachten* ● *droefgeestig.*
pentagon ['pentəgɒn] I ⟨eig.n.; P-⟩ ● *Pentagon* ⟨ministerie v. defensie v.d. U.S.A.⟩ II
⟨telb zn⟩ ● *vijfhoek.*
pentathlete [pen'tæθliːt] ● *vijfkamper.* **pen-
tathlon** [pen'tæθlən] ● *vijfkamp.*
Pentecost ['pentɪkɒst] ● ⟨vnl. AE⟩ *Pinksterzondag* ● ⟨jud.⟩ *Pinksterfeest.*
'penthouse ['pentaʊs] ● *dakwoning, dakap-
partement.*
'pent-up ● *opgekropt, onderdrukt.*
penultimate [pɪ'nʌltɪmət] ● *voorlaatst.*
penurious [pɪ'njʊriəs] ● *zeer behoeftig, straatarm.* **penury** ['penjʊri] ● *armoede.*
peony, paeony ['piːəni] ● *pioen.*
1 people ['piːpl] I ⟨telb zn⟩ ● *volk* II ⟨zn⟩ ●
mensen, lui ● *de mensen, men;* what will
– say? *wat zullen de mensen/ze wel zeggen?* ● ⟨the⟩ *(gewone) volk* ● ↓ *ouwelui,
(naaste) familie* ‖ go to the – *een referendum houden, naar de kiezers gaan;* zie
ook ⟨sprw.⟩ GLASS.
2 people ⟨ww⟩ ● *bevolken* ⟨ook fig.⟩.
'people's re'public ● *volksrepubliek.*
pep [pep] ↓ ● *fut, vuur, energie.*
1 pepper ['pepə] ⟨zn⟩ ● *peper* ● *paprika.*
2 pepper ⟨ww⟩ ● *peperen* ● *bezaaien* ● *bestoken* ‖ – a speech with witty remarks *een
toespraak doorspekken met grappige opmerkingen.*
'pepper-and-'salt ● *peper-en-zout(kleurig).*
'pepperbox, 'pepper pot ● *peperbus.*
'peppercorn ● *peperkorrel.* **'pepper mill** ●
pepermolen. **'peppermint** ● *pepermunt-
(je).* **peppery** ['pepəri] ● *gepeperd* ● *heet-
hoofdig, driftig.*
'pep pill ↓ ● *peppil.* **'pep talk** ● *opwekkend
praatje.*
peptic ['peptɪk] ‖ – ulcer *maagzweer.*
pep up ↓ ● *oppeppen, opkikkeren, doen opleven.*

per [pə, ⟨sterk⟩pə:] ●*per;* 60 km – hour *zestig km per uur* ‖ as – usual *zoals gewoonlijk.*

perambulator [pə'ræmbjʊleɪtə] ⟨vnl. BE; ↑⟩ ●*kinderwagen.*

perceive [pə'si:v] ●*waarnemen, bespeuren, (be)merken.*

1 per cent, percent [pə'sent] ⟨zn⟩ ●*procent, percent;* sixty – of the students *zestig procent v.d. studenten.*

2 per cent ⟨bw⟩ ●*procent;* I'm one hunderd – in agreement with you *ik ben het volledig met je eens.*

percentage [pə'sentɪdʒ] ⟨vnl. enk.; vaak attr⟩ ●*percentage.*

perceptible [pə'septəbl] ●*waarneembaar, merkbaar;* he worsened perceptibly *hij ging zienderogen achteruit.* **perception** [pə'sepʃn] ●*waarneming, gewaarwording* ●*(in)zicht, besef, visie.* **perceptive** [pə'septɪv] ●*opmerkzaam, oplettend* ● *scherp(zinnig).*

1 perch [pə:tʃ] ⟨zn⟩ ●*stok(je), stang* ⟨voor vogel⟩ ●*hoge plaats* ⟨ook fig.⟩ ●⟨dierk.⟩ *baars* ‖ knock s.o. off his – *iem. op zijn nummer zetten.*

2 perch I ⟨onov ww⟩ ●*neerstrijken* ⟨v. vogels⟩, *plaatsnemen* II ⟨ov ww⟩ ●*(neer)zetten* ⟨ihb. op iets hoogs⟩; the boy was –ed on the wall *de jongen zat (hoog) bovenop de muur.*

percolate ['pə:kəleɪt] I ⟨onov ww⟩ ●*sijpelen* ⟨ook fig.⟩, *(door)dringen* ●*filteren* II ⟨ov ww⟩ ●*doorsijpelen* ●*filteren, met een percolator zetten* ⟨ihb. koffie⟩. **percolator** ['pə:kəleɪtə] ●*percolator* ⟨voor koffie⟩.

percussion [pə'kʌʃn] ●*slagwerk, slaginstrumenten.* **per'cussion cap** ●*slaghoedje.* **per'cussion instrument** ●*slaginstrument.* **percussionist** [pə'kʌʃənɪst] ●*slagwerker.*

perdition [pə'dɪʃn] ●*verdoemenis, hel.*

peremptory [pə'rem(p)tri] ●*gebiedend, geen tegenspraak duldend* ●*dwingend, dringend.*

1 perennial [pə'renɪəl] ⟨zn⟩ ●*overblijvende plant.*

2 perennial ⟨bn⟩ ●*eeuwig, blijvend* ● ⟨plantk.⟩ *overblijvend.*

1 perfect ['pə:fɪkt] I ⟨bn, attr en pred⟩ ●*perfect, volmaakt, voortreffelijk, volledig, heel* ●⟨taal.⟩ *voltooid;* – participle *voltooid deelwoord;* – tense *(werkwoord in de) voltooide tijd* ‖ have a – right (to do sth.) *het volste recht hebben (om iets te doen);* zie ook ⟨sprw.⟩ PRACTICE II ⟨bn, attr⟩ ●*volslagen, volledig;* a – stranger *een volslagen onbekende;* –ly ugly *afschuwelijk lelijk.*

2 perfect [pə'fekt] ⟨ww⟩ ●*perfectioneren, vervolmaken, verbeteren.* **perfection** [pə'fekʃn] I ⟨telb zn⟩ ●*hoogtepunt;* the – of beauty *het toppunt v. schoonheid* II ⟨telb en n-telb zn⟩ ●*perfectie, volmaaktheid;* the dish was cooked to – *het gerecht was voortreffelijk klaargemaakt* ●*perfectionering, (ver)volmaking.* **perfectionism** [pə'fekʃənɪzm] ●*perfectionisme.* **perfectionist** [pə'fekʃənɪst] ●*perfectionist.*

perfidious [pə'fɪdɪəs] ●*perfide, trouweloos, verraderlijk.* **perfidy** ['pə:fɪdi] ●*trouweloosheid, valsheid.*

perforate ['pə:fəreɪt] ●*perforeren, doorprikken* ●*doordringen.* **perforation** ['pə:fə'reɪʃn] ●*perforatie.*

perform [pə'fɔ:m] I ⟨onov ww⟩ ●*optreden, een voorstelling geven, spelen* ●*presteren, functioneren* ⟨ihb. v. machines⟩; the car –s well *de auto loopt goed* ● ↓ *presteren,* ⟨ihb.⟩ *het goed doen* II ⟨ov ww⟩ ●*uitvoeren, volbrengen;* – miracles *wonderen doen* ●⟨dram.⟩ *uit/opvoeren.* **performance** [pə'fɔ:məns] I ⟨telb zn⟩ ●*voorstelling, op/uitvoering* ●*prestatie, succes* ● ↓ *karwei, klus* ● ↓ *scène, aanstellerij;* make a – *een scène maken* II ⟨n-telb zn⟩ ●*uitvoering, volbrenging* ‖ a car's – *de prestaties v.e. auto.* **performer** [pə'fɔ:mə] ●*uitvoerder/ster* ●*artiest.* **performing** [pə'fɔ:mɪŋ] ●*gedresseerd* ●*uitvoerend;* – arts *uitvoerende kunsten.*

1 perfume ['pə:fju:m] ⟨zn⟩ ●*parfum, (aangename) geur/reuk.*

2 perfume [pə'fju:m] ⟨ww⟩ ●*parfumeren.*

perfunctory [pə'fʌŋktri] ●*nonchalant, oppervlakkig.*

perhaps [pə'hæps] ●*misschien.*

peril ['perɪl] ●*gevaar, risico;* you do it at your – *je doet het op eigen verantwoordelijkheid;* be in – of one's life *in levensgevaar verkeren.* **perilous** ['perɪləs] ●*(levens)gevaarlijk, riskant.*

perimeter [pə'rɪmɪtə] ●*omtrek, perimeter.* **pe'rimeter fence** ●*grensschutting.*

1 period ['pɪərɪəd] ⟨zn⟩ ●*periode* ⟨ook nat., schei., wisk.⟩, *tijdperk;* ⟨meteo.⟩ bright –s *opklaringen* ●*les(uur)* ●⟨vaak mv.⟩ *(menstruatie)periode;* menstrual – *menstruatieperiode;* miss a/one's – *(haar menstruatie) een keertje overslaan* ●⟨vnl. AE⟩ *punt* ⟨interpunctie-teken⟩; I won't do it, –! *ik doe het niet, punt uit!.*

2 period ⟨bn⟩ ●*historisch, stijl-;* – costumes *historische klederdrachten;* – furniture *stijlmeubelen.*

periodic ['pɪəri'ɒdɪk] ●*periodiek, regelmatig terugkerend* ●⟨wisk., schei.⟩ *periodiek;* –

table/system *periodiek systeem*. **periodical** [ˌpɪəriˈɒdɪkl] ● ⟨bn⟩ zie PERIODIC ● ⟨bn⟩ *periodiek, regelmatig verschijnend* ● ⟨zn⟩ *periodiek, tijdschrift*.

peripatetic [ˌperɪpəˈtetɪk] ● *rondreizend, rondtrekkend*.

peripheral [pəˈrɪfrəl] ● *ondergeschikt* ● *perifeer, rand-* ⟨ook fig.⟩; – *shops winkels aan de rand v.d. stad* ● ⟨comp.⟩ *supplementair; –* equipment *randapparatuur*. **periphery** [pəˈrɪfri] ● *periferie, omtrek, buitenkant, rand* ⟨ook fig.⟩.

periscope [ˈperɪskoʊp] ● *periscoop*.

perish [ˈperɪʃ] I ⟨onov ww⟩ ● *omkomen; –* with cold *vergaan van de kou* ● *vergaan, verteren* II ⟨ov ww⟩ ● ⟨vaak pass.⟩ *vernietigen;* they were –ed with hunger *zij vergingen van de honger*.

1 perishable [ˈperɪʃəbl] ⟨zn; vnl. mv.⟩ ● *beperkt houdbaar (voedsel)produkt*.

2 perishable ⟨bn⟩ ● *(licht) bederfelijk, beperkt houdbaar*. **perisher** [ˈperɪʃə] ● ↓ *stouterik*. **perishing** [ˈperɪʃɪŋ] ● *beestachtig; –* cold *beestachtige kou;* it's really – today! *'t is werkelijk niet te harden v.d. kou vandaag!* ● *vervloekt, ellendig*.

peritonitis [ˌperɪtəˈnaɪtɪs] ⟨med.⟩ ● *buikvliesontsteking*.

perjure [ˈpɜːdʒə] ⟨wdk ww⟩ ● *meineed plegen;* the witness –d himself *de getuige pleegde meineed*. **perjurer** [ˈpɜːdʒərə] ● *meinedige*. **perjury** [ˈpɜːdʒəri] ● *meineed* ● *meinedige getuigenis*.

perk [pɜːk] ⟨verk.⟩ *perquisite* ⟨BE; ↓⟩ ● *extra verdienste,* ⟨mv.⟩ *extraatjes*.

perk up I ⟨onov ww⟩ ● *opleven, opfleuren, opkikkeren* II ⟨ov ww⟩ ● *opkikkeren, opvrolijken*. **perky** [ˈpɜːki], **perk** ● *levendig, opgewekt* ● *verwaand*.

1 perm [pɜːm] ⟨zn⟩ ⟨vnl. BE; ↓⟩ ● ⟨verk.⟩ *permanent* (wave) *permanent, blijvende haargolf*.

2 perm ⟨ww⟩ ↓ ● *permanenten*. **permafrost** [ˈpɜːməfrɒst] ● *permafrost*.

permanency [ˈpɜːmənənsi] ● *permanent iem./iets, blijvend element/figuur* ● ⟨ook: permanence [ˈpɜːmənəns]⟩ *bestendigheid, duurzaamheid*.

1 permanent [ˈpɜːmənənt] ⟨zn⟩ ● *permanent, blijvende haargolf*.

2 permanent ⟨bn⟩ ● *permanent, blijvend, duurzaam; –* address *vast adres; –* position *vaste betrekking; –* wave *permanent*. **permanently** [ˈpɜːmənəntli] ● zie PERMANENT ● *voorgoed*.

permeable [ˈpɜːmɪəbl] ● *poreus, doorlatend*. **permeate** [ˈpɜːmieɪt] ● *(door)dringen, (door)trekken, zich (ver)spreiden*

(over).

permissible [pəˈmɪsəbl] ● *toelaatbaar, geoorloofd*. **permission** [pəˈmɪʃn] ● *toestemming, permissie, vergunning*. **permissive** [pəˈmɪsɪv] ● *(al te) toegeeflijk, verdraagzaam* ⟨ihb. op moreel/seksueel gebied⟩; the – society *de tolerante maatschappij*.

1 permit [ˈpɜːmɪt] ⟨zn⟩ ● *(schriftelijke) vergunning, toestemming, machtiging*.

2 permit [pəˈmɪt] ⟨ww⟩ ● *toestaan, toelaten, veroorloven;* weather –ting *als het weer het toelaat;* circumstances do not – of any delay *de omstandigheden laten geen uitstel toe*.

pernicious [pəˈnɪʃəs] ● *schadelijk, kwaadaardig*.

peroration [ˌperəˈreɪʃn] ● *peroratie, slotrede*.

peroxide [pəˈrɒksaɪd] ● *peroxyde* ● ⟨verk.⟩ hydrogen peroxide ↓ *waterstof(su)peroxyde* ⟨ihb. als bleekmiddel⟩.

1 perpendicular [ˌpɜːpənˈdɪkjʊlə] ⟨zn⟩ ● *loodlijn, loodrechte lijn/stand;* be out of (the) – *niet in het lood staan*.

2 perpendicular ⟨bn⟩ ● *loodrecht, heel steil; –* to *loodrecht op* ● ⟨vaak P-⟩ ⟨bouwk.⟩ *perpendiculair* ⟨laat-Engelse gotiek, 14de en 15de eeuw⟩.

perpetrate [ˈpɜːpɪtreɪt] ● *bedrijven, begaan; –* a crime *een misdaad plegen*. **perpetrator** [ˈpɜːpɪˈtreɪtə] ● *dader*.

perpetual [pəˈpetʃʊəl] ● *eeuwig(durend), onafgebroken*. **perpetuate** [pəˈpetʃʊeɪt] ● *bestendigen*.

perpetuity [ˌpɜːpɪˈtjuːəti] ● *eeuwigheid;* in – *voor altijd*.

perplex [pəˈpleks] ● *verwarren, van zijn stuk brengen*. **perplexed** [pəˈplekst] ● *perplex, verbijsterd*. **perplexity** [pəˈpleksəti] ● *onthutsing, verbijstering* ● *complexiteit*.

perquisite [ˈpɜːkwɪzɪt] ⟨vaak mv.⟩ ● *faciliteit, (extra/meegenomen) voordeel* ● *extra verdienste*.

persecute [ˈpɜːsɪkjuːt] ● *vervolgen,* ⟨fig.⟩ *kwellen; –* s.o. with questions *iem. voortdurend lastig vallen met vragen*. **persecution** [ˌpɜːsɪˈkjuːʃn] ● *vervolging,* ⟨fig.⟩ *kwelling*. **persecutor** [ˈpɜːsɪkjuːtə] ● *vervolger*.

persever|e [ˌpɜːsɪˈvɪə] ⟨zn: -ance⟩ ● *volharden, doorzetten, volhouden; –* at/in/with *volharden in/bij*. **persevering** [ˌpɜːsɪˈvɪərɪŋ] ● *hardnekkig, volhardend*.

Persia [ˈpɜːʃə, ˈpɜːʒə] ● *Perzië, Iran*. **Persian** [ˈpɜːʃn, ˈpɜːʒn] ● ⟨bn⟩ *Perzisch; –* carpet/rug *Perzisch tapijt; –* cat *Perzische kat, Pers* ● ⟨eig.n.⟩ *Perzisch* ⟨taal⟩ ● ⟨telb zn⟩ *Pers, Iraniër*.

persist [pə'sɪst] ● *volharden, (koppig) volhouden; –* in/with *(koppig) volharden in/ bij, (hardnekkig) doorgaan met ● (blijven) duren, voortduren.* **persist|ent** [pə'sɪstənt] ⟨zn: **-ence**⟩ ● *vasthoudend, volhardend ● voortdurend, blijvend; –* rain *aanhoudende regen ● hardnekkig.*

person ['pɜːsn] ● *persoon, mens;* ⟨euf.⟩ displaced *– ontheemde;* in *– in eigen persoon ● lichaam;* in the *– of in de persoon/ figuur van;* nothing was found on/about his *– er werd niets op hem gevonden.*

persona [pə'səʊnə] ⟨psych.⟩ ● *persona, imago.*

personable ['pɜːsnəbl] ● *knap, voorkomend.*

personage ['pɜːsnɪdʒ] ● *personage.*

personal ['pɜːsnəl] I ⟨bn, attr en pred⟩ ● *persoonlijk; –* computer *p.c.; –* organizer *dikke zakagenda voor yuppies, met ruimte voor rekenmachientje en creditcards; –* tax *personele belasting ●* ⟨vaak ong.⟩ *persoonlijk, vertrouwelijk, beledigend; –* remarks *persoonlijke/beledigende opmerkingen* II ⟨bn, attr⟩ ● *fysiek, lichamelijk; –* hygiëne *lichaamshygiëne* ‖ *– estate/property roerend(e) goed(eren).* '**personal column** ● *de rubriek 'persoonlijk'* ⟨in blad⟩, *familieberichten.* **personality** ['pɜːsə'nælətɪ] ● *persoonlijkheid, karakter ● persoonlijkheid, bekende figuur.* **perso'nality cult** ● *persoonlijkheidscultus.* **personalize** ['pɜːsnəlaɪz] ● *verpersoonlijken ● merken, labelen; –d* luggage *gelabelde bagage; –d* stationery *postpapier op naam.* **personally** ['pɜːsnəlɪ] ● *persoonlijk, in (eigen) persoon, zelf ● als* persoon *● wat mij betreft* ‖ speak *– to s.o. about sth. iets onder vier ogen met iem. bespreken;* take sth. *– iets als een persoonlijke belediging opvatten.*

personif|y [pə'sɒnɪfaɪ] ⟨zn: **-ication**⟩ ● *verpersoonlijken ● belichamen;* John is vanity personified, John is the personification of vanity *John is de ijdelheid in persoon.*

personnel ['pɜːsə'nel] I ⟨n-telb zn⟩ ● *personeelsafdeling* II ⟨zn⟩ ● *personeel ●* ⟨mil.⟩ *troepen, manschappen.*

'**person-to-'person** ⟨vnl. telefoon⟩ ● *van persoon tot persoon, persoonlijk; –* call *persoonlijk gesprek.*

perspective [pə'spektɪv] ● *perspectief* ⟨ook fig.⟩; ⟨fig.⟩ see/look at sth. in *– iets relativeren;* the picture is not in *– er zit geen perspectief in de tekening;* out of *– niet in perspectief ● gezichtspunt* ⟨ook fig.⟩, *standpunt;* see/look at sth. in its/the right *– een juiste kijk op iets hebben ● toekomstperspectief, vooruitzicht.*

perspex ['pɜːspeks] ● *plexiglas.*

perspicacious ['pɜːspɪ'keɪʃəs] ● *scherpzinnig, schrander.* **perspicacity** ['pɜːspɪ'kæsətɪ] ● *scherpzinnigheid, spitsheid.*

perspiration [pɜːspə'reɪʃn] ● *transpiratie ● zweet.* **perspire** [pə'spaɪə] ● *transpireren, zweten.*

persuade [pə'sweɪd] ● *overreden, overhalen; –* s.o. into doing sth. *iem. iets aanpraten; –* s.o. out of doing sth. *iem. iets uit het hoofd praten ● overtuigen, bepraten; –* s.o. to do sth. *iem. tot iets overhalen; –* o.s. of sth. *zich met eigen ogen v. iets overtuigen; zichzelf iets wijsmaken.* **persuasion** [pə'sweɪʒn] I ⟨telb zn⟩ ● *overtuiging, geloof ●* ⟨vnl. enk.⟩ ⟨vaak scherts.⟩ *soort;* an author of the modern *– een auteur v.h. moderne slag* II ⟨telb en n-telb zn⟩ ● *overtuiging(skracht).* **persuasive** [pə'sweɪsɪv] ● *overtuigend, afdoend.*

pert [pɜːt] ● *vrijpostig, brutaal ● zwierig, elegant.*

per'tain to ↑ ● *behoren tot ● betrekking hebben op.*

pertinacious ['pɜːtɪ'neɪʃəs] ● *hardnekkig, vasthoudend.*

pertinent ['pɜːtɪnənt] ● *relevant, ter zake dienend; –* to *betrekking hebbend op.*

perturb [pə'tɜːb] ● *in de war brengen, van streek brengen.* **perturbation** ['pɜːtə'beɪʃn] ● *verwarring.*

perusal [pə'ruːzl] ● *(nauwkeurige) lezing;* for *– ter inzage.* **peruse** [pə'ruːz] ● *doorlezen.*

Peruvian [pə'ruːvɪən] ● ⟨bn⟩ *Peruaans ●* ⟨zn⟩ *Peruaan, Peruviaan.*

pervade [pə'veɪd] ● *doordringen, vervullen.* **pervasive** [pə'veɪsɪv] ● *doordringend ● alomtegenwoordig.*

perverse [pə'vɜːs] ● *pervers, verkeerd, verdorven ● koppig, dwars.* **perversion** [pə'vɜːʃn] ● *perversiteit ● pervertering, verdraaiing, vervorming.* **perversity** [pə'vɜːsətɪ] ● *perversiteit.*

1 pervert ['pɜːvɜːt] ⟨zn⟩ ● *pervers persoon* ⟨ihb. seksueel⟩.

2 pervert [pə'vɜːt] ⟨ww⟩ ● *verkeerd aanwenden, misbruiken; –* the course of justice *verhinderen dat het recht zijn loop heeft ● verdraaien, vervormen ● perverteren, bederven.* **perverted** [pə'vɜːtɪd] ● *geperverteerd, pervers ● ontaard.*

pesky ['peskɪ] ⟨AE⟩ ↓ ● *verduiveld, hinderlijk.*

pessary ['pesərɪ] ● *pessarium* ⟨voorbehoedmiddel⟩.

pessim|ism ['pesɪmɪzm] ⟨bn: **-istic**⟩ ● *pessimisme.*

pessimist ['pesɪmɪst] ● *pessimist.*

pest [pest] ● *pest, lastpost ● schadelijk dier,*

⟨mv.⟩ *ongedierte* ● *pest, plaag.* 'pest control ● *bestrijding v. ongedierte.*
pester ['pestə] ● *kwellen, lastig vallen, pesten; –* s.o. for sth. *bij iem. om iets zeuren.*
pesticide ['pestısaıd] ● *pesticide, verdel-
gingsmiddel.* pestilence ['pestıləns] ●
pest, (pest)epidemie. pestilent
['pestılənt] ● ↓ *(dood)vervelend, irriterend.*
1 pestle [pesl,pestl] ⟨zn⟩ ● *stamper.*
2 pestle ⟨ww⟩ ● *fijnstampen.*
1 pet [pet] ⟨zn⟩ ● *huisdier, troeteldier* ● *lieveling;* the teacher's – *het lievelingetje
v.d. leraar.*
2 pet ⟨bn⟩ ● *tam, huis-; –* snake *huisslang* ●
bestemd voor huisdieren; – food *voedsel
voor huisdieren, honde- en kattevoer* ● *favoriet, lievelings-;* politicians are my –
aversion/hate *aan politici heb ik een hart-
grondige hekel; –* name *koosnaam.*
3 pet I ⟨onov ww⟩ ● *vrijen* II ⟨ov ww⟩ ● *(ver)
troetelen* ● *strelen, aaien, vrijen met.*
petal ['petl] ● *bloemblad.*
petard [pı'tɑ:d] ‖ hoist with one's own – *in
de kuil vallen die je voor een ander gegra-
ven hebt.*
Peter ['pi:tə] ‖ rob – to pay Paul *het ene gat
met het andere vullen.*
peter out ['pi:tʃ] ● *afnemen, slinken* ● *uitgeput raken, opraken, uitgaan.*
petite [pə'ti:t] ● *tenger, fijn* ⟨v. vrouw⟩.
1 petition [pı'tıʃn] ⟨zn⟩ ● *verzoek, smeekbede* ● *petitie; –* to the Crown *adres aan de
Koning* ● ⟨jur.⟩ *verzoek(schrift);* file a – for
divorce *een aanvraag tot echtscheiding
indienen.*
2 petition ⟨ww⟩ ● *petitioneren, een petitie
indienen, een petitie richten tot.* petition-
er [pı'tıʃənə] ● *petitionaris, verzoeker* ●
⟨BE; jur.⟩ *eiser* ⟨in een echtscheidingsge-
ding⟩.
petrify ['petrıfaı] I ⟨onov ww⟩ ● *verstenen,
fossiliseren* ⟨ook fig.⟩ II ⟨ov ww⟩ ● *(doen)
verstenen* ● *doen verstijven, verbijsteren;*
be petrified by/with terror *verstijfd/ontzet
zijn v. schrik.*
petrochemical ['petrou'kemıkl] ● ⟨bn⟩ *pe-
trochemisch* ● ⟨zn⟩ *petrochemische stof,*
⟨mv.⟩ *petrochemicaliën.*
petrol ['petrəl] ⟨BE⟩ ● *benzine.* petrolatum
['petrə'leıtəm] ⟨AE⟩ ● *vaseline* ⟨gezui-
verd⟩. petroleum [pı'troulıəm] ● *aardolie.* pe'troleum 'jelly ⟨BE⟩ ● *vaseline* ⟨ge-
zuiverd⟩. 'petrol gauge ● *benzinemeter.*
'petrol pump ● *benzinepomp.* 'petrol station ⟨BE⟩ ● *benzinestation.*
'pet shop ● *dierenwinkel.*
petticoat ['petıkout] ● *pettycoat, onderrok.*

pettifogging [-fɒgıŋ] ● *muggezifterig, kleingeestig.*
pettish ['petıʃ] ● *humeurig, nukkig, kribbig.*
petty ['peti] I ⟨bn, attr en pred⟩ ● *onbeteke-
nend, onbelangrijk* ● *kleingeestig; –* outlook *bekrompen kijk* ● *klein, ondergeschikt;* the – *bourgeoisie de lagere
middenstand; –* cash *kleine kas;*
⟨scheep.⟩ – officer *onderofficier* II ⟨bn,
attr⟩ ⟨jur.⟩ ● *klein, gering; –* larceny *gewone diefstal, kruimeldiefstal.*
petulant ['petʃulənt] ● *prikkelbaar, nukkig,
kregelig.*
pew [pju:] ● *kerkbank* ● ↓ *stoel;* ⟨BE⟩ take a
– *ga zitten.*
pewit, peewit ['pi:wıt] ● *kievit.*
1 pewter ['pju:tə] ⟨zn⟩ ● *tin, tinnegoed.*
2 pewter ⟨bn⟩ ● *tinnen.*
phalanx ['fælæŋks] ⟨mv.: ook phalanges
[fə'lændʒi:z]⟩ ● *falanx* ⟨ook fig.⟩, *slagorde.*
phallic ['fælık] ● *fallisch; –* symbol *fallus-
symbool.* phallus ['fæləs] ⟨mv.: ook phalli
['fælaı]⟩ ● *fallus, penis.*
phantasmagoria [fæn'tæzmə'gɔ:rıə, 'fæn-
tæz-] ● *fantasmagorie* ⟨ook fig.⟩, *geest-
verschijning.*
phantasy zie FANTASY.
1 phantom ['fæntəm] ⟨zn⟩ ● *spook* ⟨ook
fig.⟩, *geest(verschijning), fantoom* ●
(droom)beeld, hallucinatie.
2 phantom ⟨bn⟩ ● *spook-, spookachtig; –*
ship *spookschip* ● *schijn-;* ⟨med.⟩ – pregnancy *schijnzwangerschap.*
pharaoh ['feərou] ● *farao.*
pharisaic(al) ['færı'seıık(l)] ● *schijnheilig.*
pharisee ['færısi:] ● *farizeeër, schijnheilige.*
pharmaceutical ['fɑ:mə'sju:tıkl] ● *farmaceu-
tisch; –* chemist *apotheker.* pharmaceu-
tics ['fɑ:mə'sju:tıks] ● *farmacie.*
pharmacist [-sıst] ● *farmaceut, apotheker.*
pharmacology [-'kɒlədʒi] ● *farmacologie.*
pharmacy ['fɑ:məsi] ● *apotheek* ● *farmacie.*
pharyngitis ['færın'dʒaıtıs] ● *keelholteont-
steking.* pharynx ['færıŋks] ● *farynx, keel-
holte.*
1 phase [feız] ⟨zn⟩ ● *fase, stadium* ● ⟨ster.⟩
fase, schijngestalte ● ⟨nat., schei.⟩ *fase;* in
– *in fase, gelijkfasig;* out of – *niet in fase,
ongelijkfasig.*
2 phase ⟨ww⟩ ● *faseren, in periodes doen
verlopen.* 'phase 'in ● *geleidelijk invoeren.* 'phase 'out ● *geleidelijk uit de produktie nemen, geleidelijk opheffen/stop-
zetten.*

Ph D ⟨afk.⟩ Doctor of Philosophy.
pheasant ['feznt] ● *fazant.*
phenomenal [fɪ'nɒmɪnl] ● *fenomenaal, (zintuiglijk) waarneembaar;* the – *sciences de wetenschappen der waarneembare verschijnselen* ● *fenomenaal, uitzonderlijk.*
phenomenon [fɪ'nɒmɪnən] ⟨mv.: phenomena [-mɪnə]⟩ ● *fenomeen, (natuur)verschijnsel* ● *fenomeen, wonder;* a – at arithmetic *een rekenwonder.*
phew [pfff], **whew** [hjuː] ● *oef, hè* ⟨drukt opluchting, vermoeidheid of verbazing uit⟩.
phial ['faɪəl], **vial** ['vaɪəl] ● *(medicijn)flesje.*
philander [fɪ'lændə] ● *meisjes versieren.*
  philanderer [fɪ'lændrə] ● *Don Juan, versierder.*
philanthropic ['fɪlən'θrɒpɪk] ● *filantropisch, menslievend.* **philanthropist** [fɪ'lænθrəpɪst] ● *filantroop, mensenvriend.* **philanthropy** [fɪ'lænθrəpi] ● *filantropie, menslievendheid.*
philatelist [fɪ'lætlɪst] ● *postzegelverzamelaar.* **philately** [fɪlætli] ● *het verzamelen van postzegels.*
philharmonic ['fɪlə'mɒnɪk, 'fɪl(h)ɑː] ● *filharmonisch.*
Philistine ['fɪlɪstaɪn] ● ⟨bn⟩ *Filistijns* ● ⟨bn⟩ ⟨vaak p-⟩ *acultureel* ● ⟨zn⟩ *Filistijn* ● ⟨zn⟩ ⟨p-⟩ *cultuurbarbaar, filister.*
Phillips screwdriver ● *kruiskopschroevedraaier.*
philologist [fɪ'lɒlədʒɪst] ● *filoloog.* **philology** [fɪ'lɒlədʒi] ⟨bn: **-ical**⟩ ● *filologie.*
philosopher [fɪ'lɒsəfə] ● *filosoof, wijsgeer.* **phi'losopher's stone** ● *steen der wijzen.* **philosophical** ['fɪlə'sɒfɪkl] ● *filosofisch, wijsgerig, kalm, wijs.* **philosophize** [fɪ'lɒsəfaɪz] ● *filosoferen.* **philosophy** [fɪ'lɒsəfi] ● *filosofie, levensbeschouwing* ● *filosofie, wijsbegeerte.*
phlegm [flem] ● *slijm, fluim* ● *flegma, onverstoorbaarheid.* **phlegmatic** [fleg'mætɪk] ● *flegmatiek, onverstoorbaar.*
phobia ['foʊbɪə] ● *fobie, (ziekelijke) vrees.* **phobic** ['foʊbɪk] ● ⟨bn⟩ *fobisch* ● ⟨zn⟩ *persoon met een fobie.*
phoenix ['fiːnɪks] ● *feniks.*
1 phone [foʊn] ⟨zn⟩ ↓ ● *telefoon.*
2 phone ⟨ww⟩ ↓ ● *telefoneren, opbellen;* – up *opbellen.* **'phone-booth** ● *telefooncel.* **'phone call** ● *telefoontje.* **'phone-in** ⟨BE⟩ ● *radioprogramma met deelname v. luisteraars* ⟨via telefoon⟩.
phonetics [fə'netɪks] ⟨taal.⟩ ● *fonetiek.*
1 phoney, phony ['foʊni] ⟨zn⟩ ⟨sl.⟩ ● *bedrieger* ● *namaak, nep.*
2 phoney, phony ⟨bn⟩ ⟨sl.⟩ ● *vals, onecht, nep.*

phonograph ['foʊnəgrɑːf] ⟨vnl. AE⟩ ● *grammofoon.*
phonology [fə'nɒlədʒi] ⟨taal.⟩ ● *fonologie.*
phony zie PHONEY.
phooey ['fuːi] ● *poe* ⟨als uitdrukking v. afkeer/ongeloof⟩.
phosphate ['fɒsfeɪt] ● *fosfaat.* **phosphor** ['fɒsfə] ● *fosfor.* **phosphoresc|ent** ['fɒsfə'resnt] ⟨zn: **-ence**⟩ ● *fosforescerend.* **phosphorus** ['fɒsfrəs] ⟨schei.⟩ ● *fosfor.*
photo ['foʊtoʊ] ⟨verk.⟩ photograph ↓ ● *foto.* **photocopier** [-kɒpɪə] ● *fotokopieerapparaat.*
1 photocopy [-kɒpi] ⟨zn⟩ ● *fotokopie.*
2 photocopy ⟨ww⟩ ● *fotokopiëren.* **photoelectric** [-ɪ'lektrɪk] ● *foto-elektrisch;* – cell *foto-elektrische cel, fotocel.* **'photo 'finish** ● *fotofinish.*
Photofit ['foʊtoʊfɪt] ● *robotfoto, compositiefoto.*
photogenic ['foʊtoʊ'dʒenɪk] ● *fotogeniek.*
1 photograph ['foʊtəgrɑːf] ⟨zn⟩ ● *foto;* have one's – taken *zich laten fotograferen.*
2 photograph ⟨ww⟩ ● *fotograferen.* **photographer** [fə'tɒgrəfə] ● *fotograaf/grafe.* **photographic** ['foʊtə'græfɪk] ● *fotografisch, fotografie-;* a – memory *een fotografisch geheugen.* **photography** [fə'tɒgrəfi] ● *fotografie.*
photosensitive ['foʊtoʊ'sensftɪv] ● *lichtgevoelig.* **photosensitize** [-'sensɪtaɪz] ● *lichtgevoelig maken.*
1 photostat ['foʊtəstæt] ⟨zn; ook P-⟩ ● *fotokopie.*
2 photostat ⟨ww⟩ ● *fotokopiëren.*
1 phrase [freɪz] ⟨zn⟩ ● *frase, gezegde, uitdrukking* ● ⟨muz.⟩ *frase* ‖ a turn of – *een uitdrukking;* turn a – *een rake uitspraak doen;* ⟨iron.⟩ to coin a – *om het maar eens origineel uit te drukken;* in Shakespeare's – *in de bewoordingen v. Shakespeare.*
2 phrase ⟨ww⟩ ● *uitdrukken, formuleren, onder woorden brengen* ● ⟨vnl. muz.⟩ *fraseren.* **'phrase book** ● *taalgids* ⟨met idiomatische uitdrukkingen⟩. **phraseology** ['freɪzi'ɒlədʒi] ● *fraseologie, woordkeus;* scientific – *wetenschappelijk jargon.*
phrasing ['freɪzɪŋ] ● *bewoording, uitdrukkingswijze* ● ⟨vnl. muz.⟩ *frasering.*
phrenetic zie FRENETIC.
phut [fʌt] ↓ ‖ go – *kapot gaan.*
1 physical ['fɪzɪkl] ⟨zn⟩ ● *medische keuring.*
2 physical I ⟨bn, attr en pred⟩ ● *fysiek, natuurlijk, lichamelijk, natuur-;* – education, ⟨ook⟩ PE, – training, ⟨ook⟩ PT *lichamelijke oefening, gymnastiek* ● *materieel* **II** ⟨bn, attr⟩ ● *natuurkundig, fysisch;* – sci-

ence *natuurkunde, natuurwetenschap* ‖ –
impossibility *absolute/technische onmogelijkheid.* **physician** [fɪˈzɪʃn] ● *arts.* **phys-
icist** [ˈfɪzɪsɪst] ● *fysicus, natuurkundige.*
physics [ˈfɪzɪks] ⟨ww vnl. enk.⟩ ● *fysica,
natuurkunde.*

physiognomy [fɪzɪˈɒnəmi] ● *fysionomie, ge-
laat(suitdrukking).*   **physiolog|y** [ˈfɪzɪ-
ˈɒlədʒi] ⟨bn: **-ical**⟩ ● *fysiologie.* **physio-
therapist** [ˈfɪzɪouˈθerəpɪst] ● *fysiothera-
peut(e).* **physiotherapy** [ˈfɪzɪouˈθerəpi] ●
fysiotherapie.
physique [fɪˈziːk] ● *fysiek, lichaamsbouw.*
pianist [ˈpɪənɪst] ● *pianist(e).*
1 piano [piˈænou] ⟨zn⟩ ● *piano.*
2 piano [piˈɑːnou] ⟨bn; bw⟩ ⟨muz.⟩ ● *zacht,
piano.*
piazza [piˈætsə] ● *piazza, (markt)plein.*
picaresque [ˈpɪkəˈresk] ‖ a – novel *een schel-
menroman.*
piccolo [ˈpɪkəlou] ● *piccolo(fluit).*
1 pick [pɪk] **I** ⟨telb zn⟩ ● *pikhouweel* **II** ⟨n-telb
zn⟩ ● *keus;* take your – *zoek maar uit* ●
⟨the⟩ *beste, puikje;* the – of the bunch *het
neusje v.d. zalm.*
2 pick I ⟨onov en ov ww⟩ ● *(zorgvuldig) kiezen, uitzoeken;* – one's steps/way *voorzichtig een weg zoeken;* – one's words *zijn
woorden wikken en wegen;* – and choose
kieskeurig zijn ● *plukken* ● *pikken* ⟨v. vo-
gels⟩ ● *met kleine hapjes eten, peuzelen/
knabbelen (aan);* – at a meal *zitten te kies-
kauwen* ‖ – over *uitziften, de beste halen
uit;* – at *plukken aan;* vitten op; – on *vit-
ten/afgeven op;* zie PICK UP **II** ⟨ov ww⟩ ●
hakken (in), bikken, prikken, opensteken
⟨slot⟩; – a hole in *een gat maken in* ● *peu-
teren in* ⟨tanden bv.⟩, *pulken in* ⟨neus⟩ ●
afkluiven, kluiven op ‖ – off *één voor één
neerschieten;* zie PICK OUT, PICK UP.
'**pickaxe** ● *pikhouweel.* **picker** [ˈpɪkə] ● *pluk-
ker* ⟨v. fruit enz.⟩.
1 picket [ˈpɪkɪt] ⟨zn⟩ ● *paal, staak* ● *post(er)*
⟨bij staking⟩; flying – *vliegende poster* ●
⟨verk.⟩ picket line ● ⟨mil.⟩ *piket.*
2 picket ⟨ww⟩ ● *posten, postend bewaken;*
– a factory/people *een bedrijf/mensen
posten.* '**picket line** ● *groep posters* ⟨bij
stakingen⟩.
pickings [ˈpɪkɪŋz] ● *emolumenten, (bijkomende) voordeeltjes;* there are easy – to
be made *daar ligt het voor het rapen.*
1 pickle [ˈpɪkl] **I** ⟨telb zn⟩ ● *ingelegde ui* ●
⟨AE⟩ *augurk* **II** ⟨telb en n-telb zn⟩ ● *pekel*
⟨ook fig.⟩, *knoei;* be in a sorry/nice – *zich
in een moeilijk parket bevinden* **III** ⟨n-telb
zn⟩ ● *zuur, azijn* **IV** ⟨mv.⟩ ● *tafelzuur, zoetzuur.*

2 pickle ⟨ww⟩ ● *pekelen* ● *inleggen, inmaken.* **pickled** [ˈpɪkld] **I** ⟨bn, attr en pred⟩ ●
ingelegd (in het zuur/de pekel) **II** ⟨bn,
pred⟩ ↓ ● *in de olie, lazarus.*
'**pick-me-up** ↓ ● *opkikkertje.* '**pick** 'out ● *(uit)
kiezen, uitpikken* ● *onderscheiden, zien* ●
op het gehoor spelen ● *doen uitkomen,
accentueren.* '**pickpocket** ● *zakkenroller.*
'**pickup** ● ↓ *(taxi)passagier, lifter, schar-
reltje* ● *pick-up* ● ⟨verk.⟩ pickup truck.
'**pick** 'up **I** ⟨onov ww⟩ ● *beter worden, opknappen, er bovenop komen,* ⟨ec.⟩ *opleven* ● *accelereren, vaart krijgen, aanwakkeren* ⟨v. wind⟩ **II** ⟨onov en ov ww⟩ ● *weer
beginnen, hervatten;* – the threads *de
draad weer opvatten* **III** ⟨ov ww⟩ ● *oppakken, opnemen/rapen,* ⟨sl.⟩ *in hechtenis
nemen;* pick o.s. up *overeind krabbelen* ●
opdoen, oplopen, oppikken; – a language
zich een taal eigen maken; – speed *vaart
vermeerderen;* he picked her up in a bar
hij heeft haar in een bar opgepikt; where
did you pick that up? *waar heb je dat geleerd?* ● *opvangen* ⟨radio/lichtsignalen⟩,
ontvangen ● *ophalen, een lift geven, meenemen* ● *(terug)vinden* ● *(bereid zijn te)
betalen* ⟨rekening⟩ ● *terechtwijzen;* he
picked me up on my pronunciation *hij
wees me terecht omdat ik dingen verkeerd uitsprak.* '**pickup truck** ● *pick-up,
open bestelauto.* **picky** [ˈpɪki] ⟨AE; ↓⟩ ●
kieskeurig.
1 picnic [ˈpɪknɪk] ⟨zn⟩ ● *picknick* ‖ it is no –
het valt niet mee.
2 picnic ⟨ww⟩ ● *picknicken.* **picnicker**
[ˈpɪknɪkə] ● *picknicker.*
pictorial [pɪkˈtɔːriəl] ● *schilder-, beeld-* ●
geïllustreerd.
1 picture [ˈpɪktʃə] **I** ⟨telb zn⟩ ● *afbeelding,
schilderij, plaat, foto* ● *plaatje, iets beeld-
schoons;* (as) pretty as a – *beeldschoon* ●
toonbeeld; he looks/is the (very) – of
health *hij blaakt v. gezondheid* ● *film* ●
beeld ⟨op t.v.⟩ ‖ come into the – *een rol
gaan spelen;* fit into the – *bij het geheel
passen;* ↓ get the – *het snappen;* put s.o. in
the – *iem. op de hoogte brengen;* (be) in
the – *op de hoogte (zijn);* ↓ be out of the –
*niet meetellen, er niet bij horen; niet op de
hoogte zijn* **II** ⟨mv.; the⟩ ⟨vnl. BE⟩ ● *bios.*
2 picture ⟨ww⟩ ● *afbeelden, schilderen;* – to
o.s. *zich voorstellen* ● *zich voorstellen.*
'**picture book** ● *prentenboek.* '**picture
'postcard** ● *(prent)briefkaart, ansicht-
(kaart).* **picturesque** [ˈpɪktʃəˈresk] ● *schil-
derachtig, pittoresk.*
1 piddle [ˈpɪdl] ⟨zn⟩ ↓ ● *plasje.*
2 piddle ⟨ww⟩ ● ↓ *een plasje doen.* **piddling**

['pɪdlɪŋ] ⟨↓; ong.⟩ ●onbenullig.
pidgin ['pɪdʒɪn] ●pidgin, mengtaal.
'**Pidgin** '**English** ●pidginengels.
pie [paɪ] ●pastei ●taart ‖↓ that's all – in the sky dat zijn allemaal luchtkastelen.
piebald ['paɪbɔːld] ●⟨bn⟩ gevlekt ⟨vnl. zwart en wit⟩, bont ●⟨zn⟩ gevlekt/bont dier, ⟨ihb.⟩ bont paard.
1 piece [piːs] ⟨zn⟩ ●stuk, brok, onderdeel ⟨ook tech.⟩, stukje, schaakstuk, damschijf, muntstuk, artikel, muziek/toneelstuk, ⟨mil.⟩ kanon, geweer; – of bread and butter boterham; five cents a – vijf cent per stuk; – of furniture meubel(stuk); – of information inlichting, mededeling; – of (good) luck buitenkansje; – of news nieuwtje; – of string eindje touw; break to/fall in –s in stukken/uit elkaar vallen; ↓ come/go (all) to –s (helemaal) kapot gaan ⟨ook fig.⟩; instorten; ↓ pick/pull/take/tear to –s uit elkaar halen; ⟨fig.⟩ scherp kritiseren; say one's – ⟨fig.⟩ zijn zegje doen; take sth. to –s iets uit elkaar nemen; – by – stuk voor stuk; be paid by the – stukloon krijgen; in one – in één stuk; ⟨fig.⟩ ongedeerd; in –s in/aan stukken; ⟨fig.⟩ be of a – with van dezelfde aard zijn als; uit hetzelfde hout gesneden zijn als; of a – in/uit één stuk ●staaltje; – of cheek staaltje v. brutaliteit ●↓ stuk, stoot ‖ ⟨BE; ↓⟩ it was a – of cake het was een peuleschilletje; ⟨BE⟩ (nasty) – of work/goods (gemene) vent/griet; ↓ give s.o. a – of one's mind iem. flink de waarheid zeggen; ↓ pick up the –s de brokken lijmen; ↓ (all) shot to –s (helemaal) kapot.
2 piece ⟨ww⟩ ●samenvoegen, in elkaar zetten; – together aaneenvoegen, in elkaar zetten.
-piece [piːs] ●-delig; fifteen-piece tea-set vijftiendelig theeservies.
piecemeal ['piːsmiːl] ●geleidelijk, bij stukjes en beetjes. '**piecework** ●stukwerk.
'**pieceworker** ●stukwerker/ster.
'**pie chart** ●cirkeldiagram. '**piecrust** ●pasteikorst.
pied [paɪd] ●bont, gevlekt.
'**pie-'eyed** ⟨sl.⟩ ●stomdronken.
pier ['pɪə] ●pier, havenhoofd/dam ●pijler.
pierce ['pɪəs] ●doordringen, binnendringen in, doorboren ‖ –d ears gaatjes in de oren.
piercing ['pɪəsɪŋ] ●doordringend ⟨ook v. blik⟩ ●scherp, snijdend ⟨wind, koude⟩.
piety ['paɪəti] ●vroomheid.
piffle ['pɪfl] ↓ ●onzin. **piffling** [pɪflɪŋ] ↓ ●belachelijk (klein).
pig [pɪg] ●varken, (wild) zwijn, ⟨fig.; ↓⟩ gulzigaard, vuilik, hufter ●⟨AE⟩ big ●⟨sl.;

bel.⟩ smeris ‖ bleed like a (stuck) – bloeden als een rund; buy a – in a poke een kat in de zak kopen; and –s might fly! ja, je kan me nog meer vertellen!; make a – of o.s. overdadig eten (en drinken); it was a real – het was een vreselijk lastig karwei.
pigeon ['pɪdʒɪn] ●duif ●kleiduif ‖ it's not my – het zijn mijn zaken niet.
1 'pigeon-hole ⟨zn⟩ ●loket, hokje, (post)vakje; set of –s loketkast.
2 pigeon-hole ⟨ww⟩ ●in een vakje leggen, opbergen ●in vakjes ordenen/indelen, classificeren.
piggery ['pɪgəri] ●varkensfokkerij ●varkensstal. **piggish** ['pɪgɪʃ] ●varkensachtig ●smerig ●gulzig ●onbeschoft.
1 piggy ['pɪgi] ⟨zn⟩ ↓ ●big, varkentje ⟨vnl. kindertaal⟩.
2 piggy ⟨bn⟩ ●varkensachtig, varkens- ●gulzig.
1 piggyback ['pɪgibæk] ⟨zn⟩ ●ritje op de rug/schouders.
2 piggyback ⟨bn; bw⟩ ●op de rug/schouders.
'**piggy bank** ●spaarvarken(tje). '**pig**'**headed** ●koppig, eigenwijs. **piglet** ['pɪglɪt] ●big(getje).
pigment ['pɪgmənt] ●pigment. **pigmentation** ['pɪgmənˈteɪʃn] ●pigmentatie.
pig's ear ['pɪgz ˈɪə] ‖ make a – of sth. ergens een potje van maken. '**pigskin** ●varkenshuid/leer. '**pigsty**, ⟨AE⟩ '**pigpen** ●varkensstal ⟨ook fig.⟩, varkenskot. '**pigtail** ●(haar)vlecht, staartje.
pike [paɪk] ●piek, spies ●snoek.
pilchard ['pɪltʃəd] ●sardine.
1 pile [paɪl] I ⟨telb zn⟩ ●(hei)paal ●stapel, hoop ●⟨vaak enk.⟩ ↓ hoop/berg geld; he has made his – hij is binnen ●hoog/groot gebouw(encomplex) ●⟨vnl. mv.⟩ aambei ●(kern)reactor; atomic – kernreactor II ⟨ntelb zn⟩ ●dons, wol ●pool ⟨op fluweel, tapijt⟩, pluis, nop.
2 pile I ⟨onov ww⟩ ●zich ophopen, samenstromen; – in binnenstromen/drommen; – up zich opstapelen; they –d into the car ze persten zich in de auto II ⟨ov ww⟩ ●stapelen, opstapelen, beladen; – on/up sth. iets opstapelen.
'**pile driver** ●heimachine. '**pile dwelling** ●paalwoning. '**pile-up** ●kettingbotsing.
pilfer ['pɪlfə] ●stelen, pikken. **pilferer** ['pɪlfrə] ●kruimeldief.
pilgrim ['pɪlgrɪm] ●pelgrim. **pilgrimage** ['pɪlgrɪmɪdʒ] ●bedevaart, pelgrimstocht.
'**Pilgrim** '**Fathers** ●Pilgrim Fathers ⟨die in 1620 de kolonie Plymouth stichtten in Massachusetts⟩.

pill [pɪl] **I** ⟨telb zn⟩ ● *pil* ⟨ook fig.⟩, *bittere pil;* a bitter – (to swallow) *een bittere pil (om te slikken);* sweeten/sugar the – *de pil vergulden* **II** ⟨n-telb zn⟩ ● *(anticonceptie)pil;* (be) on the – *aan de pil (zijn).*
1 pillage ['pɪlɪdʒ] ⟨zn⟩ ● *plundering, roof.*
2 pillage ⟨ww⟩ ● *plunderen.*
pillar ['pɪlə] ● *(steun)pilaar, zuil* ⟨ook fig.⟩; –s of the state *steunpilaren v.d. staat* ● *zuil, kolom* ⟨rook, water⟩ ● ⟨mijnw.⟩ *pijler* ‖ (driven) from – to post *v.h. kastje naar de muur (gestuurd).* 'pillar-box ⟨BE⟩ ● *brievenbus* ⟨van de P.T.T.⟩.
'pillbox ● *pillendoosje* ● ⟨mil.⟩ *bunker.*
pillion ['pɪlɪən] ● *duozitting;* ride – *achterop zitten.*
1 pillory ['pɪləri] ⟨zn⟩ ⟨gesch.⟩ ● *blok, schandpaal;* in the – *aan de schandpaal.*
2 pillory ⟨ww⟩ ● *aan de kaak stellen.*
1 pillow ['pɪloʊ] ⟨zn⟩ ● *(hoofd)kussen.*
2 pillow ⟨ww⟩ ● *(als) op een kussen laten rusten.* 'pillowcase, 'pillow slip ● *kussensloop.* 'pillow talk ● *intiem gesprek tussen minnaars in bed.*
1 pilot ['paɪlət] ⟨zn⟩ ● *loods* ● *piloot, vlieger* ● *gids, leider* ● *experimenteel radio/t.v.-programma, proefprogramma/uitzending.*
2 pilot ⟨ww⟩ ● *loodsen, (be)sturen, vliegen, (ge)leiden* ⟨ook fig.⟩; – a bill through Parliament *een wetsontwerp door het parlement loodsen.* 'pilot lamp ● *controlelamp(je).* 'pilot light ● *waakvlam(metje).* 'pilot model ● *proefmodel.* 'pilot project ● *proefproject.* 'pilot scheme ● *proefontwerp.* 'pilot study ● *proefonderzoek, vooronderzoek.*
1 pimp [pɪmp] ⟨zn⟩ ● *souteneur, pooier.*
2 pimp ⟨ww⟩ ● *pooi(er)en.*
pimple ['pɪmpl] ● *puist(je), pukkel.* **pimply** ['pɪmpli] ● *puist(er)ig.*
1 pin [pɪn] ⟨zn⟩ ● *speld, sierspeld* ● *pin, pen, stift,* ⟨tech.⟩ *bout* ● *kegel* ⟨bowling⟩ ‖ **I** have –s and needles in my arm *mijn arm slaapt;* I don't care a –/two –s *ik geef er geen zier om;* for two –s I'd do it *wat let me of ik doe het.*
2 pin ⟨ww⟩ ● *spelden, vastspelden, vastmaken* ⟨met speld, pin enz.⟩; – up a notice *een briefje ophangen;* – up butterflies *vlinders opzetten* ● *doorboren, doorsteken* ● *vasthouden, knellen;* – s.o. down *iem. op de grond houden;* – s.o. against the wall *iem. tegen de muur drukken* ‖ ↓ – back your ears! *luister nu eens goed!;* it's difficult to – down in words *het is moeilijk onder woorden te brengen;* – s.o. down on sth. *iem. dwingen zijn bedoeling ivm.*

iets kenbaar te maken; – sth. on s.o. *iem. iets in de schoenen schuiven.*
pinafore ['pɪnəfɔ:], ↓ **pinny** ['pɪni] ● *(kinder)schort.* 'pinafore dress ● *overgooier.*
'pin-ball ● *flipper(spel).* 'pin-ball machine ⟨AE⟩ ● *flipper(kast).*
pincers ['pɪnsəs] ● *(nijp)tang* ● *schaar* ⟨v. kreeft⟩.
1 pinch [pɪntʃ] ⟨zn⟩ ● *kneep* ● ⟨the⟩ *nood(situatie);* feel the – *de nood voelen* ● *snuifje, klein beetje;* take sth. with a – of salt *iets met een korreltje zout nemen* ‖ at a – *in geval van nood.*
2 pinch I ⟨onov ww⟩ ● *krenterig zijn;* – and save/scrape *krom liggen* **II** ⟨onov en ov ww⟩ ● *knellen;* these shoes – my toes *mijn tenen doen pijn in deze schoenen* **III** ⟨ov ww⟩ ● *knijpen, dichtknijpen, knellen, klemmen;* ⟨fig.⟩ a –ed face *een mager gezicht* ● *verkleumen;* –ed with cold *verkleumd van de kou* ● *karig toemeten, karig zijn met;* be –ed for money *er krap bij zitten* ● ↓ *jatten.*
'pin-cushion ● *speldenkussen.*
1 pine [paɪn] ⟨zn⟩ ● *pijnboom, grove den* ● *vurehout, grenehout, dennehout.*
2 pine ⟨ww⟩ ● *kwijnen, treuren;* – away *wegkwijnen* ● ⟨+after⟩ *smachten (naar);* – to do sth. *ernaar hunkeren iets te doen.*
'pineapple ● *ananas.* 'pinecone ● *denneappel.* 'pine-needle ● *dennenaald.* 'pine-tree ● *pijnboom, grove den.* 'pinewood ● *dennenbos* ● *vurehout, dennehout.*
1 ping [pɪŋ] ⟨zn⟩ ● *ping, kort rinkelend geluid.*
2 ping ⟨ww⟩ ● *rinkelen, een kort tinkelend geluid maken.*
'ping-pong ● *pingpong, tafeltennis.*
'pin-head ● *speldekop* ● ↓ *uilskuiken, sufferd.* 'pin-hole ● *speldeprik, speldegaatje.*
pinion ['pɪnɪən] ● *binden, vastbinden.*
1 pink [pɪŋk] **I** ⟨telb zn⟩ ● *anjelier, anjer* **II** ⟨n-telb zn⟩ ● *roze(rood)* ‖ ↓ in the – *in blakende vorm/gezondheid.*
2 pink ⟨bn⟩ ● *roze;* – elephants *witte muizen, roze olifanten* ⟨dronkemanshallucinaties⟩ ● ⟨sl.⟩ *gematigd links* ‖ ↓ tickled – (with sth.) *bijzonder ingenomen (met iets).*
3 pink I ⟨onov ww⟩ ● *pingelen* ⟨v. motor⟩ ● *roze worden* **II** ⟨ov ww⟩ ● *versieren* ⟨vnl. leder, door perforaties⟩, *met een kartelschaar knippen.*
pinkie, pinky ['pɪŋki] ⟨Sch. E; AE⟩ ● *pink.*
'pinking shears, 'pinking scissors ● *kartelschaar.*
pinkish ['pɪŋkɪʃ] ● *rozeachtig, licht roze.*
pinnacle ['pɪnəkl] ● *pinakel, siertorentje* ●

(berg)top, ⟨fig.⟩ *toppunt*.

pinny zie PINAFORE.

1 'pin-point ⟨zn⟩ ● *speldepunt* ● *stipje*.

2 pin-point ⟨ww⟩ ● *uiterst precies lokaliseren, uiterst nauwkeurig aanduiden/aanwijzen*.

'pin-prick ⟨ook fig.⟩ ● *speldeprik*. **'pin-stripe(d)** ● *met dunne streepjes* ⟨op stof, pak enz.⟩, *krijtstreep*.

pint [paɪnt] ● *pint* ⟨inhoudsmaat⟩ ● ↓ *pint-(je), grote pils*. **pinta** ['paɪntə] ⟨BE; ↓⟩ ● *pint* ⟨melk⟩.

'pin-table ⟨BE⟩ ● *flipperkast*.

'pint-size(d) ● *nietig, klein*.

'pin-up ● *pin-up*, ⟨AZN⟩ *prikkelpop*.

1 pioneer ['paɪə'nɪə] ⟨zn⟩ ● *pionier, voortrekker*.

2 pioneer ⟨ww⟩ ● *pionieren, pionierswerk verrichten (voor), de weg bereiden (voor)*.

pious ['paɪəs] ● *vroom, godvruchtig, devoot* ● *hypocriet* ● *onvervulbaar;* – *hope/wish ijdele hoop/vrome wens*.

1 pip [pɪp] I ⟨telb zn⟩ ● *oogje* ⟨op dobbelsteen e.d.⟩ ● *pit* ⟨v. fruit⟩ ● *b(l)iep, tikje* ⟨tijdsein⟩ ● ⟨BE⟩ *ster* ⟨op uniform⟩ II ⟨ntelb zn⟩ ‖ *she gives me the* – *ze werkt op mijn zenuwen*.

2 pip ⟨ww⟩ ● ⟨sl.⟩ *verslaan;* – *at the post met een neuslengte verslaan*.

1 pipe [paɪp] I ⟨telb zn⟩ ● *pijp, buis, leiding, orgelpijp, tabakspijp* ‖ ↓ *put that in your* – *and smoke it die kun je in je zak steken* II ⟨mv.⟩ ● *doedelzak(ken)*.

2 pipe I ⟨onov en ov ww⟩ ● *pijpen, fluiten, op de doedelzak spelen* ● *piepen* ‖ ↓ – *down zijn mond houden;* ↓ – *up beginnen te spreken* II ⟨ov ww⟩ ● *door buizen leiden/aanvoeren;* – *away door buizen afvoeren* ‖ ⟨ong.⟩ –*d music ingeblikte muziek* ⟨in restaurant enz.⟩.

'pipe cleaner ● *pijperager*. **'pipe dream** ● *droombeeld, luchtkasteel*. **'pipefitter** ● *loodgieter*. **'pipeline** ● *pijpleiding* ‖ *in the* – *onderweg*. **piper** ['paɪpə] ● *fluitspeler, doedelzakspeler* ‖ ⟨sprw.⟩ *he who pays the piper calls the tune wiens brood men eet, diens woord men spreekt*.

pipette [pɪ'pet] ● *pipet*.

1 'piping ['paɪpɪŋ] ⟨zn⟩ ● *pijpleiding, buizennet* ● *het fluitspelen* ● *bies(versiering)*.

2 piping ⟨bn⟩ ● *schril* ⟨stem⟩.

3 piping ⟨bw⟩ ‖ – *hot kokend heet*.

'pip-squeak ⟨sl.⟩ ● *kleine opdonder*.

piquant ['pi:kənt] ● *pikant, prikkelend*.

1 pique [pi:k] ⟨zn⟩ ● *gepikeerdheid, wrevel; in a fit of* – *in een nijdige bui*.

2 pique ⟨ww⟩ ● *kwetsen, pikeren*.

piracy ['paɪərəsi] ● *zeeroverij, piraterij* ⟨ook fig.⟩.

1 pirate ['paɪərət] ⟨zn⟩ ● *piraat* ⟨ook fig.⟩, *zeerover* ● *zeeroversschip*.

2 pirate I ⟨onov ww⟩ ● *aan zeeroverij doen* II ⟨ov ww⟩ ● *plunderen* ● *plagiëren;* –*d edition roofdruk*.

1 pirouette ['pɪru'et] ⟨zn⟩ ● *pirouette*.

2 pirouette ⟨ww⟩ ● *pirouette draaien*.

1 piss [pɪs] ⟨zn⟩ ↓ ● *pis* ‖ *take a* – *een plasje doen;* take the – *out of s.o. iem. voor de gek houden*.

2 piss ⟨ww⟩ ↓ ● *pissen* ‖ ⟨BE⟩ – *about/ around rotzooien;* ⟨BE⟩ *it's* –*ing* (down) *het regent pijpestelen;* ⟨BE⟩ – *off opdonderen; it* –*es me off ik ben het beu/zat*. **pissed** [pɪst] ↓ ● ⟨BE⟩ *bezopen* ● ⟨AE⟩ *kwaad;* be – *off at s.o. woest zijn op iem..*

pistachio [pɪ'sta:ʃɪou] ● *pistache*.

pistil ['pɪstl] ⟨plantk.⟩ ● *stamper*.

pistol ['pɪstl] ● *pistool*.

piston ['pɪstən] ● *zuiger, klep*. **'piston ring** ● *zuigerring*. **'piston rod** ● *zuigerstang*.

1 pit [pɪt] ⟨zn⟩ ● *kuil, put, (kool)mijn-(schacht)* ● *kuiltje, (pok)putje* ● *werkkuil*, ⟨vaak mv.; the⟩ *pit(s)* ⟨op autocircuit⟩ ● *orkestbak*, ⟨BE⟩ *parterre* ⟨theater⟩ ● ⟨AE⟩ *pit, steen* ⟨v. vrucht⟩.

2 pit I ⟨onov ww⟩ ● *kuiltjes/putjes krijgen* II ⟨ov ww⟩ ● *kuiltjes/putjes maken in* ‖ – *one's strength against s.o. zijn krachten met iem. meten*.

1 pitapat ['pɪtə'pæt] ⟨zn⟩ ● *gerikketik, geklop*.

2 pitapat ⟨bw⟩ ● *rikketik, klopklop; his heart went* – *zijn hartje sloeg van rikketik*.

1 pitch [pɪtʃ] ⟨zn⟩ ● *worp* ● *hoogte, top-(punt)*, ⟨muz.⟩ *toon(hoogte)* ● ⟨cricket⟩ *pitch* ● ⟨BE⟩ *sportterrein* ● ↓ *verkoopverhaal* ● ⟨BE⟩ *standplaats, stalletje* ● ⟨bouwk.⟩ *schuinte, helling(shoek)* ⟨v. dak⟩ ● *pek* ● *het stampen* ⟨v. schip⟩.

2 pitch I ⟨onov ww⟩ ● (+down) *(voorover) vallen, neervallen* ● *stampen* ⟨v. schip⟩ ● *afhellen, aflopen* ⟨v. dak⟩ ‖ ↓ – *in(to) aan het werk gaan;* – *in with an offer to help aanbieden om mee te helpen* II ⟨ov ww⟩ ● *opslaan* ⟨tent, kamp⟩ ● *werpen, (op)gooien* ⟨cricket⟩ ‖ –*ed roof schuin dak*.

'pitch-'black ● *pikzwart*. **'pitch-'dark** ● *pikdonker*.

pitcher ['pɪtʃə] ● *grote (aarden) kruik*, ⟨AE⟩ *kan* ● ⟨honkbal⟩ *pitcher, werper*.

'pitchfork ● *hooivork*.

piteous ['pɪtɪəs] ● *beklagenswaardig, meelijwekkend*.

'pitfall ● *valkuil*, ⟨fig.⟩ *valstrik*.

pith [pɪθ] ● *merg* ● *geestkracht* ‖ *the* – ⟨and

marrow) of the matter *de kern v.d. zaak.*
'**pithead** ● *mijningang.*
pithy ['pɪθi] ● *pittig, krachtig.*
pitiable ['pɪtɪəbl] ● *beklagenswaardig, zielig* ● *armzalig.* **pitiful** ['pɪtɪfl] ● *beklagenswaardig, zielig* ● *armzalig.* **pitiless** ['pɪtɪləs] ● *meedogenloos.*
pitman ['pɪtmən] ● *kolenmijnwerker.*
pittance ['pɪtns] ● *hongerloon;* a mere – *een bedroevend klein beetje.*
pitter-patter zie PITAPAT.
1 pity [pɪti] ⟨zn⟩ ● *medelijden;* have/take – on s.o. *medelijden hebben met iem.* ‖ it is a great – *het is erg jammer;* what a –! *wat jammer!;* ↓ more's the – *jammer genoeg.*
2 pity ⟨ww⟩ ● *medelijden hebben met;* she is much to be pitied *zij is zeer te beklagen.* **pitying** ['pɪtɪɪŋ] ● *vol medelijden, medelijdend.*
1 pivot ['pɪvət] ⟨zn⟩ ● *spil* ⟨ook mil., sport⟩, *draaipunt,* ⟨fig.⟩ *centrale figuur.*
2 pivot ⟨ww⟩ ● *om een spil draaien,* ⟨fig.⟩ *draaien;* – (up)on sth. *om iets draaien.* **pivotal** ['pɪvətl] ● *als spil dienend, spil-* ● *centraal;* – question *cruciale vraag.*
pixie, pixy ['pɪksi] ● *fee, elf.*
pizza ['piːtsə] ● *pizza.* '**pizza parlor** ● *pizzeria.*
placard ['plækɑːd] ● *plakkaat, aanplakbiljet,* ⟨ihb.⟩ *protestbord.*
placate [plə'keɪt] ● *tot bedaren brengen, gunstig stemmen.* **placatory** ['plækətri, plə'keɪ-] ● *verzoenend, verzoenings-.*
1 place [pleɪs] **I** ⟨telb zn⟩ ● *(woon)plaats,* ↓ *woning, plein* ⟨in straatnamen P-⟩; – in the country *landgoed; huis op het platteland;* come round to my – *some time kom eens (bij mij) langs* ● *gelegenheid* ⟨café e.d.⟩; – of worship *kerk, kapel* ● *passage* ⟨in boek⟩ ● *positie;* know one's – *zijn plaats weten* ● *(staats)betrekking, ambt* ● *taak, functie* ‖ ⟨sprw.⟩ there's no place like home *zoals het klokje thuis tikt, tikt het nergens* **II** ⟨telb en n-telb zn⟩ ● *plaats, ruimte;* change –s with s.o. *met iem. van plaats verwisselen;* fall into – *duidelijk zijn;* ↓ go –s *op reis gaan;* ⟨fig.⟩ *het ver brengen;* put s.o. in his (proper) – *iem. op zijn plaats zetten;* ⟨fig.⟩ take – *plaatsvinden;* ⟨fig.⟩ take s.o.'s – *iemands plaats innemen;* take your –s *neem uw plaatsen in;* in –s *hier en daar;* ↓ all over the – *overal (rondslingerend);* ⟨fig.⟩ out of – *misplaatst; niet passend;* ⟨fig.⟩ in the first – *in de eerste plaats* ‖ ⟨sprw.⟩ a place for everything and everything in its place ± *opgeruimd staat netjes.*

2 place I ⟨onov ww⟩ ● *zich plaatsen, bij de eerste drie eindigen* **II** ⟨ov ww⟩ ● *plaatsen, zetten;* ⟨fig.⟩ – importance on sth. *belang hechten aan iets;* – an order for goods *goederen bestellen;* – a telephone-call *een telefoongesprek aanvragen;* ⟨fig.⟩ she's differently –d *met haar is het anders gesteld* ● *aanstellen, een betrekking geven* ● *beleggen* ⟨geld⟩ ● *thuisbrengen, identificeren.*
placebo [plə'siːbou] ● *placebo, schijnpil.*
'**place card** ● *tafelkaartje.* '**place-mat** ● *placemat, onderleggertje.* **placement** ['pleɪsmənt] ● *plaatsing.* '**place-setting** ● *couvert.*
placid ['plæsɪd] ● *vreedzaam, kalm.*
plagiarism ['pleɪdʒərɪzm] ● *plagiaat.* **plagiarist** ['pleɪdʒərɪst] ● *plagiaris, plagiator.* **plagiarize** ['pleɪdʒəraɪz] ● *plagiëren, plagiaat plegen.*
1 plague [pleɪg] ⟨zn⟩ ● *plaag* ● *pest;* ⟨fig.⟩ avoid s.o./sth. like the – *iem./iets schuwen als de pest;* the – *de builenpest.*
2 plague ⟨ww⟩ ● *teisteren, treffen* ● ↓ ⟨+with⟩ *lastig vallen (met).*
plaice [pleɪs] ● *schol.*
1 plaid [plæd] ⟨zn⟩ ● *plaid.*
2 plaid ⟨bn⟩ ● *plaid-, met Schots patroon.*
1 plain [pleɪn] ⟨zn; vaak mv. met enk. bet.⟩ ● *vlakte, prairie* ● ⟨breien⟩ *rechte steek.*
2 plain I ⟨bn, attr en pred⟩ ● *duidelijk;* in – English/language/terms *in duidelijke taal* ● *simpel, puur* ⟨water, whisky e.d.⟩, *weinig attractief* ⟨meisje⟩, *ongelijnd* ⟨papier⟩; – chocolate *pure chocola;* in – clothes *in burger(kleren);* – flour *bloem* ⟨zonder bakpoeder⟩ ● *ronduit, oprecht;* be – with s.o. *iem. onomwonden de waarheid zeggen* ● *vlak, effen* ● *recht* ⟨breisteek⟩; ⟨breien⟩ – stitch *rechte steek* ‖ it was – sailing all the way *het liep allemaal v.e. leien dakje* **II** ⟨bn, attr⟩ ● *volslagen* ⟨onzin⟩; it's – foolishness *het is je reinste dwaasheid.*
3 plain ⟨bw⟩ ↓ ● *duidelijk* ● *ronduit* ● *volslagen.* '**plainclothes** ● *in burger(kleren).* **plainclothesman** [pleɪn'klouðzmən] ● *politieman in burger, rechercheur.* **plainly** ['pleɪnli] ● *zie* PLAIN ● *ronduit;* speak – *ronduit spreken* ● *zonder meer;* it is – clear *het is zonder meer duidelijk.* '**plain'spoken** ● *openhartig.*
plaintiff ['pleɪntɪf] ⟨jur.⟩ ● *aanklager, eiser.*
plaintive ['pleɪntɪv] ● *klagend.*
1 plait [plæt] ⟨zn⟩ ● *vlecht.*
2 plait ⟨ww⟩ ● *vlechten.*
1 plan [plæn] ⟨zn⟩ ● *plan* ● *plattegrond* ● *ontwerp;* – of action/campaign *plan de*

campagne ●〈vaak mv.〉〈tech.〉 *schema.*

2 plan I 〈onov ww〉 ●*plannen maken;* he hadn't –ned for/on so many guests *hij had zoveel gasten niet voorzien;* ↓ – on doing sth. *er op rekenen iets te (kunnen) doen* II 〈ov ww〉 ●*in kaart brengen, schetsen, ontwerpen* ●*plannen, van plan zijn;* he had it all –ned out *hij had alles tot in de details geregeld.*

1 plane [pleɪn] 〈zn〉 ●〈ook: 'plane tree〉 *plataan* ●*schaaf* ●*vlak* ●*niveau, plan* 〈alleen fig.〉 ●*vliegtuig.*

2 plane 〈bn〉 ●*vlak, plat;* – geometry *vlakke meetkunde.*

3 plane I 〈onov ww〉 ●*glijden, zweven* II 〈onov en ov ww〉 ●*schaven.*

'**plane crash** ●*vliegtuigongeluk.*

planet ['plænɪt] ●*planeet.* **planetarium** ['plænɪ'teərɪəm] ●*planetarium.* **planetary** ['plænɪtri] ●*planetair, planeet-.*

plank [plæŋk] ●*(zware) plank.* **planking** ['plæŋkɪŋ] ●*planken vloer, planken.*

plankton ['plæŋktən] ●*plankton.*

planner ['plænə] ●*ontwerper.* **planning** ['plænɪŋ] ●*planning, ordening.* '**planning permission** 〈BE〉 ●*bouwvergunning.*

1 plant [plɑːnt] 〈zn〉 ●*plant, gewas* ●*fabriek, bedrijf,* 〈elek.〉 *centrale* ●*machinerie, installatie* ●↓ *stille, infiltrant* ●*ondergeschoven bewijsstuk* ●〈sl.〉 *vals bewijsmateriaal.*

2 plant 〈ww〉 ●*planten, poten* 〈ook vis〉 ●*(met kracht) neerzetten* 〈voeten〉, *plaatsen* 〈bom〉, *posteren* 〈spion〉 ●*zaaien* 〈alleen fig.〉 ●〈sl.〉 *onderschuiven, verbergen* 〈gestolen goederen〉, *laten opdraaien voor;* – false evidence *vals bewijsmateriaal onderschuiven.*

plantain ['plæntɪn] ●*weegbree.*

plantation [plæn'teɪʃn, plɑː'n-] ●*beplanting, aanplant* ●*plantage.* **planter** ['plɑːntə] ●*planter, plantagebezitter* ●*plantmachine* ●〈AE〉 *bloembak/pot.*

plaque [plɑːk] ●*plaque, plaat, gedenkplaat* ●*tandaanslag, plaque.*

plasma ['plæzmə] ●*plasma.*

1 plaster ['plɑːstə] 〈zn〉 ●〈BE〉 *(hecht)pleister* ●*pleister(kalk)* ●*gips;* – of Paris *(gebrande) gips.*

2 plaster 〈ww〉 ●*pleisteren, bepleisteren, bedekken;* – make-up on one's face *zich zwaar schminken;* – over/up *dichtpleisteren* ●〈fig.〉 *beladen.* '**plasterboard** ●*gipsplaat.* '**plaster 'cast** ●*gipsmodel* ●*gipsverband.* **plastered** ['plɑːstəd] 〈sl.; scherts.〉 ●*lazarus.* **plasterer** ['plɑːstrə] ●*stukadoor.*

1 plastic ['plæstɪk] 〈zn〉 ●*plastic, kunststof.*

2 plastic I 〈bn, attr en pred〉 ●*plastisch, kneedbaar;* – explosive, 〈vnl. AE〉 – bomb *kneedbom, plasticbom* ●*plastic* ●〈ong.〉 *kunstmatig* II 〈bn, attr〉 ●*plastisch, beeldend;* – surgery *plastische chirurgie.* **plasticity** [plæ'stɪsəti] ●*plasticiteit, kneedbaarheid.*

1 plate [pleɪt] 〈zn〉 ●*plaat(je), naambordje, etsplaat,* 〈geol.〉 *aardkorstlaag,* 〈foto.〉 *plaat* ●*bord, bordvol;* clean/empty one's – *z'n bord leeg eten* ●*collecteschaal* ●*gebitplaat, tandprothese* ●〈honkbal〉 *plaat* ●〈BE〉 *zilveren/gouden bestek, verzilverd/verguld bestek, pleet* ●〈mv.〉 *nummerborden* 〈v. auto〉 ‖↓ *give s.o. sth. on a* – *iem. iets in de schoot werpen;* ↓ *have enough/a lot on one's* – *genoeg om handen hebben.*

2 plate 〈ww〉 ●*pantseren* 〈schip〉 ●*plateren, vergulden, verzilveren;* –d ware *pleetwerk.*

plateau ['plætoʊ] 〈mv.: ook plateaux〉 ●*tafelland,* 〈fig. ook〉 *stilstand* 〈in groei〉.

plateful ['pleɪtfʊl] ●*bordvol.* '**plate 'glass** ●*spiegelglas.* '**plate-rack** 〈BE〉 ●*(af)druiprek.*

platform ['plætfɔːm] ●*platform* ●*podium* ●〈vnl. BE; the〉 *balkon* 〈v. bus, tram〉 ●〈BE〉 *perron* ●*partijprogram.* '**platform ticket** ●*perronkaartje.*

plating ['pleɪtɪŋ] ●*laagje zilver/goud, verguldsel* ●*pantsering.*

platinum ['plætɪnəm] ●*platina.* '**platinum 'blonde** ↓ ●*blondine.*

platitude ['plætɪtjuːd] ●*gemeenplaats.*

platonic [plə'tɒnɪk] ●*platonisch.*

platoon [plə'tuːn] ●*peloton.*

platter ['plætə] ●*platte schotel.*

plausible ['plɔːzəbl] ●*plausibel, aannemelijk* ●*bedrieglijk overtuigend.*

1 play [pleɪ] 〈zn〉 ●*toneelstuk* ●*spel;* – (up) on words *woordspeling;* allow/give full/free – to sth. *iets vrij spel laten;* children at – *spelende kinderen;* there's too much – in the rope *het touw heeft te veel speling* ●*actie, beweging;* in full – *in volle gang;* bring/call into – *erbij betrekken;* come into – *mee gaan spelen* ‖ make a – for sth. *iets proberen te krijgen;* zie ook 〈sprw.〉 WORK.

2 play I 〈onov ww〉 ●*spelen;* a smile –ed on her lips *een glimlach speelde om haar lippen;* – dead *doen alsof men dood is;* – at soldiers/hide-and-seek *soldaatje/verstoppertje spelen;* 〈fig.〉 – at sth. *iets niet ernstig nemen* ●*werken, spuiten* 〈fontein〉 ●*glinsteren* 〈licht〉 ●*zich laten spelen* 〈toneelstuk〉 ●〈tech.〉 *zich vrij bewegen,*

speelruimte hebben ‖ – about/around
stoeien; ⟨sl.⟩ *aanklooien;* – about/around
with s.o. *iem. voor de gek houden;* ⟨ong.⟩
zich afgeven met iem.; ↓ what on earth are
you –ing at? *wat heeft dit allemaal te betekenen?;* – (up)on s.o.'s feelings *op iemands gevoelens werken;* zie ook
⟨sprw.⟩ CAT; zie PLAY OFF, PLAY UP ‖ ⟨ov
ww⟩ •*spelen, bespelen, opvoeren* ⟨to-
neelstuk⟩, *afdraaien* ⟨grammofoon-
plaat⟩; ⟨sport⟩ – the ball, not the man *op
de bal spelen, niet op de man;* ⟨fig.⟩ –
God *voor God spelen;* – back a tape *een
band afspelen/weergeven* •*richten, spuiten* ⟨water⟩ •*uitvoeren, uithalen* ⟨grap⟩;
– s.o. a (mean/dirty) trick *iem. een (lelijke)
poets bakken* •*verwedden;* he –ed his last
dollar *hij zette zijn laatste dollar in* •
⟨sport⟩ *opstellen* ⟨speler⟩ ‖ – the market
speculeren; – sth. down *iets bagatelliseren;* zie PLAY OFF, PLAY OUT, PLAY UP. **play-
able** ['pleɪəbl] •*bespeelbaar* •⟨sport⟩ *te
maken* ⟨v. bal in cricket⟩. '**play-act** •*doen
alsof, toneelspelen.* '**playback** •*opname
op tape* •*weergavetoets.* '**playbill** •*affiche* ⟨voor theatervoorstelling⟩. '**playboy**
•*playboy.* **player** ['pleɪə] •*speler.* **playful**
['pleɪfl] •*speels, vrolijk.* **playgoer** ['ple-
ɪɡoʊə] •*schouwburgbezoeker.* '**play-
ground** •*speelplaats,* ⟨fig.⟩ *geliefkoosd
recreatiegebied.* '**playgroup** •*peuterklas-
je* ⟨niet officieel georganiseerd⟩. '**play-
house** •*schouwburg* •*poppenhuis.*
'**playing card** •*speelkaart.* '**playing field** •
sportveld. '**playmaker** ⟨sport⟩ •*spelma-
ker, spelverdeler.* '**playmate** •*speelka-
meraad* •*pin-up.* '**play 'off** I ⟨onov ww⟩
⟨sport⟩ •*de beslissingsmatch spelen* ‖
⟨ov ww⟩ •*uitspelen;* he played his parents off (against each other) *hij speelde
zijn ouders tegen elkaar uit.* '**play-off**
⟨sport⟩ •*beslissingsmatch.* '**play 'out** •
beëindigen ⟨spel; ook fig.⟩ •*helemaal uitspelen* •*uitbeelden* ‖ played out *afgedaan; uitgeput.* '**playpen** •*box* ⟨voor kleine kinderen⟩. '**playroom** •*speelkamer.*
'**plaything** •*stuk speelgoed,* ⟨fig.⟩ *speelbal.* '**playtime** •*speelkwartier.* **play up** I
⟨onov ww⟩ ‖ – to s.o. *iem. naar de mond
praten* ‖ ⟨onov en ov ww⟩ •*last bezorgen;*
my leg is playing up again *ik heb weer last
van mijn been;* ↓ this played up with our
plans *dit stuurde onze plannen in de war*
‖‖ ⟨ov ww⟩ •*benadrukken.* '**playwright** •
toneelschrijver.
plaza ['plɑːzə] •*(markt)plein.*
plea [pliː] •*verontschuldiging;* on/under the
– of *onder voorwendsel van* •*smeekbede*

•⟨jur.⟩ *verweer, pleidooi.*
plead [pliːd] ⟨ook pled, pled [pled]⟩ I ⟨onov
ww⟩ •*pleiten, zich verdedigen;* – guilty/
not guilty *schuld bekennen/ontkennen* •
smeken; – with s.o. for sth./to do sth. *iem.
dringend verzoeken iets te doen* ‖ ⟨ov
ww⟩ •*bepleiten* •*aanvoeren* ⟨als verdedi-
ging/verontschuldiging⟩; – ignorance *onwetendheid voorwenden.*   **pleading**
['pliːdɪŋ] •*pleidooi, betoog.*
pleasant ['plezənt] •*aangenaam;* – room
prettige/gezellige kamer •*aardig.* **pleas-
antry** ['plezntri] •*grap(je), aardigheid-
(je).*
1 please [pliːz] ⟨ww⟩ •*behagen, tevredenstellen;* she's hard to – *het is haar moeilijk
naar de zin te maken* •*believen, wensen;*
do as you –! *doe zoals je wilt!;* – yourself!
ga je gang!; ↑ if you – *als u mij toestaat;*
⟨iron.⟩ *waarachtig* ‖ zie ook ⟨sprw.⟩ LIT-
TLE.
2 please ⟨tw⟩ •⟨excuus⟩ *alstublieft;* may I
come in, –? *mag ik alstublieft binnenkomen?* •⟨verzoek⟩ *alstublieft, wees zo
goed;* do come in, –! *komt u toch binnen,
alstublieft!* •*graag (dank u);* 'A beer?'
'Yes, –' *'Een biertje?' 'Ja, graag'.* **pleased**
[pliːzd] •*tevreden, blij;* he was – as Punch
hij was de koning te rijk.
pleasing ['pliːzɪŋ] •*aangenaam, innemend.*
pleasurable ['pleʒrəbl] •*genoeglijk, aangenaam.*   **pleasure** ['pleʒə] •*genoegen,
plezier;* take (a) – in sth. *plezier hebben in
iets;* the – is ours *het is ons een genoegen;* with – *met genoegen, graag* • ↑ *believen, goeddunken.* '**pleasure-ground** •
lusthof, park. '**pleasure-trip** •*plezier-
tochtje.*
1 pleat [pliːt] ⟨zn⟩ •*platte plooi, vouw.*
2 pleat ⟨ww⟩ •*plooien;* –ed skirt *plooirok.*
pleb [pleb] ⟨↓; ong.⟩ •*plebejer.* **plebeian**
[plɪ'biːən] ⟨ong.⟩ •⟨bn⟩ *plebejisch, prole-
terig* •⟨zn⟩ *plebejer, proleet.*
pled [pled] ⟨verl. t. en volt. deelw.⟩ zie PLEAD.
1 pledge [pledʒ] ⟨zn⟩ •*pand, onderpand,*
⟨fig.⟩ *liefdepand* •*plechtige belofte, gelofte.*
2 pledge ⟨ww⟩ •*verpanden, belenen* •*een
toost uitbrengen op* •*plechtig beloven,
(ver)binden;* – o.s. *zich (op erewoord) verbinden.*
plenary ['pliːnəri, 'plenəri] •*volkomen;* with
– powers *met volmacht(en)* •*plenair;* –
session *plenaire zitting.*
plenipotentiary ['plenɪpə'tenʃəri] ⟨pol.⟩ •
⟨bn⟩ *gevolmachtigd* •⟨zn⟩ *gevolmachtigde.*
plenitude ['plenɪtjuːd] •*overvloed.*

plentiful ['plentɪfl] ● *overvloedig.*
1 plenty ['plentɪ] ⟨zn⟩ ● *overvloed.*
2 plenty ⟨bn⟩ ↓ ● *overvloedig, genoeg.*
3 plenty ⟨bw⟩ ↓ ● *ruimschoots;* – big enough
meer dan groot genoeg ● ⟨AE⟩ *zeer.*
pleonasm ['pliːənæzm] ● *pleonasme.* **pleonastic** [pliːə'næstɪk] ● *pleonastisch.*
pleurisy ['plʊərɪsi] ● *pleuritis, borstvliesontsteking.*
pliable ['plaɪəbl] ● *buigzaam, plooibaar,* ⟨fig.⟩ *gedwee.* **pliant** ['plaɪənt] ● *buigzaam, soepel,* ⟨fig.⟩ *gedwee.*
pliers ['plaɪəz] ● *buigtang, combinatietang.*
plight [plaɪt] ● *(benarde) toestand.*
plimsol(l) ['plɪmsl] ⟨BE⟩ ● *gymschoen, gympje.*
plinth [plɪnθ] ⟨bouwk.⟩ ● *plint, voetstuk, sokkel.*
plod [plɒd] I ⟨onov ww⟩ ● *ploeteren, zwoegen;* – away/along at one's work all night *de hele nacht door zwoegen* II ⟨ov ww⟩ ● *afsjokken.* **plodder** ['plɒdə] ● *ploeteraar.* **plodding** ['plɒdɪŋ] ● *moeizaam, onverdroten.*
1 plonk [plɒŋk] I ⟨telb zn⟩ ● zie PLUNK II ⟨ntelb zn⟩ ↓ ● *goedkope wijn.*
2 plonk zie PLUNK.
1 plop [plɒp] ⟨zn⟩ ● *plons, plof* ⟨in water⟩.
2 plop ⟨ww⟩ ● *(laten) plonzen/ploffen;* she –ped into the chair *ze liet zich in de stoel neervallen.*
3 plop ⟨bw⟩ ● *met een plons/plof.*
1 plot [plɒt] ⟨zn⟩ ● *stuk(je) grond, perceel* ● *intrige, plot* ⟨v. toneelstuk, roman⟩, *komplot.*
2 plot I ⟨onov ww⟩ ● *samenzweren, intrigeren, plannen smeden* II ⟨ov ww⟩ ● *in kaart brengen, intekenen, uitzetten* ⟨grafiek, diagram⟩ ● ⟨ook +out⟩ *in percelen indelen* ⟨land⟩ ● *beramen, smeden* ⟨komplot⟩. **plotter** ['plɒtə] ● *samenzweerder.*
1 plough, ⟨AE sp.⟩ **plow** [plaʊ] ⟨zn⟩ ● *ploeg.*
2 plough, ⟨AE sp.⟩ **plow** I ⟨onov ww⟩ ● *ploegen,* ⟨fig.⟩ *ploeteren, zwoegen* II ⟨ov ww⟩ ● *ploegen, omploegen;* ⟨fig.⟩ – one's way through sth. *zich (moeizaam) een weg banen door iets* ‖ – back profits into equipment *winsten in apparatuur investeren.*
ploughman ['plaʊmən] ● *ploeger.* **'ploughman's** '**lunch,** ↓ '**ploughman's** ⟨BE⟩ ● *boerenlunch* ⟨brood- en kaasmaaltijd met bier⟩. '**ploughshare** ● *ploegschaar.*
plover ['plʌvə] ⟨dierk.⟩ ● *plevier.*
plow zie PLOUGH.
ploy [plɔɪ] ↓ ● *truc(je), list.*
1 pluck [plʌk] ⟨zn⟩ ● *moed, lef.*

2 pluck I ⟨onov ww⟩ ● ⟨+at⟩ *rukken (aan), trekken (aan)* ● *tokkelen* II ⟨ov ww⟩ ● *plukken* ⟨kip e.d.; ook bloemen⟩, *trekken* ● *betokkelen.*
plucky ['plʌki] ● *dapper, moedig.*
1 plug [plʌg] ⟨zn⟩ ● *stop, prop, pen* ● *stekker, plug* ● ↓ *reclame, gunstige publiciteit* ⟨op radio, t.v.⟩.
2 plug ⟨ww⟩ ● ⟨ook +up⟩ *(op)vullen, dichtstoppen, plomberen* ● ⟨sl.⟩ *neerknallen* ● ↓ *pluggen, reclame maken voor* ⟨op radio, t.v.⟩, *voortdurend draaien* ⟨grammofoonplaten⟩ ‖ – in *aansluiten, de stekker insteken.* **plug away** ● ⟨+at⟩ *doorzwoegen/ploeteren (aan).* '**plughole** ⟨BE⟩ ● *gootsteengat.*
plum [plʌm] ● *pruim* ● *donkerrood/paars* ● ↓ *iets heel goeds/begerenswaardigs, het neusje van de zalm;* this job is a – *het is een moordbaan.*
plumage ['pluːmɪdʒ] ● *veren(kleed)* ⟨v. vogel⟩.
1 plumb [plʌm] ⟨zn⟩ ● *(loodje v.) schietlood, paslood;* off/out of – *niet loodrecht.*
2 plumb ⟨bn⟩ ● *loodrecht;* – nonsense *je reinste onzin* ● ⟨AE; ↓⟩ *uiterst, absoluut.*
3 plumb ⟨ww⟩ ● *loden, peilen met dieplood* ● *(trachten te) doorgronden, peilen.*
4 plumb ⟨bw⟩ ● *loodrecht;* – in the middle *precies in het midden* ● ⟨AE; ↓⟩ *volkomen, compleet;* – crazy *volslagen gek.*
plumber ['plʌmə] ● *loodgieter.* **plumbing** ['plʌmɪŋ] ● *loodgieterswerk, (het aanleggen v.e.) systeem v. afvoerbuizen.* '**plumb line** ● *loodlijn.*
'**plumcake** ⟨vnl. BE⟩ ● *rozijnencake, krentencake.*
1 plume [pluːm] ⟨zn⟩ ● ⟨vaak mv.⟩ *pluim, vederbos* ● *pluim, sliert;* a – of smoke *een rookpluim.*
2 plume ⟨ww⟩ ‖ – o.s. on *trots zijn op.*
plummet ['plʌmɪt] ● ⟨vaak +down⟩ *pijlsnel vallen/zakken, in/neerstorten.*
plummy ['plʌmi] ● *(zeer) goed, fantastisch;* a – job *een vet baantje* ● *vol* ⟨vnl. v. stem⟩, ⟨ihb.⟩ *geaffecteerd.*
1 plump [plʌmp] ⟨zn⟩ ● *smak, (harde) plof.*
2 plump ⟨bn⟩ ● *stevig* ⟨vaak euf.⟩, *rond, mollig.*
plump down I ⟨onov ww⟩ ● *neerploffen* II ⟨ov ww⟩ ● *neerploffen/kwakken.* '**plump for** ⟨BE⟩ ● *(overtuigd) kiezen voor, stemmen op.*
1 plunder ['plʌndə] ⟨zn⟩ ● *plundering, roof* ● *buit.*
2 plunder ⟨ww⟩ ● *(be)roven, plunderen.* **plunderer** ['plʌndərə] ● *plunderaar.*
1 plunge [plʌndʒ] ⟨zn⟩ ● *duik, sprong* ‖ take

the – *de knoop doorhakken, de sprong wagen.*
2 **plunge I** ⟨onov ww⟩ ● *zich werpen, duiken, zich storten* ● *(plotseling) neergaan, dalen;* a plunging neckline *een diep uitgesneden hals;* house prices have –d *de prijzen v.d. huizen zijn gekelderd* **II** ⟨ov ww⟩ ● *werpen, (onder)dompelen, storten;* be –d in thought *in gedachten verzonken zijn;* he was –d into grief *hij werd door verdriet overmand.* **plunger** ['plʌndʒə] ● *(gootsteen/afvoer)ontstopper.*
1 **plunk** [plʌŋk], **plonk** [plɒŋk] ⟨zn⟩ ● ↓ *plof, (harde) klap.*
2 **plunk, plonk** ⟨ww⟩ ↓ *tokkelen, tingelen (op)* ● *neerploffen, luidruchtig (laten) vallen;* – down *neersmijten.*
3 **plunk, plonk** ⟨bw⟩ ● *met een plof/klap* ● *precies;* – in the middle *precies in het midden.*
plural ['pluərəl] ⟨taal.⟩ ● ⟨bn⟩ *meervoudig, meervouds-* ● ⟨zn⟩ *meervoud(svorm).*
pluralism ['pluərəlɪzm] ⟨pol., fil.⟩ *pluralisme.* **pluralist, pluralistic** ['pluərə'lɪstɪk] ● ⟨fil., pol.⟩ *pluralistisch.*
plurality [plu'ræləti] ● *meervoudigheid* ● ⟨vnl. AE⟩ *grootste aantal stemmen* ⟨maar geen absolute meerderheid⟩.
1 **plus** [plʌs] ⟨zn⟩ ● *plusteken* ● ↓ *plus(punt).*
2 **plus** ⟨bn⟩ ● *extra;* a – benefit *een extra/bijkomend voordeel* ● ⟨wisk.⟩ ⟨elek.⟩ *positief* ● *minimaal, meer/ouder dan;* she's got beauty – *ze is meer dan knap;* twelve – *minimaal twaalf jaar/twaalf of ouder.*
3 **plus** [plʌs] ⟨vz⟩ ● *plus, (vermeerderd) met;* – six (degrees centigrade) *zes graden boven nul.*
plush [plʌʃ] ● ⟨bn⟩ ↓ *sjiek* ● ⟨zn⟩ *pluche.* **plushy** ['plʌʃi] ● ↓ *sjiek.*
'**plus sign** ● *plus(teken), het symbool +.*
plutocracy [plu'tɒkrəsi] ● *plutocratie.* **plutocratic** ['plu:tə'krætɪk] ● *plutocratisch.*
1 **ply** [plaɪ] ⟨zn⟩ ● ⟨vaak in samenstellingen⟩ *laag* ⟨v. hout of dubbele stof⟩; three-ply wood *triplex* ● *streng/draad* ⟨v. touw, wol⟩; what – is this wool? *hoeveel draads wol is dit?.*
2 **ply I** ⟨onov ww⟩ ● ⟨+between⟩ *een bep. route regelmatig afleggen* ⟨v. bus, schip e.d.⟩, *geregeld heen en weer rijden/varen (tussen)* ‖ – for hire *passagiers opzoeken* ⟨v. taxi⟩ **II** ⟨ov ww⟩ ● ↑ *beoefenen, (hard) werken aan;* he has plied this trade for 20 years *hij beoefent dit vak al 20 jaar* ● *geregeld bevaren.* '**ply with** ● *(voortdurend) volstoppen met* ⟨voedsel, drank⟩ ‖ they plied the M.P. with questions *ze bestookten het kamerlid met vragen.*

'**plywood** ● *gelaagd hout, triplex, multiplex.*
p.m. ⟨afk.⟩ *post meridiem* ● *p.m., 's middags.*
pneumatic [nju:'mætɪk] ● *pneumatisch, lucht(druk)-;* – drill *lucht(druk)boor;* – tyre *luchtband.*
pneumonia [nju:'moʊniə] ● *longontsteking.*
poach [poʊtʃ] **I** ⟨onov ww⟩ ● *stropen;* – on s.o.'s preserve(s) *zich op andermans gebied begeven;* ⟨fig.⟩ *aan iemands bezit/zaken/werk komen* **II** ⟨ov ww⟩ ● *pocheren* ⟨ei, vis⟩ ● *stropen* ⟨wild, vis⟩ ● *afpakken.*
poacher ['poʊtʃə] ● *stroper.*
P'O Box ⟨afk.⟩ *Post Office Box* ‖ ● *postbus.*
pochard ['poʊtʃəd] ⟨mv.: ook pochard⟩ ⟨dierk.⟩ ● *tafeleend.*
pock [pɒk] ● *pok.*
pocked zie POCKMARKED.
1 **pocket** ['pɒkɪt] ⟨zn⟩ ● *zak* ⟨in kleding; ook bij biljart⟩ ● *(opberg)vak, voorvakje, map* ● *portemonnee;* my – cannot take this *mijn financiële situatie laat dit niet toe* ● *klein(e) afgesloten groep/gebied,* ⟨mil.⟩ *haard* ● ⟨vaak attr⟩ *zakformaat* ‖ have s.o. in one's – *iem. volledig in zijn macht hebben;* line one's –s *zijn zakken vullen;* I was twenty dollars out of – *after gambling ik ben twintig dollar kwijtgeraakt met gokken.*
2 **pocket** ⟨ww⟩ ● *in zijn zak steken,* ⟨ihb.⟩ *in eigen zak steken* ● *in de zak stoten* ⟨biljartbal⟩ ● ⟨pol.⟩ *dwarsbomen* ⟨wetsontwerp⟩ ‖ he had to – that insult *hij moest die belediging slikken.*
'**pocketbook** ● *zakboekje, notitieboekje* ● *portefeuille* ● ⟨AE⟩ *pocket(boek)* ● ⟨AE⟩ *(dames)handtas,* ⟨ihb.⟩ *enveloptas.*
'**pocket 'calculator** ● *zakrekenmachientje.*
'**pocket 'camera** ● *pocketcamera.* **pocketful** ['pɒkɪtfʊl] ● *zak vol* ⟨ook fig.⟩, *heel veel.* '**pocket 'handkerchief** ● *zakdoek* ● ⟨vaak attr⟩ *heel klein stukje;* a – garden *een piepklein tuintje.* '**pocketknife** ● *zakmes.* '**pocket money** ● *zakgeld.*
pockmark ['pɒkmɑ:k] ● *pokput* ● *put, gat, holte.* '**pockmarked, pocked** [pɒkt] ● *pokdalig* ● *vol gaten.*
1 **pod** [pɒd] ⟨zn⟩ ● *peul(eschil), (peul)dop* ● ⟨luchtv.⟩ *gondel, houder, magazijn* ⟨ruimte voor brandstof onder vliegtuigvleugel⟩.
2 **pod** ⟨ww⟩ ● *doppen.*
podgy ['pɒdʒi] ● *rond, klein en dik, propperig.*
podium ['poʊdiəm] ⟨mv.: ook podia ['poʊdiə]⟩ ● *podium.*
poem ['poʊɪm] ● *gedicht.* **poet** ['poʊɪt] ● *dichter.* **poetic(al)** [poʊ'etɪk(l)] ● *dichter-*

lijk, poëtisch; poetic licence *dichterlijke vrijheid* ‖ poetic justice *perfecte rechtvaardigheid.* **poetry** ['pouɪtri] ●*poëzie, dichtkunst.*

pogrom ['pɒgrəm] ●*pogrom, (joden)vervolging.*

poignancy ['pɔɪn(j)ənsi] ●*ontroering, gevoeligheid.* **poignant** ['pɔɪn(j)ənt] ● *scherp* ⟨v. smaak, gevoelens⟩, *schrijnend* ●*aangrijpend, ontroerend.*

1 point [pɔɪnt] ⟨zn⟩ ●*punt, stip,* ⟨rekenkunde⟩ *decimaalteken, komma* ●*(waarderings)punt, cijfer;* lose on –s *op punten verliezen;* score a –/–s off/over s.o. *het van iem. winnen* ⟨in woordenstrijd⟩; *iem. v.* repliek dienen ●*(puntig) uiteinde, (land)punt, uitsteeksel;* the ballet dancer was on her –s *de balletdanseres danste op haar spitsen;* at the – of a gun/at gun *– onder bedreiging v.e. geweer* ●*punt, kwestie; –* of honour *erezaak;* – of order *punt v. orde;* the main – *de hoofdzaak* ●*karakteristiek, eigenschap;* that's his strong – *dat is zijn sterke kant* ●*zin, bedoeling;* get/see the – of sth. *iets snappen* ●*(kompas)streek* ● *punt* ⟨precieze plaats/tijd/toestand etc.⟩, ⟨bij uitbr.⟩ *kern, essentie; –* of departure *punt/tijdstip v. vertrek;* the – of the joke *de clou v.d. grap; –* of view *standpunt;* when it came to the – *toen puntje bij paaltje kwam;* come/get to the – *ter zake komen;* you have a – *there daar heb je gelijk in;* I always make a – of being in time *ik zorg er altijd voor op tijd te zijn;* at the – of death *op het randje v.d. dood;* that's beside the *– dat heeft er niets mee te maken;* off the – *niet ter zake, niet relevant;* that's (not) to the *– dat is (ir)relevant;* up to a (certain) *– tot op zekere hoogte* ●⟨mv.⟩ ⟨BE; spoorwegen⟩ *wissel* ●⟨vnl. BE⟩ *stopcontact* ‖ in – of fact *in werkelijkheid;* stretch a – *ergens over uitweiden; overdrijven.*

2 point I ⟨onov ww⟩ ●⟨+at, towards⟩ *gericht zijn (op)* ●⟨+at, to⟩ *wijzen (naar), het bewijs zijn (van); –* to sth. *iets suggereren, iets bewijzen* **II** ⟨ov ww⟩ ●*in een punt maken, scherp maken; –* a pencil *een potlood slijpen* ●⟨+at, towards⟩ *richten (op), (aan) wijzen; –* out a mistake *een fout aanwijzen* ●*voegen* ⟨metselwerk⟩ ‖ this –s up the difference between them *dit benadrukt het verschil tussen hen.*

'point'blank ●*van vlakbij, korte afstands-* ● *rechtstreeks, (te) direct;* a – accusation *een regelrechte beschuldiging;* a – refusal *een botte weigering.* **'point duty** ⟨BE⟩ ● *verkeersregeling* ⟨op kruispunt⟩; a policeman on – *verkeersagent.* **pointed**

['pɔɪntɪd] ●*puntig* ●*scherp;* a – answer *een bits/ad rem antwoord;* she has a – wit *zij is zeer ad rem* ●*nadrukkelijk.*

pointer ['pɔɪntə] ●*wijzer* ⟨v. weegschaal e.d.⟩ ●*aanwijsstok* ●*aanwijzing* ●⟨jacht⟩ *pointer, staande hond.* **pointless** ['pɔɪntləs] ●*zinloos, onnodig, onbelangrijk.* **pointsman** ['pɔɪntsmən] ⟨BE⟩ ●*wisselwachter.*

1 poise [pɔɪz] ⟨zn⟩ ●*evenwicht,* ⟨fig.⟩ *zelfverzekerdheid* ●*houding* ⟨bv. v. hoofd⟩, *voorkomen.*

2 poise ⟨ww⟩ ●*(in evenwicht) houden, (doen) balanceren.* **poised** ['pɔɪzd] ●*evenwichtig, verstandig* ●*zwevend;* he was – between life and death *hij zweefde tussen leven en dood* ●*klaar, gereed; –* on the edge of the chair *op het puntje v. zijn stoel;* be – for victory *op het punt staan om te winnen.*

1 poison ['pɔɪzn] ⟨zn⟩ ●*vergif, gif;* ⟨↓, scherts.⟩ what's your –? *wat mag het zijn?* ⟨alcoholisch drankje⟩ ‖ zie ook ⟨sprw.⟩ MAN.

2 poison ⟨ww⟩ ●*vergiftigen* ●*bederven* ⟨sfeer, mentaliteit⟩, *verzieken* ●*vervuilen, verontreinigen.* **'poison 'gas** ●*gifgas.* **poisonous** ['pɔɪznəs] ●*giftig* ●*verderfelijk* ●*akelig, gemeen.*

1 poke [poʊk] ⟨zn⟩ ●*por, prik, duw.*

2 poke I ⟨onov ww⟩ ●⟨meestal +out/through⟩ *tevoorschijn komen, uitsteken* ● ⟨+about/around⟩ *zoeken, (rond)neuzen,* ⟨ihb.⟩ *zich bemoeien met iets* **II** ⟨onov en ov ww⟩ ●*porren, prikken, stoten; –* s.o. in the ribs *iem. in zijn zij porren* **III** ⟨ov ww⟩ ● *(op)poken* ⟨vuur⟩. **poker** ['poʊkə] ●*kachelpook* ●*poker* ⟨kaartspel⟩. **'poker face** ●*pokergezicht, onbewogen gezicht.*

poky ['poʊki] ●*benauwd, klein, petieterig.*

polar ['poʊlə] ●⟨aardr.⟩ ⟨nat.⟩ *polair, pool-; –* bear *ijsbeer* ●*tegenovergesteld;* they are – opposites at that point *wat dat betreft zijn ze elkaars tegenpolen.* **polarity** [pə'lærəti] ●⟨nat.⟩ *polariteit,* ⟨fig.⟩ *tegengesteldheid.* **polarize** ['poʊləraɪz] ⟨zn: -ization⟩ **I** ⟨onov ww⟩ ●*in tweeën splitsen, gepolariseerd worden* **II** ⟨ov ww⟩ ●*polariseren, in tweeën splijten.*

pole [poʊl] ●⟨P-⟩ *Pool, iem. v. Poolse afkomst* ●*pool,* ⟨fig.⟩ *tegenpool* ●⟨ben. voor⟩ *paal, mast, stok, vaarboom* ‖ drive s.o. up the – *iem. razend maken;* be –s apart *onverzoenlijk/onverenigbaar zijn.* **'polecat** ⟨dierk.⟩ ●*bunzing* ⟨in Europa⟩ ● *stinkdier, skunk* ⟨in Amerika⟩.

polemic [pə'lemɪk] ●*polemiek* ●⟨mv.⟩ *het polemiseren, polemiek.* **polemical**

[pəˈlemɪkl] ●*polemisch.*
'**pole star** ●*poolster.* '**pole vault** ●⟨zn⟩ *polsstoksprong, het polsstok(hoog)springen* ●⟨ww⟩ *polsstok(hoog)springen.* '**pole-vaulter** ●*polsstok(hoog)springer.*
1 police [pəˈliːs] ⟨zn⟩ ●*politie;* two hundred – were on duty *er waren tweehonderd politieagenten ingezet.*
2 police ⟨ww⟩ ●*onder politiebewaking stellen* ●*controleren, toezicht uitoefenen op/over.*
po'**lice 'constable** ●*politieagent.* po'**lice court** ●*politierechter.* po'**lice force** ●*politie.* po'**lice inspector** ●*inspecteur v. politie.* **policeman** [pəˈliːsmən], po'**lice officer** ●*politieagent(e)* ‖ sleeping policeman *verkeersdrempel.* po'**lice state** ●*politiestaat.* po'**lice station** ●*politiebureau.* po'**lice woman** ●*politieagente.*
policy [ˈpɒlɪsi] ●*beleid, gedragslijn, politiek* ●*polis, verzekeringspolis* ●*tactiek, verstand(igheid);* lying is bad – *het is onverstandig om te liegen* ‖ zie ook ⟨sprw.⟩ HONESTY.
polio [ˈpouliou] ●*polio, kinderverlamming.*
1 polish [ˈpɒlɪʃ] ⟨zn⟩ ●*poetsmiddel* ●*poetsbeurt;* her manners are in need of – *haar manieren moeten worden bijgeschaafd* ●*glans* ●*beschaving, verfijning.*
2 polish I ⟨onov ww⟩ ●*gaan glanzen* **II** ⟨ov ww⟩ ●⟨ook +up⟩ *(op)poetsen, polijsten* ⟨ook fig.⟩, *bijschaven;* a –ed performance *een perfecte voorstelling.* '**polish 'off** ↓ ●*wegwerken, afraffelen.*
polite [pəˈlaɪt] ●*beleefd, goed gemanierd* ‖ – conversation *sociaal gebabbel.*
politic [ˈpɒlɪtɪk] ●*diplomatiek, verstandig* ‖ the body – *de staat.* **political** [pəˈlɪtɪkl] ●*politiek, staatkundig;* – asylum *politiek asyl;* – prisoner *politieke gevangene;* – science *politicologie* ●*politiek geëngageerd.* **politician** [ˈpɒlɪtɪʃn] ●*politicus.* **politics** [ˈpɒlɪtɪks] ●*politieke wetenschappen, politicologie* ●*politiek* ●*politieke overtuiging.*
polity [ˈpɒləti] ●*bestuursvorm* ●*staat, staatsbestel.*
'**polka dot** [ˈpɒlkə-] ●*stip, nop.*
1 poll [poul] ⟨zn⟩ ●*stemming;* go to the –s *stemmen* ●*aantal (uitgebrachte) stemmen* ●*opiniepeiling* ●⟨mv.⟩ *stembureau.*
2 poll I ⟨onov ww⟩ ●*zijn stem uitbrengen* **II** ⟨ov ww⟩ ●*krijgen, behalen* ⟨(voorkeur) stemmen⟩ ●*ondervragen, een opiniepeiling houden.*
1 pollard [ˈpɒləd] ⟨zn⟩ ●*geknotte boom.*
2 pollard ⟨ww⟩ ●*knotten* ⟨boom⟩.
pollen [ˈpɒlən] ●*stuifmeel.*

'**pollen count** ●*stuifmeelgehalte* ⟨in de lucht, ivm. hooikoortslijders⟩.
pollin|ate [ˈpɒlɪneɪt] ⟨zn: -ation⟩ ⟨plantk.⟩ ●*bestuiven.*
'**polling booth** ●*stemhokje.* '**polling day** ●*stemdag, verkiezingsdag.* '**polling station** ●*stemlokaal.* **pollster** [ˈpoulstə] ●*enquêteur/trice.* '**poll tax** ●*personele belasting.*
pollutant [pəˈluːtnt] ●*vervuiler,* ⟨ihb.⟩ *milieuverontreinigende stof.* **pollute** [pəˈluːt] ●*vervuilen, verontreinigen* ●*verderven* ⟨fig.⟩, *verpesten* ⟨sfeer⟩. **pollution** [pəˈluːʃn] ●*vervuiling, (milieu)verontreiniging.*
polo [ˈpoulou] ⟨sport⟩ ●*polo.* '**polo neck** ⟨BE⟩ ●*col, rolkraag.* '**polo-neck 'sweater** ⟨BE⟩ ●*coltrui.*
poly [ˈpɒli] ⟨mv.: polys⟩ ⟨verk.⟩ polytechnic ⟨BE; ↓⟩ ●⟨ongeveer⟩ *school voor hoger beroepsonderwijs.*
polyandry [-ˈændri] ●*polyandrie, veelmannerij.* **polyethylene** [-ˈeθəliːn] ⟨AE; schei.⟩ ●*polytheen, polyetheen.* **polygamist** [pəˈlɪɡəmɪst] ●*man/vrouw met meerdere echtgenotes/genoten.* **polygamous** [pəˈlɪɡəməs] ●*polygaam.* **polygamy** [pəˈlɪɡəmi] ●*polygamie.* **polyglot** [ˈpɒliɡlɒt] ●⟨bn⟩ *polyglottisch, meertalig* ●⟨zn⟩ *polyglot, iem. die veel talen beheerst.* **polygon** [ˈpɒliɡən] ⟨meetkunde⟩ ●*polygoon, veelhoek.*
polyp [ˈpɒlɪp] ⟨dierk., med.⟩ ●*poliep.*
polystyrene [-ˈstaɪriːn] ⟨schei.⟩ ●*polystyreen, plastic.* **polysyllabic** [-sɪˈlæbɪk] ●*veellettergrepig.* **polytechnic** [ˈpɒliˈteknɪk] ●⟨ongeveer⟩ *school voor hoger beroepsonderwijs.* **polytheism** [-θiːɪzm] ●*polytheïsme, veelgodendom.* **polythene** [ˈpɒliθiːn] ⟨vnl. BE; schei.⟩ ●*polytheen, poly-ethyleen;* – bag *plastic tasje.*
pom [pɒm] ⟨verk.⟩ pommy.
pomander [pouˈmændə, pə-] ●*reukbal, geurzakje* ⟨in kast, tussen kleren⟩.
pomegranate [ˈpɒmɪɡrænɪt] ●*granaatappel(boom).*
1 pommel [ˈpʌml] ⟨zn⟩ ●*degenknop* ●*voorste zadelboog.*
2 pommel ⟨ww⟩ ●*stompen, met de vuisten bewerken.*
pommy [ˈpɒmi], **pom** [pɒm] ⟨Austr. E; sl.; ong.⟩ ●*pommie, Brit.*
pomp [pɒmp] ●*prachtvertoon, praal;* – and circumstance *pracht en praal.* **pomposity** [pɒmˈpɒsəti] ●*gewichtigdoenerij, hoogdravendheid, bombast.* **pompous** [ˈpɒmpəs] ●*gewichtig, hoogdravend, gezwollen.*
1 ponce [pɒns] ⟨zn⟩ ⟨BE⟩ ●*pooier* ●⟨sl.;

ong.⟩ *verwijfd type.*
2 ponce ⟨ww⟩ ⟨BE⟩ ●⟨+about/around⟩ *zich verwijfd gedragen, onhandig rondlummelen.*
pond [pɒnd] ●*vijver.*
ponder [ˈpɒndə] I ⟨onov ww⟩ ●⟨+on/over⟩ *nadenken (over)* II ⟨ov ww⟩ ●*overdenken, overwegen.* **ponderous** [ˈpɒndrəs] ⟨-ness⟩ ●*zwaar, log* ●*zwaar op de hand, moeizaam.*
1 pong [pɒŋ] ⟨zn⟩ ⟨BE; sl.⟩ ●*stank.*
2 pong ⟨ww⟩ ⟨BE; sl.⟩ ●*stinken.*
pontiff [ˈpɒntɪf] ●⟨R.-K.⟩ *paus.* **pontifical** ● ⟨R.-K.⟩ *pauselijk, pontificaal* ●⟨fig.⟩ ⟨ong.⟩ *autoritair, plechtig, pompeus.*
1 pontificate [pɒnˈtɪfɪkət] ⟨zn⟩ ⟨R.-K.⟩ ●*pontificaat, het paus-zijn.*
2 pontificate [pɒnˈtɪfɪkeɪt] ⟨ww⟩ ●⟨ong.⟩ *belerend (toe)spreken.*
pontoon [pɒnˈtu:n] ●*ponton.* **pon'toon bridge** ●*pontonbrug.*
pony [ˈpouni] ●*pony.* **'ponytail** ●*paardestaart.* **'ponytrekking** ⟨BE⟩ ●*trektochten maken op ponies.*
poodle [ˈpu:dl] ●*poedel(hond).*
poof [pu:f, puf], **poofter** [ˈpu:ftə, ˈpuf-], **pouf** [pu:f, puf] ⟨BE; sl.; bel.⟩ ●*nicht, flikker.*
pooh [pu:] ●*poeh, pfff, het zou wat* ●*pfff, jasses, bah.* **'pooh-'pooh** ↓ ●*minachtend afwijzen.*
1 pool [pu:l] ⟨zn⟩ ●*poel, plas* ●*zwembad* ● *diep gedeelte v.e. rivier* ●*pot* ⟨bij gokspelen⟩, *(gezamenlijke) inzet* ●*gemeenschappelijke voorziening, pool* ⟨v. auto's, schepen enz.⟩; *typing* – *(gemeenschappelijke) typekamer* ●*pool, trust* ●*poule-(spel)*⟨biljarten⟩ ●⟨mv.⟩ *(voetbal)toto.*
2 pool ⟨ww⟩ ●*samenvoegen, bij elkaar leggen, verenigen* ⟨geld, ideeën, middelen⟩.
'poolroom ●*biljartlokaal.* **'pool table** ●*biljarttafel.*
poop [pu:p] ●*achtersteven, achterdek.*
pooped [pu:pt] ●*uitgeput;* – *out uitgeteld.*
'poop deck ●*kampagne, achterdek.*
poor [puə] ●*arm, behoeftig; the* – *de armen* ●*slecht, schraal, pover; he is still in* – *health hij tobt nog steeds met zijn gezondheid;* take *a* – *view of zich weinig voorstellen van* ●*armzalig, bedroevend;* cut *a* – *figure een armzalig figuur slaan* ●*zielig;* – *fellow! arme ziel!* ●*onbeduidend;* in my – *opinion naar mijn bescheiden mening* ‖ – *relation* ⟨fig.⟩ *stiefkind.* **'poorhouse** ⟨gesch.⟩ ●*arm(en)huis.* **'poor law** ⟨gesch.⟩ ●*armenwet.*
1 poorly [ˈpuəli] ⟨bn⟩ ⟨vnl. BE⟩ ●*niet lekker, ziek.*
2 poorly ⟨bw⟩ ●*arm, gebrekkig, armoedig* ●

slecht, pover; think – *of geen hoge dunk hebben van.*
poorness [ˈpuənəs] ●*gebrekkigheid, schraalheid; the* – *of the quality de povere kwaliteit.* **'poor-'spirited** ●*bang(elijk).*
1 pop [pɒp] ⟨zn⟩ ●*knal, plof* ●⟨vaak attr⟩ ↓ *pop(muziek)* ● ↓ *pap, pa* ● ↓ *prik(limonade), frisdrank.*
2 pop I ⟨onov ww⟩ ●*knallen, klappen, ploffen* ● ↓ *snel/onverwacht bewegen, snel/ onverwacht komen/gaan;* – *around/ down/in/over/round langs/aan/binnenwippen/gaan;* – *off opstappen* ⟨ook ↓, in betekenis van sterven⟩; – *open uitpuilen* ⟨v. ogen⟩; – *out tevoorschijn schieten; uitpuilen;* – *up opduiken; omhoog komen* ⟨v. illustraties in boeken en wenskaarten⟩ II ⟨onov en ov ww⟩ ↓ ●*(neer)schieten;* – *off afschieten; afgeschoten worden;* – *at schieten op* III ⟨ov ww⟩ ●*laten knallen, laten klappen* ● ↓ *snel/onverwacht zetten/ leggen/brengen, steken; I'll just* – *this letter into the post ik gooi deze brief even op de bus* ● ↓ *afvuren* ⟨vragen⟩. **'popcorn** ● *popcorn, gepofte maïs.*
pope [poup] ●*paus.*
'pop'eyed ●*met grote ogen, verbaasd.*
popish [ˈpoupɪʃ] ⟨bel.⟩ ●*paaps.*
poplar [ˈpɒplə] ●*populier.*
poplin [ˈpɒplɪn] ●*popeline* ⟨stof⟩.
poppa [ˈpɒpə], **pop** ⟨AE; ↓⟩ ●*pa.*
popper [ˈpɒpə] ●⟨BE⟩ *drukknoop(je).*
poppet [ˈpɒpɪt] ●⟨BE; ↓⟩ *popje, schatje.*
poppy [ˈpɒpi] ●*papaver, klaproos.*
'poppycock ↓ ●*klets(praat), larie.*
populace [ˈpɒpjuləs] ⟨the⟩ ↑ ●*(gewone) volk, massa.*
popular [ˈpɒpjulə] ●*geliefd, populair;* – *with geliefd/in trek bij* ●*algemeen, veel verbreid* ●*volks-;* ⟨pol.⟩ – *front volksfront* ● *gewoon; a* – *lecture een populair-wetenschappelijke lezing* ‖ – *prices lage prijzen.*
popularity [ˈpɒpjuˈlærəti] ●*populariteit.*
popular|ize [ˈpɒpjuləraɪz] ⟨zn: **-ization**⟩ ● *populariseren, begrijpelijk maken* ●*populair maken.* **popularly** [ˈpɒpjuləli] ●*zie* POPULAR ●*algemeen, gewoon(lijk).*
populate [ˈpɒpjuleɪt] ●*bevolken, bewonen.* **population** [ˌpɒpjuˈleɪʃn] ●*bevolking.*
populous [ˈpɒpjuləs] ●*dichtbevolkt.*
porcelain [ˈpɔːslɪn] ●*porselein.*
porch [pɔːtʃ] ●*portaal, portiek* ●⟨AE⟩ *veranda.*
porcupine [ˈpɔːkjupaɪn] ●*stekelvarken.*
pore [pɔː] ●*porie.*
'pore over ●*zich verdiepen in, aandachtig bestuderen.*
pork [pɔːk] ●*varkensvlees.* **porker** [ˈpɔːkə] ●

mestvarken. 'pork 'pie ● *varkensvlees-
pastei.* porky ['pɔ:ki] ↓ ● *vet* ⟨vnl. v. per-
soon⟩.

porn [pɔ:n] ⟨verk.⟩ pornography ↓ ● *porno.*
  pornograph|y [pɔ:'nɒɡrəfi] ⟨bn: -ic⟩ ● *por-
no(grafie).* 'porn shop ● *seksshop.*

porous ['pɔ:rəs] ● *poreus, waterdoorlatend.*

porpoise ['pɔ:pəs] ● *bruinvis* ● *dolfijn.*

porridge ['pɒrɪdʒ] ● *(havermout) pap* ● ⟨BE;
sl.⟩ *bajes;* do – *in de bak zitten.*

port [pɔ:t] ● *haven, havenstad;* – of call *aan-
loophaven; plaats die men aandoet op
reis* ● *bakboord* ● *port(wijn)* ‖ any – in a
storm *nood breekt wet(ten).*

portable ['pɔ:təbl] ● *draagbaar;* – gramophone *koffergrammofoon.*

portage ['pɔ:tɪdʒ] ● *transport* ● *transportkosten.*

portal ['pɔ:tl] ● *poort, portaal, ingang.*

portend [pɔ:'tend] ↑ ● *voorspellen, een
(voor)teken zijn van* ⟨vnl. onheil⟩. por-
tent ['pɔ:tent] ● *voorteken, voorbode* ‖ a
matter of great – *een gewichtige zaak.*

portentous [pɔ:'tentəs] ● *onheilspellend,
dreigend, veelbetekenend, verbazingwekkend* ● ⟨bel.⟩ *gewichtig (doend).*

porter ['pɔ:tə] ● *kruier, sjouwer* ● ⟨vnl. BE⟩
portier ● ⟨vnl. AE⟩ *(slaapwagon)bedien-
de.* 'porterhouse 'steak ● *soort T-bone
steak.* 'porter's 'lodge ● *portiershokje/lo-
ge.*

portfolio [pɔ:t'fouliou] ● *portefeuille* ⟨v. te-
keningen, effecten e.d.⟩; minister without
– *minister zonder portefeuille.*

'porthole ⟨scheep.⟩ ● *patrijspoort.*

portico ['pɔ:tɪkou] ● *portiek, zuilengang.*

portion ['pɔ:ʃn] ● *gedeelte, (aan)deel, portie*
● ↑ *deel, lot.* portion out ● *verdelen, uitdelen.*

portly ['pɔ:tli] ⟨vaak scherts.⟩ ● *gezet, wel-
gedaan* ⟨vnl. v. oudere mensen⟩.

portrait ['pɔ:trɪt] ● *portret, foto, schildering.*
  portraiture ['pɔ:trɪtʃə] ● *portretkunst.*

portray [pɔ:'treɪ] ● *portretteren, (af)schilde-
ren.* portrayal [pɔ:'treɪəl] ● *portrettering,
afbeelding, beschrijving.*

Portuguese ['pɔ:tʃʊ'ɡi:z] ● ⟨bn⟩ *Portugees* ●
⟨eig.n.⟩ *Portugees* ⟨taal⟩ ● ⟨telb zn⟩ *Portugees.*

1 pose [pouz] ⟨zn⟩ ● *houding, pose.*

2 pose I ⟨onov ww⟩ ● *poseren, een pose/een
houding aannemen;* – as *zich uitgeven
voor* II ⟨ov ww⟩ ● *stellen, voorleggen;* – a
question *een vraag stellen* ● *vormen;* – a
threat/problem *een bedreiging/probleem
vormen.* poser ['pouzə] ↓ ● *moeilijke
vraag* ● *poseur.*

posh [pɒʃ] ↓ ● *chic;* the – part of town *het du-*

re deel v.d. stad.

posit ['pɒzɪt] ↑ ● *veronderstellen.*

1 position [pə'zɪʃn] ⟨zn⟩ ● *positie,
plaats(ing), ligging, situatie;* be in a – to do
sth. *in staat zijn iets te doen* ● *standpunt,
houding, mening* ● *rang, (maatschappelijke) positie, stand* ● *betrekking, baan* ‖ jock-
ey/manoeuvre for – *een gunstige (uit-
gangs)positie proberen te verkrijgen;* in
(to)/out of – *op/van z'n plaats, in/uit positie.*

2 position ⟨ww⟩ ● *plaatsen, op een goede/de
juiste plaats zetten.*

1 positive ['pɒzətɪv] ⟨zn⟩ ● *positief* ⟨v. foto⟩.

2 positive ⟨bn⟩ ● *positief* ● *stellig, duidelijk;* –
assertion *besliste uitspraak* ● *overtuigd,
absoluut zeker;* I'm – that *ik ben er absoluut
zeker van dat;* 'Are you sure?' 'Positive'
'Weet je het zeker?' 'Absoluut' ● ↓ *echt,
volslagen;* a – nuisance *een ware plaag;*
–ly true *absoluut/volkomen waar* ● *zelfbewust, (te) zelfverzekerd* ● *wezenlijk;* a –
change for the better *een wezenlijke verbetering* ‖ – discrimination *positieve discriminatie, voorkeursbehandeling;* I'm afraid
the test is – *helaas is de test positief.*

poss [pɒs] ⟨verk.⟩ possible ↓ ● *mogelijk;* as
soon as – *zo snel mogelijk.*

posse ['pɒsi] ● ↓ *troep, groep.*

possess [pə'zes] ● *bezitten* ● *beheersen;* fear
–ed her *ze was door schrik bevangen;* what
could have –ed him? *wat kan hem toch bezield hebben?.* possessed [pə'zest] ● *bezeten;* like one – *als een bezetene* ● ↑ *bezittend;* be – of *bezitten.* possession [pə'zeʃn]
● *bezit, eigendom,* ⟨vaak mv.⟩ *bezitting;*
take – of *in bezit nemen, betrekken;* (be) in
– of *in (het) bezit (zijn) van* ● ⟨sport⟩ *(bal)
bezit* ● *bezetenheid.* possessive ● *bezitte-
rig, hebberig* ‖ – pronoun *bezittelijk voornaamwoord.* possessor [pə'zesə] ● *bezitter.*

possibility ['pɒsə'bɪləti] ● *mogelijkheid;* is
John a – as the next chairman? *zou John de
nieuwe voorzitter kunnen worden?;* not by
any – *met geen mogelijkheid.*

1 possible ['pɒsəbl] ⟨zn⟩ ● ⟨the⟩ *het/de mogelijke* ● *mogelijke kandidaat/keus.*

2 possible ⟨bn⟩ ● *mogelijk, denkbaar;* do everything – *al het mogelijke doen;* if – *zo
mogelijk.* possibly ['pɒsəbli] ● *zie* POSSI-
BLE²; I cannot – come *ik kan onmogelijk komen* ● *misschien, mogelijk(erwijs);* 'Are
you coming too?' 'Possibly' *'Ga jij ook
mee?' 'Misschien'.*

possum ['pɒsəm] ⟨verk.⟩ opossum ⟨AE; ↓⟩
● *opossum, buidelrat* ‖ play – *doen alsof je
slaapt/niet oplet/ziek bent enz..*

1 post [poust] ⟨zn⟩ ● *paal, stijl* ● ⟨paarden-

rennen⟩ *begin/eindpaal, vertrekpunt,*
eindpunt ● *(doel)paal* ● *post, postkantoor,*
brievenbus; by return of – *per kerende*
post; by – *per post;* it's in the – *het is onder-*
weg ● *post, (stand)plaats* ● *betrekking,*
baan ● ⟨BE; mil.⟩ *taptoe* ⟨ochtend/avond-
signaal⟩.

2 post ⟨ww⟩ ● ⟨ook +up⟩ *aanplakken, be-*
plakken ● *bekendmaken* ● *posteren, plaat-*
sen, uitzetten ● ⟨vnl. BE⟩ *(over)plaatsen,*
stationeren, aanstellen tot; he was –ed
captain *hij werd aangesteld tot kapitein* ●
⟨BE⟩⟨ook +off⟩ *posten, op de post doen* ‖
keep s.o. –ed *iem. op de hoogte houden.*

postage ['poʊstɪdʒ] ● *port, posttarief.* **'post-**
age stamp ● *postzegel.*

postal ['poʊstl] ● *post-;* – charges *posttarie-*
ven; ⟨BE⟩ – order *postwissel;* – vote *per*
brief uitgebrachte stem.

'postbag ⟨vnl. BE⟩ ● *postzak* ● *posttas (v.*
postbode). **'postbox** ⟨vnl. BE⟩ ● *brieven-*
bus ⟨van de P.T.T.⟩. **'postcard** ● *briefkaart*
● *ansichtkaart.* **'postcode** ⟨BE⟩ ● *postco-*
de.

postdate ['poʊs(t)'deɪt] ● *postdateren.*

poster ['poʊstə] ● *affiche, aanplakbiljet* ●
poster.

1 posterior [pɒ'stɪərɪə] ⟨zn⟩ ⟨scherts.⟩ ● *ach-*
terwerk, achterste.

2 posterior ⟨bn⟩ ● *later, volgend;* – to *ko-*
mend na, later dan.

posterity [pɒ'sterətɪ] ● *nageslacht.*

'post-'free ⟨BE⟩ ● *franco.*

postgraduate ['poʊs(t)'grædjʊət] ● ⟨bn⟩
postuniversitair, na de universitaire oplei-
ding komend ● ⟨zn⟩ *afgestudeerde* ⟨die
verder studeert aan de universiteit⟩. **post-**
humous ['pɒstjʊməs] ● *postuum.*

posting ['poʊstɪŋ] ⟨vnl. mil.⟩ ● *stationering,*
(over)plaatsing.

postman ['poʊs(t)mən] ● *postbode.* **'post-**
mark ● ⟨zn⟩ *poststempel, postmerk* ●
⟨ww⟩ *(af)stempelen.* **'postmaster** ● *post-*
directeur; Postmaster General *Minister v.*
Posterijen. **'postmistress** ● *directrice v.e.*
postkantoor.

post-mortem ['poʊs(t)'mɔːtəm], **postmor-**
tem examination ● *lijkschouwing* ● ↓ *na-*
bespreking ⟨vnl. om na te gaan wat fout
ging⟩.

'post office ● *postkantoor* ● *post, posterijen,*
P.T.T.. **'post'paid** ⟨AE⟩ ● *franco, port be-*
taald.

postpone [poʊ'spoʊn, pə-] ⟨zn: **-ment**⟩ ●
⟨+until/to⟩ *uitstellen (tot), opschorten*
(tot).

postscript ['poʊs(t)skrɪpt] ● *postscriptum* ●
addendum.

1 postulate ['pɒstjʊlət] ⟨zn⟩ ● *postulaat,*
vooronderstelling, hypothese.

2 postulate ['pɒstjʊleɪt] ⟨ww⟩ ● *(zonder be-*
wijs) als waar aannemen, postuleren,
vooronderstellen.

1 posture ['pɒstʃə] ⟨zn⟩ ● *(lichaams)hou-*
ding, postuur ● *houding, standpunt.*

2 posture ⟨ww⟩ ⟨vaak ong.⟩ ● *poseren, een*
gemaakte houding aannemen ● ⟨+as⟩ *zich*
uitgeven (voor).

postwar ['poʊst'wɔː] ● *naoorlogs.*

posy ['poʊzɪ] ● *boeket(je), ruiker(tje).*

1 pot [pɒt] ⟨zn⟩ ● *pot* ⟨voorwerp of inhoud⟩,
kookpot, jampot, theepot ⟨enz.⟩, *bloem-*
pot, (nacht)po; –s and pans *potten en pan-*
nen ● ⟨vnl. AE⟩ *(gemeenschappelijke) pot,*
gezamenlijk (gespaard) bedrag ⟨vaak
mv.⟩ ↓ *hoop* ⟨geld⟩ ● ↓ *prijsbeker* ● ⟨sl.⟩
cannabis, hasj(iesj), marihuana ● ⟨verk.⟩
pot shot ● ⟨verk.⟩ potbelly ‖ keep the – boiling *de kost verdienen, het zaakje draaien-*
de houden; ↓ go to – *verkommeren, in de*
vernieling zijn.

2 pot I ⟨onov ww⟩ ● *schieten;* – at *(zonder*
mikken) schieten op **II** ⟨ov ww⟩ ● ⟨+up⟩
potten, in potten planten ● ⟨BE; biljarten⟩
(een bal) in een zak stoten ● *neerschieten*
⟨om op te eten⟩ ● ↓ *op het potje zetten*
⟨kind⟩.

potable ['poʊtəbl] ⟨↑ of scherts.⟩ ● *drink-*
baar.

potash ['pɒtæʃ] ⟨schei.⟩ ● *potas, kaliumcar-*
bonaat.

potassium [pə'tæsɪəm] ⟨schei.⟩ ● *kalium.*

potato [pə'teɪtoʊ] ● *aardappel(plant);*
mashed –(es) *aardappelpuree.* **po'tato**
crisp, ⟨AE, Austr. E vnl.⟩ **po'tato chip** ⟨vnl.
mv.⟩ ● *chip(s).*

'pot'bellied ⟨vaak ong., scherts.⟩ ● *met een*
dikke buik. **'potbelly** ⟨vaak ong., scherts.⟩
● *dikke buik.* **'potboiler** ⟨ong.⟩ ● *kunstwerk*
enkel voor het geld gemaakt.

potency ['poʊtnsɪ] ● *potentie(el), vermogen,*
kracht; sexual – *potentie.* **potent** ['poʊtnt]
● *krachtig, sterk* ● *(seksueel) potent* ● ↑
overtuigend ● ↑ *machtig, invloedrijk.*

potentate ['poʊtnteɪt] ● *potentaat, absoluut*
heerser.

1 potential [pə'tenʃl] ⟨zn⟩ ● *mogelijkheid,*
potentieel, vermogen ● ⟨nat.⟩ *potentiaal.*

2 potential ⟨bn⟩ ● *potentieel, mogelijk;* –
buyers *eventuele kopers.* **potentiality**
[pə'tenʃi'æləti] ● *potentialiteit;* a country
with great potentialities *een land met gro-*
te ontwikkelingsmogelijkheden.

'potherb ● *tuinkruid.* **'pot-hole** ● *gat, kuil* ⟨in
wegdek⟩ ● *grot.* **'potholer** ● *speleoloog.*

potion ['poʊʃn] ● *drankje* ⟨medicijn/toverdrankje/gif⟩.

'pot'luck ↓ ‖ take – *eten wat de pot schaft.*

potpourri [poʊ'pʊri] ● *welriekend mengsel* ⟨v. gedroogde bloemblaadjes en kruiden⟩ ● *potpourri* ⟨ook fig.⟩, *mengelmoes.*

'pot roast ● *gebraden/gestoofd rundvlees.*

'pot shot ↓ ● *schot op goed geluk af,* ⟨fig.⟩ *schot in het duister.* **potted** [pɒtɪd] ● *pot-, gepot, in een pot gekweekt/geplant; –* plant *kamerplant, potplant* ● *ingemaakt, in een pot/kruik bewaard; –* meat *paté* ● *(erg) kort/simpel samengevat.*

1 potter ['pɒtə] ⟨zn⟩ ● *pottenbakker.*

2 potter, ⟨AE⟩ **putter** ['pʌtə] ⟨ww⟩ ↓ ● ⟨+about/⟨AE⟩ around⟩ *rondscharrelen, aanrommelen.*

'potter's 'wheel ● *pottenbakkersschijf.* **pottery** ['pɒtəri] ● *pottenbakkerij* ● *aardewerk* ● *het pottenbakken.*

potting-shed ['pɒtɪŋʃed] ● *tuinschuurtje.*

1 potty ['pɒti] ⟨zn⟩ ↓ ● *(kinder)po, potje.*

2 potty ⟨bn⟩ ● ⟨BE; ↓⟩ *knetter, niet goed snik;* they're all – about that popstar *ze zijn helemaal wég v. die popster* ● ⟨BE; ↓; ong.⟩ *onbenullig, pietluttig.*

'potty-trained ● *zindelijk* ⟨v. kind⟩.

pouch [paʊtʃ] ● *zak(je), patroontas, tabakszakje* ● ⟨ben. voor⟩ ⟨zakvormige⟩ *huidplooi, buidel, wangzak;* she had –es under her eyes *zij had wallen onder haar ogen.*

pouf [pu:f] ● ⟨ook: pouffe⟩ *poef, zitkussen* ● ⟨BE; sl.; ong.⟩ *flikker, homo.*

poulterer ['poʊltrə] ⟨vnl. BE⟩ ● *poelier.*

poultice ['poʊltɪs] ● *kompres.*

poultry ['poʊltri] ● *(vlees v.) gevogelte* ● *pluimvee.*

1 pounce [paʊns] ⟨zn⟩ ● *het stoten* ⟨v. roofvogel⟩, *het zich plotseling (neer)storten,* ⟨fig.⟩ *plotselinge aanval;* make a – at/on *zich laten vallen/storten op.*

2 pounce ⟨ww⟩ ● *zich naar beneden storten, (op)springen* ⟨om iets te grijpen⟩ ‖ he –d at the first opportunity *hij greep de eerste gelegenheid aan.* **'pounce (up)on** ● *begerig grijpen/aannemen* ● *plotseling aanvallen, zich werpen/storten op* ⟨ook fig.⟩.

1 pound [paʊnd] ⟨zn⟩ ● *pond* ⟨gewichtseenheid⟩; sold by the – *per pond verkocht* ● *pond* ⟨munteenheid⟩ ● *depot* ⟨voor dieren, in beslag genomen goederen, weggesleepte auto's⟩, *asiel* ‖ have one's – of flesh *het volle pond krijgen;* zie ook ⟨sprw.⟩ PENNY.

2 pound I ⟨onov ww⟩ ● *hard slaan* ● *stampen;* the herd –ed down the hill *de kudde stormde de heuvel af* ● *bonzen* ⟨v. hart⟩ II ⟨ov ww⟩ ● *(fijn)stampen, verpulveren* ● *beuken op, bonzen op, stompen op.*

poundage ['paʊndɪdʒ] ● *pondgeld, commissieloon, bedrag* ⟨per pond (sterling)⟩ ● *tarief, bedrag, belasting* ⟨per pond gewicht⟩. **pounder** ['paʊndə] ● *stamper* ● *vijzel.* **pounding** ['paʊndɪŋ] ● *(ge)dreun, (ge)bons* ● ↓ *afstraffing, pak slaag.*

'pound 'note ● *bankbiljet v. één pond.*

pour [pɔ:r] I ⟨onov ww⟩ ● *stromen* ⟨ook fig.⟩; the money kept –ing in *het geld bleef binnenstromen* ● *gieten;* it's –ing (down) with rain *het regent dat het giet* ● ↓ *(thee/koffie) inschenken* ‖ zie ook ⟨sprw.⟩ RAIN II ⟨ov ww⟩ ● *(uit)gieten, doen stromen;* they've been –ing money into that business for years *ze pompen al jaren geld in die zaak; –* scorn on *minachtend spreken over.* **'pour 'out** ● *inschenken; –* one's heart to s.o. *zijn hart bij iem. uitstorten* ● *de vrije loop laten, uitstorten.*

1 pout [paʊt] ⟨zn⟩ ● *het tuiten* ⟨v.d. lippen⟩, *pruilmondje.*

2 pout ⟨ww⟩ ● *(de lippen) tuiten, pruilen (over).*

poverty ['pɒvəti] ● *armoe(de)* ● ⟨vnl. ↑⟩ *gebrek, schamelheid, schraalheid;* his – of vocabulary *zijn beperkte/armzalige woordenschat.* **'poverty-stricken** ● *straatarm.*

1 powder ['paʊdə] ⟨zn⟩ ● *poeder.*

2 powder ⟨ww⟩ ● *zich poederen, (be)poederen* ● *poeder(vormig) worden/maken, verpulveren.* **powdered** ['paʊdəd] ● *in poedervorm; –* milk *melkpoeder; –* sugar *poedersuiker.* **'powder keg** ● *kruitvat* ⟨ook fig.⟩. **'powder puff** ● *poederdonsje, poederkwastje.* **'powder room** ⟨euf.⟩ ● *damestoilet* ⟨in openbare gelegenheid⟩. **powdery** ['paʊdəri] ● *poederachtig.*

1 power ['paʊə] ⟨zn⟩ ● *macht, vermogen* ● *kracht, sterkte* ● *invloed, macht;* the party in – *de regerende partij;* come in/into – *aan het bewind komen* ● *(vol)macht, recht, bevoegdheid;* ⟨jur.⟩ – of attorney *volmacht* ● *invloedrijk iem./iets, mogendheid;* the Great Powers *de grote mogendheden* ● ⟨vnl. mv.⟩ *(boze) macht(en), (hemelse) kracht(en);* the –s of darkness *de duistere machten* ● *(drijf)kracht, (elektrische) energie, stroom;* under one's own – *op eigen kracht* ● ⟨nat.⟩ *vermogen* ● ⟨wisk.⟩ *macht, exponent* ● ⟨attr⟩ *motor-, (met)-bekrachtiging* ‖ it did me a – of good *het heeft me ontzettend goed gedaan;* a – behind the throne *een man achter de schermen.*

2 power ⟨ww⟩ ● *aandrijven, van energie voorzien.*

'powerboat ● *motorboot.* **'power brakes** ● *rembekrachtiging.* **'power cut** ● *stroom-*

onderbreking, stroomuitval. **powered** ['pavəd] ● *(mechanisch) aangedreven;* oil-powered central heating *centrale verwarming op oliestook;* a high-powered car *een auto met een krachtige motor.* **powerful** ['pavəfl] ● *krachtig, machtig, invloedrijk* ‖ a – speech *een krachtige/indrukwekkende toespraak.* '**powerhouse** ● *elektrische centrale, krachtcentrale* ● *stuwende kracht* ⟨ook v. persoon⟩, *dynamisch mens.* **powerless** ['pavələs] ● *machteloos.*

'**power plant** ● *elektrische centrale.* '**power point** ● *stopcontact.* '**power 'politics** ⟨vnl. ong.⟩ ● *machtspolitiek.* '**power station** ● *elektrische centrale, krachtcentrale.* '**power 'steering** ● *stuurbekrachtiging.*

powwow ['pavwav] ● ⟨↓, scherts.⟩ *lange conferentie, rumoerige bespreking.*

pox [pɒks] ● ↓ *syfilis.*

practicab|le ['præktɪkəbl] ⟨zn: **-ility**⟩ ● *uitvoerbaar, doenlijk* ● *bruikbaar, begaanbaar* ⟨v. weg⟩.

1 practical ['præktɪkl] ⟨zn⟩ ● ↓ *practicum, praktijkles/examen.*

2 practical ⟨bn⟩ ● *praktisch, (daad)werkelijk* ● *praktisch, bruikbaar, handig* ● *haalbaar, uitvoerbaar* ● *daadgericht, praktisch aangelegd* ● *zinnig, verstandig, praktisch* ‖ a – joke *practical joke, poets* ⟨om iem. belachelijk te maken⟩. **practicality** ['præktɪ'kæləti] ● *praktische zaak* ● *uitvoerbaarheid, bruikbaarheid.* **practically** ['præktɪkli] ● *zie* PRACTICAL ● *bijna, praktisch, zo goed als* ● *in de praktijk.*

practice, ⟨AE sp. ook⟩ **practise** ['præktɪs] ● *praktijk, toepassing;* put sth. in(to) – *iets ten uitvoer/in praktijk brengen* ● *oefening, ervaring;* it's common – *het behoort tot de normale gang v. zaken;* be out of – *het verleerd hebben, uit vorm zijn* ● ⟨vnl. enk.⟩ *gewoonte, gebruik;* make a – of sth. *ergens een gewoonte van maken* ● ⟨vnl. mv.⟩ ⟨ong.⟩ *praktijk, (slechte/verderfelijke) gewoonte* ● *uit/beoefening, praktijk* ⟨v. arts e.d.⟩ ‖ ⟨sprw.⟩ practice makes perfect *oefening baart kunst.*

practise, ⟨AE sp. ook⟩ **practice** ['præktɪs] **I** ⟨onov ww⟩ ● *(zich) oefenen* **II** ⟨onov en ov ww⟩ ● *praktizeren, uitoefenen;* does he still – his religion? *praktizeert hij nog altijd?* **III** ⟨ov ww⟩ ● *in de praktijk toepassen, uitvoeren* ● *oefenen, instuderen* ● *uitoefenen, (be)oefenen, betrachten;* – economy *zuinig zijn* ‖ ⟨sprw.⟩ practise what you preach *doe zelf ook wat je anderen opdraagt.* **practised,** ⟨AE sp. ook⟩ **practiced** ['præktɪst] ● *ervaren, geoefend.*

practitioner [præk'tɪʃənə] ● *beoefenaar, beroeps(kracht);* medical –s *de artsen.*

pragmatic ['præg'mætɪk] ● *pragmatisch, zakelijk.* **pragmatism** ['prægmətɪzm] ● *pragmatisme* ⟨ook fil.⟩, *zakelijke aanpak, zakelijkheid.* **pragmatist** ['prægmətɪst] ● *pragmaticus.*

prairie ['preəri] ⟨vaak mv.⟩ ● *prairie, grasvlakte.*

1 praise [preɪz] ⟨zn⟩ ● *lof(spraak)* ‖ ⟨vaak ong.⟩ sing one's own –s *zichzelf ophemelen;* – be (to God)! *God zij geloofd/dank!*

2 praise ⟨ww⟩ ● *prijzen, loven.* **praiseworthy** ['preɪzwə:ði] ● *lovenswaardig, loffelijk.*

pram [præm] ● *kinderwagen.*

prance [prɑ:ns] ● *steigeren* ● *(vrolijk) springen, huppelen;* – about/around *rondspringen/lopen.*

prank [præŋk] ● *streek, grap;* play a – on s.o. *een (gemene) streek met iem. uithalen.* **prankster** ['præŋkstə] ↓ ● *grappenmaker.*

prat [præt] ● ⟨BE; sl.; bel.⟩ *idioot, lul.*

prate [preɪt] ● (+about) *wauwelen (over).*

1 prattle ['prætl] ⟨zn⟩ ↓ ● *kinderpraat, gebabbel.*

2 prattle ⟨ww⟩ ↓ ● *babbelen, kleppen, keuvelen.* **prattler** ['prætlə] ↓ ● *babbelkous.*

prawn [prɔ:n] ● *(steur)garnaal.*

pray [preɪ] **I** ⟨onov ww⟩ ↓ ● *hopen, wensen;* – for *hopen op* **II** ⟨onov en ov ww⟩ ● *bidden;* we –ed (to God) for help *we baden (tot God) om hulp.* **prayer** [preə] ● *gebed* ● *(smeek)bede, verzoek* ● ⟨vaak P-⟩ *gebedsdienst.* '**prayer book** ● *gebedenboek.* '**prayer mat** ● *bidkleedje* ⟨v. mohammedanen⟩.

preach [pri:tʃ] **I** ⟨onov en ov ww⟩ ● *preken,* ⟨fig.⟩ *een zedenpreek houden;* he has been –ing at me again *hij heeft weer eens tegen me zitten preken* ‖ zie ook ⟨sprw.⟩ PRACTISE **II** ⟨ov ww⟩ ● *aandringen op, bepleiten.* **preacher** ['pri:tʃə] ● *prediker, predikant.*

preamble [pri'æmbl] ● *inleiding, voorwoord.*

prearrange ['pri:ə'reɪndʒ] ● *vooraf regelen, vooraf overeenkomen.*

precarious [prɪ'keəriəs] ● *onzeker, onbestendig;* he made a – living *hij had een ongewis inkomen* ● *onveilig, gevaarlijk, precair.*

precaution [prɪ'kɔ:ʃn] ● *voorzorgsmaatregel, voorzorg.* **precautionary** [prɪ'kɔ:ʃənri] ● *uit voorzorg gedaan, voorzorgs-.*

precede [prɪ'si:d] ● *voorgaan, vooraf (laten) gaan;* the years preceding his marriage *de jaren voor zijn huwelijk.* **precedence**

['presɪdəns] ●*voorrang, prioriteit, het voorgaan;* the king has/takes – over all others *de koning komt vóór/is belangrijker dan alle anderen.* **precedent** ['presɪdənt] ●*precedent;* establish/set a – *een precedent scheppen* ●*traditie, gebruik;* the princess broke with – *de prinses verbrak de traditie.* **preceding** [prɪ'si:dɪŋ] ●*voorafgaand.*

precept ['pri:sept] ●*voorschrift, principe, grondregel.*

precinct ['pri:sɪŋkt] ●⟨vaak mv.⟩ *omsloten ruimte* ⟨om kerk, universiteit⟩; within the –s of the cathedral *op het terrein v.d. kathedraal* ●⟨vaak mv.⟩ *grens, muur* ● *stadsgebied* ⟨met bep. bestemming⟩; shopping – *winkelcentrum* ●⟨AE⟩ *politiedistrict* ‖ the –s of Bond Street *de omgeving v. Bond Street.*

1precious ['preʃəs] ⟨zn⟩ ↓ ●*dierbaar iem./ iets, schat, lieverd.*

2precious ⟨bn⟩ ●*kostbaar;* – metals *edele metalen;* – stones *edelstenen* ●*dierbaar* ● *gekunsteld, gemaakt* ●⟨ ↓; iron.⟩ *kostbaar, waardeloos.*

3precious ⟨bw⟩ ↓ ●*verdomd;* there were – few drinks *er was verdomd weinig te drinken.*

precipice ['presɪpɪs] ●*steile rotswand, afgrond.*

1precipitate [prɪ'sɪpɪtət] ⟨zn⟩ ●⟨schei.⟩ *precipitaat, neerslag.*

2precipitate ⟨bn⟩ ●*overhaast, onbezonnen.*

3precipitate [prɪ'sɪpɪteɪt] I ⟨onov ww⟩ ● ⟨schei.⟩ *neerslaan, bezinken* II ⟨ov ww⟩ ● *(neer)storten* ⟨ook fig.⟩, *(neer)werpen* ● *versnellen, bespoedigen.* **precipitation** [prɪˌsɪpɪ'teɪʃn] ●*het overhaasten, onbezonnenheid* ●⟨schei.⟩ *precipitaat, bezinksel* ●⟨meteo.⟩ *neerslag.* **precipitous** [prɪ'sɪpɪtəs] ●*(vreselijk) steil.*

précis ['preɪsi:] ●*samenvatting* ●*het maken v.e. samenvatting.*

precise [prɪ'saɪs] ●*nauwkeurig, precies;* at the – moment that *juist op het moment dat.* **precisely** [prɪ'saɪsli] ●zie PRECISE ●*inderdaad, juist, precies.*

1precision [prɪ'sɪʒn] ⟨zn⟩ ●*nauwkeurigheid, juistheid, precisie.*

2precision ⟨bn⟩ ●*precisie-;* – instruments *precisieapparatuur.*

preclude [prɪ'klu:d] ●*uitsluiten, voorkomen,* ⟨+from⟩ *verhinderen, beletten.*

precocious [prɪ'koʊʃəs] ●*vroeg(rijp), voorlijk, vroeg wijs.* **precocity** [prɪ'kɒsəti] ● *vroegrijpheid.*

preconceived ['pri:kən'si:vd] ●*vooraf gevormd;* a – opinion *een vooroordeel, een*

vooropgezette mening. **preconception** ['pri:kən'sepʃn] ●*vooroordeel, vooropgezette mening.*

precondition ['pri:kən'dɪʃn] ●*eerste vereiste.*

precook ['pri:'kʊk] ●*vooraf (enige tijd) koken;* –ed potatoes *voorgekookte aardappelen.*

precursor [prɪ'kə:sə] ●*voorloper, voorganger.*

predator ['predətə] ●*roofdier.* **predatory** ['predətri] ●*plunderend, rovend;* a – hotelkeeper *een uitbuiter v.e. hoteleigenaar* ●*roofzuchtig, roof-;* – bird *roofvogel.*

predecessor ['pri:dɪsesə] ●*voorloper.*

predestination [prɪˌdestɪ'neɪʃn] ●⟨rel.⟩ *voorbeschikking.* **predestine** ['pri:'destɪn] ●*van te voren bestemmen, vooraf bepalen;* he was –d to become a great actor *hij was voorbestemd een groot acteur te worden.*

predetermine ['pri:dɪ'tə:mɪn] ●*vooraf bepalen, vooraf vastleggen.*

predicament [prɪ'dɪkəmənt] ●*hachelijke situatie, kritieke/gevaarlijke toestand.*

1predicate ['predɪkət] ⟨zn⟩ ⟨taal.⟩ ●*gezegde.*

2predicate ['predɪkeɪt] ⟨ww⟩ ●*beweren, zeggen* ●⟨+on⟩ *baseren (op).*

predict [prɪ'dɪkt] ●*voorspellen, voorzeggen.* **predictable** [prɪ'dɪktəbl] ●*voorspelbaar.* **prediction** [prɪ'dɪkʃn] ●*voorspelling.*

predilection ['pri:dɪ'lekʃn] ●*voorliefde.*

predispose ['pri:dɪ'spoʊs] ↑ ●*doen neigen;* she has nothing that –s me to like her *zij heeft niets dat mij ertoe brengt haar aardig te vinden.* **predisposition** ['pri:dɪspə'zɪʃn] ●*neiging.*

predominance [prɪ'dɒmɪnəns] ●*overheersing, overhand, overwicht.* **predominant** [prɪ'dɒmɪnənt] ●*overheersend, belangrijkst.* **predominantly** [prɪ'dɒmɪnəntli] ● *hoofdzakelijk, overwegend.* **predominate** [prɪ'dɒmɪneɪt] ●*overheersen, de overhand hebben.*

pre-emin|ent ['pri:'emɪnənt] ⟨zn: -ence⟩ ● *uitstekend, uitblinkend, superieur.* **pre-eminently** ['pri:'emɪnəntli] ●*bij uitstek, voornamelijk.*

pre-empt ['pri:'em(p)t] ●*zich toeëigenen* ● *overbodig maken, ontkrachten.* **pre-emptive** ['pri:'em(p)tɪv] ●*preventief, voorkomend;* – air strikes *preventieve luchtaanvallen.*

preen [pri:n] ●*gladstrijken* ⟨veren⟩ ●*(zich) opknappen, (zich) mooi maken* ‖ the team –ed itself on having won the match *de ploeg ging er prat op de wedstrijd te heb-*

ben gewonnen.
prefab ['pri:fæb] ⟨verk.⟩ prefabricated building/house ●*geprefabriceerd gebouw/huis.* **prefabric|ate** ['pri:'fæbrɪkeɪt] ⟨zn: **-ation**⟩ ●*prefabriceren, in onderdelen gereedmaken; –d parts pasklare onderdelen.*
1 preface ['prefəs] ⟨zn⟩ ●*voorwoord, inleiding.*
2 preface ⟨ww⟩ ●*van een voorwoord voorzien, inleiden.*
prefect ['pri:fekt] ●⟨Eng. school.⟩ *oudere leerling als ordehandhaver.*
prefer [prɪ'fə:] ●⟨+to⟩ *verkiezen (boven), de voorkeur geven (aan); –* to leave rather than to wait *zij willen liever weggaan dan nog wachten* ●*indienen; –* a charge against s.o. *een aanklacht indienen tegen iem..* **preferable** ['prefrəbl] ●*verkieslijk, te prefereren.* **preference** ['prefrəns] ●*voorkeur, voorliefde; in –* to *liever/eerder dan.* **preferential** ['prefə'renʃl] ●*de voorkeur gevend/hebbend;* receive – treatment *een voorkeursbehandeling krijgen.*
prefix ['pri:fɪks] ●⟨taal.⟩ *voorvoegsel.*
pregnancy ['pregnənsi] ●*zwangerschap.* '**pregnancy test** ●*zwangerschapstest.* **pregnant** ['pregnənt] ●*zwanger, drachtig* ⟨v. dieren⟩ ●*veelbetekenend.*
prehistoric ['pri:hɪ'stɒrɪk] ●*prehistorisch.* **prehistory** ['pri:'hɪstri] ●*prehistorie.*
1 prejudice ['predʒədɪs] ⟨zn⟩ ●*vooroordeel, vooringenomenheid; without –* onbevooroordeeld ●*nadeel.*
2 prejudice ⟨ww⟩ ●*schaden, benadelen* ●*innemen, voorinnemen.* **prejudicial** ['predʒə'dɪʃl] ●⟨+to⟩ *nadelig (voor), schadelijk (voor).*
prelate ['prelət] ⟨R.-K.⟩ ●*kerkvorst, prelaat.*
1 preliminary [prɪ'lɪmənri] ⟨zn⟩ ●⟨vnl. mv.⟩ *voorbereiding, inleiding.*
2 preliminary ⟨bn⟩ ●*inleidend, voorafgaand, voorbereidend; –* examination *voorexamen; –* examinations *propadeuse.*
prelude ['prelju:d] ●*voorspel, inleiding* ● ⟨muz.⟩ *prelude.*
premarital ['pri:'mærɪtl] ●*voorechtelijk.*
premature ['premətʃə, -'tʃʊə] ●*te vroeg, voortijdig;* a – baby *een te vroeg geboren baby* ●*voorbarig.*
premeditation [prɪ'medɪ'teɪʃn] ●*opzet* ● ⟨jur.⟩ *voorbedachte raad.* **premeditated** ['pri:'medɪteɪtɪd] ●*opzettelijk, beraamd; –* murder *moord met voorbedachten rade.*
1 premier ['premɪə] ⟨zn⟩ ●*minister-president, premier.*
2 premier ⟨bn⟩ ●*eerste, voornaamste.*

première ['premɪeə] ●*première.*
premise ⟨in bet. I vnl.⟩ **premiss** ['premɪs] I ⟨telb zn⟩ ●*vooronderstelling* II ⟨mv.⟩ ● *huis (en erf), zaak;* licensed –s café; the shopkeeper lives on the –s *de winkelier woont in het pand.*
premium ['pri:mɪəm] ●*beloning, prijs;* put a – on *bevorderen* ●*(verzekerings)premie* ● *toeslag, extra, bonus.*
'**Premium Bond** ●*(renteloze) premieobligatie.*
premonition ['pri:mə'nɪʃn,'pre-] ●*voorgevoel.*
prenatal ['pri:'neɪtl] ●*prenataal.*
preoccupation [prɪ'ɒkjʊ'peɪʃn] ●*(voornaamste) zorg* ●*gepreoccupeerdheid, het volledig in beslag genomen zijn.* **preoccupied** [prɪ'ɒkjʊpaɪd] ●*in gedachten verzonken, volledig in beslag genomen.* **preoccupy** [prɪ'ɒkjʊpaɪ] ●*geheel in beslag nemen* ⟨gedachten, geest⟩; he was pre-occupied by/with *hij was voortdurend bezig met.*
preordain ['pri:ɔ:'deɪn] ●*voorbeschikken.*
1 prep [prep] ⟨zn⟩ ⟨BE⟩ ●*huiswerk.*
2 prep ⟨bn⟩↓‖ – school *voorbereidingsschool.*
prepack ['pri:'pæk] ●*verpakken; –ed* goods *(voor)verpakte goederen.*
preparation ['prepə'reɪʃn] ●⟨vnl. mv.⟩ *voorbereiding* ●*preparaat* ●⟨BE⟩ *(toe)bereiding* ●*huiswerk.* **preparatory** [prɪ'pærətri] ●*voorbereidend, inleidend; –* school *voorbereidingsschool* ⟨voor public school in Engeland; voor college/universiteit in U.S.A.⟩. **prepare** [prɪ'peə] I ⟨onov ww⟩ ●*voorbereidingen treffen* II ⟨ov ww⟩ ●*voorbereiden, gereedmaken, prepareren; –* for the worst *wees op het ergste voorbereid* ●*klaarmaken, (toe)bereiden.* **prepared** [prɪ'peəd] ●*voorbereid* ●*bereid;* be – to do sth. *bereid zijn iets te doen.*
prepay ['pri:'peɪ] ●*vooruitbetalen.*
preponderance [prɪ'pɒndrəns] ●*overwicht, overmacht.* **preponderant** [prɪ'pɒndrənt] ●*overwegend* ●*overheersend.* **preponderate** [prɪ'pɒndəreɪt] ●*zwaarder wegen.*
preposition ['prepə'zɪʃn] ⟨taal.⟩ ●*voorzetsel.*
prepossess ['pri:pə'zes] ●*gunstig stemmen;* he –ed the jury in his favour *hij nam de jury voor zich in.*
preposterous [prɪ'pɒstrəs] ●*ongerijmd, absurd.*
1 prerequisite ['pri:'rekwɪzɪt] ⟨zn⟩ ●*eerste vereiste;* a – of/for/to *een noodzakelijke voorwaarde voor.*
2 prerequisite ⟨bn⟩ ●⟨+for/to⟩ *in de eerste plaats vereist (voor), noodzakelijk (voor).*
prerogative [prɪ'rɒgətɪv] ●*voorrecht.*

1 presage ['presɪdʒ] ⟨zn⟩ ● *voorteken* ● *(bang) voorgevoel.*
2 presage ['presɪdʒ, prɪ'seɪdʒ] ⟨ww⟩ ● *voorspellen.*
presbyter ['prezbɪtə] ● *presbyter* ● *priester.*
Presbyterian ['prezbɪ'tɪərɪən] ● ⟨bn⟩ *presbyteriaans* ● ⟨zn⟩ *presbyteriaan.*
presbytery ['prezbɪtri] ● *presbyterium, priesterkoor* ● *(gebied bestuurd door) raad v. ouderlingen* ⟨presbyteriaanse kerk⟩.
preschool ['priː'skuːl] ● *van/voor een kleuter/peuter.*
prescience ['presɪəns] ● *vooruitziendheid.*
prescribe [prɪ'skraɪb] ● *voorschrijven, opleggen.* **prescription** [prɪ'skrɪpʃn] ● ⟨med.⟩ *voorschrift* ⟨ook fig.⟩ ● *recept.*
presence ['prezns] ● *aanwezigheid, tegenwoordigheid; – of mind tegenwoordigheid v. geest;* make one's – felt *duidelijk laten merken dat men er is* ● *(indrukwekkende) verschijning* ● *geest* ● *persoonlijkheid* ‖ in the – of *in tegenwoordigheid van.*
1 present ['preznt] ⟨zn⟩ ● *geschenk, cadeau;* make s.o. a – of sth. *iem. iets cadeau doen* ● *het heden;* at – *op dit ogenblik; tegenwoordig;* for the – *voorlopig.*
2 present ['preznt] **I** ⟨bn, attr⟩ ● *in kwestie;* the – author *schrijver dezes* ● *tegenwoordig* ● ⟨taal.⟩ *tegenwoordig;* – participle *onvoltooid/tegenwoordig deelwoord;* – perfect *voltooid tegenwoordige tijd;* – tense *tegenwoordige tijd* ‖ ⟨bn, pred⟩ ● *tegenwoordig, aanwezig; – at aanwezig bij/op.*
3 present [prɪ'zent] ⟨ww⟩ ● *voorstellen, introduceren* ● *opvoeren; – a show een show presenteren* ● *(ver)tonen, blijk geven v.; – no difficulties geen problemen bieden/opleveren* ● *aanbieden, uitreiken; – an idea een idee voorleggen; – s.o. with a price iem. een prijs uitreiken;* your remarks – me with a problem *je opmerkingen stellen me voor een probleem* ● ⟨mil.⟩ *presenteren; – arms! presenteer geweer!* ‖ – a complaint to *een klacht indienen bij; – o.s. for an examination voor een examen opgaan;* a new chance –s it-self *er doet zich een nieuwe kans voor.*
presentable [prɪ'zentəbl] ● *presentabel, toonbaar.*
presentation ['prezn'teɪʃn] ● *voorstelling* ● *introductie, presentatie* ● *schenking, geschenk;* make a – of *aanbieden.* **presenta-'tion copy** ● *presentexemplaar.*
'**present-day** ● *huidig, modern.*
presenter [prɪ'zentə] ● *presentator.*
presentiment [prɪ'zentɪmənt] ● *(angstig)*

voorgevoel.
presently ['prezntli] ● *dadelijk, binnenkort* ● ⟨AE, Sch. E⟩ *nu, op dit ogenblik.*
preservation ['prezə'veɪʃn] ● *behoud, bewaring* ● *staat.* **preservative** [prɪ'zə:vətɪv] ● *conserveringsmiddel.*
1 preserve [prɪ'zə:v] ⟨zn⟩ ● ⟨ook mv.⟩ *jam, confituur* ● *(natuur)reservaat, wildpark.*
2 preserve ⟨ww⟩ ● *beschermen, behoeden* ● *bewaren* ● *behouden, in stand houden;* well –d *goed geconserveerd* ● *conserveren, inmaken; –d fruits gekonfijt fruit* ● *in leven houden, redden.* **preserver** [prɪ'zə:və] ● *beschermer, behoeder.*
preset ['priː'set] ● *vooraf instellen.*
preshrunk ['priː'ʃrʌŋk] ● *voorgekrompen* ⟨v. stoffen⟩.
preside [prɪ'zaɪd] ● *als voorzitter optreden; – at/over a meeting een vergadering voorzitten* ● ⟨+over⟩ *de leiding hebben (van).*
presidency ['prezɪd(ə)nsi] ● *presidentschap, presidentstermijn.* **president** ['prezɪd(ə)nt] ● *voorzitter, president* ● ⟨AE⟩ *manager, directeur.* **presidential** ['prezɪ'denʃl] ● *presidentieel; – year jaar met presidentsverkiezingen* ⟨in U.S.A.⟩.
1 press [pres] ⟨zn⟩ ● *pers, het drukken, journalisten;* get a good – *een goede pers krijgen* ● *drukpers;* go to the – *ter perse gaan;* at/in (the) – *ter perse;* off the – *van de pers* ● *drukkerij* ● ⟨vnl. P-⟩ *uitgeverij* ● *pers(toestel)* ● *druk* ● *menigte, gedrang.*
2 press **I** ⟨onov ww⟩ ● *druk uitoefenen; – ahead with onverbiddelijk doorgaan met; – down (up)on s.o. op iem. drukken* ● *dringen;* time –es *de tijd dringt* ● *zich verdringen* ‖ ⟨ov ww⟩ ● *drukken, duwen; – the button op de knop drukken;* ⟨↓; fig.⟩ *de kogel door de kerk jagen* ● *samendrukken; –ed food ingeblikt voedsel* ● *benadrukken; – a question aandringen op een antwoord* ● *druk uitoefenen op, aanzetten; – for an answer aandringen op een antwoord;* be –ed for money/time *in geld-/tijdnood zitten; – sth. upon s.o. iem. iets opdringen* ● *persen, strijken* ‖ – s.o. hard *iemand het vuur na aan de schenen leggen; –home one's point of view zijn ziens-wijze doordrijven.* '**press agency** ● *publiciteitsbureau* ● *persagentschap.* '**press agent** ● *publiciteitsagent.* '**press box** ● *perstribune.* '**press conference** ● *persconferentie.* '**press cutting,** '**press clipping** ● *kranteknipsel.* '**press gallery** ● *perstribune* ⟨in Britse parlement⟩.
1 pressing ['presɪŋ] ⟨zn⟩ ● *persing* ⟨v. grammofoonplaten⟩.
2 pressing ⟨bn⟩ ● *dringend, urgent.*

pressman ['presmən [-mən]] ●*journalist.* 'press release ●*perscommuniqué, persbericht.*

'press-stud ⟨BE⟩ ●*drukknoop.*

'press-up ⟨BE⟩ ●*opdrukoefening;* do ten –s *zich tien keer opdrukken.*

1 **pressure** ['preʃə] ⟨zn⟩ ●*druk* ●*stress, spanning;* work under – *werken onder druk* ●*dwang, pressie;* bring – (to bear) on s.o., put – on s.o., put s.o. under – *iem. onder druk zetten;* a promise made under – *een afgedwongen belofte.*

2 **pressure** ⟨ww⟩ ⟨vnl. AE⟩ ●*onder druk zetten.* 'pressure cooker ●*snelkookpan.* 'pressure group ●*pressiegroep, lobby.*

pressurize ['preʃəraɪz] ●*onder druk zetten* ⟨ook fig.⟩ ●*de (lucht)druk regelen in/van;* ⟨luchtv.⟩ –d cabin *drukcabine.*

prestige [pre'sti:ʒ] ●*prestige, aanzien.* **prestigious** [pre'stɪdʒəs] ●*prestigieus.*

prestressed ['pri:'strest] ⟨bouwk.⟩ ●*voorgespannen, span-* ⟨v. beton⟩.

presumable [prɪ'zju:məbl] ●*aannemelijk, vermoedelijk.* **presume** [prɪ'zju:m] I ⟨on-ov ww⟩ ●*zich vrijheden veroorloven;* zie PRESUME (UP)ON II ⟨ov ww⟩ ●*de vrijheid nemen, wagen* ●*veronderstellen, vermoeden, aannemen.* pre'sume (up)on ↑ ● *misbruik maken v..*

presumption [prɪ'zʌm(p)ʃn] ●*(redelijke) veronderstelling* ●*arrogantie, verwaandheid.* **presumptive** [prɪ'zʌm(p)tɪv] ●*aannemelijk, vermoedelijk.* **presumptuous** [prɪ'zʌm(p)tʃʊəs] ●*aanmatigend, arrogant.*

presuppose ['pri:sə'pəʊz] ●*vooronderstellen.* **presupposition** ['pri:sʌpə'zɪʃn] ● *vooronderstelling.*

pretence, ⟨AE sp.⟩ **pretense** [prɪ'tens] ● *voorwendsel* ●*schijn;* she made a – of laughing *ze deed alsof ze lachte* ●*uiterlijk vertoon;* devoid of all – *zonder pretentie* ‖ – to *aanspraak op.* **pretend** [prɪ'tend] I ⟨onov en ov ww⟩ ●*doen alsof, komedie spelen;* zie PRETEND TO II ⟨ov ww⟩ ●*voorwenden.* **pretended** [prɪ'tendɪd] ●*geveinsd, schijn-.* **pretender** [prɪ'tendə] ● *(troon)pretendent* ●*huichelaar, schijnheilige.* pre'tend to ●*(ten onrechte) aanspraak maken op.* **pretension** [prɪ'tenʃn] ● ⟨vaak mv.⟩ *aanspraak* ●*pretentie, aanmatiging.* **pretentious** [prɪ'tenʃəs] ●*pretentieus, aanmatigend.*

pretext ['pri:tekst] ●*voorwendsel;* (up)on/ under the – of *onder voorwendsel v..*

1 **pretty** ['prɪti] (-iness) I ⟨bn, attr en pred⟩ ● *aardig* ⟨ook iron.⟩, *mooi;* a – mess *een mooie boel;* come to a – pass *in een moei-*

lijke situatie terechtkomen ‖ lead s.o. a – dance *iem. het leven zuur maken;* a – kettle of fish *een mooie boel* II ⟨bn, attr⟩ ↓ ● *groot, veel;* it cost him a – penny *het heeft hem een lieve duit gekost.*

2 **pretty** ['prɪti] ⟨bw⟩ ●*nogal, vrij;* that is – much the same thing *dat is praktisch hetzelfde;* – nearly *zo goed als;* I have – well finished my essay *ik heb mijn opstel nagenoeg af* ●*erg, zeer.*

pretzel ['pretsl] ●*zoute krakeling.*

prevail [prɪ'veɪl] ●*de overhand krijgen/hebben, zegevieren* ●*wijd verspreid zijn, heersen.* **prevailing** [prɪ'veɪlɪŋ] ●*gangbaar, heersend.* preval**ent** ['prevələnt] ⟨zn: -ence⟩ ●*heersend, gangbaar.*

prevaricate [prɪ'værɪkeɪt] ●*(er omheen) draaien, uitvluchten zoeken,* ⟨euf.⟩ *liegen.* **prevarication** [prɪ'værɪ'keɪʃn] ●*draaierij, uitvlucht.*

prevent [prɪ'vent] ●*voorkómen, verhinderen;* you can 't – him from having his own ideas *je kunt hem niet beletten er zijn eigen ideeën op na te houden.* **prevention** [prɪ'venʃn] ●*preventie* ‖ ⟨sprw.⟩ prevention is better than cure *voorkomen is beter dan genezen.*

1 **preventive** [prɪ'ventɪv] ⟨zn⟩ ●*obstakel, hindernis* ●⟨med.⟩ *voorbehoedmiddel.*

2 **preventive, preventative** ⟨bn⟩ ●*preventief, voorkómend;* – detention *voorlopige/ preventieve hechtenis.*

1 **preview** ['pri:vju:] ⟨zn⟩ ●*voorvertoning.*

2 **preview** ⟨ww⟩ ●*in voorvertoning zien* ● *voorvertonen.*

previous ['pri:vɪəs] ●*voorafgaand, vorig.* **previous to** ●*vóór.*

prewar ['pri:'wɔ:] ●*vooroorlogs.*

1 **prey** [preɪ] ⟨zn⟩ ●*prooi* ⟨ook fig.⟩; beast/ bird of – *roofdier/vogel;* fall (a) – to *ten prooi vallen aan.*

2 **prey** ⟨ww⟩ ‖ – (up)on *uitzuigen; aantasten; jagen op;* it –s on his mind *hij wordt erdoor gekweld.*

1 **price** [praɪs] ⟨zn⟩ ●*prijs* ⟨ook fig.⟩; set a – on *een prijs vaststellen voor;* above/beyond/without – *onbetaalbaar;* at a low – *voor weinig geld;* at any – *tot elke prijs* ● *notering* ●*waarde;* put a – on *de waarde bepalen van* ‖ zie ook ⟨sprw.⟩ MAN.

2 **price** ⟨ww⟩ ●*prijzen, de prijs vaststellen van* ●*de prijs vragen van* ●*schatten.* 'price bracket, 'price range ●*prijsklasse.* 'price cut ●*prijsvermindering.* 'price increase, 'price hike ●*prijsstijging.* 'price index ●*prijsindex.* **priceless** ['praɪsləs] ● *onbetaalbaar, onschatbaar,* ⟨fig.⟩ *koste-*

lijk. 'price-list ●prijslijst. 'price rise ●
prijsverhoging. 'price tag ●prijskaartje
⟨ook fig.⟩. pricey ['praɪsɪ] ●prijzig, duur.

1 prick [prɪk] ⟨zn⟩ ●prik; ⟨fig.⟩ –s of conscience wroeging ●⟨sl.⟩ lul ●⟨bel.⟩
schoft.

2 prick I ⟨onov ww⟩ ●prikken, steken II ⟨ov
ww⟩ ●prikken, (door)steken, prikkelen
⟨ook fig.⟩; ⟨fig.⟩ my conscience –s me
mijn geweten knaagt.

1 prickle ['prɪkl] ⟨zn⟩ ●stekel, doorn.

2 prickle ⟨ww⟩ ●prikkelen, kriebelen.
prickly ['prɪklɪ] ●stekelig ●prikkelbaar, kre-
gel ‖ – pear schijfcactus.

pride [praɪd] ●trots, hoogmoed; you are my
– and (my) joy je bent mijn oogappel;
have/take – of place nummer één zijn;
take a – in trots zijn op ●⟨the⟩ bloei(tijd) ●
troep ⟨leeuwen⟩ ‖ swallow one's – zijn
trots inslikken. 'pride (up)on ●prat gaan
op, trots zijn op.

priest [priːst] ●priester, pastoor. priestess
['priːstɪs] ●priesteres. priesthood
['priːsthʊd] I ⟨n-telb zn⟩ ●priesterschap II
⟨zn⟩ ●geestelijkheid. priestly ['priːstlɪ] ●
priesterlijk.

prig [prɪg] ⟨ong.⟩ ●verwaande kwast. prig-
gish ['prɪgɪʃ] ●pedant, verwaand.

prim [prɪm] ●keurig; – and proper keurig
netjes ●⟨ong.⟩ preuts.

primacy ['praɪməsɪ] ●voorrang, vooraanstaande plaats.

prima donna ['priːmə 'dɔnə] ●prima-donna,
⟨fig.⟩ bazig iem..

prim(a)eval ['praɪ'miːvl] ●oorspronkelijk,
oer-.

primal ['praɪml] ●oer-, oorspronkelijk.

primarily ['praɪmrəlɪ] ●hoofdzakelijk, voornamelijk.

1 primary ['praɪmrɪ] ⟨zn⟩ ●⟨AE; pol.⟩ voor-
verkiezing.

2 primary I ⟨bn, attr en pred⟩ ●voornaam-
ste; of – importance van het allergrootste
belang II ⟨bn, attr⟩ ●primair, eerst ●ele-
mentair, grond-; – colour primaire kleur; –
education/school basisonderwijs/school.

primate ['praɪmeɪt] ⟨dierk.⟩ ●primaat.

Primate ['praɪmət] ⟨rel.⟩ ●aartsbisschop.

1 prime [praɪm] ⟨zn⟩ ●hoogste volmaaktheid, bloei, hoogtepunt; in the – of life in
de kracht van zijn leven; she's well past
her – ze is niet jong meer ●⟨wisk.⟩ priemgetal.

2 prime ⟨bn⟩ ●eerst, voornaamst; of – importance v.h. hoogste belang; – motive
hoofdmotief ●uitstekend, prima; – cuts of
beef eerste kwaliteit rundvlees; ⟨radio,
t.v.⟩ – time prime time ●oorspronkelijk ‖ –

number priemgetal.

3 prime ⟨ww⟩ ●laden ⟨vuurwapen⟩ ●
⟨tech.⟩ op gang brengen ⟨door ingieten
v. water of olie⟩, voeden ⟨pomp⟩ ●inlich-
ten, instrueren ●grondverven, van een
grondlaag voorzien.

1 primer ['praɪmə] I ⟨telb zn⟩ ●slaghoedje II
⟨telb en n-telb zn⟩ ●grondverf.

2 primer ['praɪmə, 'prɪmə] ⟨zn⟩ ●eerste leesboek ●beknopte handleiding, inleiding.

primeval zie PRIMAEVAL.

1 primitive ['prɪmətɪv] ⟨zn⟩ ●primitief ⟨ook
bk.⟩, naïeve schilder ●primitief werk.

2 primitive ⟨bn⟩ ●primitief ●⟨ong.⟩ niet
comfortabel, ouderwets.

primordial ['praɪ'mɔːdɪəl] ●oorspronkelijk,
oer-.

primrose ['prɪmrouz] ●sleutelbloem ●licht-
geel.

prince [prɪns] ●prins; Prince of Wales Britse
kroonprins; – royal kroonprins ●vorst
⟨ook fig.⟩, heerser. 'prince 'consort ●
prins-gemaal. princely ['prɪnslɪ] ●prinse-
lijk ●vorstelijk. princess ['prɪn'ses] ●prin-
ses. 'princess 'royal ●kroonprinses ●
⟨the⟩ titel v.d. oudste dochter v.d. Britse
koning(in).

1 principal ['prɪnsɪpl] ⟨zn⟩ ●directeur/direc-
trice ●hoofd(persoon), ⟨vaak mv.⟩ hoofd-
rolspelers ●⟨P-⟩ schoolhoofd.

2 principal ⟨bn⟩ ●voornaamste. principali-
ty ['prɪnsɪ'pælətɪ] I ⟨eig.n.; P-; the⟩ ●
Wales II ⟨telb zn⟩ ●prinsdom/vorsten-
dom. principally ['prɪnsɪplɪ] ●voorname-
lijk, hoofdzakelijk.

principle ['prɪnsɪpl] ●(grond)beginsel, uitgangspunt; Archimedes' – de wet v. Archimedes; in – in principe ●principe, (mo-
rele) stelregel; a man of high – een man
met hoogstaande principes; on – princi-
pieel. principled ['prɪnsɪpld] ●principieel.

1 print [prɪnt] I ⟨telb zn⟩ ●afdruk, ⟨fig.⟩
spoor ●⟨bk.⟩ prent ●(foto)afdruk ●
⟨vnl. mv.⟩ ⟨sl.⟩ vingerafdruk II ⟨telb en
n-telb zn⟩ ●(bedrukt) katoentje III ⟨n-
telb zn⟩ ⟨druk.⟩ ●druk; in – gedrukt; verkrijgbaar; out of – uitverkocht ●uitgave,
oplage.

2 print I ⟨onov en ov ww⟩ ●(af)drukken; –
out een print-out/uitdraai maken (van) ●
publiceren ●in/met blokletters (op)schrij-
ven II ⟨ov ww⟩ ●bedrukken ⟨stof enz.⟩;
⟨tech.⟩ –ed circuit gedrukte bedrading.
printable ['prɪntəbl] ●geschikt om gedrukt
te worden. 'printed matter ●drukwerk.
printer ['prɪntə] ●(boek)drukker ●⟨comp.⟩
printer. 'printer's 'error ●drukfout, zet-
fout.

printing ['prɪntɪŋ] ●*oplage, druk* ●*(boek) drukkunst.* '**printing office** ●*drukkerij.* '**printing press** ●*drukpers.* '**printing works** ●*drukkerij.*

'**print-out** ⟨comp.⟩ ●*uitdraai.* '**print-shop** ● *(kleine) drukkerij.*

1 prior ['praɪə] ⟨zn⟩ ⟨rel.⟩ ●*prior.*

2 prior ⟨bn⟩ ●*vroeger, voorafgaand* ●*prioritair, preferent.* **priority** [praɪ'ɒrəti] ●*prioriteit, voorrang;* get one's priorities right *de juiste prioriteiten stellen.* **prior to** ●*vóór, voorafgaande aan.*

priory ['praɪəri] ⟨rel.⟩ ●*priorij.*

prise [praɪz] ⟨vnl. BE⟩ ●*lichten, openbreken.*

prism ['prɪzm] ●*prisma.*

prison ['prɪzn] ●*gevangenis.* '**prison camp** ●*interneringskamp.* **prisoner** ['prɪznə] ● *gevangene; –* of conscience *politieke gevangene; –* of war *krijgsgevangene.*

prissy ['prɪsi] ●*preuts, stijf.*

pristine ['prɪsti:n] ●*oorspronkelijk* ●*ongerept.*

privacy ['prɪvəsi] ●*privacy, stilte, beslotenheid, afzondering.*

1 private ['praɪvət] ⟨zn⟩ ●*soldaat, militair.*

2 private I ⟨bn, attr en pred⟩ ●*besloten, afgezonderd;* she's a very – kind of person *ze is erg op zichzelf* ●*vertrouwelijk, geheim; –* conversation *gesprek onder vier ogen;* keep – *binnenskamers houden;* in – *in het geheim* ‖ ⟨euf.⟩ – parts *geslachtsdelen* **II** ⟨bn, attr⟩ ●*particulier, niet publiek; –* enterprise *particuliere onderneming; –* life *privéleven; –* property *particulier eigendom; –* school *particuliere school* ●*persoonlijk; –* detective *privédetective* ● *niet officieel* ‖ – eye *privédetective; –* means *inkomsten anders dan uit loon;* ⟨med.⟩ – patient *particulier patiënt; –* soldier *gewoon soldaat; –* view *persoonlijke mening.*

privation [praɪ'veɪʃn] ●*ontbering, gebrek.*

privatis|e ['praɪvətaɪz] ⟨zn: -ation⟩ ●*privatiseren.*

privet ['prɪvɪt] ●*liguster.*

1 privilege ['prɪv(ɪ)lɪdʒ] ⟨zn⟩ ●*voorrecht, privilege* ●⟨BE; pol.⟩ *onschendbaarheid, immuniteit.*

2 privilege ⟨ww⟩ ●*bevoorrechten, een privilege verlenen.*

privy ['prɪvi] **I** ⟨bn, attr⟩ ‖ Privy Council *Geheime Raad* ⟨adviesraad v.d. Britse koning(in)⟩ **II** ⟨bn, pred⟩ ●*ingewijd;* be – to *op de hoogte zijn van.*

1 prize [praɪz] ⟨zn⟩ ●⟨vaak attr⟩ *prijs, beloning* ●*prijs, buit;* make – of *buitmaken* ● *meevaller, buitenkansje.*

2 prize ⟨ww⟩ ●*waarderen, op prijs stellen* ● *lichten* ⟨met een werktuig⟩; – off the lid *wip het deksel eraf; –* a crate open *een krat openbreken;* zie PRIZE OUT.

'**prize 'blunder** ⟨scherts.⟩ ●*flater v. jewelste.* '**prize fight** ●*vuistgevecht, bokswedstrijd* ⟨voor geld⟩. '**prize fighter** ●*vuistvechter, (beroeps)bokser.* '**prize 'out** ●*lospeuteren,* ⟨fig.⟩ *afhandig maken;* prize the secret out of him *hem het geheim ontfutselen.* '**prizewinner** ●*prijswinnaar.* '**prizewinning** ●*bekroond.*

P'R man ●*PR-man, public relations man, perschef.*

1 pro [prou] ⟨zn⟩ ↓ ●⟨verk.⟩ professional ⟨sport⟩ *prof, beroeps* ●⟨verk.⟩ prostitute ⟨BE⟩ *prostituée* ‖ the –s and con(tra)s *de voor- en nadelen.*

2 pro ⟨vz⟩ ●*vóór.*

probability ['prɒbə'bɪləti] ●*waarschijnlijkheid, kans;* ⟨wisk.⟩ theory/calculation of – *kansberekening;* in all – *hoogstwaarschijnlijk.* **probable** ●*waarschijnlijk, aannemelijk;* the – result *het te verwachten resultaat.* **probably** ['prɒbəbli] ●zie PROBABLE ●*ongetwijfeld.*

probate ['proubeɪt] ⟨jur.⟩ ●*geverifieerd afschrift v.e. testament* ●*gerechtelijke verificatie v.e. testament.*

probation [prə'beɪʃn] ●*proef(tijd)* ⟨ook jur.⟩; on – *op proef;* voorwaardelijk in vrijheid gesteld. **probationary** [prə'beɪʃnəri] ● *proef-, op proef.* **probationer** [prə'beɪʃnə] ●*op proef aangenomen employé* ●*leerling-verpleegster.* **pro'bation officer** ⟨jur.⟩ ●*reclasseringsambtenaar.*

1 probe [proub] ⟨zn⟩ ●*sonde, peilstift* ● *(diepgaand) onderzoek.*

2 probe ⟨ww⟩ ●*(met een sonde) onderzoeken* ●*onderzoeken;* a probing interrogation *een indringende ondervraging; –* into *graven naar.*

probity ['proubəti] ●*rechtschapenheid.*

problem ['prɒbləm] ●*probleem, vraagstuk, kwestie.* **problematic(al)** ['prɒblə'mætɪk(l)] ●*problematisch.* '**problem child** ● *probleemkind.*

proboscis [prə'bɒsɪs] ●*slurf, (lange) snuit* ⟨bij insekten⟩.

procedural [prə'si:dʒrəl] ●*procedureel.* **procedure** [prə'si:dʒə] ●*procedure, werkwijze.*

proceed [prə'si:d] ●*beginnen* ●*verder gaan, doorgaan;* work is steadily –ing *het werk vordert gestaag; –* with/in *vervolgen/ voortgaan met* ●*te werk gaan* ●*zich bewegen, gaan* ●*ontstaan; –* from *voortkomen uit.* **pro'ceed against** ⟨jur.⟩ ●*procederen*

tegen. **proceeding** [prə'siːdɪŋ] ● *handeling, maatregel* ● ⟨mv.⟩ *gebeurtenissen* ● ⟨mv.⟩ ⟨P-⟩ *notulen, handelingen* ⟨v. genootschap enz.⟩ ● ⟨mv.⟩⟨jur.⟩ *gerechtelijke actie;* take/start legal *–s gerechtelijke stappen ondernemen.*
proceeds ['prousiːdz] ● *opbrengst.*
pro'ceed to ● *overgaan tot/op, verder gaan met;* – business *tot zaken komen.*
1 process ['prouses] ⟨zn⟩ ● *proces;* in – of construction *in aanbouw* ● *procédé, methode* ● *(serie) verrichting(en), handelwijze, werkwijze* ● *(voort)gang, (ver)loop;* in – *aan de gang;* in (the) – of doende/bezig met.
2 process [prə'ses] ⟨ww⟩ ● *in processie gaan, een optocht houden.*
3 process ['prouses] ⟨ww⟩ ● *bewerken, verwerken.*
procession [prə'seʃn] ● *stoet, optocht, processie.*
processor ['prousesə] ● ⟨comp.⟩ *computer,* ⟨ihb.⟩ *centrale verwerkingseenheid, CPU.*
proclaim [prə'kleɪm] ● *afkondigen, verklaren* ● *kenmerken;* his behaviour *–ed* him a liar *uit zijn gedrag bleek duidelijk dat hij loog.*
proclamation ['prɒklə'meɪʃn] ● *proclamatie, afkondiging.*
proclivity [prə'klɪvəti] ● *neiging, drang.*
procrastinate [prə'kræstɪneɪt] ● *talmen, dralen*. **procrastination** [prə'kræstɪ'neɪʃn] ● *uitstel, aarzeling.*
procre|ate ['proukrieɪt] ⟨zn: -ation⟩ ● *nageslacht voortbrengen, zich voortplanten.*
proctor ['prɒktə] ● ⟨P-⟩ ⟨BE⟩ *proctor* ⟨ordefunctionaris aan de universiteiten v. Oxford en Cambridge⟩ ● ⟨BE; jur.⟩ *procureur.*
procurable [prə'kjʊərəbl] ● *verkrijgbaar.* **procurator** ['prɒkjʊreɪtə] ‖ ⟨jur.⟩ – fiscal *officier v. justitie v.e. district* ⟨in Schotland⟩. **procure** [prə'kjʊə] I ⟨onov ww⟩ ● *pooieren* II ⟨ov ww⟩ ● *verkrijgen, verwerven.* **procurer** [prə'kjʊərə] ● *souteneur.*
procuress [prə'kjʊərɪs] ● *koppelaarster, bordeelhoudster.*
1 prod [prɒd] ⟨zn⟩ ● *por* ● *zet* ⟨ook fig.⟩, *duwtje.*
2 prod ⟨ww⟩ ● *porren, prikken;* – at/in *steken/prikken naar/in* ● *aansporen, opporren.*
1 prodigal ['prɒdɪgl] ⟨zn⟩ ● *verkwister;* the – has returned *de verloren zoon is teruggekeerd.*
2 prodigal ⟨bn⟩ ● *kwistig, overvloedig;* the – son *de verloren zoon.*
prodigious [prə'dɪdʒəs] ● *wonderbaarlijk.* **prodigy** ['prɒdɪdʒi] ● *wonder* ● *wonder-*

kind.
1 produce ['prɒdjuːs] ⟨zn⟩ ● *opbrengst, produktie;* agricultural – *landbouwprodukten.*
2 produce [prə'djuːs] I ⟨onov en ov ww⟩ ● *produceren, op/voortbrengen, vervaardigen* II ⟨ov ww⟩ ● *tonen, produceren;* – reasons *redenen aanvoeren* ● *het licht doen zien;* – a play *een toneelstuk op de planken brengen* ● *veroorzaken, teweegbrengen.* **producer** [prə'djuːsə] ● *produ-cent* ● ⟨dram.; film.; t.v.⟩ *producer, produktieleider* ● ⟨BE; dram.; radio⟩ *regisseur* ● ⟨radio, t.v.⟩ *samensteller.*
product ['prɒdʌkt] ● *produkt, voortbrengsel* ● *resultaat, gevolg.* **production** [prə'dʌkʃn] ● *produkt* ● ⟨dram.; film.⟩ *produktie* ● *produktie, opbrengst* ● *produktie, vervaardiging* ‖ on – of your tickets *op vertoon van uw kaartje.* **pro'duction line** ⟨ind.⟩ ● *lopende band.* **productive** [prə'dʌktɪv] ● *voortbrengend, producerend* ● ⟨ook ec.⟩ *produktief.* **productivity** ['prɒdək'tɪvəti] ● *produktiviteit.*
prof [prɒf] ↓ ● *prof, professor.*
1 profane [prə'feɪn] ⟨bn⟩ ● *profaan, werelds* ● *heidens* ● *ontheiligend.*
2 profane ⟨ww⟩ ● *ontheiligen, profaneren.* **profanity** [prə'fænəti] ● *godslastering* ● *godslasterlijkheid.*
profess [prə'fes] ● *beweren, voorwenden* ● *verklaren, betuigen;* he –ed his ignorance on the subject *hij verklaarde dat hij niets van het onderwerp afwist* ● *belijden, aanhangen.* **professed** [prə'fest] ● *voorgewend, zogenaamd* ● *openlijk, naar eigen zeggen.* **profession** [prə'feʃn] ● *verklaring, uiting* ● *beroep, vak, alle beoefenaren v.h. vak;* he is a doctor by – *hij is dokter van zijn vak.*
1 professional [prə'feʃnəl] ⟨zn⟩ ● *beroeps, deskundige;* she's quite a – *ze is heel bekwaam* ● ⟨sport⟩ *professional, prof.*
2 professional I ⟨bn, attr en pred⟩ ● *professioneel, beroeps-,* ⟨sport⟩ *prof-* ● *vakkundig, bekwaam* II ⟨bn, attr⟩ ● *met een hogere opleiding;* she is a – woman *ze heeft gestudeerd* ● *onverbeterlijk;* he's a – tease *hij doet nooit iets anders dan voeren* ● ⟨sport; euf.⟩ *professioneel;* – foul *professionele overtreding.* **professionalism** [prə'feʃnəlɪzm] ● *bekwaamheid* ● ⟨sport; euf.⟩ *het professioneel zijn.*
professor [prə'fesə] ● *professor;* – of chemistry *hoogleraar in de scheikunde* ● ⟨AE⟩ *wetenschappelijk medewerker met leeropdracht.* **professorial** ['prɒfe'sɔːriəl] ● *(als) v.e. professor.* **professorship**

[prəˈfesəʃɪp] •*hoogleraarschap.*
proffer [ˈprɒfə] •*aanbieden, aanreiken.*
profici|ent [prəˈfɪʃnt] ⟨zn: **-ency**⟩ •*vakkundig, bekwaam.*
1 **profile** [ˈproufaɪl] ⟨zn⟩ •*profiel, zijaanzicht, doorsnede, karakterschets.*
2 **profile** ⟨ww⟩ •*en profil weergeven* •*een karakterschets geven v..*
1 **profit** [ˈprɒfɪt] ⟨zn⟩ •*winst;* sell at a – *met winst verkopen* •*nut, voordeel.*
2 **profit** I ⟨onov ww⟩ •⟨+by/from⟩ *profiteren (van), profijt trekken* II ⟨ov ww⟩ ↑ •*van nut zijn, helpen.* **profitable** [ˈprɒfɪtəbl] •*nuttig, voordelig* •*winstgevend.* **profiteer** [ˈprɒfɪˈtɪə] •⟨zn⟩ *woekeraar* •⟨ww⟩ *woekerwinst maken.* **profitless** [ˈprɒfɪtləs] •*nutteloos, zonder resultaat.* ˈ**profit margin** •*winstmarge.* ˈ**profit sharing** •*winstdeling.*
profligacy [ˈprɒflɪɡəsɪ] •*losbandigheid* •*roekeloosheid.* **profligate** [ˈprɒflɪɡət] •*losbandig* •*verkwistend.*
profound [prəˈfaʊnd] •*wijs, diepzinnig* •*diep, grondig;* – ignorance *grove onwetendheid.* **profundity** [prəˈfʌndəti] I ⟨telb en n-telb zn⟩ •*diepzinnigheid, wijsheid* II ⟨n-telb zn⟩ •*hevigheid, intensiteit.*
profuse [prəˈfjuːs] •*gul, kwistig;* be – in one's apologies *zich uitputten in verontschuldigingen* •*overvloedig.* **profusion** [prəˈfjuːʒn] •*overvloed* •*kwistigheid.*
progenitor [prouˈdʒenɪtə] •*voorvader* •*voorloper.* **progeny** [ˈprɒdʒəni] •*nageslacht* •*volgelingen.*
prognosis [prɒɡˈnousɪs] ⟨mv.: prognoses [-siːz]⟩ ⟨ec., med.⟩ •*prognose, voorspelling.* **prognostic|ate** [prɒɡˈnɒstɪkeɪt] ⟨zn: **-ation**⟩ ↑ •*voorspellen, duiden op.*
pro-government [ˈprouˈɡʌv(n)mənt] •*regeringsgezind.*
1 **programme**, ⟨AE sp.⟩ **program** [ˈprouɡræm] ⟨zn⟩ •*programma* •*programma-(blad/boekje), overzicht* •⟨BE sp.: program⟩ ⟨comp.⟩ *programma.*
2 **programme**, ⟨AE sp.⟩ **program** ⟨ww; programmed⟩ •*programmeren, een schema opstellen voor* •⟨BE sp.: program⟩ ⟨comp.⟩ *programmeren.* **program(m)er** [ˈprouɡræmə] ⟨comp.⟩ •*programmeur.*
1 **progress** [ˈprouɡres] ⟨zn⟩ •*voortgang, vooruitgang,* ⟨fig.⟩ *vordering;* the patiënt is making – *de patiënt gaat vooruit;* in – *bezig, aan de gang; in uitvoering.*
2 **progress** [prəˈɡres] ⟨ww⟩ •*vorderen, vooruitgaan/komen,* ⟨fig. ook⟩ *zich ontwikkelen.* **progression** [prəˈɡreʃn] •*opeenvolging* •*voortbeweging* •*voortgang, vooruitgang.*

1 **progressive** [prəˈɡresɪv] ⟨zn⟩ •*vooruitstrevend persoon.*
2 **progressive** ⟨bn⟩ •*toenemend, voortschrijdend, progressief* ⟨belasting⟩; improve –ly *geleidelijk beter worden* •⟨vnl. pol. en school.⟩ *progressief, vooruitstrevend.*
prohibit [prəˈhɪbɪt] •*verbieden* •*verhinderen.* **prohibition** [ˈprouɪˈbɪʃn] I ⟨eig.n.; P-⟩ •*(periode v.d.) drooglegging* ⟨drankverbod in de U.S.A., 1920-1933⟩ II ⟨telb en n-telb zn⟩ •*verbod,* ⟨ihb.⟩ *drankverbod.* **prohibitive** [prəˈhɪbɪtɪv] •*verbiedend, verbods-* ‖ – prices *onbetaalbaar hoge prijzen.*
1 **project** [ˈprɒdʒekt] ⟨zn⟩ •*plan, ontwerp* •*project, onderneming* •*project, onderzoek.*
2 **project** [prəˈdʒekt] I ⟨onov ww⟩ •*vooruitspringen, uitsteken* II ⟨ov ww⟩ •*ontwerpen* •*werpen, afschieten* •*werpen, projecteren;* – one's voice *zijn stem richten* •*afbeelden* •*zich voorstellen* •*ramen, schatten* •⟨psych.⟩ *projecteren.*
projectile [prəˈdʒektaɪl] •*projectiel.*
projection [prəˈdʒekʃn] I ⟨telb zn⟩ •*uitstekend deel, uitsprong* •*projectie, beeld* •*raming, plan* II ⟨n-telb zn⟩ •*het projecteren, filmprojectie.* **projectionist** [prəˈdʒekʃənɪst] •*filmoperateur.* proˈ**jection room,** proˈ**jection booth** •*cabine* ⟨in bioscoop⟩. **projector** [prəˈdʒektə] •*film/diaprojector.*
prole [proul] ↓ •*proletariër.*
proletarian [ˈprouliˈteəriən] •⟨bn⟩ *proletarisch* •*proletariër.* **proletariat** [ˈprouliˈteəriət] •*proletariaat, arbeidersklasse.*
proˈ**life** •*anti-abortus-.*
prolifer|ate [prəˈlɪfəreɪt] ⟨zn: **-ation**⟩ •*snel in aantal toenemen, zich verspreiden.*
prolific [prəˈlɪfɪk] •*vruchtbaar;* a – writer *een produktief schrijver.*
prolix [ˈprouliks] •*langdradig, breedsprakig.*
prologue [ˈproulɒɡ] •*proloog, inleiding* •*voorspel.*
prolong [prəˈlɒŋ] ⟨zn: **-ation**⟩ •*verlengen, langer maken, aanhouden.*
prom [prɒm] •⟨BE; ↓⟩ *prom, promenadeconcert* •⟨BE; ↓⟩ *promenade, boulevard* •⟨AE⟩ *school/universiteitsbal.*
1 **promenade** [ˈprɒməˈnɑːd] ⟨zn⟩ •*wandeling* •*promenade, boulevard* •⟨AE⟩ *school/universiteitsbal.*
2 **promenade** ⟨ww⟩ •*wandelen (langs), flaneren.* **promeˈnade concert** ⟨BE⟩ •*promenadeconcert.* **promeˈnade deck**

⟨scheep.⟩ ●*promenadedek.*

prominence ['prɒmɪnəns] ●*verhoging, uitsteeksel* ●*opvallendheid* ●*bekendheid, belang;* bring sth. into – *iets bekendheid geven.* **prominent** ['prɒmɪnənt] ●*uitstekend* ●*opvallend* ●*vooraanstaand, prominent* ●*bekend, beroemd.*

promiscuity ['prɒmɪ'skju:əti] ●*promiscuïteit, vrij seksueel verkeer.* **promiscuous** [prə'mɪskjʊəs] ●*promiscue, met willekeurige seksuele relaties.*

1 promise ['prɒmɪs] ⟨zn⟩ ●*belofte, toezegging;* an actor of great – *een veelbelovend acteur;* break one's – *zich niet aan zijn belofte houden;* keep one's – *zijn belofte nakomen.*

2 promise ⟨ww⟩ ●*beloven, toezeggen.* **promising** ['prɒmɪsɪŋ] ●*veelbelovend.* **'promissory note** ⟨geldw.⟩ ●*promesse.*

promontory ['prɒməntrɪ] ●*kaap, klip.*

promote [prə'məʊt] ●⟨vnl. BE⟩ *bevorderen;* he has been –d captain *hij is tot kapitein bevorderd* ●*bevorderen, stimuleren* ●*steunen* ⟨bv. wetsontwerp⟩ ●*in gang zetten* ●*promoten, reclame maken voor.* **promoter** [prə'məʊtə] ●*begunstiger, bevorderaar* ●*organisator,* ⟨ihb.⟩ *financier v.e. manifestatie.* **promotion** [prə'məʊʃn] ●*bevordering, promotie, begunstiging* ●*reclamecampagne.*

1 prompt [prɒm(p)t] ⟨zn⟩ ●*het voorzeggen,* ⟨ihb.⟩ *hulp v.d. souffleur.*

2 prompt ⟨bn⟩ ●*prompt, onmiddellijk, vlug, alert.*

3 prompt ⟨ww⟩ ●*bewegen, drijven;* what –ed you to do that? *hoe kom je erbij dat te doen?* ●*opwekken, oproepen* ●*voorzeggen,* ⟨ihb.⟩ *souffleren.*

4 prompt ⟨bw⟩ ●*stipt;* at twelve o' clock – *om twaalf uur precies.*

'prompt box ●*souffleurshokje.* **prompter** ['prɒm(p)tə] ●*souffleur.*

promptness ['prɒm(p)tnəs], **promptitude** [-tɪtju:d] ●*promptheid.*

promulgate ['prɒmlgeɪt] ⟨zn: -ation⟩ ●*afkondigen, bekendmaken, verspreiden.*

prone [prəʊn] I ⟨bn, attr en pred⟩ ●*voorovergebogen* ●*vooroverliggend, uitgestrekt* II ⟨bn, pred⟩ ●*geneigd, vatbaar;* – to tactlessness *geneigd tot tactloosheid.*

prong [prɒŋ] ●*punt, vorktand* ●*tak, vertakking.*

pronoun ['prəʊnaʊn] ⟨taal.⟩ ●*voornaamwoord.*

pronounce [prə'naʊns] I ⟨onov ww⟩ ●*zijn mening verkondigen;* – (up)on *uitspraken doen over* II ⟨ov ww⟩ ●*uitspreken, uiten* ●*verklaren, verkondigen;* ⟨jur.⟩ – *judge-*

ment/verdict *uitspraak doen.* **pronounced** [prə'naʊnst] ●*uitgesproken, onmiskenbaar.* **pronouncement** [prə'naʊnsmənt] ●*verklaring, verkondiging.*

pronto ['prɒntəʊ] ↓ ●*meteen, onmiddellijk.*

pronunciation [prə'nʌnsi'eɪ∫n] ●*uitspraak.*

1 proof [pru:f] I ⟨zn⟩ ●*toets, proef;* bring/put to the – *op de proef stellen* ‖ ⟨sprw.⟩ the proof of the pudding is in the eating *in de praktijk zal blijken of het goed is* II ⟨telb en n-telb zn⟩ ●*bewijs, blijk* ●⟨vaak mv.⟩ ⟨boek.⟩ *drukproef* III ⟨n-telb zn⟩ ●*vereist alcoholgehalte, proef.*

2 proof ⟨bn⟩ ●*bestand* ⟨ook fig.⟩, *opgewassen;* – against water *waterdicht, waterbestendig.*

3 proof ⟨ww⟩ ●*ondoordringbaar maken,* ⟨ihb.⟩ *waterdicht maken.*

-proof [pru:f] ●*-bestendig, -vast, -dicht;* bulletproof *kogelvrij;* childproof *onverwoestbaar* ⟨v. speelgoed⟩.

'proofread ●*proeflezen, (drukproeven) corrigeren.* **'proofreader** ⟨boek.⟩ ●*corrector.*

1 prop [prɒp] ⟨zn⟩ ●*stut, pijler* ●*steun* ⟨fig.⟩, *steunpilaar* ●⟨vaak mv.⟩ ⟨↓; dram.⟩ *rekwisiet.*

2 prop ⟨ww⟩ ●*ondersteunen* ⟨ook fig.⟩, *stutten;* zie PROP UP.

propaganda ['prɒpə'gændə] ●*propaganda.* **propagandist** ['prɒpə'gændɪst] ●*propagandist, iem. die propaganda maakt.* **propagandize** ['prɒpə'gændaɪz] ●*propaganda maken (voor).*

propagate ['prɒpəgeɪt] ⟨zn: -ation⟩ I ⟨onov en ov ww⟩ ●*(biol.)* ●*(zich) voortplanten* II ⟨ov ww⟩ ●*verspreiden, bekend maken.*

propane ['prəʊpeɪn] ⟨schei.⟩ ●*propaan.*

propel [prə'pel] ●*voortbewegen, aandrijven* ●*aanzetten* ‖ –ling pencil *vulpotlood.*

propellant, propellent [prə'pelənt] ●*drijfgas* ●⟨ruim.⟩ *stuwstof.* **propeller** [prə'pelə] ●*propeller.*

propensity [prə'pensəti] ●*neiging, geneigdheid.*

proper ['prɒpə] I ⟨bn, attr en pred⟩ ●*gepast, fatsoenlijk* II ⟨bn, attr⟩ ●*juist, passend* ●*juist, precies;* the – time *de juiste tijd* ●⟨ook wisk.⟩ *echt, werkelijk* ‖ ⟨taal.⟩ – noun/name *eigennaam* III ⟨bn, pred⟩ ‖ –to *behorend tot, eigen aan* IV ⟨bn, attr post⟩ ●*eigenlijk;* London – *het eigenlijke Londen.* **properly** ['prɒpəli] ●zie PROPER ●*goed, zoals het moet* ●*eigenlijk* ●*correct, fatsoenlijk* ● ↓ *volkomen.*

propertied ['prɒpətɪd] ●*bezittend,* ⟨ihb.⟩ *met grondbezit;* – classes *landeigenaren.*

property ['prɒpəti] I ⟨telb zn⟩ ●*eigenschap* ●*perceel, onroerend goed* ●

prophecy ['prɒfəsi] • *voorspelling.* **prophesy** ['prɒfəsaɪ] • *voorspellen, voorzeggen.*

prophet ['prɒfɪt] • *profeet* (ook fig.); – of doom *onheilsprofeet* • *voorspeller.* **prophetess** ['prɒfɪtɪs] • *profetes.* **prophetic** [prə'fetɪk] • *profetisch.*

propinquity [prə'pɪŋkwəti] ↑ • *bloedverwantschap* • *nabijheid.*

propitiate [prə'pɪʃieɪt] • *gunstig stemmen, verzoenen.* **propitious** [prə'pɪʃəs] • *gunstig, goed.*

proponent [prə'pounənt] • *voorstander.*

1 proportion [prə'pɔːʃn] I (telb zn) • *deel, gedeelte* II (telb en n-telb zn) • *verhouding, relatie;* in – to *evenredig met, in verhouding tot* • *proportie, evenredigheid;* out of all – *buiten alle verhoudingen.*

2 proportion (ww) • *aanpassen, in de juiste verhouding brengen* • *proportioneren;* well –ed *goed geproportioneerd.*

1 proportional [prə'pɔːʃnəl] (zn) (wisk.) • *term v.e. evenredigheid.*

2 proportional (bn) • *verhoudingsgewijs, evenredig;* (pol.) – representation *evenredige vertegenwoordiging.* **proportionate** [prə'pɔːʃnət] • *verhoudingsgewijs, evenredig.*

proposal [prə'pouzl] • *voorstel* • *huwelijksaanzoek.* **propose** [prə'pouz] I (onov ww) • *een voorstel doen* • *een huwelijksaanzoek doen* ‖ zie ook (sprw.) MAN II (ov ww) • *voorstellen, voorleggen;* – a motion *een motie indienen* • *v. plan zijn, zich voornemen* ‖ – a toast *een dronk uitbrengen.*

1 proposition ['prɒpə'zɪʃn] (zn) • *bewering* • *voorstel* • *probleem, kwestie, moeilijk geval;* he's a tough – *hij is moeilijk te hanteren.*

2 proposition (ww) ↓ • *oneerbare voorstellen doen aan.*

propound [prə'paund] • *voorleggen, voorstellen.*

proprietary [prə'praɪətri] • *als een eigenaar;* a – air *een bezittersair* ‖ – name/term *gedeponeerd handelsmerk.* **proprietor** [prə'praɪətə] • *eigenaar.* **proprietress** [prə'praɪətrɪs] • *eigenares.*

propriety [prə'praɪəti] I (n-telb zn) • *juistheid* • *fatsoen, gepastheid* II (mv.) • *fatsoensnormen.*

propulsion [prə'pʌlʃn] • (tech.) *voortdrijving, voortstuwing.*

'prop 'up • *neerzetten, ondersteunen* • (fig.) *overeind houden, ondersteunen.*

prorogation ['prourə'geɪʃn] • *verdaging.* **prorogue** [prou'roug] • *verdagen.*

prosaic [prou'zeɪɪk] • *prozaïsch, zakelijk, alledaags.*

proscribe [prou'skraɪb] • *verbieden.* **proscription** [prou'skrɪpʃn] • *verbod.*

prose [prouz] • *proza.*

prosecute ['prɒsɪkjuːt] I (onov ww) (jur.) • *een vervolging instellen* • *als aanklager optreden* II (ov ww) • (jur.) *vervolgen;* trespassers will be –d (ongeveer) *verboden voor onbevoegden.* **prosecution** ['prɒsɪ'kjuːʃn] • *gerechtelijke vervolging, proces* • (jur.) *eiser, eisende partij.* **prosecutor** ['prɒsɪkjuːtə] (jur.) • *eiser* • (AE) *openbare aanklager.*

1 prospect ['prɒspekt] I (telb zn) • *vergezicht, panorama* • *mogelijke kandidaat/klant* II (n-telb zn) • *verwachting, kans, vooruitzicht;* have in – *kans hebben op.*

2 prospect [prə'spekt] (ww) • *prospecteren, naar bodemschatten zoeken.* **prospective** [prə'spektɪv] • *toekomstig;* a – buyer *een gegadigde.* **prospector** [prə'spektə] • *prospector, goudzoeker.* **prospectus** [prə'spektəs] • *prospectus.*

prosper ['prɒspə] • *bloeien, slagen, succes hebben.* **prosperity** [prɒ'sperəti] • *voorspoed, succes.* **prosperous** ['prɒsprəs] • *voorspoedig* • *geslaagd, welvarend.*

prostate (gland) ['prɒsteɪt] • *prostaat.*

1 prostitute ['prɒstɪtjuːt] (zn) • *prostitué(e);* male – *schandknaap.*

2 prostitute (ww) • *prostitueren;* – o.s. *zich prostitueren* • *vergooien, misbruiken;* – one's honour *zich verlagen.* **prostitution** ['prɒstɪ'tjuːʃn] • *prostitutie* • *misbruik.*

1 prostrate ['prɒstreɪt] (bn) • *ter aarde geworpen* • *liggend, uitgestrekt* • *verslagen;* – with grief *gebroken v. verdriet.*

2 prostrate [prɒ'streɪt] (ww) • *machteloos maken, verslaan;* a prostrating disease *een slopende kwaal* • (wdk ww) *zich ter aarde werpen, in het stof knielen.* **prostration** [prɒ'streɪʃn] • *teraardewerping* • *uitputting, machteloosheid.*

prosy ['prouzi] • *saai, vervelend.*

protagonist [prou'tægənɪst] • *voorvechter, voorstander* • (lit., dram.) *protagonist, hoofdfiguur.*

protect [prə'tekt] • *beschermen,* (ec.) *beschermende invoerrechten heffen* • (tech.) *beveiligen.* **protection** [prə'tekʃn] • *bescherming, beschutting* • (ec.) *protectie, protectionisme* • (verz.) *dekking.* **pro'tection money** • *protectiegeld* (afgeperst door gangsters). **protective** [prə'tektɪv] • *beschermend, bescher-*

mings-; – clothing *beschermende kleding;* – custody *voorlopige hechtenis* ⟨om iem. te beschermen⟩. **protector** [prə'tektə] ● *beschermer, beschermheer, beschermend middel.* **protectorate** [prə'tektrət] ● *protectoraat.*

protein ['prouti:n] ⟨bioch.⟩ ● *proteïne, eiwit.*

1 protest ['proutest] ⟨zn⟩ ● *protest, bezwaar;* enter/lodge a – against sth. *ergens protest tegen aantekenen.*

2 protest [prə'test] I ⟨onov ww⟩ ● *protesteren* II ⟨ov ww⟩ ● *bezweren, betuigen;* – one's innocence *zijn onschuld betuigen* ● ⟨AE⟩ *protesteren tegen.*

Protestant ['protistənt] ● ⟨bn⟩ *protestant(s)* ● ⟨zn⟩ *protestant.* **Protestantism** ['protistəntizm] ● *protestantisme.*

protestation ['protɪ'steɪʃn] ● *plechtige verklaring, betuiging* ● *protest.* **protester** [prə'testə] ● *protesteerder.* **'protest march** ● *protestmars.* **'protest meeting** ● *protestmeeting/vergadering.*

protocol ['proutəkɒl] ● *protocol.*

prototype [-taɪp] ● *prototype, oervorm, oorspronkelijk model.*

protract [prə'trækt] ● *verlengen, rekken.* **protracted** [prə'træktɪd] ● *langdurig.* **protractor** [prə'træktə] ● *gradenboog, hoekmeter.*

protrude [prə'tru:d] ● *uitpuilen, uitsteken.* **protrusion** [prə'tru:ʒn] ● *uitsteeksel* ● *het uitsteken, het uitpuilen.*

protuberance [prə'tju:brəns] ● *uitsteeksel, gezwel, uitwas.* **protuberant** [prə'tju:brənt] ● *gezwollen, uitpuilend.*

proud [praud] ● *trots* ● *imposant* ⟨v. ding⟩ ‖ father will be – of you *vader zal trots op je zijn.*

provable ['pru:vəbl] ● *bewijsbaar, aantoonbaar.* **prove** [pru:v] ⟨proved, proved [pru:vd], /vnl. AE, Sch. E, lit. ook proven ['pru:vn]⟩ I ⟨onov ww⟩ ● *blijken;* our calculations –d useless *onze berekeningen bleken nutteloos te zijn* II ⟨ov ww⟩ ● *bewijzen, (aan)tonen;* of proven authenticity *waarvan de echtheid is bewezen* ● *verifiëren* ‖ zie ook ⟨sprw.⟩ EXCEPTION.

provenance ['provənəns] ● *herkomst.*

proverb ['provə:b] ● *spreekwoord.* **proverbial** [prə'və:bɪəl] ● ⟨ook fig.⟩ *spreekwoordelijk.*

provide [prə'vaɪd] I ⟨onov ww⟩ ● *voorzieningen treffen;* – against flooding *maatregelen nemen tegen overstromingen;* we had not –d for *we hadden er geen rekening mee gehouden dat* ● *in het onderhoud voorzien;* – for children *kinderen onderhouden* ● *bepalen;* the new law –s for

slum clearance *de nieuwe wet bepaalt dat de krottenwijken worden afgebroken* II ⟨ov ww⟩ ● *voorzien, uitrusten, verschaffen;* they –d us with blankets and food *we werden v. dekens en voedsel voorzien.*

provided [prə'vaɪdɪd], **provided that** ↑ ● *op voorwaarde dat, (alleen) indien, mits.*

providence ['provɪdəns] ⟨P-⟩ ● *de voorzienigheid.* **providential** ['provɪ'denʃl] ● *wonderbaarlijk, door puur geluk.*

provider [prə'vaɪdə] ● *leverancier.*

providing [prə'vaɪdɪŋ], **providing that** ● *op voorwaarde dat, mits.*

province ['provɪns] I ⟨zn⟩ ● *provincie* ● *aartsbisdom* ● *vakgebied, terrein* II ⟨mv.⟩ ● *platteland, provincie.*

1 provincial [prə'vɪnʃl] ⟨zn⟩ ● *provinciaal,* ⟨ong.⟩ *bekrompen mens.*

2 provincial ⟨bn⟩ ● *provinciaal* ● *bekrompen.* **provincialism** [prə'vɪnʃəlɪzm] ● *provincialisme.*

proving ground ['pru:vɪŋ graund] ● *testterrein, voor auto's e.d.* ● *proefterrein* ⟨fig.⟩.

1 provision [prə'vɪʒn] I ⟨telb zn⟩ ● *bepaling* II ⟨n-telb zn⟩ ● *levering, verschaffing, toevoer, voorziening* ● *voorzorg, maatregelen;* make – against *(voorzorgs)maatregelen nemen tegen;* make – for the future *voor zijn toekomst zorgen* III ⟨mv.⟩ ● *levensmiddelen, proviand.*

2 provision ⟨ww⟩ ● *bevoorraden, provianderen.*

1 provisional [prə'vɪʒnəl] ⟨zn; ook P-⟩ ● *lid v.d. provisionele vleugel v.d. I.R.A.*

2 provisional ⟨bn⟩ ● *tijdelijk, voorlopig.*

proviso [prə'vaɪzou] ⟨vnl. jur.⟩ ● *voorwaarde.*

Provo ['prouvou] ● ⟨verk.⟩ Provisional ↓.

provocation ['provə'keɪʃn] ● *provocatie, uitdaging;* he did it under – *hij is ertoe gedreven.* **provocative** [prə'vokətɪv] ● *tartend, uitdagend, provocerend,* ⟨ihb.⟩ *prikkelend.*

provoke [prə'vouk] ● *tergen, prikkelen* ● *uitdagen, provoceren* ● *veroorzaken, uitlokken.* **provoking** [prə'voukɪŋ] ● *irritant, tergend.*

provost ['provəst] ● ⟨vaak P-⟩ ⟨BE⟩ *hoofd v.e. college* ⟨Oxford en Cambridge⟩ ● ⟨Sch. E⟩ *burgemeester.*

prow [prau] ● ⟨scheep.⟩ *voorsteven.*

prowess ['prauɪs] ● *dapperheid* ● *bekwaamheid.*

1 prowl [praul] ⟨zn⟩ ● *jacht, roof(tocht), het rondsluipen.*

2 prowl I ⟨onov ww⟩ ● *jagen, op roof uit zijn* ● *rondsluipen/snuffelen;* s.o. is –ing about/around on the staircase *er sluipt*

iem. rond in het trappenhuis **II** 〈ov ww〉 ● *rondhangen/rondneuzen in.* '**prowl car** 〈AE〉 ●*surveillancewagen* 〈v.d. politie〉. **prowler** ['praʊlə] ●*loerder* ● *dief.*
proximity [prɒk'sɪmətɪ] ●*nabijheid.*
proxy ['prɒksɪ] ●*gevolmachtigde* ●*volmacht.*
prude [pru:d] ●*preuts mens.*
prudence ['pru:dns] ●*voorzichtigheid, omzichtigheid* ●*beleid, wijsheid.* **prudent** ['pru:dnt] ●*voorzichtig, omzichtig* ●*verstandig.*
prudery ['pru:dəri] ●*preutsheid.* **prudish** ['pru:dɪʃ] ●*preuts.*
1 prune [pru:n] 〈zn〉 ●*pruimedant, gedroogde pruim.*
2 prune 〈ww〉 ●*(be)snoeien* 〈ook fig.〉, *korten; –* down *inkorten.*
pruri|ent ['prʊərɪənt] 〈zn: **-ence**〉 ●*wellustig.*
Prussian ['prʌʃn] ●*(bn) Pruisisch; –* blue *pruisisch blauw* ●〈zn〉 *Pruis.*
prussic ['prʌsɪk] 〈schei.〉 ‖ *– acid blauwzuur.*
pry [praɪ] **I** 〈onov ww〉 ●*gluren; – about rondneuzen* ●*nieuwsgierig zijn;* I wish you wouldn't *– into my affairs ik wou dat je je niet met mijn zaken bemoeide* **II** 〈ov ww〉 〈AE〉 ●*(open)wrikken; –* open a chest *een kist openbreken; –* information out of s.o. *inlichtingen uit iem. loskrijgen/wurmen* ●*los krijgen* 〈fig.〉.
psalm [sɑ:m] ●*psalm.* **psalmist** ['sɑ:mɪst] ● *psalmist, dichter v. psalmen.*
psephology [se'fɒlədʒi] 〈pol.〉 ●*psefologie, bestudering v.h. kiezersgedrag.*
pseud [sju:d], **pseudo** ['sju:doʊ] ↓ ●*snoever, pretentieuze kwast.*
pseudo- ['sju:doʊ] ●*pseud(o)-, schijn-, vals-.*
pseudonym ['sju:dnɪm] ●*pseudoniem.*
ps(s)t [pssst] ●*pst!, hé!.*
psyche ['saɪkɪ] ●*psyche, ziel.*
psychedelic ['saɪkɪ'delɪk] ●*psychedelisch.*
psyche out zie PSYCH OUT.
psyched up ●*geheel voorbereid, opgepept.*
psychiatric ['saɪkɪ'ætrɪk] ●*psychiatrisch.* **psychiatrist** [saɪ'kaɪətrɪst, sɪ-] ●*psychiater.* **psychiatry** [saɪ'kaɪətri, sɪ-] ●*psychiatrie.*
1 psychic ['saɪkɪk] 〈zn〉 ●*paranormaal begaafd mens, spiritistisch medium.*
2 psychic, psychical ['saɪkɪkl] 〈bn〉 ●*psychisch, geestelijk* ●*paranormaal* ●*paranormaal begaafd,* 〈ihb.〉 *mediamiek.*
psycho ['saɪkoʊ] ↓ ●*psychoot, psychopaat.*
psychoanalyse ['saɪkoʊ'ænəlaɪz] ●*psychoanalytisch behandelen.* **psychoanalysis** [-ə'nælɪsɪs] ●*psychoanalyse.* **psychoanalyst** [-'ænəlɪst] ●*psychoanalist(e).* **psy-**

choanalytic [-ænə'lɪtɪk] ●*psychoanalytisch.*
psychological ['saɪkə'lɒdʒɪkl] ●*psychologisch;* the *– moment het psychologische moment, het juiste ogenblik; –* warfare *psychologische oorlogvoering.* **psychologist** [saɪ'kɒlədʒɪst] ●*psycholoog.* **psychology** [saɪ'kɒlədʒɪ] ●*psychologie.*
psychopath ['saɪkəpæθ] ●*psychopaat.*
psychosis [saɪ'koʊsɪs] 〈mv.: psychoses [-si:z]〉 〈psych.〉 ●*psychose.*
psychosomatic ['saɪkoʊsə'mætɪk] 〈med.〉 ● *psychosomatisch.* **psychotherapist** [-'θerəpɪst] ●*psychotherapeut(e).* **psychotherapy** [-'θerəpi] ●*psychotherapie.*
psychotic [saɪ'kɒtɪk] ●*psychotisch.*
'**psych 'out, psyche out** 〈AE; ↓〉 ●*doorkrijgen, begrijpen* ●*intimideren* 〈de tegenstander〉.
pub [pʌb] 〈BE〉 ●*café, bar, kroeg.* '**pubcrawl** 〈BE; ↓〉 ●〈zn〉 *kroegentocht* ● 〈ww〉 *een kroegentocht maken.*
puberty ['pju:bəti] ●*puberteit.*
pubic ['pju:bɪk] 〈med.〉 ●*v./mbt. de schaamstreek, schaam-.*
1 public ['pʌblɪk] 〈zn〉 ●*publiek, mensen;* in *– in het openbaar.*
2 public I 〈bn, attr en pred〉 ●*openbaar, voor iedereen toegankelijk; –* bar *zaaltje in Brits café met goedkoop bier* 〈vnl. door mannen bezocht〉; 〈BE〉 *–* company *open N.V.;* 〈BE〉 *–* convenience *openbaar toilet; –* house 〈BE〉 *café, bar; –* transport *openbaar vervoer; –* utility *nutsbedrijven;* 〈ec.〉 go *–* een open N.V. worden ●*openbaar, algemeen bekend; –* address system *geluidsinstallatie; –* relations *(bevordering v.d.) goede verstandhouding met het publiek, public relations;* make *–* openbaar/bekend maken **II** 〈bn, attr〉 ●*algemeen, nationaal; –* enemy *volksvijand; –* health *volksgezondheid; –* holiday *nationale feestdag; –* opinion *publieke opinie;* 〈BE〉 *–* school *particuliere kostschool;* 〈Sch. E, AE〉 *gesubsidieerde lagere school; –* service (corporation) *nutsbedrijf; –* works *openbare werken* ●*overheids-, regerings-, staats-;* 〈jur.〉 *–* prosecutor *openbare aanklager; –* sector *openbare sector; –* servant *rijksambtenaar; –* service *rijksdienst.*
publican ['pʌblɪkən] ●〈BE〉 *caféhouder.*
publication ['pʌblɪ'keɪʃn] ●〈boek.〉 *uitgave, publikatie, artikel* ●*publikatie, bekendmaking.* **publicise, -ize** ['pʌblɪsaɪz] ●*bekend maken, adverteren.* **publicist** ['pʌblɪsɪst] ●*dagbladjournalist, politiek commentator.* **publicity** [pʌ'blɪsəti] ●*publiciteit, be-*

kendheid, openbaarheid ●publiciteit, reclame. pu'blicity agent ●publiciteits-
agent. publicly ['pʌblɪkli] ●zie PUBLIC ●in
het openbaar ●nationaal, door de gemeenschap. public re'lations officer ●
perschef, voorlichtingsambtenaar. 'public 'service job ●overheidsbaan. 'public-
'spirited ●maatschappelijk/sociaal ingesteld.
publish ['pʌblɪʃ] I ⟨onov en ov ww⟩ ⟨boek.⟩
●uitgeven, publiceren II ⟨ov ww⟩ ●be-
kend maken, afkondigen. publisher
['pʌblɪʃə] ●uitgever(ij). publishing
['pʌblɪʃɪŋ] ●het uitgeversbedrijf. 'publishing house ●uitgeverij.
puck [pʌk] ●⟨ijshockey⟩ puck.
1 pucker ['pʌkə] ⟨zn⟩ ●vouw, plooi, rimpel.
2 pucker I ⟨onov ww⟩ ●rimpelig worden, samentrekken II ⟨ov ww⟩ ●samentrekken,
rimpelen, fronsen; she used to – up her
eyes ze kneep altijd haar ogen dicht.
pudding ['pʊdɪŋ] ●pudding ●toetje ●pastei
●worst‖ zie ook ⟨sprw.⟩ PROOF.
'pudding-head ●uilskuiken.
puddle ['pʌdl] ●plas, (modder)poel.
pudgy ['pʌdʒi], podgy ['pɒdʒi] ●kort en dik,
mollig.
puerile ['pjʊəraɪl] ●kinderachtig.
1 puff [pʌf] ⟨zn⟩ ●ademstoot, puf;↓ have no
– left buiten adem zijn ●windstoot ●rook-
wolk ●trek, haal ⟨aan sigaret e.d.⟩ ●bol-
ling; sleeves with –s pofmouwen.
2 puff I ⟨onov ww⟩ ●puffen, hijgen, blazen;
– and blow, – and pant puffen en hijgen ●
roken; – (away) at/on a cigarette een sigaret roken ●puffen, in wolkjes uitgestoten
worden ●⟨vaak +out⟩ opzwellen II ⟨ov
ww⟩ ●uitblazen, uitstoten; – smoke into
s.o.'s eyes iem. rook in de ogen blazen ●
roken, trekken ⟨aan sigaret e.d.⟩ ●⟨vaak
+out⟩ opblazen, doen opzwellen; –ed up
with pride verwaand.
'puff-ball ⟨plantk.⟩ ●stuifzwam.
'puff 'pastry ⟨cul.⟩ ●bladerdeeg.
puffy ['pʌfi] ●opgezet, gezwollen.
pug [pʌg] ●mopshond.
pugilist ['pjuːdʒɪlɪst] ●bokser, vuistvechter.
pugnacious [pʌgˈneɪʃəs] ●strijdlustig. pug-
nacity [pʌgˈnæsəti] ●strijdlustigheid.
'pug 'nose ●mopsneus.
1 puke [pjuːk] ⟨zn⟩↓●braaksel.
2 puke ⟨ww⟩↓●overgeven, (uit)braken.
1 pull [pʊl] I ⟨telb zn⟩ ●ruk, trek, ⟨fig.⟩ klim,
inspanning; it's a hard – het is een heel
karwei ●trekkracht ●teug ⟨drank⟩, trek ⟨v.
sigaar⟩ ●(trek)knop, trekker, handvat II
⟨telb en n-telb zn⟩↓●(oneerlijk) voordeel;
have a great deal of – with s.o. een wit

voetje bij iem. hebben ●invloed; have a –
on s.o. invloed/macht over iem. hebben III
⟨n-telb zn⟩ ●het trekken, het rukken ●aan-
trekking(skracht).
2 pull I ⟨onov ww⟩ ●trekken, plukken, rukken; – for beer bier tappen; – at/on a pipe
aan een pijp trekken ●gaan ⟨v. voertuig,
roeiboot⟩; the bus –ed away de bus reed
weg/trok op; the train –ed into Bristol de
trein liep Bristol binnen; the car –ed ahead
of us de auto ging voor ons rijden‖ – away
from achter zich laten; zie PULL BACK, PULL
IN, PULL OFF, PULL OUT, PULL OVER, PULL
ROUND, PULL THROUGH, PULL TOGETHER, PULL
UP II ⟨ov ww⟩ ●trekken (aan), (uit)rukken,
naar zich toetrekken; – beer bier tappen
(uit een vat); – a chair up to the table een
stoel bijschuiven (aan tafel); – customers
klandizie trekken; he –ed a gun on her hij
richtte een geweer op haar; – a tooth een
kies trekken; – sth. to pieces iets aan stukken scheuren; ⟨fig.⟩ iets zwaar bekritiseren; – votes stemmen trekken/winnen;
⟨fig.⟩ stop –ing me about/around behan-
del me niet zo ruw; he –ed on his shirt hij
trok zijn overhemd aan ●↓ bewerkstelligen, slagen in; what's this man trying to
–? wat probeert deze man me te leveren?
●inhouden, langzamer doen gaan, into-
men ⟨paard; ook fig.⟩ ●doen voortgaan ●
verrekken ⟨spier⟩; zie PULL BACK, PULL
DOWN, PULL IN, PULL OFF, PULL OUT, PULL
OVER, PULL ROUND, PULL THROUGH, PULL TO-
GETHER, PULL UP. 'pull 'back I ⟨onov ww⟩ ●
(zich) terugtrekken, ⟨fig.⟩ terugkrabbelen
II ⟨ov ww⟩ ●(doen) terugtrekken. 'pull
'down ●naar beneden trekken ●doen zakken; prices were pulled down de prijzen
werden omlaag gebracht ●verzwakken,
(doen) aftakelen; this news pulled him
down dit nieuws ontmoedigde hem ●af-
breken, slopen ⟨gebouwen⟩.
pullet ['pʊlɪt] ●jonge (leg)kip.
pulley ['pʊli] ●katrol ●riemschijf. 'pulley
block ●katrolblok.
'pullin ●rustplaats (voor automobilisten),
⟨BE⟩ vrachtrijderscafé. 'pull 'in I ⟨onov
ww⟩ ●aankomen, binnenlopen ●naar de
kant gaan (en stoppen)⟨v. voertuig⟩ II ⟨ov
ww⟩ ●↓ binnenhalen ⟨geld⟩, opstrijken ●
aantrekken; this singer always pulls in
many people deze zanger trekt altijd veel
mensen ●↓ in zijn kraag grijpen ⟨bv.
dief⟩.
Pullman ['pʊlmən] ●pullman, luxueus
spoorrijtuig.
'pull 'off I ⟨onov ww⟩ ●naar de kant gaan (en
stoppen) II ⟨ov ww⟩ ●uittrekken ●↓ berei-

ken, slagen in; – a deal *in een transactie slagen;* we've pulled it off! *het is ons gelukt!.* 'pullout ● *uitneembare pagina/kaart.* 'pull 'out I ⟨onov ww⟩ ● *(zich) terugtrekken,* ⟨fig.⟩ *terugkrabbelen;* – of politics *uit de politiek gaan* ● *vertrekken, wegrijden, optrekken;* – of London *uit Londen vertrekken* ● *gaan inhalen* II ⟨ov ww⟩ ● *terugtrekken* ● *verwijderen, uittrekken.* 'pullover ● *pullover.* 'pull 'over I ⟨onov ww⟩ ● *opzij gaan* ● ⟨AE⟩ *(naar de kant rijden en) stoppen* II ⟨ov ww⟩ ● *naar de kant rijden* ● *stoppen* ⟨voertuig⟩. 'pull 'round I ⟨onov ww⟩ ● *bij bewustzijn komen* ● *zich herstellen* II ⟨ov ww⟩ ● *genezen;* the doctor pulled round the patient *de dokter sleepte de patiënt erdoor.* 'pull 'through I ⟨onov ww⟩ ● *erdoor komen;* the patient pulls through *de patiënt komt er doorheen* II ⟨ov ww⟩ ● *erdoor trekken, doen genezen, laten slagen.* 'pull to'gether I ⟨onov ww⟩ ● *samenwerken* II ⟨ov ww⟩ ● *verenigen, eenheid brengen (in)* ‖ pull yourself together *beheers je, verman je.* 'pull 'up I ⟨onov ww⟩ ● *naar voren gaan, vorderingen maken* ● *stoppen;* the car pulled up *de auto stopte* II ⟨ov ww⟩ ● *uittrekken* ● *omhoog halen, doen verbeteren* ● *(doen) stoppen;* – your car at the side *zet je auto aan de kant* ● *tot de orde roepen, op zijn plaats zetten.* 'pull-up ● ⟨BE⟩ *wegrestaurant* ● *optrekoefening.*

pulmonary ['pʌlmənri] ● *long-;* – disease *longziekte.*

1 pulp [pʌlp] ⟨zn⟩ ● *moes, pap* ● *vruchtvlees* ● *pulp, houtpap* ● *rommel, sensatieblad* ‖ beat s.o. to a – *iem. tot moes slaan.*

2 pulp ⟨ww⟩ ● *tot moes maken, (doen) verpulveren.*

pulpit ['pʊlpɪt] ● *preekstoel, kansel.*

'pulp literature ● *leesvoer.* 'pulp magazine ● *sensatieblad.*

pulsate [pʌl'seɪt] ● *kloppen, trillen.* **pulsation** [pʌl'seɪʃn] ● *klopping, (ge)bons, trilling.*

1 pulse [pʌls] ⟨zn⟩ ● *hartslag, pols(slag);* feel/take s.o.'s – *iemands hartslag opnemen;* ⟨fig.⟩ *iem. polsen* ● *slag, stoot, trilling* ● *ritme* ⟨bv. in muz.⟩ ● ⟨vaak mv.⟩ *peul(vrucht).*

2 pulse ⟨ww⟩ ● *pulseren* ⟨ook elek.⟩, *kloppen, trillen.*

pulverize ['pʌlvəraɪz] ● *verpulveren,* ⟨fig.⟩ *vernietigen, niets heel laten van.*

puma ['pju:mə] ● *poema.*

pumice ['pʌmɪs], 'pumice stone ● *puimsteen.*

pummel ['pʌml] ● *met de vuisten bewerken.*

1 pump [pʌmp] ⟨zn⟩ ● *pomp* ● *dansschoen.*

2 pump I ⟨onov ww⟩ ● *bonzen* ⟨v. hart⟩ II ⟨ov ww⟩ ● *pompen;* – up tyres *banden oppompen;* – money into an industry *geld investeren in een industrie* ‖ – a witness *een getuige uithoren;* – s.o. full of lead *iem. vol lood schieten;* he –ed the story out of me *hij ontfutselde me het verhaal.*

pumpkin ['pʌm(p)kɪn] ● *pompoen.*

1 pun [pʌn] ⟨zn⟩ ● *woordspeling.*

2 pun ⟨ww⟩ ● *woordspelingen maken.*

1 punch [pʌntʃ] I ⟨eig.n.; P-⟩ ‖ Punch and Judy *Jan Klaassen en Katrijn* II ⟨telb zn⟩ ● *werktuig om gaten te slaan, pons(machine/tang), perforator, kniptang* ● *(vuist)slag* ‖ ⟨boksen⟩ pull one's –es *zich inhouden* ⟨ook fig.⟩ III ⟨n-telb zn⟩ ● ↓ *slagvaardigheid, kracht, pit* ● *punch, bowl(drank).*

2 punch ⟨ww⟩ ● *slaan, een klap/vuistslag geven;* he –ed down/in the nails *hij dreef/sloeg de spijkers erin;* she –ed up £ 1 on the cash register *ze sloeg 1 pond aan op de kassa* ● *gaten maken in, perforeren, knippen* ⟨kaartje⟩, *ponsen;* –ed card *ponskaart.* 'punchball, ⟨AE⟩ 'punching bag ● *boksbal.* 'punch bowl ● *punchkom.* 'punch card ● *ponskaart.* 'punch-drunk ● *versuft,* ⟨fig.⟩ *verward.* 'punch line ● *climax* ⟨v.e. verhaal/mop⟩, *clou.* 'punch-up ↓ *knokpartij.*

punctilious [pʌŋ(k)'tɪlɪəs] ● *zeer precies, plichtsgetrouw.*

punctual ['pʌŋ(k)tʃʊəl] ⟨zn: -ity⟩ ● *punctueel, stipt, nauwgezet.*

punctuate ['pʌŋ(k)tʃʊeɪt] I ⟨onov en ov ww⟩ ● *leestekens aanbrengen* II ⟨ov ww⟩ ● *onderbreken;* a speech –d by/with jokes *een toespraak doorspekt met grappen.*

punctuation ['pʌŋ(k)tʃʊ'eɪʃn] ● *interpunctie-(tekens).* punctu'ation mark ● *leesteken.*

1 puncture ['pʌŋ(k)tʃə] ⟨zn⟩ ● *gaatje* ⟨bv. in band⟩, *lek(ke band).*

2 puncture I ⟨onov ww⟩ ● *lek raken* II ⟨ov ww⟩ ● *lek maken, doorboren,* ⟨fig.⟩ *vernietigen.*

pundit ['pʌndɪt] ● *expert.*

pungent ['pʌndʒənt] ● *scherp, venijnig* ● *prikkelend, pikant, scherp.*

punish ['pʌnɪʃ] ● *(be)straffen* ● ↓ *een afstraffing geven, toetakelen.* **punishable** ['pʌnɪʃəbl] ● *strafbaar.*

1 punishing ['pʌnɪʃɪŋ] ⟨zn⟩ ● *afstraffing* ⟨bv. in sport⟩ ● *(flinke) schade.*

2 punishing ⟨bn⟩ ● *slopend, erg zwaar.* **punishment** ['pʌnɪʃmənt] ● *straf, bestraffing* ● ↓ *ruwe behandeling, afstraffing.*

punitive ['pju:nətɪv] ● *straf-* ● *zeer streng/hoog* ⟨bv. v. belasting⟩; – damages *hoge* *schadevergoeding* ⟨als straf⟩.

1 punk [pʌŋk] ⟨zn⟩ ● *punk(er)* ● ↓ *(jonge) boef, relschopper.*

2 punk ⟨bn⟩ ● ⟨AE; sl.⟩ *waardeloos* ● *punk-.* '**punk 'rock** ● *punkmuziek.*

punnet ['pʌnɪt] ⟨BE⟩ ● *mand(je)* ⟨voor fruit/ groente⟩.

1 punt [pʌnt] ⟨zn⟩ ● *punter, platte rivier- schuit.*

2 punt ⟨ww⟩ ● *bomen, varen in een punter* ● *gokken* ⟨bv. bij paardenrennen⟩. **punter** ['pʌntə] ● *schipper (met vaarboom)* ● *gok- ker.*

puny ['pju:ni] ● *nietig, miezerig, onbeteke- nend.*

1 pup [pʌp] ⟨zn⟩ ● *pup(py), jong hondje* ● *jong* ⟨bv. v. zeehond⟩.

2 pup ⟨ww⟩ ● *jongen* ⟨v. hond⟩.

pupa ['pju:pə] ⟨mv.: pupae ['pju:pi:]⟩ ● *pop* ⟨v. insekt⟩.

pupil ['pju:pl] ● *leerling* ● *pupil* ⟨v. oog⟩.

puppet ['pʌpɪt] ● *marionet* ⟨ook fig.⟩. **pup- peteer** ['pʌpɪ'tɪə] ● *poppenspeler.* '**pup- pet government** ● *marionettenregering.* '**puppet show** ● *poppenspel.*

puppy ['pʌpi] ● *puppy, jong hondje.* '**puppy fat** ↓ ● *babyvet.* '**puppy love** ● *kalverliefde.*

purchasable ['pə:tʃɪsəbl] ● *te koop.*

1 purchase ['pə:tʃɪs] ⟨zn⟩ ● *(aan)koop,* ⟨vnl. mv.⟩ *inkoop, aanschaf;* make –s *inkopen doen* ● *houvast, greep;* get a/some – on a rock *houvast vinden aan een rots.*

2 purchase ⟨ww⟩ ● *verwerven, kopen.* '**pur- chase price** ● *inkoopprijs.* **purchaser** ['pə:tʃɪsə] ● *koper.* '**purchasing power** ● *koopkracht.*

pure [pjʊə] ● *puur, zuiver, onvervalst;* lazi- ness – and simple *niets dan luiheid* ● *vol- komen, zuiver;* – nonsense *complete on- zin;* – chance *zuiver toeval.* '**purebred** ● *rasecht* ⟨v. dieren⟩, *volbloed-.*

1 purée, puree ['pjʊəreɪ] ⟨zn⟩ ● *moes, puree.*

2 purée, puree ⟨ww⟩ ● *tot puree maken/ko- ken.*

purely ['pjʊəli] ● zie PURE ● *uitsluitend;* a – personal matter *een zuiver persoonlijke aangelegenheid;* – (and simply) out of love *geheel en al uit liefde.*

purgative ['pə:gətɪv] ● ⟨bn⟩ *zuiverend,* ⟨ihb.⟩ *laxerend* ● ⟨zn⟩ *laxeermiddel.*

purgatory ['pə:gətri] ● ⟨rel.⟩ *vagevuur* ● *(tij- delijke) kwelling.*

1 purge [pə:dʒ] ⟨zn⟩ ● *zuivering* ● *laxeer- middel.*

2 purge ⟨ww⟩ ● *zuiveren* ⟨ook pol.⟩ ● *uitwis- sen;* – away/out one's sins *zijn zonden uit- wissen* ● *purgeren.*

purification ['pjʊərɪfɪ'keɪʃn] ● *zuivering, ver-*

lossing ⟨v.d. zonde⟩. **purify** ['pjʊərɪfaɪ] ● *zuiveren, louteren.*

purism ['pjʊərɪzm] ● *purisme.* **purist** ['pjʊərɪst] ● *purist, (taal)zuiveraar.*

puritan ['pjʊərɪtn] ● ⟨bn; ook -ical⟩ *puri- teins, streng v. zeden* ● ⟨bn; vaak P-⟩ *puri- teins, v./mbt. puritanisme* ● ⟨zn⟩ *puritein, streng godsdienstig persoon,* ⟨vaak P-⟩ *aanhanger v. Eng. protestants puritanis- me.* **puritanism** ['pjʊərɪtənɪzm] ● *purita- nisme.*

purity ['pjʊərəti] ● *zuiverheid, puurheid, on- schuld.*

1 purl [pə:l] ⟨zn⟩ ● ⟨breien⟩ *averecht(se steek).*

2 purl ⟨ww⟩ ● *averechts breien.*

purloin [pə:'lɔɪn] ● *stelen, ontvreemden.*

1 purple ['pə:pl] ⟨zn⟩ ● *purper, donkerrood, paars.*

2 purple ⟨bn⟩ ● *purper, donkerrood, paars;* he became – with rage *hij liep rood/paars aan v. woede* ‖ a – passage/patch *een bril- jant gedeelte* ⟨in saaie verhandeling⟩; ⟨BE; ↓⟩ – heart *(hartvormige) amfetami- netablet;* ⟨AE⟩ Purple Heart *Purple Heart* ⟨eremedaille voor gewonde soldaten⟩.

purplish ['pə:plɪʃ] ● *purperachtig.*

1 purport ['pə:pɔ:t] ⟨zn⟩ ● *strekking, bedoe- ling, teneur.*

2 purport [pə'pɔ:t] ⟨ww⟩ ● *beweren, (be- wust) voorgeven.*

1 purpose ['pə:pəs] I ⟨telb zn⟩ ● *doel, bedoe- ling;* does this serve your –? *beantwoordt dit aan je verwachtingen?;* he did it on – *hij deed het met opzet;* he came for the – of seeing us, he came on – to see us *hij kwam met het doel om ons te bezoeken* ● *zin, nut;* these talks have certainly an- swered/served their –(s) *deze besprekin- gen zijn zeker zinvol geweest;* all your help will be to no – *al je hulp zal tevergeefs zijn;* come to little – *weinig effect hebben* II ⟨n-telb zn⟩ ● *vastberadenheid;* a girl full of – *een meisje dat weet wat ze wil* ‖ his re- mark is (not) to the – *zijn opmerking is (niet) ter zake.*

2 purpose ⟨ww⟩ ● *van plan zijn.* '**purpose- 'built** ● *speciaal gebouwd/vervaardigd.*

purposeful ['pə:pəsfʊl] ● *vastberaden, re- soluut* ● *met een doel/bedoeling, opzette- lijk.* **purposeless** ['pə:pəsləs] ● *doelloos, zinloos.* **purposely** ['pə:pəsli] ● *opzette- lijk, doelbewust.*

1 purr [pə:] ⟨zn⟩ ● *spinnend geluid, gespin* ⟨v. kat⟩ ● *gesnor* ⟨v. machine⟩.

2 purr I ⟨onov ww⟩ ● *spinnen* ⟨v. kat⟩ ● *snor- ren, tevreden brommen* ⟨v. persoon⟩ ● *gonzen, zoemen* ⟨v. machine⟩ II ⟨ov ww⟩

● *poeslief zeggen/vragen.*

1 purse [pə:s] 〈zn〉 ● *portemonnee* ●〈AE〉 *damestas(je)* ● *financiële middelen;* a holiday is beyond my – *ik kan me geen vakantie veroorloven* ● *geld(bedrag).*

2 purse 〈ww〉 ● *samentrekken, rimpelen, tuiten.*

purser ['pə:sə] ● *purser* 〈op passagiersschip〉.

'purse strings ‖ hold the – *de financiën beheren.*

pursuance [pə'sju:əns] ● *uitvoering, voortzetting;* in (the) – of his duty *tijdens het vervullen v. zijn plicht.* **pursue** [pə'sju:] ● *jacht maken op, achtervolgen* 〈ook fig.〉 ● *nastreven;* John –s success, Sheila –s pleasure *John jaagt het succes na, Sheila het plezier* ● *doorgaan met, vervolgen;* – a new course *een nieuwe weg inslaan;* it is wiser not to – the matter *het is verstandiger de zaak te laten rusten* ● *zich bezighouden met.* **pursuer** [pə'sju:ə] ● *(achter) volger.* **pursuit** [pə's(j)u:t] ● *achtervolging, jacht* 〈ook fig.〉; – of money *geldbejag;* in – of happiness *op zoek naar het geluk;* in – of the criminals *op jacht naar de misdadigers* ● *bezigheid, beoefening.*

purvey [pə:'veɪ] ● *bevoorraden met, leveren.* **purveyor** [pə:'veɪə] ● *leverancier.*

pus [pʌs] ● *pus, etter.*

1 push [pʊʃ] **I** 〈telb zn〉 ● *duw, stoot, zet* ● *grootscheepse aanval* 〈v. leger〉, *offensief,* 〈fig.〉 *energieke poging* ‖ ↓ get the – *eruit vliegen;* ↓ give s.o. the – *iem. eruit gooien; iem. de bons geven;* ↓ at a – *als het echt nodig is* **II** 〈n-telb zn〉 ● ↓ *energie, doorzettingsvermogen, fut* ● *hulp, duwtje in de rug* ‖ if/when it comes/came to the – *als het erop aankomt/aankwam.*

2 push I 〈onov ww〉 ● *duwen, stoten, schuiven, dringen;* – and shove *duwen en dringen;* 〈fig.〉 – hard for more money *krachtig aandringen op meer geld* ● *vorderingen maken, vooruitgaan, verder gaan;* – ahead/forward/on *(rustig) doorgaan/verder gaan;* ↓ we must – along now *we moeten er nu vandoor;* – ahead/forward/on with *vooruitgang boeken/opschieten met;* – by/past s.o. *iem. voorbijdringen* ● *zich (uitermate) inspannen* ● ↓ *pushen, dealen;* zie PUSH IN, PUSH OFF **II** 〈ov ww〉 ● *duwen, een zet/stoot geven,* 〈fig.〉 *beïnvloeden, dwingen;* – the button *op de knop/bel drukken;* – the car *de auto aanduwen;* – a door open *een deur openduwen;* he –es the matter too far *hij drijft de zaak te ver door;* – one's way through a crowd *zich een weg banen door een me-*

nigte; ↓ –ed myself to do it *ik dwong mezelf het te doen;* 〈↓; fig.〉 – s.o. about/ around *iem. commanderen, iem. met minachting behandelen;* they –ed our work aside *ze schoven ons werk terzijde;* – s.o. forward as a candidate *iem. als kandidaat naar voren schuiven;* – over a lady *een dame omverlopen;* – over a table *een tafel omgooien;* that –ed prices up *dat joeg de prijzen omhoog;* – s.o. into action *iem. tot actie dwingen;* – one's work onto s.o. else *zijn werk op iem. anders afschuiven;* she –ed him to the verge of suicide *ze dreef hem bijna tot zelfmoord* ● *stimuleren, promoten, pushen;* – o.s. *zichzelf weten te verkopen* ● *druk uitoefenen op, lastig vallen;* he is –ed (for time/money) *hij zit krap (in zijn tijd/geld);* he –ed me for money *hij probeerde geld van mij los te krijgen* ● ↓ *pushen* 〈drugs〉 ‖ be –ing forty *de veertig naderen;* zie PUSH OUT, PUSH THROUGH. **'push-bike** 〈BE〉 ● *fiets.* **'push button** ● *drukknop, druktoets.* **'push-button** ● *drukknop-;* a machine with a – *starter een machine die aangezet wordt dmv. een drukknop.* **'pushcart** ● *handkar.* **'pushchair** 〈BE〉 ● *(opvouwbare) wandelwagen.* **pusher** ['pʊʃə] ● *(te) ambitieus iem., streber* ●〈sl.〉 *(drug)dealer.* **'push 'in** ↓ ● *een gesprek ruw onderbreken* ● *voordringen.* **pushing** ['pʊʃɪŋ] ● *opdringerig* ● *energiek, ondernemend.* **'push 'off** ● ↓ *ervandoor gaan, weggaan, ophoepelen.* **'push 'out** ● *ontslaan, eruit gooien/ werken* ● *produceren* 〈brieven, tekst e.d.〉. **'push-over** ↓ ● *fluitje v.e. cent, makkie* ● *gemakkelijk slachtoffer;* he is a – for any girl *hij laat zich door ieder meisje inpalmen.* **'push 'through** ● *doordrukken, er doorheen slepen/halen;* we'll push this matter through *we zullen deze zaak erdoor krijgen.* **'pushup** 〈AE; sport〉 ‖ do twenty –s *zich twintig keer opdrukken.* **pushy** ['pʊʃi] ● *opdringerig.*

pusillanim ous ['pju:sɪ'lænɪməs] 〈zn: **-ity**〉 ● *laf, bang.*

puss [pʊs] ↓ ● *poes* 〈vnl. als roepnaam〉.

pussy ['pʊsi] ●〈↓; kind.〉 *poes(je), kat(je)* ● 〈sl.〉 *poesje, kutje.* **'pussycat** ↓ ● *poesje, katje.* **pussyfoot** ['pʊsɪfut] ↓ ● *zeer voorzichtig te werk gaan.* **'pussy willow** 〈plantk.〉 ● *(kat)wilg.*

1 put [pʊt] 〈zn〉 ●〈sport〉 *stoot, worp* 〈v. kogel〉.

2 put 〈bn〉 ↓ ‖ stay – *blijven waar je bent, op zijn plaats blijven.*

3 put 〈put, put〉 **I** 〈onov ww〉 ● 〈scheep.〉 *varen, koers zetten;* the ship – into the port *het schip voer de haven binnen* ‖ *his sick-ness* – paid to his plans *zijn ziekte maakte een eind aan zijn plannen;* zie PUT ABOUT, PUT BACK, PUT DOWN, PUT IN, PUT OUT, PUT UP **II** ⟨ov ww⟩ ●*zetten, plaatsen, leggen, ste-ken, stellen* ⟨ook fig.⟩, *brengen* ⟨in een toestand⟩; – an end to (one's life) *een eind maken (aan zijn leven);* – an idea into s.o.'s head *iem. op een idee brengen;* – money in(to) sth. *geld steken in iets;* – pen to paper *pen op papier zetten;* – pressure (up)on *pressie uitoefenen op;* – a price on sth. *een prijskaartje hangen aan;* – s.o. on the train *iem. op de trein zetten;* – a stop to sth. *een eind maken aan iets;* – safety above cost *veiligheid boven kosten stel-len;* – sth. before sth. else *iets prefereren boven iets anders;* – behind bars *achter de tralies zetten;* – sth. in(to) s.o.'s hands *iem. iets in handen geven* ⟨vnl. fig.⟩; – in-to circulation *in omloop brengen;* – in or-der *in orde brengen;* – in an awkward po-sition *in een moeilijk parket brengen;* – in-to effect *ten uitvoer brengen;* – s.o. off his food *iem. de eetlust benemen;* – s.o. off learning *iem. de zin om te leren ontne-men;* – s.o. off smoking *iem. v.h. roken af-brengen;* – s.o. on antibiotics *iem. antibio-tica voorschrijven;* – out of business *fail-liet doen gaan, ruïneren;* – one's children through university *zijn kinderen universi-taire studies laten voltooien;* – the chil-dren to bed *de kinderen naar bed bren-gen;* – to death *ter dood brengen;* – a po-em to music *een gedicht op muziek zet-ten;* – o.s./s.o. to work *zich/iem. aan het werk zetten;* – to good use *goed gebruik maken van* ●*onderwerpen* ⟨aan⟩, *dwin-gen, drijven;* – s.o. through a severe test *iem. aan een zware test onderwerpen;* ↓ – s.o. through it *iem. zwaar op de proef stel-len;* – to flight *op de vlucht drijven;* put s.o. to trouble *iem. last/ongemak bezor-gen* ●*werpen, stoten, jagen;* – a bullet through s.o.'s head *iem. een kogel door het hoofd jagen;* ⟨sport⟩ – the shot *kogel-stoten* ●*voorleggen;* – the situation to s.o. *iem. de situatie uitleggen;* – a proposal before/to a meeting *een vergadering een voorstel voorleggen;* – s.o. onto s.o. *iem. aan iem. voorstellen/bij iem. introduceren* ●*uitdrukken, zeggen;* – a question to s.o. *iem. een vraag stellen;* how shall I – it? *hoe zal ik het zeggen;* to – it bluntly *om het (maar) ronduit/cru te zeggen* ●*vertalen;* – a text into another language *een tekst in een andere taal vertalen* ‖ ↓ – it there! *geef me de vijf!;* be hard – (to it) to do sth. *iets*

nauwelijks aankunnen, het erg moeilijk hebben om iets te doen; ↓ not – it past s.o. to do sth. *iem. ertoe in staat achten iets te doen;* I – it to him that he was wrong *ik hield het hem voor dat hij het verkeerd had;* zie PUT ABOUT, PUT ACROSS, PUT ASIDE/AWAY/BY, PUT AWAY, PUT BACK, PUT BY, PUT DOWN, PUT FORTH, PUT FORWARD, PUT IN, PUT OFF, PUT ON, PUT OUT, PUT OVER, PUT THROUGH, PUT TOGETHER, PUT UP.

'put a'bout I ⟨onov ww⟩ ⟨scheep.⟩ ●*v. rich-ting veranderen* **II** ⟨ov ww⟩ ●*v. richting doen veranderen* ⟨schip⟩ ●*verspreiden* ⟨gerucht, leugens⟩. **'put a'cross** ●*over-brengen* ⟨ook fig.⟩, *aan de man brengen;* know how to put one's ideas across *zijn ideeën weten over te brengen.* **'put a'side** ●⟨ook: 'put a'way, 'put 'by⟩ *opzij zetten, wegzetten, opzij leggen* ⟨ook mbt. geld⟩ ● *terzijde schuiven* ⟨fig.⟩, *negeren;* – one's pride *zijn trots opzij zetten.*

putative ['pju:tətɪv] ●*vermoedelijk.*

'put a'way ●*wegleggen, opbergen* ●zie PUT ASIDE ● ↓ *wegwerken* ⟨voedsel, drank⟩ ●⟨ ↓; euf.⟩ *opsluiten* ⟨in gevangenis, ge-sticht⟩ ●zie PUT DOWN. **'put 'back I** ⟨onov ww⟩ ●*terugvaren;* – to port *naar de haven terugvaren* **II** ⟨ov ww⟩ ●*terugzetten;* put the clock back *de klok terugzetten* ⟨ook fig.⟩ ●*vertragen, tegenhouden* ●*uitstel-len.* **put by** zie PUT ASIDE. **'put 'down I** ⟨onov ww⟩ ●*landen* ⟨v. vliegtuig⟩ **II** ⟨ov ww⟩ ●*neerzetten, neerleggen* ●*onder-drukken* ⟨opstand e.d.⟩ ●*opschrijven;* ⟨fig.⟩ put s.o. down as *iem. houden voor/ beschouwen als;* put a boy down for Eton *een jongen laten inschrijven voor Eton;* put s.o. down for £2 *iem. noteren voor £2* ⟨bij collecte⟩; ⟨fig.⟩ put sth. down to ig-norance *iets toeschrijven aan onwetend-heid* ●⟨ook: 'put a'way⟩ *een spuitje geven* ⟨dier⟩, *uit zijn lijden helpen* ●*afzetten, uit laten stappen* ⟨passagiers⟩ ●*aanbetalen* ●⟨sl.⟩ *kleineren,* ⟨fig.⟩ *op zijn plaats zet-ten.* **'put-down** ●*schampere opmerking, vernedering.* **'put 'forth** ●*aanwenden, ten toon spreiden* ●*verkondigen* ⟨theo-rie⟩ ‖ the plants are putting forth their leaves *de planten beginnen uit te lopen.* **'put 'forward** ●*naar voren brengen* ⟨ook fig.⟩ ●*voordragen* ⟨voor functie⟩ ●*voor-uitzetten* ⟨klok⟩ ●*vervroegen.* **'put 'in I** ⟨onov ww⟩ ●*een verzoek indienen, sol#li-ci-teren;* ↓ – for sth *zich kandidaat stellen voor;* – for leave *verlof (aan)vragen* ●⟨scheep.⟩ *binnenlopen;* – at a port *een haven aan-doen* **II** ⟨ov ww⟩ ●*(erin) plaatsen/zetten/ brengen* ●*opwerpen;* – a remark *een op-*

merking plaatsen; ↓ – a (good) word for s.o. *een goed woordje voor iem. doen* ● *installeren,* ⟨pol.⟩ *aan de macht brengen;* the Conservative Party was – *de Conservatieve Partij kwam aan de macht* ● *besteden* ⟨tijd, werk, geld⟩; he – a lot of hard work on the project *hij heeft een boel werk in het project gestopt* ● *indienen, klacht, document;* – a claim for damages *een eis tot schadevergoeding indienen.* '**putoff** ↓ ● *smoes(je).* '**put 'off** ● *uitstellen* ● *afzetten, uit laten stappen* ⟨passagiers⟩ ● *afschrikken, (v. zich) afstoten;* the smell of that food put me off *de reuk v. dat eten deed me walgen* ● *afschepen, ontmoedigen* ● *uitdoen* ⟨licht, gas, radio e.d.⟩ ● *uittrekken* ⟨kleding⟩ ‖ ⟨sprw.⟩ never put off till tomorrow what you can do today *stel niet uit tot morgen wat gij heden doen kunt.* '**put 'on** ● *voorwenden, aannemen* ⟨houding⟩; – a brave/bold face/front *flink zijn;* – airs *zich een air geven* ● *toevoegen, verhogen;* – weight/flesh *zwaarder worden;* – years *ouder gaan lijken;* ↓ put it on *aankomen* ⟨in gewicht⟩; *overdrijven* ● *opvoeren;* – a play *een toneelstuk op de planken brengen;* ↓ put it on *doen alsof* ● *aantrekken* ⟨kleding⟩, *opzetten* ⟨bril, hoed⟩; she had – too much lipstick *ze had te veel lipstick gebruikt* ● *inzetten* ⟨extratrein e.d.⟩ ● *vooruitzetten* ⟨klok⟩ ● *aandoen* ⟨licht⟩, *aanzetten* ⟨radio e.d.⟩, *opzetten* ⟨plaat, fluitketel⟩ ● *opleggen* ⟨belasting⟩ ● *inzetten* ⟨geld; bij weddenschap⟩ ● *in contact brengen;* put me on to the director himself *verbind me door met de directeur zelf;* he put me on to this vacancy *hij bracht me v. deze vacature op de hoogte* ● ⟨sl.⟩ *beduvelen.* '**put 'out I** ⟨onov ww⟩ ● ⟨scheep.⟩ *uitvaren;* – to sea *zee kiezen* **II** ⟨ov ww⟩ ● *uitsteken, tonen;* put one's tongue out *zijn tong uitsteken* ● *uitdoen, (uit)doven* ● *verdoven, bewusteloos maken* ● *van zijn stuk brengen* ● *buiten zetten* ⟨huisvuil⟩, *eruit gooien* ● *ontwrichten* ● *voortbrengen;* the factory puts out 200 engines a day *de fabriek produceert 200 motoren per dag* ● *uitgeven, uitzenden* ⟨bericht⟩; – an official statement *een communiqué uitgeven* ● *beleggen;* – one's money at a high interest *zijn geld tegen een hoge rente uitzetten* ‖ put o.s. out *zich moeite getroosten.* '**put 'over** ● *overbrengen* ⟨ook fig.⟩, *aan de man brengen;* ↓ put (a fast) one/sth. over on s.o. *iem. iets wijsmaken* ● ⟨AE⟩ *uitstellen.*

putrefaction [ˈpjuːtrɪˈfækʃn] ● *(ver)rotting, bederf.* **putrefy** [ˈpjuːtrɪfaɪ] ● *(doen)(ver)*

rotten, (doen) bederven.

putrid [ˈpjuːtrɪd] ⟨zn: -ity⟩ ● *(ver)rot* ● ⟨sl.⟩ *waardeloos, klere-.*

putsch [pʊtʃ] ● *staatsgreep.*

1 putt [pʌt] ⟨zn⟩ ⟨golf⟩ ● *putslag.*

2 putt ⟨ww⟩ ⟨golf⟩ ● *putten.*

1 putter [ˈpʌtə] ⟨zn⟩ ● *putter* ⟨soort golfstok⟩.

2 putter ⟨ww⟩ zie POTTER.

'**put 'through** ● *(door)verbinden;* put a call through *een gesprek doorschakelen;* put s.o. through (to) *iem. doorverbinden (met)* ● *tot stand brengen.*

putting green [ˈpʌtɪŋ griːn] ⟨golf⟩ ● *green* ⟨deel v. golfbaan om de hole⟩.

'**put to'gether** ● *samenvoegen, samenstellen, combineren;* more than all the others – *meer dan alle anderen bij elkaar* ‖ put two and two together *zijn conclusies trekken.*

putty [ˈpʌti] ● *stopverf* ● *plamuur* ‖ be – in s.o.'s hands *als was in iemands handen zijn.*

'**put 'up I** ⟨onov ww⟩ ● (+for) *zich kandidaat stellen (voor)* ● *logeren;* – at an inn *in een herberg logeren* ‖ ↓ I wouldn't – with it any longer *ik zou het niet langer meer dulden/pikken* **II** ⟨ov ww⟩ ● *opzetten, oprichten, bouwen* ⟨tent, standbeeld e.d.⟩; ⟨fig.⟩ – a front/façade *zich achter een façade verbergen;* – a show *iets voor de show doen* ● *opsteken;* she had put her hair up *ze had haar haar opgestoken* ● *bekendmaken, ophangen;* – a notice *een bericht ophangen* ● *voorleggen;* – a case *een zaak naar voren brengen/verdedigen;* – a proposal *een voorstel voorleggen* ● *verhogen;* – the rent *de huurprijs verhogen* ● *huisvesten* ● *beschikbaar stellen* ⟨gelden⟩ ● *bieden;* the boxers – a good fight *de boksers lieten een goede kamp zien;* the rebels – strong resistance *de rebellen boden hevig weerstand* ● *kandidaat stellen, voordragen* ‖ they – their house for sale *zij boden hun huis te koop aan;* put s.o. up to sth. *iem. opstoken/aanzetten tot iets.* '**put-up** ‖ it's a – job *het is doorgestoken kaart.* '**put-upon** ‖ feel – *zich misbruikt voelen.*

1 puzzle I [ˈpʌzl] ⟨zn⟩ ● *raadsel, probleem, moeilijkheid* ● *puzzel.*

2 puzzle I ⟨onov ww⟩ ● *piekeren* **II** ⟨ov ww⟩ ● ⟨vaak pass.⟩ *voor een raadsel zetten, verbijsteren* ● *in verwarring brengen* ● *overpeinzen;* – one's brains (about/over) *zich het hoofd breken (over);* – sth. out *iets uitpluizen/uitknobbelen.* **puzzled** [ˈpʌzld] ● *in de war, verbluft, perplex.* **puzzlement** [ˈpʌzlmənt] ● *verwarring.* **puzzler** [ˈpʌzlə]

●*probleem, moeilijke vraag.* **puzzling**
['pʌzlɪŋ] ●*onbegrijpelijk, verwarrend.*
1 pygmy, pigmy ['pɪgmi] ⟨zn⟩ ●*pygmee,
dwerg,* ⟨fig.⟩ *nietig persoon.*
2 pygmy, pigmy ⟨bn⟩ ●*dwerg-.*
pyjama, ⟨AE sp.⟩ **pajama** [pə'dʒɑ:mə] ●*py-
jama-; –* trousers *pyjamabroek.* **pyjamas,**
⟨AE sp.⟩ **pajamas** [pə'dʒɑ:məz] ●*pyjama.*
pylon ['paɪlən] ●*hoogspanningsmast.*
pyramid ['pɪrəmɪd] ●*piramide.*
pyre ['paɪə] ●*brandstapel.*
Pyrex ['paɪreks] ●*Pyrex* ⟨merknaam⟩, ⟨bij
uitbr.⟩ *vuurvast glas;* a – dish *een vuurvaste schotel.*
pyromania [-'meɪnɪə] ●*pyromanie.* **pyro-
maniac** [-'meɪnɪæk] ●*pyromaan.*
pyrotechnics [-'tekniks] ●*vuurwerk* ●*briljan-
te opvoering.*
'Phyrrhic 'victory ['pɪrɪk -] ●*Pyrr(h)usover-
winning, schijnsucces.*
python ['paɪθn] ●*python.*

Q.C. ⟨afk.⟩ Queen's Counsel.
1 quack [kwæk] ⟨zn⟩ ●*kwakzalver* ●*kwak,
gekwaak.*
2 quack ⟨ww⟩ ●*kwaken* ⟨v. eend⟩.
quad [kwɒd] ●⟨verk.⟩ quadrangle, quadruplet.
quadrangle ['kwɒdræŋgl] ●*vierhoek,* ⟨ihb.⟩
vierkant, rechthoek ●*vierkant plein (met
de gebouwen eromheen).* **quadrangular**
[kwɒ'dræŋgjʊlə] ●*vierhoekig.*
quadrant ['kwɒdrənt] ●*kwadrant.*
quadratic [kwɒ'drætɪk] ‖ – equation *kwadra-
tische vergelijking.*
quadrilateral ['kwɒdrɪ'lætrəl] ●⟨bn⟩ *vierzij-
dig* ●⟨zn⟩ *vierhoek.*
quadruped ['kwɒdrʊpəd] ●*viervoeter.*
1 quadruple ['kwɒdru:pl] ⟨zn, bn⟩ ●⟨bn⟩
viervoudig ●⟨zn⟩ *viervoud.*
2 quadruple ⟨ww⟩ ●*verviervoudigen.*
quadruplet ['kwɒdrʊplɪt] ●*één v.e. vierling,*
⟨mv.⟩ *vierling.*
quagmire ['kwægmaɪə] ●*moeras* ⟨ook fig.⟩,
poel.
1 quail [kweɪl] ⟨zn⟩ ●*kwartel.*
2 quail ⟨ww⟩ ●*(terug)schrikken.*
quaint [kweɪnt] ●*apart, ongewoon;* a – old
building *een bijzonder, oud gebouw* ●
vreemd.
1 quake [kweɪk] ⟨zn⟩ ● ↓ *aardbeving.*
2 quake ⟨ww⟩ ●*schokken, trillen, bibberen.*
Quaker ['kweɪkə] ●*Quaker.*
qualification ['kwɒlɪfɪ'keɪʃn] ●*beperking,
voorbehoud;* what's the – for entering this
tournament? *wat zijn de vereisten om
mee te doen aan dit toernooi?* ●*kwalificatie* ●*(bewijs v.) geschiktheid/bevoegd-
heid.* **qualified** ['kwɒlɪfaɪd] ●*beperkt,
voorwaardelijk; –* optimism *gematigd optimisme* ●*bevoegd, geschikt;* a – doctor
een afgestudeerde/bevoegde dokter; a –
nurse *een gediplomeerde verpleegster.*
qualifier ['kwɒlɪfaɪə] ⟨sport⟩ ●*iem. die
zich voor de volgende ronde heeft geplaatst* ●*kwalificatiewedstrijd.* **qualify**
['kwɒlɪfaɪ] **I** ⟨onov ww⟩ ●*zich kwalificeren, zich bekwamen, bevoegd/geschikt
zijn/worden; –* as a pilot *zijn vliegbrevet*

halen; – for *in aanmerking komen voor* **II**
⟨ov ww⟩ ● *beperken, kwalificeren, (verder) bepalen;* a *–ing match een kwalificatiewedstrijd; –* one's statement *zijn verklaring nader preciseren* ● *kenmerken, ken-
schetsen; –* s.o. as an honest person *iem.
als een eerlijk persoon beschrijven* ● *ge-
schikt/bevoegd maken* ● *verzachten, matigen.*

qualitative ['kwɒlɪtətɪv] ● *kwalitatief.* **quality** ['kwɒləti] **I** ⟨telb zn⟩ ● *kwaliteit, deugd;*
s.o.'s faults and qualities *iemands slechte
en goede eigenschappen* ● *eigenschap,
kenmerk;* in the *– of President in de hoedanigheid v. President* **II** ⟨n-telb zn; ook
attr⟩ ● *kwaliteit; –* newspaper *kwaliteits-
krant;* of poor/good *– v. slechte/goede
kwaliteit* ‖ ⟨sprw.⟩ quality, not quantity
kwaliteit is belangrijker dan kwantiteit.
'**quality control** ● *kwaliteitscontrole.*

qualm [kwɑːm, kwɔːm] ⟨vaak mv.⟩ ● *(gevoel v.) onzekerheid, ongemakkelijk gevoel;* he felt no *–s about inviting himself
hij had er geen moeite mee zichzelf uit te
nodigen* ● *(gewetens)wroeging.*

quandary ['kwɒnd(ə)ri] ● *onzekerheid;* we
were in a *–* about how to react *we wisten
niet goed hoe we moesten reageren.*

quanta ['kwɒntə] ⟨mv.⟩ zie QUANTUM.

quantif|y ['kwɒntɪfaɪ] ⟨zn: **-ication**⟩ ● *kwan-
tificeren, in getallen uitdrukken, meten.*
quantitative ['kwɒntɪtətɪv] ● *kwantitatief.*
quantity ['kwɒntəti] ● *hoeveelheid/aantal;*
in large quantities *in grote aantallen/hoe-
veelheden* ● ⟨wisk.⟩ *grootheid,* ⟨fig.⟩ *persoon, ding;* an unknown *– een onbekende
(grootheid); een nog niet doorgronde persoon* ● *kwantiteit* ‖ zie ook ⟨sprw.⟩ QUALI-
TY.

'**quantity surveyor** ● *kostendeskundige* ⟨in
de bouw⟩.

1 quantum ['kwɒntəm] ⟨zn; mv.: quanta⟩ ●
quantum, hoeveelheid.

2 quantum ⟨bn⟩ ● *spectaculair;* a *–* leap *een
spectaculaire stap vooruit.*

'**quantum physics** ⟨nat.⟩ ● *quantumfysica.*
'**quantum theory** ⟨nat.⟩ ● *quantumtheo-
rie.*

quarantine ['kwɒrənti:n] ● ⟨zn⟩ *quarantaine*
● ⟨ww⟩ *in quarantaine plaatsen/houden.*

1 quarrel ['kwɒrəl] ⟨zn⟩ ● *ruzie, onenigheid;*
start/pick a *–* (with s.o.) *ruzie zoeken (met
iem.)* ● *kritiek, reden tot ruzie;* I have no *–*
with him *ik heb niets tegen hem.*

2 quarrel ⟨ww⟩ ● *ruzie maken, onenigheid
hebben* ● *kritiek hebben, aan/opmerkin-
gen hebben;* who would like to *–* with
that? *wie zou dat willen bestrijden?.* **quar-**

relsome ['kwɒrəlsəm] ● *ruziezoekend,
twistziek.*

1 quarry ['kwɒri] ⟨zn⟩ ● *(nagejaagde) prooi,
wild* ● *(steen)groeve.*

2 quarry ⟨ww⟩ ● *(steen)houwen, (steen) uit-
hakken.*

quart [kwɔːt] ● *quart, kwart gallon, twee
pints* ⟨inhoudsmaat⟩.

1 quarter ['kwɔːtə] **I** ⟨telb zn⟩ ● *kwart, vierde
deel;* a *– of* a century *een kwarteeuw;* a *–
of* an hour *een kwartier* ● *kwart dollar,
kwartje* ● *kwartaal* ● *kwartier* ⟨v. tijd,
maan⟩; it's a *–* past/to eight *het is kwart
over/voor acht* ● *achterste deel* ● *quarter,
kwart* ⟨gewicht, maat⟩ ● *(wind)richting,
windstreek* ⟨v. kompas⟩, *hoek, kant;* from
all *–s* of the world *uit alle windstreken* ●
(stads)deel, wijk **II** ⟨mv.⟩ ● ⟨vaak mil.⟩
kwartier, woon/legerplaats, kamer(s),
⟨fig.⟩ *kring;* find suitable *–s geschikte
huisvesting vinden;* well-informed *–s
goed ingelichte kringen;* they took up
their *–s ze sloegen hun tenten op, ze namen hun intrek.*

2 quarter ⟨ww⟩ ● *vierendelen, in vier (gelijke) delen verdelen* ● *inkwartieren, logies/
huisvesting verschaffen (aan).* '**quarter-
deck** ⟨scheep.⟩ ● *(officiers)halfdek.* '**quarter'final** ● *kwartfinale.*

1 quarterly ['kwɔːtəli] ⟨zn⟩ ● *driemaandelijks tijdschrift/blad.*

2 quarterly ⟨bn; bw⟩ ● *driemaandelijks.*
'**quartermaster** ● *kwartiermeester.*

quartet ['kwɔː'tet] ● *kwartet, viertal.*

quartz [kwɔːts] ● *kwarts.*

quash [kwɒʃ] ● ⟨jur.⟩ *verwerpen, vernietigen* ● *onderdrukken.*

quasi ● *quasi, zogenaamd.*

quatrain ['kwɒtreɪn] ● *kwatrijn.*

1 quaver ['kweɪvə] ⟨zn⟩ ● *trilling.*

2 quaver ⟨ww⟩ ● *trillen, beven, zeggen met
bevende stem.*

quay [kiː] ● *kade.*

queasy ['kwiːzi] ● *misselijk;* a *–* stomach *een
zwakke maag.*

1 queen [kwiːn] ⟨zn⟩ ● *koningin* ● ⟨dierk.⟩
koningin, moederbij ● ⟨schaken⟩ *koningin, dame* ● ⟨kaartspel⟩ *vrouw; –* of hearts
hartenvrouw ● ⟨sl.⟩ *nicht, verwijfde flikker.*

2 queen ⟨ww⟩ ‖ *↓ –* it over s.o. *de mevrouw
spelen tov iem..* '**queen 'bee** ● *bijenkonin-
gin,* ⟨fig.⟩ *heersende schone, schoonheid.* **queenly** ['kwiːnli] ● *als een koningin,
majesteitelijk.* '**queen 'mother** ● *konin-
gin-moeder.*

Queen's Bench (Division) zie KING'S BENCH
(DIVISION). **Queen's Counsel** zie KING'S

Counsel.
queen's evidence zie KING'S EVIDENCE.
1 queer [kwɪə] ⟨zn⟩ ⟨sl.⟩ ● *homo, flikker.*
2 queer ⟨bn⟩ ● *vreemd, raar, zonderling;* ↓ a
– *customer een rare snuiter* ● *verdacht* ●
onwel, niet lekker ● ⟨sl.⟩ *homoseksueel* ‖
↓ be in Queer Street *in moeilijkheden zit-*
ten; ⟨ihb.⟩ *schulden hebben.*
3 queer ⟨ww⟩ ⟨sl.⟩ ● *verknoeien, verpesten.*
queer-bashing ● *potenrammen.*
quell [kwel] ● *onderdrukken, een eind ma-*
ken aan, onderwerpen.
quench [kwentʃ] ● *doven, blussen* ● *lessen*
⟨dorst⟩.
querulous ['kwerʊləs] ● *klagend* ● *klagerig,*
knorrig.
1 query ['kwɪəri] ⟨zn⟩ ● *vraag(teken).*
2 query ⟨ww⟩ ● *vragen* ● *in twijfel trekken,*
betwijfelen.
1 quest [kwest] ⟨zn⟩ ● *zoektocht;* in – of *op*
zoek naar.
2 quest ⟨ww⟩ ● *zoeken, speuren.*
1 question ['kwestʃn] I ⟨telb zn⟩ ● *vraag; you*
should obey your father without – je moet
je vader zonder meer gehoorzamen ●
vraagstuk, kwestie; it is only a – of money
het is alleen een kwestie v. geld; the man
in – *de man in kwestie; that is out of the –*
er is geen sprake van; that is not the – daar
gaat het niet om ‖ beg the – *het punt in*
kwestie als bewezen aanvaarden; that is
begging the – ↓ *dat is moeilijkheden ontlo-*
pen; ⟨ihb.⟩ *dat is een vraag met een we-*
dervraag beantwoorden; ↓ pop the – (to
her) *(haar) ten huwelijk vragen* II ⟨n-telb
zn⟩ ● *twijfel; call sth. into –* iets in twijfel
trekken; beyond (all)/without – ongetwij-
feld, buiten kijf.
2 question ⟨ww⟩ ● *vragen, ondervragen* ●
onderzoeken ● *betwijfelen;* I – *whether/if*
... *ik betwijfel het of ....* **questionable**
['kwestʃnəbl] ● *twijfelachtig.* **questioner**
['kwestʃənə] ● *vragensteller/ster.* **ques-**
tioning ['kwestʃənɪŋ] ● *vragend; she gave*
her friend a – look *zij keek haar vriend vra-*
gend aan. '**question mark** ● *vraagteken*
⟨ook fig.⟩, *onzekerheid.* **questionnaire**
['kwestʃə'neə] ● *vragenlijst.* '**question**
time ⟨BE⟩ ● *vragenuurtje* ⟨voor de leden
v.h. parlement⟩.
1 queue [kju:] ⟨zn⟩ ● *rij, file* ‖ jump the –
voordringen, voor je beurt gaan.
2 queue ⟨ww⟩ ● *in de rij (gaan) staan; they*
–d (up) for the taxis *zij stonden in de rij*
voor de taxi's.
1 quibble ['kwɪbl] ⟨zn⟩ ● *spitsvondigheid,*
haarkloverij.
2 quibble ⟨ww⟩ ● *bekvechten;* – about the

details over de details harrewarren.
quiche [ki:ʃ] ⟨cul.⟩ ● *quiche* ⟨taart⟩.
1 quick [kwɪk] ⟨zn⟩ ● *levend vlees* ⟨onder de
huid/nagel⟩; she bites her nails to the – *zij*
bijt haar nagels af tot op het leven ‖ cut s.o.
to the – *iem. in zijn hart raken.*
2 quick ⟨bn; -ness⟩ ● *snel, gauw, vlug; quick*
march! *voorwaarts mars!;* ↓ be – off the
mark *er als de kippen bij zijn; he is –* to
take offence *hij is gauw beledigd;* 'Have a
drink?' 'Yes, I'll take a – one' *'Wat drin-*
ken?' 'Ja, een snelle dan' ● *gevoelig, vlug*
(v. begrip), scherp; she gave a – answer *zij*
antwoordde gevat; ↓ that child is not very
– *dat kind is niet zo snugger* ● *levendig,*
opgewekt ‖ ⟨sl.⟩ – on the uptake *snellen-*
kend/doorziend.
3 quick ⟨bw⟩ ↓ ● *vlug, gauw, snel.* **quicken**
['kwɪkən] I ⟨onov ww⟩ ● *levend worden,*
(weer) tot leven komen II ⟨onov en ov ww⟩
● ⟨ook +up⟩ *versnellen* III ⟨ov ww⟩ ● *doen*
herleven ● *stimuleren, bezielen.* 'quick-
'freeze ● *diepvriezen;* a quick-frozen turkey *een diepvrieskalkoen.* **quickie** ['kwɪki]
↓ ● *vluggertje, haastwerk* ⟨in meerdere
betekenissen⟩. '**quicklime** ● *ongebluste*
kalk. '**quicksand** ⟨vaak mv.⟩ ● *drijfzand.*
'**quicksilver** ● *kwik(zilver).* '**quickstep** ●
⟨dansk., muz.⟩ *snelle foxtrot.* '**quick-**
'**tempered** ● *lichtgeraakt, opvliegend.*
'**quick-'witted** ● *vlug v. begrip, gevat.*
quid [kwɪd] ⟨BE; ↓ ⟩ ● *pond* ⟨sterling⟩; thirty
– a week *dertig pond per week* ● *(tabaks)*
pruim.
quid pro quo ['kwɪd proʊ 'kwoʊ] ● *vergoe-*
ding, tegenprestatie.
quiesc|ent [kwaɪ'esnt] ⟨zn: -ence⟩ ● *rustig,*
stil.
1 quiet ['kwaɪət] ⟨zn⟩ ● *stilte* ● *rust, kalmte.*
2 quiet ⟨bn⟩ ● *stil, rustig* ● *vredig, kalm* ● *on-*
opvallend; – colours *stemmige kleuren* ●
heimelijk, geheim; they kept their engage-
ment – *zij hielden hun verloving geheim;*
keep – about last night *hou je mond over*
vannacht; let's take a drink on the -- *laten*
we stiekem een borreltje nemen ● *onge-*
dwongen; a – dinner party *een informeel*
etentje. **quieten** ['kwaɪətn], ⟨AE⟩ quiet I
⟨onov en ov ww⟩ ● ⟨vaak +down⟩ *rustig*
worden, bedaren II ⟨ov ww⟩ ● ⟨vaak
+down⟩ *tot bedaren brengen, kalmeren.*
quietude ['kwaɪətju:d] ● *kalmte, (ge-*
moeds)rust.
quiff [kwɪf] ⟨BE⟩ ● *vetkuif, spuuglok.*
quill [kwɪl] ● *schacht* ● *slagpen* ● *ganzepen*
● *stekel* ⟨v.e. stekelvarken⟩. '**quill** 'pen ●
ganzepen, ganzeveer.
1 quilt [kwɪlt] ⟨zn⟩ ● *gewatteerde deken,*

dekbed; a continental – *een dekbed* ●
sprei.
2 quilt 〈ww〉 ●*watteren, voeren.*
quin [kwɪn] 〈verk.〉 quintuplet↓ ●*één v.e. vijfling.*
quince [kwɪns] 〈plantk.〉 ●*kweepeer, kwee-appel* 〈alleen gekonfijt eetbaar〉.
quinine [ˈkwɪniːn] ●*kinine.*
quintessence [kwɪnˈtesns] ●*kern, kwintessens* ●*het beste;* the – of good behaviour *hét voorbeeld v. goed gedrag.*
quintet [ˈkwɪnˈtet] ●*(groep v.) vijf musici, kwintet.*
quintuplet [ˈkwɪntjʊplɪt] ●*één v.e. vijfling.*
1 quip [kwɪp] 〈zn〉 ●*geestigheid.*
2 quip 〈ww〉 ●*geestigheden rondstrooien.*
quirk [kwəːk] ●*gril, nuk;* a – of fate *een gril v.h. lot.*
1 quit [kwɪt] 〈bn〉 ●*vrij, verlost, bevrijd;* go – *vrijuit gaan;* we are well – of those difficulties *goed, dat we van die moeilijkheden af zijn.*
2 quit 〈ook, vnl. AE quit, quit〉 I 〈onov ww〉 ●*ophouden, stoppen* ●*vertrekken, ervandoor gaan, zijn baan opgeven;* the neighbours have already had notice to – *de buren is de huur al opgezegd* II 〈ov ww〉 ●*ophouden met, stoppen met;* I – this job *ik stop met dit werk* ●*verlaten, vertrekken van/uit.*
quite [kwaɪt] ●*helemaal, geheel;* – possible *best mogelijk;*↓ it's – something to be a famous author *het is heel wat om een beroemd schrijver te zijn;* that's – another matter *dat is een heel andere zaak;* 'It's not easy' 'Quite (so)' *'Het is niet makkelijk' 'Zo is het/Precies'* ●*nogal, tamelijk;* it's – cold today *het is nogal koud vandaag* ●*werkelijk, echt;* – happy *echt gelukkig* ●*erg, veel;* – a few people *flink wat mensen;* that was – a party, 〈AE;↓ ook〉 that was – some party *dat was me het feestje wel.*
quits [kwɪts] ●*quitte;* now we are – *nu staan we quitte;* call it – *verklaren quitte te zijn, ophouden.*
quitter [ˈkwɪtə] ●*iem. die het opgeeft, lafaard, slappeling.*
1 quiver [ˈkwɪvə] 〈zn〉 ●*pijlkoker* ●*trilling.*
2 quiver 〈ww〉 ●*trillen, beven, sidderen.*
quixotic [kwɪkˈsɒtɪk] ●*als een Don Quichot, wereldvreemd.*
1 quiz [kwɪz] 〈zn〉 ●*test, kort examen* ●*quiz, kwis.*
2 quiz 〈ww〉 ●*ondervragen, uithoren.* 'quiz-master ●*quizmaster, spelleider.* **quizzical** [ˈkwɪzɪkl] ●*spottend, plagerig.*
quoit [kɔɪt, kwɔɪt] I 〈telb zn〉 ●*werpring* II

〈mv.〉 〈spel〉 ●*ringwerpen.*
quorum [ˈkwɔːrəm] ●*quorum, vereist aantal (aanwezige) leden.*
quota [ˈkwoʊtə] ●*quota, aandeel, contingent* 〈bv. v. te produceren goederen〉 ●*(maximum) aantal.*
quotable [ˈkwoʊtəbl] ●*citeerbaar* ‖ my comment is not – *mijn commentaar mag niet geciteerd worden.* **quotation** [kwoʊˈteɪʃn] ●*citaat, aanhaling* ●*notering* 〈v. beurs, koers〉 ●*prijsopgave.* **quo'tation mark** ●*aanhalingsteken.*
1 quote [kwoʊt] 〈zn〉 ↓ ●*citaat* ●*notering* 〈v. beurs enz.〉 ●〈vnl. mv.〉 *aanhalingsteken.*
2 quote 〈ww〉 ●*citeren, aanhalen* ●*opgeven* 〈prijs〉, 〈ihb.〉 *noteren* 〈koersen〉 ‖ (–) we shall win (unquote) *(ik citeer) we zullen overwinnen (einde citaat).*
quotidian [kwoʊˈtɪdɪən] ●*dagelijks.*
quotient [ˈkwoʊʃnt] ●*quotiënt.*

R

r, R [ɑː] ● *r, R* ‖ the three R's *lezen, schrijven en rekenen* ⟨reading, writing, arithmetic⟩.
rabbi ['ræbaɪ] ● *rabbi, rabbijn.*
1 rabbit ['ræbɪt] ⟨zn⟩ ● *konijn, konijnebont, konijnevlees.*
2 rabbit ⟨ww⟩ ● *op konijnen jagen.*
'rabbit hutch ● *konijnehok.* **'rabbit warren** ● *konijnenveld.*
rabble ['ræbl] ● *troep, bende;* ⟨bel.⟩ the – *het gepeupel.* **'rabble-rouser** ● *volksmenner.* **'rabble-rousing** ● *opruiend.*
rabid ['ræbɪd] ● *razend, woest* ● *fanatiek* ● *hondsdol.*
rabies ['reɪbiːz] ● *hondsdolheid.*
R.A.C. ⟨afk.⟩ Royal Automobile Club ⟨BE⟩.
raccoon zie RACOON.
1 race [reɪs] ⟨zn⟩ ● *wedren/loop, race;* – against time *race tegen de klok;* the –s *de* ⟨honden/paarden⟩rennen ● *sterke stroom/stroming* ● *ras* ● *volk, natie.*
2 race I ⟨onov ww⟩ ● *wedlopen, een wedstrijd houden* ● *rennen, snellen;* as always, the holidays –d by *zoals altijd vloog de vakantie om* II ⟨ov ww⟩ ● *een wedren houden met, om het hardst lopen met* ● *laten rennen* ● *laten snellen;* the government –d the bill through *de regering joeg het wetsontwerp erdoor* ● *(zeer) snel vervoeren;* they –d the child to hospital *ze vlogen met het kind naar het ziekenhuis.*
'racecourse ● *renbaan.* **'racehorse** ● *renpaard.* **'race meeting** ● *paardenrennen, harddraverij.* **racer** ['reɪsə] ● *renpaard* ● *racefiets* ● *renwagen* ● *raceboot* ● *wedstrijdjacht.* **'racetrack** ● *(ovale) renbaan, circuit.*
racial ['reɪʃl] ● *ras-, rasse(n)-;* – discrimination *ras(sen)discriminatie.* **racialism** ['reɪʃəlɪzm] ● ⟨BE⟩ *racisme.* **racialist** ['reɪʃəlɪst] ● ⟨bn⟩ *racistisch* ● ⟨zn⟩ *racist.*
racing ['reɪsɪŋ] ● *het deelnemen aan wedstrijden* ● *rensport.* **'racing car, 'race car** ● *raceauto.* **'racing stable** *renstal* ⟨v. paarden⟩.
racism ['reɪsɪzm] ● *racisme* ● *rassehaat.* **racist** ['reɪsɪst] ● ⟨bn⟩ *racistisch* ● ⟨zn⟩ *racist.*

1 rack [ræk] I ⟨telb zn⟩ ● *rek* ● *ruif* ● *(bagage) rek* ● *pijnbank;* ⟨fig.⟩ be on the – *op de pijnbank liggen; in grote spanning/onzekerheid verkeren* ● ⟨tech.⟩ *heugel;* – and pinion *heugel en rondsel* II ⟨n-telb zn⟩ ‖ go to – and ruin *geheel vervallen, instorten.*
2 rack ⟨ww⟩ ● *(op de pijnbank) martelen, folteren* ● *kwellen, pijnigen;* – one's brains *zijn hersens pijnigen.*
racket ['rækɪt] ● ⟨ook: racquet⟩ ⟨sport⟩ *racket* ● *lawaai, herrie;* kick up a – *een rel/herrie schoppen* ● *drukte* ● ⟨↓; ong.⟩ *beroep, branche;* what – is Peter in? *wat voert Peter uit?* ● *bedrog, zwendel.* **racketeer** ['rækɪ'tɪə] ● *gangster, misdadiger,* ⟨ihb.⟩ *afperser.* **racketeering** ['rækɪ'tɪərɪŋ] ● *gangsterpraktijken.*
racoon, raccoon [rə'kuːn] ● *wasbeer.*
racquet zie RACKET.
racy ['reɪsi] ● *markant* ⟨stijl, persoon(lijkheid)⟩ ● *pittig* ● *pikant, gewaagd* ⟨verhaal⟩.
radar ['reɪdɑː] ● *radar.*
1 radial ['reɪdɪəl] ⟨zn⟩ ● *radiaalband.*
2 radial ⟨bn⟩ ● *radiaal, stervormig, straal-;* – tyre *radiaalband.*
radiance ['reɪdɪəns] ● *straling, schittering, pracht.* **radiant** ['reɪdɪənt] ● *stralend, schitterend;* he was – with joy *hij straalde v. vreugde* ● *stralings-;* – heat *stralingswarmte.* **radiate** ['reɪdɪeɪt] I ⟨onov ww⟩ ● *stralen, schijnen* ● *een ster vormen;* streets radiating from a square *straten die straalsgewijs vanaf een plein lopen* II ⟨ov ww⟩ ● *uitstralen, (naar alle kanten) verspreiden;* – confidence *vertrouwen uitstralen.* **radiation** ['reɪdɪ'eɪʃn] ● *straling* ● *uitstraling* ⟨ook v. pijn⟩. **radi'ation sickness** ● *stralingsziekte.*
radiator ['reɪdɪeɪtə] ● *radiator, radiateur, koeler* ⟨v. motor⟩.
1 radical ['rædɪkl] ⟨zn⟩ ● ⟨wisk.⟩ *wortel(teken)* ● ⟨schei.⟩ *radicaal* ● ⟨pol.⟩ *radicaal.*
2 radical ⟨bn⟩ ● *radicaal* ⟨ook pol.⟩, *drastisch;* ⟨pol.⟩ the – left *radicaal links;* ⟨pol.⟩ the – right *extreem rechts* ● *fundamenteel, wezenlijk, essentieel* ‖ – sign *wortelteken.* **radicalism** ['rædɪkəlɪzm] ● *radicalisme.*
radii ['reɪdɪaɪ] ⟨mv.⟩ zie RADIUS.
1 radio ['reɪdɪəu] ⟨zn⟩ ● *radio(toestel/ontvanger)* ● *radio(omroep/station).*
2 radio ⟨ww⟩ ● *een radiobericht uitzenden/zenden aan, via de radio/radiotelegrafisch seinen/uitzenden.*
radioactive ['reɪdɪəu'æktɪv] ● *radioactief.* **radioactivity** ['reɪdɪəuæk'tɪvæti] ● *radioactiviteit.*

'radio beacon ● *radiobaken.*

1 radiograph ['reɪdiougra:f] ⟨zn⟩ ● *röntgen-foto.*

2 radiograph ⟨ww⟩ ● *doorlichten.* radiography ['reɪdi'ɒgrəfi] ● *radiografie.*

radioisotope ['reɪdiou'aɪsətoup] ● *radio-iso-toop.*

radiologist ['reɪdi'ɒlədʒɪst] ● *radioloog.* radiology ['reɪdi'ɒlədʒi] ● *radiologie.*

'radio set ● *radiotoestel/ontvanger.* 'radio station ● *radiostation.* 'radio 'telescope ● *radiotelescoop.*

radiotherapy ['reɪdiou'θerəpi] ● *radiothera-pie.*

radish ['rædɪʃ] ● *radijs.*

radium ['reɪdɪəm] ● *radium.*

radius ['reɪdɪəs] ⟨mv.: ook radii⟩ ● *straal* ⟨v. cirkel⟩; a large – of action *een grote actie-radius.*

R.A.F. [ɑ:r eɪ 'ef, ræf] ⟨afk.⟩ Royal Air Force ⟨BE⟩ ● *R.A.F..*

raffish ['ræfɪʃ] ● *liederlijk, losbandig, wild.*

1 raffle ['ræfl] ⟨zn⟩ ● *loterij, verloting.*

2 raffle ⟨ww⟩ ● ⟨vaak +off⟩ *verloten.*

1 raft [rɑ:ft] ⟨zn⟩ ● *vlot* ● *redding(s)vlot.*

2 raft ⟨ww⟩ ● *per vlot reizen, met een vlot vervoeren/oversteken.*

rafter ['rɑ:ftə] ● *dakspant.*

1 rag [ræg] ⟨zn⟩ ● ⟨vnl. mv.⟩ *lomp, vod;* from –s to riches *v. armoe naar rijkdom;* dressed in –s *in lompen gehuld* ● *lap(je), vodje;* –s of smoke *flarden rook;* cooked to –s *stukgekookt* ● ⟨ong.⟩ *iets dat lijkt op een vod, vlag, snotlap, krant, blaadje;* the local – *het sufferdje* ● ⟨BE; ↓⟩ *keet, (studenten)lol,* ⟨ihb.⟩ *jaarlijkse studentenop-tocht voor een goed doel.*

2 rag ↓ ⟨ww⟩ ● *pesten, plagen;* they –ged the teacher *zij schopten keet bij de leraar* ● *te grazen nemen.*

ragamuffin ['rægəmʌfɪn] ● *schooiertje.*

'ragbag ● *voddenzak* ● *allegaartje.* 'rag 'doll ● *lappenpop.*

1 rage [reɪdʒ] I ⟨telb zn⟩ ● *manie* ● *rage, mo-de;* short hair is (all) the – now *kort haar is nu een rage* II ⟨telb en n-telb zn⟩ ● *woede-(uitbarsting), razernij;* fly into a – *in woede ontsteken;* be in a – *woedend zijn.*

2 rage ⟨ww⟩ ● *woeden, tieren, razen;* a rag-ing headache *een razende hoofdpijn;* – against/at s.o. *tegen iem. tekeergaan.*

'ragged ['rægɪd] ● *haveloos, gescheurd* ● *in lompen* ● *ruig, onverzorgd* ● *ongelijk, knoestig;* – rocks *scherpe rotsen* ● *dood-op, uitgeput;* the messenger boy was run – *de boodschappenjongen was doodop.*

ragtag ['rægtæg] ● *plebs, gepeupel* ‖ – and bobtail *uitschot.*

'ragtime ● *ragtime* ⟨gesyncopeerde (dans) muziek⟩.

'rag trade ⟨the⟩ ↓ ● *kledingindustrie.*

1 raid [reɪd] ⟨zn⟩ ● *inval, (verrassings)over-val* ● *rooftocht, roofoverval;* a – on a bank *een bankoverval* ● *politieoverval, razzia.*

2 raid ⟨ww⟩ ● *overvallen, binnenvallen* ● *plunderen, leegroven.* raider ['reɪdə] ● *overvaller, invaller* ● *rover.*

1 rail [reɪl] ⟨zn⟩ ● *lat, balk, stang* ● *leuning* ● *omheining* ● *rail, spoorstaaf,* ⟨fig.; vaak attr⟩ *trein;* go/get/run off the –s *ontspo-ren;* ⟨fig.⟩ *v. streek raken;* travel by – *per trein reizen* ● *rail* ⟨om iets aan op te han-gen⟩ ● ⟨scheep.⟩ *reling* ‖ run off the –s *uit de band springen.*

2 rail I ⟨onov ww⟩ ● ⟨+against/at⟩ *schelden (op), tekeergaan (tegen)* II ⟨ov ww⟩ ● *v. rails voorzien* ● *omheinen, afrasteren;* – in *omheinen.*

railing ['reɪlɪŋ] ● *traliewerk, spijlen* ● *leuning, reling, hek.*

raillery ['reɪləri] ● *scherts, grap(pen), gek-heid.*

'rail network ● *spoorwegnet.*

1 railroad ⟨zn⟩ zie RAILWAY.

2 'railroad ⟨ww⟩ ● ↓ *jagen, haasten;* – a bill through Congress *een wetsvoorstel er-door jagen in het Congres.* 'railway, ⟨AE⟩ 'railroad ● ⟨vaak attr⟩ *spoorweg, spoor-baan* ● *spoorwegmaatschappij.* 'railway line ● *spoorlijn.* railwayman ['reɪl-weɪmən] ● *spoorwegbeambte.*

1 rain [reɪn] I ⟨zn⟩ ● *regen* ● *(stort)vloed, stroom;* a – of arrows *een regen v. pijlen;* a – of blows *een reeks klappen* ‖ (come) – or shine *weer of geen weer, onder alle omstandigheden* II ⟨mv.; the⟩ ● *regentijd.*

2 rain I ⟨onov ww⟩ ● *regenen* ‖ ⟨sprw.⟩ it never rains but it pours *een ongeluk komt zelden alleen;* zie RAIN DOWN II ⟨ov ww⟩ ● *regenen* ⟨ook fig.⟩; ↓ the match was –ed off/ ⟨AE⟩ out *de wedstrijd werd afgelast/ onderbroken vanwege de regen* ● *doen neerdalen;* zie RAIN DOWN.

rainbow ['reɪnbou] ● *regenboog* ‖ he chases the – of a university career *hij droomt v.e. carrière aan een universiteit.* 'rain check ● *nieuw toegangsbewijs* ⟨voor bezoekers v.e. verregende wedstrijd/voorstelling⟩; ⟨fig.⟩ I'll take a – on it *ik hou het v. je te-goed.* 'raincoat ● *regenjas.* 'rain 'down I ⟨onov ww⟩ ● *neerkomen;* blows rained down (up)on his head *een regen v. klap-pen kwam neer op zijn hoofd* II ⟨ov ww⟩ ● *doen neerdalen;* they rained down arrows *zij zonden een regen v. pijlen naar bene-den.* 'raindrop ● *regendruppel.* 'rainfall ●

regen(val). **'rain forest** ●*regenwoud.*
'rain gauge ●*regenmeter.* **rainless**
['reɪnləs] ●*zonder regen.* **'rainproof** ●*re-
gendicht, tegen regen bestand.* **'rain-
storm** ●*stortbui.* **'rainwater** ●*regenwa-
ter.* **rainy** ['reɪni] ●*regenachtig, regen-;*
⟨fig.⟩ *save (up)/keep sth. for a – day een
appeltje voor de dorst bewaren.*
1 raise [reɪz] ⟨zn⟩ ●⟨vnl. AE⟩ *opslag, loonsverhoging.*
2 raise ⟨ww⟩ ●*rechtop/overeind zetten, oprichten, doen opstaan; – s.o.'s hair iemands haren te berge doen rijzen* ●*wekken, opwekken* ⟨uit de dood⟩, *wakker maken; – expectations verwachtingen wekken* ●*opzetten, tot opstand bewegen* ●*opwekken;* the news –d *his hopes het
nieuws gaf hem weer hoop* ●*bouwen, opzetten* ●*kweken, verbouwen* ●*grootbrengen; – a family kinderen grootbrengen* ●
*uiten, ter sprake brengen, opperen; – ob-
jections to sth. bezwaren tegen iets naar
voren brengen; – questions vragen opwerpen;* we'll – *these issues with the staff
we zullen deze kwesties met de staf be-
spreken* ●*doen ontstaan;* –s *doubts zijn gedrag roept twijfels op;* the
play –d *a storm of applause het stuk ont-
ketende een storm v. toejuichingen* ●*(op)
heffen, opnemen, opslaan* ⟨ogen⟩ ●*boven brengen, te voorschijn brengen; –
coal steenkool boven brengen* ●*bevorderen, promoveren* ●*versterken, verheffen*
⟨stem⟩, *verhogen; – prices prijzen verhogen* ●*heffen* ⟨geld⟩, *bijeenbrengen; –
money geld bij elkaar krijgen; – taxes belastingen heffen* ●*op de been brengen*
⟨bv. leger⟩ ●*opheffen; – a blockade een
blokkade opheffen* ●⟨spel⟩ *verhogen, hoger bieden dan.*
raisin ['reɪzn] ●*rozijn.*
1 rake [reɪk] ⟨zn⟩ ●*hark, riek;* as lean as a –
zo mager als een lat ●*hark* ⟨v. croupier⟩ ●
losbol ●*schuinte, helling* ●*hellingshoek.*
2 rake I ⟨onov ww⟩ ●*harken* ●*zoeken, snuffelen* ●*oplopen, hellen* **II** ⟨ov ww⟩ ●*(bijeen)harken* ⟨ook fig.⟩, *bijeenhalen;*↓ he
has –d *in more than 1,000 pound this
week deze week heeft hij over de 1.000
pond opgestreken;* you must be raking it
in *je moet wel scheppen geld verdienen* ●
rakelen, poken, ⟨fig.⟩ *oprakelen; – over
old ashes oude koeien uit de sloot halen* ●
doorzoeken; zie RAKE OUT, RAKE UP. **'rake-
off** ⟨↓, vnl. ong.⟩ ●*provisie, aandeel in de
winst.* **'rake 'out** ●↓ *opsporen, uitplui-
zen.* **'rake 'up** ●↓ *optrommelen, opscharrelen* ●*oprakelen* ⟨ook fig.⟩; – *old stories*

oude koeien uit de sloot halen.
rakish ['reɪkɪs] ●*liederlijk, losbandig* ●*zwierig, vlot;* the girl wore her hat at a – angle
*het meisje droeg haar hoedje vlotjes
schuin op het hoofd.*
1 rally ['ræli] ⟨zn⟩ ●*verzameling, hergroepe-
ring* ⟨v. troepen enz.⟩ ●*bijeenkomst* ●*opleving, herstel* ●⟨tennis, boksen⟩ *serie
slagen/klappen* ●⟨sport⟩ *rally, sterrit.*
2 rally I ⟨onov ww⟩ ●*zich verzamelen/her-
groeperen* ●*zich aansluiten;* the whole
party rallied behind the leader *de hele partij schaarde zich achter de leider; – round
the flag zich om de vlag scharen* ●*(zich)
herstellen, opleven* **II** ⟨ov ww⟩ ●*verzamelen, herenigen* ●*bijeenbrengen, op de
been brengen* ●*doen opleven; – one's
strength weer op krachten komen.* **'rally
(a)'round** ●*te hulp komen, helpen.*
1 ram [ræm] ⟨zn⟩ ●*ram* ●*stormram* ●*ram-
schip.*
2 ram ⟨ww⟩ ●*aanstampen, vaststampen* ●
heien ●*overduidelijk maken* ●*proppen* ●
rammen, beuken, botsen op.
RAM [ræm] ⟨afk.⟩ random-access memory
⟨comp.⟩.
1 ramble ['ræmbl] ⟨zn⟩ ●*zwerftocht, wan-
deltocht, uitstapje.*
2 ramble ⟨ww⟩ ●*zwerven, trekken;* the English love rambling *de Engelsen trekken er
graag op uit* ●*afdwalen, bazelen; – on
doorzeuren* ●*wild groeien* ⟨v. planten⟩.
rambler ['ræmblə] ●*wandelaar, trekker.*
rambling ['ræmblɪŋ] ●*rondtrekkend* ●*onsamenhangend, verward* ●*onregelmatig,
grillig.*
ramification ['ræmɪfɪ'keɪʃn] ⟨vnl. mv.⟩ ●*afsplitsing, vertakking, onderverdeling.* **ra-
mify** ['ræmɪfaɪ] **I** ⟨onov ww⟩ ●*zich vertakken* **II** ⟨ov ww⟩ ●*netwerk vormen, doen
vertakken.*
ramp [ræmp] ●*helling, glooiing* ●*oprit, afrit*
●*hoogteverschil* ⟨in wegdek⟩, *drempel.*
1 rampage ['ræmpeɪdʒ,ræm'peɪdʒ] ⟨zn⟩ ●
dolheid; be on the – *uitzinnig tekeergaan;*
a crowd on the – *een losgeslagen menigte.*
2 rampage [ræm'peɪdʒ] ⟨ww⟩ ●*razen, tieren, woeden.*
rampant ['ræmpənt] ●*(te) weelderig, welig
tierend* ●*algemeen heersend, snel om
zich heen grijpend;* crime was – *in that
neighbourhood de misdaad vierde hoogtij in die buurt.*
rampart ['ræmpɑːt] ●*borstwering, wal.*
ramrod ['ræmrɒd] ●*laadstok* ⟨voor het aanstampen v. kruit⟩; as stiff as a – *kaarsrecht.*

ramshackle ['ræmʃækl] ●*bouwvallig, vervallen.*

ran ⟨verl. t.⟩ zie RUN.

ranch [rɑːntʃ] ●*boerderij, ranch.* **rancher** ['rɑːntʃə] ●*boer, veefokker* ●*boerenknecht.* '**ranch house** ⟨AE⟩ ●*bungalow.*

rancid ['rænsɪd] ●*ranzig.*

rancorous ['ræŋk(ə)rəs] ●*haatdragend, rancuneus.* **rancour** ['ræŋkə] ●*wrok, haat, rancune.*

1 random ['rændəm] ⟨zn⟩ ‖ at – *op goed geluk af;* ask questions at – *zomaar wat vragen;* choose at – *willekeurig kiezen.*

2 random ⟨bn⟩ ●*willekeurig, toevallig, op goed geluk;* a – check *een steekproef;* a – sample/selection *een willekeurige selectie.* '**random-'access** ⟨comp.⟩ ●*directe toegankelijkheid* ⟨v.h. geheugen⟩.

randy ['rændɪ] ●*geil.*

rang [ræŋ] ⟨verl. t.⟩ zie RING.

1 range [reɪndʒ] I ⟨telb zn⟩ ●*rij, reeks, keten;* a – of mountains *een bergketen* ●*woeste (weide)grond* ●*schietterrein, testgebied* ⟨v. raketten⟩ ●*verspreidingsgebied* ⟨v. plant/dier⟩ ●*gebied, terrein;* linguistics is outside our – *v. linguistiek hebben wij geen verstand* ●*sortering, collectie* ●*groot keukenfornuis* II ⟨telb en n-telb zn⟩ ●*bereik, draagkracht/wijdte;* – of vision *gezichtsveld;* the – of his voice *het bereik v. zijn stem;* shot at close – *v. dichtbij neergeschoten;* beyond – *buiten bereik;* he was out of – *hij was te ver weg;* (with)in – *binnen schootsafstand, binnen bereik.*

2 range I ⟨onov ww⟩ ●*zich uitstrekken* ●*variëren;* prices – from three to eight pound *de prijzen liggen tussen de drie en acht pond* ●*zich op één lijn bevinden* ●*zwerven, zich bewegen, gaan;* his new book –s over too many subjects *zijn nieuwe boek omvat te veel onderwerpen* ●*dragen, reiken;* my eyes don't – that far anymore *mijn ogen reiken niet meer zo ver* II ⟨ov ww⟩ ●*rangschikken, ordenen, (op)stellen;* – a subject under two heads *een onderwerp in twee rubrieken onderbrengen* ●*doorkruisen, zwerven over,* ⟨fig.⟩ *afzoeken;* his eyes –d the mountains *zijn ogen zochten de bergen af.*

'**range finder** ●*afstandsmeter.*

ranger ['reɪndʒə] ●*boswachter* ⟨in U.S.A. en Canada⟩ ●*bereden politie* ●⟨AE⟩ *commando* ⟨soldaat⟩.

1 rank [ræŋk] I ⟨telb zn⟩ ●*rij* ●*gelid;* the – and file *de manschappen* ⟨met inbegrip v.d. onderofficieren⟩; ⟨fig.⟩ *de gewone man;* close (the) –s *de gelederen sluiten;* ⟨fig.⟩ *elkaar blijven dekken;* the –s of the

unemployed *het leger v. werklozen;* rise from the –s *tot officier bevorderd worden* ⟨v. gewoon soldaat, onderofficier⟩; he had risen from the –s through study *door studie had hij zich opgewerkt;* the –s *de gewone soldaten* ⟨tgov. de officieren⟩ ●*taxistandplaats* II ⟨telb en n-telb zn⟩ ●*rang, positie, graad,* ⟨ihb.⟩ *de hogere stand;* persons of – *mensen v. stand;* a playwright of the first – *een v.d. allerbeste toneelschrijvers* ‖ pull – *misbruik maken v. zijn macht.*

2 rank I ⟨bn, attr en pred⟩ ●*(te) weelderig, (te) welig* ●*stinkend* II ⟨bn, attr⟩ ●*absoluut, onmiskenbaar;* a – amateur *een echte amateur;* – injustice *schreeuwende onrechtvaardigheid;* – nonsense *klinkklare onzin.*

3 rank I ⟨onov ww⟩ ●*zich bevinden* ⟨in bep. positie⟩, *behoren;* this book –s among/ with the best *dit boek behoort tot de beste;* – as *gelden als* II ⟨ov ww⟩ ●*opstellen, in het gelid plaatsen* ●*plaatsen, rangschikken;* – s.o. with Chaplin *iem. op één lijn stellen met Chaplin.*

1 ranking ['ræŋkɪŋ] ⟨zn⟩ ●*(positie in een) rangorde/lijst.*

2 ranking ⟨bn⟩ ⟨AE⟩ ●*hoog (in rang);* the – officer *de hoogste officier (in rang)* ●*vooraanstaand.*

rankle ['ræŋkl] ●*steken, knagen;* the remark –d in his mind *de opmerking bleef hem dwarszitten.*

ransack ['rænsæk] ●*doorzoeken, doorsnuffelen* ●*plunderen, leegroven.*

1 ransom ['rænsəm] ⟨zn⟩ ●*losgeld* ⟨ook fig.⟩ ●*vrijlating* ⟨tegen losgeld⟩ ‖ hold s.o. to – *een losgeld voor iem. eisen.*

2 ransom ⟨ww⟩ ●*vrijkopen* ●*vrijlaten* ⟨tegen losgeld⟩.

1 rant [rænt] ⟨zn⟩ ●*bombast, holle frazen.*

2 rant ⟨ww⟩ ●*bombast uitslaan* ‖ – and rave *razen en tieren.*

1 rap [ræp] ⟨zn⟩ ●*tik, slag;* get a – on/over the knuckles *een tik op de vingers krijgen;* ⟨fig.⟩ *op de vingers getikt worden* ●*klop* ●*zier, beetje;* he doesn't give a – for her *hij geeft helemaal niets om haar* ●⟨sl.⟩ *schuld;* I don't want to take the – for this *ik wil hier niet voor opdraaien;* beat the – *zijn straf ontlopen.*

2 rap I ⟨onov ww⟩ ●*kloppen, tikken* ●⟨sl.⟩ *praten, erop los kletsen* II ⟨ov ww⟩ ●*slaan* ●*kloppen op* ●*bekritiseren, op de vingers tikken;* zie RAP OUT.

rapacious [rə'peɪʃəs] ●*hebzuchtig, roofzuchtig.* **rapacity** [rə'pæsəti] ●*hebzucht, roofzucht.*

1 rape [reɪp] ⟨zn⟩ • *verkrachting* ⟨ook fig.⟩ • ⟨plantk.⟩ *koolzaad, raapzaad.*

2 rape ⟨ww⟩ • *verkrachten.*

1 rapid ['ræpɪd] ⟨zn; vnl. mv.⟩ • *stroomversnelling.*

2 rapid ⟨bn⟩ • *snel, vlug.* **'rapid-'fire** • *snelvuur-* • *snel opeenvolgend.* **rapidity** [ræ'pɪdɪti] • *vlugheid.*

rapist ['reɪpɪst] • *verkrachter.*

'rap 'out • *eruit gooien, eruit flappen;* the sergeant rapped out his commands *de sergeant blafte zijn bevelen.*

rapport ['ræ'pɔː] • *verstandhouding, contact;* be in – with s.o. *met iem. een goede verstandhouding hebben.*

rapt [ræpt] • *verrukt, in vervoering.* **rapture** ['ræptʃə] • *vervoering, extase;* she was in –s about/over *zij was lyrisch over.* **rapturous** ['ræptʃ(ə)rəs] • *hartstochtelijk, meeslepend.*

rare [reə] • *ongewoon* • *zeldzaam* • *zeer goed, uitzonderlijk;* we have had a – time *we hebben het kostelijk gehad* • *ijl, dun* ⟨v. lucht, gas⟩ • *halfrauw, kort gebakken* ⟨v. vlees⟩.

rarefied ['reərɪfaɪd] • *verheven, exclusief.* **rarefy** ['reərɪfaɪ] I ⟨onov ww⟩ • *dunner/ zuiverder worden* II ⟨ov ww⟩ • *verdunnen* • *verfijnen, zuiveren.*

rarely ['reəli] • *zelden.*

raring ['reərɪŋ] • *dolgraag, enthousiast;* be – to go *staan te trappelen v. ongeduld (om te gaan).*

rarity ['reərəti] • *zeldzaamheid, rariteit, schaarsheid.*

rascal ['rɑːskl] • *schoft* • ⟨scherts.⟩ *deugniet.* **rascally** ['rɑːsk(ə)li] • *gemeen.*

1 rash [ræʃ] ⟨zn⟩ • *(huid)uitslag* • *uitbarsting;* a – of criticism *een plotselinge golf v. kritiek.*

2 rash ⟨bn⟩ • *overhaast* • *onbesuisd* • *onbezonnen.*

rasher ['ræʃə] • *plakje (bacon).*

1 rasp [rɑːsp] ⟨zn⟩ • *rasp* • *raspgeluid, gerasp.*

2 rasp I ⟨onov ww⟩ • *schrapen, krassen* II ⟨ov ww⟩ • *raspen, vijlen, schuren.*

raspberry ['rɑːzbri] • *frambozenstruik/boom* • *framboos*‖ ⟨AE; sl.⟩ blow a – at s.o. *iem. uitfluiten, iem. weghonen.*

1 rat [ræt] ⟨zn⟩ • *rat* • ↓ *hufter* • ⟨pol.⟩ *overloper* • ⟨vnl. AE; sl.⟩ *verrader*‖ smell a – *iets in de smiezen hebben;* ↓ –s! *onzin!.*

2 rat ⟨ww⟩ • *ratten vangen, op ratten jagen* • ⟨pol.⟩ *overlopen;* zie RAT ON.

rat-a-(tat)-tat zie RAT-TAT.

ratchet ['rætʃɪt] • *ratel.* **'ratchet wheel** • *palrad, palwiel.*

1 rate [reɪt] ⟨zn⟩ • *snelheid, vaart, tempo* • *prijs, tarief;* – of exchange *wisselkoers;* – of interest *rentevoet;* buy oranges at a – of 70p a pound *sinaasappels kopen voor 70p per pond* • *(sterfte/geboorten)cijfer* • *rang, graad* • ⟨vnl. mv.⟩ ⟨BE⟩ *gemeentebelasting,* ⟨ihb.⟩ *onroerend goedbelasting*‖ at any – *in ieder geval, ten minste;* at this – *op deze manier.*

2 rate I ⟨onov ww⟩ • *gerekend worden, gelden;* he –s as one of the best writers *hij geldt als een v.d. beste schrijvers* II ⟨ov ww⟩ • *schatten, bepalen, waarderen* ⟨ook fig.⟩; – s.o.'s income at *iemands inkomen schatten op* • ↓ *op prijs stellen;* do you – him? *sla je hem hoog aan?* • *beschouwen, rekenen;* – among/with *rekenen onder/tot* • ⟨vnl. BE⟩ *aanslaan, taxeren* ⟨mbt. onroerend goedbelasting⟩ • ↓ *verdienen.*

rat(e)able ['reɪtəbl] • ⟨BE⟩ *belastbaar, schatbaar.* **'ratepayer** ⟨BE⟩ • *belastingbetaler* • *huiseigenaar.*

rather ['rɑːðə] • *liever, eerder;* I would/had – not invite your mother *ik nodig je moeder liever niet uit* • *juister (uitgedrukt);* she's my wife, or – she was my wife *zij is mijn vrouw, of liever ze was mijn vrouw* • *enigszins, tamelijk, nogal, wel;* be – surprised *een beetje verbaasd zijn* • *meer;* she depends – on her husband's than on her own income *ze is meer v. haar mans inkomen afhankelijk dan v.h. hare* • *integendeel* • ['rɑː'ðə:] ⟨vnl. BE; ↓⟩ *ja zeker;* 'Would you like a drink?' 'Rather!' *'Een borrel?' 'Nou en of!'.*

ratif|y ['rætɪfaɪ] ⟨zn: **-ication**⟩ • *bekrachtigen, ratificeren* ⟨verdrag⟩.

rating ['reɪtɪŋ] • *plaats, positie, kwalificatie,* ⟨ihb.⟩ *graad, klasse* ⟨op schip⟩ • ⟨BE⟩ *taxering* ⟨aanslag⟩ • *waarderingscijfer* ⟨v. t.v.-programma⟩, *kijkcijfer* • ⟨BE⟩ *matroos.*

ratio ['reɪʃiəʊ] • *(evenredige) verhouding.*

1 ration ['ræʃn] I ⟨telb zn⟩ • *rantsoen, portie* ⟨ook fig.⟩ II ⟨mv.⟩ ⟨mil.⟩ • *proviand.*

2 ration ⟨ww⟩ • *rantsoeneren, op rantsoen stellen;* – out *uitdelen;* –ed to two cigarettes a day *op een rantsoen v. twee sigaretten per dag.*

rational ['ræʃnəl] • *rationeel, redelijk* • *verstandig* • ⟨wisk.⟩ *rationaal, rationeel* ⟨geheel uitrekenbaar⟩. **rationale** ['ræʃə'nɑːl] • *grond(reden), beweegreden(en).*

rationalism ['ræʃnəlɪzm] • *rationalisme.* **rationalist** ['ræʃnəlɪst] • ⟨bn; ook -ic⟩ *rationalistisch* • ⟨zn⟩ *rationalist.* **rationalize** ['ræʃnəlaɪz] ⟨zn: **-ization**⟩ I ⟨onov en ov ww⟩ • *rationaliseren, aannemelijk maken,* *verklaren* II ⟨ov ww⟩ ●⟨vnl. BE⟩ *rationaliseren* ⟨bedrijven enz.⟩.

'**ration book** ●*bonboekje*.

'**rat on** ↓ ●*laten vallen, verraden*.

'**rat race** ●*moordende competitie*.

rattan [rə'tæn] ●*ro(t)tan* ●*rotting*.

rat-tat ['ræt'tæt], '**rat-a-(tat)-'tat** ●*geklop, klop-klop*.

1 **rattle** ['rætl] ⟨zn⟩ ●*gerammel, gerinkel* ● *rammelaar, ratel*.

2 **rattle** I ⟨onov ww⟩ ●*rammelen, ratelen, kletteren* ●⟨+away/on⟩ *(blijven) kletsen* ‖ – *through sth. iets afraffelen* II ⟨ov ww⟩ ● *heen en weer rammelen, rinkelen/rammelen met* ●*afraffelen, opdreunen* ● ↓ *opjagen, v. streek maken*.

'**rattlesnake** ●*ratelslang*. '**rattletrap** ●*ouwe rammelkast, ouwe brik*.

rattling ['rætlɪŋ] ↓ ●*uitzonderlijk, zeer;* a – *good match een zeldzaam mooie wedstrijd*.

ratty ['ræti] ●*vol ratten, rat(ten)-* ●⟨vnl. BE; ↓⟩ *kribbig, geïrriteerd*.

raucous ['rɔːkəs] ●*rauw, schor*.

raunchy ['rɔːntʃi] ⟨AE⟩ ●*geil, wellustig*.

1 **ravage** ['rævɪdʒ] ⟨zn⟩ ●*verwoesting(en)* ● ⟨mv.⟩ *vernietigende werking*.

2 **ravage** ⟨ww⟩ ●*verwoesten, teisteren*.

1 **rave** [reɪv] ⟨zn⟩ ●⟨vaak attr; ↓⟩ *jubelrecensie/kritiek* ● ↓ *wild feest* ‖ *be in a – about helemaal weg zijn v..*

2 **rave** ⟨ww⟩ ●⟨+against/at⟩ *razen (tegen/op), (als een gek) tekeergaan (tegen)* ● ⟨+about⟩ *opgetogen/in verrukking zijn/raken (over), dwepen (met)*.

ravel ['rævl] ●*rafelen* ●⟨+up⟩ *in de war/knoop brengen/raken*, ⟨fig.⟩ *compliceren*.

raven ['reɪvn] ●*raaf* ●*ravezwart*.

ravenous ['rævnəs] ●*uitgehongerd;* a – *hunger een geweldige honger*.

'**rave-up** ↓ ●*wild feest, knalfuif*.

ravine [rə'viːn] ●*ravijn*.

raving ['reɪvɪŋ] ↓ ●⟨bn⟩ *malend, raaskallend* ●⟨bw⟩ *stapel-;* – *mad stapelgek* ‖ a – *beauty een oogverblindende schoonheid*. **ravings** ['reɪvɪŋz] ●*wartaal, geraaskal*.

ravish ['rævɪʃ] ●*verrukken, in extase brengen;* –*ed by her blue eyes in vervoering over haar blauwe ogen* ● ↑ *verkrachten*. **ravishing** ['rævɪʃɪŋ] ●*verrukkelijk, prachtig*.

1 **raw** [rɔː] ⟨zn⟩ ‖ ⟨fig.⟩ *touch s.o. on the – iem. tegen het zere been schoppen; in the – primitief; naakt*.

2 **raw** ⟨bn⟩ ●*rauw, ongekookt* ⟨v. groente, vlees⟩ ●*onbewerkt, ruw*, ⟨fig.⟩ *onuitgewerkt* ⟨cijfers e.d.⟩, *grof, onaf(gewerkt);* – *material grondstof;* – *silk ruwe zijde* ●

groen, onervaren ●*ontveld, rauw* ●*guur, ruw* ⟨v. weer⟩ ‖ – *deal oneerlijke/gemene behandeling.* '**raw'boned** ●*broodmager*. '**rawhide** ●*ongelooide huid* ●*zweep*.

ray [reɪ] ●*straal* ●*sprankje, glimp;* a – of *hope een sprankje hoop* ●⟨dierk.⟩ *rog*.

rayon ['reɪɒn] ●*rayon, kunstzijde*.

raze [reɪz] ●*met de grond gelijk maken*.

razor ['reɪzə] ●*(elektrisch) scheerapparaat, scheermes*. '**razor-blade** ●*(veiligheids) scheermesje.* '**razor-'edge, razor's edge** ['reɪzəz 'edʒ] ●*kritieke situatie,* ⟨fig.⟩ *het scherp v.d. snede; her life was on a – haar leven hing aan een zijden draad(je).*

razzle ['ræzl] ●*braspartij, lol; go/be on the razzle aan de rol gaan/zijn.*

R.C. ⟨afk.⟩ ●*Roman Catholic R.-K..*

Rd ⟨afk.⟩ *road* ●*str..*

re [riː, reɪ] ●*aangaande, betreffende.*

1 **reach** [riːtʃ] ⟨zn⟩ ●*bereik* ⟨v. arm, macht enz.; ook fig.⟩, *reikwijdte;* make a – for *een greep doen naar; out of – buiten bereik, onbereikbaar; within easy – of gemakkelijk bereikbaar van(af)* ●*recht stuk rivier* ⟨tussen twee bochten⟩, *rak.*

2 **reach** I ⟨onov en ov ww⟩ ●*reiken, (zich) (uit)strekken, bereiken; she* –*ed out (her hand) ze stak haar hand uit;* – *for sth. (naar) iets grijpen* II ⟨ov ww⟩ ●*pakken, (ergens) bijkunnen* ●*aanreiken, overhandigen* ●*komen tot* ⟨ook fig.⟩*, bereiken;* – a *decision tot een beslissing komen;* – *Paris in Parijs aankomen* ●*bereiken* ⟨per telefoon, post⟩.

react [ri'ækt] ●*reageren* ⟨ook fig.⟩, *ingaan (op),* ⟨schei.⟩ *een reactie aangaan; she* –*ed against her mother's ideas zij zette zich af tegen haar moeders ideeën.* **reaction** [ri'ækʃn] ●*reactie, reflex* ●*weerslag* ● ⟨pol.⟩ *reactie, conservatieve machten; the forces of – de reactionaire krachten* ● ⟨schei.⟩ *reactie*. **reactionary** [ri'ækʃənri] ⟨pol.⟩ ●⟨bn⟩ *reactionair, behoudend* ● ⟨zn⟩ *reactionair.*

reactivate [ri'æktɪveɪt] ●*nieuw leven inblazen.*

reactor [ri'æktə] ●*kernreactor* ●*reactievat, reactor.*

1 **read** [riːd] ⟨zn⟩ ‖ *she had a quiet – zij zat rustig te lezen; that book is a terrific – dat is een heerlijk boek om te lezen.*

2 **read** ⟨read, read [red]⟩ I ⟨onov ww⟩ ●*studeren, leren;* – *for a degree in Law rechten studeren* ●*zich laten lezen, klinken;* Ibsen's *plays – easily de stukken v. Ibsen lezen gemakkelijk* ●*moeten worden gelezen, gaan; the law* –*s that volgens de wet* II ⟨onov en ov ww⟩ ●*lezen;* – *over/*

through *doorlezen;* – up on sth. *zich op de hoogte stellen* v. *iets* ● *oplezen;* – out the instructions *de instructies voorlezen* **III** ⟨ov ww⟩ ● *lezen, begrijpen* ● *uitleggen, voorspellen* ⟨toekomst⟩, ⟨fig.⟩ *doorgronden, doorzien* ● *(be)studeren;* – psychology *psychologie studeren;* widely – *zeer belezen* ● *aangeven;* the thermometer –s twenty degrees *de thermometer geeft twintig graden aan* ● ⟨comp.⟩ *in/uitvoeren* ⟨gegevens⟩, *(in)lezen, opnemen uit* ‖ he – more into her words than she'd ever meant *hij had meer in haar woorden gelegd dan zij ooit had bedoeld.* **readab|le** ['ri:dəbl] ⟨zn: **-ility**⟩ ● *lezenswaard(ig), leesbaar.*

readdress ['ri:ə'dres] ● *v.e. nieuw/ander adres voorzien* ⟨brief⟩.

reader ['ri:də] ● *lezer* ⟨ook fig., mbt. gedachten e.d.⟩ ● *lector* ⟨voor uitgever⟩ ● *leesboek* ● ⟨BE⟩ *lector* ⟨aan universiteit⟩. **readership** ['ri:dəʃɪp] ● *lezerspubliek, aantal lezers* ⟨v. krant e.d.⟩ ● ⟨BE⟩ *lectorschap.*

readily ['redɪli] ● *graag* ● *gemakkelijk, vlug.* **readiness** ['redinəs] ● *bereid(willig)heid* ● *vlugheid, gemak;* – of tongue *rapheid v. tong* ● *gereedheid;* all is in – *alles staat klaar.*

reading ['ri:dɪŋ] ● *het (voor)lezen* ● *belezenheid;* a man of ⟨wide⟩ – *een (zeer) belezen man* ● *(voor)lezing* ● *lezing, interpretatie;* ⟨pol.⟩ first/second/third – of a bill *eerste/tweede/derde lezing v.e. wetsontwerp* ● *stand* ⟨zoals afgelezen op meetinstrument⟩ ● *lectuur, leesstof.* **'reading comprehension** ● *leesvaardigheid.* **'reading desk** ● *lessenaar.* **'reading room** ● *leeskamer, leeszaal.*

readjust ['ri:ə'dʒʌst] ⟨zn: **-ment**⟩ **I** ⟨onov ww⟩ ● *zich weer aanpassen* **II** ⟨ov ww⟩ ● *opnieuw instellen, bijstellen.*

'read-out ⟨comp.⟩ ● *het lezen* ⟨uit geheugen⟩ ● *gegevens, cijfermateriaal.*

1 ready ['redi] ⟨zn⟩ ‖ at the – *klaar om te vuren* ⟨v. vuurwapen⟩.

2 ready ⟨bn⟩ ● *klaar, gereed;* – pen *vaardige pen* ● *bereid(willig), graag;* I am – to pay for it *ik wil er best voor betalen* ● *vlug, rad, gevat* ‖ – cash/money *baar geld, klinkende munt;* find a – sale *gerede aftrek vinden;* he was – to cry *hij stond op het punt in tranen uit te barsten;* zie READILY.

3 ready ⟨ww⟩ ● *(zich) klaarmaken, (zich) voorbereiden.*

4 ready ⟨bw⟩ ● *(kant-en-)klaar;* – cut meat *van te voren gesneden vlees.* **'ready-'made** ● *kant-en-klaar, confectie-* ‖ – opinions *voorgekauwde meningen.* **'ready-**

to-wear ● *confectie-.*

1 real [rɪəl, ri:l] ⟨zn⟩ ‖ ⟨AE; ↓⟩ for – *in werkelijkheid, echt.*

2 real ⟨bn⟩ ● *echt, werkelijk, onvervalst;* ↓ the – thing *de/het echte, de/je ware;* he is the – boss here *hij is hier de eigenlijke baas;* ⟨comp.⟩ – time *ware tijd* ‖ ⟨jur.⟩ – property *onroerende goederen.*

3 real ⟨bw⟩ ↓ ● *echt, erg;* that's – good, man! *dat is echt tof, kerel!.*

'real estate ● *onroerend goed* ● ⟨vnl. AE⟩ *huizen in verkoop;* sell – *huizen verkopen.* **'real-estate agent** ⟨AE⟩ ● *makelaar in onroerend goed.*

realism ['rɪəlɪzm] ● *realisme.* **realist** ['rɪəlɪst] ● *realist.* **realistic** ['rɪə'lɪstɪk] ● *realistisch.*

reality [ri'æləti] ● *werkelijkheid, realiteit;* in – *in werkelijkheid, in feite.*

realizable ['rɪəlaɪzəbl] ● *realiseerbaar, te verwezenlijken.* **realization** ['rɪəlaɪ'zeɪʃn] ● *bewustwording, besef* ● *realisatie, verwezenlijking.* **realize** ['rɪəlaɪz] ● *beseffen, zich realiseren* ● *realiseren, verwezenlijken* ● *realiseren, te gelde maken* ● ↑ *opbrengen;* the house –d a profit *het huis bracht winst op.*

1 really ['rɪəli, ri:-, rɪ-] ⟨bw⟩ ● zie REAL ● *werkelijk, echt, eigenlijk;* I don't – feel like it *ik heb er eigenlijk geen zin in;* you – should/ought to go *je zou er echt naar toe moeten;* ⟨O⟩ really? *O ja?, Echt (waar)?* ● *echt, zeer.*

2 really ⟨tw⟩ ● *nou, zeg!;* –, Mike! Mind your manners! *Mike toch! Wat zijn dat voor manieren!;* well – ! *nee maar!.*

realm [relm] ● *koninkrijk, rijk* ● *rijk, gebied* ⟨vnl. fig.⟩; the – of science *het domein v.d. wetenschap.*

realtor ['rɪəltə, -tɔ:] ⟨AE⟩ ● *makelaar in onroerend goed.*

ream [ri:m] ● ⟨mv.⟩ *vel vol, massa;* –s of poetry *stapels gedichten.*

reanim|ate ['ri:'ænɪmeɪt] ⟨zn: **-ation**⟩ ● *doen herleven, nieuw leven inblazen* ⟨ook fig.⟩.

reap [ri:p] ● *maaien, oogsten* ⟨ook fig.⟩. **reaper** ['ri:pə] ● *maaimachine.* **'reaping hook,** ⟨AE vnl.⟩ **'reap hook** ● *sikkel.*

reappear ['ri:ə'pɪə] ● *weer verschijnen.* **reappearance** ['ri:ə'pɪərəns] ● *terugkeer.*

reappraisal ['ri:ə'preɪzl] ● *herwaardering.*

1 rear [rɪə] ⟨zn⟩ ● *achtergedeelte, achterstuk,* ⟨fig.⟩ *achtergrond;* in the – *achterin* ● ↓ *achterste* ● ⟨mil.⟩ *achterhoede* ‖ bring up the – *als laatste komen;* at/ ⟨AE⟩ in the – *achteraan, aan de achterkant.*

2 rear ⟨bn⟩ ● *achter-, achterste;* – door *achterdeur.*

3 rear I ⟨onov ww⟩ ● ⟨vaak +up⟩ *steigeren* **II** ⟨ov ww⟩ ● *grootbrengen, fokken, kweken;* – children *kinderen opvoeden* ● *oprichten, bouwen.* '**rear-**'**admiral** ● *schout-bij-nacht.* '**rearguard** ● *achterhoede.* '**rear-guard action** ● *achterhoedegevecht* ⟨ook fig.⟩.

rearm ['riːˈɑːm] ● *herbewapenen.* **rearma-ment** ['riːˈɑːməmənt] ● *herbewapening.*

rearmost ['rɪəmoust] ● *achterste, allerlaat-ste.*

rearrange ['riːəˈreɪndʒ] ⟨zn: **-ment**⟩ ● *her-schikken, anders schikken/inrichten.*

'**rearview** '**mirror** ● *achteruitkijkspiegel.*

1 reason ['riːzn] ⟨zn⟩ ● *reden, oorzaak;* by – of *wegens;* with (good) – *terecht* ● *rede, verstand* ● *redelijkheid, gezond verstand;* bring s.o. to –, make s.o. hear/listen to/see – *iem. tot rede brengen;* it stands to – that *het spreekt vanzelf dat;* anything (with)in – *alles wat redelijk/mogelijk is.*

2 reason I ⟨onov ww⟩ ● *redeneren* ● ⟨+with⟩ *argumenteren (met)* **II** ⟨ov ww⟩ ● *berede-neren;* – sth. out *iets beargumenteren/uit-denken* ● *door redenering overtuigen;* – s.o. out of a plan *iem. een plan uit het hoofd praten.* **reasonable** ['riːznəbl] ● *re-delijk, verstandig* ● *redelijk, schappelijk, aanvaardbaar.* **reasonably** ['riːznəbli] ● zie REASONABLE ● *redelijkerwijze* ● *vrij, ta-melijk;* in a – good state *in vrij behoorlijke staat.* **reasoning** ['riːznɪŋ] ● *redenering.*

reassurance ['riːəˈʃuərəns] ● *geruststelling.* **reassure** ['riːəˈʃuə] ● *geruststellen.* **reas-suring** ['riːəˈʃuərɪŋ] ● *geruststellend.*

rebate ['riːbeɪt] ● *korting, rabat;* tax – *belas-tingteruggave.*

1 rebel ['rebl] ⟨zn⟩ ● *rebel, oproerling;* – forces *opstandige strijdkrachten.*

2 rebel [rɪˈbel] ⟨ww⟩ ● ⟨+against⟩ *rebelleren (tegen), in opstand komen (tegen).* **rebel-lion** [rɪˈbeljən] ● *opstand, rebellie.* **rebel-lious** [rɪˈbeljəs] ● *opstandig* ⟨ook fig.⟩, op-roerig.

rebirth ['riːˈbəːθ] ● *wedergeboorte* ● *weder-opleving.*

reborn ['riːˈbɔːn] ● *herboren.*

1 rebound ['riːbaʊnd] ⟨zn⟩ ● *terugkaatsing* ⟨v. bal⟩; catch a ball on the – *een terug-kaatsende bal vangen* ‖ on the – *v.d. weer-omstuit, als/uit reactie.*

2 rebound [rɪˈbaʊnd] ⟨ww⟩ ● *terugspringen/ stuiten* ● ⟨+(up)on⟩ *terugwerken (op), neerkomen (op).*

1 rebuff [rɪˈbʌf] ⟨zn⟩ ● *afwijzing, weigering;* he met with/suffered a – *hij kwam v.e. koude kermis thuis.*

2 rebuff ⟨ww⟩ ● *afwijzen, weigeren, afsche-*

pen.

rebuild ['riːˈbɪld] ● *herbouwen, verbouwen, opknappen* ● *volledig hervormen.*

1 rebuke [rɪˈbjuːk] ⟨zn⟩ ● *berisping, standje.*

2 rebuke ⟨ww⟩ ● ⟨+for⟩ *berispen (om/voor).*

rebut [rɪˈbʌt] ● *weerleggen.* **rebuttal** [rɪˈbʌtl] ● *weerlegging.*

recalcitrant [rɪˈkælsɪtrənt] ● *recalcitrant, op-standig, weerspannig.*

1 recall [rɪˈkɔːl] ⟨zn⟩ ● *rappel, terugroeping* ● *herinnering, geheugen;* total – *absoluut geheugen;* beyond/past – *onmogelijk te herinneren.*

2 recall [rɪˈkɔːl] **I** ⟨onov en ov ww⟩ ● *zich her-inneren* **II** ⟨ov ww⟩ ● *terugroepen, rappe-leren* ● *herroepen, intrekken* ⟨bevel e.d.⟩ ● *herinneren* ● *terugnemen* ⟨koopwaar e.d.⟩.

recant [rɪˈkænt] **I** ⟨onov ww⟩ ● *zijn geloof verzaken* **II** ⟨ov ww⟩ ● *terugnemen, her-roepen.*

1 recap ['riːkæp] ⟨zn⟩ ● ↓ *korte opsomming.*

2 recap ['riːkæp] ⟨ww⟩ ● *recapituleren, kort samenvatten.* **recapitulate** ['riːkəˈpɪtʃu-leɪt] ⟨zn: **-ation**⟩ ● *recapituleren, kort sa-menvatten.*

recapture ['riːˈkæptʃə] ● *heroveren* ● *oproe-pen, (zich) in herinnering brengen, doen herleven.*

recast ['riːˈkɑːst] ● *herzien, hervormen* ● *op-nieuw verdelen* ⟨rollen in toneelstuk⟩.

recede [rɪˈsiːd] ● *achteruitgaan, zich terug-trekken, terugwijken,* ⟨ook fig.⟩ *teruglo-pen* ⟨in waarde⟩ ● *langzaam verdwijnen.*

receipt [rɪˈsiːt] ● *reçu, ontvangstbewijs, kwi-tantie, ontvangst;* on – of your payment *na ontvangst van uw betaling.*

receive [rɪˈsiːv] **I** ⟨onov en ov ww⟩ ● *ontvan-gen, bezoek/gasten ontvangen* **II** ⟨ov ww⟩ ● *ontvangen, krijgen* ● *opvangen, opne-men;* be at/on the receiving end *al de klap-pen krijgen/klachten incasseren* ● *ontvan-gen* ⟨bv. via radio⟩. **received** [rɪˈsiːvd] ● *algemeen aanvaard, standaard-;* Re-ceived Standard English *Algemeen Stan-daardengels.* **receiver** [rɪˈsiːvə] ● *ontvan-ger* ⟨persoon, toestel⟩ ● *hoorn* ⟨v. tele-foon⟩ ● *curator;* Official Receiver *curator in een faillissement* ● *heler.*

recent ['riːsnt] ● *recent, van de laatste tijd;* in – years *de laatste jaren* ● *nieuw, modern* ● ⟨R-⟩ ⟨geol.⟩ *jong* ⟨uit het Holoceen⟩. **re-cently** ['riːsntli] ● *onlangs, kort geleden* ● *de laatste tijd.*

receptacle [rɪˈseptəkl] ● *vergaarplaats/bak, container, vat, kom* ⟨enz.⟩.

reception [rɪˈsepʃn] ● *ontvangst* ⟨ook fig.⟩, *onthaal* ● *receptie* ⟨bij feest⟩ ● *receptie* ⟨in

hotel e.d.) ●*opname* ⟨in ziekenhuis⟩ ●
ontvangst ⟨radio⟩. **re'ception desk** ●*balie* ⟨v. hotel e.d.⟩. **receptionist**
[rɪ'sepʃənɪst] ●*receptionist(e)* ⟨bv. in ho-
tel⟩ ●*assistent(e)*⟨bij dokter e.d.⟩. **re'ception room** ●*ontvangkamer/zaal* ●⟨make-
laarstaal⟩ *woonvertrek.*
receptive [rɪ'septɪv] ●*ontvankelijk, vatbaar;*
be – to *open staan voor.*
1 recess [rɪ'ses] ⟨zn⟩ ●*reces, onderbreking*
⟨parlement e.d.⟩; in – *op reces* ●⟨AE⟩
pauze ⟨tussen lesuren⟩ ●*nis, alkoof, uit-
sparing* ●⟨vaak mv.⟩ *uithoek, verborgen
plaats.*
2 recess [rɪ'ses] ⟨ww⟩ ●*laten inspringen,
verzinken;* a safe –ed in the wall *een (in de
muur) ingebouwde kluis.*
recession [rɪ'seʃn] ●*recessie, economische
teruggang.*
recidivism [rɪ'sɪdɪvɪzm] ●*recidive, herhaling
v. misdrijf.* **recidivist** [rɪ'sɪdɪvɪst] ●*recidivist, oud-veroordeelde.*
recipe ['resɪpi] ●*recept* ⟨ook fig.⟩.
recipient [rɪ'sɪpɪənt] ●*ontvanger.*
reciprocal [rɪ'sɪprəkl] ●*wederkerig, wederzijds;* – action *wisselwerking.* **reciprocate**
[rɪ'sɪprəkeɪt] I ⟨onov ww⟩ ●*antwoorden;*
he –d by wishing me Merry X-mas *hij
wenste me op zijn beurt een gelukkig
kerstfeest* ●*heen en weer/op en neer bewegen* II ⟨ov ww⟩ ●*beantwoorden* ⟨ge-
voelens⟩, *op gelijke manier behandelen* ●
uitwisselen. **reciprocity** ['resɪ'prɒsəti] ●
wederzijdsheid, wederkerigheid.
recital [rɪ'saɪtl] ●*relaas, verhaal* ●*recital*
⟨muziek⟩ ●*voordracht* ⟨gedicht⟩.
recitation ['resɪ'teɪʃn] ●*voordracht* ⟨v. gedicht e.d.⟩. **recite** [rɪ'saɪt] I ⟨onov en ov
ww⟩ ●*reciteren, opzeggen* II ⟨ov ww⟩ ●
opsommen.
reckless ['rekləs] ●*roekeloos, onvoorzichtig,
wild* ●*zorgeloos;* – of danger *zonder zich
zorgen te maken over gevaar.*
reckon ['rekən] I ⟨onov ww⟩ ●⟨+on⟩ *rekenen (op), afgaan (op)* ●⟨+with⟩ *rekening
houden (met)* ●⟨+with⟩ *afrekenen (met);*
if you do that you'll have to – with me *als
je dat doet, krijg je het met mij aan de stok*
II ⟨ov ww⟩ ●*berekenen;* have you –ed it all
up? *heb je het allemaal opgeteld?* ●*meerekenen;* not –ing the children *de kinderen niet meegerekend* ●*beschouwen,
houden (voor);* I – him among my friends
*ik beschouw hem als één van mijn vrien-
den* ●↓ *aannemen.*
reckoning ['rekənɪŋ] ●*berekening, schatting*
●*afrekening.*
1 reclaim [rɪ'kleɪm] ⟨zn⟩ ‖ past/beyond – *on-*

herroepelijk verloren; he is beyond – *hij is
onverbeterlijk.*
2 reclaim ⟨ww⟩ ●*terugwinnen;* –ed paper
kringlooppapier ●*droogleggen* ⟨land⟩ ●
terugvorderen ●*ontginnen, bebouwbaar
maken* ⟨land⟩.
reclamation ['reklə'meɪʃn] ●*terugwinning* ●
ontginning ●*terugvordering.*
recline [rɪ'klaɪn] I ⟨onov ww⟩ ●*achterover
leunen* II ⟨ov ww⟩ ●*doen leunen;* – one's
arms on the table *zijn armen op de tafel laten rusten.* **re'clining 'seat** ●*stoel met
verstelbare rugleuning.*
recluse [rɪ'klu:s] ●*kluizenaar.*
recognition ['rekəg'nɪʃn] ●*erkenning* ●*waardering, erkentelijkheid;* in – of *als waardering voor* ●*herkenning* ‖ change beyond/
out of all – *onherkenbaar worden.* **recog-
nizable** ['rekəgnaɪzəbl] ●*herkenbaar.* **re-
cognize** ['rekəgnaɪz] ●*herkennen* ●*erkennen* ●*inzien* ●*erkentelijkheid betuigen
voor.*
1 recoil ['ri:kɔɪl, rɪ'kɔɪl] ⟨zn⟩ ●*terugslag, te-
rugloop/stoot* ⟨vnl. v. vuurwapen⟩.
2 recoil [rɪ'kɔɪl] ⟨ww⟩ ●⟨+from⟩ *terugdeinzen (voor), terugschrikken* ●*terugslaan,
teruglopen/stoten* ⟨v. vuurwapen⟩; ⟨fig.⟩
lies often – (up)on the liar *leugens hebben
vaak hun terugslag op de leugenaar.*
recollect ['rekə'lekt] ●*zich herinneren.* **re-
collection** ['rekə'lekʃn] ●*herinnering;* to
the best of my – *voor zover ik mij herinner.*
recommend ['rekə'mend] ●*aanbevelen,
aanraden, adviseren* ●*tot aanbeveling
strekken.* **recommendation** ['rekəmen-
'deɪʃn], **recommend** ●*aanbeveling, aan-
prijzing, advies.*
1 recompense ['rekəmpens] ⟨zn⟩ ●*vergoeding, beloning.*
2 recompense ⟨ww⟩ ●*vergoeden, schade-
loosstellen;* – s.o. for sth. *iem. iets vergoeden.*
reconcile ['rekənsaɪl] ●*verzoenen, in overeenstemming brengen;* become –d to sth.
zich bij iets neerleggen; – o.s. to sth./with
s.o. *zich met iets/iem. verzoenen* ●*bijleggen.* **reconcilement** ['rekənsaɪlmənt], **rec-
onciliation** [-sɪli'eɪʃn] ●*verzoening.*
recondite [rɪ'kɒndaɪt, 'rekən-] ●*obscuur.*
recondition ['ri:kən'dɪʃn] ●*opnieuw in goede staat brengen, herstellen, restaureren.*
reconnaissance [rɪ'kɒnɪsns] ⟨mil.⟩ ●*verkenning.*
reconnoitre ['rekə'nɔɪtə] ⟨vnl. mil.⟩ I ⟨onov
ww⟩ ●*op verkenning uitgaan* II ⟨ov ww⟩ ●
verkennen.
reconsider ['ri:kən'sɪdə] I ⟨onov en ov ww⟩
●*opnieuw bekijken, opnieuw overwegen*

ll ⟨ov ww⟩ • *terugkomen op* ⟨beslissing⟩.
reconstruct ['ri:kən'strʌkt] • *opnieuw opbouwen, herbouwen* • *reconstrueren* ⟨gebeurtenissen⟩. **reconstruction** ['ri:kən'strʌkʃn] • *reconstructie* ⟨v. gebeurtenissen⟩ • *wederopbouw.*

1 record ['rekɔ:d] ⟨zn⟩ • *verslag, aan/optekening;* for the – *openbaar, officieel;* off the – *vertrouwelijk, onofficieel* • *document, archiefstuk, officieel afschrift* • *vastgelegd(e) feit(en);* be on – *(officieel) geregistreerd zijn;* go on – as saying *publiek(elijk) verklaren* • *staat v. dienst;* have a – *een strafblad hebben* • *plaat, opname* • *record;* break/make/establish a – *een record breken/vestigen.*

2 record ⟨bn⟩ • *record-;* a – amount *een recordbedrag.*

3 record [rɪ'kɔ:d] ⟨ww⟩ • *optekenen, noteren, te boek stellen;* a thermometer –s the temperature *een thermometer registreert de temperatuur* • *vastleggen, opnemen* ⟨op band/plaat⟩. '**record-breaking** • *die/dat een record breekt, record-.* '**record company** • *platenmaatschappij.* **recorder** [rɪ'kɔ:də] • ⟨AE⟩ *stadsrechter,* ⟨BE⟩ *voorzitter v. Crown Court* ⟨ongeveer Arrondissementsrechtbank⟩ • *(band)recorder* • *blokfluit.* **recording** [rɪ'kɔ:dɪŋ] • *opname.* '**record-player** • *platenspeler.*

recount [rɪ'kaʊnt] • *(uitvoerig) vertellen.*

1 re-count ['ri:kaʊnt] ⟨zn⟩ • *nieuwe telling* ⟨bv. bij verkiezingen⟩.

2 re-count ['ri:kaʊnt] ⟨ww⟩ • *opnieuw tellen.*

recoup [rɪ'ku:p] • *vergoeden, schadeloosstellen;* – o.s. for one's losses *zijn verlies goedmaken* • *terugwinnen.*

recourse [rɪ'kɔ:s] • *toevlucht, hulp.*

recover [rɪ'kʌvə] **l** ⟨onov ww⟩ • *herstellen, genezen, er weer bovenop komen* **ll** ⟨ov ww⟩ • *terugkrijgen, terugvinden;* – one's breath *op adem komen;* – consciousness *weer bijkomen;* – damages *schadevergoeding krijgen.*

re-cover ['ri:'kʌvə] • *opnieuw bedekken/overtrékken.*

recoverable [rɪ'kʌvrəbl] • *terug te krijgen.*

recovery [rɪ'kʌv(ə)ri] • *herstel* • *het terugvinden/winnen, het terugkrijgen.*

re-create ['ri:kri'eɪt] • *herscheppen.*

recreation ['rekri'eɪʃn] • *recreatie, ontspanning, hobby.* **recreational** ['rekri'eɪʃnl] • *recreatief, recreatie-.* **recre'ation ground** ⟨vnl. BE⟩ • *speelterrein.*

recriminate [rɪ'krɪmɪneɪt] • ⟨+against⟩ *(een) tegenbeschuldiging(en) inbrengen (tegen), elkaar beschuldigen.* **recrimination** [rɪ'krɪmɪ'neɪʃn] • *tegenbeschuldiging;* mutual –s *beschuldigingen over en weer.*

1 recruit [rɪ'kru:t] ⟨zn⟩ • *rekruut* • *nieuw lid.*

2 recruit ⟨ww⟩ • *rekruteren, (aan)werven;* – people from the industry *mensen uit de industrie aantrekken.*

rectangle ['rektæŋgl] • *rechthoek.* **rectangular** [rek'tæŋgələ] • *rechthoekig.*

rectif|y ['rektɪfaɪ] ⟨zn: -ication⟩ • *rectificeren, rechtzetten, verbeteren* • ⟨elek.⟩ *gelijkrichten.*

rectilinear ['rektɪ'lɪnɪə] • *rechtlijnig.*

rectitude ['rektɪtju:d] • *rechtschapenheid* • *oprechtheid.*

rector ['rektə] • ⟨Anglicaanse kerk⟩ *predikant* ⟨een rang boven vicar⟩, *dominee* • *rector* ⟨hoofd v.e. universiteit⟩. **rectory** ['rekt(ə)ri] ⟨Anglicaanse kerk⟩ • *predikantswoning, pastorie.*

recumbent [rɪ'kʌmbənt] • *liggend, achteroverleunend, rustend.*

recuperate [rɪ'k(j)u:pəreɪt] ⟨zn: -ation⟩ **l** ⟨onov ww⟩ • *herstellen, er weer bovenop komen* **ll** ⟨ov ww⟩ • *terugwinnen* ⟨gezondheid, verliezen⟩.

recur [rɪ'kə:] • *terugkomen, terugkeren, zich herhalen;* ⟨wisk.⟩ –ring decimal *repeterende breuk.* **recurrence** [rɪ'kʌrəns] • *herhaling, het terugkeren/komen.* **recurrent** [rɪ'kʌrənt] • *terugkomend, terugkerend.*

recycle ['ri:'saɪkl] • *recyclen, weer bruikbaar maken.*

1 red [red] ⟨zn⟩ • *rood, rode kleur* • *iets roods, rode verf, rode kleren* • *rooie, communist* ⟨vaak ong.⟩ ‖ be in the – *rood staan.*

2 red ⟨bn⟩ • *rood;* – (blood) cell *rode bloedcel;* Red Cross *Rode Kruis;* – currant *rode aalbes;* – light *rood (verkeers)licht;* – meat *rood vlees;* like a – rag to a bull *als een rode lap op een stier;* – tape ⟨fig.⟩ *bureaucratie* • *rood, communistisch* ⟨vnl. ong.⟩, *Russisch* ‖ roll out the – carpet for s.o. *de (rode) loper voor iem. uitleggen* ⟨fig.⟩; ↓ not worth a – cent *geen rooie cent waard;* – deer *edelhert;* – ensign *Britse koopvaardijvlag;* – herring *vals spoor, afleidingsmanoeuvre;* – pepper *rode paprika, Spaanse peper; cayennepeper;* ↓ paint the town – *de bloemetjes buitenzetten;* see – *buiten zichzelf raken (v. woede).* '**redbrick**, '**redbrick uni'versity** • *(laat-19e-eeuwse) universiteit buiten Londen.* **redden** ['redn] • *rood worden/maken, (doen) blozen.* **reddish** ['redɪʃ] • *roodachtig.*

redecorate ['ri:'dekəreɪt] • *opknappen, opnieuw schilderen/behangen.*

redeem [rɪ'di:m] • *terugkopen, afkopen, in-*

lossen, ⟨fig.⟩ *terugwinnen; –* a mortgage *een hypotheek aflossen* ●*vervullen; –* a promise *een belofte nakomen* ●*goedmaken, vergoeden* ●*verlossen* ⟨vnl. rel.⟩, *redden.* **redeemable** [rɪ'diːməbl] ●*afkoopbaar, aflosbaar* ●*inwisselbaar.*

Redeemer [rɪ'diːmə] ⟨the⟩ ●*de Verlosser, de Heiland.*

redemption [rɪ'dem(p)ʃn] ●*redding, verlossing;* beyond/past – *reddeloos (verloren)* ●*afkoop, aflossing, inlossing.*

redeploy ['riːdɪ'plɔɪ] ●*hergroeperen, verstandiger indelen* ⟨vnl. mil.⟩.

redevelop ['riːdɪ'veləp] ⟨zn: **-ment**⟩ ●*renoveren; –* a slum district *een krottenwijk renoveren.*

'red-'handed ‖ catch s.o. – *iem. op heterdaad betrappen.* **'redhead** ●*roodharige, rooie.* **'red-'hot** ●*roodgloeiend,* ⟨fig.⟩ *enthousiast, opgewonden.*

redistrib|ute ['riːdɪ'strɪbjuːt] ⟨zn: **-ution**⟩ ●*herverdelen.*

'red-'light district ●*rosse buurt.*

redo ['riː'duː] ●*overdoen* ●*opknappen.*

redolent ['redələnt] ●*geurig;* be – of/with *ruiken naar;* ⟨fig.⟩ *doen denken aan.*

redouble ['riː'dʌbl] ●*verdubbelen.*

redoubtable [rɪ'daʊtəbl] ●*geducht, gevreesd.*

1 redress [rɪ'dres] ⟨zn⟩ ●*vergoeding, herstel.*

2 redress [rɪ'dres] ⟨ww⟩ ●*herstellen, vergoeden, goedmaken; –* the balance *het evenwicht herstellen.*

'redskin ●*roodhuid.*

reduce [rɪ'djuːs] ●*verminderen, beperken, verlagen, reduceren;* a –d pullover *een afgeprijsde pullover; –* your speed *verminder uw snelheid; –* this to a few pages *vat dit in enkele bladzijden samen* ●*herleiden, reduceren* ⟨ook schei.; tech.⟩ ●⟨+to⟩ *brengen (tot), degraderen (tot); –* to obedience/silence *tot gehoorzaamheid/stilte brengen; –* s.o. to tears *iem. tot tranen bewegen* ●⟨+to⟩ *verpulveren (tot)* ⟨ook fig.⟩; his arguments were –d to nothing *van zijn argumenten bleef niets overeind* ●⟨med.⟩ *(in)zetten; –* a fractured arm *een gebroken arm zetten.* **reduction** [rɪ'dʌkʃn] ●*reductie, verkleining/mindering, korting.*

redundancy [rɪ'dʌndənsi] ●*overtolligheid, overbodigheid* ●*ontslag* ⟨wegens boventalligheid⟩, ⟨bij uitbr.⟩ *werkloosheid.* **re-'dundancy pay** ⟨vnl. BE⟩ ●*afvloeiingspremie.* **redundant** [rɪ'dʌndənt] ●*overtollig, overbodig* ●*werkloos;* ⟨vnl. BE⟩ the workers were made – *de werknemers moesten afvloeien.*

'redwood (tree) ⟨plantk.⟩ ●*Californische sequoia* ●*roodhout.*

reed [riːd] ●*riet* ●⟨muz.⟩ *riet.* **'reed instrument** ●*houten blaasinstrument.*

re-educate ['riː'edʒʊkeɪt] ●*omscholen, heropvoeden.* **re-education** ['riːedʒʊ'keɪʃn] ●*omscholing, heropvoeding.*

reedy ['riːdi] ●*vol riet* ●*doordringend, schril.*

1 reef [riːf] ⟨zn⟩ ●*rif* ●⟨zeilen⟩ *reef.*

2 reef ⟨ww⟩ ⟨zeilen⟩ ●*reven.*

reefer ['riːfə] ●*jekker* ●⟨sl.⟩ *marihuanasigaret.*

1 reek [riːk] ⟨zn⟩ ●*stank.*

2 reek ⟨ww⟩ ●*(slecht) ruiken,* ⟨fig.⟩ *stinken;* his statement –s of corruption *zijn verklaring riekt naar corruptie;* he –s with conceit *hij druipt v. verwaandheid.*

1 reel [riːl] ⟨zn⟩ ●*haspel, klos, spoel* ●*(film) rol* ●*reel* ⟨levendige volksdans(muziek) uit Ierland, Schotland⟩.

2 reel I ⟨onov ww⟩ ●*duizelen, draaien* ●*wankelen, waggelen* **II** ⟨ov ww⟩ ●⟨+in/up⟩ *(op)winden, in/ophalen* ⟨lijn, vis⟩; – off yarn *garen afwinden;* ⟨fig.⟩ – off a poem *een gedicht afraffelen.*

re-entry ['riː'entri] ●*terugkeer, terugkomst.*

re-examine ['riːɪg'zæmɪn] ●*opnieuw onderzoeken.*

ref [ref] ⟨verk.⟩ referee ⟨↓; sport⟩ ●*ref(e-ree), scheidsrechter.*

refectory [rɪ'fektri] ●*eetzaal.*

refer [rɪ'fə:] **I** ⟨onov ww⟩ zie REFER TO **II** ⟨ov ww⟩ ●⟨+to⟩ *verwijzen (naar), doorsturen (naar).*

1 referee ['refə'riː] ⟨zn⟩ ●*scheidsrechter* ●⟨BE⟩ *referentie* ⟨persoon die referentie geeft⟩.

2 referee ⟨ww⟩ ●*als scheidsrechter optreden (bij).*

reference ['refrəns] ●*referentie, getuigschrift, pers. die referentie geeft* ●*verwijzingsteken* ●*verwijzing* ●*zinspeling;* make no – to *geen toespeling maken op* ●*raadpleging;* make – to a dictionary *een woordenboek naslaan* ●*betrekking;* bear/have – to *betrekking hebben op;* in/with – to *in verband met;* without – to *zonder rekening te houden met.* **'reference book** ●*naslagwerk.* **'reference library** ●*naslagbibliotheek.*

referendum ['refə'rendəm] ⟨mv.: ook referenda [-də]⟩ ●*referendum, volksstemming.*

re'fer to ●*verwijzen naar, betrekking hebben op, v. toepassing zijn op* ●*zinspelen op, refereren aan, vermelden* ●*raadplegen, naslaan.*

1 refill ['riːfɪl] ⟨zn⟩ ● *(nieuwe) vulling,* ⟨ihb.⟩ *inktpatroon.*

2 refill ['riːfɪl] ⟨ww⟩ ● *opnieuw vullen, aan/ bijvullen.*

refine [rɪ'faɪn] **I** ⟨onov ww⟩ ‖ – (up)on *verbeteren* **II** ⟨ov ww⟩ ● *zuiveren, raffineren,* ⟨fig.⟩ *verfijnen, verbeteren.* **refined** [rɪ'faɪnd] ● *verfijnd, geraffineerd,* ⟨fig.⟩ *beschaafd;* – manners *goede manieren.* **refinement** [rɪ'faɪnmənt] ● *verbetering, uitwerking* ● *raffinage* ● *verfijning, (over) beschaafdheid.* **refinery** [rɪ'faɪn(ə)ri] ● *raffinaderij.*

1 refit ['riːfɪt], **refitment** ['riːˈfɪtmənt] ⟨zn⟩ ● *herstel, nieuwe uitrusting/optuiging.*

2 refit ['riːˈfɪt] **I** ⟨onov ww⟩ ● *opnieuw uitgerust/opgetuigd worden* **II** ⟨ov ww⟩ ● *opnieuw uitrusten/optuigen.*

reflate ['riːˈfleɪt] ⟨zn: -ation⟩ ● *reflatie veroorzaken v., uitbreiden* ⟨ihb. geldcirculatie⟩.

reflect [rɪ'flekt] **I** ⟨onov en ov ww⟩ ● *nadenken, overwegen;* he –ed that ... *hij bedacht dat ...;* zie REFLECT (UP)ON **II** ⟨ov ww⟩ ● *weerspiegelen, weerkaatsen, reflecteren,* ⟨fig.⟩ *weergeven, getuigen v..* **reflection** [rɪ'flekʃn] ● *weerspiegeling, weerkaatsing, reflectie* ● *bedenking, overweging;* on – *bij nader inzien* ● *aanmerking, blamage;* cast a – (up)on s.o.'s honour *een blaam op iem. werpen;* cast –s (up)on *bedenkingen hebben bij.* **reflective** [rɪ'flektɪv] ● *weerspiegelend, reflecterend* ● *bedachtzaam.* **reflector** [rɪ'flektə] ● *reflector.* **re'flect (up) on** ● *nadenken over, overdenken* ● *zich ongunstig uitlaten over, in diskrediet brengen.*

1 reflex ['riːfleks] ⟨zn⟩ ● *reflex(beweging),* ⟨mv.⟩ *reactievermogen.*

2 reflex ⟨bn⟩ ‖ – camera *reflexcamera;* – action *reflexbeweging.*

reflexive ● ⟨taal.⟩ *reflexief, wederkerend* ‖ – action *reflex(beweging).*

refloat ['riːˈfloʊt] ● *vlot krijgen.*

1 reform [rɪ'fɔːm] ⟨zn⟩ ● *hervorming, verbetering.*

2 reform I ⟨onov ww⟩ ● *zich beteren* **II** ⟨ov ww⟩ ● *verbeteren, hervormen;* – a sinner *een zondaar bekeren.*

re-form ['riːˈfɔːm] **I** ⟨onov ww⟩ ● *zich opnieuw vormen,* ⟨mil.⟩ *zich opnieuw opstellen* **II** ⟨ov ww⟩ ● *opnieuw vormen,* ⟨mil.⟩ *reformeren.*

reformation ['refəˈmeɪʃn] **I** ⟨eig.n.; R-⟩ ⟨rel.⟩ ● *Reformatie* **II** ⟨telb en n-telb zn⟩ ● *hervorming, verbetering.* **reformer** [rɪ'fɔːmə] ● *hervormer.*

refract [rɪ'frækt] ● *breken* ⟨stralen⟩. **refrac-**

tion [rɪ'frækʃn] ⟨nat.⟩ ● *(straal)breking.*

refractory [rɪ'fræktri] ● *(stijf)koppig, halsstarrig;* be – to *niet willen weten v.* ● *moeilijk te genezen, hardnekkig* ● *hittebestendig.*

1 refrain [rɪ'freɪn] ⟨zn⟩ ● *refrein.*

2 refrain ⟨ww⟩ ● *(+from) zich onthouden (van), ervan afzien, het nalaten.*

refresh [rɪ'freʃ] ● *verfrissen;* – s.o.'s memory *iemands geheugen opfrissen.* **refresher** [rɪ'freʃə] ● *verfrissing* ● ⟨vnl. BE⟩ *extra honorarium* ⟨voor advocaat⟩. **re'fresher course** ● *herhalingscursus, bijscholingscursus.* **refreshing** [rɪ'freʃɪŋ] ● *verfrissend* ● *aangenaam, verrassend.*

refreshment [rɪ'freʃmənt] ● *verfrissing* ⟨ook fig.⟩ ● ⟨vnl. mv.⟩ *iets te drinken met een hapje daarbij.* **re'freshment bar** ● *buffet.* **re'freshment room** ● *restauratie(zaal).*

refrigerate [rɪ'frɪdʒəreɪt] ● *koelen;* –d beer *gekoeld bier.* **refrigeration** [rɪ'frɪdʒəˈreɪʃn] ● *afkoeling;* keep sth. under – *iets koel bewaren.* **refrigerator** [rɪ'frɪdʒəreɪtə] ● *koelkast, ijskast.*

refuel ['riːˈfjuːəl] **I** ⟨onov ww⟩ ● *bijtanken* **II** ⟨ov ww⟩ ● *opnieuw voltanken.*

refuge ['refjuːdʒ] ● *toevlucht(soord)* ⟨ook fig.⟩, *schuilplaats, toeverlaat;* – from *bescherming tegen;* take – in *zijn toevlucht nemen tot;* take – with *zijn toevlucht zoeken bij.* **refugee** ['refjʊˈdʒiː] ● *vluchteling.* **refu'gee camp** ● *vluchtelingenkamp.*

1 refund ['riːfʌnd] ⟨zn⟩ ● *terugbetaling.*

2 refund [rɪ'fʌnd] ⟨ww⟩ ● *terugbetalen, restitueren;* – the cost of postage *de verzendkosten vergoeden.*

refurbish ['riːˈfəːbɪʃ] ● *opknappen,* ⟨fig.⟩ *opfrissen.*

refusal [rɪ'fjuːzl] ● *weigering, afwijzing;* this will take no – *dit laat geen uitstel toe* ● *optie, (recht v.) voorkeur;* have (the) first – of a house *een optie op een huis hebben.*

1 refuse ['refjuːs] ⟨zn⟩ ● *afval, vuil(nis).*

2 refuse [rɪ'fjuːz] ⟨ww⟩ ● *weigeren, afslaan, afwijzen;* – a request *op een verzoek niet ingaan;* – o.s. nothing *zich niets ontzeggen.*

'refuse collector ● *vuilnisman.* **'refuse dump** ● *vuilnisbelt.*

refutable ['refjʊtəbl, rɪ'fjuːtəbl] ● *weerlegbaar.* **refute** [rɪ'fjuːt] ⟨zn: -ation⟩ ● *weerleggen.*

regain [rɪ'geɪn] ● *herwinnen;* – consciousness *weer tot bewustzijn komen* ● *opnieuw bereiken.*

regal ['riːgl] ● *koninklijk;* – splendour *vorstelijke praal;* – title *koningstitel.*

regale [rɪ'geɪl] ● (+on, with) *vergasten (op),*

onthalen (op) • onderhouden; a voice that
–s the ear een aangename stem.

regalia [rɪ'geɪlɪə] • rijksinsigniën, regalia •
onderscheidingstekenen; the mayor in
full – de burgemeester in vol ornaat •
staatsiegewaad.

1 regard [rɪ'gɑːd] ⟨zn⟩ • achting, respect;
hold s.o. in high – iem. hoogachten • betrekking, opzicht; in this – op dit punt; in –
to betreffende • aandacht, zorg; give/pay
no – to zich niet bekommeren om; leave
out of – buiten beschouwing laten; have
little – for weinig rekening houden met;
without – to zonder te letten op • ⟨mv.⟩
groeten; give her my (best) –s doe haar de
groeten.

2 regard ⟨ww⟩ • beschouwen, aanzien; –
s.o. as iem. houden voor • rekening houden met • betreffen, aangaan; as –s met
betrekking tot. **regarding** [rɪ'gɑːdɪŋ] • betreffende. **regardless** [rɪ'gɑːdləs] • hoe
dan ook. **re'gardless of** • ongeacht, zonder rekening te houden met.

regatta [rɪ'gætə] • regatta.

regency ['riːdʒənsɪ] • regentschap.

regenerate [rɪ'dʒenəreɪt] I ⟨onov ww⟩ • herleven, regenereren II ⟨ov ww⟩ • verbeteren, vernieuwen • nieuw leven inblazen,
doen herleven. **regeneration** [rɪ'dʒen-
ə'reɪʃn] • regeneratie ⟨ook biol.⟩.

1 regent ['riːdʒənt] ⟨zn⟩ • regent(es).

2 regent ⟨bn⟩ ‖ the Prince Regent de prins-
regent.

reggae ['regeɪ] • reggae.

regicide ['redʒɪsaɪd] • koningsmoord • ko-
ningsmoordenaar.

regime ['reɪ'ʒiːm] • regiem ⟨ook med.⟩.

regimen ['redʒɪmɪn] • ⟨med.⟩ regiem,
kuur; put s.o. on a – iem. op dieet stellen.

regiment ['redʒɪmənt] ⟨mil.⟩ • regiment,
⟨fig.⟩ groot aantal. **regimental**
['redʒɪ'mentl] • regiments-.

regimented ['redʒɪmentɪd] ⟨ong.⟩ • ge-
reglementeerd.

region ['riːdʒən] • streek, gebied, ⟨fig.⟩ terrein; the – of the heart de hartstreek; in
the – of in de buurt v. ⟨ook fig.⟩ • gewest,
⟨mv.⟩ provincie, regio. **regional**
['riːdʒnəl] • v.d. streek, regionaal.

1 register ['redʒɪstə] ⟨zn⟩ • register, (naam)
lijst, kiezerslijst • registratie, inschrijving
• (kas)register.

2 register I ⟨onov ww⟩ • zich (laten) inschrijven; – at a hotel inchecken; – with the police zich aanmelden bij de politie •
⟨+with⟩ doordringen tot, (in zich) opnemen II ⟨ov ww⟩ • (laten) registreren, (laten) inschrijven, ⟨fig.⟩ nota nemen v.; – a

protest against protest aantekenen tegen
• aanwijzen ⟨bv. graden⟩ • uitdrukken;
her face –ed surprise uit haar gezicht
sprak verwondering • (laten) aantekenen,
aangetekend versturen ⟨post⟩ • noteren
⟨bv. winst⟩. **registered** ['redʒɪstəd] • geregistreerd, ingeschreven; – trademark
(wettig) gedeponeerd handelsmerk • gediplomeerd, bevoegd; ⟨AE⟩ – nurse gediplomeerd verpleegkundige; ⟨BE⟩ State
Registered nurse gediplomeerd verpleegkundige • aangetekend ⟨v. brief⟩.

'register office • (bureau v.d.) burgerlijke
stand.

registrar ['redʒɪ'strɑː] • registrator, ambtenaar v.d. burgerlijke stand/v.h. bevol-
kingsbureau • archivaris • administratief
hoofd ⟨v. universiteit⟩ • ⟨BE; med.⟩ sta-
gelopend specialist.

registration ['redʒɪ'streɪʃn] • registratie, inschrijving, aangifte.

regi'stration number • registratienummer,
autokenteken.

registry ['redʒɪstrɪ] • archief • (bureau v.d.)
burgerlijke stand • register. **'registry office** • (bureau v.d.) burgerlijke stand; married at a – getrouwd voor de wet.

regress [rɪ'gres] • achteruitgaan, teruggaan.
regression [rɪ'greʃn] • regressie, achteruitgang.

1 regret [rɪ'gret] I ⟨n-telb zn⟩ • spijt, leed(wezen), berouw II ⟨mv.⟩ • (betuigingen v.)
spijt, verontschuldigingen; have no –s
geen spijt/berouw hebben.

2 regret ⟨ww⟩ • betreuren, spijt hebben v..
regretful [rɪ'gretfl] • bedroefd, vol spijt.
regretfully [rɪ'gretflɪ] • zie REGRETFUL • met
spijt/leedwezen. **regrettable** [rɪ'gretəbl] •
betreurenswaardig. **regrettably** [rɪ'gret-
əblɪ] • zie REGRETTABLE; – little response
bedroevend weinig reactie • helaas, jammer genoeg.

regroup ['riː'gruːp] • (zich) hergroeperen.

1 regular ['regjʊlə] ⟨zn⟩ • beroeps(militair);
the –s de geregelde troepen • ↓ vaste
klant.

2 regular I ⟨bn, attr en pred⟩ • regelmatig; a
– customer een vaste klant; a – life een geregeld leven; keep – hours zich aan vaste
uren houden, een geregeld leven leiden •
correct; follow the – procedure de gewo-
ne/vereiste procedure volgen • ⟨vnl. AE⟩
gewoon ‖ the – clergy de reguliere geestelijkheid II ⟨bn, attr⟩ • professioneel; the –
army het beroepsleger • ↓ echt; a – fool
een volslagen idioot • ⟨AE; ↓⟩ geschikt; a
– guy een prima vent. **regularity** ['regjʊ-
'lærətɪ] • regelmatigheid; with clock-like

– *met de regelmaat v.d. klok.* **regularize** [ˈregjʊləraɪz] ●*regulariseren, regelen.*

regulate [ˈregjʊleɪt] ●*regelen, reglemente-ren, ordenen;* a regulating effect *een re-gulerende werking.* **regulation** [ˈregjʊˈleɪʃn] ●*regeling, reglement(ering), (wet-telijk) voorschrift.* 'regulation 'size ● *voorgeschreven formaat.* 'regulation 'speed ●*voorgeschreven snelheid, maxi-mumsnelheid.* **regulator** [ˈregjʊleɪtə] ●*re-gelaar, regulateur.*

regurgitate [rɪˈgəːdʒɪteɪt] ●*uitbraken, opge-ven* ●*(onnadenkend) napraten.*

rehabilitate [ˈriː(h)əˈbɪlɪteɪt] ●*rehabiliteren;* – s.o. in public esteem *iem. zijn goede naam teruggeven* ●*herstellen;* – a slum area *een sloppenwijk saneren.* **rehabilita-tion** [ˈriː(h)əbɪlɪˈteɪʃn] ●*rehabilitatie* ●*her-stelling;* economic – *economisch herstel.*

1 rehash [ˈriːhæʃ] ⟨zn⟩ ●*herwerking,* ⟨fig.⟩ *opgewarmde kost.*

2 rehash [riːˈhæʃ] ⟨ww⟩ ●*herwerken;* all –ed stuff *allemaal ouwe kost.*

rehearsal [rɪˈhəːsl] ●*repetitie.* **rehearse** [rɪˈhəːs] I ⟨onov en ov ww⟩ ●*repeteren, (een) repetitie houden* II ⟨ov ww⟩ ●*herha-len.*

rehouse [riːˈhaʊz] ●*herhuisvesten.*

1 reign [reɪn] ⟨zn⟩ ●*regering;* – of terror *schrikbewind;* in/under the – of Henry *toen Hendrik koning was.*

2 reign ⟨ww⟩ ●*regeren, heersen* ⟨ook fig.⟩.

reimburse [ˈriːɪmˈbəːs] ⟨zn: **-ment**⟩ ●*terug-betalen, vergoeden.*

reimpose [ˈriːɪmˈpoʊz] ●*opnieuw invoeren, opnieuw opleggen.*

1 rein [reɪn] ⟨zn; vaak mv.⟩ ●*teugel;* ⟨fig.⟩ give (free) –(s) to s.o. *iem. de vrije teugel laten;* hold the –s *de teugels in handen hebben* ⟨ook fig.⟩; ⟨fig.⟩ keep a tight – on s.o. *bij iem. de teugels stevig aanhalen.*

2 rein ⟨ww⟩ ●*inhouden* ⟨ook fig.⟩, *beteuge-len, in bedwang houden;* – back/in/up *halt doen houden.*

1 reincarnate [ˈriːɪnˈkɑːnət] ⟨bn⟩ ●*gereïn-carneerd.*

2 reincarn|ate [ˈriːɪnˈkɑːneɪt] ⟨ww; zn: **-ation**⟩ ●*doen reïncarneren;* be –d *gereïn-carneerd zijn.*

reindeer [ˈreɪndɪə] ●*rendier.*

reinforce [ˈriːɪnˈfɔːs] ●*versterken;* –d con-crete *gewapend beton.* **reinforcement** [ˈriːɪnˈfɔːsmənt] ●*versterking.*

reinstate [ˈriːɪnˈsteɪt] ●*herstellen.*

1 reissue [ˈriːˈɪʃuː] ⟨zn⟩ ●*heruitgave.*

2 reissue ⟨ww⟩ ●*heruitgeven, opnieuw uit-geven.*

reiter|ate [ˈriːˈɪtəreɪt] ⟨zn: **-ation**⟩ ●*herha-*

len.

1 reject [ˈriːdʒekt] ⟨zn⟩ ●*afgekeurd persoon/voorwerp, afgekeurde.*

2 reject [rɪˈdʒekt] ⟨ww⟩ ●*verwerpen, afwij-zen, weigeren* ●*uitwerpen.* **rejection** [rɪˈdʒekʃn] ●*verwerping, afkeuring, afwij-zing* ●*uitwerping* ●⟨med.⟩ *afstoting* ⟨bij transplantatie⟩. **reject shop** ●*winkel met tweede-keus artikelen.*

rejoice [rɪˈdʒɔɪs] ●(+at, over) *zich verheu-gen (over)* ‖ ⟨scherts.⟩ – in the name of Puck *met de naam Puck door het leven gaan.* **rejoicing** [rɪˈdʒɔɪsɪŋ] I ⟨n-telb zn⟩ ●*vreugde, feestviering* II ⟨mv.⟩ ●*feeste-lijkheden.*

rejoin [rɪˈdʒɔɪn] ●*antwoorden.*

re-join [ˈriːˈdʒɔɪn] I ⟨onov en ov ww⟩ ●*weer lid worden (van)* II ⟨ov ww⟩ ●*zich weer voegen bij.*

rejoinder [rɪˈdʒɔɪndə] ●*(vinnig) antwoord.*

rejuvenate [rɪˈdʒuːvəneɪt] ⟨zn: **-ation**⟩ ●*ver-jongen.*

1 relapse [rɪˈlæps, ˈriːlæps] ⟨zn⟩ ●*instorting, terugval* ⟨tot kwaad⟩.

2 relapse [rɪˈlæps] ⟨ww⟩ ●*terugvallen, (weer) instorten;* – into poverty *weer tot armoede vervallen.*

relate [rɪˈleɪt] I ⟨onov ww⟩ ●(+to) *in ver-band staan (met), betrekking hebben (op)* ●(+to) *(kunnen) opschieten (met)* II ⟨ov ww⟩ ●*verhalen* ●*(met elkaar) in verband brengen, relateren;* – sth. to/with sth. else *iets met iets anders in verband brengen.* **related** [rɪˈleɪtɪd] ●*verwant, samenhan-gend.*

relation [rɪˈleɪʃn] ●*bloedverwant, familielid* ●*betrekking, relatie, verband;* bear no – to *geen verband houden met;* geen betrek-king hebben op; in/with – to *met betrek-king tot; in verhouding tot;* have business –s with s.o. *handelsbetrekkingen onder-houden met iem.;* have (sexual) –s with s.o. *geslachtelijke omgang met iem. heb-ben* ●*verhaal.* **relationship** [rɪˈleɪʃnʃɪp] ● *verhouding* ●*verwantschap.*

1 relative [ˈrelətɪv] ⟨zn⟩ ●*bloedverwant.*

2 relative ⟨bn⟩ ●*betrekkelijk, relatief* ⟨ook taal.⟩; – clause *betrekkelijke/relatieve bij-zin* ●*respectief.* **relativity** [ˈreləˈtɪvəti] ● *betrekkelijkheid, relativiteit;* general (the-ory of) – *algemene relativiteitstheorie.*

relax [rɪˈlæks] I ⟨onov ww⟩ ●*verslappen, verminderen* ●*zich ontspannen, relaxen* II ⟨ov ww⟩ ●*ontspannen, verslappen, ver-minderen;* – one's attention *zijn aandacht laten verslappen.* **relaxation** [ˈriːlækˈseɪʃn] ●*ontspanning(svorm)* ●*gedeelte-lijke kwijtschelding/verlichting* ⟨v. straf, plicht enz.).

1 relay ['ri:leɪ] ⟨zn⟩ ●*aflossing, nieuwe ploeg;* work in/by –(s) *in ploegen werken* ●*relais* ⟨ook elek., telecommunicatie⟩, *heruitzending* ●*estafettewedstrijd.*

2 relay ['ri:leɪ] ⟨ww⟩ ●*relayeren, heruitzenden, doorgeven* ⟨informatie⟩.

re-lay ['ri:'leɪ] ●*opnieuw leggen.*

'**relay race** ●*estafettewedstrijd.* '**relay station** ●*relaisstation, steunzender.*

1 release [rɪ'li:s] ⟨zn⟩ ●*bevrijding, vrijgeving, verlossing* ●*ontslag, ontheffing* ⟨v. verplichting⟩ ●*het uitbrengen* ⟨v. film/grammofoonplaat⟩; on general – *in alle bioscopen (te zien)* ●*nieuwe film/grammofoonplaat, release* ●*communiqué, (artikel voor) publikatie.*

2 release ⟨ww⟩ ●(+from) *bevrijden (uit), vrijlaten, vrijgeven;* – the handbrake *'m van de handrem zetten* ●(+from) *ontslaan (van), ontheffen (van)*⟨verplichting⟩ ●*uitbrengen* ⟨film⟩, *in de handel brengen* ⟨grammofoonplaat⟩.

relegate ['relɪgeɪt] ●*overplaatsen* ●⟨sport⟩ *degraderen.*

relent [rɪ'lent] ●*minder streng worden, toegeven.* **relentless** [rɪ'lentləs] ●*meedogenloos* ●*gestaag, aanhoudend.*

relevance ['relɪvəns] ●*relevantie.* **relevant** ['relɪvənt] ●(+to) *relevant (voor);* the – literature *de desbetreffende literatuur.*

reliable [rɪ'laɪəbl] ⟨zn: **-ility**⟩ ●*betrouwbaar.*

reliance [rɪ'laɪəns] ●*vertrouwen* ●*op wie/waarop men rekent.* **reliant** [rɪ'laɪənt] ●*vertrouwend;* be – on s.o. *vertrouwen stellen in iem..*

relic ['relɪk] ●*relikwie* ●*overblijfsel.*

relief [rɪ'li:f] ●*reliëf,* ⟨fig.⟩ *contrast;* be/stand out in (bold/sharp) – against *zich (scherp) aftekenen tegen* ⟨ook fig.⟩ ●*verlichting, opluchting;* a great – *een pak v. mijn hart* ●*aflossing,* ⟨mil.⟩ *versterking* ●*afwisseling, onderbreking;* provide a little light – *voor wat afwisseling zorgen* ●*ondersteuning, steun, hulp* ●*ontzet, bevrijding* ⟨v. belegerde stad⟩. **re'lief agency** ●*hulporganisatie.* **re'lief fund** ●*ondersteuningsfonds, hulpfonds.* **re'lief map** ●*reliëfkaart.* **re'lief train** ●*extra trein.*

relieve [rɪ'li:v] ●*verlichten, opluchten;* – one's feelings *zijn hart luchten;* ⟨↑; euf.⟩ – o.s. *zijn behoefte doen;* – of *ontlasten v.;* ⟨vaak pass.; euf.⟩ *ontslaan uit, ontheffen v.* ●*afwisselen* ●*ondersteunen, helpen, bemoedigen* ●*aflossen, vervangen* ●⟨mil.⟩ *ontzetten, bevrijden.* **relieved** [rɪ'li:vd] ●*opgelucht.*

religion [rɪ'lɪdʒən] ●*godsdienst;* established-

– *staatsgodsdienst* ‖ make a – of sth. *v. iets een erezaak maken.* **religious** ●*godsdienstig* ●*godvruchtig* ●*gewetensvol;* with – exactitude *met pijnlijke nauwgezetheid.* **religiously** [rɪ'lɪdʒəsli] ●*godsdienstig* ●*nauwgezet.*

relinquish [rɪ'lɪŋkwɪʃ] ↑●*opgeven, prijsgeven* ●*afstand doen v.* ⟨aanspraak⟩.

1 relish ['relɪʃ] ⟨zn⟩ ●*genoegen, plezier* ●*smaak* ⟨ook fig.⟩; add/give (a) – to *prikkelen;* eat with (a) – *met smaak eten* ●*saus* ●*pikant smaakje.*

2 relish ⟨ww⟩ ●*genieten v., genoegen scheppen in* ●*tegemoet zien;* – the prospect/idea *het een prettig vooruitzicht/idee vinden.*

relive ['ri:'lɪv] ●*weer beleven.*

relocate ['ri:loʊ'keɪt] ●*(zich) opnieuw vestigen, verplaatsen.* **relocation** ['ri:loʊ'keɪʃn] ●*vestiging elders, verhuizing.*

reluctance [rɪ'lʌktəns] ●*tegenzin, weerzin.* **reluctant** [rɪ'lʌktənt] ●*onwillig, aarzelend, afkerig.* **reluctantly** [rɪ'lʌktəntli] ●*met tegenzin, schoorvoetend.*

rely (up)on [rɪ'laɪ (əp)ɒn] ●*vertrouwen (op), zich verlaten op, steunen op;* you can – it *daar kan je v. op aan;* don't – me for help *op mijn hulp hoef je niet te rekenen.*

remain [rɪ'meɪn] ●*blijven, overblijven;* it –s to be seen *het staat te bezien;* nothing –s but *er blijft niets anders over dan* ●*voortduren, blijven bestaan;* one thing –s certain *één ding is zeker.*

1 remainder [rɪ'meɪndə] ⟨zn; ww enk. of mv.⟩ ●*rest, overblijfsel, restant.*

2 remainder ⟨ww⟩ ●*opruimen* ⟨vnl. boeken⟩, *ramsjen.*

remains [rɪ'meɪnz] ●*overblijfselen, ruïnes, resten* ●↑ *stoffelijk overschot.*

1 remake ['ri:meɪk] ⟨zn⟩ ●*remake, nieuwe versie.*

2 remake ['ri:'meɪk] ⟨ww⟩ ●*opnieuw maken, een nieuwe versie maken.*

1 remand [rɪ'mɑ:nd] ⟨zn⟩ ⟨jur.⟩ ●*terugzending* ⟨in voorlopige hechtenis⟩ ●*voorarrest;* on – *in voorarrest.*

2 remand ⟨ww⟩ ●⟨jur.⟩ *terugzenden in voorlopige hechtenis;* – into custody *terugzenden in voorlopige hechtenis.* **re'mand centre, re'mand home** ⟨BE⟩ ●⟨ongeveer⟩ *huis v. bewaring/detentie* ⟨voor voorlopige hechtenis⟩.

1 remark [rɪ'mɑ:k] ⟨zn⟩ ●*opmerking.*

2 remark I ⟨onov ww⟩ ●(+(up)on) *op/aanmerkingen maken (over)* **II** ⟨ov ww⟩ ●*opmerken, bemerken.* **remarkable** [rɪ'mɑ:kəbl] ●*opmerkelijk* ●*opvallend.* **remarkably** [rɪ'mɑ:kəbli] ●*zie* REMARKABLE ●*op-*

merkelijk genoeg.

remarry ['ri:'mæri] ●*opnieuw trouwen (met).*

remediable [rɪ'mi:dɪəbl] ●*herstelbaar, te verhelpen.* **remedial** [rɪ'mi:dɪəl] ●*genezend, herstellend, verbeterend.*

1 remedy ['remɪdi] ⟨zn⟩ ●*remedie, (genees) middel, hulpmiddel;* beyond/past – *ongeneeslijk; niet te verhelpen.*

2 remedy ⟨ww⟩ ●*verhelpen.*

remember [rɪ'membə] **I** ⟨onov en ov ww⟩ ● *(zich) herinneren, onthouden, denken aan/om;* – to post that letter *vergeet niet die brief te posten* **II** ⟨ov ww⟩ ●*bedenken* ⟨in testament; met fooi⟩ ●*gedenken* ⟨de doden; in gebeden⟩ ●⟨+to⟩ *de groeten doen (aan).* **remembrance** [rɪ'membrəns] ●*herinnering;* in – of *ter herinnering aan* ● *herinnering, aandenken* ●⟨mv.⟩ *groet.*

remind [rɪ'maɪnd] ●*herinneren, doen denken;* will you – me? *help me eraan denken, wil je?;* that – s me! *dat is waar ook!;* she – s me of s.o. *ze doet me aan iem. denken.* **reminder** [rɪ'maɪndə] ●*herinnering, aanmaning(sbrief).*

reminisce ['remɪ'nɪs] ●*herinneringen ophalen.* **reminiscence** ['remɪ'nɪsns] ●*herinnering,* ⟨mv.⟩⟨ihb.⟩ *memoires.* **reminiscent** ['remɪ'nɪsnt] **I** ⟨bn, attr⟩ ●*de herinnering(en) betreffend* **II** ⟨bn, pred⟩ ●*herinnerend, het verleden koesterend;* be – of sth. *aan iets herinneren.*

remiss [rɪ'mɪs] ●*nalatig, onachtzaam;* be – in one's duties *in zijn plichten te kort schieten.*

remission [rɪ'mɪʃn] ●*vergeving* ●*kwijtschelding* ●*vermindering* ⟨v. straf, bv.⟩ ●*verzwakking,* ⟨med.⟩ *remissie.*

remit [rɪ'mɪt] ●*vergeven* ⟨zonden⟩ ●*kwijtschelden, vrijstellen v.* ●*terugzenden, zenden* ●*overmaken* ⟨geld⟩ ‖ – a case to a lower court *een zaak naar een lagere rechtbank verwijzen.* **remittance** [rɪ'mɪtns] ●*overschrijving* ⟨v. geld⟩, *overgemaakt bedrag.*

remnant ['remnənt] ●*restant, rest, overblijfsel* ●*coupon* ⟨stof⟩. **'remnant sale** ●*(restanten)opruiming.*

remodel ['ri:'mɒdl] ●*remodelleren, omvormen.*

remonstrate ['remənstreɪt] ●*protesteren, tegenwerpingen maken;* – with s.o. about sth. *iem. iets verwijten.*

remorse [rɪ'mɔ:s] ●*wroeging.* **remorseful** [rɪ'mɔ:sfl] ●*berouwvol.* **remorseless** [rɪ'mɔ:sləs] ●*meedogenloos.*

remote [rɪ'moʊt] ●*ver (weg), ver uiteen;* – control *afstandsbediening;* the – past *het*

verre verleden; considerations – from the subject *overwegingen die weinig met het onderwerp te maken hebben* ●*afgelegen* ●*gereserveerd, terughoudend* ●⟨vaak overtr. trap⟩ *gering, flauw;* I haven't the –st idea *ik heb er geen flauw benul v..*

1 remould ['ri:moʊld] ⟨zn⟩ ●*gecoverde (auto)band.*

2 remould ['ri:'moʊld] ⟨ww⟩ ●*opnieuw vormen* ●*coveren* ⟨band⟩.

removal [rɪ'mu:vl] ●*verwijdering* ●*verhuizing.* **re'moval van** ●*verhuiswagen.*

1 remove [rɪ'mu:v] ⟨zn⟩ ‖ be but one – from anarchy *maar één stap verwijderd zijn v.d. anarchie.*

2 remove ⟨ww⟩ ●*verwijderen, wegnemen, opheffen* ⟨twijfel⟩, *afnemen* ⟨hoed⟩, *afvoeren* ⟨v.e. lijst⟩, *uitnemen, uittrekken* ● *afzetten, ontslaan, wegzenden;* – s.o. from office *iem. uit zijn ambt ontslaan* ● *verhuizen, verplaatsen, overplaatsen* ● ⟨euf.⟩ *uit de weg ruimen.* **removed** [rɪ'mu:vd] ●*verwijderd;* far – from the truth *ver bezijden de waarheid* ‖ a first cousin once/twice – *een achterneef/achterachterneef.* **remover** [rɪ'mu:və] ●*verhuizer* ●*afbijtmiddel, vlekkenwater.*

remuner|ate [rɪ'mju:nəreɪt] ⟨zn: **-ation**⟩ ● *belonen, lonen, vergoeden.*

remunerative [rɪ'mju:nərətɪv] ●*belonend, winstgevend.*

renaissance [rɪ'neɪsns] **I** ⟨eig.n.; R-⟩ ⟨gesch.⟩ ●*Renaissance* **II** ⟨telb zn⟩ ●*renaissance, herleving.*

renal ['ri:nl] ⟨med.⟩ ●*nier-.*

rename ['ri:'neɪm] ●*herdopen, een andere naam geven.*

rend [rend] ⟨rent, rent [rent]⟩ ●*scheuren, verscheuren.*

render ['rendə] ●*geven, verlenen, verschaffen* ⟨hulp⟩, *bewijzen* ⟨dienst⟩, *betuigen* ⟨dank⟩, *voorleggen* ⟨rekening⟩, *uitbrengen* ⟨verslag⟩; services –ed *bewezen diensten* ●*vertolken* ●*vertalen* ●*maken* ‖ ⟨sprw.⟩ render unto Caesar the things that are Caesar's *geef de keizer wat de keizer toekomt en God wat God toekomt.* **rendering** ['rendrɪŋ] ●*vertolking* ●*vertaling.*

rendezvous ['rɒndɪvu:, -deɪ-] ⟨mv.: rendezvous [-vu:z]⟩ ●*rendez-vous, ontmoeting(splaats),* ⟨mil.⟩ *verzamelplaats.*

rendition [ren'dɪʃn] ●*vertolking.*

renegade ['renɪgeɪd] ●*afvallige, overloper.*

renew [rɪ'nju:] ●*vernieuwen, hernieuwen, verversen, vervangen* ⟨banden⟩ ●*doen herleven* ●*hervatten* ⟨conversatie⟩, *herhalen* ●*verlengen* ⟨contract⟩. **renewable**

[rɪ'nju:əbl] ● *vernieuwbaar* ● *verlengbaar.*
renewal [rɪ'nju:əl] ● *vernieuwing, vervanging* ● *verlenging.*
rennet ['renɪt] ● *stremsel, leb.*
renounce [rɪ'naʊns] ● *afstand doen v., opgeven, laten varen* ● *niet langer erkennen, verloochenen.*
renov|ate ['renəveɪt] ⟨zn: **-ation**⟩ ● *vernieuwen, renoveren, verbouwen.*
renown [rɪ'naʊn] ● *faam, roem.* **renowned** [rɪ'naʊnd] ● *vermaard, beroemd.*
1 rent [rent] ⟨zn⟩ ● *huur, pacht;* ⟨AE⟩ for – *te huur* ● *scheur(ing), kloof.*
2 rent ⟨ww⟩ ● *huren* ● ⟨vaak +out⟩ *verhuren.*
3 rent ⟨verl. t. en volt. deelw.⟩ zie REND.
rental ['rentl] ● *huuropbrengst* ● *huur/pacht- (geld)* ● ⟨AE⟩ *het gehuurde, het verhuurde.* '**rent-'free** ● *pachtvrij.*
renunciation [rɪ'nʌnsɪ'eɪʃn] ● *afstand, verwerping, verstoting, verloochening.*
reopen ['ri:'əʊpən] ● *opnieuw opengaan, heropenen* ● *hervatten* ⟨discussie⟩.
reorder ['ri:'ɔ:də] ● *nabestellen, bijbestellen* ● *reorganiseren.*
reorgan|ize ['ri:'ɔ:gənaɪz] ⟨zn: **-ization**⟩ ● *reorganiseren, orde scheppen in* ● ⟨ec.⟩ *saneren.*
rep [rep] ● ⟨verk.⟩ representative ↓ *handelsreiziger, vertegenwoordiger* ● ⟨verk.⟩ repertory ↓ *repertoiregezelschap.*
1 repair [rɪ'peə] ⟨zn⟩ ● *herstelling, reparatie, herstel;* in (a) good (state of) – *in goede toestand, goed onderhouden;* beyond – *niet te herstellen.*
2 repair I ⟨onov ww⟩ ● ⟨+to⟩ *zich begeven (naar)* II ⟨ov ww⟩ ● *herstellen, repareren* ● *vergoeden, (weer) goedmaken.* **repairable** [rɪ'peərəbl] ● *herstelbaar, te herstellen.* **repairer** [rɪ'peərə] ● *hersteller, reparateur.* **repairman** [rɪ'peəmən] ⟨AE⟩ ● *hersteller, reparateur.*
reparable ['reprəbl] ● *herstelbaar, goed te maken.* **reparation** ['repə'reɪʃn] ● *vergoeding, schadeloosstelling,* ⟨mv.⟩ *herstelbetaling.*
repartee ['repɑ:'ti:] ● *gevatte repliek, gevatheid.*
repast [rɪ'pɑ:st] ● *maaltijd.*
repatri|ate ['ri:'pætrieɪt] ⟨zn: **-ation**⟩ ● *repatriëren.*
repay [rɪ'peɪ] ● *terugbetalen, aflossen* ● *vergoeden;* – s.o. for his generosity *iem. voor zijn edelmoedigheid belonen* ● *betaald zetten* ‖ – kindness by/with ingratitude *goedheid met ondankbaarheid beantwoorden.* **repayable** [rɪ'peɪəbl] ● *terug te betalen.* **repayment** [rɪ'peɪmənt] ● *terugbetaling, aflossing.*

1 repeal [rɪ'pi:l] ⟨zn⟩ ● *herroeping, afschaffing, intrekking.*
2 repeal ⟨ww⟩ ● *herroepen, afschaffen, intrekken.*
1 repeat [rɪ'pi:t] ⟨zn⟩ ● *herhaling* ● *heruitzending* ● ⟨ec.⟩ *nabestelling.*
2 repeat I ⟨onov ww⟩ ● *repeteren;* –ing *decimal repeterende breuk;* –ing *rifle repeteergeweer* II ⟨ov ww⟩ ● *herhalen;* – a course/year *blijven zitten* ⟨op school⟩ ● *nazeggen, navertellen* ● *opzeggen* ⟨gedicht⟩. **repeated** [rɪ'pi:tɪd] ● *herhaald.* **repeatedly** [rɪ'pi:tɪdli] ● *herhaaldelijk.* **repeater** [rɪ'pi:tə] ● *repeteergeweer.* **re'peat order** ● *nabestelling.*
repel [rɪ'pel] ● *afweren, terugdrijven, afslaan, afstoten* ● *afkeer opwekken bij;* that man –s me *ik walg v. die man.*
1 repellent [rɪ'pelənt] ⟨zn⟩ ● *insektenwerend middel.*
2 repellent ⟨bn⟩ ● *afwerend, afstotend* ● *weerzinwekkend.*
repent [rɪ'pent] ● *berouw hebben (over), berouwen.* **repentance** [rɪ'pentəns] ● *berouw.* **repentant** [rɪ'pentənt] ● *berouwvol.*
repercussion ['ri:pə'kʌʃn] ● ⟨vaak mv.⟩ *terugslag, (onaangename) reactie, repercussie.*
repertoire ['repətwɑ:] ● *repertoire.*
repertory ['repətrɪ] ● *repertoire* ● *repertoiregezelschap/theater.* '**repertory company** ● *repertoiregezelschap.* '**repertory theatre** ● *repertoiretheater.*
repetition ['repɪ'tɪʃn] ● *herhaling, repetitie.*
repetitious ['repɪ'tɪʃəs] ⟨vnl. ong.⟩ ● *(zich) herhalend, monotoon.* **repetitive** [rɪ'petɪtɪv] ● *(zich) herhalend.*
rephrase ['ri:'freɪz] ● *herformuleren, anders uitdrukken.*
replace [rɪ'pleɪs] ● *terugplaatsen;* – the receiver de hoorn neerleggen ● *vervangen, de plaats innemen v..* **replaceable** [rɪ'pleɪsəbl] ● *vervangbaar.* **replacement** [rɪ'pleɪsmənt] ● *vervanging* ● *vervanger, plaatsvervanger, opvolger* ● *vervangstuk, nieuwe aanvoer, versterking* ⟨vnl. mil.⟩.
1 replay ['ri:pleɪ] ⟨zn⟩ ● *terugspeelknop* ⟨v. recorder⟩ ● ⟨sport⟩ *overgespeelde wedstrijd* ● *herhaling* ⟨v. opname⟩.
2 replay [rɪ'pleɪ] ⟨ww⟩ ● *overspelen* ● *terugspelen, herhalen.*
replenish [rɪ'plenɪʃ] ● *aanvullen, bijvullen.*
replete [rɪ'pli:t] ● ⟨+with⟩ *vol (van).*
replica ['replɪkə] ● *replica* ● *reproduktie, facsimile,* ⟨fig.⟩ *evenbeeld.*
1 reply [rɪ'plaɪ] ⟨zn⟩ ● *antwoord;* in – to your letter *in antwoord op uw brief.*
2 reply ⟨ww⟩ ● *antwoorden;* – to *antwoor-*

den op, beantwoorden. **re'ply-'paid** ● *met betaald antwoord;* – envelope/letter/postcard *antwoordenvelop(pe)/brief/kaart;* – telegram *antwoordtelegram.*

1 report [rɪˈpɔːt] **I** ⟨telb zn⟩ ● *rapport, verslag, bericht* ● *knal, schot* ● *schoolrapport* **II** ⟨telb en n-telb zn⟩ ● *gerucht;* the – goes that ... *het gerucht doet de ronde dat ....*

2 report I ⟨onov ww⟩ ● *verslag doen, rapport opstellen;* – back *verslag komen uitbrengen;* – (up)on sth. *over iets verslag uitbrengen* ● *zich aanmelden;* – (o.s.) to s.o. for duty/work *zich bij iem. voor de dienst/het werk aanmelden* ● *verslaggever zijn* **II** ⟨ov ww⟩ ● *rapporteren, berichten, melden;* it is –ed that ... *naar verluidt ...* ● *rapporteren, doorvertellen;* – s.o. to the police *iem. bij de politie aangeven.* **re-'port card** ⟨AE⟩ ● *(school)rapport.* **reportedly** [rɪˈpɔːtɪdli] ● *naar men zegt.* **reporter** [rɪˈpɔːtə] ● *reporter, verslaggever.*

1 repose [rɪˈpəʊz] ⟨zn⟩ ● *rust* ● *kalmte.*

2 repose I ⟨onov ww⟩ ● *rusten, uitrusten,* ⟨euf.⟩ *begraven liggen* ● ⟨+on⟩ *berusten (op)* **II** ⟨ov ww⟩ ● *stellen;* – confidence/trust in sth. *vertrouwen stellen in iets.*

repository [rɪˈpɒzɪtri] ● *magazijn, opslagplaats* ● *vertrouweling* ● *schatkamer* ⟨fig.⟩, *bron.*

repossess [ˈriːpəˈzes] ● *weer in bezit nemen.*

repot [ˈriːˈpɒt] ● *verpotten* ⟨plant⟩.

reprehensible [ˈreprɪˈhensəbl] ● *berispelijk, laakbaar.*

represent [ˈreprɪˈzent] ● *voorstellen, weergeven, afbeelden* ● *symboliseren, staan voor, betekenen* ● *vertegenwoordigen* ‖ – o.s. as *zich uitgeven voor.* **representation** [ˈreprɪzenˈteɪʃn] ● *voorstelling, af/uitbeelding* ● *vertegenwoordiging* ● ⟨vaak mv.⟩ *protest;* make –s to s.o. about sth. *over iets protest aantekenen bij iem..*

1 representative [ˈreprɪˈzentətɪv] ⟨zn⟩ ● *vertegenwoordiger, agent* ● *afgevaardigde* ● *volksvertegenwoordiger.*

2 representative ⟨bn⟩ ● *representatief, typisch* ● *voorstellend* ● ⟨pol.⟩ *vertegenwoordigend* ‖ be – of *typisch/representatief zijn voor.*

repress [rɪˈpres] ● *onderdrukken* ⟨ook fig.⟩, *in bedwang/toom houden* ● ⟨psych.⟩ *verdringen.* **repressed** [rɪˈprest] ● *onderdrukt* ● ⟨psych.⟩ *verdrongen.* **repression** [rɪˈpreʃn] ● *onderdrukking, verdrukking* ● ⟨psych.⟩ *verdringing.* **repressive** [rɪˈpresɪv] ⟨ong.⟩ ● *repressief, onderdrukkend.*

1 reprieve [rɪˈpriːv] ⟨zn⟩ ● *(bevel tot) uitstel, opschorting* ⟨v. doodstraf⟩ ● *kwijtschelding, gratie* ⟨v. doodstraf⟩ ● *respijt, verlichting;* temporary – *(voorlopig) uitstel v. executie.*

2 reprieve ⟨ww⟩ ● *uitstel/gratie/opschorting verlenen* ⟨v. doodstraf⟩.

1 reprimand [ˈreprɪmɑːnd] ⟨zn⟩ ● *(officiële) berisping.*

2 reprimand ⟨ww⟩ ● *(officieel) berispen.*

1 reprint [ˈriːprɪnt] ⟨zn⟩ ● *herdruk.*

2 reprint [ˈriːˈprɪnt] ⟨ww⟩ ● *herdrukken.*

reprisal [rɪˈpraɪzl] ⟨vaak mv. met enk. bet.⟩ ● *represaille, vergelding(smaatregel).*

1 reproach [rɪˈprəʊtʃ] ⟨zn⟩ ● *schande, smaad;* above/beyond – *onberispelijk* ● *verwijt.*

2 reproach ⟨ww⟩ ● *verwijten, berispen;* I have nothing to – myself with *ik heb mezelf niets te verwijten.* **reproachful** [rɪˈprəʊtʃfl] ● *verwijtend.*

reprobate [ˈreprəbeɪt] ● ⟨bn⟩⟨vaak scherts.⟩ *verdorven* ● ⟨zn⟩ ⟨vaak scherts.⟩ *onverlaat.*

reprocess [ˈriːˈprəʊses] ● *recyclen, terugwinnen.*

reproduce [ˈriːprəˈdjuːs] **I** ⟨onov ww⟩ ● *zich voortplanten* **II** ⟨ov ww⟩ ● *weergeven, reproduceren, vermenigvuldigen* ● *opnieuw/weer voortbrengen, herscheppen.* **reproduction** [ˈriːprəˈdʌkʃn] ● *reproduktie, weergave, afbeelding* ● *voortplanting.* **reproductive** [ˈriːprəˈdʌktɪv] ● *voortplantings-;* – organs *voortplantingsorganen.*

reproof [rɪˈpruːf], **reproval** [rɪˈpruːvl] ● *berisping, verwijt.* **reprove** [rɪˈpruːv] ● *berispen, terechtwijzen.*

reptile [ˈreptaɪl] ● *reptiel.* **reptilian** [repˈtɪlɪən] ● *reptiel-* ● *kruiperig, gemeen.*

republic [rɪˈpʌblɪk] ● *republiek.* **republican** [rɪˈpʌblɪkən] ● ⟨bn⟩ *republikeins* ● ⟨zn⟩ *republikein.*

repudiate [rɪˈpjuːdieɪt] ⟨zn: -ation⟩ ● *verstoten* ⟨vrouw, kind⟩ ● *verwerpen, niet erkennen* ⟨schuld e.d.⟩, *ontkennen* ⟨beschuldiging⟩.

repugnance [rɪˈpʌgnəns] ● *afkeer, weerzin.* **repugnant** [rɪˈpʌgnənt] ● *weerzinwekkend.*

1 repulse [rɪˈpʌls] ⟨zn⟩ ● *terugdrijving* ● *afwijzing;* meet with a – *een blauwtje lopen.*

2 repulse ⟨ww⟩ ● *terugdrijven, terugslaan* ● *afslaan, afwijzen.*

repulsion [rɪˈpʌlʃn] ● *tegenzin, afkeer* ● ⟨nat.⟩ *afstoting.* **repulsive** [rɪˈpʌlsɪv] ● *afstotend, weerzinwekkend, walgelijk.*

reputable [ˈrepjʊtəbl] ● *achtenswaardig, fatsoenlijk.* **reputation** [ˈrepjʊˈteɪʃn] ● *reputatie, (goede) naam;* live up to one's – *zijn naam eer aandoen.*

1 repute [rɪ'pju:t] ⟨zn⟩ ●*reputatie, (goede) naam, faam;* be held in high – *hoog aangeschreven staan;* know s.o. by – *iem. kennen v. horen zeggen.*

2 repute ⟨ww⟩ ‖ be –d (to be) rich *voor rijk doorgaan;* be well –d *een goede naam hebben.* **reputed** [rɪ'pju:tɪd] ●*befaamd* ● *vermeend.* **reputedly** [rɪ'pju:tɪdli] ●*naar men zegt.*

1 request [rɪ'kwest] ⟨zn⟩ ●*verzoek, (aan) vraag;* make a – for help *om hulp verzoeken;* at the – of *op verzoek v.;* on – *op verzoek.*

2 request ⟨ww⟩ ●*verzoeken, vragen (om);* it is –ed not to smoke *men wordt verzocht niet te roken.* **re'quest programme** ●*verzoekprogramma* ⟨radio⟩. **re'quest stop** ● *halte op verzoek.*

requiem ['rekwɪəm] ●*requiem.*

require [rɪ'kwaɪə] ●*nodig hebben* ●*vereisen, eisen, vorderen; –*d reading *verplichte lectuur.* **requirement** [rɪ'kwaɪəmənt] ● *eis, (eerste) vereiste;* meet/fulfil the –s *aan de voorwaarden voldoen* ●*behoefte, benodigdheid.*

requisite ['rekwɪzɪt] ●⟨bn⟩ *vereist, nodig* ● ⟨zn⟩ *vereiste* ●⟨zn⟩⟨vaak mv.⟩ *benodigdheid.*

1 requisition ['rekwɪ'zɪʃn] ⟨zn⟩ ●*(op)vordering, eis,* ⟨mil.⟩ *rekwisitie.*

2 requisition ⟨ww⟩ ⟨vnl. mil.⟩ ●*rekwireren, (op)vorderen.*

requite [rɪ'kwaɪt] ●*belonen* ●*beantwoorden;* – s.o.'s love *iemands liefde beantwoorden.*

reread ['ri:'ri:d] ●*herlezen, overlezen.*

reroute ['ri:'ru:t] ●*langs een andere route sturen.*

1 rerun ['ri:rʌn] ⟨zn⟩ ●*herhaling* ⟨v. film, toneelstuk e.d.⟩.

2 rerun ['ri:'rʌn] ⟨ww⟩ ●*herhalen* ⟨film, t.v.-programma⟩.

rescind [rɪ'sɪnd] ●*herroepen, afschaffen, intrekken.*

1 rescue ['reskju:] ⟨zn⟩ ●*redding, verlossing, bevrijding* ●*hulp;* come/go to the – of s.o. *iem. te hulp komen/snellen.*

2 rescue ⟨ww⟩ ●*redden, verlossen, bevrijden.* **'rescue operation** ●*reddingsoperatie.* **'rescue-party** ●*reddingsbrigade.* **rescuer** ['reskju:ə] ●*redder.* **'rescue team** ● *reddingsploeg.*

1 research [rɪ'sə:tʃ] ⟨zn⟩ ●*(wetenschappelijk) onderzoek, onderzoekingswerk.*

2 research ⟨ww⟩ ●*onderzoekingen doen, wetenschappelijk onderzoeken;* this book has been well –ed *dit boek berust op gedegen onderzoek.* **researcher** [rɪ'sə:tʃə] ●

onderzoeker.

resemblance [rɪ'zembləns] ●*gelijkenis, overeenkomst;* – to *gelijkenis met.* **resemble** [rɪ'zembl] ●*(ge)lijken op.*

resent [rɪ'zent] ●*kwalijk nemen, verontwaardigd zijn over, zich storen aan.* **resentful** [rɪ'zentfl] ●*boos, verontwaardigd* ●*wrokkig, haatdragend.* **resentment** [rɪ'zentmənt] ●*verontwaardiging, verbolgenheid* ●*wrok, haat.*

reservation ['rezə'veɪʃn] I ⟨telb zn⟩ ●⟨AE⟩ *reservaat* ⟨voor Indianen⟩ ●*gereserveerde plaats* II ⟨telb en n-telb zn⟩ ●*reserve, voorbehoud;* accept with (some) –s *onder voorbehoud accepteren* ●*reservering, plaatsbespreking.*

1 reserve [rɪ'zə:v] I ⟨telb zn⟩ ●*reserve, (nood)voorraad;* keep sth. in – *iets in reserve houden* ●*reservaat;* natural – *natuurreservaat* ●*reservespeler, invaller* ● ⟨mil.⟩ *reservist* II ⟨telb en n-telb zn⟩ ●*gereserveerdheid, terughoudendheid* ‖ without – *zonder enig voorbehoud.*

2 reserve ⟨ww⟩ ●*reserveren, achterhouden, in reserve houden* ●*(zich) voorbehouden* ⟨recht⟩; – for/to o.s. the right to ... *zich het recht voorbehouden om ...* ●*bespreken* ⟨plaats⟩.

re'serve bench ●*reservebank.*

reserved [rɪ'zə:vd] ●*gereserveerd, terughoudend, gesloten* ●*gereserveerd, besproken.*

re'serve price ⟨BE; hand.⟩ ●*limiet* ⟨minimum verkoopprijs⟩.

reservist [rɪ'zə:vɪst] ●*reservist.*

reservoir ['rezəvwa:] ●*(water)reservoir, stuwmeer* ●*reserve* ⟨fig.⟩, *voorraad.*

reset ['ri:'set] ●*opnieuw zetten* ⟨juweel, been, boek⟩ ●*terugstellen, terugzetten op nul* ⟨meter, wijzer⟩.

resettle ['ri:'setl] I ⟨onov ww⟩ ●*zich opnieuw vestigen* II ⟨ov ww⟩ ●*opnieuw (helpen) vestigen.*

reshape ['ri:'ʃeɪp] ●*een nieuwe vorm geven.*

1 reshuffle ['ri:'ʃʌfl] ⟨zn⟩ ↓●*herschikking, herverdeling* ⟨v. posten⟩; – of the Cabinet *herschikking in het kabinet.*

2 reshuffle ⟨ww⟩ ●↓ *herschikken* ⟨regering⟩, *opnieuw verdelen* ⟨posten⟩.

reside [rɪ'zaɪd] ●*wonen, zetelen* ●(+in) *berusten (bij).*

residence ['rezɪdəns] ●*verblijf(plaats), woonplaats;* take up – in *zich vestigen in* ● *(voorname) woning,* ⟨fig.⟩ *zetel.*

1 resident ['rezɪdənt] ⟨zn⟩ ●*ingezetene, (vaste) inwoner.*

2 resident ⟨bn⟩ ●*woonachtig, inwonend, intern* ●*vast* ⟨v. inwoner⟩. **residential**

['rezɪ'denʃl] ●woon-, v.e. woonwijk; – area/district (deftige/betere) woonwijk; – hotel familiehotel ●verblijf(s)-.

residual [rɪ'zɪdʒʊəl] ●achterblijvend, rest-.

residue ['rezɪdju:] ●residu, overblijfsel, rest(ant).

resign [rɪ'zaɪn] I ⟨onov ww⟩ ●aftreden, ontslag nemen; – from the chairmanship aftreden als voorzitter II ⟨ov ww⟩ ●berusten in; – o.s. to sth. zich bij iets neerleggen ● afstaan, afstand doen v. ⟨recht, eis, eigendom⟩ ●neerleggen ⟨ambt⟩. resignation ['rezɪg'neɪʃn] ●ontslag(brief), aftreding; hand in one's – zijn ontslag indienen ●afstand ●berusting, gelatenheid. resigned [rɪ'zaɪnd] ●gelaten, berustend.

resilience [rɪ'zɪlɪəns] ●veerkracht ⟨ook fig.⟩, herstellingsvermogen. resilient [rɪ'zɪlɪənt] ●veerkrachtig ⟨ook fig.⟩, onverwoestbaar.

resin ['rezɪn] ●(kunst)hars. resinous ['rezɪnəs] ●harsachtig, harshoudend.

resist [rɪ'zɪst] ●weerstaan, weerstand bieden (aan), tegenhouden, bestand zijn tegen ⟨hitte, vocht⟩ ●zich verzetten (tegen) ●⟨vnl. met ontkenning⟩ nalaten; I cannot – a joke ik kan het niet nalaten een grapje te maken. resistance [rɪ'zɪstəns] ●weerstand ⟨ook elek.⟩, tegenstand, verzet ● weerstandsvermogen. re'sistance fighter ●verzetsstrijder. resistant [rɪ'zɪstənt] ● weerstand biedend, resistent, bestand; – to DDT immuun voor DDT; heat– hittebestendig. resistor [rɪ'zɪstə] ⟨elek.⟩ ●weerstand.

resolute ['rezəlu:t] ●resoluut, vastberaden.

resolution ['rezə'lu:ʃn] I ⟨telb zn⟩ ●resolutie, motie, voorstel ●besluit, voornemen; good –s goede voornemens II ⟨n-telb zn⟩ ●oplossing ●vastberadenheid, beslistheid.

resolvable [rɪ'zɒlvəbl] ●oplosbaar.

1 resolve [rɪ'zɒlv] I ⟨telb zn⟩ ●besluit, beslissing II ⟨n-telb zn⟩ ●vastberadenheid, beslistheid.

2 resolve I ⟨onov ww⟩ ●besluiten; they –d (up)on doing sth. zij besloten iets te doen ●zich oplossen, uiteenvallen II ⟨ov ww⟩ ● besluiten ●oplossen, een oplossing vinden voor ●ontbinden, (doen) oplossen. resolved [rɪ'zɒlvd] ●vastbesloten, beslist.

resonance ['rezənəns] ●resonantie, weerklank. resonant ['rezənənt] ●resonerend, weerklinkend ●vol, diep ⟨v. stem⟩.

resort [rɪ'zɔ:t] ●hulpmiddel, redmiddel, toevlucht; in the last –, as a last – in laatste instantie, in geval v. nood ●druk bezochte plaats, (vakantie)oord.

re'sort to ●zijn toevlucht nemen tot ●zich (dikwijls) begeven naar, vaak bezoeken.

resound [rɪ'zaʊnd] ●weerklinken ⟨ook fig.⟩; the streets –ed with cheering de straten weergalmden v.h. gejuich. resounding [rɪ'zaʊndɪŋ] ●(weer)klinkend ●zeer groot, onmiskenbaar.

resource [rɪ'zɔ:s, -'sɔ:s] I ⟨telb zn⟩ ●hulpbron, redmiddel; left to one's own –s aan zijn lot overgelaten ●toevlucht, uitweg; as a last – als laatste uitweg II ⟨n-telb zn⟩ ● vindingrijkheid; he is full of –/a man of – hij is (zeer) vindingrijk III ⟨mv.⟩ ●rijkdommen, (geld)middelen; natural –s natuurlijke rijkdommen. resourceful [rɪ'zɔ:sfl, -'sɔ:s-] ●vindingrijk.

1 respect [rɪ'spekt] I ⟨telb zn⟩ ●opzicht; in many –s in vele opzichten; in some – in zeker opzicht, enigermate II ⟨n-telb zn⟩ ●betrekking; with – to met betrekking tot, wat betreft; in – of met betrekking tot, wat betreft ●eerbied, achting, ontzag; have/ show – for s.o. eerbied hebben voor iem.; with – als u mij toestaat ‖ without – to ongeacht III ⟨mv.⟩ ●groeten; give her my –s doe haar de groeten; pay one's –s to s.o. bij iem. zijn opwachting maken.

2 respect ⟨ww⟩ ●respecteren, eerbiedigen, (hoog)achten.

respectability [rɪ'spektə'bɪləti] ●fatsoen, achtenswaardigheid, fatsoenlijkheid. respectable [rɪ'spektəbl] ●achtenswaardig ●respectabel, (tamelijk) groot, behoorlijk ●fatsoenlijk ⟨ook iron.⟩, presentabel. respectful [rɪ'spek(t)fl] ●eerbiedig. respecting [rɪ'spektɪŋ] ●betreffende, met betrekking tot. respective [rɪ'spektɪv] ●respectief. respectively [rɪ'spektɪvli] ●respectievelijk.

respiration ['respɪ'reɪʃn] ●ademhaling. respirator ['respɪreɪtə] ●ademhalingstoestel. respiratory ['resprətri, rɪ'spɪ-] ●ademhalings-.

respite ['respɪt, -paɪt] ●respijt, uitstel; work without – zonder onderbreking werken.

resplendent [rɪ'splendənt] ●schitterend, prachtig.

respond [rɪ'spɒnd] ●antwoorden ●(+to) reageren (op), gehoor geven (aan). respondent [rɪ'spɒndənt] ●(jur.) gedaagde ⟨in beroep of echtscheidingsproces⟩.

response [rɪ'spɒns] ●antwoord, tegenzet ● reactie, weerklank, respons.

responsibility [rɪ'spɒnsə'bɪləti] ●verantwoordelijkheid, aansprakelijkheid; assume – for sth. de verantwoordelijkheid voor iets op zich nemen. responsible [rɪ'spɒnsəbl] I ⟨bn, attr en pred⟩ ●verant-

woordelijk, belangrijk ⟨v. baan⟩ **II** ⟨bn, pred⟩ ●⟨+for⟩ *verantwoordelijk (voor), aansprakelijk;* be – to *verantwoording verschuldigd zijn aan.*

responsive [rɪ'spɒnsɪv] ●⟨+to⟩ *ontvankelijk (voor), gevoelig (voor), reagerend (op).*

1 rest [rest] **I** ⟨telb zn⟩ ●*steun* ●⟨muz.⟩ *rust- (teken)* **II** ⟨telb en n-telb zn⟩ ●*rust* ⟨ook muz.⟩, *slaap, pauze;* come to – *tot stilstand komen;* give it a – *hou er even mee op;* lay to – *te ruste leggen; sussen, doen bedaren;* set at – *uit de weg ruimen, wegnemen* ⟨vrees, twijfels⟩; set s.o.'s mind at – *iem. geruststellen* **III** ⟨zn; the⟩ ●*de rest, het overige, de overigen;* for the – *overigens.*

2 rest I ⟨onov ww⟩ ●*rusten, slapen, pauzeren;* there the matter –s *daar blijft het bij;* I feel completely –ed *ik voel me helemaal uitgerust* ●*blijven* ⟨in een bep. toestand⟩; – assured *wees gerust, wees ervan verzekerd;* zie REST (UP)ON, REST WITH **II** ⟨ov ww⟩ ●*laten (uit)rusten* ●*doen rusten, leunen, steunen.*

restate ['riː'steɪt] ●*herformuleren.*

restaurant ['restrɔ, -rɒnt] ●*restaurant.* '**restaurant car** ⟨BE⟩ ●*restauratiewagen.*

'**rest cure** ●*rustkuur.* **restful** ['restfl] ●*rustig, kalm* ●*rustgevend.* '**rest home** ●*rusthuis.* '**resting place** ●*rustplaats* ⟨ook fig.⟩, *graf.*

restitution ['restɪ'tjuː:ʃn] ●*restitutie, teruggave, schadeloosstelling.*

restive ['restɪv] ●*weerspannig, onhandelbaar, koppig* ●*ongedurig, onrustig.*

restless ['restləs] ●*rusteloos, onrustig.*

restock ['riː'stɒk] ●*(de voorraad) aanvullen.*

restoration ['restə'reɪʃn] ●*restauratie(werk)* ●*herstel, herinvoering* ●*teruggave.* **restorative** [rɪ'stɔ:rətɪv] ●⟨bn⟩ *versterkend, herstellend* ●⟨zn⟩ *versterkend middel.*

restore [rɪ'stɔ:] ●*teruggeven, terugbrengen* ●*restaureren* ●*in ere herstellen* ●*genezen* ●*herstellen, weer invoeren.* **restorer** [rɪ'stɔ:rə] ●*restaurateur* ⟨v. beschadigde kunstwerken⟩.

restrain [rɪ'streɪn] ●*tegenhouden, weerhouden;* – from *weerhouden v.* ●*beteugelen, beperken.* **restrained** [rɪ'streɪnd] ●*beheerst, kalm, ingetogen.* **restraint** [rɪ'streɪnt] ●*terughoudendheid, zelfbeheersing* ●*beteugeling, bedwang;* without – *vrijelijk* ●*beperking, belemmering.*

restrict [rɪ'strɪkt] ●*beperken, begrenzen, aan banden leggen;* – to *beperken tot.* **restricted** [rɪ'strɪktɪd] ●*beperkt, begrensd* ●*vertrouwelijk* ⟨v. informatie⟩. **restriction** [rɪ'strɪkʃn] ●*beperking, restrictie, voorbehoud.* **restrictive** [rɪ'strɪktɪv] ●*beperkend.*

'**rest room** ⟨AE⟩ ●*toilet* ⟨in restaurant enz.⟩. '**rest (up)on** ●*(be)rusten op, steunen op.* '**rest with** ●*berusten bij.*

1 result [rɪ'zʌlt] ⟨zn⟩ ●*resultaat, uitkomst, uitslag* ●*gevolg, effect;* as a – *dientengevolge;* as a – of *ten gevolge v..*

2 result ⟨ww⟩ ●*volgen, het gevolg zijn;* – from *voortvloeien uit* ●*aflopen, uitpakken;* – in *tot gevolg hebben.*

resultant [rɪ'zʌltənt] ●*resulterend, eruit voortvloeiend.*

resume [rɪ'zjuː:m] ●*opnieuw beginnen, hervatten, hernemen* ●*terugkrijgen* ●*voortzetten, vervolgen.*

résumé ['rez(j)ʊmeɪ, 'reɪ-] ●*resumé, (korte) samenvatting* ●⟨vnl. AE⟩ *curriculum vitae.*

resumption [rɪ'zʌmpʃn] ●*hervatting, voortzetting.*

resurg|ent [rɪ'sə:dʒnt] ⟨zn: -ence⟩ ●*weer oplevend, herrijzend.*

resurrect [rezə'rekt] ●*(doen) herleven* ●*weer voor de dag halen.* **resurrection** ['rezə'rekʃn] **I** ⟨eig.n.; R-; the⟩ ⟨rel.⟩ ●*de Verrijzenis, de Opstanding* **II** ⟨zn⟩ ●*herleving, opleving.*

resuscit|ate [rɪ'sʌsɪteɪt] ⟨zn: -ation⟩ ●*weer bijbrengen, reanimeren.*

1 retail ['riː:teɪl] ⟨zn⟩ ●*kleinhandel, detailhandel.*

2 retail ⟨bn⟩ ●*kleinhandels-;* – prices *kleinhandelsprijzen;* – trade *de kleinhandel.*

3 retail ['riː:teɪl] **I** ⟨onov ww⟩ ●*in het klein verkocht worden;* – at fifty cents *in de winkel voor vijftig cent te koop zijn* **II** ⟨ov ww⟩ ●*in het klein verkopen* ●[rɪ'teɪl] *omstandig vertellen;* – gossip *roddelpraatjes rondstrooien.*

4 retail ⟨bw⟩ ●*via de detailhandel.* **retailer** ['riː:teɪlə] ●*detailhandelaar, winkelier.* '**retail store** ●*winkel, detailhandel.*

retain [rɪ'teɪn] ●*vasthouden, binnenhouden;* a –ing wall *steunmuur* ●*(in dienst) nemen* ⟨ihb. een advocaat⟩ ●*houden, bewaren.*

retainer [rɪ'teɪnə] ●*voorschot* ⟨op het honorarium⟩ ●*volgeling, bediende.*

1 retake ['riː:teɪk] ⟨zn⟩ ●*herhaalde opname* ⟨film⟩.

2 retake ['riː:'teɪk] ⟨ww⟩ ●*opnieuw (gevangen)nemen, heroveren* ●*opnieuw filmen.*

retali|ate [rɪ'tælɪeɪt] ⟨zn: -ation⟩ ●*wraak nemen, terugslaan.*

retaliatory [rɪ'tælɪətrɪ] ●*vergeldings-, wraak-.*

retard [rɪ'tɑ:d] ●*ophouden, tegenhouden, vertragen.* **retardation** ['riː:tɑ:'deɪʃn] ●*vertraging, uitstel.* **retarded** [rɪ'tɑ:dɪd] ●*ach-*

tergebleven, achterlijk, geestelijk gehandicapt.

retch [retʃ] ● *kokhalzen.*

retell ['ri:'tel] ● *navertellen.*

retention [rɪ'tenʃn] ● *het vasthouden* ● *handhaving, behoud* ● *geheugen, het onthouden.* **retentive** [rɪ'tentɪv] ● *sterk* ⟨v. geheugen⟩, *goed.*

rethink ['ri:'θɪŋk] ● *heroverwegen, opnieuw bezien.*

reticence ['retɪsns] ● *terughoudendheid* ● *zwijgzaamheid, geslotenheid.* **reticent** ['retɪsnt] ● *terughoudend* ● *zwijgzaam, gesloten.*

retina ['retɪnə] ⟨mv.: ook retinae [-ni:]⟩ ● *netvlies.*

retinue ['retɪnju:] ● *gevolg, stoet.*

retire [rɪ'taɪə] I ⟨onov ww⟩ ● *zich terugtrekken* ⟨ook mil.⟩, ↑ *zich ter ruste begeven;* – *for the night/to bed zich te bed begeven* ● *met pensioen gaan;* – *from the navy de marine verlaten* ‖ – *into o.s. in gedachten verzinken* II ⟨ov ww⟩ ● *terugtrekken* ⟨ook mil.⟩, *intrekken* ● *op pensioen stellen.* **retired** [rɪ'taɪəd] ● *gepensioneerd, rentenierend.* **retirement** [rɪ'taɪəmənt] ● *pensionering;* go into – *stil gaan leven* ● *pensioen.* **re'tirement pension** ● *pensioen.*

retiring [rɪ'taɪərɪŋ] ● *teruggetrokken, niet opdringerig* ● *pensioen-;* – *age de pensioengerechtigde leeftijd.*

1 retort [rɪ'tɔ:t] ⟨zn⟩ ● *retort, destilleerkolf* ● *weerwoord, repliek, antwoord.*

2 retort ⟨ww⟩ ● *(vinnig) antwoorden,* ⟨fig.⟩ *de bal terugkaatsen;* I –ed *the argument against him ik gebruikte hetzelfde argument tegen hem.*

retouch ['ri:'tʌtʃ] ● *retoucheren.*

retrace [rɪ'treɪs, 'ri:-] ● *nagaan* ‖ – *one's steps/way op zijn schreden terugkeren.*

retract [rɪ'trækt] I ⟨onov ww⟩ ● *ingetrokken (kunnen) worden* ⟨v. klauwen enz.⟩ II ⟨onov en ov ww⟩ ● *intrekken* ⟨ook fig.⟩, *herroepen.* **retractable** [rɪ'træktəbl] ● *intrekbaar, optrekbaar.* **retraction** [rɪ'trækʃn] ● *intrekking, herroeping.*

retread ['ri:'tred] ● *band met nieuw loopvlak, coverband.*

1 retreat [rɪ'tri:t] I ⟨telb zn⟩ ● *toevluchtsoord, schuilplaats* II ⟨telb en n-telb zn⟩ ● ⟨mil.⟩ *terugtocht, aftocht;* beat a (hasty) – *zich (snel) terugtrekken;* ⟨fig.⟩ *(snel) de aftocht blazen* ● *retraite* III ⟨n-telb zn⟩ ● *afzondering.*

2 retreat ⟨ww⟩ ● *zich terugtrekken* ⟨ook mil.; ook fig.⟩, *terugwijken.*

retrench [rɪ'trentʃ] ⟨zn: -ment⟩ I ⟨onov ww⟩ ● *bezuinigen* II ⟨ov ww⟩ ● *besnoeien, inkrimpen.*

retribution ['retrɪ'bju:ʃn] ● *vergelding, straf.* **retributive** [rɪ'trɪbjʊtɪv] ● *vergeldend, vergeldings-.*

retrieval [rɪ'tri:vl] ● *het terugvinden* ● *het herstellen* ● ⟨comp.⟩ *het ophalen* ⟨gegevens uit bestanden⟩ ‖ beyond/past – *onherstelbaar.* **re'trieval system** ⟨comp.⟩ ● *retrieval systeem.*

retrieve ● *terugvinden, terugkrijgen* ● *herstellen* ● ⟨comp.⟩ *ophalen* ⟨gegevens uit bestanden⟩. **retriever** [rɪ'tri:və] ● *retriever* ⟨soort jachthond⟩.

retroactive ['retroʊ'æktɪv] ● *(met) terugwerkend(e kracht).*

retrograde ['retrəgreɪd] ● *teruggaand, achterwaarts.*

retrogress ['retrə'gres] ● *achteruitgaan.* **retrogressive** ['retrə'gresɪv] ● *teruggaand, achteruitgaand.*

retrospect ['retrəspekt] ● *terugblik;* in – *achteraf gezien.* **retrospective** ['retrə'spektɪv] ● *retrospectief, terugblikkend* ● *met terugwerkende kracht.*

retrovirus ['retroʊ'vaɪərəs] ⟨med.⟩ ● *retrovirus.*

1 return [rɪ'tə:n] ⟨zn⟩ ● *terugkeer, terugkomst, terugreis;* the point of no – *punt waarna er geen weg terug is* ● ↓ *retourtje* ● *teruggave* ⟨ook mbt. belasting⟩, *terugzending* ● *antwoord* ● ⟨vaak mv.⟩ *opbrengst, winst, rendement* ● *aangifte, officieel rapport* ● ⟨vnl. BE⟩ *verkiezing, afvaardiging* ● ⟨sport⟩ *terugslag, het terugslaan* ● ⟨sport⟩ *return(wedstrijd)* ‖ by – (of post) *per omgaande, per kerende post;* in – *for in ruil voor.*

2 return I ⟨bn, attr en pred⟩ ⟨BE⟩ ● *retour-;* – fare *geld voor de terugreis;* – ticket *retour(tje)* II ⟨bn, attr⟩ ● *tegen-, terug-;* a – game/ match *een return(wedstrijd).*

3 return I ⟨onov ww⟩ ● *terugkeren, terugkomen, teruggaan;* – to *terugkeren op/naar; vervallen in* II ⟨onov en ov ww⟩ ● *antwoorden* III ⟨ov ww⟩ ● *terugbrengen, teruggeven;* – thanks *danken; dankzeggen na de maaltijd* ● *opleveren, opbrengen* ● *beantwoorden, terugbetalen* ● ⟨sport⟩ *teruggooien, terugslaan* ● *opgeven, verklaren;* ⟨jur.⟩ – a verdict *een uitspraak doen* ● *verkiezen, afvaardigen.*

returnable [rɪ'tə:nəbl] ● *te retourneren, terug te betalen/geven, met statiegeld.*

re'turning officer ⟨BE⟩ ● ⟨ongeveer⟩ *verkiezingsambtenaar, voorzitter v.h. stembureau.*

reunion ['ri:'ju:nɪən] ● *reünie, hereniging.* **reunite** ['ri:ju:'naɪt] ● *(zich) herenigen.*

reusable ['riː'juːzəbl] ● *geschikt om opnieuw te gebruiken.* **reuse** ['riː'juːz] ● *opnieuw/ weer gebruiken.*

1 rev [rev] ⟨zn⟩ ⟨verk.⟩ revolution↓ ● *omwenteling, toer* ⟨v. motor⟩.

2 rev ⟨ww⟩ ↓ ● ⟨ook +up⟩ *sneller doen/gaan lopen* ⟨(v.) motor⟩, *het toerental opvoeren.*

revalu|e ['riː'væljuː] ⟨zn: **-ation**⟩ ● *revalueren, herwaarderen, opwaarderen.*

reveal [rɪ'viːl] ● *openbaren* ● *onthullen, bekend maken.* **revealing** [rɪ'viːlɪŋ] ● *onthullend, veelzeggend;* a – *dress een blote jurk.*

revel ['revl] ● *pret maken;* – *in erg genieten v., zich te buiten gaan aan.*

revelation ['revə'leɪʃn] ● *bekendmaking, openbaring, onthulling.*

reveller ['revlə] ● *pretmaker.* **revelry** ['revlrɪ] ⟨ook mv. met enk. bet.⟩ ● *pret(makerij), uitgelatenheid.*

1 revenge [rɪ'vendʒ] ⟨zn⟩ ● *wraak;* have one's – on s.o. for sth., take – on s.o. for sth. *wraak nemen/zich wreken op iem. vanwege iets;* in/out of – for *uit wraak voor* ● ⟨sport, spel⟩ *revanche* ‖ ⟨sprw.⟩ revenge is sweet *wraak is zoet.*

2 revenge ⟨ww⟩ ● *wreken, wraak nemen;* – o.s. on s.o. *zich wreken op iem..* **revengeful** [rɪ'vendʒfl] ● *wraakzuchtig.*

revenue ['revɪnjuː] ● ⟨soms mv. met enk. bet.⟩ *inkomsten,* ⟨ihb.⟩ *rijksmiddelen* ● *fiscus, rijksbelastingdienst.*

reverber|ate [rɪ'vəːbəreɪt] ⟨zn: **-ation**⟩ ● *weerkaatsen* ⟨geluid, licht, hitte⟩, *terugkaatsen, weerklinken;* – over/upon *terugwerken op.*

revere [rɪ'vɪə] ● *(ver)eren, respecteren.* **reverence** ['revrəns] ● *respect, (diepe) eerbied;* hold s.o./sth. in – *eerbied koesteren voor iem./iets.*

reverend ['revrənd] ● ⟨bn⟩ *eerwaardig* ● ⟨bn⟩ ⟨R-⟩ *Eerwaarde;* the Reverend Father Brown *(de) Eerwaarde Heer Brown* ● ⟨zn⟩↓ *geestelijke, predikant.* **reverent** ['revrənt] ● *eerbiedig.* **reverential** ['revə'renʃl] ● *eerbiedig.*

reverie ['revərɪ] ● *(dag)dromerij.*

reversal [rɪ'vəːsl] ● *omkering, om(me)keer.*

1 reverse [rɪ'vəːs] I ⟨telb zn⟩ ● *tegenslag, nederlaag* II ⟨telb en n-telb zn⟩ ● *keerzijde* ⟨ihb. v. munten; ook fig.⟩, *achterkant* ● *achteruit* ⟨v. auto⟩; put a car into – *een auto in zijn achteruit zetten* III ⟨zn⟩ ● *tegendeel, omgekeerde, tegengestelde* ‖ in – *omgekeerd, in omgekeerde volgorde.*

2 reverse ⟨bn⟩ ● *tegen(over)gesteld, omgekeerd;* – gear *achteruit* ⟨v. auto⟩; ⟨AE⟩ –

racism *positieve discriminatie.*

3 reverse I ⟨onov ww⟩ ● *achteruitrijden* ⟨v. auto⟩ II ⟨ov ww⟩ ● *(om)keren, omdraaien, omschakelen,* ⟨ihb.⟩ *achteruitrijden* ⟨auto⟩ ● *herroepen, intrekken,* ⟨ihb. jur.⟩ *herzien;* ⟨jur.⟩ – a sentence *een vonnis vernietigen.*

reversible [rɪ'vəːsəbl] ● *omkeerbaar, aan twee kanten draagbaar* ⟨v. kleding⟩.

reversion [rɪ'vəːʃn] ● *terugkeer;* – to old habits *het terugvallen in oude gewoonten.*

revert [rɪ'vəːt] ● ⟨+to⟩ *terugkeren (tot), terugvallen (in)* ● ⟨+to⟩ *terugkomen (op)* ⟨eerder onderwerp v. gesprek⟩ ● ⟨jur.⟩ *terugkeren* ⟨v. bezit aan eigenaar⟩.

1 review [rɪ'vjuː] ⟨zn⟩ ● *terugblik, overzicht;* come under – *opnieuw bekeken gaan worden* ● ⟨mil.⟩ *parade, inspectie;* pass in – de revue (laten) passeren ⟨ook fig.⟩ ● *recensie, (boek)bespreking* ● *tijdschrift.*

2 review ⟨ww⟩ ● *opnieuw bekijken* ● *terugblikken op, overzien* ● ⟨mil.⟩ *inspecteren* ● *recenseren, bespreken* ● ⟨AE⟩ *repeteren* ⟨les⟩, *herhalen.* **re'view copy** ● *recensie-exemplaar.* **reviewer** [rɪ'vjuːə] ● *recensent.*

revile [rɪ'vaɪl] ● *(uit)schelden, (be)schimpen.*

revise ● *herzien, verbeteren;* – one's opinions of s.o. *zijn mening over iem. herzien* ● ⟨BE⟩ *repeteren* ⟨les⟩, *herhalen, studeren* ⟨voor tentamen⟩. **revision** [rɪ'vɪʒn] ● *revisie, herziening* ● *herziene uitgave* ● ⟨BE⟩ *herhaling* ⟨v. les⟩, *het studeren* ⟨voor tentamen⟩.

revitalize [rɪ'vaɪtlaɪz] ● *nieuw leven geven.*

revival [rɪ'vaɪvl] I ⟨telb zn⟩ ● *reprise* ⟨v. toneelstuk⟩, *heropvoering* ● ⟨rel.⟩ *revival, reveil* II ⟨telb en n-telb zn; meestal +of⟩ ● *(her)opleving, hernieuwde belangstelling.* **revive** [rɪ'vaɪv] I ⟨onov ww⟩ ● *herleven, bijkomen, weer tot leven komen* ● *weer in gebruik/de mode komen* II ⟨ov ww⟩ ● *doen herleven, vernieuwen, weer tot leven brengen* ● *opnieuw invoeren, weer opvoeren.*

revocation ['revə'keɪʃn] ● *herroeping.* **revoke** ● *herroepen, intrekken.*

1 revolt [rɪ'vəʊlt] I ⟨telb en n-telb zn⟩ ● *opstand, oproer;* break out in – *in opstand komen;* stir people to – *mensen opruien;* in – *opstandig, oproerig* II ⟨n-telb zn⟩ ● *walging, afkeer, weerzin;* turn away in – (from sth./s.o.) *zich vol walging (v. iets/iem.) afwenden.*

2 revolt I ⟨onov ww⟩ ● ⟨+against⟩ *in opstand komen (tegen)* ‖ – at/against/from *walgen v.* II ⟨ov ww⟩ ● *doen walgen;* be –ed by sth. *v. iets walgen.* **revolting**

[rɪˈvoʊltɪŋ] ●*opstandig* ● *walg(e)lijk, weerzinwekkend.*

revolution [ˌrevəˈluːʃn] I ⟨telb zn⟩ ●*(om) wenteling, toer* II ⟨telb en n-telb zn⟩ ●*revolutie* ●*ommekeer.* **revolutionary** [ˌrevəˈluːʃənri] ●⟨bn⟩ *revolutionair* ●⟨zn⟩ *revolutionair.* **revolutionize** [ˌrevəˈluːʃənaɪz] ●*radicaal veranderen.*

revolve [rɪˈvɒlv] ●*(rond)draaien.*

revolver [rɪˈvɒlvə] ●*revolver.*

revolving [rɪˈvɒlvɪŋ] ●*draaiend, draai-; –* door *draaideur.*

revue [rɪˈvjuː] ●*revue.*

revulsion [rɪˈvʌlʃn] ●*walging, afkeer.*

1 reward [rɪˈwɔːd] ⟨zn⟩ ●*beloning.*

2 reward ⟨ww⟩ ●*belonen.* **rewarding** [rɪˈwɔːdɪŋ] ●*lonend, de moeite waard, dankbaar* ⟨v. werk⟩.

rewind [ˈriːˈwaɪnd] ●*terugspoelen* ⟨film, geluidsband⟩.

reword [ˈriːˈwəːd] ●*in andere bewoordingen uitdrukken.*

1 rewrite [ˈriːˈraɪt] ⟨zn⟩ ●*omwerking, bewerking* ●*bewerkt boek/artikel.*

2 rewrite [ˈriːˈraɪt] ⟨ww⟩ ●*omwerken, bewerken, herschrijven.*

rhapsody [ˈræpsədi] ●*rapsodie.*

rhetoric [ˈretərɪk] ●*retoriek, retorica* ●*welsprekendheid,* ⟨ihb. ong.⟩ *bombast.* **rhetorical** [rɪˈtɒrɪkl] ●*retorisch* ‖ *– question retorische vraag.*

1 rheumatic [ruːˈmætɪk] I ⟨telb zn⟩ ●*reumapatiënt* II ⟨mv.⟩ ↓ ●*reumatiek.*

2 rheumatic ⟨bn⟩ ●*reumatisch; – fever acuut reuma.* **rheumatism** [ˈruːmətɪzm] ●*reuma(tiek).* **rheumatoid** [ˈruːmətɔɪd] ‖ *– arthritis gewrichtsreuma(tiek).*

Rhine [raɪn] ⟨the⟩ ●*Rijn.*

rhino [ˈraɪnoʊ] ⟨verk.⟩ rhinoceros. **rhinoceros** [raɪˈnɒsrəs] ●*neushoorn.*

rhododendron [ˌroʊdəˈdendrən] ●*rododendron.*

rhubarb [ˈruːbɑːb] ●*rabarber.*

1 rhyme, rime [raɪm] ⟨zn⟩ ●*rijm(woord)* ● *(berijmd) gedicht, vers* ‖ *without – or reason zonder enige betekenis.*

2 rhyme, rime I ⟨onov ww⟩ ●*rijmen* II ⟨ov ww⟩ ●*laten rijmen.* **rhyming** [ˈraɪmɪŋ] ● *rijmend, op rijm.*

rhythm [ˈrɪðm] ●*ritme* ⟨ook fig.⟩, *maat.* **rhythmic(al)** [ˈrɪðmɪk(l)] ●*ritmisch, regelmatig.*

1 rib [rɪb] ⟨zn⟩ ●*rib* ●*balein* ⟨v. paraplu⟩ ● *ribstuk* ●*ribbelpatroon* (in breiwerk).

2 rib ⟨ww⟩ ●↓ *plagen, voor de gek houden.*

ribald [ˈrɪbld] ●*grof, schunnig.*

ribbed [ˈrɪbd] ●*gerib(bel)d, ribbelig.*

ribbon [ˈrɪbən] ●*lint(je), onderscheiding,*

schrijfmachinelint ‖ *cut to –s in de pan hakken.*

'rib cage ●*ribbenkast.*

rice [raɪs] ●*rijst.* **'rice paper** ●*rijstpapier.* **'rice 'pudding** ●*rijstebrij, rijstpudding.*

rich [rɪtʃ] (-ness) ●*rijk; – in rijk aan; the – de rijken* ●*kostbaar* ●*overvloedig* ●*vruchtbaar* ●*machtig* ⟨v. voedsel⟩ ●*vol* ⟨v. klank⟩, *warm* ⟨v. kleur⟩ ●⟨↓; vaak iron.⟩ *kostelijk* ⟨v. grap⟩ ‖ *strike it – fortuin maken.* **riches** [ˈrɪtʃɪz] ●*rijkdom* ●*kostbaarheden, weelde.* **richly** [ˈrɪtʃli] ●*zie* RICH ● *volledig, dubbel en dwars; – deserve volkomen verdienen.*

1 rick [rɪk] ⟨zn⟩ ●*(hooi)hoop, (hooi)mijt.*

2 rick ⟨ww⟩ ●⟨vnl. BE⟩ *verdraaien, verstuiken.*

rickets [ˈrɪkɪts] ⟨med.⟩ ●*Engelse ziekte, rachitis.* **rickety** [ˈrɪkəti] ●*gammel, wankel.*

1 ricochet [ˈrɪkəʃeɪ] ⟨zn⟩ ●*ricochetschot; hit by a – getroffen door een verdwaalde kogel.*

2 ricochet ⟨ww⟩ ●*ricocheren, afketsen.*

rid [rɪd] (rid, rid) ●*bevrijden, ontdoen van; be well – of s.o. goed v. iem. af zijn; – s.o. of s.o./sth. iem. v. iem./iets afhelpen; get – of kwijt raken, v.d. hand doen.* **riddance** [ˈrɪdns] ↓ ‖ *zie ook* ⟨sprw.⟩ GOOD.

ridden [ˈrɪdn] ⟨volt. deelw.⟩ zie RIDE.

-ridden [rɪdn] ●*beheerst door;* conscienceridden *gewetensbezwaard* ●*vergeven v.; this place is* vermin-ridden *het wemelt hier v.h. ongedierte.*

1 riddle [ˈrɪdl] ⟨zn⟩ ●*raadsel, mysterie* ● *(grove) zeef.*

2 riddle ⟨ww⟩ ●*zeven* ●*doorzeven;* –d with bullets *met kogels doorzeefd.* **riddled** [ˈrɪdld] ●*vol, bezaaid; – with errors vol fouten.*

1 ride [raɪd] ⟨zn⟩ ●*rit(je), tocht(je); can you give me a – to the station? kan je mij een lift geven tot aan het station?* ●*ruiterpad* ‖ ↓ *take s.o. for a – iem. voor de gek houden.*

2 ride ⟨rode [roʊd], ridden [ˈrɪdn] I ⟨onov ww⟩ ●*rijden, paardrijden* ●⟨scheep.⟩ *rijden, voor anker liggen/rijden; – at anchor voor anker liggen* ●*drijven* ⟨ook fig.⟩, *zich (drijvend) voortbewegen* ‖ *this horse –s well dit paard rijdt goed;* Batman *–s again Batman slaat weer toe; – roughshod over s.o./sth. zich niet storen aan iem./iets; this skirt is always riding up die rok kruipt altijd omhoog* II ⟨ov ww⟩ ●*(be)rijden, rijden met; – a bicycle fietsen* ●*(laten/doen) rijden; – the baby on one's knee de baby op z'n knie laten rijden* ●⟨vnl. pass.⟩ *beheersen;* ridden by fears *door schrik bevangen*

●*drijven op, gedragen worden door* ● ⟨vnl. AE⟩ *jennen, kwellen;* zie RIDE DOWN, RIDE OUT.

'ride 'down ●*inhalen* ⟨te paard⟩ ●*omverrijden.* **'ride 'out** ●*overleven, heelhuids doorkomen;* the ship rode out the storm *het schip doorstond de storm.* **rider** ['raɪdə] ●*(be)rijder, ruiter* ●*aanvullingsakte, amendement.*

1 ridge [rɪdʒ] ⟨zn⟩ ●*(berg)kam, richel* ●*nok* ⟨v. dak⟩ ●*bergketen* ●*ribbel* ●⟨meteo.⟩ *(uitgerekt) hogedrukgebied.*

2 ridge ⟨ww⟩ ●*richels/ribbels vormen in.*

1 ridicule ['rɪdɪkjuːl] ⟨zn⟩ ●*spot, hoon* ‖ hold s.o. up to – *iem. voor schut zetten.*

2 ridicule ⟨ww⟩ ●*ridiculiseren, bespotten.* **ridiculous** [rɪ'dɪkjʊləs] ●*ridicuul, belachelijk.*

'riding boot ●*rijlaars.* **'riding breeches** ●*rijbroek.* **'riding habit** ●*amazone(mantel) pak, ruiterkledij.* **'riding school** ●*ruiterschool, manège.*

rife [raɪf] ●*wijdverbreid, vaak voorkomend* ●⟨+with⟩ *goed voorzien (van), legio.*

riffle ●*(haastig) doorbladeren.* **'riffle 'through** ●*vluchtig doorbladeren.*

riffraff ['rɪfræf] ●*uitschot, schorem.*

1 rifle ['raɪfl] ⟨zn⟩ ●*geweer.*

2 rifle ⟨ww⟩ ●*doorzoeken* ⟨om te plunderen⟩, *leeghalen.*

rifleman ['raɪflmən] ●*karabinier, schutter.* **'rifle range** I ⟨telb zn⟩ ●*schietbaan* II ⟨n-telb zn⟩ ●*schotsafstand;* within ~ *binnen schot(bereik).* **'rifleshot** ●*geweerschot.* **'rifle 'through** ●*doorzoeken* ⟨ihb. om te plunderen⟩, *leeghalen.*

rift [rɪft] ●*spleet, kloof* ●*onenigheid, tweedracht.*

1 rig [rɪg] ⟨zn⟩ ●⟨scheep.⟩ *tuig(age)* ●*uitrusting, (olie)booruitrusting* ●↓ *plunje* ● ⟨AE⟩ *trekker/truck met oplegger.*

2 rig ⟨ww⟩ ●⟨scheep.⟩ *(op)tuigen* ●*uitrusten* ●*knoeien met, sjoemelen met;* the exams were –ged *de examens waren doorgestoken kaart;* zie RIG OUT, RIG UP. **rigging** ['rɪgɪŋ] ●⟨scheep.⟩ *tuig(age).*

1 right [raɪt] I ⟨telb zn⟩ ●*rechterhand, rechtse* ⟨vnl. bij boksen⟩ ●*rechter(hand) schoen* II ⟨telb en n-telb zn⟩ ●*recht;* the – of free speech *het recht op vrije meningsuiting;* – of way ⟨jur.⟩ *recht v. overweg/ overpad;* ⟨verkeer⟩ *voorrang(srecht);* by –s *eigenlijk;* by – of *krachtens, op grond v.;* ⟨as⟩ of – *rechtmatig;* he has a – to the money *hij heeft recht op het geld;* within one's –s *in zijn recht* ‖ zie ook ⟨sprw.⟩ TWO III ⟨n-telb zn⟩ ●*recht, gerechtigheid;* do s.o. – *iem. recht laten wedervaren;* he is in

the – *hij heeft gelijk/heeft het recht aan zijn kant* ●*rechterkant;* keep to the – *rechts houden;* on/to the/your – *aan de/je rechterkant* ●⟨pol.⟩ *rechts, de conservatieven* IV ⟨mv.⟩ ‖ the –s (and wrongs) of the case *de ware toedracht v.d. zaak;* put/set to –s *in orde brengen, rechtzetten.*

2 right I ⟨bn, attr en pred⟩ ●*juist, correct, rechtmatig;* you were – to tell her *je deed er goed aan het haar te vertellen* ●*juist, gepast, recht;* the – man in the – place *de juiste man op de juiste plaats;* on the – side of fifty *nog geen vijftig (jaar oud);* keep on the – side of the law *zich (keurig) aan de wet houden;* ⟨fig.⟩ get on the – side of s.o. *goede maatjes worden met iem.;* ⟨fig.⟩ be on the – track *op het rechte spoor zitten* ●*in orde;* the patiënt doesn't look – *de patient ziet er niet goed uit;* let's get this – *laten we de dingen even op een rijtje zetten;* put/set sth. – *iets in orde brengen* ●*rechts, conservatief* ●⟨sl.⟩ *eerlijk, betrouwbaar;* the – sort *het goede soort (mensen)* ‖ – angle *rechte hoek;* ↓ not (quite) – in the/one's head *niet goed bij zijn hoofd;* not in one's – mind *niet helemaal bij (zijn) zinnen;* Mister Right *de ware Jakob;* ↓ (as) – as rain *helemaal in orde;* put/set s.o. – *iem. terechtwijzen;* all – *(erg) goed, prima;* that's – *dat klopt, ja zeker;* – (you are)!/ ⟨BE⟩ – oh! *komt in orde, doen we* II ⟨bn, attr⟩ ●*rechter-, rechts* ●↓ *waar, echt;* a – *booby een echte sul* ‖ – arm/hand *rechterhand, assistent;* keep on the – side *rechts houden* III ⟨bn, pred⟩ ●*gelijk;* you are – *je hebt gelijk* ●*rechtvaardig;* it seemed only – to tell you this *ik vond dat je dit moest weten* ‖ and quite – so *en maar goed ook.*

3 right ⟨ww⟩ ●⟨vaak wdk ww⟩ *rechtmaken, recht(op)zetten;* the yacht –ed itself *het jacht kwam weer recht te liggen* ●⟨vaak wdk ww⟩ *verbeteren, rechtzetten* ⟨fouten⟩; – a wrong *een onrecht herstellen.*

4 right ⟨bw⟩ ●*naar rechts, aan de rechterzijde;* – and left *aan alle kanten, overal;* –, left and centre *aan alle kanten* ●*juist, vlak;* – ahead *recht/pal vooruit;* – behind you *vlak achter je* ●*onmiddellijk, direct;* I'll be – back *ik ben zó terug* ●*juist, correct;* nothing seems to go – for her *niets wil haar lukken* ●*helemaal, volledig* ●↓ *zeer, heel* ‖ – away *onmiddellijk;* ⟨AE; ↓⟩ – off *onmiddellijk;* ⟨vnl. AE; sl.⟩ – on *zo mogen wij het horen;* –, let's go *o.k., laten we gaan.*

'right-about ‖ ⟨mil.⟩ – face/turn! *rechtsomkeert!;* ⟨do a⟩ – turn *(een) volledige omme-*

zwaai (maken)⟨ook fig.⟩. **'right-angled** ● *rechthoekig.*

righteous ['raɪtʃəs] ● *rechtschapen, rechtvaardig* ● *gerechtvaardigd.*

rightful ['raɪtfl] ● *rechtmatig* ● *rechtvaardig.*

'right-hand ● *rechts; –* man *rechterhand, onmisbare helper.* **'right-hand-'drive** ● *met het stuur aan de rechterkant.* **'right'handed** ● *rechtshandig.* **'right-'hander** ● *rechtshandige.* **rightist** ['raɪtɪst] ⟨soms R-⟩ ⟨pol.⟩ ● ⟨bn⟩ *rechts, reactionair* ● ⟨zn⟩ *rechtse, conservatief.* **rightly** ['raɪtli] ● *terecht; and –* so en terecht ● *rechtvaardig* ● ↓ *met zekerheid, precies.* **'right-'minded** ● *weldenkend.* **'right-'wing** *v.d. rechterzijde, conservatief.* **'right-'winger** ● *lid v.d. rechterzijde, conservatief.*

rigid ['rɪdʒɪd] ⟨zn: **-ity**⟩ ● *onbuigzaam, stijf, strak* ● *star, verstard* ‖ ↓ shake s.o. – *iem. een ongeluk laten schrikken.*

rigmarole ['rɪgməroʊl] ⟨↓; ong.⟩ ● *onzin* ● *rompslomp.*

rigorous ['rɪgərəs] ● *onbuigzaam, streng* ● *nauwgezet, zorgvuldig.* **rigour** ['rɪgə] I ⟨telb zn; vaak mv.⟩ ● *ontbering, ongemak* II ⟨n-telb zn⟩ ● *gestrengheid, strikte toepassing.*

'rig 'out ● *uitrusten* ● ⟨ook wdk ww⟩ *uitdossen.* **'rig 'up** ⟨vnl. ↓⟩ ● *monteren* ● *in elkaar flansen.*

rile [raɪl] ● *op stang jagen, nijdig maken.*

1 rim [rɪm] ⟨zn⟩ ● *rand, velg, montuur* ⟨v. bril⟩.

2 rim ⟨ww⟩ ● *omranden, omringen.* **rimless** ['rɪmləs] ● *randloos; –* specs *een bril zonder montuur.*

rind [raɪnd] ● *schil, korst, zwoerd.*

1 ring [rɪŋ] ⟨zn⟩ ● *ring, kring, piste, arena* ● *groepering, bende* ● *gerinkel, klank,* ↓ *telefoontje;* give s.o. a – *iem. opbellen* ● *bijklank, ondertoon;* her offer has a suspicious – *er zit een luchtje aan haar aanbod* ‖ make/run –s round s.o. *iem. de loef afsteken.*

2 ring ⟨ww⟩ ● *omringen, omcirkelen* ● *ringen* ⟨dieren⟩.

3 ring ⟨rang [ræŋ], rung [rʌŋ]⟩ I ⟨onov ww⟩ ● *rinkelen, klinken, (over)gaan* ⟨v. bel⟩; – true *oprecht/gemeend klinken* ● *bellen;* the old lady rang for a drink *de oude dame belde voor een drankje* ● *tuiten* ⟨v. oren⟩ ● *telefoneren, bellen;* ⟨vnl. BE⟩ – off *ophangen* ⟨telefoon⟩ ● ⟨+with⟩ *weergalmen (van)* ● *naklinken, blijven hangen;* zie RING UP II ⟨ov ww⟩ ● *doen/laten rinkelen, luiden* ● *opbellen;* I'll – you back in a minute *ik bel je dadelijk terug* ‖ ring out the Old and ring in the New *het oude jaar uitluiden en het nieuwe inluiden;* zie RING UP.

'ring binder ● *ringmap, ringband.* **ringer** ['rɪŋə] ● *klokkeluider.* **'ring finger** ● *ringvinger.* **'ringleader** ● *leider* ⟨v. groep oproerkraaiers⟩. **ringlet** ['rɪŋlɪt] ● *lange krul.* **'ringmaster** ● *circusdirecteur.* **'ring road** ⟨BE⟩ ● *ring(weg), randweg.* **'ringside** ⟨vaak attr⟩ ● *plaatsen dicht bij de ring; –* seat *plaats op de eerste rij* ⟨ook fig.⟩. **'ring 'up** I ⟨onov en ov ww⟩ ⟨vnl. BE⟩ ● *opbellen* II ⟨ov ww⟩ ● *aanslaan* ⟨mbt. kassa⟩.

rink [rɪŋk] ● *(kunst)ijsbaan* ● *rolschaatsbaan.*

1 rinse [rɪns] ⟨zn⟩ ● *spoeling* ● *kleurspoeling* ⟨voor haar⟩.

2 rinse ⟨ww⟩ ● *spoelen; –* down one's food *zijn eten doorspoelen* ● *een kleurspoeling geven aan.*

1 riot ['raɪət] ⟨zn⟩ ● *rel, ordeverstoring, ongeregeldheid* ● ↓ *succes;* her latest show is a – *haar nieuwste show is een denderend succes* ‖ a – of colour *een bonte kleurenpracht;* run – *relletjes trappen, op hol slaan; woekeren* ⟨v. planten⟩.

2 riot ⟨ww⟩ ● *relletjes trappen.*

'Riot Act ⟨BE⟩ ‖ read the – ⟨scherts.⟩ *een fikse uitbrander geven.*

rioter ['raɪətə] ● *relschopper.* **riotous** ['raɪətəs] ● *oproerig, wanordelijk* ● *luidruchtig, uitgelaten.* **'riot police** ● *oproerpolitie, ME.*

1 rip [rɪp] ⟨zn⟩ ● *(lange) scheur, snede.*

2 rip I ⟨onov ww⟩ ● *scheuren, splijten* ‖ ↓ let it/her – *plankgas geven* II ⟨ov ww⟩ ● *openrijten, los/af/wegscheuren;* the bag had been –ped open *de zak was opengereten; –* up *aan stukken scheuren* ‖ – off *afzetten;* ⟨AE⟩ *stelen.*

'ripcord ● *trekkoord* ⟨v. parachute⟩.

ripe [raɪp] ● *rijp, belegen* ⟨v. kaas, wijn⟩; the time is – for action *de tijd is rijp voor actie* ● ⟨↓; euf.⟩ *op het kantje af, plat.* **ripen** ['raɪpən], **ripe** ● *rijpen.*

'rip-off ⟨sl.⟩ ● *te duur artikel, afzetterij* ● ⟨AE⟩ *diefstal.*

1 ripple ['rɪpl] ⟨zn⟩ ● *rimpeling, golfje(s), deining* ● *gekabbel, geruis;* a – of laughter *een kabbelend gelach.*

2 ripple I ⟨onov ww⟩ ● *kabbelen, ruisen* II ⟨onov en ov ww⟩ ● *rimpelen, (doen) golven/deinen.*

'rip-roaring ↓ ● *lawaaierig, totaal uitgelaten.*

riptide ['rɪptaɪd] ● *getijdestroom.*

1 rise [raɪz] I ⟨telb zn⟩ ● *helling, verhoging, hoogte* ● *stijging* ⟨ook fig.⟩, *verhoging,* ⟨BE⟩ *loonsverhoging* ‖ get/take a – out of s.o. *iem. op de kast jagen* II ⟨n-telb zn⟩ ● *het rijzen* ● *opgang, opkomst* ⟨v. hemellichaam⟩ ● *opkomst, groei* ‖ the – of a river *de oorsprong v.e. rivier;* give – *to aanleiding geven tot.*

2 rise 〈ww; rose [rouz], risen ['rɪzn]〉 ● *opstaan* 〈ook uit bed〉; – *to one's feet opstaan* ● *(op)stijgen* 〈ook fig.〉, *(op)klimmen;* good teamworkers should – above personal jealousies *goede teamgenoten moeten boven persoonlijke naijver staan;* 〈fig.〉 – *to the occasion zich tegen de moeilijkheden opgewassen tonen* ● *opkomen, opgaan, rijzen* 〈v. hemellichaam〉 ● *promotie maken;* – in the world *vooruitkomen in de wereld* ● *opdoemen, verschijnen* ● *toenemen* 〈ook fig.〉, *stijgen* 〈v. prijzen〉 ● *in opstand komen* ● *ontstaan* 〈ook fig.〉, *ontspringen* ● *uiteengaan, op reces gaan* 〈v. vergadering〉.

riser ['raɪzə] ● *stootbord* ‖ an early – *iem. die vroeg opstaat;* a late – *een langslaper.*

1 rising ['raɪzɪŋ] 〈zn〉 ● *opstand.*

2 rising 〈bn〉 ● *opkomend, aankomend;* the – generation *de aankomende generatie* ● *stijgend, oplopend;* – damp *opstijgend grondwater.*

1 risk [rɪsk] 〈zn〉 ● *risico, gevaar;* at – *in gevaar;* at one's own risk *op/voor eigen risico;* I don't want to run the – of losing my job *ik wil mijn baan niet op het spel zetten.*

2 risk 〈ww〉 ● *wagen, op het spel zetten* ● *riskeren.* **risky** ['rɪski] ● *gewaagd, gevaarlijk* ● *gedurfd, gewaagd.*

rite [raɪt] ● *rite* 〈ook fig.〉, *ritus, (kerkelijke) ceremonie.*

1 ritual ['rɪtʃʊəl] 〈zn〉 ● 〈ook mv.〉 *ritueel* 〈ook fig.〉.

2 ritual 〈bn〉 ● *ritueel* 〈ook fig.〉; –ly prepared meat *ritueel (bereid) vlees; koosjer vlees.*

1 rival ['raɪvl] 〈zn, bn〉 ● 〈bn〉 *rivaliserend, mededingend* ● 〈zn〉 *rivaal.*

2 rival 〈ww〉 ● *naar de kroon steken, wedijveren met* ● *evenaren.* **rivalry** ['raɪvlri] ● *rivaliteit.*

river ['rɪvə] ● *rivier, stroom* ‖ sell s.o. down the – *iem. bedriegen/verraden.* '**riverbank** ● *rivieroever.* '**river basin** ● *stroomgebied.* '**riverbed** ● *rivierbedding.* '**riverside** ● *rivieroever, waterkant.*

1 rivet ['rɪvɪt] 〈zn〉 ● *klinknagel.*

2 rivet 〈ww〉 ● *vastnagelen* 〈ook fig.〉 ● *boeien* 〈fig.〉, *richten* 〈aandacht, ogen〉. **riveting** ['rɪvɪtɪŋ] ↓ ● *meeslepend, opwindend.*

rivulet ['rɪvjʊlɪt] ● *riviertje, beek(je).*

roach [routʃ] 〈dierk.〉 ● *voorn, witvis* ● ↓ *kakkerlak.*

road [roud] ● *weg* 〈ook fig.〉, *straat, baan;* 〈sl.〉 hit the –! *smeer 'm!;* ↓ one for the –

een afzakkertje; on the – *onderweg, op pad/weg* 〈vnl. v. handelsreiziger〉; *rondreizend* 〈v. toneelgezelschap〉 ● 〈vnl. mv.〉 〈scheep.〉 *rede* ‖ 〈sprw.〉 all roads lead to Rome *alle wegen leiden naar Rome.* '**roadblock** ● *wegversperring.* '**road hog** ● *wegpiraat, snelheidsmaniak.* '**road house** ● *pleisterplaats, wegrestaurant.* '**road safety** ● *verkeersveiligheid.* '**road sense** ● *gevoel voor veilig verkeer.* '**roadside** ● *kant v.d. weg.* '**roadsign** ● *verkeersbord.* '**road tax** ● *wegenbelasting.* '**roadway** ● *rijweg.* '**road works** ● *wegwerkzaamheden, werk in uitvoering.* '**roadworthy** ● *geschikt voor het verkeer* 〈v. voertuig〉.

roam [roum] ● *ronddolen, zwerven (in).* **roamer** ['roumə] ● *zwerver.*

roan [roun] ● *vos* 〈paard〉.

1 roar [rɔː] 〈zn〉 ● *gebrul, gebulder, geronk* 〈v. machine〉, *het rollen* 〈v. donder〉 ● *schaterlach.*

2 roar 〈ww〉 ● *brullen, bulderen, schreeuwen, rollen* 〈v. donder〉, *ronken* 〈v. machine〉, *weergalmen* ● *schateren;* – with laughter *brullen v.h. lachen.*

1 roaring ['rɔːrɪŋ] 〈bn〉 ● *luidruchtig, rumoerig* ● *voorspoedig;* a – success *een denderend succes;* do a – trade *gouden zaken doen.*

2 roaring 〈bw〉 ● *zeer;* – drunk *straalbezopen.*

1 roast [roust] 〈zn〉 ● *braadstuk.*

2 roast 〈bn〉 ● *geroosterd, gegrill(eer)d, gebraden;* – beef *rosbief.*

3 roast 〈ww〉 ● *roosteren, grill(er)en, poffen* 〈aardappelen〉; – in the sun *in de zon (liggen) braden* ● *branden* 〈koffie〉.

1 roasting ['roustɪŋ] 〈zn〉 ● *uitbrander;* give s.o. a good/real – *iem. een flinke uitbrander geven.*

2 roasting 〈bn; bw〉 ● *gloeiend;* – hot *schroeiheet.*

rob [rɒb] ● *(be)roven* 〈ook fig.〉, *(be)stelen.* **robber** ['rɒbə] ● *rover, dief.* **robbery** ['rɒbəri] ● *diefstal, roof.*

1 robe [roub] 〈zn〉 ● *robe, gewaad* ● 〈vaak mv. met enk. bet.〉 *ambtsgewaad, toga* ● *kamerjas, badjas.*

2 robe I 〈onov ww; wdk ww〉 ● *zich aankleden* **II** 〈ov ww〉 ● *aankleden;* – o.s. in *zich hullen in.*

robin ['rɒbɪn] ● *roodborstje.*

robot ['roubɒt] ● *robot* 〈ook fig.〉.

robust [rə'bʌst, 'rou'bʌst] ● *krachtig, robuust, fors, gezond* ● *zwaar, inspannend.*

1 rock [rɒk] **I** 〈telb zn〉 ● *rots, klip* ● *rotsblok* ● 〈vnl. BE〉 *zuurstok/pepermuntstaaf/kaneelstok* ● 〈AE〉 *steen(tje)* ‖ be on the –s *op* *de klíppen gelopen zijn* ⟨ook fig.⟩; *naar de knoppen zijn;*↓ *(financieel) aan de grond zitten;* ⟨vnl. AE⟩ on the –s *op ijs(blokjes) geserveerd* ⟨v. dranken⟩ **II** ⟨n-telb zn⟩ ● *rots, gesteente* ●*rock(muziek).*

2 rock I ⟨onov ww⟩ ●*schommelen, wieg(el)en* ●*(hevig) slingeren, schudden* ●*rocken, op rockmuziek dansen* **II** ⟨ov ww⟩ ●*wiegen;* – s.o. to sleep *iem. in slaap wiegen* ●*heen en weer slingeren, doen wankelen* ● *schokken, doen opschrikken.*

'**rock-'bottom**↓●*(absoluut) dieptepunt.*
'**rock-cake,** '**rock bun** ⟨BE⟩ ●*rotsje (koekje met krenten).* '**rock climbing** ●*het bergbeklimmen.*

'**rocker** ['rɒkə] ●*schommelhout* ⟨onder wieg, schommelstoel enz.⟩ ●*schommelstoel* ● *rocker* ‖ ⟨sl.⟩ off one's – *knetter(gek).*

1 rocket ['rɒkɪt] ⟨zn⟩ ●*vuurpijl* ●*raket* ●⟨BE; ↓⟩ *uitbrander;* give s.o. a – *iem. een uitbrander geven.*

2 rocket ⟨ww⟩ ●*omhoog schieten;* ⟨fig.⟩ prices – up *de prijzen vliegen omhoog.*

'**rocket base** ●*raketbasis.* '**rocket launcher** ● *raketwerper, raketlanceerder.*

'**rock garden** ●*rotstuin.*

'**rocking chair** ●*schommelstoel.* '**rocking horse** ●*hobbelpaard.*

'**rocky** ['rɒki] ●*rotsachtig;* ⟨fig.⟩ the – road to recognition *de moeizame weg naar erkenning* ●*steenhard* ●↓ *wankel* ⟨ook fig.⟩, *onvast.*

rod [rɒd] ●*stok* ●*roe(de), gesel* ●*stang* ● *hengel* ‖ rule with a – of iron *met ijzeren vuist regeren.*

rode ⟨verl. t.⟩ zie RIDE.

rodent ['roʊdnt] ●*knaagdier.*

rodeo ['roʊdiou, rou'deiou] ●*rodeo.*

1 roe [rou] ⟨zn⟩ ●*kuit;* hard – *kuit* ●*hom;* soft – *hom.*

2 roe, '**roe deer** ⟨zn⟩ ●*ree.* '**roebuck** ●*reebok.*

roger ['rɒdʒə] ●⟨com.⟩ *roger, ontvangen en begrepen.*

rogue [roug] ●*schurk* ●⟨scherts.⟩ *snuiter, deugniet* ●⟨ook attr⟩ *solitair;* a – elephant *een solitaire olifant.* '**rogues'** '**gallery** ●*fotoboek v. misdadigers* ⟨v. politie⟩. **roguish** ['rougɪʃ] ●*gemeen* ●*guitig.*

role, rôle [roul] ●*rol, toneelrol* ●*rol, functie, taak.*

1 roll [roul] **I** ⟨telb zn⟩ ●*rol, rolletje* ●*perkament(rol)* ●*rol, register, (naam)lijst;* the – of honour *de lijst der gesneuvelden;* call the – *de namen afroepen* ●*broodje* ●*buiteling* **II** ⟨telb en n-telb zn⟩ ●*rollende beweging, geslinger* ⟨v. schip⟩, *deining* ⟨v. water⟩ ●*(ge)roffel* ⟨op trom bv.⟩, *gerom-*

mel, gedreun ⟨v. donder, geschut⟩; the – of Scottish r's *het rollen v.d. Schotse r.*

2 roll I ⟨onov ww⟩ ●*rollen, rijden, lopen;* lorries –ed by *vrachtwagens reden voorbij;* ⟨fig.⟩ the years –ed by *de jaren gingen/ gleden voorbij;* ⟨↓; fig.⟩ – on the day this work is finished! *leve de dag waarop dit werk af is!;* tears were –ing down her face *tranen rolden over haar wangen* ●*zich rollend/schommelend bewegen, buitelen, slingeren* ⟨v. schip⟩ ●*dreunen, roffelen* ⟨v. trom⟩ ●*zich laten rollen;* those tights – on easily *die panty is gemakkelijk aan te trekken;* zie ROLL UP **II** ⟨ov ww⟩ ●*rollen, laten/doen rollen;* – on one's stockings *zijn kousen aantrekken* ●*rollen* ⟨met ogen⟩, *gooien* ⟨dobbelstenen⟩ ●*een rollend geluid doen maken, roffelen* ⟨trom⟩, *rollen* ⟨r-klank⟩; – one's r's *de r rollend uitspreken* ●*oprollen, draaien;* –ed meat *rollade;* ⟨sl.⟩ – one's own *shag roken* ●*rollen, walsen* ‖ – off some extra copies *een paar extra kopieën afdrukken;* zie ROLL BACK, ROLL OUT, ROLL UP.

'**roll** '**back** ●*terugrollen, terugdrijven* ●⟨AE⟩ *terugschroeven* ⟨prijzen⟩. '**roll call** ●*appel, naamafroeping.*

roller ['roulə] ●*roller* ●*rol(letje), wals, cilinder, krulspeld* ●*roller, breker* ⟨zware golf⟩. '**roller blind** ⟨BE⟩ ●*rolgordijn.* '**roller coaster** ⟨AE⟩ ●*roetsjbaan, achtbaan.* '**roller skate** ●⟨zn⟩ *rolschaats* ●⟨ww⟩ *rolschaatsen.* '**roller towel** ●*rolhanddoek.*

rollicking ['rɒlɪkɪŋ] ●*uitgelaten, vrolijk, onstuimig.*

rolling ['roulɪŋ] ●*rollend, golvend;* a – plain *een golvende vlakte* ‖ be – in it/money *heel rijk zijn;* ⟨sprw.⟩ a rolling stone gathers no moss *een rollende steen vergaart geen mos/begroeit niet.* '**rolling pin** ●*deegrol.* '**rolling stock** ●*rijdend materieel* ⟨vnl. v.d. spoorwegen⟩.

'**rollneck** ●*rolkraag.* '**roll-'on/'roll-'off, ro-ro** ['roʊroʊ] ‖ a – ferry *een rij-op-rij-af-veerboot* ⟨die geladen vrachtwagens vervoert⟩. '**roll** '**out** ●*uitrollen;* – dough *deeg (uit)rollen* ●⟨vaak ong.⟩ *opdreunen.* '**rolltop** '**desk** ●*cilinderbureau.* '**roll** '**up I** ⟨onov ww⟩ ●*zich oprollen* ●↓ *(komen) aanrijden,* ⟨fig.⟩ *opdagen;* the whole family rolled up *de hele familie kwam aanzetten* **II** ⟨ov ww⟩ ●*oprollen;* roll one's sleeves up *zijn mouwen opstropen.* '**roll-up** ● *sjekkie, shagje.*

roly-poly ['rouli'pouli] ●*kort en dik.*

ROM ⟨afk.⟩ read-only memory ⟨comp.⟩ ● *ROM.*

roman ['roʊmən] ⟨druk.⟩ ●*romein* ⟨recht*

lettertype); – type *romeins lettertype*.
1 Roman ['roʊmən] ⟨zn⟩ ●*Romein* ‖ zie ook ⟨sprw.⟩ ROME.
2 Roman ⟨bn⟩ ●*Romeins;* – numerals *Romeinse cijfers* ‖ – Catholic *rooms-katholiek.*
1 romance [rə'mæns, 'roʊmæns] **I** ⟨telb zn⟩ ●*middeleeuws ridderverhaal* ●*avonturenroman* ●*(romantisch) liefdesverhaal* ● *romance* **II** ⟨n-telb zn⟩ ●*romantiek.*
2 romance ⟨ww⟩ ●*avonturen vertellen,* ⟨fig.⟩ *fantaseren.*
Romance [rə'mæns, 'roʊmæns] ⟨bouwk., taal.⟩ ●*Romaans.*
Romania [roʊ'meɪnɪə], **Rumania** [rʊ'meɪnɪə] ●*Roemenië.* **Romanian** [roʊ'meɪnɪən], **Rumanian** [rʊ'meɪnɪən] ●⟨bn⟩ *Roemeens* ●⟨eig.n.⟩ *Roemeens* ⟨taal⟩ ●⟨telb zn⟩ *Roemeen.*
1 romantic [rə'mæntɪk] ⟨zn⟩ ●*romanticus.*
2 romantic ⟨bn⟩ ●*romantisch.*
romanticism [rə'mæntɪsɪzm] ⟨R-⟩ ●*Romantiek.* **romanticist** [rə'mæntɪsɪst] ●*romanticus.* **romanticize** [rə'mæntɪsaɪz] ●*romantiseren.*
Romany ['rɒmənɪ, 'roʊ-] ●⟨eig.n.⟩ *Romāni* ⟨zigeunertaal⟩ ●⟨telb zn⟩ *zigeuner.*
Rome [roʊm] ‖ ⟨sprw.⟩ Rome was not built in a day *Rome en Aken zijn niet op één dag gebouwd;* when in Rome (do as the Romans do) *'s lands wijs, 's lands eer;* zie ook ⟨sprw.⟩ ROAD.
1 romp [rɒmp] ⟨zn⟩ ●*stoeipartij.*
2 romp ⟨ww⟩ ●*stoeien* ● ↓ *flitsen, (voorbij) schieten* ‖ – home *op zijn gemak winnen;* – through an exam *met gemak voor een examen slagen.*
romper ['rɒmpə] **I** ⟨telb zn⟩ ●*kruippakje* **II** ⟨mv.⟩ ●*kruippakje.*
rood [ru:d] ●*kruisbeeld.*
'rood screen ⟨bouwk.⟩ ●*koorhek.*
1 roof [ru:f] ⟨zn⟩ ●*dak,* ⟨fig.⟩ *hoogste punt,* ⟨fig.⟩ *onderdak, huis;* have a – over one's head *een dak boven het hoofd hebben;* – of the mouth *gehemelte;* ↓ go through/hit the – *tekeergaan; uit zijn slof schieten.*
2 roof ⟨ww⟩ ●*overdekken, onder dak brengen.* **'roof garden** ●*daktuin.* **roofing** ['ru:fɪŋ] ●*dakwerk* ●*dakbedekking.* **roofless** ['ru:fləs] ●*zonder dak.* **'roof rack** ● *imperiaal.* **'rooftop** ●*top v.h. dak* ●*dak* ⟨vnl. plat⟩; shout sth. from the –s *iets v.d. daken schreeuwen.*
1 rook [rʊk] ⟨zn⟩ ●⟨dierk.⟩ *roek* ●⟨schaken⟩ *toren.*
2 rook ⟨ww⟩ ●*bedriegen, afzetten.*
rookie [rʊki] ⟨sl.⟩ ●⟨AE⟩ *rekruut, groentje.*
1 room [ru:m, rʊm] **I** ⟨telb zn⟩ ●*kamer, ver-*

trek, zaal, ⟨mv. ook⟩ appartement, flat; – and board *kost en inwoning* **II** ⟨n-telb zn⟩ ●*ruimte, plaats;* make – *plaats maken* ● *ruimte, gelegenheid;* there is – for improvement *het laat te wensen over;* there's no – for doubt *geen twijfel mogelijk* ‖ there's not – to swing a cat in *je kunt er je kont niet keren.*
2 room ⟨ww⟩ ⟨AE⟩ ●*een kamer bewonen, op kamers wonen.* **roomer** ['ru:mə, 'rʊmə] ⟨AE⟩ ●*kamerbewoner, huurder.* **'rooming house** ⟨AE⟩ ●*pension.* **'roommate** ●*kamergenoot.* **'room service** ●*bediening op de kamer* ⟨in hotel⟩. **roomy** ['ru:mi,'rʊmi] ●*ruim, groot.*
1 roost [ru:st] ⟨zn⟩ ●*roest, stok, kippenhok* ●*nest, slaapplaats* ⟨v. vogels⟩ ‖ it will come home to – *je zult er zelf de wrange vruchten v. plukken;* rule the – *de baas zijn.*
2 roost ⟨ww⟩ ●*roesten, op stok zitten, slapen.* **rooster** ['ru:stə] ●*haan.*
1 root [ru:t] ⟨zn⟩ ●*oorsprong, wortel, basis* ●*kern* ●⟨plantk.⟩ *wortel;* strike –, take – *wortel schieten;* ⟨fig.⟩ *ingeburgerd raken* ⟨v. ideeën⟩ ●⟨med., wisk.⟩ *wortel* ‖ – and branch *met wortel en tak, grondig;* put down –s *zich vestigen, zich thuis gaan voelen;* zie ook ⟨sprw.⟩ MONEY.
2 root I ⟨onov ww⟩ ●*wortelschieten, wortelen,* ⟨fig.⟩ *zich vestigen* ●*wroeten, woelen;* the pigs were –ing about in the earth *de varkens wroetten rond in de aarde* ‖ – for the team *het team toejuichen/steunen* **II** ⟨ov ww⟩ ●*doen wortelschieten* ●*vestigen, doen wortelen;* a deeply –ed love *een diepgewortelde liefde* ‖ she stood –ed to the ground/spot *ze stond als aan de grond genageld;* zie ROOT OUT.
'root beer ●*limonade v. wortelextracten.*
'root crop ⟨landb.⟩ ●*wortelgewas.* **rootless** ['ru:tləs] ●*ontworteld, ontheemd.* **'root 'out** ●*uitwroeten,* ⟨fig.⟩ *te voorschijn brengen* ●*vernietigen, uitroeien.*
1 rope [roʊp] ⟨zn⟩ ●*(stuk) touw, koord, kabel;* give s.o. the – *iem. de ruimte laten;* the – *de strop;* ⟨boksen⟩ on the –s *in de touwen;* ⟨sl.; fig.⟩ *uitgeteld* ●*snoer, streng* ‖ give s.o. – *enough to hang himself iem. door schade en schande wijs laten worden;* know the –s *de kneepjes v.h. vak kennen.*
2 rope ⟨ww⟩ ●*vastbinden* ●*met touwen afzetten* ‖ – s.o. in to help *iem. zo ver krijgen dat hij komt helpen.* **'rope dancer, 'rope walker** ●*koorddanser(es).* **'rope ladder** ● *touwladder.*
ropy, ropey ['roʊpi] ● ↓ *armzalig, miezerig,*

beroerd.
rosary ['roʊzri] ● *rozenkrans.*
1 rose [roʊz] ⟨zn⟩ ● *roos* ● *sproeidop, sproeier* ● *rozerood* ‖ it is not all –s *het is niet allemaal rozegeur en maneschijn;* ⟨BE; ↓⟩ come up –s *goed uitvallen.*
2 rose ⟨verl. t.⟩ zie RISE.
'**rosebed** ● *rozenperk.* '**rosebud** ● *rozeknop.* '**rose-coloured** ● *rooskleurig* ⟨ook fig.⟩; – spectacles ⟨fig.⟩ *een optimistische kijk.* '**rose hip** ● *rozebottel.*
rosemary ['roʊzməri] ⟨plantk.⟩ ● *rozemarijn.*
rosette [roʊ'zet] ● *rozet* ● ⟨bouwk.⟩ *rozet/roosvenster.*
'**rose window** ⟨bouwk.⟩ ● *roosvenster.* '**rosewood** ● *rozehout, palissanderhout.*
roster ['rɒstə] ● *rooster, werkschema.*
rostrum ['rɒstrəm] ⟨mv.: ook rostra [-trə]⟩ ● *rostrum, podium, spreekgestoelte.*
rosy ['roʊzi] ● *rooskleurig,* ⟨ihb.⟩ *blozend* ● *rooskleurig, optimistisch.*
1 rot [rɒt] ⟨zn⟩ ● *verrotting, bederf,* ⟨fig.⟩ *verval, de klad;* then the – set in *toen ging alles mis* ● ⟨sl.⟩ *onzin, flauwekul;* talk – *onzin uitkramen.*
2 rot I ⟨onov ww⟩ ● *rotten, bederven* ● *wegkwijnen* **II** ⟨ov ww⟩ ● *laten rotten, doen wegrotten.*
rota ['roʊtə] ● *rooster, schema.*
rotary ['roʊtəri] ● *roterend, rondddraaiend* ● ⟨tech.⟩ *roterend, rotatie-;* – press *rotatiepers.*
rotate [roʊ'teɪt] **I** ⟨onov ww⟩ ● *draaien* ● *elkaar aflossen* ● *rouleren* **II** ⟨ov ww⟩ ● *rond-draaien* ● *afwisselen;* ⟨landb.⟩ – crops *wisselbouw toepassen.* **rotation** [roʊˈteɪ[n]] ● *omwenteling, rotatie* ● *het afwisselen, het aflossen;* ⟨landb.⟩ the – of crops *de wisselbouw;* by/in – *bij toerbeurt.* **rotatory** [roʊ'teɪtəri] ● *rotatie-, ronddraaiend.*
rote [roʊt] ‖ learn sth. by – *iets uit het hoofd leren.*
rotor ['roʊtə] ⟨tech.⟩ ● *rotor.*
rotten ['rɒtn] ● *rot, verrot, bedorven* ● *vergaan* ● *waardeloos, slecht* ● ⟨sl.⟩ *ellendig, vreselijk, beroerd.* **rotter** ['rɒtə] ↓ ● *rotzak, schoft.*
rotund [roʊ'tʌnd] ● *rond* ● *diep, vol* ● *pompeus* ● *dik, rond.*
1 rouge [ru:ʒ] ⟨zn⟩ ● *rouge.*
2 rouge ⟨ww⟩ ● *rouge aanbrengen op.*
1 rough [rʌf] **I** ⟨telb zn⟩ ● *schets* ● *gewelddadige kerel* **II** ⟨n-telb zn⟩ ● *ruw terrein,* ⟨ihb.⟩ *rough* ⟨ruig gedeelte v. golfterrein⟩ ● *onaangename kanten;* take the – with the smooth *tegenslagen voor lief nemen* ● *ruwe staat, onbewerkte staat;* write sth.

in – *iets in het klad schrijven.*
2 rough ⟨bn; -ness⟩ ● *ruw, ruig, oneffen* ● *rauw, onbehouwen* ● *wild, woest* ● *ruw, scherp, naar;* – luck *pech, tegenslag;* a – time *een zware tijd;* it is – on him *het is heel naar voor hem* ● *ruw, niet uitgewerkt;* a – diamond *een ruwe diamant;* ⟨fig.⟩ *een ruwe bolster;* – copy *eerste schets;* exemplaar met correcties; – justice *min of meer rechtvaardige behandeling* ‖ – quarter of the town *gevaarlijke buurt;* ⟨BE; sl.⟩ – stuff *geweld; opschudding;* zie ROUGHLY.
3 rough ⟨ww⟩ ‖ – it *zich behelpen, op een primitieve manier leven;* zie ROUGH OUT, ROUGH UP.
4 rough ⟨bw⟩ ● *ruw, grof;* treat s.o. – *iem. ruw behandelen* ● *wild, woest;* live – *zwerven, in de open lucht leven.*
roughage ['rʌfɪdʒ] ● *ruwe vezels, onverteerbare vezels* ⟨in voedsel⟩.
'**rough-and-'ready** ● *eenvoudig, ruw maar doeltreffend.* '**rough-and-'tumble** ● *knokpartij* ● *ruwe ordeloosheid.*
1 'roughcast ⟨zn⟩ ● *ruwe pleisterkalk.*
2 roughcast ⟨ww⟩ ● *ruw pleisteren.*
roughen ['rʌfn] **I** ⟨onov ww⟩ ● *ruw/oneffen worden* **II** ⟨ov ww⟩ ● *ruw maken.* '**rough-'hewn** ● *ruw (uit)gehakt, ruw (uit)gesneden.* '**rough-house** ⟨sl.⟩ ● *vechtpartij, knokpartij.* **roughly** ['rʌfli] ● zie ROUGH² ● *ruwweg, ongeveer;* – speaking *ongeveer.* '**roughneck** ⟨AE; sl.⟩ ● *gewelddadig iem., ruwe klant.* '**rough 'out** ● *een ruwe schets maken v., (in grote lijnen) schetsen.* '**rough-'shod** ‖ ride – over s.o. *over iem. heen lopen.* '**rough-'spoken** ● *ruw in de mond.* '**rough 'up** ● *ruw/in de war maken* ● ↓ *aftuigen, afrossen.*
roulette [ru:'let] ⟨spel⟩ ● *roulette.*
1 round [raʊnd] **I** ⟨telb zn⟩ ● *bol, ronding* ● *ronde, rondgang, toer;* go/make one's –s *zijn ronde maken* ⟨v. dokter⟩; go/do the –s *de ronde doen, doorverteld worden;* he stood us a – of drinks *hij gaf een rondje* ● *snede, stuk* ● *schot, geweerschot* ● *kring, groep mensen* ● ⟨muz.⟩ *drie/vierstemmige canon* **II** ⟨n-telb zn⟩ ‖ theatre in the – *théâtre en rond, arenatoneel.*
2 round ⟨bn; -ness⟩ ● *rond, bol* ● *rond, gebogen, cirkelvormig;* – brackets *ronde haakjes;* – trip *rondreis;* ⟨AE⟩ *retour* ● *rond, afgerond* ⟨v. getal⟩, ⟨fig.⟩ *oprecht;* in – figures *in afgeronde getallen;* in – terms *ronduit.*
3 round I ⟨onov ww⟩ ● *rond worden, zich ronden;* – out *dik worden* **II** ⟨ov ww⟩ ● *ronden, rond maken,* ⟨ook fig.⟩ *afronden;* – down *naar beneden afronden;* – off *be-*

sluiten, afsluiten ⟨avondje e.d.⟩ ●*ronden, om(heen) gaan; –* a corner *een hoek omgaan* ●*omringen* ‖ – out *afronden* ⟨verhaal, studie⟩; – on s.o. *zich woedend tot iem. keren;* zie ROUND UP.

4 round ⟨bw⟩ ●⟨richting; ook fig.⟩ *rond, om;* next time – *de volgende keer;* he did it the wrong way – *hij deed het verkeerd;* he talked her – *hij praatte haar om; –* and – *als maar rond* ●⟨plaats; ook fig.⟩ *rondom, in het rond;* all – *rondom; voor alles en iedereen; in alle opzichten; –* here *hier in de buurt* ●*bij/voor zich;* they asked us – for tea *ze nodigden ons bij hen uit voor de thee;* send – for the girl *stuur iem. om het meisje te halen* ‖ all year – *het hele jaar door.*

5 round ⟨vz⟩ ●*om, rondom, om ... heen; –* the corner *om de hoek* ●*nabij, omstreeks; –* 8 o'clock *omstreeks acht uur;* it must be somewhere – the house *het moet ergens in (het) huis zijn.*

1 roundabout ['raʊndəbaʊt] ⟨zn⟩ ●⟨BE⟩ *draaimolen* ●⟨BE⟩ *rotonde, verkeersplein* ‖ zie ook ⟨sprw.⟩ SWING.

2 roundabout ⟨bn⟩ ●*indirect, omslachtig.*

rounder ['raʊndə] ⟨BE; sport⟩ **I** ⟨telb zn⟩ ● *run* ⟨bij rounders⟩ **II** ⟨mv.⟩ ●*rounders* ⟨soort baseball⟩.

'round-'eyed ●*met wijd open ogen.* **roundly** ['raʊndli] ●zie ROUND ●*ronduit, onomwonden* ●*volkomen.* **'round-table** 'con**ference** ●*ronde-tafelconferentie.* **'round-the-'clock** ●*de klok rond, dag en nacht.* **'round 'up** ●*bijeenjagen, bijeendrijven* ● *grijpen* ●*naar boven toe afronden.* **'round-up** ●*overzicht* ●*bijeengedreven vee* ●*arrestatie.*

rouse [raʊz] **I** ⟨onov ww⟩ ●*wakker worden* **II** ⟨ov ww⟩ ●*wakker maken, wekken,* ⟨fig.⟩ *opwekken; –* o.s. to action *zichzelf tot actie aanzetten* ●*prikkelen, tergen* ●*oproepen;* his conduct –d suspicion *zijn gedrag wekte argwaan.* **rousing** ['raʊzɪŋ] ●*opwindend, bezielend* ●*krachtig;* a – cheer *luid gejuich.*

'roustabout ●*werkman, dokwerker,* ⟨AE⟩ *dekknecht,* ⟨AE⟩ *ongeschoold arbeider.*

1 rout [raʊt] ⟨zn⟩ ●*totale nederlaag, vlucht;* put to – *een verpletterende nederlaag toebrengen.*

2 rout ⟨ww⟩ ●*verslaan, verpletteren* ● ⟨+out⟩ *eruit jagen, wegjagen* ●⟨+out⟩ *opduike(le)n.*

1 route [ru:t] ⟨zn⟩ ●*route, weg;* en – *onderweg.*

2 route ⟨ww⟩ ●*leiden* ●*zenden, sturen.*
'route-march ⟨mil.⟩ ●*(afstands)mars.*

1 routine ['ru:'ti:n] ⟨zn⟩ ●*routine, gebruikelijke procedure* ●⟨dram.; circus⟩ *nummer* ●⟨comp.⟩ *programma.*

2 routine ⟨bn⟩ ●*routine-;* a – job *routinewerk.*

rove [roʊv] **I** ⟨onov ww⟩ ●*zwerven, dolen, dwalen;* he has a roving eye *hij kijkt steeds naar andere vrouwen* **II** ⟨ov ww⟩ ● *doorzwerven, dwalen.* **rover** ['roʊvə] ● *zwerver.*

1 row [raʊ] ⟨zn⟩ ●*rel, ruzie* ●*herrie, kabaal.*

2 row [roʊ] ⟨zn⟩ ●*rij, reeks;* ↓ for days in a – *dagen achtereen* ●*huizenrij, straat met (aan weerszijden) huizen* ●*roeitochtje.*

3 row [raʊ] ⟨ww⟩ ●*ruzie maken* ●*een rel schoppen.*

4 row [roʊ] ⟨ww⟩ ●*roeien.*

1 rowdy ['raʊdi] ⟨zn⟩ ●*lawaaischopper, rouwdouw.*

2 rowdy ⟨bn⟩ ●*ruw, wild.*

rower ['roʊə] ●*roeier.* **'rowing-boat,** ⟨AE ook⟩ **'row-boat** ●*roeiboot.* **rowlock** ['rɒlək, 'roʊlɒk] ●*dol, riem/roeiklamp.*

1 royal ['rɔɪəl] ⟨zn⟩ ● ↓ *lid v.d. koninklijke familie.*

2 royal ⟨bn⟩ ●*koninklijk, v.d. koning(in)* ⟨pol.⟩ – assent *koninklijke goedkeuring* ⟨v. wetsvoorstel⟩; Royal Highness *Koninklijke Hoogheid* ●*koninklijk, vorstelijk.*

royalist ['rɔɪəlɪst] ●*royalist, monarchist.*

royalty ['rɔɪəlti] **I** ⟨telb zn⟩ ●⟨boek., ind.⟩ *royalty, aandeel in de opbrengst* **II** ⟨n-telb zn⟩ ●*koningschap* **III** ⟨zn⟩ ●*leden v.h. koninklijk huis.*

rpm ⟨afk.⟩ ●revolutions per minute *r.p.m., -toeren.*

1 rub [rʌb] ⟨zn⟩ ●*poetsbeurt, wrijfbeurt* ● *hindernis, moeilijkheid;* there's the – *daar zit de moeilijkheid.*

2 rub I ⟨onov ww⟩ ●*schuren langs, wrijven* ‖ – up against s.o. *tegen iem. aanlopen;* zie RUB ALONG, RUB OFF **II** ⟨ov ww⟩ ●*wrijven, af/inwrijven, poetsen, boenen; –* one's hands *zich in de handen wrijven; –* o.s. down *zich stevig afdrogen* ●*schuren;* zie RUB IN, RUB OFF, RUB OUT, RUB UP. **'rub a'long** ●*het goed samen kunnen vinden.*

rubber ['rʌbə] **I** ⟨telb zn⟩ ●*wrijver, wisser, gum* ●⟨AE⟩ *overschoen* ●⟨sl.⟩ *condoom* ●⟨sport, spel⟩ *robber, reeks v. drie partijen* **II** ⟨n-telb zn⟩ ●*rubber, synthetisch rubber.* **'rubber 'band** ●*elastiekje.* **'rubber 'bullet** ●*rubberkogel.* **'rubber-neck** ⟨AE; ↓⟩ ●*nieuwsgierige,* ⟨ihb.⟩ *zich vergapende toerist.* **'rubber plant** ⟨plantk.⟩ ●*rubberplant,* ⟨ihb.⟩ *ficus.* **'rubber 'stamp** ● *stempel.* **'rubber-'stamp** ●*automatisch goedkeuren.* **rubbery** ['rʌbəri] ●*rubber-*

achtig, taai.
rubbing ['rʌbɪŋ] ● *wrijfsel, rubbing* ⟨v. re-liëf⟩.
1 rubbish ['rʌbɪʃ] ⟨zn⟩ ● *vuilnis, afval;* shoot – *vuil storten* ● *nonsens, onzin* ‖ zie ook ⟨sprw.⟩ GOOD.
2 rubbish ⟨ww⟩ ● *afbrekende kritiek leveren op.*
'**rubbish bin** ⟨BE⟩ ● *vuilnisbak.* **rubbishy** ['rʌbɪʃi] ● *waardeloos.*
rubble ['rʌbl] ● *puin.*
rubicund ['ru:bɪkənd] ● *blozend, met rode wangen.*
'**rub 'in** ● *inwrijven, (in)masseren* ‖ there's no need to rub it in *je hoeft er niet steeds op terug te komen.* '**rub 'off I** ⟨onov ww⟩ ● *weggewreven worden* ● *overgaan op;* his stinginess has rubbed off on you *je hebt zijn krenterigheid overgenomen* ● *afslijten* **II** ⟨ov ww⟩ ● *wegvegen, afwrijven* ● *afslijten, afschuren.*
'**rub 'out** ● *wegvegen, uitgummen.*
rubric ['ru:brɪk] ● *rubriek, titel* ⟨ihb. titel v. (hoofdstuk in) wetboek⟩, *categorie, uitleg, voorschrift.*
'**rub 'up** ● *oppoetsen, opwrijven* ‖ ↓ rub s.o. up the wrong way *iem. tegen de haren in-strijken, iem. irriteren.*
ruby ['ru:bi] ● *robijn* ● *robijnrood.*
ruck [rʌk] ● *het gewone slag mensen, de massa* ● *vouw, kreukel.*
'**rucksack** ● *rugzak.*
'**ruck 'up** ● *in elkaar kreuke(le)n.*
ruction ['rʌkʃn] ⟨vaak mv.⟩ ● *kabaal, luid protest.*
rudder ['rʌdə] ● ⟨scheep., luchtv.⟩ *roer.* **rud-derless** ['rʌdələs] ● *stuurloos,* ⟨fig.⟩ *zon-der richting.*
ruddy ['rʌdi] ● *blozend, gezond* ● *rossig, rood(achtig).*
rude [ru:d] ● *ruw, primitief;* – material *onbe-werkt materiaal* ● *onbeleefd, grof* ‖ a – awakening *een ruwe ontgoocheling.*
rudiment ['ru:dɪmənt] ● ⟨biol.⟩ *rudiment* ● ⟨mv.⟩ *beginselen.* **rudimentary** ['ru:dɪ'mentri] ● *rudimentair* ⟨ook biol.; ook fig.⟩, *elementair* ● *in een beginsta-dium.*
rue ● *spijt hebben v., berouw hebben v..* **rueful** ['ru:fl] ● *berouwvol, treurig.*
ruff [rʌf] ● ⟨gesch.⟩ *plooikraag* ● ⟨dierk.⟩ *verenkraag/kraag v. haar.*
ruffian ['rʌfɪən] ● *bruut, bandiet.*
1 ruffle ['rʌfl] ⟨zn⟩ ● *ruche* ⟨langs kraag/manchet⟩, *geplooide rand.*
2 ruffle ⟨ww⟩ ● *verstoren, doen rimpelen;* – s.o.'s hair *iemands haar in de war maken* ● ⟨+up⟩ *opzetten* ⟨veren⟩ ● *ergeren,*

kwaad maken, opwinden.
rug [rʌg] ● *tapijt, vloerkleed* ● ⟨vnl. BE⟩ *de-ken, plaid.*
rugby ['rʌgbi], '**rugby 'football** ⟨sport⟩ ● *rugby.*
rugged ['rʌgɪd] (-ness) ● *ruw, ruig, grof* ● *onregelmatig v. trekken, markant.*
rugger ['rʌgə] ⟨BE; sl.; sport⟩ ● *rugby.*
1 ruin ['ru:ɪn] ⟨zn⟩ ● *ruïne* ● *ondergang, ver-val;* this will be the – of him *dit zal hem nog kapot maken* ● ⟨mv.⟩ *ruïne, bouwval;* in –s *vervallen;* ⟨fig.⟩ *ingestort.*
2 ruin ⟨ww⟩ ● ⟨vaak pass.⟩ *verwoesten, ver-nietigen* ● *ruïneren, bederven* ● *ruïneren, tot de ondergang brengen.* **ruination** ['ru:ɪ'neɪʃn] ● ↓ *ondergang, ruïnering.*
ruinous ['ru:ɪnəs] ● *vervallen, bouwvallig* ● *rampzalig.*
1 rule [ru:l] ⟨zn⟩ ● *regel, voorschrift;* accord-ing to/by – *volgens de regels* ● *gewoonte, gebruik, regel;* as a – *gewoonlijk; in het al-gemeen* ● *duimstok, meetlat* ● *regering, bewind, bestuur* ‖ – of thumb *vuistregel, natte vingerwerk;* bend/stretch the –s *iets door de vingers zien;* zie ook ⟨sprw.⟩ EX-CEPTION.
2 rule I ⟨onov ww⟩ ● *heersen, regeren* **II** ⟨ov ww⟩ ● *beheersen* ⟨ook fig.⟩, *heersen over, regeren;* be –d by *zich laten leiden door* ● *beslissen;* – sth. out *iets uitsluiten* ● *liniëren;* –d paper *gelinieerd papier;* – sth. off *iets aflijnen* ● *trekken* ⟨lijn⟩.
'**rule book** ● *reglement, arbeidsvoorschrif-ten.*
ruler ['ru:lə] ● *heerser, regeerder, vorst* ● *li-neaal.*
1 ruling ['ru:lɪŋ] ⟨zn⟩ ● *uitspraak.*
2 ruling ⟨bn⟩ ● *(over)heersend;* the – classes *de heersende klassen;* his – passion *zijn lust en zijn leven.*
1 rum [rʌm] ⟨zn⟩ ● *rum.*
2 rum ⟨bn⟩ ⟨BE; sl.⟩ ● *vreemd, eigenaardig.*
Rumania [ru:'meɪnɪə], **Romania** [rou-] ● *Roemenië.* **Rumanian** [ru:'meɪnɪən], **Ro-manian** [rou-] ● ⟨bn⟩ *Roemeens* ● ⟨eig.n.⟩ *Roemeens* ⟨taal⟩ ● ⟨telb zn⟩ *Roemeen.*
1 rumble ['rʌmbl] ⟨zn⟩ ● *gerommel, romme-lend geluid* ● ⟨AE⟩ *kattebak, achterbankje* ● ⟨AE; sl.⟩ *knokpartij, straatgevecht.*
2 rumble I ⟨onov ww⟩ ● *rommelen, donde-ren, ratelen;* my stomach is rumbling *mijn maag knort* **II** ⟨ov ww⟩ ● ⟨BE; sl.⟩ *door hebben, doorzien.* **rumbling** ['rʌmblɪŋ] ● *gerommel, rommelend geluid* ● ⟨meestal mv.⟩ *praatje, gerucht.*
rumbustious ['rʌm'bʌst[əs] ↓ ● *lawaaiig, uit-gelaten.*
ruminant ['ru:mɪnənt] ● ⟨bn⟩ *herkauwend*

• ⟨zn⟩ *herkauwer.*
rumin|ate [´ru:mɪneɪt] ⟨zn: **-ation**⟩ • *herkauwen* • *peinzen, nadenken.*
ruminative [´ru:mɪnətɪv] • *peinzend, in gedachten verzonken.*
1 rummage [´rʌmɪdʒ] ⟨zn⟩ • ⟨AE⟩ *rommel, oude spullen* ‖ I'll have a – in the attic *ik zal eens op zolder gaan zoeken.*
2 rummage ⟨ww⟩ • ⟨+about/through/among⟩ *rondrommelen (in), snuffelen (in), (door)zoeken.* '**rummage sale** • *rommelmarkt.*
1 rumour [´ru:mə] ⟨zn⟩ • *gerucht(en), praatje(s);* – has it that *er gaan geruchten dat.*
2 rumour ⟨ww⟩ ‖ it is –ed that *er doen praatjes de ronde dat.* '**rumourmonger** • *roddelaar.*
rump [rʌmp] • *achterdeel* ⟨v. dier⟩, *stuit* ⟨v. vogel⟩ • ⟨scherts.⟩ *achterste* • *rest(ant), armzalig overblijfsel.*
rumple [´rʌmpl] • *kreuken, door de war maken, verfrommelen.*
'**rump steak** • *lendebiefstuk.*
rumpus [´rʌmpəs] ⟨sl.⟩ • *tumult, ruzie;* kick up a – *ruzie/lawaai maken.*
1 run [rʌn] ⟨zn⟩ • *looppas, ren;* make a – for it *het op een lopen zetten;* at a/the – *in looppas;* on the – *op de vlucht; druk in de weer* • *tocht, eindje hollen, vlucht, rit, traject, route, tochtje, uitstapje* ⟨v. trein, boot⟩, ⟨skiën⟩ *baan, helling,* ⟨cricket, honkbal, football⟩ run • *opeenvolging, reeks,* ⟨muz.⟩ *loopje;* a – of success *een succesvolle periode;* the play had a five months' – in London *het stuk heeft vijf maanden in Londen gespeeld* • ⟨+on⟩ *vraag (naar), stormloop (op)* • *terrein, ren* ⟨voor dieren⟩ • *eind, stuk* ⟨v. materiaal⟩ • ⟨AE⟩ *ladder* ⟨in kous⟩ ‖ we'll give them a (good) – for their money *we zullen ze het niet makkelijk maken;* get/have a (good) – for one's money *waar voor zijn geld krijgen;* give s.o. the – of *iem. de (vrije) beschikking geven over;* ⟨sl.⟩ the –s *diarree.*
2 run ⟨ran [ræn], run [rʌn]⟩ **I** ⟨onov ww⟩ • *rennen, hollen, hardlopen;* – at *toestormen op; aanvallen* • *gaan, lopen, (hard) rijden, heen en weer rijden/varen* ⟨v. bus, pont e.d.⟩, *voorbijgaan, aflopen* ⟨v. tijd⟩, *lopen, werken* ⟨v. machines⟩, *(uit)lopen, (weg)stromen, druipen* ⟨v. vloeistoffen e.d.⟩, ⟨fig.⟩ *(voort)duren, gelden;* the play will – for ten performances *er zullen tien voorstellingen v.h. stuk gegeven worden;* – foul of ⟨fig.⟩ *stuiten op, in botsing komen met;* ⟨scheep.⟩ – aground *aan de grond lopen;* feelings ran high *de gemoe-*

deren raakten verhit; – on electricity *elektrisch zijn* • *lopen, zich uitstrekken, gaan,* ⟨ook fig.⟩ *neigen;* prices are running high *de prijzen zijn over het algemeen hoog;* – to crabbiness *geneigd zijn tot vitten;* – to extremes *in uitersten vervallen* • *wegrennen, vluchten* • *luiden;* the third line –s as follows *de derde regel luidt als volgt* • ⟨sport; pol.⟩ *deelnemen;* he ran fifth *hij kwam als vijfde binnen;* ⟨pol.⟩ – for *zich kandidaat stellen voor* • ⟨cricket⟩ *een run (proberen te) maken* • ⟨v. kous⟩ ‖‖ – along! *vooruit!, laat me eens met rust!;* – across s.o. *iem. tegen het lijf lopen;* – for it *het op een lopen zetten;* – through the minutes *de notulen doornemen;* his inheritance was – through within a year *hij had binnen een jaar zijn erfenis erdoor gejaagd;* my allowance doesn't – to/I can't – to a car *mijn toelage is niet toereikend/ik heb geen geld genoeg voor een auto;* zie ook ⟨sprw.⟩ STILL; zie RUN AROUND, RUN AWAY, RUN BACK, RUN DOWN, RUN IN, RUN INTO, RUN OFF, RUN ON, RUN OUT, RUN OVER, RUN UP **II** ⟨ov ww⟩ • *rijden/lopen over, volgen* ⟨weg⟩, *afleggen* ⟨afstand⟩; – a race *een wedstrijd lopen;* – s.o. over *iem. overrijden* • *laten gaan, varen, rijden, doen stromen, in werking stellen, laten lopen* ⟨machines e.d.⟩, ⟨fig.⟩ *doen voortgaan, leiden, runnen;* – the bath *het bad laten vollopen;* – a business *een zaak hebben;* – s.o. hard *iem. (dicht) op de hielen zitten;* ⟨fig.⟩ *weinig voor iem. onderdoen;* – a comb through one's hair *(even) een kam door zijn haar halen* • *smokkelen* • *ontvluchten* • ⟨sport; pol.⟩ *kandidaat stellen, laten deelnemen* ‖ ⟨AE⟩ – a (traffic-) light *door rood rijden;* zie RUN BACK, RUN DOWN, RUN IN, RUN OFF, RUN THROUGH, RUN UP.
'**runabout** ↓ • *wagentje.*
'**run a'round** ⟨AE⟩ • ⟨+with⟩ *omgaan (met).*
'**run-around** ⟨AE⟩ • ↓ *het iem. afschepen;* get the – from s.o. *nooit weten waar je aan toe bent met iem.;* give s.o. the – *een spelletje spelen met iem..* **runaway** [´rʌnəweɪ] • *vluchteling.* '**run a'way** • *weglopen, vluchten* ‖ he let his fantasy – with him *hij liet zich meeslepen door zijn verbeelding;* don't – with the idea *geloof dat nu maar niet te snel;* – with the money *er met het geld vandoor gaan;* ⟨sport⟩ – with the race *de wedstrijd moeiteloos winnen.*
'**runaway 'child** • *weggelopen kind.* '**runaway 'horse** • *op hol geslagen paard.*
'**runaway 'marriage** • *schaking.* '**run 'back I** ⟨onov ww⟩ • ⟨+over⟩ *(in gedach-*

ten) terugkeren (naar), doorlopen/nemen II ⟨ov ww⟩ ●*terugspoelen* ⟨band, film⟩. **'run 'down** I ⟨onov ww⟩ ●*afnemen, minder worden* ●*uitgeput raken, opraken* II ⟨ov ww⟩ ●*reduceren, verminderen in capaciteit* ●*aanrijden* ●*opsporen, vinden, te pakken krijgen* ●*kritiseren.*

1 'run-down ⟨zn⟩ ●*vermindering* ●↓ *opsomming, verslag.*

2 run-down ⟨bn⟩ ●*vervallen, verwaarloosd* ●*uitgeput, doodmoe.*

1 rung [rʌŋ] ⟨zn⟩ ●*sport, trede;* ⟨fig.⟩ *on the lowest − of the ladder onder aan de ladder.*

2 rung ⟨verl. t. en volt. deelw.⟩ *zie* RING.

'run 'in I ⟨onov ww⟩ ●*binnen (komen) lopen* II ⟨ov ww⟩ ●↓ *oppakken, aanhouden* ●*inrijden* ⟨auto⟩. **'run-in** ●*aanloop, voorbereiding* ●↓ *schermutseling, vechtpartij.*

'run into ●*stoten op, in botsing komen met* ●*terechtkomen in; −* difficulties/debts *in de problemen/schulden raken* ●*tegen het lijf lopen* ●*belopen, bedragen;* the costs − thousands of pounds *de kosten lopen in de duizenden.*

runner ['rʌnə] ●*agent, vertegenwoordiger,* ⟨hand. ook⟩ *loopjongen, bezorger, koerier* ●*glij-ijzer* ⟨v. schaats/slee⟩ ●⟨plantk.⟩ *uitloper* ●⟨sport⟩ *deelnemer, hardloper, renpaard.* **'runner 'bean** ⟨BE⟩ ●*pronkboon.* **'runner-'up** ●⟨vnl. sport⟩ *tweede, wie op de tweede plaats eindigt.*

1 running ['rʌnɪŋ] ⟨zn⟩ ●*het rennen,* ⟨ihb. sport⟩ *hardlopen;* out of/in the − *kansloos/met een goede kans (om te winnen)*‖ make the − *het tempo bepalen;* ⟨fig.⟩ *de toon aangeven.*

2 running ⟨bn⟩ ●*hardlopend, rennend; −* jump *sprong met aanloop* ●*lopend; −* water *stromend water* ●*(door)lopend, continu, opeenvolgend; −* commentary *direct verslag;* ⟨mil.⟩ *− fire snelvuur;* five times − *vijf keer achter elkaar* ‖ ⟨machines⟩ − gear *loopwerk; −* mate ⟨AE; pol.⟩ *kandidaat voor de tweede plaats;* in − order *goed werkend.*

'run 'off I ⟨onov ww⟩ ●*weglopen, wegvluchten; −* with s.o. *er vandoor gaan met iem.* II ⟨ov ww⟩ ●*laten wegstromen, aftappen* ●*afdraaien, fotokopiëren.*

'run-of-the-'mill ●*doodgewoon, niet bijzonder.*

'run 'on ●*doorgaan, doorlopen, voortgaan;* time ran on *de tijd ging voorbij* ‖ he will − for ever *hij houdt geen seconde zijn mond.* **'run 'out** ●*opraken, aflopen;* our supplies have run out *onze voorraden zijn uitgeput* ●*te weinig hebben;* we are run-

ning out of time *we komen tijd te kort* ●*weglopen, wegstromen* ●⟨plantk.⟩ *uitlopen*‖ − on s.o. *iem. in de steek laten.* **'run 'over** I ⟨onov ww⟩ ●*overstromen* ‖ − with energy *overlopen v. energie* II ⟨ww + vz⟩ ●*doornemen, nakijken, repeteren.*

runt [rʌnt] ●*ondermaats dier, kleinste v.e. worp,* ⟨↓; vaak ong.⟩ *onderdeurtje, onderkruipsel.*

'run 'through ●*repeteren, oefenen.* **'run-through** ●*repetitie.* **'run 'up** I ⟨onov ww⟩ ‖ − against difficulties *op moeilijkheden stuiten* II ⟨onov en ov ww⟩ ⟨geldw.⟩ ●*(doen) oplopen;* her debts ran up/she ran up debts *ze maakte steeds meer schulden; −* a score *een rekening laten oplopen* III ⟨ov ww⟩ ●*hijsen* ●↓ *in elkaar flansen.* **'run-up** ●*voorbereiding(stijd); −* to an election *verkiezingsperiode.* **'runway** ●*start/landingsbaan.*

1 rupture ['rʌptʃə] ⟨zn⟩ ●*breuk, scheiding* ●⟨med.⟩ *breuk.*

2 rupture ⟨ww⟩ ●*verbreken* ●⟨med.⟩ *scheuren* ⟨v. spier e.d.⟩ ●⟨med.⟩ *een breuk krijgen; −* o.s. lifting sth. *zich een breuk tillen.*

rural ['ruərəl] ●*landelijk, plattelands.*

ruse [ru:z] ●*list, truc.*

1 rush [rʌʃ] ⟨zn⟩ ●*heftige beweging, stormloop, grote vraag, toevloed;* there is a − for his latest novel *er is een grote vraag naar zijn laatste roman* ●*haast;* what's the −? *vanwaar die haast?* ●⟨the⟩ *spits(uur), drukte* ●⟨vaak mv.⟩⟨film.⟩ *eerste afdruk* ●⟨plantk.⟩ *rus, bies,* ⟨mv.⟩ *biezen* ⟨v. manden, matten e.d.⟩.

2 rush I ⟨onov ww⟩ ●*stormen, vliegen, zich haasten* ●*ondoordacht handelen, overijld doen; −* into marriage *zich overhaast in een huwelijk storten* ‖ zie ook ⟨sprw.⟩ FOOL II ⟨ov ww⟩ ●*meeslepen, haastig vervoeren* ●*opjagen* ●*haastig behandelen, afraffelen; −* out *massaal produceren; −* a bill through *een wetsontwerp erdoor jagen* ●*bestormen* ⟨ook mil.⟩, *overmeesteren.* **'rush de'livery** ●*spoedbestelling.* **'rush hour** ●*spitsuur.* **'rush order** ●*spoedbestelling.*

rusk [rʌsk] ●*(harde) beschuit.*

russet ['rʌsɪt] ●*roodbruin.*

Russia ['rʌʃə] ●*Rusland.* **Russian** ['rʌʃn] ●⟨bn⟩ *Russisch* ●⟨eig.n.⟩ *Russisch* ⟨taal⟩ ●⟨telb zn⟩ *Rus(sin).*

1 rust [rʌst] ⟨zn⟩ ●*roest* ⟨ook plantk.⟩ ●*roestbruin.*

2 rust I ⟨onov ww⟩ ●*roesten; −* away *wegroesten* II ⟨ov ww⟩ ●*laten roesten.*

1 rustic ['rʌstɪk] ⟨zn⟩ ●*plattelander, boer.*

2 rustic ⟨bn⟩ ●*boers, simpel* ●*rustiek, uit grof materiaal gemaakt* ●*landelijk.* **rusticate** [ˈrʌstɪkeɪt] ●*verwijderen, (tijdelijk) wegsturen v.d. universiteit.*
1 rustle [ˈrʌsl] ⟨zn⟩ ●*geruis, geritsel.*
2 rustle I ⟨onov ww⟩ ●*ruisen, ritselen* **II** ⟨ov ww⟩ ●*laten ruisen/ritselen* ●⟨AE⟩ *roven* ⟨vee, paarden⟩ ‖ – up a meal *een maaltijd in elkaar draaien.*
rustler [ˈrʌslə] ⟨AE; ↓⟩ ●*veedief.*
'rustproof ●⟨bn⟩ *roestvrij* ●⟨ww⟩ *roestvrij maken.* **rusty** [ˈrʌsti] ●*roestig, verroest* ●*verwaarloosd,* ⟨fig.⟩ *verstoft;* my French is a bit – *mijn Frans is niet meer zo goed* ●*roestbruin.*
1 rut [rʌt] ⟨zn⟩ ●*voor, groef, spoor* ●*sleur;* get into a – *vastroesten in de dagelijkse routine* ●⟨dierk.⟩ *bronst.*
2 rut ⟨ww⟩ ●*groeven maken in.*
ruthless [ˈruːθləs] ●*meedogenloos, hard.*
rutting [ˈrʌtɪŋ] ●*bronstig.*
rye [raɪ] ●*rogge* ●⟨AE⟩ *roggebrood* ●*roggewhisky.*

Sabbath [ˈsæbəθ] ●*sabbat, rustdag.*
sabbatical [səˈbætɪkl], **sabbatical leave** ●*sabbatsverlof, verlofjaar* ⟨v. universiteit⟩.
sable [ˈseɪbl] ●⟨dierk.⟩ *sabeldier* ●*sabelbont.*
sabotage [ˈsæbətɑːʒ] ●⟨zn⟩ *sabotage* ●⟨ww⟩ *saboteren, sabotage plegen (op).*
saboteur [ˈsæbəˈtəː] ●*saboteur.*
sabre [ˈseɪbə] ●⟨mil.⟩ *sabel,* ⟨sport⟩ *(scherm)sabel.*
saccharin [ˈsækərɪn] ●*sa(c)charine.* **saccharine** [ˈsækəriːn] ●*sa(c)charine-* ●⟨fig.⟩ *suikerzoet, zoet(sappig).*
sachet [ˈsæʃeɪ] ●*sachet, reukzakje* ●*(plastic) ampul* ⟨ihb. voor shampoo⟩.
1 sack [sæk] ⟨zn⟩ ●*zak, jutezak,* ⟨vnl. AE⟩ *papieren zak* ⟨voor boodschappen⟩ ●zie SACKFUL ●↓ *zak, ontslag;* get the – *eruit vliegen;* give s.o. the – *iem. de laan uitsturen* ●*plundering;* they put the town to the – *ze plunderden de stad* ●⟨AE; ↓⟩ *bed;* hit the – *gaan pitten.*
2 sack ⟨ww⟩ ●*plunderen* ●↓ *de laan uitsturen, ontslaan.*
'sackcloth ●*jute* ‖ in – and ashes *in zak en as, in rouw.* **sackful** [ˈsækfʊl] ●*zak vol.* **sacking** [ˈsækɪŋ] ●*jute.* **'sack race** ●*zakloopwedstrijd.*
sacral [ˈseɪkrəl] ●*heilig, gewijd, geheiligd.*
sacrament [ˈsækrəmənt] ●*sacrament* ●⟨R.-K.⟩⟨S-; the⟩ *eucharistie;* the Blessed/Holy – *de eucharistie, het Heilig Avondmaal.*
sacramental [ˈsækrəˈmentl] ●*sacramenteel.*
sacred [ˈseɪkrɪd] ●*gewijd, heilig, geheiligd;* – cow *heilige koe;* – music *gewijde muziek, kerkmuziek* ●*veilig, gevrijwaard, onschendbaar* ‖ nothing is – to him *niets is hem heilig.*
1 sacrifice [ˈsækrɪfaɪs] ⟨zn⟩ ●*offer, offerande* ●*opoffering.*
2 sacrifice ⟨ww⟩ ●*offeren* ●*opofferen, opgeven.* **sacrificial** [ˈsækrɪˈfɪʃl] ●*offer-;* a – animal *een offerdier.*
sacrilege [ˈsækrɪlɪdʒ] ●*heiligschennis.* **sacrilegious** [ˈsækrɪˈlɪdʒəs] ●*heiligschennend.*

sacristy ['sækrɪstɪ] ● *sacristie.*
sacrosanct ['sækrousæŋ(k)t] ● ⟨ook scherts.⟩ *heilig, onaantastbaar.*
sad [sæd] ⟨-ness⟩ ● *droevig, verdrietig, ongelukkig;* –*der* but *wiser grijzer maar wijzer;* – to say, we didn't enjoy ourselves *helaas/jammer genoeg hebben we ons niet vermaakt;* to be –*ly* mistaken *er totaal naast zitten* ● *bedroevend (slecht), betreurenswaardig;* it's a – state of affairs *het is een droeve zaak/ongehoord;* zie SADLY.
sadden ['sædn] ● *bedroeven, verdrietig maken, somber stemmen.*
1 saddle ['sædl] ⟨zn⟩ ● *zadel;* be in the – ⟨fig.⟩ *het voor het zeggen hebben* ● ⟨vnl. BE⟩ *lendestuk, rugstuk* ● *zadel* ⟨v. bergrug⟩.
2 saddle I ⟨onov ww⟩ ● ⟨+up⟩ *opzadelen, een paard zadelen* **II** ⟨ov ww⟩ ● ⟨+up⟩ *zadelen, opzadelen* ● ⟨+with/(up)on⟩ *opzadelen (met), opschepen (met);* he –*d* all responsibility on her *hij schoof alle verantwoordelijkheid op haar af.* '**saddlebag** ● *zadeltas(je).* **saddler** ['sædlə] ● *zadelmaker.* '**saddlesore** ● *doorgereden, met zadelpijn.*
sadism ['seɪdɪzm] ● *sadisme.* **sadist** ['seɪdɪst] ● *sadist(e).* **sadistic** [sə'dɪstɪk] ● *sadistisch.*
sadly ['sædlɪ] ● zie SAD ● ⟨aan het begin v.d. zin⟩ *helaas.*
sadomasochism ['seɪdou'mæsəkɪzm] ● *sadomasochisme.*
s.a.e. ⟨afk.⟩ stamped addressed envelope ● *antwoordenvelop.*
safari [sə'fɑːri] ● *safari.*
1 safe [seɪf] ⟨zn⟩ ● *brandkast, (bewaar)kluis, safe(loket).*
2 safe ⟨bn⟩ ● *veilig;* – from attack *beveiligd tegen aanvallen* ● *veilig, zeker;* it's a – bet that he'll refuse *je kunt er donder op zeggen dat hij weigert;* be on the – side *het zekere voor het onzekere nemen;* it's – to say *je kunt gerust zeggen;* play it – *geen risico nemen* ● *betrouwbaar, vertrouwd;* the party has twenty – seats *de partij kan zeker rekenen op twintig zetels* ● *behouden, ongedeerd;* she arrived – and sound *ze kwam heelhuids aan.*
'**safe-'conduct** ● *vrijgeleide, vrije doorgang.* '**safe-de'posit** ● *(brand)kluis.* **safe-de'posit box** ● *safeloket, safe.*
1 safeguard ['seɪfgɑːd] ⟨zn⟩ ● *waarborg, bescherming, voorzorg(smaatregel).*
2 safeguard ⟨ww⟩ ● *beveiligen, beschermen, waarborgen.*
'**safe'keeping** ● *verzekerde bewaring, hoede.*
safety ['seɪftɪ] ● *veiligheid, zekerheid* ‖

⟨sprw.⟩ there is safety in numbers *opgaan in de massa biedt voordelen.* '**safety belt** ● *veiligheidsgordel, veiligheidsriem.* '**safety catch** ● *veiligheidspal.* '**safety curtain** ● *brandscherm* ⟨in theater⟩. '**safety glass** ● *veiligheidsglas.* '**safety island** ⟨AE⟩ ● *vluchtheuvel.* '**safety lock** ● *veiligheidsslot.* '**safety match** ● *veiligheidslucifer.* '**safety measure** ● *veiligheidsmaatregel.* '**safety net** ● *vangnet* ⟨voor acrobaten⟩. '**safety pin** ● *veiligheidsspeld.* '**safety razor** ● *veiligheidsscheermes.* '**safety valve** ● *veiligheidsklep, uitlaat (klep)*⟨ook fig.⟩.
saffron ['sæfrən] ● ⟨bn en zn⟩ *saffraan, oranjegeel.*
1 sag [sæg] ⟨zn⟩ ● *verzakking, doorzakking, doorbuiging.*
2 sag ⟨ww⟩ ● ⟨ook +down⟩ *verzakken, doorzakken, doorbuigen* ● *dalen, afnemen* ⟨ihb. v. prijzen⟩; her spirits sagged *de moed zonk haar in de schoenen.*
saga ['sɑːgə] ● *saga* ● *familiekroniek* ● *(lang) verhaal.*
sagacious [sə'geɪʃəs] ● *scherpzinnig, verstandig.* **sagacity** [sə'gæsəti] ● *scherpzinnigheid, wijsheid.*
1 sage [seɪdʒ] ⟨zn⟩ ● *wijze (man), wijsgeer* ● ⟨plantk., cul.⟩ *salie.*
2 sage ⟨bn⟩ ● *wijs(gerig).*
sago ['seɪgou] ⟨cul.⟩ ● *sago.*
1 said [sed] ⟨bn⟩ ● *(boven)genoemd, voornoemd.*
2 said ⟨verl. t. en volt. deelw.⟩ zie SAY.
1 sail [seɪl] ⟨zn⟩ ● *zeil, de zeilen;* set – *de zeilen hijsen;* under – *met de zeilen gehesen* ● ⟨mv.: sail⟩ *(zeil)schip* ● *zeiltocht(je);* it will be a week's – *het is een weekje varen* ● *molenwiek.*
2 sail I ⟨onov ww⟩ ● *varen, zeilen* ● *afvaren, uitvaren;* we're –*ing* for England tomorrow *we vertrekken morgen naar Engeland* ● *glijden, zweven, zeilen;* she –*ed* through her finals *ze haalde haar eindexamen op haar sloffen* **II** ⟨ov ww⟩ ● *bevaren* ● *besturen* ⟨schip⟩.
sailing ['seɪlɪŋ] ● *afvaart, vertrek(tijd)* ● *het zeilen, zeilsport.* '**sailing boat,** ⟨AE⟩ **sail boat** ● *zeilboot(je).* '**sailing ship** ● *zeilschip.*
sailor ['seɪlə] ● *zeeman, matroos;* Andy is a good/bad – *Andy heeft nooit/snel last van zeeziekte.* '**sailor suit** ● *matrozenpak(je).*
saint [seɪnt] ● *heilige, sint,* ⟨fig.⟩ *iem. met engelengeduld.* **sainthood** ['seɪnthʊd] ● *heiligheid.* **saintly** ['seɪntlɪ] ● *heilig, vroom.*
Saint Valentine's Day [sənt 'væləntaɪnz deɪ]

● *Valentijnsdag* ⟨14 februari⟩.
sake [seɪk] ● *belang, (best)wil;* for God's/
Christ's/pity's – *get out of there in gods-
naam/jezusnaam/alsjeblieft, kom daaruit
vandaan;* for both our *–s in ons beider belang;* we're only doing this for your – *we
doen dit alleen maar ter wille v. jou* ● *doel.*
salable zie SALEABLE.
salacious [sə'leɪʃəs] ● *geil* ● *obsceen, schunnig.*
salad ['sæləd] ● *salade, slaatje.* **'salad
cream, 'salad dressing** ● *slasaus.* **'salad
days** ● *(onschuldige) jonge jaren;* in his –
toen hij nog jong en onervaren was. **'salad oil** ● *slaolie.*
salamander ['sæləmændə] ● *salamander.*
salaried ['sælərɪd] ● *bezoldigd* ⟨per maand
betaald⟩, *gesalarieerd.* **salary** ['sæləri] ●
salaris.
sale [seɪl] ● *verkoop;* for – *te koop;* be put up
for – *geveild worden;* on – in the supermarket *in de supermarkt verkrijgbaar/te
koop* ● *verkoping, veiling;* – of work *liefdadigheidsbazaar* ● *uitverkoop.* **saleable,
salable** ['seɪləbl] ● *verkoopbaar, gewild.*
'saleroom, ⟨AE⟩ **'salesroom** ● *veilinglo-
kaal.*
'salesclerk ⟨AE⟩ ● *winkelbediende.* **'sales
department** ● *verkoopafdeling.* **'salesgirl**
● *winkelmeisje, verkoopster.* **'saleslady** ●
verkoopster. **salesman** ['seɪlzmən] ● *verkoper, winkelbediende* ● *vertegenwoordiger, agent, handelsreiziger* ‖ ⟨AE⟩ travel-
ing – *handelsreiziger.* **'sales manager** ●
verkoopleider. **salesmanship** ['seɪlz-
mənʃɪp] ● *verkooptechniek.* **'sales pitch**
● *verkooppraat(je).* **'sales representative** ● *vertegenwoordiger.* **'sales slip**
⟨AE⟩ ● *kassabon.* **'sales talk** ● *verkoop-
praatje(s).* **'sales tax** ● *omzetbelasting.*
'saleswoman ● *verkoopster, winkelbediende.*
salient ['seɪlɪənt] ● *saillant, opvallend,
meest belangrijk.*
saline ['seɪlaɪn] ● *zout(houdend), zoutachtig.*
saliva [sə'laɪvə] ● *speeksel.* **salivary** [sə'laɪ-
vri] ‖ – glands *speekselklieren.* **salivate**
['sælɪveɪt] ● *kwijlen* ⟨ook fig.⟩.
1 sallow ['sæloʊ] ⟨zn⟩ ● *wilg.*
2 sallow ⟨bn⟩ ● *vaal(geel), (ziekelijk geel)
bleek, grauw(bruin).*
sally ['sæli] ● *uitval* ⟨vnl. mil.⟩ ● *uitbarsting*
● *kwinkslag, (geestige) inval.* **sally forth** ●
een uitval doen ● *erop uit gaan.*
salmon ['sæmən] ● *zalm* ● *zalmkleur.*
salmonella ['sælmə'nelə] ● *salmonella(bacterie).*
salon ['sælɒn] ● *salon.*

saloon [sə'luːn] ● *zaal* ⟨ook op schip⟩, *salon*
● ⟨AE⟩ *bar, café* ● ⟨BE⟩ *sedan.* **sa'loon
bar** ⟨BE⟩ ● *nette gelagkamer.* **sa'loon car**
⟨BE⟩ ● *sedan.*
1 salt [sɔːlt] ⟨zn⟩ ● *(keuken)zout* ● *zoutvaatje*
‖ the – of the earth *het zout der aarde;* he's
not worth his – *hij is het zout in de pap niet
waard.*
2 salt ⟨bn⟩ ● *zout, gezouten.*
3 salt ⟨ww⟩ ● *zouten, pekelen, inmaken* ●
pekelen ⟨wegen⟩, *met zout bestrooien* ●
⟨fig.⟩ *kruiden* ‖ he's got quite some money –ed away *hij heeft aardig wat geld op-
gepot/opzij gelegd.*
SALT [sɔːlt] ⟨afk.⟩ Strategic Arms Limitation
Talks.
'saltcellar ● *zoutvaatje.*
saltpetre ['sɔːlt'piːtə] ● *salpeter.*
'saltshaker ⟨AE⟩ ● *zoutvaatje.* **'saltwater** ●
zoutwater-. **salty** ['sɔːlti] ● *zout(achtig)* ●
pikant.
salubrious [sə'luːbrɪəs] ↑ ● *heilzaam, gezond.*
salutary ['sæljʊtri] ● *heilzaam.*
salutation ['sæljʊ'teɪʃn] ● *aanhef* ⟨in brief⟩ ●
begroeting, groet.
1 salute [sə'luːt] ⟨zn⟩ ● *saluut, saluutschot;*
take the – *de parade afnemen* ● *begroeting, groet;* in – *als begroeting.*
2 salute I ⟨onov en ov ww⟩ ● *groeten, begroeten* ● *salueren, een saluutschot/sa-
luutschoten lossen (voor)* II ⟨ov ww⟩ ● *eer
bewijzen aan.*
1 salvage ['sælvɪdʒ] ⟨zn⟩ ● *berging, redding*
● *geborgen goed, het geborgene.*
2 salvage ⟨ww⟩ ● *bergen, redden, in veiligheid brengen.* **'salvage operation** ● *ber-
gingsoperatie,* ⟨fig.⟩ *reddingsoperatie.*
salvation [sæl'veɪʃn] ● *redding* ● *verlossing,
zaligmaking.*
Sal'vation 'Army ● *Leger des Heils.*
salvationist [sæl'veɪʃənɪst] ● *heilsoldaat/sol-
date.*
1 salve [sɑːv] ⟨zn⟩ ● *zalf* ⟨ook fig.⟩, ↑ *balsem.*
2 salve ⟨ww⟩ ● *kalmeren;* – one's conscience *zijn geweten sussen.*
salver ['sælvə] ● *presenteerblad.*
salvo ['sælvoʊ] ● *salvo;* a – of applause *een
daverend applaus.*
Samaritan [sə'mærɪtn] ● *Samaritaan;* good
– *barmhartige Samaritaan.*
1 same [seɪm] ⟨vnw⟩ bijna altijd met the ●
de/hetzelfde; one and the – *één en dezelfde;* ↓ – again please! *hetzelfde a.u.b.!;* ↓ –
here *met mij precies zo;* they are much the
– *ze lijken (vrij) sterk op elkaar;* it's all the –
to me *het is mij om het even;* (the) – to you
insgelijks, van 't zelfde.

2 same ⟨bw; met the, beh. soms inf.⟩ ● *net zo, precies hetzelfde;* he found nothing, (the) – as my own dentist *hij vond niets, net als mijn eigen tandarts.*

3 same ⟨det; the⟩ ● *zelfde, gelijke;* it amounts to the – thing *het komt op hetzelfde neer;* at the – time *tegelijkertijd.*

sameness ['seɪmnəs] ● *gelijkheid* ● *eentonigheid.*

sampan ['sæmpæn] ● *sampan* ⟨Chinees bootje⟩.

1 sample ['sɑ:mpl] ⟨zn⟩ ● *(proef)monster, staal, voorbeeld* ● *steekproef.*

2 sample ⟨ww⟩ ● *een steekproef nemen uit* ● *(be)proeven, testen, keuren.* '**sample 'copy** ● *proefnummer.*

sampler ['sɑ:mplə] ● *merklap.*

sanatorium ['sænə'tɔ:rɪəm] ⟨mv.: ook sanatoria [-'tɔ:rɪə]⟩ ● *sanatorium, herstellingsoord.*

sanctify ['sæŋktɪfaɪ] ● *heiligen, wijden* ● ⟨vaak pass.⟩ *rechtvaardigen.*

sanctimonious ['sæŋktɪ'moʊnɪəs] ● *schijnheilig.*

1 sanction ['sæŋkʃn] ⟨zn⟩ ● *toestemming, bekrachtiging, goedkeuring* ● *sanctie, dwang(middel), strafmaatregel.*

2 sanction ⟨ww⟩ ● *sanctioneren, bekrachtigen* ● *goedkeuren.*

sanctity ['sæŋktəti] ● *heiligheid.*

sanctuary ['sæŋktʃʊəri] ● *heiligdom* ● *vogel/wildreservaat* ● *asiel, vrij/wijkplaats, toevlucht(soord).*

1 sand [sænd] ⟨zn⟩ ● *zand* ● ⟨vaak mv.⟩ *zandvlakte, strand, woestijn* ‖ the –s (of life) are running out *de tijd is bijna om/verstreken.*

2 sand ⟨ww⟩ ● *met zand bestrooien* ● ⟨+down⟩ *(glad)schuren.*

sandal ['sændl] ● *sandaal.*

'**sandalwood** ● *sandelhout.*

1 'sandbag ⟨zn⟩ ● *zandzak.*

2 sandbag ⟨ww⟩ ● *met zandzakken versterken.* '**sandbank** ● *zandbank.* '**sandbar** ● *drempel* ⟨ondiepte voor of in de mond v.e. rivier/haven⟩. '**sandblast** ● *zandstralen.* '**sandbox** ● ⟨AE⟩ *zandbak.* '**sandcastle** ● *zandkasteel.* '**sand dune** ● *duin.* **sander** ['sændə] ● *schuurmachine.* '**sandglass** ● *zandloper.* '**sandman** ● *zandmannetje, Klaas Vaak.* '**sandpaper** ● ⟨zn⟩ *schuurpapier* ● ⟨ww⟩ *schuren.* '**sandpit** ● ⟨BE⟩ *zandbak.* '**sandstone** ● *zandsteen.* '**sandstorm** ● *zandstorm.*

1 sandwich ['sænwɪdʒ] ⟨zn⟩ ● *sandwich, dubbele boterham* ● ⟨BE⟩ ⟨ongeveer⟩ *Zwitsers gebak.* ·

2 sandwich ⟨ww⟩ ● *klemmen, vastzetten,* *plaatsen.* '**sandwich board** ● *reclamebord* ⟨gedragen door iem. op borst en rug⟩. '**sandwich course** ⟨BE⟩ ● *studie waarin lange stage is opgenomen.* '**sandwich man** ● *sandwichman* ⟨iem. met reclamebord op borst en rug⟩.

sandy ['sændi] ● *zand(er)ig* ● *rossig, roodachtig.*

sane [seɪn] ● *(geestelijk) gezond, bij zijn volle verstand* ● *verstandig* ⟨v. ideeën enz.⟩, *redelijk.*

sang [sæŋ] ⟨verl. t.⟩ zie SING.

sanguinary ['sæŋgwɪnri] ● *bloed(er)ig* ● *bloeddorstig.* **sanguine** ['sæŋgwɪn] ● *optimistisch, hoopvol, opgewekt.*

sanitarium ['sænɪ'teərɪəm] ⟨mv.: ook sanitaria [-rɪə]⟩ ⟨AE⟩ ● *sanatorium, herstellingsoord.*

sanitary ['sænɪtri] ● *sanitair, mbt. de gezondheid* ● *hygiënisch, sanitair, schoon;* – fittings *het sanitair* ‖ – stop *sanitaire stop* ⟨bv. tijdens busrit⟩. '**sanitary bag** ● *zak voor maandverband.* '**sanitary inspector** ● *inspecteur v.d. volksgezondheid.* '**sanitary towel,** ⟨AE⟩ '**sanitary napkin** ● *maandverband.*

sanitation ['sænɪ'teɪʃn] ● *bevordering v.d. volksgezondheid* ● *afvalverwerking.*

sanity ['sænəti] ● *(geestelijke) gezondheid* ● *gezond verstand.*

sank [sæŋk] ⟨verl. t.⟩ zie SINK.

Santa Claus ['sæntə klɔ:z], ↓ **Santa** ● *kerstman(netje).*

1 sap [sæp] ⟨zn⟩ ● *(planten)sap* ● *levenskracht.*

2 sap ⟨ww⟩ ● ⟨fig.⟩ *levenskracht onttrekken aan, uitputten.*

sapling ['sæplɪŋ] ● *jong boompje.*

sapphire ['sæfaɪə] ● *saffier* ● *saffier(blauw).*

sarcasm ['sɑ:kæzm] ● *sarcasme, bijtende spot.* **sarcastic** [sɑ:'kæstɪk] ● *sarcastisch, bijtend.*

sarcophagus [sɑ:'kɒfəgəs] ⟨mv.: ook sarcophagi [-gaɪ]⟩ ● *sarcofaag, stenen doodskist.*

sardine [sɑ:'di:n] ● *sardine, sardien;* ↓ (packed) like –s *als haringen in een ton.*

sardonic [sɑ:'dɒnɪk] ● *sardonisch, boosaardig spottend, cynisch;* a – laugh *grijnslach.*

sarge [sɑ:dʒ] ↓ ● *sergeant.*

sari ['sɑ:ri] ● *sari* ⟨Indiaas kledingstuk voor vrouwen⟩.

sarong [sə'rɒŋ] ● *sarong* ⟨Indisch kledingstuk⟩.

sartorial [sɑ:'tɔ:rɪəl] ● *kleermakers-* ● *mbt./v. (heren)kleding;* – elegance *elegante kleding.*

sash [sæʃ] ● *sjerp* ● *raam*, ⟨ihb.⟩ *schuifraam.* **'sash cord** ● *raamkoord.* **'sash 'window** ● *schuifraam.*

1 sass [sæs] ⟨zn⟩ ⟨AE; ↓⟩ ● *brutaliteit.*

2 sass ⟨ww⟩ ⟨AE; ↓⟩ ● *brutaal zijn tegen.* **sassy** ['sæsi] ⟨AE; ↓⟩ ● *brutaal.*

sat [sæt] ⟨verl. t. en volt. deelw.⟩ zie SIT.

Satan ['seɪtn] ● *(de) Duivel.*

satanic [sə'tænɪk] ● *satanisch, duivels.*

satchel ['sætʃl] ● *(school)tas* ⟨vaak met schouderband⟩.

sate [seɪt] ‖ *be sated with verzadigd zijn van; de buik vol hebben van.*

satellite ['sætlaɪt] ● *satelliet, (kunst)maan* ● *satellietstaat.* **'satellite town** ● *satellietstad, overloopgemeente.*

satiable ['seɪʃəbl] ● *verzadigbaar.* **satiate** ['seɪʃɪeɪt] ● *(over)verzadigen;* be –d with *verzadigd zijn van; zijn buik vol hebben van.* **satiety** [sə'taɪəti] ● *(over)verzadiging.*

satin ['sætɪn] ● ⟨bn⟩ *satijnen* ● ⟨zn⟩ *satijn.*

satire ['sætaɪə] ● *satire, hekeldicht/roman.* **satirical** [sə'tɪrɪkl] ● *satirisch.* **satirist** ['sætɪrɪst] ● *satiricus.* **satirize** ['sætɪraɪz] ● *hekelen, bespotten.*

satisfaction ⟨'sætɪ'sfækʃn] ● *genoegen, tevredenheid* ● *voldoening, bevrediging;* prove sth. to s.o's – *iets tot iemands volle tevredenheid bewijzen* ● *genoegdoening;* demand – *genoegdoening vragen.* **satisfactory** ['sætɪ'sfæktrɪ] ● *(goed) genoeg, bevredigend.* **satisfy** ['sætɪsfaɪ] ● *tevredenstellen, voldoening schenken, bevredigen;* be satisfied with *tevreden zijn over* ● *voldoen aan* ● *nakomen* ⟨een verplichting⟩, *vervullen* ● *stillen, bevredigen* ● *overtuigen;* – o.s. that *zich ervan overtuigen dat;* be satisfied that *ervan overtuigd zijn dat.*

saturate ['sætʃəreɪt] ● *doordrenken;* be –d *kletsnat zijn* ● *verzadigen, volledig vullen* ‖ –d fats *verzadigde vetten.* **saturation** ['sætʃə'reɪʃn] ● *verzadiging* ‖ – with heavy bombing *volledig platbombarderen.* **satu'ration point** ● *verzadigingspunt;* reach (the/one's) – *het/zijn verzadigingspunt bereiken.*

Saturday ['sætədi, -deɪ] ● *zaterdag;* zie MONDAY voor voorbeelden.

satyr ['sætə] ● *sater* ● *wellusteling.*

1 sauce [sɔ:s] ⟨zn⟩ ● *saus* ⟨ook fig.⟩, *sausje* ● ⟨ook: sass [sæs]⟩ ↓ *brutaliteit* ‖ ⟨sprw.⟩ what's sauce for the goose is sauce for the gander ± *gelijke monniken, gelijke kappen.*

2 sauce, ⟨AE ook⟩ **sass** ⟨ww⟩ ● ↓ *brutaal zijn tegen.*

saucepan ['sɔ:spən] ● *steelpan.*

saucer ['sɔ:sə] ● *(thee)schoteltje* ● ⟨com.⟩ *schotelantenne.*

saucy ['sɔ:si], ⟨AE ook⟩ **sassy** ['sæsi] ● *brutaal.*

sauna ['sɔ:nə] ● *sauna.*

1 saunter ['sɔ:ntə] ⟨zn⟩ ● *wandeling(etje).*

2 saunter ⟨ww⟩ ● *drentelen, kuieren.* **saunterer** ['sɔ:ntrə] ● *slenteraar(ster).*

sausage ['sɒsɪdʒ] ● *worst, saucijs.* **'sausage 'roll** ● *saucijzebroodje.*

sauté ['soʊteɪ] ⟨cul.⟩ ● *sauteren, snel bakken/braden.*

1 savage ['sævɪdʒ] ⟨zn⟩ ● *wilde* ● *woesteling.*

2 savage ⟨bn⟩ ● *wreed, woest, wild;* a – dog *een valse hond* ● *heftig, fel* ● *lomp, ongemanierd* ● ↓ *woest, razend.*

savagery ['sævɪdʒri] ● ⟨vnl. mv.⟩ *wreedheid/heden* ● *wildheid.*

savanna(h) [sə'vænə] ● *savanne.*

1 save [seɪv] ⟨zn⟩ ● *save, redding* ⟨vermeden doelpunt⟩.

2 save I ⟨onov ww⟩ ● *(+up) sparen (voor)* ● *een doelpunt vermijden* ● ⟨rel.⟩ *verlossing brengen;* – (man) from *(de mens) verlossen van* ‖ ⟨ov ww⟩ ● *redden, verlossen;* – the situation *de situatie redden;* – s.o. from danger *iem. uit het gevaar redden* ● *(be/uit)sparen, bewaren;* – time *tijd (uit)sparen;* – a seat for me *hou een plaats voor mij vrij* ● *voorkomen, besparen;* I've been –d a lot of trouble *er werd me heel wat moeite bespaard;* ⟨vnl. BE⟩ this will – me going into town *dat bespaart me een rit naar het dorp* ● *vermijden* ⟨doelpunt⟩, *voorkomen* ‖ God – the Queen *God beware/behoede de koningin;* zie ook ⟨sprw.⟩ STITCH.

3 save, save for ⟨vz⟩ ● *behalve, met uitzondering v..*

'save-as-you-'earn ● *automatisch sparen.*

saver ['seɪvə] ● *spaarder/ster* ● *middel om uit te sparen;* this machine is a real money-saver *deze machine spaart veel geld uit.*

1 saving ['seɪvɪŋ] ⟨zn⟩ ● *redding* ● *besparing.*

2 saving ⟨bn⟩ ● *spaarzaam, zuinig* ● *(alles) goedmakend;* a – grace *reddende/alles goedmakende eigenschap.*

3 saving ['seɪvɪŋ] ⟨vz⟩ ● *uitgezonderd.*

savings ['seɪvɪŋz] ● *spaargeld.* **'savings account** ● ⟨BE⟩ *spaarrekening* ⟨met hogere rente dan depositorekening⟩ ● ⟨AE⟩ *deposito/spaarrekening.* **'savings certificate** ⟨BE; geldw.⟩ ● *spaarbrief.*

saviour ['seɪvɪə] ● *redder* ● ⟨the; S-⟩ *(de)*

Verlosser ⟨Jezus Christus⟩.

1 savour ['seɪvə] ⟨zn⟩ ● *bijsmaak* ⟨ook fig.⟩, *zweem* ● *smaak* ⟨ook fig.⟩, *aroma, geur;* danger adds (a) – to life *gevaar geeft iets pikants aan het leven.*

2 savour I ⟨onov ww⟩ zie SAVOUR OF II ⟨ov ww⟩ ● *genieten (van).* '**savour of** ● *rieken naar, iets weg hebben van.*

1 savoury ['seɪvri] ⟨zn⟩ ● *hartig voor/nagerecht, hartig hapje.*

2 savoury ⟨bn⟩ ● *smakelijk, lekker* ● *hartig, pikant* ● *eerbaar, respectabel.*

savvy ['sævi] ⟨sl.⟩ ● *(gezond) verstand.*

1 saw [sɔ:] ⟨zn⟩ ● *zaag(machine).*

2 saw ⟨volt. deelw. ook sawn [sɔ:n]⟩ I ⟨onov ww⟩ ● *zagen, zich laten zagen;* – at the fiddle *op de viool krassen* II ⟨ov ww⟩ ● *zagen;* – off *afzagen;* – up *in stukken zagen.*

3 saw ⟨verl. t.⟩ zie SEE.

'**sawbones** ⟨sl.⟩ ● *chirurg.* '**sawdust** ● *zaagsel.* '**sawmill** ● *houtzagerij.* **sawn** [sɔ:n] ⟨volt. deelw.⟩ zie SAW. '**sawn-'off** '**shot-** '**gun** ● *geweer met verkorte/afgezaagde loop.*

sax [sæks] ● ⟨verk.⟩ saxophone ↓ *sax.*

Saxon ['sæksn] ● *Angelsaksisch* ● *Saksisch.*

saxophone ['sæksəfoʊn] ● *saxofoon.* **sax-ophonist** [sæk'sɒfənɪst] ● *saxofonist.*

1 say [seɪ] ⟨zn⟩ ● *zeggen(schap);* have a – in the matter *iets in de melk te brokkelen hebben;* he has the – about that matter *hij heeft het voor het zeggen in die zaak* ● *zegje;* have/say one's – *zijn zegje zeggen/doen.*

2 say [seɪ, ⟨3e pers. enk. tegenw. t.⟩sez] ⟨said, said [sed]⟩ I ⟨onov ww⟩ ● *zeggen;* ⟨BE; ↓⟩ I –! *hé (zeg), zeg; je meent het!;* so to – *bij wijze v. spreken;* it's not for me to – *daar kan ik niet over beslissen/me niet over uitlaten;* ↓ you don't – (so) *'t is niet waar!* II ⟨ov ww⟩ ● *(op)zeggen;* – one's lesson *zijn les opzeggen;* ↓ I wouldn't – no *ik zeg geen nee;* – no more! *geen woord meer!; dat zegt al genoeg!;* to – nothing of *om nog maar te zwijgen over;* – to o.s. *bij zichzelf denken;* ↓ – what you like *je mag zeggen wat je wil;* that is to – *met andere woorden, tenminste* ● *zeggen, vermelden;* the text –s *in de tekst staat;* to – the least *op zijn zachtst uitgedrukt;* she is said to be very rich *men zegt dat ze heel rijk is;* it is said/they – *men zegt/ze zeggen;* it –s on the bottle *op de fles staat* ● *zeggen, aanvoeren;* what have you to – for yourself? *wat heb je ter verdediging aan te voeren?;* what do you – to this? *wat zou je hiervan vinden/zeggen?* ● *zeggen, aannemen;* – it were true *stel dat het waar is;* –

seven a.m. *laten we zeggen/pakweg zeven uur ('s ochtends)* ● *aangeven, tonen;* what time does your watch –? *hoe laat is het op jouw horloge?* ‖ when all is said and done *alles bij elkaar genomen, al met al;* no sooner said than done *zo gezegd, zo gedaan;* it goes without –ing *het spreekt vanzelf;* ↓ I'll –, you can – that again, ⟨AE⟩ you said it *zeg dat wel;* – when *zeg het als 't genoeg is;* zie ook ⟨sprw.⟩ LEAST.

saying ['seɪɪŋ] ● *gezegde, spreekwoord, spreuk;* as the – goes *zoals men gewoonlijk zegt.* '**say-so** ↓ ● *woord;* why should he believe you on your –? *waarom zou hij je op je woord geloven?* ● *toestemming.*

scab [skæb] ● ⟨↓; bel.⟩ *werkwillige, stakingbreker* ● *korst(je)* ● *schurft.*

scabbard ['skæbəd] ● *schede* ⟨voor zwaard, mes⟩.

scabby ['skæbi] ● *schurftig* ● *met korsten bedekt.*

scabies ['skeɪbiz] ● *schurft.*

scabrous ['skeɪbrəs] ● *ruw, oneffen* ● *schunnig, gewaagd.*

scads [skædz] ⟨AE; ↓⟩ ● *hopen;* –s of people *massa's mensen.*

scaffold ['skæfəld, -foʊld] ● *schavot* ● *steiger, stellage.* **scaffolding** ['skæfəldɪŋ] ● *steiger, stellage.*

1 scald [skɔ:ld] ⟨zn⟩ ● *brandwond.*

2 scald ⟨ww⟩ ● *branden, verbranden* ● *(uit)wassen, (uit)koken, steriliseren* ● *bijna tot kookpunt verhitten* ⟨ihb. melk⟩. **scalding** ['skɔ:ldɪŋ] ● *(ook bw) kokend(heet);* – hot *kokend heet.*

1 scale [skeɪl] ⟨zn⟩ ● *schub, (huid)schilfer;* ⟨fig.⟩ the –s fell from her eyes *de schellen vielen haar v.d. ogen* ● ⟨vaak mv. met enk. bet.⟩ *(weeg)schaal;* a pair of – s *een weegschaal;* tip/turn the – (s) *de balans doen doorslaan, de doorslag geven* ● *aanslag, ketelsteen* ● *schaal(verdeling), schaalaanduiding, maatstok;* – of wages *loonschaal;* ⟨fig.⟩ on a large/grand/small – *op grote/kleine schaal;* a map on a – of a centimetre to the kilometre *een kaart met een schaal van 1 op 100.000;* draw to – *op schaal tekenen* ● ⟨muz.⟩ *toonladder.*

2 scale ⟨ww⟩ ● *(+off) ontdoen van, schrap-(p)en, pellen* ● *(be)klimmen, (op)klauteren* ‖ – back/down *verlagen, verkleinen, terugschroeven;* – up *verhogen, vergroten, opschroeven.*

'**scale** '**drawing** ● *tekening op schaal.* '**scale** '**model** ● *schaalmodel.*

1 scallop ['skɒləp] ⟨zn⟩ ● *kamschelp* ● ⟨mv.⟩ *schulp(rand), uitschulping.*

2 scallop ⟨ww⟩ ● *met schulprand versieren.*

scallywag ['skæliwæg] ●⟨meestal scherts.⟩ deugniet.
1 scalp [skælp] ⟨zn⟩ ●*schedelhuid, scalp.*
2 scalp ⟨ww⟩ ●*scalperen.*
scalpel ['skælpl] ●*scalpel, ontleed/operatiemes.*
scaly ['skeɪli] ●*schilferig* ●*geschubd.*
scamp [skæmp] ⟨scherts.⟩ ●*boef, deugniet.*
scamper ['skæmpə] ●*hollen, rennen, draven.*
scampi ['skæmpi] ●*scampi, grote garnalen.*
1 scan [skæn] ⟨zn⟩ ●⟨tech.⟩ *scanning, het aftasten.*
2 scan I ⟨onov ww⟩ ●*zich laten scanderen* ⟨v. gedicht⟩ II ⟨ov ww⟩ ●*scanderen* ⟨gedicht⟩ ●*nauwkeurig onderzoeken, afspeuren* ●*snel, vluchtig doorlezen* ●⟨tech.⟩ *aftasten, scannen.*
scandal ['skændl] ●*schandaal, schande* ●*achterklap, laster(praat); talk – roddelen.*
scandalize ['skændlaɪz] ●*shockeren, ergernis/aanstoot geven.* **scandalmonger** ['skændlmʌŋgə] ●*kwaadspreker/spreekster.* **scandalous** ['skændələs] ●*schandelijk, schandalig, aanstootgevend.*
Scandinavian ['skændɪ'neɪvɪən] ●⟨bn⟩ *Scandinavisch* ●⟨zn⟩ *Scandinaviër.*
scanner ['skænə] ⟨tech.⟩ ●*aftaster, scanner, radarantenne.*
scant [skænt] ●*weinig, gering.* **scanty** ['skænti] ●*karig, krap, gering.*
'scapegoat ●*zondebok.*
1 scar [skɑ:] ⟨zn⟩ ●*litteken, schram, kras,* ⟨fig.⟩ *smet.*
2 scar I ⟨onov ww⟩ ●*een litteken vormen* II ⟨ov ww⟩ ●*met littekens bedekken, schrammen.*
scarab ['skærəb], **'scarab beetle** ●*(mest)kever, scarabee* ⟨ihb. heilig dier der oude Egyptenaren⟩.
scarce [skeəs] ●*schaars* ⟨v. voedsel, geld e.d.⟩, *zeldzaam;↓* *make o.s. – zich uit de voeten maken.* **scarcely** ['skeəsli] ●*nauwelijks, met moeite; – ever haast nooit* ●⟨vnl. pompeus⟩ *zeker niet.* **scarcity** ['skeəsəti] ●*schaarste, gebrek.*
1 scare [skeə] ⟨zn⟩ ●*(redeloze) schrik, vrees, paniek; give s.o. a – iem. de stuipen op het lijf jagen.*
2 scare ⟨bn⟩ ↓●*angstaanjagend, paniek-(zaaiend); –* tactics *paniektaktiek.*
3 scare I ⟨onov ww⟩ ●*schrikken, bang worden; – easily snel bang worden* II ⟨ov ww⟩ ●*doen schrikken, bang maken; –d to death doodsbang; – s.o. stiff iem. de stuipen op het lijf jagen; –d of bang voor* ●⟨+off/away⟩ *wegjagen, afschrikken.*
scarecrow ['skeəkrou] ●*vogelverschrik-*

ker. **scaremonger** ['skeəmʌŋgə] ●*paniekzaaier.* **'scare story** ●*paniekverhaal.*
scarf [skɑ:f] ⟨mv.: ook scarves [skɑ:vz]⟩ ●*sjaal(tje), sjerp.*
scarlatina ['skɑ:lə'ti:nə] ●*roodvonk.*
scarlet ['skɑ:lɪt] ●⟨bn en zn⟩ *scharlaken-(rood)* – fever *roodvonk.*
scarp [skɑ:p] ●*steile (rots)wand.*
scarper ['skɑ:pə] ⟨BE; sl.⟩ ●*'m smeren.*
scarves [skɑ:vz] ⟨mv.⟩ zie SCARF.
scary ['skeəri] ↓●*eng, schrikaanjagend* ●*bang.*
scathing ['skeɪðɪŋ] ●*vernietigend, bijtend* ⟨sarcasme bv.⟩.
1 scatter ['skætə], **scattering** ['skætərɪŋ] ⟨zn⟩ ●*(ver)spreiding; a – of houses een paar huizen hier en daar.*
2 scatter I ⟨onov ww⟩ ●*verstrooid raken, zich verspreiden* II ⟨ov ww⟩ ●*verstrooien, verspreiden* ⟨ook fig.⟩; – about/around *rondstrooien* ●*uiteendrijven* ●*de bodem inslaan* ⟨hoop⟩. **'scatterbrain** ↓●*warhoofd.* **'scatterbrained** ●*warhoofdig.*
scattered ['skætəd] ●*verspreid (liggend); – showers hier en daar een bui.*
scavenge ['skævɪndʒ] I ⟨onov ww⟩ ●*afval doorzoeken* ●*aas eten* II ⟨ov ww⟩ ●*doorzoeken* ⟨afval⟩. **scavenger** ['skævɪndʒə] ●*aaseter* ●*aaskever.*
scenario [sɪ'nɑ:riou] ●*scenario, draaiboek* ⟨ook fig.⟩.
scene [si:n] ●*plaats v. handeling, toneel; change of – verandering v. omgeving* ●⟨dram.⟩ *scène* ●↓ *scène, ophef* ●*decor(s), coulisse(n); behind the –s achter de schermen* ⟨ook fig.⟩ ●*wereldje, scene; come on the – verschijnen* ●*landschap* ‖ *set the – (for sth.) (iets) voorbereiden.* **'scene change** ●*decorwisseling.* **scenery** ['sin(ə)ri] ●*decors, coulissen* ●*landschap.*
'sceneshifter ●*toneelknecht.*
scenic ['si:nɪk] ●*dramatisch, toneel-* ●*pittoresk* ●*v.d. natuur, landschap(s)-.*
1 scent [sent] ⟨zn⟩ ●*geur, lucht* ⟨ook jacht⟩ ●*spoor* ⟨ook fig.⟩; ⟨fig.⟩ put/throw s.o. off the – *iem. op een dwaalspoor brengen; on the (right) – op het goede spoor* ●⟨vnl. BE⟩ *parfum* ●*reuk(zin), neus* ⟨ook fig.⟩.
2 scent I ⟨onov en ov ww⟩ ●*ruiken* ⟨ook fig.⟩, *lucht krijgen van; – out opsporen* II ⟨ov ww⟩ ●*parfumeren; –ed with vervuld met de lucht van.*
scentless ['sentləs] ●*reukloos.*
sceptic ['skeptɪk] ●*scepticus, twijfelaar.* **sceptical** ['skeptɪkl] ●⟨+about/of⟩ *sceptisch (over).* **scepticism** ['skeptɪsɪzm] ●*scepticisme, kritische houding.*
sceptre ['septə] ●*scepter.*

schedule [ˈʃedju:l] ●*programma;* ahead of – *vóór op het schema;* behind – *achter op het schema;* on – *op tijd;* (according) to – *volgens plan* ●*(inventaris)lijst* ●⟨vnl. AE⟩ *dienstregeling, rooster.* **scheduled** [ˈʃedju:ld] ●*gepland, in het rooster/de dienstregeling opgenomen* ●*lijn-* ⟨dienst, vlucht⟩.

schema [ˈski:mə] ⟨mv.: schemata [ˈski:-mətə]⟩ ●*schema.* **schematic** [ski:ˈmætɪk] ●*schematisch.*

1 scheme [ski:m] ⟨zn⟩ ●*stelsel;* – of things *wereldplan* ●*programma* ●*project* ●*plan* ●*ontwerp.*

2 scheme ⟨ww⟩ ●*plannen maken, plannen smeden, intrigeren.* **schemer** [ˈski:mə] ● *plannenmaker* ●*intrigant.* **scheming** [ˈski:mɪŋ] ●*sluw.*

schism [sɪzm, skɪzm] ●*scheuring* ⟨ihb. in kerk⟩, *afscheiding.*

schizophrenia [ˈskɪtsəˈfri:nɪə] ●*schizofrenie.* **schizophrenic** [ˈskɪtsəˈfrenɪk] ●⟨bn en zn⟩ *schizofreen.*

schmuck [ʃmʌk] ⟨sl.⟩ ●*lul, zakkewasser.*

scholar [ˈskɒlə] ●*geleerde* ●*beursstudent* ● ↓ *geletterde;* not much of a – *geen studiehoofd.* **scholarly** [ˈskɒləli] ●*wetenschappelijk* ●*geleerd.* **scholarship** [ˈskɒləʃɪp] ● *(studie)beurs* ●*wetenschappelijkheid* ● *wetenschap* ●*geleerdheid.*

scholastic [skəˈlæstɪk] ●*school-* ●*scholastisch.*

1 school [sku:l] **I** ⟨telb zn⟩ ●*school, richting;* – of thought *denkwijze* ●*school* ⟨vissen e.d.⟩ **II** ⟨telb en n-telb zn⟩ ●*school,* ⟨fig.⟩ *leerschool;* lower/upper – *onderbouw/bovenbouw;* go to – *(naar) school gaan;* ⟨BE⟩ maintained – *(door de staat) gesubsidieerde school;* after – *na school(tijd);* at – *op school* ●⟨BE⟩ *studierichting* ●⟨AE⟩ *(universitair) instituut, faculteit;* medical – *faculteit (der) geneeskunde.*

2 school ⟨ww⟩ ●*scholen, trainen;* –ed in *opgeleid tot/in.* ˈ**school age** ●*leerplichtige leeftijd.* ˈ**school bag** ●*schooltas.* ˈ**schoolboy** ●*schooljongen.* ˈ**schooldays** ● *schooltijd.* ˈ**schoolfee** ●⟨ook mv.⟩ *schoolgeld.* ˈ**schoolgirl** ●*schoolmeisje.* ˈ**schoolhouse** ●*schoolgebouw,* ⟨ihb.⟩ *dorpsschool.* **schooling** [ˈsku:lɪŋ] ●*scholing, onderwijs.* ˈ**school-ˈleaver** ⟨BE⟩ ● *schoolverlater.* ˈ**schoolmaster** ⟨verouderend⟩ ●*schoolmeester.* ˈ**schoolmate** ↓ ● *schoolkameraad.* ˈ**schoolmistress** ⟨verouderend⟩ ●*schooljuffrouw.* ˈ**schoolroom** ●*(les)lokaal.* ˈ**school superinˈtendent** ●*schooldirecteur* ●*onderwijsinspecteur.* ˈ**schoolteacher** ●*onderwijzer(es)* ●

leraar. ˈ**schoolwork** ●*schoolwerk, huiswerk.*

schooner [ˈsku:nə] ●⟨scheep.⟩ *schoener* ● ⟨AE⟩ *groot bierglas,* ⟨BE⟩ *groot sherryglas.*

sciatica [saɪˈætɪkə] ●*ischias.*

science [ˈsaɪəns] ●*natuurwetenschap* ●*wetenschap;* applied – *toegepaste wetenschap* ●*techniek, vaardigheid.*

ˈ**science ˈfiction** ●*science fiction.*

scientific [ˈsaɪənˈtɪfɪk] ●*wetenschappelijk* ● *vakkundig.*

scientist [ˈsaɪəntɪst] ●*wetenschapsman* ⟨ihb. op het gebied v.d. natuurwetenschappen⟩.

scintillate [ˈsɪntɪleɪt] ●*schitteren, fonkelen* ●*sprankelen, scherpzinnig zijn;* scintillating humour *tintelende humor;* – with wit *sprankelen van geest(igheid).*

scion [ˈsaɪən] ●*ent, spruit* ●*telg.*

scissors [ˈsɪzəz] ●*schaar;* a pair of – *een schaar.*

sclerosis [sklɪˈrousɪs] ●⟨med.⟩ *sclerose, weefselverharding.*

1 scoff [skɒf] ⟨zn⟩ ●*spottende opmerking* ● ⟨vnl. BE; ↓⟩ *vreten.*

2 scoff I ⟨onov ww⟩ ●⟨+at⟩ *spotten (met)* **II** ⟨onov en ov ww⟩ ↓ ●*schrokken.* **scoffer** [ˈskɒfə] ●*spotter.*

1 scold [skould] ⟨zn⟩ ●*viswijf.*

2 scold I ⟨onov ww⟩ ●⟨+at⟩ *schelden (op)* **II** ⟨ov ww⟩ ●*uitvaren tegen;* – s.o. for sth. *iem. om iets berispen.* **scolding** [ˈskouldɪŋ] ●*standje.*

scone [skɒn, skoun] ●*scone* ⟨kleine, stevige cake⟩.

1 scoop [sku:p] ⟨zn⟩ ●*schep, lepel, hoosvat, bak, schoep* ●*schepbeweging;* at/with one – *in één beweging,* ⟨fig.⟩ *in één keer* ●*primeur* ⟨in krant⟩ ● ↓ *fortuin, speculatiewinst.*

2 scoop ⟨ww⟩ ●*scheppen;* – up *opscheppen* ⟨met handen, lepel⟩ ●*uithollen* ●*hozen* ● *binnenhalen, grijpen* ⟨geld⟩; – in/up *binnenhalen* ● ↓ *vóór zijn, de loef afsteken.* **scoopful** [ˈsku:pful] ●*schep, schop, bak.*

scoot [sku:t] ●*rennen, vliegen.*

scooter [ˈsku:tə] ●*autoped* ●*scooter.*

scope [skoup] ●*bereik, gebied, omvang;* beyond the – of this essay *buiten het bestek v. dit opstel* ●*ruimte, armslag, gelegenheid;* this job gives you – for your abilities *deze baan geeft je de kans je talenten te ontplooien.*

1 scorch [skɔ:tʃ] ⟨zn⟩ ●*schroeiplek* ● ↓ *dolle rit.*

2 scorch I ⟨onov ww⟩ ⟨BE; ↓⟩ ●*razendsnel rijden, scheuren* **II** ⟨onov en ov ww⟩ ●*(ver)* *schroeien, verbranden* • *verdorren.*

scorcher ['skɔ:tʃə] ↓ • *snikhete dag.*

scorching ['skɔ:tʃɪŋ] • ⟨ook als bw⟩ *verschroeiend, verzengend;* – hot *snikheet.*

1 score [skɔ:] ⟨zn⟩ • *stand, puntentotaal, score;* what is the –? *hoeveel staat het?;* keep (the) – *de stand bijhouden* • *(doel) punt* ⟨ook fig.⟩, *succes* • *lijn, kerf, kras, schram* • *reden, grond;* on the – of *vanwege;* on that – *daarom* • *grief;* pay off/settle old –s *een oude rekening vereffenen* • ⟨muz.⟩ *partituur,* ⟨bij uitbr.⟩ *muziek* ⟨voor musical e.d.⟩ ‖ know the – *de stand v. zaken weten.*

2 score I ⟨onov ww⟩ • *scoren, (doel)punt maken, puntentotaal halen* ⟨bv. in test⟩ • *de score noteren* • *succes hebben/boeken* • ⟨sl.⟩ *drugs bemachtigen* • ⟨sl.⟩ *een nummertje maken* ⟨v. man⟩ ‖ ↓ – off/over s.o. *iem. aftroeven; iem. voor gek zetten* **II** ⟨ov ww⟩ • *lijn(en) krassen, (in)kerven, schrammen;* – out/through *doorstrepen* • ⟨+up⟩ *noteren* ⟨schuld, score⟩; – sth. (up) against/to s.o. *iets op iemands rekening schrijven* ⟨ook fig.⟩; *iem. iets aanrekenen* • *scoren, maken* ⟨punt⟩, ⟨fig.⟩ *behalen, boeken* ⟨succes⟩, *winnen* • *een puntentotaal halen van* ⟨bv. in test⟩.

'**scoreboard** ⟨sport⟩ • *scorebord.* '**scorecard** ⟨sport⟩ • *spelerslijst* • *scorelijst.* **scorer** ['skɔ:rə] • *scoreteller* • *(doel)puntenmaker.*

1 scorn [skɔ:n] ⟨zn⟩ • *(voorwerp v.) minachting, geringschatting;* pour – on *verachten* ‖ laugh s.o. to – *iem. smalend uitlachen.*

2 scorn ⟨ww⟩ • *minachten, verachten* • *versmaden, beneden zich achten.* **scornful** ['skɔ:nfl] • *minachtend;* – of sth. *met minachting voor iets.*

scorpion ['skɔ:pɪən] • *schorpioen.*

Scot [skɒt] • *Schot.*

scotch [skɒtʃ] • *een eind maken aan, ontzenuwen* • *verijdelen* ⟨plan⟩.

1 Scotch [skɒtʃ] **I** ⟨telb en n-telb zn⟩ • *Schotse whisky* **II** ⟨zn; the⟩ • *de Schotten.*

2 Scotch ⟨bn⟩ • *Schots;* – whisky *Schotse whisky* ‖ – broth *Schotse maaltijdsoep;* ⟨s-⟩ – tape *plakband.*

'**scot-'free** • *ongedeerd;* go/get off – *er zonder kleerscheuren afkomen* • *ongestraft.*

Scotland ['skɒtlənd] • *Schotland.*

'**Scotland 'Yard** • *Scotland Yard* ⟨(hoofdkwartier v.d.) Londense politie⟩, ⟨ihb.⟩ *opsporingsdienst.*

Scots [skɒts] ⟨vnl. Sch. E⟩ • *Schots.* **Scotsman** ['skɒtsmən], **Scotchman** ['skɒtʃmən] • *Schot.* '**Scotswoman, Scotchwoman** • *Schotse.*

Scottish ['skɒtɪʃ] ⟨vnl. Sch. E⟩ • ⟨bn⟩ *Schots* • ⟨eig.n.⟩ *Schots* ⟨taal⟩ • ⟨zn⟩ ⟨the⟩ *de Schotten.*

scoundrel ['skaʊndrəl] • *schoft.*

1 scour ['skaʊə] ⟨zn⟩ • *schuurbeurt, poetsbeurt.*

2 scour I ⟨onov en ov ww⟩ • *schuren, schrobben;* – out the pans *de pannen schoonschuren* **II** ⟨ov ww⟩ • ⟨+out⟩ *uitschuren, uithollen* • *afzoeken, afstropen.* **scourer** ['skaʊərə] • *schuursponsje.*

1 scourge [skə:dʒ] ⟨zn⟩ ⟨ook fig.⟩ • *gesel.*

2 scourge ⟨ww⟩ • *geselen* • *teisteren.*

1 scout [skaʊt] ⟨zn⟩ • *verkenner,* ⟨bij uitbr.⟩ *verkenningsvliegtuig, verkenningsvaartuig* • ⟨vnl. mil.⟩ *verkenning;* on the – *op verkenning* • *talentenjager, scout* • ⟨S-⟩ *padvinder/ster, gids.*

2 scout I ⟨onov ww⟩ • *terrein verkennen* ‖ – (about/around) for sth. *naar iets op zoek zijn* **II** ⟨ov ww⟩ • *verkennen* ‖ our soldiers –ed out the Germans *onze soldaten spoorden de Duitsers op.*

'**scoutmaster** • *hopman.*

1 scowl [skaʊl] ⟨zn⟩ • *frons, norse blik.*

2 scowl ⟨ww⟩ • ⟨+at⟩ *het voorhoofd fronsen (tegen), stuurs/dreigend kijken (naar).*

scrabble ['skræbl] • *graaien, grabbelen, scharrelen;* – about for sth. *naar iets graaien.*

scraggy ['skrægi] • *(brood)mager.*

scram [skræm] ⟨sl.⟩ ‖ –! *maak dat je wegkomt!.*

1 scramble ['skræmbl] ⟨zn⟩ • *klauterpartij* • *gedrang* • ⟨BE⟩ *motorcross.*

2 scramble I ⟨onov ww⟩ • *klauteren* • ⟨+for⟩ *vechten (om), zich verdringen* • *zich haasten;* – to one's feet *overeind krabbelen* **II** ⟨ov ww⟩ • *door elkaar gooien* • *roeren* ⟨ei⟩ • *vervormen* ⟨radio/telefoonboodschap⟩.

1 scrap [skræp] ⟨zn⟩ • *stukje, beetje;* – of paper *papiertje;* there's not a – of truth in what they've told you *er is niets waar van wat ze je verteld hebben* • ↓ *ruzie* • *afval* ⟨ook mv.⟩, ⟨ihb.⟩ *schroot* • ⟨mv.⟩ *restjes.*

2 scrap I ⟨onov ww⟩ • *ruziën* **II** ⟨ov ww⟩ • *afdanken, dumpen, laten varen* • *slopen, tot schroot verwerken.*

'**scrapbook** • *plakboek.*

1 scrape [skreɪp] ⟨zn⟩ • *geschraap, geschuur* • *(ge)kras* • *schaafwond* • ↓ *netelige situatie;* get into –s *in moeilijkheden verzeild raken.*

2 scrape I ⟨onov ww⟩ • *schuren* • *zagen* ⟨bv. op viool⟩ • *met weinig rondkomen* • *het op het kantje af halen* ⟨ook examen⟩; – through in *maar net een voldoende halen* *voor* II ⟨onov en ov ww⟩ ● *krassen* III ⟨ov ww⟩ ● *(af)schrapen, (af)krabben; – away wegschrapen; –* off *afkrabben* ● *uitschrapen* ● *schaven* ⟨bv. knie⟩ ‖↓ *– together/up bij elkaar schrapen.*

scraper ['skreɪpə] ● *schraper, krabber, schraapmes* ● *flesselikker.*

'**scrapheap** ⟨ook fig.⟩ ● *schroothoop;* ⟨fig.⟩ throw s.o./sth. on the – *iem./iets afdanken.*
  scrapings ['skreɪpɪŋs] ● *afschra(a)psel* ● *kliekjes.* '**scrap iron,** '**scrap metal** ● *schroot, oud ijzer.* '**scrap paper** ● *kladpapier.*

scrappy ['skræpi] ● *fragmentarisch.*

1 scratch [skrætʃ] ⟨zn⟩ ● *krasje, schram* ● *gekrab;* have a good – *zich eens goed krabben* ‖ – of the pen *krabbeltje;* start from – ⟨fig.⟩ *bij het begin beginnen, met niets beginnen;* up to – *op het vereiste niveau;* it comes up to – *het voldoet.*

2 scratch ⟨bn⟩ ● *samengeraapt;* a – meal *een restjesmaaltijd.*

3 scratch I ⟨onov ww⟩ ● *zich terugtrekken* ⟨uit de (wed)strijd⟩ ‖ – along *het hoofd boven water weten te houden* II ⟨onov en ov ww⟩ ● *krassen, (zich) krabben, krassen maken/krijgen (in)* ‖ ⟨sprw.⟩ you scratch my back and I'll scratch yours *voor wat, hoort wat* III ⟨ov ww⟩ ● *(zich) schrammen* ● *krabbelen* ⟨briefje⟩ ● *schrappen* ⟨ook fig.⟩, *doorhalen; –* out sth. *iets uitkrassen* ● ⟨+together/up⟩ *bijeenschrapen, bijeenrapen.*

'**scratch pad** ⟨AE⟩ ● *kladblok.* '**scratch paper** ⟨AE⟩ ● *kladpapier.* **scratchy** ['skrætʃi] ● *slordig* ● *vol krassen* ⟨bv. grammofoonplaat⟩ ● *kriebelig, ruw.*

1 scrawl [skrɔ:l] ⟨zn⟩ ● *krabbeltje* ● *poot, krabbelpootje.*

2 scrawl ⟨ww⟩ ● *krabbelen, slordig schrijven.*

scrawny ['skrɔ:ni] ● *broodmager.*

1 scream [skri:m] ⟨zn⟩ ● *gil, krijs, giller, dolkomisch iets/iem..*

2 scream I ⟨onov ww⟩ ● *tieren, razen* ● *gieren* II ⟨onov en ov ww⟩ ● *gillen, schreeuwen; –* for water *om water schreeuwen; –* with laughter *gieren van het lachen.*

scree [skri:] ● *puin* ⟨op berghelling⟩.

1 screech [skri:tʃ] ⟨zn⟩ ● *gil, krijs* ● *(ge)knars, (ge)piep* ⟨v. deur⟩.

2 screech I ⟨onov ww⟩ ● *knarsen, piepen;* ↓ come to a –ing halt *met gierende remmen tot stilstand komen* II ⟨onov en ov ww⟩ ● *gillen, gieren;* –ing monkeys *krijsende apen.*

1 screen [skri:n] ⟨zn⟩ ● *scherm, koorhek* ⟨in kerk⟩ ● *beschutting, bescherming;* under

a – of indifference *achter een masker v. onverschilligheid* ● *doek, projectiescherm, beeldscherm* ● ⟨the⟩ *de film* ● *hor* ● *zeef, rooster* ● *voorruit* ⟨auto⟩.

2 screen ⟨ww⟩ ● *afschermen, afschutten, beschermen,* ⟨ihb.⟩ *dekken* ⟨soldaat⟩; – off one corner of the room *een hoek v.d. kamer afschermen; –* s.o. from sth. *iem. voor iets behoeden* ● *beschermen, de hand boven het hoofd houden* ● *verbergen, camoufleren* ● *doorlichten, screenen* ● *vertonen* ● *verfilmen.* **screening** ['skri:nɪŋ] ● *filmvertoning* ● *doorlichting, screening.* '**screenplay** ● *scenario, script.* '**screen test** ● *proefopname* ⟨v. acteur/actrice⟩. '**screenwriter** ● *scenarioschrijver.*

1 screw [skru:] ⟨zn⟩ ● *schroef;* put the –(s) on/to s.o. *iem. de duimschroeven aandraaien* ● *propeller, scheepsschroef* ● *draai v.e. schroef* ● ⟨BE; sl.⟩ *loon* ● ⟨sl.⟩ *cipier* ● ⟨sl.⟩ *neukpartij* ‖ there's a – loose *daar klopt iets niet.*

2 screw I ⟨onov en ov ww⟩ ⟨sl.⟩ ● *neuken* II ⟨ov ww⟩ ● *schroeven, aandraaien;* I could – his neck *ik zou hem zijn nek wel kunnen omdraaien; –* down *vastschroeven; –* on *vastschroeven* ● *verfrommelen* ● ↓ *afzetten, belazeren* ‖ ⟨sl.⟩ – you! *val dood!;* zie SCREW OUT OF, SCREW UP. '**screwball** ● ⟨AE; sl.⟩ *idioot.* '**screwdriver** ● *schroevedraaier.* '**screwed-'up** ⟨sl.⟩ ● *verpest* ● *verknipt, opgefokt.* '**screw 'out of** ● *afpersen;* screw money out of s.o. *iem. geld afhandig maken;* screw s.o. out of sth. *zorgen dat iem. iets niet krijgt.* '**screw top** ● *schroefdop.* '**screw 'up** ● *verwringen, verfrommelen;* she screwed up her eyes *zij kneep haar ogen dicht* ● *verzieken, verknoeien* ● *bij elkaar rapen* ⟨moed⟩ ● *nerveus maken.* **screwy** ['skru:i] ↓ ● *zonderling.*

1 scribble ['skrɪbl] ⟨zn⟩ ● *gekrabbel.*

2 scribble ⟨ww⟩ ● *krabbelen.* **scribbler** ['skrɪblə] ● *iem. die krabbelt, (derderangs) schrijver.* '**scribbling block** ● *kladblok.*

scribe [skraɪb] ● *schrijver, klerk.*

scrimmage ['skrɪmɪdʒ] ● *schermutseling* ● *scrimmage* ⟨Am. football⟩.

scrimp [skrɪmp] ● *zich bekrimpen; –* and save *heel zuinig aan doen.*

script [skrɪpt] ● *schrift* ● *script, draaiboek, tekst* ● ⟨BE⟩ *schriftelijk examenwerk* ● *handschrift.* '**script girl** ● *script-girl, regieassistente.*

scriptural ['skrɪptʃərəl] ● *bijbels.* **scripture** ['skrɪptʃə], **scriptures** ['skrɪptʃəz] ⟨the⟩ ● ⟨vnl. S-⟩ *de H. Schrift* ● *heilig geschrift.*

'**scriptwriter** ● *scenarioschrijver.*

scroll [skrəʊl] ● *rol, perkamentrol* ● *krul.*
scrotum ['skrəʊtəm] ● *scrotum, balzak.*
scrounge [skraʊndʒ] ↓ **I** ⟨onov ww⟩ ● *schooi-en, klaplopen* **II** ⟨ov ww⟩ ● *bietsen.*
scrounger ['skraʊndʒə] ● *klaploper, profiteur.*
1 scrub [skrʌb] ⟨zn⟩ ● *struikgewas.*
2 scrub ⟨ww⟩ ● *schrobben, boenen* ● ⟨ook +out⟩ ↓ *schrappen.* **scrubber** ['skrʌbə] ● *boender* ● ⟨BE; sl.⟩ *hoer.* **scrubbing brush** ['skrʌbɪŋ brʌʃ], ⟨AE⟩ **'scrub brush** ● *boender.* **scrubby** ['skrʌbi] ● *miezerig* ● *met struikgewas bedekt.*
scruff [skrʌf] ‖ take by the – of the neck *bij het nekvel grijpen.* **scruffy** ['skrʌfi] ● *smerig, slordig.*
scrummage ['skrʌmɪdʒ], **scrum** ⟨rugby⟩ ● ⟨zn⟩ *scrum* ● ⟨ww⟩ *meedoen aan een scrum.*
scrumptious ['skrʌmpʃəs] ↓ ● *zalig.*
scrunch zie CRUNCH.
1 scruple ['skru:pl] ⟨zn⟩ ● *scrupule, gewetensbezwaar;* make no – about doing sth. *er geen been in zien om iets te doen.*
2 scruple ⟨ww⟩ ● *aarzelen.*
scrupulous ['skru:pjʊləs] ● *scrupuleus, nauwgezet;* –ly clean *kraakhelder.*
scrutinize ['skru:tɪnaɪz] ● *in detail onderzoeken, nauwkeurig bekijken.* **scrutiny** ['skru:tɪni] ● *nauwkeurig toezicht/onderzoek.*
'scuba diving ['skju:bə] ● *het duiken met uitrusting met zuurstofcilinders.*
scud [skʊd] ● *voortscheren, ijlen.*
1 scuff [skʌf], **'scuffmark** ⟨zn⟩ ● *slijtplek.*
2 scuff I ⟨onov ww⟩ ● *sloffen* ● *versleten zijn* ⟨v. schoen, vloer⟩ **II** ⟨ov ww⟩ ● *slepen* ● ⟨+up⟩ *slijten.*
1 scuffle ['skʌfl] ⟨zn⟩ ● *handgemeen, schermutseling.*
2 scuffle ⟨ww⟩ ● *bakkeleien, knokken* ● *sloffen.*
1 scull [skʌl] ⟨zn⟩ ● *korte (roei)riem.*
2 scull ⟨ww⟩ ● *roeien.*
scullery ['skʌləri] ● *bijkeuken.*
sculpt [skʌlpt] ⟨verk.⟩ *sculpture.* **sculptor** ['skʌlptə] ● *beeldhouwer.* **sculptress** ['skʌlptrɪs] ● *beeldhouwster.* **sculptural** ['skʌlptʃərəl] ● *plastisch, beeldhouw-.*
1 sculpture ['skʌlptʃə] ⟨zn⟩ ● *beeldhouwwerk* ● *beeldhouwkunst.*
2 sculpture, sculpt [skʌlpt] ⟨ww⟩ ● *in plastiek voorstellen, beeldhouwen.*
scum [skʌm] ● *schuim* ⟨op water⟩ ● *uitschot;* the – of the earth *het schorem;* you –! *ploert!.*
1 scupper ['skʌpə] ⟨zn⟩ ● *spuigat.*
2 scupper ⟨ww⟩ ⟨BE⟩ ● *tot zinken brengen* ●

↓ *(overvallen en) in de pan hakken, afmaken.*
scurf [skə:f] ● *roos* ⟨v. huid⟩.
scurrility [skə'rɪləti] ● *grofheid* ● *grove taal.* **scurrilous** ['skʌrɪləs] ● *grof;* – language *grove taal.*
1 scurry ['skʌri] ⟨zn⟩ ● *gejaag, drukte.*
2 scurry ⟨ww⟩ ● *dribbelen, zich haasten;* – for shelter *haastig een onderdak zoeken.*
1 scurvy ['skə:vi] ⟨zn⟩ ⟨med.⟩ ● *scheurbuik.*
2 scurvy ⟨bn⟩ ● *gemeen.*
1 scuttle ['skʌtl] ⟨zn⟩ ● *luik(gat)* ● *kolenbak.*
2 scuttle I ⟨onov ww⟩ ● *zich wegscheren;* – off/away *zich uit de voeten maken* **II** ⟨ov ww⟩ ● *doen zinken.*
1 scythe [saɪð] ⟨zn⟩ ● *zeis.*
2 scythe ⟨ww⟩ ● *(af)maaien.*
sea [si:] ● ⟨ook mv.⟩ *zee, oceaan,* ⟨fig.⟩ *massa;* a – of flame *een vlammenzee;* go to – *zeeman worden;* put (out) to – *uitvaren;* at – *op zee;* by – and by land *te land en ter zee;* travel by – *over zee/met de boot reizen;* the seven –s *de zeven oceanen* ● *kust;* on the – *aan zee* ‖ heavy – *zware zee;* be (all)(completely) at – *verbijsterd zijn; geen notie hebben.* **'sea 'air** ● *zeelucht.* **'seabed** ● *zeebedding, zeebodem.* **'sea bird** ● *zeevogel.* **'seaboard** ● *kustlijn.* **'seaborne** ● *over zee (vervoerd/aangevoerd).* **'sea breeze, 'sea wind** ● *zeebries.* **'seacoast** ● *zeekust.* **'sea dog** ● *zeebonk, zeerob.*
'seafarer ● *zeevaarder.* **'seafaring** ● ⟨bn⟩ *zeevarend* ● ⟨zn⟩ *zeevaart.* **'sea-fish** ● *zeevis, zoutwatervis.* **'seafood** ● *eetbare zeevis en schaal- en schelpdieren.* **'sea front** ● *strandboulevard, zeekant* ⟨v.d. stad⟩. **'seagoing** *zeevarend.* **'sea gull** ● *zeemeeuw.* **'sea horse** ● *zeepaardje.*
1 seal [si:l] ⟨zn⟩ ● *zegel, stempel* ⟨ook fig.⟩, *lakzegel, (plak)zegel,* ⟨fig.⟩ *bezegeling;* set the – on *bezegelen* ⟨ook fig.⟩; ↑ *afsluiten;* under – of secrecy *onder het zegel van geheimhouding* ● *dichting, (af)sluiting* ● ⟨dierk.⟩ *(zee)rob, zeehond* ● *robbevel.*
2 seal ⟨ww⟩ ● *zegelen, verzegelen,* ⟨fig.⟩ *sluiten;* – the flavour in *het aroma vasthouden* ● *dichten, (lucht/water)dicht maken;* ⟨fig.⟩ my lips are –ed *ik zal er niets over zeggen;* – up *verzegelen; opsluiten;* – off an area *een gebied afgrendelen* ● *bezegelen, bevestigen;* ↓ – s.o.'s doom/fate *iemands (nood)lot bezegelen.*
'sea legs ● *zeebenen;* get/find one's – *zeebenen krijgen.* **'sea level** ● *zeeniveau, zeespiegel.*
'sealing wax ● *zegelwas.*

'**sea lion** ●*zeeleeuw.*
'**seal ring** ●*zegelring.*
'**sealskin** ●*robbevel.*
seam [si:m] ●*naad* ●*(steenkolen)laag* ‖↓ *burst at the –s tot barstens toe vol zitten;↓ come apart at the –s mislukken.*
seaman ['si:mən] ●*zeeman, matroos.* **seamanship** ['si:mənʃip] ●*zeemanschap, zeevaartkunde.* '**sea mile** ●*zeemijl.*
seamless ['si:mləs] ●*naadloos.* **seamstress** ['si:mstrɪs] ●*naaister.* **seamy** ['si:mi] ● *minder mooi; the – side of life de zelfkant v.h. leven.*
'**seaplane** ●*watervliegtuig.* '**seaport** ●*zeehaven.* '**sea power** ●*zeemacht.*
sear [sɪə] ●*schroeien, verschroeien, (dicht) branden* ●*(doen) verdorren.*
1 search [sə:tʃ] ⟨zn⟩ ●*grondig onderzoek, opsporing,* ⟨fig.⟩ *jacht, fouillering, huiszoeking; the – for terrorists de jacht op terroristen; in – of op zoek naar.*
2 search I ⟨onov ww⟩ ●*(+for) grondig zoeken (naar)* **II** ⟨ov ww⟩ ●*grondig onderzoeken, grondig bekijken, fouilleren, naspeuren; – one's conscience zijn geweten onderzoeken; – out op het spoor komen* ‖↓*, – me! weet ik veel!.* **searching** ['sə:tʃɪŋ] ● *onderzoekend* ⟨blik⟩ ●*grondig.* '**searchlight** ●*zoeklicht.* '**search party** ⟨ww enk. of mv.⟩ ●*opsporingsexpeditie, reddingsteam.* '**search warrant** ●*bevel(schrift) tot huiszoeking.*
searing ['sɪərɪŋ] ●*brandend, schroeiend* ● *kwellend.*
'**seascape** ●*zeegezicht* ⟨schilderij⟩. '**seashell** ●*zeeschelp.* '**seashore** ●*zeekust.* '**seasick** ⟨-ness⟩ ●*zeeziek.* '**seaside** ⟨the⟩ ●*zee(kust).*
1 season ['si:zn] ⟨zn⟩ ●*seizoen* ●*geschikte/ drukke tijd, seizoen, jachtseizoen, vakantieperiode, bronsttijd; cherries are in – het is kersentijd; the mare is in – de merrie is bronstig; in and out of – te pas en te onpas; strawberries are out of – het is nu geen aardbeientijd* ‖ *the – of good cheer de gezellige kerst- en nieuwjaarstijd; zie* LOW SEASON.
2 season ⟨ww⟩ ●*kruiden* ⟨ook fig.⟩ ●*(ge) wennen; –ed troops doorgewinterde/geharde troepen* ●*laten liggen/drogen* ⟨hout⟩; *–ed timber belegen/droog hout.*
seasonable ['si:znəbl] ●*passend bij het seizoen* ●*tijdig* ●*passend.* **seasonal** ['si:znəl] ●*volgens het seizoen, seizoengevoelig; – employment seizoenarbeid.*
seasoning ['si:znɪŋ] ●*het kruiden* ●*specerij.*
'**season's** '**greetings** ●*kerst- en nieuwjaarswensen.* '**season ticket** ●*seizoenkaart,*

abonnement.

1 seat [si:t] ⟨zn⟩ ●*(zit)plaats, stoel; the back – of a car de achterbank v.e. auto; have/ take a – neem plaats; keep your –s! blijf (rustig) zitten!* ●*zitting* ⟨v. stoel⟩ ●*zitvlak* ●*zetel, haard* ⟨v. ziekte, brand⟩; *a – of learning een centrum v. wetenschap* ● *landgoed* ●*zetel, lidmaatschap* ⟨ook pol.⟩; *lose one's – niet herkozen worden; have a – on a board zitting hebben in een commissie* ●⟨paardesport⟩ *zit* ●*W.C.-bril* ‖↓ *by the – of one's pants gevoelsmatig.*
2 seat ⟨ww⟩ ●⟨vaak pass.⟩ *zetten, doen zitten; the government is –ed in the capital de regering zetelt in de hoofdstad; be –ed ga zitten; – o.s. gaan zitten; be deeply –ed diep ingeworteld zijn* ⟨v. gevoel, ziekte enz.⟩ ●*(zit)plaats bieden aan/voor* ●*plaatsen* ⟨onderdeel e.d.⟩. '**seat belt** ●*veiligheidsgordel.* **seating** ['si:tɪŋ] ●*plaatsing, het geven v.e. plaats* ●⟨ook: 'seating accommodation⟩ *plaatsruimte, zitplaatsen.*
'**sea urchin** ●*zeeëgel.* '**seawall** ●*zeedijk.* **seaward** ['si:wəd] ●*zeewaarts.* '**seawater** ●*zeewater.* '**seaway** ●*zeeweg* ●*vaarroute naar zee.* '**seaweed** ●*zeewier* ●*zeegras.* '**seaworthy** ●*zeewaardig.*
sec [sek] ●⟨verk.⟩ *second* ↓ *seconde; just a – een ogenblikje.*
secateurs ['sekətə:z] ⟨BE⟩ ●*(kleine) snoeischaar.*
secede [sɪ'si:d] ●*zich afscheiden.* **secession** [sɪ'seʃn] ●*afscheiding.*
seclude [sɪ'klu:d] ●*afzonderen, af/opsluiten.* **secluded** [sɪ'klu:dɪd] ●*afgezonderd, teruggetrokken; a – house een afgelegen huis.* **seclusion** [sɪ'klu:ʒn] ●*afzondering, eenzaamheid, rust.*
1 second ['sekənd] **I** ⟨telb zn⟩ ●*seconde,* ⟨fig.⟩ *ogenblik(je); I'll be back in a – ik ben zo terug* ●*tweede* ●⟨universiteit⟩ *ongeveer⟩ met veel genoegen; lower – met (veel) genoegen; upper – met (zeer) veel genoegen* ●*secondant, getuige* ⟨bij boksen, duel⟩ **II** ⟨mv.⟩ ●*tweede kwaliteitsgoederen* ●*tweede keer* ⟨bij maaltijd⟩; *who would like –s? wie wil er nog?.*
2 second ['sekənd] ⟨ww⟩ ●*(onder)steunen, bijstaan* ●*ondersteunen* ⟨voorstel e.d.⟩.
3 second [sɪ'kɒnd] ⟨ww⟩ ⟨BE⟩ ●*tijdelijk overplaatsen, detacheren.*
4 second ['sekənd] ⟨telw.; als vnw⟩ ●*tweede, ander(e); he was – to none hij was v. niemand de mindere.*
5 second ['sekənd] ⟨bw⟩ ●*op één na; – best op één na de beste; come off – best als tweede eindigen;* ⟨fig.⟩ *aan het kortste eind trekken* ●*ten tweede* ●⟨verkeer⟩ *(in)*

tweede klas.
6 second ['sekənd] ⟨telw; als det⟩ ●*tweede, ander(e),* ⟨fig.⟩ *tweederangs;* – class *tweede klas* ⟨ook v. post⟩; ⟨fig.⟩ – nature *tweede natuur; every* – day *om de andere dag.*

secondary ['sekəndri] I ⟨bn, attr en pred⟩ ● *secundair, bijkomend/komstig, onderge- schikt;* – planet *bijplaneet* II ⟨bn, attr⟩ ●*se- cundair, middelbaar;* – education *middel- baar onderwijs;* – modern (school),↓– mod *middelbare school;* ⟨ongeveer⟩ *MAVO.*
1 'second-'class ⟨bn⟩ ●*tweede klas, twee- deklas(se)-;* – mail *tweede klas post* ⟨in Engeland: langzamere verzending tegen lagere tarieven; in Am. en Canada: kran- ten en tijdschriften⟩ ●*tweederangs, infe- rieur.*
2 second-class ⟨bw⟩ ●*tweede klas.* '**sec- ond-floor** ●⟨BE⟩ *op de tweede verdieping* ●⟨AE⟩ *op de eerste verdieping.* '**second- gene'ration** ●*v.d. tweede generatie.*
1 'second'hand ⟨bn⟩ ●*tweedehands; a* – shop *een tweedehandswinkel* ●*uit de tweede hand.*
2 secondhand ⟨bw⟩ ●*uit de tweede hand, indirect.*
'**second hand** ●*secondewijzer.*
'**second-in-com'mand** ●*onderbevelhebber.*
secondly ['sekəndli], **second** ['sekənd] ⟨ten tweede.** '**second-'rate** ●*tweederangs, inferieur.*
secrecy ['si:krɪsi] ●*geheimhouding, ge- heimzinnigheid; with* – onder geheim- houding.*
1 secret ['si:krɪt] ⟨zn⟩ ●*geheim; keep a* – *een geheim bewaren; be in on the* – in het *geheim ingewijd zijn; in* – in het geheim.*
2 secret ⟨bn⟩ ●*geheim, verborgen, vertrou- welijk; a* – admirer *een stille aanbidder;* – agent *geheim agent;* – police *geheime po- litie;* – service *geheime dienst* ●*geheim- houdend, gesloten.*
secretarial ['sekrə'teərɪəl] ●*v.e. secretares- se.* **secretariat** ['sekrə'teərɪət] ●*secreta- riaat.* **secretary** ['sek(r)ətri] ●*secretaresse* ●*secretaris, secretaris-generaal* ⟨v. minis- terie⟩ ●⟨verk.⟩ Secretary of State ⟨BE; ↓⟩ *minister, staatssecretaris;* ⟨BE⟩ Secretary of State *Minister* ●⟨AE⟩ *minister;* ⟨AE⟩ Secretary of State *Minister v. Buitenland- se Zaken.* '**secretary-'general** ●*secreta- ris-generaal* ⟨bv. v.d V.N.⟩.
secrete [sɪ'kri:t] ●*verbergen* ●*afscheiden* ⟨v. klieren⟩. **secretion** [sɪ'kri:ʃn] I ⟨telb zn⟩ ●*afscheiding(sprodukt)* II ⟨n-telb zn⟩ ●*het verbergen.* **secretive** ['si:krɪtɪv] ●*ge-*

heimzinnig, gesloten. **secretly** ['si:krɪtli] ●zie SECRET ●*in het geheim.*
sect [sekt] ●*sekte.*
sectarian [sek'teərɪən] ●⟨bn⟩ *sektarisch, sekte-* ●⟨zn⟩ *sektariër.* **sectarianism** [sek- 'teərɪənɪzm] ●*sektarisme, sektegeest.*
1 section ['sekʃn] I ⟨telb zn⟩ ●*sectie, (onder) deel, afdeling, partje* ⟨v. citrusvrucht⟩, ⟨vnl. AE⟩ *wijk, district, stads/landsdeel,* ⟨vnl. AE⟩ *baanvak* ⟨v. spoorlijn⟩; all –s of the population *alle lagen v.d. bevolking;* a residential – *een woonwijk* ●*sectie* ⟨v. boek, wettekst enz.⟩, *paragraaf* ●*(dwars) doorsnede* ‖ in – in profiel II ⟨telb en n-telb zn⟩ ⟨med.⟩ ●*(chirurgische) snede, sectie;* c(a)esarean – *keizersnede.*
2 section ⟨ww⟩ ●⟨vnl. +off⟩ *in secties ver- delen/schikken* ●*een doorsnede tonen v..* **sectional** ['sekʃnəl] ●*uit afzonderlijke ele- menten/delen bestaand;* – furniture *aan- bouwmeubilair* ●*sectioneel, mbt. een bep. landsdeel/bevolkingsgroep;* – inter- ests *(tegenstrijdige) groepsbelangen* ‖ a – view *een zijaanzicht (in doorsnede).*
sector ['sektə] ●*sector* ⟨v. maatschappelijk leven⟩, *(bedrijfs)tak, afdeling* ●⟨vnl. mil.⟩ *sector, zone.*
secular ['sekjulə] ●*seculair, wereldlijk, niet- kerkelijk;* – music *profane muziek* ● ⟨R.-K.⟩ *seculier* ⟨v. geestelijke⟩, *wereld- lijk.* **secularize** ['sekjuləraɪz] ●*secularise- ren, verwereldlijken.*
1 secure [sɪ'kjuə] ⟨bn⟩ ●*veilig, stevig;* – against/from *veilig voor* ●*zeker;* – invest- ment *veilige belegging; she was* – of vic- tory *de overwinning kon haar niet ont- gaan.*
2 secure ⟨ww⟩ ●*beveiligen, in veiligheid brengen; the village was* –d against/from floods *het dorp werd tegen overstroming beveiligd* ●*bemachtigen, zorgen voor* ● *stevig vastmaken, vastleggen.*
security [sɪ'kjuərəti] I ⟨telb zn⟩ ●⟨vaak mv.⟩ *obligatie(certificaat), effect, aandeel* II ⟨telb en n-telb zn⟩ ●*(waar)borg, onder- pand* III ⟨n-telb zn⟩ ●*veiligheid;* – against/ from nuclear weapons *bescherming te- gen kernwapens.*
Se'curity Council ⟨the; ww enk. of mv.⟩ ● *Veiligheidsraad* ⟨v. UN⟩.
se'curity forces ●*ordestrijdkrachten, politie- troepen.* **se'curity guard** ●*lijfwacht.* **se- 'curity officer** ●*veiligheidsagent.* **se'curi- ty risk** ●*(pers. met verhoogd) veiligheids- risico, potentieel staatsgevaarlijk indivi- du.*
sedan [sɪ'dæn] ●⟨vnl. AE⟩ *sedan* ⟨(vier- deurs) personenwagen⟩. **se'dan 'chair,**

sedan ⟨gesch.⟩ ● *gesloten draagstoel.*
1 sedate [sɪ'deɪt] ⟨bn⟩ ● *bezadigd, onverstoorbaar, kalm.*
2 sedate ⟨ww⟩ ● *een kalmerend middel toedienen aan.* **sedation** [sɪ'deɪʃn] ⟨vnl. med.⟩ ● *het toedienen v.e. kalmerend middel.* **sedative** ['sedətɪv] ⟨vnl. med.⟩ ● ⟨bn⟩ *kalmerend* ● ⟨zn⟩ *kalmerend middel.*
sedentary ['sedntri] ● *(stil)zittend;* – *job/ work zittend (uitgevoerd) werk* ● *sedentair, aan één plaats gebonden.*
sedge [sedʒ] ⟨plantk.⟩ ● *zegge.*
sediment ['sedɪmənt] I ⟨telb en n-telb zn⟩ ● *sediment, neerslag, bezinksel* II ⟨n-telb zn⟩ ⟨aardr.⟩ ● *sediment, afzetting(smateriaal).* **sedimentary** ['sedɪ'mentri] ● *sedimentair;* – *rock(s) sediment/afzettingsgesteente.* **sedimentation** ['sedɪmən'teɪʃn] ● *sedimentatie, het neerslaan, afzetting, bezinking.*
sedition [sɪ'dɪʃn] ● *opruiing.* **seditious** [sɪ'dɪʃəs] ● *opruiend.*
seduce [sɪ'djuːs] ● *verleiden;* – *s.o. into sth. iem. tot iets overhalen/brengen.* **seducer** [sɪ'djuːsə] ● *verleider.* **seduction** [sɪ'dʌkʃn] **seducement** [sɪ'djuːsmənt] ● *verleiding(spoging)* ● ⟨vaak mv.⟩ *iets aan/ verlokkelijks.* **seductive** [sɪ'dʌktɪv] ● *verleidelijk.*
1 see [siː] ⟨zn⟩ ● *(aarts)bisdom.*
2 see ⟨saw [sɔː], seen [siːn]⟩ I ⟨onov ww⟩ ● *nadenken, zien;* let me – *wacht eens, even denken;* ↓ we will – *about it dat zullen we nog wel (eens) zien* II ⟨onov en ov ww⟩ ● *zien, kijken (naar);* – *chapter 4 zie hoofdstuk 4;* I cannot – him doing it *ik zie het hem nog niet doen;* go and –! *ga dan/ maar kijken!;* we shall – *we zullen wel zien, wie weet;* – into a matter *een zaak onderzoeken;* ⟨fig.⟩ – through s.o. *iem. doorhebben* ● *zien, (het) begrijpen, (het) inzien;* I don't – the fun of doing that *ik zie daar de lol niet van in;* I – (o,) *ik begrijp het;* as I – it *volgens mij;* ↓ –? *snap je?* ● *toezien (op), zorgen voor;* – sth. done *ervoor zorgen dat iets gedaan wordt;* – about/after *zorgen voor, iets doen aan;* – to it that *ervoor zorgen dat* ‖ ⟨sprw.⟩ seeing is believing *zien is geloven* III ⟨ov ww⟩ ● *zich voorstellen* ● *lezen* (in krant enz.), *zien* ● *ontmoeten;* – you (later)!, (I'll) be –ing you! *tot ziens!, tot kijk!;* – a lot of s.o. *iem. veel/vaak zien/ontmoeten* ● *ontvangen, spreken met* ● *bezoeken, opzoeken;* – the town *de stad bezichtigen* ● *raadplegen, bezoeken;* – a doctor *een arts raadplegen* ● *meemaken, ervaren;* ⟨fig.⟩ have

–n better days *betere tijden gekend hebben;* – the new year in *het nieuwe jaar inluiden;* – the old year out *het oude jaar uitluiden* ● *begeleiden, (weg)brengen;* – a girl home *een meisje naar huis brengen;* – s.o. in *iem. binnenlaten;* – s.o. off *at the station iem. uitwuiven op het station;* – s.o. out *iem. uitlaten;* I'll – you through *ik help je er wel doorheen* ‖ – sth. out/ through *iets tot het einde volhouden.*
1 seed [siːd] I ⟨telb zn⟩ ● ⟨plantk.⟩ *zaadje* ● *kiem* ⟨fig.⟩, *zaad* ● ⟨sport⟩ *geplaatste speler;* he is the third – *hij is als derde geplaatst* II ⟨n-telb zn⟩ ● ⟨plantk.⟩ *zaad;* go/ run to – *uitbloeien, doorschieten;* ⟨fig.⟩ *verlopen, aftakelen.*
2 seed I ⟨onov ww⟩ ● *zaad vormen* II ⟨onov en ov ww⟩ ● *zaaien* III ⟨ov ww⟩ ● *bezaaien* ⟨ook fig.⟩ ● *van zaad ontdoen* ● ⟨sport⟩ *plaatsen.*
'**seedbed** ● *zaaibed* ● ⟨fig.⟩ *voedingsbodem.*
seedless ['siːdləs] ● *zonder zaad/pitjes.*
seedling ['siːdlɪŋ] ⟨plantk.⟩ ● *zaailing.*
'**seed po'tato** ● *pootaardappel.*
seedy ['siːdi] ● ↓ *slonzig, verwaarloosd, vervallen* ● ↓ *niet lekker, een beetje ziek.*
seeing ['siːɪŋ], **seeing that** , **seeing as** ● *aangezien.*
seek [siːk] ⟨sought, sought [sɔːt]⟩ I ⟨onov ww⟩ ● ⟨+after/for⟩ *zoeken (naar)* II ⟨ov ww⟩ ● *nastreven, proberen te bereiken, zoeken* ● *vragen, wensen* ● *proberen (te), trachten (te);* – to escape *proberen te ontsnappen* ‖ – s.o. out *naar iem. toekomen, iem. opzoeken;* the reason is not far to – *de reden hoef je niet ver te zoeken.*
seem [siːm] ● *(toe)schijnen, lijken, eruit zien;* it –s good to me *het lijkt mij goed;* ↓ I can't – to complete the book *het lijkt alsof ik het boek maar niet af krijg;* I – to know it *het komt me bekend voor;* he's not satisfied, it would – *hij is niet tevreden, naar het schijnt.* **seeming** ['siːmɪŋ] ● *schijnbaar, ogenschijnlijk* ● *klaarblijkelijk;* –ly *there's nothing I can do klaarblijkelijk kan ik er niets aan doen.*
seemly ['siːmli] ● *juist, correct, fatsoenlijk.*
seen ['siːn] ⟨volt. deelw.⟩ zie SEE.
seep [siːp] ● *sijpelen, lekken,* ⟨fig.⟩ *doordringen.* **seepage** ['siːpɪdʒ] ● *lekkage.*
seer ['sɪə] ● *ziener* ● *helderziende.*
1 seesaw ['siːsɔː] ⟨zn⟩ ● *wip.*
2 seesaw ⟨ww⟩ ● *(op en neer) wippen* ● *schommelen;* –ing prices *schommelende prijzen;* – between two possibilities *steeds aarzelen tussen twee mogelijkheden.*
seethe [siːð] ● *koken* ⟨ook fig.⟩, *zieden, kol-*

ken; he –d with rage *hij ziedde van woede.*
'see-through ●⟨bn⟩ *doorkijk-;* – blouse
doorkijkblouse ●⟨zn⟩ *doorkijkblouse/jurk.*
1 segment ['segmənt] ⟨zn⟩ ●*deel, segment,
part(je).*
2 segment [seg'ment] **I** ⟨onov ww⟩ ⟨biol.⟩ ●
delen ⟨v. cellen⟩*, zich splijten* **II** ⟨ov ww⟩ ●
(in segmenten) verdelen. **segmentation**
['segmən'teɪʃn] ●*verdeling, opsplitsing.*
segregate ['ʃegrɪgeɪt] ●*afzonderen, scheiden,* ⟨ihb.⟩ *rassenscheiding toepassen
op.* **segregation** ['segrɪ'geɪʃn] ●*afzondering, scheiding,* ⟨ihb.⟩ *rassenscheiding.*
seismic ['saɪzmɪk] ●*seismisch, aardbe-
vings-.* **seismograph** ['saɪzməgrɑːf] ●
seismograaf. **seismology** ['saɪz'mɒlədʒi]
●*seismologie, leer der aardbevingen.*
seize [siːz] ●*grijpen, pakken, nemen;* – the
occasion with both hands *de kans met
beide handen aangrijpen;* –d with fear
door angst bevangen ●*in beslag nemen* ●
opbrengen, arresteren ●*bevatten, begrijpen.* **'seize 'up** ●*vastlopen* ⟨v. machine⟩*,
blijven hangen.* **'seize (up)on** ●*aangrijpen* ⟨kans, aanleiding e.d.⟩*.*
seizure ['siːʒə] ●*confiscatie, inbeslagne-
ming* ●*attaque, aanval.*
seldom ['seldəm] ●*zelden.*
1 select [sɪ'lekt] ⟨bn⟩ ●*uitgezocht, zorgvuldig gekozen* ●*select, exclusief* ‖ ⟨BE; pol.⟩
– committee *parlementaire commissie.*
2 select ⟨ww⟩ ●*(uit)kiezen, selecteren.* **se-
lection** [sɪ'lekʃn] ●*keuze, selectie, verzameling* ●⟨biol.⟩ *selectie.* **selective**
[sɪ'lektɪv] ●*selectief, uitkiezend* ●*kritisch.*
selectivity [sɪ'lek'tɪvəti] ●*het selectief/kri-
tisch zijn.* **selector** [sɪ'lektə] ●*selecteur,
lid v. selectie/benoemingscommissie* ●
⟨tech.⟩ *keuzeschakelaar.*
self [self] ⟨mv.: selves⟩ ●*(het) zelf, (het) ik* ●
persoonlijkheid; he's still not quite his old
– *hij is nog steeds niet helemaal de oude* ●
de eigen persoon, *zichzelf;* think only of –
alleen maar aan zichzelf. **'self-a'basement** ●*zelfvernedering.* **'self-'acting** ●*zelf-
werkend, automatisch.* **'self-ad'dressed**
●*aan zichzelf geadresseerd;* – envelope
antwoordenvelop.
'self-ap'pointed ↓ ●*opgedrongen, zichzelf
ongevraagd opwerpend (als).* **'self-as'surance** ●*zelfverzekerdheid.* **'self-as'sured**
●*zelfverzekerd.* **'self-'centred** ●*egocentrisch, zelfzuchtig.* **'self-com'mand** ●*zelfbeheersing.*
'self-com'placent ●*zelfingenomen, zelfvoldaan.* **'self-con'fessed** ●*openlijk, onverholen;* he is a – swindler *hij komt er rond*

voor uit dat hij een zwendelaar is. **'self-
'confidence** ●*zelfvertrouwen.* **'self-'confident** ●*vol zelfvertrouwen.* **'self-'conscious** ●*bewust, zich v. zichzelf bewust* ●
verlegen, niet op zijn gemak. **'self-
con'tained** ●*onafhankelijk* ●*vrij, op zichzelf staand* ⟨v. flat⟩*.* **'self-contra'dictory** ●
tegenstrijdig. **'self-con'trol** ●*zelfbeheersing.* **'self-con'trolled** ●*beheerst.* **'self-
de'feating** ●*zichzelf hinderend, zijn doel
voorbijstrevend.* **'self-de'fence** ●*zelfverdediging,* ⟨ihb. jur.⟩ *noodweer;* in – *uit
zelfverdediging.*
'self-de'nial ●*zelfopoffering, zelfverlooche-
ning.* **'self-determi'nation** ●⟨ook pol.⟩
zelfbeschikking(srecht). **'self-'discipline** ●
zelfdiscipline. **'self-'drive** ⟨BE⟩ ●*zonder
chauffeur* ⟨v. huurauto⟩*.* **'self-'educated**
●*autodidactisch;* a – man *een autodidact.*
'self-ef'facing ●*zichzelf wegcijferend.*
'self-em'ployed ●*zelfstandig, eigen baas.*
'self-es'teem ●*eigendunk.* **'self-'evident**
●*vanzelfsprekend.* **'self-ex'planatory** ●
duidelijk, wat voor zichzelf spreekt. **'self-
ful'filling** ‖ a – prophecy *een zichzelf ver-
vullende voorspelling.*
'self-'governing ●*autonoom, onafhankelijk.*
'self-'government ●*zelfbestuur, autono-
mie.* **'self-'help** ●*zelfstandigheid, het
zichzelf helpen.* **'self-im'portance** ●*eigendunk.* **'self-im'portant** ●*verwaand.*
'self-im'posed ●*(aan) zichzelf opgelegd.*
'self-in'dulg|ent ⟨zn: -ence⟩ ●*genotzuch-
tig.* **'self-in'flicted** ●*zelf teweeggebracht,
zichzelf toegebracht* ⟨bv. wond⟩*.* **'self-'interest** ●*eigenbelang.* **'self-'interested** ●
egoïstisch.
selfish ['selfɪʃ] ⟨-ness⟩ ●*zelfzuchtig, egoïstisch.*
selfless ['selfləs] ●*onzelfzuchtig.*
'self-'made ●*zelfgemaakt* ‖ a – man *een man
die zich opgewerkt heeft tot wat hij is.*
'self-o'pinionated ●*eigenwijs, van zichzelf overtuigd.* **'self-'pity** ●*zelfmedelijden, zelfbeklag.* **'self-'portrait** ●*zelfpor-
tret.* **'self-pos'sessed** ●*beheerst.* **'self-
pos'session** ●*zelfbeheersing.* **'self-pre-
ser'vation** ●*zelfbehoud.* **'self-'raising** ‖ –
flour *zelfrijzend bakmeel.* **'self-re'li|ant**
⟨zn: -ance⟩ ●*zelfstandig.* **'self-re'spect** ●
zelfrespect. **'self-re'specting** ●*zichzelf
respecterend.* **'self-'righteous** ●*vol eigendunk.* **'self-'rule** ●*zelfbestuur.* **'self-
'sacrifice** ●*zelfopoffering.* **'self-'sacrific-
ing** ●*zelfopofferend.*
'selfsame ●*precies dezelfde/hetzelfde.*
'self-satis'faction ●*zelfvoldaanheid.* **'self-
'satisfied** ●*(te) zelfvoldaan.* **'self-'seeking**

●⟨bn⟩ *egoïstisch* ●⟨zn⟩ *egoïsme.* **'self-**
'service ⟨vaak attr⟩ ●*zelfbediening; –*
shop *zelfbedieningswinkel.* **'self-suf'fi-**
ci|ent ⟨zn: -ency⟩ ●*onafhankelijk.* **'self-**
sup'porting ⟨vnl. ec.⟩ ●*zelfstandig, in ei-*
gen behoefte voorziend. **'self-'willed** ●
koppig, eigenwijs.
1 sell [sel] ⟨zn⟩ ●↓ *bedrog, verlakkerij.*
2 sell ⟨sold, sold [sould]⟩ I ⟨onov ww⟩ ●*ver-*
kocht worden, verkopen || – up *zijn zaak*
sluiten/opheffen; zie SELL OUT II ⟨ov ww⟩ ●
verkopen; – one's soul *zijn ziel verkopen;*
– off *uitverkopen; –* up *sluiten;* ⟨zijn zaak⟩
uitverkopen en sluiten ●*aanprijzen; –* o.s.
zichzelf goed verkopen ●*overhalen, warm*
maken voor; be sold on sth. *ergens hele-*
maal weg van zijn || – s.o. short *iem. te kort*
doen; zie SELL OUT. **seller** ['selə] ●*verko-*
per ●*succes, artikel dat goed verkoopt.*
'selling point ●*belangrijkste pluspunt, aan-*
beveling. **'selling price** ●*verkoopprijs.*
sellotape ['seləteɪp] ⟨BE⟩ ●⟨zn⟩ *plakband* ●
⟨ww⟩ *met plakband vastmaken.*
'sell 'out I ⟨onov ww⟩ ●*uitverkocht raken;* I
am/I have sold out of this book *ik heb dit*
boek niet meer in voorraad ●*zijn zaak ver-*
kopen ●*verraad plegen; –* to the enemy
gemene zaak maken met de vijand II ⟨ov
ww⟩ ●*uitverkopen.* **'sell-out** ●*volle zaal,*
uitverkochte voorstelling ●*verraad.*
selves [selvz] ⟨mv.⟩ zie SELF.
semantics [sɪ'mæntɪks] ●*semantiek, bete-*
kenisleer.
semaphore ['seməfɔ:] ●⟨vnl. mil.⟩ *vlagge-*
spraak, het seinen met vlaggen.
semblance ['sembləns] ●*schijn;* put on a –
of enthousiasm *geestdriftig doen* ●*gelij-*
kenis.
semen ['si:mən] ●*sperma, zaad.*
semester [sɪ'mestə] ⟨vnl. AE⟩ ●*semester*
⟨universiteit⟩.
semi ['semi] ⟨BE; ↓⟩ ●*halfvrijstaand huis,*
(een v.) twee onder een kap.
semicircle [-sə:kl] ●*halve cirkel.* **semicircu-**
lar [-'sə:kjulə] ●*halfrond.*
semicolon ['semi'koulən] ●*puntkomma.*
semiconductor [-kən'dʌktə] ⟨elek.⟩ ●*halfge-*
leider. **semiconscious** [-'kɒnʃəs] ●*halfbe-*
wust. **semidetached** [-dɪ'tætʃt] ●⟨bn⟩
halfvrijstaand ●⟨zn⟩ *halfvrijstaand huis,*
huis v. twee onder een kap. **semifinal**
[-'faɪnl] ⟨sport⟩ ●*halve finale.* **semifinalist**
[-'faɪnlɪst] ⟨sport⟩ ●*deelnemer aan de hal-*
ve finale.
seminal ['semɪnəl] ●*sperma-, zaad-* ●
vruchtbaar ⟨fig.⟩, *vrucht afwerpend.*
seminar ['semɪnɑ:] ⟨universiteit⟩ ●*werk-*
groep, cursus ●⟨AE⟩ *congres.*

seminary ['semɪnri] ●*seminarie.*
semiofficial [-ə'fɪʃl] ●*semi-officieel.*
semiotics ●*semiotiek, tekenleer.*
semiprecious [-prəʃes] ●*halfedel-; –* stone
halfedelsteen.
semiquaver [-kweɪvə] ⟨BE; muz.⟩ ●*16e*
noot.
Semite ['si:maɪt] ●*Semiet.* **Semitic** [sɪ'mɪ-
tɪk] ●*Semitisch.*
semolina ['semə'li:nə] ●*griesmeel.*
senate ['senət] ●*senaat,* ⟨ihb.⟩ *Amerikaan-*
se Senaat, universitaire bestuursraad.
senator ['senətə] ●*senator,* ⟨ihb.⟩ *lid v.d.*
Amerikaanse Senaat. **senatorial** ['senə-
'tɔ:rɪəl] ●*senaats-* ●*senatoriaal.*
send [send] ⟨sent, sent [sent]⟩ I ⟨onov ww⟩
●*bericht sturen;* I sent to warn her *ik heb*
haar laten waarschuwen II ⟨onov en ov
ww⟩ ●*(uit)zenden; –* s.o. after her *stuur*
iem. achter haar aan; zie SEND AWAY, SEND
DOWN, SEND FOR, SEND OFF, SEND OUT III ⟨ov
ww⟩ ●*(ver)sturen, (ver)zenden* ●*sturen,*
zenden ⟨bij uitbr.⟩, *dwingen tot; –* to bed
naar bed sturen; – s.o. to his death *iem. de*
dood injagen; the fire sent me looking for
a new house *door de brand moest ik om-*
zien naar een ander huis; – in *inzenden,*
insturen; indienen ●*jagen, drijven; –* a
bullet through s.o.'s head *iem. een kogel*
door het hoofd jagen ●*maken, doen wor-*
den; this rattle –s me crazy *ik word gek*
van dat geratel || – flying *in het rond doen*
vliegen; op de vlucht jagen; – packing *de*
laan uit sturen; afschepen; zie SEND ON,
SEND UP. **'send a'way** I ⟨onov ww⟩ ●*een*
bestelbon opsturen; – for *schrijven om,*
schriftelijk bestellen II ⟨ov ww⟩ ●*wegstu-*
ren. **'send 'down** ●*doen dalen* ⟨prijzen,
temperatuur⟩ ●⟨BE⟩ *verwijderen (we-*
gens wangedrag) ⟨v.d. universiteit⟩ ●
⟨BE; ↓⟩ *opsluiten* ⟨in gevangenis⟩. **send-**
er ['sendə] ●*afzender, verzender.* **'send**
for ●*(schriftelijk) bestellen* ●*laten halen/*
komen; – help *hulp laten halen.* **'send 'off**
I ⟨onov ww⟩ || – for *schriftelijk bestellen* II
⟨ov ww⟩ ●*versturen,* ⟨ihb.⟩ *op de post*
doen ●*wegsturen,* ⟨ihb. sport⟩ *uit het*
veld sturen. **'send-off** ●*uitgeleide, af-*
scheid; give s.o. a – *iem. uitzwaaien.*
'send 'on ●*vooruitsturen* ●*doorsturen*
⟨post⟩. **'send 'out** I ⟨onov en ov ww⟩ ●
sturen; send (s.o.) out for/to collect sth.
(iem.) om iets sturen/iets laten (op)halen II
⟨ov ww⟩ ●*weg/naar buiten sturen* ●*uit-*
stralen, uitzenden ⟨signaal⟩. **'send 'up** ●
opdrijven, doen stijgen; – prices *de prij-*
zen opdrijven ●⟨BE⟩ *parodiëren, de draak*
steken met ●⟨AE; ↓⟩ *opsluiten* ⟨in gevan-*

genis). **'send-up** ⟨BE⟩ ●*parodie, persifla-
ge.*

senile ['si:naɪl] ●*ouderdoms-, seniel.* **senili-
ty** [sɪ'nɪləti] ●*seniliteit.*

1 senior ['si:nɪə] ⟨zn⟩ ●*oudere,* ⟨ihb.⟩ *iem.
met meer dienstjaren;* she's four years
my –, she's my – by four years *ze is vier
jaar ouder dan ik* ●*oudgediende* ●⟨AE⟩
laatstejaars ●⟨BE⟩ *oudere leerling/stu-
dent.*

2 senior I ⟨bn, attr en pred⟩ ●*oud,* ⟨bij
uitbr.⟩ *oudst(e);* ⟨euf.⟩ a – citizen *een 65-*
⟨vrouwen: 60-⟩ *plusser* ●*hoger geplaatst,*
⟨ihb.⟩ *ouder in dienstjaren* ●*eerstaanwe-
zend* ●⟨AE⟩ *laatstejaars* ●⟨BE⟩ *oudere-
jaars* II ⟨bn, pred⟩ ●*ouder;* she's – to me *zij
is ouder dan ik* III ⟨bn, attr post⟩ ●*senior;*
Jack Jones Senior *Jack Jones senior.* **se-
niority** ['si:ni'prəti] ●*hogere leeftijd* ●*an-
ciënniteit,* ⟨ihb.⟩ *voorrang op grond v.
dienstjaren/leeftijd.*

sensation [sen'seɪʃn] ●*gevoel, gewaarwording, sensatie* ●*sensatie, beroering;*
cause a – *voor grote opschudding zorgen.*
sensational [sen'seɪʃnəl] ●*sensationeel,
opzienbarend* ●*sensatiebelust;* – paper
sensatiekrant ● ↓ *te gek.* **sensationalism**
[sen'seɪʃnəlɪzm] ●*sensatiezucht.*

1 sense [sens] I ⟨telb zn⟩ ●*bedoeling, strekking* ●*betekenis;* in a – *in zekere zin;* in
one – *in één opzicht* II ⟨telb en n-telb zn⟩ ●
gevoel, begrip, besef; – of duty *plichtsbe-
sef;* – of humour *gevoel voor humor* ●
(zintuiglijk) vermogen, zintuig; – of hearing *gehoor;* – of smell *reuk(zinvermo-
gen);* – of touch *gevoel;* sixth – *zesde zintuig* III ⟨n-telb zn⟩ ●*(gezond) verstand;*
there was a lot of – in her words *er stak
heel wat zinnigs in haar woorden* ●*zin,
nut;* what's the –? *wat heeft het voor zin?* ||
make – *zinnig/* ↓ *verstandig zijn; ergens op
slaan;* make – of sth. *ergens uit wijs kunnen (worden);* talk – *verstandig praten* IV
⟨mv.⟩ ●*gezond verstand;* frighten s.o. out
of his –s *iem. de stuipen op het lijf jagen;*
bring s.o. to his –s *iem. tot bezinning brengen;* out of her –s *niet goed bij haar hoofd.*

2 sense ⟨ww⟩ ●*gewaar worden* ●*zich (vaag)
bewust zijn, voelen* ●*begrijpen, door hebben.* **senseless** ['sensləs] ●*bewusteloos* ●
gevoelloos ●*onzinnig, idioot.* **'sense organ** ●*zintuig.*

sensibility ['sensə'bɪləti] ●*gevoeligheid,
ontvankelijkheid;* offend s.o.'s sensibili-
ties *iemands gevoelens kwetsen.* **sensi-
ble** ['sensəbl] ●*verstandig, zinnig* ●*praktisch, functioneel* ⟨v. kleren e.d.⟩ ●*merkbaar, waarneembaar.*

sensitive ['sensətɪv] ●*gevoelig* ●*precies,
gevoelig* ⟨v. instrument⟩ ●⟨ook ong.⟩
over/teergevoelig || – issue/topic *gevoelig
onderwerp.* **sensitivity** ['sensə'tɪvəti] ●
gevoeligheid, precisie ⟨v. instrument⟩.

sensor ['sensə] ⟨tech.⟩ ●*aftaster, sensor.*
sensory ['sensri] ●*zintuiglijk.*
sensual ['senʃʊəl] ●*sensueel, zinnelijk, wellustig.* **sensualist** ['senʃʊəlɪst] ●*genot-
zuchtig mens.* **sensuality** ['senʃʊ'æləti] ●
sensualiteit, wellust.
sensuous ['senʃʊəs] ●*zinnelijk, zintuiglijk* ●
aangenaam, behaaglijk.
sent [sent] ⟨verl. t. en volt. deelw.⟩ zie SEND.
1 sentence ['sentəns] I ⟨telb zn⟩ ●*(vol)zin* II
⟨telb en n-telb zn⟩ ●*vonnis, uitspraak,*
⟨ihb.⟩ *veroordeling;* pass – on s.o. *een
vonnis uitspreken over iem..*

2 sentence ⟨ww⟩ ●*veroordelen, vonnissen.*
sententious [sen'tenʃəs] ●*moraliserend,
prekerig.*
sentient ['senʃnt] ●*bewust.*
sentiment ['sentɪmənt] I ⟨telb zn⟩ ●⟨vaak
mv.⟩ *gevoelen, opvatting;* (those are) my
–s exactly *zo denk ik er ook over* II ⟨telb en
n-telb zn⟩ ●*gevoel* III ⟨n-telb zn⟩ ●*senti-
ment(aliteit).*
sentimental ['sentɪ'mentl] ●*sentimenteel,
(over)gevoelig;* – value *gevoelswaarde.*
sentimentalism ['sentɪ'mentəlɪzm] ●*sentimentaliteit.* **sentimentality** ['sentɪmən-
'tæləti] ●*sentimentaliteit.*
sentry ['sentri] ●*schildwacht.* **'sentry box** ●
(schild)wachthuisje.

separable ['seprəbl] ●*(af)scheidbaar.*
1 separate ['seprət] ⟨bn⟩ ●*afzonderlijk, (af)
gescheiden, verschillend;* – copy *over-
druk(je);* we went our – ways home *we
gingen (elk) apart naar huis.*

2 separate ['sepəreɪt] I ⟨onov ww⟩ ●*zich
(van elkaar) afscheiden;* – (up) into *(onder)verdeeld kunnen worden/uiteenval-
len in* ●*scheiden, uit elkaar gaan* II ⟨ov
ww⟩ ●*(van elkaar)(af/onder)scheiden, afzonderen, verdelen;* legally –d *gescheiden v. tafel en bed;* – from *(af/onder)
scheiden/afzonderen van;* – sth. (up) into
iets verdelen/scheiden in. **separates**
['seprəts] ●*afzonderlijk combineerbare
kledingstukken* ⟨bv. blouse en rok⟩. **separation** ['sepə'reɪʃn] ●*(af)scheiding;* a clear
line of – *een duidelijke/scherpe schei-
dingslijn;* judicial/legal – *scheiding v. tafel
en bed.*
separatism ['seprətɪzm] ●*separatisme.*
separatist ['seprətɪst] ●*separatist.*
sepia ['si:pɪə] ⟨vaak attr⟩ ●*sepia, donkerbruin.*

September [sep'tembə] ● *september*.

septic ['septɪk] ● *septisch, (ver)rottings-;* – tank *septictank* ●⟨vnl. BE⟩ *ontstoken, geïnfecteerd.*

septuagenarian ['septʃʊədʒɪ'neərɪən] ● *zeventigjarige.*

sepulchral [sɪ'pʌlkrəl] ● *graf-, begrafenis-* ⟨ook fig.⟩, ⟨fig.⟩ *somber;* in a – voice *met een grafstem.* sepulchre ['seplkə] ● *graf-(kelder/tombe).*

sequel ['si:kwəl] ● *gevolg, resultaat, afloop;* have an unfortunate – *ongelukkig aflopen* ● *vervolg;* a – to *een vervolg op.*

sequence ['si:kwəns] I ⟨telb zn⟩ ● *fragment,* ⟨film⟩ *opname, scène* II ⟨telb en n-telb zn⟩ ● *opeenvolging, reeks, rij, volgorde;* the – of events *de loop der gebeurtenissen;* in – *in/op volgorde.* sequential [sɪ'kwenʃl] ● *(opeen)volgend, na elkaar komend.*

sequester [sɪ'kwestə], sequestrate [-streɪt] ● ⟨jur.⟩ *sekwestreren, beslag leggen op.* sequestered [sɪ'kwestəd] ● *afgezonderd, afgelegen.*

sequin ['si:kwɪn] ● *lover(tje).*

sequoia [sɪ'kwɔɪə] ● *sequoia, reuzen(pijn)boom.*

seraglio [sɪ'rɑːljoʊ] ● *serail, harem.*

Serbo-Croat ['sə:boʊ'kroʊæt] ● *Servo-Kroatisch* ⟨taal⟩.

1 serenade ['serɪ'neɪd] ⟨zn⟩ ● *serenade(muziek).*

2 serenade ⟨ww⟩ ● *een serenade brengen (aan).*

serene [sə'ri:n] ● *sereen, helder;* a – summer night *een kalme zomeravond* ● *doorluchtig.* serenity [sə'renəti] ● *helderheid, kalmte, rust.*

serf [sə:f] ● *lijfeigene, horige,* ⟨fig.⟩ *slaaf.* serfdom ['sə:fdəm] ● *lijfeigenschap,* ⟨fig.⟩ *slavernij.*

sergeant ['sɑːdʒənt] ● ⟨mil.⟩ *sergeant, wachtmeester* ● *brigadier (v. politie).* 'sergeant 'major ● *(sergeant-)majoor.*

1 serial ['sɪərɪəl] ⟨zn⟩ ● *feuilleton, (radio/televisie)serie* ● *seriepublikatie.*

2 serial I ⟨bn, attr en pred⟩ ● *serieel, in serie, opeenvolgend;* – number *serienummer;* in – order *in/op volgorde* II ⟨bn, attr⟩ ● *in afleveringen/delen verschijnend;* be published –ly *in afleveringen/als serie verschijnen.* serialize ['sɪərɪəlaɪz] ● *als feuilleton publiceren, in (verschillende) afleveringen uitzenden.*

series ['sɪərɪːz] ⟨mv.: series⟩ I ⟨telb zn⟩ ● *reeks, serie* II ⟨n-telb zn⟩ ⟨tech.⟩ ● *serie-(schakeling);* in – *in serie (geschakeld).*

serious ['sɪərɪəs] ● *ernstig, serieus, belangrijk, aanzienlijk, oprecht;* – alterations *in-*

grijpende veranderingen;* – offence *zwaar vergrijp;* after – thought *na rijp beraad;* be – het (ernstig/werkelijk) menen.* seriously ['sɪərɪəsli] ● zie SERIOUS; take sth. – *iets ernstig/zwaar opnemen* ● *echt, zonder gekheid.* seriousness ['sɪərɪəsnəs] ● *ernst(igheid).*

sermon ['sə:mən] ● *preek* ⟨ook fig.⟩. sermonize ['sə:mənaɪz] ● *preken (tegen/over)* ⟨ook fig.⟩.

serpent ['sə:pənt] ● *slang.* serpentine ['sə:pəntaɪn] ● *slangachtig, slange(n)- kronkelig.*

serrated [se'reɪtɪd] ● *zaagvormig, getand, gezaagd* ⟨ook biol.⟩; a – knife *een kartelmes.*

serried ['serɪd] ● *aaneengesloten;* soldiers in – ranks *soldaten in gesloten gelid.*

serum ['sɪərəm] ⟨mv.: ook sera⟩ ● *serum.*

servant ['sə:vnt] ● *dienaar, bediende, (huis)knecht, dienstbode,* ⟨mv.⟩ *personeel.*

1 serve [sə:v] ⟨zn⟩ ● ⟨sport⟩ *service, opslag.*

2 serve I ⟨onov ww⟩ ‖ – at Mass *de mis dienen;* zie SERVE ON II ⟨onov en ov ww⟩ ● *dienen (bij), in dienst zijn van;* – as a clerk *werken als kantoorbediende* ● *serveren;* – dinner *het eten opdienen;* – at table *bedienen, opdienen* ● *dienen, dienst doen, helpen, baten;* that excuse –d him well *dat smoesje is hem goed van pas gekomen;* it will – *daarmee lukt het wel;* are you being –d? *wordt u al geholpen?;* the sky –d him for a roof *de hemel diende hem als dak* ● ⟨sport⟩ *serveren, opslaan* ‖ zie ook ⟨sprw.⟩ FIRST III ⟨ov ww⟩ ● *dienen, voorzien in/van;* – a purpose *een bepaald doel dienen;* – the purpose of *dienst doen als;* buses – the suburbs *de voorsteden zijn per bus bereikbaar;* this recipe will – four people *dit recept is genoeg voor vier personen* ● *vervullen, (uit)zitten;* he –d ten years in prison *hij heeft tien jaar in de gevangenis gezeten* ● *betekenen;* – a writ on s.o. *– s.o.* with a writ *iem. dagvaarden* ‖ that –s him right! *dat is zijn verdiende loon!;* zie SERVE OUT, SERVE UP. 'serve on ● *zitting hebben in;* Jones serves on the company board *Jones is lid van de raad van bestuur.* 'serve 'out ● *verdelen, ronddelen* ● *uitzitten;* he served out his time on the Bench *hij diende zijn tijd als rechter uit.* server ['sə:və] ● ⟨sport⟩ *server, degene die serveert* ● *misdienaar* ● *opscheplepel.* 'serve 'up ● *opdienen* ● *voorzetten.*

1 service ['sə:vɪs] I ⟨telb zn⟩ ● *dienst, (overheids)instelling, bedrijf;* secret – *geheime dienst* ● *krijgsmachtonderdeel* ⟨leger, marine of luchtmacht⟩; on (active) – *in actie-*

ve dienst; the (fighting) –s de strijdkrachten ● ⟨vaak mv.⟩ dienst(verlening); do s.o. a – iem. een dienst bewijzen ● kerkdienst ● verbinding, dienst ⟨dmv. bus, trein of boot⟩ ● onderhoud, service ● servies ● ⟨sport⟩ opslag, service(beurt) ‖ see – dienst doen ⟨vnl. bij de strijdkrachten⟩ II ⟨n-telb zn⟩ ● dienstbaarheid, dienst; in – in dienst ⟨bv. v.e. bus of trein⟩; go into – in de huishouding gaan werken ● nut, dienst; his typewriter has seen a lot of – zijn schrijfmachine gaat al een hele tijd mee; at your – tot je/uw dienst; is it of any – to you? heb je er iets aan? ● bediening.

2 service ⟨ww⟩ ● onderhouden, een (onderhouds)beurt geven ● (be)dienen, voorzien van. serviceable ['sə:vɪsəbl] ● nuttig, bruikbaar, handig. 'service area ● wegrestaurant ⟨samen met benzinestation⟩. 'service charge ● bedieningsgeld. 'service entrance ● dienstingang. 'service flat ⟨BE⟩ ● verzorgingsflat. 'service industry ● dienstverlenende industrie; the service industries de dienstensector. serviceman ['sə:vɪsmən] ● militair, soldaat. 'service road ● ventweg. 'service station ● servicestation, benzinestation.

serviette ['sə:vi'et] ⟨vnl. BE⟩ ● servet(je).

servile ['sə:vaɪl] ● slaafs, onderdanig, kruiperig. servility [sə:'vɪləti] ● slaafsheid, kruiperige houding.

serving ['sə:vɪŋ] ● portie.

servitude ['sə:vɪtju:d] ● slavernij, onderworpenheid.

servo ['sə:vou] ● servomotor ● servomechanisme. servo-assisted [-ə'sɪstɪd] ● servo-, (door servomotor/mechanisme) bekrachtigd; – brakes bekrachtigde remmen; rembekrachtiging.

sesame ['sesəmi] ● sesamkruid ● sesamzaad ‖ Open –! Sesam, open u!.

session ['seʃn] ● zitting, sessie; in – in zitting ● zittingsperiode/tijd ● academiejaar, ⟨AE, Sch. E⟩ semester, halfjaar ● bijeenkomst, partij; gossip(ing) – roddelpartij.

1 set [set] I ⟨telb zn⟩ ● stel, span, servies, set ⟨pannen enz.⟩, reeks ⟨vertrekken⟩, serie, suite, set ⟨v. liedjes⟩; – of (false) teeth een (vals) gebit ● kring, gezelschap, groep, kliek; the smart – de chic ● toestel, ⟨ihb.⟩ radio/t.v.-toestel ● stek, loot, jonge plant ● ⟨sport⟩ set, spel, partij ● ⟨wisk.⟩ verzameling II ⟨n-telb zn⟩ ● het (zich) zetten, het hard worden ⟨v. cement e.d.⟩ ● richting, tendens; the – of public opinion is against tolerance er is een neiging bij het publiek tegen tolerantie ● houding ⟨v. hoofd⟩, ligging ⟨v. heuvels⟩ ● model, snit, het zitten

⟨v. jurk⟩ ● watergolf ● toneelopbouw, scène, (film)decor, set; on (the) – op de set.

2 set I ⟨bn, attr en pred⟩ ● vast, vastgesteld, stereotiep; – phrase stereotiepe uitdrukking; – price/time vast(e) prijs/tijdstip ● voorgeschreven ⟨boek, onderwerp⟩; – reading verplichte lectuur ● strak, onbeweeglijk, koppig; – smile strakke glimlach; – in one's ways met vaste gewoonten ● klaar, gereed; ⟨sport⟩ (get) –! klaar!; ↓ be all – for sth./to do sth. (helemaal) klaar zijn voor iets/om iets te doen ‖ – piece doorwrocht stuk ⟨in kunst en literatuur⟩; ⟨toneel⟩ zetstuk; zorgvuldig vooraf geplande militaire operatie; ⟨BE; sport⟩ spelhervatting ⟨hoekschop, vrije schop⟩; – square tekendriehoek; – teeth op elkaar geklemde tanden II ⟨bn, attr⟩ ⟨BE⟩ ● volledig en tegen vaste prijs ⟨maaltijd in restaurant⟩; – dinner dagmenu III ⟨bn, pred⟩ ● geplaatst; eyes – deep in the head diepliggende ogen ● vastbesloten; her mind is – on pleasure ze wil alleen plezier maken; he's very – on becoming an actor hij wil absoluut acteur worden.

3 set ⟨set, set⟩ I ⟨onov ww⟩ ● vast worden, stijf/hard worden ⟨v. cement, gelei⟩, verharden, stollen ● ondergaan ⟨v. zon, maan⟩ ● aan elkaar groeien ⟨v. gebroken been⟩ ● vruchten vormen ⟨v. boom⟩; zie SET ABOUT, SET FORTH, SET IN, SET OFF, SET OUT, SET TO, SET UP II ⟨ov ww⟩ ● zetten, plaatsen, stellen, leggen; – a trap een val zetten; – free vrijlaten, bevrijden; – ashore aan land zetten; ⟨fig.⟩ – duty before pleasure de plicht voor het plezier laten gaan; – pen to paper beginnen te schrijven ● gelijkzetten ⟨klok⟩; – one's watch by s.o. else's zijn horloge met die van iem. anders gelijkzetten; – the alarm clock de wekker zetten ● opleggen, opgeven ⟨taak⟩, opstellen, (samen)stellen ⟨vragen e.d.⟩; – s.o. a good example iem. het goede voorbeeld geven; – a problem een probleem stellen; – questions vragen stellen; – o.s. a difficult task zichzelf een moeilijke taak opleggen; – sth. in motion iets in beweging zetten; – sth. in order iets in orde brengen ● bepalen ⟨datum⟩, aangeven ⟨maat, tempo⟩, vaststellen ⟨limiet, tijd⟩; – the fashion de mode bepalen; – a price on sth. de prijs v. iets bepalen; – a high value on sth. veel waarde aan iets hechten ● brengen, veroorzaken; – a machine going een machine in werking stellen; that – me thinking dat bracht me aan het denken; – o.s. to do sth. zich erop toeleggen/zijn best doen om iets te doen ● stijf/hard

doen worden ⟨cement, gelei e.d.⟩ •*instellen* ⟨camera, toestel⟩ •*dekken* ⟨tafel⟩, *klaarzetten* ⟨maaltijd⟩; – the chairs *de stoelen (klaar)zetten* •*op elkaar klemmen* ⟨tanden, lippen⟩ •*watergolven* •*zetten* ⟨tekst⟩ •*invatten, kassen* ⟨juweel⟩, *inzetten;* – a crown with gems *een kroon met juwelen bezetten* •*uitzetten* ⟨wacht, netten⟩ •*zetten* ⟨gebroken been⟩ •*op muziek zetten* ⟨tekst⟩; – to music *op muziek zetten* •⟨vaak pass.⟩ *situeren* ⟨verhaal⟩; the novel is – in London *de roman speelt zich af in Londen* •*vestigen* ⟨record⟩; – a new record *een nieuw record vestigen* ‖ – little/much by sth. *weinig/veel geven om;* – a dog (up)on s.o. *een hond op iem. loslaten;* against that fact you must – that ... *daartegenover moet je stellen dat ...;* – s.o. against s.o. *iem. opzetten tegen iem.;* – s.o. over s.o. *iem. boven iem. (aan)stellen;* – (up)on s.o. *iem. aanvallen/overvallen;* zie SET APART, SET ASIDE, SET BACK, SET DOWN, SET FORTH, SET OFF, SET OUT, SET UP.

'set a'bout' •*beginnen(met/aan), aanpakken* •↓ *aanvallen.* 'set a'part •*terzijde leggen, reserveren* •⟨+from⟩ *scheiden (van), afzonderen.* 'set a'side •*terzijde zetten/leggen* ⟨geld⟩; – for *reserveren/bestemmen voor* •*buiten beschouwing laten, geen aandacht schenken aan;* setting aside the details *afgezien van de details* •⟨jur.⟩ *nietig verklaren, vernietigen.*

'setback •*inzinking* •*tegenslag.*

'set 'back •*terugzetten, achteruitzetten.* 'set 'down •*neerzetten* •*afzetten, laten af/uitstappen* •*opschrijven.* 'set 'forth I ⟨onov ww⟩ •*zich op weg begeven, vertrekken* II ⟨ov ww⟩ •*uiteenzetten.* 'set 'in •*intreden* ⟨jaargetij⟩, *invallen, beginnen.* 'set 'off I ⟨onov ww⟩ •*zich op weg begeven, vertrekken;* – on a trip *een reis ondernemen* II ⟨ov ww⟩ •*doen uitkomen* ⟨kleuren⟩ *doen ontbranden, tot ontploffing brengen* ⟨bom⟩ •*aan de gang maken, doen* ⟨lachen, praten⟩; set s.o. off laughing *iem. aan het lachen brengen* ‖ – against *doen opwegen tegen.* 'set 'out I ⟨onov ww⟩ •*zich op weg begeven, vertrekken;* – for Paris *vertrekken met bestemming Parijs* •*zich voornemen, het plan opvatten* II ⟨ov ww⟩ •*klaarzetten* •*tentoonstellen, uitstallen* •*verklaren, uiteenzetten.*

'setscrew •*stelschroef.*

'setsquare •*tekendriehoek.*

settee [se'ti:] •*canapé, sofa.*

setter ['setə] •*zetter* •*setter* ⟨hond⟩.

setting ['setɪŋ] •*ondergang* ⟨zon⟩ •*stand, instelling* ⟨op instrument⟩ •*omlijsting,*

achtergrond, aankleding ⟨film, toneelstuk⟩; the story has its – in London *het verhaal speelt zich af in Londen* •*couvert* ⟨v. diner⟩ •*kas, vatting* ⟨v. juweel⟩.

1 settle ['setl] ⟨zn⟩ •⟨ongeveer⟩ *zittekist.*

2 settle I ⟨onov ww⟩ •*gaan zitten, zich neerzetten, neerstrijken* •*neerslaan, bezinken* ⟨v. stof, droesem⟩ •*zich vestigen, gaan wonen* ‖ – in *zich installeren* ⟨in huis⟩; *zich inwerken;* – for sth. *genoegen nemen met iets;* – into new surroundings *wennen aan een nieuwe omgeving;* – (down) to sth. *zich ergens toe zetten;* zie SETTLE DOWN II ⟨onov en ov ww⟩ •*kalmeren, (doen) bedaren;* ⟨fig.⟩ the storm –d the weather *de storm zorgde voor stabieler weer* •*opklaren* ⟨vloeistof⟩, *helderder worden/maken* •⟨+(up)on⟩ *overeenkomen (mbt.), afspreken;* – (up)on a date *een datum vaststellen* •*betalen, vereffenen;* – a claim *schade uitbetalen;* – up *verrekenen* ⟨onder elkaar⟩; – with s.o. *schulden betalen aan iem.;* ⟨fig.⟩ – (an account/old score) with s.o. *het iem. betaald zetten;* zie SETTLE DOWN III ⟨ov ww⟩ •*regelen, in orde brengen* ⟨ook kleren, kamer⟩ •*vestigen* ⟨in woonplaats, maatschappij⟩ •*koloniseren* ⟨ook wdk ww⟩ *zetten, plaatsen, leggen;* she –d herself in the chair *zij nestelde zich in haar stoel* •*vaster doen worden, doen inklinken* •*(voorgoed) beëindigen, beslissen;* that –s it! *dat doet de deur dicht!* •*schikken, bijleggen, tot een schikking komen* ‖ – in *inrichten* ⟨huis⟩; *zich thuis doen voelen in* ⟨baan⟩; *inwerken;* – on *vastzetten op.* settled ['setld] •zie SETTLE •*vast, onwrikbaar* ⟨mening⟩, *bestendig* ⟨weer⟩, *onveranderlijk* •*blijvend, vast* ⟨bevolking⟩. 'settle 'down I ⟨onov ww⟩ •*zich vestigen, zich settelen;* – in a job *een vaste baan nemen* •*wennen, zich thuis gaan voelen* •⟨+to⟩ *zich concentreren (op), zich toeleggen (op)* •*vast/stabiel worden* ⟨v. weer⟩ II ⟨onov en ov ww⟩ •*kalmeren, tot rust komen/brengen* ⟨ook wdk ww⟩ *(gemakkelijk) gaan zitten.* settlement ['setlmənt] •*nederzetting, kolonie, plaatsje* •*kolonisatie* •*schikking, overeenkomst* •*afrekening;* in – of *ter vereffening van* •*schenking* •*verzakking, inklinking* ‖ make a – on s.o. *iets vastzetten op iem..* settler ['setlə] •*kolonist.*

'set 'to •*aanpakken, aan de slag gaan.* 'set-to •*vechtpartij* •*ruzie.* 'setup •*opstelling* ⟨bij filmopname⟩ •*opbouw, organisatie* •*doorgestoken kaart.* 'set 'up I ⟨onov ww⟩ •*zich vestigen;* – as a dentist *zich als tandarts vestigen; –* in business *een zaak beginnen* II ⟨ov ww⟩ ● *opzetten* ⟨bv. tent⟩, *opstellen, stichten, oprichten, beginnen* ⟨winkel⟩, *aanstellen* ⟨comité⟩, *organiseren* ● *veroorzaken* ● *er bovenop helpen, op de been helpen* ● *vestigen* ⟨ook: record⟩, *in een zaak zetten;* set s.o. up in business *iem. in een zaak zetten* ● *belazeren, de schuld in de schoenen schuiven* ‖ be well – for/with money *goed voorzien zijn van geld.*

seven ['sevn] ● *zeven* ⟨ook voorwerp/groep ter waarde/grootte v. zeven⟩. **sevenfold** ['sevnfoʊld] ● *zevenvoudig.* **'seven-league** ‖ – boots *zevenmijlslaarzen.* **seventeen** ['sevn'tiːn] ● *zeventien* ⟨ook voorwerp/groep ter waarde/grootte v. zeventien⟩. **seventeenth** ['sevn'tiːnθ] ● *zeventiende,* ⟨als zn⟩ *zeventiende deel.* **seventh** ['sevnθ] ● *zevende,* ⟨als zn⟩ *zevende deel,* ⟨muz.⟩ *septiem.* **seventieth** ['sevntiːθ] ● *zeventigste,* ⟨als zn⟩ *zeventigste deels.* **seventy** ['sevnti] ● *zeventig* ⟨ook voorwerp/groep ter waarde/grootte v. zeventig⟩; he is in his seventies *hij is in de zeventig.* **'seven-year** ● *zevenjarig* ‖ ⟨scherts.⟩ – itch *huwelijkskriebels* ⟨na zeven jaar huwelijk⟩.

sever ['sevə] I ⟨onov ww⟩ ● *breken* ● *uiteen gaan* II ⟨ov ww⟩ ● *afbreken, af/doorhakken, door/afsnijden* ● *(af)scheiden* ● *verbreken* ⟨relatie e.d.⟩.

1 several ['sevrəl] ⟨vnw⟩ ● *verscheidene(n), enkele(n); –* of my friends *verscheidene van mijn vrienden.*

2 several ⟨det⟩ ● *enkele, verscheidene; –* days *een aantal dagen* ● *apart(e), respectievelijk(e);* each gave their – contributions *elk gaf zijn afzonderlijke bijdrage.* **severally** ['sevrəli] ● *afzonderlijk* ● *elk voor zich.*

severance ['sevrəns] ● *verbreking, opzegging* ⟨v. betrekkingen⟩ ● *scheiding* ● *ontslag.* **'severance pay** ● *ontslagpremie.*

severe [sɪ'vɪə] ● *streng, strikt* ● *hevig; –* conditions *barre omstandigheden* ● *zwaar, ernstig; –* competition *zware concurrentie* ● *sober, strak* ⟨bouwstijl⟩ ‖ leave/let sth. –ly alone *ergens z'n handen niet aan willen vuilmaken;* ⟨scherts.⟩ *ergens z'n vingers niet aan willen branden.* **severity** [sɪ'verəti] ● *strengheid* ● *hevigheid* ● *soberheid, strakheid.*

sew [soʊ] ⟨sewed [soʊd], sewn [soʊn]⟩ ● *naaien; –* buttons *knopen aanzetten;* zie SEW UP.

sewage ['s(j)uːɪdʒ] ● *afvalwater, rioolwater.* **'sewage farm** ● *rioolwaterzuiveringsin-*

richting ⟨met vloeiweides⟩ ● *vloeiweide.*
1 sewer ['soʊə] ⟨zn⟩ ● *naaister.*
2 sewer ['s(j)uːə] ⟨zn⟩ ● *riool(buis).* **sewerage** ['s(j)uːərɪdʒ] ● *riolering, rioolstelsel.*
sewing ['soʊɪŋ] ● *naaiwerk.* **'sewing machine** ● *naaimachine.*
sewn [soʊn] ⟨volt. deelw.⟩ zie SEW.
'sew 'up ● *dichtnaaien* ● ↓ *succesvol afsluiten/afhandelen, beklinken.*
1 sex [seks] I ⟨telb en n-telb zn⟩ ● *geslacht, sekse* ‖ the second – *de vrouw(en)* II ⟨n-telb zn⟩ ● *seks, erotiek* ● *seksuele omgang;* have – with s.o. *met iem. naar bed gaan/vrijen.*
2 sex ⟨ww⟩ ● *seksen* ⟨kuikens⟩.
'sex appeal ● *seksuele aantrekkingskracht.* **'sex bomb** ● *seksbom.* **'sex education** ● *seksuele voorlichting.* **sexism** ['seksɪzm] ● *seksime.* **sexist** ['seksɪst] ● ⟨bn⟩ *seksistisch* ● ⟨zn⟩ *seksist.* **sexless** ['seksləs] ● *geslachtloos* ● *seksloos, niet opwindend.* **'sex maniac** ● *seksmaniak.* **'sex symbol** ● *sekssymbool.*
sextet [sek'stet] ● ⟨muz.⟩ *sextet.*
sexton ['sekstən] ● *koster.*
sexual ['sekʃʊəl] ● *seksueel, geslachts-; –* intercourse *geslachtsgemeenschap.* **sexuality** ['sekʃʊ'æləti] ● *seksualiteit.*
sexy ['seksi] ● *sexy, opwindend.*
s.f. ⟨afk.⟩ ● science fiction *SF.*
sh [ʃʃʃ] ● *sst.*
shabby ['ʃæbi] ● *versleten, kaal* ● *sjofel, armoedig* ● *min, gemeen.*
shack [ʃæk] ● *hut* ● *hok, keet.*
1 shackle ['ʃækl] ⟨zn⟩ ● *(voet/hand)boei, keten, kluister,* ⟨mv.⟩ ⟨fig.⟩ *belemmering* ● *schakel, sluiting.*
2 shackle ⟨ww⟩ ● *boeien, ketenen* ● *belemmeren, hinderen.*
'shack 'up ● *hokken, samenwonen; –* together *samenwonen.*
1 shade [ʃeɪd] I ⟨telb zn⟩ ● *schakering, nuance; –*s of meaning *(betekenis)nuances* ● *scherm, kap, lampekap, zonneklep* ● *schim, geest* ● *ietsje, beetje* ● ⟨AE⟩ *(rol) gordijn* II ⟨telb en n-telb zn⟩ ● *schaduw, diepsel* ⟨bij schilderen e.d.⟩ III ⟨n-telb zn⟩ ● *schaduw;* ⟨fig.⟩ put s.o./sth. in the – *iem./iets overtreffen/overschaduwen* IV ⟨mv.⟩ ● ↓ *zonnebril* ‖ ↓ –s of your granny *je lijkt je opoe wel/sprekend je opoe.*
2 shade I ⟨onov ww⟩ ● *geleidelijk veranderen, overgaan* II ⟨ov ww⟩ ● *beschermen, beschutten; –* one's eyes *zijn hand boven de ogen houden* ● *afschermen* ⟨licht⟩ ● *arceren, schaduw aanbrengen in.* **shading** ['ʃeɪdɪŋ] ● *arcering, het schaduwen.*
1 shadow ['ʃædoʊ] I ⟨telb zn⟩ ● *schaduw-*

(beeld); afraid of one's own – *zo bang als een wezel;* cast a – on sth. *een schaduw werpen op iets* ⟨ook fig.⟩ ● *schaduwplek,* ⟨fig.⟩ *kring* ⟨onder ogen⟩ ● *zwakke afspiegeling, schim;* a – of democracy *een schijn v. democratie* ●*onafscheidelijke metgezel/kameraad* ● *iem. die schaduwt, spion, detective* ‖ he is the – of his former self *hij is bij lange na niet meer wat hij geweest is;* without the – of a doubt *zonder ook maar de geringste twijfel* ‖ ⟨n-telb zn⟩ ● *schaduw.*

2 shadow ⟨ww⟩ ● *beschaduwen* ● *schaduwen, volgen.* '**shadowbox** ● *schaduwboksen.* '**shadow 'cabinet** ⟨BE⟩ ● *schaduwkabinet.* **shadowy** [ˈʃædoʊɪ] ● *vaag, schimmig* ● *schaduwrijk, in schaduw gehuld.*

shady [ˈʃeɪdɪ] ● *schaduwrijk* ● *onbetrouwbaar, verdacht.*

shaft [ʃɑːft] ● *schacht, pijl, speer* ● *steel, stok* ● *arm v.e. disselboom* ● *lichtstraal, bliksemstraal* ● *koker, schacht* ⟨lift, mijn⟩ ● ⟨tech.⟩ *(drijf)as.*

1 shag [ʃæg] ⟨zn⟩ ● *shag, gekorven tabak.*

2 shag ⟨ww⟩ ● ⟨BE; sl.⟩ *naaien, een nummertje maken met.*

shagged (out) [ʃægd] ⟨BE; ↓⟩ ● *afgepeigerd, bekaf.*

shaggy [ˈʃægɪ] ● *harig, ruigbehaard;* a – dog *een ruwharige hond* ● *ruig, woest.*

'**shaggy-'dog story** ● *paardemop.*

shah [ʃɑː] ● *sjah* ⟨v. Perzië⟩.

1 shake [ʃeɪk] I ⟨telb zn⟩ ● *het schudden,* ⟨ihb.⟩ *handdruk;* a – of the hand *een handdruk;* he said no with a – of the head *hij schudde (van) nee* ● ↓ *ogenblikje;* in two –s *zo,* direct ‖ ⟨mv.⟩ ● *(koorts)rillingen, bibbers,* ⟨ihb.⟩ *delirium (tremens).*

2 shake ⟨shook [ʃʊk], shaken [ˈʃeɪkən]⟩ I ⟨onov ww⟩ ● *schudden, beven, (t)rillen* ● *wankelen* ● ↓ *de hand geven;* – (on it)! *geef me de vijf!;* zie SHAKE DOWN ‖ ⟨ov ww⟩ ● *doen schudden, doen beven/trillen* ● *(uit) schudden;* – sugar on bread *suiker op brood strooien;* – off *(van zich) afschudden* ⟨ook fig.⟩; *ontsnappen aan;* – out *uit/ leegschudden* ● *geven, schudden* ⟨hand⟩ ● ⟨vaak pass.⟩ *schokken;* shaken by Paul's death *getroffen/geschokt door de dood v. Paul* ● *aan het wankelen brengen* ⟨fig.⟩, *verzwakken* ● ↓ *kwijtraken;* he couldn't – gambling *hij kon het gokken niet laten;* zie SHAKE DOWN, SHAKE UP. '**shakedown** ● *kermisbed* ● *laatste proefvlucht/vaart* ⟨met bemanning⟩ ● ⟨AE; ↓⟩ *afpersing* ⟨AE; ↓⟩ *grondig onderzoek.* '**shake 'down** I ⟨onov ww⟩ ● *gewend raken, ingewerkt raken* ● *(gaan) slapen* ‖ ⟨ov ww⟩ ● *laatste proef-*

vlucht laten maken ⟨met bemanning⟩ ● ⟨AE; ↓⟩ *geld uit de zak kloppen;* shake s.o. down for fifty dollars *iem. vijftig dollar lichter maken* ●⟨AE; ↓⟩ *grondig doorzoeken.* **shaker** [ˈʃeɪkə] ● *schudbeker, mengglas* ● *strooibus.* '**shakeup** ● *radicale reorganisatie* ‖ they need a thorough – *ze moeten eens flink wakker geschud worden.* '**shake 'up** ● *(door elkaar) schudden* ⟨ook fig.⟩, *hutselen* ⟨drankje⟩.

shaky [ˈʃeɪkɪ] ● *beverig, zwak(jes)* ● *wankel* ⟨ook fig.⟩, *gammel, onbetrouwbaar;* ⟨fig.⟩ my Swedish is rather – *mijn Zweeds is nogal zwak.*

shale [ʃeɪl] ● *schalie.* '**shale oil** ● *schalieolie.*

shall [ʃ(ə)l, ⟨sterk⟩ ʃæl] ⟨verk. 'll; ontkennende verk. shan't; verl. t. should⟩ ● *zullen* ● ⟨in inversie; vraagt om beslissing⟩ *zullen, moeten;* – I open the window? *zal ik het raam openzetten?.*

shallot [ʃəˈlɒt] ● *sjalot.*

shallow [ˈʃæloʊ] ● *ondiep* ● *oppervlakkig* ● *licht* ⟨v. ademhaling⟩. **shallows** [ˈʃæloʊz] ● *ondiepte, ondiepe plaats.*

1 sham [ʃæm] ⟨zn⟩ ● *veinzerij, schijn(vertoning)* ● *voorwendsel* ● *imitatie* ● *bedrieger.*

2 sham ⟨bn⟩ ● *namaak-, imitatie-, vals* ● *schijn-, gesimuleerd;* – pity *voorgewend medelijden.*

3 sham I ⟨onov ww, kww⟩ ● *doen alsof, veinzen;* – dead *zich dood houden* ‖ ⟨ov ww⟩ ● *voorwenden, simuleren;* – illness *doen alsof je ziek bent.*

shamble [ˈʃæmbl] ● *schuifelen, sloffen.*

shambles [ˈʃæmblz] ● *janboel, troep, bende.*

1 shame [ʃeɪm] I ⟨telb zn⟩ ● *schande, schandaal* ‖ what a –! *het is een schande!; wat jammer!* ‖ ⟨n-telb zn⟩ ● *schaamte(gevoel)* ● *schande;* bring – on s.o. *iem. te schande maken;* cry – on s.o. *schande v. iem. spreken;* to my – *tot mijn (grote) schande;* ⟨tegen spreker⟩ –! *schandalig!* ‖ put to – *in de schaduw stellen; beschaamd maken/ doen staan;* – on you! *schaam je!.*

2 shame ⟨ww⟩ ● *beschamen;* it –s me to say this *ik schaam me ervoor dit te (moeten) zeggen;* she –d him out of copying his homework *ze maakte hem zo beschaamd, dat hij het huiswerk niet meer durfde overschrijven* ● *te schande maken.* '**shame 'faced** [-fɑːst] ● *beschaamd, beschroomd.* **shameful** [ˈʃeɪmfl] ● *beschamend, schandelijk.* **shameless** [ˈʃeɪmləs] ● *schaamteloos.*

1 shampoo [ʃæmˈpuː] ⟨zn⟩ ● *shampoo* ‖ give o.s. a – *zijn haar (met shampoo) wassen.*

2 shampoo ⟨ww⟩ • *shampooën* • *met shampoo reinigen/schoonmaken* ⟨ihb. auto, tapijt⟩.

shamrock ['ʃæmrɒk] • *klaver.*

shandy ['ʃændi] • *shandy* ⟨bier met limonade⟩.

shank [ʃæŋk] **I** ⟨telb zn⟩ • *schacht* ⟨v. anker, zuil, sleutel⟩ • *steel* ⟨v. gebruiksvoorwerpen⟩ **II** ⟨n-telb zn⟩ • *schenkel(vlees).*

shan't [ʃɑ:nt] ⟨samentr. v. shall not⟩.

shanty ['ʃænti] • *barak, hut* • *shanty, zeemansliedje.* '**shantytown** • *sloppenwijk.*

1 shape [ʃeɪp] **I** ⟨telb en n-telb zn⟩ • *vorm, gestalte, gedaante;* take – *vorm krijgen;* in the – of *in de vorm/gedaante van* • *(bak/giet)vorm, model* ‖ in any – or form *in welke vorm dan ook, van welke aard dan ook;* knock/lick sth. into – *iets fatsoeneren/bijschaven* **II** ⟨n-telb zn⟩ ↓ • *(goede) conditie, vorm;* in bad/good – *in slechte/goede conditie;* in – *in (goede) conditie;* that's the – of it *zo staan de zaken (ervoor);* out of – *in slechte conditie.*

2 shape I ⟨onov ww⟩ • ⟨ook +up⟩ *zich ontwikkelen, zich vormen;* – (up) well *zich gunstig ontwikkelen* ‖ – up *zich goed (gaan) gedragen, zijn fatsoen houden* **II** ⟨ov ww⟩ • *vormen, maken;* – plastic into buckets *uit/van plastic emmers maken* • *plannen, regelen* • *bepalen, vorm geven aan* • *passend maken* ⟨bv. kledingstuk⟩.

shaped [ʃeɪpt] • *gevormd, in de vorm van;* – like a pear *peervormig.* **shapeless** ['ʃeɪpləs] • *vorm(e)loos.* **shapely** ['ʃeɪpli] • *goedgevormd, knap;* a – pair of legs *een mooi stel benen.*

shard [ʃɑ:d], **sherd** [ʃə:d] • *(pot)scherf.*

1 share [ʃeə] **I** ⟨telb zn⟩ • ⟨ec.⟩ *aandeel* **II** ⟨telb en n-telb zn⟩ • *(aan/onder)deel;* – and – alike *op gelijke voet;* do one's fair – *zijn deel inbrengen* ‖ go –s (with s.o. in sth.) *de kosten (v. iets met iem.) delen.*

2 share I ⟨onov ww⟩ • *deelnemen, delen;* – and – alike *eerlijk delen;* – in the cost *de kosten delen* **II** ⟨ov ww⟩ • *(ver)delen;* – a bedroom *een slaapkamer delen;* – out *ver/uitdelen* ‖ – sth. with s.o. *iem. deelgenoot maken v. iets.*

'**shareholder,** ⟨AE ook⟩ '**stockholder** • *aandeelhouder.* '**share-out** • *verdeling.*

shark [ʃɑ:k] • *haai* • *afzetter, woekeraar.*

1 sharp [ʃɑ:p] ⟨zn⟩ ⟨muz.⟩ • *(noot met) kruis.*

2 sharp I ⟨bn, attr en pred⟩ • *scherp, spits, puntig;* a – angle *een scherpe hoek;* a – knife *een scherp mes* • *schril, duidelijk uitkomend;* a – contrast *een schril contrast;* a – image *een scherp/duidelijk beeld* • *plotseling, steil, sterk;* a – fall in prices *een plotselinge/scherpe daling v.d. prijzen;* a – turn to the right *een scherpe bocht naar rechts* • *bijtend, doordringend;* – frost *bijtende vrieskou;* a – voice *een schelle stem;* a – wind *een snijdende wind* • *scherp;* a – flavour *een scherpe smaak;* – sauce *pikante saus* • *hevig, krachtig;* a – blow *een hevige/gevoelige klap* ⟨ook fig.⟩ • *streng;* – punishment *strenge straf* • *scherpzinnig, bijdehand, vlug;* a – child *een schrander kind;* – ears *scherpe oren;* – at maths *goed in wiskunde;* be too – for s.o. *iem. te slim af zijn* • *geslepen, gewiekst;* a – salesman *een gehaaid verkoper* • *stevig, vlug;* at a – pace *in een stevig tempo;* a – appetite *een stevige eetlust* • ↓ *knap, net;* he's a – dresser *hij kleedt zich erg vlot* ‖ – practice *oneerlijke praktijken* **II** ⟨bn, attr post⟩ ⟨muz.⟩ • *(-)kruis;* C – *C-kruis, dis kruis, cis.*

3 sharp ⟨bw⟩ • *stipt, precies;* three o'clock – *klokslag drie uur* • *plotseling;* pull up – *opeens optrekken* • *scherp;* turn – right *scherp naar rechts draaien* ‖ look –! *schiet op, haast je!.*

sharpen ['ʃɑ:pən] • *scherp(er) worden/maken, (zich) (ver)scherpen, slijpen.* **sharpener** ['ʃɑ:pənə] • *slijper* ⟨ihb. puntenslijper⟩.

sharper ['ʃɑ:pə] • *afzetter, oplichter.*

'**sharp-'eyed** • *scherpziend, alert.* '**sharpshooter** • *scherpschutter.*

shat [ʃæt] ⟨verl. t. en volt. deelw.⟩ zie SHIT.

shatter ['ʃætə] **I** ⟨onov ww⟩ • *uiteenspatten, in stukken (uiteen)vallen* **II** ⟨ov ww⟩ • *aan gruzelementen slaan, (compleet) vernietigen* ⟨ook fig.⟩ • ↓ *schokken, in de war brengen;* a –ed look *een ontredderde blik* • ⟨vnl. BE⟩ ↓ *totaal uitputten;* I feel completely –ed *ik ben doodop.*

1 shave [ʃeɪv] ⟨zn⟩ • *scheerbeurt;* I must have a – *ik moet me eens (laten) scheren* ‖ he got through by a – *hij kwam er op het nippertje door* ⟨examen⟩.

2 shave ⟨vnl. als bn shaven ['ʃeɪvn]⟩ **I** ⟨onov en ov ww; ook wdk ww⟩ • *(zich) scheren;* – off one's beard *zijn baard er afscheren* **II** ⟨ov ww⟩ • ⟨vaak +off⟩ *(af)schaven* • ↓ *scheren langs, rakelings gaan langs.* **shaver** ['ʃeɪvə] • *(elektrisch) scheerapparaat.*

shaving ['ʃeɪvɪŋ] **I** ⟨telb zn⟩ • *schijfje,* ⟨mv.⟩ *flenters, spaanders* **II** ⟨n-telb zn⟩ • *het scheren.* '**shaving brush** • *scheerkwast.* '**shaving cream** • *scheerzeep.* '**shaving stick** • *staafje scheerzeep.*

shawl [ʃɔ:l] • *sjaal, omslagdoek, hoofddoek.*

1 she [ʃi:] ⟨zn⟩ • ↓ *vrouw, wijfje, zij, meisje.*

2 she [ʃi, ⟨sterk⟩ʃi:] ⟨vnw⟩ zie HER • *zij/ze.*

sheaf [ʃiːf] ⟨mv.: sheaves⟩ ● *schoof* ● *bundel.*

shear [ʃɪə] ⟨volt. deelw. ook shorn [ʃɔːn]⟩ I ⟨onov ww⟩ ● ⟨tech.⟩ *afknappen* II ⟨ov ww⟩ ● *(af)scheren; –ing sheep schapen scheren* ● ⟨tech.⟩ *doen afknakken, afbreken.*

shears [ʃɪəz] ● *(grote) schaar, heggeschaar.*

sheath [ʃiːθ] ⟨mv.: sheaths [ʃiːðz]⟩ ● *schede, foedraal* ● *nauwaansluitende jurk* ● *condoom.*

sheath(e) [ʃiːð] ● *in de schede steken, van een omhulsel voorzien.*

'sheath knife ● *steekmes, dolk.*

sheaves [ʃiːvz] ⟨mv.⟩ zie SHEAF.

shebang [ʃɪ'bæŋ] ⟨AE; ↓ ⟩ ● *zootje, santenkraam;* the whole – *het hele zootje.*

1 shed [ʃed] ⟨zn⟩ ● *schuur(tje), keet, loods* ● *waterscheiding.*

2 shed ⟨shed, shed⟩ ⟨ww⟩ ● *afwerpen, afleggen, afschudden;* they began to – their clothes *ze begonnen hun kleren uit te trekken;* – bad habits *met slechte gewoonten breken;* the tree had – its leaves *de boom had zijn bladeren laten vallen;* ⟨fig.⟩ the lorry – its load *de vrachtwagen verloor zijn lading* ● *storten, vergieten;* – hot tears *hete tranen storten.*

she'd [ʃid, ⟨sterk⟩ʃiːd] ⟨samentr. v. she had, she would⟩.

sheen [ʃiːn] ● *glans, schittering.*

sheep [ʃiːp] I ⟨telb zn⟩ ● *schaap* ⟨ook fig.⟩, *onnozel kind, gedwee persoon;* the black – *het zwarte schaap* ‖ make/cast –'s eyes at s.o. *smachtende blikken werpen naar iem.;* separate the – and the goats *de goeden van de slechten scheiden* II ⟨n-telb zn⟩ ● *schapeleer.* **'sheepdog** ● *(schaap)herdershond* ⟨ihb. collie⟩. **'sheepfold** ● *schaapskooi.* **sheepish** [ˈʃiːpɪʃ] ● *schaapachtig, onnozel, dom.* **'sheepskin** ● *schaapsvacht* ● *schaapsle(d)er.*

1 sheer [ʃɪə] I ⟨bn, attr en pred⟩ ● *dun;* – nylon *dun/doorzichtig nylon* ● *erg steil, loodrecht* II ⟨bn, attr⟩ ● *volkomen, zuiver, je reinste;* that's – nonsense *dat is klinkklare onzin!.*

2 sheer ⟨ww⟩ ● *scherp uitwijken, zwenken.*

3 sheer ⟨bw⟩ ● *erg steil, (bijna) loodrecht* ● *compleet, regelrecht, volkomen.*

sheet [ʃiːt] ● *(bedde)laken* ● *blad, vel* ⟨papier⟩; in –s *in losse vellen* ⟨drukwerk⟩ ● *plaat, (dunne) laag* ● *gordijn, muur, vlaag;* a – of flame *een vuurzee;* the rain came down in –s *de regen kwam in stromen naar beneden* ● ⟨scheep.⟩ *schoot.* **'sheet anchor** ● ⟨scheep.⟩ *(groot) noodanker, plechtanker,* ⟨fig.⟩ *laatste toevlucht.*

sheeting [ˈʃiːtɪŋ] ● *lakenstof* ● *bekleding(smateriaal).* **'sheet 'lightning** ● *weerlicht.* **'sheet 'metal** ● *bladmetaal.* **'sheet music** ● *(muziek uitgegeven op) losse muziekbladen.*

sheik(h) [ʃeɪk] ● *sjeik.* **sheik(h)dom** [ˈʃeɪkdəm] ● *sjeikdom.*

shelf [ʃelf] ⟨mv.: shelves [ʃelvz]⟩ ● *(leg)plank, boekenplank* ● *(rots)richel* ‖ be (put/left) on the – *afgeschreven worden; afgedankt worden; niet meer aan een man raken* ⟨v. vrouw⟩.

1 shell [ʃel] I ⟨telb zn⟩ ● *geraamte* ⟨v. gebouw⟩, *skelet, chassis* ● *huls, granaat,* ⟨AE⟩ *patroon* II ⟨telb en n-telb zn⟩ ● *hard omhulsel, schelp, dop, schaal, schulp, rugschild;* come out of one's – *loskomen, ontdooien;* go/retire into one's – *in zijn schulp kruipen.*

2 shell ⟨ww⟩ ● *schillen, doppen, pellen* ● *beschieten;* zie SHELL OUT.

she'll [ʃil, ⟨sterk⟩ʃiːl] ⟨samentr. v. she will⟩.

'shellfish ● *schaal/schelpdier.* **'shell 'out** ↓ ● *dokken, afschuiven.* **'shellproof** ● *bomvrij.* **'shell shock** ⟨med.⟩ ● *(shell)shock.*

1 shelter [ˈʃeltə] I ⟨telb zn⟩ ● *schuilkelder, bushokje, tramhuisje* ● *schuilplaats, toevluchtsoord* II ⟨n-telb zn⟩ ● ⟨+from⟩ *beschutting (tegen), bescherming;* give – *onderdak/een schuilplaats verlenen.*

2 shelter I ⟨onov ww⟩ ● ⟨+from⟩ *schuilen (voor/tegen)* II ⟨ov ww⟩ ● ⟨+from⟩ *beschutten (tegen), beschermen;* –ed industries *beschermde industrieën;* a –ed workshop *een sociale werkplaats* ● *onderdak verlenen.*

shelve [ʃelv] I ⟨onov ww⟩ ● *glooien, (zacht) hellen* II ⟨ov ww⟩ ● *op een plank zetten* ● *op de lange baan schuiven, opschorten.*

shelves [ʃelvz] ⟨mv.⟩ zie SHELF.

shelving [ˈʃelvɪŋ] ● *(materiaal voor) planken.*

shenanigan [ʃɪ'nænɪgən] ↓ ● *trucje* ● *streek, bedriegerij.*

1 shepherd [ˈʃepəd] ⟨zn⟩ ● *(schaap)herder.*

2 shepherd ⟨ww⟩ ● *hoeden, leiden, in de gaten houden.* **shepherdess** [ˈʃepədɪs] ● *herderin.* **'shepherd's 'pie** ⟨BE⟩ ● *gehakt met een korst van aardappelpuree.*

sherbet [ˈʃəːbət] ● *sorbet* ● *zoete poeder als snoep of om een frisdrank mee te maken.*

sheriff [ˈʃerɪf] ● ⟨BE⟩ *sheriff,* ⟨ongeveer⟩ *drost* ● ⟨AE⟩ *sheriff* ⟨hoofd v.d. politie⟩.

sherry [ˈʃerɪ] ● *sherry.*

she's [ʃiz, ⟨sterk⟩ʃiːz] ⟨samentr. v. she has, she is⟩.

1 shield [ʃiːld] ⟨zn⟩ ● *schild* ● *beveiliging, bescherming.*

2 shield ⟨ww⟩ ● ⟨+from⟩ *beschermen (te-*

gen).
1 shift [ʃɪft] ⟨zn⟩ ●*verschuiving, verandering* ●*ploeg* ⟨werklieden⟩ ●*werktijd* ●*hemdjurk* ‖ make – *zich behelpen.*
2 shift I ⟨onov ww⟩ ●*van plaats veranderen, zich verplaatsen, schuiven* ●*veranderen* ●*zich redden;* – for o.s. *het zelf klaarspelen* **II** ⟨ov ww⟩ ●*verplaatsen, verschuiven, verzetten;* – the blame onto *de schuld schuiven op* ●*veranderen,* ⟨AE⟩ *schakelen* ⟨versnelling⟩ ; – one's ground *een ander standpunt innemen.* '**shift key** ●*hoofdlettertoets.* **shiftless** [ˈʃɪftləs] ●*niet vindingrijk, inefficiënt.* 'shift work ●*ploegendienst.* **shifty** [ˈʃɪfti] ●*stiekem, onbetrouwbaar.*
shilling [ˈʃɪlɪŋ] ●*shilling* ⟨Engelse munt, tot 1971⟩.
shilly-shally [ˈʃɪliʃæli] ●*dubben, weifelen.*
1 shimmer [ˈʃɪmə] ⟨zn⟩ ●*flikkering, flauw schijnsel.*
2 shimmer ⟨ww⟩ ●*glinsteren, flakkeren.*
1 shin [ʃɪn] ⟨zn⟩ ●*scheen* ‖ a – of beef *een runderschenkel.*
2 shin ⟨ww⟩ ●*klimmen* ⟨met handen en voeten⟩ ; – up a tree *in een boom klimmen.*
'**shinbone** ●*scheenbeen.*
1 shine [ʃaɪn] ⟨zn⟩ ●*schijn(sel)* ●*glans, schittering* ●*poetsbeurt* ⟨v. schoenen⟩ ‖ take a – to s.o. *iem. zomaar/direct aardig vinden.*
2 shine ⟨ww⟩ ●*poetsen* ⟨schoenen⟩.
3 shine ⟨shone, shone [ʃɒn]⟩ **I** ⟨onov ww⟩ ●*glanzen, glimmen* ●*schitteren, uitblinken* **II** ⟨onov en ov ww⟩ ●*schijnen;* he shone his light in my face *hij scheen met zijn lantaarn in mijn gezicht* ‖ zie ook ⟨sprw.⟩ HAY.
shiner [ˈʃaɪnə] ●↓ *blauw oog.*
shingle [ˈʃɪŋgl] **I** ⟨telb zn⟩ ●*dakspaan* **II** ⟨ntelb zn⟩ ●*kiezel, grind, kiezelstrand* **III** ⟨mv.⟩ ⟨med.⟩ ●*gordelroos.*
shining [ˈʃaɪnɪŋ] ●*schitterend, glanzend* ● *uitstekend.* **shiny** [ˈʃaɪni] ●*glanzend, glimmend.*
1 ship [ʃɪp] ⟨zn⟩ ●*schip, vaartuig;* when my – comes in/home *als het schip met geld (binnen)komt;* take – *aan boord gaan.*
2 ship ⟨ww⟩ ●*verschepen, (per schip) verzenden/vervoeren;* – off/out *verschepen* ● *binnenkrijgen;* – water *water maken* ‖ – off *wegsturen/zenden.*
'**shipboard** ‖ on – *aan boord.* '**shipbuilding** ●*scheepsbouw.* '**ship 'chandler** ●*scheepsleverancier.* '**shipload** ●*scheepslading.* **shipment** [ˈʃɪpmənt] ●*scheepslading* ● *vervoer* ⟨niet alleen per schip⟩. '**shipowner** ●*reder.* **shipper** [ˈʃɪpə] ●*expedi*

teur ⟨BE alleen per schip⟩, *verzender.*
shipping [ˈʃɪpɪŋ] ●*verscheping, verzending* ●*inscheping* ●*scheepvaart.* '**shipping agent** ●*scheepsbevrachter, cargadoor.* '**shipping company** ●*scheepvaartmaatschappij.*
shipshape [ˈʃɪpʃeɪp] ●*netjes, in orde, keurig.*
1 shipwreck ⟨zn⟩ ●*schipbreuk.*
2 shipwreck ⟨ww⟩ ●*schipbreuk (doen) lijden.*
shipwright [ˈʃɪpraɪt] ●*scheepsbouwer, scheepstimmerman.* '**shipyard** ● *scheepswerf.*
shire [ˈʃaɪə] ●*graafschap* ⟨Eng. provincie⟩ ● ⟨ook: 'shire horse⟩ *shire* ⟨zwaar Engels trekpaarderas⟩.
shirk [ʃəːk] **I** ⟨onov ww⟩ ●*zich drukken* **II** ⟨ov ww⟩ ●*zich onttrekken aan;* – school *spijbelen.* **shirker** [ʃəːkə] ●*lijntrekker.*
shirt [ʃəːt] ●*overhemd* ‖↓ keep one's – on *zich gedeisd houden;* ↓ put one's – on sth. *al zijn geld op iets zetten* ⟨ihb. paarden⟩ ; ↓ stuffed – *opgeblazen persoon, blaaskaak.* '**shirtfront** ●*front(je).* '**shirtsleeve** ● *hemdsmouw.*
shirty [ˈʃəːti] ●↓ *nijdig, kwaad.*
1 shit [ʃɪt] ↓ **I** ⟨telb zn⟩ ●*zeiker(d), lul* **II** ⟨telb en n-telb zn⟩ ●*stront* ●*het schijten;* go and have a – *gaan schijten* ‖ beat the – out of s.o. *iem. een pak op zijn sodemieter geven;* not give a – *er schijt aan hebben* **III** ⟨n-telb zn⟩ ●*gezeik, gelul* ●*hasj* **IV** ⟨mv.⟩ ● *schijterij, diarree.*
2 shit ⟨ook shat [ʃæt]⟩ ↓ **I** ⟨onov ww⟩ ●*schijten* **II** ⟨ov ww⟩ ‖ – o.s. *het in zijn broek doen* ⟨fig.⟩.
3 shit ⟨tw⟩ ↓ ●*verdomme, shit.*
shitty [ˈʃɪti] ↓ ●*lullig, stom.*
1 shiver [ˈʃɪvə] ⟨zn; meestal mv.⟩ ●*rilling* ⟨ook fig.⟩, *siddering,* ⟨ihb.⟩ *gevoel v. angst/afkeer;* ↓ give s.o. the –s *iem. de rillingen geven.*
2 shiver ⟨ww⟩ ●*rillen* ⟨v. angst, koude⟩, *sidderen.* **shivery** [ˈʃɪvəri] ●*rillerig, beverig.*
shoal [ʃoʊl] ●*ondiepte* ●*zandbank* ●*menigte, troep,* ⟨ihb.⟩ *school* ⟨v. vissen⟩.
1 shock [ʃɒk] **I** ⟨telb zn⟩ ●*aardschok* ‖ – of hair *dikke bos haar* **II** ⟨telb en n-telb zn⟩ ● *schok, schrik, (onaangename) verrassing* ●*(elektrische) schok* **III** ⟨n-telb zn⟩ ●*shock* ⟨ook med.⟩.
2 shock ⟨ww⟩ ●*schokken, shockeren, laten schrikken;* be –ed at/by *geschokt zijn door* ●*een schok geven* ⟨ook elek.⟩, *een shock veroorzaken bij.* '**shock absorber** ●*schokbreker.* **shocker** [ˈʃɒkə] ⟨scherts.⟩ ●*schokkend iets.* **shocking** [ˈʃɒkɪŋ] ●*stuitend, schokkend* ●↓ *vreselijk, erg.* '**shockproof**

● *schokvast.* '**shock therapy,** '**shock treatment** ● *schoktherapie.* '**shock troops** ● *stoottroepen.* '**shock wave** ● *schokgolf.*

shod [ʃɒd] ⟨verl. t. en volt. deelw.⟩ zie SHOE.

shoddy ['ʃɒdi] ● *prullig, niet degelijk.*

1 **shoe** [ʃuː] ⟨zn⟩ ● *schoen* ● *hoefijzer* ● *schoenvormig voorwerp, remschoen/blok* ‖ be in s.o.'s –s *in iemands schoenen staan;* fill s.o.'s –s *iem. opvolgen;* zie ook ⟨sprw.⟩ CAP.

2 **shoe** ⟨ww; meestal shod, shod [ʃɒd]⟩ ● *beslaan* ⟨paard⟩ ● *schoeien.*

'**shoehorn** ● *schoenlepel.* '**shoelace** ● *(schoen)veter.* '**shoemaker** ● *schoenmaker.* '**shoe polish** ● *schoensmeer.* '**shoeshine** ● *het schoenpoetsen.*

1 '**shoestring** ⟨zn⟩ ● ⟨AE⟩ *(schoen)veter* ‖ on a – *met erg weinig geld.*

2 **shoestring** ⟨bn⟩ ‖ – budget *zeer beperkt budget.*

shone [ʃɒn] ⟨verl. t. en volt. deelw.⟩ zie SHINE.

1 **shoo** [ʃuː] ⟨ww⟩ ● *ks(t) roepen;* – sth/s.o. away/off *iets/iem. wegjagen.*

2 **shoo** ⟨tw⟩ ● *ks(st).*

shook [ʃʊk] ⟨verl. t.⟩ zie SHAKE.

1 **shoot** [ʃuːt] ⟨zn⟩ ● *(jonge) spruit, loot, scheut* ● *jacht(partij)* ● *jachtgebied.*

2 **shoot** ⟨shot, shot [ʃɒt]⟩ I ⟨onov ww⟩ ● *snel bewegen, (voort/weg)schieten;* – ahead *vooruitschieten* ● *schieten* ⟨met wapen⟩; – at/for *schieten op;* ⟨ihb. AE; ↓, ook fig.⟩ *(zich) richten op* ● ⟨sport⟩ *(op doel) schieten* ● *plaatjes schieten, filmen;* zie SHOOT OUT, SHOOT UP II ⟨ov ww⟩ ● *(af)schieten* ⟨kogel, pijl enz.⟩, *afvuren* ⟨ook fig.; vragen e.d.⟩; – down *neerschieten;* ⟨fig.⟩ *afkeuren;* – off *afschieten; afvuren* ⟨geweer⟩ ● *neerschieten, doodschieten,* ⟨ihb.⟩ *fusilleren;* ⟨fig.⟩ I'll be shot if *ik mag doodvallen als* ● *jagen (op)* ● *doen bewegen,* ⟨AE; ↓⟩ *spuiten* ⟨drugs⟩ ● *(naar doel) schieten* ● *snel passeren, snel onderdoor varen* ⟨brug⟩, *snel varen over* ⟨stroomversnelling⟩ ● *schieten* ⟨plaatjes⟩, *opnemen* ⟨film⟩ ● ⟨AE⟩ *spelen* ⟨biljart e.d.⟩; zie SHOOT OUT, SHOOT UP.

1 **shooting** ['ʃuːtɪŋ] ⟨zn⟩ ● *jacht* ● *schietpartij* ● *opname* ⟨film, scene⟩.

2 **shooting** ⟨bn⟩ ● *schietend* ● *stekend;* – pains *pijnscheuten* ‖ – star *vallende ster.*

'**shooting gallery** ● *schietbaan.* '**shooting match** ‖ ↓ the whole – *het hele zaakje.* '**shooting range** ● *schietterrein.* '**shooting stick** ● *zitstok.*

'**shoot** '**out** I ⟨onov ww⟩ ● *naar buiten schieten* II ⟨ov ww⟩ ↓ ‖ they're going to shoot it out *ze gaan het uitvechten (met de revol-*

ver). '**shoot-out** ● *vuurgevecht.* '**shoot** '**up** I ⟨onov ww⟩ ↓ ● *omhoog schieten* ⟨v. planten, kinderen⟩, *snel stijgen* ⟨v. prijzen⟩ II ⟨ov ww⟩ ● *kapot schieten* ● *spuiten* ⟨drugs⟩.

1 **shop** [ʃɒp] ⟨zn⟩ ● *winkel, zaak;* shut up – *de zaak sluiten/opdoeken;* set up – *een zaak opzetten;* talk – *over zaken/het vak praten* ● *werkplaats* ‖ closed – *closed shop* ⟨(principe v.) onderneming waarin lidmaatschap v. vakbond verplicht is voor alle werknemers⟩; ⟨sl.⟩ all over the – *door elkaar, her en der.*

2 **shop** I ⟨onov ww⟩ ● *winkelen;* – around *zich oriënteren (alvorens te kopen)* ⟨ook fig.⟩ II ⟨ov ww⟩ ● ⟨BE; sl.⟩ *verlinken* ⟨bij de politie⟩.

'**shop assistant** ⟨BE⟩ ● *winkelbediende.* '**shop** '**floor** ● *arbeiders* ⟨tgov. bazen⟩. '**shopkeeper** ● *winkelier.* '**shoplifter** ● *winkeldief/dievegge.* '**shoplifting** ● *winkeldiefstal.* **shopper** ['ʃɒpə] ● *koper, klant.* **shopping** ['ʃɒpɪŋ] ● *het boodschappen doen;* do one's – *boodschappen doen* ● *boodschappen.* '**shopping bag** ● *boodschappentas.* '**shopping centre** ● *winkelcentrum.* '**shopsoiled,** '**shopworn** ⟨BE⟩ ● *minder geworden* ⟨v. goederen, door te lang liggen; ook fig.⟩. '**shop** '**steward** ● *vakbondsvertegenwoordiger.* '**shop** '**window** ● *etalage.*

1 **shore** [ʃɔː] ⟨zn⟩ ● *kust, oever;* on – *aan (de) wal* ● *steunbalk, schoor(balk)* ‖ these – s *dit land/eiland.*

2 **shore** ⟨ww⟩ ● ⟨ook fig.⟩ *steunen;* – up *(on-der)steunen.*

'**shoreline** ● *oever, kustlijn.*

shorn [ʃɔːn] ⟨volt. deelw.⟩ zie SHEAR.

1 **short** [ʃɔːt] I ⟨telb zn⟩ ● ⟨verk.⟩ short-circuit ↓ *kortsluiting* ● ↓ *korte (voor)film* ● ↓ *borrel* II ⟨mv.⟩ ● *korte broek* ● ⟨AE⟩ *onderbroek.*

2 **short** ⟨bn; -ness⟩ ● *kort, klein, beknopt;* ⟨BE⟩ – list *aanbevelingslijst* ⟨v. sollicitant⟩; – story *kort verhaal;* ⟨↓; meestal iron.⟩ – and sweet *kort en bondig;* nothing – of *niets minder dan;* something – of *weinig minder dan, bijna;* little – of *weinig minder dan, bijna;* – for *een afkorting van;* in – *in het kort* ● *kort(durend);* (at) – notice *(op) korte termijn;* in – order *onmiddellijk;* in the – run/term *op korte termijn;* ⟨fig.⟩ give – shrift to *korte metten maken met;* – time *korte(re) werktijd;* ↓ make – work of *snel een einde maken aan* ● *te kort, karig, krap;* – of breath *kortademig;* – change *te weinig wisselgeld;* – memory *slecht geheugen;* – of money *krap bij kas;* in – sup-

ply *beperkt leverbaar;* – weight *onderge-wicht;* – by ten *tien te kort;* (be) – of/on *te kort (hebben) aan;* two – of fifty *op twee na vijftig* ●*kortaf, bits* ●*bros, kruimelig* 〈bv. deeg〉 ‖ – drink/one *borrel;* – circuit *kortsluiting;* – temper *drift(igheid).*

3 short 〈bw〉 ●*niet (ver) genoeg;* four inches – *vier inches te kort;* come/fall – *te kort schieten;* come/fall – of *niet voldoen aan;* 〈fig.〉 cut s.o. – *iem. onderbreken;* go – (of) *gebrek hebben (aan);* run – *bijna op zijn;* run – of (sth.) *bijna zonder (iets) zitten* ●*plotseling;* bring/pull up – *plotseling stoppen/tegenhouden;* stop – *plotseling ophouden;* ↓ be taken/caught – *nodig moeten* ‖↓ sell s.o. – *iem. te kort doen;* nothing – of *alleen maar; niets minder dan;* – of *behalve, zonder.*

shortage [ˈʃɔːtɪdʒ] ●*gebrek, tekort.*

'shortbread ●*theebeschuit.* **'shortcake** ● 〈BE〉 *theebeschuit* ●〈AE〉 *zandgebak* 〈vaak met fruit gevuld〉. **'short-'change** ● *te weinig wisselgeld geven aan;* be –d *te weinig (wisselgeld) terugkrijgen* ●〈sl.〉 *afzetten.* **'short-'circuit I** 〈onov ww〉 ●*kortsluiting veroorzaken* **II** 〈ov ww〉 ●*kortsluiten* ●*verkorten* 〈procedure e.d.〉. **'short-coming** ●*tekortkoming.* **'short cut** ↓ ●*korte(re) weg.*

shorten [ˈʃɔːtn] **I** 〈onov ww〉 ●*kort(er) worden* **II** 〈ov ww〉 ●*verkorten.* **shortening** [ˈʃɔːtnɪŋ] ●*bakvet.* **'shorthand** ●*steno (grafie).* **'short-'handed** ●*met te weinig personeel.* **'shorthand 'typist** ●*stenotypist(e).*

shortish [ˈʃɔːtɪʃ] ●*vrij kort.* **'short-list** 〈BE〉 ● *voordragen.* **'short-'lived** ●*kortdurend, kortlevend.* **shortly** [ˈʃɔːtli] ●*spoedig, binnenkort;* – afterwards *korte tijd later;* – after/before *korte tijd na/voor* ●*kort(af).* **'short-'range** ●*op korte termijn* ●*korte-afstands-.* **'short-'sighted** ●*bijziend* ●〈fig.〉 *kortzichtig.* **'short-'staffed** ●*met te weinig personeel.* **'short-'tempered** ●*opvliegend.* **'short-'term** ●*op korte termijn.* **'short-wave** ●*kortegolf-.*

shorty, shortie [ˈʃɔːti] ●*kleintje* 〈persoon〉.

1 shot [ʃɒt] **I** 〈telb zn〉 ●*schot* 〈ook sport〉, *worp, stoot* ●*schutter* ●*lancering* 〈v. raket e.d.〉 ●↓ *gok, poging;* have/make a – (at sth.) *(ergens) een slag (naar) slaan* ●〈foto.〉 *opname, kiekje;* have a – at *een kiekje nemen van* ● ↓ *injectie, shot* ●〈sport〉 *kogel* ● ↓ *borrel* ‖ – in the arm *stimulans;* – in the dark *slag in de lucht;* like a – *onmiddellijk* **II** 〈telb en n-telb zn; mv. vaak: shot〉 ●*lading* 〈v. vuurwapen〉, *schroot* **III** 〈n-telb zn〉 ●*bereik;* out of/within – *buiten/*

binnen schot/bereik.

2 shot 〈bn〉 ●*changeant, met weerschijn* 〈v. weefsel〉 ●*doorweven, vol;* – (through) with *doorspekt met* ‖ ↓ be – of *af zijn van.*

3 shot 〈verl. t. en volt. deelw.〉 zie SHOOT.

'shotgun ●*(jacht)geweer.*

'shotgun 'wedding ●*moetje.*

'shot-put 〈sport〉 ●*kogelstoten.* **shot-putter** [ˈʃɒt pʊtə] 〈sport〉 ●*kogelstoter.*

should [ʃ(ə)d, 〈sterk〉ʃʊd] 〈verl. t. v. shall; verk. vorm 'ld〉 ●〈voorwaarde〉 *zou(den), mochten;* – the dead return *als de doden zouden terugkeren* ●〈gebod, verplichting of noodzakelijkheid〉 *moet(en);* you – be more obedient *je moet gehoorzamer zijn* ●〈gebod; ook plechtige belofte, dreiging, plan enz. in verl. context〉 *zou(den), zou(den) moeten, moest(en);* he told her that she – be quieter *hij zei dat ze stiller moest zijn* ●〈onderstelling〉 *moet(en), zullen/zal, zou(den);* it – be easy for you *het moet voor jou gemakkelijk zijn;* she – have returned by now *ze zou nu al terug moeten zijn* ●〈als beleefdheidsnorm〉 〈vnl. BE〉 *zou(den);* yes, I – love to *ja, dat zou ik echt graag doen;* 〈BE; iron.〉 whether you can come? I – think so! *of jij ook kunt komen? dat zou ik denken!* ‖ if Sheila came, I – come too *als Sheila kwam, dan kwam ik ook/dan zou ik ook komen.*

1 shoulder [ˈʃəʊldə] 〈zn〉 ●*schouder,* 〈cul.〉 *schouderstuk;* stand head and –s above *met kop en schouders uitsteken boven* 〈ook fig.〉; – to – *schouder aan schouder;* 〈fig.〉 *met een gemeenschappelijk doel* ● *(weg)berm* ●*berghelling onder top* ● *schoft* 〈v. dier〉 ‖ put one's – to the wheel *zijn schouders ergens onder zetten;* ↓ rub –s with *omgaan met;* ↓ (straight) from the – *recht voor z'n raap.*

2 shoulder I 〈onov en ov ww〉 ●*duwen, (met de schouders) dringen;* he –ed his way through the crowd *hij baande zich een weg door de menigte* **II** 〈ov ww〉 ●*op zijn schouders nemen;* – a great burden/responsibility *een zware last/verantwoording op zich nemen.* **'shoulder blade** ● *schouderblad.* **'shoulder strap** ●*schouderbandje.*

1 shout [ʃaʊt] 〈zn〉 ●*schreeuw, kreet;* – of joy *vreugdekreet.*

2 shout 〈ww〉 ●*schreeuwen, (uit)roepen;* the audience –ed down the speaker *het publiek joelde de spreker uit;* don't – at me! *ga niet zo tegen me tekeer!;* – for joy *het uitroepen v. vreugde.*

1 shouting [ˈʃaʊtɪŋ] 〈zn〉 ●*geschreeuw* ‖ it's all over but/bar the – *het spel is gespeeld.*

2 shouting ⟨bn⟩ •*(onaangenaam) opvallend, scherp in het oog vallend.*

1 shove [ʃʌv] ⟨zn⟩ •*duw, zet, stoot.*

2 shove ⟨ww⟩ •*(weg)duwen, dringen (tegen),*↓ *stoppen, leggen;* a lot of pushing and shoving *heel wat geduw en gedrang;* – it in the drawer *stop/gooi het in de la* ‖ – off *afduwen* ⟨in boot⟩; – off! *hoepel op!.* 'shove a'round↓ •*commanderen, ruw behandelen.*

1 shovel [ˈʃʌvl] ⟨zn⟩ •*schop* •*schoep* ⟨v. machine⟩.

2 shovel ⟨ww⟩ •*scheppen;*↓ – food into one's mouth *eten in zijn mond proppen.*

1 show [ʃoʊ] **I** ⟨telb zn⟩ •*vertoning, show,*↓ *uitzending, opvoering* •*tentoonstelling* • *indruk;* make a – of interest *belangstelling voorwenden* •*spoor;* he wasn't even given a – of appraisal *hij kreeg zelfs geen schijntje waardering;* no – of resistance *geen enkel blijk v. verzet* •↓ *poging, beurt;* a bad/poor – *een slechte beurt;* good –! *goed geprobeerd!;* put up a good – *een goede prestatie leveren* •⟨vnl. enk.⟩ *zaak, onderneming;* the man behind the – *de man achter de schermen* ‖ a – of force/strength *een machtsvertoon;* vote by (a) – of hands *dmv. handopsteking stemmen;* let's get this – on the road *laten we nu maar eens beginnen;* make a – of one's learning *te koop lopen met zijn geleerdheid;* make a – of sth. *ergens een hele drukte om maken;* give the (whole) – away *de hele zaak verraden* ‖ ⟨n-telb zn⟩ • *uiterlijk, schijn;* only for – *alleen voor de show* •*vertoning;* what's on – today? *wat wordt er vandaag vertoond?;* objects on – *de tentoongestelde voorwerpen.*

2 show [ʃoʊ] ⟨showed [ʃoʊd], shown [ʃoʊn]⟩ **I** ⟨onov ww⟩ •*(zich)(ver)tonen, (duidelijk) zichtbaar zijn, (ver)schijnen;* his education –s *het is goed merkbaar dat hij goed onderlegd is;* your slip is –ing *je onderjurk komt eruit;* what's –ing at the cinema? *wat draait er in de bioscoop?;* her accent still –s through *haar accent is nog (goed) hoorbaar* •*blijken (te zijn);* the hero in him –ed *de held in hem kwam naar boven* •↓ *komen opdagen* ‖ it just goes to –! *zo zie je maar!;* zie SHOW OFF, SHOW UP **II** ⟨ov ww⟩ • *(aan)tonen, laten zien, tentoonstellen, vertonen;* – one's cards/hand *open kaart spelen* ⟨ook fig.⟩; – me an example *geef me een voorbeeld;* – (s.o.) the way *iem. de weg wijzen* ⟨ook fig.⟩; *een voorbeeld stellen;* – o.s. *je (gezicht) laten zien; je ware aard tonen;* he has nothing to – for all his work *zijn werk heeft helemaal geen vruch-*

ten afgeworpen •*demonstreren, bewijzen;* that remark –s her stupidity *die opmerking illustreert hoe dom ze is;* this goes to – that *dit bewijst dat;* he –ed me how to write *hij leerde me schrijven* •*ten toon spreiden;* – one's kindness *vriendelijk blijken te zijn;* – bad taste *v.e. slechte smaak getuigen* •*(rond)leiden;* – s.o. about/(a)round *iem. rondleiden;* – in/out *iem. binnenlaten/uitlaten;* he –ed us (a)round the house *hij liet ons het huis zien;* – her into the waiting room *breng haar naar de wachtkamer;* – s.o. over the factory *iem. een rondleiding geven door de fabriek* •*aanwijzen;* the clock –s five minutes past *de klok staat op vijf over* •↑ *bewijzen, schenken;* Lord, – mercy *Heer, schenk genade;* zie SHOW OFF, SHOW UP.

'showboat •*theaterboot.* 'show business, ⟨↓ ook⟩ 'show biz •*amusementsbedrijf.* 'showcase •*vitrine, uitstalkast.* 'showdown↓ •*directe confrontatie, krachtmeting;* call for a – *uitdagen om het uit te vechten.*

1 shower [ʃaʊə] ⟨zn⟩ •*bui* •*douche* • *stroom, vloed;* a – of arrows *een regen v. pijlen.*

2 shower I ⟨onov ww⟩ •*zich douchen* • *(stort)regenen* **II** ⟨ov ww⟩ •⟨+with⟩ *overgieten (met), doen neerstromen* •⟨+with⟩ *overladen (met);* – questions on s.o. *een heleboel vragen op iem. afvuren;* be –ed with honours *met eerbewijzen overstelpt worden.* **showery** [ˈʃaʊəri] •*buiig, regenachtig.*

'showgirl •*revuemeisje.* showing [ˈʃoʊɪŋ] • *vertoning, voorstelling;* make a good – *een goed figuur slaan;* ⟨fig.⟩ a poor – *een zwakke vertoning* ⟨bv. v.e. voetbalclub⟩ ‖ on present – *zoals de zaak er nu voor blijkt te staan.* 'show jumping •*concours hippique.* showman [ˈʃoʊmən] •*impresario* •*aansteller.* showmanship [ˈʃoʊmənʃɪp] •*gave voor het trekken v. publiciteit.* shown [ʃoʊn] ⟨volt. deelw.⟩ zie SHOW. 'showoff↓ •*opschepper.* 'show 'off I ⟨onov ww⟩ •*opscheppen* **II** ⟨ov ww⟩ •*pronken met;* don't – your knowledge *loop niet zo te koop met je kennis* •*goed doen uitkomen.* 'showpiece •*pronkstuk, paradepaardje.* 'show place •*(toeristische) trekpleister.* 'show room •*toonzaal.* 'show 'up I ⟨onov ww⟩ •↓ *opdagen, verschijnen* •*zichtbaar worden/zijn, duidelijk worden* **II** ⟨ov ww⟩ •*aan het licht brengen;* – an impostor *een bedrieger ontmaskeren* • *zichtbaar maken* •⟨vnl. BE⟩ *in verlegenheid brengen.* 'show window •*etalage.*

showy [ˈʃoʊi] ● *opvallend, opzichtig.*
shrank [ʃræŋk] ⟨verl. t.⟩ zie SHRINK.
shrapnel [ˈʃræpnəl] ● *(soort) granaat* ● *granaatscherven.*
1 shred [ʃred] ⟨zn⟩ ● *stukje, reepje, snipper;* tear sth. to –s *iets aan flarden scheuren* ⟨ook fig.⟩; *niets heel laten van* ● *greintje;* not a – of truth *geen greintje waarheid.*
2 shred ⟨ww⟩ ● *verscheuren, versnipperen, in stukjes snijden.* **shredder** [ˈʃredə] ● *(grove keuken)schaaf, rasp* ● *papierversnipperaar.*
shrew [ʃru:] ● *feeks* ● ⟨dierk.⟩ *spitsmuis.*
shrewd [ʃru:d] ● *slim, schrander;* a – idea where to find sth. *een nauwkeurig idee waar iets te zoeken;* – observer *scherp waarnemer.*
1 shriek [ʃri:k] ⟨zn⟩ ● *schreeuw, gil.*
2 shriek ⟨ww⟩ ● *schreeuwen, gillen;* – with laughter *gieren v.h. lachen.*
shrill [ʃrɪl] ● *schel, schril,* ⟨fig.⟩ *fel.*
shrimp [ʃrɪmp] ● *garnaal* ● *klein opdondertje.*
shrine [ʃraɪn] ● *relikwieënkist* ● *(heiligen)tombe* ● *heiligdom.*
1 shrink [ʃrɪŋk] ⟨zn⟩ ↓ ● *psych* ⟨psychiater⟩.
2 shrink ⟨shrank [ʃræŋk], shrunk [ʃrʌŋk] /vnl. als bn. ook shrunken [ˈʃrʌŋkən]⟩ **I** ⟨onov ww⟩ ● *krimpen, afnemen, slinken* ● *ineenkrimpen,* ⟨fig.⟩ *huiveren;* – back *terugdeinzen;* – at/from *terugschrikken voor* **II** ⟨ov ww⟩ ● *doen krimpen, kleiner maken.* **shrinkage** [ˈʃrɪŋkɪdʒ] ● *krimp, inkrimping, verkleining* ● *bezuiniging.*
shrivel [ˈʃrɪvl] ● *verschrompelen, uitdrogen.*
1 shroud [ʃraʊd] ⟨zn⟩ ● *lijkwade* ● ⟨fig.⟩ *sluier.*
2 shroud ⟨ww⟩ ● *(om)hullen, verbergen.*
shrub [ʃrʌb] ● *struik, heester.* **shrubbery** [ˈʃrʌbəri] ● *heesterperk* ● *struikgewas.*
1 shrug [ʃrʌg] ⟨zn⟩ ● *schouderophalen;* give a – *de schouders ophalen.*
2 shrug ⟨ww⟩ ● *(de schouders) ophalen.* **'shrug 'off** ● *geen belang hechten aan.*
shrunk [ʃrʌŋk], **shrunken** [ˈʃrʌŋkən] ⟨volt. deelw.⟩ zie SHRINK.
1 shuck [ʃʌk] ⟨zn⟩ ● ⟨AE⟩ *omhulsel, peul, dop.*
2 shuck ⟨ww⟩ ● ⟨AE⟩ *pellen, doppen.*
shucks! [ʃʌks] ⟨AE; ↓⟩ ● *onzin!* ● *stik!.*
1 shudder [ˈʃʌdə] ⟨zn⟩ ● *huivering, rilling.*
2 shudder ⟨ww⟩ ● *huiveren;* he –ed at the sight of *hij huiverde bij het zien van;* – with fear *sidderen v. angst* ● *trillen.*
1 shuffle [ˈʃʌfl] ⟨zn⟩ ● *schuifelgang* ● ⟨dans⟩ *schuifelpas* ● *het schudden* ⟨kaarten⟩.
2 shuffle I ⟨onov ww⟩ ● *heen en weer bewegen* ‖ – out of one's responsibility *zich aan*

zijn verantwoordelijkheid onttrekken **II** ⟨onov en ov ww⟩ ● *schuifelen, sloffen;* – one's feet *met de voeten schuifelen* **III** ⟨ov ww⟩ ● *door elkaar halen/gooien, schudden* ⟨kaarten⟩; – the cards *de kaarten schudden;* ⟨fig.⟩ *de rollen herverdelen* ● *heen en weer bewegen;* – one's papers *in zijn papieren rommelen* ‖ try to – off one's responsibility *zijn verantwoordelijkheid proberen af te schuiven.*
shun [ʃʌn] ● *mijden, schuwen.*
shunt [ʃʌnt] ● *afvoeren, rangeren* ⟨trein, wagon⟩, *op een dood spoor zetten* ⟨persoon⟩.
1 shush [ʃʌʃ] **I** ⟨onov ww⟩ ● *stil worden;* – now *st, stil nu* **II** ⟨ov ww⟩ ● *doen zwijgen.*
2 shush ⟨tw⟩ ● *ssst!.*
1 shut [ʃʌt] ⟨bn⟩ ● *dicht, gesloten;* slam the door – *de deur dichtsmijten.*
2 shut ⟨shut, shut⟩ **I** ⟨onov ww⟩ ● *sluiten, dichtgaan,* ⟨fig.⟩ *stopgezet worden* ⟨bv. bedrijf⟩, *dicht zijn;* the shop –s on Sundays *de winkel is 's zondags gesloten;* the factory –s down for a fortnight this summer *de fabriek gaat van de zomer twee weken dicht;* the door –s *de deur gaat helemaal dicht;* zie SHUT UP **II** ⟨ov ww⟩ ● *sluiten, dichtdoen;* – one's eyes to sth. *iets niet willen zien;* ↓ – your mouth *hou je mond;* – off the water/gas *het water/gas afsluiten;* – off from society *van de maatschappij afgezonderd;* – out *buitensluiten;* aan het zicht onttrekken; – the door to *de deur (pot)dicht doen* ● *opsluiten;* – o.s. in *zichzelf opsluiten* ⟨bv. in kamer⟩; – sth. away *iets (veilig) opbergen;* – s.o. into a room *iem. in een kamer opsluiten* ‖ – down a plant *een fabriek (voorgoed) sluiten;* zie SHUT UP.
'shutdown ● *sluiting, stopzetting* ⟨v. bedrijf⟩. **'shut-eye** ⟨sl.⟩ ● *slaap, dutje.*
1 shutter [ˈʃʌtə] ⟨zn⟩ ● *blind, (rol)luik* ● *sluiter* ⟨ook v. camera⟩.
2 shutter ⟨ww⟩ ‖ –ed windows/houses *vensters/huizen met gesloten luiken.*
1 shuttle [ˈʃʌtl] ⟨zn⟩ ● *schietspoel* ● *schuitje* ⟨v. naaimachine⟩ ● *pendeldienst* ● zie SHUTTLECOCK ● zie SPACE SHUTTLE.
2 shuttle I ⟨onov ww⟩ ● *pendelen* **II** ⟨ov ww⟩ ● *heen en weer vervoeren* ⟨met pendeltrein e.d.⟩. **'shuttlecock** ● *pluimbal, shuttle* ⟨badminton⟩. **'shuttle service** ● *pendeldienst.*
'shut 'up I ⟨onov ww⟩ ● *zwijgen;* ↓ shut up! *kop dicht!* ● *sluiten* ⟨winkel e.d.⟩ **II** ⟨ov ww⟩ ● *afsluiten;* – shop *de zaak sluiten* ● *opsluiten* ● ↓ *de mond snoeren.*
1 shy [ʃaɪ] ⟨zn⟩ ● *gooi, worp;* have a – at s.o.

iem. proberen te raken ‖ have a – at sth. *het (ook) eens proberen.*

2 shy ⟨bn⟩ ● *verlegen* ● *voorzichtig, behoedzaam;* fight/be – of *uit de weg gaan;* I am – of saying sth. on this subject *ik zeg liever niets over dit onderwerp;* be – about/of doing sth. *ervoor terugschrikken iets te doen* ● *schuw, schichtig* ⟨dieren⟩; he's three quid – *hij komt drie pond te kort* ● ⟨AE; ↓⟩ *te kort* ‖ zie ook ⟨sprw.⟩ BITE.

3 shy I ⟨onov ww⟩ ● *schichtig opspringen/ opzij springen* ‖ – away from sth. *iets vermijden, voor iets terugschrikken* II ⟨onov en ov ww⟩ ↓ ● *gooien, slingeren.*

shyster ['ʃaɪstə] ⟨AE; sl.⟩ ● *gewetenloos mens* ⟨vnl. advocaat of politicus⟩.

1 Siamese ['saɪə'mi:z] ⟨zn⟩ ● *siamees, Siamese kat.*

2 Siamese ⟨bn⟩ ‖ – cat *Siamese kat;* – twin(s) *Siamese tweeling(en)* ⟨ook fig.⟩.

Siberian [saɪ'bɪərɪən] ● ⟨bn⟩ *Siberisch* ● ⟨zn⟩ *Siberiër.*

sibling ['sɪblɪŋ] ↑ ● *broer* ● *zuster.*

1 sick [sɪk] ⟨zn⟩ ⟨BE⟩ ● *braaksel.*

2 sick I ⟨bn, attr en pred⟩ ● ⟨AE⟩ *ziek(elijk);* fall – *ziek worden;* ⟨mil.⟩ go/report – *zich ziek melden* ● *ziekelijk, morbide, wrang* ⟨spot⟩, *geperverteerd;* a – joke *een lugubere grap* II ⟨bn, attr⟩ ● ⟨BE⟩ *ziek;* the – *de zieken* ● *wee, misselijk makend* III ⟨bn, pred⟩ ● *misselijk;* ⟨AE⟩ – to one's stomach *misselijk;* ⟨vnl. BE⟩ be – *overgeven, braken;* turn – *misselijk worden/maken;* be worried – *doodongerust zijn;* you make me –! *je doet me walgen!* ● *beu, moe(de);* ↓ I am – (and tired) of it *ik ben het spuugzat* ‖ – to death of s.o./sth. *iem./iets spuugzat zijn;* – with envy *groen v. nijd.* '**sickbay** ⟨scheep.⟩ ● *ziekenboeg.* '**sickbed** ● *ziekbed.* '**sick-benefit,** '**sickness benefit** ⟨BE⟩ ● *ziekengeld.*

sicken ['sɪkən] I ⟨onov ww⟩ ● *ziek worden* ● *het beu worden;* I –ed of it after a few days *na een paar dagen was ik het spuugzat* ‖ be –ing for measles *de mazelen onder de leden hebben* II ⟨ov ww⟩ ● *misselijk maken, doen walgen.* **sickening** ['sɪkənɪŋ] ● *walglijk, weerzinwekkend.*

sickle ['sɪkl] ● *sikkel.*

'**sick leave** ● *ziekteverlof.* '**sick list** ● *ziekenlijst.* **sickly** ['sɪkli] ● *ziekelijk* ● *bleek* ● *walglijk.* **sickness** ['sɪknəs] ● *ziekte* ● *misselijkheid.* '**sickpay** ● *ziekengeld.* '**sick room** ● *ziekenkamer.*

1 side [saɪd] ⟨zn⟩ ● *zij(de), (zij)kant, helling* ⟨v. berg⟩, *oever* ⟨v. rivier⟩, *richting, aspect, trek* ⟨v. karakter⟩, *partij, afstammingslijn;* on the mother's – *van moe-*

derskant; ⟨fig.⟩ on the high/small – *aan de hoge/kleine kant;* ⟨fig.⟩ split one's –s (laughing/with laughter) *zich te barsten lachen;* change –s *overlopen;* take –s with s.o. *partij voor iem. kiezen;* this – up *boven* ⟨op dozen voor verzending⟩; at/by my – *naast mij;* by the – of *naast, vergeleken met;* ⟨fig.⟩ – by – *zij aan zij;* the best food this – of Paris *om (nòg) beter te eten moet je naar Parijs;* whose – is he on? *aan wiens kant staat hij?* ● *bladzijde* ● *gedeelte, deel* ⟨v. stad⟩ ● *gezichtspunt;* look on the bright – of life *het leven van de zonzijde zien* ● ⟨BE; sport⟩ *ploeg, team;* let the – down *niet aan de verwachtingen van de anderen voldoen* ‖ know (on) which – one's bread is buttered *weten waar men zijn kaarsje moet laten branden;* the other – of the coin *de keerzijde v.d. medaille;* laugh on the other – of one's face *lachen als een boer die kiespijn heeft;* put on/to one – *terzijde leggen;* take on one – *terzijde nemen* ⟨voor een gesprek⟩; on the – ⟨vnl. AE⟩ *als bijverdienste;* ⟨BE⟩ *zwart; in het geniep;* on his – *van zijn kant;* (on) this – (of) Christmas *vóór Kerstmis.*

2 side ⟨bn⟩ ● *zij-;* – entrance *zijingang* ● *bij-, neven-.*

3 side ⟨ww⟩ ● (+against/with) *partij kiezen (tegen/voor).*

'**sideboard** I ⟨telb zn⟩ ● *buffet* II ⟨mv.⟩ ⟨BE; ↓⟩ ● *bakkebaarden.* '**sideburns** ⟨AE; ↓⟩ ● *bakkebaarden.* '**side-dish** ● *bijgerecht.* '**side effect** ● *bijwerking* ⟨v. geneesmiddel of therapie⟩. '**side issue** ● *bijzaak.* '**sidekick** ⟨AE; sl.⟩ ● *handlanger, ondergeschikte partner.* '**sidelight** I ⟨telb zn⟩ ● *zijlicht,* ⟨ihb.⟩ *stadslicht* ⟨v. auto⟩ II ⟨telb en n-telb zn⟩ ● *toevallige/bijkomstige informatie;* that throws some interesting –s on the problem *dat werpt een interessant licht op de zaak.* '**sideline** I ⟨telb zn⟩ ● *bijbaan, nevenactiviteit* II ⟨mv.⟩ ● ⟨sport⟩ *zijlijnen* ‖ stand on the –s *de zaak van een afstand bekijken.* **sidelong** ● *zijdelings.* '**side order** ⟨AE⟩ ● *bijgerecht* ⟨in restaurant⟩. '**side-road** ● *zijstraat.*

1 sidesaddle ⟨zn⟩ ● *dameszadel.*

2 sidesaddle ⟨bw⟩ ● *in een dameszadel.*

'**side show** ● *bijkomende voorstelling/vertoning, extra attractie.* '**sideslip** ⟨zn⟩ ● *zijwaartse slip* ⟨v. auto, skiër⟩ ● ⟨ww⟩ *(zijwaarts) slippen.* '**sidesplitting** ● *om je te barsten te lachen.* '**sidestep** I ⟨onov ww⟩ ● *opzij gaan* II ⟨ov ww⟩ ● *ontwijken, uit de weg gaan* ⟨ook fig.⟩. '**side step** ● *stap zijwaarts.* '**sidestreet** ● *zijstraat.* '**sidestroke** ● *zijslag* ⟨zwemmen⟩.

1 '**sideswipe** ⟨zn⟩ ● *schampscheut.*
2 sideswipe ⟨ww⟩ ● *schampen (langs), zijdelings raken.*
1 '**sidetrack** ⟨zn⟩ ● *zijspoor.*
2 sidetrack ⟨ww⟩ ● *op een zijspoor zetten* ● *van zijn onderwerp afbrengen, afleiden.*
'**side-view** ● *zijaanzicht.* '**sidewalk** ⟨AE⟩ ● *trottoir.*
1 sideward ['saɪdwəd], **sideways** [-weɪz] ⟨bn⟩ ● *zijwaarts, zijdelings.*
2 sideward, sidewards ['saɪdwədz], **sideways** ⟨bw⟩ ● *zijwaarts, zijdelings.*
siding ['saɪdɪŋ] ● *rangeerspoor, wisselspoor.*
sidle ['saɪdl] ‖ – up to/– away from s.o. *schuchter naar iem. toe/van iem. weglopen.*
siege [si:dʒ] ● *beleg(ering);* lay – to *belegeren.*
1 sieve [sɪv] ⟨zn⟩ ● *zeef.*
2 sieve ⟨ww⟩ ● *zeven.*
sift [sɪft] ● *ziften;* – out *uitzeven* ● *uit/doorpluizen;* he –ed through his papers *hij doorzocht zijn papieren.* **sifter** ['sɪftə] ● *kleine zeef, strooibusje.*
1 sigh [saɪ] ⟨zn⟩ ● *zucht.*
2 sigh ⟨ww⟩ ● *zuchten;* – for *smachten naar.*
1 sight [saɪt] I ⟨telb zn⟩ ● *(aan)blik, schouwspel, bezienswaardigheid;* the garden is a wonderful –/a – to see *de tuin is prachtig;* catch – of *in het oog krijgen; een glimp opvangen van;* ⟨↓, iron.⟩ what a – you look/are! *wat zie je eruit!;* lose – of *uit het oog verliezen* ⟨ook fig.⟩; see the –s *de bezienswaardigheden bezoeken* ● ⟨vaak mv.⟩ *vizier;* ⟨fig.⟩ set one's –s on *op het oog hebben* ● ↓ *boel;* he is a – too clever for me *hij is me veel te vlug af* ‖ ⟨n-telb zn⟩ ● *gezichtsvermogen;* loss of – *het blind worden* ● *gezicht, het zien;* at the – of *bij het zien van;* at first – *op het eerste gezicht;* at/on – *op zicht;* play music at – *van het blad spelen;* know s.o. by – *iem. v. gezicht kennen;* shoot on – *schieten zonder waarschuwing* ● *(uit)zicht, gezicht(sveld);* go out of – *uit het gezicht verdwijnen;* in – *in zicht* ⟨ook fig.⟩; we are (with)in – of the end *het einde is in zicht;* out of my –! *uit mijn ogen!* ‖ ⟨AE; ↓⟩ out of –! *fantastisch!, te gek!;* ⟨sprw.⟩ out of sight, out of mind *uit het oog, uit het hart.*
2 sight ⟨ww⟩ ● *in zicht krijgen, in het vizier krijgen* ● *waarnemen, zien.* **sighted** ['saɪtɪd] ● *ziende.* **sighting** ['saɪtɪŋ] ● *waarneming.* **sightless** ['saɪtləs] ● *blind.*
'**sight-read** ● *van het blad lezen/spelen/ zingen.* '**sightseeing** ● *het bezoeken v. bezienswaardigheden.* **sightseer** ['saɪtsi:ə]

● *toerist.*
1 sign [saɪn] ⟨zn⟩ ● *teken, symbool* ● *aanwijzing, (ken)teken, blijk, voorteken* ● *wenk, teken* ● *(uithang)bord* ● *sterrenbeeld;* – of the zodiac *sterrenbeeld* ‖ – of the times *teken des tijds.*
2 sign ⟨ww⟩ ● *(onder)tekenen;* – one's name to *ondertekenen;* – away *schriftelijk afstand doen van;* – in *tekenen bij aankomst, intekenen;* – off *een brief beëindigen;* – on at the Job Centre *inschrijven op het Arbeidsbureau;* – on/up as a sailor *als matroos aanmonsteren;* – out *tekenen bij vertrek;* – up for a course *zich voor een cursus inschrijven* ● *een teken geven, gebaren* ● (+on/up) *contracteren* ⟨speler⟩.
1 signal ['sɪgnl] ⟨zn⟩ ● *signaal* ⟨ook fig.⟩, *teken, sein* ● *sein(apparaat).*
2 signal ⟨bn⟩ ● *buitengewoon, glansrijk;* fail –ly *duidelijk verliezen.*
3 signal I ⟨onov en ov ww⟩ ● *seinen, een teken geven* II ⟨ov ww⟩ ● *aankondigen, te kennen geven.*
'**signal-box,** ⟨AE ook⟩ **signal tower** ⟨BE⟩ ● *seinhuisje.* **signalman** ['sɪgnəlmən] ● *seiner, sein(huis)wachter.*
signatory ['sɪgnətri] ● *ondertekenaar.*
signature ['sɪgnətʃə] ● *handtekening* ● ⟨boek.⟩ *signatuur.* '**signature tune** ● *herkenningsmelodie* ⟨v. radio, t.v.⟩.
'**signboard** ● *uithangbord.*
signet ['sɪgnɪt] ● *zegel.* '**signet ring** ● *zegelring.*
significance [sɪg'nɪfɪkəns] ● *betekenis, belang.* **significant** [sɪg'nɪfɪkənt] ● *belangrijk* ● *veelbetekenend, significant.* **signify** ['sɪgnɪfaɪ] I ⟨onov ww⟩ ● *van belang zijn* II ⟨ov ww⟩ ● *betekenen, beduiden* ● *te kennen geven.*
'**sign language** ● *gebarentaal.* '**signpost** ● ⟨zn⟩ *wegwijzer* ● ⟨ww⟩ *van wegwijzers voorzien.*
silage ['saɪlɪdʒ] ● *kuilvoeder, silovoer.*
1 silence ['saɪləns] ⟨zn⟩ ● *stilte, stilzwijgen(dheid);* keep – het *stilzwijgen bewaren;* reduce s.o. to – *iem. tot zwijgen brengen* ⟨vnl. fig.⟩; his – on the riots *zijn stilzwijgen/terughoudendheid over de rellen.*
2 silence ⟨ww⟩ ● *tot zwijgen brengen.*
silencer ['saɪlənsə] ● *geluiddemper* ⟨aan vuurwapen⟩ ● ⟨BE⟩ *knalpot.*
silent ['saɪlənt] ● *stil, (stil)zwijgend, zwijgzaam;* a – film *een stomme film;* a – letter *een stomme letter;* the – majority *de zwijgende meerderheid;* keep – *rustig/stil blijven;* the report is – (up)on the incident *het rapport zegt niets over het incident* ‖ ⟨AE⟩ – partner *stille vennoot.*

1 silhouette [ˈsɪluːˈet] ⟨zn⟩ ●*silhouet.*
2 silhouette ⟨ww⟩ ●⟨vnl. pass.⟩ *aftekenen.*
silica [ˈsɪlɪkə], **'silicon di'oxide** ⟨schei.⟩ ●*sili-ciumdioxyde, kiezelaarde.*
silicate [ˈsɪlɪkət, -keɪt] ●⟨schei.⟩ *silicaat.*
silicon [ˈsɪlɪkən] ⟨schei.⟩ ●*silicium.* **'silicon 'chip** ⟨comp.⟩ ●*siliciumchip.*
silicone [ˈsɪlɪkoʊn] ●*silicone.*
1 silk [sɪlk] ⟨zn⟩ ●*zij(de); – and satins zijden en satijnen kleren.*
2 silk ⟨bn⟩ ●*zijden, zijde-.* **silken** [ˈsɪlkən] ● *zij(de)achtig* ●*zijden, zijde-.* **'silk-screen printing** ●*zijdezeefdruk.* **'silkworm** ⟨dierk.⟩ ●*zijderups.* **silky** [ˈsɪlki] ●*zij(de)-achtig* ●*zijden.*
sill, cill [sɪl] ●*vensterbank* ●*drempel.*
1 silly [ˈsɪli] ⟨zn⟩ ↓ ●*domoor.*
2 silly ⟨bn⟩ ●*dwaas, dom, onverstandig* ● ↓ *verdwaasd, suf; bore s.o. – iem. dood vervelen;* knock s.o. – *iem. murw slaan.* **'silly season** ⟨BE⟩ ●*komkommertijd.*
silo [ˈsaɪloʊ] ●*silo, voederkuil* ●*silo, raketsi-lo.*
silt [sɪlt] ●*slib, slik.*
'silt 'up ●*dichtslibben, verzanden.*
1 silver [ˈsɪlvə] ⟨zn⟩ ●*zilver* ●*zilvergeld; in – in munten* ●*zilver(werk),* ⟨fig.⟩ *tafelgerei.*
2 silver ⟨bn⟩ ●*van zilver, zilveren, zilver-; –* birch *zilverberk; – paper zilverpapier; tin-fo(e)lie* ●*zilverachtig* ‖ *– plate verzilverd vaatwerk/tafelgerei; –* jubilee *zilveren (herdenkings)feest;* be born with a – spoon in one's mouth *van rijke afkomst zijn; – wedding zilveren bruiloft;* zie ook ⟨sprw.⟩ CLOUD.
3 silver ⟨ww⟩ ●*verzilveren,* ⟨fig.⟩ *(als) zilver kleuren.*
'silversmith ●*zilversmid.* **'silverware** ●*zilverwerk* ●⟨AE⟩ *tafelzilver.* **silvery** [ˈsɪlvri] ●*zilverachtig* ●*zilverkleurig.*
similar [ˈsɪm(ɪ)lə] ●⟨+to⟩ *gelijk (aan), vergelijkbaar, hetzelfde; –* triangles *gelijkvormige driehoeken.* **similarity** [ˈsɪmɪˈlærəti] ● *vergelijkbaarheid, overeenkomst* ●*punt v. overeenkomst, gelijkenis.* **similarly** [ˈsɪm(ɪ)ləli] ●*op dezelfde manier, op een vergelijkbare manier* ●*evenzo* ⟨aan het begin v.d. zin⟩.
simile [ˈsɪmɪli] ●*vergelijking* ⟨stijlfiguur⟩. **similitude** [sɪˈmɪlɪtjuːd] ●*gelijkenis* ●*vergelijking.*
1 simmer [ˈsɪmə] ⟨zn⟩ ●*gesudder, gepruttel;* bring sth. to a – *iets aan het sudderen brengen.*
2 simmer I ⟨onov ww⟩ ●*sudderen, pruttelen* ●*zich inhouden* ⟨mbt. woede, lach⟩; *– down bedaren;* he was –ing with anger *inwendig kookte hij van woede* **II** ⟨ov ww⟩ ●

aan het sudderen/pruttelen brengen/houden.
1 simper [ˈsɪmpə] ⟨zn⟩ ●*meesmuilende glimlach, onnozele grijnslach.*
2 simper ⟨ww⟩ ●*meesmuilen, zelfvoldaan grijnslachen.*
simple [ˈsɪmpl] ●*enkel(voudig); –* forms of life *eenvoudige/primaire levensvormen;* ⟨med.⟩ *– fracture enkelvoudige (been) breuk* ●*eenvoudig, ongekunsteld, eerlijk;* the – life *het ongekunstelde/natuurlijke leven* ●*simpel, gewoon;* the – truth *de nuchtere/zuivere waarheid;* deceit pure and – *regelrecht bedrog* ●*onnozel* ●*eenvoudig, gemakkelijk, simpel* ●⟨vero.⟩ *simpel, zwakzinnig.* **'simple-'hearted** ●*eenvoudig, ongekunsteld.* **'simple-'minded** ●*argeloos, onnadenkend.* **simpleton** [ˈsɪmpltən] ●*dwaas, sul.* **simplicity** [sɪmˈplɪsəti] ●*eenvoud* ●*simpelheid, argeloosheid.* **simplif│y** [ˈsɪmplɪfaɪ] ⟨zn: **-ication**⟩ ●*vereenvoudigen.* **simplistic** [sɪmˈplɪstɪk] ●*simplistisch.* **simply** [ˈsɪmpli] ●*eenvoudig, gewoonweg* ●*stomweg* ●*enkel, slechts.*
simul│ate [ˈsɪmjʊleɪt] ⟨zn: **-ation**⟩ ●*simuleren, voorwenden, doen alsof* ●*imiteren, nabootsen.*
simulator [ˈsɪmjʊleɪtə] ●*simulant, huichelaar.*
simultaneous [ˈsɪmlˈteɪnɪəs] ●*gelijktijdig.*
1 sin [sɪn] ⟨zn⟩ ●*zonde,* ⟨fig. ook⟩ *misdaad;* live in – *in zonde leven;* ⟨↓ vnl.⟩ *samenwonen.*
2 sin ⟨ww⟩ ●⟨+against⟩ *zondigen (tegen).*
1 since [sɪns] ⟨bw⟩ ⟨tijd⟩ ●*sindsdien;* I've lived here ever – *ik heb hier sindsdien onafgebroken gewoond* ●*geleden;* he left some years – *hij is enige jaren geleden weggegaan;* long – *allang.*
2 since ⟨vz⟩ ●*sinds, sedert.*
3 since [sɪθ] ⟨vw⟩ ●⟨verleden tijd⟩ *sinds* ●⟨reden/oorzaak⟩ *aangezien, daar.*
sincere [sɪnˈsɪə] ●*eerlijk, oprecht, gemeend.* **sincerely** [sɪnˈsɪəli] ●*eerlijk, oprecht, gemeend;* yours – *met vriendelijke groeten* ⟨slotformule in brief aan bekenden⟩. **sincerity** [sɪnˈserəti] ●*eerlijkheid, gemeendheid.*
sinew [ˈsɪnjuː] ●*pees* ●⟨vaak mv. met enk. bet.⟩ *kracht* ‖ *–s of war geldmiddelen.* **sinewy** [ˈsɪnjuːi] ●*pezig* ●*gespierd, krachtig.*
sinful [ˈsɪnfl] ●*zondig* ●*slecht* ●*schandalig.*
sing [sɪŋ] ⟨sang [sæŋ], sung [sʌŋ]⟩ **I** ⟨onov ww⟩ ●*zingend geluid maken, suizen* ⟨v. wind⟩, *fluiten* ⟨v. kogel⟩, *tsjirpen* ⟨v. krekel⟩; the kettle is –ing on the cooker *de ke-*

tel fluit op het fornuis ● *gonzen* ⟨v. oor⟩ ‖ –
sth. out *iets uitroepen;* – out (for) *schreeu-*
wen (om); – up *luider zingen* **II** ⟨onov en
ov ww⟩ ● *zingen;* – to sleep *in slaap zin-*
gen **III** ⟨ov ww⟩ ● *bezingen.*

1 singe [sɪndʒ] ⟨zn⟩ ● *schroeiing* ● *schroei-*
plek.

2 singe ⟨ww⟩ ● *(ver)schroeien.*

singer ['sɪŋə] ● *zanger(es).* **singing** ['sɪŋɪŋ] ●
(ge)zang, het zingen ● *zangkunst.*

1 single ['sɪŋgl] **I** ⟨telb zn⟩ ● ⟨BE⟩ *enkeltje,*
enkele reis ● ⟨cricket⟩ *één run* ● *vrijgezel* ●
single, 45-toeren plaatje ● ↓ *bankbiljet v.*
één dollar/pond **II** ⟨mv.⟩ ● *enkel(spel)* ⟨ihb.
bij tennis⟩.

2 single I ⟨bn, attr en pred⟩ ● *enkel(voudig);*
– *entry enkelvoudig boekhouden* ● *onge-*
trouwd **II** ⟨bn, attr⟩ ● *enig* ● *afzonderlijk,*
individueel; not a – man *helped niet één*
man hielp ● *eenpersoons-;* – bed *eenper-*
soonsbed ● ⟨BE⟩ *enkele reis;* a – ticket
een (kaartje) enkele reis ‖ in – file *achter el-*
kaar (in de rij). 'single-'breasted ● *met*
één rij knopen. 'single-'handed ● *alleen,*
zonder steun. 'single-'minded ● *doelbe-*
wust, vastberaden. **singleness** ['sɪŋglnəs]
‖ with – of mind *met één doel voor ogen;* –
of purpose *doelgerichte toewijding.*
single out ● *uitkiezen, selecteren.*

singlet ['sɪŋglɪt] ● ⟨BE⟩ *(onder)hemd, sport-*
hemd.

singly ['sɪŋgli] ● *afzonderlijk, apart* ● *één*
voor één.

1 'sing-song ⟨zn⟩ ● *dreun;* say sth. in a – *iets*
opdreunen ● *samenzang.*

2 sing-song ⟨bn⟩ ● *eentonig;* in a – voice
met eentonige stem.

1 singular ['sɪŋgjʊlə] ⟨zn⟩ ⟨taal.⟩ ● *enkel-*
voud.

2 singular ⟨bn⟩ ● *bijzonder, opmerkelijk* ●
ongewoon, eigenaardig. **singularity**
['sɪŋgjʊ'lærəti] ● *bijzonderheid* ● *eigenaar-*
digheid.

sinister ['sɪnɪstə] ● *onguur* ● *onheilspellend,*
sinister.

1 sink [sɪŋk] ⟨zn⟩ ● *gootsteen(bak)* ● *wasbak.*

2 sink ⟨sank [sæŋk], /sunk, sunk [sʌŋk] /sun-
ken ['sʌŋkən]⟩ **I** ⟨onov ww⟩ ● *(weg)zinken,*
(weg)zakken, verzakken; ⟨fig.⟩ sunken
cheeks *ingevallen wangen;* sunken road
verzakte/holle weg; ⟨fig.⟩ her spirits sank
de moed zonk haar in de schoenen; ⟨fig.⟩
– into oblivion *in vergetelheid raken* ●
(neer)dalen; – in one's estimation *in ie-*
mands achting dalen ● *afnemen* ● *achter-*
uit gaan, zwakker worden; the sick man is
–ing fast *de zieke man gaat snel achteruit*
● *doordringen, indringen (in);* his words

will – in *zijn woorden zullen inslaan/door-*
dringen ‖ –ing feeling *benauwd/akelig ge-*
voel ⟨als er iets mis gaat/dreigt te gaan⟩;
– or swim *pompen of verzuipen* **II** ⟨onov⟩
● *laten zinken, doen zakken;* – a ship *een*
schip tot zinken brengen; – one's head into one's hands *zijn hoofd in zijn handen la-*
ten zakken; – a pole into the ground *een*
paal de grond in drijven ● *vergeten;* – the
differences *de geschillen vergeten* ● *in-*
vesteren ● *(bal) in gat/korf krijgen* ⟨golf,
basketbal enz.⟩ ● *graven, boren;* – a well
een put boren ● *bederven* ⟨plan e.d.⟩, *ver-*
pesten ● *achterover slaan* ⟨drank⟩ ‖ be
sunk in thought *in gedachten verzonken*
zijn; be sunk *reddeloos verloren zijn.*

sinker ['sɪŋkə] ● *zinklood* ⟨aan vissnoer⟩.

sinless ['sɪnləs] ● *zondeloos.* **sinner** ['sɪnə] ●
zondaar.

sinuous ['sɪnjʊəs] ● *kronkelend, bochtig* ● *le-*
nig, buigzaam.

sinus ['saɪnəs] ● *holte, opening,* ⟨biol.⟩ *si-*
nus.

1 sip [sɪp] ⟨zn⟩ ● *slokje, teugje.*

2 sip I ⟨onov ww⟩ ● ⟨+at⟩ *nippen (aan)* **II**
⟨onov en ov ww⟩ ● *met kleine teugjes*
drinken.

1 siphon, syphon ['saɪfn] ⟨zn⟩ ● *sifon, hevel*
● *sifon, spuitfles.*

2 siphon, syphon ⟨ww⟩ ● ⟨ook +off/out⟩
(over)hevelen ⟨ook fig.⟩, *overtappen.*

sir, Sir [sə:] ● *mijnheer;* Dear Sir *geachte*
heer; Dear Sirs *mijne heren* ⟨in brief⟩;
⟨AE; ↓⟩ no sir! *geen sprake van!* ● [sə] *Sir*
⟨titel v. baronet en ridder⟩.

1 sire [saɪə] ⟨zn⟩ ● *vader v. dier* ⟨ihb. v.
paard⟩.

2 sire ⟨ww⟩ ● *verwekken* ⟨ihb. v. paard⟩.

siren ['saɪərən] ● *(alarm)sirene* ● ⟨mytholo-
gie⟩ *sirene* ● *verleidster.*

sirloin ['sə:lɔɪn] ● *sirloin, lendestuk v. rund.*

sis [sɪs] ↓ ● *zusje, zus(ter).*

sisal ['saɪsl] ● *sisal(vezel).*

1 sissy, cissy ['sɪsi] ⟨zn⟩ ↓ ● *fat, mietje* ● *laf-*
bek, bangerik.

2 sissy, sissified ['sɪsɪfaɪd] ⟨bn⟩ ↓ ● *verwijfd*
● *laf.*

sister ['sɪstə] ● *zus(ter)* ● *non, zuster* ● ⟨BE⟩
(hoofd)verpleegster ● ↓ *zus, meid.* **sister-**
hood ['sɪstəhʊd] ● *zusterschap.* 'sister-in-
law ● *schoonzus(ter).* **sisterly** ['sɪstəli] ●
zusterlijk.

sit [sɪt] ⟨sat, sat [sæt]⟩ **I** ⟨onov ww⟩ ● *zitten;*
↓ – tight *rustig blijven zitten;* – through a
meeting *een vergadering uitzitten* ● *zijn,*
zich bevinden, liggen, staan; – heavy on
the stomach *zwaar op de maag liggen* ●
poseren; – for a portrait *voor een portret*

poseren ●*(zitten te) broeden* ●*zitting heb-ben/houden* ●*passen, zitten, staan,* ⟨fig.⟩ *betamen;* that hat –s well on her *die hoed staat haar goed* ‖ – about/around *lanter-fanten;* – back *gemakkelijk gaan zitten;* ⟨fig.⟩ *zijn gemak nemen;* – by *lijdelijk toe-kijken;* – down *gaan zitten;* – in *als vervan-ger optreden;* – in on *als toehoorder bij-wonen;* ↓ – pretty *op rozen zitten;* ⟨BE⟩ – for an exam *een examen afleggen;* zie SIT ON, SIT UP ‖ ⟨ov ww⟩ ●*laten zitten* ●⟨BE⟩ *afleggen* ⟨examen⟩; zie SIT OUT.

sitcom ['sɪtkɒm] ⟨verk.⟩ situation comedy ⟨sl.⟩ ●*komische t.v.-serie.*

1 **'sit-down** ⟨zn⟩ ●*sit-down-demonstratie/staking.*

2 **'sit-down** ⟨bn⟩ ●*sit-down, zit-;* – strike *sit-down-staking* ‖ – meal *zittend/aan tafel ge-nuttigde maaltijd.*

1 **site** [saɪt] ⟨zn⟩ ●*plaats, locatie* ●*(bouw) terrein.*

2 **site** ⟨ww⟩ ●*plaatsen, situeren;* the cottage is beautifully –d *het huisje is prachtig ge-legen.*

'sit-in ●*sit-in-demonstratie, bezetting.* **'sit on** ●*zitting hebben in* ●↓ *laten liggen, niets doen aan* ●↓ *op z'n kop zitten.* **'sit 'out** ●*uitzitten* ⟨bv. concert⟩ ●*niet mee-doen aan* ⟨dans enz.⟩, *blijven zitten tij-dens.* **sitter** ['sɪtə] ●*model, iem. die po-seert* ●⟨verk.⟩ *babysitter.*

1 **sitting** ['sɪtɪŋ] I ⟨telb zn⟩ ●*zitting, vergade-ring* ●*tafel, gelegenheid om te eten* ‖ he read the story at one – *hij las het verhaal in één ruk uit* II ⟨n-telb zn⟩ ●*het zitten* ●*het poseren.*

2 **sitting** ⟨bn⟩ ●*zittend;* ⟨fig.⟩ – duck/target *makkelijke kans/doel;* – member *zittend lid;* – tenant *huidige huurder.*

'sitting-room ●*zitkamer, woon/huiskamer.*

situate ['sɪtʃʊeɪt] ●*plaatsen, situeren.* **situa-ted** ['sɪtʃʊeɪtɪd] ●*geplaatst* ●*gelegen, ge-situeerd* ‖ I'm rather awkwardly – right now *ik zit momenteel nogal moeilijk.* **si-tuation** ['sɪtʃʊ'eɪʃn] ●*toestand, situatie* ●*ligging, plaats* ●*betrekking, baan;* – va-cant *functie aangeboden.* **'situation 'comedy** ●*komische televisieserie.*

'sit 'up ●*rechtop (gaan) zitten;* that will make him – and take notice! *daar zal hij van op-kijken!* ●*opblijven, waken* ⟨bij zieke⟩ ●*op-kijken v. iets.*

six [sɪks] ●*zes* ⟨ook voorwerp/groep ter waarde/grootte v. zes⟩ ‖ I'm all at –es and sevens *ik ben de kluts kwijt;* everything is at –es and sevens *alles is helemaal in de war;* it's – of one and half a dozen of the other *het is lood om oud ijzer.* **sixfold**

['sɪksfoʊld] ●*zesvoudig.* **'six-pack** ●*(kar-tonnetje met) zes flesjes/blikjes (bier enz.).* **sixpence** ['sɪkspəns] ●⟨BE⟩ *(waarde v.) sixpence,* ⟨ongeveer⟩ *kwartje.* **'sixshoot-er, 'six-gun** ●*revolver* ⟨met zes kamers⟩. **sixteen** ['sɪk'sti:n] ●*zestien* ⟨ook voor-werp/groep ter waarde/grootte v. zes-tien⟩. **sixteenth** ['sɪk'sti:nθ] ●*zestiende,* ⟨als zn⟩ *zestiende.* **sixth** [sɪksθ] ●*zesde,* ⟨als zn⟩ *zesde deel.* **sixthly** [sɪksθli], **sixth** ●*ten/als zesde.* **sixtieth** ['sɪkstiɪθ] ●*zestig-ste,* ⟨als zn⟩ *zestigste deel.* **sixty** ['sɪksti] ●*zestig* ⟨ook voorwerp/groep ter waarde/ grootte v. zestig⟩; a man in his sixties *een man in de zestig*; in the sixties *in de zesti-ger jaren.* **'sixty-four (thousand) dollar 'question** ⟨AE⟩ ●*hamvraag.*

sizable, sizeable ['saɪzəbl] ●*vrij groot, flink.*

size [saɪz] ●*afmeting, formaat, grootte, om-vang* ●*maat;* she takes – eight *ze heeft maat acht* ‖ cut down to – *iem. op zijn plaats zetten;* ↓ that is the – of it *zo is het verlopen.*

size up ●*opnemen* ⟨personen, situaties⟩.

sizzle ●↓ *sissen, knetteren.* **sizzler** ['sɪzlə] ↓ ●*snikhete dag.*

1 **skate** [skeɪt] ⟨zn⟩ ●*schaats;* ⟨↓; fig.⟩ get/ put one's –s on *opschieten* ●*rolschaats.*

2 **skate** ⟨zn⟩ ⟨dierk.⟩ ●*vleet, spijkerrog.*

3 **skate** ⟨ww⟩ ●*schaatsen(rijden)* ●*rol-schaatsen* ‖ – over/round sth. *ergens luch-tig overheen lopen/praten.* **'skate-board** ●*rol(schaats)plank.* **skater** ['skeɪtə] ●*schaatser* ●*rolschaatser.* **'skating-rink** ●*ijsbaan* ●*rolschaatsbaan.*

skein [skeɪn] ●*streng* ●*vlucht wilde ganzen.*

skeletal ['skelɪtl] ●*skeletachtig, v.h. ge-raamte.* **skeleton** ['skelɪtn] ●*skelet, ge-raamte* ●*schema, schets* ‖ – in the cup-board/ ⟨AE⟩ closet *onplezierig (familie) geheim.* **'skeleton key** ●*loper.* **'skeleton 'service** ●*basisdienst, minimale dienst.* **'skeleton 'staff** ●*kern v.e. staf.*

skeptic- zie SCEPTIC-.

1 **sketch** [sketʃ] ⟨zn⟩ ●*schets* ●*sketch.*

2 **sketch** I ⟨onov en ov ww⟩ ●*schetsen* II ⟨ov ww⟩ ●⟨ook +in/out⟩ *schetsen, kort om-schrijven.* **'sketchbook, 'sketchpad** ●*schetsblok, tekenblok.* **sketchy** ['sketʃi] ●*schetsmatig, ruw,* ⟨fig.⟩ *oppervlakkig.*

1 **skew** [skju:] ⟨zn⟩ ‖ on the – *schuin, scheef.*

2 **skew** ⟨bn⟩ ●*schuin, scheef.*

'skewbald ●⟨bn⟩ *bont, gevlekt* ●⟨zn⟩ *ge-vlekt dier* ⟨ihb. paard⟩.

1 **skewer** ['skju:ə] ⟨zn⟩ ●*vleespen.*

2 **skewer** ⟨ww⟩ ●*doorsteken* ⟨⟨als⟩ met vleespen⟩.

1 **ski** [ski:] ⟨zn⟩ ●*ski.*

2 ski ⟨ww⟩ ● *skiën.*

1 skid [skɪd] ⟨zn⟩ ● *steunbalk/plank* ● *glij-baan, glijplank* ● *remschoen* ● *schuiver, slip, slippartij;* the car went into a – *de wagen raakte in een slip* ‖↓ on the –s *bergafwaarts.*

2 skid ⟨ww⟩ ● *slippen* ⟨ook v. wiel⟩, *schuiven.* 'skid mark ● *slipspoor, remspoor.* 'skid-pan ⟨BE⟩ ● *slipbaan.*

'skid 'row ⟨AE; ↓⟩ ● *achterbuurt.*

skier ['skiːə] ● *skiër/skiester.*

skiff [skɪf] ● *skiff* ⟨eenpersoonsroeiboot⟩.

'ski-jump ● *skischans* ● *het schansspringen.*

skilful ⟨AE sp.⟩ **skillful** ['skɪlfl] ● *bekwaam, vakkundig.*

'ski lift ● *skilift.*

skill [skɪl] ● *bekwaamheid* ● *vakkundigheid.* **skilled** [skɪld] ● *bekwaam* ● *vakkundig;* – labour *geschoolde arbeid;* – worker *geschoolde arbeider.*

skillet ['skɪlɪt] ● ⟨AE⟩ *braadpan, koekepan.*

1 skim [skɪm], **skimmed** [skɪmd] ⟨bn⟩ ● *afgeroomd;* – milk *taptemelk.*

2 skim **I** ⟨onov ww⟩ ● *(heen) glijden, scheren* **II** ⟨onov en ov ww⟩ ● *vluchtig inkijken;* – (through/over) a book *een boek vlug doornemen* **III** ⟨ov ww⟩ ● *afschuimen, afscheppen;* – the cream off from *de room afscheppen van;* ⟨fig.⟩ *het beste deel nemen van, afromen* ● *afromen* ⟨melk⟩ ● (doen) scheren over; – the ground *over de grond scheren.* **skimmer** ['skɪmə] ● *schuimspaan.*

skimp [skɪmp] **I** ⟨onov ww⟩ ● ⟨+on⟩ *bezuinigen (op), beknibbelen* **II** ⟨ov ww⟩ ● *karig (toe)bedelen, zuinig zijn met* ● *kort/krap houden.* **skimpy** ['skɪmpi] ● *karig, schaars.*

1 skin [skɪn] ⟨zn⟩ ● *huid* ⟨ook v. vliegtuig, schip⟩, *vel, pels* ● *schil, vlies, bast* ‖ – and bone(s) *vel over been;* escape by the – of one's teeth *op het nippertje ontsnappen;* ↓ get under s.o.'s – *iem. irriteren;* jump out of one's – *zich dood schrikken;* save one's – *er heelhuids afkomen.*

2 skin ⟨ww⟩ ● *villen, (af)stropen* ⟨ook fig.⟩ ● *schillen, pellen.*

'skin-'deep ● *oppervlakkig* ‖ zie ook ⟨sprw.⟩ BEAUTY. 'skin-dive ● *snorkelen.* 'skinflick ⟨AE; sl.⟩ ● *pornofilm.* 'skinflint ● *vrek.* 'skin-graft ● *getransplanteerd stukje huid.* 'skinhead ● *skinhead.* skinny ['skɪni] ● *broodmager.*

skint [skɪnt] ↓ ● *platzak, blut.*

'skin-'tight ● *nauwsluitend, strak* ⟨v. kleren⟩.

1 skip [skɪp] ⟨zn⟩ ● *sprongetje* ● *afvalcontainer.*

2 skip **I** ⟨onov ww⟩ ● *huppelen, (over)sprin-* gen ● *touwtjespringen* ● ⟨+off/out⟩ ↓ *ervandoor gaan* ● *van de hak op de tak springen* ‖ – over *overslaan, luchtig overheen gaan* **II** ⟨ov ww⟩ ● *overslaan.*

skipper ['skɪpə] ● *kapitein, schipper* ● ⟨sport⟩ *trainer/aanvoerder v.e. team.*

'skipping rope ● *springtouw.*

skirmish ['skəːmɪʃ] ● *schermutseling* ⟨ook fig.⟩.

1 skirt [skəːt] ⟨zn⟩ ● *rok* ● *pand, slip* ● *rand, zoom, uiteinde* ● ⟨sl.⟩ *stuk, grietje;* what a piece of –! *wat een stuk!*

2 skirt ⟨ww⟩ ● *begrenzen, lopen langs* ● *omringen* ● *omzeilen.* skirting board ['skəːtɪŋ bɔːd] ● *plint.*

'ski run ● *skihelling.*

skit [skɪt] ● *parodie, scherts.*

skitter ['skɪtə] ● *snellen, rennen.*

skittish ['skɪtɪʃ] ● *schichtig* ⟨ihb. v. paard⟩, *nerveus* ● *grillig.*

skittle ['skɪtl] ● *kegel.* **skittles** ● *kegelspel.*

skive [skaɪv] ⟨BE; ↓⟩ ● *zich aan het werk onttrekken, zich drukken.*

skulk [skʌlk] ● *zich verschuilen.*

skull [skʌl] ● *schedel* ● *doodshoofd* ● ↓ *hersenpan, hersenen.* 'skullcap ● *kalotje, keppeltje.*

skunk [skʌŋk] ● ⟨dierk.⟩ *stinkdier* ● ↓ *schoft.*

sky [skaɪ] ● *hemel, lucht;* praise s.o. to the skies *iem. hemelhoog prijzen;* under the open – *in de open lucht* ‖↓ the – is the limit *het kan niet op* ⟨vnl. mbt. geld⟩. 'sky 'blue ● *hemelsblauw.* 'sky-'blue ● *hemelsblauw.* 'skydiver ⟨sport⟩ ● *iem. die vrije val beoefent* ⟨parachutespringen⟩. 'sky-'high ● *hemelhoog,* ⟨fig.⟩ *buitensporig hoog* ⟨bv. prijzen⟩; blow sth. – *iets ontkrachten* ⟨bv. mening⟩. 'skyjacking ↓ ● *(vliegtuig)kaping.* 'skylark ● *veldleeuwerik.* 'skylight ● *dakraam.* 'skyline ● *horizon* ● *skyline, silhouet* ⟨gezien tegen de lucht⟩. 'skyrocket ● *omhoogschieten* ⟨v. prijzen⟩. 'skyscraper ● *wolkenkrabber.* 'skyward(s) ['skaɪwəd(z)] ● *hemelwaarts.*

slab [slæb] ● *plaat* ⟨bv. ijzer⟩ ● *plat rechthoekig stuk steen* ● *plak* ⟨bv. kaas⟩ ● ↓ (snee) brood.

1 slack [slæk] **I** ⟨telb zn⟩ ● *slap (hangend) deel van touw, loos;* take up the – *aantrekken* ⟨touw e.d.⟩; ⟨fig.⟩ *de teugel(s) kort houden* **II** ⟨n-telb zn⟩ ● *slappe tijd* ⟨in hand.⟩ **III** ⟨mv.⟩ ● *sportpantalon, lange broek.*

2 slack ⟨bn; -ness⟩ ● *slap, los* ● *zwak, laks* ● *lui, traag* ‖ – season *slappe tijd;* – water *stil water; dood tij.*

3 slack ⟨ww⟩ ● *lijntrekken, traag/minder hard werken* ● ⟨+up⟩ *vaart verminderen* ‖

– off *verslappen* 〈in het werk〉.

slacken ['slækən] ●*verslappen, (zich) ontspannen* ●*verminderen, afnemen;* – *speed vaart verminderen;* – off/up *verminderen.*

slag [slæg] ●*(metaal)slak(ken)* ●〈BE; ↓〉 *slet.* '**slag-heap** ●*heuvel v. mijnafval.*

slain [sleɪn] 〈volt. deelw.〉 zie SLAY.

slake [sleɪk] ●*lessen, laven* ●*blussen* 〈kalk〉; –d lime *gebluste kalk.*

slalom ['slɑːləm] 〈sport〉 ●*slalom.*

1 slam [slæm] I 〈telb zn〉 ●*harde slag* II 〈ntelb zn〉 〈bridge〉 ●*slem, alle slagen;* grand – *groot slem* 〈fig. ook voor het winnen v.e. reeks tennis/golftoernooien e.d.〉; little/small – *klein slem.*

2 slam I 〈onov en ov ww〉 ●*met een klap dichtslaan* II 〈ov ww〉 ●*(neer/dicht)smijten;* – down *neersmijten* ● ↓ *scherp bekritiseren.*

1 slander ['slɑːndə] 〈zn〉 ●*laster(praat).*

2 slander 〈ww〉 ●*(be)lasteren.* **slanderer** ['slɑːndərə] ●*lasteraar(ster).* **slanderous** ['slɑːndrəs] ●*lasterlijk.*

1 slang [slæŋ] 〈zn〉 ●*slang, taal v. bep. sociale klasse of beroep, jargon.*

2 slang 〈ww〉 〈BE; ↓〉 ●*uitschelden.*

1 slant [slɑːnt] 〈zn〉 ●*helling, schuinte* ●*gezichtspunt* ‖ on a/the – *scheef, schuin.*

2 slant I 〈onov ww〉 ●*hellen, schuin aflopen* II 〈ov ww〉 ●*laten hellen, scheef houden* ● *tendentieus weergeven;* –ed news *tendentieuze nieuwsberichten.*

1 slap [slæp] 〈zn〉 ●*klap, mep;* ↓ – in the face 〈ook fig.〉 *klap in het gezicht;* – 〈 ↓ ; fig.〉 – on the wrist *vermaning, lichte straf.*

2 slap I 〈onov en ov ww〉 ●*een klap geven, meppen* II 〈ov ww〉 ●*smakken, smijten;* – down *neersmijten.*

3 slap 〈bijw〉 ●*met een klap, regelrecht* ●*pardoes.* '**slap-'bang** ●*pardoes, eensklaps.* '**slapdash** ●*nonchalant, lukraak.* '**slap-happy** ↓ ●*uitgelaten* ●〈BE〉 *nonchalant.*

'**slapstick** ●*gooi-en-smijtfilm/toneelstuk* ●*grove humor.*

'**slap-up** 〈BE; ↓〉 ●*super-de-luxe, eerste klas.*

1 slash [slæʃ] 〈zn〉 ●*houw, slag* ●*snee, jaap* ● ↓ *schuine streep* ●〈AE〉 *split* 〈in kleding〉.

2 slash I 〈onov ww〉 ●*erop inhakken* II 〈onov en ov ww〉 ●*houwen* ●*snijden* ●*striemen* III 〈ov ww〉 ●*drastisch verlagen* 〈prijzen〉 ●*scherp bekritiseren* ●*een split maken in.*

slat [slæt] ●*lat* 〈bv. v. jaloezie〉.

1 slate [sleɪt] 〈zn〉 ●*lei* 〈gesteente〉 ●*lei, schrijfbordje* ●*daklei* ‖ ↓ put it on the –! *schrijf het maar op (de lat)!.*

2 slate 〈ww〉 ●*met lei dekken* ●〈AE〉 *beleg-*

gen 〈bv. vergadering〉, *vaststellen* ●〈BE; ↓〉 *scherp bekritiseren* ●〈AE; ↓〉 *(als kandidaat) voordragen.*

slattern ['slætən] ●*del, slons.* **slatternly** ['slætənli] ●*slonzig.*

1 slaughter ['slɔːtə] 〈zn〉 ●*slachting, het slachten, bloedbad.*

2 slaughter 〈ww〉 ●*slachten, vermoorden* ● ↓ *totaal verslaan.* '**slaughterhouse** ●*slachthuis, abattoir.*

Slav [slɑːv] ●〈bn〉 *Slavisch* ●〈zn〉 *Slaaf.*

1 slave [sleɪv] 〈zn〉 ●*slaaf/slavin.*

2 slave 〈ww〉 ●*zich uitsloven;* – away 〈at sth.〉 *zwoegen (op iets), ploeteren.* '**slave driver** ●*slavendrijver* 〈ook fig.〉. '**slave 'labour** ●*slavenarbeid* 〈ook fig.〉.

slaver ['slævə] ●*kwijlen* 〈ook fig.〉.

slavery ['sleɪvəri] ●*slavernij* ●*slavenarbeid.* '**slave trade** ●*slavenhandel.*

Slavic ['slɑːvɪk, 'slæ-] ●*Slavisch.*

slavish ['sleɪvɪʃ] ●*slaafs.*

Slavonic [slə'vɒnɪk] ●*Slavisch.*

slay [sleɪ] 〈slew [sluː], slain [sleɪn]〉 ●*doden, afmaken, slachten.*

sleazy ['sliːzi] ●*sjofel,* 〈fig.〉 *armoedig.*

1 sled [sled] 〈zn〉 〈AE〉 ●*slee.*

2 sled 〈ww〉 ●*sleeën.*

1 sledge [sledʒ] 〈zn〉 ●*slee* ●*voorhamer.*

2 sledge 〈ww〉 ●*sleeën.*

'**sledgehammer** ●*voorhamer, moker.*

1 sleek [sliːk] 〈bn〉 ●*zacht en glanzend* 〈ihb. van haar〉 ●*(te) keurig verzorgd* ●*mooi gestroomlijnd* 〈v. auto〉.

2 sleek 〈ww〉 ●*gladmaken.*

1 sleep [sliːp] 〈zn〉 ●*slaap, nachtrust;* get to – in *slaap vallen;* go to – *gaan slapen;* put to – in *slaap brengen; wegmaken* 〈narcose〉; *een spuitje geven* 〈dier〉; have a good – *goed slapen* ●*slaap, oogvuil.*

2 sleep 〈slept, slept [slept]〉 I 〈onov ww〉 ●*slapen, rusten;* – in *in huis slapen* 〈bv. oppas〉; *uitslapen;* – out *buitenshuis/in de open lucht slapen;* – on sth. *een nachtje over iets slapen* ‖ ↓ – around *met jan en alleman naar bed gaan;* – together *met elkaar naar bed gaan;* – with s.o. *met iem. naar bed gaan;* 〈sprw.〉 let sleeping dogs lie *men moet geen slapende honden wakker maken* II 〈ov ww〉 ●*slaapplaats hebben voor;* this hotel –s eighty (guests) *dit hotel biedt plaats voor tachtig gasten* ‖ – away *verslapen* 〈bv. tijd〉; – off one's hangover *zijn roes uitslapen.* **sleeper** ['sliːpə] ●*slaper, slaapkop* ●*dwarsbalk* 〈v. spoorbaan〉, *biel(s)* ●*slaapwagen, couchette* ●*onverwacht succes.* '**sleeping bag** ●*slaapzak.* '**sleeping car** ●*slaapwagen.* '**sleeping pill** ●*slaaptablet.* **sleepless**

['sli:pləs] ●slapeloos. **sleepy** ['sli:pi] ●sla-
perig ●loom ●saai. **'sleepyhead** ↓ ●slaap-
kop.

1 sleet [sli:t] ⟨zn⟩ ●natte sneeuw(bui), natte
hagel(bui).

2 sleet ⟨ww⟩ ●sneeuwen/hagelen en regenen tegelijk.

sleeve [sli:v] ●mouw ●koker, mof ●hoes
⟨ihb. v. grammofoonplaat⟩ ‖ have sth. up
one's – iets achter de hand houden; laugh
up one's – in zijn vuistje lachen; roll up
one's –s de handen uit de mouwen steken. **sleeveless** ['sli:vləs] ●mouwloos.

sleigh [sleɪ] ●ar(reslee).

'sleight-of-'hand ●goochelarij, gegoochel
⟨ook fig.⟩ ●vingervlugheid.

slender ['slendə] ●slank, tenger ●schaars,
karig, zwak.

slept [slept] ⟨verl. t. en volt. deelw.⟩ zie
SLEEP.

slew [slu:] ⟨verl. t.⟩ zie SLAY.

1 slice [slaɪs] ⟨zn⟩ ●plak(je), snee(tje), schijf-
(je) ●deel ●schep ●slag met effect, effectbal ‖ it is a – of life het is uit het leven gegrepen.

2 slice I ⟨onov en ov ww⟩ ●met effect slaan,
effect geven ⟨bal⟩ II ⟨ov ww⟩ ●(vaak
+up) in plakken snijden ●snijden, (+off)
afsnijden.

1 slick [slɪk] ⟨zn⟩ ●(ook: 'oil slick) olievlek ●
populair tijdschrift op glanzend papier ●
slick, gladde racewagenband.

2 slick ⟨bn⟩ ↓ ●glad, glanzend ●handig; –
salesman uitgekiende verkoper ●opper-
vlakkig, glad. **slick down** ●(haar) glad tegen het hoofd plakken met water/olie.
slicker ['slɪkə] ⟨AE; ↓⟩ ●gladjanus ●wa-
terafstotende regenjas.

1 slide [slaɪd] ⟨zn⟩ ●glijbaan ●sleehelling ●
val, achteruitgang ⟨ook fig.⟩ ●(stoom)
schuif ●objectglaasje ⟨van microscoop⟩
●dia ●(aard)verschuiving, lawine ●haar-
speld.

2 slide ⟨slid, slid [slɪd]⟩ I ⟨onov ww⟩ ●(uit)
glijden ●glippen, slippen ‖ youth –s by de
jeugd gaat ongemerkt voorbij; – into lies
tot leugens vervallen; – over sth. luchtig
over iets heen praten II ⟨onov en ov ww⟩ ●
schuiven; sliding door schuifdeur; sliding
scale glijdende (loon)schaal ●slippen III
⟨ov ww⟩ ●(voort) laten glijden. **'slide rule**
●rekenliniaal.

1 slight [slaɪt] ⟨zn⟩ ●(blijk v.) geringschatting.

2 slight ⟨bn⟩ ●tenger, broos ●gering, klein,
onbeduidend; – cold lichte verkoudheid;
not in the –est niet in het minst.

3 slight ⟨ww⟩ ●geringschatten, kleineren.

slightly ['slaɪtli] ●een beetje, enigszins.

1 slim [slɪm] ⟨bn⟩ ●slank ●klein; – chance
geringe kans.

2 slim ⟨ww⟩ ●afslanken, aan de (slanke) lijn
doen.

slime [slaɪm] ●slijm. **slimy** ['slaɪmi] ●slij-
merig ⟨ook fig.⟩, glibberig ●kruiperig.

1 sling [slɪŋ] ●slinger ●slingerverband,
draagdoek ●draagriem, draagband ●lus,
(hijs)strop.

2 sling ⟨ww; slung, slung [slʌŋ]⟩ ●(weg)
slingeren, zwaaien, smijten ●ophangen.
'sling shot ⟨AE⟩ ●katapult.

slink [slɪŋk] ⟨slunk, slunk [slʌŋk]⟩ ●(weg)
sluipen; – away/off/out zich stilletjes uit
de voeten maken.

1 slip [slɪp] ⟨zn⟩ ●misstap ⟨ook fig.⟩, vergissing, ongelukje; – of the pen verschrij-
ving; – of the tongue verspreking ●onder-
rok/jurk ●strookje (papier) ●stek(je), ent ‖
give s.o. the – aan iem. ontsnappen/ont-
glippen; ⟨sprw.⟩ there's many a slip
'twixt cup and lip tussen neus en lippen
kan een goede kans ontglippen.

2 slip I ⟨onov ww⟩ ●(uit)glijden, slippen;
–ped disc hernia; time –s away/by de tijd
gaat ongemerkt voorbij; – on sth. ergens
over uitglijden ●glippen, (snel) sluipen; –
away wegglippen; – in/out naar binnen/
buiten glippen; – off wegglippen; –
through one's fingers door zijn vingers
glippen ●afglijden, vervallen ‖ let – zich
verspreken; – up zich vergissen; – into/
out of a dress een jurk aanschieten/uit-
trekken II ⟨ov ww⟩ ●schuiven, slippen, laten glijden; ⟨fig.⟩ – in a remark een opmerking invoegen ●ontglippen, ontschieten; – one's attention ontgaan; – one's
memory/mind vergeten; let – zich laten
ontvallen ●(onopvallend) toestoppen/ge-
ven ‖ – off clothes kleren snel uittrekken; –
on sth. comfortable iets gemakkelijks aan-
schieten. **'slipcover** ●losse (meubel)
hoes. **'slipknot** ●schuifknoop ●slipsteek.
'slip-on ●makkelijk aan te schieten ⟨v. kle-
ding⟩; – shoes instappers. **'slipover** ●
slipover ●pullover.

slipper ['slɪpə] ●pantoffel, slipper.

slippery ['slɪpəri] ●glad, glibberig ●onbe-
trouwbaar, vals ‖ – slope glibberig pad,
gevaarlijke koers. **slippy** ['slɪpi] ●↓ glad.

'slip road ⟨BE⟩ ●op/afrit ⟨v. autoweg⟩. **slip-
shod** ['slɪpʃɒd] ●slordig ⟨v. taal, stijl⟩.
'slipstream ⟨luchtv.⟩ schroefwind ●zui-
ging ⟨achter auto⟩. **'slip-up** ↓ ●vergis-
sing. **'slipway** ●(scheeps)dok.

1 slit [slɪt] ⟨zn⟩ ●spleet, gleuf, lange snee ●
split ⟨in jurk bv.⟩.

2 slit ⟨ww⟩ ●*snijden* ●*scheuren.*

slither ['slɪðə] ●*glijden, glibberen.* **slithery** ['slɪðəri] ●*glibberig.*

sliver ['slɪvə] ●*splinter, scherf* ●*dun plakje.*

slob [slɒb] ↓ ●*smeerlap, slons.*

1 slobber ['slɒbə] ⟨zn⟩ ●*kwijl* ●*sentimentele praat.*

2 slobber ⟨ww⟩ ●*kwijlen* ●*sentimenteel doen;* ↓ – *over sth. zwijmelig doen over iets.*

sloe [sloʊ] ●⟨plantk.⟩ *sleepruim.*

1 slog [slɒg] ⟨zn⟩ ↓ ●*geploeter, gezwoeg.*

2 slog, ⟨AE⟩ **slug** [slʊg] ⟨ww⟩ ●⟨+at⟩ *zwoegen (op);* ↓ – *away (at) ijverig doorworstelen (met)* ●*ploeteren* ‖ – *it out het uitvechten.*

slogan ['sloʊgən] ●*motto* ●*slagzin* ⟨in reclame⟩.

sloop [slu:p] ●*sloep.*

1 slop [slɒp] ⟨zn⟩ ●*gezwijmel* ●⟨vaak mv.⟩ *waterige soep, slappe kost* ●⟨vaak mv.⟩ *spoeling, dun varkensvoer* ●⟨mv.⟩ *vuil waswater.*

2 slop I ⟨onov ww⟩ ●⟨+over⟩ *overstromen* ‖ – *about/around rondhannesen* **II** ⟨onov en ov ww⟩ ●*morsen (op), kliederen (op).*

1 slope [sloʊp] ⟨zn⟩ ●*helling, hellingsgraad.*

2 slope I ⟨onov ww⟩ ●*hellen, schuin af/oplopen, glooien* ‖ – *off er vandoor gaan* **II** ⟨ov ww⟩ ●*laten hellen, laten af/oplopen.*

sloppy ['slɒpi] (-iness) ●*slordig, slonzig, onzorgvuldig* ●*melig, sentimenteel.*

slosh [slɒʃ] **I** ⟨onov ww⟩ ●*plassen, ploeteren* ●*klotsen* **II** ⟨ov ww⟩ ●*klotsen met;* – *about rondklotsen.* **sloshed** [slɒʃt] ●*dronken.*

1 slot [slɒt] ⟨zn⟩ ●*groef, geul, gleuf* ●↓ *plaatsje, ruimte,* ⟨com.⟩ *zendtijd; find a* – *for een plaats inruimen voor* ⟨in het programma⟩.

2 slot ⟨ww⟩ ●*in een gleuf plaatsen* ●⟨+in⟩ ⟨vnl. BE⟩ *een plaatsje vinden voor.*

sloth [sloʊθ] **I** ⟨telb zn⟩ ⟨dierk.⟩ ●*luiaard* **II** ⟨n-telb zn⟩ ●*luiheid.*

'slot machine ●⟨BE⟩ *automaat* ●⟨spel⟩ *fruitmachine.*

1 slouch [slaʊtʃ] ⟨zn⟩ ●*slappe houding, ronde rug; move with a* – *er sloom bij lopen* ●↓ *kluns; be no* – *at handig zijn in.*

2 slouch ⟨ww⟩ ●*hangen, erbij hangen* ●*een slappe houding hebben.*

slough [slaʊ] ●*moeras* ●*modderpoel* ‖ *the Slough of Despond een poel van ellende.*

slough off [slʌf] ●*afwerpen,* ⟨fig. ook⟩ *kwijt raken.*

sloven ['slʌvn] ●*slons, sloddervos.* **slovenly** ['slʌvnli] ●*slonzig, slordig.*

1 slow [sloʊ] ⟨bn⟩ ●*langzaam, traag; a* – *job een karwei dat veel tijd kost;* ⟨film.⟩ *in* –

motion in slow motion; – *poison langzaamwerkend vergif;* – *train boemeltrein* ●*saai, flauw;* – *fire zacht vuur* ●*laat* ⟨bv. trein⟩, *vertraagd; the train is* – *de trein is (te) laat* ‖ – *off the mark,* ⟨AE⟩ – *on the uptake traag v. begrip; be* – *of wit traag v. begrip zijn; be* – *to anger niet gauw kwaad worden.*

2 slow ⟨ww⟩ ●*vertragen;* – (the car) *down snelheid minderen;* – *down het kalmer aan doen.*

3 slow ⟨bw⟩ ●*langzaam; be four minutes* – *vier minuten achterlopen; go* – *het langzaam aan doen.* **'slowcoach,** ⟨AE⟩ **'slowpoke** ↓ ●*slak, slome.* **'slow-down** ●*vertraging,* ⟨ihb. ind.⟩ *produktievermindering* ●*langzaam-aan-actie.* **'slow-worm** ●*hazelworm.*

sludge [slʌdʒ] ●*slijk, modder* ●*bezinksel in het riool* ●*olieklont.*

1 slug [slʌg] ⟨zn⟩ ●*naakte slak* ●*kogel* ●↓ *slok.*

2 slug ⟨ww⟩ zie SLOG.

sluggish ['slʌgɪʃ] ●*traag.*

1 sluice [slu:s] ⟨zn⟩ ●*sluis.*

2 sluice I ⟨onov ww⟩ ●⟨ook +out⟩ *uitstromen* **II** ⟨ov ww⟩ ●*laten uitstromen* ●⟨ook +out/down⟩ *overspoelen, water laten stromen over;* – *ore erts wassen.* **'sluice-gate** ●*sluisdeur.*

1 slum [slʌm] ⟨zn⟩ ●*achterbuurt* ●↓ *rotzooi.*

2 slum ⟨ww⟩ ●*een sloppenwijk bezoeken* ‖ – *it armoedig leven.*

1 slumber ['slʌmbə] ⟨zn; vaak mv.⟩ ↑ ●*slaap, sluimer.*

2 slumber ⟨ww⟩ ↑ ●*slapen, sluimeren.*

1 slump [slʌmp] ⟨zn⟩ ⟨vnl. geldw.⟩ ●*ineenstorting, snelle daling.*

2 slump ⟨ww⟩ ●*in elkaar zakken;* – *down to the floor op de vloer in elkaar zakken* ●*instorten,* ⟨ihb. geldw.⟩ *vallen.*

slung [slʌŋ] ⟨verl. t. en volt. deelw.⟩ zie SLING.

slunk [slʌŋk] ⟨verl. t. en volt. deelw.⟩ zie SLINK.

1 slur [slə:] ⟨zn⟩ ●*smet, blaam; cast a* – *on sth. een smet werpen op iets* ●*gemompel.*

2 slur ⟨ww⟩ ●*brabbelen, onduidelijk (uit) spreken* ●*slordig schrijven.*

slurp [slə:p] ●(*op*)*slurpen.*

slush [slʌʃ] ●*sneeuwbrij* ●*sentimentele onzin.*

'slush fund ⟨AE⟩ ●*omkooppot* ●*potje voor smeergeld.*

slushy ['slʌʃi] ●*modderig* ●*sentimenteel.*

slut [slʌt] ●*slons* ●*slet* ●*hoer.* **sluttish** ['slʌtɪʃ] ●*slonzig* ●*hoerig.*

sly [slaɪ] (-ness) ●*sluw, geslepen* ●*geniepig*

● *plagerig* ‖ on the – *in het geniep.*

1 smack [smæk] ⟨zn⟩ ● *vleugje* ● *trek;* he has a – of inflexibility in him *hij heeft iets onverzettelijks* ● *smak* ● *klap* ● *klapzoen* ● ↓ *heroïne* ‖ have a – at sth. *een poging wagen (te).*

2 smack I ⟨onov ww⟩ ● ⟨+of⟩ *rieken (naar)* **II** ⟨ov ww⟩ ● *slaan* ● *smakken met* ⟨de lippen⟩ ● *met een smak neerzetten.*

3 smack ⟨bw⟩ ↓ ● *met een klap;* hit s.o. – on the head *iem. een rake klap op zijn kop geven* ● *recht, precies.*

1 small [smɔ:l] ⟨zn⟩ ● *het smalste gedeelte;* the – of the back *lende(streek).*

2 small ⟨bn⟩ ● *klein, gering, onbelangrijk;* – arms *handvuurwapens;* – change *kleingeld;* a – farmer *een kleine boer;* – letters *kleine letters;* – print *kleine druk;* ⟨fig.⟩ *de kleine lettertjes;* a – voice *een klein/zacht/ hoog stemmetje;* – wonder *geen wonder;* feel/look – *zich schamen* ● *bescheiden;* in a – way *op kleine schaal* ‖ – beer *zwak alcoholisch bier;* ⟨fig.⟩ *onbelangrijke zaken;* the – hours *de kleine uurtjes.*

3 small ⟨bw⟩ ● *klein;* cut sth. – *iets klein snijden.* **'small ad** ⟨BE⟩ ● *rubriek(s)advertentie, kleine annonce.* **'small fry** ↓ ● *onbelangrijke lieden.* **'smallholder** ⟨BE⟩ ● *kleine boer.* **'smallholding** ⟨BE⟩ ● *stuk akkerland kleiner dan twintig hectare.* **'small- 'minded** ● *kleingeestig.* **'smallpox** ● *pokken.* **'small-scale** ● *kleinschalig.* **'small talk** ● *geklets.* **'small-time** *gering, onbelangrijk.*

smarmy ['smɑːmi] ⟨BE; ↓⟩ ● *zalvend.*

1 smart [smɑːt] ⟨zn⟩ ● *steek, pijn(scheut).*

2 smart ⟨bn⟩ ● *heftig, fel;* at a – pace *met flinke pas* ● *bijdehand, slim;* a – talker *een vlotte prater* ● *keurig, knap* ● *toonaangevend;* the – people *de bekende mensen* ‖ – aleck, ⟨sl.⟩ – ass *wijsneus.*

3 smart ⟨ww⟩ ● *pijn doen, steken* ● *pijn hebben;* – over/under an insult *zich gekwetst voelen door een belediging.*

smarten ['smɑːtn] ● ⟨ook +up⟩ *opknappen, (zichzelf) opdoffen.*

1 smash [smæʃ] ⟨zn⟩ ● *slag, gerinkel* ● *klap, slag, dreun* ● ⟨AE; ↓⟩ *groot succes* ● ⟨tennis⟩ *smash.*

2 smash I ⟨onov ww⟩ ● *razen, beuken;* the car –ed into the garage door *de auto vloog met een klap tegen de garagedeur* ● ⟨tennis⟩ *een smash slaan* **II** ⟨onov en ov ww⟩ ● ⟨ook +up⟩ *breken, kapot vallen* **III** ⟨ov ww⟩ ● *slaan op, beuken tegen* ● ⟨vaak +up⟩ *vernielen;* – in *in elkaar slaan, inslaan* ● ⟨tennis⟩ *smashen.*

3 smash ⟨bw⟩ ● *met een klap.* **'smash-and-**

'grab raid ● *etalagediefstal.* **smashed** [smæʃt] ↓ ● *dronken.* **smasher** ['smæʃə] ↓ ● *iets geweldigs.* **'smash 'hit** ⟨sl.⟩ ● *geweldig succes.* **smashing** ['smæʃɪŋ] ↓ ● *geweldig.* **'smash-up** ● *botsing.*

smattering ['smætərɪŋ] ● *beetje;* have a – of French *een paar woordjes Frans spreken.*

1 smear [smɪə] ⟨zn⟩ ● *smeer, vlek* ● ↓ *verdachtmaking* ● ⟨med.⟩ *uitstrijkje.*

2 smear ⟨ww⟩ ● *smeren, uitsmeren* ● *besmeren* ● *vlekken maken op* ● *verdacht maken.* **'smear campaign** ● *lastercampagne.* **'smear test** ⟨med.⟩ ● *uitstrijkje.*

1 smell [smel] ⟨zn⟩ ● *reuk, geur* ● *vieze lucht* ‖ take a – at this *ruik hier eens even aan.*

2 smell ⟨ook smelt, smelt [smelt]⟩ **I** ⟨onov ww⟩ ● ⟨+of⟩ *ruiken (naar)* ● *snuffelen,* ⟨fig.⟩ *speuren* ● ⟨+of⟩ *stinken (naar), rieken (naar)* ⟨ook fig.⟩ **II** ⟨onov en ov ww⟩ ● ⟨+at⟩ *ruiken (aan);* zie SMELL OUT. **'smelling bottle** ● *flesje reukzout.* **'smelling salts** ● *reukzout.* **smell out** ● *opsporen, op het spoor komen* ● *doen stinken;* that chicken is smelling the kitchen out *de hele keuken stinkt naar die kip.* **smelly** ['smeli] ● *vies, stinkend.*

1 smelt [smelt] ⟨zn⟩ ⟨dierk.⟩ ● *spiering.*

2 smelt ⟨ww⟩ ⟨ind.⟩ ● *uit erts uitsmelten* ⟨metaal⟩.

1 smile [smaɪl] ⟨zn⟩ ● *glimlach;* be all –s *stralen.*

2 smile I ⟨onov ww⟩ ● ⟨+at⟩ *glimlachen (naar/tegen)* ● *lachen, toelachen* **II** ⟨ov ww⟩ ● *glimlachend uiten;* she –d her approval *ze glimlachte goedkeurend.*

1 smirch [smə:tʃ] ⟨zn⟩ ● *vlek* ● ⟨fig.⟩ *smet.*

2 smirch ⟨ww⟩ ● *bevuilen* ● *een smet werpen op.*

1 smirk [smə:k] ⟨zn⟩ ● *zelfgenoegzaam lachje.*

2 smirk ⟨ww⟩ ● *zelfgenoegzaam glimlachen, meesmuilen.*

smite [smaɪt] ⟨smote [smoʊt], smitten ['smɪtn]⟩ ⟨↑, scherts.⟩ ● *slaan* ● *raken, treffen;* smitten with a disease *getroffen door een ziekte;* smitten with s.o. *smoorverliefd op iem..*

smith [smɪθ] ● *smid.*

smithereens ['smɪðə'riːnz] ↓ ‖ smash into/to – *aan diggelen gooien.*

smithy ['smɪði] ● *smederij.*

smock [smɒk] ● *kieltje, schortje* ● *jak, kiel.*

smog [smɒg] ● *smog.*

1 smoke [smoʊk] ⟨zn⟩ ● *rook* ● *rokertje, sigaret* (e.d.) ‖ go up in – *in rook opgaan;* ⟨fig.⟩ *op niets uitlopen;* ⟨sprw.⟩ there's no smoke without fire *geen rook zonder vuur.*

2 smoke I 〈onov en ov ww〉 ● *roken* 〈ook cul.〉; –d ham *gerookte ham;* no smoking *verboden te roken* II 〈ov ww〉 ● *beroken;* –d glass *beroet glas;* zie SMOKE OUT. **smoke out** ● *uitroken* 〈uit hol e.d.〉 ● *te weten komen.* **smoker** ['smoʊkə] ● *roker* ● *rookcoupé/rijtuig.* **'smokescreen** ● *rookgordijn,* 〈ook fig.〉 *afleidingsmanoeuvre.* **'smokestack** ● *schoorsteen.* **'smoking carriage** ● *rookrijtuig.* **'smoking compartment** ● *rookcoupé.* **'smoking jacket** ● *huisjasje.* **'smoking room** ● *rooksalon.*
smoky ['smoʊki] ↓ *rokerig.*
1 smooch [smu:tʃ] 〈zn〉 ↓ ● *gezoen, gevrij;* have a – *vrijen.*
2 smooch 〈ww〉 ↓ ● *vrijen.*
1 smooth [smu:ð] 〈bn〉 ● *glad;* 〈cul.〉 a – batter *een glad beslag;* – surface *glad oppervlak* ● *soepel, gelijkmatig* ● *gemakkelijk* ● *vreedzaam, rustig* ● *overmatig vriendelijk, glad;* ↓ – operator *gladjanus* ● *zoetvloeiend, zacht* 〈v. stem, klank〉.
2 smooth 〈ww〉 ● *gladmaken* ● 〈ook +out〉 *gladstrijken,* 〈fig.〉 *(onregelmatigheden/ verschillen) wegnemen;* – away *wegnemen;* – down one's clothes *zijn kleren gladstrijken* ‖ – over an argument *een woordentwist bijleggen.* **smoothie, smoothy** ['smu:ði] ● ↓ *gladde, handige prater.*
smote [smoʊt] 〈verl. t.〉 zie SMITE.
smother ['smʌðə] I 〈onov en ov ww〉 ● *(ver)stikken* II 〈ov ww〉 ● *(uit)doven* ● *onderdrukken* ● 〈+in〉 *overladen (met), overdekken (met);* –ed in cream *rijkelijk met room bedekt.*
smoulder ['smoʊldə] ● *(na)smeulen, gloeien.*
1 smudge [smʌdʒ] 〈zn〉 ● *vlek, smet.*
2 smudge I 〈onov ww〉 ● *vlekken* II 〈ov ww〉 ● *(be)vlekken, vuilmaken* ● *uitsmeren.* **smudgy** ['smʌdʒi] ● *vlekkerig, besmeurd* ● *wazig.*
smug [smʌg] ● *zelfvoldaan.*
smuggle ['smʌgl] ● *smokkelen.* **smuggler** ['smʌglə] ● *smokkelaar.* **smuggling** ['smʌglɪŋ] ● *smokkel(handel).*
smut [smʌt] ● *vuiltje, stofje* ● *roetdeeltje, roet* ● *vuiligheid;* talk – *vuile taal uitslaan.* **smutty** ['smʌti] ● *vuil, vies.*
snack [snæk] ● *snack, hapje, tussendoortje.* **'snack bar** ● *snackbar, snelbuffet.*
1 snag [snæg] 〈zn〉 ● *uitsteeksel* ● *probleem, tegenvaller;* the – is that *'t probleem is dat* ● *(winkel)haak, scheur.*
2 snag 〈ww〉 ● *scheuren* 〈kleding〉.
snail [sneɪl] ● *(huisjes)slak.* **'snail's pace** ●

slakkegang(etje).
1 snake [sneɪk] 〈zn〉 ● *slang* ‖ a – in the grass *een valsaard.*
2 snake 〈ww〉 ● *kronkelen (als een slang), sluipen.* **'snakebite** ● *slangebeet.* **'snake charmer** ● *slangenbezweerder.*
1 snap [snæp] 〈zn〉 ● *klap* ● *hap, beet* ● *knip* 〈met vingers, schaar〉 ● *knip(slot), drukknoop* ● *foto* ● *(knappend) koekje* ● ↓ *pit, energie;* put some – into it! *een beetje meer fut!.*
2 snap 〈bn〉 ● *impulsief, onverwacht;* a – decision *een beslissing van 't moment (zelf).*
3 snap I 〈onov ww〉 ● 〈+at〉 *happen (naar), bijten* ‖ – at *grijpen naar; aangrijpen* 〈kans e.d.〉; ↓ – to it *schiet 'ns op;* ↓ – out of it *ermee ophouden* II 〈onov en ov ww〉 ● *(af) breken, (af)knappen* 〈ook fig.〉; –ped nerves *geknakte zenuwen* ● *knallen* 〈met zweep, geweer〉 ● *(dicht)klappen, met een knip sluiten* 〈ook +out〉 *snauwen* ● *met een ruk/schok bewegen;* he –ped to attention *opeens had hij er zijn volle aandacht bij* III 〈ov ww〉 ● *(weg)grissen, grijpen;* – up *op de kop tikken;* – up a bargain *een koopje meepakken* ● *happen* ● *knippen met* 〈vingers〉 ● *een foto maken van* ‖ 〈AE; ↓〉 – it up *vooruit, aan de slag.*
4 snap 〈tw〉 ● *klap, knal* ● *knak* ‖ 〈BE; ↓〉 –! you're wearing the same dress as me *wat een toeval! je hebt dezelfde jurk aan als ik.* **snapdragon** ['snæpdrægən] 〈plantk.〉 ● *leeuwebek.* **'snap fastener** 〈vnl. AE〉 ● *drukknoop(je).* **snappy** ['snæpi] ● ↓ *pittig* ● ↓ *chic, net* ● 〈ook: snappish ['snæpɪʃ]〉 *snauwerig, bits* ● 〈ook: snappish ['snæpɪʃ]〉 *prikkelbaar* ‖ ↓ make it –! *schiet op!.*
'snapshot ● *kiekje.*
1 snare [sneə] 〈zn〉 ● *(val)strik, val.*
2 snare 〈ww〉 ● *strikken* 〈ook fig.〉, *vangen.*
'snare drum ● *roffeltrom, kleine trom.*
1 snarl [snɑ:l] 〈zn〉 ● *grauw, snauw* ● *knoop* 〈ook fig.〉, *wirwar.*
2 snarl 〈ww〉 ● 〈+at〉 *grauwen (tegen), grommen, snauwen.* **'snarl 'up** ● *in de war brengen* ● *vastlopen* 〈v. verkeer〉. **'snarl-up** ● *(verkeers)knoop* ● *warboel.*
1 snatch [snætʃ] 〈zn〉 ● *greep, ruk* ● *brok, stuk, fragment;* a – of conversation *een brokstuk v.e. gesprek;* a – of sleep *een hazeslaapje* ‖ by/in –es *(zo) nu en dan;* sleep in –es *met tussenpozen slapen.*
2 snatch I 〈onov ww〉 ● *rukken* ‖ – at *grijpen naar; (dadelijk) aangrijpen* II 〈ov ww〉 ● *(weg)rukken, (weg)grijpen,* 〈sl.〉 *stelen;* – a meal *vlug iets eten;* – away *wegrukken/ pakken;* – up *oppakken;* be –ed from

death *aan de dood ontrukt worden* ● *aangrijpen.*

snazzy ['snæzi] ↓ ● *chic* ● *opzichtig.*

1 sneak [sni:k] ⟨zn⟩ ● ↓ *gluiper(d)* ● ⟨BE; kind.⟩ *klikspaan.*

2 sneak ⟨bn⟩ ● *onverwacht;* a – *preview een onaangekondigde voorvertoning.*

3 sneak I ⟨onov ww⟩ ● *sluipen;* – (up)on s.o. *naar iem. toesluipen* ‖ ⟨BE; kind.⟩ – on s.o. *over iem. klikken* II ⟨ov ww⟩ ● *heimelijk doen, smokkelen;* – a smoke *heimelijk een trekje doen* ● ⟨sl.⟩ *pikken.* **sneaker** ['sni:-kə] ● ⟨AE⟩ *gympje.* **sneaking** ['sni:kɪŋ] ● ⟨ook: sneaky ['sni:ki]⟩ *gluiperig* ● ⟨ook: sneaky ['sni:ki]⟩ *heimelijk* ● *vaag;* a – *suspicion een vaag vermoeden.*

1 sneer [snɪə] ⟨zn⟩ ● *grijns(lach)* ● ⟨+at⟩ *spottende opmerking (over).*

2 sneer ⟨ww⟩ ● ⟨+at⟩ *grijnzen (naar), spottend lachen* ● *spotten (met).*

1 sneeze [sni:z] ⟨zn⟩ ● *nies(geluid).*

2 sneeze ⟨ww⟩ ● *niezen* ‖ not to be –d at *de moeite waard.*

1 snick [snɪk] ⟨zn⟩ ● *knip(je), inkeping.*

2 snick ⟨ww⟩ ● *insnijden.*

1 snicker ['snɪkə] ⟨zn⟩ ● zie SNIGGER.

2 snicker ⟨ww⟩ ● zie SNIGGER.

snide [snaɪd] ● *hatelijk.*

1 sniff [snɪf] ⟨zn⟩ ● *snuivend geluid* ● *luchtje, snuifje;* get a – of sea air *de zeelucht opsnuiven.*

2 sniff I ⟨onov ww⟩ ● *snuiven* ● *snuffelen;* – at *besnuffelen* ‖ not to be –fed at *niet te versmaden* II ⟨ov ww⟩ ● *snuiven;* – up *opsnuiven* ● *ruiken, de geur opsnuiven* v. ‖ – out *opsporen.*

1 sniffle ['snɪfl] ⟨zn⟩ ● *gesnuif, gesnotter* ● ⟨mv.⟩ *verstopt(e) neus.*

2 sniffle ⟨ww⟩ ● *snuffen, snotteren.*

sniffy ['snɪfi] ● *arrogant, hooghartig.*

1 snigger ['snɪgə], ⟨AE ook⟩ **snicker** ['snɪkə] ⟨zn⟩ ● *giechel.*

2 snigger, ⟨AE ook⟩ **snicker** ⟨ww⟩ ● *giffelen.*

1 snip [snɪp] ⟨zn⟩ ● *knip* ● *snipper, stukje* ● ⟨BE; ↓⟩ *koopje.*

2 snip I ⟨onov ww⟩ ● *snijden, knippen* II ⟨ov ww⟩ ● ⟨ook +off⟩ *(af/door) knippen.*

1 snipe [snaɪp] ⟨zn⟩ ⟨dierk.⟩ ● *snip.*

2 snipe ⟨ww⟩ ● ⟨+at⟩ *uit een hinderlaag schieten (op),* ⟨fig.⟩ *aanvallen.* **sniper** ['snaɪpə] ● *sluipschutter.*

snippet ['snɪpɪt] ● *stukje, fragment.*

snitch [snɪtʃ] ● *klikken;* he –ed on John *hij verklikte John.*

snivel [snɪvl] ● *grienen, snotteren.*

snob [snɒb] ● *snob.* **snobbery** ['snɒbəri] ● *snobisme.* **snobbish** ['snɒbɪʃ] ● *snobis-tisch.*

1 snog [snɒg] ⟨zn⟩ ⟨BE; ↓⟩ ● *vrijpartijtje.*

2 snog ⟨ww⟩ ⟨BE; ↓⟩ ● *vrijen.*

snook [snu:k] ⟨BE; sl.⟩ ● *cock* a – at s.o. *een lange neus maken naar iem..*

1 snooker ['snu:kə] ⟨zn⟩ ⟨BE⟩ ● *snooker(biljart).*

2 snooker ⟨ww⟩ ● ↓ *in het nauw drijven, dwarsbomen.*

snoop ● ⟨+about/around⟩ *rondsnuffelen.* **snooper** ['snu:pə] ● *snuffelaar.*

snooty ['snu:ti] ↓ ● *verwaand.*

1 snooze [snu:z] ⟨zn⟩ ↓ ● *dutje.*

2 snooze ⟨ww⟩ ↓ ● *dutten, een uiltje knappen.*

1 snore [snɔ:] ⟨zn⟩ ● *(ge)snurk.*

2 snore ⟨ww⟩ ● *snurken.*

snorkel ['snɔ:kl] ● *snorkel.*

1 snort [snɔ:t] ⟨zn⟩ ● *gesnuif;* he gave a – of contempt *hij snoof minachtend.*

2 snort I ⟨onov ww⟩ ● *snuiven;* John –ed with rage *John snoof van woede* II ⟨ov ww⟩ ● *snuivend uitdrukken.*

snorter ['snɔ:tə] ● *buitengewoon kolossaal iets.*

snot [snɒt] ↓ ● *snot.* **snotty** ['snɒti] ● ↓ ● *snott(er)ig* ● ⟨sl.⟩ *verwaand, snobistisch.*

snout [snaʊt] ● *snuit.*

1 snow [snoʊ] ⟨zn⟩ ● *sneeuw* ⟨ook op t.v.⟩ ● *sneeuwbui* ● ⟨sl.⟩ *cocaïne.*

2 snow I ⟨onov ww⟩ ● *sneeuwen* II ⟨ov ww⟩ ● ⟨AE; ↓⟩ *omverpraten, overbluffen* ‖ be –ed in/up *ingesneeuwd zijn;* be –ed under *ondergesneeuwd worden; bedolven worden.*

1 'snowball ⟨zn⟩ ● *sneeuwbal.*

2 snowball ⟨ww⟩ ● *een sneeuwbaleffect hebben, escaleren.*

'snow-blind ● *sneeuwblind.* **'snowbound** ● *ingesneeuwd.* **'snowcapped** ● *met sneeuw op de top* ⟨v. berg⟩. **'snow chain** ● *sneeuwketting.* **'snow-clad** ● *met sneeuw bedekt.* **'snowdrift** ● *sneeuwbank* ● *sneeuwjacht.* **'snowdrop** ⟨plantk.⟩ ● *sneeuwklokje.* **'snowfall** ● *sneeuwval.* **'snowflake** ● *sneeuwvlok(je).* **'snowman** ● *sneeuwman, sneeuwpop.* **'snow-plough,** ⟨AE sp.⟩ **'snowplow** ● *sneeuwploeg.* **'snowshoe** ● *sneeuwschoen.* **'snowstorm** ● *sneeuwstorm.* **'snow-white** ● *sneeuwwit.* **snowy** ['snoʊi] ● *besneeuwd, sneeuw(acht)ig, sneeuwwit.*

1 snub [snʌb] ⟨zn⟩ ● *onheuse bejegening.*

2 snub ⟨bn⟩ ‖ a – nose *een korte dikke wipneus.*

3 snub ⟨ww⟩ ● *afstoten, onheus bejegenen, met de nek aanzien.*

1 snuff [snʌf] ⟨zn⟩ ● *snuif(tabak);* take –

snuiven ● *(ge)snuif.*

2 snuff I ⟨onov ww⟩ ● *snuiven* ⟨tabak, cocaïne⟩ **II** ⟨ov ww⟩ ● *snuiten* ⟨kaars⟩ ● *opsnuiven* ‖ ⟨BE; sl.⟩ – it *'t hoekje omgaan;* – out *uitsnuiten* ⟨kaars⟩; ↓ *een eind maken aan* ⟨verwachtingen, opstand enz.⟩. **'snuffbox** ● *snuifdoos.* **snuffle** ● *snuffen, snotteren.*

1 snug [snʌg] ⟨zn⟩ ⟨BE⟩ ● *gelagkamer.*

2 snug ⟨bn⟩ ● *behaaglijk, knus* ● *nauwsluitend.* **snuggle** ['snʌgl] ● *zich nestelen;* – up to s.o. *lekker tegen iem. aan gaan liggen* ‖ – down *lekker onder de dekens kruipen.*

1 so [soʊ] ⟨bn⟩ ● *zo, waar;* is that really –? *is dat echt waar?* ● *dat, het;* she was chubby but not exceedingly – *ze was mollig maar niet buitenmate.*

2 so ⟨vnw⟩ ● *dusdanig, dat;* 'You blundered' 'So I did/But – did you' *'Je hebt geblunderd' Ja, inderdaad/maar jij ook';* 'Is Jill coming' 'I think –' *'Komt Jill' 'Ik denk het/ van wel'* ● *iets dergelijks, zo(iets);* six days or – *zes dagen of zo.*

3 so ⟨bw⟩ ● ●⟨wijze of graad⟩ *zo, aldus;* she went – fast as she could *ze ging zo snel als ze kon;* (would you) be – kind as to leave immediately *zou u zo goed willen zijn onmiddellijk te vertrekken;* – it is said *zo wordt er gezegd;* (in) – far as I know *voor zover ik weet;* – far it hasn't happened *tot nu toe is het niet gebeurd;* and – forth/on *enzovoort(s);* – long as you don't tell anybody *als je 't maar aan niemand vertelt;* – much the worse *des te erger;* if – *als dat zo is* ● *zozeer, zo erg;* ↓ – sorry *sorry, pardon;* I love you – *ik hou zo veel van je;* I can only do – much *ik kan niets bovenmenselijks doen* ● *bijgevolg, daarom;* she only spoke French; – we could not understand her *ze sprak alleen Frans, en dus konden wij haar niet verstaan;* – what? *wat dan nog?;* – there you are *daar zit je dus* ‖ ↓ – long! *tot ziens!;* every – often *nu en dan;* – there *nu weet je het.*

4 so, so that , ⟨in bet. I ook⟩ **so as I** ⟨ondersch vw⟩ ● *zodat, opdat;* warn her, – (that) she may avoid all danger *waarschuw haar zodat/opdat ze geen gevaar zou lopen* **II** ⟨nevensch vw⟩ ● *zodat, (en) dus;* he's late, – (that) we can't start yet *hij is te laat, zodat we nog niet kunnen beginnen.*

5 so ⟨tw⟩ ● *ziezo.*

1 soak [soʊk] ⟨zn⟩ ● ⟨sl.⟩ *zuipschuit.*

2 soak I ⟨onov ww⟩ ● *sijpelen, doortrekken;* zie SOAK IN **II** ⟨onov en ov ww⟩ ● *weken, in de week zetten/staan* **III** ⟨ov ww⟩ ● *door-*

weken, (door)drenken; –ed through *kletsnat* ● *(onder)dompelen* ● *afzetten;* – the rich *de rijken plukken;* zie SOAK UP.

soaked ['soʊkt] ● *doornat* ● *stomdronken* ‖ – in/with *doortrokken van.* **'soak 'in** ● *intrekken, inwerken* ⟨v. opmerking, vocht⟩.

1 soaking ['soʊkɪŋ] ⟨bn⟩ ● *doorweekt.*

2 soaking ⟨bw⟩ ● *door en door;* – wet *doorweekt.*

'soak 'up ● *opnemen, absorberen.*

so-and-so ['soʊənsoʊ] ● *die en die, dinges* ● ⟨euf.⟩ *je-weet-wel.*

1 soap [soʊp] ⟨zn⟩ ● *zeep* ● zie SOAP OPERA.

2 soap ⟨ww⟩ ● *(in)zepen.*

'soapbox ● *zeepdoos* ● *zeepkist, geïmproviseerd platform.* **'soap bubble** ● *zeepbel.* **'soap opera** ● *melodramatische serie* ⟨op radio/t.v.⟩. **'soapsuds** ● *zeepsop.* **soapy** ['soʊpɪ] ● *zeepachtig, zeep-* ● ↓ *melodramatisch.*

soar [sɔː] ● *hoog vliegen,* ⟨fig.⟩ *een hoge vlucht nemen* ● *(omhoog) rijzen, stijgen;* a –ing spire *een hoge toren;* prices –ed *de prijzen vlogen omhoog* ● *zweven.*

1 sob [sɒb] ⟨zn⟩ ● *snik.*

2 sob I ⟨onov ww⟩ ● *snikken* **II** ⟨ov ww⟩ ● ⟨ook: 'sob 'out⟩ *snikkend vertellen.*

1 sober ['soʊbə] ⟨bn⟩ ● *nuchter;* ⟨fig.⟩ as – as a judge *zo nuchter als een kalf* ● *matig, beheerst, kalm;* – colours *gedekte kleuren;* a – dress *een stemmige jurk* ● *verstandig* ● *ernstig.*

2 sober ⟨ww⟩ ● ●(+down/up) *nuchter worden/maken, (doen) bedaren.*

sobriety [sə'braɪətɪ] ● *nuchterheid* ● *gematigdheid* ● *kalmte* ● *ernst.*

'sob story ● *pathetisch verhaal.*

so-called ['soʊ'kɔːld] ● *zogenaamd.*

soccer ['sɒkə] ● *voetbal.*

sociability ['soʊʃə'bɪlətɪ] ● *vriendelijkheid, gezelligheid.* **sociable** ['soʊʃəbl] ● *gezellig, vriendelijk.*

1 social ['soʊʃl] ⟨zn⟩ ● *gezellige bijeenkomst, feestje.*

2 social ⟨bn⟩ ● *sociaal, maatschappelijk;* a – climber *iem. die in de hogere kringen wil doordringen;* – democrat *sociaal-democraat;* – security uitkering, *sociale voorzieningen;* ⟨AE⟩ *stelsel v. sociale zekerheid* ● *sociabel, gezellig, vriendelijk;* I'm not feeling very – today *ik blijf liever alleen vandaag* ‖ a – club *een gezelligheidsvereniging.*

socialism ['soʊʃəlɪzm] ● *socialisme.* **socialist** ['soʊʃəlɪst] ● ⟨bn; ook -ic⟩ *socialistisch* ● ⟨zn⟩ *socialist.*

socialize ['soʊʃəlaɪz] **I** ⟨onov ww⟩ ● *zich sociabel gedragen, gezellig doen;* – with

omgaan met ll ⟨ov ww⟩ ●*socialiseren* ●
geschikt maken voor de maatschappij.
'**social** '**science** ● *sociale wetenschap* ● *sociale wetenschappen, maatschappijweten-
schappen.* '**social** '**service** l ⟨telb zn⟩ ●
liefdadig werk ll ⟨mv.⟩ ● *sociale voorzieningen.* '**social** '**studies** ● *sociale wetenschappen.* '**social work** ● *maatschappelijk werk.* '**social worker** ● *maatschappelijk werker/werkster.*
society [səˈsaɪəti] ●*vereniging, genootschap* ●*(de) samenleving, (de) maatschappij* ●*gezelschap* ●⟨ook attr⟩ *society,
hogere kringen.*
sociological [ˌsoʊsɪəˈlɒdʒɪkl, ˌsoʊʃə-] ●*so-
ciologisch.* **sociologist** [ˌsoʊsiˈɒlədʒɪst,
ˌsoʊʃi-] ●*socioloog.* **sociology** [ˌsoʊsiˈɒl-
ədʒi, ˌsoʊʃi-] ●*sociologie.*
1**sock** [sɒk] ⟨zn⟩ ●⟨AE sp. mv. ook: sox⟩
sok, (korte) kous, ↓ *(vuist)slag, oplawaai-
(er)* ‖ ⟨BE; ↓ ⟩ pull one's –s up *er tegen aan
gaan;* ⟨sl.⟩ put a – in it *kop dicht.*
2**sock** ⟨ww⟩ ↓ ●*meppen, slaan.*
socket [ˈsɒkɪt] ●*holte, (oog)kas, gewrichts-
holte* ● ⟨tech.⟩ *sok* ●⟨elek.⟩ *contactdoos* ●
⟨elek.⟩ *contrastekker* ●⟨elek.⟩ *fitting.*
1**sod** [sɒd] l ⟨telb zn⟩ ⟨BE; ↓ ; ong. of
scherts.⟩ ●*vent;* dirty – *viezerik* ●*stinkklus*
ll ⟨telb en n-telb zn⟩ ●*(gras)zode.*
2**sod** ⟨ww⟩ ⟨BE; ↓⟩ ‖ – it! *verdomme!;* –
you! *krijg de klere!;* zie SOD OFF.
soda [ˈsoʊdə] ●*soda* ●*soda(water)* ●⟨verk.⟩
soda pop. '**soda pop** ⟨AE; ↓⟩ ●*prik(limonade).* '**soda water** ●*soda(water), spuitwater.*
sodden [ˈsɒdn] ●*doorweekt, doordrenkt.*
sodium [ˈsoʊdɪəm] ⟨schei.⟩ ●*natrium.*
sod off ●*opsodemieteren.*
sofa [ˈsoʊfə] ●*bank, sofa.* '**sofa bed** ●*slaapbank.*
soft [sɒft] ●*zacht, gedempt* ⟨licht⟩, *onscherp* ●*slap* ⟨ook fig.⟩, *week, sentimenteel;* (have) a – spot for s.o. *een zwak voor
iem. hebben* ● ↓ *niet-verslavend, soft*
⟨drugs⟩ ● ↓ *eenvoudig;* – option *gemakkelijke weg* ● ↓ *onnozel;* have gone – in
the head *niet goed wijs zijn geworden* ● ↓
niet-alcoholisch; – drink *fris(drank)* ●*gek,
verliefd;* be – on *gek zijn op, een zwak
hebben voor* ‖ – currency *zwakke valuta;* –
loan *lening op gunstige voorwaarden;* –
mark *willig slachtoffer.*
'**softball** ●*softbal.*
'**soft-**'**boiled** ●*zacht(gekookt)*⟨v. ei⟩.
soften [ˈsɒfn] l ⟨onov ww⟩ ●*zacht(er) worden* ●*vertederd worden* ll ⟨ov ww⟩ ●*zach-
t(er) maken, dempen* ⟨licht⟩, *ontharden*
⟨water⟩ ●*vertederen.* **softener** [ˈsɒfnə] ●

waterontharder, ⟨ihb.⟩ *wasverzachter.*
'**soften** '**up** ●*mild/gunstig stemmen, vermurwen.*
'**soft**'**hearted** ●*teerhartig.* **softie** zie SOFTY.
softish [ˈsɒftɪʃ] ●*vrij zacht.* '**soft-**'**pedal** ●
afzwakken, matigen. '**soft-soap** ↓ ●*stroop
smeren bij, vleien.* '**soft-**'**spoken** ●*met
zachte/vriendelijke stem.* **software** [ˈsɒf(t)
weə] ●*(computer)programmatuur, software.* '**softwood** ●*zachthout* ⟨vnl. naald-
hout⟩. **softy, softie** [ˈsɒfti] ●*slappeling.*
soggy [ˈsɒgi] ●*doorweekt* ●*drassig* ●*klef* ⟨v.
brood e.d.⟩.
1**soil** [sɔɪl] ⟨zn⟩ ●*grond* ⟨ook fig.⟩, *land,
teelaarde* ●*(vader)land;* on Dutch – *op Nederlandse bodem;* native – *geboortegrond.*
2**soil** ⟨ww⟩ ●*vuil maken, bezoedelen.*
soiree, soirée [ˈswɑːreɪ] ●*soiree, avondje.*
1**sojourn** [ˈsɒdʒəːn] ⟨zn⟩ ●*(tijdelijk) verblijf,
oponthoud.*
2**sojourn** [ˈsɒdʒəːn] ⟨ww⟩ ●*vertoeven, verblijven.*
1**solace** [ˈsɒlɪs] ⟨zn⟩ ●*troost.*
2**solace** ⟨ww⟩ ●*troosten.*
solar [ˈsoʊlə] ●*v.d. zon, zonne-, zons-;* – bat-
tery/cell *zonnecel;* – energy *zonne-ener-
gie.* '**solar system** ●*zonnestelsel.*
sold ⟨verl. t. en volt. deelw.⟩ zie SELL.
1**solder** [ˈsɒldə, ˈsoʊldə] ⟨zn⟩ ●*soldeer(sel).*
2**solder** ⟨ww⟩ ●*solderen.* **soldering iron**
[ˈsoʊldrɪŋ aɪən, ˈsɒl-] ●*soldeerbout.*
1**soldier** [ˈsoʊldʒə] ⟨zn⟩ ●*militair, soldaat;* –
of fortune *avonturier, huurling.*
2**soldier** ⟨ww⟩ ●*dienen* ⟨als soldaat⟩. **soldier on** ●*volhouden.*
1**sole** [soʊl] ⟨zn⟩ ●*zool* ⟨v. voet en schoen⟩
●*tong* ⟨vis en gerecht⟩.
2**sole** ⟨bn⟩ ●*enig, enkel* ●*exclusief, uitsluitend.*
3**sole** ⟨ww⟩ ●*(ver)zolen.*
solely [ˈsoʊlli] ●*alleen, uitsluitend.*
solemn [ˈsɒləm] ●*plechtig* ●*ernstig* ●
(plecht)statig. **solemnity** [səˈlemnəti] ●
plechtigheid ●*ernst.*
solicit [səˈlɪsɪt] l ⟨onov ww⟩ ●*tippelen* ll ⟨ov
ww⟩ ●*(dringend) verzoeken;* – s.o.'s attention *iemands aandacht vragen* ●*aanspreken* ⟨v. prostituée⟩.
solicitor [səˈlɪsɪtə] ●⟨BE; jur.⟩ ⟨ongeveer⟩
procureur ●⟨BE; jur.⟩ *rechtskundig advi-
seur,* ⟨ongeveer⟩ *advocaat* ⟨voor lagere
rechtbank⟩.
solicitous [səˈlɪsɪtəs] ●⟨+of⟩ *verlangend
(naar)* ●⟨+about/for⟩ *bezorgd (om), bekommerd.* **solicitude** [səˈlɪsɪtjuːd] ●*zorg,
bezorgdheid, angst.*
1**solid** [ˈsɒlɪd] l ⟨telb zn⟩ ●*vast lichaam* ●

(driedimensionaal) lichaam **ll** ⟨mv.⟩ ● *vast voedsel.*

2 solid ⟨bn⟩ ● *vast* ⟨ook schei.⟩, *stevig, compact, solide;* ⟨fig.⟩ on – ground *goed onderbouwd; –* rock *vast gesteente* ● *ononderbroken* ⟨v. tijd⟩; Castro talked –ly for three hours *Castro sprak drie uur aan één stuk* ● *betrouwbaar* ⟨ihb. financieel⟩; – evidence *betrouwbaar/concreet bewijs* ● *kubiek, driedimensionaal;* – geometry *stereometrie* ● *unaniem;* – vote *eenstemmigheid;* – against/for sth. *unaniem tegen/voor iets* ● *degelijk; –* arguments *sterke argumenten; –* reasons *gegronde redenen* ● *zuiver, massief; –* gold *puur goud* ● ⟨AE⟩ *effen* ⟨v. kleur⟩ ‖ – wall *blinde muur.*

solidarity [ˈsɒlɪˈdærəti] ● *solidariteit.*

solidify [səˈlɪdɪfaɪ] ● *hard(er)(doen) worden, (doen) verharden.* **solidity** [səˈlɪdəti] ● *soliditeit, hardheid* ● *dichtheid* ● *kracht* ⟨v. argumenten⟩ ● *betrouwbaarheid.*

soliloquy [səˈlɪləkwi] ● *alleenspraak, monoloog.*

1 solitary [ˈsɒlɪtri] ⟨zn⟩ ● *kluizenaar, eenling.*

2 solitary ⟨bn⟩ ● *alleen(levend), solitair* ● *eenzelvig* ● *afgezonderd, eenzaam; –* confinement *eenzame opsluiting* ● *enkel;* one – example *één enkel voorbeeld.*

solitude [ˈsɒlɪtjuːd] ● *eenzaamheid.*

1 solo [ˈsoʊloʊ] ⟨zn⟩ ● *solo* ● *solovlucht.*

2 solo ⟨bn⟩ ● *solistisch, solo-; –* flight *solovlucht.*

3 solo ⟨bw⟩ ● *solo, alleen.* **soloist** [ˈsoʊloʊɪst] ● *solist(e).*

'so 'long ↓ ● *tot ziens.*

solub|le [ˈsɒljʊbl] ⟨zn: -ility⟩ ● *oplosbaar.* **solution** [səˈluːʃn] ● *solutie, oplossing* ● *oplossing, uitweg.*

solvable [ˈsɒlvəbl] ● *oplosbaar.* **solve** [sɒlv] ● *oplossen, een uitweg vinden voor.*

solvency [ˈsɒlvənsi] ⟨ec.⟩ ● *solventie, het solvent zijn.*

1 solvent [ˈsɒlvnt] ⟨zn⟩ ● *oplosmiddel.*

2 solvent ⟨bn⟩ ● ⟨ec.⟩ *solvent, solvabel.*

sombre [ˈsɒmbə] ● *somber.*

1 some [sʌm] ⟨vnw⟩ ● *wat, iets, enkele(n), sommige(n);* I've made a cake; would you like –? *ik heb een cake gebakken; wil je er wat van?; –* say so *er zijn er die dat zeggen.*

2 some [sʌm] ⟨bw⟩ ● *ongeveer, zo wat; –* fifty pounds *zo'n vijftig pond* ● ⟨AE; ↓⟩ *enigszins, een beetje,* ⟨iron.⟩ *geweldig;* he was annoyed – *hij was een tikje geïrriteerd.*

3 some [sʌm] ⟨det⟩ ● ⟨zwak ook [s(ə)m]⟩ *wat, een stuk, een aantal;* she bought – oranges *ze kocht wat sinaasappels* ● *sommi-*

ge, een of ander(e), een; – child *een of ander kind; –* day I'll know *ik zal het ooit weten* ● ⟨ook iron.⟩ *geweldig;* that was – holiday *dat was nu eens een fijne vakantie;* zie SOMEPLACE, SOMETIME.

1 somebody [ˈsʌmbədi] ⟨zn⟩ ● *een belangrijk persoon, een hele piet.*

2 somebody, someone [ˈsʌmwʌn] ⟨vnw⟩ ● *iemand.* **someday** [ˈsʌmdeɪ] ● *op een dag, ooit.* **somehow** [ˈsʌmhaʊ], ⟨AE⟩ **someway(s)** [-weɪ(z)] ● *op de een of andere manier, hoe dan ook; –* (or other) *op de een of andere wijze* ● *om de een of andere reden.* **someone** zie SOMEBODY. **someplace** [ˈsʌmpleɪs] ● *ergens, op een of ander plaats.*

somersault [ˈsʌməsɔːlt] ● ⟨zn⟩ *salto (mortale), buiteling;* turn a – *een salto/koprol maken* ● ⟨ww⟩ *een salto/koprol maken.*

1 something [ˈsʌmθɪŋ] ⟨zn⟩ ● *iets;* a little – *een kleinigheidje.*

2 something ⟨vnw⟩ ● *iets, wat;* the party was really – *het feestje was geweldig; –* or other *het een of ander;* seventy – *zeventig en nog wat;* there's – in it *daar is iets v.* aan ● (+of) *iets, enigszins;* he's – of a painter *het is een niet onverdienstelijk schilder;* it's – of a problem *het is enigszins een probleem;* it came as – of a surprise *het kwam een beetje als een verrassing* ‖ you may have – there *je zou wel eens gelijk kunnen hebben.*

1 sometime [ˈsʌmtaɪm] ⟨bn⟩ ● *vroeger, voormalig.*

2 sometime ⟨bw⟩ ● *ooit, eens.* **sometimes** [ˈsʌmtaɪmz] ● *soms, af en toe.*

someway zie SOMEHOW. **somewhat** [ˈsʌmwɒt] ● *enigszins, een beetje, iets.* **somewhere** ● *ergens;* we're getting – at last *dat lijkt er al meer op; –* in the desert *ergens in de woestijn* ● *ongeveer, ergens; –* about sixty *zo'n zestig.*

somnambulist [sɒmˈnæmbjəlɪst] ● *slaapwandelaar.*

somnolent [ˈsɒmnələnt] ● *slaperig* ● *slaapverwekkend.*

son [sʌn] ● *zoon, jongen* ‖ zie ook ⟨sprw.⟩ FATHER.

sonar [ˈsoʊnɑː] ● *sonar, echopeilingssysteem.*

sonata [səˈnɑːtə] ⟨muz.⟩ ● *sonate.*

song [sɒŋ] ● *lied(je);* ↓ nothing to make a – and dance about *niets om drukte over te maken* ● *gezang;* he burst forth into – *hij barstte in gezang uit* ‖ Song of Songs/Solomon *Hooglied;* buy sth. for a(n old) – *iets voor een appel en een ei kopen;* on – *op dreef.* **'songbird** ● *zangvogel.* **'song-**

book •*zangboek, liedboek.* '**songwriter** •*liedjesschrijver/schrijfster.*

sonic ['sɒnɪk] •*sonisch, mbt. geluid(sgolven); – barrier geluidsbarrière; – boom,* ⟨BE ook⟩ – *bang supersone knal.*

'**son-in-law** •*schoonzoon.*

sonnet ['sɒnɪt] •*sonnet.*

sonny ['sʌnɪ] •*jochie, mannetje.*

'**son-of-a-'bitch** ⟨sl.⟩ •*klootzak.* '**son-of-a-'gun** ↓ •*(stoere) bink.*

sonority [sə'nɒrətɪ] •*sonoriteit.* **sonorous** ['sɒnərəs] •*sonoor, (helder)klinkend.*

soon [su:n] •*spoedig, gauw, snel (daarna); the –er the better hoe eerder hoe beter; –(er) or late(r) vroeg of laat; as – as zodra (als), meteen toen/als; no –er ... than nauwelijks ... of* •*graag; I'd –er walk ik loop liever; as – as not liever (wel dan niet); I'd (just) as – stay home ik blijf net zo lief thuis; he would –er die than hij gaat liever dood dan.*

soot [sʊt] •*roet(vlokjes).*

soothe [su:ð] I ⟨onov en ov ww⟩ •*kalmeren; his anger was –d zijn boosheid werd gesust* II ⟨ov ww⟩ •*verzachten* ⟨pijn⟩.

soothsayer ['su:θseɪə] •*waarzegger.*

sooty ['sʊtɪ] •*roetig, (als) met roet bedekt.*

1 **sop** [sɒp] ⟨zn⟩ •*zoenoffer, zoethoudertje.*

2 **sop** ⟨ww⟩; *zie* SOP UP.

sophisticated [sə'fɪstɪkeɪtɪd] •*ver-ontwikkeld, verfijnd; a – taste een verfijnde/gedistingeerde smaak* •*wereldwijs, ontwikkeld* •*ingewikkeld, complex.* **sophistication** [sə'fɪstɪ'keɪʃn] •*subtiliteit, raffinement* •*wereldwijsheid, mondaniteit* •*complexiteit.*

sophomore ['sɒfəmɔ:] •*tweedejaarsstudent* ⟨op Am. school/universiteit⟩.

soporific ['sɒpə'rɪfɪk] •*slaapverwekkend* ⟨ook fig.⟩.

sopping ['sɒpɪŋ], '**sopping 'wet** ↓ •*doorweekt, doornat.* **soppy** ['sɒpɪ] •↓ *sentimenteel, zoetig.*

soprano [sə'prɑ:nəʊ] •*sopraan(zangeres).*

'**sop 'up** •*opnemen* ⟨vloeistoffen⟩, *opdweilen, absorberen.*

sorbet ['sɔ:bɪt, 'sɔ:beɪ] •*sorbet, waterijs(je).*

sorcerer ['sɔ:sərə] •*tovenaar.* **sorceress** ['sɔ:sərɪs] •*tovenares.* **sorcery** ['sɔ:sərɪ] •*tovenarij.*

sordid ['sɔ:dɪd] •*gemeen, laag* •*vuil* ⟨ook fig.⟩, *vies, smerig* •*armzalig; – living conditions zeer slechte woonomstandigheden.*

1 **sore** [sɔ:] ⟨zn⟩ •*pijnlijke plek, zweer, wond.*

2 **sore** I ⟨bn, attr en pred⟩ •*pijnlijk; a – throat keelpijn* •↓ *(over)gevoelig* ‖ *a sight for –*

eyes aangenaam iets/iem.; I stuck out like a – thumb with that red hat on ik viel lelijk uit de toon met die rode hoed op II ⟨bn, attr⟩ •*onaangenaam, pijnlijk; a – point een teer punt* III ⟨bn, pred⟩ ⟨vnl. AE⟩ •*beledigd, kwaad, gepikeerd; don't get – about your defeat maak je niet zo nijdig over je verlies.* '**sorehead** ⟨AE; ↓⟩ •*zeur(kous).* **sorely** ['sɔ:lɪ] •*ernstig; she was – afflicted ze had het heel erg te kwaad.*

sorority [sə'rɒrətɪ] •*meisjesstudentenclub* ⟨aan Am. universiteit⟩.

sorrel ['sɒrəl] •⟨plantk.⟩ *zuring.*

1 **sorrow** ['sɒrəʊ] ⟨zn⟩ •*smart, verdriet, leed.*

2 **sorrow** ⟨ww⟩ •*treuren, rouwen; – for one's mother om (de dood van) zijn moeder treuren; – over/for one's misfortune treuren over zijn ongeluk.* **sorrowful** ['sɒrəʊfl] •*treurig.*

1 **sorry** ['sɒrɪ] I ⟨bn, attr⟩ •*droevig, erbarmelijk, ellendig* •*waardeloos* ⟨excuus e.d.⟩ II ⟨bn, pred⟩ •*bedroefd; I'm – (to hear that) your brother died het spijt me (te horen) dat je broer overleden is* •*medelijdend; be/feel – for s.o. medelijden hebben met iem.* •*berouwvol; I'm – het spijt me; neem (het) me niet kwalijk; I'm – for/about that het/dat spijt me (zeer).*

2 **sorry** ⟨tw⟩ •*sorry, pardon* •*wat zegt u?.*

1 **sort** [sɔ:t] ⟨zn⟩ •*soort, klasse, type; that – of thing zoiets; a – of (a) een soort(ement) van, een of andere; a painter of –s een of ander soort schilder; nothing of the –! niets dergelijks, geen sprake van!; all –s of allerlei* •↓ *persoon, type, slag; he is a bad – hij deugt niet* ‖ *be out of –s zich niet lekker/kregelig voelen;* ⟨sprw.⟩ *it takes all sorts (to make a world) op de wereld vind je allerlei soorten mensen; zie* SORT OF.

2 **sort** ⟨ww⟩ •*sorteren, klasseren; – through sorteren; zie* SORT OUT.

sortie ['sɔ:tɪ] •⟨mil.⟩ *uitval* •⟨fig.⟩ *uitstapje.*

sort of ['sɔ:təv] •↓ *min of meer, een beetje; I – wondered ik vroeg me zo min of meer af.*

'**sort 'out** •*sorteren, rangschikken* •⟨BE⟩ *ordenen, regelen; – a difficult problem een moeilijk probleem ontwarren; things will sort themselves out de zaak komt wel terecht* •⟨BE; ↓⟩ *te pakken krijgen; stop that or I'll come and sort you out hou daarmee op of je krijgt het met mij aan de stok.*

SOS •*S.O.S., noodsignaal.*

'**so-so** ↓ •*zo-zo, middelmatig.*

sought [sɔ:t] ⟨verl. t. en volt. deelw.⟩ *zie* SEEK. '**sought after** •*veelgevraagd, in trek.*

soul [səʊl] I ⟨telb en n-telb zn⟩ •*ziel, geest;*

poor –! *(arme) stakker!;* 〈fig.〉 that fellow has no – *die knaap heeft geen pit/hart;* not a (living) – *geen levende ziel, geen sterveling;* the ship went down with 300 –s *het schip zonk met 300 zielen aan boord* ‖ she is the – of kindness *zij is de vriendelijkheid zelf* ‖ 〈n-telb zn〉 ● *soul* 〈muziek〉. **'soul brother** 〈AE; sl.〉 ● *Afro-Amerikaan, mede-neger.* **'soul-destroying** ↓ ● *geestdodend.* **soulful** ['soulfl] ● *gevoelvol.* **soulless** ['soullƏs] ● *zielloos, geestdodend.* **'soul music** 〈AE〉 ● *soul* 〈muziek〉. **'soul-searching** ● *gewetensonderzoek.* **'soul sister** 〈AE; sl.〉 ● *Afro-Amerikaanse, mede-negerin.*

1 sound [saund] I 〈telb zn〉 ● *zeeëngte* ● *inham* ● 〈med.〉 *sonde* II 〈telb en n-telb zn〉 ● *geluid, klank, toon;* I don't like the – of it *het bevalt me niet;* from/by the –(s) of it *zo te horen.*

2 sound 〈bn〉 ● *gezond, krachtig, gaaf,* ↓ *fit* ● *correct, gegrond* 〈argument〉, *wijs* 〈raad〉 ● *financieel gezond, betrouwbaar* ● *vast* 〈slaap〉 ● *grondig* 〈onderzoek〉 ● *hard, krachtig;* a – *thrashing een flink pak ransel.*

3 sound I 〈onov ww〉 ● *klinken* 〈ook fig.〉, *luiden;* that –s reasonable *dat klinkt redelijk* ‖ – off *zijn mening luid te kennen geven* II 〈ov ww〉 ● *laten klinken;* – a warning *een waarschuwing laten horen* ● *uitspreken* ● *blazen* 〈alarm, aftocht〉, *blazen op* 〈bv. trompet〉 ● *peilen* 〈ook fig.〉, *onderzoeken;* – s.o. out about/on sth. *iem. over iets polsen.*

4 sound 〈bw〉 ● *vast, diep;* – asleep *vast in slaap.*

'sound barrier ● *geluidsbarrière.* **'sound effects** ● *geluidseffecten.*

'sounding ['saundɪŋ] ● *peiling* 〈ook fig.〉; make/take –s *loden;* 〈fig.〉 *poolshoogte nemen; opiniepeilingen houden.*

'sounding board ● *klankbord* ● *klankbodem.* **soundless** ['saundlƏs] ● *geluidloos.* **soundly** ['saundli] ● *gezond, stevig* ● *vast* 〈in slaap〉.

'sound-proof ● 〈bn〉 *geluiddicht* ● 〈ww〉 *geluiddicht maken.* **'soundtrack** ● *geluidspoor* 〈v. geluidsfilm〉 ● *opgenomen filmmuziek.*

soup [su:p] ● *soep.* **'soup kitchen** ● *gaarkeuken* 〈voor armen, daklozen〉. **'soup 'up** ● *opvoeren* 〈motor(vermogen)〉.

1 sour ['sauf] 〈bn〉 ● *zuur, wrang;* – cream *zure room;* go/turn – *verzuren, bitter worden* ● *nors* ● *guur, slecht* 〈weer〉 ‖ – grapes *de druiven zijn zuur;* go/turn – *slecht aflopen.*

2 sour 〈ww〉 ● *(doen) verzuren, verbitteren;* 〈BE〉 –ed cream *zure room.*

source [sɔ:s] ● *bron* 〈ook fig.〉, *oorsprong.*

souse [saus] ● *doornat maken, (een vloeistof) gieten (over iets)* ● *pekelen, marineren.* **soused** [saust] 〈sl.〉 ● *bezopen.*

1 south [sauθ] 〈zn; the〉 ● *zuiden* 〈windrichting〉; (to the) – of *ten zuiden van* ● 〈S-〉 *Zuiden* 〈deel v. wereld, land〉; Deep South *het diepe Zuiden* 〈v.d. U.S.A.〉.

2 south 〈bn〉 ● *zuidelijk, zuid-, zuiden-, zuider-* ‖ South Africa *Zuid-Afrika;* South America *Zuid-Amerika.*

3 south 〈bw〉 ● *zuid, ten zuiden, naar/in/uit het zuiden.*

'South 'African ● 〈bn〉 *Zuidafrikaans* ● 〈zn〉 *Zuidafrikaner.*

'southbound ● *op weg naar het zuiden.* **'south-'east** ● 〈zn〉 *zuidoosten* ● 〈bn〉 *zuidoostelijk* ● 〈bw〉 *in/naar/uit het zuidoosten, ten zuidoosten.* **'south'easterly** ● *zuidoostelijk, zuidoosten-.* **'south'eastern** ● *zuidoostelijk.*

southerly ['sʌðƏli] ● 〈bn〉 *zuidelijk* ● 〈bw〉 *naar/uit het zuiden.*

southern ['sʌðn] ● *zuidelijk, op/uit het zuiden.* **southerner** ['sʌðƏnƏ] ● *zuiderling,* 〈ihb. AE〉 *Amerikaan uit de zuidelijke staten.* **southernmost** ['sʌðnmoust] ● *meest zuidelijk, zuidelijkst.*

'South 'Pole ● *zuidpool.* **southward** ['sauθwƏd] ● *zuid(waarts), zuidelijk.* **southwards** ['sauθwƏdz], 〈AE ook〉 **southward** ● *zuid(waarts), zuidelijk.* **'south-'west** ● 〈zn〉 *zuidwesten* ● 〈bn〉 *zuidwestelijk* ● 〈bw〉 *in/naar/uit het zuidwesten, ten zuidwesten.* **'south'westerly** ● *zuidwestelijk, zuidwesten-.* **'south'western** ● *zuidwestelijk.*

souvenir ['su:vƏ'niƏ] ● *souvenir, aandenken.* **souwester** ['sau'westƏ] ● *zuidwester* 〈hoed, wind〉.

1 sovereign ['sɒvrɪn] 〈zn〉 ● *soeverein, vorst* ● *soeverein* 〈Engels gouden pondstuk〉.

2 sovereign 〈bn〉 ● *soeverein, onafhankelijk* ● *soeverein, oppermachtig* ● *doeltreffend;* – remedy *afdoend middel.* **sovereignty** ['sɒvrƏnti] ● *soevereine staat* ● *soevereiniteit, zelfbeschikking* ● *soevereiniteit, heerschappij.*

soviet ['souviɪt, 'sɒ-] 〈vaak S-〉 I 〈telb zn〉 ● *sovjet* 〈bestuursraad in de USSR〉 II 〈mv.; the〉 ● *de Sovjets, de Russen.* **Soviet** ● *Sovjet-, Russisch.*

1 sow [sau] 〈zn〉 ● *zeug.*

2 sow [sou] 〈sowed [soud], sowed/sown [soun]〉 I 〈onov en ov ww〉 ● *zaaien* 〈ook fig.〉, *verspreiden* ● *zaaien, (be)planten;* –

a piece of land with barley *een stuk land volzaaien met gerst* ‖ ⟨ov ww⟩ ●*de kiem leggen van; –* the seeds of doubt *twijfel zaaien.* **sower** ['souə] ●*zaaier* ●*zaaimachine.*

soy [sɔɪ], **soya** ['sɔɪə] ●*soja(saus)* ●*soja(bonen).* **'soybean, 'soya bean** ●*soja(boon).*

sozzled ['sɒzld] ⟨BE; sl.⟩ ●*straalbezopen.*

spa [spɑ:] ●*minerale bron* ●*badplaats* ⟨bij bron⟩.

1 space [speɪs] I ⟨telb zn⟩ ●*afstand* ●*plaats, ruimte;* clear a – for s.o./sth. *ruimte maken voor iem./iets* ●*tijdsspanne;* during the – of three years *binnen het bestek v. drie jaar* ●⟨druk.⟩ *spatie* ‖ ⟨telb en n-telb zn⟩ ● *ruimte, heelal.*

2 space ⟨ww⟩ ●*uit elkaar plaatsen, over de tijd verdelen; –* out *over meer ruimte/tijd verdelen, spreiden* ●⟨druk.⟩ *spatiëren.*

'space age ●*tijdperk v.d. ruimtevaart.* **'space capsule** ●*ruimtecapsule.* **'spacecraft** ●*ruimtevaartuig.* **'spaceman** ●*ruimtevaarder.* **'space probe** ●*ruimtesonde.* **'spaceship** ●*ruimteschip.* **'space shuttle** ●*ruimtependel.* **'space suit** ●*ruimtepak.*

spacing ['speɪsɪŋ] ●*afstand, tussenruimte* ● ⟨druk.⟩ *spatie.*

spacious ['speɪʃəs] ●*ruim, groot.*

1 spade [speɪd] ⟨zn⟩ ●*spade, schop* ●⟨vnl. mv.⟩ ⟨kaartspel⟩ *schoppen;* the five of –s *schoppen vijf* ‖ call a – a – *het beestje bij zijn naam noemen.*

2 spade ⟨ww⟩ ●*(om)spitten.* **'spadework** ⟨fig.⟩ ●*pionierswerk.*

Spain [speɪn] ●*Spanje.*

1 span [spæn] ⟨zn⟩ ●*breedte, wijdte, vleugelbreedte* ⟨v. vliegtuig⟩ ●*(tijds)span(ne)* ●*overspanning, spanwijdte.*

2 span ⟨ww⟩ ●*overspannen* ⟨ook fig.⟩, *overbruggen.*

1 spangle ['spæŋgl] ⟨zn⟩ ●*paillet(te), lovertje.*

2 spangle ⟨ww⟩ ●*met pailletten/lovertjes versieren* ⟨ook fig.⟩; –d with stars *met sterren bezaaid.*

Spaniard ['spænjəd] ●*Spanjaard, Spaanse.*

spaniel ['spænɪəl] ●*spaniel* ⟨hond⟩.

1 Spanish ['spænɪʃ] ⟨zn⟩ ●*Spaans* ⟨taal⟩.

2 Spanish ⟨bn⟩ ●*Spaans; –* America *Spaans(sprekend) Amerika.* **'Spanish-A'merican** ●⟨bn⟩ *van/uit/mbt. Spaanssprekend Amerika, Spaans-Amerikaans, van/mbt. bewoners v.d. U.S.A. v. Spaanse afkomst* ●⟨zn⟩ *bewoner v. Spaanssprekend Amerika, bewoner v.d. U.S.A. v. Spaanse afkomst.*

spank [spæŋ] ●*slaan, er van langs geven* ⟨met de vlakke hand⟩.

1 spanking ['spæŋkɪŋ] ⟨zn⟩ ●*pak voor de broek.*

2 spanking ⟨bn⟩ ↓ ●*prima* ●*kwiek, vlug.*

3 spanking ⟨bw⟩ ↓ ●*mieters, prima; –* new *spiksplinternieuw.*

spanner ['spænə] ⟨BE⟩ ●*moersleutel, schroefsleutel;* adjustable – *Engelse sleutel* ‖ throw a – into the works *een spaak in het wiel steken.*

1 spar [spɑ:] ⟨zn⟩ ●*lange paal,* ⟨scheep.⟩ *rondhout.*

2 spar ⟨ww⟩ ●*sparren, boksen* ●*redetwisten.*

1 spare [speə] ⟨zn⟩ ●*reserve, reserveonderdeel, reservewiel.*

2 spare ⟨bn⟩ ●*extra, reserve; –* part *reserveonderdeel; –* room *logeerkamer; –* tyre *reservewiel* ●*vrij* ⟨tijd⟩ ●*mager* ●*schraal, karig;* a – style of prose *een sobere (schrijf)stijl* ‖ ⟨sl.⟩ go – *razend worden.*

3 spare ⟨ww⟩ ●*het stellen zonder, missen, geven, afstaan;* I have £ 1 to – *ik heb £ 1 over;* enough and to – *meer dan genoeg;* can you – me a few moments? *heb je een paar minuten voor mij?* ●*sparen, ontzien* ●*besparen; –* me your excuses *bespaar me je excuses* ●*sparen, bezuinigen op;* no expense(s) –d *zonder geld te sparen.*

'sparerib ⟨vnl. mv.⟩ ●*krab, magere varkensrib(ben).*

sparing ['speərɪŋ] ●*zuinig, spaarzaam, schraal.*

1 spark [spɑ:k] ⟨zn⟩ ●*vonk,* ⟨fig.⟩ *sprank(je), greintje* ‖ ⟨BE; ↓⟩ a bright – *een groot licht/slimme kerel.*

2 spark I ⟨onov ww⟩ ●*vonken* II ⟨ov ww⟩ ● *ontsteken, doen ontbranden* ●*uitlokken; –* off a war *een oorlog doen ontbranden.*

1 sparkle ['spɑ:kl] ⟨zn⟩ ●*sprankel* ⟨ook fig.⟩; –s of wit *sprankels (van) geestigheid* ● *glinstering, geglinster.*

2 sparkle ⟨ww⟩ ●*fonkelen, glinsteren* ● *sprankelen, geestig zijn* ‖ sparkling wine *mousserende wijn.* **sparkler** ['spɑ:klə] ● *sterretje* ⟨vuurwerk⟩.

'spark plug, ⟨BE ook⟩ **'sparking plug** ●*(ontstekings)bougie.*

sparring match ['spɑ:rɪŋ mætʃ] ●*oefenboksmatch* ●*dispuut.* **'sparring partner** ● *sparring-partner* ⟨ook fig.⟩.

sparrow ['spærou] ●*mus.*

sparse [spɑ:s] ●*dun, schaars, karig.*

Spartan ['spɑ:tn] ●⟨bn⟩ *Spartaans,* ⟨fig.⟩ *zeer hard/streng* ●⟨zn⟩ *Spartaan,* ⟨fig.⟩ *zeer gehard persoon.*

spasm ['spæzm] ●*kramp* ●*aanval, opwelling.* **spasmodic** [spæz'mɒdɪk] ●*bij vlagen, met tussenpozen.* **spastic** ['spæstɪk]

●⟨bn⟩ *spastisch, krampachtig* ●⟨zn⟩ *spastisch persoon.*

1 spat [spæt] ⟨zn⟩ ●↓ *klappen, ruzietje* ● ⟨vnl. mv.⟩ *slobkous.*

2 spat ⟨verl. t. en volt. deelw.⟩ zie SPIT.

spate [speɪt] ●⟨BE⟩ *hoge waterstand;* the rivers are in – *de rivieren zijn gezwollen* ● *(toe)vloed, stroom;* a – of words *een woordenvloed.*

spatial, spacial ['speɪʃl] ●*ruimtelijk, ruimte-.*

1 spatter ['spætə] ⟨zn⟩ ●*spat(je), vlekje* ●*gespat, geklater* ‖ a – of rain *een regenbuitje.*

2 spatter ⟨ww⟩ ●*(be)spatten, (be)sprenkelen, bekladden.*

spatula ['spætjʊlə] ●*spatel* ●⟨med.⟩ *(tong) spatel.*

1 spawn [spɔːn] ⟨zn⟩ ●*kuit* ⟨v. vissen⟩ ●*kikkerdril.*

2 spawn I ⟨onov ww⟩ ●*kuit schieten* **II** ⟨ov ww⟩ ●*schieten* ⟨kuit/kikkerdril⟩ ●⟨vaak ong.⟩ *uitbroeden, voortbrengen, produceren.*

speak [spiːk] ⟨spoke [spoʊk], spoken ['spoʊkən]⟩ **I** ⟨onov ww⟩ ●*spreken, een toespraak houden;* generally –ing *in het algemeen gesproken;* – out/up *duidelijk spreken;* – out against sth. *zich tegen iets uitspreken;* so to – *bij wijze van spreken;* strictly –ing *strikt genomen;* – up for s.o./ sth. *het voor iem./iets opnemen;* – for s.o. *spreken voor/uit naam v. iem.;* nothing to – of *niets noemenswaard(ig)s;* – ill/well of s.o./sth. *kwaad/gunstig spreken over iem./ iets;* – to s.o. (about sth.) *iem. (om iets) aanspreken; iem. (over iets) aanspreken/ aanpakken;* ⟨telefoon⟩ –ing! *spreekt u mee!* ‖ that –s for itself *dat spreekt voor zich;* could you – up please *wat harder a.u.b.;* – for sth. *iets reserveren; v. iets getuigen; pleiten voor* ⟨fig.⟩; – to a subject *iets zeggen over een onderwerp;* I can – to his having been here *ik kan bevestigen dat hij hier geweest is;* zie ook ⟨sprw.⟩ ACTION **II** ⟨ov ww⟩ ●*(uit)spreken, zeggen, uitdrukken;* – English *Engels spreken;* – one's mind *zijn mening zeggen* ‖ zie ook ⟨sprw.⟩ TRUE. **speaker** ['spiːkə] ●*spreker/spreekster* ●*luidspreker* ●⟨S-⟩ *voorzitter v.h. Lagerhuis.* **speaking** ['spiːkɪŋ] ●*sprekend, treffend;* a – likeness *een sprekende gelijkenis.* 'speaking terms ‖ be on – with s.o. *iem. goed genoeg kennen om hem aan te spreken;* not be on – with s.o. *niet (meer) spreken tegen iem., onenigheid met iem. hebben.* 'speaking tube ●*spreekbuis* ⟨op schip⟩.

1 spear [spɪə] ⟨zn⟩ ●*speer, lans* ●*spriet, (gras)halm.*

2 spear ⟨ww⟩ ●*(met een speer) doorboren/ steken, spietsen.*

1 'spearhead ⟨zn⟩ ●*legerspits* ●*spits, leider,* ⟨ihb.⟩ *campagneleider.*

2 spearhead ⟨ww⟩ ●*de spits/voorhoede zijn van* ⟨ook fig.⟩, *leiden* ⟨bv. actie, campagne⟩.

'spearmint ●*groene munt* ●*kauwgom met muntsmaak.*

1 special ['speʃl] ⟨zn⟩ ●*iets bijzonders/speciaals, extratrein, extra-editie, speciaal gericht op menu, (t.v.-)special, speciaal programma* ●⟨AE; ↓⟩ *(speciale) aanbieding;* on – *in de aanbieding.*

2 special ⟨bn⟩ ●*speciaal, bijzonder, apart, extra;* ⟨BE⟩ – constable *hulppolitieagent* ‖ ⟨BE⟩ Special Branch *Politieke Veiligheidspolitie;* – delivery *expressebestelling.*

specialism ['speʃəlɪzm] ●*specialisme, specialisatie.* **specialist** ['speʃəlɪst] ●*specialist.*

speciality [ˌspeʃiˈæləti], ⟨AE⟩ **specialty** ['speʃlti] ●*specialiteit* ⟨vak, produkt e.d.⟩.

specialization [ˌspeʃəlaɪˈzeɪʃn] ●*specialisering, specialisatie.* **specialize** ['speʃəlaɪz] ●*zich specialiseren.*

specially ['speʃli] ●*speciaal, apart* ●*bepaald, bijzonder;* he is not – interesting *hij is niet bepaald interessant.*

species ['spiːʃiːz, -siːz] ●*soort, type* ●⟨biol.⟩ *species, soort.*

1 specific [spɪˈsɪfɪk] ⟨zn⟩ ●*iets specifieks* ● ⟨mv.⟩ *bijzonderheden.*

2 specific I ⟨bn, attr en pred⟩ ●*specifiek, duidelijk;* a – description *een precieze beschrijving* ●*specifiek, eigen;* – to *kenmerkend voor* **II** ⟨bn, attr⟩ ●*soortelijk, soort-;* ⟨nat.⟩ – gravity *soortelijk gewicht.* **specifically** [spɪˈsɪfɪkli] ●*zie* SPECIFIC ●*duidelijk, precies* ●*bepaald, bijzonder;* this is not a – correct procedure *dit is niet bepaald een correcte procedure* ●*speciaal, in het bijzonder, met name.* **specification** [ˌspesɪfɪˈkeɪʃn] ●*specificatie* ●⟨mv.⟩ *bestek, technische beschrijving.* **specify** ['spesɪfaɪ] ●*specificeren, precies vermelden/omschrijven.*

specimen ['spesɪmən] ●*specimen, monster, staaltje* ●↓ *(mooi) exemplaar, (rare) snuiter.*

specious ['spiːʃəs] ●*schoonschijnend, misleidend.*

speck [spek] ●*vlek(je), stip, plek(je),* ⟨fig.⟩ *greintje.*

1 speckle ['spekl] ⟨zn⟩ ●*spikkel, stippel.*

2 speckle ⟨ww⟩ ●*(be)spikkelen.*

specs ↓ ●⟨verk.⟩ *spectacles bril.* **spectacle** ['spektəkl] **I** ⟨telb zn⟩ ●*schouwspel, verto-*

ning • *aanblik* II ⟨mv.⟩ • *bril;* a pair of –s *een bril.* '**spectacle case** • *brilledoos.*

1 **spectacular** [spek'tækjʊlə] ⟨zn⟩ • *spectaculaire show* ⟨vnl. op t.v.⟩.

2 **spectacular** ⟨bn⟩ • *spectaculair, sensationeel.*

spectator [spek'teɪtə] • *toeschouwer.*

spectra ['spektrə] ⟨mv.⟩ zie SPECTRUM.

spectral ['spektrəl] • *spookachtig, spook-* • ⟨nat.⟩ *spectraal.* **spectre** ['spektə] • *spook, geest;* the – of war *het schrikbeeld v.d. oorlog.*

spectrum ['spektrəm] ⟨mv.: ook spectra⟩ • *spectrum,* ⟨bij uitbr.⟩ *radio/klankspectrum* • *spectrum, gamma;* a wide – of *een breed gamma van.*

speculate ['spekjʊlett] • *speculeren, berekenen, mijmeren;* – about/on *overdenken;* – in *speculeren in.* **speculation** ['spekjʊ'leɪʃn] • *speculatie, overpeinzing* • *speculatie, het speculeren.* **speculative** ['spekjʊlətɪv] • *speculatief, bespiegelend, theoretisch* • *speculatief;* – builder *bouwspeculant;* – market *termijnmarkt.* **speculator** ['spekjʊleɪtə] • *speculant.*

sped [sped] ⟨verl. t. en volt. deelw.⟩ zie SPEED.

speech [spi:tʃ] I ⟨telb zn⟩ • *speech, toespraak, rede(voering);* ⟨BE⟩ Queen's/King's – *troonrede;* deliver/give/make a – *een toespraak houden* ‖ (in)direct – *(in)directe rede* II ⟨n-telb zn⟩ • *spraak(vermogen), taal.* '**speech day** ⟨BE⟩ • *prijsuitdeling(sdag)* ⟨op school⟩. '**speech defect** • *spraakgebrek.* **speechless** ['spi:tʃləs] • *sprakeloos, stom* • *onbeschrijflijk;* – admiration *onbeschrijflijke bewondering.* '**speech therapist** • *logopedist.* '**speech therapy** • *logopedie.*

1 **speed** [spi:d] I ⟨telb zn⟩ • *versnelling* ⟨v. fiets⟩ II ⟨telb en n-telb zn⟩ • *snelheid, vaart;* (at) full – *in volle vaart;* at a – of *met een snelheid van* • ⟨foto.⟩ *(sluiter)snelheid* III ⟨n-telb zn⟩ • *spoed, haast* • ⟨sl.⟩ *speed, amfetamine* ‖ zie ook ⟨sprw.⟩ HASTE.

2 **speed** ⟨ook sped, sped [sped]⟩ I ⟨onov ww⟩ • *(te) snel rijden, de maximumsnelheid overschrijden;* – up *sneller gaan rijden* • *snellen;* – on *voortsnellen* • *zich haasten, haast maken;* – up! *haast je wat!* II ⟨ov ww⟩ • *verhaasten, opjagen;* it needs –ing up *er moet schot in worden gebracht* • *versnellen, opvoeren;* – up (production) *(de produktie) opvoeren.*

'**speedboat** • *speedboot.* '**speed bump** • *verkeersdrempel.* **speeding** ['spi:dɪŋ] • *het te hard rijden.* '**speed limit** • *maximumsnel-*

heid. **speedometer** [spɪ'dɒmɪtə, spi:-] • *snelheidsmeter.* '**speed trap** • *autoval* ⟨opgezet door de politie⟩. '**speedway** • *(motor)renbaan, speedway(baan).* **speedy** ['spi:di] • *snel, vlug.*

1 **spell** [spel] ⟨zn⟩ • *betovering, toverformule,* ⟨fig.⟩ *bekoring;* cast/lay/put a – on/over *betoveren;* under the – of *in de ban van* • *periode, tijd(je);* rest for a (short) – *een poosje rusten;* take a – at *zich wat bezighouden met* • *vlaag, aanval;* cold – *koudegolf.*

2 **spell** ⟨ook spelt, spelt⟩ I ⟨onov en ov ww⟩ • *spellen;* – out/over *uitleggen, nauwkeurig omschrijven* II ⟨ov ww⟩ • *inhouden;* these measures – the ruin of *deze maatregelen betekenen de ondergang van* ‖ b o o k –s 'book' *de letters b o e k vormen het woord 'boek'.*

'**spellbinding** • *boeiend, fascinerend.* '**spellbound** • *geboeid, gefascineerd;* hold one's audience – *het publiek in zijn ban houden.*

spelling ['spelɪŋ] • *spelling(swijze).*

spelt [spelt] ⟨verl. t. en volt. deelw.⟩ zie SPELL.

spend [spend] ⟨spent, spent [spent]⟩ I ⟨onov ww⟩ • *geld uitgeven* II ⟨ov ww⟩ • *uitgeven, besteden;* – money on *geld spenderen aan* • *doorbrengen* • *verkwisten, verspillen* ‖ the storm had soon spent its force *de storm was spoedig uitgeraasd.* **spender** ['spendə] • *verkwister* • *consument.* '**spending cut** • *bezuinigingsmaatregel.* '**spending money** • *zakgeld.* '**spending power** • *koopkracht.* '**spendthrift** • *verkwister, verspiller.*

spent [spent] • *(op)gebruikt, af, leeg* • *uitgeput.*

sperm [spə:m] • *spermacel, zaadcel* • *sperma, zaad.* '**sperm whale** • *potvis.*

spew [spju:] • *(uit)braken, spuwen;* – out *uitspugen;* – up *overgeven.*

sphere [sfɪə] • *bol* • *sfeer, kring, gebied, terrein;* – of influence *invloedssfeer;* – of interest *belangensfeer.* **spherical** ['sferɪkl] • *sferisch, bolvormig, (bol)rond, bol-.*

sphinx [sfɪŋks] • *sfinx* ⟨ook fig.⟩.

1 **spice** [spaɪs] ⟨zn⟩ • *kruid(en), specerij(en),* ⟨fig.⟩ add – to *smaak geven aan* ‖ zie ook ⟨sprw.⟩ VARIETY.

2 **spice** ⟨ww⟩ • *kruiden, smaak geven aan* ⟨ook fig.⟩.

'**spick-and-'span** • *kraakschoon, keurig, in de puntjes.*

spicy ['spaɪsi] • *kruidig, gekruid* • *pikant* ⟨fig.⟩, *pittig;* – story *gewaagd verhaal.*

spider ['spaɪdə] • *spin.* **spidery** ['spaɪdəri] •

spinachtig ● *spichtig;* – legs *spillebenen* ● *krabbelig* 〈handschrift〉.

spiel [ʃpiːl, spiːl] 〈vnl. AE; sl.〉 ● *woordenstroom, relaas;* give a – *een heel verhaal doen.*

1 spike [spaɪk] I 〈telb zn〉 ● *(scherpe) punt, pin, piek, prikker* ● *spijker* II 〈mv.〉 ● *spikes* 〈sportschoen〉.

2 spike 〈ww〉 ● *v. spijkers/punten/spikes voorzien;* –d shoes *spikes* ● *doorboren* ● *ontzenuwen;* – a rumour *een gerucht de kop indrukken* ● *alcohol toevoegen aan;* – coffee with cognac *wat cognac in de koffie doen.*

spiky ['spaɪki] ● *puntig, stekelig* ● *bits, lichtgeraakt.*

1 spill [spɪl] 〈zn〉 ● *val(partij), tuimeling;* have/take a – *vallen* ● *vlek;* coffee –s *koffievlekken* ● *stukje papier/hout* 〈om lamp, kachel aan te steken〉.

2 spill 〈ook spilt [spɪlt]〉 I 〈onov ww〉 ● *overlopen, overstromen, uitstromen;* the classes –ed out into the streets *de klassen stroomden naar buiten de straat op* II 〈ov ww〉 ● *laten overstromen/uitstromen, morsen (met), omgooien* ● *vergieten;* – blood *bloed vergieten* ● ↓ *verklappen, onthullen.* **spillage** ['spɪlɪdʒ] ● *lozing* 〈bv. v. olie in zee〉. **'spillway** ● *overlaat* ● *afvoerkanaal.*

spilt [spɪlt] 〈verl. t. en volt. deelw.〉 zie SPILL.

1 spin [spɪn] 〈zn〉 ● *draaibeweging,* 〈sport〉 *spin, effect* 〈op bal〉 ● *ritje* ● 〈luchtv.〉 *spin, tolvlucht* ‖ in a (flat) – *in paniek.*

2 spin 〈spun, spun [spʌn]〉 I 〈onov ww〉 ● *snel draaien;* 〈fig.〉 make s.o.'s head – *iemands hoofd doen tollen* ● *(voort)snellen* II 〈ov ww〉 ● *spinnen* 〈ook fig.〉 ● *fabriceren* 〈ihb. verhaal〉; – a story *een verhaal spinnen/verzinnen* ● *snel laten ronddraaien;* – a coin *kruis of munt gooien;* – a top *tollen* 〈spel〉 ‖ – out *uitspinnen* 〈verhaal〉; *rekken* 〈tijd〉; *zuinig zijn met* 〈geld〉.

spinach ['spɪnɪdʒ] ● *spinazie.*

spinal ['spaɪnl] ● *ruggegraats-;* – column *ruggegraat;* – marrow *ruggemerg.*

spindle ['spɪndl] ● *(spin)klos, spoel* ● *as, spil.*

spindly ['spɪndli] ● *spichtig, stakig.*

'spin-'drier, 'spin-'dryer ● *centrifuge.* **'spin-'dry** ● *centrifugeren.*

spine [spaɪn] ● *ruggegraat* ● *stekel, doorn* ● *rug* 〈v. boek〉. **spineless** ['spaɪnləs] ● *zonder ruggegraat* 〈ook fig.〉, *slap.*

spinner ['spɪnə] ● *spinner, spinster* ● *spinmachine* ● 〈cricket〉 *spinner, effectbal* ● 〈cricket〉 *bowler die spinner gooit.*

spinney ['spɪni] 〈BE〉 ● *bosje, struikgewas.*

'spinning wheel ● *spinnewiel.*

'spin-'off ● *(winstgevend) nevenprodukt/resultaat, bijprodukt.*

spinster ['spɪnstə] ● *oude vrijster, ongehuwde vrouw.*

spiny ['spaɪni] ● *doornig, stekelig.*

1 spiral ['spaɪərəl] 〈zn〉 ● *spiraal.*

2 spiral 〈bn〉 ● *spiraalvormig, schroefvormig;* – staircase *wenteltrap* ● *kronkelend.*

3 spiral 〈ww〉 ● *zich in een spiraalbaan bewegen;* prices are –ling *prijzen stijgen/dalen spiraalsgewijs;* – up *omhoogkringelen; spiraalsgewijs stijgen.*

spire ['spaɪə] ● *(toren)spits.*

1 spirit ['spɪrɪt] I 〈telb zn〉 ● *bovennatuurlijk wezen, geest* II 〈telb en n-telb zn〉 ● *geest, ziel, karakter;* the poor in – *de armen v. geest;* kindred –s *verwante zielen;* be with s.o. in (the) – *in gedachten bij iem. zijn* ‖ 〈sprw.〉 the spirit is willing but the flesh is weak *de geest is gewillig maar het vlees is zwak* III 〈n-telb zn〉 ● *levenskracht, energie* ● *levenslust, opgewektheid* ● *moed, durf, lef* ● *zin;* the – of the law *de geest v.d. wet* 〈tgov. de letter v.d. wet〉 ● *spiritus, alcohol;* methylated – *(brand)spiritus* IV 〈mv.〉 ● *gemoedsgesteldheid, geestesgesteldheid, stemming;* be in great/high –s *opgewekt zijn;* be in low/poor –s *neerslachtig zijn;* raise s.o.'s –s *iem. opmonteren* ● 〈soms enk.〉 *sterke drank(en)* ● *spiritus.*

2 spirit 〈ww〉 ● 〈+away/off〉 *wegtoveren, ontfutselen,* 〈fig.〉 *heimelijk laten verdwijnen.*

spirited ['spɪrɪtɪd] ● *levendig, geanimeerd* ● *bezield, energiek.* **spiritless** ['spɪrɪtləs] ● *lusteloos, moedeloos* ● *levenloos, saai.* **'spirit level** ● *luchtbelwaterpas.*

1 spiritual ['spɪrɪtʃuəl] 〈zn〉 ● *(negro-)spiritual.*

2 spiritual 〈bn〉 ● *geestelijk, spiritueel* ● *godsdienstig, religieus* ‖ 〈BE〉 Lords – *bisschoppen in het Hogerhuis.*

spiritualism ['spɪrɪtʃulɪzm] ● *spiritisme.* **spiritualist** ['spɪrɪtʃulɪst] ● *spiritist.*

1 spit [spɪt] I 〈telb zn〉 ● *spit, braadspit* ● *landtong* II 〈n-telb zn〉 ● *spuug, speeksel* ‖ – and polish *(grondig) poetswerk* 〈bv. in het leger〉.

2 spit 〈spit/spat, spit/spat [spæt]〉 I 〈onov ww〉 ● *spuwen, spugen* ● *sputteren* ● *lichtjes neervallen, druppelen* 〈regen〉 ‖ he is the –ting image of his father *hij lijkt als twee druppels water op zijn vader* II 〈ov ww〉 ● 〈ook +out〉 *(uit)spuwen;* – blood *bloed opgeven* ‖ – out a curse *er een vloek uitgooien;* ↓ – it out! *voor de dag ermee!.*

3 spit 〈ww〉 ● *aan het spit steken/rijgen,*

spietsen.

1 spite [spaɪt] ⟨zn⟩ ● *boosaardigheid;* from/ out of – *uit kwaadaardigheid* ‖ in – of *ondanks;* in – of o.s. *of men wil of niet.*

2 spite ⟨ww⟩ ● *treiteren, pesten.* **spiteful** [ˈspaɪtfl] ● *hatelijk.*

'spitfire ● *driftkop.*

spittle [ˈspɪtl] ● *speeksel, spuug.*

spittoon [spɪˈtuːn] ● *kwispedoor, spuwbakje.*

1 splash [splæʃ] **I** ⟨telb zn⟩ ● *plons* ● *vlek, spat* ‖ ↓ make a – *opzien baren* **II** ⟨n-telb zn⟩ ● *gespetter, gespat* ● ↓ *scheutje.*

2 splash I ⟨onov ww⟩ ● *spatten, uiteenspatten* ● *plassen, rondspetteren* ● *klateren* ‖ – down *landen in zee* ⟨v. ruimtevaartuig⟩ **II** ⟨ov ww⟩ ● *(be)spatten* ● *laten spatten* ● *met grote koppen in de krant zetten* ‖ ↓ he –es out money *hij smijt met geld.* **'splashdown** ● *landing in zee* ⟨v. ruimtevaartuig⟩.

splatter [ˈsplætə] ● *spetteren, (be)spatten.*

1 splay [spleɪ] ⟨zn⟩ ● *verwijding, verbreding.*

2 splay ⟨ww⟩ ● ⟨ook +out⟩ *(zich) uitspreiden.*

spleen [spliːn] ● *milt* ‖ vent one's – *zijn gal spuwen.*

splendid [ˈsplendɪd] ● *schitterend, prachtig* ● *groots, imposant* ● ↓ *voortreffelijk, uitstekend.* **splendour** [ˈsplendə] ● *pracht, praal* ● *glorie.*

1 splice [splaɪs] ⟨zn⟩ ● *las, verbinding.*

2 splice ⟨ww⟩ ● *verbinden, aan elkaar verbinden* ● *lassen* ⟨film, geluidsband⟩ ‖ get –d *trouwen.* **splicer** [ˈsplaɪsə] ● *lasapparaat* ⟨voor films, geluidsbanden⟩.

splint [splɪnt] ● ⟨med.⟩ *spalk.*

1 splinter [ˈsplɪntə] ⟨zn⟩ ● *splinter, scherf.*

2 splinter ⟨ww⟩ ● *versplinteren, splinteren.* **'splinter group, 'splinter party** ⟨pol.⟩ ● *splintergroepering, splinterpartij.*

1 split [splɪt] **I** ⟨telb zn⟩ ● *spleet, scheur, kloof,* ⟨fig.⟩ *breuk, scheiding* ● *ijscoupe, ijs met fruit* **II** ⟨mv.⟩ ● *spagaat* ‖ do the –s *een spagaat maken.*

2 split ⟨bn⟩ ● *gespleten, gebarsten* ● *gesplitst, gescheurd;* – decision *niet-eenstemmige beslissing;* ⟨bouwk.⟩ – level *met halve verdiepingen;* ⟨psych.⟩ – personality *gespleten persoonlijkheid;* – pea *spliterwt;* – second *onderdeel v.e. seconde, flits.*

3 split ⟨split, split⟩ **I** ⟨onov ww⟩ ↓ ● ⟨+on⟩ *verraden* ● *'m smeren* **II** ⟨onov en ov ww⟩ ● *splijten, splitsen,* ⟨fig.⟩ *afsplitsen, scheuren;* John and I have split up *John en ik zijn uit elkaar gegaan;* – up into

groups *(zich) in groepjes verdelen* ● *onder elkaar verdelen;* let's – (the bill) *laten we (de kosten) delen.*

splitting [ˈsplɪtɪŋ] ● *hevig;* – headache *barstende hoofdpijn.*

'split-up ↓ ● *breuk* ⟨na ruzie⟩, *echtscheiding.*

splodge [splɒdʒ], ⟨AE sp.⟩ **splotch** [splɒtʃ] ● *vlek, plek, veeg.*

1 splurge [spləːdʒ] ⟨zn⟩ ● *uitspatting, het zich te buiten gaan.*

2 splurge ⟨ww⟩ ↓ ● *(geld) verspillen/verkwisten;* – on a twelve-course dinner *zich te buiten gaan aan een diner v. twaalf gangen.*

1 splutter [ˈsplʌtə] ⟨zn⟩ ● *gesputter, gespetter.*

2 splutter I ⟨onov ww⟩ ● *proesten, spetteren* **II** ⟨onov en ov ww⟩ ● *sputteren, stamelen, hakkelen.*

1 spoil [spɔɪl] ⟨zn; vaak mv. met enk. bet.⟩ ● *buit.*

2 spoil ⟨ook spoilt, spoilt [spɔɪlt]⟩ **I** ⟨onov en ov ww⟩ ● *bederven, (doen) rotten* ‖ ↓ be –ing for a fight *staan te trappelen om te vechten* **II** ⟨ov ww⟩ ● *bederven, beschadigen, verpesten* ● *bederven, verwennen.* **'spoil-sport** ● *spelbreker.*

1 spoke [spəʊk] ⟨zn⟩ ● *spaak* ● *sport, tree* ‖ put a – in s.o.'s wheel *iem. een spaak in het wiel steken.*

2 spoke ⟨verl. t.⟩ zie SPEAK. **spoken** [ˈspəʊkən] ⟨volt. deelw.⟩ zie SPEAK.

spokesman [ˈspəʊksmən] ● *woordvoerder.* **spokesperson** [ˈspəʊkspəːsn] ● *woordvoerder/ster.* **spokeswoman** [ˈspəʊkswʊmən] ● *woordvoerster.*

spoliation [ˌspəʊliˈeɪʃn] ● *beroving, plundering.*

1 sponge [spʌndʒ] **I** ⟨telb zn⟩ ● *klaploper, parasiet* **II** ⟨telb en n-telb zn⟩ ● *spons;* ⟨boksen⟩ toss/throw in/up the – *de spons opgooien;* ⟨fig.⟩ *de strijd opgeven.*

2 sponge I ⟨onov ww⟩ ● *klaplopen;* – from/ on s.o. *op iem. (parasi)teren* **II** ⟨ov ww⟩ ● *sponzen,* ⟨+down/off⟩ *schoon/afsponzen* ● *afspoelen met een spons* ● ⟨vaak +out⟩ *uitvegen.* **'sponge bag** ⟨BE⟩ ● *toilettasje.* **'sponge cake** ⟨cul.⟩ ● *biscuitgebak.*

sponger [ˈspʌndʒə] ● *klaploper.* **spongy** [ˈspʌndʒi] ● *sponzig.*

1 sponsor [ˈspɒnsə] ⟨zn⟩ ● *sponsor, geldschieter* ● *indiener* ⟨v. wetsontwerp⟩ ● *beschermheer.*

2 sponsor ⟨ww⟩ ● *propageren, steunen, bevorderen* ● *sponsoren.* **sponsorship** [ˈspɒnsəʃɪp] ● *sponsorschap, sponsoring.*

spontaneity [ˌspɒntəˈniːəti] ● *spontaniteit.*

spontaneous [spɒnˈteɪnɪəs] ● *spontaan, in*

een opwelling ● *spontaan, ongedwongen*
● *uit zichzelf;* – combustion *zelfontbranding.*

1 spoof [spu:f] ⟨zn⟩ ● *poets, bedrog* ● *parodie.*

2 spoof ⟨ww⟩ ● *voor de gek houden, een poets bakken.*

1 spook [spu:k] ⟨zn⟩ ● *geest, spook.*

2 spook ⟨ww⟩ ⟨AE⟩ ● *opschrikken.* **spooky** ['spu:ki] ↓ ● *spookachtig, griezelig.*

spool [spu:l] ● *spoel* ● *klos.*

1 spoon [spu:n] ⟨zn⟩ ● *lepel.*

2 spoon ⟨ww⟩ ● *(op)lepelen, opscheppen;* – up *oplepelen.* **'spoon-feed** ● *met een lepel voeren* ● *iets met de lepel ingieten, iem. iets voorkauwen.* **spoonful** ['spu:nfʊl] ● *lepel (vol).*

sporadic [spəˈrædɪk] ● *sporadisch.*

spore [spɔ:] ⟨biol.⟩ ● *spore.*

sporran ['spɒrən] ● *tasje, beurs* ⟨gedragen door Schotse Hooglanders⟩.

1 sport [spɔ:t] **I** ⟨telb zn⟩ ● *sportieve meid/kerel* ● ↓ *meid/kerel* **II** ⟨telb en n-telb zn⟩ ● *sport* ● *spel, tijdverdrijf* ‖ show – *een sportieve tegenstander zijn* **III** ⟨n-telb zn⟩ ● *pret, spel, plezier;* in – *voor de grap;* make – of *voor de mal houden* ● *speelbal, mikpunt;* the – of Fortune *de speelbal der Fortuin* **IV** ⟨mv.⟩ ● *sportdag, sportevenement.*

2 sport ⟨onov ww⟩ ● *spelen* ⟨v. dieren⟩ **II** ⟨ov ww⟩ ● *pronken met, te koop lopen met.* **sporting** ['spɔ:tɪŋ] ● *sport beoefenend, in sport geïnteresseerd;* – man *amateur sportman* ● *sportief, fair;* – chance *redelijke kans* ● *sport-, mbt. de sport.* **sportive** ['spɔ:tɪv] ● *speels.*

'sports car ● *sportwagen.* **'sports jacket** ● *sportjasje.* **sportsman** ['spɔ:tsmən] ● *sportieve man* ● *sportman.* **sportsman-like** ['spɔ:tsmənlaɪk] ● *sportief, als een goede winnaar/verliezer.* **sportsmanship** ['spɔ:tsmənʃɪp] ● *sportiviteit.* **sportswear** ['spɔ:tsweə] ● *sportieve kleding.* **'sportswoman** ● *sportieve vrouw* ● *sportvrouw.*

sporty ['spɔ:ti] ● *sportief, sport-* ● *opvallend* ⟨v. kleren⟩.

1 spot [spɒt] ⟨zn⟩ ● *plaats, plek(je);* they were on the – *ze waren ter plaatse* ● *vlek(je), stip, spikkel,* ⟨fig.⟩ *smet* ● *puistje* ● *spot(je)*⟨mbt. reclame e.d.⟩ ● ↓ *spotlight* ● ⟨BE; ↓⟩ *beetje, wat;* a – of bother *een probleem, onenigheid* ‖ ↓ now he is in a (tight) – *nu zit hij in de penarie;* ⟨BE⟩ knock –s off *de vloer aanvegen met;* he had to leave on the – *hij moest op staande voet/onmiddellijk vertrekken;* put s.o. on the – *iem. in het nauw brengen;* zie ook

⟨sprw.⟩ LEOPARD.

2 spot I ⟨onov ww⟩ ● *vlekken, vlekken maken* ● ⟨BE⟩ *spetteren, licht regenen* **II** ⟨ov ww⟩ ● *vlekken maken in/op, bevlekken* ● *stippelen, stippels maken op* ● *herkennen, eruit pikken, ontdekken;* – a mistake *een fout ontdekken* ● *plaatsen, neerzetten.*

3 spot ⟨bw⟩ ⟨BE; ↓⟩ ● *precies;* arrive – on time *precies op tijd komen.*

'spot check ● *steekproef.*

spotless ['spɒtləs] ● *brandschoon, vlekkeloos,* ⟨fig. ook⟩ *onberispelijk.*

1 'spotlight ⟨zn⟩ ● *bundellicht, spotlight* ‖ be in the – *in het middelpunt v.d. belangstelling staan.*

2 'spotlight ⟨ww⟩ ● *onder de aandacht brengen.*

'spot-'on ⟨BE; ↓⟩ ● *juist, precies (goed).*

spotted ['spɒtɪd] ● *vlekkerig, vuil* ● *gevlekt, met vlekken.* **spotter** ['spɒtə] ● *wachter, iem. die op de uitkijk zit, spotter.*

spotty ['spɒti] ● *vlekkerig* ● ⟨BE⟩ *puisterig.*

spouse [spaʊs,spaʊz] ● *echtgeno(o)t(e).*

1 spout [spaʊt] ⟨zn⟩ ● *pijp, buis* ● *tuit* ● *straal, opspuitende vloeistof/zand* ⟨e.d.⟩ ‖ up the – *geruïneerd, in hopeloze toestand.*

2 spout ⟨ww⟩ ● *spuiten* ● ↓ *oreren, spuien;* – rubbish *onzin uitkramen.*

1 sprain [spreɪn] ⟨zn⟩ ● *verstuiking.*

2 sprain ⟨ww⟩ ● *verstuiken.*

sprang ⟨verl. t.⟩ zie SPRING.

sprat [spræt] ● *sprot.*

1 sprawl [sprɔ:l] ⟨zn⟩ ● *nonchalante houding* ● *vormeloos geheel;* the – of the suburbs *de uitdijende voorsteden.*

2 sprawl I ⟨onov ww⟩ ● *armen en benen uitspreiden, nonchalant liggen* ● *zich uitspreiden;* –ing suburbs *naar alle kanten uitgroeiende voorsteden* **II** ⟨ov ww⟩ ● *uitspreiden, alle kanten op laten hangen* ⟨armen, benen⟩.

1 spray [spreɪ] **I** ⟨telb zn⟩ ● *takje* ⟨ook als corsage⟩ ● *verstuiver, spuitbus* ● *straal, wolk* ⟨verstoven vloeistof⟩ ● *spray* **II** ⟨n-telb zn⟩ ● *nevel, wolk v. druppels.*

2 spray ⟨ww⟩ ● *(be)sproeien, (be)spuiten, (een vloeistof) verstuiven.* **'spray can** ● *spuitbus.* **sprayer** ['spreɪə] ● *spuiter* ● *spuitbus, vaporisator.* **'spray-gun** ● *spuitpistool, verfspuit.*

1 spread [spred] ⟨zn⟩ ● *wijdte,* ⟨fig. ook⟩ *reikwijdte* ● *verbreiding, verspreiding* ● *stuk land, landbezit v. één boer* ● *smeersel* ● ↓ *(feest)maal, onthaal* ● *tekst/foto over twee (tegenover elkaar liggende) pagina's.*

2 spread ⟨spread, spread⟩ **I** ⟨onov ww⟩ ● *zich uitstrekken, zich uitspreiden;* the contract –s over into next season *het contract* *loopt door tot in het volgende seizoen* • *zich verspreiden, overal bekend worden* **II** ⟨ov ww⟩ •*uitspreiden,* ⟨fig. ook⟩ *sprei-den, verdelen;* – *out one's arms zijn ar-men uitspreiden* •*uitsmeren* • *bedekken, beleggen/besmeren* • *verbreiden, ver-spreiden.* **spread-eagle** •*(zich) met ar-men en benen wijd neerleggen.*

spree [spri:]↓ •*pret(je), lol;* spending – *geldsmijterij;* go on a spending – *veel geld uitgeven* ⟨bij het winkelen⟩.

sprig [sprɪg] •*twijg(je), takje.*

sprightly ['spraɪtli] •*levendig, opgewekt.*

1 spring [sprɪŋ] **I** ⟨telb zn⟩ •⟨vaak mv.⟩ *bron* ⟨ook fig.⟩, *oorsprong* •*(metalen) veer* • *sprong* **II** ⟨telb en n-telb zn⟩ •*lente* ⟨ook fig.⟩, *voorjaar* **III** ⟨n-telb zn⟩ ⟨ook fig.⟩ • *veerkracht, energie.*

2 spring ⟨sprang [spræŋ], /AE ook sprung [sprʌŋ], sprung⟩ **I** ⟨onov ww⟩ •*(op)sprin-gen;* – to life *plotseling tot leven komen;* the first thing that –s to one's mind *het eerste wat je te binnen schiet;* – to one's feet *opspringen* •⟨vaak +up⟩ *ontsprin-gen, ontstaan;* – from *afstammen v.;* – from/out of *voortkomen/ontstaan uit* • *openspringen, barsten* **II** ⟨ov ww⟩ •*doen opspringen* •*plotseling bekendmaken;*↓ – sth. on s.o. *iem. met iets verrassen/over-vallen* •*doen (open)springen, opblazen.* '**springboard** ⟨ook fig.⟩ •*springplank.*

1 'spring-clean, ⟨AE⟩ '**spring-'cleaning** ⟨zn⟩ •*voorjaarsschoonmaak.*

2 'spring-'clean ⟨ww⟩ •*voorjaarsschoon-maak houden (in).*

'**spring 'mattress** •*spring(veren)matras.* '**spring roll** ⟨BE⟩ •*loempia.* '**spring 'tide** •*springtij.* '**springtime** •*lente(tijd).* **springy** ['sprɪŋi] •*veerkrachtig* •*elastisch.*

1 sprinkle ['sprɪŋkl] ⟨zn⟩ •*regenbuitje* •zie SPRINKLING.

2 sprinkle ⟨ww⟩ •*sprenkelen* ⟨ook fig.⟩, *strooien* •*bestrooien* ⟨ook fig.⟩, *bespren-kelen.* **sprinkler** ['sprɪŋklə] •*(tuin) sproeier* •*sprenkelinstallatie, blusinstal-latie.*

sprinkling ['sprɪŋklɪŋ] •*kleine hoeveelheid, greintje.*

1 sprint [sprɪnt] ⟨zn⟩ •*sprint, spurt.*

2 sprint ⟨ww⟩ •*sprinten, spurten.* **sprinter** ['sprɪntə] •*sprinter.*

sprite [spraɪt] •*geest, elf(je).*

'**sprocket wheel, sprocket** •*kettingrad, tand-rad* ⟨v. fiets e.d.⟩.

1 sprout [spraʊt] ⟨zn⟩ •*spruit, loot, scheut* • ⟨vaak mv.⟩ *spruitje* ⟨groente⟩.

2 sprout **I** ⟨onov ww⟩ •*(ont)spruiten, uitlo-pen* •*groeien;* – up *de hoogte in schieten*

II ⟨ov ww⟩ •*doen ontspruiten* •*laten groeien* ⟨ook fig.⟩; – a beard *zijn baard la-ten staan.*

1 spruce [spru:s] ⟨zn⟩ •*spar(rehout).*

2 spruce ⟨bn⟩ •*net(jes), keurig.*

3 spruce ⟨ww⟩ •*(zich) opknappen;* – (o.s.) up *zich opdoffen.*

sprung ⟨verl. t. en volt. deelw.⟩ zie SPRING.

spry [spraɪ] •*kwiek;* a – old man *een krasse oude baas.*

spud [spʌd] • ↓ *pieper, aardappel.*

1 spun [spʌn] ⟨bn⟩ •*gesponnen;* – sugar *suikerspin.*

2 spun [spʌn] ⟨verl. t. en volt. deelw.⟩ zie SPIN.

spunk [spʌŋk] • ↓ *pit, lef, durf.* **spunky** ['sp$mski] ↓ •*flink, pittig.*

1 spur [spə:] ⟨zn⟩ •*spoor* ⟨v. ruiter, haan⟩; win one's –s *zijn sporen verdienen* ⟨fig.⟩ •*prikkel, stimulans;* (act) on the – of the moment *spontaan/in een opwelling (iets doen)* •*uitloper* ⟨v. berg⟩.

2 spur ⟨ww⟩ •*de sporen geven* •*aanspo-ren, aanmoedigen;* – on (to) *aanzetten (tot).*

spurious ['spjʊərɪəs] •*onecht, vals, ver-valst.*

spurn [spə:n] •*afwijzen, versmaden.*

'**spur-of-the-'moment** ↓ •*spontaan.*

1 spurt [spə:t] ⟨zn⟩ •*uit/losbarsting, vlaag, opwelling;* a – of anger *een uitbarsting v. woede;* by/in –s *bij/met vlagen* •⟨sport⟩ *sprint(je), spurt(je)* •*(krachtige) straal, stroom.*

2 spurt **I** ⟨onov ww⟩ •*spurten, sprinten* • *spuiten, opspatten* **II** ⟨ov ww⟩ •*spuiten, doen stromen.*

1 sputter ['spʌtə] ⟨zn⟩ •*gesputter* •*gesta-mel.*

2 sputter ⟨ww⟩ •*sputteren* •*stamelen, brabbelen.*

1 spy [spaɪ] ⟨zn⟩ •*spion(ne).*

2 spy I ⟨onov ww⟩ •*spioneren, spieden, loe-ren;* – into *zijn neus steken in;* – (up)on *be-spioneren* **II** ⟨ov ww⟩ •*bespioneren, be-spieden* •*ontwaren, in het oog krijgen.* '**spy 'out** •*verkennen* •*opsporen, op zoek gaan naar.*

1 squabble ['skwɒbl] ⟨zn⟩ •*kibbelpartij.*

2 squabble ⟨ww⟩ •*kibbelen, overhoop lig-gen.*

squad [skwɒd] •⟨sport⟩ *selectie* •⟨mil.⟩ *sectie.* '**squad car** ⟨AE⟩ •*patrouilleauto.*

squadron ['skwɒdrən] ⟨mil.⟩ •*eskadron* • ⟨marine, luchtmacht⟩ *eskader* •*groep, ploeg.*

squalid ['skwɒlɪd] •*smerig, vuil, vies, ge-meen, laag* •*beroerd.*

1 squall [skwɔːl] ⟨zn⟩ •*(wind/regen/ sneeuw/hagel)vlaag, rukwind, storm* •*gil, schreeuw.*

2 squall ⟨ww⟩ •*gillen, (uit)schreeuwen.*

squalor [ˈskwɒlə] •*misère* •*smerigheid.*

squander [ˈskwɒndə] •⟨+on⟩ *verspillen (aan);* – *money met geld smijten.*

1 square [skweə] ⟨zn⟩ •*vierkant* •⟨in straatnamen S-⟩ *plein* •*teken/winkelhaak* • *veld, hokje* ⟨op speelbord⟩ •⟨AE⟩ *(huizen)blok* •⟨wisk.⟩ *kwadraat* •↓ *bourgeois, conventioneel persoon*‖ be/go back to – one *van voren af aan moeten beginnen;* on the – *recht door zee.*

2 square I ⟨bn, attr en pred⟩ •*vierkant, kwadraat-;* – brackets *vierkante haakjes;* one – metre *één vierkante meter;* three metres – *drie meter in het vierkant* •*recht(hoekig);* a – corner *een rechte hoek;* – to *recht(hoekig) op* •*eerlijk, open(hartig)* ⟨antwoord, bv.⟩, *regelrecht* ⟨weigering, bv.⟩; a – deal *een rechtvaardige behandeling;* een eerlijke transactie; be – with s.o. *eerlijk zijn tegen/met iem.* •↓ *bourgeois* •*stevig* ⟨v. maaltijd⟩ ‖ a – peg (in a round hole) *de verkeerde persoon (voor iets)* II ⟨bn, pred⟩ • *effen* ⟨v. rekening⟩, *vereffend* •*in orde;* get things – *orde op zaken stellen* •⟨sport, ihb. golf⟩ *gelijk* ‖ be – with *quitte zijn met; op gelijke hoogte staan met;* get – with s.o. *met iem. afrekenen; het iem. betaald zetten;* call it all – *we staan quitte, o.k.?.*

3 square I ⟨onov ww⟩ •*overeenstemmen, stroken;* zie SQUARE UP II ⟨ov ww⟩ •*vierkant maken, rechthoekig maken;* – off/up *(tot een) vierkant maken; rechthoekig maken* •*rechten* ⟨schouders⟩, *rechtzetten;* in overeenstemming brengen; – with *in overeenstemming brengen met* •*in orde brengen, regelen, vereffenen;* – up *one's debts zijn schuld voldoen* •↓ *omkopen* • ⟨wisk.⟩ *kwadrateren;* three –d equals nine *drie tot de tweede (macht) is negen* • ⟨sport, ihb. golf⟩ *op gelijke stand brengen.*

4 square ⟨bw⟩ •*recht(hoekig)* •*(regel)recht;* look s.o. – in the eye *iem. recht in de ogen kijken* •*eerlijk;* play – *eerlijk spelen* •*rechtuit;* come – out with an answer *onomwonden antwoorden.* **'square-'built** *vierkant, hoekig, breed.* **'square dance** • *quadrille.* **squarely** [ˈskweəli] •zie SQUARE •*(regel)recht* •*eerlijk.* **'square 'measure** •*(opper)vlaktemaat.*

square up •*afrekenen,* ⟨fig.⟩ *orde op zaken stellen;* – to reality *de werkelijkheid onder ogen zien*‖ – with s.o. *het iem. betaald zetten.*

1 squash [skwɒʃ] ⟨zn⟩ •⟨BE⟩ *kwast, vruchtendrank* •⟨bijna altijd enk.⟩ *gedrang, oploop* •⟨plantk.⟩ *pompoen* •*pulp* •*squash* ⟨balspel⟩.

2 squash I ⟨onov ww⟩ •*geplet worden* • *dringen, zich persen* II ⟨ov ww⟩ •*pletten, platdrukken* •*de mond snoeren* •*de kop indrukken.*

'squash rackets •*squash* ⟨balspel⟩.

squashy [ˈskwɒʃi] •*zacht, overrijp, papp(er) ig.*

1 squat [skwɒt] ⟨zn⟩ •*hurkende houding* • *kraakpand.*

2 squat ⟨bn⟩ •*gedrongen, plomp* •*gehurkt.*

3 squat ⟨ww⟩ •⟨ook +down⟩ *(neer)hurken* •*zich illegaal vestigen* ⟨op een stuk land⟩ •*een kraker zijn* •⟨ook +down⟩ ⟨BE; ↓⟩ *(gaan) zitten.* **squatter** [ˈskwɒtə] •*(illegale) kolonist, landbezetter* •*kraker.*

squaw [skwɔː] •*squaw.*

1 squawk [skwɔːk] ⟨zn⟩ •*schreeuw, gekrijs* •*luid protest.*

2 squawk ⟨ww⟩ •*krijsen, schril schreeuwen* •*heftig protesteren.*

1 squeak [skwiːk] ⟨zn⟩ •*(ge)piep, geknars* • *klein kansje* ‖↓ that was a close/narrow – *dat was op het nippertje.*

2 squeak ⟨ww⟩ •*piepen, knarsen*‖ ⟨vnl. AE⟩ – through/by *het nog net halen.*

1 squeal [skwiːl] ⟨zn⟩ •*gil, schreeuw, gepiep.*

2 squeal I ⟨onov ww⟩ •*krijsen, piepen, snerpen* •↓ *klikken;* – on s.o. *iem. aanbrengen* •↓ *luid klagen* II ⟨ov ww⟩ •*(uit)krijsen.*

squeamish [ˈskwiːmɪʃ] •*(gauw) misselijk* • *teergevoelig* •*(al te) kieskeurig.*

1 squeeze [skwiːz] ⟨zn⟩ •*samendrukking, druk;* she gave his hand a little – *ze kneep even in zijn hand;* put the – on s.o. *iem. onder druk zetten* •*uitgeperste hoeveelheid;* a – of lemon juice *enkele druppels citroensap* •*gedrang* •⟨BE⟩ *(stevige) handdruk, (innige) omhelzing* •⟨ec.⟩ *beperking* ‖ it was a tight – *we zaten als haringen in een ton.*

2 squeeze I ⟨onov ww⟩ •*wurmen, dringen;* – through *zich erdoorheen wurmen* II ⟨ov ww⟩ •*drukken (op), knijpen (in)* •*(uit)persen, uitknijpen* •*onder (financiële) druk zetten;* – out *afpersen* •*duwen, wurmen;* how can she – so many things into one single day? *hoe krijgt ze zoveel dingen op één dag gedaan?* •*stevig omhelzen.* **squeezer** [ˈskwiːzə] •*(fruit)pers.*

1 squelch [skweltʃ] ⟨zn⟩ •*plassend/zompend geluid.*

2 squelch ⟨ww⟩ •*een zuigend geluid maken, zompen, ploeteren.*

squib [skwɪb] ● *voetzoeker.*
squid [skwɪd] ● *pijlinktvis.*
squidgy ['skwɪdʒi] ↓ ● *zompig.*
squiggle ['skwɪgl] ↓ ● *kronkel(lijn), krabbel.*
1 squint [skwɪnt] ⟨zn⟩ ● *scheel oog* ‖ have/ take a – at sth. *een blik werpen op iets.*
2 squint ⟨ww⟩ ● *scheelkijken* ● *gluren, turen;* – at sth. *een steelse blik op iets werpen.*
squire ['skwaɪə] ● *landjonker, landheer* ⟨in Engeland⟩ ● ⟨BE; ↓⟩ *meneer* ⟨aanspreekvorm tussen mannen onderling⟩.
squirm [skwɜːm] ● *kronkelen, zich in bochten wringen;* – out of sth. *onder iets uit komen* ● *de grond in kunnen kruipen;* be –ing with embarrassment *zich geen raad weten v. verlegenheid.*
squirrel ['skwɪrəl] ● *eekhoorn.*
1 squirt [skwɜːt] ⟨zn⟩ ● *straal, spuit(je)* ● ↓ *stuk onbenul* ● ↓ *snotneus.*
2 squirt I ⟨onov ww⟩ ● *(krachtig) naar buiten spuiten* **II** ⟨ov ww⟩ ● *(uit)spuiten, uitspuwen.*
1 stab [stæb] ⟨zn⟩ ● *steek(wonde), stoot* ● *pijnscheut, plotse opwelling* ● ↓ *poging;* have a – at *eens proberen* ‖ a – in the back *dolkstoot in de rug.*
2 stab I ⟨onov ww⟩ ● *(+at) (toe)stoten (naar), steken;* a –bing pain *een stekende pijn* **II** ⟨ov ww⟩ ● *(door/dood)steken, doorboren.*
stability [stə'bɪləti] ● *stabiliteit, duurzaamheid.* **stabilize** ['steɪbɪlaɪz] ● *(zich) stabiliseren, in evenwicht blijven/brengen.*
1 stable [steɪbl] ⟨zn⟩ ● *stal,* ⟨fig.⟩ *ploeg, groep* ‖ ⟨sprw.⟩ it's no use locking the stable after the horse has bolted *als het kalf verdronken is, dempt men de put.*
2 stable ⟨bn⟩ ● *stabiel, vast, duurzaam* ● *standvastig.*
3 stable ⟨ww⟩ ● *stallen.* '**stableboy,** '**stablelad** ● *staljongen.* **stableman** ['steɪblmən] ● *stalknecht.*
1 stack [stæk] ⟨zn⟩ ● *(hooi)berg, stapel, hoop;* –s of money *bergen geld* ● *schoorsteen* ● ⟨vnl. mv.⟩ *boekenrek(ken)* ‖ ⟨vnl. AE; ↓⟩ blow one's – *uit zijn vel springen v. woede.*
2 stack ⟨ww⟩ ● *(op)stapelen, op een hoop leggen* ● *op verschillende hoogten laten rondvliegen* ⟨vliegtuigen, voor landing⟩ ● *volstapelen* ‖ – the cards *de kaarten vals schikken.* '**stack 'up I** ⟨onov ww⟩ ● *(+against)* ⟨AE; ↓⟩ *de vergelijking doorstaan (met), op kunnen (tegen)* **II** ⟨ov ww⟩ ● *opstapelen* ● *ophouden,* ⟨ihb.⟩ *boven het vliegveld doen rondcirkelen.*
stadium ['steɪdɪəm] ⟨mv.: ook stadia [-dɪə]⟩

● *stadion.*
1 staff [stɑːf] ⟨zn⟩ ● *staf* ⟨ook fig.⟩, *steun* ● *stok, vlaggestok* ● ⟨muz.⟩ *notenbalk* ● *staf* ⟨ook mil.⟩, *personeel.*
2 staff ⟨ww⟩ ● *bemannen, van personeel voorzien.* '**staff officer** ⟨mil.⟩ ● *stafofficier.* '**staff room** ● *leraarskamer.*
1 stag [stæg] ⟨zn⟩ ● *hertebok.*
2 stag ⟨bn⟩ ● *mannen-;* a – party *een herenpartijtje.*
1 stage [steɪdʒ] ⟨zn⟩ ● *toneel* ⟨ook fig.⟩; be on the – *aan het toneel verbonden zijn* ● *podium* ● *fase, stadium;* at this – *op dit punt, in dit stadium* ● *etappe, traject;* by easy –s *in korte etappes;* in –s *gefaseerd* ● *trap v. raket* ‖ set the – for *de weg bereiden voor.*
2 stage ⟨ww⟩ ● *opvoeren, ten tonele brengen* ● *organiseren.*
'**stagecoach** ● *diligence;* by – *met de postkoets.*
'**stage direction** ● *toneelaanwijzing.*
'**stage 'door** ● *artiesteningang.* '**stage fright** ● *plankenkoorts.* '**stage-manage** ● *ensceneren, opzetten.* '**stage manager** ● *toneelmeester.* '**stagestruck** ● *gek op toneel.* '**stage whisper** ● *luid gefluister* ⟨voor iedereen bedoeld⟩.
1 stagger ['stægə] ⟨zn⟩ ● *wankeling.*
2 stagger I ⟨onov ww⟩ ● *wankelen* **II** ⟨ov ww⟩ ● *doen wankelen,* ⟨fig.⟩ *onthutsen* ● *zigzagsgewijs aanbrengen;* a –ed road crossing *een kruising met verspringende zijwegen* ● *spreiden* ⟨vakantie⟩; –ed office hours *glijdende werk/openingstijden.*
staggering ['stægərɪŋ] ● *wankelend* ● *onthutsend, duizelingwekkend.*
staging ['steɪdʒɪŋ] ● *steiger, platform* ● *opvoering.*
stagnant ['stægnənt] ● *stilstaand* ● *stagnerend* ⟨ook ec.⟩. **stagnate** ['stæg'neɪt] ● *stilstaan, stagneren, stremmen.*
stagy ['steɪdʒi] ● *theatraal.*
staid [steɪd] ● *bezadigd.*
1 stain [steɪn] ⟨zn⟩ ● *vlek* ● *smet, schandvlek* ● *kleurstof.*
2 stain I ⟨onov ww⟩ ● *vlekken* **II** ⟨ov ww⟩ ● *bevlekken,* ⟨fig.⟩ *bezoedelen* ● *kleuren;* –ed glass *gebrandschilderd glas.* **stainless** ['steɪnləs] ● *vlekkeloos, smetteloos* ● *roestvrij* ⟨staal⟩.
stair [steə] ● ⟨ook mv.⟩ *trap* ● *tree.* '**stair carpet** ● *traploper.* '**staircase,** '**stairway** ● *trap;* a moving – *een roltrap.* '**stairwell** ● *trappenhuis.*
1 stake [steɪk] ⟨zn⟩ ● *staak, paal* ● *brandstapel* ● *inzet,* ⟨fig.⟩ *belang;* have a – in sth. *zakelijk belang hebben/betrokken zijn bij*

iets ● ⟨mv.⟩ *(wedstrijd met) prijzengeld, paardenrennen* ‖ be at – *op het spel staan;* the issue at – *waar het om gaat.*

2 stake ⟨ww⟩ ● *vastbinden aan een staak, stutten* ● (+off/out) *afpalen* ⟨land bv.⟩, *afbakenen;* – out a claim *aanspraak maken op* ● (+on) *verwedden (om), inzetten (op),* ⟨fig.⟩ *op het spel zetten.*

stale [steɪl] ● *niet vers, oud(bakken), muf* ● *afgezaagd* ● *(afge)mat.*

stalemate ['steɪlmeɪt] ● ⟨schaken⟩ *pat* ● *impasse, dood punt.*

1 stalk [stɔ:k] ⟨zn⟩ ● ⟨plantk.⟩ *stengel, steel* ● *stronk.*

2 stalk I ⟨onov ww⟩ ● (vnl. +out) *(uit)schrijden;* the chairman –ed out in anger *de voorzitter stapte kwaad op* II ⟨ov ww⟩ ● *besluipen* ● *rondwaren door.* **stalker** ['stɔ:kə] ● *iem. die wild besluipt, jager.*

1 stall [stɔ:l] ⟨zn⟩ ● *box, hok, stal* ● *stalletje, stand* ● *koorstoel* ● ⟨BE⟩ ⟨mv.⟩ *stalles.*

2 stall I ⟨onov ww⟩ ● *blijven steken, ingesneeuwd zijn* ● *afslaan* ⟨v. motor⟩ ● *draaien, tijd rekken* II ⟨ov ww⟩ ● *stallen* ● *ophouden, blokkeren;* – off *aan het lijntje houden.* **'stallholder** ⟨BE⟩ ● *houd(st)er v.e. kraam.*

stallion ['stæljən] ● *(dek)hengst.*

1 stalwart ['stɔ:lwət] ⟨zn⟩ ● *trouwe aanhanger.*

2 stalwart ⟨bn⟩ ● *stevig, stoer* ● *flink* ● *standvastig, trouw.*

stamen ['steɪmən] ● *meeldraad.*

stamina ['stæmɪnə] ● *uithoudingsvermogen.*

1 stammer ['stæmə] ⟨zn⟩ ‖ speak with a – *stotteren.*

2 stammer ⟨ww⟩ ● *stotteren, stamelen.* **stammerer** ['stæmərə] ● *stotteraar.*

1 stamp [stæmp] ⟨zn⟩ ● *stempel,* ⟨fig.⟩ *(ken)merk;* leave one's – on *zijn stempel drukken op* ● *zegel, postzegel, waarmerk* ● *soort, slag.*

2 stamp I ⟨onov en ov ww⟩ ● *stampen, trappen;* ⟨fig.⟩ – out *uitroeien;* ⟨fig.⟩ – on *onderdrukken* II ⟨ov ww⟩ ● *stempelen, persen, waarmerken;* be –ed on one's memory *in zijn geheugen gegrift zijn* ● *een postzegel plakken op* ● *stempelen tot.* **'stamp collector** ● *postzegelverzamelaar.* **stamped addressed envelope** ● *antwoordenvelop.*

1 stampede ['stæm'pi:d] ⟨zn⟩ ● *wilde vlucht* ⟨ihb. v. dieren⟩, *paniek* ● *stormloop.*

2 stampede I ⟨onov ww⟩ ● *op de vlucht slaan, op hol slaan* II ⟨ov ww⟩ ● *op de vlucht jagen,* ⟨fig.⟩ *het hoofd doen verliezen;* don't be –d into selling all your

shares *besluit niet overhaastig al je aandelen te verkopen.*

'stamping ground ⟨ook mv.⟩ ● *gewone/geliefde verblijfplaats.*

stance [stɑ:ns] ● *houding.*

1 stanch zie STAUNCH.

2 stanch [stɑ:ntʃ], **staunch** ['stɔ:ntʃ] ⟨ww⟩ ● *stelpen.*

stanchion ['stɑ:ntʃən] ● *paal.*

1 stand [stænd] ⟨zn⟩ ● *stilstand* ● *stelling* ⟨ook mil.⟩, ⟨fig.⟩ *standpunt;* make a – for *opkomen voor;* ⟨fig.⟩ take a – on *zich uitspreken over* ● *plaats, positie* ● *stander, statief, standaard* ● *stand, kraam* ● *standplaats* ⟨v. taxi's enz.⟩ ● *tribune, podium,* ⟨AE⟩ *getuigenbank;* ⟨AE⟩ take the – *plaats nemen in de getuigenbank.*

2 stand (stood, stood [stʊd]) I ⟨onov ww⟩ ● *(rechtop) staan, opstaan;* – clear of *vrijlaten* ⟨deur e.d.⟩ ● *zich bevinden, staan, liggen* ● *stilstaan, halt houden,* ⟨AE⟩ *stoppen* ● *blijven staan, stand houden;* – and deliver! *je geld of je leven!;* he –s at nothing *hij staat nergens voor* ● *gelden, opgaan;* the offer still –s *het aanbod is nog v. kracht* ● *zijn, (ervoor) staan, zich in een bepaalde situatie bevinden;* – to lose sth. *waarschijnlijk/zeker iets zullen verliezen;* – at thirty degrees *op dertig graden staan;* as it –s *zoals het nu is;* know where he –s *weten waar hij aan toe is* ● ⟨BE⟩ *kandidaat zijn, zich kandidaat stellen* ‖ I – corrected *ik neem mijn woorden terug;* – aloof *zich op een afstand houden;* – in (for s.o.) *(iem.) vervangen;* – well with s.o. *met iem. op goede voet staan;* – on *aandringen op;* – over *toezicht houden op;* – upon *staan op;* zie STAND ASIDE, STAND BACK, STAND BY, STAND DOWN, STAND FOR, STAND OFF, STAND OUT, STAND UP II ⟨ov ww⟩ ● *plaatsen, rechtop zetten* ● *verdragen, uitstaan* ● *doorstaan* ● *weerstaan* ● *trakteren (op);* – s.o. (to) a drink *iem. op een drankje trakteren;* zie STAND OFF, STAND UP.

1 standard ['stændəd] ⟨zn⟩ ● *peil, niveau;* – of living/life *levensstandaard;* set a high/low – *hoge/lage eisen stellen;* up to – *op peil* ● *vaandel* ⟨ook fig.⟩, *standaard, vlag* ● ⟨vaak mv.⟩ *maat(staf), norm* ● *staander, steun, paal.*

2 standard ⟨bn⟩ ● *normaal, standaard-, doorsnee-.* **standardize** ['stændədaɪz] ⟨zn: -ization⟩ ● *standaardiseren, normaliseren.* **'standard lamp** ⟨BE⟩ ● *staande lamp.*

'stand a'side ● *opzij/aan de kant gaan (staan)* ● *zich afzijdig houden.* **'stand 'back** ● *achteruit gaan* ● *afstand nemen* ● *zich op de*

achtergrond houden.
'**standby** ● *reserve* ● *standby.*
'**stand** '**by I** ⟨onov ww⟩ ● *erbij staan* ● *werkloos toezien* ● *gereed staan* **II** ⟨ww + vz⟩ ● *bijstaan* ● *zich houden aan* ⟨belofte⟩, *trouw blijven aan* ⟨iem.⟩. '**stand** '**down** ● *zich terugtrekken* ● ⟨AE; jur.⟩ *de getuigenbank verlaten.* '**stand for** ● *staan voor, betekenen* ● ↓ *goedvinden, dulden* ● ⟨BE⟩ *kandidaat staan voor* ● ⟨BE⟩ *voorstaan, verdedigen.*
'**stand-in** ● *vervanger.*
1 standing ['stændɪŋ] ⟨zn⟩ ● *status, rang, positie;* s.o. of *– iem. v. aanzien/standing* ● *reputatie* ● *(tijds)duur;* friendship of long *– oude vriendschap.*
2 standing ⟨bn⟩ ● *blijvend, v. kracht blijvend, vast, constant;* – committee *permanente commissie;* – joke *vaste grap;* pay by – order via *automatische overschrijving betalen;* – orders *statuten* ● *staand, stilstaand;* – ovation *staande ovatie* ● *zonder aanloop* ⟨v. sprong e.d.⟩.
'**standing room** ● *staanplaatsen.*
'**stand** '**off I** ⟨onov ww⟩ ● *zich op een afstand houden* **II** ⟨ov ww⟩ ● *(tijdelijk) ontslaan.*
standoffish ['stænd'ɒfɪʃ] ● *op een afstand, afstandelijk.* '**stand** '**out** ● *duidelijk uitkomen, in het oog vallen* ● *zich onderscheiden* ● *blijven volhouden;* – for *verdedigen.* **standpoint** ['stæn(d)pɔɪnt] ● *standpunt.* **standstill** ['stæn(d)stɪl] ● *stilstand;* at a – *tot stilstand gekomen.* '**stand** '**up I** ⟨onov ww⟩ ● *overeind staan* ● *gaan staan;* ⟨fig.⟩ – for *opkomen voor* ● *standhouden, overeind blijven,* ⟨fig.⟩ *doorstaan;* that won't – in court *dat blijft niets van overeind in de rechtszaal;* it stood up to the years *het heeft al die jaren goed doorstaan* ‖ – to *trotseren* **II** ⟨ov ww⟩ ● *laten zitten;* she stood me up *zij is niet op komen dagen.* '**stand-up** ● *rechtop staand* ● *lopend* ⟨v. souper e.d.⟩ ● *flink* ⟨gevecht⟩ ‖ – comedian *solo-entertainer.*
stank ⟨verl. t.⟩ zie STINK.
1 staple ['steɪpl] ⟨zn⟩ ● *niet(je)* ● *kram(metje)* ● ⟨vaak mv.⟩ *belangrijk artikel* ● ⟨vaak mv.⟩ *hoofdbestanddeel* ⟨ook fig.⟩, *hoofdschotel* ● *vezel.*
2 staple ⟨bn⟩ ● *voornaamste;* – diet *hoofdvoedsel.*
3 staple ⟨ww⟩ ● *(vast)nieten, hechten.* **stapler** ['steɪplə] ● *nietmachine* ● *krammachine.*
1 star [stɑː] ⟨zn⟩ ● *ster* ⟨ook fig.⟩; see –s *sterretjes zien* ⟨na val e.d.⟩; thank one's (lucky) –s *zich gelukkig prijzen* ● *asterisk, sterretje* ● *uitblink(st)er,* ⟨ihb.⟩ *beroemd-*

heid, (film)ster ‖ the Stars and Stripes *Amerikaanse vlag;* born under a lucky – *onder een gelukkig gesternte geboren.*
2 star I ⟨onov ww⟩ ● *(als ster) optreden* **II** ⟨ov ww⟩ ● *met een sterretje/asterisk aanduiden* ● *als ster laten optreden;* a film –ring Eddy Murphy *een film met (in de hoofdrol) Eddy Murphy.*
starboard ['stɑːbəd] ● *stuurboord.*
1 starch [stɑːtʃ] ⟨zn⟩ ● *zetmeel* ● *stijfsel.*
2 starch ⟨ww⟩ ● *stijven.* **starchy** ['stɑːtʃi] ● *zetmeelrijk;* – food *meelkost* ● *gesteven* ● ↓ *stijfjes.*
'**star-crossed** ‖ – lovers *geliefden die het lot niet gunstig gezind is.*
stardom ['stɑːdəm] ● *roem.*
1 stare ['steə] ⟨zn⟩ ● *starende blik.*
2 stare I ⟨onov ww⟩ ● ⟨+at⟩ *staren (naar)* ● *in het oog springen* **II** ⟨ov ww⟩ ● *staren naar;* ⟨fig.⟩ it is staring you in the face *het ligt voor de hand;* – s.o. down/out *iem. aanstaren tot hij de ogen neerslaat.*
'**starfish** ● *zeester.*
staring ['steərɪŋ] ● *volledig;* stark – mad *knettergek.*
1 stark [stɑːk] ⟨bn⟩ ● *grimmig* ● *stijf* ● *onbuigzaam* ● *schril;* – contrast *schril contrast* ● *verlaten* ⟨v. landschap⟩, *kaal* ● *spiernaakt* ‖ – nonsense *klinkklare onzin;* – poverty *bittere armoede;* – truth *naakte waarheid.*
2 stark ⟨bw⟩ ● *volledig;* – naked *spiernaakt.*
starkers ['stɑːkəz] ⟨BE; ↓⟩ ● *poedelnaakt.*
starlet ['stɑːlɪt] ● *(film)sterretje.* '**starlight** ● *sterrelicht.*
starling ['stɑːlɪŋ] ● *spreeuw.*
starlit ['stɑːlɪt] ● *door sterren verlicht.* **starry** ['stɑːri] ● *sterrig* ● *stralend.* '**starry-**'**eyed** ↓ ● *(te) idealistisch.* '**star-studded** ● ↓ *vol bekende namen;* – play *stuk met veel sterren.*
1 start [stɑːt] ⟨zn⟩ ● *schok, ruk;* give s.o. a – *iem. laten schrikken;* wake up with a – *wakker schrikken* ● *start;* from – to finish *v. begin tot eind;* false – *valse start* ⟨ook fig.⟩; get off to a good/bad – *goed/slecht beginnen;* make a fresh/new – *opnieuw beginnen;* at the – *in het begin;* ↓ for a – *om te beginnen* ● *startsein* ● *voorsprong;* get the – of s.o. *vóór komen op iem.;* give s.o. a – (in life) *iem. op weg helpen;* – on/ over *voorsprong op.*
2 start I ⟨onov ww⟩ ● *beginnen, starten, beginnen te lopen/werken;* –ing next month *vanaf volgende maand;* – (all) over again *(helemaal) opnieuw beginnen;* – from beginnen bij/met; ⟨fig.⟩ *uitgaan van;* to – (off) with *om (mee) te beginnen; in de eer-*

ste plaats ●*vertrekken,* ⟨ihb.⟩ *opstijgen, afvaren; –* (out) for *op weg gaan naar* ● *(op)springen, (op)schrikken; –* back (from) *terugdeinzen (voor)* ●*(plotseling) bewegen, aanslaan* ⟨v. motor⟩, *te voorschijn springen; –* for the door *richting deur gaan* ●*startsein geven;* zie START OFF, START UP **II** ⟨ov ww⟩ ●*(doen) beginnen, aan de gang brengen, aanzetten, starten* ⟨motor⟩, *aansteken* ⟨vuur⟩, *op touw zetten, opzetten* ⟨zaak e.d.⟩, *naar voren/te berde brengen* ⟨onderwerp⟩ ●*brengen tot, laten;* the dust –ed me coughing *door het stof moest ik hoesten* ‖ – sth. *moeilijkheden maken/zoeken;* zie START OFF, START UP. **starter** ['stɑːtə] ●*beginner* ●⟨sport⟩ *starter* ●⟨sport⟩ *deelnemer* ●*startmotor* ●*voorgerecht* ‖↓ for –s *om te beginnen.*

'**starting block** ⟨sport⟩ ●*startblok.* '**starting gate** ⟨paardesport⟩ ●*starthek, startbox.* '**starting point** ●*uitgangspunt* ⟨ook fig.⟩.

startle ['stɑːtl] ●*doen schrikken* ●*schokken* ●*opschrikken.* **startling** ['stɑːtlɪŋ] ●*verrassend* ●*alarmerend.*

'**start 'off I** ⟨onov ww⟩ ●↓ *beginnen;* he started off (by) saying that *hij begon met te zeggen dat* ●*vertrekken* **II** ⟨ov ww⟩ ●(+on) *aan de gang laten gaan (met).* '**start 'up I** ⟨onov ww⟩ ●*opspringen* ●*ontstaan, opkomen* **II** ⟨ov ww⟩ ●*aan de gang brengen, opzetten* ⟨zaak⟩, *starten* ⟨motor⟩.

starvation [stɑːˈveɪʃn] ●*hongerdood* ●*verhongering;* die of – *verhongeren.* **star'vation wages** ●*hongerloon.*

starve [stɑːv] **I** ⟨onov ww⟩ ●*verhongeren; –* to death *verhongeren* ●*honger lijden* ●⟨↓ ; fig.⟩ *sterven v.d. honger* ●(+for) *hunkeren (naar)* **II** ⟨ov ww⟩ ●*uithongeren; –* to death *uithongeren; –* out *uithongeren* ●*doen kwijnen,* ⟨ook fig.⟩ *onthouden;* be –d of *behoefte hebben aan* ‖ be –d into surrender *door uithongering tot overgave gedwongen worden.*

stash [stæʃ] ●⟨ook +away⟩ *verbergen, opbergen.*

1 state [steɪt] ⟨zn⟩ ●*toestand, staat; –* of affairs *stand v. zaken;* a poor – of health *een slechte gezondheidstoestand; –* of mind *geestes/gemoedstoestand* ●*stemming;* be in a – *in alle staten zijn;* get into a – *overstuur raken* ●*staat, natie, rijk;* affairs of – *staatszaken;* ⟨BE⟩ State Registered Nurse ⟨ongeveer⟩ *verpleegkundige* ●*rang, stand* ●*staatsie, praal* ●⟨S-; mv.⟩ *Verenigde Staten* ‖ lie in – *opgebaard liggen* ⟨op praalbed⟩.
2 state ⟨ww⟩ ●*(formeel) verklaren, uitdruk-*

ken ●*aangeven, opgeven;* at –d intervals *op gezette tijden* ●*vaststellen.*

'**statecraft** ●*staatmanschap.*

'**State Department** ●*ministerie v. buitenlandse zaken* ⟨v.d. U.S.A.⟩.

stateless ['steɪtləs] ●*staatloos; –* person *statenloze.* **stately** ['steɪtli] ●*statig.* **statement** ['steɪtmənt] ●*verklaring* ⟨ook jur.⟩, *bewering;* make a – *een verklaring afleggen* ●*(bank)afschrift* ●*uitdrukking.* '**state-of-the-'art** ●*ultramodern.* '**state-'owned** ●*overheids-, genationaliseerd.* '**stateroom** ●*staatsiezaal* ●*passagiershut* ●⟨AE⟩ *(privé)coupé.*

'**State's 'evidence** ⟨AE⟩ ●*getuigenis tegen medeplichtigen* ‖ turn – *getuigen tegen zijn medeplichtigen.*

statesman ['steɪtsmən] ●*staatsman* ●*politicus.* **statesmanship** ['steɪtsmənʃɪp] ●*(goed) staatsmanschap.*

1 static ['stætɪk] ⟨zn⟩ ●*statische elektriciteit* ●⟨tech.⟩ *atmosferische storing.*
2 static ⟨bn⟩ ●*statisch, stabiel* ●*in rust* ●*atmosferisch.* **statics** ['stætɪks] ●*evenwichtsleer, statica.*

1 station ['steɪʃn] ⟨zn⟩ ●*station* ⟨ook v. spoor, radio, t.v.⟩, ⟨AE⟩ *benzinestation* ●*standplaats, plaats, post* ⟨ook mil.⟩; take up one's – *post vatten;* on – *op zijn post* ●*brandweerkazerne* ●*politiebureau* ●⟨mil.⟩ *basis, post* ●*positie, rang, status.*
2 station ⟨ww⟩ ●*plaatsen, stationeren.* **stationary** ['steɪʃənri] ●*stationair, stilstaand.* **stationer** ['steɪʃənə] ●*handelaar in kantoorbenodigdheden.* **stationery** ['steɪʃənri] ●*kantoorbenodigdheden* ●*brief/postpapier en enveloppen.*

'**stationmaster** ●*stationschef.*

'**station wagon** ⟨AE⟩ ●*stationcar.*

statistical [stəˈtɪstɪkl] ●*statistisch.* **statistician** [stætɪˈstɪʃn] ●*statisticus.* **statistics** [stəˈtɪstɪks] **I** ⟨n-telb zn⟩ ●*statistiek* **II** ⟨mv.⟩ ●*statistieken.*

statue ['stætʃuː] ●*(stand)beeld;* Statue of Liberty *vrijheidsbeeld.* **statuesque** ['stætʃuˈesk] ●*statuesk, als een standbeeld.* **statuette** ['stætʃuˈet] ●*beeldje.*

stature ['stætʃə] ●*gestalte, (lichaams)lengte* ●⟨fig.⟩ *formaat.*

status ['steɪtəs] ●*status.* '**status symbol** ●*statussymbool.*

statute ['stætʃuːt] ●*statuut, wet.* '**statute book** ●*(verzameling der) geschreven wetten.* '**statute law** ●*geschreven wet(ten)/recht.*

statutory ['stætʃʊtri] ●*statutair, volgens de wet.*

1 staunch [stɔːntʃ] ⟨bn⟩ ●*betrouwbaar,*

trouw ● *solide.*
2 staunch ⟨ww⟩ zie STANCH.
stave [steɪv] ● *duig* ● *staaf* ● ⟨muz.⟩ *noten-balk.* **stave in** ● *in duigen slaan* ● *een gat slaan in, kapotslaan;* he staved in several ribs *hij brak verscheidene ribben.* **'stave 'off** ● *van zich af houden* ● *(tijdelijk) afwenden, voorkomen.*
staves [steɪvz] ⟨mv.⟩ zie STAFF, STAVE.
1 stay [steɪ] ⟨zn⟩ ● *verblijf, oponthoud* ● *steun* ⟨ook fig.⟩ ● ⟨jur.⟩ *schorsing;* – of execution *uitstel v. executie.*
2 stay I ⟨onov ww⟩ ● *blijven,* ⟨+for⟩ *wachten op;* ↓ come to –, be here to – *blijven;* ⟨fig.⟩ *zich een blijvende plaats verwerven* ● *verblijven, logeren;* – the night *de nacht doorbrengen;* – at a hotel *in een hotel logeren;* – with friends *bij vrienden logeren* **II** ⟨onov en ov ww⟩ ● *(het) uithouden* ⟨vnl. sport⟩ **III** ⟨ov ww⟩ ● *uitstellen* ⟨executie, oordeel⟩ ● *tegenhouden, tot staan brengen* ⟨ziekte⟩ **IV** ⟨kww⟩ ● *blijven;* – seated *blijven zitten;* – away *wegblijven;* – in *binnen blijven;* – in (after school) *nablijven;* – on *(aan)blijven* ⟨in ambt⟩; – out *buiten blijven, wegblijven;* – up late *laat opblijven;* – up (at the University) *niet met vakantie gaan;* – out of trouble *moeilijkheden vermijden.* **'stay-at-home** ● *huismus.* **stayer** ['steɪə] ● *blijver* ● ↓ *volhouder, doorzetter,* ⟨sport⟩ *lange-afstands-loper/ zwemmer/* ⟨enz.⟩. **'staying power** ● *uithoudingsvermogen.*
stead [sted] ‖ stand one in good – *iem. van pas komen;* in s.o.'s – *in iemands plaats.*
steadfast ['stedfɑːst] ● *vast, standvastig.*
1 steady ['stedi] ⟨bn⟩ ● *vast, vaststaand;* – hand *vaste hand;* (as) – as a rock *rotsvast* ● *gestadig, bestendig, geregeld, vast* ⟨v. baan, inkomen e.d.⟩, *regelmatig* ● *kalm, evenwichtig;* – on! *kalm aan!, langzaam!* ● *standvastig, trouw* ● *betrouwbaar, oppassend.*
2 steady I ⟨onov ww⟩ ● *vast/bestendig worden* **II** ⟨ov ww⟩ ● *vastheid geven, steunen* ● *bestendigen, stabiliseren* ● *kalmeren;* – o.s. *bedaren.*
3 steady ⟨bw⟩ ● *vast, gestadig* ‖ ↓ go – *vaste verkering hebben.*
4 steady ⟨tw⟩ ● *kalmaan, rustig.*
steak [steɪk] ● *(lapje) vlees,* ⟨ihb.⟩ *runderlapje* ● *(vis)moot.* **'steak and kidney 'pie** ⟨cul.⟩ ● *pastei met rundvlees en nieren.*
steal [stiːl] ⟨stole [stoʊl], stolen ['stoʊlən]⟩ **I** ⟨onov ww⟩ ● *stelen* ● *sluipen;* – away *er heimelijk vandoor gaan;* the months stole away *de maanden verstreken ongemerkt;* – up on s.o. *iem. besluipen* **II** ⟨ov ww⟩ ●

stelen; – an idea *een idee pikken;* – a ride *stiekem meerijden.*
stealth [stelθ] ● *heimelijkheid, geheim;* by – *stiekem, in het geniep.* **stealthy** ['stelθi] ● *heimelijk, ongemerkt.*
1 steam [stiːm] ⟨zn⟩ ● *stoom(kracht), wasem,* ⟨fig.⟩ *kracht, vaart;* let off – *stoom afblazen* ⟨ook fig.⟩; get up – ⟨fig.⟩ *goed op gang komen* ⟨v. plannen e.d.⟩; run out of – *zijn energie verliezen; futloos worden; under one's own – *op eigen (wils)-kracht.*
2 steam I ⟨onov ww⟩ ● *stomen, dampen* ● *opstomen;* the ship –s out *het schip vertrekt;* zie STEAM UP **II** ⟨ov ww⟩ ● *(gaar) stomen;* – open a letter *een brief open stomen;* zie STEAM UP.
'steamboat ● *stoomboot.* **steamer** ['stiːmə] ● *stoompan, stoomketel* ● *stoomschip/boot.* **'steam iron** ● *stoomstrijkijzer.*
1 'steamroller ⟨zn⟩ ● *stoomwals* ⟨ook fig.⟩.
2 steamroller ⟨ww⟩ ● *verpletteren, vernietigen.* **'steamship** ● *stoomschip.*
'steam 'up I ⟨onov ww⟩ ● *beslaan;* my glasses are steaming up *mijn bril beslaat* **II** ⟨ov ww⟩ ● *doen beslaan* ● ↓ *opgewonden/enthousiast maken;* don't get steamed up about it *maak je er niet druk om.*
steamy ['stiːmi] ● *mbt. stoom, dampig* ● ↓ *heet, sensueel.*
steed [stiːd] ↑ ● *(strijd)ros, paard.*
1 steel [stiːl] ⟨zn; vaak attr⟩ ● *staal* ‖ a man of – *een man v. staal, een sterke man.*
2 steel ⟨ww⟩ ● *stalen, pantseren* ⟨ook fig.⟩, *harden;* – o.s. to do sth. *zich dwingen iets te doen;* – o.s. against/for disappointment *zich pantseren/wapenen tegen teleurstelling.* **'steel-'clad, steel-plated** ['stiːl-'pleɪtɪd] ● *gepantserd (met staal), (met staal) bewapend.* **'steel industry** ● *staalindustrie.* **'steel 'wool** ● *staalwol.* **'steel-works** ● *staalfabriek.* **steely** ['stiːli] ● *stalen,* ⟨fig.⟩ *onbuigzaam;* a – glance *een staalharde/ijskoude blik.*
1 steep [stiːp] ⟨bn⟩ ● *steil* ● *scherp, snel (stijgend);* a – rise in prices *scherpe prijsstijgingen* ● *onredelijk, sterk* ⟨v. verhaal⟩; I thought it a bit – *ik vond het een beetje te veel gevraagd.*
2 steep ⟨ww⟩ ● *onderdompelen* ⟨ook fig.⟩, *laten trekken/weken;* – almonds in wine *amandelen in wijn weken;* – o.s. in *zich verdiepen in;* –ed in mystery *omhuld door geheimzinnigheid.*
steepen ['stiːpən] **I** ⟨onov ww⟩ ● *steil(er) worden* **II** ⟨ov ww⟩ ● *steil(er) maken, verhogen.*
steeple ['stiːpl] ● *(toren)spits.* **'steeplechase**

● *steeplechase, hindernisren.* '**steeple-jack** ● *hoogtewerker, toren/schoorsteen-reparateur.*

1 **steer** [stɪə] ⟨zn⟩ ● *jonge os* ● *stierkalf.*

2 **steer** ⟨ww⟩ ● *sturen, koers (doen) zetten;* the vessel –s well/badly *het schip stuurt goed/slecht;* he –ed for home *hij ging op huis aan* ‖ ↓ – clear of sth. *uit de buurt blijven v. iets.* '**steering committee** ● *stuurgroep.* '**steering wheel** ● *stuur(wiel)* ⟨v. boot, auto⟩.

stellar ['stelə] ● *stellair, v./mbt. de sterren.*

1 **stem** [stem] ⟨zn⟩ ● *stam* ⟨v. boom/woord⟩ ● *(hoofd)stengel, steel(tje)* ● *steel* ⟨v. glas, pijp⟩ ● *voorsteven.*

2 **stem** ⟨ww⟩ ● *doen stoppen* ● *het hoofd bieden aan, weerstand bieden aan;* – the tide (of public opinion) *tegen het getij (v.d. publieke opinie) ingaan.* '**stem from** ● *stammen uit, voortkomen uit.*

stench [stentʃ] ● *stank.*

1 **stencil** ['stensl] ⟨zn⟩ ● *stencil* ● *sjabloon.*

2 **stencil** ⟨ww⟩ ● *stencilen* ● *(sjabloon)afdrukken maken v..*

stenographer [stə'nɒgrəfə] ⟨AE⟩ ● *stenotypist(e).* **stenography** [stə'nɒgrəfi] ⟨AE⟩ ● *steno(grafie).*

1 **step** [step] I ⟨telb zn⟩ ● *(voet)stap, (dans) pas;* break – *uit de pas gaan;* ⟨fig.⟩ fall into – with *in de pas lopen met;* follow in s.o.'s –s *in iemands voetsporen treden;* – by – *stapje voor stapje;* in – ⟨ook fig.⟩ *in de pas/maat;* out of – *uit de pas/maat* ⟨ook fig.⟩ ● *stap, daad;* take –s to prevent sth. *stappen ondernemen om iets te voorkomen;* watch/mind your – *wees voorzichtig* ● *(trap)trede, stoepje* ● *niveau* ⟨bv. in bep. schaal⟩, *fase* II ⟨mv.⟩ ● *(stenen) trap, stoep(je)* ● *trap(ladder).*

2 **step** I ⟨onov ww⟩ ● *stappen, gaan;* – this way *volgt u mij;* – on s.o.'s toes *iem. op zijn teentjes trappen;* – forward *naar voren komen;* – off the plane *uit het vliegtuig stappen;* – on the gas, ↓ – on it *gas geven;* ⟨fig.⟩ *opschieten;* – on s.o. *iem. onverschillig/arrogant behandelen;* zie STEP ASIDE, STEP DOWN, STEP IN, STEP OFF, STEP OUT II ⟨ov ww⟩ ● *stappen, zetten* ● *dansen* ⟨dans⟩, *de stapjes doen v.;* zie STEP OUT, STEP UP. '**step a'side** ● *opzij stappen, uit de weg gaan* ● *zijn plaats afstaan.* '**stepbrother** ● *stiefbroer.* '**stepdaughter** ● *stiefdochter.* '**step 'down** ● *aftreden* ● *zijn plaats afstaan.* '**stepfather** ● *stiefvader.* '**step 'in** ● *binnenkomen* ● *tussenbeide komen, inspringen.* '**stepladder** ● *trap(ladder).* '**stepmother** ● *stiefmoeder.* '**step 'off** ● ↓ *beginnen, starten.* '**step 'out** I ⟨onov ww⟩ ● *flink doorstappen* ● *naar buiten gaan* II ⟨ov ww⟩ ● *afstappen, meten dmv. passen nemen.* '**stepparent** ● *stiefouder.*

steppe [step] ● *steppe, steppenland.*

'**stepped-'up** ● *opgevoerd, verhoogd;* – production *opgevoerde produktie.*

steppingstone ['stepɪŋstoʊn] ● *stapsteen* ⟨om bv. rivier te doorwaden⟩ ‖ a – to success *een springplank naar het succes.*

'**stepsister** ● *stiefzuster.* '**stepson** ● *stiefzoon.*

'**step 'up** ● *doen toenemen;* – production *de produktie opvoeren.*

stereophonic ['sterɪə'fɒnɪk] ● *stereofonisch.* **stereoscope** ['sterɪəskoʊp] ● *stereoscoop.*

1 **stereotype** [-taɪp] ⟨zn⟩ ● *stereotype, stereotiep beeld, vaststaande opvatting.*

2 **stereotype** ⟨ww⟩ ● *stereotyperen, in stereotypen indelen;* –d ideas *stereotiepe opvattingen.*

ster|ile ['steraɪl] ⟨zn: **-ility**⟩ ● *steriel, onvruchtbaar, kiemvrij* ‖ a – discussion *een niets opleverende discussie.*

steril|ize ['sterɪlaɪz] ⟨zn: **-ization**⟩ ● *steriliseren, onvruchtbaar maken* ● *steriliseren* ⟨melk, flessen enz.⟩.

1 **sterling** ['stɜːlɪŋ] ⟨zn⟩ ● *pond sterling.*

2 **sterling** ⟨bn⟩ ● *echt, zuiver* ⟨zilver, goud⟩, ⟨fig.⟩ *degelijk, betrouwbaar;* – silver *92,5% zuiver zilver.*

1 **stern** [stɜːn] ⟨zn⟩ ● ⟨scheep.⟩ *achterschip, achtersteven.*

2 **stern** ⟨bn⟩ ● *streng, hard, onbuigzaam* ● *streng, strikt.*

sternum ['stɜːnəm] ⟨mv.: ook sterna [-nə]⟩ ● *borstbeen.*

stethoscope ['steθəskoʊp] ● *stet(h)oscoop.*

stevedore ['stiːvɪdɔː] ● *stuwadoor.*

1 **stew** [stjuː] ⟨zn⟩ ● *hutspot* ● *stoofpot, stoofschotel* ‖ ↓ be in a – *opgewonden zijn.*

2 **stew** ⟨ww⟩ ● *stoven, smoren* ‖ let s.o. – (in one's own juice) *iem. in zijn eigen vet gaar laten koken.*

steward ['stjuːəd] ● *rentmeester, administrateur, beheerder* ● *steward* ● *ceremoniemeester, commissaris v. orde, zaalwachter.* **stewardess** ['stjuːə'des] ● *stewardess.*

1 **stick** [stɪk] I ⟨telb zn⟩ ● *stok, tak, trommelstok, dirigeerstok* ● *staaf(je), stuk;* a – of chalk *een krijtje* ● *stok, knuppel* ● *stick, hockeystick* II ⟨n-telb zn⟩ ● *het afranselen* ⟨ook fig.⟩, *afranseling;* ⟨vnl. fig.⟩ get/take (a lot of) – *er (flink) van langs krijgen;* give s.o. some – *iem. een pak slaag geven* III ⟨mv.⟩ ● ⟨AE; ↓⟩ *rimboe, afgelegen gebied* ‖ –s of furniture *schamele meubel-*

stukken.
2 **stick** ⟨stuck, stuck [stʌk]⟩ **I** ⟨onov ww⟩ • *klem zitten, vastzitten* • *blijven steken, (blijven) vastzitten* • *plakken* ⟨ook fig.⟩, ↓ *blijven;* it will always – in my mind *dat zal me altijd bijblijven;* ⟨fig.⟩ – around *in de buurt blijven;* – together *bij elkaar blijven;* – by one's old friends *zijn oude vrienden trouw blijven;* – to the point *bij het onderwerp blijven;* – to one's principles *trouw blijven aan zijn principes;* zie STICK AT, STICK OUT, STICK UP **II** ⟨ov ww⟩ • *(vast)steken, (vast)prikken, opprikken* • *doodsteken, neersteken* • ↓ *steken, zetten, leggen;* – it in your pocket *doe het in je zak* • *(vast)kleven, vastlijmen/plakken* • ↓ *pruimen, uitstaan;* I can't – him *ik heb de pest aan hem;* zie STICK OUT, STICK UP. '**stick at** • *opzien tegen;* – nothing *nergens voor terugdeinzen* • *doorgaan (met), volhouden.* **sticker** ['stɪkə] • *plakkertje,* ⟨ihb.⟩ *sticker* • *doorzetter, volhouder.* '**sticking plaster** • ⟨BE⟩ *pleister, hechtpleister.* '**stick-in-the-mud** ⟨vaak attr⟩ • *conservatieveling.*
'**stickleback** • *stekelbaars.*
stickler ['stɪklə] • ⟨+for⟩ *(hardnekkig) voorstander (van).*
'**stick-on** • *zelfklevend.* '**stick 'out I** ⟨onov ww⟩ • *overduidelijk zijn* **II** ⟨onov en ov ww⟩ • *volhouden;* stick it out! *hou vol!;* – for sth. *zich blijven inzetten voor iets* • *uitsteken, vooruit steken.* '**stickpin** ⟨AE⟩ • *dasspeld.* '**stick 'up I** ⟨onov ww⟩ • *omhoogstaan, uitsteken* ‖ – for s.o. *het voor iem. opnemen* **II** ⟨ov ww⟩ • *opplakken, aanplakken* • ↓ *overvallen ‖* stick 'em/your hands up *handen omhoog.* '**stick-up** • *overval.* **sticky** ['stɪki] • *kleverig, plakkerig* • ↓ *weerspannig, onwillig* • ↓ *penibel, lastig;* be on a – wicket *in een benarde situatie zitten;* he will come to/meet a – end *het zal slecht met hem aflopen* • *zwoel, broeierig ‖* she's got – fingers *ze heeft lange vingers, zij jat.*
1 **stiff** [stɪf] ⟨zn⟩ ⟨sl.⟩ • *lijk.*
2 **stiff I** ⟨bn, attr en pred⟩ • *stijf, onbuigzaam* • *vastberaden, koppig;* put up (a) – resistance *hardnekkig weerstand bieden* • *stram, stijf, stroef* • *stijf, stug* • *zwaar, moeilijk;* a – job *een hele toer* • *sterk, stevig;* a – breeze *een stevige bries* • *(te) groot/erg, overdreven;* – demands *pittige eisen ‖* keep a – upper lip *het been stijfhouden; zich flink houden* **II** ⟨bn, attr⟩ • *sterk;* a – drink *een stevige borrel.*
3 **stiff** ⟨bw⟩ ↓ • *door en door;* bore s.o. – *iem. gruwelijk vervelen;* scare s.o. – *iem. de stuipen op het lijf jagen.*

stiffen ['stɪfn] **I** ⟨onov ww⟩ • *verstijven* • *in kracht toenemen* • *verstijven, koeler/stuurser worden;* she –ed at his insolent remark *ze verstijfde bij zijn brutale opmerking* **II** ⟨ov ww⟩ • *verstijven, stijfmaken* • *verstevigen, krachtiger maken,* ⟨ook fig.⟩ *versterken.*
'**stiff-'necked** • *koppig, halsstarrig.*
stifle ['staɪfl] • *verstikken, doen stikken, smoren* ⟨ook fig.⟩; a stifling heat *een verstikkende hitte* • *onderdrukken.*
stigma ['stɪgmə] ⟨mv.: ook stigmata [-mətə]⟩ • *brandmerk, (schand)vlek, stigma* ⟨vnl. fig.⟩ • ⟨plantk.⟩ *stempel* • ⟨mv. alleen: -ta⟩ *stigma, wondteken* ⟨(zoals) v. Christus⟩. **stigmatize** ['stɪgmətaɪz] • *stigmatiseren, brandmerken.*
stile [staɪl] • *overstap* • *tourniquet, draaikruis.*
stiletto [stɪ'letoʊ] • *stiletto* • ↓ *schoen met naaldhak.* **sti'letto 'heel** • *naaldhak.*
1 **still** [stɪl] ⟨zn⟩ • *filmfoto* • *distilleertoestel* • *stilte;* the – of the night *de nachtelijke stilte.*
2 **still** ⟨bn⟩ • *stil, rustig, kalm;* – water *stilstaand water* • *niet mousserend ‖* ⟨sprw.⟩ still waters run deep *stille waters hebben diepe gronden.*
3 **still** ⟨ww⟩ • *stillen, tot rust brengen,* ⟨fig.⟩ *bedaren, kalmeren.*
4 **still** ⟨bw⟩ • *stil;* keep – (zich) *stilhouden* • *nog, nog altijd;* is he – here? *is hij hier nog?* • *nog* ⟨mbt. graad, hoeveelheid⟩; he is – taller, he is taller – *hij is nog groter* • *toch;* … but he – agreed … *maar hij stemde er toch mee in.* '**still'birth** • *geboorte v.e. dood kind.* '**still'born** • *doodgeboren* ⟨ook fig.⟩. '**still-'life** • *stilleven.*
stilt [stɪlt] • *stelt* • *paal, pijler.* **stilted** ['stɪltɪd] • *stijf, gekunsteld* • *hoogdravend.*
stimulant ['stɪmjʊlənt] • *stimulans, opwekkend middel.* **stimulate** ['stɪmjʊleɪt] • *stimuleren, opwekken.* **stimulation** ['stɪmjʊ'leɪʃn] • *stimulering, prikkeling.*
stimulus ['stɪmjʊləs] ⟨mv.: stimuli [-laɪ]⟩ • *stimulus, prikkel.*
1 **sting** [stɪŋ] **I** ⟨telb zn⟩ • *angel ‖* ⟨sprw.⟩ the sting is in the tail *het venijn zit in de staart* **II** ⟨telb en n-telb zn⟩ • *steek, beet, prikkel(ing)* ⟨ook fig.⟩, *vinnigheid;* the – of his remark *de stekeligheid v. zijn opmerking;* –s of remorse *knagende wroeging.*
2 **sting** ⟨ww; stung, stung [stʌŋ]⟩ • *steken, bijten,* ⟨fig.⟩ *grieven;* his conscience stung him *zijn geweten knaagde* • *prikkelen, branden* • ⟨sl.⟩ *afzetten;* – s.o. for a few dollars *iem. een paar dollar lichter maken.* **stinging** ['stɪŋɪŋ] • *stekend, bij-*

tend; a – reproach *een scherp verwijt.*
stingy ['stɪndʒi] ● *vrekkig, gierig.*
1 stink [stɪŋk] ⟨zn⟩ ● *stank* ● ↓ *herrie;* make/
raise a – about sth. *herrie schoppen over
iets.*
2 stink (stank [stæŋk], /stunk [stʌŋk], stunk)
I ⟨onov ww⟩ ● *stinken* ● ⟨sl.⟩ *niet deugen;*
his reputation –s *hij heeft een slechte reputatie* **II** ⟨ov ww⟩ ‖ – out *door stank verdrijven;* ↓ met stank vullen. **'stink-bomb** ●
stinkbom. **stinking** ['stɪŋkɪŋ] ● *stinkend;* –
rich *stinkend rijk* ● ⟨sl.⟩ *oerslecht, gemeen.*
1 stint [stɪnt] ⟨zn⟩ ● *karwei(tje), taak* ‖ without – *onbeperkt.*
2 stint **I** ⟨onov ww⟩ ● *zich beperken* **II** ⟨ov
ww⟩ ● *beperken* ● *karig toebedelen;* – o.s./
s.o. of food *zichzelf/iem. karig voedsel
toebedelen.*
stipend ['staɪpend] ● *salaris, bezoldiging.*
stipple ['stɪpl] ● *(be)stippelen.*
stipulate ['stɪpjʊleɪt] ● *bedingen, stipuleren,
bepalen.* **stipulation** ['stɪpjʊ'leɪʃn] ● *stipu-
latie, bepaling, voorwaarde.*
1 stir [stə:] ⟨zn⟩ ● *het roeren, het poken;*
give the fire a – *pook het vuur even op* ●
beroering, opwinding, sensatie; cause a/
quite a – *(veel) opzien baren.*
2 stir **I** ⟨onov ww⟩ ● *(zich)(ver)roeren, (zich)
bewegen;* don't –! *beweeg niet!* ● *opstaan, op zijn;* compassion – red in his
heart *deernis kwam in zijn hart op* **II** ⟨ov
ww⟩ ● *bewegen, roeren,* ⟨fig.⟩ *verontrusten;* – o.s. *in beweging komen* ● ⟨vnl.
+up⟩ *(op)poken,* ⟨fig.⟩ *aanwakkeren,*
⟨fig.⟩ *aan/opstoken;* – one's curiosity *iemands nieuwsgierigheid prikkelen;* – the
fire *het vuur opporren* ● ⟨vaak +up⟩ *(om)
roeren.* **stirrer** ['stə:rə] ● ⟨sl.⟩ *(op)stoker.*
stirring ['stə:rɪŋ] ● *druk, levendig* ● *opwekkend, stimulerend* ● *bezielend, inspirerend.*
stirrup ['stɪrəp] ● *(stijg)beugel.*
1 stitch [stɪtʃ] ⟨zn⟩ ● *steek in de zij* ● *steek;*
drop a – *een steek laten vallen* ● ⟨med.⟩
hechting ‖ not have a – on *spiernaakt zijn;*
in –es *slap v.h. lachen;* ⟨sprw.⟩ a stitch in
time saves nine *werk op tijd maakt veel
bereid.*
2 stitch ⟨ww⟩ ● *stikken, (vast/dicht)naaien;*
– up a wound *een wond hechten.*
stoat [stoʊt] ● *wezel,* ⟨ihb.⟩ *hermelijn* ⟨ihb.
in bruine zomerpels⟩.
1 stock [stɒk] **I** ⟨telb zn⟩ ● *stok, onderstam*
⟨voor ent⟩, *moederstam* ● *steel* ● *familie,
ras, geslacht* ● ⟨AE; ec.⟩ *aandeel, effect* **II**
⟨telb en n-telb zn⟩ ● *voorraad;* take – *de inventaris opmaken;* ⟨fig.⟩ take – (of the sit-

uation) *de toestand bekijken;* in – *in voorraad;* out of – *niet in voorraad* ● *bouillon* ●
⟨ec.⟩ *aandelen(bezit), fonds* ● ⟨BE; ec.⟩
overheids/staatspapier **III** ⟨n-telb zn⟩ ● *afkomst;* be/come of good – *van goede
komaf zijn* ● *vee(stapel)* ‖ rolling – *rollend
materieel/materiaal* ⟨v. spoorwegen⟩ **IV**
⟨mv.⟩ ● ⟨scheep.⟩ *stapel(blokken), helling;* on the –s *op stapel* ⟨ook fig.⟩; ⟨fig.⟩
in voorbereiding ● ⟨gesch.⟩ *blok* ⟨straf-
tuig⟩.
2 stock ⟨bn⟩ ● *gangbaar;* – sizes *courante
maten* ● *stereotiep, vast;* a – remark *een
stereotiepe opmerking.*
3 stock **I** ⟨onov ww⟩ ● *voorraad inslaan;* –
up on/with sugar *suiker inslaan/hamste-
ren* **II** ⟨ov ww⟩ ● *van het nodige voorzien;*
a well––ed department store *een goed
voorzien warenhuis* ● *inslaan* ● *in voorraad hebben.*
stockade [stɒ'keɪd] ● *palissade.*
'stockbreeder, **'stockfarmer** ● *veefokker.*
'stockbroker ● *effectenmakelaar.* **'stock
car** ● *stock-car* ⟨opgelapte auto voor ra-
ces⟩ ● ⟨AE⟩ *veewagen.* **'stock cube** ●
bouillonblokje. **'stock exchange** ⟨the⟩ ●
effectenbeurs ● *beursnoteringen.* **'stockholder** ● *aandeelhouder.*
stocking ['stɒkɪŋ] ● *kous;* a pair of –s *een
paar kousen;* in his –(ed) feet *op kouse-
voeten.*
'stock-in-'trade ● *(goederen)voorraad* ● *(geldelijke) middelen* ● *gereedschap* ‖ that
joke is part of his – *dat is één v. zijn stan-
daardgrappen.* **stockist** ['stɒkɪst] ⟨BE⟩ ●
leverancier (uit voorraad). **'stock market**
● *(effecten)beurs.* **'stockpile** ● ⟨zn⟩ *voorraad* ● ⟨ww⟩ *voorraden aanleggen/in-
slaan (van).* **'stockroom** ● *magazijn.*
'stock-'still ● *doodstil.* **'stock-taking** ● *in-
ventarisatie,* ⟨fig.⟩ *onderzoek v.d. toestand.*
stocky ['stɒki] ● *gedrongen, kort en dik, stevig.*
stodge [stɒdʒ] ↓ ● *zware kost, onverteerbaar
eten.* **stodgy** ['stɒdʒi] ● *zwaar, onverteerbaar* ● *droog, saai, vervelend.*
stoic ['stoʊɪk] ● *stoïcijn.* **stoic(al)** ['stoʊɪk(l)]
● *stoïcijns, onaangedaan.*
stoke [stoʊk] ⟨ook +up⟩ ● *aan/opstoken*
⟨vuur⟩, *opvullen* ⟨kachel⟩.
1 stole [stoʊl] ⟨zn⟩ ● *stola.*
2 stole ⟨verl. t.⟩ zie STEAL. **stolen** ['stoʊlən]
⟨volt. deelw.⟩ zie STEAL.
stolid ['stɒlɪd] ● *flegmatiek, onverstoorbaar,
onaangedaan.*
1 stomach ['stʌmək] ⟨zn⟩ ● *maag* ● *buik* ●
eetlust, trek ‖ I have no – for a fight *ik heb*

geen zin om ruzie te maken.
2 stomach ⟨ww⟩ ●*slikken, eten* ●*aanvaarden;* you needn't – such an affront *zo'n belediging hoef je niet zomaar te slikken.*
'**stomachache** ●*maagpijn* ●*buikpijn.*
stomp [stɒmp] ↓ ●*stampen.*
1 stone [stoʊn] ⟨zn⟩ ●*steen, grafsteen, edelsteen, pit* ⟨v. vrucht⟩, *niersteen* ●*stone, 14 Eng. pond;* he weighs 14 –(s) *hij weegt 14 stone/90 kilo* ‖ leave no – unturned *geen middel onbeproefd laten;* rolling – *zwerver;* zie ook ⟨sprw.⟩ BLOOD, GLASS, ROLLING.
2 stone ⟨ww⟩ ●*stenigen, met stenen bekogelen* ●*ontpitten.*
'**Stone Age** ●*stenen tijdperk.*
'**stone-'blind** ●*stekeblind.* '**stone-'cold** ● *steenkoud;* – sober/dead *broodnuchter/ morsdood.*
stoned [stoʊnd] ↓ ●*stomdronken* ●*stoned, high.*
'**stone-'deaf** ●*stokdoof.* '**stone fruit** ●*steenvrucht(en).* '**stonemason** ●*steenhouwer.* '**stone's throw** ●*steenworp; within a – op een steenworp afstand.* '**stoneware** ● *steengoed* ⟨zwaar aardewerk⟩. '**stonework** ●*steenwerk* ●*metselwerk.*
stony ['stoʊni] ●*steenachtig, vol stenen* ● *keihard, steenhard,* ⟨fig.⟩ *hardvochtig, gevoelloos.* **stony broke** ●*platzak, blut.* '**stony-'faced** ●*ernstig, met een stalen gezicht.*
stood [stʊd] ⟨verl. t. en volt. deelw.⟩ zie STAND.
stooge [stu:dʒ] ●⟨dram.⟩ *mikpunt, aangever* ●*knechtje, duvelstoejager.*
stool [stu:l] ●*kruk, bankje; fall between two –s tussen twee stoelen in de as zitten* ● *ontlasting.*
'**stool pigeon** ⟨sl.⟩ ●*lokvogel, lokaas* ●*politieverklikker.*
1 stoop [stu:p] ⟨zn⟩ ●*gebukte houding* ● *ronde rug.*
2 stoop I ⟨onov ww⟩ ●*(zich) bukken, voorover buigen* ●*zich verwaardigen* ●*zich vernederen;* – to folly *zich tot onbezonnenheden verlagen* ●*met ronde rug lopen* II ⟨ov ww⟩ ●*buigen;* – one's head *het hoofd buigen.*
1 stop [stɒp] ⟨zn⟩ ●*einde, beëindiging, het stoppen, pauze;* bring to a – *stopzetten, een halt toeroepen;* put a – to *een eind maken aan* ●*halte, stopplaats* ●*afsluiting, belemmering* ●*leesteken,* ⟨ihb.⟩ *punt* ● ⟨foto.⟩ *diafragma, lensopening* ‖ pull all the –s out *alle registers opentrekken; alle zeilen bijzetten.*
2 stop I ⟨onov ww⟩ ●*ophouden, stoppen* ●

halt houden, stilhouden; – short *plotseling halt houden;* they –ped short of doing it *ze gingen niet zover, dat ze het deden;* – at nothing *tot alles in staat zijn* ● ↓ *blijven, verblijven, overblijven;* ⟨AE⟩ – by *(even) langskomen;* – in *binnenblijven;* – off *zijn reis onderbreken;* – over *de (vlieg)reis onderbreken;* – to tea *blijven eten* II ⟨ov ww⟩ ●*(af)sluiten, dichten, dichtstoppen* ⟨ook gat op blaasinstrument⟩; – up a leak *een lek dichten* ●*verhinderen, afhouden, tegenhouden;* – thief! *houd de dief!;* – s.o. (from) getting into trouble *zorgen dat iem. niet in moeilijkheden raakt* ●*blokkeren, afsnijden, stoppen;* – blood *bloed stelpen;* – a cheque *een cheque blokkeren;* – a fee out of one's wages *contributie v. iemands salaris inhouden* ●*een eind maken aan, stopzetten, beëindigen* ●*ophouden met, staken;* – work *het werk neerleggen.*
'**stopcock** ⟨tech.⟩ ●*plugkraan.* '**stopgap** ● *noodoplossing* ●*invaller/invalster.* '**stop-'go** ⟨ook attr⟩ ⟨BE; ↓⟩ ●*wisselvallige belastingpolitiek* ⟨gericht op economische expansie of bezuiniging⟩. '**stopover** ● *reisonderbreking, kort verblijf.* **stoppage** ['stɒpɪdʒ] ●*verstopping, blokkering* ●*inhouding;* – of pay *inhouden v. loon* ●*staking, stilstand.* **stopper** ['stɒpə] ●*stop, plug, kurk.*
'**stop-'press** ⟨BE⟩ ●*laatste nieuws.*
storage ['stɔːrɪdʒ] ●*opslag, bewaring* ● *bergruimte, opslagplaats* ●*opslagkosten.* '**storage heater** ●*warmteaccumulator.* '**storage space** ●*opslagruimte.*
1 store [stɔː] ⟨zn⟩ ●*voorraad;* in – *in voorraad;* there's a surprise in – for you *je zult voor een verrassing komen te staan* ●*opslagplaats, magazijn, pakhuis* ● ⟨mv.⟩ ⟨ihb. mil.⟩ *provisie, proviand* ●*grote hoeveelheid* ●⟨AE⟩ *winkel* ●⟨BE⟩ *warenhuis* ‖ set (great) – by *veel waarde hechten aan.*
2 store ⟨ww⟩ ●*bevoorraden, inslaan;* – up tins *een voorraad blikjes aanleggen* ●*opslaan, opbergen, bewaren.* '**storehouse** ● *pakhuis, opslagplaats* ⟨ook fig.⟩; Steve is a – of information *Steve is een bron v. informatie.* '**storekeeper** ●⟨AE⟩ *winkelier.* '**storeroom** ●*opslagkamer, voorraadkamer.*
stores ●⟨BE⟩ *(dorps)winkel* ●⟨vnl. mil.⟩ *opslagplaats, magazijn.*
storey, ⟨AE sp.⟩ **story** ['stɔːri] ●*verdieping, woonlaag;* the second – *de eerste verdieping.*
stork [stɔːk] ●*ooievaar.*
1 storm [stɔːm] ⟨zn⟩ ●*(hevige) bui* ●*storm-(wind), orkaan;* – in a teacup *storm in een*

glas water ●*uitbarsting, vlaag;* – of protests *regen v. protesten* ‖ take by – *stormenderhand veroveren* ⟨ook fig.⟩.

2 storm I ⟨onov ww⟩ ●*stormen* ●⟨+at⟩ *tekeergaan (tegen), razen* ●*rennen, denderen;* – in *binnen komen stormen* **II** ⟨ov ww⟩ ⟨mil.⟩ ●*bestormen.* **'stormbound** ● *door storm/noodweer opgehouden.* **'storm cloud** ●*onweerswolk,* ⟨fig.⟩ *donkere wolk, teken van onheil.* **'storm troops** ●*stormtroepen, stoottroepen* ● *S.A.* ⟨in nazi-Duitsland⟩. **stormy** ['stɔ:mi] ●*stormachtig.*

story ['stɔ:ri] ●*(levens)geschiedenis* ●*verhaal* ●⟨lit.⟩ *vertelling* ●⟨journalistiek⟩ *(materiaal voor) artikel* ●↓ *smoesje, praatje;* tell stories *jokken* ●zie STOREY. **'storybook** ●⟨bn⟩ *als in een sprookje;* a – ending *een gelukkige afloop, een happyend* ●⟨zn⟩ *verhalenboek.* **'story line** ⟨lit.⟩ ●*intrige, plot.* **'storyteller** ●*verteller* ●↓ *jokkebrok.*

1 stout [staʊt] ⟨zn⟩ ●*stout, donker bier.*

2 stout ⟨bn⟩ ●*moedig, vastberaden, krachtig;* – resistance *krachtig verzet* ●*solide, stevig* ●*gezet, corpulent.* **'stout'hearted** ●*dapper.*

1 stove [stoʊv] ⟨zn⟩ ●*kachel* ●*fornuis/oven.*

2 stove ⟨verl. t. en volt. deelw.⟩ zie STAVE.

'stovepipe ●*kachelpijp* ●⟨AE ook: 'stovepipe 'hat⟩ ↓ *hoge hoed, kachelpijp.*

stow [stoʊ] ●*opbergen, inpakken.* **stowage** ['stoʊɪdʒ] ●*het stouwen,* ⟨scheep.⟩ *stuwing* ●*bergruimte.* **stowaway** ['stoʊəweɪ] ●*verstekeling.* **'stow a'way I** ⟨onov ww⟩ ●*zich verbergen* ⟨aan boord v.e. schip/vliegtuig⟩ **II** ⟨ov ww⟩ ●*opbergen, wegbergen.*

straddle ['strædl] ●*schrijlings zitten op, wijdbeens/met gespreide benen zitten op/ staan boven.*

straggle ['strægl] ●*(af)dwalen, achterblijven* ●*(wild) uitgroeien, verspreid groeien/liggen.* **straggly** ['strægli] ●*(onregelmatig) verspreid* ●*verwilderd, verward* ⟨haar⟩.

1 straight [streɪt] ⟨zn⟩ ●*recht stuk* ⟨ihb. v. renbaan⟩ ‖ on the – and narrow *op het (smalle) rechte pad.*

2 straight ⟨bn⟩ ●*recht, sluik* ⟨haar⟩ ●*puur,* ⟨fig.⟩ *zonder franje;* a – rendering of the facts *een letterlijk verslag v.d. feiten;* – whisky *whisky puur* ●*open(hartig), eerlijk, recht door zee;* – answer *eerlijk antwoord* ●*strak, in de plooi, correct;* keep a – face *niet verblikken of verblozen;* keep (s.o.) to the – and narrow path *(iem.) op het rechte pad houden* ●*ordelijk, netjes;* get this – *begrijp me goed;* put/set the facts/record

– *alle feiten op een rijtje zetten;* set s.o. – *about sth. iem. de ware toedracht over iets meedelen* ●*direct;* ⟨BE; pol.⟩ – fight *directe confrontatie tussen twee kandidaten* ●*opeenvolgend;* five – wins *vijf overwinningen op rij* ●↓ *hetero(seksueel).*

3 straight ⟨bw⟩ ●*rechtstreeks, meteen;* come – to the point *meteen ter zake raken;* tell s.o. – out *iem. iets vierkant in zijn gezicht zeggen* ●*recht, rechtop;* – on *rechtdoor* ‖ go – *een eerlijk mens worden;* – away/off *onmiddellijk.* **'straight-a'way** ● *onmiddellijk.* **straighten** ['streɪtn] **I** ⟨onov ww⟩ ●*recht worden* **II** ⟨ov ww⟩ ●*rechtmaken, rechtzetten, rechttrekken* ⟨ook fig.⟩; – one's legs *de benen strekken;* – the room *de kamer aan kant brengen;* – o.s. *up zich oprichten.* **'straighten 'out** ●*ontwarren, op orde brengen* ●↓ *op het rechte spoor zetten.* **'straight'forward** ●*open, eerlijk* ● *duidelijk, ongecompliceerd.*

1 strain [streɪn] ⟨zn⟩ ●*spanning, druk,* ⟨fig.⟩ *belasting, inspanning;* place/put a – on s.o. *een zware belasting zijn voor iem.* ● *overbelasting* ●*verrekking* ⟨v. spieren⟩, *verstuiking* ●*flard* ⟨v. muziek⟩ ●*trant, toon* ⟨v. uitdrukken⟩ ●*(karakter)trek, element* ●*ras, soort.*

2 strain I ⟨onov ww⟩ ●*zich inspannen, zwoegen* ●⟨+at⟩ *rukken (aan), trekken* **II** ⟨ov ww⟩ ●*spannen, (uit)rekken* ●*inspannen, maximaal belasten;* – one's eyes *turen, ingespannen kijken* ●*overbelasten, te veel vergen van,* ⟨fig.⟩ *geweld aandoen;* – the truth *de waarheid geweld aandoen;* – one's voice *zijn stem forceren* ●*verrekken* ⟨spieren⟩, *verdraaien* ●*zeven* ●*afgieten.* **strained** [streɪnd] ●*gedwongen, onnatuurlijk;* – smile *geforceerd lachje* ●*gewrongen, verdraaid;* – interpretation *vergezochte interpretatie* ●*gespannen.* **strainer** ['streɪnə] ●*zeef* ●*vergiet* ●*filter(doek).*

strait [streɪt] ⟨vaak mv.⟩ ●*zeeëngte, (zee) straat* ●*moeilijkheden;* be in dire –s *ernstig in het nauw zitten.* **straitened** ['streɪtnd] ‖ – circumstances *behoeftige omstandigheden, geldproblemen.*

'straitjacket ●*dwangbuis, keurslijf* ⟨ook fig.⟩. **'strait-'laced** ●*puriteins, bekrompen, preuts.*

1 strand [strænd] ⟨zn⟩ ●*streng, snoer, draad* ●*lijn* ⟨in verhaal⟩, *element* ●*strand.*

2 strand ⟨ww⟩ ●*laten stranden, aan de grond laten lopen.* **stranded** ['strændɪd] ● *gestrand, aan de grond, vast(gelopen)* ⟨ook fig.⟩; Alan was – in Rome *Alan zat in Rome vast.*

strange [streɪndʒ] ●*vreemd, onbekend;* he

is – to the business *hij heeft nog geen ervaring in deze branche* ● *eigenaardig, ongewoon;* – to say *vreemd genoeg.* **stranger** ['streɪndʒə] ● *vreemde(ling), onbekende;* I'm a – here *ik ben hier vreemd.*

strangle ['stræŋgl] ● *wurgen* ● *onderdrukken, smoren* ⟨neiging, kreet⟩. '**stranglehold** ● *wurggreep, verstikkende greep* ⟨ook fig.⟩; have a – on *in zijn macht hebben.* **strangler** ['stræŋglə] ● *wurger.* **strangulation** ['stræŋgjʊ'leɪʃn] ● *wurging.*

1 strap [stræp] ⟨zn⟩ ● *riem, band(je)* ● *pak rammel.*

2 strap ⟨ww⟩ ● *vastbinden, vastsnoeren* ● ⟨ook +up⟩ *verbinden, met pleisters afdekken* ● *pak rammel geven.* **straphanger** ● *lushanger* ⟨in tram e.d.⟩. **strapless** ['stræpləs] ⟨mode⟩ ● *strapless, zonder schouderbandjes.* **strapping** ['stræpɪŋ] ● *flink, potig, stoer.*

strata ['strɑːtə] ⟨mv.⟩ zie STRATUM.

stratagem ['strætədʒəm] ● *(krijgs)list, truc.*

strategic [strə'tiːdʒɪk] ● *strategisch.* **strategist** ['strætɪdʒɪst] ● *strateeg.* **strategy** ['strætədʒi] ● *plan, strategie* ● *strategie, beleid.*

stratification ['strætɪfɪ'keɪʃn] ● *gelaagdheid, verdeling in lagen, stratificatie.* **stratify** ['strætɪfaɪ] ● *in lagen verdelen* ⟨ook fig.⟩; stratified society/soil *gelaagde maatschappij/bodem.*

stratosphere ['strætəsfɪə] ● *stratosfeer.*

stratum ['strɑːtəm] ⟨mv.: strata⟩ ● *laag* ⟨v. bodem; ook fig.⟩.

straw [strɔː] ● *stro* ● *strohalm, strootje;* a – in the wind *een teken aan de wand;* clutch at a – *zich aan iedere strohalm vastklampen* ● *rietje* ‖ not care a – about *geen moer geven om;* zie ook ⟨sprw.⟩ LAST.

strawberry ['strɔːbri] ● *aardbei.* '**strawberry mark** ● *moedervlek.*

'**strawboard** ● *strokarton.* '**strawcolour,** '**strawcoloured** ● *strokleurig, strogeel.*

straw 'poll, straw 'vote ⟨AE⟩ ● *opiniepeiling, opinieonderzoek.*

1 stray [streɪ] ⟨zn⟩ ● *zwerver, verdwaalde, zwerfdier* ● *dakloos kind.*

2 stray ⟨bn⟩ ● *verdwaald, zwervend;* – bullet *verdwaalde kogel;* – cats *zwerfkatten* ● *verspreid, sporadisch, toevallig.*

3 stray ⟨ww⟩ ● *dwalen* ⟨ook fig.⟩; – from the subject *v.h. onderwerp afdwalen.*

1 streak [striːk] ⟨zn⟩ ● *streep, strook* ● *(karakter)trek, tikje;* there's a – of madness in Mel *er zit (ergens) een draadje los bij Mel* ‖ like a – of lightning *bliksemsnel;* a winning – *een reeks overwinningen/successen.*

2 streak I ⟨onov ww⟩ ● *(weg)schieten, flitsen, snellen* ● ↓ *streaken, naakt rondrennen* **II** ⟨ov ww⟩ ● *strepen zetten op, strepen;* –ed with grey *met grijze strepen.* **streaker** ['striːkə] ↓ *streaker* ⟨iem. die naakt rondrent⟩. **streaky** ['striːki] ● *gestreept, met strepen, doorregen* ⟨v. bacon⟩.

1 stream [striːm] ⟨zn⟩ ● *stroom(pje), beek* ● *stroming;* go with/against the – *met de stroom mee/tegen de stroom in gaan* ● *(stort)vloed, stroom;* ⟨lit.⟩ – of consciousness *monologue intérieur* ● ⟨BE; school.⟩ *richting, niveaugroep.*

2 stream I ⟨onov ww⟩ ● *stromen* ⟨ook fig.⟩ ● *wapperen, fladderen* **II** ⟨ov ww⟩ ● *doen stromen;* the wound was –ing blood *het bloed gutste uit de wond* ● *laten wapperen.* **streamer** ['striːmə] ● *wimpel, lint, serpentine.* '**streamline** ● *stroomlijnen,* ⟨fig.⟩ *lijn brengen in;* – an organization *een organisatie efficiënter maken.* **streamlined** ['striːmlaɪnd] ● *gestroomlijnd* ⟨ook fig.⟩.

street [striːt] ● *straat;* be on/walk the –s *dakloos zijn; tippelen;* ↓ –s ahead (of) *veel beter/verder dan;* ⟨BE⟩ in/ ⟨AE⟩ on the – *op straat;* that's not up my – *dat is niets voor mij/mijn vak niet* ‖ ↓ not be in the same – as *niet kunnen tippen aan.* '**streetcar** ⟨AE⟩ ● *tram.* '**street level** ● *gelijkvloers.* '**street lighting** ● *straatverlichting.* '**street value** ● *handelswaarde.* '**streetwalker** ● *tippelaarster, prostituée.* '**streetwise** ● *gehard door het straatleven.*

strength [streŋ(k)θ] ● *sterkte* ⟨ook fig.⟩, *kracht(en), vermogen;* on the – of *op grond van* ● *(getal)sterkte, macht;* on the – in dienst;* ⟨bring⟩ up to (full) – *op (volle) sterkte (brengen)* ● *gehalte, zwaarte* ⟨v. tabak⟩ ‖ go from – to – *het ene succes na het andere behalen.* **strengthen** ['streŋ(k)θən] **I** ⟨onov ww⟩ ● *sterk(er) worden, aansterken, in kracht toenemen* **II** ⟨ov ww⟩ ● *sterk(er) maken, versterken.*

strenuous ['strenjʊəs] ● *zwaar, inspannend* ● *energiek, ijverig, krachtig;* – supporter *fervent aanhanger.*

1 stress [stres] ⟨zn⟩ ● *spanning, druk, stress;* (be) under great – *onder (hoge) druk (staan)* ● *klem(toon), nadruk,* ⟨fig.⟩ *gewicht, belang;* lay – on *benadrukken* ● ⟨tech.⟩ *spanning, druk.*

2 stress ⟨ww⟩ ● *beklemtonen* ⟨ook fig.⟩, *de nadruk leggen op* ● *belasten* ⟨lett. en fig.⟩. **stressful** ['stresfl] ● *zwaar, veeleisend, stressig.* '**stress mark** ● *klemtoonteken.*

1 stretch [stretʃ] ⟨zn⟩ ● *(groot) stuk* ⟨land,

weg, zee enz.⟩, *uitgestrektheid; –* of road *stuk weg ●tijd(ruimte), periode;* ten hours at a *– tien uur aan één stuk ●*⟨sl.⟩ *gevangenisstraf;* do a *– zitten ●het zich uitrekken ●rek(baarheid)* ‖ not by any *–* of the imagination *met de beste wil van de wereld niet;* final/finishing/ ⟨AE⟩ home *– laatste stuk* ⟨v. renbaan⟩; at full *– met inspanning van al zijn krachten.*

2 stretch I ⟨onov ww⟩ *●*⟨+out⟩ *zich uitstrekken, (languit) gaan liggen ●zich uitstrekken (tot) ●zich uitrekken* **II** ⟨onov en ov ww⟩ *●(uit)rekken* ⟨ook fig.⟩, *wijder/langer/ruimer worden/maken; –* the law *de wet ruim interpreteren;* will the beer *–* out? *is er genoeg bier?* **III** ⟨ov ww⟩ *●(aan)* spannen, strak trekken *●(uit)strekken; –* o.s *zich uitrekken ●ruim interpreteren, het niet zo nauw nemen (met),* ⟨bij uitbr.⟩ *geweld aandoen; –* the rules *de regels overtreden;* that's rather *–*ed *dat is nogal overdreven* ‖ – o.s. *zich tot het uiterste inspannen.*

stretcher ['stretʃə] *●brancard, draagbaar.* '**stretcher-bearer** *●ziekendrager, brancardier.*

stretchy ['stretʃi] *●elastisch, (te) rekbaar.*

strew [stru:] ⟨ook strewn [stru:n]⟩ *●uitstrooien;* books were strewn all over his desk *zijn bureau was bezaaid met boeken ●verspreid liggen op.*

stricken ['strɪkən] *●getroffen, geslagen; –* with fever, fever-stricken *door koorts overmand.*

strict [strɪkt] *●strikt, nauwkeurig, precies, streng;* in *–*(est) confidence *in strikt vertrouwen;* –ly speaking *strikt genomen;* be – with *streng zijn voor.*

stricture ['strɪktʃə] *●aanmerking;* pass –s (up)on *kritiek uitoefenen op.*

1 stride [straɪd] ⟨zn⟩ *●pas, stap, schrede;* ⟨fig.⟩ get into one's *– op dreef komen;* take sth. in ⟨one's⟩ *– iets spelenderwijs doen ●gang.*

2 stride ⟨ww; strode [stroʊd], stridden ['strɪdn]⟩ *●schrijden, (voort)stappen, grote passen nemen; –* across/over *stappen over.*

strident ['straɪdnt] *●schel, schril, scherp.*

strife [straɪf] *●ruzie;* industrial *– industriële onrust.*

1 strike [straɪk] ⟨zn⟩ *●(lucht)aanval ●staking;* (out) on *– in staking ●vondst* ⟨v. olie enz.⟩.

2 strike ⟨struck, struck [strʌk]⟩ **I** ⟨onov en ov ww⟩ *●slaan, slaan in/met/op/tegen, treffen, raken, aanvallen, toeslaan, aanslaan* ⟨snaar, noot⟩, *aan de haak slaan, munten,*

geld slaan, aansteken ⟨lucifer⟩, *botsen (met/op), stoten (op/tegen); –* a blow *een klap uitdelen;* the clock –s *de klok slaat;* struck dumb *met stomheid geslagen; –* down *neerslaan; vellen; –* through *doorstrepen; –* at uithalen naar; struck by lightning *door de bliksem getroffen; –* s.o. off the list *iem. royeren; –*(up)on *treffen; stoten op; komen op* ⟨idee⟩ *●staken ●aanvoelen, lijken;* the room –s cold *de kamer doet koud aan; –* false *vals klinken* ⟨v. noot⟩ *●(op pad/weg) gaan; –* for home *de weg naar huis inslaan* ‖ – home *to s.o. grote indruk maken op iem.* ⟨v. opmerking⟩; zie ook ⟨sprw.⟩ LIGHTNING; zie STRIKE OFF, STRIKE OUT, STRIKE UP **II** ⟨ov ww⟩ *●strijken* ⟨vlag e.d.⟩, *opbreken* ⟨kamp, tent⟩ *●bereiken, sluiten; –* a bargain with *het op een akkoordje gooien met ●uitkomen op, tegenkomen, stuiten op ●vinden, stoten op; –* oil *olie aanboren;* ⟨fig.⟩ *fortuin maken ● een indruk maken op, lijken;* it –s me that *het valt mij op dat;* did it ever *– you that* heb je er wel eens aan gedacht dat *●opkomen bij, invallen* ⟨idee⟩ ‖ – a pose *een houding aannemen; –* terror into s.o.'s heart *iem. met schrik vervullen.*

'**strikebound** *●lamgelegd* ⟨door staking⟩. '**strikebreaker** *●stakingbreker.* '**strike force** *●(direct inzetbare) aanvals/interventie-troepen.* '**strike fund** *●stakingskas.* '**strike 'off** *●schrappen, royeren ●afdraaien, drukken.* '**strike 'out I** ⟨onov ww⟩ *● (fel) uithalen* ⟨ook fig.⟩ *●nieuwe wegen inslaan; –* on one's own *zijn eigen weg inslaan/gaan* ‖ – for *met krachtige slag/snel afzwemmen op* **II** ⟨ov ww⟩ *●schrappen, doorhalen.* '**strike pay** *●stakingsuitkering.* **striker** ['straɪkə] *●staker ●*⟨voetbal⟩ spits. '**strike 'up I** ⟨onov en ov ww⟩ *●gaan spelen/zingen, inzetten, aanheffen* **II** ⟨ov ww⟩ *●beginnen; –* an acquaintance (with) *(toevallig) kennismaken (met); –* a conversation (with) *een gesprek aanknopen (met).*

striking ['straɪkɪŋ] *●opvallend, treffend, aantrekkelijk.*

'**striking distance** ‖ within *– binnen het bereik.*

1 string [strɪŋ] ⟨zn⟩ *●koord, touw(tje), garen;* ⟨fig.⟩ pull (some) –s *invloed uitoefenen;* ⟨fig.⟩ pull the –s *de touwtjes in handen hebben;* ⟨fig.⟩ have s.o. on a *– iem. in zijn macht hebben/houden ●draad, band ●snaar ●*⟨mv.⟩ *strijkinstrumenten ●aaneenschakeling, snoer, ris(t), reeks; –* of cars *rij auto's* ‖ have two –s/a second *–* to one's bow *meer pijlen op zijn boog heb-*

ben; with no *–s* attached *zonder beperkende bepalingen.*

2 string ⟨strung, strung [strʌŋ]⟩ **I** ⟨onov ww⟩ zie STRING ALONG, STRING OUT **II** ⟨ov ww⟩ ● *(aan elkaar) rijgen; –* words together *woorden aan elkaar rijgen* ● ⟨+up⟩ ↓ *ophangen* ● *bespannen, besnaren;* ⟨fig.⟩ highly strung *fijnbesnaard* ‖ strung up *zenuwachtig, opgewonden;* zie STRING ALONG, STRING OUT. **'string along I** ⟨onov ww⟩ ● ⟨+with⟩ *meegaan/doen/werken (met)* **II** ⟨ov ww⟩ ● *beduvelen, aan het lijntje houden.* **'string 'bag** ● *boodschappennet.* **'string 'bean** ⟨AE⟩ ● *(snij)boon.* **string(ed) instrument** [strɪŋd] ● *snaarinstrument.*

stringency ['strɪndʒənsi] ● *strengheid, striktheid* ● *schaarste.* **stringent** ['strɪndʒənt] ● *stringent, streng, dwingend; –* rule *strikte regel* ● *krap, schaars.*

'string 'orchestra ● *strijkorkest.* **'string out I** ⟨onov ww⟩ ● *een rij vormen, zich verspreiden (in een rij)* **II** ⟨ov ww⟩ ● *een rij doen vormen, in een rij plaatsen.* **'string quar-'tet** ● *strijkkwartet.* **stringy** ['strɪŋi] ● *pezig, zenig* ● *lang en dun.*

1 strip [strɪp] ⟨zn⟩ ● *strook, reep* ● *kleur(en)* ⟨v. sportploeg⟩ ● *striptease(-nummer)* ‖ ⟨sl.⟩ tear s.o. off a –, tear a – off s.o. *iem. een uitbrander geven.*

2 strip I ⟨onov ww⟩ ● ⟨ook +off⟩ *zich uitkleden; –*ped to the waist *met ontbloot bovenlijf* ● *een striptease opvoeren* **II** ⟨ov ww⟩ ● *uitkleden; –* s.o. naked/to the skin *iem. (helemaal) uitkleden* ⟨ook fig.⟩ ● ⟨ook +off⟩ *van iets ontdoen, (af)schillen, verwijderen, aftrekken, afscheuren, aftuigen* ⟨scheep.⟩, *afkrabben* ⟨verf⟩ *; –* down *uit elkaar nemen* ⟨machines⟩ *; –* of *ontdoen van; beroven.*

'strip car'toon ● *stripverhaal.*

stripe [straɪp] ● *streep, strook* ● *streep* ⟨onderscheidingsteken⟩, *chevron.*

striped [straɪpt] ● *gestreept.*

'striplighting ● *T.L.-verlichting.*

stripling ['strɪplɪŋ] ● *knaap, jongmens.*

stripper ['strɪpə], **'strip artist** ● ⟨sl.⟩ *stripper, stript(eas)euse.* **'striptease, 'strip show** ● *striptease.*

stripy ['straɪpi] ● *streperig, met/vol strepen.*

strive [straɪv] ⟨strove [stroʊv], striven ['strɪvn]⟩ ● ⟨+after/for⟩ *(na)streven, zich inspannen (voor)* ● *vechten.*

strobe(s) [stroʊb(z)], **'strobe lighting** ● *stroboscooplicht.*

strode [stroʊd] ⟨verl. t.⟩ zie STRIDE.

1 stroke [stroʊk] ⟨zn⟩ ● *slag, klap, stoot; –* of genius *geniale zet/vondst;* at a/one *– in*

één klap; on the *–* of twelve *klokslag twaalf (uur)* ● *aanval, beroerte; –* of paralysis *verlamming* ● *haal, pennestreek, streep* ● *aai* ● ⟨roeien⟩ *slag(roeier)* ‖ *–* of (good) luck *buitenkansje;* he has not done a *–* of work *hij heeft geen klap uitgevoerd.*

2 stroke ⟨ww⟩ ● *aaien, strelen, (glad)strijken.*

1 stroll [stroʊl] ⟨zn⟩ ● *wandeling(etje), ommetje.*

2 stroll ⟨ww⟩ ● *wandelen, kuieren, slenteren.* **stroller** ['stroʊlə] ● *wandelaar* ● ⟨AE⟩ *wandelwagen(tje).*

strong [strɒŋ] ⟨-er ['strɒŋgə]⟩ ● *sterk, krachtig, gezond, zwaar* ⟨v. bier, sigaar⟩, *scherp* ⟨v. geur, smaak⟩, *hevig, stevig* ⟨v. wind⟩, *hoog* ⟨v. koorts, prijs enz.⟩, *vurig; –* argument *sterk argument; –* arm of the law *(sterke) arm der wet; –* belief/conviction *vaste overtuiging; –* dollar *sterke dollar; –* feelings *intense gevoelens, groot ongenoegen; –* language *krasse taal, gevloek;* take a *–* line *zich (kei)hard opstellen; –* measure *drastische maatregel; –* nerves *stalen zenuwen; –* point ⟨fig.⟩ *sterke kant; –* supporter *vurig aanhanger;* hold *–* views *er een uitgesproken mening op nahouden;* ⟨sl.⟩ (still) going *–* nog *steeds actief;* two hundred *–* tweehonderd man sterk; be *–* in *goed zijn in.* **'strong-arm** ● *hardhandig; –* methods *grove middelen.* **'strongbox** ● *brandkast, geldkist, safe(loket).* **'stronghold** ● ⟨ook fig.⟩ *bolwerk, vesting.* **strongly** ['strɒŋli] ● *zie* STRONG ● *met klem, nadrukkelijk.* **'strongman** ● *sterke man,* ⟨fig.⟩ *steunpilaar, leider.* **'strong-'minded** ● *gedecideerd, vastberaden;* be very *– (verdraaid goed)* weten wat men wil. **'strong room** ● *(bank)kluis.* **'strong-'willed** ● *wilskrachtig, gedecideerd.*

strop [strɒp] ● *scheerriem.*

stroppy ['strɒpi] ⟨BE; ↓⟩ ● *onbeschoft dwars.*

strove [stroʊv] ⟨verl. t.⟩ zie STRIVE.

struck ⟨verl. t. en volt. t.⟩ zie STRIKE.

structural ['strʌktʃrəl] ● *structureel, bouw-; –* fault *constructiefout.*

1 structure ['strʌktʃə] ⟨zn⟩ ● *bouwwerk, constructie* ● *structuur, samenstel(ling).*

2 structure ⟨ww⟩ ● *structureren, organiseren, ordenen.*

1 struggle ['strʌgl] ⟨zn⟩ ● *worsteling, gevecht, strijd; –* for freedom *vrijheidsstrijd* ● *(kracht)inspannning;* quite a *– een heel karwei.*

2 struggle ⟨ww⟩ ● *worstelen, vechten,* ⟨ook fig.⟩ *strijden, zich inspannen; –* against poverty *opboksen tegen de armoede;* – to one's feet *overeind krabbelen.*

strum ● *t(j)ingelen;* he was –ming his guitar *hij zat een beetje op zijn gitaar te tokkelen.*

strung [strʌŋ] ⟨verl. t. en volt. deelw.⟩ zie STRING.

'**strung 'out** ⟨AE; sl.⟩ ‖ – on *verslaafd aan.*

1 **strut** [strʌt] ⟨zn⟩ ● *pompeuze/pronkerige gang* ● *stut, steun, schoor.*

2 **strut** ⟨ww⟩ ● *paraderen, heen en weer stappen (op).*

1 **stub** [stʌb] ⟨zn⟩ ● *stompje, eind(je), peuk* ● *souche* ⟨v. bon- of chequeboekje⟩, *reçu-strook, controlestrook.*

2 **stub** ⟨ww⟩ ● (+out) *uitdrukken;* – out a cigarette *een sigaret uitmaken* ‖ – one's toe *zijn teen stoten.*

stubble ['stʌbl] ● *stoppel(s)* ● *stoppelbaard.*

stubbly ['stʌbli] ● *stoppelig.*

stubborn ['stʌbən] ● *koppig, eigenwijs* ● *hardnekkig, moeilijk te bewerken;* – lock *stroef slot.*

stubby ['stʌbi] ● *stomp, kort en dik.*

1 **stucco** ['stʌkoʊ] ⟨zn⟩ ● *stuc, pleister(kalk).*

2 **stucco** ⟨ww⟩ ● *pleisteren, stukadoren.*

1 **stuck** [stʌk] ⟨bn⟩ ● *vast* ⟨ook fig.⟩, *klem, ten einde raad;* be – for an answer *met zijn mond vol tanden staan;* ↓ get – in(to) sth. *iets enthousiast aanpakken;* ↓ be – with s.o./sth. *met iem./iets opgescheept zitten.*

2 **stuck** [stʌk] ⟨verl. t. en volt. deelw.⟩ zie STICK.

'**stuck-'up** ↓ ● *bekakt, verwaand.*

1 **stud** [stʌd] ⟨zn⟩ ● *(sier)spijker, sierknopje* ● *knoop(je), overhemds/boorde/manchet-knoopje* ● *verbindingsbout* ⟨in schakels v. ketting⟩ ● *stoeterij, (ren)stal* ● *fokhengst, dekhengst* ⟨ook fig.⟩.

2 **stud** ⟨ww⟩ ● (+with) *beslaan (met), versieren met spijkers/knopjes.*

student ['stju:dnt] ● *student(e)* ● *kenner.* '**student 'nurse** ● *leerling-verpleegster.* '**students' 'union** ⟨BE⟩ ● *studentenbond.* '**student 'teacher** ● *(leraar-)stagiair* ● *student PABO/NLO.*

'**stud farm** ● *fokbedrijf, stoeterij.*

studied ['stʌdid] ● *weloverwogen, (wel) doordacht, berekend;* – insult *opzettelijke belediging;* – smile *gemaakte/geforceerde glimlach.*

studio ['stju:dioʊ] ● *studio, atelier* ⟨v. kunstenaar⟩, ⟨vaak mv.⟩ *filmstudio.* '**studio couch** ● *divanbed.*

studious ['stju:diəs] ● *leergierig* ● *nauwgezet.*

1 **study** ['stʌdi] I ⟨telb zn⟩ ● *studie, werk, oefenschets/schilderij;* make a – of sth. *een studie van iets maken* ● *studeerkamer* ●

⟨meestal mv.⟩ *studie(vak)* II ⟨n-telb zn⟩ ● *studie, het studeren.*

2 **study** I ⟨onov ww⟩ ● *studeren;* – for the Bar *voor advocaat studeren* II ⟨ov ww⟩ ● *(be)studeren, onderzoeken;* – law *rechten studeren.*

1 **stuff** [stʌf] ⟨zn⟩ ● *materiaal, (grond)stof;* be of the – that *v.h. soort zijn dat* ● *kern;* the – of life *de essentie v.h. leven* ● *spul, goed(je), waar;* sweet – *zoetigheid* ● *troep, rommel* ‖ – and nonsense! *klinkklare onzin!;* ⟨sl.⟩ do your – *eens tonen wat je kan;* know one's – *zijn vak verstaan;* ↓ that's the –! *(dat is) je ware!, zo mag ik 't horen.*

2 **stuff** ⟨ww⟩ ● *(op)vullen, volproppen/stoppen;* ↓ – o.s. *zich volproppen* ● *(dicht/vol) stoppen;* my nose is completely –ed up *mijn neus is helemaal verstopt* ● *proppen, stoppen* ● ⟨cul.⟩ *farceren, vullen* ‖ – a bird *een vogel opzetten;* ⟨sl.⟩ he can – his job! *hij kan naar de maan lopen met zijn baan.*

stuffing ['stʌfɪŋ] ● *(op)vulsel, vulling* ‖ knock the – out of s.o. *iem. uitschakelen.*

stuffy ['stʌfi] ● *bedompt, benauwd, muf* ● *bekrompen.*

stultif|y ['stʌltɪfaɪ] ⟨zn: **-ication**⟩ ● *afstompen, gevoelloos maken.*

1 **stumble** ['stʌmbl] ⟨zn⟩ ● *struikeling, misstap,* ⟨fig.⟩ *blunder.*

2 **stumble** ⟨ww⟩ ● *struikelen, vallen* ● *hakkelen, stamelen;* he always –s at/over the difficult words *hij struikelt altijd over de moeilijke woorden.* '**stumble across,** '**stumble (up)on** ● *tegen het lijf lopen, stuiten op, toevallig vinden.* '**stumbling block** ● *struikelblok.*

1 **stump** [stʌmp] ⟨zn⟩ ● *(boom)stronk, stomp* ● *stompje* ● ⟨cricket⟩ *stump, wicketpaaltje* ‖ ↓ on the – *bezig met het houden van (verkiezings)toespraken.*

2 **stump** I ⟨onov ww⟩ ● *stampen* ● *al rondreizend campagne voeren;* zie STUMP UP II ⟨ov ww⟩ ● ↓ *voor raadsels stellen* ● *doorreizen om campagne te voeren;* zie STUMP UP. **stumper** ['stʌmpə] ↓ ● *moeilijke/lastige vraag.* '**stump 'up** ⟨BE; ↓⟩ ● *dokken, betalen.* **stumpy** ['stʌmpi] ● *gedrongen, kort en dik.*

stun [stʌn] ● *bewusteloos slaan, verdoven* ● *versteld doen staan, verbluft doen staan, verbazen;* be –ned into speechlessness *met stomheid geslagen zijn.*

stung [stʌŋ] ⟨verl. t. en volt. deelw.⟩ zie STING.

stunk [stʌŋk] ⟨verl. t. en volt. deelw.⟩ zie STINK.

stunning ['stʌnɪŋ] ↓ ● *ongelooflijk mooi,*

prachtig.
1 stunt [stʌnt] ⟨zn⟩ ● ↓ *stunt, (acrobatische)
toer* ● ↓ *(reclame)stunt* ‖ pull a – *een stunt
uithalen.*
2 stunt ⟨ww⟩ ● *(in zijn groei) belemmeren.*
'**stunt man** ● *stuntman.* '**stunt woman** ●
stuntvrouw.
stupefaction ['stju:pɪ'fækʃn] ● *verbijstering.*
stupefy ['stju:pɪfaɪ] ● *bedwelmen;* be stu-
pefied by drink *door de drank versuft zijn*
● *afstompen* ● *verbijsteren, versteld doen
staan.*
stupendous [stju:'pendəs] ● *fantastisch,
enorm.*
stupid ● *dom, stom(pzinnig)* ● *suf, versuft.*
stupidity [stju:'pɪdəti] ● *dom(mig)heid,
domme streek/opmerking* ● *domheid,
traagheid (v. begrip).*
stupor ['stju:pə] ● *(toestand v.) verdoving;*
in a drunken – *in benevelde toestand.*
sturdy ['stɜ:di] ● *sterk, stevig (gebouwd)* ●
vastberaden, resoluut.
1 stutter ['stʌtə] ⟨zn⟩ ● *gestotter;* have a –
stotteren.
2 stutter ⟨ww⟩ ● *stotteren, stamelen.* **stut-
terer** ['stʌtrə] ● *stotteraar(ster).*
sty [staɪ] ● *varkensstal* ● ⟨ook: stye⟩ *strontje*
⟨zweertje aan oog⟩.
1 style [staɪl] **I** ⟨telb zn⟩ ● *genre, type, model;* in all sizes and –s *in alle maten en vormen* ● *benaming, (aanspreek)titel, (firma)
naam* **II** ⟨telb en n-telb zn⟩ ● *(schrijf)stijl,
(schrijf)trant;* spaghetti Italian – *spaghetti
op zijn Italiaans* ● *stijl, stroming* ⟨mbt. lit.,
bouwk. e.d.⟩; the new – *of building de
nieuwe bouwstijl* ● *manier v. doen, le-
venswijze;* live in great/grand – *op grote
voet leven* ● *mode, stijl;* in – *in de mode* ‖ –
of swimming *zwemslag;* cramp s.o.'s –
iem. in zijn doen en laten belemmeren.
2 style ⟨ww⟩ ● *stileren* ● *(volgens een bep.
stijl) ontwerpen* ● ⟨vaak pass.⟩ *noemen.*
stylish ['staɪlɪʃ] ● *modieus, naar de mode*
● *stijlvol, elegant.*
stylist ['staɪlɪst] ● *stilist(e).* **stylistic** [staɪ-
'lɪstɪk] ● *stilistisch, stijl-.* **stylize** ['staɪlaɪz]
● *stileren.*
stylus ['staɪləs] ● *(grammofoon)naald* ● *ets/
graveernaald.*
stymie ['staɪmi] ● *dwarsbomen.*
suav|e [swɑ:v] ⟨zn: **-ity**⟩ ● *hoffelijk,* ⟨ong.⟩
glad.
sub [sʌb] ● *ondergeschikt, hulp-;* – post office *hulppostkantoor.*
subaltern ['sʌbltən] ● ⟨vnl. BE⟩ *subalterne
officier* ⟨beneden de rang v. kapitein⟩.
subcommittee [-kəmɪti] ● *subcommissie.*
subconscious [-'kɒnʃəs] ● ⟨bn⟩ *onderbe-*

wust ● ⟨zn; the⟩ *het onderbewustzijn.*
subcontinent [-kɒntɪnənt] ● *subcontinent.*
subcontractor [-kən'træktə] ● *onderaan-
nemer, toeleveringsbedrijf.* **subculture**
[-kʌltʃə] ● *subcultuur.* **subdivide** ['sʌb-
dɪ'vaɪd] ● *(zich) verder verdelen.* **subdivi-
sion** ['sʌbdɪvɪʒn] ● *(onder)verdeling, onderafdeling.*
subdue [səb'dju:] ● *onderwerpen, beheersen* ● *temperen, matigen.* **subdued** [səb-
'dju:d] ● *getemperd, gematigd, ingehouden, stil;* – colours *zachte kleuren.*
subeditor [-'edɪtə] ● *adjunct-hoofdredac-
teur.* **subgroup** [-gru:p] ● *subgroep.* **sub-
head** [-hed], **subheading** [-hedɪŋ] ● *ondertitel.* **subhuman** [-'hju:mən] ● *minder dan
menselijk.*
1 subject ['sʌbdʒɪkt] ⟨zn⟩ ● *onderdaan, ondergeschikte* ● *onderwerp, thema;*
change the – *van onderwerp veranderen;*
on the – of *aangaande, over* ● *(studie)ob-
ject, (leer)vak* ● *aanleiding, reden* ⟨tot klagen, gelukwensing enz.⟩ ● ⟨taal., logica⟩
subject, onderwerp.
2 subject ['sʌbdʒɪkt] **I** ⟨bn, attr en pred⟩ ●
onderworpen; – to foreign rule *onder
vreemde heerschappij* **II** ⟨bn, pred⟩ ● *onderhevig, blootgesteld;* – to change *vatbaar voor wijziging(en)* ● *afhankelijk;* – to
these conditions *op deze voorwaarden.*
3 subject [səb'dʒekt] ⟨ww⟩ ● ⟨+to⟩ *onderwerpen (aan), blootstellen (aan);* – to
torture *martelen.* **subjection** [səb'dʒekʃn]
● *onderwerping, afhankelijkheid.*
subjectiv|e [səb'dʒektɪv] ⟨zn: **-ity**⟩ ● *subjec-
tief.*
'**subject matter** ● *onderwerp, inhoud* ⟨v.
boek⟩.
subjug|ate ['sʌbdʒʊɡeɪt] ⟨zn: **-ation**⟩ ● *on-
derwerpen.*
subjunctive [səb'dʒʌŋktɪv] ⟨taal.⟩ ● *con-
junctief, aanvoegende wijs.*
sublet [-'let] ⟨sublet, sublet⟩ ● *onderverhu-
ren.*
sublim|ate ['sʌblɪmeɪt] ⟨zn: **-ation**⟩ ●
⟨psych.⟩ *sublimeren.*
sublime [sə'blaɪm] ● *subliem, verheven* ●
⟨↓; ong.⟩ *subliem, ongelooflijk.*
'**submarine gun** ['sʌbməˈʃi:n ɡʌn] ● *machi-
nepistool.*
1 submarine ['sʌbməri:n] ⟨zn⟩ ● *duikboot,
onderzeeër.*
2 submarine ['sʌbməˈri:n] ⟨bn⟩ ● *onderzees.*
submerge [səb'mə:dʒ] ● *(doen) duiken* ⟨v.
duikboot⟩ ● *(doen) zinken, overstromen* ●
⟨fig.⟩ *(doen) verdwijnen;* –d in thought *in
gedachten verzonken.* **submersion**
[səb'mə:ʃn] ● *het duiken* ● *onderdompe-*

ling, overstroming.

submission [səbˈmɪʃn] I ⟨telb zn⟩ ↑ ● *oordeel, suggestie;* my – is that *sta me toe op te merken dat* II ⟨n-telb zn⟩ ● *onderwerping, onderdanigheid* ● *voorstel.* **submissive** [səbˈmɪsɪv] ● *onderdanig, onderworpen.*

submit [səbˈmɪt] I ⟨onov ww⟩ ● *toegeven, zwichten;* – to threats *onder dreiging toegeven* II ⟨onov en ov ww⟩ ● *(zich) overgeven, (zich) onderwerpen;* – to defeat *zich gewonnen geven* III ⟨ov ww⟩ ● ⟨+to⟩ *voorleggen (aan);* – a case to court *een zaak voor het gerecht brengen;* I – that *ik meen te mogen beweren dat.*

subnormal [ˈsʌbˈnɔːml] ● *subnormaal, achterlijk.*

1 subordinate [səˈbɔːdɪnət] ⟨zn⟩ ● *ondergeschikte.*

2 subordinate ⟨bn⟩ ● ⟨+to⟩ *ondergeschikt (aan), onderworpen;* ⟨taal.⟩ – clause *bijzin, ondergeschikte zin.*

3 subordinate [səˈbɔːdɪneɪt] ⟨ww⟩ ● ⟨+to⟩ *ondergeschikt maken (aan), achterstellen (bij).* **subordination** [səˈbɔːdɪˈneɪʃn] ● *ondergeschiktheid* ● ⟨taal.⟩ *onderschikking.*

1 subpoena [səˈpiːnə] ⟨zn⟩ ⟨jur.⟩ ● *dagvaarding.*

2 subpoena ⟨ww⟩ ⟨jur.⟩ ● *dagvaarden.*

subscribe [səbˈskraɪb] I ⟨onov ww⟩ ● ⟨+to⟩ *intekenen (voor), zich abonneren (op)* ● ⟨+to⟩ *onderschrijven* ⟨mening⟩ ● ⟨+to⟩ *(geldelijk) steunen* II ⟨onov en ov ww⟩ ● *(onder)tekenen;* – one's name (to sth.) *(iets) ondertekenen* ● *inschrijven (voor)* III ⟨ov ww⟩ ● *geld bijeenbrengen voor* ⟨inzamelingsactie⟩. **subscriber** [səbˈskraɪbə] ● *ondertekenaar* ● *abonnee.* **subscription** [səbˈskrɪpʃn] ● *ondertekening* ● *abonnement, inschrijving;* take out a – to sth. *zich op iets abonneren* ● *contributie, bijdrage.*

subsection [ˈsʌbsekʃn] ● *onderafdeling.*

subsequent [ˈsʌbsɪkwənt] ● ⟨+to⟩ *volgend (op), later.* **subsequently** [ˈsʌbsɪkwəntli] ● *vervolgens, daarna.*

subservient [səbˈsəːvɪənt] ● *bevorderlijk;* – to *bevorderlijk voor* ● *ondergeschikt* ● *kruiperig, onderdanig.*

subside [səbˈsaɪd] ● *(be)zinken, (in)zakken* ● *slinken, afnemen* ● *luwen, bedaren.* **subsidence** [səbˈsaɪdns,ˈsʌbsɪdəns] ● *instorting, het wegzakken.*

1 subsidiary [səbˈsɪdʒəri] ⟨zn⟩ ● *dochtermaatschappij.*

2 subsidiary ⟨bn⟩ ● *helpend, hulp-* ● ⟨+to⟩ *ondergeschikt (aan), bijkomstig;* – company *dochtermaatschappij;* – road *secundaire weg.*

subsidize [ˈsʌbsɪdaɪz] ● *subsidiëren.* **subsidy** [ˈsʌbsɪdi] ● *subsidie.*

subsist [səbˈsɪst] ● *(in) leven (blijven).* **subsistence** [səbˈsɪstəns] ● *bestaan, leven* ● *onderhoud, bestaansmiddelen.* **sub'sistence level** ● *bestaansminimum;* live at – *nauwelijks rond komen.*

subsoil [ˈsʌbsɔɪl] ● *ondergrond.* **subspecies** [-spiːʃiːz] ● *subspecies, ondersoort.*

substance [ˈsʌbstəns] ● *substantie, wezen, stof, materie, kern;* man of – *vermogend man;* in – *in hoofdzaak;* of little – *met weinig inhoud.*

substandard [-ˈstændəd] ● *beneden de maat* ● ⟨taal.⟩ *dialectisch.*

substantial [səbˈstænʃl] ● *substantieel, wezenlijk, stoffelijk, degelijk, belangrijk, vermogend;* – meal *stevige maaltijd.*

substantiate [səbˈstænʃieɪt] ● *substantiëren, bewijzen;* – a claim *een bewering staven.*

substantive [ˈsʌbstəntɪv] ● *zelfstandig* ● *overtuigend, steekhoudend* ● *aanzienlijk, belangrijk.*

1 substitute [ˈsʌbstɪtjuːt] ⟨zn⟩ ● *vervanger, plaatsvervanger, invaller, vervangmiddel.*

2 substitute ⟨bn⟩ ● *plaatsvervangend.*

3 substitute ⟨ww⟩ ● *in de plaats stellen/treden (voor), vervangen, invallen (voor);* – A by/with B *A door B vervangen;* – A for B *B vervangen door A.* **substitution** [ˈsʌbstɪˈtjuːʃn] ● *vervanging.*

substructure [-strʌktʃə] ● *fundering, grondslag.*

subsume [səbˈsjuːm] ● ⟨+under⟩ *onderbrengen (bij).*

subtenant [ˈsʌbtenənt] ● *onderhuurder.*

subterfuge [ˈsʌbtəfjuːdʒ] ● *uitvlucht, voorwendsel* ● *trucje.*

subterranean [-təˈreɪnɪən] ● *onderaards.*

1 subtitle [ˈsʌbtaɪtl] ⟨zn⟩ ● *ondertitel.*

2 subtitle ⟨ww⟩ ● *ondertitelen.*

subtle [ˈsʌtl] ● *subtiel, fijn, teer, nauwelijks merkbaar, scherp(zinnig).* **subtlety** [ˈsʌtlti] ● *subtiliteit, fijnheid, scherpzinnigheid, subtiel onderscheid.*

subtract [səbˈtrækt] ● ⟨+from⟩ *aftrekken (van).* **subtraction** [səbˈtrækʃn] ● *aftrekking, vermindering.*

subtropical [ˈsʌbˈtrɒpɪkl] ● *subtropisch.*

suburb [ˈsʌbəːb] ● *voorstad, buitenwijk.* **suburban** [səˈbəːbən] ● *van/in de voorstad,* ⟨ong.⟩ *bekrompen.* **suburbia** [səˈbəːbɪə] ● *suburbia, (gebied/bewoners v.d./leven in de) voorstad.*

subversion [səbˈvəːʃn] ● *ontwrichting, omverwerping, ondermijning.* **subversive** [səbˈvəːsɪv] ● ⟨bn⟩ *subversief, revolutio-*

nair ●⟨zn⟩ *subversief element.* **subvert** [səb'və:t] ●*ontwrichten, omverwerpen, ondermijnen.*

subway ['sʌbweɪ] ●*(voetgangers)tunnel* ● ⟨AE⟩ *metro.*

subzero ['sʌb'zɪəroʊ] ●*onder nul, onder het vriespunt.*

succeed [sək'si:d] I ⟨onov ww⟩ ●*slagen, succes hebben; –* in (doing) sth. *slagen in iets, erin slagen iets te doen* ‖ ⟨sprw.⟩ if at first you don't succeed, try, try, try again *de aanhouder wint* II ⟨onov en ov ww⟩ ● *(op)volgen, komen na; –* to the throne *als vorst opvolgen.*

success [sək'ses] ●*succes, goede afloop/uitslag, bijval;* be a –, meet with – *succes boeken;* be without – *zonder succes blijven.* **successful** [sək'sesfl] ●*succesvol, geslaagd.*

succession [sək'seʃn] ●*reeks, serie, opeenvolging; –* of defeats *reeks nederlagen* ● *opvolging;* in – to *als opvolger van* ‖ in – *achtereen(volgens);* in quick – *vlak na elkaar.* **successive** [sək'sesɪv] ●*opeenvolgend;* on five – days *vijf dagen achtereen.* **successor** [sək'sesə] ●*opvolger.*

succinct [sək'sɪŋkt] ⟨-ness⟩ ●*beknopt, kort.*

1 succour ['sʌkə] ⟨zn⟩ ●*hulp, steun.*

2 succour ⟨ww⟩ ●*helpen, bijstaan.*

succulent ['sʌkjʊlənt] ●*sappig.*

succumb [sə'kʌm] ●⟨+to⟩ *bezwijken (aan/voor); –* to one's enemies *zwichten voor zijn vijanden.*

1 such [sʌtʃ] ⟨bn; fungeert als predeterminator in combinatie met onb lidw⟩ ●⟨hoedanigheid⟩ *zulk(e); –* as *zoals* ●⟨graad of hoeveelheid⟩ *zodanig, zulk;* his anger was –/– was his anger that he hit her *hij was zo woedend dat hij haar sloeg; –* clothes as he would need *de kleren die hij nodig zou hebben;* it was – a disaster that ... *het werd zo'n mislukking dat ...;* I have accepted his help, – as it is *ik heb zijn hulp aangenomen, ook al is die vrijwel niets waard* ●⟨met aanwijzende of anaforische functie⟩ *zo, zulk;* did you ever see – colours *heb je ooit zulke kleuren gezien;* the work was brilliant but no-one recognized it as – *het werk was briljant maar niemand erkende het als zodanig* ●⟨intensiverend element⟩; I've never seen – a thing before *ik heb nog nooit zoiets gezien* ●⟨duidt identiteit of overeenkomst aan⟩ *dergelijke, zulke, zo'n;* twenty – novels *twintig van dergelijke romans;* there's no – thing *iets dergelijks bestaat niet* ●⟨ongespecifieerd⟩ *die en die, dat en dat;* at – (and –) a place and at – (and –) a time *op die en die*

plaats en op dat en dat uur/tijdstip.

2 such ⟨vnw⟩ ●*zulke(n), zo iem./iets, dergelijke(n);* lentils, beans, and – *linzen, bonen, en dergelijke* ‖ – being the case *nu de zaken er zo voorstaan.*

3 such ⟨bw⟩ ●*zodanig, op zulke wijze;* she's not in – good health *ze verkeert niet in erg goede gezondheid.*

1 suchlike ['sʌtʃlaɪk] ⟨bn⟩↓●*zo'n, zulk(e);* worms and – creatures *wormen en dergelijke beestjes.*

2 suchlike ⟨vnw⟩↓●*dergelijke;* clowns, jesters and – *clowns, narren en dergelijke.*

1 suck [sʌk] I ⟨telb zn⟩ ●*slokje* II ⟨n-telb zn⟩ ● *het zuigen;* give – (to) *zogen.*

2 suck ⟨ww⟩ ●*zuigen (aan/op), aan/in/op/ uitzuigen; –* in *in/opzuigen, absorberen; –* up *opzuigen* ‖ – up (to) s.o. *iem. vleien.*

sucker ['sʌkə] ●*iets dat zuigt, zuiger, uitloper* ●⟨sl.⟩ *sukkel;* be a – for *zich altijd laten inpakken door.* '**sucking pig** ●*speenvarken.*

suckle ['sʌkl] ●*de borst krijgen/geven.* **suckling** ['sʌklɪŋ] ●*zuigeling* ●*jong* ⟨dat nog gezoogd wordt⟩.

suction ['sʌkʃn] ●*het zuigen, zuigkracht, zuiging.* '**suction pump** ●*zuigpomp.*

sudden ['sʌdn] ●*plotseling, onverhoeds, haastig, snel; –* bend *scherpe bocht;* all of a – *plotseling.* **suddenly** ['sʌdnli] ●*zie* SUDDEN ●*plotseling, opeens.*

suds [sʌdz] ●*(zeep)sop, schuim.*

sue [su:] ●*(gerechtelijk) vervolgen, dagvaarden; –* for divorce *(echt)scheiding aanvragen* ●*verzoeken; –* for mercy *(iem.) om genade smeken.*

suede, suède [sweɪd] ●*suède.*

suet ['su:ɪt] ●*niervet.*

suffer ['sʌfə] I ⟨onov ww⟩ ●*lijden, schade lijden; –* by/*schade lijden door; –* from *lijden aan/door/onder* ●⟨+for⟩ *boeten (voor)* II ⟨ov ww⟩ ●*lijden, ondergaan* ●*verdragen, dulden;* not – fools (gladly) *dwazen slecht kunnen uitstaan.*

sufferance ['sʌfrəns] ●*(stilzwijgende) toestemming, het dulden;* be somewhere on – *ergens geduld worden.*

sufferer ['sʌfrə] ●*lijder, patiënt.* **suffering** ['sʌfrɪŋ] ●*pijn, lijden.*

suffice [sə'faɪs] ●*genoeg zijn (voor), volstaan; –* (it) to say that *het zij voldoende te zeggen dat.* **sufficiency** [sə'fɪʃnsi] I ⟨telb zn⟩ ●*voldoende voorraad, toereikend(e) hoeveelheid* II ⟨n-telb zn⟩ ●*toereikendheid.* **sufficient** [sə'fɪʃnt] ●*voldoende, genoeg.*

suffoc|ate ['sʌfəkeɪt] ⟨zn: -ation⟩ ●*(doen) stikken, verstikken.*

suffocating ['sʌfəkeɪtɪŋ] ●stikkend, om te stikken.

suffrage ['sʌfrɪdʒ] ●stemrecht, kiesrecht; female – stemrecht voor vrouwen. suffragette ['sʌfrə'dʒet] ●suffragette.

suffuse [sə'fju:z] ●bedekken; eyes –d with tears ogen vol tranen.

1 sugar ['ʃʊgə] ⟨zn⟩ ●suiker●⟨AE; ↓⟩ schat-(je).

2 sugar ⟨ww⟩ ●suiker doen in ●(fig.) aangenamer maken; – the pill de pil vergulden.

'sugar beet ●suikerbiet. 'sugar bowl, ⟨BE ook⟩ 'sugar basin ●suikerpot. 'sugar candy ●kandij(suiker). 'sugarcane ●suikerriet. 'sugar refinery ●suikerfabriek. sugary ['ʃʊgəri] ●suikerachtig, suiker- ●suikerzoet ⟨fig.⟩.

suggest [sə'dʒest] ●suggereren, doen denken aan, duiden/wijzen op, ingeven, opperen, aanvoeren, voorstellen, aanraden; an idea –ed itself er ging mij een licht op; – sth. to s.o. iem. iets voorstellen; are you –ing that I'm mad? wil je daarmee zeggen dat ik gek ben?. suggestible [sə'dʒestəbl] ●suggestibel, beïnvloedbaar. suggestion [sə'dʒestʃn] ●suggestie, aanduiding, aanwijzing, ingeving, wenk, mededeling, idee, overweging, voorstel, raad; at the – of op aanraden/voorstel van ●zweem, tikje; have a – of de indruk geven van. suggestive [sə'dʒestɪv] ●suggestief, veelbetekenend ●gewaagd, v. verdacht allooi.

suicidal ['su:ɪ'saɪdl] ●zelfmoord-, zelfmoordenaars- ●met zelfmoordneigingen ‖ a – plan een levensgevaarlijk plan. suicide ['su:ɪsaɪd] I ⟨telb zn⟩ ●zelfmoordenaar II ⟨telb en n-telb zn⟩ ●zelfmoord ⟨ook fig.⟩. 'suicide attempt, 'suicide bid ●zelfmoordpoging.

1 suit [su:t] ⟨zn⟩ ●kostuum, pak ●⟨kaartspel⟩ kleur, kaarten v. één kleur; follow – kleur bekennen; ⟨fig.⟩ iemands voorbeeld volgen ●stel, uitrusting; – of armour wapenrusting ●(rechts)geding, proces, rechtszaak; bring a – against een aanklacht indienen tegen.

2 suit I ⟨onov en ov ww⟩ ●passen (bij), geschikt zijn (voor); this dress does not – you deze jurk staat je niet; – s.o. (down) to the ground voor iem. geknipt zijn ●gelegen komen (voor), uitkomen (voor); it does not – his purpose het komt niet in zijn kraam te pas II ⟨ov ww⟩ ●aanpassen, geschikt maken ●goed zijn voor; I know what –s me best ik weet wel wat voor mij het beste is ●voldoen, aanstaan; – all tastes aan alle smaken beantwoorden; –

the qualifications aan de vereisten voldoen; – yourself! moet je zelf weten!.

suitab|le ['su:təbl] ⟨zn: -ility⟩ ●(+to/for) geschikt (voor), gepast, passend. 'suitcase ●koffer.

suite [swi:t] ●stel, rij, suite; three-piece – driedelige zitcombinatie ●⟨muz.⟩ suite.

suited ['su:tɪd] ●geschikt, (bij elkaar) passend; – for the job geknipt voor het karwei; seem well – to one another voor elkaar gemaakt lijken ●gericht (op), beantwoordend (aan).

suitor ['su:tə] ‖ ●⟨vero. of scherts.⟩ huwelijkskandidaat, vrijer.

1 sulk [sʌlk] ⟨zn⟩ ●boze bui.

2 sulk ⟨ww⟩ ●mokken, chagrijnig zijn. sulky ●chagrijnig.

sullen ['sʌlən] ●nors, stuurs ●somber.

sully ['sʌli] ●bevlekken ⟨ook fig.⟩, bezoedelen ⟨reputatie⟩.

sulphur, ⟨AE sp.⟩ sulfur ['sʌlfə] ●zwavel. sulphuric, ⟨AE sp.⟩ sulfuric ['sʌl'fjʊərɪk] ●zwavelachtig, zwavelhoudend. sulphurous, ⟨AE sp.⟩ sulfurous ['sʌlf(ə)rəs] ●zwavelachtig, zwavelhoudend ●zwavelkleurig.

sultan ['sʌltən] ●sultan.

sultana [sʌl'tɑ:nə] ●rozijn.

sultry ['sʌltri] ●zwoel ●wellustig.

sum [sʌm] ●som, totaal ●som, bedrag ●(reken)som, berekening; good at –s goed in rekenen ●samenvatting, kern; in – in één woord.

summarily ['sʌm(ə)rɪli] ●summier, in het kort ●terstond, zonder vorm v. proces. summarize ['sʌmeraɪz] ●samenvatten.

1 summary ['sʌmeri] ⟨zn⟩ ●samenvatting, uittreksel.

2 summary ⟨bn⟩ ●summier, beknopt; – jurisdiction/justice snelrecht; – offence kleine overtreding.

summation [sə'meɪʃn] ●optelling ●som ●samenvatting.

summer ['sʌmə] ●zomer ‖ zie ook ⟨sprw.⟩ SWALLOW. 'summer house ●zomerhuis-(je). 'summer school ●zomercursus, vakantiecursus. 'summertime ●zomerseizoen, zomer(tijd). 'summer time ●zomertijd ⟨zomertijdregeling⟩.

summery ['sʌmeri] ●zomers. summing-up ['sʌmɪŋ 'ʌp] ●samenvatting.

summit ['sʌmɪt] ●top, hoogste punt ●toppunt, hoogtepunt ●topconferentie. 'summit meeting ●topconferentie.

summon ['sʌmən] ●bijeenroepen, oproepen, ontbieden ●dagvaarden; zie SUMMON UP.

1 summons ['sʌmənz] ⟨zn⟩ ●oproep ●aan-

maning ● *dagvaarding;* serve a – on s.o. *iem. dagvaarden.*

2 summons ⟨ww⟩ ● *sommeren* ● *dagvaarden.*

'**summon** '**up** ● *vergaren, verzamelen;* – one's courage (to do sth.) *zich vermannen (om iets te doen).*

sump [sʌmp] ● *(olie)carter, oliereservoir* ⟨v. auto⟩.

sumptuous [ˈsʌm(p)tʃʊəs] ● *weelderig, luxueus.*

'**sum** '**total** ● *totaal* ● *resultaat.*

'**sum** '**up** ● *samenvatten, resumeren* ● *beoordelen, doorzien.*

1 sun [sʌn] ⟨zn⟩ ● *zon* (ook fig.), *zonlicht;* a place in the – *een plaatsje in de zon;* ⟨fig.⟩ *een gunstige positie;* be up with the – *bij het krieken v.d. dag opstaan;* against the – *tegen de zon in;* with the – *met de zon mee* ‖ zie ook ⟨sprw.⟩ HAY.

2 sun ⟨ww⟩ ● *(zich) zonnen, in de zon leggen/gaan liggen.* '**sunbaked** ● *in de zon gebakken/gedroogd,* ⟨fig.⟩ *in de zon bakkend* ● *zonovergoten.* '**sunbathe** ● *zonnebaden.* '**sunbather** ● *zonnebader.* '**sunbeam** ● *zonnestraal.* '**sunburn** ● *zonnebrand, roodverbrande huid.* '**sunburnt**, '**sunburned** ● ⟨BE⟩ *gebruind* ● ⟨AE⟩ *verbrand.*

sundae [ˈsʌndeɪ] ● *ijscoupe.*

Sunday [ˈsʌndi, ˈsʌndeɪ] ● ⟨zn en bw⟩ *zondag, feestdag, rustdag* ● ⟨zn⟩ *zondagskrant;* zie MONDAY voor voorbeelden. '**Sunday** '**best** ● *zondagse kleren.* **Sundays** [ˈsʌndiz] ⟨vnl. AE⟩ ● *'s zondags, op zondag.* '**Sunday school** ● *zondagsschool.*

'**sun deck** ● *zonnedek* ⟨v. schip⟩ ● *(zonne)terras.*

sunder [ˈsʌndə] ● *(zich) (af)scheiden, (zich) splitsen.*

'**sundial**, '**sun-clock** ● *zonnewijzer.* '**sundown** ● *zonsondergang.* '**sundrenched** ● *zonovergoten.* '**sun-dried** ● *in de zon gedroogd.*

sundries [ˈsʌndriz] ● *diversen, allerlei.*

sundry [ˈsʌndri] ● *divers, allerlei, verschillend* ‖ all and – *iedereen, allemaal.*

'**sunflower** ● *zonnebloem.*

sung [sʌŋ] ⟨volt. deelw.⟩ zie SING.

'**sunglasses** ● *zonnebril.*

sunk [sʌŋk] ⟨volt. deelw.⟩ zie SINK. **sunken** [ˈsʌŋkən] ● *gezonken, onder water, ingevallen;* – eyes *diepliggende ogen* ● *verzonken, verlaagd;* – road *holle weg.*

'**sun lamp** ● *hoogtezon.* '**sunlight** ● *zonlicht.* '**sunlit** ● *door de zon verlicht, zonovergoten.* '**sun lounge, **'**sun room** , ⟨AE⟩ '**sun**

'**parlor** ● *serre.* **sunny** [ˈsʌni] ● *zonnig, vrolijk;* on the – side of forty *nog geen veertig.* '**sunray** ● *zonnestraal.* '**sunray lamp** ● *hoogtezon.* '**sunrise** ● *zonsopgang.*

'**sun roof** ● *schuifdak* ⟨v. auto⟩. '**sunset** ● *zonsondergang.* '**sunshade** ● *zonnescherm, parasol, zonneklep.* '**sunshine** ● *zonneschijn.* '**sunstroke** ● *zonnesteek.* '**suntan** ● *(bruine) kleur.* '**suntan lotion**, '**suntan oil** ● *zonnebrandolie.* '**suntanned** ● *gebruind* ⟨door de zon⟩. '**sun-trap** ● *zonnig hoekje.*

super [ˈsuːpə] ● ↓ *super, fantastisch.*

superabund|ant [ˈsuːpərəˈbʌndənt] ⟨zn: -ance⟩ ● *(zeer/al te) overvloedig.*

superannuate [ˈsuːpərˈænjʊeɪt] I ⟨onov ww⟩ ● *met pensioen gaan* II ⟨ov ww⟩ ● *pensioneren.* **superannuated** [ˈsuːpərˈænjʊeɪtɪd] ● *gepensioneerd* ● *verouderd, ouderwets.* **superannuation** [ˈsuːpərænjʊˈeɪʃn] ● *pensionering* ● *pensioen.*

superb [suːˈpəːb] ● *groots, voortreffelijk.*

'**supercharger** ● *aanjager, compressor* ⟨v. verbrandingsmotor⟩.

supercilious [ˈsuːpəˈsɪliəs] ● *hooghartig.*

superficial [ˈsuːpəˈfɪʃl] ● *oppervlakkig, oppervlakte-.* **superficiality** [ˈsuːpəfɪʃiˈæləti] ● *oppervlakkigheid.*

'**super**'**fine** ● *superfijn.*

superfluity [ˈsuːpəˈfluːɪti] ● *overtolligheid, overbodigheid;* a – of good things *teveel v.h. goede.* **superfluous** [suːˈpəːflʊəs] ● *overtollig, overbodig.*

'**super**'**human** ● *bovenmenselijk, buitengewoon.*

superimpose [ˈsuːpərɪmˈpoʊz] ● *bovenop/ overheen leggen.*

superintend [ˈsuːpərɪnˈtend] ● *toezicht houden/hebben (op), controleren.* **superintendence** [ˈsuːpərɪnˈtendəns] ● *toezicht, supervisie.* **superintendent** [ˈsuːpərɪnˈtendənt] ● *(hoofd)opzichter, directeur/trice* ● ⟨vnl. BE⟩ *hoofdinspecteur* ⟨v. politie⟩.

1 superior [suːˈpɪəriə] ⟨zn⟩ ● *meerdere, chef* ‖ Mother Superior *Moederoverste.*

2 superior I ⟨bn, attr en pred⟩ ● *superieur, beter;* – force *overmacht;* – to *beter* ⟨v. kwaliteit⟩; *hoger* (in rang) ● *superieur, buitengewoon* ● *arrogant;* – smile *hooghartig lachje* II ⟨bn, attr⟩ ● *superieur, bovenst,* ⟨fig. ook⟩ *hoger, hoofd-;* – officer *hoger (geplaatst) officier* ● *hoger, voornaam.* **superiority** [suːˈpɪəriˈɒrəti] ● *superioriteit, grotere kracht;* military – *militaire overmacht.*

1 superlative [suːˈpəːlətɪv] ⟨zn⟩ ● *superlatief*

⟨ook taal.⟩, *overtreffende trap.*

2superlative ⟨bn⟩ ●*superlatief, ongeëve-naard, voortreffelijk.*

superman [-mæn] ●*superman, supermens.*

   supermarket ['su:pəmɑ:kɪt] ●*super-markt.*

supernatural [-nætʃrəl] ●⟨bn⟩ *bovennatuur-lijk* ●⟨zn; the⟩ *het bovennatuurlijke.*

1supernumerary [-'nju:mərəri] ⟨zn⟩ ●*extra.*

2supernumerary ⟨bn⟩ ●*extra, meer dan noodzakelijk* ●*overbodig.*

superpower [-pauə] ●*grootmacht, super-macht.*

superscription [-'skrɪpʃn] ●*opschrift.*

supersede ['su:pə'si:d] ●*vervangen, de plaats doen innemen van* ●*afschaffen.*

   supersession [-'seʃn] ●*vervanging* ●*af-schaffing.*

supersonic [-'sɒnɪk] ●*supersonisch.*

superstar [-stɑ:] ●*superstar.*

superstition [-'stɪʃn] ●*bijgeloof.* **supersti-tious** [-'stɪʃəs] ●*bijgelovig.*

superstructure [-strʌktʃə] ●*bovenbouw.*

supervise [-vaɪz] ●*toezicht houden (op), controleren.* **supervision** [-'vɪʃn] ●*super-visie, toezicht.* **supervisor** [-vaɪzə] ●*su-pervisor, opzichter, inspecteur* ●*promotor* ⟨v. promovendus⟩. **supervisory** [-'vaɪ-zəri] ●*toeziend, toezicht uitoefenend.*

supine ['su:'paɪn] ●*achteroverliggend* ● *traag.*

supper ['sʌpə] ●*(licht) avondmaal, avond-eten.*

supplant [sə'plɑ:nt] ●*verdringen, vervan-gen.*

supple ['sʌpl] ●*soepel* ⟨ook fig.⟩, *buigzaam.*

1supplement ['sʌplɪmənt] ⟨zn⟩ ●*aanvul-ling,* ⟨ihb.⟩ *supplement.*

2supplement ['sʌplɪment] ⟨ww⟩ ●*aanvul-len,* ⟨ihb.⟩ *v.e. supplement voorzien.* **sup-plementary** [sʌplɪ'mentri] ●*aanvullend, extra;* ⟨BE⟩ − *benefit aanvullende uitke-ring.*

suppleness ['sʌplnəs] ●*soepelheid* ⟨ook fig.⟩, *buigzaamheid.*

supplicate ['sʌplɪkeɪt] ●*smeken;* − *for par-don vergeving afsmeken.* **supplication** ['sʌplɪ'keɪʃn] ●*smeekbede.*

supplier [sə'plaɪə] ●*leverancier.*

1supply [sə'plaɪ] ⟨telb zn⟩ ●*voorraad* II ⟨n-telb zn⟩ ●*bevoorrading, toevoer, levering* ●*aanbod;* ⟨ec.⟩ − *and demand vraag en aanbod* III ⟨mv.⟩ ●*(mond)voorraad, pro-viand.*

2supply ⟨ww⟩ ●*leveren, verschaffen;* − *sth. to s.o.,* − *s.o. with sth. iem. iets bezorgen, iem. v. iets voorzien* ●*voorzien in;* − *a need voorzien in een behoefte.* **sup'ply**

teacher ●*vervanger.*

1support [sə'pɔ:t] I ⟨telb zn⟩ ●*steun(stuk), stut, draagbalk* II ⟨n-telb zn⟩ ●*steun, hulp* ●*onderhoud, middelen v. bestaan; a means of* − *een bron v. inkomsten.*

2support ⟨ww⟩ ●*(onder)steunen, stutten* ● *steunen, helpen, bijstaan, verdedigen, subsidiëren;* − a *policy een beleid verdedi-gen* ●*onderhouden;* − *o.s./one's family zichzelf/zijn familie onderhouden* ●*(ver)dragen, verduren* ‖ −*ing part/role bijrol.*

   supportable [sə'pɔ:təbl] ●*houdbaar* ● *draaglijk.* **supporter** [sə'pɔ:tə] ●*verdedi-ger, aanhanger* ●*supporter.* **supportive** [sə'pɔ:tɪv] ●*steunend, aanmoedigend.*

suppose [spəuz, sə'pəuz] ●*(ver)onderstel-len, menen, geloven, denken; he is* −*ed to be in London hij zou in Londen moeten zijn;* I *suppose so/not ik neem aan van wel/niet;* − *it rains maar wat als het re-gent?* ●*vooronderstellen.* **supposed** [sə-'pəuzd] ●*vermeend, vermoedelijk.* **sup-posedly** [sə'pəuzɪdli] ●*vermoedelijk, naar alle waarschijnlijkheid.* **supposing** [spəuzɪŋ, sə'pəuzɪŋ] ●*indien, aangeno-men dat.*

supposition ['sʌpə'zɪʃn] ●*(ver)onderstelling, vermoeden.*

suppository [sə'pɒzɪtri] ⟨med.⟩ ●*zetpil.*

suppress [sə'pres] ●*onderdrukken, bedwin-gen, achterhouden;* − *evidence bewijs-stukken achterhouden;* − *the truth de waarheid verzwijgen.* **suppressor** [sə'presə] ●*onderdrukker.* **suppression** [sə'preʃn] ●*onderdrukking.* **suppressive** [sə'presɪv] ●*onderdrukkend.*

suppurate ['sʌpjuəreɪt] ●*etteren.*

supremacy [sə'preməsi] ●*suprematie, over-macht.*

supreme [su:'pri:m, sə-] ●*opperst, opper-, hoogst;* ⟨AE⟩ Supreme Court *Hoogge-rechtshof; make the* − *sacrifice zijn leven geven.*

1surcharge ['sə:tʃɑ:dʒ] ⟨zn⟩ ●*toeslag* ●*ex-tra belasting.*

2surcharge ⟨ww⟩ ●*extra/een toeslag laten betalen* ●*overladen.*

1sure [ʃuə] I ⟨bn, attr en pred⟩ ●*zeker, waar; one thing is* − *één ding staat vast* ●*zeker, veilig, betrouwbaar* II ⟨bn, pred⟩ ●*zeker, overtuigd;* I am not − *ik weet het niet ze-ker;* − *of o.s. zelfverzekerd, zelfbewust; be/feel* − *about sth. overtuigd zijn v. iets, iets zeker weten; you can be* − *of it daar kan je van op aan* ‖ *be* − *to/and do it, be* − *you do it zorg dat je het in elk geval doet; be* − *to tell her vergeet vooral niet het haar te ver-tellen; it is* − *to be a girl het wordt vast een* *meisje;* be/make – that *ervoor zorgen dat; zich ervan gewissen dat;* just to make – *voor alle zekerheid.*

2 sure ⟨bw⟩ ⟨vnl. AE⟩ ● *zeker, natuurlijk, inderdaad;* he promised to come and – enough he did *hij beloofde te komen en inderdaad, hij kwam ook;* I don't know for – *ik ben er niet (zo) zeker van;* that's for – *dat staat vast, zoveel is zeker.* **'sure-'fire ↓** ● *onfeilbaar.* **'sure-'footed** ● *vast van voet, stevig op de benen,* ⟨fig.⟩ *betrouwbaar.* **surely** ['ʃʊəli] ● *zeker, ongetwijfeld, stellig;* slowly but – *langzaam maar zeker;* – not! *geen sprake van!* ● ⟨vnl. AE⟩ *natuurlijk, ga je gang* ⟨als antwoord op verzoek⟩.

surety ['ʃʊərəti] ● *borgsteller* ● *borg(som);* stand – for s.o. *zich borg stellen voor iem..*

1 surf [sə:f] ⟨zn⟩ ● *branding.*

2 surf ⟨ww⟩ ● *surfen.*

1 surface ['sə:fɪs] ⟨zn⟩ ● *oppervlak(te)* ⟨ook fig.⟩; come to the – *te voorschijn komen;* of/on the – *aan de oppervlakte, op het eerste gezicht.*

2 surface I ⟨onov ww⟩ ● *aan de oppervlakte komen* ⟨ook fig.⟩, *verschijnen* **II** ⟨ov ww⟩ ● *polijsten* ● *bedekken, bestraten, asfalteren* ● *aan de oppervlakte brengen.*

'surfboard ● *surfplank.*

1 surfeit ['sə:fɪt] ⟨zn⟩ ● *overlading* ⟨v.d. maag⟩; have a – of *zich ziek eten aan.*

2 surfeit ⟨ww⟩ ● *overvoeden, doen overeten.*

surfer ['sə:fə] ● *surfer.* **surfing** ['sə:fɪŋ], **'surf-riding** ● *surfen, surfing.*

1 surge [sə:dʒ] ⟨zn⟩ ● *(hoge) golf* ● *golving* ● *opwelling, vlaag;* a – of interest *een vlaag v. interesse.*

2 surge ⟨ww⟩ ● *golven, deinen* ● *schommelen, stijgen/dalen* ● *dringen, duwen;* surging crowd *opdringende massa* ● *opbruisen* ⟨v. gevoelens⟩.

surgeon ['sə:dʒən] ● *chirurg* ● *scheepsdokter.* **surgery** ['sə:dʒəri] **I** ⟨telb zn⟩ ● *behandelkamer, spreekkamer* ⟨v. arts⟩ **II** ⟨telb en n-telb zn⟩ ● *spreekuur* **III** ⟨n-telb zn⟩ ● *chirurgie;* be in/have/undergo – *geopereerd worden.* **surgical** ['sə:dʒɪkl] ● *chirurgisch, operatief* ‖ – stocking *elastische kous.*

surly ['sə:li] ● *nors.*

1 surmise [sə:ˈmaɪz, ˈsə:maɪz] ⟨zn⟩ ● *gissing, vermoeden.*

2 surmise [sə:ˈmaɪz] ⟨ww⟩ ● *gissen, vermoeden.*

surmount [sə:ˈmaʊnt] ● *overwinnen, te boven komen* ● *bedekken* ● *springen over, beklimmen.* **surmountable** [sə:ˈmaʊntəbl]

● *overkomelijk.*

surname ['sə:neɪm] ● *achternaam.*

surpass [sə:ˈpɑ:s] ● *overtreffen, te boven gaan.* **surpassing** [sə:ˈpɑ:sɪŋ] ● *ongeëvenaard.*

surplice ['sə:plɪs] ⟨rel.⟩ ● *koorhemd.*

1 surplus ['sə:pləs] ⟨zn⟩ ● *overschot,* ⟨vnl. BE⟩ *rest(ant).*

2 surplus ⟨bn⟩ ● *overtollig, extra, over-;* – grain *graanoverschot;* – value *meerwaarde.*

1 surprise [sə:ˈpraɪz] ⟨zn⟩ ● *verrassing, verbazing, verwondering;* come as a – (to s.o.) *totaal onverwacht komen (voor iem.);* take by – *overrompelen.*

2 surprise ⟨ww⟩ ● *verrassen, verbazen, overvallen, betrappen;* you'd be –ed! *daar zou je van opkijken!;* you – me! *dat had ik niet van je verwacht!.* **surprised** [sə:ˈpraɪzd] ● *verrast, verbaasd;* be – at *zich verbazen over.* **surprising** [sə:ˈpraɪzɪŋ] ● *verrassend, verbazingwekkend.*

surreal [sə:ˈrɪəl] ● *surrealistisch.* **surrealism** [sə:ˈrɪəlɪzm] ● *surrealisme.* **surrealist** [sə:ˈrɪəlɪst] ● ⟨bn⟩ *surrealistisch* ● ⟨zn⟩ *surrealist.*

1 surrender [sə:ˈrendə] ⟨zn⟩ ● *overgave.*

2 surrender I ⟨onov ww⟩ ● *zich overgeven, capituleren* **II** ⟨ov ww⟩ ● *overgeven, uitleveren, afstaan;* – to *zich overgeven aan* ● *afkopen* ⟨verzekering⟩.

surreptitious ['sʌrəpˈtɪʃəs] ● *clandestien, stiekem;* – glance *steelse blik.*

1 surrogate ['sʌrəgət,-geɪt] ⟨zn⟩ ● *plaatsvervanger* ● *vervangmiddel, surrogaat.*

2 surrogate ⟨bn⟩ ● *plaatsvervangend, surrogaat-* ‖ – mother *draagmoeder.*

1 surround [səˈraʊnd] ⟨zn⟩ ● ⟨BE⟩ *(sier)rand.*

2 surround ⟨ww⟩ ● *omringen, omsingelen.* **surrounding** [səˈraʊndɪŋ] ● *omliggend, omringend.* **surroundings** [səˈraʊndɪŋz] ● *omgeving, buurt, streek.*

surtax ['sə:tæks] ● *extra belasting.*

surveillance [sə:ˈveɪləns] ● *toezicht, bewaking.*

1 survey ['sə:veɪ] ⟨zn⟩ ● *overzicht* ● *onderzoek;* be under – *geïnspecteerd worden* ● *taxering, taxatierapport* ⟨v. huis⟩ ● *opmeting, opname* ⟨v. terrein⟩.

2 survey [sə:ˈveɪ] ⟨ww⟩ ● *overzien, toezien op* ● *onderzoeken* ● *taxeren* ⟨huis⟩ ● *opmeten.* **surveying** [sə:ˈveɪɪŋ] ● *landmeetkunde.* **surveyor** [sə:ˈveɪə] ● *opziener, opzichter* ● *landmeter* ● *taxateur.*

survival [sə:ˈvaɪvl] ● *overleving;* – of the fittest *natuurlijke selectie* ● *overblijfsel.* **sur'vival kit** ● *nooduitrusting.*

survive [səˈvaɪv] ●*overleven, bewaard blijven, langer leven dan.* **survivor** [səˈvaɪvə] ●*overlevende.*

susceptibility [səˈseptəˈbɪləti] ●*gevoeligheid, vatbaarheid.* **susceptible** [səˈseptəbl] ●*ontvankelijk, lichtgeraakt* ● ⟨+to⟩ *vatbaar (voor), gevoelig (voor).*

1 suspect [ˈsʌspekt] ⟨zn⟩ ●*verdachte.*

2 suspect ⟨bn⟩ ●*verdacht.*

3 suspect [səˈspekt] ⟨ww⟩ ●*vermoeden, geloven, denken* ● ⟨+of⟩ *verdenken (van), wantrouwen.*

suspend [səˈspend] ●*(op)hangen* ●*uitstellen; –ed sentence voorwaardelijke straf* ● *schorsen; be –ed from school (tijdelijk) van school gestuurd worden.* **suspender** [səˈspendə] I ⟨telb zn⟩ ⟨BE⟩ ●*jarretel(le), (sok)ophouder* II ⟨mv.⟩ ⟨AE⟩ ●*bretels.*

suspense [səˈspens] ●*spanning;* hold/keep in *– in onzekerheid laten.*

suspension [səˈspenʃn] ●*suspensie, opschorting* ⟨v.e. vonnis e.d.⟩, *uitstel* ⟨v. betaling⟩ ●*vering, ophanging.* **su'spension bridge** ●*hangbrug, kettingbrug.*

suspicion [səˈspɪʃn] ●*vermoeden, veronderstelling* ●*verdenking, achterdocht;* above *– boven alle verdenking verheven;* on/under *– of onder verdenking van* ● *zweempje.* **suspicious** [səˈspɪʃəs] ●*verdacht;* be/feel *– of s.o. iem. verdacht vinden/wantrouwen* ●*wantrouwig, achterdochtig.*

sustain [səˈsteɪn] ●*(onder)steunen, bevestigen; –ing food versterkend voedsel* ●*volhouden, aanhouden; –* an effort *een inspanning volhouden* ●*doorstaan; –* an attack *een aanval afslaan/doorstaan* ●*ondergaan, lijden; –* an injury *letsel oplopen* ●*aanvaarden, erkennen; –* s.o.'s claim/ s.o. in his claim *iem. zijn eis toewijzen.* **sustained** [səˈsteɪnd] ●*volgehouden, voortdurend; –* effort *volgehouden inspanning.*

sustenance [ˈsʌstənəns] ●*voedsel* ⟨ook fig.⟩ ●*voeding(swaarde).*

svelte [svelt] ●*slank.*

1 swab [swɒb] ⟨zn⟩ ●*zwabber* ●*prop (watten)* ● ⟨med.⟩ *uitstrijk(je);* take a *– een uitstrijkje maken.*

2 swab ⟨ww⟩ ●*zwabberen, (op)dweilen* ● ⟨med.⟩ *(af)betten.*

swaddle [ˈswɒdl] ●*inbakeren.* **'swaddling clothes** ●*windsels, luiers.*

1 swagger [ˈswægə] ⟨zn⟩ ●*geparadeer* ●*grootsprekerij.*

2 swagger ⟨ww⟩ ●*paraderen* ●*opscheppen.*

swain [sweɪn] ↑●*boerenjongen,* ⟨vnl. scherts.⟩ *vrijer.*

1 swallow [ˈswɒloʊ] ⟨zn⟩ ●*zwaluw* ●*slok* | ⟨sprw.⟩ one swallow doesn't make a summer *één zwaluw maakt nog geen zomer.*

2 swallow I ⟨onov ww⟩ ●*slikken* II ⟨ov ww⟩ ●*(door/in)slikken, binnenkrijgen* ●*opslokken, verslinden* ● ⟨fig.⟩ *slikken, geloven; –* a story *een verhaal slikken* ●*inslikken* (woorden of klanken) ●*herroepen; –* one's words *zijn woorden terugnemen* ● *onderdrukken; –* one's pride *zijn trots terzijde schuiven; –* hard *zich vermannen.*

swam [swæm] ⟨verl. t.⟩ zie SWIM.

1 swamp [swɒmp] ⟨zn⟩ ●*moeras(land).*

2 swamp ⟨ww⟩ ●*doen vollopen* ●*doen onderlopen, overstromen* ●*overstelpen; –* with work *bedelven onder het werk.* **swampy** [ˈswɒmpi] ●*moerassig, drassig.*

swan [swɒn] ●*zwaan.*

1 swank [swæŋk] ↓ I ⟨telb zn⟩ ●*opschepper* II ⟨n-telb zn⟩ ●*opschepperij* ●*elegantie.*

2 swank ⟨bn⟩ ↓ ●*opschepperig* ●*chic, stijlvol.*

3 swank ⟨ww⟩ ↓ ●*opscheppen, zich aanstellen.*

swansdown [ˈswɒnzdaʊn] ●*zwanedons.* **'swan song** ●*zwanezang.*

1 swap, swop [swɒp] ⟨zn⟩ ↓ ●*ruil;* do/make a *– ruilen.*

2 swap, swop ⟨ww⟩ ↓ ●*ruilen, uitwisselen;* ⟨fig.⟩ *– notes bevindingen uitwisselen; –* over/round *van plaats verwisselen; –* for *(in)ruilen tegen.*

1 swarm [swɔːm] ⟨zn⟩ ●*zwerm; –s of* children *drommen kinderen.*

2 swarm ⟨ww⟩ ●*(uit)zwermen, samendrommen; –* in/out *naar binnen/buiten stromen; –* about/round *samendrommen rond* ● ⟨+with⟩ *krioelen (van), wemelen.*

swarthy [ˈswɔːði] ●*donker, bruin.*

swashbuckler [ˈswɒʃbʌklə] ●*stoere vent, avonturier.* **swashbuckling** [ˈswɒsbʌklɪŋ] ●*stoer, roekeloos.*

swastika [ˈswɒstɪkə] ●*hakenkruis.*

1 swat [swɒt] ⟨zn⟩ ●*mep, klap* ●*(vliege)mepper.*

2 swat ⟨ww⟩ ●*meppen, (dood)slaan.*

1 swathe [sweɪð], **swath** [swɔːθ] ⟨zn⟩ ●*(gemaaide) strook, baan;* ⟨fig.⟩ cut a wide *– through verwoesten.*

2 swathe ⟨ww⟩ ●*zwachtelen, verbinden;* ⟨fig.⟩ hills *–d in mist in mist gehulde heuvels.*

1 sway [sweɪ] ⟨zn⟩ ●*slingering, schommeling* ⟨v.e. schip enz.⟩ ●*invloed, druk, overwicht;* under the *– of his arguments overgehaald door zijn argumenten* ● ↑ *heerschappij, bewind.*

2 sway I ⟨onov en ov ww⟩ ● *slingeren, (doen) zwaaien/schommelen; –* to the music *deinen op de maat v.d. muziek* II ⟨ov ww⟩ ● *beïnvloeden;* be *–ed* by *zich laten leiden door* ● ↑ *regeren.*

swear ⟨swore [swɔ:], sworn [swɔ:n]⟩ I ⟨onov ww⟩ ● ⟨+at, about⟩ *vloeken (op, over)* II ⟨onov en ov ww⟩ ● *zweren, een eed afleggen, met kracht beweren, wedden; –* to do sth. *plechtig beloven iets te zullen doen;* ⟨ ↓; fig.⟩ *–* by s.o./sth. *bij iem./iets zweren; –* to sth. *zweren dat iets het geval is, een eed doen op iets; –* to God that *zweren bij God dat* III ⟨ov ww⟩ ● *beëdigen, de eed afnemen;* ⟨fig.⟩ *sworn enemies gezworen vijanden; –* in *beëdigen; –* to secrecy/silence *een eed van geheimhouding afnemen van.* '**swearword** ● *vloek-(woord), krachtterm.*

1 sweat [swet] I ⟨telb zn⟩ ● *zweet;* he was in a cold *– het klamme zweet brak hem uit* ● ↓ *inspanning, karwei;* a frightful *– een vreselijk karwei* ● ↓ *eng gevoel, angst;* in a *– benauwd, bang* II ⟨n-telb zn⟩ ● *zweet, transpiratie* ‖ no *– geen probleem.*

2 sweat ⟨ww⟩ ● *zweten, (doen) transpireren; –* out *(a cold) (een verkoudheid) uitzweten;* ↓ *–* it out *(tot het einde) volhouden; zweten* ● *uitbuiten, (laten) werken tegen een hongerloon.* '**sweatband** ● *zweetband(je).* **sweater** ['swetə] ● *sweater, (wollen) trui.* '**sweat gland** ● *zweetklier.* '**sweat shirt** ● *sweatshirt.* '**sweatshop** ● *slavenhok* ⟨werkplaats v. uitbuiter⟩. **sweaty** ['sweti] ● *zwetend, bezweet* ● *broeierig.*

swede [swi:d], '**swede turnip** ● *koolraap.* **Swede** ● *Zweed(se).* **Sweden** ['swi:dn] ● *Zweden.* **Swedish** ['swi:dɪʃ] ● ⟨bn⟩ *Zweeds* ● ⟨zn⟩ *Zweeds* ⟨taal⟩.

1 sweep [swi:p] I ⟨telb zn⟩ ● *(schoonmaak)beurt, opruiming* ● *veger, stoffer* ● *veger,* ↓ *schoorsteen/straatveger* ● *veeg, haal (met een borstel)* ● *zwaai, slag, draai, bocht;* wide *– wijde draai/bocht;* at one/a *– in één klap* ‖ *–* of mountain country *stuk bergland;* clean *– verpletterende overwinning* II ⟨n-telb zn⟩ ● *het vegen* ● *bereik, domein;* the *–* of his argument *de draagwijdte v. zijn argument* ● *beweging, golving;* the *–* of the tide *de getijdenbeweging.*

2 sweep ⟨swept, swept [swept]⟩ I ⟨onov ww⟩ ● *zich (snel)(voort)bewegen, vliegen; –* by/past *voorbijschieten; –* down on *aanvallen; –* round *zich (met een zwaai) omdraaien; –* into power *aan de macht komen;* ⟨fig.⟩ fear swept over him *hij werd bevangen door angst* ● *zich uitstrekken; –*

down to the sea *zich uitstrekken tot aan de zee* II ⟨onov en ov ww⟩ ● *vegen, aan/af/op/wegvegen; –* the country of crime *het land v. misdaad zuiveren;* ⟨fig.⟩ be swept from sight *aan het gezicht onttrokken worden; –* up *aan/uitvegen, bijeenvegen* ● *(laten) slepen, slepen over* ‖ zie ook ⟨sprw.⟩ NEW III ⟨ov ww⟩ ● *(toe)zwaaien, slaan; –* aside *(met een zwaai) opzij schuiven;* ⟨fig.⟩ *naast zich neerleggen* ● *mee/wegsleuren, meevoeren; –* along *meesleuren/slepen;* be swept off one's feet *omvergelopen worden;* ⟨fig.⟩ *overdonderd worden; hals over kop verliefd worden;* be swept out to sea *in zee gesleurd worden* ● *doorkruisen, teisteren;* the storm swept the country *de storm raasde over het land* ● *afzoeken, aftasten;* his eyes swept the distance *zijn ogen tastten de horizon af* ● *bestrijken.*

sweeper ['swi:pə] ● *veger, straatveger, schoorsteenveger* ● *veger, tapijtenroller* ● ⟨voetbal⟩ *laatste man.* **sweeping** ['swi:pɪŋ] ● *verreikend, ingrijpend; –* changes *ingrijpende veranderingen* ● *radicaal; –* condemnation *radicale veroordeling* ● *geweldig; –* reductions *reusachtige prijsverminderingen.* **sweepings** ['swi:pɪŋz] ● *veegsel* ● *uitvaagsel.* '**sweepstake, sweepstakes** ['swi:psteɪks] ● *sweepstake.*

1 sweet [swi:t] I ⟨telb zn⟩ ● *lieveling, schatje* ● ⟨vaak mv.⟩⟨BE⟩ *snoepje, lekkers* II ⟨telb en n-telb zn⟩ ⟨BE⟩ ● *dessert, toetje.*

2 sweet ⟨bn⟩ ● *zoet, lekker, heerlijk, melodieus, zacht, goed, lief, schattig, charmant, vleiend; –* nature *beminnelijk karakter; –* pickles *zoetzuur;* at one's own *– will naar eigen goeddunken;* of its own *– will zomaar vanzelf;* ↓ be *–* on s.o. *gek zijn op iem.;* how *–* of you *wat aardig van je* ‖ *–* dreams! *slaap lekker!;* ↓ *–* nothings *lieve woordjes; –* pepper *paprika;* have a *– tooth een zoetekauw zijn;* zie ook ⟨sprw.⟩ REVENGE. '**sweet-and-'sour** ● *zoetzuur.* '**sweetbread** ● *zwezerik.* '**sweet corn** ● *(zoete) maïs.* **sweeten** ['swi:tn] I ⟨onov en ov ww⟩ ● *zoeten, zoet(er) maken/worden* II ⟨ov ww⟩ ● *verzachten, verlichten* ● *versen* ● ↓ *sussen, zoethouden.* **sweetener** ['swi:tnə] ● *zoetstof* ● ⟨sl.⟩ *smeergeld, steekpenning.* **sweetening** ['swi:tnɪŋ] ● *zoetmiddel.* '**sweetheart** ● *schat* ● *vriend(in).* **sweetie** ['swi:ti], '**sweetie pie** ↓ ● *liefje, schatje.* **sweetish** ['swi:tɪʃ] ● *zoetig, vrij zoet.* '**sweetness** ['swi:tnəs] ● *zoetheid;* she's all *–* and light *zij is een en al beminnelijkheid.* '**sweet-'scented,** '**sweet-'smelling** ● *geurig, welriekend.* '**sweet-**

shop ⟨vnl. BE⟩ •snoepwinkel. 'sweet-talk •vleien. 'sweet-'tempered •lief, zacht v. aard.

1 swell [swel] ⟨zn⟩ •zwelling, het zwellen • deining.

2 swell ⟨bn⟩ •⟨vnl. AE; ↓⟩ voortreffelijk, prima.

3 swell ⟨ook swollen ['swoʊlən]⟩ I ⟨onov ww⟩ •(op)zwellen, bol gaan staan; – with pride zwellen v. trots II ⟨ov ww⟩ •doen zwellen, bol doen staan. swelling ['swelɪŋ] •zwelling, het zwellen.

swelter ['sweltə] •stikken (van de hitte), baden in het zweet. sweltering ['sweltrɪŋ] • smoorheet, drukkend.

swept [swept] ⟨verl. t. en volt. deelw.⟩ zie SWEEP.

1 swerve [swəːv] ⟨zn⟩ •zwenking, wending.

2 swerve I ⟨onov ww⟩ •zwenken, plotseling uitwijken; – from one's purpose zijn doel uit het oog verliezen •afwijken, afdwalen II ⟨ov ww⟩ •doen zwenken, opzij doen gaan •doen afwijken.

1 swift [swɪft] ⟨zn⟩ •gierzwaluw.

2 swift ⟨bn⟩ •vlug, snel; – of foot vlug ter been.

'swift-'footed •snelvoetig, vlug ter been.

1 swig [swɪg] ⟨zn⟩ ↓ •slok.

2 swig ↓ I ⟨onov ww⟩ •met grote teugen drinken II ⟨ov ww⟩ •naar binnen gieten.

1 swill [swɪl] I ⟨telb zn⟩ •spoeling, spoelbeurt II ⟨n-telb zn⟩ •spoelwater (ook fig.), afwaswater •afval.

2 swill I ⟨onov ww⟩ •↓ zuipen II ⟨ov ww⟩ • af/door/uitspoelen; – down afspoelen •↓ opzuipen; – down opzuipen.

1 swim [swɪm] ⟨zn⟩ •zwempartij; have/go for a – gaan zwemmen ‖ be in/out of the – (niet) op de hoogte zijn.

2 swim ⟨swam [swæm], swum [swʌm]⟩ I ⟨onov ww⟩ •zwemmen ⟨ook fig.⟩, baden; – to the bottom zinken als een baksteen •vlotten, drijven; –ming in blood badend in het bloed •duizelen; my head is –ming het duizelt mij II ⟨ov ww⟩ •(over) zwemmen; – a river een rivier overzwemmen ‖ – s.o. across iem. overzwemmen.

swimmer ['swɪmə] •zwemmer. swimming ['swɪmɪŋ] •het zwemmen, de zwemsport. 'swimming bath (vaak mv.) ⟨BE⟩ •(overdekt) zwembad. 'swimming costume, 'swimsuit •zwempak, badpak. swimmingly ['swɪmɪŋli] •vlot, als van een leien dakje; everything goes on/off – alles loopt gesmeerd. 'swimming pool, 'swim-pool •zwembad. 'swimming trunks • zwembroek.

1 swindle ['swɪndl] ⟨zn⟩ •zwendel, bedrog.

2 swindle ⟨ww⟩ •oplichten, afzetten; – money out of s.o., – s.o. out of money iem. geld afhandig maken. swindler ['swɪndlə] •zwendelaar(ster), oplichter.

swine [swaɪn] ⟨ook fig.⟩ •zwijn, varken. 'swineherd •varkenshoeder/ster.

1 swing [swɪŋ] I ⟨telb zn⟩ •schommel II ⟨telb en n-telb zn⟩ •schommeling, slingerbeweging; – in public opinion kentering in de publieke opinie; give full/free – to de vrije teugel laten •forse beweging • veerkrachtige gang •(fors) ritme ‖ go with a – van een leien dakje gaan; ⟨sprw.⟩ what one loses on the swings one makes up on the roundabout de winsten moeten de verliezen compenseren III ⟨n-telb zn⟩ • actie, vaart; in full – in volle actie/gang; get into the – of things op dreef komen • bezieling.

2 swing ⟨swung [swʌŋ], swung⟩ I ⟨onov ww⟩ •met veerkrachtige tred gaan, met zwaaiende gang lopen •swingen •↓ opgehangen worden; – for it ervoor gestraft/gehangen worden II ⟨onov en ov ww⟩ • slingeren, schommelen; – to and fro heen en weer schommelen; ⟨fig.⟩ – into action in actie komen •draaien, (doen) zwenken; – round (zich) omdraaien, omgooien • (op)hangen; – from the ceiling aan het plafond hangen III ⟨ov ww⟩ •beïnvloeden, bepalen; – it het klaarspelen; what swung it was the money wat de doorslag gaf, was het geld. 'swing 'door, 'swinging 'door •klapdeur.

swingeing, swinging ['swɪndʒɪŋ] ⟨vnl. BE⟩ •geweldig, enorm.

swinging ['swɪŋɪŋ] •schommelend, slingerend •veerkrachtig; – step veerkrachtige tred •ritmisch, swingend •⟨sl.⟩ bij, gedurfd.

1 swipe [swaɪp] ⟨zn⟩ •↓ mep, (harde) slag; have/take a – at uithalen naar •↓ veeg, schimpscheut.

2 swipe I ⟨onov en ov ww⟩ •(hard) slaan, meppen; – at uithalen naar; ⟨fig.⟩ beschimpen II ⟨ov ww⟩ ⟨sl.⟩ •gappen, jatten.

1 swirl [swəːl] ⟨zn⟩ •(draai)kolk •werveling.

2 swirl ⟨ww⟩ •(doen) wervelen, (doen) dwarrelen; – about rondwervelen • (doen) kolken, (doen) draaien.

1 swish [swɪʃ] ⟨zn⟩ •zwiep, slag •zoevend geluid; the – of a cane het zoeven v.e. rietje.

2 swish ⟨bn⟩ ⟨sl.⟩ •⟨vnl. BE⟩ chic.

3 swish I ⟨onov ww⟩ •zoeven, ruisen; – past voorbijzoeven •zwiepen II ⟨ov ww⟩ • doen zwiepen, slaan met.

Swiss [swɪs] ● ⟨bn⟩ *Zwitsers;* – *cottage chalet* ● ⟨zn⟩ *Zwitsers(e)*.

1 switch [swɪtʃ] ⟨zn⟩ ● ⟨elek.⟩ *schakelaar, stroomwisselaar* ● ⟨spoorwegen⟩ *wissel* ● *ommezwaai, verandering* ● *twijgje, loot*.

2 switch I ⟨onov en ov ww⟩ ● *(om)schakelen* ⟨ook elek.⟩, *veranderen (van), overgaan (op);* – *places van plaats veranderen;* – *off uitschakelen;* ↓ *versuffen;* – *over overschakelen;* ⟨radio, t.v.⟩ *een ander kanaal kiezen;* – *through* (to) *doorverbinden;* – *to overgaan naar/op* ● *draaien, (doen) omzwaaien;* – *round omdraaien* II ⟨ov ww⟩ ● *verwisselen;* zie SWITCH ON. **'switchback** ● *bochtige, heuvelige weg* ● ⟨BE⟩ *roetsjbaan, achtbaan*. **'switchblade** ⟨AE⟩ ● *stiletto*. **'switchboard** ● *schakelbord*. **'switched-'on** ● ↓ *bij (de tijd)*. **'switch 'on** ● *inschakelen, aanzetten/doen*. **'switchover** ● *overschakeling, omschakeling*.

swivel ● *draaien (als) om een spil;* – *round in one's chair ronddraaien in zijn stoel*. **'swivel chair** ● *draaistoel*.

swizzle ['swɪzl] ● ↓ *cocktail*. **'swizzle stick** ↓ ● *roerstokje*.

swollen ['swoʊlən] ● *gezwollen* ⟨ook fig.⟩, *opgeblazen*. **'swollen-'headed** ● *verwaand, arrogant*.

1 swoon [swuːn] ⟨zn⟩ ● *bezwijming;* go off in a – *in zwijm vallen*.

2 swoon ⟨ww⟩ ● *in vervoering geraken* ⟨ook scherts.⟩ ● *bezwijmen*.

1 swoop [swuːp] ⟨zn⟩ ● *duik* ‖ at one (fell) – *met één slag*.

2 swoop ⟨ww⟩ ● *stoten* (v. roofvogel), *(op een prooi) neerschieten, zich storten op* ⟨ook fig.⟩; – *down stoten*.

swop zie SWAP.

sword [sɔːd] ● *zwaard, sabel, degen* ‖ cross –s (with) *in conflict komen (met);* put to the – *over de kling jagen;* zie ook ⟨sprw.⟩ PEN. **'swordfish** ● *zwaardvis*. **'swordplay** ● *het schermen*. **swordsman** ['sɔːdzmən] ● *zwaardvechter, schermer*.

swore [swɔː] ⟨verl. t.⟩ zie SWEAR.

sworn [swɔːn] ● *beëdigd;* – statement *verklaring onder ede* ‖ – enemies *gezworen vijanden*.

1 swot [swɒt] ⟨zn⟩ ⟨BE; ↓⟩ ● *blokker, zwoeger*.

2 swot ⟨ww⟩ ⟨BE; ↓⟩ ● *blokken op;* – sth. up, – up on sth. *iets erin stampen;* – for an exam *blokken voor een examen* ● zie SWAT.

swum [swʌm] ⟨volt. deelw.⟩ zie SWIM.

swung [swʌŋ] ⟨verl. t. en volt. deelw.⟩ zie SWING.

sycamore ['sɪkəmɔː] ● *esdoorn* ● ⟨AE⟩ *pla-*

taan.

sycophant ['sɪkəfənt] ● *pluimstrijker, vleier*. **sycophantic** ['sɪkə'fæntɪk] ● *kruiperig, vleierig*.

syllabic [sɪ'læbɪk] ● *syllabisch, lettergreep-*. **syllable** ['sɪləbl] ● *syllabe, lettergreep;* not a –! *geen woord!*.

syllabus ['sɪləbəs] ● *syllabus, samenvatting, leerplan*.

symbol ['sɪmbl] ● *symbool, teken*. **symbolic(al)** [sɪm'bɒlɪk(l)] ● *symbolisch;* be – of het symbool zijn van. **symbolism** ['sɪmbəlɪzm] ● *symbolisme* ● *symboliek*. **symbolize** ['sɪmbəlaɪz] ⟨zn: -ization⟩ ● *symboliseren, symbool zijn van*.

symmetrical [sɪ'metrɪkl] ● *symmetrisch*. **symmetry** ['sɪmɪtri] ● *symmetrie*.

sympathetic ['sɪmpə'θetɪk] ● *sympathiek, genegen, welwillend;* – strike *solidariteitsstaking;* be – to/toward(s) s.o. *iem. genegen zijn* ● *meevoelend, deelnemend*. **sympathize** ['sɪmpəθaɪz] ● *sympathiseren;* – with *sympathiseren met; meevoelen met*. **sympathizer** ['sɪmpəθaɪzə] ● *sympathisant*. **sympathy** ['sɪmpəθi] ● *sympathie, genegenheid, deelneming;* accept my sympathies *aanvaard mijn innige deelneming;* come out in – (for sth.) *sympathie (voor iets) tonen; in solidariteitsstaking gaan;* feel – for *meeleven met;* his sympathies lie with *hij sympathiseert met;* be in – with *welwillend staan tegenover* ● *overeenstemming;* be in – with *in overeenstemming zijn met*.

symphony ['sɪmf(ə)ni] ⟨bn: -ic⟩ ● *symfonie*. **'symphony orchestra** ● *symfonieorkest*.

symposium [sɪm'poʊzɪəm] ⟨mv.: ook symposia [-zɪə]⟩ ● *symposium, conferentie*.

symptom ['sɪm(p)təm] ● *symptoom, (ziekte)verschijnsel, indicatie*. **symptomatic** ['sɪm(p)tə'mætɪk] ● *symptomatisch;* be – of *wijzen op*.

synagogue ['sɪnəgɒg] ● *synagoge*.

sync, synch [sɪŋk] ⟨verk.⟩ synchronization ↓ ● *synchronisatie;* out of – *niet synchroon*.

synchromesh ['sɪŋkroʊmeʃ] ⟨ook attr⟩ ⟨tech.⟩ ● *synchromesh* ⟨versnellingsbak met synchroon draaiende tandwielen⟩.

synchronize ['sɪŋkrənaɪz] ⟨zn: -ization⟩ I ⟨onov ww⟩ ● *gelijktijdig gebeuren, samenvallen* II ⟨onov en ov ww⟩ ● *synchroniseren* ⟨ook film.⟩, *(doen) samenvallen (in de tijd)* III ⟨ov ww⟩ ● *gelijk zetten* ⟨klok⟩. **synchronous** ['sɪŋkrənəs] ● *synchroon, gelijktijdig*.

syncopate ['sɪŋkəpeɪt] ⟨zn: -ation⟩ ● ⟨muz.⟩ *syncoperen*.

syndicalism ['sɪndɪkəlɪzm] ⟨pol.⟩ ● *syndica-*

lisme. **syndicalist** [ˈsɪndɪkəlɪst] ⟨pol.⟩ ●
syndicalist.

1 syndicate [ˈsɪndɪkət] ⟨zn⟩ ●*syndicaat, be-
langengroepering* ●*perssyndicaat, pers-
bureau.*

2 syndicate [ˈsɪndɪkeɪt] ⟨ww⟩ ●*via een perssyndicaat publiceren, gelijktijdig in verschillende bladen publiceren.*

syndrome [ˈsɪndroʊm] ●*syndroom* ⟨ook
med.⟩.

synod [ˈsɪnəd] ●*synode.*

synonym [ˈsɪnənɪm] ●*synoniem.* **synony-
mous** [sɪˈnɒnɪməs] ●*synoniem.*

synopsis [sɪˈnɒpsɪs] ⟨mv.: synopses [-si:z]⟩
●*synopsis, samenvatting, overzicht.*

syntactic(al) [sɪnˈtæktɪk(l)] ●*syntactisch.*

syntax [ˈsɪntæks] ●⟨taal.⟩ *syntaxis, zins-
bouw.*

synthesis [ˈsɪnθəsɪs] ⟨mv.: syntheses
[-si:z]⟩ ●*synthese.*

synthesize [ˈsɪnθəsaɪz] ●*samenstellen* ●*tot
een geheel maken* ●*synthetisch bereiden.*
synthesizer [ˈsɪnθəsaɪzə] ●⟨muz.⟩ *synthesizer.*

synthetic [sɪnˈθetɪk] ●*synthetisch.*

syphilis [ˈsɪfəlɪs] ●*syfilis.*

Syria [ˈsɪrɪə] ●*Syrië.* **Syrian** [ˈsɪrɪən] ●⟨bn⟩
Syrisch ●⟨telb zn⟩ *Syriër.*

1 syringe [sɪˈrɪndʒ] ⟨zn⟩ ●*(injectie)spuit.*

2 syringe ⟨ww⟩ ●*inspuiten* ●*uitspuiten,
schoonspuiten.*

syrup [ˈsɪrəp] ●*siroop* ●*stroop.* **syrupy**
[ˈsɪrəpi] ●*stroperig,* ⟨fig.⟩ *kleverig, sentimenteel.*

system [ˈsɪstɪm] ●*stelsel, systeem* ●*geheel,
samenstel* ●*methode* ●*gestel, lichaam(s-
gesteldheid)* ‖ *get it out of your – je moet
ermee afrekenen.* **systematic** [ˈsɪs-
tɪˈmætɪk] ●*systematisch, methodisch.*
systematize [ˈsɪstɪmətaɪz] ⟨zn: -ization⟩
●*systematiseren.*

'**systems analyst** ⟨comp.⟩ ●*systeemanalis-
t(e).*

t, T [ti:] ●*t, T* ‖ *to a T precies, tot in de
puntjes.*

ta [tɑ:] ⟨BE; ↓⟩ ●*dank je.*

tab [tæb] ●*lus, ophanglusje* ●*etiketje, label*
●*klepje, lipje* ●⟨AE; ↓⟩ *rekening* ‖ keep
–s/a – on *in de gaten houden.*

tabby [ˈtæbi] ●*cyperse kat, tabby* ●*poes,
vrouwtjeskat.*

tabernacle [ˈtæbənækl] ⟨rel.⟩ ●*tabernakel.*

1 table [ˈteɪbl] ⟨zn⟩ ●*tafel, tafelgezelschap;*
lay the – *de tafel dekken;* at – *aan tafel* ●
tabel, lijst; learn one's –s *de tafels v. vermenigvuldiging leren* ●⟨aardr.⟩ *tafelland*
‖ turn the –s (on s.o.) *de rollen omdraaien;*
drink s.o. under the – *iem. onder de tafel
drinken.*

2 table ⟨ww⟩ ●⟨BE⟩ *ter tafel brengen, indienen* ●⟨vnl. AE⟩ *opschorten, uitstellen* ●*in
een tabel opnemen.*

tableau [ˈtæbloʊ] ⟨mv.: ook tableaux
[-oʊ(z)]⟩ ●*tableau, tafereel, vertoning* ●*tableau vivant.*

'**tablecloth** ●*tafelkleed.* '**table linen** ●*tafel-
linnen.* '**table manners** ●*tafelmanieren.*
'**tablemat** ●*onderzetter.* '**tablespoon** ●
opscheplepel.

tablet [ˈtæblɪt] ●*(gedenk)plaat, plaquette* ●
tablet, pil ●⟨gesch.⟩ *schrijftablet.*

'**table talk** ●*tafelgesprekken.* '**table tennis** ●
tafeltennis. '**tabletop** ●*tafelblad.* **table-
ware** [ˈteɪblweə] ●*tafelgerei.*

tabloid [ˈtæblɔɪd] ●*krant(je)*⟨half formaat⟩.
'**tabloid press** ●*sensatiepers.*

taboo [təˈbu:] ●⟨bn en zn⟩ *taboe;* put under
– *taboe verklaren.*

tabular [ˈtæbjʊlə] ●*tabellarisch, in tabel-
vorm.* **tabulate** [ˈtæbjʊleɪt] ●*tabelleren,
tabellarisch rangschikken.*

tacit [ˈtæsɪt] ●*stilzwijgend.* **taciturn** [ˈtæ-
sɪtə:n] ⟨zn: **-ity**⟩ ●*zwijgzaam, (stil)zwij-
gend.*

1 tack [tæk] ⟨zn⟩ ●*kopspijker(tje), nageltje* ●
⟨scheep.⟩ *koers, boeg* ⟨bij het laveren⟩ ●
koers(verandering), aanpak.

2 tack I ⟨onov ww⟩ ●⟨scheep.⟩ *loeven,
overstag gaan, laveren* ●*v. koers veranderen* **II** ⟨ov ww⟩ ●*vastspijkeren;* ⟨fig.⟩ – on

toevoegen aan ● *rijgen.*

1 tackle ['tækl] **I** ⟨telb zn⟩ ● *takel* ⟨sport⟩ *tackle* **II** ⟨n-telb zn⟩ ● *uitrusting, gerei* ● ⟨scheep.⟩ *takelwerk.*

2 tackle I ⟨onov ww⟩ ⟨sport⟩ ● *tackelen, de tegenstander neerleggen* **II** ⟨ov ww⟩ ● ⟨sport⟩ *tackelen, neerleggen* ● *aanpakken, onder de knie proberen te krijgen; he didn't know how to* – *that problem hij wist niet hoe hij dat probleem moest aanpakken* ● *aanpakken, een hartig woordje spreken met.*

tacky ['tæki] ● *plakkerig, kleverig* ● ⟨AE; ↓⟩ *sjofel* ● ⟨AE; ↓⟩ *smakeloos.*

tact [tækt] ● *tact, discretie.* **tactful** ['tæktfl] ● *tactvol, omzichtig.*

tactic ['tæktɪk] ● *tactische zet, tactiek* ● ⟨mv.⟩ *tactiek* ⟨ook mil.⟩*, strategie.* **tactical** ['tæktɪkl] ● *tactisch.* **tactician** [tæk'tɪʃn] ● *tacticus.*

tactile ['tæktaɪl] ● *tast-;* – *organs tastorganen* ● *tastbaar, voelbaar.*

tactless ['tæktləs] ● *tactloos.*

tadpole ['tædpoʊl] ● *dikkop(je), kikkervisje.*

1 tag [tæg] ⟨zn⟩ ● *etiket* ⟨ook fig.⟩*, insigne, label* ● *stiftje* ⟨aan uiteinde v. veter e.d.⟩ ● *gemeenplaats, cliché* ● *flard, rafel, los uiteinde.*

2 tag I ⟨onov ww⟩ ● ⟨vnl. +along⟩ *dicht volgen, slaafs/ongevraagd nakomen* **II** ⟨ov ww⟩ ● *van een etiket voorzien* ⟨ook fig.⟩*, merken; every item was nicely* –*ged elk artikel was keurig v.e. prijskaartje voorzien* ● *vastknopen, toevoegen; a label had been* –*ged on at the top aan de bovenkant was een kaartje vastgemaakt* ● ⟨vnl. AE⟩ *beschuldigen, bekeuren.*

1 tail [teɪl] **I** ⟨telb zn⟩ ● *staart; the dog wagged its* – *de hond kwispelstaartte* ● *laatste/onderste deel, uiteinde, pand, sleep* ⟨v. kleding⟩*, staart* ⟨v. o.m. komeet, vliegtuig⟩*, muntzijde* ⟨v. munt⟩ ‖ *with one's* – *between one's legs met hangende pootjes; put a* – *on s.o. iem. laten schaduwen; be on s.o.'s* – *iem. op de hielen zitten; zie ook* ⟨sprw.⟩ STING **II** ⟨n-telb zn⟩ ↓ ● *stoot, lekker wijf; what a bit/piece of* –! *wat een stuk!* **III** ⟨mv.⟩ ● *munt(zijde)* ⟨v. munt⟩ ● ↓ *jacquet, rokkostuum.*

2 tail I ⟨onov ww⟩ *zie* TAIL AFTER, TAIL AWAY, TAIL OFF **II** ⟨ov ww⟩ ● ↓ *schaduwen, volgen* ● *de steeltjes afdoen van.* **tail after** ● *dicht op de hielen zitten.* **tail away** *zie* TAIL OFF.

'**tailback** ● ⟨BE⟩ *file, verkeersopstopping.*

'**tailboard** ⟨BE⟩ ● *laadklep, achterklep.*

'**tailcoat** ● *jacquet, rok.* '**tail 'end** ● *(uit)einde, sluitstuk.* '**tailgate** ● *achterklep, laadklep.* '**taillight** ● *(rood) achterlicht.*

tail off, tail away ● *geleidelijk afnemen, verminderen* ● *verstommen.*

1 tailor ['teɪlə] ⟨zn⟩ ● *kleermaker.*

2 tailor ⟨ww⟩ ● *maken* ⟨kleren⟩ ● *aanpassen, op maat knippen; we* – *our insurance to your needs wij stemmen onze verzekering af op uw behoeften.* '**tailor-'made** ● *maat-* ● *geknipt, perfect aangepast; she's* – *for him zij past uitstekend bij hem.*

'**tail wind** ● *rugwind.*

1 taint [teɪnt] ⟨zn⟩ ● *smet(je), vlekje.*

2 taint ⟨ww⟩ ● *besmetten, bezoedelen.* **taintless** ['teɪntləs] ● *smetteloos, onbedorven.*

1 take [teɪk] ⟨zn⟩ ● *vangst* ● *opbrengst, ontvangst(en)* ● ⟨film.⟩ *opname.*

2 take ⟨took [tʊk], taken ['teɪkən]⟩ **I** ⟨onov ww⟩ ● *pakken, aanslaan, wortel schieten* ● *effect sorteren, inslaan, slagen* ● *bijten* ⟨v. vis⟩ ● *worden; he took ill hij werd ziek* ● *vlam vatten* ‖ – *after lijken op;* **I** took against him at first sight *ik vond hem al direct niet aardig;* zie TAKE AWAY, TAKE OFF, TAKE ON, TAKE OVER, TAKE TO, TAKE UP **II** ⟨ov ww⟩ ● *nemen, grijpen, (beet)pakken, ⟨fig.⟩* – *my father neem nou mijn vader* ● *veroveren, innemen, vangen; he took me unawares hij verraste mij* ● *winnen, (be)halen* ● *nemen, gebruiken; I'll have to* – *the bus ik zal de bus moeten nemen; this seat is taken deze stoel is bezet; do you* – *sugar? gebruikt u suiker?; we* – *the Times we zijn geabonneerd op de Times; the man took her by force de man nam haar met geweld;* – *five/ten even pauzeren/rusten* ● *vergen, vereisen, in beslag nemen; it won't* – *too much time het zal niet al te veel tijd kosten; have what it* –*s aan de eisen voldoen* ● *meenemen, brengen; that bus will* – *you to the station met die bus kom je bij het station;* – *across naar de overkant meenemen;* – *s.o. around iem. rondleiden;* – *s.o. aside iem. apart nemen* ● *weghalen, wegnemen; he could not* – *his eyes off her hij kon zijn ogen niet v. haar afhouden; it took her mind off things het bezorgde haar wat afleiding;* – *five from twelve trek vijf v. twaalf af* ● *krijgen, voelen; she took an immediate dislike to him zij kreeg onmiddellijk een hekel aan hem* ● *opnemen, noteren, meten* ● *begrijpen, snappen, opvatten, aannemen;* **I** – *your point, point* –*n jij hebt gelijk;* – *it easy! kalm aan!;* – *for granted als vanzelfsprekend aannemen;* **I** – *it that he'll be back ik neem aan dat hij terugkomt;* – *it badly het zich erg aantrekken;* – *it well iets goed opvatten; what do you* – *me for?*

waar zie je me voor aan? ●aanvaarden, accepteren, incasseren; – a beating een pak ransel krijgen; – sides partij kiezen; you may – it from me je kunt v. mij aannemen; I can – it ik kan het wel hebben ● maken, doen, nemen ⟨(studie)vak⟩; he took the corner too fast hij nam de bocht te snel; – an exam een examen afleggen; – notes aantekeningen maken; – a trip een reisje maken; she took a long time over it zij deed er lang over ●fotograferen, nemen ●raken, treffen ●behandelen ⟨probleem enz.⟩ ●gebruiken, nuttigen, innemen ‖ be –n ill ziek worden; – it or leave it graag of niet; she took it lying down zij verzette zich niet; – aback verrassen, v. zijn stuk brengen; she was rather –n by/ with it zij was er nogal mee in haar schik; – it (up)on o.s. het op zich nemen, het wagen; zie ook ⟨sprw.⟩ INCH, PENNY, SORT; zie TAKE APART, TAKE AWAY, TAKE BACK, TAKE DOWN, TAKE IN, TAKE OFF, TAKE ON, TAKE OUT, TAKE OVER, TAKE UP. 'take a'part ●uit elkaar halen. 'takeaway ⟨BE⟩ ●⟨zn⟩ afhaalcentrum ⟨v. maaltijden⟩ ●⟨zn⟩ meeneemmaaltijd ●⟨bn⟩ afhaal-, meeneem-. 'take a'way I ⟨onov ww⟩ ●⟨+from⟩ afbreuk doen (aan), verkleinen II ⟨ov ww⟩ ● aftrekken ●weghalen ●verminderen; it takes sth. away from the total effect het doet een beetje afbreuk aan het geheel. 'take 'back ●terugbrengen, ⟨fig.⟩ doen denken aan ●terugnemen ●intrekken, terugnemen. 'take 'down ●afhalen, naar beneden halen ●opschrijven, noteren ● uit elkaar halen, slopen. 'take-home 'pay ●nettoloon. 'take 'in ●in huis nemen, kamers verhuren aan ●naar binnen halen/ brengen, meenemen ●aannemen ⟨thuiswerk⟩; she takes in sewing zij doet thuis naaiwerk ●omvatten, betreffen ●innemen ⟨kleding⟩ ●begrijpen ⟨bedoeling e.d.⟩, beseffen ●(in zich) opnemen, bekijken ● bedriegen ●opbrengen ●opbrengen, naar het politiebureau brengen ●⟨scheep.⟩ maken ⟨water⟩. taken ⟨volt. deelw.⟩ zie TAKE. 'take 'off I ⟨onov ww⟩ ●vertrekken ●opstijgen, starten ⟨ook fig.⟩ II ⟨ov ww⟩ ●uittrekken, uitdoen ●meenemen, wegvoeren; she took the children off to bed zij bracht de kinderen naar bed ●afhalen, weghalen, verwijderen ●afdoen ⟨v.d. prijs⟩ ●vrij nemen ‖ take o.s. off ervandoor gaan. 'take-off ●start, het opstijgen, vertrek ●parodie, imitatie. 'take 'on I ⟨onov ww⟩ ●tekeergaan ●aanslaan ⟨v. mode(trend) e.d.⟩, populair worden II ⟨ov ww⟩ ●op zich ne-

men, als uitdaging accepteren ●krijgen, aannemen ⟨kleur⟩, overnemen ●aannemen, in dienst nemen ●het opnemen tegen ●aan boord nemen. 'take 'out ●mee naar buiten nemen, mee uit nemen, naar buiten brengen; ⟨AE⟩ – food eten afhalen en mee naar huis nemen ●verwijderen, uithalen ●tevoorschijn halen ●nemen, aanschaffen; – an insurance een verzekering afsluiten ●buiten gevecht stellen ⟨tegenstander⟩ ‖ take it out of s.o. veel v. iemands krachten vergen; the book took him out of himself het boek bezorgde hem wat afleiding; don't take it out on him reageer het niet op hem af. 'take 'over ● overnemen, het heft in handen nemen ● overbrengen, overzetten. 'take-over ● overname. 'take to ●beginnen te, gaan doen aan ●↓ aardig vinden, mogen; he did not take kindly to it hij moest er niet veel v. hebben ●de wijk nemen naar, vluchten naar. 'take 'up I ⟨onov ww⟩ ● verdergaan ⟨v. verhaal, hoofdstuk⟩ ‖ – with bevriend raken met II ⟨ov ww⟩ ●optillen, oppakken; – the hatchet de strijdbijl opgraven ●absorberen ⟨ook fig.⟩, opnemen; it took up all the room het nam alle ruimte in beslag; completely taken up with his book volkomen in beslag genomen door zijn boek ●onder zijn hoede nemen ●ter hand nemen, gaan doen aan; – gardening gaan tuinieren; – a matter een zaak aansnijden ●vervolgen ⟨verhaal⟩, hervatten ●korter maken ⟨kleding⟩ ●aannemen, aanvaarden, ingaan op; he took me up on my offer hij nam mijn aanbod aan ●innemen ⟨positie⟩, aannemen ⟨houding⟩ ‖ I'll take you up on that daar zal ik je aan houden; I'll take things up with your superior ik zal de zaak aan je chef voorleggen.

1 taking ['teɪkɪŋ] I ⟨n-telb zn⟩ ‖ for the – voor het grijpen/oprapen II ⟨mv.⟩ ●verdiensten, recette, ontvangsten.

2 taking ⟨bn⟩ ●innemend ●boeiend, pakkend ●aantrekkelijk.

talc [tælk], **talcum** ['tælkəm] ●talk(poeder).
'talcum powder ●talkpoeder.

tale [teɪl] ●verhaal(tje); tell its/one's own – voor zichzelf spreken; tell –s kletsen, roddelen ●sprookje, legende ●leugen, smoes(je) ●gerucht, roddel, praatje ‖ ⟨sprw.⟩ a tale never loses in the telling hoe vaker een verhaal verteld wordt, hoe mooier het wordt; zie ook ⟨sprw.⟩ DEAD.

talent ['tælənt] ●talent, gave ●talent, begaafd(e) persoon/personen. **talented** ['tæləntɪd] ●getalenteerd, talentvol. 'ta-

lent scout, 'talent spotter ● *talentenjager.*
talisman ['tælɪzmən] ● *talisman, amulet.*
1 talk [tɔ:k] I ⟨telb zn⟩ ● *praatje, lezing* ⟨ihb.
op de radio⟩; a – on/about sth. *een praatje
over iets* ● *gesprek* ● ⟨vaak mv.⟩ *bespreking, onderhandeling* II ⟨n-telb zn⟩ ● *gepraat* ● *gerucht, praatjes;* there is – of *er is
sprake van (dat)* ● *holle frasen;* be all –
praats hebben ⟨maar niets presteren⟩ ‖
the – of the town *hèt onderwerp v. gesprek.*
2 talk I ⟨onov ww⟩ ● *spreken, praten;* ↓ now
you're –ing *zo mag ik het horen;* ↓ you can
– *moet je horen wie het zegt;* do the –ing
het woord voeren; – away for hours *urenlang praten;* ⟨aan begin v.d. zin⟩ –ing of
plants *over planten gesproken;* – round
sth. *ergens omheen draaien* ● *roddelen,
praten* ‖ zie ook ⟨sprw.⟩ MONEY; zie TALK
ABOUT, TALK AT, TALK BACK, TALK DOWN, TALK
OF II ⟨ov ww⟩ ● *spreken (over), discussiëren over, bespreken;* ↓ – s.o.'s head/ ⟨AE;
sl.⟩ ear off *iem. de oren v.h. hoofd praten;*
– one's way out of sth. *zich ergens uitpraten;* – o.s. hoarse *praten tot men hees is* ●
zeggen, uiten ● *(kunnen) spreken* ⟨een
taal⟩ ‖ – s.o. round (to sth.) *iem. ompraten
(tot iets);* – s.o. into (doing) sth. *iem. overhalen iets te doen;* – s.o. out of (doing) sth.
iem. iets uit het hoofd praten; zie TALK
DOWN, TALK OUT, TALK OVER. **'talk about** ●
spreken over; know what one is talking
about *weten waar men het over heeft* ●
roddelen over; be talked about *over de
tong gaan* ● *spreken van, zijn voornemen
uiten (om);* they're talking about emigrat-
ing *zij overwegen emigratie.* **'talk at** ●
spreken tot, zich richten tot ● *spreken
over, opmerkingen maken over* ⟨iem.,
binnen gehoorsafstand, tegen anderen⟩.
talkative ['tɔ:kətɪv] ● *praatgraag, praatziek.* **'talk 'back** ● *(brutaal) reageren;* – to
s.o. *iem. v. repliek dienen.* **'talk 'down** I
⟨onov ww⟩ ● *neerbuigend praten;* – to
one's audience *afdalen tot het niveau v.
zijn gehoor* II ⟨ov ww⟩ ● *overstemmen* ●
onder de tafel praten. **talker** ['tɔ:kə] ● *prater;* good – *vlotte prater.* **talkie** ['tɔ:ki] ↓ ●
sprekende film, geluidsfilm. **talking**
['tɔ:kɪŋ] ● *sprekend* ⟨ook fig.⟩, *expressief;*
– film/picture *sprekende film.* **'talking
point** ● *discussiepunt.* **'talking-to** ↓ ● *re-
primande;* (give s.o.) a good – *een hartig
woordje (met iem. spreken).* **'talk of** ●
spreken over, bespreken ● *spreken van,
het hebben over;* – doing sth. *v. plan zijn
iets te doen.* **'talk 'out** ● *uitpraten.* **'talk
'over** ● *(uitvoerig) spreken over, uitvoerig*

bespreken ● *ompraten;* talk s.o. over to
sth. *iem. overhalen tot iets.* **'talk show** ●
praatprogramma.
tall [tɔ:l] ● *lang* ⟨v. persoon⟩, *groot;* 6 feet –
1.80 m (lang) ● *hoog* ⟨v. boom, mast enz.⟩
● ↓ *exorbitant, overdreven, te groot;* – order *onredelijke eis;* – story *sterk verhaal.*
'tallboy ⟨BE⟩ ● *hoge ladenkast.*
tallish ['tɔ:lɪʃ] ● *vrij groot, vrij hoog/lang.*
tallow ['tæloʊ] ● *talg, talk.*
1 tally ['tæli] I ⟨telb zn⟩ ● *rekening* ● *score-
(bord)* ● ⟨gesch.⟩ *kerfstok* II ⟨telb en n-telb
zn⟩ ● *aantekening;* keep (a) – (of) *aantekening houden (van).*
2 tally I ⟨onov ww⟩ ● ⟨+with⟩ *overeenkomen (met), gelijk zijn, kloppen* II ⟨ov ww⟩
● *berekenen, tellen;* – up *optellen.*
talon ['tælən] ● *klauw.*
tambourine ['tæmbə'ri:n] ● *tamboerijn.*
1 tame [teɪm] ⟨bn⟩ ● *tam, mak* ● *gedwee,
meegaand* ● ⟨AE⟩ *gekweekt, veredeld* ⟨v.
planten⟩ ● ↓ *saai.*
2 tame ⟨ww⟩ ● *temmen,* ⟨fig.⟩ *bedwingen,
beteugelen.*
'tamper with ● *knoeien met;* – documents
documenten vervalsen ● *zich bemoeien
met* ● *komen aan, zitten aan.*
tampon ['tæmpɒn] ● *tampon.*
1 tan [tæn] ⟨zn⟩ ● *bruine kleur* ⟨v.d. huid
door zonnebrand⟩.
2 tan ⟨bn⟩ ● *geelbruin* ● *zongebruind.*
3 tan I ⟨onov ww⟩ ● *bruin worden* ⟨door de
zon⟩ II ⟨ov ww⟩ ● *bruinen* ⟨zon⟩ ● *looien,
tanen.*
1 tandem ['tændəm] ⟨zn⟩ ● *tandem* ‖ in –
achter elkaar.
2 tandem ⟨bw⟩ ● *achter elkaar.*
tang [tæŋ] ● *scherpe lucht, indringende
geur* ● *scherpe smaak.*
tangent ['tændʒənt] ● *raaklijn* ‖ ↓ fly/go off at
a – *een gedachtensprong maken.* **tangen-
tial** ['tæn'dʒenʃl] ● *rakend* ● ⟨fig.⟩ *oppervlakkig.*
tangerine (orange) ['tændʒə'ri:n] ● *manda-
rijn(tje).*
tangible ['tændʒəbl] ● *tastbaar* ⟨ook fig.⟩,
voelbaar, concreet.
1 tangle [tæŋgl] ⟨zn⟩ ● *knoop, klit;* in a – *in
de war/knoop* ● *verwarring, wirwar* ● *conflict, onenigheid;* get into a – with s.o. *met
iem. in conflict raken.*
2 tangle I ⟨onov ww⟩ ● *in de knoop raken,
klitten* ● *in de war raken;* ⟨fig.⟩ – with s.o.
verwikkeld raken in een ruzie met iem. II
⟨ov ww⟩ ● *verwarren* ● *compliceren;* a –d
matter *een ingewikkelde zaak.*
tangy ['tæŋi] ● *scherp, pittig.*
tank [tæŋk] ● *(voorraad)tank, reservoir* ●

⟨mil.⟩ *tank.*

tankard ['tæŋkəd] ●*drinkkan, (bier)kroes.*

'tanked 'up ⟨sl.⟩ ●*bezopen, zat.*

tanker ['tæŋkə] ●*tanker.*

'tank suit ●*badpak* ⟨met schouderbandjes⟩.

tanner ['tænə] ●*looier, leerbereider.* **tannery** ['tænəri] ●*looierij.*

tannic ['tænɪk] ‖ – *acid looizuur.*

tannin ['tænɪn] ●*looizuur.*

tannoy ['tænɔɪ] ⟨BE⟩ ●*intercom* ⟨oorspr. merknaam⟩.

tantalize ['tæntəlaɪz] ●*doen watertanden, kwellen* ●*verwachtingen wekken.*

tantamount ['tæntəmaʊnt] ●⟨+to⟩ *gelijk-(waardig)(aan);* be – to *neerkomen op.*

tantrum ['tæntrəm] ●*woedeuitbarsting;* get into a –, throw a – *een woedeaanval krijgen.*

1 tap [tæp] ⟨zn⟩ ●*kraan, tap(kraan), stop* ⟨v. vat⟩; on – *uit het vat, v.d. tap;* ⟨fig.⟩ *met een voorradig* ●*tik(je), klopje;* a – on a shoulder *een schouderklopje* ●⟨AE⟩ *afluisterapparatuur.*

2 tap I ⟨onov ww⟩ ●*tikken, kloppen;* – at/on the door *op de deur tikken* **II** ⟨ov ww⟩ ● *doen tikken/kloppen;* – s.o. on the shoulder *iem. op de schouder kloppen* ●*(af)tappen, afnemen;* – a power line *(heimelijk) energie aftappen;* her telephone was –ped *haar telefoon werd afgeluisterd;* ⟨fig.⟩ – a person for information *informatie aan iem. ontfutselen* ●*onttrekken, ontfutselen (aan),* ⟨fig.⟩ *afluisteren* ●*openen, aanbreken* ⟨ook fig.⟩, *aanboren;* – new sources of energy *nieuwe energiebronnen aanboren* ●↓ *(om geld) vragen/bedelen, (proberen) los (te) krijgen van.* **'tap dancing** ●*het tapdansen.*

1 tape [teɪp] ⟨zn⟩ ●*lint, band, koord;* insulating – *isolatieband* ●*finishlint* ●*meetlint, centimeter* ●*(geluids)band* ●*(plak/kleef) band, tape;* adhesive – *plak/kleefband.*

2 tape I ⟨onov en ov ww⟩ ●*opnemen, een (band)opname maken (van)* **II** ⟨ov ww⟩ ● *(vast)binden, inpakken, samenbinden;* – a card on the wall *een kaart met plakband aan de muur bevestigen* ●⟨AE⟩ *verbinden;* his knee was –d up *zijn knie zat in het verband* ‖↓ have s.o. –d *iem. helemaal doorhebben;* – sth. off *iets afplakken.*

'tape deck ●*tapedeck.* **'tape measure** ● *meetlint, centimeter.*

1 taper ['teɪpə] ⟨zn⟩ ●*(dunne) kaars* ●*(geleidelijke) versmalling, spits/taps toelopend voorwerp.*

2 taper I ⟨onov ww⟩ ●*taps/spits toelopen, geleidelijk smaller worden* ●⟨+off⟩ *(geleidelijk) kleiner worden, afnemen* **II** ⟨ov

ww⟩ ●*smal(ler) maken, taps/spits doen toelopen* ●*verkleinen, doen afnemen.*

'tape recorder ●*bandrecorder.* **'tape recording** ●*bandopname.*

tapestry ['tæpɪstri] ●*wandtapijt.*

'tapeworm ●*lintworm.*

tapioca ['tæpi'oʊkə] ●⟨zetmeel⟩.

tapir ['teɪpə] ⟨dierk.⟩ ●*tapir.*

'taproom ●*gelagkamer.*

'tap water ●*leidingwater.*

1 tar [tɑː] ⟨zn⟩ ●*teer.*

2 tar ⟨ww⟩ ●*teren,* ⟨fig.⟩ *zwartmaken;* – and feather s.o. *iem. met teer en veren bedekken* ⟨als straf⟩.

tarantula [tə'ræntjʊlə] ⟨mv.: ook tarantulae [-liː]⟩ ⟨dierk.⟩ ●*vogelspin* ●*tarantula.*

tardy ['tɑːdi] ●*traag, sloom;* – progress *langzame vooruitgang* ●⟨AE⟩ *(te) laat;* be – for work *te laat op je werk komen.*

tare [teə] ●*tarra(gewicht)* ⟨verschil tussen bruto- en nettogewicht⟩.

1 target ['tɑːgɪt] ⟨zn⟩ ●*doel, roos, schietschijf,* ⟨fig.⟩ *streven, doeleinde* ●*doelwit* ⟨v. spot/kritiek⟩, *mikpunt.*

2 target ⟨ww⟩ ●*richten;* missiles –ed on Europe *raketten op Europa gericht.* **'target date** ●*streefdatum.*

tariff ['tærɪf] ●*(tol)tarief;* postal –s *posttarieven* ●*prijslijst, tarievenlijst.*

tarmac ['tɑːmæk] ●*teermacadam(weg), tarmac* ⟨bv. als landingsbaan⟩.

tarn [tɑːn] ●*bergmeertje.*

1 tarnish ['tɑːnɪʃ] ⟨zn⟩ ●*glansverlies, dofheid,* ⟨fig.⟩ *smet.*

2 tarnish I ⟨onov ww⟩ ●*dof/mat worden,* ⟨fig.⟩ *aangetast/bezoedeld worden;* his fame started to – *zijn roem begon te tanen* **II** ⟨ov ww⟩ ●*dof/mat maken,* ⟨fig.⟩ *bezoedelen;* a –ed reputation *een bezoedelde naam.*

tarot ['tærou] ⟨kaartspel⟩ ●*tarot.*

tarpaulin [tɑː'pɔːlɪn] ●*tarpaulin, geteerd zeildoek.*

tarragon ['tærəgən] ●*dragon.*

1 tarry ['tæri] ⟨bn⟩ ●*teerachtig, geteerd, teer-.*

2 tarry ['tæri] ⟨ww⟩ ●*talmen, treuzelen, op zich laten wachten.*

1 tart [tɑːt] **I** ⟨telb zn⟩ ↓ ●*slet, del* **II** ⟨telb en n-telb zn⟩ ●*(vruchten)taart(je).*

2 tart ⟨bn⟩ ●*scherp(smakend), zuur, wrang* ●*scherp, sarcastisch.*

tartan ['tɑːtn] ●*Schots ruitpatroon, Schotse ruit* ●*doek/deken in Schotse ruit* ●*tartan, (geruite) Schotse wollen stof.*

tartar ['tɑːtə] **I** ⟨telb zn⟩ ●*woesteling* **II** ⟨n-telb zn⟩ ●*wijnsteen, tartar(us)* ●*tandsteen.*

'**tartar(e)** '**sauce** • *tartaarsaus.*
'**tart** '**up** ↓ • *opdirken, optutten;* – a house *een huis kitscherig inrichten.*
1 **task** [tɑ:sk] ⟨zn⟩ • *taak, karwei, opdracht* ‖ take s.o. to – (for) *iem. onderhanden nemen (vanwege).*
2 **task** ⟨ww⟩ • *belasten, eisen stellen aan;* don't – your powers too much *stel je krachten niet te veel op de proef.* '**task force** • *speciale eenheid* ⟨vnl. v. leger, politie⟩, *gevechtsgroep.* '**taskmaster** • *taakgever, opdrachtgever;* a hard – *een harde leermeester.* '**taskmistress** • *taakgeefster, opdrachtgeefster.*
tassel ['tæsl] • *kwastje* ⟨v. gordijn, schoen enz.⟩.
1 **taste** [teɪst] I ⟨telb zn⟩ • *kleine hoeveelheid, hapje, slokje, beetje;* have a – of this wine *neem eens een slokje van deze wijn;* ⟨fig.⟩ give s.o. a – of his own medicine *iem. een koekje v. eigen deeg geven;* it is a – better than before *het is een tikkeltje beter dan voorheen* • *ervaring, ondervinding;* give s.o. a – of the whip *iem. de zweep laten voelen* II ⟨telb en n-telb zn⟩ • *smaak, smaakje;* leave a bad – in the mouth *een bittere nasmaak hebben* ⟨ook fig.⟩ • *smaak, voorkeur;* there is no accounting for –s *over smaak valt niet te twisten;* everyone to his – *ieder zijn meug;* have (a) – for music *genoegen scheppen in muziek;* add sugar to – *suiker toevoegen naar smaak* III ⟨n-telb zn⟩ • *smaak, gevoel* ⟨voor gepast gedrag, mode e.d.⟩; that is good/bad – *dat getuigt v. goede/slechte smaak;* in good – *smaakvol; behoorlijk;* the remark was in bad – *de opmerking getuigde v. slechte smaak.*
2 **taste** I ⟨onov ww⟩ • *smaken;* the pudding –d of garlic *de pudding smaakte naar knoflook* II ⟨ov ww⟩ • *proeven, keuren* • *smaken;* he has not –d food for days *hij heeft dagenlang geen voedsel aangeraakt* • *ervaren, ondervinden;* – defeat *het onderspit delven.* '**taste bud** • *smaakpapil.*
tasteful ['teɪstfl] • *smaakvol.* **tasteless** ['teɪstləs] • *smaakloos, geen smaak hebbend* • *smakeloos, v. slechte smaak getuigend.* **taster** ['teɪstə] • *proever.*
tasty ['teɪstɪ] • *smakelijk* • *hartig.*
tat [tæt] • *klap.*
tatter ['tætə] • *flard, lomp, vod;* in –s *aan flarden, kapot* ⟨ook fig.⟩. **tattered** ['tætəd] • *haveloos, aan flarden* ⟨kleren⟩ • *in lompen gekleed* ⟨persoon⟩.
1 **tattle** ['tætl] ⟨zn⟩ • *geklets, geroddel, geklik.*
2 **tattle** ⟨ww⟩ • *kletsen, roddelen* • *klikken;* –

on s.o. *over iem. klikken.* **tattler** ['tætlə] • *kletskous* • *klikspaan.*
1 **tattoo** [tæ'tu:] ⟨zn⟩ • *taptoe;* sound the – *taptoe blazen* • *tromgeroffel* • *tatoeëring* • ⟨mv.⟩ *tatoeage.*
2 **tattoo** ⟨ww⟩ • *tatoeëren.*
tatty ['tætɪ] • *slordig, slonzig, sjofel.*
taught [tɔ:t] ⟨verl. t. en volt. deelw.⟩ zie TEACH.
1 **taunt** [tɔ:nt] ⟨zn; vaak mv.⟩ • *schimpscheut, bespotting.*
2 **taunt** ⟨ww⟩ • *honen, beschimpen.*
taut [tɔ:t] • *strak, gespannen.*
tautology [tɔ:'tɒlədʒi] • *tautologie.*
tavern ['tævən] • *taveerne, herberg.*
tawdry ['tɔ:drɪ] • *opzichtig, smakeloos, opgedirkt.*
tawny ['tɔ:nɪ] • *getaand, geelbruin.*
1 **tax** [tæks] I ⟨telb zn⟩ • *last, druk, gewicht* II ⟨telb en n-telb zn⟩ • *belasting, rijksbelasting;* value-added – *belasting op de toegevoegde waarde, BTW.*
2 **tax** ⟨ww⟩ • *belasten, belastingen opleggen* • *veel vergen van;* – your memory *denk eens goed na;* zie TAX WITH. **taxable** ['tæksəbl] • *belastbaar.* **taxation** [tæk'seɪʃn] • *belasting(gelden)* • *belastingsysteem.* '**tax burden** • *belastingdruk.* '**tax collector** • *ontvanger* ⟨v. belastingen⟩. '**tax cut** • *belastingverlaging.* '**tax-de'ductible** • *aftrekbaar v.d. belastingen.* '**tax-'free** • *belastingvrij.* '**tax haven** • *belastingparadijs.*
1 **taxi** ['tæksɪ] ⟨zn⟩ • *taxi.*
2 **taxi** ⟨ww⟩ • *(doen) taxiën* • *in een taxi rijden/vervoeren.* '**taxicab** • *taxi.*
taxidermist ['tæksɪdə:mɪst] • *opzetter v. dieren.* **taxidermy** ['tæksɪdə:mi] • ⟨opzetten v. dieren⟩.
'**taxi driver** • *taxichauffeur.* **taximeter** ['tæksɪmi:tə] • *taximeter.* '**taxi rank**, ⟨AE⟩ '**taxi stand** • *taxistandplaats.*
'**taxman** • ↓ *fiscus.* '**taxpayer** • *belastingbetaler.*
'**tax with** • *beschuldigen van, ten laste leggen* • *rekenschap vragen voor.*
'**T-bone** ('**steak**) • *T-bone steak, biefstuk v.d. rib.*
tea [ti:] I ⟨telb zn⟩ • *thee, theevisite, theekransje, lichte maaltijd om 5 uur 's middags* • *(kopje) thee* II ⟨n-telb zn⟩ • *thee, theeplant* • *thee(bladeren/bloemen)* • *(kruiden)aftreksel.* '**tea bag** • *theezakje.* '**tea-break** • *thee/koffiepauze.* '**tea caddy** • *theebus, theedoosje.*
teach [ti:tʃ] ⟨taught, taught [tɔ:t]⟩ I ⟨onov en ov ww⟩ • *onderwijzen, lesgeven;* – s.o. chess *iem. leren schaken;* be taught (how)

to swim *zwemmen leren* ‖ zie ook ⟨sprw.⟩ OLD ‖ ⟨ov ww⟩ ●*(af)leren;* I will – him to betray our plans *ik zal hem leren onze plannen te verraden* ●*doen inzien, leren.* **teacher** ['tiːtʃə] ●*leraar/lerares, docent(e)* ●*onderwijzer(es).*

'**tea chest** ●*theekist.*

teaching ['tiːtʃɪŋ] ●*het lesgeven* ●*onderwijs* ●*leer, leerstelling.* '**teaching hospital** ⟨BE⟩ ●*academisch ziekenhuis.*

'**tea-cloth** ●*tafelkleedje* ●⟨ook: tea-towel⟩ *theedoek, droogdoek.* '**tea-cosy** ●*theemuts.* '**teacup** ●*theekopje.*

teak [tiːk] ●*teakhout.*

'**teakettle** ●*waterketel, theeketel.* '**tea-leaf** ● *theeblad* ⟨blad v. theeplant⟩.

1**team** [tiːm] ⟨zn⟩ ●*team, (sport)ploeg, elftal* ●*span* ⟨v. trekdieren⟩.

2**team** I ⟨onov ww⟩ ●⟨vnl. +up⟩ *een team vormen;*↓– up with *samenwerken/samenspelen met* II ⟨ov ww⟩ ●*inspannen, aanspannen;*↓– up *laten samenwerken/ samenspelen.*

'**teammate** ●*teamgenoot.* '**team spirit** ● *teamgeest.* **teamster** ['tiːmstə] ●⟨AE⟩ *vrachtwagenchauffeur.* '**teamwork** ● *teamwork* ●*samenwerking.*

'**tea-party** ●*theekransje, theevisite.* '**teapot** ●*theepot.*

1**tear** [tɪə] ⟨zn⟩ ●*traan;* break into –s *in tranen uitbarsten;* move s.o. to –s *iem. aan het huilen brengen* ●*drup(pel).*

2**tear** [teə] ⟨zn⟩ ●*scheur* ●*flard.*

3**tear** [teə] ⟨tore [tɔː], torn [tɔːn]⟩ I ⟨onov ww⟩ ●*rennen,* ⟨fig.⟩ *stormen* ●*scheuren, stuk gaan;* silk –s easily *zijde scheurt makkelijk* ●*rukken, trekken;* – at sth. *aan iets trekken;* zie TEAR INTO II ⟨ov ww⟩ ●*(ver) scheuren* ⟨ook fig.⟩; – up *verscheuren;* – in half/two *in tweeën scheuren* ●*(uit)rukken, (uit)trekken* ‖ – down a building *een gebouw afbreken;* zie TEAR APART, TEAR AWAY, TEAR OFF.

'**tear a'part** ●*verscheuren* ●*overhoop halen* ●↓ *zich vernietigend uitlaten over.* '**tear a'way** ●*afrukken, af/wegtrekken,* ⟨fig.⟩ *wegnemen;* ⟨fig.⟩ I could hardly tear myself away from the party *ik kon het feest maar met tegenzin verlaten.*

teardrop ['tɪədrɒp] ●*traan.*

tearful ['tɪəfʊl] ●*huilend, betraand* ●*huilerig.* **tear gas** ['tɪə gæs] ●*traangas.*

'**tear into** ●*inslaan* ●*in alle hevigheid aanvallen* ⟨ook fig.⟩.

tear-jerker ['tɪədʒɜːkə] ↓ ●*tranentrekker, sentimente(e)l(e) film/liedje/t.v.-programma* ⟨enz.⟩.

'**tear 'off** ●*afrukken, aftrekken, afscheuren,*

⟨fig.⟩ *wegnemen* ●↓ *snel doen, in elkaar flansen.*

'**tearoom** ●*tearoom.*

1**tease** [tiːz] ⟨zn⟩ ●*plaaggeest* ●*plagerij, geplaag.*

2**tease** ⟨ww⟩ ●*plagen, pesten;* – s.o. to do sth. *iem. pressen iets te doen;* – s.o. for sth. *iem. lastig vallen om* ●*opgewonden doen raken* ●*ontlokken* ●*kammen, kaarden, opborstelen* ⟨bv. wol, stof⟩.

teasel, teazel ['tiːzl] ●*kaarde(bol)* ●*kaardmachine.*

teaser ['tiːzə] ●*plaaggeest, plager* ●↓ *moeilijke vraag, probleemgeval.*

'**tea service,** '**tea set** ●*theestel, theeservies.* '**teaspoon** ●*theelepeltje.* '**teaspoonful** ● *theelepeltje* ⟨als maat⟩. '**teastrainer** ● *theezeefje.*

teat [tiːt] ●*tepel* ●*speen.*

'**tea-time** ●*theetijd.* '**tea towel** ●*theedoek.* '**tea-tray** ●*theeblad, schenkblad.* '**teatrolley** ●*theewagen, theeboy.*

tech [tek] ⟨verk.⟩ technical college.

technical ['teknɪkl] ●*technisch;* – college *hogere technische school* ●*wettelijk, formeel.* **technicality** ['teknɪ'kæləti] ●*technische term* ●*technisch detail, (klein) formeel punt* ●*technisch karakter.* **technically** ['teknɪkli] ●zie TECHNICAL ●⟨aan het begin v.d. zin⟩ *technisch gezien.*

technician [tek'nɪʃn] ●*technicus, specialist.*

Technicolor ['teknɪkʌlə] ● *Technicolor,* ⟨fig.⟩ *levendige kleuren.*

technique [tek'niːk] I ⟨telb zn⟩ ●*techniek, procédé* II ⟨n-telb zn⟩ ●*techniek, vaardigheid.*

technocracy [tek'nɒkrəsi] ●*technocratie.* **technocrat** ['teknəkræt] ●*technocraat.*

technologist [tek'nɒlədʒɪst] ●*technoloog.* **technology** [tek'nɒlədʒi] ⟨bn: -ical⟩ ● *technologie.*

'**Teddy (bear)** ●*teddy(beer).*

tedious ['tiːdɪəs] ⟨-ness⟩ ●*vervelend, langdradig, saai.* **tedium** ['tiːdɪəm] ●*verveling, saaiheid.*

tee [tiː] ●⟨golf⟩ *tee* ‖ to a – *precies, tot in de puntjes.*

teem [tiːm] ●*wemelen, krioelen, tieren.* **teeming** ['tiːmɪŋ] ●*wemelend, (over)vol;* forests – with snakes *wouden die krioelen v.d. slangen.*

teen [tiːn] ●*tienerjaren/tijd;* boy/girl in his/ her –s *tiener.* '**teen-age** ●*tiener-;* a – boy/ girl *een tiener.* **teen-ager** ['tiːneɪdʒə] ●*tiener.* **teenybopper** ['tiːnibɒpə] ⟨sl.⟩ ●*(dweperig) jong tienermeisje.*

teeny(-weeny) ['tiːni'wiːni], **teensy(-weensy)** ['tiːnsi'wiːnsi] ↓ ●*piepklein.*

teeter ['ti:tə] ● *wankelen, waggelen;* 〈fig.〉 – on the edge of collapse *op de rand v.d. in- eenstorting staan.*

teeth [ti:θ] 〈mv.〉 zie TOOTH. **teethe** [ti:ð] ● *tandjes krijgen.* **'teething troubles** ● *kin- derziekten* 〈vnl. fig.〉.

teetotal ['ti:'toʊtl] ● *alcoholvrij, geheelont- houders-.* **teetotaller** ['ti:'toʊtələ] ● *ge- heelonthouder.*

1 telecast ['telɪkɑ:st] 〈zn〉 ● *t.v.-uitzending.*
2 telecast 〈ww〉 ● *op t.v. uitzenden.*

telecommunications ['telɪkəmju:nɪ'keɪʃnz] ● 〈ww steeds enk.〉 *telecommunicatie- techniek* ● 〈ww steeds mv.〉 *(telecommu- nicatie)verbindingen.*

telegram ['telɪgræm] ● *telegram.*

1 telegraph ['telɪgrɑ:f] I 〈telb zn〉 ● *telegraaf, seintoestel* II 〈n-telb zn〉 ● *telegraaf, tele- grafie.*
2 telegraph 〈ww〉 ● *telegraferen.* **telegraph- ese** ['telɪgrə'fi:z] ↓ ● *telegramstijl.* **tele- graphic** ['telɪ'græfɪk] ● *telegrafisch, tele- gram-* ● *beknopt.* **telegraphy** [tɪ'legrəfi] ● *telegrafie.*

telepath|y [tɪ'lepəθi] 〈bn: -ic〉 ● *telepathie.*

1 telephone ['telɪfoʊn] 〈zn〉 ● *telefoon; by –* *telefonisch; on/over the – telefonisch.*
2 telephone 〈ww〉 ● *telefoneren, (op)bellen.* **'telephone booth** ● *telefooncel.* **'tele- phone call** ● *telefoongesprek.* **'telephone directory, 'telephone book** ● *telefoongids.* **'telephone exchange** ● *telefooncentrale.* **telephonist** [tɪ'lefənɪst] ● *telefonist(e).* **telephony** [tɪ'lefəni] ● *telefonie.*

'telephoto lens ● *telelens.*

teleprinter ['telɪprɪntə] 〈BE〉 ● *telex.*

1 telescope ['telɪskoʊp] 〈zn〉 ● *telescoop, (astronomische) verrekijker.*
2 telescope I 〈onov ww〉 ● *telescoperen, in elkaar schuiven* ● *ineengedrukt worden* II 〈ov ww〉 ● *in elkaar schuiven, ineen/sa- mendrukken* ● *be/ver/inkorten.* **telescopic** ['telɪ'skɒpɪk] ● *telescopisch, ineen/uit- schuifbaar; – lens telelens* ● *vérziend.*

1 Teletype ['telɪtaɪp] 〈zn〉 ● *telex.*
2 Teletype 〈ww〉 ● *telexen.*

teletypewriter ['telɪ'taɪpraɪtə] 〈AE〉 ● *telex- (apparaat/toestel).*

televise ['telɪvaɪz] ● *op de televisie uitzen- den, op televisie geven.*

television ['telɪvɪʒn, 'telɪ'vɪʒn] ● *televisie- (toestel), t.v.(-toestel); watch – t.v. kijken.* **'television broadcast, T'V broadcast** ● *te- levisie-uitzending.* **'television series, T'V series** ● *televisieserie.* **'television set, T'V set** ● *televisietoestel.*

1 telex ['teleks] 〈zn〉 ● *telex, telexbericht; by – per telex* ● *telex, telexsysteem.*

2 telex 〈ww〉 ● *telexen.*

tell [tel] 〈told, told [toʊld]〉 I 〈onov ww〉 ● *spreken, zeggen, vertellen, getuigen* 〈fig.〉*; as far as we can – voor zover we weten; you can never –/never can – je weet maar nooit* ● *het/iets verklappen, het/iets verraden;* ↓ *– on s.o. iem. verklik- ken* ● *(mee)tellen, meespelen, v. belang zijn; the long drive began to – (up)on the passengers de lange rit begon de passa- giers zwaar te vallen* II 〈ov ww〉 ● *vertel- len, zeggen, spreken; – a secret een ge- heim verklappen;* ↓ *– me another! maak dat een ander wijs!; I (can) – you! ik ver- zeker het je!;* ↓ *you're –ing me! vertel mij wat!; – about/of sth. over iets vertellen* ● *weten, kennen, uitmaken; can you – the difference? ken jij het verschil?; can she – the time yet? kan ze al klok kijken?; I could – by/from his look ik kon het aan zijn oog- opslag zien; how can I – if/whether it is true or not? hoe kan ik weten of het waar is of niet?* ● *onderscheiden, uit elkaar hou- den; can you – these twins apart? kun jij deze tweeling uit elkaar houden?; – truth from lies de waarheid v. leugens onder- scheiden* ● *zeggen, bevelen, waarschu- wen; I told you so! ik had het je nog ge- zegd!* ‖ *all told alles bij elkaar (genomen); sth. –s me that … ik heb zo het idee dat …; I'll – you what: let's stop weet je wat?: la- ten we ermee ophouden;* ↓ *– s.o. off (for sth.) iem. (om iets) berispen; zie ook* 〈sprw.〉 DEAD, TALE. **teller** ['telə] ● *verteller* ● 〈AE〉 *kasbediende.* **telling** ['telɪŋ] ● *tref- fend, raak* ● *veelbetekenend, veelzeg- gend.* **'telling-'off** ● *uitbrander.* **telltale** ● *roddelaar(ster)* ● *klikspaan, verklikker/ster* ● *verklikkerlamp/signaal* ‖ *a – nod een veelbetekenend knikje.*

telly ['teli] 〈BE; ↓〉 ● *t.v..*

temerity [tɪ'merəti] ● *roekeloosheid, onbe- zonnenheid.*

temp [temp] 〈verk.〉 temporary employee ↓ ● *tijdelijk medewerker(ster),* 〈ihb.〉 *uit- zendkracht.*

1 temper ['tempə] I 〈telb zn〉 ● *humeur, stemming; be in a bad/good – in een slecht/goed humeur zijn* ● *kwade/slechte bui* ● *driftbui; fly into a – een woedeaanval krijgen* II 〈telb en n-telb zn〉 ● *tempera- ment, geaardheid, natuur* ● *opvliegend- heid, opvliegend karakter; have a – op- vliegend zijn* III 〈n-telb zn〉 ● *kalmte, be- heersing; keep one's – zijn kalmte bewa- ren; lose one's – zijn kalmte verliezen.*
2 temper 〈ww〉 ● *temperen* 〈vnl. staal〉 ● *temperen, matigen.*

temperament ['tempramant] ● *tempera-ment* ⟨ook fig.⟩, *aard, gestel* ● *humeurig-heid, prikkelbaarheid*. **temperamental** ['tempra'mentl] ● *natuurlijk, aangeboren* ● *temperamentvol* ● *grillig, onbereken-baar*.

temperance ['temprans] ● *gematigdheid, matigheid* ● *geheelonthouding*. **temper-ate** ['temparat] ● *matig, gematigd* ● *met zelfbeheersing*.

temperature ['temp(r)at(ʃ)a] ● *temperatuur*, ⟨bij uitbr.⟩ *verhoging, koorts;* have/run a – *verhoging hebben*.

tempest ['tempɪst] ● *(hevige) storm* ⟨ook fig.⟩ ● *oproer, tumult*. **tempestuous** [tem-'pest[ʊəs] ● *stormachtig* ⟨ook fig.⟩, *on-stuimig, hartstochtelijk*.

template ['templɪt] ● *sjabloon*.

temple ['templ] ● *tempel, kerk* ● *slaap* ⟨v. hoofd⟩.

tempo ['tempoʊ] ⟨mv.: ook tempi [-pi:]⟩ ● *tempo, snelheid* ⟨ihb. v. muziek⟩.

temporal ['tempral] ● *tijdelijk* ● *wereldlijk*.

1 temporary ['temp(r)ari] ⟨zn⟩ ● *tijdelijke werkkracht*.

2 temporary ⟨bn⟩ ● *tijdelijk, voorlopig;* – buildings *noodgebouwen;* – officer *reser-veofficier*.

temporize ['temparaɪz] ● *temporiseren, pro-beren tijd te winnen*.

tempt [tem(p)t] ● *verleiden, in verleiding brengen;* I am –ed not to believe that *ik ben geneigd dat niet te geloven* ● *verzoe-ken, in verzoeking brengen* ● *tarten*. **temptation** ['tem(p)'teɪʃn] ● *verleiding, verzoeking*. **tempter** ['tem(p)tə] ● *verlei-der*. **tempting** ['tem(p)tɪŋ] ● *verleidelijk, aanlokkelijk*. **temptress** ['tem(p)trɪs] ● *verleidster*.

ten [ten] ● *tien* ⟨ook voorwerp/groep ter waarde/grootte v. tien⟩; he wears a – *hij draagt maat tien*.

tenable ['tenəbl] ● *verdedigbaar, houdbaar* ⟨ook fig.⟩; the job is – for a year *de baan geldt voor een jaar*.

tenacious [tɪ'neɪʃəs] ● *vasthoudend, hard-nekkig* ● *krachtig, goed* ⟨v. geheugen⟩. **tenacity** [tɪ'næsəti] ● *vasthoudendheid, hardnekkigheid* ● *kracht* ⟨v. geheugen⟩.

tenancy ['tenənsi] ● *huur(termijn), pacht-(termijn/tijd)* ● *bewoning, gebruik*.

tenant ['tenənt] ● *huurder, pachter* ● *bewo-ner*. **'tenant 'farmer** ● *pachter*.

tend [tend] **I** ⟨onov ww⟩ ● *gaan* ⟨in zekere richting⟩, *zich richten;* prices are –ing downwards *de prijzen dalen* ● *neigen, ge-neigd zijn;* John –s to get angry *John wordt gauw boos* ● *strekken tot, leiden*

tot; his words –ed to action *zijn woorden spoorden aan tot handelen* ‖ – (up)on be-dienen **II** ⟨ov ww⟩ ● *verzorgen, passen op;* – sheep *schapen hoeden* ● ⟨AE⟩ *bedie-nen*.

tendency ['tendənsi] ● *neiging, tendens* ● *aanleg;* he has a – to grow fat *hij heeft een aanleg tot dik worden*. **tendentious** [ten-'denʃəs] ● *tendentieus, partijdig*.

1 tender ['tendə] ⟨zn⟩ ● *verzorger, oppasser* ● *offerte, inschrijving*.

2 tender ⟨-ness⟩ **I** ⟨bn, attr en pred⟩ ● *mals* ⟨v. vlees⟩ ● *gevoelig, delicaat;* ⟨fig.⟩ – spot *gevoelige plek* ● *liefhebbend, teder* ● *pijnlijk;* – place *gevoelige plek* **II** ⟨bn, attr⟩ ● *jong, onbedorven*.

3 tender I ⟨onov ww⟩ ‖ – for the building of a new road *inschrijven op de aanleg van een nieuwe weg* **II** ⟨ov ww⟩ ● *aanbieden;* – one's resignation *zijn ontslag indienen*.

'tender'hearted ● *teerhartig*.

tenderize ['tendəraɪz] ● *mals maken* ⟨vlees⟩.

tendon ['tendən] ● *(spier)pees*.

tendril ['tendrɪl] ● *(hecht)rank*, ⟨fig.⟩ *streng, sliert*.

tenement ['tenɪmənt] ● *(particulier) eigen-dom* ⟨stuk grond⟩, *vast goed* ● ⟨jur.⟩ *pachtgoed*. **'tenement house** ● *huurka-zerne, flat(gebouw)* ⟨in verpauperde wijk⟩.

tenet ['tenɪt] ● *(basis)principe, (leer)stelling*.

tenfold ['tenfoʊld] ● *tienvoudig, tiendubbel*. **tenner** ['tenə] ● ↓ *tientje, (briefje v.) tien*.

tennis ['tenɪs] ● *tennis(spel)*. **'tennis court** ● *tennisbaan*.

tenon ['tenən] ● *tap, houten (verbindings) pen*.

tenor ['tenə] **I** ⟨telb zn⟩ ● *tenor* ⟨zanger, stem⟩ **II** ⟨n-telb zn⟩ ● *gang* ⟨ihb. v. ie-mands leven⟩, *(ver)loop* ● *teneur* ⟨v. tekst, gesprek⟩, *strekking*.

tenpin ● *kegel*. **'tenpin 'bowling**, ⟨AE⟩ **ten-pins** ● *kegelspel* ⟨met tien kegels⟩, *bow-ling*.

1 tense [tens] ⟨zn⟩ ⟨taal.⟩ ● *tijd, werk-woordsvorm*.

2 tense ⟨bn⟩ ● *gespannen, strak/stijf, ze-nuwachtig, in/vol spanning, spannend, in-gespannen;* a face – with anxiety *een v. angst vertrokken gezicht*.

3 tense I ⟨onov ww⟩ ● (+up) *zenuwachtig/ gespannen worden, verstijven* ⟨v. spie-ren⟩ **II** ⟨ov ww⟩ ● (+up) *gespannen ma-ken, zenuwachtig/spannend maken;* – one's muscles *zijn spieren spannen*.

tensile ['tensaɪl] ● *(uit)rekbaar, elastisch* ● *trek-, span-*.

tension ['tenʃn] ●*spanning, gespannenheid, strakheid* ⟨bv. v. touw⟩ ●*spanning, gespannenheid, zenuwachtigheid;* suffer from nervous – *overspannen zijn* ●⟨vnl. mv.⟩ *spanning, gespannen verhouding/ toestand;* racial –s *rassenonlusten.*

tent [tent] ●*tent.*

tentacle ['tentəkl] ●*tentakel, tastorgaan, voelspriet.*

tentative ['tentətɪv] ●*tentatief, voorlopig;* a – conclusion *een voorzichtige conclusie* ●*aarzelend.*

'tenterhooks ‖ on – *ongerust, in gespannen verwachting.*

tenth [tenθ] ●*tiende,* ⟨als zn⟩ *tiende deel.*

'tent peg, 'tent pin ●*(tent)haring, tentpin.*

tenuous ['tenjʊəs] ●*dun, (rag)fijn* ●*(te) subtiel* ●*onbeduidend, zwak.*

tenure ['tenjə] ●*pachtregeling* ●*ambtstermijn* ●*beschikkingsrecht, eigendomsrecht* ●*vaste aanstelling.*

tepee ['tiːpiː] ●*tipi* (indianentent).

tepid ['tepɪd] (-ness; zn: **-ity**) ●*lauw,* ⟨fig.⟩ *koel, mat.*

1 term [təːm] ⟨zn⟩ ●*onderwijsperiode, trimester, semester, kwartaal* ●*termijn, periode, duur, tijd, huurtermijn, aflossingstermijn;* during her – of office as president *tijdens haar voorzitterschap;* in the short/ medium/long – *op korte/middellange/lange termijn* ●*begin/eindpunt v. periode/ termijn, ingangs/afloopdatum;* she is near her – *ze kan elk moment bevallen* ●⟨wisk.⟩ *term, lid* ●*(vak)term, woord, uitdrukking,* ⟨mv.⟩ *manier v. uitdrukken;* – of abuse *scheldwoord* ●⟨mv.⟩ *voorwaarden* ⟨v. overeenkomst, contract⟩ *bepalingen;* her –s are 10 dollars a lesson *ze rekent 10 dollar per les* ‖ –s of reference *taakomschrijving, omschrijving v. bevoegdheid;* on equal –s *als gelijken;* to be on bad/ good/friendly –s with s.o. *op gespannen/ vriendschappelijke voet met iem. staan;* come to –s with *zich neerleggen bij;* in –s of money *financieel gezien, wat geld betreft;* think in –s of moving *overwegen te verhuizen;* they are not on speaking –s *ze spreken niet meer met elkaar.*

2 term ⟨ww⟩ ●*noemen, omschrijven als.*

terminable ['təːmɪnəbl] ●*beëindigbaar, aflopend.*

1 terminal ['təːmɪnl] ⟨zn⟩ ●⟨tech.⟩ *(pool) klem* ●*eindpunt, eindhalte/station* ●⟨comp.⟩ *(computer)terminal.*

2 terminal ⟨bn⟩ ●*eind-, slot-, laatste* ●⟨med.⟩ *terminaal, ongeneeslijk;* the – ward *de afdeling terminale patiënten* ●*van/mbt. (onderwijs)periode/termijn;* –

examinations *trimester/semesterexamens.*

terminate ['təːmɪneɪt] ⟨zn: **-ation**⟩ I ⟨onov ww⟩ ●*eindigen, aflopen* II ⟨ov ww⟩ ●*(be) eindigen, een eind maken aan, (af)sluiten;* – a pregnancy *een zwangerschap onderbreken.*

terminolog|y ['təːmɪ'nɒlədʒi] ⟨bn: **-ical**⟩ ●*terminologie.*

terminus ['təːmɪnəs] ⟨mv.: ook termini [-naɪ]⟩ ●*eindpunt* ⟨v. buslijn, spoorweglijn⟩, *eindstation, eindhalte.*

termite ['təːmaɪt] ●*termiet, witte mier.*

tern [təːn] ●⟨dierk.⟩ *stern.*

1 terrace ['terɪs] ⟨zn⟩ ●*(verhoogd) vlak oppervlak, (dak/wandel)terras* ●*bordes, tribune, staanplaatsen* ●*rij huizen, huizenblok.*

2 terrace ⟨ww⟩ ●*tot terras(sen) vormen, in terrassen verdelen* ‖ –d house *rijtjeshuis.*

terra cotta ['terə 'kɒtə] ●*(voorwerp(en)/aardewerk in) terracotta.*

terrain [tə'reɪn] ●*terrein, gebied* ⟨ook fig.⟩.

terrestrial [tɪ'restrɪəl] ●*van/mbt. de aarde/ het land, aards.*

terrible ['terəbl] ●*verschrikkelijk, vreselijk* ●↓ *(verschrikkelijk) moeilijk/groot/slecht;* he is – at tennis *hij speelt ontzettend slecht tennis.* **terribly** ['terəbli] ●*zie* TERRIBLE ●↓ *vreselijk, zeer, uiterst.*

terrier ['terɪə] ●*terriër.*

terrific [tə'rɪfɪk] ●↓ *geweldig (goed), fantastisch;* a – chap *een reusachtige kerel* ●↓ *(ontzettend) groot/hoog/veel;* at a – speed *razendsnel.* **terrifically** [tə'rɪfɪkli]↓●*verschrikkelijk, vreselijk, buitengewoon.*

terrify ['terɪfaɪ] ●*schrik/angst aanjagen, bang/aan het schrikken maken;* be terrified of s.o./sth. *doodsbang zijn voor iem./ iets.* **terrifying** ['terɪfaɪɪŋ] ●*angstaanjagend, afschuwelijk.*

territorial ●*territoriaal, territorium-, grond-(gebied)-, land-;* – waters *territoriale wateren.* **territory** ['terɪtri] ●*territorium, (stuk) staatsgebied* ●⟨biol.⟩ *territorium, (eigen) (grond)gebied* ●*(stuk) land, gebied, terrein* ⟨ook fig.⟩, *rayon.*

terror ['terə] ●*verschrikking, schrik, plaag;* the – of the neighbourhood *de schrik v.d. buurt* ●↓ *lastig/angstaanjagend iem.;* a real – *een echte pestkop* ●*(gevoel v.) schrik, (hevige) angst;* run away in – *in paniek wegvluchten.* **terrorism** ['terərɪzm] ●*terrorisme.* **terrorist** ['terərɪst] ●⟨bn⟩ *terroristisch, terreur-* ●⟨zn⟩ *terrorist.* **terrorize** ['terəraɪz] ●*terroriseren, schrik/angst aanjagen.* **'terror-stricken, 'terror-struck** ●*doodsbang, in paniek.*

terse [tə:s] ● *beknopt, kort(af).*

tertiary ['tə:ʃəri] ● *tertiair, v.d. derde orde/ graad/rang; –* burn *derdegraadsverbranding.*

1 test [test] ⟨zn⟩ ● *test, toets(ing), proef, keuring, proefwerk;* stand the – of time *de tand des tijds weerstaan;* pass a – *slagen voor een toets;* put sth. to the – *iets testen/ onderzoeken* ● *toets(steen)* ⟨alleen fig.⟩, *criterium.*

2 test I ⟨onov en ov ww⟩ ● *(dmv. een test) onderzoeken; –* for *onderzoeken (op)* **II** ⟨ov ww⟩ ● *toetsen, testen, nagaan/kijken, onderzoeken* ● *(zwaar) op de proef stellen, veel vergen van; –*ing times *zware tijden.*

testament ['testəmənt] ● ⟨-T-⟩ *Testament* ⟨deel v.d. bijbel⟩ ● ⟨jur.⟩ *testament, wil(s- beschikking).* **testator** [te'steitə] ⟨jur.⟩ ● *testateur, erflater.*

'test ban ● *kernstopverdrag* ⟨verbod op bovengrondse kernproeven⟩. **'test case** ⟨jur.⟩ ● *test case, proefproces.* **'test drive** ● *proefrit.* **'test flight** ● *proefvlucht.*

testicle ['testikl] ● *testis, testikel.*

testify ['testifai] ● ⟨+against/for⟩ *getuigen (tegen/voor), (als getuige/onder ede) een verklaring afleggen; –* to *bevestigen; een teken/bewijs zijn van.*

testimonial ['testi'mounɪəl] ● *testimonium, getuigschrift* ● *huldeblijk, eerbewijs.* **testimony** ['testɪmənɪ] ● *getuigenis, (getuigen)verklaring, bewijs;* his expression bore – to his unhappiness *het was van zijn gezicht af te lezen dat hij ongelukkig was.*

'test match ⟨cricket⟩ ● *testmatch* ⟨wedstrijd tussen landenteams⟩. **'test paper** ⟨schei.⟩ ● *reageerpapier.* **'test pilot** ● *testpiloot.* **'test tube** ● *reageerbuisje.* **'test-tube baby** ● *reageerbuisbaby.*

testy ['testi] ● *prikkelbaar, lichtgeraakt* ● *geërgerd, geïrriteerd.*

tetanus ['tetənəs] ● *tetanus, wondkramp.*

tetchy, techy ['tetʃi] ● *prikkelbaar* ⟨persoon⟩ ● *vervelend* ⟨iets⟩.

1 tether ['teðə] ⟨zn⟩ ● *tuier (touw/ketting)* ⟨waarmee grazend dier wordt vastgelegd; ook fig.⟩ ‖ at the end of one's – *aan het eind v. zijn Latijn.*

2 tether ⟨ww⟩ ● *vastmaken,* ⟨ihb.⟩ *(aan een paal/met een tuier) vastleggen,* ⟨fig.⟩ *aan banden leggen.*

text [tekst] ● *tekst(gedeelte), inhoud* ● *tekst, onderwerp* ● *(tekst)uitgave/editie, exemplaar.*

1 textbook ['teks(t)buk] ⟨zn⟩ ● *leerboek.*

2 textbook ⟨bn⟩ ● *model-, volgens het boekje; –* example *schoolvoorbeeld.*

textile ['tekstail] ● ⟨bn⟩ *textiel-, geweven* ● ⟨zn⟩ *weefsel, (geweven/gebreide) stof; –*s *textiel.*

textual ['tekstʃuəl] ● *tekstueel, tekst-, volgens de tekst.*

texture ['tekstʃə] ● *textuur, weefselstructuur,* ⟨bij uitbr.⟩ *structuur, samenstelling;* a skin of coarse – *een ruwe huid;* the smooth – of ivory *de gladheid v. ivoor* ● *karakter, aard.*

Thai [tai] ● ⟨bn⟩ *Thai(land)s* ● ⟨eig.n.⟩ *Thai* ⟨taal⟩ ● ⟨telb zn⟩ *Thailander.*

thalidomide [θə'lɪdəmaɪd] ● *softenon.*

than [ðən, ⟨sterk⟩ðæn] ● *dan, als;* she's better – I am/– me *zij is beter dan ik;* none other – Joe *niemand anders dan Joe* ● ⟨vw⟩ *of, dan, en, toen;* hardly had she finished – the bell rang *ze was nauwelijks klaar of/ toen de bel ging.*

thank [θæŋk] ● *(be)danken, dankbaar zijn; –* God/goodness/heaven(s) *God(e) zij dank, goddank, gelukkig* ● *danken, (ver)wijten, verantwoordelijk stellen;* she has herself to – for that *het is haar eigen schuld.* **thankful** ['θæŋkfl] ● *dankbaar, erkentelijk.* **thankfully** ['θæŋkfli] ● *gelukkig.* **thankless** ['θæŋkləs] ● *ondankbaar, onerkentelijk.*

thanks [θæŋks] ● *dank(baarheid/betuiging),* ⟨ihb.⟩ *(kort) dankgebed;* a letter of – *een schriftelijk bedankje;* give – to God *God danken;* ↓ –! *bedankt!;* no, – *(nee) dank je (wel);* zie THANKS TO. **thanksgiving** ['θæŋks'gɪvɪŋ] ● *dankbetuiging, dankbetoon.*

Thanks'giving (Day) ● *Thanksgiving Day* ⟨nationale dankdag/feestdag; vierde donderdag v. november (U.S.A.)⟩.

thanks to ● *dank zij, door (toedoen van).* **'thank-you** ● *bedankje, woord v. dank;* a – letter *een bedankbriefje.*

1 that [ðæt, ⟨in II⟩ðət, ⟨sterk⟩ðæt] ⟨mv.: those ⟨ðouz⟩⟩ **I** ⟨aanw vnw⟩ ● *die/dat; –* is (to say) *dat wil zeggen;* who's – crying? *wie huilt daar (zo)?;* ⟨aan telefoon⟩ ⟨BE⟩ who's –? *met wie spreek ik?;* just like – *zo maar (even);* don't yell like – *schreeuw niet zo;* he's into Zen and all – *hij interesseert zich voor Zen en zo;* he isn't as stupid as all – *zo stom is hij ook weer niet; –*'s – *dat was het dan, dat zit erop;* ⟨als bevel⟩ en nou is 't uit! ● *die/datgene, hij, zij, dat;* those going to train *diegenen die met de trein gaan* ‖ ↓ –'s it *dat is 't hem nu juist; dat is de oplossing/het; dit/dat is het einde;* it's practical and beautiful at – *het is praktisch, en bovendien nog mooi ook;* with – *(onmiddellijk) daarna* **II** ⟨betr vnw⟩ ● *die/dat, wat, welke;* the chair(s) – I bought *de stoel(en) die ik gekocht heb* ●

dat, waarop/in/mee 〈enz.〉; the house – he lives in *het huis waarin hij woont.*

2 that [ðæt] 〈bw〉 ↓ ● *zo(danig);* she's about – tall *ze is ongeveer zo groot* ● *heel, heel erg;* its not all – expensive *het is niet zo verschrikkelijk duur.*

3 that [ðæt] 〈det; mv.: those〉 ● *die/dat;* at – point *toen* ● *dat/die, de/het;* – smile of his *die glimlach van hem.*

4 that [ðət, 〈sterk〉ðæt] I 〈ondersch vw〉 ● *dat, het feit dat;* it was only then – I found out that ... *pas toen ontdekte ik dat ...* ● 〈doel〉 *opdat, zodat* ● 〈reden of oorzaak〉 *omdat, doordat;* not – I care, but ... *niet dat het mij iets kan schelen, maar ...* ● 〈gevolg〉 *dat, zodat;* so high – one cannot see the top *zo hoog dat men de top niet kan zien* ‖ for all – she tried *hoe zeer zij zich ook inspande* II 〈nevensch vw; in uitroep〉 ● *dat;* – it should come to this! *dat het zover moest komen!.*

1 thatch [θætʃ] 〈zn〉 ● *strodak, rieten dak* ● *(dak/dek)stro/riet* ● 〈scherts.〉 *haarbos.*

2 thatch 〈ww〉 ● *(een dak)(met stro) bedekken;* –ed roof *strodak.*

Thatcherite ['θætʃəraɪt] ● 〈vaak ong.〉 *Thatcheriaans.*

1 thaw [θɔ:] 〈zn〉 ● *dooi,* 〈fig. ook〉 *het ontdooien.*

2 thaw I 〈onov ww〉 ● *(ont)dooien, smelten,* 〈fig.〉 *ontdooien;* the ground is –ing out *de grond is aan het ontdooien* II 〈ov ww〉 ● *ontdooien* 〈ook fig.〉.

1 the [ðə, 〈voor klinkers〉ði] 〈bw〉 ● 〈met vergr. trap〉 *hoe, des te;* so much – better *des te beter;* I'm none – wiser for it *ik ben er niet veel wijzer op geworden;* (all) – more so because *temeer omdat;* – sooner – better *hoe eerder hoe beter* ● 〈met overtr. trap〉 *de/het;* he finished – fastest *hij was als eerste klaar.*

2 the [ðə, 〈voor klinkers〉ði, 〈sterk〉ði:] 〈lidw〉 ● *de/het;* play – piano *piano spelen* ● 〈beklemtoond〉 *de/het (enige/echte/grote/enz.);* ah, this is – life! *ah, dit is pas leven!* ● *mijn/jouw/enz.;* I've got a pain in – leg *ik heb pijn in mijn been;* 〈BE; ↓〉 how's – wife? *hoe gaat het met je vrouw?* ● *per, voor elk;* paid by – week *per week betaald.*

theatre ['θɪətə,θɪ'etə] ● *theater, schouwburg* ● *toneel(stukken), drama* ● *collegezaal, gehoorzaal* ● 〈BE〉 *operatiekamer* ● *toneel, (actie)terrein;* – of war *oorlogstoneel.* '**theatregoer** ● *theater/schouwburgbezoeker.*

theatrical [θɪ'ætrɪkl] ● *toneel-, theater-* ● *theatraal, overdreven.* **theatricals** [θɪ-'ætrɪklz] ● *toneelvoorstelling(en),* 〈ihb.〉 *amateurtoneel.*

theft [θeft] ● *diefstal.*

their [ðeə, 〈voor klinkers〉ðər] ● *hun, haar;* – eating biscuits annoyed her *(het feit) dat zij koekjes aten irriteerde haar* ● *zijn/haar;* no-one gave – address *niemand gaf zijn adres.*

theirs [ðeəz] ● *de/het hunne, van hen;* a friend of – *een vriend van hen* ● *de/het zijne, de/het hare, van hem/haar;* will somebody lend me – *wil iemand mij het zijne lenen.*

1 them [ðəm, 〈sterk〉ðem], ↓ '**em** [əm] 〈vnw〉 ● *hen/hun, aan/voor hen, ze;* I bought – a present/a present for – *ik heb een cadeau voor hen gekocht* ● 〈vnl. ↓〉 *zij/ze;* it is – *zij zijn het.*

2 them 〈det〉 〈substandaard〉 ● *deze/die;* I don't like – fellows *ik mot die kerels niet.*

thematic [θɪ'mætɪk] ● *thematisch.*

theme [θi:m] ● *thema, onderwerp* ● 〈AE〉 *(school)opstel, essay* ● 〈muz.〉 *thema, hoofd/herkenningsmelodie.* '**theme song,** '**theme tune** ● *herkenningsmelodie.*

themselves [ðəm'selvz] 〈3e pers mv.〉 ● *zich, zichzelf;* they allowed – nothing *ze gunden zichzelf niets;* they kept it to – *ze hielden het voor zich* ● *zelf, zij zelf, hen zelf;* they – started *zij zelf zijn ermee begonnen.*

1 then [ðen] 〈bn〉 ● *toenmalig, v. toen;* the – king *de toenmalige koning.*

2 then 〈bw〉 ● *toen, op dat ogenblik, destijds;* – this, – that *nu dit, dan weer dat;* before – *voor die tijd;* by – *dan, toen, ondertussen;* till – *tot dan, voor het zover is;* not till – *pas van dan af* ● *dan, daarna, verder;* – they went home *daarna zijn ze naar huis gegaan* ● *dan (toch), in dat geval;* why did you go –? *waarom ben je dan gegaan?* – and there *onmiddellijk;* (but) – (again) *maar aan de andere kant.*

thence [ðens] ↑ ● *vandaar, van daaruit* ● *daarom, dus, daaruit;* –, we conclude that *op grond daarvan concluderen wij dat.* **thenceforth** ['ðens'fɔ:θ], **thenceforward** [-'fɔ:wəd] ↑ ● *vanaf dat ogenblik.*

theocracy [θɪ'ɒkrəsi] ● *theocratie.* **theocratic** ['θɪə'krætɪk] ● *theocratisch.*

theologian [θɪə'loʊdʒən] ● *theoloog.* **theological** ['θɪə'lɒdʒɪkl] ● *theologisch.* **theology** [θɪ'ɒlədʒi] ● *theologie, godgeleerdheid* ● *geloofsovertuiging.*

theorem ['θɪərəm] ● *(grond)stelling, principe, theorie.*

theoretical ['θɪə'retɪkl] ● *theoretisch.* **theoretically** ['θɪə'retɪkli] ● *theoretisch, in theo-*

rie; – you shouldn't have any problem *theoretisch gezien zou je geen problemen mogen hebben.* **theoretician** [ˈθɪərəˈtɪʃn], **theorist** [ˈθɪərɪst] ● *theoreticus.*

theorize [ˈθɪəraɪz] ● ‹+about/on› *theoretiseren (over), theoretisch analyseren.*

theory [ˈθɪəri] ● *theorie, leer;* – of relativity *relativiteitstheorie* ● *theorie, veronderstelling;* he has a – that *volgens hem* ● *theorie, grondprincipes.*

therapeutic [ˈθerəˈpjuːtɪk] ● *therapeutisch, genezend.* **therapeutics** [ˈθerəˈpjuːtɪks] ● *therapie, geneeskunst.*

therapy [ˈθerəpi] ● *therapie, geneeswijze, behandeling.*

1 there [ðeə] ‹bw› ● *daar, er, ginds,* ‹fig.› *wat dat betreft;* – I don't agree with you *op dat punt ben ik het niet met je eens;* he left – *hij is daar weggegaan;* he lives over – *hij woont daarginds* ● *daar(heen);* he goes – every day *hij gaat er elke dag heen;* – and back *heen en terug* ● ‹ook [ðə]› *er, daar;* – was no stopping him *hij was niet tegen te houden;* –'s been a car stolen *er is een auto gestolen* ‖ – you are *alstublieft, asjeblieft; zie je wel;* – and then *onmiddellijk, ter plekke;* ‹ook iron.› –'s courage for you! *dat noem ik nou eens moed!.*

2 there [ðeə] ‹tw› ● *daar, zie je, nou;* –, what did I tell you! *nou, wat heb ik je gezegd!.*

'therea'bouts [ˈðeərəˈbaʊts], **thereabout** ● *daar ergens, (daar) in de buurt,* ‹fig.› *rond die tijd, (daar/zo) ongeveer;* twenty years or – *zo ongeveer twintig jaar.* **'there'after** ↑ ● *daarna, sindsdien.* **'there'by** ↑ ● *daardoor, daarmee.* **'therefore** ● *daarom, om die reden, dus.* **'there'in** ↑ ● *daarin.* **'there'of** ↑ ● *daarvan, ervan.* **'thereup'on** ● ↑ *daarop, daarna, dan, vervolgens.*

therm, therme [θəːm] ● *warmte-eenheid.*

1 thermal [ˈθəːml] ‹zn› ‹luchtv.› ● *thermiekbel.*

2 thermal ‹bn› ● *thermisch, warmte-, hitte-;* – power station *thermische centrale* ● *thermaal;* – springs *warmwaterbronnen.*

thermodynamics [ˈθəːmoʊdaɪˈnæmɪks] ● *thermodynamica.*

thermometer [θəːˈmɒmɪtə] ● *thermometer.*

thermonuclear [ˈθəːˈmoʊˈnjuːklɪə] ● *thermonucleair.* **thermoplastic** [-ˈplæstɪk] ‹tech.› ● ‹bn› *thermoplastisch* ● ‹zn› *thermoplast.*

thermos [ˈθəːməs], **'thermos flask** , ‹AE› **'thermos bottle** ● *thermosfles.*

thermostat [ˈθəːməstæt] ● *thermostaat.*

thesaurus [θɪˈsɔːrəs] ● *thesaurus, lexicon,* ‹ihb.› *woordenboek v. synoniemen.*

these [ðiːz] ‹mv.› zie THIS.

thesis [ˈθiːsɪs] ‹mv.: theses [-siːz]› ● *thesis, (hypo)these* ● *thesis, proefschrift.*

they [ðeɪ] ● *zij, ze* ● *zij, ze, de mensen, men;* – never consult the women *de vrouwen worden nooit geraadpleegd;* so – say *dat zeggen ze toch.*

1 thick [θɪk] ‹zn› ● *dichtste/drukste gedeelte, drukte, midden;* be in the – of it *er midden in zitten* ● *het dikste/dikke gedeelte/stuk;* the – of the thumb *het dik v.d. duim* ‖ through – and thin *door dik en dun.*

2 thick ‹bn› ● *dik, breed* ‹lijn›, *vet* ‹lettertype›, *zwaar(gebouwd), dubbel* ‹tong›; a voice – with sleep *een slaperige stem* ● *dik/dicht,* ‹+with› *dicht bezet/bezaaid (met), druk,* ‹+with› *vol (van/met), weinig vloeibaar/doorzichtig, mistig* ‹weer›; – on the ground *dik gezaaid;* a – head *een houten kop;* the crowd grew –er *er kwam voortdurend meer volk bij;* the sky was – with planes *de lucht zag zwart v. vliegtuigen* ● *zwaar* ‹accent› ● *dom, traag v. begrip;* ‹sl.› as – as two short planks *zo dom als het achtereind v.e. varken* ● *intiem;* be as – as thieves *de beste maatjes met elkaar zijn;* very – with *dik bevriend met* ● *kras, sterk (overdreven);* a bit – *nogal/al te kras* ‖ get the – end of the stick *aan het kortste eind trekken;* zie ook ‹sprw.› BLOOD.

3 thick ‹bw› ● *dik, breed, vet* ● *dik/dicht, dicht opeengepakt/op elkaar, talrijk;* the snow lay – everywhere *er lag overal een dik pak sneeuw* ‖ lay it on – *flink overdrijven.*

thicken [ˈθɪkən] **I** ‹onov ww› ● *dik(ker)/dicht(er) worden, toenemen (in dikte/aantal)* ● *ingewikkeld(er) worden;* the plot –s *en nu wordt het nog ingewikkelder* **II** ‹ov ww› ● *dik(ker)/dicht(er) maken, binden* ‹vloeistof›, *doen toenemen (in dikte/aantal)* ● *ingewikkeld(er) maken, meer inhoud geven aan.* **thickener** [ˈθɪkənə] ● *bindmiddel.* **thickening** [ˈθɪkənɪŋ] ● *bindmiddel* ● ‹med.› *sclerose* ‹ihb. v. bloedvaten›.

thicket [ˈθɪkɪt] ● *(heester/kreupel)bosje, struikgewas.*

'thick'headed ● *dom.* **thickness** [ˈθɪknəs] ● *dikte, dik gedeelte/stuk, dichtheid, concentratie* ‹v. vloeistoffen›, *het dicht bezet/ bezaaid/opeengepakt zijn, troebelheid, mistigheid* ● *dom(mig)heid* ● *laag.* **'thick-'set** ● *dicht (beplant/bezaaid)* ● *zwaar (gebouwd), dik.* **'thick-'skinned** ● *dikhuidig,* ‹fig.› *ongevoelig.* **'thick-'witted** ● *dom.*

thief [θiːf] ‹mv.: thieves [θiːvz]› ● *dief/dievegge* ‖ ‹sprw.› set a thief to catch a thief *met dieven vangt men dieven.*

thieve [θi:v] ● *stelen.* **thieving** ['θi:vɪŋ] ● *het stelen, diefstal.*

thigh [θaɪ] ● *dij.*

thimble ['θɪmbl] ● *vingerhoed(je).* **thimbleful** ['θɪmblfʊl] ● *zeer kleine hoeveelheid* ⟨ihb. drank⟩, *bodempje.*

1 thin [θɪn] ⟨bn⟩ ● *dun, smal, mager* ● *dun (bezet/gezaaid), dunbevolkt;* a – *audience een klein publiek;* ↓ – on top *kalend* ● *dun (vloeibaar), waterig;* – beer *schraal bier* ● *zwak, armzalig;* a – excuse *een mager excuus;* a – voice *een zwak stemmetje;* wear – op raken ⟨v. geduld⟩ ‖ vanish into – air *spoorloos verdwijnen;* the – end of the wedge *de eerste stap;* skate on – ice *zich op glad ijs/gevaarlijk terrein wagen.*

2 thin ⟨ww⟩ ● *(ver)dunnen, dun(ner) worden/maken, vermageren, (doen) afnemen (in dikte/dichtheid/aantal);* – down/off/out *(uit/ver)dunnen, dunner worden/maken, verminderen* ● *verzwakken, (doen) afnemen (in kracht/belangrijkheid).*

3 thin ⟨bw⟩ ● *dun(netjes), schaars,* ⟨fig. ook⟩ *zwak, armzalig.*

thing [θɪŋ] **I** ⟨telb zn⟩ ● ⟨ben. voor⟩ *iets concreets, ding(etje), zaak(je), voorwerp;* not a – to wear *niks om aan te trekken* ● ⟨ben. voor⟩ *iets abstracts, ding, iets, zaak;* it's a bad – to *het is onverstandig om;* a good – too! *(dat is) maar goed ook!;* it's a good – that *gelukkig dat;* it's a good – to *je doet er goed aan (om);* a lucky – no one got caught *gelukkig werd (er) niemand gepakt;* not the same – *niet hetzelfde;* get a – done *iets gedaan krijgen;* make a – of *een punt/zaak maken van;* it didn't mean a – to me *het zei me totaal niets;* take – s too seriously *alles te ernstig opnemen;* and another – *bovendien;* for one – *in de eerste plaats;* immers ● *schepsel, wezen, ding;* the poor – *de (arme) stakker* ● *(favoriete) bezigheid;* ↓ do one's (own) – *doen waar men zin in heeft/goed in is* ‖ ↓ have a/this – about *geobsedeerd zijn door; dol zijn op; als de dood zijn voor;* know a – or two *niet v. gisteren zijn;* know a – or two about *het een en ander weten over;* be seeing/see –s *hallucinaties hebben;* of all –s *vreemd genoeg;* I'll do it first – in the morning *ik doe het morgenochtend meteen;* the first – I knew she had hit him *voor ik wist wat er gebeurde had ze hem een mep gegeven;* first –s first *wat het zwaarst is moet het zwaarst wegen;* it is (just) one of those –s *dat gebeurt nu eenmaal;* zie ook ⟨sprw.⟩ GOOD, LITTLE, RENDER, WORTH **II** ⟨n-telb zn; the⟩ ● *(dat) wat gepast/de mode is;* the ve-

ry – for you *echt iets voor jou;* be not (quite) the – *niet horen;* quite the – *erg in (de mode/trek);* the latest – in ties *een das naar de laatste mode* ● *(dat) wat nodig is;* just the – I need *precies wat ik nodig heb* ● *het belangrijkste (punt/kenmerk);* the – about Stephen *wat Steven zo typeert;* the – is that *het belangrijkste is/het komt erop aan (om/dat)* ● *zaak in kwestie* ‖ and that sort of – *en zo;* not know the first – about *niet het minste verstand hebben van* **III** ⟨mv.⟩ ● *spullen;* pack one's –s *zijn boeltje bijeenpakken* ● *(algemene) toestand;* –s are changing for the worse *de toestand gaat achteruit;* how are –s, ↓ how's –s? *hoe gaat het (ermee)?* ● *(gevolgd door* bn⟩ *al(les)(wat ... is);* –s political *de politiek.*

thingamajig, thingumajig ['θɪŋəmɪdʒɪg], **thingamabob** [-bɒb], **thingummy** ['θɪŋəmi] ● *dinges* ⟨ook mbt. persoon⟩.

1 think [θɪŋk] ⟨zn⟩ ↓ ● *gedachte* ● *bedenking, overweging;* have a hard – about *diep nadenken over* ‖ ↓ have got another – coming *het lelijk mis hebben.*

2 think ⟨thought, thought [θɔ:t]⟩ **I** ⟨onov ww⟩ ● *denken,* ⟨ihb.⟩ *(erover) nadenken, zich (goed) bedenken;* let me – *wacht eens (even);* – for o.s. *zelfstandig denken;* – to o.s. *bij zichzelf denken;* – aloud *zeggen wat men denkt;* yes, I – so *ja, ik denk v. wel;* I don't – so, I – not *ik denk v. niet;* – twice – her (nog eens) *goed over nadenken;* – about *denken aan, nadenken over; overwegen* ⟨idee, voorstel, plan⟩; – about moving *er ernstig over denken om te verhuizen;* – back to *terugdenken aan* ● *het verwachten, het vermoeden/in de gaten hebben;* I thought as much *dat was te verwachten* ‖ – nothing of s.o. *niet veel met iem. ophebben;* – nothing of sth. *iets niets bijzonders vinden, zijn hand voor iets niet omdraaien;* – nothing of it *dat is niets; geen dank, graag gedaan;* – big *het groots aanpakken;* zie THINK OF **II** ⟨ov ww⟩ ● *denken, vinden, geloven;* – s.o. pretty *iem. mooi vinden;* it is not thought proper *het hoort niet;* – about/of *vinden van, staan tegenover* ⟨verklaring, beslissing, aanbod⟩ ● *(na)denken over;* – business all day *de hele dag door met zaken bezig zijn;* – out *goed (na)denken over;* – over *overdenken, in overweging houden;* – through *(goed) nadenken over;* – up *bedenken, verzinnen;* and to – (that) *en dan te moeten bedenken dat;* – what you're doing *bedenk wat je doet* ● *overwegen, (eraan/erover) denken, (half) v. plan zijn, willen; we*

thought to return early *we waren niet v.
plan lang te blijven* ●*denken aan, zich herinneren* ●*(in)zien, begrijpen;* she couldn't
– how he did it *ze begreep niet hoe hij het
voor elkaar had gekregen* ●*verwachten,
vermoeden;* she never thought to see us
here *ze had nooit verwacht ons hier te
treffen.* **thinker** ['θɪŋkə] ●*denker, geleerde.*

1 thinking ['θɪŋkɪŋ] ⟨zn⟩ ●*(het) (na)denken;*
way of – *denkwijze, zienswijze;* he did
some hard – *hij dacht er (eens) diep over
na* ●*mening, oordeel* ●*denkwijze;* in modern – *in het moderne denken.*
2 thinking ⟨bn⟩ ●*(na)denkend, verstandig;*
the – public *iedereen die nadenkt.*

'**think of** ●*denken aan, rekening houden
met;* (just/to) – it! *stel je voor!;* now that I
come to – it *nu, als ik me goed bedenk* ●
(erover) denken om, v. plan zijn; be thinking of doing sth. *(juist) v. plan zijn iets te
doen;* he would never – (doing) such a
thing *zo iets zou nooit bij hem opkomen* ●
zich herinneren; she couldn't – my name
ze kon niet op mijn naam komen ●*bedenken, verzinnen;* – a number *kies een getal*
●*aanzien, aanslaan;* think highly of *een
hoge dunk hebben van;* think little/not
much of *heel gewoon/niets bijzonders
vinden;* be well thought of *hoog aangeslagen worden* ‖ think better of it *zich bedenken, ervan afzien.*

'**think tank** ●*denktank, groep specialisten.*

thinner ['θɪnə] ●*verdunningsmiddel.* '**thin-
'skinned** ●*overgevoelig* ⟨soms ong.⟩,
lichtgeraakt.

third [θəːd] ●*derde,* ⟨als zn⟩ *derde deel* ●
⟨muz.⟩ *terts;* – in line *(als) derde op de
lijst;* in – (gear) *in zijn derde versnelling.*
'**third-'class** ●*derderangs-.* '**third-degree**
●*derdegraads-.* **thirdly** ['θəːdli], **third** +
ten/als derde. '**third-party** ⟨verz.⟩ ●*tegenover derden, aansprakelijkheids-;* – insurance *W.A.-verzekering.* '**third-'rate** ●*derderangs, v. slechte kwaliteit.*

1 thirst [θəːst] ⟨zn⟩ ●*dorst* ⟨ook fig.⟩, *vurig
verlangen;* – after/for/of *dorst naar* ⟨ook
fig.⟩.
2 thirst ⟨ww⟩ ●*vurig verlangen;* – after/for
snakken/smachten naar. **thirsty** ['θəːsti] ●
dorstig; be/feel – *dorst hebben* ●*dorstig
makend* ●*verlangend;* be – for *snakken
naar.*

thirteen ['θəː'tiːn] ●*dertien* ⟨ook voorwerp/
groep ter waarde/grootte v. dertien⟩. **thir-
teenth** ['θəː'tiːnθ] ●*dertiende,* ⟨als zn⟩
dertiende deel. **thirtieth** ['θəːtiɪθ] ●*dertigste,* ⟨als zn⟩ *dertigste deel.* **thirty** ['θəːti] ●

dertig ⟨ook voorwerp/groep ter waarde/
grootte v. dertig⟩; a man in his thirties *een
man van in de dertig;* in the thirties *in de
dertiger jaren.*

1 this [ðɪs] ⟨vnw; mv.: these⟩ ●*dit/deze, die/
dat;* these are my daughters *dit zijn mijn
dochters;* what's all –? *wat is hier (allemaal) aan de hand?;* ⟨AE⟩ ⟨aan telefoon⟩
who is –? *met wie spreek ik?;* do it like –
doe het zo ●*nu, dit;* after – *hierna;* at – *op
dit/dat ogenblik* ‖ – is it! *dit is het einde; nu
heb ik er genoeg van!;* they talked about –
and that *ze praatten over ditjes en datjes;*
for all – *niettegenstaande dit alles.*
2 this ⟨bw⟩ ●*zo;* – bad *zo slecht;* I know –
much, that the idea's crazy *ik weet in elk
geval dat het een krankzinnig idee is.*
3 this ⟨mv.: these⟩ I ⟨aanw det⟩ ●*dit/deze,
die/dat;* – very moment *op ditzelfde ogenblik* ●*laatste/voorbije;* – day *vandaag;*
she's so grumpy these days *ze is tegenwoordig zo humeurig;* – morning *van-
morgen* ●*komende;* I'm leaving –
Wednesday *ik vertrek (aanstaande)
woensdag* II ⟨onb det⟩ ↓ ●*een (zekere);*
there was – beautiful cupboard *er stond
daar zo'n prachtige kast.*

thistle ['θɪsl] ●*distel.*
thither ['ðɪðə] ⟨vero.⟩ ●*derwaarts.*
tho' zie THOUGH.
thong [θɒŋ] ●*riem(pje).*
thorax ['θɔːræks] ⟨mv.: ook thoraces
['θɔːrəsiːz]⟩ ●⟨anat.⟩ *thorax, borst(kas).*
thorn [θɔːn] ●*doorn* ●*doorn(boom/plant/
struik)* ‖ a – in one's flesh/side *een doorn in
het vlees/oog.* **thorny** ['θɔːni] ●*doorn-
(acht)ig, stekelig,* ⟨fig.⟩ *lastig, netelig.*
thorough ['θʌrə] ●*grondig, diepgaand;* a –
change *een ingrijpende verandering;*
know s.o. –ly *iem. door en door kennen* ●
echt, volmaakt; a – fool *een volslagen
idioot.* **thoroughbred** ['θʌrəbred] ●⟨bn⟩
volbloed, rasecht, ras- ⟨ook fig.⟩ ●⟨zn⟩
rasdier, ⟨ihb.⟩ *raspaard.* **thoroughfare**
['θʌrəfeə] ●*(drukke) verkeersweg, belangrijke waterweg* ●*doorgang, doortocht;* no
– *geen doorgaand verkeer, verboden toegang, doodlopende weg.* '**thorough-
'going** ●*zeer grondig, volledig* ●*echt, volmaakt.*

those [ðəʊz] ⟨mv.⟩ zie THAT.
thou [ðaʊ] ⟨vero. of rel.⟩ ●*gij.*
1 though, ↓ **tho'** [ðəʊ] ⟨bw⟩ ●*niettemin, des-
ondanks;* I never really liked it, – *toch heb
ik het nooit echt leuk gevonden.*
2 though, tho' , (*meer* ↑ *en niet in combinatie met even, as, what*) **although** [ɔːl'ðəʊ]
⟨vw⟩ ●*(al)hoewel, ondanks (het feit) dat,*

ofschoon; ⟨elliptisch⟩ – only six, he is a bright lad *hoewel hij nog maar zes jaar is, is hij een slim jongetje;* bad – it may be, it's not a catastrophe *hoe erg het ook mag zijn, het is geen catastrofe* ‖ as – *alsof.*

1 thought [θɔ:t] I ⟨telb zn⟩ ● *gedachte;* perish the –! *ik moet er niet aan denken!* ● *bedoeling, plan;* she had no – of hurting him *het was niet haar bedoeling om hem te kwetsen* ● ⟨vaak mv.⟩ *idee, opinie* ‖ on second –(s) *bij nader inzien;* have second –s *zich bedenken* II ⟨n-telb zn⟩ ● *het denken, de gedachte;* in – *in gedachten verzonken* ● *het denkvermogen* ● *het nadenken;* give – to *in overweging nemen;* after serious – *na rijp beraad* ‖ quick as – *bliksemsnel.*

2 thought ⟨verl. t. en volt. deelw.⟩ zie THINK.

thoughtful ['θɔ:tfl] ● *nadenkend* ● *diepzinnig* ● *attent.* **thoughtless** ['θɔ:tləs] ● *gedachteloos* ● *onnadenkend* ● *roekeloos* ● *onattent.* **'thought-'out** ● *doordacht.* '**thought-reader** ● *gedachtenlezer.*

thousand ['θaʊznd] ● *duizend* ⟨ook voorwerp/groep ter waarde/grootte v. duizend⟩, ⟨fig.⟩ *talloos;* he's one in a – *hij is er een uit duizend.* **thousandfold** ['θaʊzndfoʊld] ● *duizendvoudig, duizendmaal.* **thousandth** ['θaʊzndθ] ● *duizendste,* ⟨als zn⟩ *duizendste deel.*

thrall [θrɔ:l] ● *slaaf* ⟨ook fig.⟩ ● *slavernij, verslaafdheid* ⟨ook fig.⟩; in – to *onderworpen aan.*

thrash [θræʃ] ● *geselen, aframmelen* ● *verslaan* ● *uitzoeken;* – out a problem *een probleem ontrafelen;* – out a solution *tot een oplossing komen.* '**thrash a'bout** ● *tekeergaan, woelen, spartelen.* **thrashing** ['θræʃɪŋ] ● *pak rammel* ● *nederlaag.*

1 thread [θred] ⟨zn⟩ ● *draad,* ⟨fig. ook⟩ *lijn;* lose the – of one's story *de draad v. zijn verhaal kwijtraken;* take up/pick up the –s *de draad weer opnemen* ● *garen* ● *schroefdraad* ‖ hang by a (single) – *aan een zijden draad hangen.*

2 thread I ⟨onov ww⟩ ● (+through) *moeizaam zijn weg vinden (door),* ⟨fig. ook⟩ *zich heen worstelen (door)* II ⟨ov ww⟩ ● *een draad steken in* ⟨een naald⟩ ● *rijgen* ● *inpassen, inleggen* ⟨film, geluidband enz.⟩ ● *zich een weg banen door,* ⟨fig.⟩ *zich heen worstelen door* ● *banen, zoeken, vinden* ⟨pad, weg⟩; – one's way through the crowd *zich een weg banen door de menigte* ● *van schroefdraad voorzien.* **threadbare** ['θredbeə] ● *versleten, kaal* ● *versleten, afgezaagd.*

threat [θret] ● *dreigement;* under – of *onder*

bedreiging met ● *gevaar, bedreiging.* **threaten** ['θretn] I ⟨onov ww⟩ ● *dreigen (te gebeuren);* danger –ed *er dreigde gevaar* II ⟨ov ww⟩ ● *bedreigen* ● *bedreigen, een gevaar vormen voor;* peace is –ed *de vrede is in gevaar* ● *dreigen (met);* they –ed to kill him *ze dreigden hem te doden.* **threateningly** ['θretnɪŋli] ● *dreigend.*

three [θri:] ● *drie* ⟨ook voorwerp/groep ter waarde/grootte v. drie⟩; – parts *drievierde, driekwart.* '**three-'cornered** ● *driehoekig;* – hat *driekant, steek.* '**three-di'mensional** ● *driedimensionaal.* **threefold** ['θri:foʊld] ● *drievoudig.* '**three-'legged** ● *met drie poten.* '**three-piece** ● *driedelig.* '**three-'quarter** ● *driekwart;* – length coat *driekwart jas.* **threesome** ['θri:sm] ● *drietal.*

thresh [θreʃ] ● *(graan) dorsen.* **thresher** ['θreʃə] ● *dorser* ● *dorsmachine.*

threshold ['θreʃ(h)oʊld] ● *drempel* ⟨ook fig.⟩, *begin* ● *ingang.*

threw [θru:] ⟨verl. t.⟩ zie THROW.

thrice [θraɪs] ● *drie maal.*

thrift [θrɪft] ● *zuinigheid, spaarzaamheid.* **thrifty** ['θrɪfti] ● *zuinig, spaarzaam.*

1 thrill [θrɪl] ⟨zn⟩ ● *beving, golf v. ontroering/opwinding* ● *huivering* ⟨v. angst/afschuw⟩ ● *opwindende gebeurtenis;* it was quite a – *het was heel opwindend.*

2 thrill I ⟨onov ww⟩ ● *beven* ● *huiveren;* we –ed with horror *we huiverden van afgrijzen* II ⟨ov ww⟩ ● *doen beven, opwinden;* be –ed (to bits) with sth. *ontzettend gelukkig met iets zijn* ● *doen huiveren, angst aanjagen.* **thriller** ['θrɪlə] ● *iets opwindends,* ⟨ihb.⟩ *thriller.* **thrilling** ['θrɪlɪŋ] ● *spannend, opwindend.*

thrive [θraɪv] ⟨ook throve [θroʊv], ook thriven ['θrɪvn]⟩ ● *gedijen, bloeien;* he seems to – on hard work *hard werken schijnt hem goed te doen* ● *voorspoedig groeien.*

thro' zie THROUGH.

throat [θroʊt] ● *hals* ● *keel, strot;* clear one's – *zijn keel schrapen;* take s.o. by the – *iem. bij de keel grijpen* ‖ cut one's own – *zijn eigen glazen ingooien;* cut one another's – *elkaar naar het leven staan;* his remark sticks in my – *ik vind zijn opmerking onverteerbaar;* force sth. down s.o.'s – *iem. iets opdringen.* **throaty** ['θroʊti] ● *hees, schor.*

1 throb [θrɒb] ⟨zn⟩ ● *(ge)klop, gebons.*

2 throb ⟨ww⟩ ● *kloppen* ● *bonzen, bonken* ⟨v. hart⟩.

throe [θroʊ] ● *heftige pijn* ‖ ⟨fig.⟩ in the –s of *worstelend met.*

thrombosis [θrɒm'boʊsɪs] ⟨mv.: thromboses [-si:z] ● *trombose.*

throne [θroʊn] ● *troon,* ⟨fig. ook⟩ *macht, heerschappij.*

1 throng [θrɒŋ] ⟨zn⟩ ● *menigte, mensenmassa.*

2 throng I ⟨onov ww⟩ ● *zich verdringen, toestromen* II ⟨ov ww⟩ ● *vullen, overvol maken;* people —ed the streets *in de straten waren drommen mensen.*

1 throttle ['θrɒtl] ⟨zn⟩ ● ⟨tech.⟩ *smoorklep.*

2 throttle ⟨ww⟩ ● *doen stikken, (ver)smoren,* ⟨fig. ook⟩ *onderdrukken* ● *wurgen.* 'throttle 'back, 'throttle 'down I ⟨onov ww⟩ ● *(vaart) minderen* ⟨ook fig.⟩ II ⟨ov ww⟩ ● *afremmen* ⟨ook fig.⟩.

1 through, thro' , ⟨AE sp.; ↓ ook⟩ thru [θru:] ⟨bn⟩ ● *doorgaand, ononderbroken;* – passengers *passagiers op doorreis;* no – road *geen doorgaand verkeer.*

2 through, thro' , ⟨AE sp.; ↓ ook⟩ thru ⟨bw⟩ ● *door, verder;* go – with *doorgaan met* ● *door(heen);* five meters – *vijf meter doorsnee;* get – slagen; *weten over te brengen* ● *klaar, erdoorheen* ● *helemaal, v. begin tot eind;* get soaked/wet – *doornat worden;* – and – *in hart en nieren* ‖ Ralph and I are – *het is uit tussen Ralph en mij;* are you –? *heeft u verbinding?* ⟨telefoon⟩; ⟨AE⟩ *bent u klaar?;* I will put you – *ik zal u doorverbinden;* see sth. – *ergens v. begin tot eind bijblijven;* zie BE THROUGH, COME THROUGH ETC..

3 through, thro' , ⟨AE sp.; ↓ ook⟩ thru ⟨vz⟩ ● *(helemaal) door, via, langs, over, gedurende;* did my application get – the board? *is mijn aanvraag door de raad aanvaard?;* seen – a child's eyes *gezien met de ogen van een kind;* get – one's exams *slagen voor zijn examen;* all – his life *gedurende heel zijn leven;* he stayed – the summer *hij bleef tot het einde van de zomer;* – and – *helemaal door(heen)* ⟨ook fig.⟩ ● *door middel van;* we are related – an old aunt *we zijn via een oude tante familie v. elkaar* ● *door, wegens;* he could not travel – illness *hij kon wegens ziekte niet reizen* ● ⟨AE⟩ *tot en met;* Monday – Thursday *v. maandag tot en met donderdag.*

1 'through'out ⟨bw⟩ ● *helemaal, door en door, steeds;* our aim has been – ... *ons doel is steeds geweest ....*

2 throughout ⟨vz⟩ ● *(helemaal) door, door heel;* – the country *over heel het land.*

'throughput ● *produktie.*

throve [θroʊv] ⟨verl. t.⟩ zie THRIVE.

1 throw [θroʊ] ⟨zn⟩ ● *worp, gooi.*

2 throw ⟨threw [θru:], thrown [θroʊn]⟩ I ⟨onov ww⟩ ● *met iets gooien, werpen* II ⟨ov ww⟩ ● *werpen, gooien,* ⟨fig. ook⟩ *terecht doen komen;* the horse threw him *het paard wierp hem af;* – its feathers *ruien;* – o.s. at s.o. *zich op iem. storten;* zich aan iem. *opdringen;* – o.s. into sth. *zich enthousiast ergens in storten;* be thrown (back) upon one's own resources *op zichzelf worden teruggeworpen* ● *richten, (toe)werpen, toezenden;* – s.o. a blow *iem. een opstopper verkopen* ● *werpen, baren* ● *afschieten* ⟨projectiel⟩ ● *omzetten, veranderen in* ● *draaien* ⟨hout, aardewerk⟩ ● *snel op zijn plaats brengen, werpen, leggen, maken;* – a bridge across the river *een brug slaan over de rivier;* – the switch to 'off' *de schakelaar op 'uit' zetten* ● *verslaan;* – one's opponent *zijn tegenstander vellen* ● *maken, hebben;* – a fit/a tantrum/a scene *een scène maken;* ↓ – a party *een fuif geven* ‖ – s.o. into confusion/into a fit *iem. in verwarring brengen/een stuip bezorgen;* thrown upon each other *op elkaar aangewezen;* zie ook ⟨sprw.⟩ GLASS; zie THROW ABOUT, THROW AROUND, THROW AWAY, THROW BACK, THROW DOWN, THROW IN, THROW OFF, THROW OUT, THROW OVER, THROW TOGETHER, THROW UP.

'throw a'bout, 'throw a'round ● *rondsmijten;* throw one's money about *met geld smijten.* **'throwaway** ● *wegwerpding.*

'throw a'way ● *weggooien* ● *verspelen, missen* ● *vergooien;* throw one's money away on *zijn geld weggooien aan.*

'throw-away ● *wegwerp-* ● *zonder nadruk;* a – remark *een quasi-nonchalante opmerking.* **'throw 'back** ● *teruggooien* ● *openslaan, opzijwerpen;* the blankets *de dekens terugslaan* ● *terugslaan, terugdringen* ● *belemmeren, achterop doen raken;* my illness has thrown me back a whole year *door mijn ziekte ben ik een heel jaar achterop geraakt* ‖ be thrown back on *weer aangewezen zijn op.*

'throw-back ● *terugkeer;* it is a – to fin de siècle design *het grijpt terug naar fin de siècle ontwerpen.* **'throw 'down** ● *neergooien* ● *afbreken.* **'throw 'in** ● *erin/naar binnen gooien, inwerpen* ● *gratis toevoegen* ● *terloops opmerken.* **'throw-in** ● ⟨sport⟩ *inworp.* **'throw 'off** ● *zich bevrijden van, van zich af schudden* ● *uitgooien, haastig uittrekken* ● *uitstoten* ⟨ook fig.⟩. **'throw 'out** ● *weggooien* ● *verwerpen* ● *uiten, suggereren* ● *geven;* – heat *warmte uitstralen* ● *wegsturen, eruit gooien.* **'throw 'over** ● *in de steek laten, laten zitten.* **'throw to'gether** ● *bij elkaar vegen, in elkaar flansen* ● *bij elkaar brengen;*

throw people together *mensen met elkaar in contact brengen.* **'throw 'up I** ⟨onov en ov ww⟩ • ↓ *overgeven, kotsen* **II** ⟨ov ww⟩ • *omhoog gooien, optillen;* – *your hands handen omhoog, geef je over* • *voortbrengen* • *opbouwen;* – barricades *barricaden opwerpen* • *opzeggen.*

thru zie THROUGH.

thrum [θrʌm] • *tokkelen (op)* ⟨gitaar⟩ • *ronken, dreunen.*

thrush [θrʌʃ] • *lijster.*

1 thrust [θrʌst] ⟨zn⟩ • *stoot, duw* • *steek* ⟨ook fig.⟩ • *druk, (drijf)kracht* • *beweging, richting* • ⟨mil.⟩ *uitval.*

2 thrust ⟨thrust, thrust⟩ **I** ⟨onov ww⟩ • *uitvallen, toestoten* • *dringen* **II** ⟨ov ww⟩ • *stoten* • *steken, stoppen; he thrust his hands into his pockets hij stak zijn handen in zijn zakken* • *duwen, dringen* ‖ – *o.s. upon s.o. zich aan iem. opdringen;* – *sth. upon s.o. iem. ergens mee opschepen.*

thruster ['θrʌstə] • *streber* • ⟨ruim.⟩ *stuwraket.*

1 thud [θʌd] ⟨zn⟩ • *plof, slag.*

2 thud ⟨ww⟩ • *(neer)ploffen, bonzen.*

thug [θʌg] • *(gewelddadige/brutale) misdadiger.* **thuggery** ['θʌgəri] • *gewelddadigheid.*

1 thumb [θʌm] ⟨zn⟩ • *duim* ‖ *twiddle one's –s duimendraaien;* be under s.o.'s – *bij iem. onder de plak zitten.*

2 thumb I ⟨onov ww⟩ • *liften, de duim opsteken* • (+through) *(door)bladeren* **II** ⟨ov ww⟩ • *beduimelen* • *vragen* ⟨een lift⟩; – a ride *liften.* **'thumb-nail** • *duimnagel.* **'thumb-nail 'sketch** • *schetsje,* ⟨fig.⟩ *korte beschrijving.* **'thumb-pin,** ⟨AE⟩ **'thumb-tack** • *punaise.* **'thumb-screw** • *duimschroef.*

1 thump [θʌmp] ⟨zn⟩ • *dreun, klap.*

2 thump I ⟨onov ww⟩ • *dreunen, bonzen* • *bonken, met dreunende stap lopen* **II** ⟨ov ww⟩ • *dreunen op* • *stompen* • ↓ *een pak slaag geven.*

3 thump ⟨bw⟩ ↓ • *met een dreun; the boy ran –against the bookcase de jongen liep bam tegen de boekenkast.*

1 thumping ['θʌmpɪŋ] ⟨bn⟩ • *bonzend* • ↓ *geweldig;* a – boat *een joekel v.e. boot.*

2 thumping ⟨bw⟩ ↓ • *vreselijk, geweldig.*

1 thunder ['θʌndə] ⟨zn⟩ • *donder, onweer* • *gedonder* ⟨ook fig.⟩; –s of applause *een donderend applaus* ‖ *steal s.o.'s – met de eer gaan strijken.*

2 thunder I ⟨onov ww⟩ • *donderen, onweren* • *denderen, dreunen* • *donderen, razen* **II** ⟨ov ww⟩ • *brullen;* – out curses *verwensingen uitschreeuwen.* **'thunderbolt**

• *bliksemflits* • *donderslag, schok.* **'thunderclap** • *donderslag* ⟨ook fig.⟩. **'thunder cloud** • *onweerswolk.* **thundering** ['θʌndrɪŋ] • *donderend* • ↓ *buitengewoon, kolossaal.* **thunderous** ['θʌndrəs] • *donderend.* **'thunderstorm** • *onweersbui.* **'thunderstruck** • *(als) door de bliksem getroffen.* **thundery** ['θʌndri] • *onweersachtig* • *dreigend.*

Thursday ['θəːzdi, -deɪ] • ⟨zn en bw⟩ *donderdag;* zie MONDAY voor voorbeelden.

thus [ðʌs] ↑ • *(al)dus, zo, bijgevolg* ‖ – far *tot nu toe.*

thwack zie WHACK.

thwart [θwɔːt] • *verijdelen, dwarsbomen* • *tegenwerken.*

thy [ðaɪ] ⟨vero. of rel.⟩ • *uw.*

thyme [taɪm] • *tijm.*

thyroid ['θaɪrɔɪd], **'thyroid gland** ⟨anat.⟩ • *schildklier.*

tiara [ti'ɑːrə] • *tiara* • *diadeem.*

tic [tɪk] • *tic, zenuwtrekje.*

1 tick [tɪk] ⟨zn⟩ • *teek* ⟨BE; ↓ ; fig.⟩ *lastpost* • *(ge)tik* ⟨BE; ↓ ⟩ *momentje;* in a – *in een wip* • *(merk)teken(tje)* ⟨bij controle v. lijst⟩ • *(bedde)tijk* • ⟨BE; ↓ ⟩ *krediet, pof;* on – *op de pof.*

2 tick I ⟨onov ww⟩ • *tikken;* – away/by *voorbijgaan* ⟨v. tijd⟩ ‖ *what makes s.o. – wat iem. drijft;* – over *stationair draaien* ⟨v. motor⟩; ↓ *zijn gangetje gaan* **II** ⟨ov ww⟩ • *aanstrepen* ⟨op lijst⟩; – off *aankruisen* ⟨op lijst⟩ ‖ ↓ – off *een uitbrander geven.*

ticker ['tɪkə] • ⟨sl.⟩ *horloge, klok* • ⟨sl.⟩ *hart* • ⟨telegraaf⟩. **'ticker-tape** • *serpentine.*

1 ticket ['tɪkɪt] ⟨zn⟩ • *kaart(je), toegangsbewijs, plaatsbewijs* • *prijskaartje, etiket* • ↓ *bon, bekeuring* • ⟨AE⟩ *kandidatenlijst* ‖ ↓ *that's just the – dát is het (precies).*

2 ticket ⟨ww⟩ • *etiketteren, prijzen* • *aanduiden.*

'ticket collector • *(kaartjes)controleur, conducteur.* **'ticket office** • *loket, plaatskaartenbureau.*

ticking ['tɪkɪŋ] • *getik* • *(bedde)tijk* ⟨stof⟩. **'ticking-'off** ↓ • *uitbrander.*

1 tickle ['tɪkl] ⟨zn⟩ • *gekietel* • *kietelend gevoel.*

2 tickle I ⟨onov ww⟩ • *kietelen* **II** ⟨ov ww⟩ • *kietelen,* ⟨fig.⟩ *(aangenaam) prikkelen* • *amuseren;* ↓ be –d to death *zich kostelijk amuseren.* **tickler** ['tɪklə] • *netelig(e) vraag/probleem.* **ticklish** ['tɪklɪʃ] • *kittelig;* be – *niet tegen kietelen kunnen* • *netelig, delicaat.*

tidal ['taɪdl] • *getij-, v.h. getij.* **'tidal wave** • *getijgolf, vloedgolf,* ⟨fig.⟩ *golf v. emotie.*

tidbit zie TITBIT.

tiddler ['tɪdlə] ⟨BE; ↓⟩ ● *visje* ● *klein kind.*
tiddly ['tɪdli] ⟨BE⟩ ↓ ● *aangeschoten* ● *nietig.*
tiddlywinks ['tɪdliwɪŋks] ● *vlooienspel.*

tide [taɪd] ● *getij(de), tij;* high – *vloed;* low – *eb;* ⟨fig.⟩ turn the – *het getij doen keren;* the – *is in/out het is hoog/laag water* ● *stroom, stroming* ⟨ook fig.⟩ ● ⟨vero., beh. in samenstellingen⟩ *tijd, seizoen, (kerkelijk) feest* ‖ zie ook ⟨sprw.⟩ TIME. '**tide mark** ● *hoogwaterlijn.*

tide over I ⟨ov ww⟩ ● *(iem.) verder/voorthelpen* ⟨ihb. financieel⟩ II ⟨ww + vz⟩ ● *helpen over/door;* she gave me £15 to tide me over the next four days *ze gaf me £15 om me door de volgende vier dagen te helpen.*

'**tidewater** ● *vloedwater* ● ⟨AE⟩ *laagliggend kustgebied.* '**tideway** ● *stroomgeul* ● *eb/ vloed in stroombed.*

tidings ['taɪdɪŋz] ⟨vero.⟩ ● *tijding(en).*

1 tidy ['taɪdi] ⟨bn⟩ ● *netjes, keurig* ● *proper, zindelijk* ● *aardig (groot).*
2 tidy ⟨ww⟩ ● *opruimen, schoonmaken;* – away *opbergen;* – up *opruimen, in orde brengen.*

1 tie [taɪ] ⟨zn⟩ ● *touw(tje), koord* ● *(strop)das* ● *band, verbondenheid* ● ⟨sport, spel⟩ *gelijk spel* ● ⟨sport⟩ *wedstrijd.*
2 tie I ⟨onov ww⟩ ● *vastgemaakt worden* ● *een knoop leggen* ● ⟨vnl. sport⟩ *gelijk eindigen;* they –d for a second place *ze deelden de tweede plaats* ‖ – in ⟨with⟩ *verband houden (met);* ⟨fig.⟩ *kloppen;* zie TIE UP II ⟨ov ww⟩ ● *(vast)binden, (vast)knopen;* – a knot *een knoop leggen;* – back *opbinden* ⟨bv. haar⟩ ● *(ver)binden* ● *binden, beperken;* – down *bezig houden;* – o.s. down *zich(zelf) beperkingen opleggen;* – s.o. down to *iem. zich laten houden aan* ● ⟨vnl. sport⟩ *gelijk eindigen/spelen/staan met;* –d game *gelijkspel;* zie TIE UP.

'**tiebreak(er)** ● *beslissingswedstrijd,* ⟨tennis⟩ *tie-break(er).*

tied [taɪd] ⟨BE⟩ ● *(vast)gebonden, vastgelegd.*

'**tie-dye, tie and dye** ● *knoopverven.* '**tie-on** ● *hang-.* '**tiepin** ● *dasspeld.*

tier [tɪə] ● *rij, verdieping, rang* ⟨bv. in theater⟩.

'**tie 'up** I ⟨onov ww⟩ ● ⟨scheep.⟩ *afgemeerd worden* ‖ – with *verband houden met* II ⟨ov ww⟩ ● *vastbinden, ver/dichtbinden;* ⟨fig.⟩ be tied up with *verband houden met* ● ⟨scheep.⟩ *afmeren* ● *(druk) bezig houden, ophouden;* be tied up *bezet zijn* ● *vastzetten/leggen (geld);* '**tie-up** ● *(ver) band, relatie, connectie* ● ⟨AE⟩ *stilstand* ⟨ihb. v. werk⟩, *staking.*

tiff [tɪf] ● *ruzietje.*

tiger ['taɪgə] ● *tijger* ⟨ook fig.⟩.

1 tight [taɪt] ⟨bn; -ness⟩ ● *strak, nauw(sluitend), (strak) gespannen;* – shoes *te kleine schoenen* ● *propvol;* a – schedule *een overladen programma* ● *potdicht* ● *beklemmend;* be in a – corner/place/↓ spot *in een lastig parket zitten* ● *schaars, krap* ● *gierig* ● *stevig, vast;* – knot *stevige knoop* ● *streng;* keep a – grip/hold on s.o. *iem. goed in de hand houden* ● ↓ *dronken* ‖ ↓ it will be a – match/race *het zal erom spannen;* a – squeeze *een hele toer/opgave.*
2 tight ⟨bw⟩ ● *vast, stevig;* hold me – *hou me goed vast;* good night, sleep – *goedenacht, welterusten.*

tighten ['taɪtn] I ⟨onov ww⟩ ● *zich spannen, strakker worden* ● *krap worden* II ⟨ov ww⟩ ● *aanhalen, spannen;* – one's belt *de buikriem aanhalen* ⟨vnl. fig.⟩ ● *vastklemmen, vastdraaien* ● *verscherpen* ⟨maatregelen⟩; – up *verscherpen.*

'**tight'fisted** ↓ ● *krenterig.* '**tight-'fitting** ● *nauwsluitend.* '**tight'knit** ● *hecht.* '**tight-'lipped** ● *met opeengeklemde lippen* ● *gesloten, stil.* '**tightrope** ● *strakke koord.*

tights [taɪts] ● *panty.*

tigress ['taɪgrɪs] ● *tijgerin* ⟨ook fig.⟩.

1 tile [taɪl] ⟨zn⟩ ● *tegel, (dak)pan.*
2 tile ⟨ww⟩ ● *betegelen, plaveien* ● *met pannen dekken.*

1 till [tɪl] ⟨zn⟩ ● *geldlade, kassa.*
2 till ⟨ww⟩ ● *bewerken* ⟨grond⟩.
3 till [t(ə)l, ⟨sterk⟩tɪl] ⟨vz⟩ ● *tot (aan), voor;* he lived – a hundred *hij werd honderd jaar oud;* not – after dinner *pas na het middageten.*
4 till [t(ə)l, ⟨sterk⟩tɪl] ⟨vw⟩ ● *tot(dat), voordat;* it was a long time – she emerged *het duurde lang voor zij verscheen.*

tillage ['tɪlɪdʒ] ● *het bewerken* ● *bewerkte grond.*

tiller ['tɪlə] ● *roer(pen), helmstok.*

1 tilt [tɪlt] ⟨zn⟩ ● *schuine stand;* he wore his hat at a – *hij had zijn hoed schuin op* ● *steekspel,* ⟨fig.⟩ *woordenwisseling;* he made a – at the Prime Minister *hij nam de premier onder vuur.*
2 tilt I ⟨onov ww⟩ ● *scheef/schuin/op zijn kant staan, (over)hellen;* – over *kantelen* ● *op en neer gaan, schommelen* II ⟨ov ww⟩ ● *scheef/schuin houden/zetten, doen (over)hellen.* '**tilt at** ● *aanvallen.*

timber ['tɪmbə] I ⟨telb zn⟩ ● *balk* ● ⟨scheep.⟩ *spant* II ⟨n-telb zn⟩ ● *(timmer)hout* ● *opgaand hout.* **timbered** ['tɪmbəd] ● *in vakwerk uitgevoerd* ● *bebost, met opgaand hout begroeid.* '**timberline** ● *boomgrens.*

'**timber yard** ●*stapelterrein* ⟨v. hout⟩.
timbre ['tæmbə] ●*timbre, klankkleur.*
1 time [taɪm] **I** ⟨telb en n-telb zn⟩ ●*tijd, tijds-
duur;* gain – *tijd winnen;* kill – *de tijd doden;* lose – *tijd verliezen; achterlopen* ⟨v.
uurwerk⟩; lose no – *geen tijd verliezen, direct doen;* take one's – *zich niet haasten;*
let's take some – off, ⟨AE⟩ – out *laten we
er even tussenuit gaan;* – and (–) again
steeds opnieuw; I'm working against – *ik
moet me (vreselijk) haasten;* for a – *een
tijdje;* all the – *voortdurend; altijd* ●*tijdstip, tijd;* the – of day *de juiste tijd;* do you
have the –? *weet u hoe laat het is?;* keep
(good) – *goed lopen* ⟨v. klok⟩; at the –
toen, indertijd; she is often behind – with
her payments *ze is vaak achter met haar
betalingen;* what – is it?, what's the –? *hoe
laat is het?* ●⟨vaak mv.⟩ *tijdperk, periode;*
be ahead of one's – *zijn tijd vooruit zijn;* at
one – *vroeger, eens;* be behind the –s *niet
meer van deze tijd zijn;* once upon a – *er
was eens* ●*gelegenheid, moment, ogenblik;* have – on one's hands *genoeg/te
veel vrije tijd hebben;* there's a – and
place for everything *alles op zijn tijd;* bide
one's – *afwachten;* ↓ any – *altijd;* every –
elke keer; steeds/telkens (weer); many –s,
many a – *vaak, dikwijls* ●*keer, maal;* nine
–s out of ten *bijna altijd, negen op de tien
keer* ‖ I had the – of my life *ik heb ontzettend genoten;* since – out of mind *sinds
onheuglijke tijden;* do – *zitten* ⟨in gevan-
genis⟩; have a – (of it) *het moeilijk hebben;* I have no – for him *ik mag hem niet;*
last one's – *zijn tijd wel duren;* play for –
tijd rekken; serve one's – *een gevangenisstraf uitzitten;* – will tell *de tijd zal het uit-
wijzen;* (and) about – too! *(en) het werd
ook tijd;* – after – *keer op keer;* at all –s altijd; one at a – *één tegelijk;* at the same –
tegelijkertijd; toch, desalniettemin; at this
– of day *in dit late stadium;* at –s *soms;* for
the – being *voorlopig;* from – to – *van tijd
tot tijd;* in – *op tijd; na verloop van tijd;* on
– *op tijd;* ⟨sprw.⟩ time and tide wait for no
man *de tijd en het tij wachten op niemand;* time flies *de tijd vliegt;* time is
money *tijd is geld;* time is the great healer
de tijd heelt alle wonden; there's no time
like the present *pluk de dag;* times change
de tijden veranderen; zie ook ⟨sprw.⟩
STITCH **II** ⟨n-telb zn⟩ ⟨muz.⟩ ●*maat;* beat –
de maat slaan; keep – *de maat houden;* in
– *in de maat;* out of – *uit de maat* ●*tempo.*
2 time ⟨ww⟩ ●*vaststellen, berekenen* ⟨tijd-
stip, tijdsduur⟩; the train is –d to leave at
four *de trein moet om vier uur vertrekken*

●*het juiste moment kiezen voor/om te;* ill
–d *ongelegen* ●*timen, klokken.*
'**time bomb** ●*tijdbom* ⟨ook fig.⟩. '**timecard,**
'**time sheet** ●*tijdkaart, rooster.* '**time
clock** ●*prikklok.* '**time-consuming** ●*tijd-
rovend.* '**time fuse** ●*tijdontsteker.* '**time-
honoured** ●*traditioneel.* '**timekeeper** ●
uurwerk ●*tijdwaarnemer.* '**time lag** ●
pauze ⟨tussen twee opeenvolgende ver-
schijnselen⟩, *tijdsverloop.* **timeless**
['taɪmləs] ●*oneindig, eeuwig* ●*tijd(e)loos.*
'**time limit** ●*tijdslimiet.* **timely** ['taɪmli] ●
tijdig ●*van pas komend, gelegen.* '**time
'out** ⟨AE⟩ ⟨sport⟩ ●*time-out.*
'**timepiece** ●*uurwerk, klok, horloge.* **timer**
['taɪmə] ●*tijdopnemer* ●*tijdwaarnemer.*
'**timesaving** ●*tijdbesparend.* '**timeserver**
●*opportunist.* '**time-sharing** ⟨comp.⟩ ●
timesharing. **time sheet** zie TIMECARD.
'**time signal** ●*tijdsein.* '**time switch** ●*tijd-
schakelaar.* '**timetable** ●*dienstregeling* ●
(les/college)rooster. '**timework** ●*per uur/
dag betaald werk;* he's not on piecework
but on – *hij krijgt geen stukloon, maar uur-
loon.* '**timeworn** ●*versleten, oud* ●*afgezaagd.* '**time zone** ●*tijdzone.*
timid ['tɪmɪd] ●*bang, angstig* ●*timide, verlegen.* **timidity** [tɪ'mɪdəti] ●*angst* ●*bedeesdheid.*
timing ['taɪmɪŋ] ●*timing.*
timorous ['tɪmrəs] ●*bang* ●*timide, bedeesd.*
timpani, tympani ['tɪmpəni] ●*pauk(en).*
timpanist ['tɪmpənɪst] ●*paukenist.*
1 tin [tɪn] ⟨zn⟩ ●*tin* ●*blik* ●⟨BE⟩ *blik(je), con-
servenblik* ●*bus.*
2 tin ⟨bn⟩ ●*tinnen* ●*blikken;* – can *(leeg)
blikje;* – whistle *blikken fluitje* ●*prullerig* ‖
(little) – god *(vals) idool.*
3 tin ⟨ww⟩ ●*vertinnen* ●⟨BE⟩ *inblikken.*
tincture ['tɪŋ(k)tʃə] ●*tinctuur.*
tinder ['tɪndə] ●*tondel.* '**tinderbox** ●*tondel-
doos* ●⟨fig.⟩ *kruitvat.*
tine [taɪn] ●*scherpe punt, tand* ⟨v. (hooi)
vork⟩.
'**tinfoil** ●*tinfoelie, aluminiumfolie.*
1 ting [tɪŋ] ⟨zn⟩ ●*ting* ⟨geluid⟩.
2 ting ⟨ww⟩ ●*(doen) tingelen.*
1 tinge [tɪndʒ] ⟨zn⟩ ●*tint(je)* ⟨ook fig.⟩.
2 tinge ⟨ww⟩ ●*tinten.*
1 tingle ['tɪŋgl] ⟨zn⟩ ●*tinteling.*
2 tingle I ⟨onov ww⟩ ●*opgewonden zijn* **II**
⟨onov en ov ww⟩ ●*(laten) tintelen, (doen)
suizen* ⟨v. oren⟩.
1 tinker ['tɪŋkə] ⟨zn⟩ ●*ketellapper* ●*prutser.*
2 tinker ⟨ww⟩ ●*ketellappen* ●⟨+at/with⟩
prutsen (aan).
1 tinkle ['tɪŋkl] ⟨zn⟩ ●*gerinkel* ●⟨BE; ↓⟩
plasje ●⟨BE; ↓⟩ *belletje, telefoontje.*

2 tinkle I ⟨onov ww⟩ ● *rinkelen, tingelen* ● ⟨BE; ↓⟩ *plassen* **II** ⟨ov ww⟩ ● *laten rinkelen.*

tinny ['tɪni] ● *tin-, blikachtig* ● *metaalachtig* ⟨v. klank⟩. **'tin opener** ⟨vnl. BE⟩ ● *blikopener.* **'tin-pan 'alley** ● ⟨ongeveer⟩ *het wereldje v.d. populaire muziek, stadsdeel waar popmusici zich ophouden.* **'tin-'plate** ● *blik.*

tinsel ['tɪnsl] ● *klatergoud* ⟨ook fig.⟩.

1 tint [tɪnt] ⟨zn⟩ ● *(pastel)tint* ● *kleurshampoo* ● *ondertoon, zweempje.*

2 tint ⟨ww⟩ ● *kleuren.*

tiny ['taɪni] ● *uiterst klein, nietig.*

1 tip [tɪp] ⟨zn⟩ ● *tip(je), top(je), punt, filter (stuk)* ⟨v. sigaret⟩ ● ⟨BE⟩ *stort(plaats), vuilnisbelt,* ⟨fig.⟩ *zwijnestal* ● *fooi* ● *tip, wenk, raad;* give s.o. a – on *iem. een tip geven over* ● *tik(je), duwtje* ● *overhelling* ‖ have sth. on the – of one's tongue *iets voor op de tong hebben liggen.*

2 tip I ⟨onov ww⟩ ● *kiep(er)en, kantelen;* these bunks – up *deze slaapbanken klappen omhoog* ● *omkantelen, omvervallen;* – over *omvallen* ● *fooien uitdelen* **II** ⟨ov ww⟩ ● *van een punt voorzien* ● *doen overhellen;* – sth. up *iets schuin/op zijn kant houden* ● *doen omslaan, omvergooien;* – over *omgooien* ● ⟨vnl. BE⟩ *(weg)kieperen* ● *overgieten* ● *aantikken, eventjes aanraken* ● *tippen, (als fooi) geven* ● *tippen, als kanshebber aanwijzen;* zie TIP OFF. **tip off** ● *waarschuwen, een tip geven.*

'tip-off ↓ ● *waarschuwing, hint.*

1 tipple ['tɪpl] ⟨zn⟩ ↓ ● *(sterke)drank, drankje.*

2 tipple ⟨ww⟩ ↓ ● *aan de drank zijn, pimpelen.* **tippler** ['tɪplə] ● *(gewoonte)drinker, pimpelaar.*

tipster ['tɪpstə] ● *tipgever, informant.*

tipsy ['tɪpsi] ● *aangeschoten.*

1 tiptoe ['tɪptoʊ] ⟨zn⟩ ● *teentop* ‖ on – *op zijn tenen; vol verwachting.*

2 tiptoe ⟨ww⟩ ● *op zijn tenen lopen.*

'tip-'top ↓ ● *tiptop, piekfijn.*

tirade [taɪ'reɪd] ● *tirade, scheldkanonnade.*

1 tire ['taɪə] ⟨zn⟩ ● ⟨AE⟩ zie TYRE.

2 tire I ⟨onov ww⟩ ● *moe worden* ● ⟨+of⟩ *beu worden;* I never – of it *het verveelt me nooit* **II** ⟨ov ww⟩ ● ⟨ook +out⟩ *afmatten* ● *vervelen.* **tired** ['taɪəd] ● *moe* ● *afgezaagd* ‖ be – of sth. *iets beu zijn.* **tireless** ['taɪələs] ● *onvermoeibaar* ● *onophoudelijk.* **tiresome** ['taɪəsəm] ● *vermoeiend* ● *vervelend.*

tiro, tyro ['taɪroʊ] ● *beginneling.*

tissue ['tɪʃuː, -sjuː] ● *doekje, gaasje* ● *papieren (zak)doekje, velletje vloeipapier* ● *web;* – of lies *aaneenschakeling v. leugens* ● ⟨biol.⟩ *(cel)weefsel.* **'tissue paper**

● *zijdepapier.*

tit [tɪt] ● *mees* ● ↓ *tiet* ‖ ↓ – for tat *leer om leer; woordentwist.*

titan ['taɪtn] ● *kolos.* **titanic** [taɪ'tænɪk] ● *titanisch, reusachtig.*

titbit ['tɪtbɪt], ⟨AE sp.⟩ **tidbit** ['tɪdbɪt] ● *lekker hapje* ● *interessant nieuwtje, roddeltje.*

tithe [taɪð] ● ⟨gesch.⟩ *tiend.*

titillate ['tɪtɪleɪt] ● *prikkelen, aangenaam opwinden, strelen.*

titivate, tittivate ['tɪtɪveɪt] ↓ ● *mooi maken, opdirken.*

title [taɪtl] ● *titel, titelblad,* ⟨sport⟩ *kampioen(schap),* ⟨jur.⟩ *eigendomsrecht, on-dertitel, aftiteling* ⟨v. film⟩. **titled** ['taɪtld] ● *met een (adellijke) titel, getiteld.* **'title deed** ⟨jur.⟩ ● *eigendomsakte.* **'title-holder** ⟨sport⟩ ● *titelhouder/houdster.* **'title page** ● *titelpagina.* **'title role** ● *titelrol.*

1 titter ['tɪtə] ⟨zn⟩ ● *gegiechel;* be in a – *giechelen.*

2 titter ⟨ww⟩ ● *(onderdrukt/nerveus) giechelen.*

1 tittle-tattle ['tɪtltætl] ⟨zn⟩ ↓ ● *kletspraat, roddelpraat.*

2 'tittle-'tattle ⟨ww⟩ ↓ ● *kletsen.*

titular ['tɪtʃʊlə] ● *aan een titel verbonden* ● *titulair, in naam.*

tizzy ['tɪzi] ⟨sl.⟩ ‖ be in/all of a – *in alle staten zijn.*

T.N.T. ⟨afk.⟩ *trinitrotoluene* ● *TNT.*

1 to [tuː] ⟨bw⟩ ● ⟨aanduiding van richting⟩ *(er)heen;* – and fro *heen en weer;* pace – and fro *ijsberen* ● ⟨aanduiding van plaats; ook fig.⟩ *tegen, bij, eraan;* bring s.o. – *iem. bijbrengen;* zie COME TO.

2 to [tə, tʊ, ⟨sterk⟩ tuː] ⟨vz⟩ ● ⟨richting, afstand en doel; ook fig.⟩ *naar, naar ... toe, tot;* he came – our aid *hij kwam ons te hulp;* his money went – clothes *zijn geld besteedde hij aan kleren;* – her dismay *tot haar ontzetting;* drink – her health *op haar gezondheid drinken;* it seemed strange – John *het kwam John vreemd voor;* she held the letter – the light *ze hield de brief tegen het licht;* – my mind *volgens mij;* turn – your right *sla rechtsaf;* go – sea *zee kiezen;* from bad – worse *v. kwaad tot erger* ● ⟨plaats; ook fig.⟩ *tegen, op, in;* I've been – my aunt's *ik ben bij mijn tante gaan logeren;* we beat them eleven – seven *we hebben ze met elf tegen zeven verslagen* ● *met, ten opzichte van, voor;* use 50 lbs. – the acre *gebruik 50 pond per acre;* superior – synthetic fabric *beter dan synthetische stof;* compared – Jack *vergeleken bij Jack;* he wrote music – his lyrics *hij schreef muziek bij zijn teksten;* a disaster – the nation *een ramp voor het volk;* I'm new – the place *ik ben hier nieuw;* made – size *op maat gemaakt* ● ⟨tijd⟩ *tot, tot op, op;* three years ago – the day *precies drie jaar geleden;* – the present day *tot op heden;* five (minutes) – three *vijf (minuten) voor drie* ●⟨duidt inherente verbondenheid aan⟩ *bij, aan, van;* son – Mr Boswell *de zoon van Dhr. Boswell;* the key – the house *de sleutel van het huis;* there's more – it *er zit meer achter.*

3 to [tə, tʊ, ⟨sterk⟩tʊ, tuː] ⟨partikel⟩ ●⟨vaak onvertaald⟩ *te;* – accept is – approve *aanvaarden is goedkeuren;* the plane took off (only) – crash two minutes later *het vliegtuig steeg op maar stortte twee minuten later neer* ●⟨vaak onvertaald⟩ *dat/het;* I don't want – *dat wil ik niet;* I'd like to apologize, but I don't know how – *ik zou graag mijn verontschuldigingen aanbieden, maar ik weet niet hoe.*

toad [toʊd] ●⟨dierk.⟩ *pad* ●*ellendeling.* '**toadstool** ●*paddestoel* ⟨ihb. giftige⟩.

1 toady ['toʊdi] ⟨zn⟩ ●*vleier.*

2 toady ⟨ww⟩ ●*vleien;* – to s.o. *iem. vleien.*

to-and-fro ['tuːən'froʊ] ●⟨bn⟩ *heen en weer (gaand), schommelend.*

1 toast [toʊst] ⟨zn⟩ ●*(heil)dronk, toost;* drink a – to s.o. *een dronk uitbrengen op iem.;* propose a – to s.o. *een toost uitbrengen op iem.* ●*iem./iets waarop getoost wordt* ●*geroosterd(e) boterham/brood, toost.*

2 toast ⟨ww⟩ ●*roosteren, toost maken van;* ⟨fig.⟩ – o.s. at the fire *zich warmen bij het vuur* ●*toosten op.* **toaster** ['toʊstə] ●*broodrooster.* '**toastmaster** ●*ceremoniemeester* ⟨bij een diner⟩. '**toast rack** ●*toostrekje.*

tobacco [tə'bækoʊ] ●*tabak.* **to'bacconist** ●*tabakshandelaar.*

1 toboggan [tə'bɒgən] ⟨zn⟩ ●*slee.*

2 toboggan ⟨ww⟩ ●*sleeën, rodelen.*

today [tə'deɪ] ●*vandaag, tegenwoordig;* –'s paper *de krant v. vandaag* ‖ zie ook ⟨sprw.⟩ HERE, PUT OFF.

toddle ['tɒdl] ●*met kleine onvaste stapjes lopen* ⟨v. kind⟩, *waggelen* ● ↓ *kuieren, wandelen* ●⟨ook +along⟩ ↓ *opstappen.* **toddler** ['tɒdlə] ●*dreumes, hummel.*

toddy ['tɒdi] ●*grog.*

to-do [tə'duː] ●*drukte, ophef.*

1 toe [toʊ] ⟨zn⟩ ●*teen, neus, punt* ‖ on one's –s *alert;* keep s.o. on his –s *iem. achter de broek zitten.*

2 toe ⟨ww⟩ ●*met de tenen aanraken.*

'**toecap** ●*neus* ⟨v. schoen⟩. '**toehold** ● *steunpuntje,* ⟨fig.⟩ *houvast.* '**toenail** ●

teennagel.

toffee ['tɒfi] ●*toffee.*

'**toffee-nosed** ⟨BE; sl.⟩ ●*snobistisch, verwaand.*

toga ['toʊgə] ●*toga.*

together [tə'geðə] ●*samen, bijeen* ●*tegelijk(ertijd);* all – now *nu allemaal tegelijk* ● *aaneen, bij elkaar, tegen elkaar* ● ↓ *voor elkaar;* get things – *de boel regelen* ●*achtereen;* for hours – *uren achter elkaar* ‖ – with *met.* **togetherness** [tə'geðənəs] ● *(gevoel v.) saamhorigheid.*

toggle ['tɒgl] ●*houtje* ⟨v. houtje-touwtje sluiting⟩.

togs [tɒgz] ↓ *kloffie, plunje;* put on one's best – *zich piekfijn uitdossen.*

1 toil [tɔɪl] ⟨zn⟩ ●*hard werk, gezwoeg.*

2 toil ⟨ww⟩ ●⟨+at/on⟩ *hard werken (aan);* – away *ploeteren* ●*moeizaam vooruitkomen.*

toilet ['tɔɪlɪt] ●*w.c., toilet.* '**toilet paper** ●*toiletpapier.* '**toilet roll** ●*closetrol.* **toiletry** ['tɔɪlɪtri] ●*toiletartikel* ●*toiletgerei.* '**toilet train** ●*zindelijk maken* ⟨kind⟩.

toing ['tuːɪŋ] ‖ – and froing *heen en weer gaande beweging; heen en weer geloop; over en weer gepraat.*

1 token ['toʊkən] ⟨zn⟩ ●*teken, blijk, bewijs* ● *herinnering, aandenken* ●*bon, cadeaubon* ●*munt, fiche* ‖ by this/the same – *evenzo; bovendien; dus.*

2 token ⟨bn⟩ ●*symbolisch;* – resistance *symbolisch verzet.*

told [toʊld] ⟨verl. t. en volt. deelw.⟩ zie TELL.

tolerable ['tɒlrəbl] ●*verdraaglijk, draaglijk* ● *toelaatbaar* ●*redelijk.* **tolerably** ['tɒlrəbli] ●zie TOLERABLE ●*redelijk;* – sure of sth. *vrij zeker v. iets.*

tolerance ['tɒlərəns] ●*verdraagzaamheid, tolerantie* ●⟨tech.⟩ *toegestane afwijking, speling.* **tolerant** ['tɒlərənt] ●*verdraagzaam.*

toler|ate ['tɒləreɪt] ⟨zn: -ation⟩ ●*tolereren, verdragen, dulden* ●*(kunnen) verdragen.*

1 toll [toʊl] ⟨zn⟩ ●*tol,* ⟨fig.; meestal enk.⟩ *prijs;* take – *tol heffen;* take a heavy – *een zware tol eisen* ●⟨AE⟩ *kosten v.e. interlokaal telefoongesprek* ●*(klok)gelui.*

2 toll I ⟨onov en ov ww⟩ ●*luiden* ⟨(v.) klok⟩ **II** ⟨ov ww⟩ ●*slaan* ⟨het uur⟩.

'**toll bar,** '**tollgate** ●*tolboom, tolhek.* '**toll bridge** ●*tolbrug.* '**tollhouse** ●*tolhuis.*

tom [tɒm] **I** ⟨eig.n., telb zn; T-⟩ ● *Tom* ‖ (every) Tom, Dick and Harry *Jan, Piet en Klaas;* peeping Tom *gluurder* **II** ⟨telb zn⟩ ● *kater.*

tomahawk ['tɒməhɔːk] ●*strijdbijl.*

tomato [tə'mɑːtoʊ] ●*tomaat.* **to'mato juice**

● *tomatesap.*

tomb [tu:m] ● *(praal)graf* ● *(graf)tombe.*

tombola ['tɒm'boʊlə] ⟨vnl. BE⟩ ● *tombola.*

'tomboy ● *wilde meid.*

'tombstone ● *grafsteen.*

'tomcat ● *kater.*

tome [toʊm] ● *(dik) boekdeel.*

'tom'fool ● *dwaas* ● *clown.* **'tom'foolery** ● *dwaasheid* ● *onzin.*

tomorrow [tə'mɒroʊ] ● *morgen;* – week *morgen over een week* ‖ ⟨sprw.⟩ tomorrow never comes *van uitstel komt afstel;* zie ook ⟨sprw.⟩ HERE, PUT OFF.

'tomtom ● *tamtam.*

ton [tʌn] ● *ton* ⟨gewicht⟩; gross – *Eng. ton* ● *tonnage* ● ⟨meestal mv.⟩ ↓ *grote hoeveelheid* ‖ (come down) like a – of bricks *duchtig (tekeergaan).*

tonal [toʊnl] ⟨muz.⟩ ● *tonaal.* **tonality** [toʊ'næləti] ⟨muz.⟩ ● *tonaliteit* ● *toonaard.*

1 tone [toʊn] ⟨zn⟩ ● *toon, klank;* take a high – (with s.o.) *een hoge toon aanslaan (tegen iem.);* speak in an angry – *op boze toon spreken* ● *intonatie, accent* ● ⟨muz.⟩ *(hele) toon* ● ⟨alleen enk.⟩ *stemming;* set the – *de toon aangeven.*

2 tone I ⟨onov ww⟩ ● *harmoniëren, overeenstemmen;* – (in) with *harmoniëren met;* zie TONE UP **II** ⟨ov ww⟩ ● *tinten* ● *doen harmoniëren;* – (in) with *laten passen bij;* zie TONE DOWN, TONE UP. **'tone-'deaf** ● *geen (muzikaal) gehoor hebbend.* **'tone 'down** ● *afzwakken* ⟨ook fig.⟩; – one's language *op zijn woorden passen* ● *verzachten.* **toneless** ['toʊnləs] ● *toonloos* ● *kleurloos.* **'tone 'up I** ⟨onov ww⟩ ● *krachtig(er) worden* **II** ⟨ov ww⟩ ● *(nieuwe) energie geven aan.*

tongs [tɒŋz] ● *tang.*

tongue [tʌŋ] ● *tong, spraak* ● *taal* ● *tongvormig iets, lipje* ⟨v. schoen⟩, *landtong* ‖ (speak) with – in cheek *ironisch (spreken);* find one's – *zijn spraak hervinden;* hold your –! *houd je mond!;* have lost one's – *zijn tong verloren hebben.* **'tongue-tied** ● *met de mond vol tanden.* **'tongue twister** ● *moeilijk uit te spreken woord/zin.*

1 tonic ['tɒnɪk] ⟨zn⟩ ● *tonicum, versterkend middel.*

2 tonic ⟨bn⟩ ● *versterkend.*

tonight [tə'naɪt] ● *vanavond* ● *vannacht.*

tonnage ['tʌnɪdʒ] ● *tonnage* ● *tonnegeld.*

tonsil ['tɒnsl] ● *(keel)amandel;* have one's –s out *zijn amandelen laten wegnemen.* **tonsil(l)itis** ['tɒnsɪ'laɪtɪs] ● *amandelontsteking.*

tonsure ['tɒnʃə] ● *tonsuur.*

too [tu:] ● *te (zeer);* – good to be true *te mooi*

om waar te zijn ● ↓ *erg, al te;* it's – bad *(het is) erg jammer* ● ⟨niet aan begin v.e. zin⟩ *ook, eveneens;* he, –, went to Rome *hij ging ook naar Rome;* he went to Rome, – *hij ging ook naar Róme* ● *bovendien;* conceited, –! *en nog verwaand ook!.*

took [tʊk] ⟨verl. t.⟩ zie TAKE.

1 tool [tu:l] ⟨zn⟩ ● *handwerktuig, (stuk) gereedschap, instrument;* down –s *het werk neerleggen* ‖ numbers are the –s of his trade *hij werkt met getallen.*

2 tool ⟨ww⟩ ● *bewerken.* **'toolbox** ● *gereedschapskist.* **'toolkit** ● *(set) gereedschappen.* **'tool-shed** ● *gereedschapsschuurtje.*

toot [tu:t] ● *toeteren, blazen (op).*

tooth [tu:θ] ⟨mv.: teeth [ti:θ]⟩ ● *tand* ⟨ook fig.; v. kam, zaag enz.⟩, *kies;* ⟨fig.⟩ (fight) – and nail *met hand en tand (vechten);* ⟨fig.⟩ get one's teeth into sth. *ergens zijn tanden in zetten;* have a – (pulled) out *een tand/kies laten trekken;* in the teeth of ... *ondanks ...* ● *smaak, voorkeur;* have a – for meat *v. vlees houden* ● ⟨mv.⟩ ↓ *kracht, effect* ‖ lie in one's teeth *liegen of het gedrukt staat;* the sound set his teeth on edge *het geluid ging hem door merg en been;* zie ook ⟨sprw.⟩ EYE. **'toothache** ● *kiespijn.* **'toothbrush** ● *tandenborstel.* **toothed** [tu:θt] ● *getand* ● *met tanden.* **toothless** ['tu:θləs] ● *tandeloos* ● *krachteloos.* **'toothpaste** ● *tandpasta.* **'toothpick** ● *tandenstoker.* **'toothpowder** ● *tandpoeder.* **toothy** ['tu:θi] ● *met grote/vooruitstekende tanden.*

tootle ['tu:tl] **I** ⟨onov ww⟩ ● *blazen, toeteren* ⟨op instrument⟩ ● ↓ *(rond)toeren;* – along *toeren* **II** ⟨ov ww⟩ ● *blazen op* ⟨instrument⟩.

1 top [tɒp] ⟨zn⟩ ● *top, hoogste punt;* from – to bottom *v. onder tot boven;* ↓ at the – of the ladder/tree *bovenaan de (maatschappelijke) ladder;* at the – of one's voice *luidkeels;* at the – (of the table) *aan het hoofd (v.d. tafel);* on – *boven(aan)* ● *bovenstuk/kant, tafelblad, bergtop, boomtop, kap* ⟨v. auto enz.⟩, *dop* ⟨v. fles, vulpen⟩, *deksel* ● *beste/belangrijkste* ⟨v. klas/organisatie⟩ ● *oppervlakte* ● *hoogste versnelling* ● ⟨ook mv.⟩ *beste, puikje* ‖ off the – of one's head *onvoorbereid;* (feel) on – of the world (zich) heel gelukkig (voelen); ↓ blow one's – *in woede uitbarsten;* come out on – *overwinnen;* get on – of sth. *iets de baas worden;* the problems got on – of him *de problemen werden hem te veel;* go over the – *te ver gaan;* on – of that *bovendien.*

2 top ⟨bn⟩ ⟨ook fig.⟩ ● *hoogste, top-;* – prices *hoogste prijzen.*

3 top ⟨ww⟩ • *v. top voorzien, bedekken;* ⟨fig.⟩ – off/up sth. *iets bekronen/afronden;* –ped off with *met bovenop* • *de top bereiken v.* ⟨ook fig.⟩ • *aan/op de top staan* ⟨ook fig.⟩ • *overtreffen;* to – it all *tot overmaat v. ramp* ‖ – up *bijvullen.*

topaz ['toʊpæz] • *topaas.*

'top boot • *kaplaars.* **'topcoat I** ⟨telb zn⟩ • *overjas* **II** ⟨telb en n-telb zn⟩ • *bovenste verflaag, deklaag.* **'top-'drawer** • ↓ *v. goede komaf.* **'top'flight, 'top'notch** ↓ • *eerste klas, uitstekend* • *best mogelijk.* **'top-'gear** ⟨BE⟩ • *hoogste versnelling* • *topconditie.* **'top 'hat** • *hoge hoed.* **'top-'heavy** ⟨ook fig.⟩ • *topzwaar.*

topic ['tɒpɪk] • *onderwerp (v. gesprek).* **topical** ['tɒpɪkl] • *actueel.*

topless ['tɒpləs] • *topless* • *met topless bediening.* **topmost** ['tɒpmoʊst] • *(aller) hoogst.* **topnotch** zie TOPFLIGHT.

topograph|y [tə'pɒgrəfi] ⟨bn: -ical⟩ • *topografie.*

topping ['tɒpɪŋ] ⟨vnl. cul.⟩ • *toplaag(je);* a frosted – *een glazuurlaagje.*

topple ['tɒpl] **I** ⟨onov ww⟩ • *(bijna) omvallen;* – from power *ten val komen/gebracht worden* • *sterk dalen* ⟨v: koers enz.⟩ **II** ⟨ov ww⟩ • *(bijna) doen omvallen* • ⟨ook +down/over⟩ *omverwerpen, ten val brengen.*

'top-ranking • *v.d. hoogste rang, hoogstgeplaatst.* **'top-'secret** • *uiterst geheim.* **'topsoil** • *bovengrond.*

topsy-turvy ['tɒpsi'tə:vi] • *ondersteboven, op zijn kop;* turn – *op zijn kop zetten.*

torch [tɔ:tʃ] • *toorts, fakkel* • ⟨BE⟩ *zaklamp.* **'torchlight** • *fakkellicht* • ⟨BE⟩ *licht v.e. zaklantaarn.*

tore [tɔ:] ⟨verl. t.⟩ zie TEAR.

1 torment ['tɔ:ment] ⟨zn⟩ • *kwelling.* **2 torment** [tɔ:'ment] ⟨ww⟩ • *kwellen, plagen.* **tormentor** [tɔ:'mentə] • *kweller, plaaggeest.*

torn [tɔ:n] ⟨volt. deelw.⟩ zie TEAR.

tornado [tɔ:'neɪdoʊ] • *tornado.*

1 torpedo [tɔ:'pi:doʊ] ⟨zn⟩ • *torpedo.* **2 torpedo** ⟨ww⟩ ⟨ook fig.⟩ • *torpederen.*

torpid ['tɔ:pɪd] • *gevoelloos* • *traag, apathisch.* **torpor** ['tɔ:pə] • *apathie.*

torque [tɔ:k] • *torsie, draaimoment.*

torrent ['tɒrənt] ⟨ook fig.⟩ • *stortvloed.* **torrential** [tə'renʃl] ⟨ook fig.⟩ • *als een stortvloed;* – rains *stortregens.*

torrid ['tɒrɪd] • *zeer heet;* the – zone *de tropen* • *intens.*

torsion ['tɔ:ʃn] • *torsie, wringing.*

torso ['tɔ:soʊ] ⟨ook fig.⟩ • *torso.*

tortoise ['tɔ:təs] • *landschildpad.* **'tortoise-**

shell • *schildpad* ⟨als stof⟩.

tortuous ['tɔ:tʃʊəs] • *kronkelend, bochtig* ⟨v. weg⟩ • *omslachtig.*

1 torture ['tɔ:tʃə] ⟨zn⟩ • *marteling.* **2 torture** ⟨ww⟩ • *martelen;* –d by doubt *gekweld door twijfels.* **torturer** ['tɔ:tʃərə] • *folteraar, beul.*

Tory ['tɔ:ri] ⟨BE; pol.; ↓⟩ • ⟨bn⟩ *v.d. Eng. conservatieve partij* • ⟨zn⟩ *Tory* ⟨conservatief⟩.

1 toss [tɒs] ⟨zn⟩ • *worp* • *beweging, val* • *opgooi* ⟨vnl. bij sport⟩, *toss;* lose/win the – *verliezen/winnen bij het tossen.* **2 toss I** ⟨onov ww⟩ • *tossen* **II** ⟨onov en ov ww⟩ • *slingeren;* – about *liggen te woelen;* the ship was –ed about *het schip werd heen en weer geslingerd* • *schudden, afwerpen;* – one's head back with contempt *zijn hoofd minachtend in de nek gooien;* zie TOSS OFF **III** ⟨ov ww⟩ • *gooien, aan/op/toegooien* • *een munt opgooien met;* I'll – you for it *we loten erom.* **'toss 'off** • *achteroverslaan* ⟨drank⟩ • *razendsnel produceren;* – a speech *voor de vuist weg een toespraak houden* • *(v. zich) afschudden.* **'toss-up** • *toss, opgooi* ‖ it's a – whether *het is een gok of.*

tot [tɒt] • *dreumes* • ⟨BE; ↓⟩ *neutje.*

1 total ['toʊtl] ⟨zn⟩ • *totaal.* **2 total** ⟨bn⟩ • *totaal, geheel;* – loss *volledig verlies;* ⟨verz.⟩ total loss; sum – *totaalbedrag.* **3 total I** ⟨onov ww⟩ • ⟨+(up) to⟩ *oplopen (tot)* **II** ⟨ov ww⟩ • *bedragen, oplopen tot* • ⟨ook +up⟩ *het totaal vaststellen van.*

totalitarian [toʊ'tælɪ'teərɪən] • *totalitair.* **totalitarianism** [toʊ'tælɪ'teərɪənɪzm] • *totalitarisme.*

totality [toʊ'tæləti] • *totaal* • *totaliteit.*

totem ['toʊtəm] • *totem.*

'totempole • *totempaal.*

totter ['tɒtə] • *wankelen* ⟨ook fig.⟩ • *wankelend overeind komen;* – to one's feet *wankelend opstaan.*

'tot 'up • *optellen.*

1 touch [tʌtʃ] ⟨zn⟩ • *aanraking, tik(je), contact* ⟨ook fig.⟩; I felt a – on my shoulder *ik voelde een tikje op mijn schouder;* be/keep in – with *contact hebben/onderhouden met;* be out of – with *geen contact (meer) hebben met;* lose – with *uit het oog verliezen;* within – of *binnen bereik v.* • *gevoel bij aanraking,* ⟨bij uitbr.⟩ *tastzin* • *vleugje, snufje* • *toets, stijl, manier;* the – of a master *meesterhand;* give/put the final/finishing –(es) to sth. *de laatste hand leggen aan iets* • *aanslag.* **2 touch I** ⟨onov ww⟩ • *(elkaar) raken, aan el-*

kaar grenzen; zie TOUCH AT, TOUCH DOWN, TOUCH (UP)ON **||** ⟨ov ww⟩ ● *raken* ⟨ook fig.⟩, *aanraken; you haven't –ed your meal je hebt nog geen hap gegeten; – a topic een onderwerp aanroeren* ● *een tikje geven,* ⟨fig.⟩ *aankunnen; he –ed his cap hij tikte zijn pet aan* ● *doen raken; –* glass-es *klinken* ● *raken, ontroeren* ● *treffen, be-treffen; the matter –es him closely de zaak is v. groot belang voor hem* ● *benaderen,* ⟨fig.⟩ *evenaren; the thermometer –ed 50° de thermometer liep tot 50° op; –* s.o. *for a fiver iem. vijf pond aftroggelen* ‖ *–* in *bijte-kenen/schilderen;* zie TOUCH OFF, TOUCH UP. **'touch and 'go** ● *een dubbeltje op zijn kant.* **'touch at** ● *aandoen, onderweg be-zoeken.* **'touchdown** ● *landing* ⟨vlieg-tuig⟩. **'touch 'down** ● *landen.* **touched** [tʌtʃt] ● *ontroerd.* **touching** ['tʌtʃɪŋ] ● *(ont)roerend.* **'touch 'off** ● *afvuren* ● *de aanlei-ding geven tot.* **'touchstone** ● *toetssteen* ⟨ook fig.⟩. **'touch-type** ● *blind typen.* **touch up** ● *retoucheren* ● *bijschaven* ● ↓ *betasten* ⟨vrouw, man⟩. **'touch (up)on** ● *terloops behandelen.* **touchy** ['tʌtʃi] ● *prikkelbaar* ● *netelig.*

1 tough [tʌf] ⟨zn⟩ ↓ ● *woesteling, zware jon-gen.*

2 tough ⟨bn⟩ ● *taai* ⟨ook fig.⟩, *gehard* ● *moeilijk, lastig* ● *onbuigzaam; a –* custom-er *een keiharde* ● *ruw* ● ↓ *tegenvallend, hard; it's –* on him *het is een erge tegen-valler voor hem; –* (luck)! *pech!, jammer!* ‖ *–* as nails *spijkerhard.* **toughen** ['tʌfn] ● *taai/hard (doen) worden; –* up *harder/ster-ker worden/maken.*

toupee ['tuːpeɪ] ● *haarstukje.*

1 tour [tʊə] ⟨zn⟩ ● *reis, rondreis* ● ⟨+of⟩ *(kort) bezoek (aan); a* guided *– of/round* the castle *een rondleiding door het kas-teel* ● *tournee;* on *– op tournee* ● *verblijf.*

2 tour I ⟨onov ww⟩ ● *reizen, rondreizen* **II** ⟨ov ww⟩ ● *bereizen* ● *op tournee gaan door/in.*

tourism ['tʊərɪzm] ● *toerisme.* **tourist** ['tʊərɪst] ● *toerist.* **'tourist office** ● *VVV-kantoor.* **touristy** [tʊə'rɪsti] ⟨vaak ong.⟩ ● *toeristisch.*

tournament ['tʊənəmənt, 'tɔː-] ● *toernooi.*

tousle ['taʊzl] ● *in de war maken* ⟨haar⟩.

1 tout [taʊt] ⟨zn⟩ ● *klantenlokker* ● *scharre-laar.*

2 tout I ⟨onov ww⟩ ● *klanten lokken; –*ing for orders *orders zien binnen te halen* ● *sja-cheren* **II** ⟨ov ww⟩ ● *verhandelen* ● *op de zwarte markt verkopen* ⟨kaartjes⟩.

1 tow [təʊ] ⟨zn⟩ ● *het (mee)slepen* ‖ take a car in *– een auto slepen;* take s.o. in *– iem.*

op sleeptouw nemen.

2 tow ⟨ww⟩ ● *(weg)slepen, (weg)trekken.*

toward [tə'wɔːd], **towards** [tə'wɔːdz] ● *naar, naar ... toe, tot; she* felt drawn – Bill *ze voelde zich tot Bill aangetrokken;* her win-dow faced *– the sea haar raam keek uit op de zee; we're* saving *– buying a house we sparen met het oog op de aankoop v.e. huis* ● *ten opzichte van, met betrekking tot;* her attitude *– the problem haar hou-ding ten opzichte van het probleem* ● ⟨tijdsaanduiding⟩ *voor, vlak voor; –* six (o'clock) *tegen zessen* ● ⟨vnl. towards⟩ *bijna, ongeveer; –* six thousand *bijna zes-duizend.*

1 towel ['taʊəl] ⟨zn⟩ ● *handdoek;* throw in the *– de handdoek in de ring gooien;* ⟨fig.⟩ *het opgeven.*

2 towel ⟨ww⟩ ● ⟨vnl. +down⟩ *(zich) afdro-gen.*

1 tower ['taʊə] ⟨zn⟩ ● *toren, (zend)mast* ● *to-rengebouw, torenflat* ‖ *–* of strength *rots in de branding.*

2 tower ⟨ww⟩ ● ⟨+over/above⟩ *uittorenen (boven), (hoog) uitsteken.* **'tower block** ⟨BE⟩ ● *torengebouw, torenflat.* **towering** ['taʊərɪŋ] ● *torenhoog* ● *enorm; he's in a –* rage *hij is razend.*

'towline, 'towrope ● *sleepkabel.*

town [taʊn] ● *stad* ● ⟨AE⟩ *gemeente* ‖ go to *– zich uitsloven;* ↓ *zich uitleven;* (out) on the *– (aan het) stappen.* **'town 'clerk** ● *ge-meentesecretaris.* **'town 'council** ⟨BE⟩ ● *gemeenteraad.* **'town 'councillor** ⟨BE⟩ ● *(gemeente)raadslid.* **'town 'hall** ● *stad-huis, raadhuis.* **'town house** ● *huis in de stad* ● *huis in stadswijk.* **township** ['taʊnʃɪp] ● ⟨AE⟩ *gemeente* ● ⟨Z. Afr. E⟩ *kleurlingenwijk.* **townspeople** ['taʊnz-piːpl], **townsfolk** [-fəʊk] ● *stedelingen* ● *stadsmensen.*

'towpath ● *jaagpad.*

toxic ['tɒksɪk] ● *toxisch, giftig, vergiftigings-.* **toxicology** ['tɒksɪ'kɒlədʒi] ● *toxicologie, vergiftenleer.*

toxin ['tɒksɪn] ● *toxine, giftige stof.*

1 toy [tɔɪ] ⟨zn⟩ ● *speeltje, (stuk) speelgoed,* ⟨fig.⟩ *speelbal.*

2 toy ⟨ww⟩ ● ⟨+with⟩ *spelen (met)* ⟨ook fig.⟩.

'toyshop ● *speelgoedwinkel.*

1 trace [treɪs] ⟨zn⟩ ● *spoor, voetspoor,* ⟨ook fig.⟩ *overblijfsel;* lose *– of uit het oog ver-liezen;* gone without *– spoorloos verdwe-nen.*

2 trace ⟨ww⟩ ● ⟨+out⟩ *(uit)tekenen, schet-sen* ● *(moeizaam) schrijven* ● *overtrekken* ● *volgen, nagaan* ● ⟨+back⟩ *nagaan/speu-*

ren, terugvoeren ●*vinden;* I can't – that book *ik heb dat boek niet kunnen vinden.*
traceable ['treɪsəbl] ●*opspoorbaar;* – to *terug te voeren op.*
trachea [trə'kɪə] ⟨mv.: ook tracheae [-'kɪi:]⟩ ●⟨anat.⟩ *luchtpijp.*
tracing ['treɪsɪŋ] ●*doordruk, overgetrokken tekening.* '**tracing paper** ●*overtrekpapier.*
1 track [træk] ⟨zn⟩ ●*spoor* ⟨ook fig.⟩; on the right/wrong – *op het goede/verkeerde spoor* ⟨ook fig.⟩; go off the beaten – *ongebaande wegen bewandelen* ⟨vnl. fig.⟩; be on s.o.'s – *iem. op het spoor zijn* ●⟨vnl. mv.⟩ *voetspoor;* ⟨fig.⟩ cover (up) one's –s *zijn sporen uitwissen* ●*pad,* ⟨fig. ook⟩ *weg* ●*renbaan* ●*(spoor)rails* ●*sound-track* ●*nummer* ●*track* ‖ lose/keep – of *uit het oog verliezen/contact houden met;* ⟨sl.⟩ make –s *'m smeren.*
2 track I ⟨onov ww⟩ ●*bewegen en filmen* ⟨v. camera(man)⟩ **II** ⟨ov ww⟩ ●*het spoor volgen van, volgen* ●*(+down) (op)sporen, ontdekken.* **track and field** ●*atletiek.* '**track events** ⟨atletiek⟩ ●*loopnummers.* '**tracking station** ●*volgstation* ⟨v. satellieten e.d.⟩. '**tracksuit** ●*trainingspak.*
tract [trækt] ●*uitgestrekt gebied, landstreek* ●*traktaat.*
tractable ['træktəbl] ●*handelbaar.*
traction ['trækʃn] ●*tractie* ●*trekkracht.*
tractor ['træktə] ●*tractor.*
1 trade [treɪd] ⟨zn⟩ ●*handel, zaken;* bad for – *nadelig voor de handel* ●*bedrijfstak, branche;* the wool – *de wolbranche;* be in – *een zaak/winkel hebben* ●⟨the⟩ *de handel, handelaars* ●*vak, beroep;* a butcher by – *slager v. beroep* ‖ zie ook ⟨sprw.⟩ JACK.
2 trade I ⟨onov ww⟩ ●*handel drijven, zaken doen* ‖ – (up)on s.o.'s generosity *misbruik maken v. iemands vrijgevigheid* **II** ⟨ov ww⟩ ●*verhandelen, (om)ruilen;* – in an old car *een oude auto inruilen.* '**trade deficit** ●*handelstekort.* '**trade-in** ●*inruilobject* ●*inruil.* '**trademark** ●*handelsmerk,* ⟨fig.⟩ *typisch kenmerk.* '**trade name** ●*handelsnaam.* **trader** ['treɪdə] ●*handelaar.* '**trade relations** ●*handelsbetrekkingen.* **tradesman** ['treɪdzmən] ●*winkelier* ●*leverancier.* '**tradespeople, 'tradesfolk** ●*winkeliers* ⟨als groep⟩. **trade(s) union** ['treɪd(z) 'ju:nɪən] ●*(vak)bond, vakvereniging.*
'**Trades Union 'Congress** ●*Britse vakcentrale.*
'**trade 'unionist** ●*vakbondslid.* '**trade 'union movement** ●*vakbeweging.* '**trade wind** ●*passaatwind.*

'**trading partner** ●*handelspartner.* '**trading post** ●*handelsnederzetting.*
tradition [trə'dɪʃn] ●*traditie.* **traditional** [trə'dɪʃnəl] ●*traditioneel.* **traditionally** [trə'dɪʃnəli] ●*traditiegetrouw, vanouds.*
1 traffic ['træfɪk] ⟨zn⟩ ●*verkeer, vervoer* ●*handel;* – in drugs *drughandel.*
2 traffic ⟨ww⟩ ●*handel drijven (in), zaken doen (in)* ●*zwarte handel drijven (in)* ‖ – in arms *wapenhandel drijven.* '**traffic circle** ⟨AE⟩ ●*rotonde.* '**traffic island** ●*vluchtheuvel.* '**traffic jam** ●*(verkeers)opstopping.* **trafficker** ['træfɪkə] ●*zwarthandelaar, dealer.* '**traffic lane** ●*rijstrook.* '**traffic light,** '**traffic signal** ⟨vaak mv.⟩ ●*verkeerslicht, stoplicht.* '**traffic sign** ●*verkeersteken, verkeersbord.* '**traffic warden** ⟨BE⟩ ●*parkeerwachter.*
tragedian [trə'dʒi:dɪən] ●*treurspeldichter(es)* ●*treur(spel)speler.* **tragedienne** [trə'dʒi:di'en] ●*treurspelspeelster.* **tragedy** ['trædʒɪdi] ●*tragedie, treurspel.*
tragic ['trædʒɪk] ●*tragisch, treurig, tragedie-.* **tragically** ['trædʒɪkli] ●zie TRAGIC ‖ –, he died *tragisch genoeg stierf hij.*
tragicomedy ['trædʒi'kɒmɪdi] ●*tragikomedie.*
1 trail [treɪl] ⟨zn⟩ ●*slier(t), stroom* ●*spoor, pad;* a – of destruction *een spoor v. vernieling* ●*spoor, prent* ⟨v. dier⟩; be hard/hot on s.o.'s – *iem. op de hielen zitten.*
2 trail I ⟨onov ww⟩ ●*slepen, loshangen* ●*zich (voort)slepen, strompelen* ●*kruipen* ⟨v. planten⟩ ●*(+behind)* ⟨sport⟩ *achterliggen, achterstaan/aankomen* ‖ his voice –ed off *zijn stem stierf weg* **II** ⟨ov ww⟩ ●*slepen, sleuren* ●*nasporen, volgen* ●⟨sport⟩ *achterliggen op, achterstaan op, komen achter.* **trailer** ['treɪlə] ●*kruipplant* ●*trailer, oplegger* ●*trailer, caravan* ●*trailer* ⟨voorproefje als reclame voor nieuwe film⟩.
1 train [treɪn] ⟨zn⟩ ●*trein* ●*sleep* ⟨vnl. v. japon⟩, ⟨fig.⟩ *nasleep* ●*gevolg, stoet* ●*rij, opeenvolging,* ⟨fig.⟩ *aaneenschakeling;* a – of thoughts *een gedachtengang;* preparations are in – *de voorbereidingen zijn aan de gang.*
2 train I ⟨onov ww⟩ ●*(zich) trainen, (zich) oefenen* ●*een opleiding volgen, studeren;* he is –ing to be a lawyer *hij studeert voor advocaat* **II** ⟨ov ww⟩ ●*trainen, oefenen* ●*trainen, africhten* ⟨dier⟩ ●*opleiden, opvoeden* ●*richten, mikken;* the guns are –ed on the camp *de kanonnen zijn op het kamp gericht.* **trained** [treɪnd] ●*getraind, geoefend, ervaren;* – nurse *gediplomeerd*

verpleegster. **trainee** ['treɪ'ni:] ● *stagiair(e).* **trainer** ['treɪnə] ● *trainer, oefenmeester* ● *trainer, dompteur* ● 〈mv.〉 *trainingsschoenen.* **training** ['treɪnɪŋ] ● *training, opleiding; physical – conditietraining.* **'training college** ● *pedagogische academie.*

traipse [treɪps] ↓ ● *sjouwen, moeizaam lopen* ‖ – *about rondslenteren.*

trait [treɪt] ● *trek(je), karaktertrek.*

traitor ['treɪtə] ● *(land)verrader.* **traitorous** ['treɪtərəs] ● *verraderlijk.*

trajectory [trə'dʒektrɪ] ● *baan* 〈v. projectiel〉.

tram [træm], **'tramcar** ● *tram.* **'tramline** ● 〈vnl. mv.〉〈BE〉 *tramrail.*

trammel ['træml] ● *belemmeren.*

1 tramp [træmp] 〈zn〉 ● *getrappel, gestamp* ● *voettocht* ● *tramp, zwerver* ● 〈ook: 'tramp steamer〉 *schip v.d. wilde vaart* ● 〈sl.〉 *slet.*

2 tramp I 〈onov ww〉 ● *stappen, stampen* ● *lopen, een voettocht maken* ● *rondzwerven* II 〈ov ww〉 ● *aflopen, afzwerven* ● *trappen op;* – down *plattrappen.*

trample ['træmpl] I 〈onov ww〉 ● *stampen, stappen;* – (up)on *trappen op;* 〈fig.〉 *met voeten treden* II 〈ov ww〉 ● *vertrapp(el)en, trappen op;* – to death *doodtrappen.*

trampoline ['træmpəli:n] ● *trampoline.*

trance [trɑ:ns] ● *trance.*

tranquil ['træŋkwɪl] ● *kalm, rustig.* **tranquillity** [træŋ'kwɪlətɪ] ● *kalmte, rust.* **tranquillize** ['træŋkwɪlaɪz] ● *kalmeren, tot rust brengen.* **tranquillizer** ['træŋkwɪlaɪzə] ● *kalmerend middel.*

transact [træn'zækt] ● *verrichten, afhandelen;* – business with s.o. *met iem. zaken doen.* **transaction** [træn'zækʃn] ● *transactie, handelsovereenkomst* ● *afhandeling, uitvoering* ● 〈mv.〉 *handelingen, rapport, verslag(en).*

transatlantic ['trænzət'læntɪk] ● *transatlantisch* 〈Amerikaans voor Europa; Europees voor Amerika〉 ● *transatlantisch* 〈over de Atlantische Oceaan〉.

transcend [træn'send] ● *te boven gaan* ● *overtreffen.* **transcendence** [træn'sendəns] ● *superioriteit.* **transcendent** [træn'sendənt] ● *superieur, alles/allen overtreffend.*

transcendental ['trænsen'dentl] ● *transcendentaal;* – meditation *transcendente meditatie.*

transcribe [træn'skraɪb] ● *transcriberen, overschrijven,* 〈muz.〉 *bewerken.* **transcript** ['trænskrɪpt] ● *afschrift, kopie.* **transcription** [træn'skrɪpʃn] ● *transcriptie, af-*

schrift, 〈muz.〉 *bewerking.*

1 transfer ['trænsfə:] 〈zn〉 ● *overplaatsing, overdracht,* 〈sport〉 *transfer* ● *overgeplaatste,* 〈sport〉 *transfer(speler)* ● 〈geldw.〉 *overdracht, overschrijving.*

2 transfer [træns'fə:] I 〈onov ww〉 ● *overstappen* ● *overgaan, overgeplaatst worden, veranderen* 〈van plaats, werk, school〉 II 〈ov ww〉 ● *overmaken, overhandigen* ● *overplaatsen* ● 〈sport〉 *transfereren* 〈speler〉. **transferable** [træns'fə:rəbl] ● *verplaatsbaar* ● *overdraagbaar* ● 〈geldw.〉 *inwisselbaar.* **'transfer deal** 〈sport〉 ● *transferovereenkomst.* **transference** ['trænsfrəns] ● *overplaatsing, verplaatsing.*

transfigure [træns'fɪgə] ● *transfigureren, van gedaante veranderen.*

transfix [træns'fɪks] ● *doorboren, doorsteken* ● *als aan de grond nagelen.*

transform [træns'fɔ:m] I 〈onov ww〉 ● *(van vorm/gedaante/karakter) veranderen* II 〈ov ww〉 ● *(van vorm/gedaante/karakter doen) veranderen, her/omvormen* ● *omzetten;* – sugar into energy *suiker in energie omzetten.* **transformation** ['trænsfə'meɪʃn] ● *transformatie, (gedaante)verandering, omzetting.* **transformer** [træns'fɔ:mə] ● 〈elek.〉 *transformator.*

transf‖use [træns'fju:z] 〈zn: -usion〉 ● *een transfusie/infusie geven (van).*

transgress [trænz'gres] 〈zn: -ion〉 ↑ I 〈onov ww〉 ● *een overtreding begaan* ● *zondigen* II 〈ov ww〉 ● *overtreden, inbreuk maken op* ● *overschrijden.*

transience ['trænzɪəns] ● *vluchtigheid, vergankelijkheid.* **transient** ● *voorbijgaand, vergankelijk* ● *doorreizend.*

transistor [træn'zɪstə, -'sɪ-] ● *transistor.*

transit ['trænsɪt, -zɪt] ● *doorgang, doortocht* ● *transit, doorvoer, transport;* in – *onderweg.* **'transit camp** ● *doorgangskamp.*

transition [træn'zɪʃn] ● *overgang.* **transitional** [træn'zɪʃnəl] ● *tussenliggend, overgangs-.*

transitive ['trænsɪtɪv, -zɪtɪv] 〈taal.〉 ● *transitief, overgankelijk.*

transitory ['trænsɪtrɪ, -zɪ-] ● *voorbijgaand, vergankelijk.*

translate ['trænz'leɪt, 'træns-] ● *vertalen, overzetten;* – a sentence from English into Dutch *een zin uit het Engels in het Nederlands vertalen* ● *interpreteren, uitleggen* ● *omzetten, omvormen;* – ideas into actions *ideeën in daden omzetten.* **translation** ['trænz'leɪʃn, 'træns-] ● *vertaling* ● *omzetting.* **translator** [trænz'leɪtə, 'træns-] ● *ver-*

taler/vertaalster ● tolk.

translucent [trænz'luːsnt, træns-] ● doorschijnend ⟨ook fig.⟩.

transmission [trænz'mɪʃn, træns-] ● uitzending, programma ● overbrenging, overdracht ● ⟨tech.⟩ transmissie, overbrenging ● het doorgeven. **transmit** [trænz'mɪt, træns-] ● overbrengen, overdragen; – power from the engine kracht v.d. motor overbrengen ● overleveren, doorgeven ⟨tradities e.d.⟩ ● ⟨com.⟩ overseinen, uitzenden ● ⟨nat.⟩ doorlaten, geleiden. **transmitter** [trænz'mɪtə, træns-] ● overbrenger, overdrager ● overleveraar ● ⟨com.⟩ seintoestel, zender ⟨radio, t.v.⟩.

transmut|e [trænz'mjuːt, træns-] ⟨zn: **-ation**⟩ ● transmuteren, (in een andere soort) veranderen.

transparency [træn'spærənsi] ● ⟨foto.⟩ dia(positief) ● doorzichtigheid. **transparent** [træn'spærənt] ● doorzichtig ⟨ook fig.⟩ ● eenvoudig, gemakkelijk te begrijpen.

transpire [træns'paɪə] I ⟨onov ww⟩ ● transpireren, zweten ⟨v. mens, dier⟩ ● transpireren, (uit)wasemen ⟨bv. planten⟩ ● uitlekken, aan het licht komen II ⟨ov ww⟩ ● uitwasemen, uitzweten.

1 transplant ['trænsplɑːnt] ⟨zn⟩ ● getransplanteerd orgaan/weefsel ● transplantatie.

2 transplant [træns'plɑːnt] ⟨ww⟩ ● overplanten ● overbrengen ● ⟨med.⟩ transplanteren.

1 transport ['trænspɔːt] ⟨zn⟩ ● vervoer(middel), transport.

2 transport [træn'spɔːt] ⟨ww⟩ ● vervoeren, transporteren ‖ –ed with joy in de wolken v. vreugde. **transportation** ['trænspɔː'teɪʃn] ⟨AE⟩ ● vervoer/transportmiddel ● vervoer, transport. **transporter** [træn'spɔːtə] ● transportmiddel.

transpose [træn'spouz] ● anders schikken, verwisselen, omzetten.

transverse [trænz'vɜːs, træns-] ● transvers, dwars.

transvestite [trænz'vestaɪt, træns-] ● tra(ns)vestiet.

1 trap [træp] ⟨zn⟩ ● val, (val)strik, hinderlaag; lay/set a – een val (op)zetten ● sifon, stankafsluiter ● (op)vangapparaat, (afvoer)filter ● valluik ‖ shut your –! hou je kop!.

2 trap I ⟨onov ww⟩ ● vallen zetten II ⟨ov ww⟩ ● (ver)strikken, (in een val) vangen, ⟨fig.⟩ in de val laten lopen ● opsluiten; be –ped opgesloten zitten, in de val zitten ● opvangen. **'trapdoor** ● valdeur, (val)luik.

trapeze [trə'piːz] ● trapeze.

trapper ['træpə] ● vallenzetter, pelsjager.

trappings ['træpɪŋz] ● (uiterlijke) sieraden, (uiterlijk) vertoon.

trash [træʃ] ● rotzooi, (oude) rommel, troep ⟨ook fig.⟩ ● onzin, geklets ● ⟨vnl. AE⟩ afval ● ⟨vnl. AE⟩ tuig. **'trash can** ⟨AE⟩ ● vuilnisemmer. **trashy** ['træʃi] ● waardeloos; – novel flutroman.

trauma ['trɔːmə] ● (ver)wond(ing) ● ⟨psych.⟩ trauma. **traumatic** [trɔː'mætɪk] ● traumatisch, beangstigend.

1 travel ['trævl] ⟨zn⟩ ● (lange/verre) reis, rondreis ● (het) reizen ● ⟨mv.⟩ reisverha(a)l(en), reisbeschrijving.

2 travel I ⟨onov ww⟩ ● reizen, een reis maken ● dwalen, gaan ⟨v. blik, gedachten⟩ ● zich (voort)bewegen, zich voortplanten; news –s fast nieuws verspreidt zich snel ● ↓ vliegen, rennen ‖ flowers – badly bloemen kunnen slecht tegen vervoer; – in electrical appliances vertegenwoordiger in huishoudelijke apparaten zijn II ⟨ov ww⟩ ● doorreizen, doortrekken ● afleggen. **'travel agency, 'travel bureau** ● reisbureau. **'travel agent** ● reisagent. **travelled** ['trævəld] ● bereisd ⟨persoon⟩. **traveller** ['trævlə] ● reiziger ● handelsreiziger, vertegenwoordiger. **'traveller's cheque** ● reischeque. **'travel-sick** ● reisziek, wagen/lucht/zeeziek.

traverse ['trævəːs, trə'vəːs] ● (door)kruisen, oversteken, doorsnijden.

travesty ['trævɪsti] ● travestie, karikatuur, parodie.

1 trawl [trɔːl] ⟨zn⟩ ● treilnet, sleepnet.

2 trawl ⟨ww⟩ ● met een sleepnet vissen (naar). **trawler** ['trɔːlə] ● treiler.

tray [treɪ] ● dienblad, (presenteer)blad ● bak(je), brievenbak(je).

treacherous ['tretʃərəs] ● verraderlijk, bedrieglijk; – memory onbetrouwbaar geheugen. **treachery** ['tretʃəri] ● verraad, ontrouw.

treacle ['triːkl] ● ⟨BE⟩ (suiker)stroop ⟨ook fig.⟩.

1 tread [tred] ⟨zn⟩ ● tred, pas ● trede, opstapje ● profiel ⟨v. band⟩.

2 tread ⟨trod [trɒd], trodden ['trɒdn] /trod [trɒd]⟩ I ⟨onov ww⟩ ● treden, stappen; don't – on the grass niet op het gras lopen ‖ zie ook ⟨sprw.⟩ FOOL II ⟨ov ww⟩ ● betreden, bewandelen ● trappen, in/stuk/uit/vasttrappen, ⟨fig.⟩ onderdrukken; – mud into the carpet modder in het tapijt trappen ● heen en weer lopen in, lopen door. **'treadmill** ● tredmolen ⟨ook fig.⟩.

treason ['triːzn] ● hoogverraad, landverraad. **treasonable** ['triːznəbl] ● verrader-

lijk, schuldig aan (land)verraad.

1 treasure ['treʒə] ⟨zn⟩ ●*schat, kostbaar-heid;* my secretary is a – *ik heb een ju-weeltje v.e. secretaresse* ●*schat(ten), rijk-dom.*

2 treasure ⟨ww⟩ ●⟨+up⟩ *verzamelen, be-waren* ●*waarderen, op prijs stellen.* '**treasure house** ●*schatkamer* ⟨ook fig.⟩. **treasurer** ['treʒrə] ●*penningmeester.*

treasury ['treʒri] ●*schatkamer, schatkist,* ⟨fig.⟩ *bron* ●⟨T-⟩ *Ministerie v. Financiën.*

1 treat [tri:t] ⟨zn⟩ ●*traktatie, feest, plezier;* it's my – *ik trakteer.*

2 treat I ⟨onov ww⟩ ●*trakteren, fuiven* ●⟨+with⟩ *onderhandelen (met), besprekin-gen voeren (met)* ‖ – *of behandelen* II ⟨ov ww⟩ ●*behandelen* ⟨ook med.⟩; – *s.o.* kindly *iem. vriendelijk behandelen* ●*be-schouwen;* – sth. as a joke *iets als een grapje opvatten* ●*aan de orde stellen, be-handelen* ⟨onderwerp⟩ ●*trakteren.*

treatise ['tri:tɪs] ●*verhandeling.*

treatment ['tri:tmənt] ●*behandeling, beje-gening;* receive unfair – *onbillijk behan-deld worden.*

treaty ['tri:ti] ●*verdrag, overeenkomst* ●*contract, afspraak.*

1 treble ['trebl] ⟨bn⟩ ●*driemaal, drievoudig/ dubbel* ‖ – recorder *altblokfluit.*

2 treble ⟨ww⟩ ●*verdrievoudigen, met drie vermenigvuldigen.*

tree [tri:] ●*boom* ●*paal, staak* ⟨in construc-tie⟩; clothes – *kapstok* ‖ family – *stam-boom.*

1 trek [trek] ⟨zn⟩ ●*tocht, lange, zware reis.*

2 trek ⟨ww⟩ ●*trekken, een lange, zware tocht maken.*

trellis ['trelɪs] ●*latwerk, traliewerk.*

1 tremble ['trembl] ⟨zn⟩ ●*trilling, rilling.*

2 tremble ⟨ww⟩ ●*beven, rillen* ●*schudden* ⟨gebouw, grond⟩, *trillen* ●*in angst zitten;* I – to think *ik moet er niet aan denken.*

tremendous [trɪ'mendəs] ●*enorm, gewel-dig* ●↓ *fantastisch, uitstekend.*

tremor ['tremə] ●*aardschok, lichte aardbe-ving* ●*huivering.*

tremulous ['tremjʊləs] ●*trillend, bevend* ●*weifelig, nerveus;* – voice *onvaste stem.*

trench [trentʃ] ●*geul, greppel* ●⟨mil.⟩ *loop-graaf.*

trenchant ['trentʃnt] ●*scherp, ter zake;* – re-mark *spitse opmerking.*

1 trend [trend] ⟨zn⟩ ●*tendens, neiging;* set the – *de toon aangeven.*

2 trend ⟨ww⟩ ●*neigen, overhellen.* '**trend-setter** ↓ ●*voorloper, trendsetter.* **trendy** ↓ ●*in, modieus.*

trepidation ['trepɪ'deɪʃn] ●*ongerustheid,*

angst.

1 trespass ['trespəs] ⟨zn⟩ ●*overtreding.*

2 trespass ⟨ww⟩ ●*op verboden terrein ko-men* ⟨ook fig.⟩; zie TRESPASS ON. **tres-passer** ['trespəsə] ●*overtreder,* ⟨ihb.⟩ *in-dringer;* –s will be prosecuted *verboden toegang voor onbevoegden.* '**trespass on,** '**trespass upon** ●*wederrechtelijk be-treden* ⟨terrein⟩ ●*beslag leggen op, mis-bruik maken van* ⟨gastvrijheid⟩.

trestle ['tresl] ●*schraag, onderstel.* '**trestle 'table** ●*schragentafel.*

triad ['traɪæd] ●*triade, drietal.*

trial ['traɪəl] ●*(gerechtelijk) onderzoek, pro-ces, rechtszaak;* put s.o. on – *iem. voor het gerecht brengen;* stand (one's) – *terecht-staan* ●*proef(neming), test, experiment;* – and error *vallen en opstaan;* take s.o./sth. on – *iem./iets op proef nemen* ●*poging* ●*beproeving* ⟨ook fig.⟩. '**trial 'period** ●*proeftijd.* '**trial 'run** ●*proefrit, het proef-draaien* ⟨ook fig.⟩.

triangle ['traɪæŋgl] ●*driehoek, triangel* ●*driehoeksverhouding.* **triangular** [traɪ-'æŋgjʊlə] ●*driehoekig, driezijdig.*

tribal ['traɪbl] ●*stam(men)-, v.e. stam.*

tribe [traɪb] ●*stam, volksstam* ●*groep, ge-slacht* ⟨verwante dingen; niet specifiek⟩, *kliek.* **tribesman** ['traɪbzmən] ●*stamlid.*

tribulation ['trɪbjʊ'leɪʃn] ●*beproeving, rampspoed.*

tribunal [traɪ'bju:nl] ●*rechtbank, gerecht, tribunaal* ●⟨ongeveer⟩ *commissie, raad v. onderzoek.*

tribune ['trɪbju:n] ●⟨ook gesch.⟩ *(volks/ krijgs)tribuun* ●*spreekgestoelte, podium.*

tributary ['trɪbjʊtri] ●⟨bn⟩ *zij-, bij-* ●⟨v. rivier⟩ ●⟨zn⟩ *zijrivier.* **tribute** ['trɪbju:t] ●*schat-ting, bijdrage* ●*hulde(blijk), eerbetoon;* pay (a) – to s.o. *iem. eer bewijzen.*

trice [traɪs] ‖ in a – *in een wip.*

1 trick [trɪk] ⟨zn⟩ ●*truc* ⟨ook fig.⟩, *foefje;* ⟨fig.⟩ know the –s of the trade *het klappen v.d. zweep kennen;* magic –s *goochel-trucs* ●*handigheid, slag* ●*streek;* play a – (up)on s.o., play s.o. a – *iem. een streek le-veren* ●*aanwensel, tic* ●⟨kaartspel⟩ *slag* ‖ ↓ this poison should do the – *dit vergif moet het hem doen;* ↓ not/never miss a – *overal v. op de hoogte zijn;* zie ook ⟨sprw.⟩ OLD.

2 trick ⟨ww⟩ ●*bedriegen, beetnemen;* – s.o. into sth. *iem. iets aanpraten, iem. ergens inluizen* ●*oplichten, afzetten;* – s.o. out of his money *iem. zijn geld afhandig maken.* **trickery** ['trɪkəri] ●*bedrog.*

1 trickle ['trɪkl] ⟨zn⟩ ●*straaltje* ●*het druppe-len.*

2 trickle I ⟨onov ww⟩ ●*druppelen* ●*binnen-druppelen;* the first guests –d in at ten o'clock *om tien uur druppelden de eerste gasten binnen* II ⟨ov ww⟩ ●*(laten) druppelen.*

'**trick question** ●*strikvraag.* **trickster** ['trɪkstə] ●*oplichter, bedrieger.* **tricky** ['trɪki] ●*sluw* ●*lastig* ●*netelig;* – question *delicate zaak; lastige vraag.*

tricycle ['traɪsɪkl] ●*driewieler.*

tried [traɪd] ●*beproefd, betrouwbaar.*

trifle [traɪfl] ●*kleinigheid* ●*habbekrats, schijntje* ●*beetje;* he's a – slow *hij is ietwat langzaam* ●⟨BE⟩ *trifle.* '**trifle away** ● *verspillen.* '**trifle with** ●*niet serieus nemen;* she is not a woman to be trifled with *zij is geen vrouw die met zich laat spotten* ●*spelen met.*

trifling ['traɪflɪŋ] ●*onbelangrijk, onbeduidend;* of – importance *v. weinig belang.*

1 trigger ['trɪgə] ⟨zn⟩ ●*trekker, pal* ⟨v. pistool e.d.⟩; pull the – *de trekker overhalen.*

2 trigger ⟨ww⟩ ●*teweegbrengen, veroorzaken;* – off *op gang brengen; ten gevolge hebben.* '**trigger-happy** ●*schietgraag,* ⟨bij uitbr.⟩ *strijdlustig.*

trigonometry ['trɪgə'nɒmɪtri] ●*trigonometrie.*

trike [traɪk] ⟨BE; ↓⟩ ●*driewieler.*

1 trill [trɪl] ⟨zn⟩ ●*triller* ●*met trilling geproduceerde klank.*

2 trill I ⟨onov en ov ww⟩ ●*trillen, kwinkeleren* II ⟨ov ww⟩ ●*met trilling produceren;* – the r *een rollende r maken.*

trilogy ['trɪlədʒi] ●*trilogie.*

1 trim [trɪm] I ⟨telb zn⟩ ●*versiering* ●⟨geen mv.⟩ *het bijknippen* II ⟨n-telb zn⟩ ●*staat (v. gereedheid), conditie;* the players were in (good) – *de spelers waren in (goede) vorm.*

2 trim ⟨bn⟩ ●*net(jes);* a – garden *een keurig onderhouden tuin* ●*in vorm, in goede conditie.*

3 trim ⟨ww⟩ ●*in orde brengen, (bij)knippen;* – s.o.'s hair *iemands haar bijpunten* ●*afknippen,* ⟨fig.⟩ *besnoeien;* – (down) the expenditure *de uitgaven beperken* ●*versieren;* a coat –med with fur *een jas afgezet met bont* ●*naar de wind zetten,* ⟨fig.⟩ *aanpassen.* **trimmer** ['trɪmə] ●*snoeier, snoeimes.* **trimming** ['trɪmɪŋ] ●*garneersel* ●⟨mv.⟩ *garnituur* ●⟨mv.⟩ *afknipsel* ●⟨mv.⟩ *opsmuk, franje.*

Trinity ['trɪnəti] ●⟨rel.⟩ *Drieëenheid.*

trinket ['trɪŋkɪt] ●*kleinood.*

trio ['tri:ou] ●*drietal, groep v. drie* ●⟨muz.⟩ *trio.*

1 trip [trɪp] ⟨zn⟩ ●*tocht, reis* ●*uitstapje* ● *misstap* ⟨ook fig.⟩, *vergissing* ●⟨sl.⟩ *trip* ⟨op LSD; ook fig.⟩.

2 trip I ⟨onov ww⟩ ●⟨ook +up⟩ *struikelen, uitglijden* ⟨ook fig.⟩ ●*huppelen* ●⟨+up⟩ *een fout begaan;* the man –ped up after a few questions *de man versprak zich na een paar vragen* ●⟨sl.⟩ *trippen* ⟨op LSD⟩ II ⟨ov ww⟩ ●⟨ook +up⟩ *laten struikelen, beentje lichten* ●⟨ook +up⟩ *op een fout betrappen* ●⟨ook +up⟩ *erin laten lopen, zich laten verspreken.*

tripe [traɪp] ●*pens, trijp* ● ↓ *onzin, troep.*

1 triple [trɪpl] ⟨bn⟩ ●*drievoudig* ●*driedubbel.*

2 triple ⟨ww⟩ ●*verdrievoudigen.*

'**triple jump** ⟨sport⟩ ●*hink-stap-sprong.*

triplet ['trɪplɪt] ●*één v.e. drieling,* ⟨mv.⟩ *drieling* ●*drietal, drie.*

tripod ['traɪpɒd] ●*drievoetig voorwerp, statief.*

triptych ['trɪptɪk] ●*drieluik.*

'**trip wire** ●*struikeldraad* ⟨als alarmmechanisme⟩.

trite [traɪt] ●*afgezaagd, banaal.*

1 triumph ['traɪəmf] ⟨zn⟩ ●*triomf* ⟨ook fig.⟩, *groot succes.*

2 triumph ⟨ww⟩ ●*zegevieren, overwinnen;* – over difficulties *moeilijkheden te boven komen* ●*jubelen, juichen.* **triumphal** [traɪˈʌmfl] ●*triomf-, zege-.* **triumphant** [traɪˈʌmfənt] ●*zegevierend, triomferend* ● *triomfantelijk, juichend.*

trivia ['trɪvɪə] ●*onbelangrijke dingen.* **trivial** ['trɪvɪəl] ●*onbelangrijk, onbeduidend* ● *gewoon, alledaags.* **triviality** [ˌtrɪviˈæləti] ●*iets v. weinig belang* ●*onbeduidendheid.* **trivialize** ['trɪvɪəlaɪz] ●*bagatelliseren.*

trod [trɒd] ⟨verl. t. en volt. deelw.⟩ zie TREAD. **trodden** ['trɒdn] ⟨volt. deelw.⟩ zie TREAD.

Trojan ['troudʒən] ‖ work like a – *werken als een paard.*

trolley ['trɒli] ●⟨BE⟩ *twee/vierwielig karretje, winkelwagentje* ●⟨ind., mijnw., spoorwegen⟩ *lorrie* ●⟨BE⟩ *theeboy, theewagen.*

trollop ['trɒləp] ●*slons* ●*slet.*

trombone [trɒmˈboun] ●*trombone.*

1 troop [tru:p] ⟨zn⟩ ●*troep, menigte* ●⟨mil.⟩ *troep,* ⟨ihb.⟩ *peloton* ●⟨mv.⟩ *troepen (macht).*

2 troop I ⟨onov ww⟩ ●*als groep gaan, marcheren* ●*zich scharen, samenscholen* II ⟨ov ww⟩ ●*in troepen formeren/opstellen.* '**troop carrier** ⟨mil.⟩ ●*troepentransportmiddel.* **trooper** ['tru:pə] ●*gewoon soldaat* ●⟨AE⟩ *(staats)politieagent* ‖ swear like a – *vloeken als een ketter*. **'troopship** ‹mil.› ● *(troepen)transportschip*.

trophy ['troufi] ● *prijs, trofee* ● *trofee* ‹ook fig.›.

tropic ['tropɪk] ● *keerkring; –* of Cancer *kreeftskeerkring; –* of Capricorn *steenbokskeerkring* ● ‹mv.; the› *tropen*. **tropical** ['trəpɪkl] ● *tropisch*, ‹fig.› *heet*.

1 trot [trot] ‹zn› ● *draf(je);* ↓ be on the – *niet stilzitten* ● ‹mv.› ‹sl.› *diarree* ‖ ↓ five times on the – *vijf opeenvolgende keren*.

2 trot I ‹onov ww› ● *draven* ‹ook v. persoon› **II** ‹ov ww› ● *doen draven* ‹ook persoon›. **trotter** ['trotə] ● *draver* ● *varkenspoot*.

1 trouble ['trʌbl] **I** ‹telb en n-telb zn› ● *zorg, bezorgdheid* ● *tegenslag, narigheid;* get into – *in moeilijkheden raken/brengen;* ↓ get a girl into – *een meisje zwanger maken* ● *ongemak, overlast* ● *moeite, inspanning;* save o.s. the – *zich de moeite besparen;* no – at all! *graag gedaan!* ● *kwaal;* back – *rugklachten* ● ‹vaak mv.› *onlust, onrust;* social –(s) *sociale onrust* **II** ‹n-telb zn› ● *pech;* the car has got engine – *de wagen heeft motorpech* ● *gevaar, nood*.

2 trouble I ‹onov ww› ● *moeite doen* **II** ‹ov ww› ● *verontrusten;* you look –d *je ziet er bezorgd uit;* what –s me is ... *wat me dwars zit is* ... ● *lastig vallen, storen;* may I – you for the salt? *wilt u het zout even geven?* ● *kwellen.* **troublemaker** ['trʌblmeɪkə] ● *onruststoker.* **troubleshooter** ['trʌblʃuːtə] ● *probleemoplosser.* **troublesome** ['trʌblsəm] ● *lastig.*

trough [trof] ● *trog, drink/eetbak* ● *goot* ● *laagte(punt), diepte(punt)* ‹op meetapparaat e.d.›.

trounce [trauns] ● *afrossen, afstraffen,* ‹vnl. sport; fig.› *inmaken.*

troupe [truːp] ● *troep, groep* ‹vnl. artiesten›.

'trouser-leg ● *broekspijp.* **trousers** ['trauzəz] ● *(lange) broek;* a pair of – *een (lange) broek.* **'trouser suit** ‹BE› ● *broekpak.*

trout [traut] ● *(zee)forel.*

trowel ['trauəl] ● *troffel.*

truancy ['truːənsi] ● *het spijbelen.* **truant** ['truːənt] ● *spijbelaar;* play – *spijbelen.*

truce [truːs] ● *(tijdelijke) wapenstilstand.*

truck [trʌk] **I** ‹telb zn› ● ‹vnl. AE› *vrachtwagen* ● ‹BE› *open goederenwagen* **II** ‹n-telb zn› ● ‹AE› *produkten v. marktkwekers, groenten* ‖ have no – with *geen zaken doen/omgang hebben met.* **trucker** ['trʌkə] ‹AE› ● *vrachtwagenchauffeur.* **'truck farm** ‹AE› ● *markt kwekerij, groentekwekerij.* **'truckload** ● *(vracht)wagenla-*

ding.

trucul|ent ['trʌkjʊlənt] ‹zn: -ence› ● *wreed* ● *vernietigend* ‹fig.›, *onbarmhartig* ● *vechtlustig.*

1 trudge [trʌdʒ] ‹zn› ● *(trek)tocht.*

2 trudge I ‹onov ww› ● *sjokken; –* along *zich voortslepen* **II** ‹ov ww› ● *afsjokken.*

1 true [truː] ‹bn› ● *waar, juist;* come – *werkelijkheid worden* ● *echt, waar; –* love *ware liefde; –* to life *levensecht* ● *trouw* ● ‹tech.› *in de juiste positie, recht;* out of (the) – *niet in de juiste positie* ‹v. balk, deur e.d.› ‖ ‹sprw.› many a true word is spoken in jest *al lachend zegt de zot zijn mening.*

2 true ‹bw› ● *waarheidsgetrouw;* ring – *echt klinken* ● *juist.* **'true'blue** ● ‹bn› *betrouwbaar* ● ‹bn› ‹BE› *onwrikbaar, aarts-* ‹mbt. conservatief politicus› ● ‹zn› *loyaal persoon* ● ‹zn› ‹BE› *onwrikbaar conservatief.* **'true'born** ● *(ras)echt;* a – Londoner *een geboren Londenaar.*

truffle ['trʌfl] ● *truffel.*

truism ['truːɪzm] ● *waarheid als een koe* ● *gemeenplaats.*

truly ['truːli] ● *oprecht* ● *echt, werkelijk;* a – beautiful sight *een echt mooi uitzicht* ● *(ge)trouw, toegewijd* ● *terecht;* it has been – said *er is terecht gezegd* ‖ yours – *hoogachtend* ‹slotformule v. brieven›; ‹scherts.› *ondergetekende, ik.*

1 trump [trʌmp] ‹zn› ● *troef* ‹ook fig.›, *troefkaart* ‖ ‹BE; ↓› come/turn up –s *voor een meevaller zorgen; geluk hebben met.*

2 trump ‹ww› ● *troeven, troef (uit)spelen* ‖ the charge was clearly –ed up *de beschuldiging was duidelijk verzonnen.* **'trump card** ● *troefkaart* ‹ook fig.›.

1 trumpet ['trʌmpɪt] ‹zn› ● *trompet;* ‹fig.› blow one's own – *zijn eigen lof zingen* ● *trompetgeluid.*

2 trumpet I ‹onov ww› ● *trompet spelen* **II** ‹ov ww› ● *trompetten* ‹ook fig.›, *uitbazuinen.* **trumpeter** ['trʌmpɪtə] ● *trompettist.*

truncate [trʌŋ'keɪt] ● *beknotten* ‹ook fig.›; – a story *een verhaal inkorten.*

truncheon ['trʌntʃn] ● ‹vnl. BE› *wapenstok.*

trundle ['trʌndl] ● *(voort)rollen.*

trunk [trʌŋk] ● *(boom)stam* ● *romp* ● *(hut)koffer* ● *slurf* ● ‹AE› *kofferbak* ● ‹mv.› *korte broek, zwembroek* ‹voor heren›. **'trunk call** ‹BE› ● *interlokaal (telefoon)gesprek.* **'trunk road** ● *hoofdweg.*

1 truss [trʌs] ‹zn› ● ‹med.› *breukband.*

2 truss ‹ww› ● *(stevig) inbinden, opmaken* ‹bv. kip, voor het koken›.

1 trust [trʌst] **I** ‹telb zn› ● *trust, kartel* ● *aan iemands hoede toevertrouwd vermogen/*

persoon II ⟨n-telb zn⟩ ● *vertrouwen* ● *(goede) hoop, verwachting* ● *(handels)krediet;* supply goods on – *goederen op krediet leveren* ● *zorg, hoede;* commit to s.o.'s – *aan iemands zorgen toevertrouwen* – ⟨jur.⟩ *trust;* hold in/under – *in bewaring/onder trust hebben.*

2 trust I ⟨onov ww⟩ ● *vertrouwen* ● *vertrouwen hebben, hopen* II ⟨ov ww⟩ ● *vertrouwen op, aannemen;* I – everything is all right with him *ik hoop maar dat alles met hem in orde is* ● *toevertrouwen.* **trustee** ['trʌ'sti:] ⟨vnl. jur.⟩ ● *beheerder, bewindvoerder* ⟨v. vermogen⟩, *bestuurder, commissaris* ⟨v. inrichting⟩. **trustful** ['trʌstfl] ● *vertrouwend, goed van vertrouwen.* **'trust fund** ● *toevertrouwde gelden, beheerd fonds.* **trusting** ['trʌstɪŋ] ● *vertrouwend.* **trustworthy** ['trʌstwə:ði] ● *betrouwbaar, te vertrouwen.*

truth [tru:θ] ⟨mv.: ook truths [tru:ðz, tru:θs]⟩ ● *waarheid;* to tell the –, – to tell *om de waarheid te zeggen;* there is (some) – in it *er is wel wat van waar* ● *echtheid* ● *oprechtheid.* **truthful** ['tru:θfl] ● *eerlijk, oprecht* ● *waar, (waarheids)getrouw.*

1 try [traɪ] ⟨zn⟩ ● *poging;* give it a – *het eens proberen.*

2 try I ⟨onov en ov ww⟩ ● *proberen, uitproberen, op de proef stellen,* ⟨ook fig.⟩ *vermoeien;* – s.o.'s patience *iemands geduld op de proef stellen;* tried and found wanting *gewogen en te licht bevonden;* – on *aanpassen* ⟨kleren⟩; – out *testen, de proef nemen met;* – sth. on s.o. *iets op iem. uitproberen;* just – and stop me! *probeer me maar eens tegen te houden!* ‖ zie ook ⟨sprw.⟩ SUCCEED II ⟨ov ww⟩ ● ⟨jur.⟩ *berechten;* be tried on a charge of *terechtstaan wegens.* **trying** ['traɪɪŋ] ● *moeilijk, zwaar;* – times *benarde tijden.* **'tryout** ● *test,* ⟨dram., muz.⟩ *auditie;* give s.o. a – *het met iem. proberen.*

tsar, czar [zɑ:] ⟨gesch.⟩ ● *tsaar.*

tsarina, czarina [zɑ:'ri:nə] ⟨gesch.⟩ ● *tsarina.*

tub [tʌb] ● *tobbe, (was)kuip* ● *ton* ● ↓ *bad.*

tuba ['tju:bə] ● *tuba.*

tubby ['tʌbi] ● *tonvormig, rond, dik.*

tube [tju:b] ● *buis(je), pijp, slang, koker, tube,* ⟨AE⟩ *elektronenbuis* ● *binnenband* ● ↓ *metro* ● ⟨AE; ↓⟩ *televisie.* **tubeless** ['tju:bləs] ● *zonder binnenband.*

tuber ['tju:bə] ⟨plantk.⟩ ● *knol.*

tubercular [tjʊ'bə:kjʊlə], **tuberculous** [-ləs] ● *tuberculeus;* – consumption *t.b.c..* **tuberculosis** [tjʊ'bə:kjʊ'loʊsɪs] ● *tuberculo-*

se.

tubular ['tju:bjʊlə] ● *buisvormig;* – bells *klokkenspel.*

T.U.C. ⟨afk.⟩ Trades Union Congress ⟨BE⟩.

1 tuck [tʌk] ⟨zn⟩ ● ⟨conf.⟩ *plooi* ● ⟨BE; sl.⟩ *zoetigheid.*

2 tuck I ⟨onov ww⟩ ● *plooien maken* ‖ ⟨BE; ↓⟩ – in! *tast toe!;* ⟨BE; ↓⟩ – into *flink smullen van* II ⟨ov ww⟩ ● *plooien* ● *inkorten* ● ⟨+up⟩ *opstropen* ● *intrekken;* with his legs –ed up under him *in kleermakerszit* ● ⟨vaak +away⟩ *(ver)stoppen, wegstoppen* ● ⟨+in⟩ *instoppen,* ⟨ook +up⟩ *toedekken;* – one's shirt into one's trousers *zijn hemd in zijn broek stoppen.*

'tuck-shop ⟨BE; sl.⟩ ● *snoepwinkeltje* ⟨vnl. in school⟩.

Tuesday ['tju:zdi, -deɪ] ● ⟨zn en bw⟩ *dinsdag;* zie MONDAY voor voorbeelden.

tuft [tʌft] ● *bosje, kuifje.*

1 tug [tʌg] ⟨zn⟩ ● *ruk, haal* ● *sleepboot.*

2 tug I ⟨onov ww⟩ ● ⟨+at⟩ *rukken (aan)* II ⟨ov ww⟩ ● *rukken aan* ● *sleuren* ● *slepen* ⟨sleepboot⟩. **'tugboat** ● *sleepboot.* **'tug-of-'war** ● *touwtrekken, touwtrekwedstrijd.*

tuition [tjʊ'ɪʃn] ● *schoolgeld* ● *onderwijs.*

tulip ['tju:lɪp] ● *tulp.*

1 tumble ['tʌmbl] ⟨zn⟩ ● *val(partij), tuimel(ing);* have/take a – *vallen.*

2 tumble I ⟨onov ww⟩ ● *vallen, tuimelen;* – down *neerploffen;* – down the stairs *van de trap rollen* ● *rollen* ● *stormen, lopen;* – into/out of bed *in zijn bed ploffen/uit zijn bed springen* ● *(snel) zakken, kelderen;* tumbling prices *dalende prijzen* ● *duikelen;* – about *buitelen* II ⟨ov ww⟩ ● *doen vallen, omgooien* ● *drogen* ⟨in droogtrommel⟩. **'tumble-down** ● *bouwvallig.* **'tumble 'drier** ● *droogtrommel.* **tumbler** ['tʌmblə] ● *duikelaar* ● *acrobaat* ● *tumbler, (groot) bekerglas.*

tummy ['tʌmi] ⟨↓; kind.⟩ ● *buik(je).*

tumour ['tju:mə] ● *tumor.*

tumult ['tju:mʌlt] ● *tumult.* **tumultuous** [tju:'mʌltʊəs] ● *tumultueus, onstuimig.*

tun [tʌn] ● *vat.*

tuna ['tju:nə] ● *tonijn.*

tundra ['tʌndrə] ● *toendra.*

1 tune [tju:n] ⟨zn⟩ ● *wijsje, melodie,* ⟨fig.⟩ *toon;* to the – of *op de wijs van* ● *juiste toonhoogte;* sing in – *zuiver zingen;* sing out of – *vals zingen* ● *overeenstemming;* it is in – with the spirit of the time *het is in overeenstemming met de tijdgeest* ‖ call the – *de lakens uitdelen;* change one's – *een andere toon aanslaan;* ⟨ihb.⟩ *een toontje lager gaan zingen;* to the – of £1000 *voor het bedrag v. £1000;* zie ook

⟨sprw.⟩ PIPER.

2 tune I ⟨onov ww⟩ ●⟨+with⟩ *harmoniëren (met)*⟨ook fig.⟩; zie TUNE IN, TUNE UP **II** ⟨ov ww⟩ ●*stemmen* ●*afstemmen* ⟨ook fig.⟩, *instellen*; –d to *afgestemd op* ●*afstellen* ⟨motor⟩; zie TUNE IN, TUNE UP. **tuneful** ['tju:nfl] ●*welluidend.* '**tune 'in** ●*afstemmen, de radio/televisie aanzetten;* – to *afstemmen op;* ⟨fig.⟩ be tuned in to *voeling hebben met.* **tuneless** ['tju:nləs] ●*onwelluidend* ●*geen muziek makend, stom.* **tuner** ['tju:nə] ●*tuner.* '**tune 'up I** ⟨onov ww⟩ ●*stemmen* ⟨v. orkest⟩ **II** ⟨ov ww⟩ ● *afstellen.*

tunic ['tju:nɪk] ●*tuniek.*

'**tuning fork** ⟨muz.⟩ ●*stemvork.*

Tunisian [tjʊ'nɪzɪən] ●⟨bn⟩ *Tunesisch* ● ⟨zn⟩ *Tunesiër.*

1 tunnel ['tʌnl] ⟨zn⟩ ●*tunnel* ●*onderaardse gang.*

2 tunnel I ⟨onov en ov ww⟩ ●*een tunnel graven (in/door/onder);* – the Channel *een tunnel graven onder het Kanaal* **II** ⟨ov ww⟩ ●*graven, boren.*

tuppence zie TWOPENCE. **tuppenny** zie TWOPENNY.

turban ['tə:bən] ●*tulband.*

turbid ['tə:bɪd] ●*troebel, drabbig.*

turbine ['tə:baɪn] ●*turbine.*

turbot ['tə:bət] ●*tarbot.*

turbul|ent ['tə:bjʊlənt] ⟨zn: **-ence**⟩ ●*wild, woest* ●*woelig;* – times *roerige tijden* ‖ – crowd *oproerige menigte.*

turd [tə:d] ↓ ●*drol.*

tureen [tjʊ'ri:n] ●*terrine.*

1 turf [tə:f] ⟨zn; mv.: ook turves [tə:vz]⟩ ● *graszode, plag* ●*gras(veld)* ●*renbaan,* ⟨bij uitbr.⟩ *het paardenrennen.*

2 turf ⟨ww⟩ ●⟨ook +over⟩ *met zoden bekleden* ‖ ⟨BE; ↓⟩ – s.o. out *iem. eruit gooien.* '**turf accountant** ⟨BE⟩ ●*bookmaker.*

turgid ['tə:dʒɪd] ●⟨vnl. med.⟩ *(op)gezwollen.*

turkey ['tə:ki] ●*kalkoen.*

Turkey ['tə:ki] ●*Turkije.* **Turkish** ['tə:kɪʃ] ● ⟨bn⟩ *Turks* ●⟨zn⟩ *Turks* ⟨taal⟩ ‖ – delight *Turks fruit.*

turmoil ['tə:mɔɪl] ●*beroering, opschudding.*

1 turn [tə:n] **I** ⟨telb zn⟩ ●*draai, slag, omwenteling,* ⟨fig.⟩ *ommekeer;* – of the tide *getijwisseling, kentering* ⟨ook fig.⟩ ●*bocht, draai, kromming,* ⟨bij uitbr.⟩ *afslag;* take a – to the right *rechts afslaan; naar rechts zwenken* ●*wending, (verandering v.) richting;* take a – for the worse *een ongunstige wending nemen* ●*beurt;* take –s at sth. *iets om beurten doen;* wait one's – *zijn beurt afwachten;* by –s *om de beurt;* in –

om de beurt; op zijn beurt; talk out of – *zijn mond voorbij praten; vóór zijn beurt spreken;* your – *jij bent* ●*dienst, daad;* do s.o. a bad/ill – *iem. een slechte dienst bewijzen* ●*aanleg, neiging;* be of a musical – (of mind) *muzikaal aangelegd zijn* ●*korte bezigheid, wandelingetje, ommetje, ritje, tochtje;* take a – *een blokje om gaan* ●*(korte) tijd* ⟨v. deelname, werk⟩, *poos;* take a – at the wheel *het stuur een tijdje overnemen* ● ↓ *schok, schrik;* she gave him quite a – *zij joeg hem flink de stuipen op het lijf* ‖ – of phrase *formulering;* at every – *bij elke gelegenheid;* zie ook ⟨sprw.⟩ GOOD **II** ⟨ntelb zn⟩ ●*wisseling;* – of the century *eeuwwisseling.*

2 turn I ⟨onov ww⟩ ●*woelen, draaien* ●*zich richten, zich wenden;* the conversation –ed to sex *het gesprek kwam op seks;* – away (from) *zich afwenden (van); weggaan (van);* – to a book *een boek raadplegen;* – to drink *aan de drank raken;* – to s.o. *zich tot iem. wenden* ⟨om hulp⟩ ●*v. richting veranderen, afslaan, draaien, een bocht/draai maken, (zich) omdraaien, kenteren* ⟨v. getij⟩; the aeroplane –ed sharply *het vliegtuig draaide een scherpe bocht;* the tide –s *het tij keert* ⟨ook fig.⟩; about –! *rechtsom(keert)!* ⟨bevel aan troepen⟩; – (a)round *zich omdraaien* ⟨v. iem.⟩; *een ommekeer maken* ⟨bv. v. economie⟩; *v. gedachten veranderen;* – back *terugkeren;* – down a side street *een zijstraat inslaan;* we –ed off the M1 at Hatfield *we gingen van de M1 af bij Hatfield* ●*draaien* ⟨v. hoofd, maag⟩, *duizelen;* my head is –ing *het duizelt mij* ●*bederven* ‖ – into *veranderen in, worden;* – (up)on s.o. *iem. aanvallen;* water –s to ice *water wordt ijs;* zie TURN IN, TURN OFF, TURN ON, TURN OUT, TURN OVER, TURN UP **II** ⟨onov en ov ww⟩ ● *(rond)draaien, (doen) draaien;* this machine –s the wheels *deze machine laat de wielen draaien* ●*omdraaien, omslaan, keren* ⟨kraag⟩, *omvouwen;* the car –ed de *auto keerde;* she –ed the car *zij keerde de auto;* – the page *de bladzijde omslaan;* – about *omdraaien;* – (a)round *ronddraaien; omdraaien;* – back *the sheets de lakens open slaan;* – sth. inside out *iets binnenstebuiten keren;* ⟨fig.⟩ *grondig doorzoeken, overhoophalen;* – upside down *onderstoboven keren;* – to page seven *sla bladzijde zeven op* ●*draaien* ⟨aan draaibank e.d.⟩, ⟨fig.⟩ *vormen, maken;* – a phrase *iets mooi zeggen* ●*verzuren, zuur worden/maken;* the milk –ed *de melk verzuurde* ●*verkleuren* **III** ⟨ov ww⟩ ●*maken,* *draaien, beschrijven* ⟨cirkel enz.⟩ ● *over-denken, overwegen* ● *omgaan* ⟨hoek⟩, *omdraaien* ● *(doen) veranderen (van), omzetten, (ver)maken, een wending geven aan* ⟨gesprek⟩, *bocht/draai laten maken, omleiden;* – the conversation *een andere wending aan het gesprek geven;* – into *veranderen in; omzetten in;* – the conversation to sth. different *het gesprek op iets anders brengen* ● *richten, wenden;* – your attention to the subject *richt je aandacht op het onderwerp;* – a gun on s.o. *een geweer op iem. richten;* she –ed her face away from the corpses *zij wendde haar hoofd af van de lijken;* – a child against his parents *een kind tegen zijn ouders opstoken* ● *doen worden, maken;* the sun –ed the papers yellow *de zon maakte de kranten geel;* ⟨AE⟩ – loose *los/vrijlaten* ● *verdraaien, verzwikken* ⟨enkel enz.⟩ ● *misselijk maken;* Chinese food –s my stomach *Chinees eten maakt mijn maag v. streek* ● *worden* ⟨tijd, leeftijd⟩, ⟨bij uitbr.⟩ *passeren;* Nancy has just –ed twenty-one *Nancy is net eenentwintig geworden* ● *(weg)sturen, (weg)zenden;* – away *wegsturen, ontslaan;* ⟨fig.⟩ *verwerpen;* we were –ed back at the entrance *bij de ingang werden we teruggestuurd* ● *in bep. toestand brengen, doen, brengen, zetten;* – the dog loose at night *de hond 's avonds loslaten;* – s.o. into the street *iem. op straat zetten* ● *omzetten,* ⟨bij uitbr.⟩ *maken* ⟨winst⟩; – a profit *winst maken;* zie TURN DOWN, TURN IN, TURN OFF, TURN ON, TURN OUT, TURN OVER, TURN UP **IV** ⟨kww⟩ ● *worden;* her skin –ed brown *haar vel werd bruin;* the milk –ed sour *de melk werd zuur.*

'turnabout ● *ommekeer, om(me)zwaai.*

'turncoat ● *overloper, deserteur.* **'turn 'down** ● *omvouwen, omslaan;* – the sheets *de lakens openslaan* ● *(om)keren* ● *afwijzen* ⟨plan, persoon⟩, *verwerpen* ● *lager zetten* ⟨gas, licht⟩ ● *zachter zetten* ⟨radio, volume⟩. **'turn 'in I** ⟨onov ww⟩ ● ↓ *onder de wol kruipen* ‖ – (up)on o.s. *in zichzelf keren* **II** ⟨ov ww⟩ ● *naar binnen vouwen, naar binnen draaien* ● *uitleveren* ⟨aan politie⟩; – a suspect *een verdachte overleveren* ● *teruggeven* ● *inleveren;* – excellent work *uitstekend werk inleveren.*

turning ['tə:nɪŋ] ● *afsplitsing/takking, zijstraat, afslag* ● *bocht.* **'turning point** ● *keerpunt* ⟨ook fig.⟩.

turnip ['tə:nɪp] ● *raap, knol* ⟨voor vee⟩.

'turn 'off I ⟨onov ww⟩ ● *afslaan* ● ↓ *interesse verliezen* **II** ⟨ov ww⟩ ● *afsluiten* ⟨gas, wa-

ter⟩ ● *uit/afzetten, uitdoen* ⟨licht bv.⟩ ● ↓ *weerzin opwekken bij, totaal niet aanslaan bij.* **'turn 'on I** ⟨onov ww⟩ ● *enthousiast/opgewonden raken* **II** ⟨ov ww⟩ ● *aanzetten, aandoen* ⟨radio e.d.⟩ ● *opendraaien, openzetten* ⟨water, gas⟩ ● ↓ *enthousiast maken,* ⟨ihb.⟩ *(seksueel) opwinden;* does leather turn you on? *geeft leer je een kick?.*

'turnout ● *opkomst, publiek* ● *kleding* ● *produktie* ‖ your kitchen needs a good – *jouw keuken heeft een flinke schoonmaakbeurt nodig.* **'turn 'out I** ⟨onov ww⟩ ● *(op)komen, verschijnen* ● *zich ontwikkelen;* things will – all right *het zal goed aflopen* **II** ⟨ov ww⟩ ● *uitdoen, uitdraaien* ⟨licht, kachel e.d.⟩ ● *eruit gooien, wegsturen* ● *produceren* ● *leegmaken,* ⟨bij uitbr.⟩ *opruimen;* – your handbag *je handtas omkeren* ● *uitrusten,* ⟨ihb.⟩ *kleden* **III** ⟨kww⟩ ● *blijken (te zijn), uiteindelijk zijn;* the man turned out to be my son *de man bleek mijn zoon te zijn;* as it turns out/as things – *zoals blijkt.* **'turnover** ● *omverwerping* ● *omwenteling* ● *omzet* ● *verloop* ⟨v. personeel⟩. **'turn 'over I** ⟨onov ww⟩ ● *zich omdraaien* ● *omvallen* ● *aanslaan, starten* ⟨v. (auto)motor⟩ **II** ⟨ov ww⟩ ● *omkeren, omdraaien* ● *omslaan* ⟨bladzij⟩, ⟨bij uitbr.⟩ *doorbladeren;* please – *zie ommezijde* ● *starten* ⟨auto e.d.⟩ ● *overwegen;* turn sth. over in one's mind *iets (goed) overdenken* ● *overgeven,* ⟨ihb.⟩ *uit/overleveren* ⟨aan politie⟩ ● *omzetten* ⟨v. winkel⟩. **'turnpike** ● ⟨AE⟩ *tolweg.* **'turnstile** ● *tourniquet, draaihek.* **'turntable** ● *draaischijf* ● *platenspeler.* **'turnup** ● ⟨vnl. BE⟩ *omslag, omgeslagen rand* ⟨v. broekspijp⟩. **'turn 'up I** ⟨onov ww⟩ ● *verschijnen, komen (opdagen)* ● *tevoorschijn komen;* your brooch has turned up *je broche is terecht* ● *zich voordoen;* the opportunity will – *de gelegenheid doet zich wel voor* **II** ⟨ov ww⟩ ● *vinden* ● *blootleggen, aan de oppervlakte brengen* ● *naar boven draaien, opzetten* ⟨kraag⟩, *omslaan* ⟨mouw⟩, *omhoogslaan, opslaan* ⟨ogen⟩; turn one's collar up *zijn kraag opzetten* ● *opslaan* ⟨bladzij⟩, ⟨bij uitbr.⟩ *naslaan* ● *hoger draaien* ⟨dmv. knop⟩, *harder zetten* ⟨radio⟩.

turpentine ['tə:pəntaɪn] ● *terpentijn.*

turquoise ['tə:kwɔɪz] ● *turkoois.*

turret ['tʌrɪt] ● *torentje* ● *geschutskoepel.*

turtle ['tə:tl] ● *schildpad.* **'turtledove** ● *tortelduif.* **'turtleneck** ● *col* ● *coltrui.*

turves ⟨mv.⟩ zie TURF.

tusk [tʌsk] ● *slagtand.*

1 tussle ['tʌsl] ⟨zn⟩ ● *vechtpartij, worsteling.*

2 tussle ⟨ww⟩ •⟨+with⟩ vechten (met), worstelen (met).

tutelage ['tju:tɪlɪdʒ] ⟨geen mv.⟩ •voogdijschap; in – onder voogdij •onderricht.

1 tutor ['tju:tə] ⟨zn⟩ •privéleraar •⟨BE; stud.⟩ studiebegeleider, ⟨ongeveer⟩ mentor.

2 tutor I ⟨onov ww⟩ •als privéleraar werken **II** ⟨ov ww⟩ •⟨+in⟩ (privé)les geven (in).

tutorial [tju:'tɔ:rɪəl] ⟨vnl. BE⟩ •werkgroep.

tuxedo [tʌk'si:doʊ] ⟨AE⟩ •smoking(kostuum).

TV ⟨afk.⟩ television •t.v.. 'TV 'dinner • diepvriesmaal(tijd).

twaddle ['twɒdl] •gewauwel.

1 twang [twæŋ] ⟨zn⟩ •tjing, ploink ⟨v. snaar⟩ •neusgeluid; speak with a – door de neus praten.

2 twang I ⟨onov ww⟩ •geplukt worden ⟨v. snaar⟩ •snorren, zoeven ⟨v. pijl⟩ ‖–ing on a guitar jengelend op een gitaar **II** ⟨ov ww⟩ •scherp laten weerklinken •nasaal uitspreken •⟨bel.⟩ jengelen op.

1 tweak [twi:k] ⟨zn⟩ •ruk ⟨aan oor, neus⟩.

2 tweak ⟨ww⟩ ○beetpakken (en omdraaien).

tweed [twi:d] **I** ⟨n-telb zn; vaak attr⟩ •tweed **II** ⟨mv.⟩ •tweed pak •tweed kleding.

1 tweet [twi:t] ⟨zn⟩ •tjiep, (ge)tjilp ⟨v. vogel⟩.

2 tweet ⟨ww⟩ •tjilpen.

tweezers ['twi:zəz] •pincet; a pair of – een pincet.

twelfth [twelfθ] •twaalfde, ⟨als zn⟩ twaalfde deel.

'**Twelfth-'night** •Driekoningenavond.

twelve [twelv] •twaalf ⟨ook voorwerp/groep ter waarde/grootte v. twaalf⟩.

twentieth ['twentiɪθ] •twintigste, ⟨als zn⟩ twintigste deel. **twenty** ['twenti] •twintig ⟨ook voorwerp/groep ter grootte/waarde v. twintig⟩; he takes a (size) – hij draagt maat twintig; a man in his twenties een man van in de twintig; in the twenties in de jaren twintig.

twerp, twirp [twə:p] ⟨sl.⟩ •sul •vervelende klier.

twice [twaɪs] •tweemaal, twee keer; – a day tweemaal per dag; – as good/much dubbel zo goed/veel; once or – een keer of twee; – daily tweemaal daags.

twiddle ['twɪdl] •zitten te draaien (met/aan), spelen (met).

1 twig [twɪg] ⟨zn⟩ •twijg, takje.

2 twig ⟨ww⟩ ⟨BE; ↓⟩ •(het) snappen.

1 twin [twɪn] ⟨zn⟩ •(één v.e.) tweeling •bijbehorende •⟨mv.⟩ tweeling.

2 twin ⟨bn⟩ •tweeling-; – beds lits jumeaux; – brother/sister tweelingbroer/zuster.

3 twin ⟨ww⟩ •samenbrengen.

1 twine [twaɪn] ⟨zn⟩ •streng, vlecht.

2 twine I ⟨onov en ov ww⟩ •zich wikkelen, zich winden **II** ⟨ov ww⟩ •wikkelen, winden; she –d her arms (a)round my neck zij sloeg haar armen om mijn nek •omwikkelen.

twinge [twɪndʒ] •scheut, steek •⟨fig.⟩ knaging ⟨v. geweten⟩.

1 twinkle ['twɪŋkl] ⟨zn⟩ •schittering, fonkeling •knipoog •trilling ‖ in a – in een oogwenk.

2 twinkle I ⟨onov ww⟩ •schitteren, fonkelen ⟨v. ster⟩ •knipperen; my eyes –d at the light ik knipperde met mijn ogen tegen het licht •trillen **II** ⟨ov ww⟩ •knipperen met ⟨ogen⟩. **twinkling** ['twɪŋklɪŋ] ‖ in the – of an eye in een ogenblik/mum v. tijd.

1 twirl [twə:l] ⟨zn⟩ •draai •krul.

2 twirl I ⟨onov en ov ww⟩ •snel (doen) draaien, (doen) tollen **II** ⟨ov ww⟩ •(doen) krullen.

1 twist [twɪst] ⟨zn⟩ •draai, draaibeweging, bocht, ⟨fig.⟩ wending; a strange – of events een vreemde wending der gebeurtenissen; give s.o.'s arm a – iemands arm omdraaien •verdraaiing, vertrekking ⟨v. gelaat⟩ •kneep ⟨v.h. vak⟩ •twist ⟨garen; dans⟩.

2 twist I ⟨onov ww⟩ •draaien, zich wentelen •kronkelen •zich wringen; – about in pain liggen te krimpen v.d. pijn •de twist dansen **II** ⟨ov ww⟩ •samendraaien, samenstrengelen •vlechten ⟨touw bv.⟩ •winden, draaien om •verdraaien, vertrekken ⟨gezicht⟩, verrekken ⟨spier⟩, verstuiken ⟨voet⟩, omdraaien ⟨arm⟩ •⟨fig.⟩ verdraaien ⟨verhaal, woorden e.d.⟩; a –ed mind een verwrongen geest •wringen, af/uitwringen; –ed up with pain verwrongen v.d. pijn. **twister** ['twɪstə] •bedrieger • moeilijk karweitje/probleem •⟨AE⟩ wervelwind. **twisty** ['twɪsti] •kronkelig.

1 twit [twɪt] ⟨zn⟩ ⟨BE; ↓⟩ •sufferd.

2 twit ⟨ww⟩ ↓•bespotten ‖ – s.o. with/about/on his clumsiness iem. (spottend) zijn onhandigheid verwijten.

1 twitch [twɪtʃ] ⟨zn⟩ •trek •steek, scheut ⟨v. pijn e.d.⟩ •ruk.

2 twitch I ⟨onov ww⟩ •trekken, trillen •steken •⟨+at⟩ rukken (aan) **II** ⟨ov ww⟩ •vertrekken; ⟨fig.⟩ he didn't – an eyelid hij vertrok geen spier •trekken aan.

1 twitter ['twɪtə] ⟨zn⟩ ● *getjilp* ‖ all of a – *op- gewonden.*
2 twitter ⟨ww⟩ ● *tjilpen.*
two [tu:] ● *twee* ⟨ook voorwerp/groep ter waarde/grootte v. twee⟩, *tweetal; – or three een paar, een stuk of wat; – by – twee aan twee;* arranged in *–s per twee gerangschikt;* cut in – *in tweeën gesne- den;* an apple or – *een paar appelen* ‖ ⟨sprw.⟩ two heads are better than one *twee weten meer dan een;* two is compa- ny, three is a crowd *twee is genoeg, drie is te veel;* two wrongs don't make a right *dat iemand een fout maakt is geen excuus om ook die fout te maken.* **'two-bit** ⟨AE; ↓⟩ ● *klein, waardeloos.* **'two-di'mensional** ● *tweedimensionaal.* **'two-earner** ● *twee- verdiener.* **'two-'edged** ⟨ook fig.⟩ ● *twee- snijdend.* **'two-'faced** ● *onoprecht.* **two- fold** ['tu:fould] ● *tweevoudig.* **'two-'hand- ed** ● *voor twee handen* ● *voor twee perso- nen; –* saw *trekzaag.* **twopence,** ⟨BE ook⟩ **tuppence** ['tʌpəns] ● *(muntstuk v.) twee pence* ⟨Brits⟩ ‖ I don't care – *ik geef er geen zier om.* **twopenny,** ⟨BE ook⟩ **tup- penny** ['tʌpni] ● *twee pence kostend/ waard.*
1 'two-piece ⟨zn⟩ ● *deux-pièces* ● *bikini.*
2 'two-'piece ⟨bn⟩ ● *tweedelig.* **'two-'ply** ● *tweedraads.* **twosome** ['tu:sm] ↓ ● *twee- tal.* **'two-tone** ● *tweekleurig.* **'two-way** ● *tweerichtings-; –* street *straat voor twee- richtingsverkeer* ● *wederzijds* ● *tweezij- dig.*
tycoon ['taɪ'ku:n] ● *magnaat.*
tying ⟨onvolt. deelw.⟩ zie TIE.
1 type [taɪp] ⟨zn⟩ ● *type* ⟨ook druk.⟩, *soort, model* ● ⟨druk.⟩ *zetsel;* in italic – *in cursief (schrift).*
2 type I ⟨onov en ov ww⟩ ● *typen, tikken; –* up *in definitieve vorm uittikken* ‖ ⟨ov ww⟩ ● *typeren, karakteriseren.*
'typecast ● *steeds een zelfde soort rol geven* ⟨acteur⟩; be – as a villain *altijd maar weer de schurk spelen.*
'typeface ⟨druk.⟩ ● *lettertype/soort.* **'type- script** ● *getypte kopij.* **'typewrite** ● *typen.* **'typewriter** ● *schrijfmachine.* **'typewrit- ten** ● *in machineschrift, getypt.*
typhoid ['taɪfɔɪd], **'typhoid 'fever** ● *tyfus.*
typhoon ['taɪ'fu:n] ● *tyfoon.*
typhus ['taɪfəs] ● *vlektyfus.*
typical ['tɪpɪkl] ● *typisch, kenmerkend;* be – of *karakteriseren.*
typify ['tɪpɪfaɪ] ● *typeren, karakteriseren.*
typist ['taɪpɪst] ● *typist(e).*
typographical ['taɪpə'græfɪkl] ● *typogra- fisch.* **typography** [taɪ'pɒɡrəfi] ● *typogra-*

fie.
tyrannical [tɪ'rænɪkl] ● *tiranniek.* **tyrannize** ['tɪrənaɪz] ● *tiranniseren.* **tyrannous** ['tɪrə- nəs] ● *tiranniek.* **tyranny** ['tɪrəni] ● *tirannie* ● *tirannieke daad.*
tyrant ['taɪərənt] ● *tiran.*
tyre, ⟨AE sp.⟩ **tire** ['taɪə] ● *band.* **'tyre-gauge** ● *(band)spanningsmeter.*
tyro ['taɪrou] ● *beginner.*
tzar zie TSAR.

ubiquitous [juː'bɪkwɪtəs] ● *alomtegenwoor-dig* ⟨ook fig.⟩. **ubiquity** [juː'bɪkwəti] ● *alomtegenwoordigheid* ⟨ook fig.⟩.

udder ['ʌdə] ● *uier*.

U.F.O. ['juːfou, 'juːef'ou] ⟨afk.⟩ unidentified flying object ● *UFO, vliegende schotel*.

ugly ['ʌgli] ● *lelijk, afstotend;* ⟨fig.⟩ – duckling *lelijk eendje;* ↓ (as) – as sin *(zo) lelijk als de nacht* ● *verfoeilijk* ● *dreigend* ● ↓ *vervelend, lastig* ⟨mbt. karakter⟩; an – customer *een lastig mens*.

U.K. ⟨afk.⟩ United Kingdom.

ulcer ['ʌlsə] ● *(open) zweer,* ⟨ihb.⟩ *maagzweer*. **ulcerate** ['ʌlsəreɪt] ● *(doen) zweren, (doen) etteren*. **ulcerous** ['ʌlsrəs] ● *zwerend, etterend*.

ulterior [ʌl'tɪərɪə] ● *aan gene zijde, aan de overkant, verderop gelegen* ● ↓ *verborgen;* an – motive *een bijbedoeling*.

1 ultimate ['ʌltɪmət] ⟨zn⟩ ● *maximum,* ⟨fig.⟩ *toppunt, (het) einde*.

2 ultimate ⟨bn⟩ ● *ultiem, uiteindelijk, laatst* ● *fundamenteel* ● *uiterst*. **ultimately** ['ʌltɪmətli] ● *uiteindelijk*.

ultimatum ['ʌltɪ'meɪtəm] ● *ultimatum*.

ultra ['ʌltrə] ● *extremistisch, radicaal*. **ultra-left** ['ʌltrə'left] ⟨pol.⟩ ● *extreem links*. **ultramodern** [-'mɒdn] ● *hypermodern*. **ultra-right** [-'raɪt] ⟨pol.⟩ ● *uiterst rechts*. **ultrasonic** [-'sɒnɪk] ⟨nat.⟩ ● *ultrasoon*. **ultraviolet** [-'vaɪəlɪt] ● *ultraviolet*.

umber ['ʌmbə] ● *omberkleurig, donkerbruin*.

umbilical [ʌm'bɪlɪkl] ‖ – cord *navelstreng*.

umbrage ['ʌmbrɪdʒ] ● *ergernis, aanstoot;* take – at *aanstoot nemen aan*.

1 umbrella [ʌm'brelə] ⟨zn⟩ ● *paraplu,* ⟨fig.⟩ *bescherming* ⟨ook mil.⟩ ● *(tuin)parasol*.

2 umbrella ⟨bn⟩ ● *algemeen, verzamel-;* – term *overkoepelende term*.

1 umpire ['ʌmpaɪə] ⟨zn⟩ ● ⟨sport⟩ *scheidsrechter, umpire*.

2 umpire ⟨ww⟩ ● *als scheidsrechter/umpire optreden (in)*.

umpteen ['ʌmp'tiːn] ↓ ● *een hoop, heel wat*. **umpteenth** ['ʌmp'tiːnθ] ↓ ● *zoveelste*.

'un zie ONE.

U.N. ⟨afk.⟩ United Nations ● *V.N.*.

unabashed ['ʌnə'bæʃt] ● *niet verlegen*.

unabated ['ʌnə'beɪtɪd] ● *onverminderd*.

unable ['ʌn'eɪbl] ● *niet in staat;* he was – to come *hij kon niet komen*.

unabridged ['ʌnə'brɪdʒd] ● *onverkort*.

unacceptable ['ʌnək'septəbl] ● *onaanvaard-baar*.

unaccompanied ['ʌnə'kʌmpnid] ● *onverge-zeld* ● ⟨muz.⟩ *zonder begeleiding*.

unaccountable ['ʌnə'kauntəbl] ● *onverklaar-baar*. **unaccounted for** ['ʌnə'kauntɪd] ● *onverklaard*.

unaccustomed ['ʌnə'kʌstəmd] ● *ongewoon* ● *niet gewend*.

unacquainted ['ʌnə'kweɪntɪd] ● *onbekend;* he is – with the facts *hij is niet v.d. feiten op de hoogte* ● *niet kennend;* I was – with him *hij was mij niet bekend*.

unadulterated ['ʌnə'dʌltəreɪtɪd] ● *onvervalst, zuiver, echt*.

unadvised ['ʌnəd'vaɪzd] ● *ondoordacht*.

unaffected ['ʌnə'fektɪd] ● *ongekunsteld, natuurlijk;* – by *niet beïnvloed door* ● *onaangetast,* ⟨fig.⟩ *ongewijzigd*.

unaffordable ['ʌnə'fɔːdəbl] ● *onbetaalbaar*.

unafraid ['ʌnə'freɪd] ● ⟨+of⟩ *niet bang (voor)*.

unaided ['ʌn'eɪdɪd] ● *zonder hulp*.

unalienable ['ʌn'eɪlɪənəbl] ● *onvervreemd-baar*.

unalloyed ['ʌnə'lɔɪd] ● *onvermengd* ⟨ook fig.⟩, *zuiver*.

unalterable ['ʌn'ɔːltrəbl] ● *onveranderlijk*. **unaltered** ['ʌn'ɔːltəd] ● *onveranderd*.

unambiguous ['ʌnæm'bɪgjuəs] ● *ondubbelzinnig*.

unanimity ['juːnə'nɪməti] ● *eenstemmig-heid, unanimiteit* ● *eensgezindheid*. **unanimous** [juː'nænɪməs] ● *eenstemmig, unaniem* ● *eensgezind*.

unannounced ['ʌnə'naunst] ● *onaangekon-digd*.

unanswerable ['ʌn'ɑːnsrəbl] ● *onweerleg-baar* ● *niet te beantwoorden*. **unanswered** ['ʌn'ɑːnsəd] ● *onbeantwoord*.

unapproachable ['ʌnə'proutʃəbl] ● *ontoegankelijk,* ⟨fig.⟩ *ongenaakbaar*.

unarguable ['ʌn'ɑːgjuəbl] ● *ontegenzegge-lijk*.

unarmed ['ʌn'ɑːmd] ● *ongewapend,* ⟨fig.⟩ *weerloos*.

unashamed ['ʌnə'ʃeɪmd] ● *zich niet scha-mend* ● *onbeschaamd*.

unasked ['ʌn'ɑːs(k)t] ● *ongevraagd*.

unassisted ['ʌnə'sɪstɪd] ● *zonder hulp*.

unassuming ['ʌnə'sjuːmɪŋ] ● *bescheiden*.

unattached ['ʌnə'tætʃt] ● *los* ● *niet gebon-*

den, onafhankelijk ● *alleenstaand.*
unattended [ˈʌnəˈtendɪd] ● *niet begeleid* ● *onbeheerd.*
unattractive [ˈʌnəˈtræktɪv] ● *onaantrekkelijk.*
unauthorized [ˈʌnˈɔːθəraɪzd] ● *onbevoegd.*
unavailable [ˈʌnəˈveɪləbl] ● *niet beschikbaar.*
unavailing [ˈʌnəˈveɪlɪŋ] ● *vergeefs.*
unavoidable [ˈʌnəˈvɔɪdəbl] ● *onvermijdelijk.*
unaware [ˈʌnəˈweə] ● ⟨+of⟩ *zich niet bewust (van); be – that niet weten dat.* **unawares** [ˈʌnəˈweəz], **unaware** ● *onverwacht(s); catch/take s.o. – iem. verrassen/overrompelen* ● *onbewust.*
unbalance [ˈʌnˈbæləns] ● *uit zijn evenwicht brengen* ⟨*ook fig.*⟩. **unbalanced** [ˈʌnˈbælənst] ● *niet in evenwicht* ● *in de war* ● *onevenwichtig.*
unbearable [ˈʌnˈbeərəbl] ● *ondraaglijk* ● *onuitstaanbaar.*
unbeaten [ˈʌnˈbiːtn] ● *niet verslagen, ongeslagen* ● *onovertroffen, ongebroken* ⟨*record*⟩.
unbecoming [ˈʌnbɪˈkʌmɪŋ] ● *niet (goed) staand; this dress is – to her deze jurk staat haar niet* ● *ongepast.*
unbelievable [ˈʌnbɪˈliːvəbl] ● *ongelooflijk.* **unbeliever** [ˈʌnbɪˈliːvə] ● *ongelovige.* **unbelieving** [ˈʌnbɪˈliːvɪŋ] ● *ongelovig.*
unbend [ˈʌnˈbend] ● *(zich) ontspannen.* **unbending** [ˈʌnˈbendɪŋ] ● *onbuigzaam, onverzettelijk.*
unbias(s)ed [ˈʌnˈbaɪəst] ● *onbevooroordeeld.*
unbidden [ˈʌnˈbɪdn] ↑ ● *ongenood.*
unborn [ˈʌnˈbɔːn] ● *(nog) ongeboren.*
unbounded [ˈʌnˈbaʊndɪd] ● *grenzeloos.*
unbridled [ˈʌnˈbraɪdld] ● *ongebreideld.*
unbroken [ˈʌnˈbroʊkən] ● *ongebroken, heel* ● *ononderbroken.*
unbuckle [ˈʌnˈbʌkl] ● *losgespen.*
unburden [ˈʌnˈbɜːdn] ● *ontlasten, verlichten; – o.s. of sth. iets opbiechten; – o.s./ one's heart to s.o. zijn hart uitstorten bij iem.* ● *zich bevrijden van, opbiechten.*
uncalled-for [ˈʌnˈkɔːld fɔː] ● *ongewenst, ongepast* ● *onnodig.*
uncanny [ʌnˈkæni] ● *geheimzinnig, griezelig.*
uncared-for [ˈʌnˈkeəd fɔː] ● *onverzorgd, verwaarloosd.*
unceasing [ˈʌnˈsiːsɪŋ] ● *onophoudelijk.*
unceremonious [ˈʌnserɪˈmoʊnɪəs] ● *informeel* ● *onhoffelijk.*
uncertain [ˈʌnˈsɜːtn] ● *onzeker; in no – terms in niet mis te verstane bewoordingen; be – of/about s.o.'s intentions twijfelen aan iemands bedoelingen* ● *vaag; – plans va-*

ge plannen ● *veranderlijk.* **uncertainty** [ʌnˈsɜːtnti] ● *onzekerheid, twijfel(achtigheid)* ● *onduidelijkheid* ● *veranderlijkheid.*
unchallenged [ˈʌnˈtʃælɪndʒd] ● *onbetwist, zonder tegenspraak.*
unchanged [ˈʌnˈtʃeɪndʒd] ● *onveranderd.*
uncharitable [ˈʌnˈtʃærɪtəbl] ● *harteloos, hard(vochtig).*
uncharted [ˈʌnˈtʃɑːtɪd] ● *niet in kaart gebracht* ⟨*gebied*⟩.
unchecked [ˈʌnˈtʃekt] ● *ongehinderd* ● *ongecontroleerd.*
uncivil [ˈʌnˈsɪvl] ● *onbeleefd.* **uncivilized** [ˈʌnˈsɪvɪlaɪzd] ● *onbeschaafd.*
unclaimed [ˈʌnˈkleɪmd] ● *niet opgeëist* ● *niet afgehaald* ⟨*bagage*⟩.
unclassified [ˈʌnˈklæsɪfaɪd] ● *niet geclassificeerd* ● *niet geheim* ⟨*informatie*⟩.
uncle [ˈʌŋkl] ● *oom.*
unclean [ˈʌnˈkliːn] ● *vuil* ● *onrein* ⟨*vnl. rel.*⟩.
unclear [ˈʌnˈklɪə] ● *onduidelijk.*
Uncle Sam [ˈʌŋkl ˈsæm] ↓ ● *Uncle Sam, de Am. regering, het Am. volk.*
uncoloured [ˈʌnˈkʌləd] ● *ongekleurd* ⟨*ook fig.*⟩, *objectief.*
uncomfortable [ˈʌnˈkʌm(p)ftəbl] ● *ongemakkelijk; – situation pijnlijke situatie ‖ feel – zich niet op zijn gemak voelen.*
uncommitted [ˈʌnkəˈmɪtɪd] ● *niet-gebonden, neutraal; he wants to remain – hij wil zich niet vastleggen.*
uncommon [ˈʌnˈkɒmən] ● *ongewoon, bijzonder.*
uncompromising [ʌnˈkɒmprəmaɪzɪŋ] ● *onbuigzaam; have – opinions about sth. ergens een besliste mening over hebben* ● *vastberaden.*
unconcealed [ˈʌnkənˈsiːld] ● *onverholen, openlijk.*
unconcern [ˈʌnkənˈsɜːn] ● *onverschilligheid* ● *onbezorgdheid.* **unconcerned** [ˈʌnkənˈsɜːnd] ● *onbezorgd* ● *onverschillig* ● *niet betrokken; be – in/with niet betrokken zijn bij.*
unconditional [ˈʌnkənˈdɪʃnəl] ● *onvoorwaardelijk.* **unconditioned** [ˈʌnkənˈdɪʃnd] ● *onvoorwaardelijk* ● ⟨*psych.*⟩ *ongeconditioneerd.*
unconnected [ˈʌnkəˈnektɪd] ● *niet verbonden.*
unconscionable [ʌnˈkɒnʃnəbl] ● *overdreven, onredelijk.*
1 unconscious [ʌnˈkɒnʃəs] ⟨zn; the⟩ ⟨psych.⟩ ● *het onbewuste, het onderbewuste.*
2 unconscious ⟨bn⟩ ● *onbewust* ● *onopzettelijk* ● *bewusteloos.*

unconsidered ['ʌnkən'sɪdəd] ● *ondoordacht.*

uncontested ['ʌnkən'testɪd] ● *onbetwist;* – election *verkiezing zonder tegenkandidaten.*

uncontrollable ['ʌnkən'troʊləbl] ● *niet te beheersen* ● *onbeheerst.* **uncontrolled** ['ʌnkən'troʊld] ● *niet onder controle* ⟨ook fig.⟩.

unconventional ['ʌnkən'venʃnəl] ● *onconventioneel, ongebruikelijk.*

unconvincing ['ʌnkən'vɪnsɪŋ] ● *niet overtuigend.*

uncork ['ʌn'kɔ:k] ● *ontkurken.*

uncouth ['ʌn'ku:θ] ● *onhandig, grof.*

uncover ['ʌn'kʌvə] ● *de bedekking wegnemen van, het deksel afnemen van* ● *aan het licht brengen, onthullen.* **uncovered** ['ʌn'kʌvəd] ● *onbedekt.*

uncritical ['ʌn'krɪtɪkl] ● *kritiekloos.*

unctuous ['ʌŋktʃʊəs] ● *zalvend, vleierig.*

uncultivated ['ʌn'kʌltɪveɪtɪd] ● *onbebouwd* ⟨land⟩. **uncultured** ['ʌn'kʌltʃəd] ● *weinig ontwikkeld.*

uncut ['ʌn'kʌt] ● *ongesneden* ● *onverkort, ongecensureerd* ⟨boek, film⟩ ● *ongeslepen* ⟨diamant⟩.

undaunted ['ʌn'dɔ:ntɪd] ● *onverschrokken;* – by *niet ontmoedigd door.*

undecided ['ʌndɪ'saɪdɪd] ● *onbeslist* ● *weifelend;* be – about *in dubio staan omtrent.*

undemonstrative ['ʌndɪ'mɒnstrətɪv] ● *gereserveerd, afstandelijk.*

undeniable ['ʌndɪ'naɪəbl] ● *onbetwistbaar.*

1 under ['ʌndə] ⟨bw⟩ ● *(er/hier/daar)onder, (naar) beneden, omlaag* ⟨ook fig.⟩; see – for details *voor nadere toelichting zie onderaan;* groups of nine and – *groepen v. negen en minder* ● *in bedwang, onder controle.*

2 under ⟨vz⟩ ● *(plaats; ook fig.) onder, onder het gezag v., onder toezicht v.;* listed – Biology *(geklasseerd) onder Biologie;* – the cliffs *aan de voet v.d. klippen;* he wrote – another name *hij schreef onder een andere naam;* – the pretext of *onder het mom van* ● ⟨omstandigheid⟩ *onder, in, in een toestand v., tijdens;* – construction *in aanbouw;* I am – contract to stay *ik ben contractueel verplicht om te blijven;* – discussion *ter discussie;* – fire *onder vuur;* – the law *krachtens de wet;* it's – repair *het wordt gerepareerd* ● *minder dan;* – age *minderjarig;* just – a mile *net iets minder dan een mijl;* children – six *kinderen beneden de zes jaar.*

underage ['ʌndər'eɪdʒ] ● *minderjarig.* **'under'bid** [-bɪd] ● *onderbieden, een lager bod doen dan.* **underbrush** [-brʌʃ] ● *kreu-*

pelhout. **undercarriage** [-kærɪdʒ] ● *onderstel, chassis* ● *landingsgestel.* **'under-'charge** ● *te weinig (be)rekenen (voor).*

underclothes [-kloʊðz], **underclothing** [-kloʊðɪŋ] ● *ondergoed.* **undercover** [-'kʌvə] ● *geheim.* **undercurrent** [-kʌrənt] ● *onderstroom* ⟨ook fig.⟩. **undercut** [-'kʌt] ● *onderbieden, een lagere prijs vragen dan.* **'underde'veloped** ● *onderontwikkeld, (nog) onvoldoende ontwikkeld;* – country *ontwikkelingsland.* **underdog** [-dɒg] ● *(verwachte) verliezer.* **'under-'done** ● *niet (helemaal) gaar.*

1 'under'estimate, 'underesti'mation ⟨zn⟩ ● *te lage schatting* ⟨v. kosten e.d.⟩ ● *onderschatting* ⟨bv. v. tegenstander⟩.

2 'under'estimate I ⟨onov en ov ww⟩ ● *te laag schatten* **II** ⟨ov ww⟩ ● *onderschatten.*

'underex'pose ⟨foto.⟩ ● *onderbelichten.*

'under'feed ● *onvoldoende voeden;* underfed children *ondervoede kinderen.* **underfoot** [-'fʊt] ● *onder de voet(en), op de grond,* ⟨fig.⟩ *onderdrukt;* crush/trample sth. – *iets vertrappen.* **undergo** [-'goʊ] ● *ondergaan, doorstaan.* **undergraduate** [-'grædʒʊət], ⟨verk.; ↓⟩ **undergrad** [-'græd] ● *student(e)*⟨die nog geen graad heeft⟩.

1 underground [-graʊnd] ⟨zn⟩ ● ⟨BE⟩ *metro* ● *underground, subcultuur.*

2 underground ⟨bn⟩ ● *ondergronds, onder de grond* ● *ondergronds, clandestien.*

3 underground [-'graʊnd] ⟨bw⟩ ● *ondergronds, onder de grond* ● *ondergronds, clandestien;* go – *onderduiken.*

undergrowth [-groʊθ] ● *kreupelhout.* **'under'hand** [-hænd] ● *onderhands, clandestien* ● *achterbaks* ● *onderhands, met de hand onder schouderhoogte.* **'under-'handed** ● zie UNDERHAND ● *onderbezet.*

underlie [-'laɪ] ● *liggen onder* ● *ten grondslag liggen aan, verklaren;* underlying principles *grondprincipes* ● *schuil gaan achter;* underlying meaning *werkelijke betekenis.* **underline** [-'laɪn] ● *onderstrepen* ⟨ook fig.⟩, *benadrukken.* **underling** ['ʌndəlɪŋ] ● *ondergeschikte.* **'under'manned** ● *onderbezet.* **undermentioned** [-'menʃnd] ⟨BE⟩ ● *onderstaand.* **undermine** [-'maɪn] ● *ondermijnen, ondergraven* ⟨ook fig.⟩.

1 underneath [-'ni:θ] ⟨bw⟩ ● *onderaan, eronder;* what's written –? *wat staat er aan de onderkant geschreven?* ‖ ... but – he was kindhearted ... *maar in de grond had hij een goed hart.*

2 underneath ⟨vz⟩ ● *beneden, onder.*

'under'nourish ● *onvoldoende te eten ge-*
ven; –ed children *ondervoede kinderen.*
underpants [-pænts] ● *onderbroek.* un-
derpass [-pɑ:s] ● *onderdoorgang.* 'under-
'pay ● *onderbetalen.* underpin [-'pɪn] ● *de*
fundamenten verstevigen van, ⟨fig.⟩ *on-*
dersteunen. 'under'play ● *bagatelliseren,*
afzwakken ‖ – one's hand *niet het achter-*
ste v. zijn tong laten zien. 'under'populated ● *onderbevolkt.*
'under'privileged ● *(kans)arm, sociaal zwak.*
'under'rate ● *te laag schatten* ⟨kosten⟩ ●
onderschatten ⟨tegenstander⟩. under-
score [-'skɔ:] ● *onderstrepen* ⟨ook fig.⟩, *be-*
nadrukken. undersecretary [-'sek(r)ətrɪ] ●
ondersecretaris ‖ parliamentary – ⟨onge-
veer⟩ *staatssecretaris.* undershirt [-ʃə:t] ●
(onder)hemd. underside [-saɪd] ● *onder-*
kant. undersign [-'saɪn] ● *ondertekenen.*
'under'sized, 'under'size ● *te klein, onder*
de normale grootte. 'under'staffed ● *on-*
derbezet, met te weinig personeel.
understand ['ʌndə'stænd] I ⟨onov ww⟩ ●
(het) begrijpen ● *er begrip voor hebben* ●
(goed) op de hoogte zijn; – about *verstand*
hebben van II ⟨onov en ov ww⟩ ● *begrij-*
pen, (er)uit opmaken, vernemen; do I –/
am I to – that ... *moet ik daaruit opmaken*
dat ...; it is understood that they will arrive
tomorrow *naar verluidt komen zij morgen*
aan III ⟨ov ww⟩ ● *begrijpen, inzien, ver-*
stand hebben van; give s.o. to – that *iem.*
te kennen geven dat; make o.s. understood *duidelijk maken wat men bedoelt;*
what do you – by that? *wat versta je daar-*
onder? ● *begrijpen, begrip hebben voor* ●
verstaan ⟨taal⟩ ● *opvatten;* – a remark lit-
erally *een opmerking letterlijk opvatten* ‖
that is understood! *(dat spreekt) vanzelf!.*
understandable ['ʌndə'stændəbl] ● *begrij-*
pelijk. understandably ['ʌndə'stændəblɪ]
● zie UNDERSTANDABLE ● *begrijpelijkerwijs.*
1 understanding ['ʌndə'stændɪŋ] I ⟨telb zn⟩
● *afspraak, overeenkomst;* come to/reach
an – *het eens worden;* on the – that *met*
dien verstande dat II ⟨telb en n-telb zn⟩ ●
(onderling) begrip, verstandhouding;
there is not much – between them *ze heb-*
ben weinig begrip voor elkaar III ⟨n-telb
zn⟩ ● *verstand, intelligentie* ● *interpreta-*
tie, opvatting; a wrong – of the situation
een verkeerde beoordeling v.d. situatie.
2 understanding ⟨bn⟩ ● *begripvol, welwil-*
lend.
'under'state ● *te laag opgeven* ⟨leeftijd, inkomen enz.⟩ ● *(te) zwak uitdrukken.* 'under'statement ● *understatement, (te)*
zwakke weergave.

understudy [-stʌdɪ] ● ⟨dram.⟩ *doublure*
⟨tweede speler als evt. vervanger⟩. un-
dertake ['ʌndə'teɪk] ● *ondernemen* ● *op*
zich nemen, aangaan ● *beloven* ● *garan-*
deren, instaan voor. undertaker [-teɪkə] ●
begrafenisondernemer. undertaking
[-'teɪkɪŋ] ● *onderneming* ● *(plechtige) be-*
lofte. undertone [-toʊn] ● *gedempte toon*
● *ondertoon* ⟨fig.⟩. undertow [-toʊ] ● *on-*
derstroom ⟨in branding⟩. 'under'value ●
onderwaarderen. underwater [-'wɔ:tə] ●
onder water, onderwater-. underwear
[-weə] ● *ondergoed.* 'under'weight ● *te*
licht. underworld [-wə:ld] ● *onderwereld.*
underwrite ['ʌndə'raɪt] ● *ondertekenen*
⟨polis⟩, *afsluiten* ⟨verzekering⟩ ● *verzeke-*
ren, assureren ● *onderschrijven, goedvin-*
den. underwriter ['ʌndəraɪtə] ● *verzeke-*
raar.
undeserved ['ʌndɪ'zə:vd] ● *onverdiend, on-*
terecht.
1 undesirable ['ʌndɪ'zaɪərəbl] ⟨zn⟩ ● *onge-*
wenst persoon.
2 undesirable ⟨bn⟩ ● *ongewenst, onwense-*
lijk; – discharge *oneervol ontslag.*
undeterred ['ʌndɪ'tə:d] ● *niet afgeschrikt,*
niet ontmoedigd.
undeveloped ['ʌndɪ'veləpt] ● *onontwikkeld*
● *onontgonnen.*
undies ['ʌndɪz] ↓ ● *(dames)ondergoed.*
undignified [ʌn'dɪgnɪfaɪd] ● *niet (eerbied)*
waardig.
undiluted ['ʌndaɪ'lu:tɪd] ● *onverdund,* ⟨fig.⟩
zuiver.
undisciplined [ʌn'dɪsɪplɪnd] ● *ongediscipli-*
neerd.
undisputed ['ʌndɪ'spju:tɪd] ● *onbetwist.*
undistinguished ['ʌndɪ'stɪŋgwɪʃt] ● *niet bij-*
zonder, alledaags.
undisturbed ['ʌndɪ'stə:bd] ● *ongestoord.*
undivided ['ʌndɪ'vaɪdɪd] ● *onverdeeld, vol-*
komen.
undo ['ʌn'du:] ● *losmaken, losknopen* ● *uit-*
kleden ● *tenietdoen;* this mistake can never be undone *deze fout kan nooit goedge-*
maakt worden. undoing ['ʌn'du:ɪŋ] ● *on-*
dergang. undone ['ʌn'dʌn] ● *ongedaan* ●
los(gegaan); come – *losgaan* ‖ zie ook
⟨sprw.⟩ DO.
undoubted [ʌn'daʊtɪd] ● *ongetwijfeld* ● *on-*
twijfelbaar.
undreamed ['ʌn'dri:md], undreamt ['ʌn-
'dremt] ‖ – of *onvoorstelbaar.*
1 undress ['ʌn'dres] ⟨zn⟩ ‖ in a state of –
naakt.
2 undress ['ʌn'dres] ⟨ww⟩ ● *(zich) uitkleden.*
undressed ['ʌn'drest] ● *ongekleed, naakt;*
get – *zich uitkleden.*

undue ['ʌn'dju:] ●overmatig ●onbehoorlijk.
undulate ['ʌndjʊleɪt] ●(doen) golven. **undulation** ['ʌndjʊ'leɪʃn] ⟨vaak mv.⟩ ●golving.
unduly ['ʌn'dju:li] ●zie UNDUE ●uitermate, overmatig.
undying ['ʌn'daɪɪŋ] ●onsterfelijk, eeuwig.
unearned ['ʌn'ə:nd] ●onverdiend; – income inkomen uit vermogen.
unearth ['ʌn'ə:θ] ●opgraven ●onthullen.
unearthly ['ʌn'ə:θli] ●bovenaards ●bovennatuurlijk ●eng ‖ at an – hour op een belachelijk vroeg uur.
uneasiness ['ʌn'i:zinəs], ↑ **unease** ['ʌn'i:z] ● onbehaaglijkheid ●bezorgdheid; cause s.o. – over sth. iem. over iets ongerust maken ●onrustigheid. **uneasy** ['ʌn'i:zi] ●onbehaaglijk; – conscience bezwaard geweten ●bezorgd; be – about, grow – at zich zorgen maken over ●onrustig.
uneconomic(al) ['ʌni:kə'nɒmɪk(l), ʌnekə-] ● oneconomisch, onrendabel ●verkwistend.
uneducated ['ʌn'edʒʊkeɪtɪd] ●ongeschoold, onontwikkeld.
unemployable ['ʌnɪm'plɔɪəbl] ●ongeschikt voor een betrekking ●arbeidsongeschikt.
unemployed ['ʌnɪm'plɔɪd] ●werkloos, zonder werk; the – de werklozen. **unemployment** ['ʌnɪm'plɔɪmənt] ●werkloosheid. **unem'ployment benefit** ●werkloosheidsuitkering.
unending ['ʌn'endɪŋ] ●oneindig ●onophoudelijk.
unenviable ['ʌn'envɪəbl] ●niet benijdenswaard(ig), onplezierig ⟨taak⟩.
unequal ['ʌn'i:kwəl] ●ongelijk(waardig); – to the other ongelijk aan de ander ●niet opgewassen tegen; be – to one's work zijn werk niet aankunnen. **unequalled** ['ʌn'i:kwəld] ●ongeëvenaard.
unequivocal ['ʌnɪ'kwɪvəkl] ●duidelijk, ondubbelzinnig.
unerring ['ʌn'ə:rɪŋ] ●onfeilbaar.
uneven ['ʌn'i:vn] ●ongelijk, oneffen ●onregelmatig ‖ poems of – quality gedichten v. ongelijke/middelmatige kwaliteit.
uneventful ['ʌnɪ'ventfl] ●onbewogen, rustig; – day dag zonder belangrijke gebeurtenissen.
unexpected ['ʌnɪk'spektɪd] ●onverwacht.
unexplained ['ʌnɪk'spleɪnd] ●onverklaard.
unfailing ['ʌn'feɪlɪŋ] ●onophoudelijk.
unfair ['ʌn'feə] ●oneerlijk, onrechtvaardig.
unfaithful ['ʌn'feɪθfl] ●ontrouw; be – with overspel plegen met.
unfamiliar ['ʌnfə'mɪljə] ⟨zn: -ity⟩ ●onbekend, niet vertrouwd; the girl was not – to him het meisje was hem niet onbekend ●

ongewoon, vreemd.
unfashionable ['ʌn'fæʃnəbl] ●niet modieus.
unfasten ['ʌn'fa:sn] ●losmaken, losknopen.
unfathomable ['ʌn'fæðəməbl] ●ondoorgrondelijk.
unfavourable ['ʌn'feɪvrəbl] ●ongunstig.
unfeeling ['ʌn'fi:lɪŋ] ●gevoelloos ⟨ook fig.⟩, hardvochtig.
unfinished ['ʌn'fɪnɪʃt] ●onbeëindigd, onvoltooid; – business onafgedane kwestie(s).
unfit ['ʌn'fɪt] ●ongeschikt ●in slechte conditie.
unflagging ['ʌn'flægɪŋ] ●onvermoeibaar, ononderbroken.
unflappable ['ʌn'flæpəbl] ↓ ●onverstoorbaar.
unflinching ['ʌn'flɪntʃɪŋ] ●onbevreesd ● vastberaden.
unfold ['ʌn'fəʊld] ●(zich) openvouwen; – a newspaper een krant openslaan ●(zich) openbaren.
unforeseen ['ʌnfɔ:'si:n] ●onvoorzien.
unforgettable ['ʌnfə'getəbl] ●onvergetelijk.
unforgivable ['ʌnfə'gɪvəbl] ●onvergeeflijk.
unfortunate [ʌn'fɔ:tʃnət] ●⟨bn⟩ ongelukkig, betreurenswaardig ●⟨zn⟩ ongelukkige.
unfounded ['ʌn'faʊndɪd] ●ongegrond.
unfrequented ['ʌnfrɪ'kwentɪd] ●niet veel bezocht.
unfriendly ['ʌn'frendli] ●onvriendelijk, slecht gezind; – welcome koele ontvangst.
unfulfilled ['ʌnfʊl'fɪld] ●onvervuld.
unfurl ['ʌn'fə:l] ●(zich) ontrollen.
unfurnished ['ʌn'fə:nɪʃt] ●ongemeubileerd.
ungainly ['ʌn'geɪnli] ●lomp.
ungenerous ['ʌn'dʒenrəs] ●hard(vochtig).
ungodly ['ʌn'gʊdli] ●goddeloos ● ↓ afgrijselijk.
ungovernable ['ʌn'gʌvnəbl] ●onbedwingbaar, onhandelbaar.
ungracious ['ʌn'greɪʃəs] ●onhoffelijk, onbeleefd ●onaangenaam.
ungrateful ['ʌn'greɪtfl] ●ondankbaar ●onplezierig.
unguarded ['ʌn'ga:dɪd] ●onbewaakt ●onbedachtzaam.
unhappy ['ʌn'hæpi] ●ongelukkig.
unhealthy ['ʌn'helθi] ●ongezond ⟨ook fig.⟩, ziekelijk.
unheard ['ʌn'hə:d] ●niet gehoord; his advice went – naar zijn advies werd niet geluisterd; – of onbekend. **unheard-of** [ʌn'hə:dɒv] ●ongekend.
unheeded ['ʌn'hi:dɪd] ●genegeerd.
unhelpful ['ʌn'helpfl] ●niet behulpzaam ● nutteloos.
unhesitating ['ʌn'hezɪteɪtɪŋ] ●prompt, zon-

der te aarzelen.
unhinge ['ʌn'hɪndʒ] ● uit de scharnieren tillen ⟨deur⟩ || his mind is –d hij is v.d. kaart.
unholy ['ʌn'hoʊli] ● onheilig ‖↓ at an – hour op een onchristelijk tijdstip.
unhook ['ʌn'hʊk] ● loshaken, losmaken.
unhoped-for ['ʌn'hoʊp(t)fɔː] ● ongehoopt, onverwacht.
unicorn ['juːnɪkɔːn] ● eenhoorn.
unidentified ['ʌnaɪ'deṇtɪfaɪd] ● niet geïdentificeerd; – flying object vliegende schotel.
unification ['juːnɪfɪ'keɪʃn] ● eenmaking.
1 uniform ['juːnɪfɔːm] ⟨zn⟩ ● uniform.
2 uniform ⟨bn⟩ ● uniform, gelijkvormig ● gelijkmatig, onveranderlijk ⟨bv. v. temperatuur⟩. **uniformed** ['juːnɪfɔːmd] ● geüniformeerd, in uniform. **uniformity** ['juːnɪ'fɔːmɪti] ● uniformiteit, gelijk(vormig)heid ● gelijkmatigheid, onveranderlijkheid.
unify ['juːnɪfaɪ] ● (zich) verenigen.
unilateral ['juːnɪ'lætrəl] ● eenzijdig, v. één kant.
unimaginable ['ʌnɪ'mædʒɪnəbl] ● onvoorstelbaar. **unimaginative** ['ʌnɪ'mædʒɪnətɪv] ● fantasieloos.
unimpaired ['ʌnɪm'peəd] ● ongeschonden.
unimpeachable ['ʌnɪm'piːtʃəbl] ● onweerlegbaar ● onberispelijk.
unimportant ['ʌnɪm'pɔːtnt] ● onbelangrijk.
unimpressed ['ʌnɪm'prest] ● niet onder de indruk.
uninformed ['ʌnɪn'fɔːmd] ● niet/slecht ingelicht, onwetend.
uninhibited ['ʌnɪn'hæbɪtɪd] ● ongeremd, vrijuit.
uninitiated ['ʌnɪ'nɪʃieɪtɪd] ● oningewijd.
uninspired ['ʌnɪn'spaɪəd] ● ongeïnspireerd, saai. **uninspiring** ['ʌnɪn'spaɪərɪŋ] ● niet inspirerend.
unintentional ['ʌnɪn'tenʃnəl] ● onbedoeld.
uninterested ['ʌn'ɪntrɪstɪd] ● ongeïnteresseerd. **uninteresting** ['ʌn'ɪntrɪstɪŋ] ● oninteressant.
uninterrupted ['ʌnɪntə'rʌptɪd] ● ononderbroken.
uninvited ['ʌnɪn'vaɪtɪd] ● ongenood, ongewenst.
union ['juːnɪən] ● verbond, unie ● (vak)bond, vakvereniging/centrale ● harmonie, eendracht, verbond ● huwelijk. **unionism** ['juːnɪənɪzm] ● unionisme, het streven naar een unie ● vakbondswezen. **unionist** ['juːnɪənɪst] ● vakbondslid ● unionist. **unionize** ['juːnɪənaɪz] I ⟨onov ww⟩ ● een vakbond organiseren ● lid worden v.e. vakbond II ⟨ov ww⟩ ● tot een vakbond maken ● (tot) vakbondslid maken.
'Union 'Jack, ⟨ook⟩ **'Union 'Flag** ● Union Jack, Britse vlag.
'union leader ● vakbondsleider.
unique ['juː'niːk] ● uniek, ↓ opmerkelijk.
unison ['juːnɪsn, -zn] ● koor, het tegelijk spreken ● harmonie; work in – eendrachtig samenwerken.
unit ['juːnɪt] ● eenheid, onderdeel, afdeling, meetgrootheid, ⟨tech.⟩ apparaat; – of account rekeneenheid ● combineerbaar onderdeel ⟨v. meubilair⟩, blok.
unite [juː'naɪt] I ⟨onov ww⟩ ● zich verenigen, samenwerken; they –d in fighting the enemy te zamen bestreden zij de vijand ● zich verbinden II ⟨ov ww⟩ ● verbinden ● verenigen, tot een geheel maken. **united** [juː'naɪtɪd] ● verenigd; United Kingdom Verenigd Koninkrijk ● saamhorig, hecht.
unity ['juːnəti] ● geheel, eenheid, samenhang ● samenwerking ● harmonie; at/in – eendrachtig.
1 universal ['juːnɪ'vəːsl] ⟨zn⟩ ● algeme(e)n(e) begrip/principe/eigenschap.
2 universal ⟨bn; zn: -ity⟩ ● universeel, algemeen; – product code streepjescode; – rule algemeen geldende regel ● algeheel, alomvattend; – suffrage algemeen kiesrecht.
universe ['juːnɪvəːs] ● heelal ● wereld.
university ['juːnɪ'vəːsəti] ● universiteit, hogeschool; be at –, go to a –, ⟨alleen BE⟩ go to – (aan de universiteit) studeren.
unjust ['ʌn'dʒʌst] ● onrechtvaardig.
unjustifiable ['ʌndʒʌstɪ'faɪəbl] ● niet te verantwoorden. **unjustified** ['ʌn'dʒʌstɪfaɪd] ● ongerechtvaardigd.
unkempt ['ʌn'kempt] ● ongekamd ● slonzig.
unkind ['ʌn'kaɪnd] ● onaardig, onvriendelijk.
unknowing ['ʌn'noʊɪŋ] ● niet wetend, onbewust ● onwetend.
1 unknown ['ʌn'noʊn] ⟨zn⟩ ● onbekende.
2 unknown ⟨bn⟩ ● onbekend; – quantity onbekende grootheid; ⟨fig.⟩ onzekere factor; it is – to me het is mij niet bekend.
3 unknown ⟨bw⟩ || – to s.o. buiten iemands medeweten.
unlawful ['ʌn'lɔːfl] ● onwettig, illegaal.
unleaded ['ʌn'ledɪd] ● zonder lood ⟨benzine⟩.
unleash ['ʌn'liːʃ] ● losmaken v.d. riem ⟨hond⟩, ⟨ook fig.⟩ ontketenen; – one's rage (up)on s.o. zijn woede op iem. koelen.
1 unless [ən'les, ⟨sterk⟩'ʌn'les] ⟨vz⟩ ● behalve, tenzij (misschien).

2 unless ⟨vw⟩ ● *tenzij, zonder dat.*
unlettered ['ʌn'letəd] ● *ongeletterd.*
unlicensed ['ʌn'laɪsnst] ● *zonder vergunning.*
1 unlike ['ʌn'laɪk] ⟨bn; bw⟩ ● *verschillend, niet gelijkend;* the photograph is – *de foto lijkt niet* ● *ongelijkwaardig.*
2 unlike ⟨vz⟩ ● *anders dan, in tegenstelling tot* ● *niet typisch voor;* that's – John *dat is niets voor John.*
unlikelihood ['ʌn'laɪklihʊd] ● *onwaarschijnlijkheid.* **unlikely** ['ʌn'laɪkli] ● *onwaarschijnlijk* ● *niet hoopgevend;* he is – to succeed *hij heeft weinig kans v. slagen.*
unlimited ['ʌn'lɪmɪtɪd] ● *onbeperkt.*
unlisted ['ʌn'lɪstɪd] ● *niet geregistreerd;* – number *geheim telefoonnummer.*
unload ['ʌn'loʊd] I ⟨onov en ov ww⟩ ● *lossen, uitladen* II ⟨ov ww⟩ ● *leegmaken* ● *wegdoen, zich ontdoen van;* – responsibilities onto s.o. *de verantwoordelijkheid op iem. afschuiven.*
unlock ['ʌn'lɒk] I ⟨onov ww⟩ ● *opengaan* ● *losgaan* II ⟨ov ww⟩ ● *openmaken, v.h. slot doen,* ⟨ook fig.⟩ *ontsluieren;* – the truth *de waarheid onthullen* ● *losmaken, bevrijden* ⟨ook fig.⟩.
unlooked-for ['ʌn'lʊkt fɔ:] ● *onverwacht.*
unloose(n) ['ʌn'lu:s(n)] ● *losmaken, vrijlaten* ⟨ook fig.⟩.
unlucky ['ʌn'lʌki] ● *ongelukkig;* be – *pech hebben*‖ zie ook ⟨sprw.⟩ LUCKY.
unmade ['ʌn'meɪd] ● *onopgemaakt* ⟨bed⟩.
unmanageable ['ʌn'mænɪdʒəbl] ● *onhandelbaar* ● *onhanteerbaar.*
unmanly ['ʌn'mænli] ● *verwijfd.*
unmanned ['ʌn'mænd] ● *onbemand.*
unmannerly [ʌn'mænəli] ● *ongemanierd.*
unmarked ['ʌn'mɑ:kt] ● *ongemerkt, zonder merk(teken).*
unmarried ['ʌn'mærid] ● *ongetrouwd.*
unmask ['ʌn'mɑ:sk] ● *het/zijn masker afnemen* ⟨ook fig.⟩, *ontmaskeren.*
unmatched ['ʌn'mætʃt] ● *ongeëvenaard.*
unmentionable ['ʌn'menʃnəbl] ● *taboe* ● *niet (nader) te noemen.*
unmindful ['ʌn'maɪndfl] ● *zorgeloos;* – of *zonder acht te slaan op.*
unmistakable ['ʌnmɪ'steɪkəbl] ● *onmiskenbaar.*
unmitigated [ʌn'mɪtɪgeɪtɪd] ● *onverminderd* ● *absoluut, volkomen;* – disaster *regelrechte ramp.*
unmoved ['ʌn'mu:vd] ● *onbewogen, onaangedaan.*
unnamed ['ʌn'neɪmd] ● *naamloos* ● *onbekend, niet genoemd.*
unnatural ['ʌn'nætʃrəl] ● *onnatuurlijk, te-*

gennatuurlijk, abnormaal, vreemd, pervers.
unnecessary ['ʌn'nesəsri] ● *onnodig, niet noodzakelijk* ● *overbodig.*
unnerve ['ʌn'nə:v] ● *v. zijn stuk brengen, ontmoedigen.*
unnoticed ['ʌn'noʊtɪst] ● *ongemerkt, ongezien.*
unobtainable ['ʌnəb'teɪnəbl] ● *onverkrijgbaar, niet te krijgen.*
unobtrusive ['ʌnəb'tru:sɪv] ● *onopvallend* ● *discreet.*
unoccupied ['ʌn'ɒkjʊpaɪd] ● *leeg, onbezet.*
unofficial ['ʌnə'fɪʃl] ● *onofficieel*‖ – strike *wilde staking.*
unorganized ['ʌn'ɔ:gənaɪzd] ● *ongeorganiseerd, niet tot een vakbond behorend.*
unorthodox ['ʌn'ɔ:θədɒks] ● *onorthodox.*
unpack ['ʌn'pæk] ● *uitpakken.*
unpaid ['ʌn'peɪd] ● *onbetaald.*
unparalleled ['ʌn'pærəleld] ● *zonder weerga, ongeëvenaard.*
unparliamentary ['ʌnpɑ:lə'mentri] ● *onparlementair, ongepast.*
unpleasant [ʌn'pleznt] ● *onaangenaam, onplezierig.* **unpleasantness** [ʌn'plezntnəs] I ⟨telb zn⟩ ● *onaangenaam voorval* ● *wrijving, ruzie* II ⟨n-telb zn⟩ ● *onaangenaamheid.*
unpopular ['ʌn'pɒpjʊlə] ● *impopulair.*
unpractised ['ʌn'præktɪst] ● *onervaren.*
unprecedented [ʌn'presɪdentɪd] ● *ongekend, nooit eerder voorgekomen.*
unpredictable ['ʌnprɪ'dɪktəbl] ● *onvoorspelbaar.*
unprejudiced [ʌn'predʒədɪst] ● *onbevooroordeeld, onpartijdig.*
unprepared ['ʌnprɪ'peəd] ● *onvoorbereid, geïmproviseerd.*
unpretentious [-'tenʃəs] ● *bescheiden, zonder pretenties.*
unprincipled ['ʌn'prɪnsɪpld] ● *zonder scrupules, gewetenloos.*
unproductive ['ʌnprə'dʌktɪv] ● *niets/weinig opleverend, onproduktief.*
unprofessional ['ʌnprə'feʃnəl] ● *niet professioneel* ● *amateuristisch.*
unprofitable ['ʌn'prɒfɪtəbl] ● *nutteloos.*
unprotected ['ʌnprə'tektɪd] ● *onbeschermd, onbeschut.*
unprovoked ['ʌnprə'voʊkt] ● *niet uitgelokt, zonder aanleiding.*
unqualified ['ʌn'kwɒlɪfaɪd] ● *niet gekwalificeerd* ● *ongeschikt* ● *zonder voorbehoud;* – success *volledig succes.*
unquestionable ['ʌn'kwestʃənəbl] ● *onbetwistbaar.* **unquestionably** ['ʌn'kwestʃənəbli] ● *ongetwijfeld, zonder twijfel.* **un-**

questioned ['ʌn'kwest[ənd] ●onbetwist, niet tegengesproken. unquestioning ['ʌn'kwest[ənɪŋ] ●onvoorwaardelijk.

unquote ['ʌn'kwoʊt] ‖ he said (quote) 'Over my dead body' (–) hij zei (aanhalingstekens openen) 'Over mijn lijk' (aanhalingstekens sluiten).

unravel ['ʌn'rævl] I ⟨onov ww⟩ ●rafelen II ⟨ov ww⟩ ●ontrafelen ⟨ook fig.⟩, uithalen, ⟨fig. ook⟩ oplossen.

unreadable ['ʌn'ri:dəbl] ●onleesbaar, vervelend.

unreal ['ʌn'rɪəl] ●onwerkelijk, denkbeeldig. unrealistic ['ʌnrɪə'lɪstɪk] ●niet realistisch. unreality ['ʌnri'æləti] ●onwerkelijkheid.

unreasonable ['ʌn'ri:znəbl] ●redeloos ●onredelijk ●overdreven. unreasoning ['ʌn'ri:znɪŋ] ●redeloos, onnadenkend.

unrecognized ['ʌn'rekəgnaɪzd] ●onherkend ●niet erkend, onaanvaard.

unrelated ['ʌnrɪ'leɪtɪd] ●niet verwant, niet met elkaar verband houdend.

unrelenting ['ʌnrɪ'lentɪŋ] ●onverminderd, niet aflatend ●meedogenloos.

unreliable ['ʌnrɪ'laɪəbl] ●onbetrouwbaar.

unrelieved ['ʌnrɪ'li:vd] ●onverminderd ●eentonig, saai; – by niet afgewisseld met.

unremitting ['ʌnrɪ'mɪtɪŋ] ●constant, niet aflatend.

unrequited ['ʌnrɪ'kwaɪtɪd] ●onbeantwoord.

unreserved ['ʌnrɪ'zə:vd] ●onverdeeld, onvoorwaardelijk.

unrest ['ʌn'rest] ●onrust, beroering.

unrestrained ['ʌnrɪ'streɪnd] ●ongebreideld, heftig.

unrestricted ['ʌnrɪ'strɪktɪd] ●onbeperkt, onbelemmerd.

unrewarding ['ʌnrɪ'wɔ:dɪŋ] ●niet lonend, niet de moeite waard, ⟨fig.⟩ ondankbaar.

unripe ['ʌn'raɪp] ●onrijp ⟨ook fig.⟩.

unrivalled ['ʌn'raɪvld] ●ongeëvenaard, weergaloos.

unroll ['ʌn'roʊl] ●(zich) uitrollen, (zich) ontrollen, ⟨ook fig.⟩ (zich) tonen.

unruffled ['ʌn'rʌfld] ●kalm.

unruly ['ʌn'ru:li] ●onhandelbaar, tegendraads.

unsafe ['ʌn'seɪf] ●onveilig.

unsaid ['ʌn'sed] ●onuitgesproken.

unsatisfactory ['ʌnsætɪs'fæktri] ●onbevredigend.

unsavoury ['ʌn'seɪvri] ●onsmakelijk, vies, ⟨ook fig.⟩ weerzinwekkend.

unscathed ['ʌn'skeɪðd] ●ongedeerd; return – heelhuids terugkeren.

unscientific ['ʌnsaɪən'tɪfɪk] ●onwetenschappelijk.

unscrew ['ʌn'skru:] ●losschroeven ●eraf draaien; can you – this bottle krijg jij deze fles open?.

unscrupulous ['ʌn'skru:pjʊləs] ●zonder scrupules, gewetenloos.

unseasoned ['ʌn'si:znd] ●ongekruid.

unseat ['ʌn'si:t] ●zijn positie afnemen, ⟨ihb. pol.⟩ zijn zetel doen verliezen.

unseeing ['ʌn'si:ɪŋ] ●niet(s) ziend, wezenloos.

unseemly [ʌn'si:mli] ●onbetamelijk, onbehoorlijk ●ongelegen.

unseen ['ʌn'si:n] ●onzichtbaar.

unselfish ['ʌn'selfɪʃ] ●onbaatzuchtig.

unsettle ['ʌn'setl] ●doen wankelen ⟨fig.⟩, op losse schroeven zetten; unsettling changes veranderingen die alles op losse schroeven zetten ●van streek maken, in de war brengen. unsettled ['ʌn'setld] ●onzeker, verwar(ren)d ●wisselvallig, veranderlijk ⟨ihb. weer⟩ ●onbeslist; this issue is still – deze kwestie is nog niet afgedaan ●onbetaald; an – bill een nog niet betaalde rekening ●in de war, v. streek ‖ live an – life een ongeregeld leven leiden.

unshak(e)able [ʌn'ʃeɪkəbl] ●onwankelbaar.

unsightly [ʌn'saɪtli] ●onooglijk.

unskilled ['ʌn'skɪld] ●ongeschoold ●onervaren.

unsociable ['ʌn'soʊʃəbl] ●terughoudend ●ongezellig. unsocial ['ʌn'soʊʃl] ●asociaal; – hours ongewone (werk)tijden.

unsophisticated ['ʌnsə'fɪstɪkeɪtɪd] ●onervaren ●ongedwongen ●ongecompliceerd.

unsound ['ʌn'saʊnd] ●ongezond, ziek(elijk); of – mind ontoerekeningsvatbaar ●ongaaf ●zwak ●ondeugdelijk, onjuist ●onbetrouwbaar.

unsparing [ʌn'speərɪŋ] ●gul; – of kwistig met ●meedogenloos.

unspeakable [ʌn'spi:kəbl] ●onuitsprekelijk, onbeschrijf(e)lijk ●abominabel.

unspecified ['ʌn'spesɪfaɪd] ●niet nader omschreven.

unspoken ['ʌn'spoʊkən] ●stil(zwijgend), onuitgesproken.

unstable ['ʌn'steɪbl] ●veranderlijk ●wispelturig ●onstabiel, labiel; – equilibrium wankel evenwicht.

unstamped ['ʌn'stæmpt] ●ongefrankeerd.

unsteady ['ʌn'stedi] ●wankel; her voice was – haar stem was onvast ●wisselvallig ●onregelmatig.

unstoppable ['ʌn'stɒpəbl] ●niet te stoppen/stuiten.

unstressed ['ʌn'strest] ●niet benadrukt.

unstuck ['ʌn'stʌk] ●los; come – loskomen,

losgaan.

unsubstantial [ˈʌnsəbˈstænʃl] ●*ongefundeerd, ongegrond.*

unsuccessful [ˈʌnˈsəkˈsesfl] ●*niet succesvol, zonder resultaat* ●*niet geslaagd;* be – *niet slagen.*

unsuitable [ˈʌnˈsuːtəbl] ●*ongeschikt, ongepast.* **unsuited** [ˈʌnˈsuːtɪd] ●*ongeschikt, ongepast.*

unsung [ˈʌnˈsʌŋ] ●*miskend.*

unsure [ˈʌnˈʃʊə] ●*onzeker.*

unsuspected [ˈʌnsəˈspektɪd] ●*onverdacht* ● *onverwacht.* **unsuspecting** [ˈʌnsəˈspektɪŋ], **unsuspicious** [ˈʌnsəˈspɪʃəs] ●*niets vermoedend.*

unswerving [ˈʌnˈswəːvɪŋ] ●*recht* ●*onwankelbaar.*

unsympathetic [ˈʌnsɪmpəˈθetɪk] ●*onwelwillend* ●*geen medeleven tonend.*

untangle [ˈʌnˈtæŋgl] ●*ontwarren* ●*ophelderen.*

untapped [ˈʌnˈtæpt] ●*onaangesproken, (nog) niet gebruikt.*

untenable [ˈʌnˈtenəbl] ●*onhoudbaar* 〈ook fig.〉.

unthinkable [ˈʌnˈθɪŋkəbl] ●*ondenkbaar, onvoorstelbaar* ●*onaanvaardbaar;* it's –! *geen sprake v.!.* **unthinking** [ˈʌnˈθɪŋkɪŋ] ● *onnadenkend* ●*onbewust, onbedoeld.*

unthought-of [ʌnˈθɔːtɒv] ●*ondenkbaar,* 〈bij uitbr.〉 *onaanvaardbaar.*

untidy [ˈʌnˈtaɪdi] ●*slordig.*

untie [ˈʌnˈtaɪ] ●*losknopen* ●*bevrijden* 〈vastgebonden persoon〉.

1 until [ənˈtɪl, 〈sterk〉ˈʌnˈtɪl] 〈vz〉 ●〈tijd〉 *tot, voor,* 〈met ontkenning〉 *niet voor;* I cannot leave – Sunday *ik kan niet vertrekken voor zondag* ●〈richting en doel〉 *tot aan, naar toe;* they walked – the hotel *ze liepen tot aan het hotel.*

2 until 〈vw〉 ●*totdat, tot, voor.*

untimely [ˈʌnˈtaɪmli] ●*ongelegen* ●*voortijdig, te vroeg;* come to an – end *te vroeg sterven.*

untiring [ˈʌnˈtaɪərɪŋ] ●*onvermoeibaar.*

unto zie TO.

untold [ˈʌnˈtoʊld] ●*niet verteld* ●*onnoemelijk.*

untouchable ●*on(aan)tastbaar.* **untouched** [ˈʌnˈtʌtʃt] ●*onaangeraakt, onaangeroerd.*

untoward [ˈʌntəˈwɔːd] ●*ongelegen, ongewenst.*

untrained [ˈʌnˈtreɪnd] ●*ongeoefend.*

untranslatable [ˈʌntrænˈsleɪtəbl] ●*onvertaalbaar.*

untried [ˈʌnˈtraɪd] ●*niet geprobeerd* ●*(nog) niet berecht* 〈v. gevangene〉.

untrue [ˈʌnˈtruː] ●*onwaar, niet waar.* **un-**

truth [ˈʌnˈtruːθ] ●*onwaarheid, leugen.*

untruthful [ˈʌnˈtruːθfl] ●*leugenachtig* ● *onwaar.*

untutored [ˈʌnˈtjuːtəd] ●*ongeschoold.*

1 unused [ˈʌnˈjuːzd] 〈bn〉 ●*ongebruikt;* – opportunity *onbenutte gelegenheid.*

2 unused [ˈʌnˈjuːst] 〈bn〉 ●*niet gewend;* – to hard work/working hard *er niet aan gewend hard te (moeten) werken.*

unusual [ˈʌnˈjuːʒ(ʊ)əl] ●*ongebruikelijk* ●*opmerkelijk.* **unusually** [ˈʌnˈjuːʒ(ʊ)əli] ●zie UNUSUAL ●*bijzonder.*

unutterable [ˈʌnˈʌtrəbl] ●*onuitsprekelijk* 〈ook fig.〉 ●*onuitspreekbaar.*

unvarnished [ˈʌnˈvaːnɪʃt] ●*onverbloemd.*

unveil [ˈʌnˈveɪl] ●*onthullen, ontsluieren,* 〈fig.〉 *aan het licht brengen.*

unwanted [ˈʌnˈwɒntɪd] ●*ongewenst.*

unwarranted [ˈʌnˈwɒrəntɪd] ●*ongerechtvaardigd, ongegrond.*

unwelcome [ˈʌnˈwelkəm] ●*niet welkom, ongewenst.*

unwell [ʌnˈwel] ●*onwel, ziek.*

unwholesome [ˈʌnˈhoʊlsəm] ●*ongezond* 〈ook fig.〉.

unwieldy [ʌnˈwiːldi] ●*onhandelbaar, onhandig.*

unwilling [ˈʌnˈwɪlɪŋ] ●*onwillig, niet genegen;* – to do sth. *er niets voor voelen om iets te doen.*

unwind [ˈʌnˈwaɪnd] I 〈onov ww〉 ●*zich afwikkelen* 〈ook fig.〉 ● ↓ *zich ontspannen* II 〈ov ww〉 ●*afwikkelen.*

unwise [ˈʌnˈwaɪz] ●*onverstandig.*

unwitting [ˈʌnˈwɪtɪŋ] ●*onwetend* ●*onopzettelijk.*

unworkable [ˈʌnˈwəːkəbl] ●*(bijna) onuitvoerbaar.*

unworthy [ˈʌnˈwəːði] ●*onwaardig* ‖ that attitude is – of you *die houding siert je niet.*

unwrap [ˈʌnˈræp] ●*openmaken, uitpakken.*

unwritten [ˈʌnˈrɪtn] ●*ongeschreven, niet opgetekend.*

unyielding [ˈʌnˈjiːldɪŋ] ●*onbuigzaam, onverzettelijk.*

unzip [ˈʌnˈzɪp] I 〈onov ww〉 ●*los/opengaan, openritsen* II 〈ov ww〉 ●*openritsen, losmaken.*

1 up 〈zn〉 ‖ –s and downs *wisselvalligheden, voor- en tegenspoed.*

2 up I 〈bn, attr〉 ●*omhoog-, op-, opgaand;* an – stroke *opwaartse uithaal* 〈met pen〉 II 〈bn, pred〉 ●*(om)hoog, hoger(geplaatst), op, rechtstaand* ●*op, uit bed, wakker* ●*actief, gezond* ●*in beweging;* the winds are – *de wind is in kracht toegenomen* ●*gestegen;* the temperature is – eight degrees *de temperatuur ligt acht graden ho-*

ger ●*in aanmerking komend (voor);* the house is – for sale *het huis staat te koop* ● *om, voorbij;* time's – *je tijd is om* ● ↓ *welingelicht, goed op de hoogte;* be well – in/ on *veel afweten van, goed op de hoogte zijn van* ●*duurder (geworden), in prijs gestegen;* coffee is – again *de koffie is weer eens duurder geworden* ‖ Senator Smith is – for re-election *senator Smith stelt zich herkiesbaar;* road – *werk in uitvoering* ⟨waarschuwingsbord⟩; what's –? *wat gebeurt er (hier)?;* – and about *weer op de been* Ⅲ ⟨bn, attr post⟩ ●*naar boven lopend;* the road – *de weg omhoog.*

3 up I ⟨onov ww⟩ ● ↓ *opspringen;* she –ped and left *zij stond plotseling op en vertrok* Ⅱ ⟨ov ww⟩ ↓ ●*(plotseling) de hoogte in jagen, verhogen;* he –ped the offer *hij deed een hoger bod.*

4 up [ʌp] ⟨bw; vaak predikatief⟩ ● ⟨plaats of richting; ook fig.⟩ *omhoog, op, naar boven, hoger, meer, verder* ⟨enz.⟩, *op-, uit-;* six floors – *zes hoog;* face – *met de bovenkant omhoog;* help her – *help haar opstaan;* live – in the hills *boven in de bergen wonen;* turn – the music *zet de muziek harder;* he went – north *hij ging naar het noorden;* – and down *op en neer, heen en weer;* – till/to now *tot nu toe;* – to and including *tot en met;* sums of – to sixty pounds *bedragen tot zestig pond;* children from six years – *kinderen van zes jaar en ouder* ●*tevoorschijn, voor, uit-, over-;* it will turn – *het zal wel aan het licht komen* ●*helemaal, op, door-, af-, uit-;* full – *(helemaal) vol;* drink – *drink je glas uit;* all sold – *helemaal uitverkocht* ●⟨plaats of richting⟩ *in/naar* ‖ ⟨sport⟩ be two ⟨goals⟩ – *twee goals voorstaan;* I don't feel – to it *ik voel er mij niet toe in staat;* zie BE UP, BE UP TO ETC..

5 up ⟨vz⟩ ●⟨plaats of richting; ook fig.⟩ *op, boven in/op, omhoog;* – the coast to Edinburgh *langs de kust omhoog naar Edinburgh;* – (the) river *stroomopwaarts* ● ⟨richting naar een centraal punt toe⟩ *naar, in;* – the street *verderop in de straat* ‖ – and down the country *door/in het gehele land.*

'**up-and-'coming** ↓ ●*veelbelovend.*

upbraid [ʌp'breɪd] ↑ ●*verwijten, een (fikse) uitbrander geven.*

upbringing ['ʌpbrɪŋɪŋ] ●*opvoeding.*

'**up'date** ●*moderniseren, bijwerken.*

'**up'end** ●*op zijn kop zetten.*

'**up'grade** ●*bevorderen.*

upheaval [ʌp'hiːvl] ●*opschudding;* social – *sociale beroering.*

1 'uphill ⟨bn⟩ ●*hellend, (berg)opwaarts* ● *moeilijk;* – task *hels karwei.*

2 'up'hill ⟨bw⟩ ●*bergop, omhoog* ●*moeizaam.*

uphold ['ʌp'hoʊld] ●*op/rechthouden, hooghouden* ●*(moreel) steunen* ●*(her)bevestigen.*

upholster [ʌp'hoʊlstə] ●*stofferen, bekleden.* **upholstery** [ʌp'hoʊlstri] ●*stoffering, bekleding.*

'**upkeep** ●*onderhoud(skosten).*

1 upland ['ʌplənd] ⟨zn; vaak mv.⟩ ●*hoogland, plateau.*

2 upland ⟨bn⟩ ●*van/uit/in het hoogland.*

1 'uplift ⟨zn⟩ ●*opbeuring.*

2 'up'lift ⟨ww⟩ ●*(geestelijk) verheffen, aanmoedigen.*

'**up-'market** ⟨vnl. BE⟩ ●*voor de betere inkomensklasse;* an – bookshop *een exclusieve boekhandel.*

upmost zie UPPERMOST.

upon zie ON.

1 upper ['ʌpə] ⟨zn⟩ ‖ ↓ be (down) on one's –s *straatarm zijn.*

2 upper ⟨bn⟩ ●*hoger, boven-, opper-;* – arm *bovenarm* ●*meer noordelijk gesitueerd, hoger gelegen;* – reaches of the Nile *bovenloop v.d. Nijl* ●*belangrijker;* – servants *het hogere huispersoneel* ‖ ⟨druk.⟩ – case *kapitaal, hoofdletters(chrift);* have/get/ gain the – hand *of de overhand hebben/ krijgen/nemen op;* ↓ the – ten (thousand) *de hoogste kringen.* '**upper-'class** ●*mbt./ uit/v.d. hogere stand, aristocratisch.* '**uppercut** ⟨boksen⟩ ●*upper cut.*

up(per)most ['ʌp(ə)moʊst] ●*hoogst, bovenst, belangrijkst.*

uppermost ●*in/op de eerste plaats.*

uppish ['ʌpɪʃ] ⟨BE⟩ ● ↓ *verwaand, arrogant.* **uppity** ['ʌpəti] ↓ ●*arrogant* ●*weerbarstig.*

1 upright ⟨bn⟩ ●*recht(opstaand), kaarsrecht* ●*oprecht* ‖ – piano *gewone piano.*

2 upright ⟨bw⟩ ●*rechtop.*

uprising ['ʌpraɪzɪŋ] ●*opstand.*

uproar ['ʌprɔː] ●*tumult, herrie.* **uproarious** ['ʌp'rɔːriəs] ●*luidruchtig, uitgelaten.*

'**up'root** ●*ontwortelen* ⟨ook fig.⟩, *uit zijn vertrouwde omgeving wegrukken* ⟨personen⟩ ●*uitroeien.*

1 upset ['ʌpset] ⟨zn⟩ ●*omverwerping, verstoring* ●*ontsteltenis, (emotionele) schok;* Sheila has had a terrible – *Sheila heeft een flinke opdoffer gekregen.*

2 upset ['ʌp'set] ⟨bn, attr en pred⟩ ●*lichtjes ziek* ●*verstoord, verward* Ⅱ ⟨bn, pred⟩ ● *van streek, overstuur.*

3 upset ['ʌp'set] I ⟨onov ww⟩ ●*omvallen* ● *verstoord worden, in de war raken* Ⅱ ⟨ov

ww⟩ ●*omstoten, omgooien* ●*in de war
sturen, van zijn stuk brengen* ●*ziek maken, van streek maken* ⟨de maag⟩.
upshot [ˈʌpʃʊt] ●*(eind)resultaat, uitkomst.*
upside [ˈʌpsaɪd] ●*bovenkant.* **'upside-
'down, upside down** ●*ondersteboven* ●
compleet in de war.
1 upstage ⟨ww⟩ ● ↓ *meer aandacht trekken
dan, de show stelen van.*
2 upstage ⟨bw⟩ ●⟨dram.⟩ *achteraan op het
toneel.*
1 'up'stairs ⟨zn⟩ ●*bovenverdieping(en).*
2 'upstairs, 'upstair ⟨bn⟩ ●*mbt./liggend op
de bovenverdieping(en), boven-.*
3 'up'stairs ⟨bw⟩ ●*naar/op de bovenver-
dieping(en), de trap op, naar boven.*
'up'standing ●*recht overeind (staand)* ●*eerlijk.*
upstart [ˈʌpstɑːt] ⟨ong.⟩ ●*parvenu.*
'up'stream ●*tegen de stroom in(gaand),
stroomopwaarts.*
upsurge [ˈʌpsəːdʒ] ●*opwelling* ●*plotselinge toename.*
'upswing ●*toename.*
uptake [ˈʌpteɪk] ‖ *slow/quick on the* – *niet zo
vlug/vlug v. begrip.*
'up'tight ● ↓ *zenuwachtig* ●*nijdig.*
'up-to-'date ●*bijgewerkt;* bring s.o. – *iem.
v.h. laatste nieuws op de hoogte stellen;*
bring sth. – *iets bijwerken* ●*modern, hedendaags.*
1 'up'town ⟨bn⟩ ●⟨AE⟩ *van/mbt. de betere
woonwijk(en).*
2 uptown ⟨bw⟩ ●⟨AE⟩ *in/naar de betere
woonwijk(en).*
'upturn ●*ontreddering* ●*verbetering.*
1 upward [ˈʌpwəd] ⟨bn⟩ ●*stijgend, toenemend.*
2 upward, upwards [ˈʌpwədz] ⟨bw⟩ ●*(naar)
omhoog, naar boven;* from the knees –
boven de knieën; – of twenty people *meer
dan twintig mensen.*
uranium [jʊˈreɪnɪəm] ●*uranium.*
urban [ˈəːbən] ●*stedelijk, stads-.* **urbane**
[əːˈbeɪn] ●*hoffelijk.* **urbanity** [əːˈbænəti]
●*hoffelijkheid.* **urban|ize** [ˈəːbənaɪz] ⟨zn:
-ization⟩ ●*verstedelijken.*
urchin [ˈəːtʃɪn] ●*kwajongen.*
1 urge [əːdʒ] ⟨zn⟩ ●*drang, neiging, behoefte.*
2 urge ⟨ww⟩ ●*aansporen;* – on *voortdrijven*
●*dringend verzoeken, smeken* ●*bepleiten, aandringen op* ‖ she –d (up)on us the
need for secrecy *zij drukte ons de noodzaak v. geheimhouding op het hart.*
urgency [ˈəːdʒənsi] ●*(aan)drang, pressie* ●
urgentie. **urgent** [ˈəːdʒənt] ●*urgent, dringend* ●*hardnekkig.*

urinal [ˈjʊərɪnl, jəˈraɪnl] ●*urinoir.* **urinate**
[ˈjʊərɪneɪt] ●*urineren.* **urine** [ˈjʊərɪn] ●
urine.
urn [əːn] ●*urn.*
us [əs, ⟨sterk⟩ʌs], ⟨verk.⟩ **'s** [s] ●*(voor/aan)
ons;* he couldn't believe – stealing bicy-
cles *hij kon niet geloven dat wij fietsen
stalen;* all of – enjoyed it *wij genoten er allen van* ●*wij, ons;* who, –? *wie, wij?;* they
are stronger than -- *ze zijn sterker dan wij*
●*mij;* give – a kiss (now) *geef me eens een
kusje.*
U.S.A. ⟨afk.⟩ ●United States of America.
usable [ˈjuːzəbl] ●*bruikbaar.*
usage [ˈjuːzɪdʒ, -sɪdʒ] ●*gebruik, gewoonte.*
1 use [juːs] I ⟨telb en n-telb zn⟩ ●*gebruik,
toepassing;* make a good – of *goed gebruik maken van;* out of – *in onbruik* II ⟨n-
telb zn⟩ ●*nut, bruikbaarheid;* have no –
for *niet kunnen gebruiken; niets moeten
hebben van;* this will be of – *dit zal goed
van pas komen;* it is no – arguing *tegenspreken heeft geen zin;* what is the – of it?
wat heeft het voor zin?.
2 use [juːz] ⟨ww⟩ ●*gebruiken* ⟨ook drugs⟩,
gebruik maken van; – s.o.'s name *iem. als
referentie opgeven;* – up *opmaken* ●*behandelen, bejegenen.*
used [juːzd] ●*gebruikt, tweedehands.*
1 used to [ˈjuːst tə, -tʊ] ⟨bn⟩ ●*gewend aan,
gewoon aan;* she is – noise *ze is lawaai
gewend.*
2 used to [ˈjuːstə, -stʊ] ⟨ww; ontkenning
didn't use(d) to, of vnl. BE, use(d)n't to;
vragend did I use(d) to; vragend ontkennend didn't I use(d) to⟩ ⟨vnl. te vertalen
met bijw.⟩ ●*had(den) de gewoonte te;* the
summers – be hotter *de zomers waren
vroeger warmer;* she – do her shopping
on Wednesday *ze ging altijd 's woens-
dags winkelen;* like we – *zoals we vroeger
deden.*
useful [ˈjuːsfl] ⟨-ness⟩ ●*bruikbaar, nuttig;*
come in – *goed van pas komen;* make o.s.
– *zich verdienstelijk maken;* be – to *van
nut zijn voor.* **useless** [ˈjuːsləs] ●*nutteloos, vergeefs* ●*onbruikbaar, waardeloos.*
user [ˈjuːzə] ●*gebruiker, verbruiker* ●*gebruiker, verslaafde.*
1 usher [ˈʌʃə] ⟨zn⟩ ●*portier, zaalwachter* ●
plaatsaanwijzer.
2 usher ⟨ww⟩ ●*als portier/plaatsaanwijzer
optreden voor, voorgaan;* – out *uitlaten;* –
into *binnenleiden in* ●(+in) *aankondigen,*
⟨fig.⟩ *inluiden.* **usherette** [ˈʌʃəˈret] ●*ou-
vreuse.*
U.S.S.R. ⟨afk.⟩ Union of Soviet Socialist Re-
publics ●*U.S.S.R..*

usual ['juːʒʊəl, 'juːʒl] ●gebruikelijk, gewoon; business as – alles gaat zijn gangetje; as – zoals gebruikelijk. usually
['juːʒ(ʊ)əli] ●gewoonlijk.
usurer ['juːʒərə] ●woekeraar.
usurp [juːˈzəːp] ●onrechtmatig in bezit nemen, zich toeëigenen. usurpation ['juːzə-
ə:'peɪʃn] ●wederrechtelijke inbezitneming. usurper [juːˈzəːpə] ●overweldiger.
usury ['juːʒəri] ●woeker.
utensil [juːˈtensl] ●gebruiksvoorwerp;
cooking –s keukengerei ●⟨mv.⟩ werktui-
gen ⟨ook fig.⟩, gereedschap.
utility [juːˈtɪləti] I ⟨telb zn⟩ ●(openbare)
voorziening II ⟨n-telb zn⟩ ●nut(tigheid).
utilization ['juːtɪlaɪˈzeɪʃn] ●(nuttig) gebruik.
utilize ['juːtɪlaɪz] ●gebruiken, gebruik maken van.
1 utmost ['ʌtmoʊst] ⟨zn⟩ ●uiterste (grens) ●
uiterste best; do one's – zijn uiterste best
doen.
2 utmost ⟨bn⟩ ●uiterst, hoogst; of the – importance v.h. (aller)grootste belang.
Utopia [juːˈtoʊpɪə] ●utopie, droombeeld.
utopian [juːˈtoʊpɪən] ●utopisch.
1 utter ['ʌtə] ⟨bn⟩ ●uiterst, volslagen.
2 utter ⟨ww⟩ ●uiten, slaken ●uitspreken,
zeggen. utterance ['ʌtrəns] I ⟨telb zn⟩ ●ui-
ting, uitlating II ⟨n-telb zn⟩ ●het uiten, het
uitdrukken; give – to uiting geven aan. ut-
terly ['ʌtəli] ●zie UTTER ●volkomen.
'U-turn ●(totale) ommezwaai; ⟨verkeer⟩ no
–s keren verboden.
uvula ['juːvjʊlə] ●huig.

vac [væk] ⟨verk.⟩ vacation.
vacancy ['veɪkənsi] I ⟨telb zn⟩ ●vacature ●
lege plaats; no vacancies vol ⟨v. hotel⟩ II
⟨telb en n-telb zn⟩ ●lege ruimte, leegte.
vacant ['veɪkənt] ●leeg ●leeg(staand) ⟨v.
huis⟩ ●vacant ⟨v. baan⟩ ●afwezig ⟨v.
geest⟩, wezenloos.
vacate [vəˈkeɪt, veɪ-] ●doen vrijkomen, ontruimen ⟨huis⟩ ●opgeven ⟨positie⟩.
1 vacation [vəˈkeɪʃn] ⟨zn⟩ ●vakantie; long –
zomervakantie.
2 vacation ⟨ww⟩ ⟨AE⟩ ●vakantie nemen/
houden.
vaccin|ate ['væksɪneɪt] ⟨zn: -ation⟩ ●
⟨+against⟩ vaccineren (tegen), inenten.
vaccine ['væksiːn] ●vaccin.
vacill|ate ['væsɪleɪt] ⟨zn: -ation⟩ ●⟨+be-
tween⟩ aarzelen (tussen), weifelen.
vacuity [vəˈkjuːəti] I ⟨telb zn⟩ ●onbenullige
opmerking II ⟨telb en n-telb zn⟩ ●leeg-
heid.
vacuous ['vækjʊəs] ●leeg ⟨ook fig.⟩, nietszeggend.
1 vacuum ['vækjʊəm] ⟨zn⟩ ●vacuüm.
2 vacuum ⟨ww⟩ ↓●⟨ook +out⟩ (stof)zuigen.
'vacuum bottle, ⟨BE⟩ 'vacuum flask ●
thermosfles. 'vacuum cleaner ●stofzui-
ger.
vagabond ['vægəbɒnd] ●vagebond, landloper.
vagary ['veɪgəri] ●gril.
vagina [vəˈdʒaɪnə] ●vagina.
vagrancy ['veɪgrənsi] ●landloperij. vagrant
['veɪgrənt] ●⟨bn⟩ (rond)zwervend ●⟨zn⟩
landloper.
vague [veɪg] ●vaag, onduidelijk, onscherp; I
haven't the –st idea ik heb geen flauw
idee.
vain [veɪn] ●ijdel ●zinloos, nutteloos, vals
⟨hoop⟩, vergeefs ⟨moeite, poging⟩; in –
tevergeefs.
vale [veɪl] ●vallei.
valediction ['vælɪˈdɪkʃn] ●afscheidsrede, afscheid. valedictory ['vælɪˈdɪktri] ●af-
scheids-.
valet ['vælɪt, 'væleɪ] ●(persoonlijke) bediende.

valiant ['vælɪənt] ● *moedig*.

valid ['vælɪd] ● *redelijk* ⟨v. argumenten e.d.⟩, *steekhoudend, gegrond* ●*(rechts) geldig*. **valid|ate** ['vælɪdeɪt] ⟨zn: **-ation**⟩ ● *bevestigen, bekrachtigen*. **validity** [və'lɪdətɪ] ● *(rechts)geldigheid* ● *redelijkheid*.

valise [və'liːz] ●⟨AE⟩ *valies*.

valley ['vælɪ] ● *dal, vallei*.

valour ['vælə] ●*(helden)moed* ‖ zie ook ⟨sprw.⟩ DISCRETION.

1 valuable ['væljəbl] ⟨zn; vaak mv.⟩ ● *kostbaarheid*.

2 valuable ⟨bn⟩ ● *waardevol, nuttig* ● *kostbaar*.

valuation ['vælju'eɪʃn] ● *taxatie* ● *taxatieprijs* ● *beoordeling*.

1 value ['væljuː] **I** ⟨telb zn⟩ ● *(gevoels)waarde, betekenis* ●⟨vaak mv.⟩ *maatstaf, waarde* **II** ⟨telb en n-telb zn⟩ ● *(gelds)waarde, valuta, prijs;* (get) – *for money waar voor zijn geld (krijgen);* to the – *of ter waarde van* ●*nut, waarde;* of great – *erg nuttig/waardevol*.

2 value ⟨ww⟩ ●⟨+at⟩ *taxeren (op), schatten* ● *waarderen, op prijs stellen.* **'value-'added tax** ● *belasting op de toegevoegde waarde, BTW.* **'value judgement** ● *waardeoordeel.*

valve [vælv] ● *klep, ventiel*.

1 vamp [væmp] ⟨zn⟩ ● ↓ *vamp*.

2 vamp ⟨ww⟩ ‖ – *up opkalefateren, opknappen*.

vampire ['væmpaɪə] ● *vampier* ● *uitzuiger* ⟨fig.⟩.

van [væn] ● *bestelwagen, bus(je)*⟨in samenstellingen vaak⟩, *wagen,* ⟨ihb.⟩ *verhuiswagen*.

vandal ['vændl] ● *vandaal*. **vandalism** ['vændəlɪzm] ● *vandalisme*. **vandalize** ['vændəlaɪz] ● *(moedwillig) vernielen*.

vane [veɪn] ● *vin, blad, schoep* ⟨v. schroef⟩ ● *windwijzer*.

vanguard ['vængɑːd] ● *voorhoede* ⟨ook fig.⟩.

vanilla [və'nɪlə] ● *vanille*.

vanish ['vænɪʃ] ●*(plotseling) verdwijnen.* **'vanishing point** ● *verdwijnpunt* ● *punt waarop iets ophoudt (te bestaan), nulpunt*.

vanity ['vænətɪ] ● *ijdelheid;* tickle s.o.'s – *iemands eigenliefde strelen* ● *vruchteloosheid.* **'vanity bag, 'vanity case** ● *make-up tasje*.

vanquish ['væŋkwɪʃ] ● *overwinnen* ⟨ook fig.⟩.

'vantage point, 'vantage ground ● *gunstige ligging, geschikt (uitkijk)punt*.

vapid ['væpɪd] ● *geesteloos, flauw* ● *smakeloos*. **vapidity** [və'pɪdətɪ] ● *smakeloosheid* ● *geesteloosheid*.

vaporize ['veɪpəraɪz] ●*(laten) verdampen*. **vaporizer** ['veɪpəraɪzə] ● *verstuiver*. **vaporous** ['veɪp(ə)rəs] ● *dampig, nevelig*.

vapour ['veɪpə] ● *damp, wasem*.

1 variable ['veərɪəbl] ⟨zn⟩ ● *variabele*.

2 variab|le ⟨bn; zn: **-ility**⟩ ● *veranderlijk, variabel*.

variance ['veərɪəns] ● *verschil,* ⟨fig.⟩ *verschil v. mening;* be at – *het oneens zijn;* at – *with in strijd met; in tegenspraak met*.

variant ['veərɪənt] ●⟨bn⟩ *afwijkend* ●⟨zn⟩ *variant*.

variation ['veərɪ'eɪʃn] ● *variatie* ⟨ook muz.⟩, *afwijking, verscheidenheid*.

'varicose 'vein ⟨vnl. mv.⟩ ● *spatader*.

varied ['veərɪd] ● *gevarieerd*.

variegated ['veərɪəgeɪtɪd] ●*(onregelmatig) gekleurd, (bont) geschakeerd.* **variegation** ['veərɪə'geɪʃn] ●*(kleur)schakering*.

variety [və'raɪətɪ] **I** ⟨telb zn⟩ ● *verscheidenheid;* a – *of details allerlei details* ● *variëteit, ras* **II** ⟨n-telb zn⟩ ● *afwisseling, variatie* ‖ ⟨sprw.⟩ variety is the spice of life ± *verandering van spijs doet eten.* **va'riety show** ● *variété(programma)*.

various ['veərɪəs] ● *gevarieerd, uiteenlopend;* – rolls *allerlei broodjes* ● *verscheiden, talrijk, divers*.

1 varnish ['vɑːnɪʃ] ⟨zn⟩ ● *vernis(laag)* ⟨ook fig.⟩.

2 varnish ⟨ww⟩ ● *vernissen, lakken,* ⟨fig.⟩ *mooier voorstellen*.

vary ['veərɪ] ● *variëren, (doen) veranderen, v. elkaar (doen) verschillen;* with –ing success *met afwisselend succes;* temperatures – from 12° to 20° *de temperatuur varieert v. 12 tot 20 graden*.

vascular ['væskjʊlə] ●⟨biol.⟩ *v./met/door (bloed)vaten*.

vase [vɑːz] ● *vaas*.

vaseline ['væsɪliːn, -lɪn] ● *vaseline*.

vassal ['væsl] ● *vazal*.

vast [vɑːst] ● *enorm (groot), geweldig;* –ly *exaggerated vreselijk overdreven*.

vat [væt] ● *vat, ton*.

V.A.T. ['viː'eɪ'tiː:, væt] ⟨afk.⟩ value-added tax ● *BTW*.

Vatican ● *Vaticaan*.

1 vault [vɔːlt] ⟨zn⟩ ● *gewelf* ●*(bank)kluis* ● *sprong*.

2 vault ⟨ww⟩ ⟨ook fig.⟩ ● *springen (op/over).* **vaulted** ['vɔːltɪd] ● *boog-, gewelfd.* **'vaulting horse** ⟨gymnastiek⟩ ●*(spring)paard, lange springbok*.

VCR ⟨afk.⟩ video cassette recorder.

've [v] ⟨samentr. v. have⟩.

veal [vi:l] ● *kalfsvlees.*

veer [vɪə] ● *v. richting/koers (doen) veranderen,* ⟨fig.⟩ *een andere kant (doen) opgaan; the wind –ed round to the east de wind draaide naar het oosten; the car –ed off the road de auto schoot (plotseling) van de weg af.*

veg [vedʒ] ⟨verk.⟩ vegetable ⟨vnl. BE; ↓⟩ ● *(gekookte) groente; meat and two – vlees (, aardappelen) en twee verschillende groentes.*

vegan ['vi:gən] ● *veganist, strikte vegatariër.*

1 vegetable ['vedʒtəbl] ⟨zn⟩ ● *groente* ● *plant,* ⟨fig.⟩ *vegeterend mens.*

2 vegetable ⟨bn⟩ ● *plante(n)-, plantaardig.* 'vegetable garden ● *moestuin.* 'vegetable 'soup ● *groentesoep.*

vegetarian ['vedʒɪ'teərɪən] ●⟨bn⟩ *vegetarisch* ●⟨zn⟩ *vegetariër.* vegetarianism ['vedʒɪ'teərɪənɪzm] ● *vegetarisme.*

vegetate ['vedʒɪteɪt] ● *groeien* ● *vegeteren* ⟨fig.⟩. vegetation ['vedʒɪ'teɪʃn] ● *vegetatie, (planten)groei.*

vehemence ['vɪəməns] ● *felheid, hevigheid.* vehement ['vɪəmənt] ● *fel, heftig, krachtig; –* protests *hevige protesten.*

vehicle ['vi:ɪkl] ● *voertuig* ● *middel, medium;* language is the – of thought *taal is het voertuig v.d. gedachte* ● *drager, overbrenger.*

1 veil [veɪl] ⟨zn⟩ ● *sluier,* ⟨fig.⟩ *(dek)mantel;* draw a – over sth. *een sluier over iets trekken;* ⟨ook fig.⟩ *iets in de doofpot stoppen;* under the – of kindness *onder het mom v. vriendelijkheid.*

2 veil ⟨ww⟩ ● *(ver)sluieren* ⟨ook fig.⟩, *verdoezelen;* –ed threat *verholen dreigement.*

vein [veɪn] ● *ader, bloedvat;* –s run through marble *er lopen aderen door marmer* ● *vleugje, klein beetje* ● *bui* ‖ in the same – *in dezelfde geest, van hetzelfde soort.*

Velcro [velkrov] ● *klitteband.*

velocity [vɪ'lɒsəti] ● *snelheid.*

velvet ['velvɪt] ●⟨zn⟩ *fluweel* ●⟨bn⟩ *fluwelen* ‖ be/stand on – ⟨fig.⟩ *op fluweel zitten; er goed voor staan.* velvety ['velvəti] ● *fluweelachtig,* ⟨ook fig.⟩ *zacht.*

venal ['vi:nl] ● *corrupt, (om)koopbaar.*

vend [vend] ● *verkopen* ● *venten.*

vendetta [ven'detə] ● *bloedwraak.*

'vending machine ● *automaat* ⟨voor sigaretten e.d.⟩. vendor, vender ['vendə] ● *verkoper.*

1 veneer [vɪ'nɪə] ⟨zn⟩ ● *fineer* ●⟨fig.⟩ *vernisje, dun laagje.*

2 veneer ⟨ww⟩ ● *fineren.*

venerab|le ['venrəbl] ⟨zn: **-ility**⟩ ● *eerbiedwaardig* ●⟨rel.⟩ *hoogeerwaard.* vener|ate ['venəreɪt] ⟨zn: **-ation**⟩ ● *aanbidden.*

venereal [vɪ'nɪərɪəl] ● *venerisch;* – disease *geslachtsziekte.*

Venetian [vɪ'ni:ʃn] ‖ – blind *jaloezie, zonneblind.*

vengeance ['vendʒəns] ● *wraak;* take – (up) on s.o. *zich op iem. wreken* ‖ work with a – *werken dat de stukken eraf vliegen.* vengeful ['vendʒfl] ● *wraakzuchtig.*

venial ['vi:nɪəl] ● *vergeeflijk.*

venison ['venɪsn, 'venɪzn] ● *hertevlees.*

venom ['venəm] ● *vergif(t)* ⟨v. slang enz.⟩ ● *venijn.* venomous ['venəməs] ● *(ver)giftig;* – snake *gifslang* ● *venijnig.*

1 vent [vent] I ⟨telb zn⟩ ● *(lucht)opening, (ventilatie)gat* II ⟨telb en n-telb zn⟩ ⟨ook fig.⟩ ● *uitlaat, uitweg;* give – to one's feelings *zijn hart luchten.*

2 vent ⟨ww⟩ ● *uiten* ⟨gevoelens⟩ ● *afreageren; –* sth. on s.o. *iets afreageren op iem.; –* one's fury on *zijn woede koelen op.*

ventilate ['ventɪleɪt] ● *ventileren, luchten* ● *(in het openbaar) bespreken, ventileren* ⟨plan e.d.⟩, *naar buiten brengen* ⟨mening⟩. ventilation ['ventɪ'leɪʃn] ● *ventilatie(systeem), luchtverversing* ● *uiting, het naar buiten brengen* ⟨v. mening e.d.⟩. ventilator ['ventɪleɪtə] ● *ventilator.*

ventricle ['ventrɪkl] ⟨med.⟩ ●⟨ben. voor⟩ *(orgaan)holte, hartkamer.*

ventriloquism [ven'trɪləkwɪzm] ● *het buikspreken.* ventriloquist [ven'trɪləkwɪst] ● *buikspreker.*

1 venture ['ventʃə] ⟨zn⟩ ● *(gevaarlijke) onderneming, avontuurlijke reis/stap.*

2 venture I ⟨onov ww⟩ ● *zich wagen; –* out *zich buiten wagen* II ⟨onov en ov ww⟩ ● *(aan)durven, wagen (iets te doen); –* to say *zo vrij zijn te zeggen; –* (up)on sth. *iets aandurven* III ⟨ov ww⟩ ● *wagen, riskeren; –* one's life *zijn leven op het spel zetten* ‖ – a small bet *een gokje wagen; –* the stormy weather *het stormachtige weer trotseren;* ⟨sprw.⟩ nothing ventured, nothing gained *wie niet waagt, die niet wint.* venturesome ['ventʃəsəm] ● *avontuurlijk, (stout)moedig.*

venue ['venju:] ● *plaats v. samenkomst, ontmoetingsplaats* ● *plaats v. handeling, terrein.*

veracious [və'reɪʃəs] ● *eerlijk* ● *waar(heidsgetrouw).* veracity [və'ræsəti] ● *eerlijkheid* ● *geloofwaardigheid.*

veranda(h) [və'rændə] ● *veranda.*

verb [vəːb] ● *werkwoord.* **verbal** ['vəːbl] ● *mondeling, gesproken;* – agreement *mondelinge overeenkomst* ● *v./mbt. woorden, woord(en)-* ● *woordelijk;* – translation *letterlijke vertaling* ● ⟨taal.⟩ *werkwoordelijk.* **verbalize** ['vəːbəlaɪz] I ⟨onov ww⟩ ● *zich uitdrukken in woorden* II ⟨ov ww⟩ ● *onder woorden brengen.* **verbatim** [vəːˈbeɪtɪm] ● *woordelijk, woord-voor-woord.*

verbiage ['vəːbiɪdʒ] ● *woordenstroom.*

verbose [vəːˈbous] ● *breedsprakig.* **verbosity** [vəːˈbɒsəti] ● *breedsprakigheid.*

verd|ant ['vəːdnt] ⟨zn: **-ancy**⟩ ● *(gras)groen.*

verdict ['vəːdɪkt] ● *oordeel, vonnis* ● ⟨jur.⟩ *(jury)uitspraak;* bring in a – *uitspraak doen;* – of not guilty *juryvrijspraak.*

verge [vəːdʒ] ● *rand, kant* ⟨vnl. fig.⟩, *berm;* on the – of death *de dood nabij.* **verge on** ● *grenzen aan;* verging on the tragic *op het randje v.h. tragische.*

verger ['vəːdʒə] ● *koster.*

verifiable ['verɪfaɪəbl] ● *verifieerbaar.* **verification** [verɪfɪˈkeɪʃn] ● *verificatie, onderzoek* ● *bevestiging.* **verify** ['verɪfaɪ] ● *verifiëren, de waarheid/juistheid nagaan v.* ● *waarmaken, bevestigen.*

verisimilitude [verɪsɪˈmɪlɪtjuːd] ● *waarschijnlijkheid.*

veritable ['verɪtəbl] ● *waar, echt.*

vermilion [vəˈmɪliən] ● ⟨bn en zn⟩ *vermiljoen.*

vermin ['vəːmɪn] ● *ongedierte* ● *gespuis.* **verminous** ['vəːmɪnəs] ● *vol (met) ongedierte* ● *door ongedierte overgebracht* ⟨ziekte⟩.

vernacular [vəˈnækjʊlə] ● ⟨bn⟩ *in de lands/streektaal* ● ⟨zn; (the)⟩ *lands/streektaal.*

vernal ['vəːnl] ● *lente-, voorjaars-.*

versat|ile ['vəːsətaɪl] ⟨zn: **-ility**⟩ ● *veelzijdig,* ⟨ook⟩ *flexibel* ⟨v. geest⟩ ● *veelzijdig bruikbaar.*

verse [vəːs] I ⟨telb zn⟩ ● *vers, versregel* ● *vers, couplet, strofe* II ⟨n-telb zn⟩ ● *versvorm* ● *gedichten.*

versed [vəːst] ● *bedreven, ervaren.*

versify ['vəːsɪfaɪ] I ⟨onov ww⟩ ● *rijmen, dichten* II ⟨ov ww⟩ ● *berijmen, op rijm zetten.*

version ['vəːʃn] ● *vertaling* ● *versie, lezing* ● *versie, bewerking.*

versus ['vəːsəs] ● ⟨vnl. jur. of sport⟩ *tegen;* John – Bill *John tegen Bill* ● ⟨vergelijkend⟩ *vergeleken met, tegenover.*

vertebra ['vəːtɪbrə] ⟨mv.: meestal vertebrae [-briː]⟩ ● *(rugge)wervel;* the –e *de wervelkolom.* **vertebrate** ['vəːtɪbrət] ● ⟨bn⟩ *gewerveld* ● ⟨zn⟩ *gewerveld dier.*

vertex ['vəːteks] ⟨mv.: ook vertices⟩ ● *top(punt), zenit.*

1 vertical ['vəːtɪkl] I ⟨telb zn⟩ ● *loodlijn* II ⟨n-telb zn⟩ ● *loodrechte stand;* out of the – *niet loodrecht, uit het lood.*

2 vertical ⟨bn⟩ ● *verticaal, loodrecht.*

vertices ['vəːtɪsiːz] ⟨mv.⟩ zie VERTEX.

vertiginous [vəːˈtɪdʒɪnəs] ● *duizelingwekkend.* **vertigo** ['vəːtɪɡou] ● *duizeligheid, draaierigheid.*

verve [vəːv] ● *elan, geestdrift.*

1 very ['veri] ⟨bn⟩ ● ⟨emf.; niet altijd vertaalbaar⟩ ● *absoluut, uiterst;* from the – beginning *vanaf het allereerste begin;* do one's – best *zijn uiterste best doen* ● *zelf, zelfde, precies;* under my – eyes *vlak onder mijn ogen;* the – man he needed *precies de man die hij nodig had;* he died in this – room *hij stierf in deze zelfde kamer;* these were his – words *dit waren letterlijk zijn woorden* ● *enkel, alleen (al);* the – fact that ... *alleen al het feit dat ...* ‖ the – idea! *wat een idee!*

2 very ⟨bw⟩ ● *heel, erg, zeer, aller-;* the – last day *de allerlaatste dag;* he is – much better today *hij is heel wat beter vandaag;* not so – difficult *niet zo (erg)/(al) te moeilijk;* oh, – well then! *oh, goed dan (, als het moet)!* ● *helemaal* ● *precies;* in the – same hotel *in precies hetzelfde hotel.*

vessel ['vesl] ↑ ● *vat* ⟨voor vloeistof⟩ ● ⟨anat.⟩ *vat, kanaal* ⟨voor bloed⟩ ● *vaartuig, schip.*

1 vest [vest] ⟨zn⟩ ● ⟨BE⟩ *(onder)hemd* ● ⟨AE⟩ *vest.*

2 vest ⟨ww⟩ ● *toekennen, bekleden;* –ed interests *gevestigde belangen;* – power in s.o., – s.o. with power *iem. met macht bekleden.*

vestibule ['vestɪbjuːl] ● *vestibule.*

vestige ['vestɪdʒ] ● *spoor;* –s of an old civilization *sporen v.e. oude beschaving* ● ⟨biol.⟩ *rudiment.* **vestigial** [veˈstɪdʒl] ● *resterend* ● ⟨biol.⟩ *rudimentair.*

vestment ['ves(t)mənt] ● *(ambts)kleed/gewaad.*

vestry ['vestri] ● *sacristie.*

1 vet [vet] ⟨zn⟩ ⟨verk.⟩ veterinary surgeon ↓ ● *dierenarts, veearts.*

2 vet ⟨ww⟩ ● *medisch behandelen* ⟨dier⟩ ● ⟨vnl. BE; ↓⟩ *grondig onderzoeken,* ⟨fig.⟩ *doorlichten.*

1 veteran ['vetrən] ⟨zn⟩ ● *veteraan, oudgediende* ⟨ook fig.⟩.

2 veteran ⟨bn⟩ ● *vergrijsd in het vak, door en door ervaren* ● *veteranen-.*

veterinarian ['vetrɪˈneəriən] ● *dierenarts, veearts.* **veterinary** ['vet(rɪ)nri] ● *veeart-*

senij-; – surgeon *dierenarts, veearts.*

veto ['viːtoʊ] ● ⟨zn⟩ *veto(recht)* ● ⟨ww⟩ *zijn veto uitspreken over, zijn toestemming weigeren.*

vex [veks] ● *ergeren, irriteren* ● *in de war/ verlegenheid brengen.* **vexation** [vek-'seɪʃn] ● *irritatie* ● *kwelling.* **vexatious** [vek'seɪʃəs] ● *vervelend, ergerlijk.* **vexed** [vekst] ● *geërgerd* ● *netelig;* – *question heikele kwestie.*

via ['vaɪə] ● *via, door, langs;* he left – the garden *hij vertrok door de tuin* ● *door middel v..*

viab|le ['vaɪəbl] ⟨zn: **-ility**⟩ ● *levensvatbaar* ⟨ook fig.⟩ ● *uitvoerbaar.*

viaduct ['vaɪədʌkt] ● *viaduct.*

vial ['vaɪəl] ● *medicijnflesje.*

vibrant ● *trillend, vibrerend* ● *helder* ⟨v. kleur⟩ ● *levendig, krachtig* ⟨v. stem⟩.

vibrate [vaɪ'breɪt] ● *(doen) trillen* ⟨ook fig.⟩. **vibration** [vaɪ'breɪʃn] I ⟨telb zn⟩ ↓ ● *geestelijke invloed, stemming* II ⟨telb en n-telb zn⟩ ● *trilling, vibratie.*

vicar ['vɪkə] ● *predikant, dominee* ⟨Kerk v. Engeland⟩ ● ⟨R.-K.⟩ *vicaris.* **vicarage** ['vɪkərɪdʒ] ● *pastorie.*

vicarious [vɪ'keərɪəs] ● *indirect.*

vice [vaɪs] I ⟨telb zn⟩ ● *gebrek,* ⟨↓, scherts.⟩ *slechte gewoonte/eigenschap* ● *plaatsvervanger, vice-* II ⟨telb en n-telb zn⟩ ● *ondeugd, slechtheid.*

'vice-'chairman ● *vice-president, vice-voorzitter.* **'vice-'chancellor** ● *vice-kanselier* ● ⟨BE; ongeveer⟩ *rector magnificus* ⟨v. universiteit⟩. **viceroy** ['vaɪsrɔɪ] ● *onderkoning.*

'vice squad ● *zedenpolitie.*

vice versa ['vaɪs 'vəːsə, 'vaɪsɪ-] ● *vice versa, omgekeerd.*

vicinity [vɪ'sɪnəti] ● *buurt, wijk* ● *nabijheid, omgeving;* ↑ in the – of *ongeveer.*

vicious ['vɪʃəs] ● *wreed, gemeen* ● *gevaarlijk;* –(-looking) knife *gevaarlijk (uitziend) mes* ● ↓ *hevig;* – headache *gemene hoofdpijn* ‖ – circle *vicieuze cirkel* ⟨ook fig.⟩.

vicissitude [vɪ'sɪsɪtjuːd] ● ⟨vaak mv.⟩ *wisselvalligheid, onbestendigheid.*

victim ['vɪktɪm] ● *slachtoffer, dupe;* fall – to s.o./sth. *aan iem./iets ten prooi vallen* ● *offer* ⟨mens, dier⟩. **victim|ize** ['vɪktɪmaɪz] ⟨zn: **-ization**⟩ ● *slachtofferen, doen lijden* ● *represailles nemen tegen, (onverdiend) straffen.*

victor ['vɪktə] ● *overwinnaar.*

Victorian [vɪk'tɔːrɪən] ● ⟨bn⟩ *Victoriaans* ⟨fig.⟩, ⟨ongeveer⟩ *(overdreven) preuts, hypocriet* ● ⟨zn⟩ *Victoriaan.*

victorious [vɪk'tɔːrɪəs] ● *zegevierend;* be – *zegevieren* ● *overwinnings-.* **victory** ['vɪktri] ● *overwinning;* gain/win a – over s.o. *over iem. zegevieren.*

victualler ['vɪtlə] ● *leverancier v. levensmiddelen.* **victuals** ['vɪtlz] ● *levensmiddelen, proviand.*

video ['vɪdioʊ] ● *beeld(signaal)* ⟨v. t.v.-uitzending⟩ ● *video(recorder).* **'video cas-'sette recorder** zie VIDEO RECORDER. **'videodisc** ● *beeldplaat.* **'videogame** ● *videospel(letje), t.v.-spelletje.* **'videophone, 'viewphone** ● *beeldtelefoon.* **'video recorder** ● *videorecorder.* **'videotape** ● ⟨zn⟩ *videoband* ● ⟨ww⟩ *op videoband opnemen.*

vie [vaɪ] ● *wedijveren.*

1 view [vjuː] I ⟨telb zn⟩ ● *bezichtiging,* ⟨fig.⟩ *overzicht;* a general – of the subject *een algemeen overzicht v.h. onderwerp* ● ⟨vaak mv.⟩ *zienswijze, opvatting;* ↓ take a dim/poor – of s.o.'s conduct *iemands gedrag ongunstig beoordelen;* in my – *volgens mij* ● *uitzicht, gezicht,* ⟨fig.⟩ *vooruitzicht* ● *intentie, bedoeling;* with a – to doing sth. *met de bedoeling iets te doen* II ⟨n-telb zn⟩ ● *zicht, gezicht(svermogen)* ● *zicht, uitzicht;* come into – *in zicht komen* ‖ have in – *op het oog hebben;* keep in – *voor ogen houden;* in – of *vanwege, gezien;* on – *te zien.*

2 view I ⟨onuv ww⟩ ● *t.v. kijken* II ⟨ov ww⟩ ● *bekijken, beschouwen* ⟨ook fig.⟩, *bezichtigen.* **viewer** ['vjuːə] ● *kijker,* ⟨ihb.⟩ *t.v.-kijker.* **'view finder** ⟨foto.⟩ ● *(beeld)zoeker.* **'viewing figures** ● *kijkcijfers.* **'viewpoint** ● *gezichtspunt, oogpunt* ⟨ook fig.⟩.

vigil ['vɪdʒɪl] ● *waak, (nacht)wake;* keep – *waken.* **vigil|ant** ['vɪdʒɪlənt] ⟨zn: **-ance**⟩ ● *waakzaam, alert.*

vignette [vɪ'njet] ● *vignet.*

vigorous ['vɪgərəs] ● *sterk* ● *krachtig, gespierd* ⟨taal⟩ ● *energiek.*

vigour ['vɪgə] ● *kracht, sterkte* ● *energie* ● *uitdrukkingskracht, gespierdheid* ⟨v. taal⟩.

vile [vaɪl] ● *gemeen, verachtelijk* ● *ellendig* ● *walgelijk, afschuwelijk* ● ↓ *gemeen, beroerd* ⟨weer⟩.

vilify ['vɪlɪfaɪ] ● *belasteren, kwaadspreken over.*

villa ['vɪlə] ● *villa.*

village ['vɪlɪdʒ] ● *dorp* ● *dorp, dorpsbewoners.* **'village 'green** ● ⟨ongeveer⟩ *dorpsplein.* **villager** ['vɪlɪdʒə] ● *dorpsbewoner.*

villain ['vɪlən] ● *boef, schurk* ● ⟨vaak ↓⟩ *slechte(rik)* ● ⟨↓, scherts.⟩ *rakker;* you –!

deugniet!. **villainous** ['vɪlənəs] ● *schurkachtig, gemeen.* **villainy** ['vɪləni] ● *schurkenstreek* ● *schurkachtigheid.*

vindic|ate ['vɪndɪkeɪt] ⟨zn: **-ation**⟩ ● *rechtvaardigen* ● *v. verdenking zuiveren, rehabiliteren.*

vindictive [vɪn'dɪktɪv] ● *wrekend,* ⟨bij uitbr.⟩ *rancuneus.*

vine [vaɪn] ● ⟨ook: 'grapevine'⟩ *wijnstok, wingerd* ● ⟨AE⟩ *klimplant.*

vinegar ['vɪnɪɡə] ● *azijn.* **vinegary** ['vɪnɪɡri] ● *azijnachtig* ⟨ook fig.⟩, *zuur, wrang.*

vineyard ['vɪnjəd] ● *wijngaard.*

1 vintage ['vɪntɪdʒ] ⟨zn⟩ ● *wijnoogst,* ⟨bij uitbr.⟩ *(goed) wijnjaar; a wine of 1947 –/ the – of 1947 een wijn v. (het jaar) 1947, een 1947* ● *(kwaliteits)wijn, wijn v.e. goed jaar* ● ↓ *jaar(gang).*

2 vintage ⟨bn⟩ ● *uitstekend, voortreffelijk; this is – Shakespeare dit is Shakespeare op zijn best* ● *oud, antiek;* ⟨BE⟩ *– car auto uit de periode 1916-1930.*

vintner ['vɪntnə] ● *wijnhandelaar.*

vinyl ['vaɪnɪl] ● *vinyl.*

viola [vi'əʊlə] ⟨muz.⟩ ● *altviool.*

violate ['vaɪəleɪt] ● *overtreden, inbreuk maken op; – a treaty een verdrag schenden* ● *schenden, ontheiligen* ⟨tempel, graf⟩ ● *verkrachten* ● *(grof) verstoren; – the peace de rust verstoren.* **violation** ['vaɪə'leɪ∫n] ● *overtreding, inbreuk; in – of met schending van* ● *schending, schennis* ● *verkrachting* ● *(grove) verstoring.*

violence ['vaɪələns] ● *geweld; acts of – gewelddadigheden* ● *gewelddadigheid; crimes of – geweldmisdrijven* ● *hevigheid, heftigheid.* **violent** ['vaɪələnt] ● *hevig, heftig; – contrast schril contrast* ● *gewelddadig.*

1 violet ['vaɪəlɪt] ⟨zn⟩ ● *viooltje* ● *violet, paars.*

2 violet ⟨bn⟩ ● *violet, paars.*

violin ['vaɪə'lɪn] ● *viool.*

violinist ['vaɪə'lɪnɪst] ● *violist(e).*

VIP ['viː'aɪ'piː] ⟨afk.⟩ *very important person* ⟨vnl. ↓⟩ ● *VIP, hooggeplaatst persoon, beroemdheid.*

viper ['vaɪpə] ● ⟨dierk.⟩ *adder* ⟨ook fig.⟩.

1 virgin ['vəːdʒɪn] ⟨zn⟩ ● *maagd* ⟨ook v. man⟩.

2 virgin ⟨bn⟩ ● *maagdelijk, rein, ongerept; – forest onbetreden woud; – snow vers gevallen sneeuw.* **virginal** ['vəːdʒɪnl] ● *maagdelijk, ongerept.* **virginity** [vəː-'dʒɪnəti] ● *maagdelijkheid,* (fig.) *ongereptheid.*

virile ['vɪraɪl] ● *mannelijk* ● *potent.* **virility** [vɪ'rɪləti] ● *mannelijkheid, viriliteit* ● *potentie.*

virtual ['vəːt∫ʊəl] ● *feitelijk, eigenlijk; to them it was a – defeat voor hen kwam het neer op een nederlaag.* **virtually** ['vəːt∫əli] ● *praktisch, feitelijk; my work is – finished mijn werk is zo goed als af.*

virtue ['vəːt∫uː] ● *deugd, deugdzaamheid; make a – of necessity van de nood een deugd maken* ● *kuisheid* ● *verdienste, goede eigenschap* ● *geneeskracht* ‖ *by/in – of krachtens, op grond van; zie ook* ⟨sprw.⟩ PATIENCE.

virtuosity [vəːt∫ʊ'ɒsəti] ● *virtuositeit.* **virtuoso** [vəːt∫ʊ'əʊzəʊ] ⟨mv.: ook virtuosi [-ziː]⟩ ● *virtuoos.*

virtuous ['vəːt∫ʊəs] ● *deugdzaam* ● *kuis* ● *heilzaam.*

virul|ent ['vɪrʊlənt] ⟨zn: **-ence**⟩ ● *(zeer) giftig, dodelijk* ⟨gif⟩ ● *kwaadaardig* ⟨ziekte⟩ ● *venijnig.*

virus ['vaɪərəs] ● *virus.*

visa ['viːzə] ● *visum.*

vis-à-vis ['viːzə'viː] ● *ten opzichte van.*

viscosity [vɪ'skɒsəti] ● *kleverigheid* ● *taaiheid, stroperigheid.*

viscount ['vaɪkaʊnt] ● *burggraaf.* **viscountess** ['vaɪkaʊntɪs] ● *burggravin.*

viscous ['vɪskəs] ● *kleverig* ● *taai* ⟨ook fig.⟩, *stroperig.*

visibility [vɪzə'bɪləti] ● *zicht; good/high – goed zicht; poor/low – slecht zicht* ● *zichtbaarheid.*

visible ['vɪzəbəl] ● *zichtbaar, waarneembaar.*

vision ['vɪʒn] **I** ⟨telb zn⟩ ● *visioen, droom (beeld); see –s visioenen hebben* ● *(droom/geestes)verschijning* **II** ⟨n-telb zn⟩ ● *gezicht(svermogen), het zien; field of – gezichtsveld* ● *visie; a man of – een man met visie.*

1 visionary ['vɪʒənri] ⟨zn⟩ ● *ziener, profeet* ● *dromer.*

2 visionary ⟨bn⟩ ● *visioenen hebbend* ● *dromerig* ● *denkbeeldig, ingebeeld* ● *met visie.*

1 visit ['vɪzɪt] ⟨zn⟩ ● *bezoek, visite* ⟨ook v. dokter⟩, *(tijdelijk) verblijf; pay s.o. a – iem. een bezoek(je) brengen.*

2 visit **I** ⟨onov ww⟩ ● *een bezoek afleggen, op bezoek gaan* ● ⟨AE⟩ *logeren* **II** ⟨ov ww⟩ ● *bezoeken, op visite gaan bij* ● ⟨AE⟩ *logeren bij* ● *inspecteren, onderzoeken* ‖ *the village was –ed by the plague het dorp werd getroffen door de pest.* **visitation** ['vɪzɪ'teɪ∫n] ● *(officieel) bezoek, huisbezoek* ● *bezoeking, beproeving.* **visiting** ● *bezoekend, gast-; – professor gasthoogleraar;* ⟨sport⟩ *the – team de gasten.* 'visit-

ing card • *visitekaartje* ⟨alleen lett.⟩. **'visiting hours** • *bezoekuur, bezoektijd.* **visitor** ['vɪzɪtə] • *bezoeker, gast,* ⟨bij uitbr.⟩ *toerist.*

visor ['vaɪzə] • *klep* ⟨v. pet⟩ • *zonneklep* ⟨v. auto⟩.

vista ['vɪstə] • *uitzicht, (ver)gezicht* • *perspectief, vooruitzicht;* open up new –s/a new – *nieuwe perspectieven openen.*

visual ['vɪʒʊəl] I ⟨bn, attr en pred⟩ • *visueel;* – arts *beeldende kunsten* • *zichtbaar* II ⟨bn, attr⟩ • *gezichts-, oog-.* **visualize** ['vɪʒʊəlaɪz] • *zich voorstellen* • *zichtbaar maken.*

vital ['vaɪtl] I ⟨bn, attr en pred⟩ • *essentieel, v. wezenlijk belang;* your help is – for/to the scheme *het plan staat of valt met jouw hulp;* of – importance *v. vitaal belang* • *vitaal, levenskrachtig* II ⟨bn, attr⟩ • *levens-, vitaal;* – parts *vitale delen* ‖ – statistics *bevolkingsstatistiek;* ↓ *belangrijkste feiten; maten* ⟨v. vrouw⟩. **vitality** [vaɪ'tæləti] • *vitaliteit, levenskracht.*

vitamin ['vɪtəmɪn] • *vitamine.* **'vitamin tablet** • *vitaminetablet.*

vitiate ['vɪʃieɪt] • *schaden, verzwakken* • *bederven.*

vitreous ['vɪtrɪəs] • *glas-, glazen* • *glasachtig.*

vitriol ['vɪtrɪəl] ⟨schei.⟩ • *vitriool, zwavelzuur,* ⟨fig.⟩ *venijn.* **vitriolic** ['vɪtri'ɒlɪk] • *vitriool-* • *venijnig.*

vituperative [vɪ'tju:prətɪv] • *hekelend, scherp.*

viva ['vaɪvə] • ⟨BE; ↓⟩ *mondeling, mondeling (her)examen.*

vivacious [vɪ'veɪʃəs] • *levendig, opgewekt.* **vivacity** [vɪ'væsəti] • *levendigheid, opgewektheid.*

vivid ['vɪvɪd] • *helder* ⟨kleur, licht⟩ • *levendig.*

vivisection ['vɪvɪ'sekʃn] • *vivisectie* ⟨ook fig.⟩. **vivisectionist** ['vɪvɪ'sekʃənɪst] • *vivisector* • *voorstander v. vivisectie.*

vixen ['vɪksn] • *wijfjesvos* • *feeks.*

viz. [vɪz] ⟨wordt vnl. gelezen als namely⟩ ⟨oorspr. afk.⟩ *videlicet* • *namelijk, te weten, d.w.z.*

vocabulary [və'kæbjʊləri] • *woordenlijst* • *woordenschat, vocabulaire.*

1 vocal ['voʊkl] ⟨zn⟩ • ⟨vnl. mv.⟩ *zang;* –s: Nick Cave *zang: Nick Cave.*

2 vocal I ⟨bn, attr en pred⟩ • *gesproken, mondeling, gezongen;* – group *zanggroep* • *zich (gemakkelijk/duidelijk) uitend, luidruchtig* II ⟨bn, attr⟩ • *stem-;* – cords/chords *stembanden.* **vocalist** ['voʊkəlɪst] • *zanger(es).* **vocalize** ['voʊ-

kəlaɪz] • *(met de stem) uiten, zingen.*

vocation [voʊ'keɪʃn] • *beroep* • *roeping* ⟨ook rel.⟩ ‖ have a – for *aanleg hebben voor.* **vocational** [voʊ'keɪʃnəl] • *beroeps-, vak-;* – guidance *beroepsvoorlichting.*

vociferate [və'sɪfəreɪt] • *schreeuwen, heftig protesteren.* **vociferous** [və'sɪfərəs] • *schreeuwend* • *luidruchtig.*

vodka ['vɒdkə] • *wodka.*

vogue [voʊg] • *mode;* be in – *in de mode zijn* • *populariteit.*

1 voice [vɔɪs] ⟨zn⟩ • *stem, uiting, mening;* speak in a low – *op gedempte toon spreken;* give – to *uitdrukking geven aan;* raise one's – *zijn stem verheffen;* protest *aantekenen;* ↑ with one – *unaniem* • ⟨taal.⟩ *vorm;* active/passive – *bedrijvende/lijdende vorm.*

2 voice ⟨ww⟩ • *uiten, uitdrukking geven aan.* **'voice-over** • *commentaarstem* ⟨bij documentaire⟩.

1 void [vɔɪd] ⟨zn⟩ • *leegte, (lege) ruimte, vacuüm.*

2 void ⟨bn⟩ • *leeg, verlaten;* – of *zonder, vrij van* • ⟨jur.⟩ *nietig.*

volatile ['vɒlətaɪl] • *vluchtig, (snel) vervliegend* • *veranderlijk, onbestendig.*

volcanic [vɒl'kænɪk] • *vulkanisch* ⟨ook fig.⟩, *explosief;* – eruption *vulkaanuitbarsting.* **volcano** [vɒl'keɪnoʊ] • *vulkaan* ⟨ook fig.⟩, *explosieve situatie.*

volition [və'lɪʃn] • *wil, (wils)besluit;* by/of one's own – *uit eigen wil.*

1 volley ['vɒli] ⟨zn⟩ • *salvo* ⟨ook fig.⟩, *(stort)vloed* • ⟨sport⟩ *volley.*

2 volley I ⟨onov ww⟩ • ⟨sport⟩ *volleren* II ⟨ov ww⟩ • ⟨sport⟩ *ineens slaan/schieten* • ⟨tennis⟩ *met een volley passeren.* **'volleyball** • *volleybal.*

volt [voʊlt] ⟨elek.⟩ • *volt.* **voltage** ['voʊltɪdʒ] ⟨elek.⟩ • *voltage.*

voluble ['vɒljʊbl] • *gemakkelijk/vlot/veel pratend.*

volume ['vɒlju:m] I ⟨telb zn⟩ • *(boek)deel;* speak –s *boekdelen spreken* • *jaargang* • *hoeveelheid, omvang, volume* II ⟨n-telb zn⟩ • *volume, inhoud* • *volume, (geluids)sterkte.* **voluminous** [və'lu:mɪnəs] • *omvangrijk, lijvig* ⟨bv. boekwerk⟩.

voluntary ['vɒləntri] I ⟨bn, attr en pred⟩ • *vrijwillig, uit vrije/eigen beweging;* – worker *vrijwilliger* II ⟨bn, attr⟩ • *vrijwilligers-.*

1 volunteer ['vɒlən'tɪə] ⟨zn⟩ • *vrijwilliger* ⟨ook mil.⟩.

2 volunteer I ⟨onov ww⟩ • *zich (vrijwillig/als vrijwilliger) aanmelden, uit eigen beweging meedoen* II ⟨ov ww⟩ • *(vrijwillig/uit*

eigen beweging) aanbieden ●*(onge-vraagd) opperen, uit zichzelf zeggen* ⟨op-merking, informatie⟩.
voluptuous [vəˈlʌptʃuəs] ●*zinnelijk, wellus-tig;* – mouth *sensuele mond* ●*weelderig.*
1 vomit [ˈvɒmɪt] ⟨zn⟩ ●*braaksel.*
2 vomit ⟨ww⟩ ●*(uit)braken* ⟨ook fig.⟩, *over-geven.*
voodoo [ˈvuːduː] ●*voodoo.*
voracious [vəˈreɪʃəs] ●*vraatzuchtig* ⟨ook fig.⟩; a – reader *een alleslezer.* **voracity** [vəˈræsəti] ●*vraatzucht.*
vortex [ˈvɔːteks] ⟨mv.: ook vortices [-tɪsiːz]⟩ ●*werveling* ⟨ook fig.⟩, *maalstroom.*
1 vote [vəʊt] ⟨zn⟩ ●*stem, uitspraak;* cast one's – *zijn stem uitbrengen;* give one's – to/for *zijn stem geven aan, stemmen voor* ●*stemming;* – of censure *motie v. afkeu-ring;* – of confidence/no-confidence *motie v. vertrouwen/wantrouwen;* unanimous – *eenstemmigheid;* put sth. to the – *iets in stemming brengen;* take a – on *(laten) stemmen over* ●*(gezamenlijke) stemmen, stemmenaantal;* Labour – *Labour-kiezers/ stemmers* ●*stemrecht* ●*stembriefje.*
2 vote I ⟨onov ww⟩ ●*stemmen, een stem-ming houden* II ⟨ov ww⟩ ●*bij stemming verkiezen, stemmen op;* – Labour *op La-bour stemmen* ●*bij stemming bepalen, beslissen;* – s.o. out of office/power *iem. wegstemmen* ●⟨vnl. pass.⟩ ↓ *uitroepen tot;* the play was –d a success *het stuk werd algemeen als een succes be-schouwd;* zie VOTE DOWN, VOTE IN, VOTE ON, VOTE OUT. '**vote** '**down** ●*(bij stemming) verwerpen.* '**vote** '**in** ●*verkiezen.* '**vote** '**on** ●*verkiezen* ⟨tot lid⟩. '**vote** '**out** ●*weg-stemmen.* **voter** [ˈvəʊtə] ●*kiezer;* floating – *zwevende kiezer* ●*stemgerechtigde.*
vouch for [vaʊtʃ] ●*instaan voor, borg staan voor.*
voucher [ˈvaʊtʃə] ●*bon, cadeaubon, con-sumptiebon.*
vouchsafe [vaʊtʃˈseɪf] ●*(genadig) toestaan/ verlenen;* not – s.o. an answer *zich niet verwaardigen iem. antwoord te geven* ● *zich verwaardigen.*
1 vow [vaʊ] ⟨zn⟩ ●*gelofte, eed;* make/take a – *plechtig beloven;* be under a – *plechtig beloofd hebben.*
2 vow ⟨ww⟩ ●*(plechtig) beloven, zweren;* – revenge *wraak zweren.*
vowel [ˈvaʊəl] ⟨taal.⟩ ●*klinker.*
1 voyage [ˈvɔɪdʒ] ⟨zn⟩ ●*lange reis, zee/ bootreis;* – home *thuis/terugreis;* – out *heenreis.*
2 voyage ⟨ww⟩ ●*reizen.* **voyager** [ˈvɔɪdʒə] ●*(ontdekkings)reiziger.*

voyeur [vwɑːˈjəː] ●*voyeur, gluurder.*
vulgar [ˈvʌlgə] I ⟨bn, attr en pred⟩ ●*vulgair, ordinair* ●*alledaags, gewoon* II ⟨bn, attr⟩ ●*(al)gemeen (bekend/aangenomen), volks(-);* – tongue *volkstaal.* **vulgarity** [vʌlˈgærəti] I ⟨telb zn⟩ ●*platte uitdruk-king;* utter vulgarities *vulgaire taal uit-slaan* ●*vulgariteit, ordinaire daad* II ⟨n-telb zn⟩ ●*platheid* ●*vulgair gedrag.* **vul-garize** [ˈvʌlgəraɪz] ●*populariseren* ●*vul-gair maken.*
vulnerab|le [ˈvʌlnrəbl] ⟨zn: -**ility**⟩ ●*kwets-baar* ⟨ook fig.⟩, *gevoelig.*
vulture [ˈvʌltʃə] ●*gier* ●*aasgier* ⟨fig.⟩.

wacky ['wæki] ● *mesjogge*.
1 wad [wɒd] ⟨zn⟩ ● *prop* ⟨watten, papier enz.⟩ ● *pak* ⟨brieven enz.⟩, ↓ *massa* ● *rolletje* ⟨bankbiljetten⟩.
2 wad ⟨ww⟩ ● *tot een prop maken* ● *een prop doen in* ● *opvullen, watteren*. **wadding** ['wɒdɪŋ] ● *opvulsel*.
1 waddle ['wɒdl] ⟨zn⟩ ● *waggelende gang*.
2 waddle ⟨ww⟩ ● *waggelen*.
wade [weɪd] ● *waden;* ⟨ ↓ ; fig.⟩ – through a boring book *een vervelend boek doorworstelen* ‖ ↓ – into s.o./sth. *iem./iets (hard) aanpakken*. **wader** ['weɪdə] ● *waadvogel* ● ⟨vnl. mv.⟩ *lieslaars*. **'wading bird** ● *waadvogel*.
wafer ['weɪfə] ● *wafel(tje)* ● ⟨R.-K.⟩ *hostie* ● *ouwel*. **'wafer-'thin** ● *zeer dun*.
1 waffle ['wɒfl] ⟨zn⟩ ● *wafel* ● ⟨BE; ↓ ⟩ *geklets*.
2 waffle ⟨ww⟩ ⟨BE; ↓ ⟩ ● *kletsen*.
1 waft [wɒft] ⟨zn⟩ ● ↑ *vleugje, zuchtje*.
2 waft I ⟨onov ww⟩ ↑ ● *zweven, waaien* **II** ⟨ov ww⟩ ↑ ● *voeren, dragen*.
1 wag [wæg] ⟨zn⟩ ● *waggeling, kwispeling*.
2 wag I ⟨onov ww⟩ ● *waggelen, wiebelen* ● *kwispelen* **II** ⟨ov ww⟩ ● *schudden* ⟨hoofd⟩; – one's finger at s.o. *iem. met de vinger dreigen* ● *kwispelen* ⟨staart⟩.
1 wage [weɪdʒ] ⟨zn; vnl. mv.⟩ ● *loon, arbeidsloon*.
2 wage ⟨ww⟩ ● *voeren* ⟨oorlog⟩.
'wage-cut, ⟨BE⟩ **'wages cut** ● *loonverlaging*. **'wage demand** ● *looneis*. **'wage earner** ● *loontrekker* ● *kostwinner*. **'wage freeze**, ⟨BE⟩ **'wages freeze** ● *loonstop*.
1 wager ['weɪdʒə] ⟨zn⟩ ● *weddenschap;* lay/make a – *een weddenschap aangaan*.
2 wager I ⟨onov ww⟩ ● *een weddenschap aangaan* **II** ⟨ov ww⟩ ● *verwedden, wedden (om/met);* I'll – (you £ 10) that he'll come *ik wed (tien pond met u) dat hij komt*.
'wage settlement ● *loonakkoord*.
1 waggle ['wægl] ⟨zn⟩ ● ↓ *waggeling*.
2 waggle I ⟨onov ww⟩ ● *waggelen, wiebelen* ● *kwispelen* **II** ⟨ov ww⟩ ● *schudden* ⟨hoofd⟩ ● *kwispelen (met)*.
wagon, ⟨vnl. BE sp. ook⟩ **waggon** ['wægən]

● *wagen, boerenwagen* ● *dienwagen(tje)* ● *goederenwagon* ● *vrachtwagen* ‖ be/go on the (water) – *geheelonthouder zijn/worden*.
waif [weɪf] ● *dakloze, zwerver*, ⟨ihb.⟩ *verlaten/verwaarloosd kind*.
1 wail [weɪl] ⟨zn⟩ ● *gejammer* ● *geloei*.
2 wail ⟨ww⟩ ● *klagen, jammeren* ● *loeien*.
wainscot(ting) ['weɪnskət(ɪŋ)] ● *lambrizering*.
waist [weɪst] ● *middel, taille*. **'waistband**, **'waistbelt** ● *broeksband, rokband*. **waist-coat** ['weɪskoʊt] ⟨vnl. BE⟩ ● *vest* ⟨v. kostuum⟩. **'waist-'deep**, **'waist-'high** ● *tot aan het middel (reikend)*. **waisted** ['weɪstɪd] ● *getailleerd*. **'waistline** ● *middel, taille*.
1 wait [weɪt] ⟨zn⟩ ● *wachttijd, oponthoud;* we had a long – for the train *we moesten lang op de trein wachten* ● *hinderlaag;* lie in – for s.o. *voor iem. op de loer liggen*.
2 wait I ⟨onov ww⟩ ● *wachten;* ⟨fig.⟩ dinner is –ing *het eten is klaar;* a minute! *wacht even!;* he cannot – to go home *hij zit te springen om naar huis te gaan* ● *bedienen (aan tafel);* – (up)on s.o. *iem. (be)dienen* ‖ – and see *(de dingen) afwachten;* (just) you –! *wacht maar (jij)!;* – for me! *niet zo vlug!;* you needn't – up for me *je hoeft voor mij niet op te blijven;* zie ook ⟨sprw.⟩ TIME **II** ⟨ov ww⟩ ● *afwachten, wachten op;* – one's turn *zijn beurt afwachten* ● ↓ *uitstellen;* don't – dinner for me *wacht niet op mij met het eten* ● *bedienen* ‖ – out the storm *wachten tot de storm voorbij is*.
waiter ['weɪtə] ● *kelner*.
waiting ['weɪtɪŋ] ● *het wachten, wachttijd* ● *bediening;* do the – *bedienen* ‖ no – *verboden stil te staan*. **'waiting list** ● *wachtlijst*. **'waiting room** ● *wachtkamer*.
waitress ['weɪtrɪs] ● *serveerster*.
waive [weɪv] ● *afzien van, afstand doen van* ⟨rechten, privileges⟩.
1 wake [weɪk] ⟨zn⟩ ● *(kiel)zog* ● ⟨vnl. fig.⟩ *spoor, nasleep;* in the – of *in het spoor van, in de voetstappen van* ● *dodenwake*.
2 wake ⟨ook woke [woʊk], woke(n) ['woʊk-(ən)]⟩ **I** ⟨onov ww⟩ ● *ontwaken, wakker worden* ⟨ook fig.⟩; in his waking hours *wanneer hij wakker is;* – up to sth. *iets gaan inzien* **II** ⟨ov ww⟩ ● ⟨vaak +up⟩ *wekken, wakker maken* ⟨ook fig.⟩ ● *bewust maken;* – s.o. up to sth. *iem. van iets doordringen*. **wakeful** ['weɪkfl] ● *wakend, waakzaam* ‖ – nights *slapeloze nachten*. **waken** ['weɪkən] **I** ⟨onov ww⟩ ● *wakker worden* **II** ⟨ov ww⟩ ● *wakker maken*.
1 walk [wɔːk] ⟨zn⟩ ● *gang, manier v. gaan* ●

stap ● *wandeling;* have/take a –, go for a – *een wandeling (gaan) maken;* a ten-min-ute – *een wandeling v. tien minuten* ● *levenswandel;* all –s of life *elke rang en stand* ● *promenade, voetpad.*

2 walk I ⟨onov ww⟩ ● *lopen* ● *stappen, stapvoets gaan* ● *(rond)waren, verschijnen* ‖ – away from ↓ *er ongedeerd afkomen bij* ⟨ongeluk⟩; ↓ – away/off with *er vandoor gaan met, stelen; gemakkelijk winnen;* – off *er vandoor gaan;* – out ↓ *staken;* ↓ – out on s.o. *iem. in de steek laten;* – up to s.o. *op iem. afgaan;* ↓ – (all) over s.o. *met iem. de vloer (aan)vegen* II ⟨ov ww⟩ ● *lopen, te voet afleggen* ⟨afstand⟩ ● *lopen over/door/langs/op, bewandelen* ● *meelopen met;* – s.o. home *iem. naar huis brengen* ● *laten/doen lopen, uitlaten* ⟨bv. hond⟩. '**walkabout** ⟨BE; ↓⟩ ● *rondgang* ‖ go – *door het land trekken.* **walker** ['wɔːkə] ● *wandelaar, voetganger.*

walkie-talkie ['wɔːkiˈtɔːki] ● *walkie-talkie.* '**walking stick** ● *wandelstok.* '**walkman** ['wɔːkmən] ● *walkman.* '**walk-on, walk-'on part** ● *figurantenrol.* '**walkout** ● *staking, werkonderbreking* ● *het weglopen* ⟨uit een vergadering, ten teken van protest⟩. '**walkover** ↓ ● *walk-over,* ⟨fig.⟩ *gemakkelijke overwinning.* '**walkway** ● *wandelgang* ● *promenade.*

1 wall [wɔːl] ⟨zn⟩ ● *muur, wand* ● ⟨vaak mv.⟩ *stadsmuur* ‖ drive/push s.o. to the – *iem. in het nauw drijven;* drive s.o. up the – *iem. razend maken;* ⟨sprw.⟩ walls have ears *de muren hebben oren.*

2 wall ⟨ww⟩ ● *ommuren;* a –ed-in garden *een ingesloten tuin* ● *dichtmetselen;* – up a door *een deur dichtmetselen.*

wallaby ['wɒləbi] ⟨dierk.⟩ ● *wallaby* ⟨kleine kangoeroesoort⟩.

wallet ['wɒlɪt] ● *portefeuille.* '**wallflower** ● ⟨↓; fig.⟩ *muurbloempje.*

1 wallop ['wɒləp] ⟨zn⟩ ↓ ● *dreun, mep.* **2 wallop** ⟨ww⟩ ↓ ● *aframmelen, hard slaan* ● *inmaken, verslaan;* – s.o. at tennis *iem. met tennis inmaken.*

1 walloping ['wɒləpɪŋ] ⟨zn⟩ ↓ ● *aframmeling* ● *zware nederlaag.* **2 walloping** ⟨bn⟩ ↓ ● *reusachtig, enorm.*

wallow ['wɒloʊ] ● *(zich) wentelen, (zich) rollen;* – in the mud *zich in het slijk wentelen* ⟨vnl. fig.⟩; ⟨fig.⟩ – in self-pity *zwelgen in zelfmedelijden.*

'**wall painting** ● *muur/wandschildering, fresco.* '**wallpaper** ● *behang.* '**wall-to-wall** ● *kamerbreed* ⟨bv. tapijt⟩.

wally ['wɒli] ↓ ● *stommeling.*

walnut ['wɔːlnʌt] ● *walnoot.*

walrus ['wɔːlrəs] ● *walrus.*

1 waltz [wɔːls] ⟨zn⟩ ● *wals* ⟨dans(muziek)⟩. **2 waltz** ⟨ww⟩ ● *walsen, de/een wals dansen,* ⟨fig.⟩ *(rond)dansen.*

wan [wɒn] ● *bleek, flets* ● *flauw, zwak.*

wand [wɒnd] ● *toverstokje/staf.*

wander ['wɒndə] I ⟨onov ww⟩ ● *(rond)zwerven;* – about *rondzwerven* ● *kronkelen, (zich) slingeren* ● *verdwalen* ⟨ook fig.⟩ ● *afdwalen* ⟨ook fig.⟩; – from/off one's subject *van zijn onderwerp afdwalen* II ⟨ov ww⟩ ● *doorkruisen;* – the streets *door de straten dolen.* **wanderer** ['wɒndrə] ● *zwerver.* **wanderings** ['wɒndrɪŋz] ● *zwerftochten.* **wanderlust** ['wɒndəlʌst] ● *trek/zwerflust.*

1 wane [weɪn] ⟨zn⟩ ‖ on the – *aan het afnemen* ⟨ook fig.⟩. **2 wane** ⟨ww⟩ ● *afnemen, verminderen,* ⟨fig.⟩ *vervallen.*

wangle ['wæŋgl] ↓ I ⟨onov en ov ww⟩ ● *zich eruit draaien;* – (o.s.) out of a situation *zich uit een situatie weten te redden* II ⟨ov ww⟩ ● *weten los te krijgen, klaarspelen;* – a well-paid job out of s.o. *een goed betaalde baan v. iem. weten los te krijgen.*

wanna ['wɒnə] ⟨samentr. v. want to⟩ ⟨↓; gew.⟩.

1 want [wɒnt] I ⟨telb zn⟩ ● *behoefte;* meet a long-felt – *in een lang gevoelde behoefte voorzien* II ⟨n-telb zn⟩ ● *gebrek, gemis;* drink water for – of anything better *water drinken bij gebrek aan iets beters* ● *tekort, nood;* be in – of money *in geldnood zitten* ● *armoede.*

2 want I ⟨onov ww⟩ ● *behoeftig zijn* ‖ – in/out *naar binnen/buiten willen;* he does not – for anything/–s for nothing *hij heeft niets te kort;* zie ook ⟨sprw.⟩ WASTE II ⟨ov ww⟩ ● *te kort/niet hebben, missen* ● *(graag) willen, wensen;* – nothing to do with *niets te maken willen hebben met* ● *moeten, hoeven;* you – to see a psychiatrist *je moet naar een psychiater* ● *nodig hebben, vereisen* ● *zoeken, vragen* ⟨persoon⟩; –ed, experienced mechanic *gevraagd: ervaren monteur;* –ed by the police *gezocht door de politie* ‖ – none of it *er niet van willen weten.* '**wanted ad,** ⟨AE⟩ '**want ad** ● *'gevraagd'-advertentie.* '**wanted column** ● *'gevraagd'-advertenties.*

1 wanting ['wɒntɪŋ] ⟨bn⟩ ● *te kort;* a few pages are – *er ontbreken een paar bladzijden* ● *onvoldoende;* be – in sth. *in iets te kort schieten; iets missen.* **2 wanting** ⟨vz⟩ ● *zonder.*

wanton ['wɒntən] ● *lichtzinnig, wulps* ⟨vnl. mbt. vrouw⟩ ● *moedwillig* ● *buitensporig.*

1 war [wɔ:] ⟨zn⟩ ● *oorlog* ⟨ook fig.⟩; – of attrition *uitputtingsoorlog;* – of nerves *zenuw(en)oorlog;* declare – on *de oorlog verklaren (aan);* go to – *ten strijde trekken;* make/wage – on/upon/against *oorlog voeren tegen* ⟨ook fig.⟩; at – with *in oorlog met* ‖ zie ook ⟨sprw.⟩ FAIR.
2 war ⟨ww⟩ ● *strijd/oorlog voeren, strijden* ⟨vaak fig.⟩.
1 warble ['wɔ:bl] ⟨zn⟩ ● *wijsje, lied(je)* ⟨ook v. vogel⟩ ● *gekweel.*
2 warble ⟨ww⟩ ● *kwelen* ● *zingen* ⟨vnl. v. vogel⟩. **warbler** ['wɔ:blə] ● *kweler, zanger (es).*
'war crime ● *oorlogsmisdaad.* **'war criminal** ● *oorlogsmisdadiger.* **'war cry** ● *strijdkreet/leus* ⟨ook fig.⟩.
ward [wɔ:d] ● *(ziekenhuis)afdeling/zaal* ● *(stads)wijk* ⟨als onderdeel v.e. kiesdistrict⟩ ● *pupil* ⟨vnl. minderjarige onder voogdij⟩, ⟨fig.⟩ *beschermeling;* ⟨jur.⟩ – of court *onder bescherming v.h. gerecht staande minderjarige* ● *voogdijschap, curatele;* put s.o. in/under – *iem. onder voogdij stellen* ● *afdeling v. gevangenis.*
'war dead ⟨vaak mv.⟩ ● *gesneuvelde.*
warden ['wɔ:dn] ● ⟨BE⟩ *hoofd, beheerder, bestuurder* ⟨v. scholen e.d.⟩ ● ⟨AE⟩ *gevangenisdirecteur* ● *wachter, opzichter, bewaker, suppoost, conciërge, portier.*
warder ['wɔ:də] ● *cipier.*
ward off ● *afweren.*
wardress ['wɔ:drɪs] ● *gevangenbewaarster.*
wardrobe ['wɔ:droʊb] ● *kleerkast* ● *garderobe.*
ware [weə] I ⟨telb zn; vnl. mv.⟩ ● *(koop)waar, goederen* II ⟨n-telb zn⟩ ● *aardewerk.*
'warehouse ● *pakhuis, opslagplaats.*
warfare ['wɔ:feə] ● *oorlog(voering), strijd* ⟨ook fig.⟩. **'warhead** ● *kop v. raket/torpedo/bom,* ⟨ihb.⟩ *kernkop.* **'war-horse** ● *strijdros* ● ↓ *ijzervreter* ● ↓ *oude rot.* **warlike** ['wɔ:laɪk] ● *krijgshaftig* ● *militair, oorlog(s)-.* **'warlord** ● *militair leider.*
1 warm [wɔ:m] ⟨zn⟩ ● *warmte.*
2 warm ⟨bn⟩ ● *warm* ⟨ook fig.⟩; give a – welcome to *hartelijk welkom heten;* ⟨fig.; iron.⟩ *ongunstig onthalen;* keep a place – for s.o. *een plaats voor iem. openhouden* ● *warm, teder* ● *warmbloedig, hartstochtelijk;* a – supporter *een vurig aanhanger* ● *warm, verwarmend* ● *verhit* ⟨ook fig.⟩, *heftig;* a – discussion *een geanimeerde discussie* ‖ you are getting –/–er *je brandt je!, warm!* ⟨bij spel, bv. mbt. verstopt voorwerp⟩.
3 warm I ⟨onov ww⟩ ● *warm worden* ⟨ook fig.⟩, *in de stemming raken;* – to sth. *geïn-*

teresseerd raken voor iets; – to s.o. *iets gaan voelen voor iem.;* zie WARM UP II ⟨ov ww⟩ ● *(ver)warmen* ● *opwarmen* ⟨ook fig.⟩, *warm maken;* zie WARM UP. **'warm-'blooded** ⟨ook fig.⟩ ● *warmbloedig, hartstochtelijk.* **'warm-'hearted** ● *warm, hartelijk.*
warmonger ['wɔ:mʌŋgə] ● *oorlogs(aan)stoker.*
warmth [wɔ:mθ] ⟨ook fig.⟩ ● *warmte, hartelijkheid.*
'warm up I ⟨onov ww⟩ ● *warm(er) worden* ⟨ook fig.⟩, *op temperatuur komen,* ⟨fig.⟩ *in de stemming raken;* – to sth. *enthousiast worden over iets* ● ⟨sport⟩ *zich opwarmen* II ⟨ov ww⟩ ● *opwarmen* ⟨ook fig.⟩, *in de stemming brengen* ● *(ver)warmen.*
'warm-up ● *opwarming(stijd).*
warn [wɔ:n] ● *waarschuwen, vermanen;* – against s.o./sth. *voor iem./iets waarschuwen;* – s.o. of sth. *iem. voor iets waarschuwen.*
1 warning ['wɔ:nɪŋ] ⟨zn⟩ ● *waarschuwing(steken);* give a – *waarschuwen.*
2 warning ⟨bn⟩ ● *waarschuwend;* – shot *waarschuwingsschot.*
1 warp [wɔ:p] ⟨zn⟩ ● *scheluwte, kromtrekking* ● *(geestelijke) afwijking, perversiteit.*
2 warp ⟨ww⟩ ● *scheluw/krom trekken* ● *scheeftrekken;* his past has –ed his judgment *zijn verleden heeft zijn oordeelsvermogen verwrongen.*
'warpath ⟨vnl. fig.⟩ ● *oorlogspad;* be/go on the – *op het oorlogspad zijn/gaan.*
1 warrant ['wɒrənt] ⟨zn⟩ ● *bevel(schrift);* a – is out against him *er loopt een aanhoudingsbevel tegen hem* ● *machtiging* ● *(waar)borg* ● *rechtvaardiging;* no – for *geen grond/reden tot.*
2 warrant I ⟨onov en ov ww⟩ ● *garanderen* ‖ I/I'll – (you) *dat kan ik je verzekeren* II ⟨ov ww⟩ ● *rechtvaardigen* ● *machtigen.* **'warrant officer,** ↓ **warrant** ● *hogere onderofficier.* **warrantor** ['wɒrəntə] ● *waarborg* ⟨persoon⟩. **warranty** ['wɒrənti] ● *(schriftelijke) garantie.*
warren ['wɒrən] ● *doolhof* ⟨v. straatjes⟩.
1 warrior ['wɒrɪə] ⟨zn⟩ ● *strijder, krijger.*
2 warrior ⟨bn⟩ ● *krijgshaftig* ⟨v. volk⟩.
'warship ● *oorlogsschip.*
wart [wɔ:t] ● *wrat;* –s and all *met alle gebreken.*
'wartime ● *oorlogstijd.* **'war victim** ● *oorlogsslachtoffer.* **'war widow** ● *oorlogsweduwe.*
wary ['weəri] ⟨-iness⟩ ● *omzichtig;* – of *op zijn hoede voor* ● *voorzichtig.*

was [wəz, ⟨sterk⟩wɒz] ⟨verl. t. 1e en 3e pers enk.⟩ zie BE.

1 wash [wɒʃ] I ⟨telb zn⟩ • *was, het wassen;* have a – *zich wassen* II ⟨telb en n-telb zn⟩ • *was(goed);* a large – *veel wasgoed* III ⟨n-telb zn⟩ • *golfslag* • *zog* ‖ ↓ it'll come out in the – *het zal wel loslopen/in orde komen.*

2 wash I ⟨onov ww⟩ • *zich wassen, zich opfrissen* • ↓ *geloofwaardig zijn;* that argument won't – *dat argument gaat niet op;* it won't – with him *hij zal het niet geloven* ‖ – ashore *aanspoelen;* the stain will – off *de vlek gaat er (in de was) wel uit;* the waves – against the dykes *de golven slaan tegen de dijken;* zie WASH OUT, WASH UP II ⟨ov ww⟩ • *wassen,* ⟨fig.⟩ *zuiveren;* – clean *schoonwassen* • *wassen, de was doen* • *afwassen* • *meesleuren* ⟨v. water⟩; be –ed overboard *overboord slaan;* zie WASH AWAY, WASH DOWN, WASH OUT, WASH UP.

washable ['wɒʃəbl] • *wasecht.* **'wash a'way** • *afwassen, wegspoelen,* ⟨fig.⟩ *zuiveren;* – s.o.'s sins *iem. reinigen v. zijn zonden.* **'washbasin,** ⟨AE⟩ **'washbowl** • *wasbak.* **'washcloth** ⟨AE⟩ • *washandje.* **'wash 'down** • *wegspoelen* ⟨voedsel, met drank⟩ • *(helemaal) schoonmaken.* **'washed-'out** • *verbleekt* ⟨in de was⟩ • *uitgeput* • ⟨sport⟩ *afgelast (wegens regen).* **washer** ['wɒʃə] • *wasmachine, wasautomaat.* **'washerwoman** • *wasvrouw.*

washing ['wɒʃɪŋ] • *was(goed).* **'washing-machine** • *wasmachine.* **'washing-powder** • *waspoeder.* **'washing-'up** • *afwas, vaat.* **washing-'up liquid** • *afwasmiddel.* **washing-'up machine** • *vaatwasmachine.* **'wash-leather** • *zeem(leer).* **'washout** • ↓ *mislukking* • ↓ *mislukkeling.* **'wash 'out** I ⟨onov ww⟩ • *(in de was) eruit gaan* ⟨v. vlekken⟩ II ⟨ov ww⟩ • *uitwassen* • *wegspoelen* • ↓ *onmogelijk maken* ⟨v. regen, de wedstrijd⟩. **'washroom** ⟨AE; euf.⟩ • *toilet.* **'washstand** • *wastafel.* **'washtub** • *(was)tobbe.* **'wash 'up** I ⟨onov ww⟩ • ⟨AE⟩ *zich opfrissen* • ⟨BE⟩ *afwassen, de vaat doen* II ⟨ov ww⟩ • *doen aanspoelen* ⟨v. getij⟩.

wasp [wɒsp] • *wesp.*

WASP [wɒsp] ⟨afk.⟩ ⟨vaak ong.⟩ White Anglo-Saxon Protestant ⟨burgerlijke, traditionele Amerikaan⟩.

waspish ['wɒspɪʃ] • *giftig, nijdig.*

wastage ['weɪstɪdʒ] • *verspilling, verlies* ⟨door lekkage⟩ • *verloop* ⟨v. personeel⟩.

1 waste [weɪst] ⟨zn⟩ • *woestenij, woestijn* ⟨ook fig.⟩ • *verspilling* • *afval(produkt), vuilnis;* go to – *verloren gaan.*

2 waste ⟨bn⟩ • *woest, braak(liggend), verla-*

ten; lay – *verwoesten* • *afval-, overtollig.*

3 waste I ⟨onov ww⟩ • *verspillen* • *verspild worden* • ⟨vaak +away⟩ *wegteren, wegkwijnen* ‖ ⟨sprw.⟩ waste not, want not ± *verteert vandaag niet wat u morgen kan ontbreken* II ⟨ov ww⟩ • *verspillen;* not – words (on sth.) *(ergens) geen woorden (aan) vuil maken* • ⟨vaak pass.⟩ *verwoesten.* **'wastebasket** • *afvalbak,* ⟨ihb.⟩ *prullenmand.* **wasteful** ['weɪstfl] • *verspillend.* **'waste'paper** • *papierafval.* **'wastepaperbasket** • *prullenmand, papiermand.* **'waste product** • *afvalprodukt.*

1 watch [wɒtʃ] I ⟨telb zn⟩ • *horloge, klokje* • ⟨vaak mv.⟩ *(nacht)wake* • *bewaker, wachtpost;* set a – (up)on s.o. *iem. laten bewaken* II ⟨telb en n-telb zn⟩ • *wacht, waakzaamheid;* keep (a) (close/careful) – on *(nauwlettend) in de gaten houden* • *wacht(dienst);* keep – over *de wacht houden over* III ⟨zn⟩ • *wacht, bewaking.*

2 watch I ⟨onov ww⟩ • *(toe)kijken* • *wachten* • *uitkijken;* – out *uitkijken, oppassen;* – (out) for *uitkijken naar* • *de wacht houden* II ⟨ov ww⟩ • *bekijken, kijken naar* • *afwachten* ⟨kans⟩; – one's chance *zijn kans afwachten* • *gadeslaan, letten op;* – one's weight *op zijn gewicht letten;* – it! *voorzichtig!;* – yourself *pas op!* • *verzorgen, zorgen voor.* **'watchdog** • *waakhond* ⟨ook fig.⟩. **watcher** ['wɒtʃə] • *waarnemer.* **watchful** ['wɒtʃfl] • *waakzaam, oplettend;* be – for/against *uitzien naar, op zijn hoede zijn voor.*

'watchmaker • *horlogemaker.*

watchman ['wɒtʃmən] • *bewaker,* ⟨ihb.⟩ *nachtwaker.* **'watchtower** • *wachttoren.* **'watchword** • *wachtwoord* • *slogan.*

1 water ['wɔːtə] I ⟨n-telb zn⟩ • *water, watermassa;* running – *stromend water;* tread – *watertrappelen* • *water, regen* ‖ that is – under the bridge *dat is verleden tijd;* run like – off a duck's back *niet het minste effect hebben;* at high/low – *bij hoog/laagwater;* make/pass – *wateren;* hold – *steekhouden;* zie ook ⟨sprw.⟩ BLOOD II ⟨mv.⟩ • *(territoriale) wateren* • *water* ⟨v.e. rivier⟩ ‖ fish in troubled –s *in troebel water vissen;* zie ook ⟨sprw.⟩ STILL.

2 water I ⟨onov ww⟩ • *tranen, lopen;* my eyes –ed *mijn ogen traanden* • *watertanden;* make the mouth – *doen watertanden* II ⟨ov ww⟩ • *water geven, begieten* • *aanlengen, verdunnen;* – milk *melk aanlengen;* – down *aanlengen* • ⟨fig.⟩ *afzwakken.* **'water biscuit** • *(cream)cracker.* **'waterborne** • *drijvend* • *over water vervoerd, zee-;* – trade *zeehandel.* **'water bottle** •

(water)karaf. '**water butt** ● *regenton.* '**water cannon** ● *waterkanon.* '**water colour** ● *aquarel, waterverfschilderij* ● ⟨vaak mv.⟩ *waterverf.* '**watercourse** ● *waterloop* ● *waterbedding.* '**watercress** ⟨plantk.⟩ ● *witte waterkers.* '**waterfall** ⟨ook fig.⟩ ● *waterval.* '**waterfowl I** ⟨telb zn⟩ ● *watervogel* **II** ⟨zn⟩ ● *watergevogelte.* '**waterfront** ● *waterkant* ⟨v. stadsdeel enz.⟩. '**water hole** ● *waterpoel.* '**watering can** ● *gieter.* '**watering place** ● *waterplaats* ● *kuuroord.* '**water level** ● *(grond)waterpeil.* '**water lily** ● *waterlelie.* '**water line** ● *waterlijn* ⟨v. schip⟩. '**waterlogged** ● *vol water (gelopen)* ⟨schip⟩ ● *met water doortrokken* ⟨grond⟩. '**water main** ● *hoofdleiding* ⟨v. waterleiding⟩. '**watermark** ● *watermerk* ⟨in papier⟩ ● *waterpeil.* '**watermelon** ● *watermeloen.* '**water mill** ● *watermolen.* '**water pipe** ● *water(leiding)pijp* ● *waterpijp* ⟨om te roken⟩. '**water polo** ● *waterpolo.* '**waterpower** ● *waterkracht.* '**waterproof** ⟨vnl. BE⟩ ● ⟨bn⟩ *waterdicht* ● ⟨zn⟩ *(waterdichte) regenjas* ● ⟨ww⟩ *waterdicht maken.* '**watershed** ● *waterscheiding* ● ⟨fig.⟩ *keerpunt.* '**waterside** ● *waterkant.* '**water-ski** ● ⟨zn⟩ *waterski* ● ⟨ww⟩ *waterskiën.* '**waterspout** ● *waterhoos.* '**water supply** ● *watervoorziening* ● *watervoorraad.* '**water table** ● *grondwaterspiegel.* '**watertight** ⟨ook fig.⟩ ● *waterdicht.* '**water tower** ● *watertoren.* '**waterway** ● *waterweg* ● *vaarwater.* '**water wheel** ● *waterrad.* '**waterworks** ● *waterleiding(bedrijf)* ● ↓ *waterlanders;* turn on the – *in tranen uitbarsten.* **watery** ['wɔːtri] ● *waterachtig, water-, vol water* ● *nat, tranend* ⟨waterig, flauw, slap‖ – grave zeemansgraf.* **watt** [wɔt] ● *watt.* **wattage** ['wɔtɪdʒ] ● *wattverbruik.*

1wave [weɪv] ⟨zn⟩ ● *golf* ⟨ook fig.⟩, *vloed,* ⟨fig.⟩ *opwelling;* – of violence *golf/ stroom v. geweld(daden)* ● *wuivend gebaar.* **2wave I** ⟨onov ww⟩ ● *golven, fluctueren* ● *wapperen* ⟨v. vlag⟩ **II** ⟨onov en ov ww⟩ ● *(toe)wuiven, zwaaien;* – s.o. goodbye *iem. uitwuiven;* ⟨fig.⟩ – sth. aside *iets v. tafel vegen;* – at/to s.o. *naar iem. zwaaien.* '**waveband** ⟨tech.⟩ ● *(golf)band.* '**wavelength** ⟨tech.⟩ ● *golflengte;* be on the same – *op dezelfde golflengte zitten* ⟨vnl. fig.⟩. **waver** ['weɪvə] ● *onzeker worden, wankelen* ● *weifelen;* – between *aarzelen tussen* ● *flikkeren* ⟨v. licht⟩.

wavy ['weɪvi] ● *golvend.* **1wax** [wæks] ⟨zn⟩ ● *(bijen)was* ● *(boen)was* ● *oorsmeer.* **2wax I** ⟨onov ww⟩ ● *wassen, opkomen, toenemen* ⟨v. water, maan⟩ ● ⟨vero.⟩ *worden;* – angry *kwaad worden* **II** ⟨ov ww⟩ ● *in de was zetten, boenen.* **waxen** ['wæksn] ● *als was.* '**wax paper, waxed paper** ● *vetvrij papier.* '**waxwork** ● *wassen beeld* ● ⟨mv.⟩ *wassenbeeldenmuseum.* **waxy** ['wæksi] ● *wasachtig, bleek.*

1way [weɪ] **I** ⟨telb zn⟩ ● *weg* ⟨ook fig.⟩; that's the – (it is/goes) *zo gaat het nu eenmaal* ● *route, weg;* ⟨fig.⟩ things are going his – *het zit hem mee;* lose the/one's – *verdwalen;* ⟨fig.⟩ pave the – (for sth./s.o.) *de weg banen (voor iets/iem.);* ⟨fig.⟩ pay one's – *geen schulden maken, zonder verlies werken;* pay one's – through college *zelf zijn universiteitsstudie (kunnen) betalen;* ⟨fig.⟩ work one's – *zich een weg banen* ⟨ook door boek⟩; work one's – through college *werkstudent zijn;* – in *ingang;* – out *uitgang;* ⟨fig.⟩ *uitweg;* we're on our/the – *we komen eraan;* on the – out *op weg naar buiten;* ⟨↓; fig.⟩ *uit (de mode) rakend;* out of the – *ver weg, afgelegen;* out of one's – *niet op de route* ● *manier, wijze,* ⟨vaak mv.⟩ *gewoonte,* ⟨ong.⟩ *hebbelijkheid;* to her – of thinking *volgens haar;* in a big – *op grote schaal;* grandioos; met enthousiasme; go the right/ wrong – about sth. *iets op de juiste/verkeerde wijze aanpakken;* have a – of doing sth. *er een handje v. hebben iets te doen;* mend one's –s *zijn leven beteren;* set in one's –s *met vast(geroest)e gewoontes;* one – and another *alles bij elkaar (genomen);* one – or another/the other *op de een of andere manier;* in its – *in zijn soort;* there are no two –s about it *er is geen twijfel (over) mogelijk* ● *richting;* ↓ somewhere Reading – *ergens in de buurt v. Reading;* step this –, please *hierheen, graag;* ⟨fig.⟩ I don't know which – to turn *ik weet me geen raad;* the other – around/ about *andersom* ● *opzicht;* in a – *in zekere zin;* in no – *helemaal niet;* in more –s than one *in meerdere opzichten* ● *afstand, eind, stuk;* a long – away/off *een heel eind weg, ver weg;* go a long – to meet s.o. *iem. een heel eind tegemoet komen* ⟨ook fig.⟩; all the – *helemaal, tot het (bittere) einde* ● *toestand‖* –s and means *geldmiddelen;* have –s and means of getting sth. *de juiste wegen weten om iets (gedaan) te krijgen;* that's the – of the world *zo gaat het nu eenmaal (in de wereld);* cut both –s *goede en slechte gevolgen hebben;* get one's (own) –, have (it) one's (own) – *zijn zin krijgen, doen wat men wil;* go out of one's – to … *zijn (uiterste) best doen om …;* have a – with elderly people *met ouderen om weten te gaan;* you can't have it both –s *òf het een òf het ander;* see one's – (clear) to doing sth. *zijn kans schoon zien om iets te doen;* by the – *trouwens;* any – *in ieder geval, hoe dan ook;* either – *hoe dan ook;* ⟨AE⟩ no –! *geen sprake van!;* zie ook ⟨sprw.⟩ WILL **II** ⟨n-telb zn⟩ •*(voort)gang, vaart;* gather/lose – *vaart krijgen/ minderen* ⟨v. schip⟩; negotiations are well under – *onderhandelingen zijn in volle gang* •*ruimte* ⟨ook fig.⟩, *plaats, gelegenheid;* clear the – *de weg banen* ⟨ook fig.⟩; *ruim baan maken;* give – *toegeven* ⟨ook fig.⟩; *voorrang geven;* give – to *wijken voor;* make – for *plaats maken voor;* get sth. out of the – *iets uit de weg ruimen, iets afhandelen* •*(werk)gebied, branche,* ⟨in samenstelling vaak⟩ *-handel* ‖ make – *opschieten* ⟨ook fig.⟩; make one's (own) – (in life/the world) *in de wereld vooruitkomen;* by – of Brighton *via Brighton;* by – of illustration *als illustratie* **III** ⟨mv.⟩ • ⟨AE⟩ *gedeeltes;* divide sth. four –s *iets in vieren delen.*

2 way ⟨bw⟩ •*ver, lang, een eind;* – back *ver terug, (al) lang geleden;* ⟨AE⟩ s.o. from – back *iem. uit een ver verleden.*

'**wayfarer** ↑• *trekker, (voet)reiziger.* **waylay** ['weɪleɪ] •*belagen* ⟨ook fig.⟩, *opwachten.* '**way-'out** ↓• *te gek.* '**wayside** ⟨the; ook attr⟩ •*kant v.d. weg, berm;* ⟨fig.⟩ fall by the – *afvallen;* by the – *langs de weg.*

wayward ['weɪwəd] •*eigenzinnig, koppig;* – child *onhandelbaar kind.*

W.C. ⟨afk.⟩ •*water closet W.C..*

we [wi, ⟨sterk⟩wi:] zie US •*wij.*

weak [wi:k] •*zwak* ⟨ook fig.⟩, *slap;* go – at the knees *slappe knieën krijgen* ⟨mbt. verliefdheid⟩; *op zijn benen staan te trillen* ⟨v. angst⟩; – at/in physics *zwak in natuurkunde* •*flauw, zwak;* a – demand (for) *weinig vraag (naar)* •*niet overtuigend;* – argument *zwak argument* •*waterig* ‖ have a – spot for *een speciaal plekje in zijn hart hebben voor;* zie ook ⟨sprw.⟩ SPIRIT.

weaken ['wi:kən] **I** ⟨onov ww⟩ •*toegeven, zwichten* **II** ⟨onov en ov ww⟩ •*verzwakken, afzwakken.* '**weak-'kneed** •*besluiteloos, slap* •*bangelijk.* **weakling** ['wi:klɪŋ] •*zwakkeling.* **weakly** ['wi:kli] •*ziekelijk, slap(jes).* **weakness** ['wi:knəs] •*zwakte, slapheid* •*zwak punt* •*zwakheid, zonde* • *zwak, voorliefde;* he has a – for blonde women *hij valt op blonde vrouwen.*

weal [wi:l], **wheal** [wi:l] •*striem, streep.*

wealth [welθ] •*overvloed* •*rijkdom(men), bezit(tingen), vermogen.* **wealthy** ['welθi] •*rijk.*

wean [wi:n] •*spenen* ⟨kind, jong⟩ ‖ – s.o. (away) from sth. *iem. iets afleren.*

weapon ['wepən] ⟨ook fig.⟩ •*wapen.* **weaponry** ['wepənri] •*wapentuig.*

1 wear [weə] ⟨zn⟩ •*dracht, het dragen* ⟨kleding⟩ •*het gedragen worden* ⟨v. kleding⟩ •*slijtage;* show (signs of) – *slijtageplekken vertonen* •*kwaliteit* •⟨vnl. in samenstellingen⟩ *(passende) kleding* ‖ – and tear *slijtage.*

2 wear ⟨wore [wɔ:], worn [wɔ:n]⟩ **I** ⟨onov ww⟩ •*goed blijven* ⟨ook fig.⟩; – well *er nog goed uitzien* ⟨v. persoon⟩; *lang meegaan* ⟨v. kleding⟩ •⟨vaak +on⟩ *voortkruipen* ⟨v. tijd⟩; the meeting wore on *de vergadering ging maar door;* zie WEAR AWAY, WEAR OFF, WEAR OUT **II** ⟨onov en ov ww⟩ ⟨ook fig.⟩ •*verslijten, (af)slijten;* you've worn holes in your elbows *je ellebogen zijn door;* – thin *dun worden;* ⟨fig.⟩ *opraken* ⟨v. geduld⟩; zie WEAR AWAY, WEAR DOWN, WEAR OFF, WEAR OUT **III** ⟨ov ww⟩ • *dragen* ⟨aan het lichaam⟩, *aan hebben;* – one's age/years well *er nog goed uit zien* •*vertonen, hebben;* he –s a beard *hij heeft een baard* •*uitputten* •⟨↓; vaak met ontkenning⟩ *aanvaarden;* they won't – it *zij pikken het niet (langer)* ‖ zie ook ⟨sprw.⟩ CAP; zie WEAR AWAY, WEAR OUT. '**wear a'way I** ⟨onov ww⟩ •*(langzaam) voortkruipen, voortduren* ⟨v. tijd e.d.⟩ **II** ⟨onov en ov ww⟩ •*verslijten, uitslijten;* the names on the tomb had worn away *de namen op de graftombe waren weggesleten* **III** ⟨ov ww⟩ •*uitputten* •*doorbrengen, verslijten* ⟨tijd⟩. '**wear 'down** •*(af)slijten* •*verzwakken;* – resistance *tegenstand (geleidelijk) overwinnen.* **wearing** ['weərɪŋ] •*vermoeiend, slopend.* **wearisome** ['wɪərisəm] •*vermoeiend* •*vervelend.* '**wear 'off I** ⟨onov ww⟩ •*(geleidelijk) minder worden* **II** ⟨onov en ov ww⟩ •*verslijten, afslijten.* '**wear 'out I** ⟨onov ww⟩ •*afgemat raken;* his patience wore out *zijn geduld raakte op* **II** ⟨onov en ov ww⟩ •*verslijten, afdragen* **III** ⟨ov ww⟩ •*uitputten;* wear o.s. out *uitgeput raken, zich uitsloven.*

1 weary ['wɪəri] ⟨bn; -iness⟩ •*moe;* – with waiting *het wachten moe* •*vermoeiend* • *vervelend.*

2 weary I ⟨onov ww⟩ •*moe worden;* – of *genoeg krijgen v.* **II** ⟨ov ww⟩ •*vermoeien.*

weasel ['wi:zl] ● *wezel.*

1 weather [weðə] **I** ⟨n-telb zn⟩ ● *weer* ‖ ↓ (be/feel) under the – *(zich) niet lekker (voelen); dronken (zijn)* **II** ⟨mv.⟩ ● *weersomstandigheden; in all –s weer of geen weer.*

2 weather I ⟨onov ww⟩ ● *verweren* **II** ⟨ov ww⟩ ● *aan weer en wind blootstellen* ● ⟨vaak pass.⟩ *doen verweren* ● *doorstaan* ⟨storm; ook fig.⟩; – *out te boven komen.*

'weather-beaten ● *(door storm) beschadigd/geteisterd* ● *verweerd* ⟨v. gezicht⟩. **'weather-bound** ● *aan huis gebonden* ⟨vanwege slecht weer⟩. **'weather chart, 'weather map** ● *weerkaart.* **'weathercock** ● *weerhaan,* ⟨fig.⟩ *opportunist.* **weather eye** ‖ keep a/one's – open (for) *op zijn hoede zijn (voor), oppassen (voor).* **'weather forecast** ● *weer(s)voorspelling, weerbericht.* **'weatherman** ● *weerman, meteoroloog.* **'weatherproof** ● *weerbestendig.* **'weather station** ● *weerstation, meteorologisch station.* **'weather vane** ● *windwijzer.*

1 weave [wi:v] ⟨zn⟩ ● *weefsel* ● *(weef)patroon.*

2 weave I ⟨onov ww⟩ ● *zigzaggen, (zich) slingeren* **II** ⟨ov ww⟩ ● *zich slingerend/zigzaggend banen.*

3 weave ⟨wove [wouv], woven ['wouvn]⟩ **I** ⟨onov en ov ww⟩ ● *weven* **II** ⟨ov ww⟩ ● *vlechten, weven* ● *verweven, verwerken* ● *maken* ⟨verhaal⟩, *ophangen.* **weaver** ['wi:və] ● *wever.*

web [web] ● *(spinne)web* ● *web, net(werk)* ⟨ook fig.⟩; *a – of lies een web v. leugens* ● *(zwem)vlies.* **webbed** [webd] ● *met (zwem)vliezen.*

wed [wed] ⟨volt. deelw. ook wed⟩ **I** ⟨onov en ov ww⟩ ● *trouwen, huwen* **II** ⟨ov ww⟩ ● *paren; – to koppelen aan.*

we'd [wid, ⟨sterk⟩ wi:d] ⟨samentr. v. we had, we should, we would⟩.

wedded ['wedɪd] ● *huwelijks-, v.h. huwelijk* ● *wettig* ⟨v. huwelijk e.d.⟩; – husband/wife *wettige echtgenoot/echtgenote* ● *verslingerd, verknocht; – to his job getrouwd met zijn werk.*

wedding ['wedɪŋ] ● *huwelijk(splechtigheid), bruiloft.* **'wedding breakfast** ● *bruiloftsmaal, broodmaaltijd na trouwerij.* **'wedding cake** ● *bruidstaart.* **'wedding day** ● *trouwdag.* **'wedding gift** ● *huwelijksgeschenk.* **'wedding ring,** ⟨vnl. AE⟩ **'wedding band** ● *trouwring.*

1 wedge [wedʒ] ⟨zn⟩ ● *wig* ⟨ook fig.⟩; drive a – between parties *tweedracht zaaien tussen partijen* ● *hoek, punt* ⟨v. taart⟩.

2 wedge ⟨ww⟩ ● *vastzetten, vastklemmen;*

–d (in) between the police and the rioters *ingeklemd tussen de politie en de relschoppers* ● *duwen, dringen;* he –d his way through the crowded room *hij drong zich door de overvolle kamer heen.*

wedlock ['wedlɒk] ● *huwelijk(se staat)* ‖ born out of – *onecht.*

Wednesday ['we(d)nzdi, -deɪ] ● ⟨zn en bw⟩ *woensdag;* zie Monday voor voorbeelden.

1 wee [wi:], **'wee-wee** ⟨zn⟩ ⟨vnl. BE; ↓; kind.⟩ ● *plasje;* do (a) –, have a – *een plasje plegen.*

2 wee ⟨bn⟩ ⟨↓; kind.⟩ ● *klein;* a – bit *een klein beetje, ietsje.*

3 wee, 'wee-wee ⟨ww⟩ ⟨vnl. BE; ↓; kind.⟩ ● *een plasje doen.*

1 weed [wi:d] **I** ⟨telb zn⟩ ● *onkruid* ● *lange slapjanus* **II** ⟨n-telb zn⟩ ● ⟨sl.⟩ *marihuana, hasj.*

2 weed ⟨ww⟩ ● *wieden, verwijderen* ● *wieden* ⟨alleen fig.⟩, *zuiveren;* the manager –ed out the most troublesome employees *de manager zette de lastigste werknemers aan de kant.* **'weed killer** ● *onkruidverdelger.* **weedy** ['wi:di] ● *vol onkruid* ● *slungelig* ● *zwak.*

week [wi:k] ● *week;* a – from Wednesday *woensdag over een week;* a – (on) Sunday, Sunday – *zondag over een week;* yesterday – *gisteren een week geleden* ‖ a 40-hour – *een 40-urige werkweek.* **'weekday** ● *door-de-weekse dag* ● *werkdag.*

1 week'end ⟨zn⟩ ● *weekend, weekeinde.*

2 weekend ⟨ww⟩ ● *het weekend doorbrengen;* I'm –ing at my parents *ik ben het weekend bij mijn ouders.* **weekender** ['wi:k'endə] ● *iem. die weekendtochtjes maakt.*

1 weekly ['wi:kli] ⟨zn⟩ ● *weekblad.*

2 weekly ⟨bn; bw⟩ ● *wekelijks;* she earns £ 150 – *zij verdient 150 pond in de week.* **'weeknight** ● *door-de-weekse avond/nacht.*

weep ⟨wept, wept [wept]⟩ **I** ⟨onov ww⟩ ● *wenen, huilen; – for/with pain huilen v.d. pijn;* no one will – over his resignation *niemand zal een traan laten om zijn vertrek* ● *vocht afscheiden/verliezen, dragen* ⟨v. wond⟩ **II** ⟨ov ww⟩ ● *betreuren, rouwen om, bewenen* ● *storten, schreien* ⟨tranen⟩; – many tears over a friend *veel tranen vergieten om een vriend* ● *huilen.* **weeping** ['wi:pɪŋ] ● *met hangende takken; – willow treurwilg.* **weepy** ['wi:pi] ● *huilerig* ● *sentimenteel.*

weft [weft] ● *inslag.*

weigh [weɪ] **I** ⟨onov ww⟩ ● *v. belang zijn, in-*

vloed hebben; that didn't – with the judge *dat had geen invloed op de rechter* ● *drukken, een last zijn;* his unemployment –s (up)on him *hij gaat gebukt onder zijn werkeloosheid* II ⟨onov en ov ww⟩ ● *wegen, het gewicht hebben/vaststellen (van);* it –s four pounds *het weegt vier pond;* – in *(laten) wegen* ⟨bagage, enz. voor reis⟩ III ⟨ov ww⟩ ● *overwegen, afwegen;* – various plans *de verschillende plannen tegen elkaar afwegen;* – up *wikken en wegen; zich een mening vormen over* ● *lichten* ⟨anker, schip⟩ ‖ – down *beladen;* (fig.) *deprimeren.* '**weighbridge** ● *weegbrug.*

1 **weight** [weɪt] I ⟨telb zn⟩ ● *gewicht* ⟨voor weegschaal⟩; –s and measures *maten en gewichten* ● *gewicht, zwaar voorwerp;* too weak to lift –s *te zwak om zware dingen te tillen* ● *(zware) last,* (fig.) *druk;* a – off my mind *een pak van mijn hart* II ⟨n-telb zn⟩ ● *gewicht, zwaarte;* lose – *afvallen;* put on – *aankomen;* over – *te zwaar;* under – *te licht* ● *belang, invloed* ● *grootste deel, hoofddeel, grootste nadruk;* the – of evidence is against them *het grootste gedeelte v.h. bewijsmateriaal spreekt in hun nadeel* ‖ carry – *v. belang zijn;* give – to *extra bewijs leveren voor;* pull one's – ⟨fig.⟩ *(ieder) zijn steentje bijdragen;* throw one's – about/around *zich laten gelden, gewichtig doen.*

2 **weight** ⟨ww⟩ ● *verzwaren* ● *beladen* ⟨ook fig.⟩, *gebukt doen gaan;* –ed down with many parcels *beladen met/gebukt onder veel pakjes.* **weighted** ['weɪtɪd] ‖ be – against s.o./sth. *in het nadeel werken v. iem./iets;* be – in favour of s.o./sth. *in het voordeel werken v. iem./iets.* **weighting** ['weɪtɪŋ] ⟨vnl. BE⟩ ● *(standplaats)toelage.* '**weightlifter** ● *gewichtheffer.* '**weightlifting** ● *gewichtheffen.* **weighty** ['weɪtɪ] ● *zwaar* ● *belangrijk* ● *invloedrijk.*

weir [wɪə] ● *(stuw)dam.*

weird [wɪəd] ● ↓ *raar, gek, vreemd.* **weirdo** ['wɪədoʊ] ↓ ● *rare (snuiter).*

1 **welcome** ['welkəm] I ⟨telb zn⟩ ● *welkomstgroet, verwelkoming;* give a – to s.o. *iem. verwelkomen* II ⟨telb en n-telb zn⟩ ● *onthaal;* they gave the speaker a hearty – *zij heetten de spreker hartelijk welkom* ‖ outstay one's – *blijven plakken.*

2 **welcome** I ⟨bn, attr en pred⟩ ● *welkom, aangenaam;* make s.o. (feel) – *iem. het gevoel geven dat hij welkom is* II ⟨bn, pred⟩ ● ⟨ongeveer⟩ *vrij;* you're – to the use of my books *je mag mijn boeken gerust gebruiken* ‖ 'thank you' 'you're –' '*dank u*'

'*geen dank/graag gedaan*'.

3 **welcome** ⟨ww⟩ ● *verwelkomen, welkom heten;* – back a team *een ploeg bij terugkomst begroeten* ● *(gunstig) onthalen.*

1 **weld** [weld] ⟨zn⟩ ● *las(naad).*

2 **weld** ⟨ww⟩ ● *lassen* ● *aaneensmeden;* – the various parties together *de verschillende partijen tot één samenvoegen.* **welder** ['weldə] ● *lasser.*

welfare ['welfeə] ● *welzijn, welvaart* ● *maatschappelijk werk* ● *bijstand;* be on – *v.d. bijstand leven.* '**welfare officer,** '**welfare worker** ● *maatschappelijk werker/ster.* '**welfare** '**state** ● *verzorgingsstaat, welvaartsstaat.* '**welfare work** ● *maatschappelijk werk.*

1 **well** [wel] I ⟨telb zn⟩ ● *put;* drive/sink a – *een put boren/slaan* ● *boorput* ● *koker, schacht* ● *inktpot* ● *diepe ruimte, kuil* II ⟨n-telb zn⟩ ● *het beste* ‖ leave/let – alone, ⟨AE⟩ leave/let – enough alone *het is wel goed zo* III ⟨mv.⟩ ● *badplaats* ⟨met bronnen⟩, *kuuroord.*

2 **well** ⟨bn; better ['betə], best [best]⟩ ● *gezond, beter, wel;* she's feeling – again *zij voelt zich weer goed* ● *goed, in orde, naar wens;* all is not quite – with him *het gaat niet zo best met hem* ● *raadzaam, wenselijk;* it would be (just) as – to confess *je kan het beste maar opbiechten* ● *gelukkig, goed;* it was – that we started early today *gelukkig waren we vroeg begonnen vandaag* ‖ all very – (, but) *alles goed en wel (maar), dat kan wel zijn (maar);* very – *(nou) goed dan;* she's – in with my boss *zij staat in een goed blaadje bij mijn baas.*

3 **well** ⟨ww⟩ ● *vloeien, (op)wellen;* – up *opborrelen, opkomen* ⟨v. tranen, gevoelens⟩.

4 **well** ⟨bw; better, best⟩ ● *op de juiste/goede manier, goed, naar wens;* I don't speak Russian very – *ik spreek niet erg goed Russisch* ● *zorgvuldig, grondig;* – cooked *goed gaar* ● *ver, zeer, een eind;* – in advance *ruim v. te voren;* the exhibition was – worth visiting *de tentoonstelling was een bezoek ruimschoots waard;* – pleased *zeer tevreden;* she's – over sixty years of age, – past sixty *zij is ver over de zestig;* she's – up in technology *zij is goed thuis in techniek;* he made it – within the time *hij haalde het ruimschoots binnen de tijd* ● *gunstig, vriendelijk* ● *redelijkerwijze, met recht/reden;* I cannot very – refuse to help him *ik kan moeilijk weigeren om hem te helpen;* it may – be that she is right *mogelijk heeft ze gelijk;* you may (just) as – go *je kunt net zo goed gaan* ● *verstandig* ● *for-*

tuinlijk ‖ *be* – *off er warmpjes bijzitten;* – and truly *helemaal; be* – out of it *er goed van af komen* 〈mbt. iets vervelend〉; *as* – *ook, evenzeer;* as – as *zowel ... als, en, niet alleen ... maar ook;* 〈sprw.〉 all's well that ends well *eind goed, al goed.*

5 well 〈tw〉 ●*zo, nou, wel* ●*nou ja, goed dan, jawel* 〈maar〉; –, if she loves the boy *nou ja, als ze v.d. jongen houdt* ●*goed, nu* ‖ oh –/ah –, you can't win them all *nou ja/ach, je kan niet altijd winnen.*

we'll [wil, 〈sterk〉wiːl] 〈samentr. v. we shall, we will〉.

'well-a'djusted ●*goed (aan)gepast* ●*goed afgesteld.* **'well-ad'vised** ●*verstandig.* **'well-ap'pointed** ●*goed ingericht.* **'well-'balanced** ●*evenwichtig, verstandig* 〈persoon〉 ●*goed uitgebalanceerd* 〈dieet e.d.〉. **'well-'being** ●*welzijn, gezondheid.* **'well-'born** ●*van goede huize.* **'well-'bred** ●*welopgevoed, beschaafd.* **'well-'chosen** ●*welgekozen, treffend.* **'well-con'nected** ●*met goede (familie)relaties.* **'well-de'fined** ●*duidelijk omlijnd, scherp afgetekend.*

'well-de'veloped ●*goed ontwikkeld.* **'well-dis'posed** ●〈+towards〉 *welwillend (jegens), vriendelijk (tegen).* **'well-'done** ●*goed doorbakken, goed gaar.* **'well-'earned** ●*welverdiend.* **'well-es'tablished** ●*(reeds lang) gevestigd* 〈firma〉. **'well-'fed** ●*goed gevoed* ●*dik.* **'well-'founded** ●*gegrond, goed gefundeerd.* **'well-'grounded** ●*gegrond* ●〈+in〉 *goed onderlegd (in).* **'well-'heeled** ↓ ●*rijk.* **'well-in'formed** ●*goed op de hoogte* ●*goed ingelicht, welingelicht.*

Wellington (boot) ['welɪŋtən 'buːt], **Welly** ●*rubberlaars, kaplaars.*

'well-in'tentioned ●*goed bedoeld, met de beste bedoelingen.* **'well-'known** ●*bekend, algemeen bekend.* **'well-'meaning** ●*goedbedoeld.* **'well-'meant** ●*goedbedoeld, met de beste bedoelingen.* **'well-nigh** ↑ ●*bijna;* it's – impossible *het is vrijwel onmogelijk.* **'well-'off** ●*rijk, welgesteld.* **'well-pre'served** ●*goed geconserveerd* 〈v. ouder iem.〉. **well-read** ['welˈred] ●*belezen.* **'well-'spoken** ●*welsprekend,* 〈ihb.〉 *met beschaafde uitspraak.* **'well-'thought-of** ●*geacht, gezien.* **'well-thought-'out** ●*(wel)doordacht.* **'well-'thumbed** ●*beduimeld.* **'well-'timed** ●*op het juiste moment (gedaan/gezegd/komend), goed getimed.* **'well-to-'do** ↓ ●*rijk.* **'well-'tried** ●*beproefd.* **'well-wisher** ●*sympathisant.* **'well-'worn** ●*afgezaagd, cliché(matig).*

Welsh [welʃ] ●〈bn〉 *Wels, van/uit Wales, in het Wels* ●〈eig.n.〉 *Wels* 〈taal〉 ●〈verz.n.〉 *bewoners v. Wales.* **Welshman** ['welʃmən] ●*bewoner v. Wales.*

welt [welt] ●*striem* 〈op huid〉.

1 welter ['weltə] 〈zn〉 ●*mengelmoes, enorm aantal.*

2 welter 〈ww〉 ●*zich rollen, zich wentelen* 〈ook fig.〉.

'welterweight ●*(bokser uit het) welterge-wicht.*

wench [wentʃ] ●〈vero. of scherts.〉 *meisje,* 〈ihb.〉 *(boeren)deerne.*

went [went] 〈verl. t.〉 zie GO.

wept [wept] 〈verl. t. en volt. deelw.〉 zie WEEP.

were [wə, 〈sterk〉wəː] 〈verl. t.〉 zie BE.

we're [wɪə, 〈sterk〉wiːə] 〈samentr. v. we are〉.

weren't [wəːnt] 〈samentr. v. were not〉.

1 west [west] 〈zn〉 ●〈W-〉 *Westen* 〈itt. het Oostblok〉 ●〈vaak W-〉 *westelijk gedeelte/gebied, het westen.*

2 west 〈bn〉 ●*westelijk, west(en)-.*

3 west 〈bw〉 ●*in/uit/naar het westen, ten westen.* **'westbound** ●*in westelijke richting (gaand/reizend).* **westerly** ['westəli] ●〈bn〉 *westelijk* ●〈bw〉 *naar/uit het westen.*

1 western ['westən] 〈zn〉 ●*western, wild-westfilm/roman.*

2 western 〈bn〉 ●*westelijk, west(en)-* ●〈W-〉 *westers* 〈itt. Oostblok-〉. **westerner** ['westənə] ●*westerling* ●〈vaak W-〉 *iem. uit de westelijke staten v.d. U.S.A..* **western‖ize** ['westənaɪz] 〈zn: -ization〉 ●*verwestersen.* **westernmost** ['westənmoust] ●*meest westelijk gelegen.*

westward ['wes(t)wad] ●*westwaarts.* **westwards** ['westwədz], 〈AE ook〉 **westward** ●*west(waarts).*

1 wet [wet] 〈zn〉 ●*nat weer* ●*nattigheid* ●〈BE; ↓〉 *sukkel,* 〈pol.〉 *gematigd conservatief.*

2 wet 〈bn〉 ●*nat, vochtig;* – paint *nat, pas geverfd;* – through, wringing – *kletsnat* ●*regenachtig* ●〈BE; ↓〉 *slap, sullig* ●〈BE; pol.〉 *gematigd conservatief* ‖ he's still – behind the ears *hij is nog niet droog achter de oren;* get one's feet – *zich met een zaak inlaten.*

3 wet 〈ww〉 ●*nat maken, bevochtigen* ‖ – the bed *bedwateren.* **'wet 'blanket** ●*spelbreker, iem. die de boel verziekt.* **'wet nurse** ●*min, zoogster.* **'wet suit** 〈sport〉 ●*wetsuit, duikerspak.*

we've [wiv, 〈sterk〉wiːv] 〈samentr. v. we have〉.

1 whack [wæk] 〈zn〉 ●*klap, dreun* ●↓ *(aan)*

deel, portie.
2 **whack** ⟨ww⟩ ● ↓ *een mep/klap geven.*
whacked [wækt], **'whacked 'out** ↓ ● *dood-moe, kapot.*
1 **whacking** ['wækɪŋ] ⟨zn⟩ ● *afranseling, pak slaag.*
2 **whacking** ⟨bn; bw⟩ ⟨vnl. BE; ↓ ⟩ ● *enorm;* a – big car *een onzettende grote wagen.*
whale [weɪl] ● *walvis* ‖ ↓ a – of a ... *een gewel-dig/pracht-...;* they had a – of a time *ze hebben zich uitstekend vermaakt.* **'whale-bone** ● *balein.* **whaler** ['weɪlə] ● *walvis-vaarder* ⟨persoon en schip⟩. **whaling** ['weɪlɪŋ] ● *walvisvangst.*
wham [wæm] ● *klap, dreun* ‖ –! *knal!.*
wharf [wɔːf] ⟨mv.: ook wharves [wɔːvz]⟩ ● *kade, aanlegsteiger.*
1 **what** [wɒt] I ⟨vr vnw⟩ ● *wat;* –'s the Eng-lish for gezellig? *wat is gezellig in het En-gels?;* no matter – *hoe dan ook;* – do you call that? *hoe heet dat?;* you were going to do –? *wát ging je doen?;* books, records and – have you *boeken, platen en dat soort dingen;* – of it? *en wat (zou dat) dan nog?;* – is that to you? *wat heb jij daarmee te maken?;* – about an ice-cream? *wat zou je denken van een ijsje?;* – for? *waarom?; waarvoor?;* – is he/it like? *wat voor iem./ iets is hij/het?;* ⟨sl.⟩ –'s with John? *wat is er met John aan de hand?;* she won't mind and – if she does *ze vindt het niet erg en, trouwens, zou ze het erg vinden, wat dan nog?* ‖ so –? *nou en?, wat dan nog?* II ⟨betr vnw⟩ ● *wat, dat(gene) wat, hetgeen;* –'s more *bovendien;* come – may *wat er ook moge gebeuren;* say – you will *wat je ook zegt.*
2 **what** I ⟨onb det⟩ ↑ ● *welke (ook), die/dat;* he brought – clothes he could find *hij bracht alle kleren mee die hij maar kon vinden* II ⟨vr det⟩ ● *welk(e);* – books do you read? *wat voor boeken lees je?* III ⟨predet; in uitroepen⟩ ● *wat (voor), welk (een);* – a delicious meal(!) *wat een lekke-re maaltijd(!).*
3 **what** ⟨tw⟩ ⟨BE; vero.⟩ ● *niet waar;* funny little fellow, –! *raar mannetje, vind je niet!.*
1 **'what'ever,** ⟨nadruksvorm, vero. in BE⟩ **whatsoever** I ⟨onb vnw⟩ ● *alles wat, wat ook;* I'll stay – happens *ik blijf, wat er ook gebeurt* ● *om het even wat, wat dan ook* II ⟨vr vnw⟩ ↓ ● *wat (toch);* – for? *waarom toch?.*
2 **whatever,** ⟨nadruksvorm, vero. in BE⟩ **'whatsoever** ⟨det⟩ ● *welke dan ook;* any colour – *om het even welke kleur* ● ⟨ge-plaatst na het nw.; in vraag of ontken-ning⟩ *helemaal, überhaupt;* no-one – *he-*

lemaal niemand.
whatnot ['wɒtnɒt] ● *wat al niet;* she bought books, records and – *ze kocht boeken, pla-ten en noem maar op.*
whatsoever zie WHATEVER.
wheat [wiːt] ● *tarwe* ‖ separate the – from the chaff *het kaf van het koren scheiden.* **wheaten** ['wiːtn] ● *tarwe-.* **'wheatmeal** ⟨BE⟩ ● *tarwemeel,* ⟨ihb.⟩ *volkoren tarwe-meel.*
wheedle ['wiːdl] ● ⟨+into⟩ *met gevlei over-halen (tot)* ● ⟨+out of⟩ *aftroggelen;* – a promise out of s.o. *iem. een belofte af-vleien.*
1 **wheel** [wiːl] ⟨zn⟩ ● *wiel, rad* ● *stuur, stuur-rad/wiel, roer;* at/behind the – *aan het roer/stuur;* ⟨fig.⟩ *aan de leiding* ● ⟨mv.⟩ ↓ *auto, kar;* on –s *per auto* ‖ there are –s within –s *het zit zeer ingewikkeld in elkaar.*
2 **wheel** I ⟨onov ww⟩ ● *rollen, rijden* ● ⟨ook +(a)round/about⟩ *zich omkeren, zich om-draaien* ‖ –ing and dealing *ritselen, gesja-cher* II ⟨ov ww⟩ ● *duwen/trekken* ⟨iets op wieltjes⟩, *(ver)rijden;* they –ed in the vic-tims *zij reden de slachtoffers naar binnen.*
'wheelbarrow ● *kruiwagen.* **'wheelbase** ⟨tech.⟩ ● *wielbasis, radstand.* **'wheelchair** ● *rolstoel.* **wheeled** [wiːld] ● *op/met wie-len, verrijdbaar.* **'wheeler-'dealer** ● *sja-cheraar, handige jongen.* **'wheel house** ● *stuurhut, stuurhuis.* **'wheelwright** ● *wie-lenmaker, wagenmaker.*
1 **wheeze** [wiːz] ⟨zn⟩ ● *gepiep* ⟨v. ademha-ling⟩.
2 **wheeze** ⟨ww⟩ ● *piepen, fluiten(d ademha-len)* ● *hijgen.* **wheezy** ['wiːzi] ● *hijgend, kortademig* ● *piepend, fluitend.*
1 **whelp** [welp] ⟨zn⟩ ● *jong, welp.*
2 **whelp** ⟨ww⟩ ● *jongen, werpen* ⟨v. dieren⟩.
1 **when** [wen] ⟨zn⟩ ● *wanneer, het tijdstip* ‖ ⟨bij 't inschenken⟩ say – *zeg maar ho.*
2 **when** I ⟨vr vnw⟩ ● *wanneer;* since – has he been here? *hoe lang is hij al hier?* II ⟨betr vnw⟩ ↑ ● *welk ogenblik.*
3 **when** ⟨bw⟩ ● ⟨vragend⟩ *wanneer* ● *wan-neer, waarop, dat;* the day – I went to Paris *de dag dat ik naar Parijs ging.*
4 **when** ⟨vw⟩ ● ⟨met verl.t.⟩ *toen* ● ⟨met te-genw.t.⟩ *als, wanneer* ● *als (het zo is dat);* why use gas – it can explode? *waarom gas gebruiken als (je weet dat) het kan ont-ploffen?* ● *hoewel, terwijl, ondanks (het feit) dat;* he wasn't interested – he could have made a fortune *hij was niet geïnte-resseerd terwijl hij dik geld had kunnen verdienen.*
1 **'when'ever** ⟨bw⟩ ● *om het even wanneer* ● *wanneer (toch/in 's hemelsnaam);* – did I

say that? *wanneer in 's hemelsnaam heb
ik dat gezegd?.*
2 whenever ⟨vw⟩ ●*telkens wanneer/als,
wanneer ook.*
1 where [weə] ⟨zn; the⟩ ●*de plaats (waar);*
have they fixed the – and when yet? *hebben ze plaats en datum al vastgelegd?.*
2 where ⟨bw⟩ ●⟨vragend⟩ *waar, waar
(heen/in/op/enz.)* ⟨ook fig.⟩; – can I find
him? *waar is hij?* ●*(al)waar, waarheen;* a
place – I can rest *een plek waar ik kan uitrusten;* ↓ Amsterdam, that's – it's at Amsterdam, *dáár gebeurt het.*
3 where ⟨vw⟩ ●*terwijl, daar waar* ●*daar
waar, waarbij;* nothing has changed – Rita
is concerned *er is niets veranderd wat Rita
betreft.*
1 whereabouts ['weərəbaʊts] ⟨zn⟩ ●*verblijfplaats;* his – is/are not known *het is niet
bekend waar hij uithangt.*
2 'wherea'bouts ⟨bw⟩ ●*waar ergens, waar
ongeveer.*
whereas [weə'ræz] ↑ ●*hoewel, daar waar,
terwijl* ●⟨vnl. jur.⟩ *aangezien, daar.*
'where'by ↑ ●*waardoor.*
1 'wherefore ⟨zn⟩ zie WHY.
2 'wherefore ⟨vw⟩ ↑ ●*waarom, om welke reden.*
'where'in ⟨↑, vero.⟩ ●*waarin, in welk opzicht.* **'where'of** ⟨↑, vero.⟩ ●*waarvan.*
'whereu'pon ●*waarna, waarop.*
1 wherever [weə'revə] ⟨bw⟩ ↓ ●*waar (toch/in
's hemelsnaam).*
2 wherever, wheresoever ⟨vw⟩ ●*waar ook,
overal waar;* I'll think of you – you go *ik zal
aan je denken waar je ook naartoe gaat.*
'wherewithal ⟨the⟩ ●*de middelen, het (benodigde) geld.*
whet [wet] ●*wetten, (aan)scherpen.*
whether ['weðə] ●⟨vragend en mbt. twijfel⟩
of; he wasn't sure – to buy it *hij wist niet of
hij het al dan niet zou kopen* ●⟨+or⟩ *of
(wel), zij het, hetzij;* – he is ill or not *of hij
nu ziek is of niet.*
'whetstone ●*wetsteen, slijpsteen.*
1 which [wɪtʃ] **I** ⟨vr vnw⟩ ●*welke (ervan),
wie/wat;* he could not tell – was – *hij kon
ze niet uit elkaar houden;* – of the girls hit
Sarah? *wie v.d. meisjes heeft Sarah geslagen?* **II** ⟨betr vnw⟩ ●*die/dat, welke, wat* ●
wat, hetgeen, (iets) wat; he said they were
spying on him, – is sheer nonsense *hij zei
dat ze hem bespioneerden, hetgeen
klinkklare onzin is.*
2 which **I** ⟨vr det⟩ ●*welk(e);* – colour do you
prefer? *welke kleur vind je het mooist?* **II**
⟨betr det⟩ ↑ ●*welk(e).* **'which'ever** ●⟨vnw
en det⟩ *om het even welk(e), welk(e) ook,*

die(gene) die; – way you do it *hoe je het
ook doet;* take – you prefer *neem degene
die je het leukste vindt.*
whiff [wɪf] ●*vleug* ⟨v. geur⟩, *flard* ⟨v. rook⟩,
⟨ook fig.⟩ *spoor.*
1 while [waɪl] ⟨zn⟩ ●*tijd(je), poos(je);* they
will make it worth your – *je zult er geen
spijt van hebben;* (every) once in a – *af en
toe, een enkele keer;* in a little – *binnenkort;* (for) a – *een tijdje, een ogenblik.*
2 while, ⟨vnl. BE⟩ **whilst** [waɪlst] ⟨vw⟩ ●*terwijl, zo lang als;* – I cook the meal you can
clear up *terwijl ik het eten maak kun jij opruimen* ●⟨tegenstelling⟩ *terwijl, hoewel,
daar waar;* – she has the talent she does
not have the perseverance *hoewel ze het
talent heeft, zet ze niet door* ●*terwijl (ook),
en (bovendien).* **'while a'way** ●*verdrijven*
⟨de tijd⟩.
whim [wɪm] ●*gril, bevlieging.*
1 whimper ['wɪmpə] ⟨zn⟩ ●*zacht gejank, gejammer;* without a – *zonder een kik te geven.*
2 whimper **I** ⟨onov ww⟩ ●*janken, jammeren*
II ⟨ov ww⟩ ●*klaaglijk zeggen.*
whimsical ['wɪmzɪkl] ●*grillig, eigenaardig.*
whimsicality ['wɪmzɪ'kæləti] ●⟨vnl. mv.⟩
gril ●*grilligheid.*
whimsy, whimsey ['wɪmzi] ●*gril, opwelling*
●*eigenaardigheid.*
1 whine [waɪn] ⟨zn⟩ ●*gejammer.*
2 whine ⟨ww⟩ ●*janken* ●*zeuren.* **whiner**
['waɪnə] ●*zanik, zeur.*
1 whinny ['wɪni] ⟨zn⟩ ●*gehinnik.*
2 whinny ⟨ww⟩ ●*hinniken.*
1 whip [wɪp] ⟨zn⟩ ●*zweep, gesel* ●⟨pol.⟩
*whip, fractielid dat zijn medeleden tot op-
komst maant* ●⟨BE; pol.⟩ *oproep tot aanwezigheid;* a three-line – *een dringende
(driemaal onderstreepte) oproep.*
2 whip **I** ⟨onov en ov ww⟩ ●*snel bewegen/
doen, snellen, schieten;* – up *snel oppakken; snel in elkaar flansen* **II** ⟨ov ww⟩ ●
zwepen ⟨ook fig.⟩, *(met de zweep) slaan;*
the rain –ped the windows *de regen
striemde tegen de ramen* ●*kloppen* ⟨slag-
room enz.⟩; –ped cream *slagroom* ●⟨sl.⟩
verslaan, in de pan hakken. **'whiplash** ●
zweepslag ⟨ook fig.⟩ ●⟨med.⟩ *whiplash
(injury), zweepslagtrauma.* **whipping**
['wɪpɪŋ] ●*pak slaag, aframmeling.* **'whip-
round** ●*inzameling;* have a – *de pet laten
rondgaan.*
1 whirl [wəːl] ⟨zn⟩ ●*werveling, draaikolk* ●
verwarring, roes ●*drukte, gewoel;* a – of
activity *koortsachtige bedrijvigheid* ●
⟨AE; sl.⟩ *poging;* give it a – *probeer het
eens een keer.*

2 whirl I ⟨onov ww⟩ ● *tollen* ● *stormen, snellen* II ⟨onov en ov ww⟩ ● *ronddraaien, wervelen;* he –ed round *hij draaide zich vliegensvlug om* III ⟨ov ww⟩ ● *met een vaart(je) wegvoeren;* the visitors were –ed away/off *de bezoekers werden snel weggereden.* **whirligig** ['wə:lɪgɪg] ● *tol* ⟨speelgoed⟩ ● *draaimolen.* **'whirlpool** ● *draaikolk.*

1 'whirlwind ⟨zn⟩ ● *wervelwind, windhoos.*

2 whirlwind ⟨bn⟩ ● *bliksem-, zeer snel.*

1 whirr [wə:] ⟨zn⟩ ● *gegons, gezoem.*

2 whirr ⟨ww⟩ ● *gonzen, zoemen.*

1 whisk [wɪsk] ⟨zn⟩ ● *kwast, borstel* ● ⟨cul.⟩ *garde, (eier)klopper* ● *vlugge beweging.*

2 whisk ⟨ww⟩ ● *zwaaien* ● ⟨ook +up⟩ ⟨cul.⟩ *kloppen.* **'whisk a'way, 'whisk 'off** ● *wegzwiepen, wegslaan* ● *snel wegvoeren;* the children were whisked off to bed *de kinderen werden snel in bed gestopt.*

whisker ['wɪskə] ● *snorhaar, snorharen* ⟨v. kat enz.⟩ ● ⟨mv.⟩ *bakkebaard(en)* ‖ win by a – *met een neuslengte winnen.*

whisky, ⟨AE/IE sp.⟩ **whiskey** ['wɪski] ● *whisky.*

1 whisper ['wɪspə] ⟨zn⟩ ● *gefluister;* in a –, in –s *fluisterend* ● *gerucht, insinuatie* ● *het fluisteren.*

2 whisper ⟨ww⟩ ● *fluisteren, roddelen;* it is –ed (about) that *het gerucht gaat dat.*

1 whistle ['wɪsl] ⟨zn⟩ ● *fluit, fluitje* ● *gefluit* ‖ ⟨sl.⟩ blow the – on sth. *een boekje opendoen over iets.*

2 whistle ⟨ww⟩ ● *fluiten, gieren* ‖ – up *in elkaar flansen.*

'whistle-stop tour ⟨pol.⟩ ● *verkiezingstoernee langs kleine plaatsjes op het platteland.*

whit [wɪt] ↑ ● *grein;* not a – *geen zier.*

Whit [wɪt] ⟨ook attr⟩ ● *Pinkster(en).*

1 white [waɪt] ⟨zn⟩ ● *wit* ⟨ook schaken, dammen⟩, *het witte* ● *oogwit* ● *blanke.*

2 white ⟨bn⟩ ● *wit, bleek, blank,* ⟨fig.⟩ *onschuldig;* – blood cell *wit bloedlichaampje;* ⟨BE⟩ – coffee *koffie met melk;* – heat *witte gloeihitte* ⟨v. metaal⟩; ⟨fig.⟩ *kookpunt;* – as a sheet *lijkbleek* ● *blank* ⟨v. mens⟩; – slave *blanke slavin* ‖ – alloy *witmetaal;* – elephant *witte olifant; kostbaar maar nutteloos bezit/geschenk; weggegooid geld;* – horses *witgekuifde golven;* – lie *leugentje om bestwil;* ⟨BE⟩ – paper, White Paper *witboek.* **'white-'collar** ● *witte boorden-, hoofd-;* – job *kantoorbaan.*

Whitehall ['waɪthɔ:l, waɪt'hɔ:l] ● *Whitehall,* ⟨fig.⟩ *de (Britse) regering.*

'white-'hot ● *witheet, witgloeiend.*

White House ['waɪt haʊs] ⟨the⟩ ● *het Witte Huis,* ⟨fig.⟩ *de Amerikaanse president.*

whiten ['waɪtn] I ⟨onov ww⟩ ● *wit/bleek worden* II ⟨ov ww⟩ ● *witten, bleken.* **whitening** ['waɪtnɪŋ] ● *witsel.*

1 'whitewash ⟨zn⟩ ● *witkalk* ● *vergoelijking.*

2 whitewash ⟨ww⟩ ● *witten* ● *vergoelijken.*

whiting ['waɪtɪŋ] ● *witsel.*

Whit Monday ['wɪt'mʌndi] ● *Pinkstermaandag, tweede Pinksterdag.* **Whitsun** ['wɪtsn] ● *Pinkster(en).* **'Whit 'Sunday** ● *Pinksterzondag.* **'Whitsuntide** ● *Pinksteren.*

whittle ['wɪtl] ● (+away/down) *(af)snijden* ⟨hout⟩, *besnoeien,* ⟨fig.⟩ *reduceren.*

1 whiz(z) [wɪz] ⟨zn⟩ ● *gefluit, gesuis* ● ⟨sl.⟩ *kei;* she is a – at physics *zij is steengoed in natuurkunde.*

2 whiz(z) ⟨ww⟩ ● *zoeven, suizen;* they –ed past *zij zoefden voorbij.* **'whiz(z)kid** ● *briljant jongmens, genie.*

who [hu:, ⟨in III⟩(h)ʊ, ⟨sterk⟩hu:] I ⟨onb vnw⟩ ● zie WHOEVER II ⟨vr vnw⟩ ● *wie;* – cares *wat maakt het uit;* – did you get it from? *v. wie heb je het gekregen?* III ⟨betr vnw⟩ ● *die, wie;* anyone – disagrees *wie niet akkoord gaat.*

whodun(n)it ['hu:'dʌnɪt] ↓ ● *detective(roman/film).*

'who'ever I ⟨onb vnw⟩ ● *om het even wie, wie (dan) ook* II ⟨vr vnw⟩ ↓ ● *wie (toch);* give it to – you like *geef het aan wie je ook wil.*

1 whole [hoʊl] ⟨zn⟩ ● *geheel, totaal;* as a – *in zijn geheel;* on the – *alles bij elkaar; in het algemeen.*

2 whole ⟨bn⟩ ● *(ge)heel, totaal;* swallow sth. – *iets in zijn geheel doorslikken;* ⟨fig.⟩ *iets voor zoete koek aannemen* ● *geheel, gezond;* make – *herstellen* ‖ ⟨sl.⟩ go (the) – hog *tot het einde toe doorgaan;* a – lot better *heel wat beter;* a – lot of people *een heleboel mensen.*

3 whole ⟨bw⟩ ● *geheel;* a – new life *een totaal nieuw leven.* **'whole'hearted** ● *hartgrondig.* **'wholemeal** ● *volkoren.*

1 wholesale ['hoʊlseɪl] ⟨zn⟩ ● *groothandel.*

2 wholesale ⟨bn; bw⟩ ● *in het groot, groothandel-;* – prices *groothandelsprijzen* ● *massaal, op grote schaal;* – slaughter *massamoord.* **wholesaler** ['hoʊlseɪlə] ● *groothandelaar, grossier.*

wholesome ['hoʊlsəm] ● *gezond* ● *nuttig* ⟨advies⟩. **'whole-wheat** ● *volkoren;* – flour *volkorenmeel.*

who'll [(h)ʊl, ⟨sterk⟩hu:l] ⟨samentr. v. who will⟩.

wholly ['hoʊli] ● *geheel, volledig.*

whom [hu:m] ⟨vnl. ↑⟩ I ⟨onb vnw⟩ ● zie

WHOMEVER ‖ ⟨vr vnw⟩ • *wie;* he wondered
– John had invited *hij vroeg zich af wie
John had uitgenodigd* ‖‖ ⟨betr vnw⟩ • *die,
wie;* the clerk – you insulted *de bediende
die je beledigde.*

1 **whoop** [wu:p] ⟨zn⟩ • *uitroep, kreet* ⟨v.
vreugde⟩.

2 **whoop, hoop** ⟨ww⟩ • *schreeuwen, een
kreet slaken* ⟨v. vreugde⟩. **whooping
cough** [ˈhu:pɪŋ kɒf] • *kinkhoest.*

1 **whoosh** [wʊʃ] ⟨zn⟩ • *gesuis, geruis.*

2 **whoosh** ⟨ww⟩ • *suizen, ruisen.*

whop [wɒp] ⟨sl.⟩ • *afranselen,* ⟨fig.⟩ *verslaan.* **whopper** [ˈwɒpə] ↓ • *kanjer* • *grove
leugen.* **whopping** ↓ • *kolossaal, geweldig;* a – (great) lie *een grove leugen.*

whore [hɔ:] • *hoer.* **'whorehouse** • *bordeel.*

whorl [wə:l] • *spiraal* ⟨v. schelp, vingeraf-
druk⟩.

who's [(h)ʊz, ⟨sterk⟩hu:z] ⟨samentr. v. who
is, who has, who does⟩.

whose [hu:z] ‖ ⟨vr vnw⟩ • *wiens/wier, v. wie/
wat, waarvan;* in – house did you stay? *in
wie zijn huis verbleef je?;* – is this *v. wie is
dit?* ‖ ⟨betr vnw⟩ • *waarvan, van wie/wel-
ke, wiens, wier.*

who've [(h)ʊv, ⟨sterk⟩hu:v] ⟨samentr. v.
who have⟩.

1 **why** [waɪ] ⟨zn⟩ ‖ the –s and wherefores *het
hoe en waarom.*

2 **why** ⟨bw⟩ • *waarom, om welke reden;* –
not ask him? *waarom vraag je het (hem)
niet gewoon?;* that may be – he didn't
come *misschien is hij daarom niet gekomen.*

3 **why** ⟨tw⟩ • ⟨verrassing⟩ *wel allemachtig;*
–, if it isn't Mr Smith *wie we daar hebben!
Mr. Smith!* • ⟨antwoord op domme
vraag⟩ *natuurlijk, nou zeg;* three plus
five? –, eight *drie plus vijf? acht natuurlijk.*

wick [wɪk] • *wiek, pit, kousje* ⟨v. lamp⟩.

wicked [ˈwɪkɪd] ⟨-ness⟩ • *slecht, verdorven*
• *kwaadaardig, gemeen* ⟨tong⟩ • *schadelijk.*

wicker [ˈwɪkə] • *vlechtwerk.* **'wicker 'chair** •
rieten stoel. **'wickerwork** • *vlechtwerk.*

wicket [ˈwɪkɪt] • *deurtje, hekje* • ⟨cricket⟩
wicket; win by two –s *winnen met drie
batsmen niet out;* at the – *aan (de) slag* •
⟨cricket⟩ *terrein om, bij en tussen de wic-
kets* ‖ ⟨fig.⟩ bat/be on a sticky – *zich in een
moeilijk parket bevinden.*

1 **wide** [waɪd] ⟨zn⟩ • *wijd.*

2 **wide** ⟨bn⟩ • *wijd, breed* • *ruim, veelomvattend, rijk* ⟨ervaring⟩, *algemeen* ⟨ken-
nis⟩; he has – interests *hij heeft een brede
interesse* • *wijd open* ⟨ogen⟩ • *ernaast,
ver naast* ⟨schot, gissing⟩; ⟨honkbal⟩ –

ball *wijd* ⟨bal buiten bereik v.d. slagman⟩;
his answer was – of the mark *hij sloeg de
plank helemaal mis.*

3 **wide** ⟨bw⟩ • *wijd, breed* • *helemaal, volledig* • *mis;* the dart went – of the target *het
pijltje ging ver naast het doel.* **'wide-an-
gle** ‖ – lens *groothoeklens.* **'wide-a'wake**
• *klaar wakker, uitgeslapen* ⟨ook fig.⟩.
'wide-'eyed • *met wijd open ogen,* ⟨fig.⟩
verbaasd. **widely** [ˈwaɪdli] • *zie* WIDE •
wijd (uiteen), ver uit elkaar • *breed,* ⟨ook
fig.⟩ *op vele gebieden;* – known *wijd en
zijd bekend* • *sterk, erg;* differ – *sterk verschillen.* **widen** [ˈwaɪdn] • *verwijden, wij-
der/breder worden/maken.* **'wide-'rang-
ing** • *breed opgezet.* **'wide'spread** • *wijd-
verspreid, wijdverbreid.*

1 **widow** [ˈwɪdoʊ] ⟨zn⟩ • *weduwe.*

2 **widow** ⟨ww⟩ • *tot weduwe/weduwnaar
maken.* **widower** [ˈwɪdoʊə] • *weduwnaar.*
widowhood [ˈwɪdoʊhʊd] • *weduwschap.*

width [wɪdθ] • *breedte.*

wield [wi:ld] • *uitoefenen, bezitten* ⟨macht,
invloed⟩ • *hanteren, gebruiken.*

wife [waɪf] ⟨mv.: wives⟩ • *vrouw, echtgenote* ‖ old wives' tale *oudewijvenpraat.*

wig [wɪg] • *pruik.*

1 **wiggle** [ˈwɪgl] ⟨zn⟩ ↓ • *gewiebel.*

2 **wiggle** ↓ ‖ ⟨onov ww⟩ • *wiebelen* • *wriemelen* ‖ ⟨ov ww⟩ • *op en neer/heen en
weer bewegen;* – one's toes *zijn tenen bewegen.*

wigwam [ˈwɪgwæm] • *wigwam.*

1 **wild** [waɪld] ‖ ⟨telb zn; the; vaak mv.⟩ •
woestenij, wildernis ‖ ⟨n-telb zn⟩ • *(vrije)
natuur;* in the – *in het wild.*

2 **wild** ⟨-ness⟩ ‖ ⟨bn, attr en pred⟩ • *wild, on-
getemd* • *barbaars;* run – *verwilderen* •
onbeheerst, onstuimig • *stormachtig,
ruw, guur* ⟨v. weer, zee⟩; – night *storm-
nacht* • *woest, onherbergzaam* • *dol, gek;*
the –est nonsense *je reinste onzin;* go –
gek worden • *woest, woedend;* – with anger *razend van woede* • *wanordelijk, slordig* • *fantastisch* ⟨v. idee⟩; the –est
dreams *de stoutste dromen* • *roekeloos* ‖
a – guess *een gok in het wilde weg;* –
horses wouldn't get/drag it *from/out of
me! voor geen geld ter wereld vertel ik
het;* he has sown his – oats *hij is zijn wilde
haren kwijt;* – camping *vrij kamperen* ‖
⟨bn, pred⟩ • *woest, enthousiast;* she's –
about him *ze is weg van hem.*

3 **wild** ⟨bw⟩ • *wild;* talk – *er maar op los praten.*

1 **'wildcat** ⟨zn⟩ • *wilde kat* • ⟨fig.; ↓⟩ *heethoofd.*

2 **wildcat** ⟨bn⟩ • *onsolide* ⟨bank, firma⟩ •

wild, onofficieel ⟨v. staking⟩.

wilderness ['wɪldənəs] ● *wildernis* ⟨ook fig.⟩ ● *massa, menigte* ‖ send s.o. in(to) the – *iem. eruit gooien* ⟨ihb. in de politiek⟩.

'**wildfire** ‖ spread like – *als een lopend vuurtje (rondgaan).* '**wildfowl** ● *wild gevogelte.* **wild-'goose chase** ● *dwaze/hopeloze onderneming.* '**wildlife** ● *dieren in het wild.*

1 wile [waɪl] ⟨zn; vnl. mv.⟩ ● *list, (sluwe) streek.*

2 wile ⟨ww⟩ ● ⟨*ver)lokken* ● ⟨+away⟩ *verdrijven* ⟨tijd⟩.

wilful ['wɪlfl] (-ness) ● *koppig* ● *opzettelijk;* – murder *moord met voorbedachten rade.*

wiliness ['waɪlɪnəs] ● *sluwheid.*

1 will [wɪl] I ⟨telb zn⟩ ● *testament;* his last – (and testament) *zijn laatste wilsbeschikking* II ⟨telb en n-telb zn⟩ ● *wil, wilskracht, verlangen;* she has a – of her own *ze heeft een eigen willetje;* against his – *tegen zijn wil/zin;* he did it of his own free – *hij deed het uit eigen beweging* ‖ at – *naar goeddunken;* ⟨sprw.⟩ where there's a will there's a way *waar een wil is, is een weg.*

2 will I ⟨onov en ov ww⟩ ● *willen;* –ing and wishing are not the same *willen en wensen zijn twee* II ⟨ov ww⟩ ● ⟨jur.⟩ *(bij testament) vermaken/nalaten* ● *door wilskracht (af)dwingen, zijn wil opleggen aan.*

3 will ⟨would⟩ I ⟨onov en ov ww⟩ ● *willen, wensen, verlangen;* tell whatever lies you – *vertel maar zoveel leugens als je wil* II ⟨hww⟩ ● *(wilsuiting; ook emf.) willen, zullen;* ⟨emf.⟩ I said I would do it and I – *ik heb gezegd dat ik het zou doen en ik zal het ook doen;* shut the door, – you/won't you? *doe de deur dicht, alsjeblieft* ● *(gewoonte/herhaling; vaak onvertaald) plegen, kunnen;* boys – be boys *jongens zijn nu eenmaal jongens* ● *(onv. toek. t.) zullen;* John – leave for Edinburgh tomorrow *Jan vertrekt morgen naar Edinburgh;* I – lend you a hand *ik zal je een handje helpen* ● *(geschiktheid e.d.) kunnen, in staat zijn te;* this – do *zo is het genoeg;* this – get you nowhere *zo kom je nergens* ● *(veronderstelling) zullen;* that – be John at the door *dat zal John wel zijn* ● *(gebod) zullen, moeten;* you – do as I say *je zult doen wat ik zeg;* zie WOULD.

willies ['wɪliz] ⟨sl.⟩ ● *kriebels;* give s.o. the – *iem. op de zenuwen werken.*

willing ['wɪlɪŋ] (-ness) ● *gewillig, bereid (willig);* – workers *werkwilligen;* I am – to admit that ... *ik geef grif toe dat ...* ‖ zie ook ⟨sprw.⟩ SPIRIT.

will-o'-the-wisp ['wɪləðə'wɪsp] ● *dwaallicht,* ⟨fig.⟩ *ongrijpbaar persoon.*

willow ['wɪloʊ], '**willow-tree** ● *wilg.* **willowy** ['wɪloʊi] ● *slank, elegant.*

'**will power** ● *wilskracht.*

willy-nilly ['wɪli'nɪli] ● *goedschiks of kwaadschiks.*

wilt [wɪlt] I ⟨onov ww⟩ ● *verwelken, verdorren* ● *lusteloos/slap worden* II ⟨ov ww⟩ ● *doen verwelken, doen verdorren.*

wily ['waɪli] ● *sluw, slim.*

wimp [wɪmp] ↓ *slapjanus.*

wimple ['wɪmpl] ● *kap, nonnenkap.*

1 win [wɪn] ⟨zn⟩ ⟨vnl. sport⟩ ● *overwinning.*

2 win ⟨won, won [wʌn]⟩ I ⟨onov ww⟩ ● *zegevieren, de overwinning behalen;* – hands down *op zijn gemak winnen;* – at cards *bij het kaarten winnen* II ⟨ov ww⟩ ● *winnen* ⟨race, verkiezing enz.⟩; ⟨↓, vnl. scherts.⟩ you can't – them all *je kunt niet altijd winnen* ● *verkrijgen, behalen* ⟨zege, roem, eer⟩, *winnen* ⟨vriendschap⟩, *ontginnen* ⟨mijn, ader⟩, *winnen* ⟨erts, olie⟩; it won her the first prize *hiermee behaalde zij de eerste prijs;* she soon won her audience over *zij veroverde al spoedig de harten v. haar toehoorders* ● *overreden, overhalen;* – s.o. over *iem. overhalen;* – s.o. over to sth. *iem. voor iets winnen* ‖ zie ook ⟨sprw.⟩ FAINT.

1 wince [wɪns] ⟨zn⟩ ● *huivering* ⟨v. pijn, angst⟩; without a – *zonder een spier te vertrekken.*

2 wince ⟨ww⟩ ● *huiveren, ineenkrimpen* ⟨v. pijn enz.⟩; – at s.o.'s words *van iemands woorden huiveren.*

winch [wɪntʃ] ● ⟨zn⟩ *windas, lier* ● ⟨ww⟩ *opwinden met een windas.*

1 wind [waɪnd] ⟨zn⟩ ● *slag, draai.*

2 wind [wɪnd, ⟨dicht. ook⟩waɪnd] I ⟨telb en n-telb zn⟩ ● *wind, luchtstroom, tocht;* ⟨fig.⟩ take the – from/out of s.o.'s sails *iem. de wind uit de zeilen nemen;* fair – *gunstige wind* ● *wind(streek), windrichting* ‖ (see) how the – blows/lies *(kijken) uit welke hoek de wind waait;* (sail) close to the/near the – ⟨scheep.⟩ *scherp (bij de wind)(zeilen);* ⟨fig.⟩ *de grens v.h. toelaatbare (raken)* II ⟨n-telb zn⟩ ● *adem(haling), lucht;* get back/recover one's – *(weer) op adem komen* ● *(buik)wind, darmgassen;* ⟨euf.⟩ break – *een wind laten* ‖ get – of sth. *ergens lucht van krijgen;* ↓ get/have the – up *in de rats zitten;* ↓ put the – up *de stuipen op het lijf jagen;* second – *het weer op adem komen; (nieuwe) energie (voor tweede krachtsinspanning)* III ⟨mv.⟩ ● *windstreken* ‖ to the (four) –s *in het rond,*

alle kanten op.
3 wind [waɪnd] ⟨vnl. wound, wound [waʊnd]⟩ I ⟨onov ww⟩ ●*kronkelen, zich slingeren* ●*spiralen, zich draaien; –*ing staircase/stairs *wenteltrap* II ⟨onov en ov ww⟩ ●*winden, draaien* ‖ – on (a film) *(een filmpje) doorspoelen;* zie WIND DOWN, WIND UP III ⟨ov ww⟩ ●*zich slingerend banen;* the river –s its way through the valley *de rivier kronkelt zich door het dal* ●*winden, (op)rollen; –* back *terugspoelen; –* in *binnen/inhalen* ⟨v. vis(lijn)⟩ ●*omwinden, omwikkelen* ●*(rond)draaien,* ⟨ihb.⟩ *opwinden* ⟨horloge⟩; zie WIND DOWN, WIND UP.
4 wind [wɪnd] ⟨ww⟩ ●*buiten adem brengen,* ⟨ihb.⟩ *naar adem laten happen* ⟨door een stomp⟩.
windbag [ˈwɪn(d)bæg] ↓ ●*ouwehoer.*
'**windbreak** ●*beschutting (tegen de wind).*
'**windbreaker** ⟨AE⟩ ●*windjek(ker).*
wind down [ˈwaɪnd ˈdaʊn] I ⟨onov ww⟩ ●*aflopen, steeds langzamer gaan lopen* ●*zich ontspannen, uitrusten* II ⟨ov ww⟩ ●*omlaagdraaien; –* a car window *een portierraampje naar beneden draaien* ●*verminderen.*
'**windfall** ●*afgewaaide vrucht* ●*meevaller,* ⟨ihb.⟩ *erfenisje.* **windlass** [ˈwɪndləs] ●*windas, lier.* **windless** [ˈwɪndləs] ●*windstil.* **windmill** [ˈwɪn(d)mɪl] ●*windmolen.*
window [ˈwɪndoʊ] ●*raam, venster,* ⟨ihb.⟩ *ruit* ●*etalage.* '**window-box** ●*bloembak* ⟨in de buitenvensterbank⟩. '**window-dressing** ●*het etaleren* ●*etalage(inrichting/materiaal).* '**window envelope** ●*vensterenvelop(pe).* '**window frame** ●*(venster)kozijn, raamlijst.* '**windowpane** ●*(venster)ruit.* '**window-shop** ●*etalages kijken.* '**windowsill** ●*vensterbank, raamkozijn.*
'**windpipe** ●*luchtpijp.* '**windscreen** ⟨BE⟩ ●*voorruit* ⟨v. auto⟩. '**windscreen wiper** ⟨BE⟩ ●*ruitewisser.* '**windshield** ●*windscherm* ⟨v. motor/scooter⟩ ●⟨AE⟩ *voorruit* ⟨v. auto⟩. '**windshield wiper** ⟨AE⟩ ●*ruitewisser.* '**windsurfing** ●*windsurfen.* '**windswept** ●*winderig, door de wind geteisterd* ●*verwaaid.*
wind up [ˈwaɪnd ˈʌp] I ⟨onov ww⟩ ● ↓ *eindigen* ⟨als⟩, *terechtkomen* ⟨in⟩, *worden* ⟨tot⟩; you'll – with an ulcer *jij loopt nog eens een maagzweer op* II ⟨onov en ov ww⟩ ●*besluiten, afronden; –* a conversation *een gesprek beëindigen;* winding up *tot besluit; resumerend* III ⟨ov ww⟩ ●*opwinden; –* an alarm *een wekker opwinden* ●*ophijsen* ●⟨vnl. pass.⟩ *opwinden;* be/

get wound up *opgewonden zijn/raken.*
1 windward [ˈwɪn(d)wəd] ⟨zn⟩ ●*loef(zijde).*
2 windward ⟨bn⟩ ●*loef-, wind-.*
3 windward ⟨bw⟩ ●*tegen de wind in.*
windy [ˈwɪndi] ●*winderig, onbeschut* ●*winderig, opgeblazen* ⟨v. woorden e.d.⟩.
1 wine [waɪn] ⟨zn⟩ ●*wijn.*
2 wine ⟨ww⟩ ‖ – and dine *uitgebreid dineren; op een diner trakteren.* '**wine cellar** ●*wijnkelder.* '**wineglass** ●*wijnglas.* '**winepress** ●*wijnpers, druivenpers.*
wing [wɪŋ] ●*vleugel;* ⟨fig.⟩ spread one's –s *op eigen benen gaan staan;* ⟨fig.⟩ take under one's –s *onder zijn hoede nemen* ●⟨pol.; fig.⟩ *(partij)vleugel* ●⟨voetbal, rugby; fig.⟩ *vleugel(speler)* ●⟨vnl. mv.⟩ ⟨theater⟩ *coulisse;* in the –s *achter de coulissen* ‖ clip s.o.'s –s *iem. kortwieken;* take –s *(weg)vliegen; ervandoor gaan.* '**wing commander** ⟨mil.⟩ ●⟨luitenant-kolonel⟩. **winged** [wɪŋd, ⟨dicht.⟩ˈwɪŋɪd] ●*gevleugeld.* **winger** [ˈwɪŋə] ⟨vnl. BE⟩ ⟨voetbal, rugby⟩ ●*vleugelspeler,* ⟨ihb.⟩ *buitenspeler.* '**wingspan** ●*vleugelspanning, spanwijdte.*
1 wink [wɪŋk] ⟨zn⟩ ●*knipperbeweging* ⟨met de ogen⟩, ⟨ihb.⟩ *knipoog(je);* give s.o. a – *iem. een knipoog geven* ●⟨vnl. enk.⟩ *ogenblik;* not get a – (of sleep)/not sleep a – *geen oog dichtdoen* ‖ forty –s *dutje;* zie ook ⟨sprw.⟩ NOD.
2 wink I ⟨onov ww⟩ ●*knipogen; –* at s.o. *iem. een knipoog geven* II ⟨onov en ov ww⟩ ●*knipperen (met) (de ogen)* ●⟨BE⟩ *knipperen (met); –* one's lights *met zijn lichten knipperen.*
winker [ˈwɪŋkə] ⟨vnl. mv.⟩ ⟨BE; ↓⟩ ●*richtingaanwijzer, knipperlicht.*
'**winkle 'out** ●*los/uitpeuteren.*
winner [ˈwɪnə] ●*winnaar* ●*(kas)succes.* **winning** [ˈwɪnɪn] ●*winnend, zegevierend* ●*innemend.* **winnings** [ˈwɪnɪŋz] ●*(gok/speel)winst.*
winnow [ˈwɪnoʊ] ●*(uit)ziften, schiften.*
wino [ˈwaɪnoʊ] ⟨sl.⟩ ●*zuiplap.*
winsome [ˈwɪnsəm] ●*aantrekkelijk.*
1 winter [ˈwɪntə] ⟨zn⟩ ●*winter;* last/this – *afgelopen/komende winter.*
2 winter ⟨ww⟩ ●*overwinteren.* '**winter sports** ●*wintersporten.* '**wintertime** ●*wintertijd, winter(seizoen).*
wintry [ˈwɪntri] ●*winters, winter-, guur.*
1 wipe [waɪp] ⟨zn⟩ ●*veeg;* give sth. a – *iets even afnemen.*
2 wipe ⟨ww⟩ ●*(af)vegen, (uit/weg)wissen; –* one's feet/shoes *zijn voeten vegen; –* away *wegvegen; –* down, give a wipedown *afnemen* ⟨met natte doek⟩ ●*(af)*

drogen, droog wrijven; – *one's hands zijn handen afdrogen.* '**wipe 'off** ● *af/wegvegen, uitwissen.* '**wipe 'out** ● *uitvegen, (van binnen) schoonmaken* ● *vereffenen, uitwissen* ● *wegvagen, uitroeien, vernietigen* ● *uit/wegvegen.* **wiper** ['waɪpə] ● *ruitewisser.* '**wipe 'up** I 〈onov en ov ww〉 ● *afdrogen* II 〈ov ww〉 ● *opnemen, opdweilen.*

1 wire ['waɪə] I 〈telb zn〉 ● *metaalkabel,* 〈ihb.〉 *telefoon/telegraafkabel* ● 〈vnl. AE〉 ↓ *telegram* II 〈telb en n-telb zn〉 ● *metaaldraad;* barbed – *prikkeldraad* ‖ pull (the) –s *achter de schermen stoken.*

2 wire I 〈onov en ov ww〉 〈vnl. AE〉 ↓ *telegraferen;* – (to) s.o. *iem. een telegram sturen* II 〈ov ww〉 ● *met (een) dra(a)d(en) vastmaken* ● 〈elek.〉 *bedraden.*

'**wire-cutter(s)** ● *draadschaar.* '**wire-'haired** ● *ruwharig* 〈v. hond〉.

1 wireless ['waɪələs] 〈zn〉 ● *radiotelegrafie/ telefonie* ● 〈ook: 'wireless set〉 〈vero.; BE〉 *radio;* on/over the – *op/via de radio.*

2 wireless 〈bn〉 ● *draadloos,* 〈ihb.〉 〈BE〉 *radio-.*

'**wire 'netting** ● *grof draadgaas.* '**wiretap** 〈vnl. AE〉 ● *afluisteren* 〈via de telefoon〉. '**wiretapping** ● *het afluisteren.* '**wire 'wool** ● *staalwol.*

wiring ['waɪərɪŋ] 〈elek.〉 ● *bedrading.* **wiry** ['waɪəri] ● *draad-, als/van draad* ● *taai, weerbarstig* 〈haar〉 ● *pezig.*

wisdom ['wɪzdəm] ● *wijsheid.* '**wisdom tooth** ● *verstandskies.*

wise [waɪz] ● *wijs, verstandig* ‖ without anyone's being the –r *onopgemerkt, zonder dat er een haan naar kraait;* ↓ be/get – to (s.o./sth.) *(iem./iets) door/in de gaten hebben/krijgen;* (come away) no/none the –r *niets/weinig wijzer (zijn geworden);* zie ook 〈sprw.〉 EASY, PENNY. '**wisecrack** ↓ ● 〈zn〉 *grappige opmerking* ● 〈ww〉 *een grappige opmerking maken.* **wisely** [waɪzli] ● zie WISE ● *wijselijk.* '**wise 'up** 〈vnl. AE; ↓〉 I 〈onov ww〉 ● *in de gaten/ smiezen krijgen, door krijgen* II 〈ov ww〉 ● *uit de droom helpen.*

1 wish [wɪʃ] 〈zn〉 ● *verlangen, behoefte* ● *wens;* best/good –es *beste wensen;* express a – to *de wens te kennen geven te;* she couldn't grant my – *ze kon mijn wens niet inwilligen;* make a – *een wens doen.*

2 wish 〈ww〉 ● *wensen, willen, verlangen;* what more can you – for? *wat wil je nog meer?* ● *(toe)wensen;* – s.o. ill *iem. verwensen;* – s.o. well *iem. het beste wensen* ‖ – away *wensen ·dat iets niet bestond;* I wouldn't wish that on my worst enemy

dat zou ik mijn ergste vijand nog niet toewensen. **wishful** ['wɪʃfl] ● *wensend;* – thinking *wishful thinking;* 〈ongeveer〉 *ijdele hoop.*

wishy-washy ['wɪʃiwɒʃi] ● *waterig, slap* ● *krachteloos, slap.*

wisp [wɪsp] ● *bosje* ● *pluimpje;* – of hair *plukje haar, piek* ● *sliert.* **wispy** ['wɪspi] ● *in (een) bosje(s), piekerig* ● *sliertig.*

wistful ['wɪstfl] ● *weemoedig, melancholiek* ● *smachtend.*

1 wit [wɪt] I 〈telb zn〉 ● *gevat/geestig iem.* II 〈n-telb zn〉 ● *scherpzinnigheid;* have the – to realise sth. *zo scherpzinnig zijn iets te beseffen* ● *geestigheid* III 〈n-telb zn, mv〉 〈vaak mv. met enk. bet.〉 ● *verstand, intelligentie;* have enough –/the –(s) to say no *zo verstandig zijn nee te zeggen* ‖ at one's –s' end *ten einde raad;* have/keep one's –s about one *alert zijn; bijdehand/pienter zijn.*

2 wit 〈ww〉 ‖ 〈vnl. ↑; jur.〉 to – *te weten, namelijk.*

witch [wɪtʃ] ● *heks* ● *verleidelijke vrouw.* '**witchcraft** ● *tove(na)rij,* 〈ihb.〉 *hekserij.* '**witch doctor** ● *medicijnman.* **witchery** ['wɪtʃəri] ● *betovering, bekoring* ● *tovenarij.* '**witch hunt** ● *heksenjacht* 〈lett. en fig.〉.

with [wɪð, wɪθ] ● 〈betrokkenheid bij handelingtoestand〉 *met;* he fell in love – Jill *hij werd verliefd op Jill;* compared – Mary *vergeleken bij Mary;* angry – Sheila *kwaad op Sheila* ● 〈richting〉 *mee met, overeenkomstig (met);* – your permission *met uw toestemming;* – the sun *met de zon mee;* sail – the wind *met de wind zeilen;* are you still – me? *kun je me nog volgen?* ● 〈begeleiding, samenhang, kenmerk〉 *(samen) met, bij, hebbende;* she can sing – the best of them *ze kan zingen als de beste;* he worked – Bayer *hij werkte bij Bayer;* he came – his daughter *hij kwam met zijn dochter;* he watched – fear *hij keek toe vol angst;* what's – him? *wat is er met hem (aan de hand)?;* spring is – us *het is lente;* it's all right – me *ik vind het goed* ● 〈plaats; ook fig.〉 *bij;* I left it – Jill *ik vertrouwde het aan Jill toe;* the doctor is – John *de dokter is bij Jan* ● *niettegenstaande;* a nice girl, – all her faults *een lief meisje, ondanks haar gebreken* ● 〈middel of oorzaak〉 *met, met behulp v., door middel/ toedoen v.;* be ill/down – the 'flu *de griep hebben;* pleased – the results *tevreden over de resultaten;* filled – water *vol water;* sick – worry *ziek van de zorgen* ● 〈tijd〉 *bij, tegelijkertijd met;* he arrived – Mary *hij* *kwam tegelijkertijd met Mary aan;* – that he left *dit gezegd zijnde vertrok hij;* what – this, that and the other, I never finished it *met alles wat erbij kwam heb ik het nooit afgekregen* ‖ I'm – you there *dat ben ik met je eens;* away/down – him! *weg met hem!;* off – you *maak dat je wegkomt;* it's all over – him *het is met hem afgelopen;* what's up – him? *wat heeft hij?;* zie BE WITH.

withdraw [wɪð'drɔ:, wɪθ-] ⟨withdrew [-'dru:], withdrawn [-'drɔ:n]⟩ I ⟨onov ww⟩ ● *uit de weg gaan* ● *zich terugtrekken;* the army withdrew *het leger trok terug* ● *zich onttrekken aan* II ⟨ov ww⟩ ● *terugtrekken;* – one's labour *in staking gaan* ● *onttrekken aan;* – a team from a tournament *een ploeg uit een toernooi terugtrekken* ● *terugnemen* ⟨opmerking, belofte⟩, *herroepen;* – an offer *op een aanbod terugkomen* ● *opnemen* ⟨v. bankrekening⟩. **withdrawal** [wɪð'drɔ:əl, wɪθ-] ● *terugtrekking, terugtocht,* ⟨bij uitbr.⟩ *vervreemding* ● *intrekking* ⟨bv. v. belofte⟩ ● *opname* ⟨v. bankrekening⟩ ● *ontwenning* ⟨v. verslavend middel⟩. **with'drawal symptom** ⟨vnl. mv.⟩ ● *ontwenningsverschijnsel.*

withdrawn [wɪð'drɔ:n, wɪθ-] ● *teruggetrokken, op zichzelf (levend)* ● *(kop)schuw.*

wither ['wɪðə] I ⟨onov ww⟩ ● *verwelken;* –ed leaves *dorre bla(de)ren* ● *vergaan;* my hopes –ed (away) *mijn hoop vervloog* II ⟨ov ww⟩ ● *doen verwelken* ● *doen vergaan.*

withhold [wɪð'hould, wɪθ-] ⟨withheld, withheld [-'held]⟩ ● *onthouden, niet geven/inwilligen/toestaan;* – one's consent *zijn toestemming weigeren.*

1within [wɪ'ðɪn] ⟨bw⟩ ● ⟨vero.⟩ *binnen,* ⟨fig.⟩ *inwendig;* he was fuming – *inwendig kookte hij v. woede;* inquire – *binnen te bevragen.*

2within ⟨vz⟩ ● ⟨plaats; ook fig.⟩ *binnen in, in;* – the family *in de familiekring* ● ⟨tijd⟩ *binnen, vóór het einde v.;* he returned – an hour *hij kwam binnen het uur terug* ● ⟨benadering en beperking⟩ *binnen de grenzen v.;* he came to – six feet from the goal *hij kwam tot op anderhalve meter v.h. doel;* – sight *in zicht;* – a few years *binnen een tijdsspanne v. enkele jaren.*

1without [wɪ'ðaʊt] ⟨bw⟩ ● ⟨vero.⟩ *buiten, aan de buitenkant;* it is cold – *het is buiten koud* ● *zonder;* he had to do – *hij moest het stellen zonder.*

2without ⟨vz⟩ ● *zonder;* she left – a word *zij vertrok zonder een woord te zeggen;* – my knowing about it *zonder dat ik het wist;* it

goes – saying *het hoeft geen betoog.*

withstand [wɪð'stænd, wɪθ-] ⟨withstood, withstood [-'stʊd]⟩ ● *weerstaan;* – an attack *een aanval afslaan* ● *opgewassen zijn tegen;* – wind and weather *bestand zijn tegen weer en wind.*

witless ['wɪtləs] ● *dwaas, stom.*

1witness ['wɪtnɪs] I ⟨telb zn⟩ ● *(oog)getuige* ⟨ook jur.⟩; – for the defence *getuige à decharge;* – for the prosecution *getuige à charge* II ⟨n-telb zn⟩ ● *getuigenis, getuigenverklaring;* bear/give – (on behalf of s.o.) *getuigen (ten gunste v. iem.)* ● *getuigenis, bewijs;* in – of *als blijk/bewijs van* ‖ bear – of/to *bewijzen.*

2witness I ⟨onov ww⟩ ● ⟨ook jur.⟩ *getuigen, als getuige verklaren;* – to sth. *getuige van iets;* – to having seen sth. *getuigen dat men iets gezien heeft* ● *getuigen, pleiten;* – against/for s.o. *tegen/voor iem. pleiten* II ⟨ov ww⟩ ● *getuige zijn van;* – an accident *getuige zijn v.e. ongeluk* ● *getuige zijn van iets;* – a signature *(als getuige) medeondertekenen* ● *getuigen van, een teken/bewijs zijn van.* **'witness box** ⟨BE⟩ ● *getuigenbank.* **'witness stand** ⟨AE⟩ ● *getuigenbank.*

witticism ['wɪtɪsɪzm] ● *geestige opmerking.* **witty** ['wɪti] ● *geestig.*

wives [waɪvz] ⟨mv.⟩ zie WIFE.

1wizard ['wɪzəd] ⟨zn⟩ ● *tovenaar* ● *genie.*

2wizard ⟨bn⟩ ⟨BE; sl.⟩ ● *waanzinnig, te gek.* **wizardry** ['wɪzədri] ● *tove(na)rij, magie* ● *genialiteit.*

wizened ['wɪznd] ● *verschrompeld, gerimpeld.*

1wobble ['wɒbl] ⟨zn⟩ ● *schommeling, afwijking* ● *beving.*

2wobble I ⟨onov ww⟩ ● *waggelen* ● *beven* II ⟨onov en ov ww⟩ ● *wiebelen (met);* the table –s *de tafel wiebelt.* **wobbly** ['wɒbli] ● *wankel, wiebelig* ● *beverig.*

woe [woʊ] I ⟨telb zn; vnl. mv.⟩ ● *ramp (spoed), ellende* II ⟨n-telb zn⟩ ● *smart;* – be (un)to the one who *wee degene die.* **wo(e)begone** ['woʊbɪgɒn] ● *treurig, triest.* **wo(e)ful** ['woʊfl] ● *verdrietig.*

wog [wɒg] ⟨BE; sl.; bel.⟩ ● *bruine* ⟨donkere buitenlander⟩.

woke [woʊk] ⟨verl. t. en volt. deelw.⟩ zie WAKE. **woken** ['woʊkən] ⟨volt. deelw.⟩ zie WAKE.

1wolf [wʊlf] ⟨zn; mv.: wolves; ook wolf⟩ ● *wolf* ‖ cry – (too often) *(te vaak)(lichtvaardig) loos alarm slaan.*

2wolf ⟨ww⟩ ● ⟨ook +down⟩ *(op)schrokken, naar binnen schrokken* ⟨eten⟩. **wolfish** ['wʊlfɪʃ] ● *wolfachtig;* a – appetite *honger*

als een paard.
wolves [wʊlvz] ⟨mv.⟩ zie WOLF.
woman ['wʊmən] ⟨mv.: women ['wɪmɪn]⟩
● *vrouw, de vrouw, het vrouwelijke ge-*
slacht; keep away from me, –! *blijf van me*
af, mens! ● *werkster* ● *vrouw, echtgenote* ‖
– of the world *vrouw v.d. wereld;* ⟨sprw.⟩
a woman's work is never done *de huis-*
vrouw is nooit klaar met werken. **'woman**
'driver ● *vrouw achter het stuur.* **'woman-**
hater ● *vrouwenhater.* **womanhood**
['wʊmənhʊd] I ⟨n-telb zn⟩ ● *vrouwelijk-*
heid, het vrouw-zijn II ⟨zn⟩ ● *de vrouwen,*
het vrouwelijk geslacht. **womanish**
['wʊmənɪʃ] ● *vrouwelijk, vrouw(en)-* –
⟨vnl. ong.⟩ *verwijfd.* **womanize** ['wʊm-
ənaɪz] ● *achter de vrouwen aan zitten.*
womanizer ['wʊmənaɪzə] ● *rokkenjager.*
'woman'kind ● *de vrouwen, het vrouwe-*
lijke geslacht. **womanlike** ['wʊmənlaɪk] ●
vrouwelijk. **womanly** ['wʊmənli] ● *vrou-*
welijk.
womb [wu:m] ● *baarmoeder,* ⟨ook fig.⟩
schoot.
women ['wɪmɪn] ⟨mv.⟩ zie WOMAN. **'wom-**
enfolk ● *vrouwelijke gezinsleden* ● ↓
vrouwvolk. **'women shelter** ● *blijf-van-*
mijn-lijfhuis.
Women's Lib [- 'lɪb], **'Women's Libe'ration**
● *vrouwenemancipatiebeweging,* ⟨onge-
veer⟩ *feminisme.* **Women's Libber** [-
'lɪbə] ● *lid v.d. vrouwenemancipatiebewe-*
ging, ⟨ongeveer⟩ *feministe.*
won [wʌn] ⟨verl. t. en volt. deelw.⟩ zie WIN.
1 wonder ['wʌndə] I ⟨telb zn⟩ ● *wonder, vol-*
maakt voorwerp ● *wonder, mirakel;* ⟨fig.⟩
do/work –s *wonderen doen/verrichten* ‖
⟨sprw.⟩ wonders never cease *de wonde-*
ren zijn de wereld (nog) niet uit II ⟨n-telb
zn⟩ ● *verwondering, verbazing;* filled with
– *vol bewondering* ‖ (it is/it's) little/no –
(that) *(het is) geen wonder (dat).*
2 wonder ⟨ww⟩ ● (+at) *verbaasd staan*
(van), verrast zijn, (vreemd) opkijken; I
don't – *(dat/het) verbaast me niet(s);* I
don't – at her hesitation *haar aarzeling*
verbaast me niet; I shouldn't – if *het zou*
me niet verbazen als ● *benieuwd zijn;* I –
what time it is *hoe laat zou het zijn?;* she
was just –ing how you were *ze vroeg zich*
net af hoe het met je ging; I – whether I
might ask you sth. *zou ik u iets mogen vra-*
gen?; I – whether she noticed *ik vraag me*
af of ze het gemerkt heeft ● *iets betwijfe-*
len; Is that so? I – *O ja? Ik betwijfel het.*
wonderful ['wʌndəfl] ● *schitterend, ge-*
weldig. **wonderingly** ['wʌndrɪŋli] ● *ver-*
wonderd, verbaasd. **wonderment**

['wʌndəmənt] ● *verwondering, verbazing.*
wondrous ['wʌndrəs] ↑ ● *wonder(baarlijk).*
1 wont [woʊnt] ⟨zn⟩ ↑ ● *gewoonte;* as is my
– *zoals ik pleeg te doen.*
2 wont ⟨bn⟩ ↑ ● *gewoon, gewend;* be – to
plegen/gewoon zijn te.
won't [woʊnt] ⟨samentr. v. will not⟩.
woo [wu:] ● *dingen naar (de gunst van)* ● ↑
het hof maken.
1 wood [wʊd] I ⟨telb zn⟩ ● ⟨vaak mv. met
enk. bet.⟩ *bos;* he can't see the – for the
trees *hij ziet door de bomen het bos niet*
meer ‖ out of the –/ ⟨AE⟩ –s *buiten gevaar,*
uit de problemen II ⟨n-telb zn⟩ ● *hout;*
made of – *van hout;* touch/ ⟨AE⟩ knock
(on) – *laat ik het afkloppen.*
2 wood ⟨bn⟩ ● *houten.* **'woodcarving** ●
houtsnijwerk. **'woodcraft** ● *houtsnijkunst*
● *boskennis.* **'woodcut** ⟨bk.⟩ ● *houtsnede.*
'woodcutter ● *houthakker.* **wooded**
['wʊdɪd] ● *bebost, bosrijk.* **wooden**
['wʊdn] ● *houten;* – shoe *klomp* ● *houte-*
rig, stijf. **'wooden'headed** ● *dom, stom.*
woodland ['wʊdlənd] ⟨vaak attr; vaak mv.
met enk. bet.⟩ ● *bos(gebied/terrein), bos-*
rijke streek. **woodman** ['wʊdmən] ⟨BE⟩ ●
houtvester ● *boswachter.* **'woodpecker** ●
specht. **'woodpile** ● *houtstapel, stapel*
(brand)hout. **'wood pulp** ● *houtpulp.*
'woodshed ● *houtschuur(tje).* **woodsman**
['wʊdzmən] ● *houtvester* ● *boswachter.*
'woodwind ⟨muz.⟩ ● *hout* ⟨houten blaas-
instrumenten in orkest⟩. **'woodwork** ●
houtbewerking ● *houtwerk.* **'woodworm**
● *houtworm.* **woody** ['wʊdi] ● *houtachtig*
● *bosrijk.*
woof [wʊf, ⟨in II⟩ wu:f] ● *woef(geluid), ge-*
blaf.
1 wool [wʊl] ⟨zn⟩ ● *wol* ‖ pull the – over s.o.'s
eyes *iem. voor het lapje houden.*
2 wool ⟨bn⟩ ● *wollen, van wol.* **'wool-**
gathering ● *verstrooid, aan het dagdro-*
men. **woollen** ['wʊlən] ● *wollen, van wol,*
wol-. **woollens** ['wʊlənz] ● *wollen kle-*
dingstukken.
1 woolly ['wʊli] ⟨zn⟩ ⟨vnl. mv.⟩ ● *wolletje,*
trui, wollen kledingstuk.
2 woolly ⟨bn⟩ ● *wollen, van wol* ● *onduide-*
lijk, vaag, wollig.
woozy ['wu:zi] ↓ ● *wazig, licht in het hoofd.*
1 word [wə:d] I ⟨telb zn⟩ ● *woord,* ⟨bij
uitbr.⟩ *(gesproken) uiting,* ⟨mv.⟩ *tekst* ⟨v.
liedje⟩ ; have a – in s.o.'s ear *iem. iets toe-*
fluisteren; by – of mouth *mondeling;* put
–s in(to) s.o.'s mouth *iem. woorden in de*
mond leggen; take the –s out of s.o.'s
mouth *iem. de woorden uit de mond ha-*
len; (not) in so many –s *(niet) met zoveel*

woorden; say the – *een seintje geven;*
take s.o. at his – *iem. aan zijn woord hou-*
den; beyond –s *niet in woorden uit te*
drukken; too ... for –s *te ... om waar te zijn/*
voor woorden; that is not the – for it *dat is*
het (juiste) woord niet; in a/one – *kortom;*
in other –s *met andere woorden;* put into
–s *onder woorden brengen;* have a – with
s.o. *iem. (even) spreken* ● *(ere)woord;* his
– is (as good as) his bond *hij is een man v.*
zijn woord; he's as good as his – *wat hij*
belooft doet hij; break one's – *zijn woord*
breken; I give you my – for it *ik verzeker*
het je op mijn erewoord; give/pledge
one's – *zijn woord geven;* go back on
one's – *zijn belofte(n) terugnemen;* keep
one's – *(zijn) woord houden;* take s.o.'s –
for it *iem. op zijn woord geloven;* upon my
– *op mijn (ere)woord* ● *(macht/wacht)*
woord, bevel; his – is law *zijn wil is wet* ‖
eat one's –s *iets terugnemen;* I could not
get a – in edgeways *ik kon er geen speld*
tussen krijgen; zie ook 〈sprw.〉 ACTION,
TRUE ‖ 〈n-telb zn〉 ● *nieuws, bericht;* when
– came of his death *toen het bericht v. zijn*
overlijden arriveerde; the – got round that
het bericht deed de ronde dat; send – of
berichten.
2 **word** 〈ww〉 ● *verwoorden, onder woorden*
brengen. '**word blindness** ● *woordblind-*
heid. **wording** ['wə:dɪŋ] ● *verwoording,*
formulering. **wordless** ['wə:dləs] ●
woordloos, onuitgesproken. '**word-'per-**
fect 〈BE〉 ● *woordgetrouw, letterlijk.*
'**word play** ● *woord(en)spel.* **word pro-**
cessor 〈comp. e.d.〉 ● *tekstverwerker.*
wordy ['wə:di] ● *omslachtig, langdradig.*
wore [wɔ:] 〈verl. t.〉 zie WEAR.
1 **work** [wə:k] I 〈telb en n-telb zn〉 ● *werk-*
(stuk), arbeid; a – of art *een kunstwerk;*
have one's – cut out (for one) *ergens de*
handen aan vol hebben; set to – *aan het*
werk gaan/zetten; set about one's – in the
wrong way *verkeerd te werk gaan;* at –
aan het werk; op het/zijn/haar werk; men
at – *werk in uitvoering;* out of – *werkloos* ‖
〈sprw.〉 all work and no play makes Jack a
dull boy ± *de boog kan niet altijd gespan-*
nen zijn; zie ook 〈sprw.〉 HAND, WOMAN ‖
〈mv.〉 ● *oeuvre, verzameld werk* ● ↓ *zooi* ●
fabriek, werkplaats ‖ 〈sl.〉 give s.o. the –s
iem. flink onder handen nemen; 〈ihb.〉
iem. om zeep helpen.
2 **work** I 〈onov ww〉 ● *werken, functioneren;*
– to rule *een stiptheidsactie houden;* –
against *tegengaan/werken;* – at *werken*
aan; – on *bezig zijn met;* – to *werken vol-*
gens/aan de hand van; – (up)on *van in-*

vloed zijn op; – with *(samen)werken met*
● *raken* 〈in een bep. toestand〉; the boy's
socks –ed down *de sokken v.d. jongen*
zakten af; – round to *toewerken naar/aan-*
sturen op; zie WORK OUT, WORK UP II 〈ov
ww〉 ● *verrichten, tot stand brengen;* –
miracles *wonderen verrichten* ● *laten*
werken, aan het werk hebben; – s.o. hard
iem. hard laten werken ● *in werking zet-*
ten, aanzetten, bedienen; – a farm *het*
boerenbedrijf uitoefenen; – a mine *een*
mijn exploiteren; –ed by steam *met*
stoom aangedreven ● *zich banen* 〈een
weg door iets〉 ● *bewerken, werken met;* –
clay *boetseren* ● *brengen, maken* 〈in bep.
toestand〉, *aanzetten* 〈oppeppen〉; – sth.
loose *iets loskrijgen;* zie WORK IN, WORK
OFF, WORK OUT, WORK OVER, WORK UP.
workable ['wə:kəbl] ● *bedrijfsklaar, bruik-*
baar ● *uitvoerbaar, haalbaar* ● *be/verwerk-*
baar. **workaday** ['wə:kədeɪ] ● *(alle)daags.*
workaholic ['wə:kə'hɒlɪk] ● *werkverslaaf-*
de, workaholic. '**workbasket** ● *werk-*
mand, naaimand(je). '**workbench** ● *werk-*
bank. '**workbook** ● *werkboek(je).* '**work-**
day ● *werkdag.* **worker** ['wə:kə] ● *werker,*
arbeider. '**work force** ● *aantal arbeids-*
krachten, personeel(sbestand). '**work-**
horse ● *werkpaard* 〈ook fig.〉. '**work-**
house ● *werkinrichting* ● 〈BE; gesch.〉 *ar-*
m(en)huis. '**workin** ● *(bedrijfs/fabrieks)*
bezetting. '**work 'in** ● *insteken* ● *verwer-*
ken; try to – some more details *probeer*
nog een paar bijzonderheden op te nemen.
1 **working** ['wə:kɪŋ] 〈zn; vnl. mv.〉 ● *wer-*
king.
2 **working** 〈bn〉 ● *werkend, werk-;* – man *ar-*
beider. '**working 'capital** ● *bedrijfskapi-*
taal. '**working-'class** ● *van/mbt./typisch*
voor de arbeidersklasse. '**working 'day** ●
werkdag. '**working 'knowledge** ● *prak-*
tijkkennis, praktische beheersing. '**work-**
ing 'order ‖ in – *bedrijfsklaar; goed func-*
tionerend. '**working party** ● *enquêtecom-*
missie. '**working 'week** ● *werkweke.*
'**workload** ● *werk(last).* **workman** ['wə:k-
mən] ● *werkman, arbeider.* **workmanlike**
['wə:kmənlaɪk] ● *ambachtelijk, vakkundig.*
workmanship ['wə:kmənʃɪp] ● *vakman-*
schap, vakkundigheid ● *(hand)werk.*
'**work 'off** ● *wegwerken;* – steam *stoom*
afblazen. '**workout** ● *training.* '**work 'out**
I 〈onov ww〉 ● *zich ontwikkeien, verlopen* ●
oplosbaar zijn, uitkomen ● 〈sport〉 *trai-*
nen ‖ – at/to *bedragen* II 〈ov ww〉 ● *uit-*
werken, opstellen 〈plan enz.〉 ● *uitreke-*
nen, uitzoeken; ↓ work things out *de din-*
gen op een rijtje zetten ● ↓ *hoogte*

krijgen van, doorgronden ●⟨vnl. pass.⟩ *uitputten* ⟨mijn enz.⟩. **'work 'over** ●⟨sl.⟩ *aftuigen.*

'workpeople ●*werknemers.* **work placement** ●*stage.* **'work permit** ●*werkvergunning.* **'workshop** ●*werkplaats, atelier* ●*workshop.* **'workshy** ●*werkschuw.* **worktable** ●*werktafel.* **'worktop** ●*werkblad, aanrecht.* **'work-to-'rule** ⟨BE⟩ ●*stiptheidsactie.* **'work 'up I** ⟨onov ww⟩ ● ⟨+to⟩ *toewerken (naar)* **II** ⟨ov ww⟩ ●*op/uitbouwen* ●*stimuleren; –* an appetite *zich inspannen zodat men honger krijgt;* don't get worked up *maak je niet druk* ● *op/omhoogwerken;* work one's way up from *zich omhoogwerken vanuit* ●*(om) vormen* ‖ work s.o./o.s. up *iem./zichzelf opjuinen.*

world [wə:ld] ●*wereld,* ⟨fig.⟩ *hoop, boel;* make a – of difference *een hoop verschil uitmaken;* it will do you a/the – of good *daar zul je reuze v. opknappen;* bring into the *– ter wereld brengen;* come into the *– geboren worden;* all the – knows, the whole – knows *de hele wereld/iedereen weet het;* ↓ out of this *– niet van deze wereld; te gek;* (all) the – over *over de hele wereld* ‖ I'd give the – to ... *ik zou er alles (ter wereld) voor over hebben om ...;* set the – on fire *iets zeer opmerkelijks doen;* think the – of s.o. *een zeer hoge dunk van iem. hebben; iem. op handen dragen;* they are –s apart *ze verschillen als dag en nacht;* not for (all) the – *voor geen goud;* it is for all the – like/as if *het lijkt sprekend op;* my car is all the – to me *mijn auto betekent alles voor me.* **'world-'class** ●*v. wereldklasse.* **'world-'famous** ●*wereldberoemd.* **worldly** ['wə:ldli] ●*werelds, wereldwijs* ●*wereldlijk, aards; –* goods *wereldse goederen.* **'worldly-'wise** ●*wereldwijs.* **'world 'power** ●*wereldmacht.* **'world 'record** ●*wereldrecord.* **'world 'war** ●*wereldoorlog.* **'world-'weary** ●*levensmoe.* **'world'wide** ●*wereldwijd.*

1 worm [wə:m] ⟨zn⟩ ●*worm* ●*worm, verachtelijke figuur* ●*schroefdraad* ‖ zie ook ⟨sprw.⟩ EARLY.

2 worm ⟨ww⟩ ●*ontwormen* ⟨hond, kat enz.⟩ ●*wurmen; –* one's way into *zich weten in te dringen in; –* o.s. out of sth. *zich ergens uit weten te draaien* ●*ontlokken; –* a secret out of s.o. *iem. een geheim ontfutselen.* **'worm-eaten** ●*wormstekig,* ⟨bij uitbr.⟩ *versleten.* **wormy** ['wə:mi] ● *wormachtig, worm-* ●*vol wormen.*

worn [wɔːn] ⟨volt. deelw.⟩ zie WEAR. **'worn-'out** ●*afgedragen, versleten* ●*uitgeput,*

doodop.

worried ['wʌrid] ●*bezorgd, ongerust.* **worrisome** ['wʌrisəm] ●*zorgwekkend* ●*zorgelijk.*

1 worry ['wʌri] **I** ⟨telb zn⟩ ●⟨vnl. mv.⟩ *(voorwerp v.)* zorg; it's a – to him having to sell his car *hij zit erover in dat hij zijn auto moet verkopen* **II** ⟨n-telb zn⟩ ●*(be)zorg(d-heid), ongerustheid.*

2 worry I ⟨onov ww⟩ ●⟨+about/over⟩ *zich zorgen/ongerust maken (over)* ‖↓ not to –! *maak je geen zorgen!; –* at *zich het hoofd breken over* ⟨probleem⟩ **II** ⟨ov ww⟩ ●*lastig vallen, hinderen;* his condition worries me *ik maak me ongerust over zijn toestand;* don't (you) – *maak je geen zorgen; –* o.s. (about) *zich zorgen maken (om).* **worrying** ['wʌriɪŋ] ●*zorgwekkend, zorgelijk.*

1 worse [wə:s] ⟨zn⟩ ●*iets slechters, slechtere dingen; –* is to follow *het ergste komt nog;* a change for the – *een verslechtering* ‖ ⟨AE⟩ if – comes to worst *in het ergste geval.*

2 worse I ⟨bn, attr en pred; vergr. trap v. bad⟩ ●*slechter, erger, minder (goed);* to make things – *tot overmaat van ramp; –* still *erger nog* ‖ the – for drink *aangeschoten;* the – for wear *versleten; er niet op vooruitgegaan;* he is none the – for *hij heeft niet geleden onder* **II** ⟨bn, pred; vergr. trap v. ill⟩ ●*zieker, zwakker;* she's getting – every day *ze gaat met de dag achteruit.*

3 worse ⟨bw⟩ ●*slechter, erger;* he is – off than me *hij is slechter af dan ik.* **worsen** ['wə:sn] ●*verergeren, verslechteren.*

1 worship ['wə:ʃip] ⟨zn⟩ ●*verering, aanbidding* ●*eredienst* ‖ ⟨BE⟩ Your Worship *Edelachtbare.*

2 worship I ⟨onov ww⟩ ●*naar de kerk gaan* ●*v. eerbied vervuld zijn* **II** ⟨ov ww⟩ ⟨ook fig.⟩ ●*aanbidden, vereren.* **worshipful** ['wə:ʃipfl] ●*eerbiedig.* **worshipper** ['wə:-ʃipə] ●*kerkganger* ●*aanbidder.*

1 worst [wə:st] ⟨zn⟩ ●*slechtst(e), ergst(e);* ⟨vnl. BE⟩ if the – comes to the – *in het ergste geval;* at (the) – *in het ergste geval.*

2 worst I ⟨bn, attr en pred; overtr. trap v. bad⟩ ●*slechtst, ergst* **II** ⟨bn, attr; overtr. trap v. ill⟩ ●*ziekst, zwakst.*

3 worst ⟨bw⟩ ●*slechtst, ergst;* come off – *aan het kortste eind trekken* ●*ziekst, zwakst.*

worsted ['wʊstɪd] ⟨ook attr⟩ ●*kamgaren.*

1 worth [wə:θ] ⟨zn⟩ ●*waarde, kwaliteit* ‖ I want a dollar's – of apples *mag ik voor een dollar appelen.*

2 worth ⟨bn⟩ ●*waard;* land – 100,000 dollars *land met een waarde v. 100.000 dollar;* what's your old man –? *hoeveel bezit jouw vader?;* – seeing *bezienswaardig;* it's well – doing *het loont ruimschoots de moeite;* it's – it *het is de moeite waard* ‖ make it – your while *het de moeite waard maken voor je;* for all one is – *uit alle macht;* ⟨sprw.⟩ if a thing is worth doing it, it's worth doing well *als je iets doet, doe het dan goed;* zie ook ⟨sprw.⟩ BIRD.
worthless ['wə:θləs] ●*waardeloos* ●*nietswaardig.* **'worth'while** ●*de moeite waard, waardevol.*
1 worthy ['wə:ði] ⟨zn⟩ ⟨vaak iron.⟩ ●*notabele.*
2 worthy ⟨bn; -iness⟩ ●*waardig, waardevol* ●*waard;* in clothes – of the occasion *in bij de gelegenheid passende kleding;* he isn't – of her *hij is haar niet waard;* nothing – of mention *niets noemenswaardigs* ●⟨vaak iron.⟩ *achtenswaardig.*
would [(w)əd, ⟨sterk⟩wʊd] ⟨verl. t. v. will; verk. 'd⟩ ●⟨wilsuiting; ook emf. en voorwaardelijk⟩ *willen, zullen;* he – not be stopped *hij liet zich niet tegenhouden;* he – not hear of it *hij wilde er niet van horen;* if only he – listen *als hij maar wilde luisteren;* he – sooner die than surrender *hij zou liever sterven dan zich overgeven* ●⟨gewoonte/herhaling⟩ *placht,* ⟨vnl. vertaald dmv. bw als⟩ *steeds, altijd;* we – walk to school together *we liepen gewoonlijk samen naar school* ●⟨voorwaarde⟩ *zou (den);* if I had known I – have come *als ik het had geweten, zou ik gekomen zijn;* I – try it anyway *ik zou het toch maar proberen (als ik jou was)* ●⟨in afhankelijke bijzinnen die een wens uitdrukken⟩ *zou(den);* I wish John – return *ik wou dat John terugkwam* ●⟨neutrale aanduiding v. toekomende tijd in verleden context⟩ *zou(den);* he was writing the book that – bring him fame *hij was het boek aan het schrijven dat hem beroemd zou maken* ●⟨onderstelling⟩ *moeten, zullen, zou(den), moest(en);* he – be in bed by now *hij zal nu wel in bed liggen* ●⟨vriendelijk verzoek⟩ *zou(den);* – you please shut the door? *wil je de deur sluiten alsjeblieft?* ‖ we – suggest the following *we zouden het volgende willen voorstellen.*
'would-be ●⟨ong.⟩ *would-be, zogenaamd* ● *toekomstig, in de dop.*
wouldn't ⟨samentr. v. would not⟩.
1 wound [wu:nd] ⟨zn⟩ ●*(ver)wond(ing),* ⟨fig.⟩ *belediging.*
2 wound ⟨ww⟩ ●*(ver)wonden,* ⟨fig.⟩ *grie-*

ven.
3 wound [waʊnd] ⟨verl. t. en volt. deelw.⟩ zie WIND.
wove [woʊv] ⟨verl. t.⟩ zie WEAVE. **woven** ['woʊvən] ⟨volt. deelw.⟩ zie WEAVE.
wraith [reɪθ] ●*(geest)verschijning, spook-(gestalte).*
1 wrangle ['ræŋgl] ⟨zn⟩ ●*ruzie.*
2 wrangle ⟨ww⟩ ●*ruzie maken;* – with s.o. about/over sth. *met iem. om/over iets ruziën.* **wrangler** ['ræŋglə] ●*ruziemaker.*
1 wrap [ræp] ⟨zn; vnl. mv.⟩ ●*omslag(doek), sjaal* ‖ take the –s off *onthullen;* under –s *geheim.*
2 wrap I ⟨onov ww⟩ ●*zich wikkelen;* zie WRAP UP **II** ⟨ov ww⟩ ●*in/verpakken;* he –ped it (up) in paper *hij verpakte het in papier* ●*wikkelen, omslaan;* she –ped her arms about/around him *ze sloeg haar armen om hem heen* ●*(om/ver)hullen;* zie WRAP UP. **wrapper** ['ræpə] ●⟨vnl. BE⟩ *(stof)omslag* ●*adresband(je)* ●*papiertje, pakpapier.* **wrapping** ['ræpɪŋ], **wrappings** [-pɪŋz] ●*verpakkingsmateriaal.* **'wrapping paper** ●*inpakpapier.* **'wrap 'up I** ⟨onov ww⟩ ●*zich (warm)(aan)kleden* ‖ –! *kop dicht!* **II** ⟨ov ww⟩ ●*verpakken,* ⟨fig.⟩ *verhullen* ●*warm aankleden* ●*afwikkelen;* – a deal *een overeenkomst sluiten* ‖ be wrapped up in *opgaan in.*
wrath [rɒθ] ●*woede.* **wrathful** ['rɒθfl] ●*woedend.*
wreak [ri:k] ●*uitstorten;* – rage (up)on s.o. *zijn woede koelen op* ●*veroorzaken;* – damage *schade aanrichten.*
wreath [ri:θ] ⟨mv.: wreaths [ri:ðz, ri:θs]⟩ ●*(graf/rouw)krans* ●*(ere/lauwer)krans.*
wreathe [ri:ð] **I** ⟨onov ww⟩ ●*kringelen, kronkelen* **II** ⟨ov ww⟩ ●*omkransen, omhullen;* ⟨fig.⟩ a face – in smiles *een in glimlachen gehuld gelaat* ●*(om)strengelen.*
1 wreck [rek] **I** ⟨telb zn⟩ ●*wrak* ⟨ook fig.⟩ **II** ⟨n-telb zn⟩ ●*schipbreuk* ⟨ook fig.⟩, *ondergang.*
2 wreck ⟨ww⟩ ●⟨vnl. pass.⟩ *schipbreuk doen lijden, doen stranden,* ⟨fig.⟩ *doen mislukken* (plan e.d.); the ship was –ed on the rocks *het schip verging op de rotsen* ●*ruïneren, verwoesten.* **wreckage** ['rekɪdʒ] ●*wrakgoed, wrakstukken.*
wrecker ['rekə] ●*berger, bergingsmaatschappij* ●⟨vnl. AE⟩ *takelwagen.*
wren [ren] ⟨dierk.⟩ ●*winterkoning.*
1 wrench [rentʃ] ⟨zn⟩ ●*ruk, draai* ●*verrekking, verzwikking* ●*verdraaiing* ⟨v. feiten e.d.⟩.
2 wrench ⟨ww⟩ ●*(los)wringen/wrikken;* –

open *openwrikken/rukken;* – away/off *los/ wegrukken* ● *verzwikken, verrekken* ● *vertekenen, verdraaien* ⟨feiten e.d.⟩ ● *pijn doen.*

wrest [rest] ● *(los/weg)rukken, (los)wrikken;* ⟨fig.⟩ – a confession from s.o. *een bekentenis uit iem. persen* ● *zich meester maken v.* ● *verdraaien, geweld aandoen* ⟨betekenis, feiten⟩.

wrestle I ⟨onov ww⟩ ● *worstelen* ⟨ook fig.⟩; – with problems *met problemen kampen* **II** ⟨ov ww⟩ ● *worstelen met/tegen;* – s.o. to the ground *iem. tegen de grond werken.* **wrestler** ['reslə] ● *worstelaar.* **wrestling** ['reslɪŋ] ● *worstelen.*

wretch [retʃ] ● *stakker* ● *ellendeling.* **wretched** ['retʃɪd] ● *beklagenswaardig, zielig* ● *ongelukkig* ● *verachtelijk* ● *waardeloos, rot-.*

1 wriggle ['rɪgl] ⟨zn⟩ ● *kronkelbeweging, gekronkel.*

2 wriggle I ⟨onov ww⟩ ● *kronkelen,* ⟨fig.⟩ *zich in allerlei bochten wringen;* – out of sth. *ergens onderuit proberen/weten te komen* **II** ⟨ov ww⟩ ● *wriemelen met* ● *kronkelend afleggen;* – one's way through sth. *zich ergens doorheen wurmen.*

1 wring [rɪŋ] ⟨zn⟩ ● *kneepje;* give clothes a – *kleren (uit)wringen.*

2 wring ⟨ww; wrung, wrung [rʌŋ]⟩ ● *omdraaien;* – a hen's neck *een kip de nek omdraaien* ● *(uit)wringen, (uit)persen;* – s.o.'s hand *iem. stevig de hand drukken* ● *verwringen* ● *kwellen* ● *afpersen;* – a confession from/out of s.o. *iem. een bekentenis afdwingen.* **wringer** ['rɪŋə] ● *wringer.*

1 wrinkle ['rɪŋkl] ⟨zn⟩ ● *rimpel, plooi* ● ↓ *foefje.*

2 wrinkle ⟨ww⟩ ● *rimpelen, rimpels (doen) krijgen.* **wrinkly** ['rɪŋkli] ● *rimpelig, gerimpeld.*

wrist [rɪst] ● *pols(gewricht)* ● *pols(stuk)* ⟨v. kleding⟩. **'wristband** ● *horlogebandje* ● *manchet.* **wristlet** ['rɪstlɪt] ● *horlogeband(je)* ● *polsband(je).* **'wrist watch** ● *polshorloge.*

writ [rɪt] ● *bevelschrift, gerechtelijk schrijven;* – of summons *dagvaarding;* serve a – on *een dagvaarding betekenen aan* ● *de Schrift* ⟨bijbel⟩.

write [raɪt] ⟨wrote [roʊt], written ['rɪtn]⟩ ● *schrijven;* – a legible hand *een leesbaar handschrift hebben;* a wall written all over *een volgeschreven muur;* – back *terugschrijven;* – away for *over de post bestellen* ‖ nothing to – home about *niet(s) om over naar huis te schrijven;* envy was written all over his face *de jaloezie stond hem*

op het gezicht te lezen; zie WRITE DOWN, WRITE IN, WRITE OFF, WRITE OUT, WRITE UP. **'write 'down** ● *neer/opschrijven* ● *beschrijven, beschouwen (als);* write s.o. down as a bore *iem. uitmaken voor een vervelende vent.* **'write 'in I** ⟨onov ww⟩ ● *schrijven, schriftelijk verzoeken;* – for a free catalogue *schrijven om een gratis catalogus* **II** ⟨ov ww⟩ ● *bijschrijven, in/toevoegen, inlassen.* **'write 'off I** ⟨onov ww⟩ ● *schrijven, over de post bestellen;* – for sth./to order sth. *schrijven om iets te bestellen* **II** ⟨ov ww⟩ ● *afschrijven* ⟨ook fig.⟩; – a car *een auto afschrijven* ● *(op)schrijven.* **'write-off** ● *afschrijving* ● *total loss* ⟨fig.⟩. **'write 'out** ● *uitschrijven* ● *schrijven* ⟨cheque e.d.⟩ ● *schrappen;* her part was written out *haar rol werd geschrapt.*

writer ['raɪtə] ● *schrijver, auteur.* **'writer's 'cramp** ● *schrijfkramp.*

'write 'up ● *bijwerken* ⟨dagboek⟩ ● *uitwerken* ● *recenseren,* ⟨ihb.⟩ *gunstig bespreken.* **'write-up** ● *recensie,* ⟨ihb.⟩ *lovende bespreking.*

writhe [raɪð] ● *wringen, (ineen)krimpen;* – with pain *kronkelen van de pijn.*

writing ['raɪtɪŋ] **I** ⟨n-telb zn⟩ ● *schrijven* ● *(hand)schrift* ● *schrift;* put sth. down in – *iets op schrift stellen* ‖ the – on the wall *het teken aan de wand* **II** ⟨mv.⟩ ● *geschriften.* **'writing desk** ● *schrijfbureau.* **'writing ink** ● *schrijfinkt.* **'writing materials** ● *schrijfbenodigdheden.* **'writing pad** ● *schrijfblok.* **'writing paper** ● *schrijfpapier* ● *briefpapier.*

written ['rɪtn] ⟨volt. deelw.⟩ zie WRITE.

1 wrong [rɒŋ] ⟨zn⟩ ● *kwaad, onrecht;* do s.o. a great – *iem. een groot onrecht aandoen* ● *misstand, wantoestand* ‖ be in the – *het mis hebben; het gedaan hebben;* zie ook ⟨sprw.⟩ TWO.

2 wrong I ⟨bn, attr en pred⟩ ● *verkeerd, fout, onjuist;* ⟨fig.⟩ back the – horse *op het verkeerde paard wedden;* – number *verkeerd verbonden;* – side out *binnenstebuiten;* (the) – way round *achterstevoren;* go down the – way *in het verkeerde keelgat schieten* ⟨v. eten⟩; ↓ what's – with ... ? *wat is er fout aan ... ?; wat mankeert er aan ... ?* ‖ get hold of the – end of the stick *het bij het verkeerde eind hebben;* be caught on the – foot *verrast worden;* get on the – side of s.o. *iemands sympathie verspelen;* get out of bed on the – side *met zijn verkeerde been uit bed stappen;* on the – side of sixty *de zestig gepasseerd;* bark up the – tree *op het verkeerde spoor zijn;* aan het verkeerde adres zijn **II** ⟨bn, pred⟩ ● *slecht,* *verkeerd, niet goed;* you're – to do this/it's – of you to do this *u doet hier verkeerd aan.*

3 wrong ⟨ww⟩ ● *onrecht doen, onrechtvaardig behandelen; –* a person *iem. tekort doen* ● *verkeerd beoordelen.*

4 wrong ⟨bw⟩ ● *foutief, onjuist;* guess – *verkeerd gokken* ● *de verkeerde kant op.* **wrongdoer** ['rɒŋduːə] ● *(wets)overtreder, misdadiger.* **wrongdoing** ['rɒŋduːɪŋ] ● *wandaad* ● *wangedrag.* **wrongful** ['rɒŋfl] ● *onterecht* ● *onrechtmatig, onwettig.* 'wrong'headed ● *dwars(liggerig), eigenwijs* ● *verkeerd.*

wrote [rout] ⟨verl. t.⟩ zie WRITE.

wrought-iron [rɔːt'aɪən] ● *smeedijzer(en)* ⟨ook attr⟩.

'wrought 'up ● *gespannen, nerveus.*

wrung [rʌŋ] ⟨verl. t. en volt. deelw.⟩ zie WRING.

wry [raɪ] ● *(ver)zuur(d), wrang; –* mouth *zuinig mondje* ● *droog, laconiek* ⟨v. humor⟩.

wurst [wəːst] ● *worst.*

xenophobia ['zenə'foʊbɪə] ● *xenofobie, vreemdelingenangst/haat.*

1 Xerox ['zɪərɒks, 'zeː-] ⟨zn⟩ ● *(foto)kopie* ● *(foto)kopieerapparaat.*

2 Xerox ⟨ww⟩ ● *(foto)kopiëren, xeroxen.*

XL ⟨afk.⟩ extra large ⟨in kleding⟩.

Xmas ['krɪsməs] ↓ ● *Kerstmis.*

'X ray ● ⟨vnl. mv.⟩ ⟨ook attr⟩ *röntgenstraal* ● *röntgenfoto* ● *röntgenonderzoek.*

'X-ray ● *doorlichten* ⟨ook fig.⟩, *röntgenen* ● *bestralen.*

xylophone ['zaɪləfoʊn] ● *xylofoon.*

1 yacht [jɒt] ⟨zn⟩ ●*jacht* ⟨schip⟩.

2 yacht ⟨ww⟩ ●*zeilen.* '**yacht club** ●*jacht-club.* **yachting** ['jɒtɪŋ] ●*(wedstrijd)zeilen.* **yachtsman** ['jɒtsmən] ●*zeiler.*

yak [jæk] ⟨dierk.⟩ ●*jak.*

yam [jæm] ●*yam/jam(swortel)* ●⟨AE⟩ *yam, zoete aardappel.*

1 yank [jæŋk] ⟨zn⟩ ↓ ●*ruk.*

2 yank ⟨ww⟩ ↓ ●*een ruk geven aan, sjorren, trekken; –* out a tooth *een tand er uit rukken.*

Yank ⟨verk.⟩ Yankee ↓. **Yankee** ['jæŋki] ● ⟨vnl. AE⟩ *yank(ee),* ⟨gesch.⟩ *Noorderling.*

1 yap [jæp] ⟨zn⟩ ●*gekef* ●⟨sl.⟩ *gekakel.*

2 yap ⟨ww⟩ ●*keffen* ●⟨sl.⟩ *kleppen, kakelen.*

yard [jɑːd] ●*yard* ⟨0,91 m⟩; by the – *per yard;* ⟨fig.⟩ *ellenlang* ●⟨scheep.⟩ *ra* ● *(omheind) terrein, binnenplaats, erf* ● ⟨AE⟩ *plaatsje, (achter)tuin* ‖ ⟨BE; ↓⟩ the Yard *Scotland Yard;* zie ook ⟨sprw.⟩ ɪɴᴄʜ. '**yardstick** ●⟨fig.⟩ *maatstaf.*

yarn [jɑːn] **I** ●*(langdradig/oeverloos) verhaal* ‖ spin a – *een lang verhaal houden* **II** ⟨n-telb zn⟩ ●*garen, draad.*

yaw [jɔː] ●*gieren, niet op koers blijven.*

yawl [jɔːl] ⟨scheep.⟩ ●*jol* ●*sloep.*

1 yawn [jɔːn] ⟨zn⟩ ●*geeuw, gaap* ‖ ↓ the film was a – *de film was oervervelend.*

2 yawn ⟨ww⟩ ●*geeuwen, gapen* ‖ –ing hole *gapend gat.*

yd(s) ⟨afk.⟩ yard(s).

1 ye [jiː] ⟨vnw⟩ ⟨vero., gew. of scherts.⟩ ● *gij(lieden), jullie.*

2 ye [jiː] ⟨lidw⟩ ⟨pseudo-oud; vnl. in namen van handelszaken⟩ ●*de; –* olde Spanish inn *de oude Spaanse uitspanning.*

1 yea [jeɪ] ⟨zn⟩ ●*stem vóór; –*s and nays *stemmen vóór en tegen* ●*voorstemmer.*

2 yea ⟨bw⟩ ●*ja.*

yeah [jeə] ↓ ●*ja.*

year [jɪə, jəː] **I** ⟨telb zn⟩ ●*jaar;* a – from today *vandaag over een jaar; –* in, – out *jaar in, jaar uit;* all the – round *het hele jaar door; –* after/by – *jaar op jaar, van jaar tot jaar;* for many –s *sedert jaar en dag* **II** ⟨mv.⟩ ● *jaren, leeftijd* ●*eeuwigheid* ⟨fig.⟩; it has been –s *het is eeuwen geleden.* '**year-**

book ●*jaarboek.* **yearling** ['jɪəlɪŋ, 'jəː-] ● *jaarling, éénjarig dier,* ⟨ihb.⟩ *éénjarig renpaard.* '**year'long** ●*één jaar durend.* **yearly** ['jɪəli, 'jəːli] ●⟨bn⟩ *jaarlijks, jaar-* ● ⟨bw⟩ *jaarlijks, elk jaar.*

yearn [jəːn] ●*verlangen; –* after/for smachten naar. **yearning** ['jəːnɪŋ] ●*sterk verlangen, hunkering.*

yeast [jiːst] ●*gist.*

1 yell [jel] ⟨zn⟩ ●*gil, kreet, schreeuw* ●⟨AE⟩ *yell* ⟨om iem. aan te moedigen⟩.

2 yell ⟨ww⟩ ●*gillen, brullen, schreeuwen; –* out in pain *het uitschreeuwen v.d. pijn.*

1 yellow ['jeloʊ] ⟨zn⟩ ●*geel, gele kleurstof* ● *eigeel.*

2 yellow ⟨bn⟩ ●*geel(achtig)* ●*met een gele huid;* the – peril *het gele gevaar* ●⟨sl.⟩ *laf*‖ – pages *gouden gids;* the – press *de sensatiepers.*

3 yellow ⟨ww⟩ ●*vergelen.* **yellowish** ['jeloʊɪʃ] ●*geelachtig.*

1 yelp [jelp] ⟨zn⟩ ●*gekef* ●*gejank* ●*gil.*

2 yelp ⟨ww⟩ ●*keffen* ●*janken* ●*gillen.*

yen [jen] ●*yen* ⟨Japanse munt⟩ ● ↓ *verlangen.*

yeoman ['joʊmən] ●⟨gesch.⟩ *eigenerfde, vrijboer, kleine landeigenaar* ‖ ⟨BE⟩ Yeoman of the Guard *soldaat der koninklijke garde* ⟨bewaakt ook de Tower⟩. **yeomanry** ['joʊmənri] ⟨the⟩ ⟨BE⟩ ●*de klasse v. kleine landeigenaren.*

yep [jep] ⟨AE; ↓⟩ ●*ja.*

1 yes [jes] ⟨zn⟩ ●*ja* ●*voorstemmer;* there were ten –es *er waren tien stemmen voor.*

2 yes ⟨bw⟩ ●*ja, jawel.* '**yes-man** ●*jaknikker.*

1 yesterday ['jestədi, -deɪ] ⟨zn⟩ ●*gisteren;* the day before – *eergisteren.*

2 yesterday ⟨bw⟩ ●*gisteren;* I saw him – week *ik heb hem gisteren een week geleden gezien* ●*onlangs, kort geleden.* '**yesterday** after'noon ●*gisterenmiddag.* '**yesterday** 'evening ●*gisteravond.* '**yesterday** 'morning ●*gisterochtend.*

1 yet [jet] ⟨bw⟩ ●*nog, tot nu toe;* a – uglier maid *een nog lelijkere dienstbode;* she has – to ring up *ze heeft nog steeds niet opgebeld;* as – *tot nu toe* ●⟨in vragende zinnen⟩ *al* ●*opnieuw; –* again *nog weer* ● *toch nog;* he'll beat you – *hij zal jou nog wel verslaan* ●*toch;* it was not much, and – she refused *het was niet veel, en toch weigerde zij het.*

2 yet ⟨vw⟩ ●*maar (toch), doch;* strange – true *raar maar waar.*

yew (tree) [juː] ●*taxus(boom)* ●*taxushout.*

Yiddish ['jɪdɪʃ] ●*Jiddisch.*

1 yield [jiːld] ⟨zn⟩ ●*opbrengst, produktie, oogst, rendement.*

2 yield I ⟨onov ww⟩ •*zich overgeven* •
zwichten, toegeven, wijken; – to temptation *voor de verleiding bezwijken* •*voorrang verlenen* •*doorbuigen,* ⟨bij uitbr.⟩
begeven, bezwijken II ⟨ov ww⟩ •*voortbrengen* ⟨vruchten; fig.: winst, resulta-
ten⟩, *opleveren, opbrengen* •*overgeven,
opgeven, afstaan;* – (up) one's position to
the enemy *zijn positie aan de vijand overgeven* •*verlenen;* ⟨AE⟩ – the floor to the
senator *het woord gunnen aan de senator;* – passage *doorgang verlenen* •*toegeven.* **yielding** ['ji:ldɪŋ] •*meegevend,
buigzaam* •*meegaand, inschikkelijk.*
yippee [jɪ'pi:] ↓ •*joepie, hoera.*
yob [jɒb], **yobbo** [jɒbou] ⟨BE; sl.⟩ •*nozem.*
yodel ['joudl] •*jodelen.*
yoga ['jougə] •*yoga.*
yog(h)urt, yoghourt ['jɒgət] •*yoghurt.*
yogi ['jougi] •*yogi, yogaleraar/beoefenaar.*
1 yoke [jouk] ⟨zn⟩ •*juk* ⟨ook fig.⟩, *heerschappij;* throw off the – *in opstand komen tegen de dwingelandij.*
2 yoke ⟨ww⟩ •*onder een/het juk brengen,
in/voorspannen* •*koppelen, verbinden;* –
s.o. to another *iem. aan een ander koppelen.*
yokel ['joukl] •*boerenkinkel.*
yolk [jouk] •*dooier.*
yonder ['jɒndə] •⟨bn en bw⟩ *ginds, daar
ginder.*
yonks [jɒŋks] ↓ ‖ we haven't been there for –
we zijn daar in geen tijden geweest.
yore [jɔ:] ‖ of – *(van) vroeger, uit voorbije tijden.*
you [jʊ, jə, ⟨sterk⟩ju:] I ⟨pers vnw⟩ •⟨enk.⟩
jij, jou, je,↑*u* •⟨mv.⟩ *jullie, u;* what are –
two up to? *wat voeren jullie twee uit?* II
⟨onb vnw⟩ ↓ •*je, men;* that's fame for –
dat noem ik nou nog eens beroemd zijn.
you'd [jʊd, jəd, ⟨sterk⟩ju:d] ⟨samentr. v. you
had, you would⟩.
you'll [jʊl, jəl, ⟨sterk⟩ju:l] ⟨samentr. v. you
will, you shall⟩.
1 young [jʌŋ] ⟨zn⟩ •⟨the⟩ *de jongelui, de
jeugd* •*jongen* ⟨v. dier⟩; with – *drachtig.*
2 young ⟨bn; -er ['jʌŋgə]⟩ •*jong, klein,
nieuw;*↑– lady *jongedame;*↑– man *jongeman* •*net begonnen;* the day is (still) –
het is nog vroeg •*jong(er)e;* – Smith
Smith junior; the –er Smith, Smith the –er
de jongere/jongste Smith •*jeugdig;* one's
– day(s) *iemands jonge tijd/jaren* ‖ – blood
nieuw/vers bloed.   **youngish** ['jʌŋɪʃ,
'jʌŋgɪʃ] •*nogal jong.* **youngster** ['jʌŋstə] •
jongmens •*jochie.*
your [jə, ⟨sterk⟩jʊə, jɔ:] •*jouw/jullie, je, uw*
•⟨↓, vnl. ong.⟩ *zo'n (fameuze), een;* so

this is – Hyde Park! *dit is dus dat (beroem-
de) Hyde Park van jullie!* ‖ where are –
Pele's now? *waar zijn de Pele's nu?.*
you're [jə, ⟨sterk⟩jʊə, jɔ:] ⟨samentr. v. you
are⟩.
yours [jɔ:z] •⟨predikatief gebruikt⟩ *van jou/
jullie;* is this sock –? *is deze sok van jou?* •
de/het jouwe/uwe; you and – *u en de
uwen;* a friend of – *een vriend van jou* ‖ (I
remain) – faithfully *hoogachtend;* sincerely – *met vriendelijke groeten;* – truly
hoogachtend; ⟨scherts.⟩ *de ondergetekende, ik;* ↓ up –! *krijg de klere!.*
yourself [jə'self] ⟨enk.⟩ •*je, zich;* you are not
– *je bent niet in je gewone doen* •*je zelf,
zelf;* it's easier to do it – *het is gemakkelijker om het zelf te doen;* you – told me *je
hebt het me zelf gezegd;* a girl like – *een
meisje zoals jij.*   **yourselves** [jə'selvz]
⟨mv.⟩ •*zich, jullie;* dry – properly *droog
jullie goed af* •*zelf;* finish it – *maak het zelf
af;* you – should know *jullie zouden het
zelf moeten weten.*
youth [ju:θ] I ⟨telb zn⟩ •*jongeman, jongen;*
a couple of –s *een paar jongelui* II ⟨telb en
n-telb zn⟩ •*jeugd, jonge jaren* III ⟨zn⟩ •
jeugd, jongeren. **youthful** ['ju:θfl] •*jeugdig, jong.* '**youth hostel** •*jeugdherberg.*
'**youth movement** •*jeugdbeweging.*
you've [jəv, ⟨sterk⟩ju:v] ⟨samentr. v. you
have⟩.
1 yowl [jaʊl] ⟨zn⟩ •*gejank* ⟨vnl. v. kat,
hond⟩.
2 yowl ⟨ww⟩ •*janken* ⟨vnl. v. dieren⟩.
yo-yo ['joujou] •*jojo, klimtol.*
Yugoslav, Jugoslav ['ju:gou'slɑ:v] •⟨bn⟩
Joegoslavisch •⟨zn⟩ *Joegoslaaf.* **Yugo-
slavia** ['ju:gou'slɑ:viə] •*Joegoslavië.*
yuk ['jʌk] ↓ •*get!, bah!.*
'**yuletide** I ⟨eig.n.⟩ •*Kerst(mis)* II ⟨n-telb zn⟩
•*kersttijd.*
yummy ['jʌmi] ⟨sl.⟩ •*lekker, heerlijk.*

zany ['zeɪni] ●idioot, absurd.
zeal [ziːl] ●ijver, geestdrift.
zealot ['zelət] ●ijveraar, dweper, fanatieke-
    ling.   zealotry ['zelətri] ●fanatisme,
    dweepzucht.
zealous ['zeləs] ●ijverig, vurig, enthousiast.
zebra ['zebrə] ●zebra. 'zebra 'crossing ⟨BE⟩
    ●zebra(pad).
zenith ['zenɪθ] ●toppunt, zenit, top.
1 zero ['zɪərou] ⟨ww⟩ ●het vizier instellen; –
    in on ⟨mil.⟩ zich inschieten op; ⟨fig.⟩ zijn
    aandacht richten op ⟨probleem⟩.
2 zero ⟨telw⟩ ●nul, nulpunt, laagste punt,
    beginpunt ⟨ook mil., v.e. operatie⟩, ⟨fig.⟩
    nul(liteit); temperatures below – tempera-
    turen onder nul/het vriespunt. 'zero (eco-
    nomic) 'growth ●nulgroei. 'zero 'gravity
    ⟨ruim.⟩ ●gewichtloosheid. 'zero hour ●
    ⟨mil.⟩ uur nul ⟨v. operatie⟩ ●kritiek mo-
    ment, beslissend tijdstip.
zest [zest] ●iets extra's, jeu, pit; give/add –
    to meer smaak geven aan ●animo, vuur,
    enthousiasme; – for life levenslust.
1 zigzag ['zɪgzæg] ⟨ww⟩ ●zigzaggen.
2 zigzag ⟨bw⟩ ●zigzag, in een zigzaglijn.
zillion ['zɪlɪən] ⟨AE; ↓⟩ ●eindeloos/onbe-
    paald groot getal.
zinc [zɪŋk] ●zink.
1 zip [zɪp] I ⟨telb zn⟩ ●snerpend geluid; the –
    of an arrow het zoeven v.e. pijl ●ook: 'zip
    fastener⟩ rits(sluiting) II ⟨n-telb zn⟩ ↓ ●pit,
    fut.
2 zip I ⟨onov ww⟩ ●snerpen, zoeven ●snel
    gaan II ⟨ov ww⟩ ●ritsen; – up dichtritsen.
'Zip code ⟨AE⟩ ●postcode.
zipper ['zɪpə] ●rits(sluiting).
zippy ['zɪpi] ↓ ●energiek.
zither ['zɪðə] ●citer.
zodiac ['zoudɪæk] ●dierenriem, zodiak.
zombie ['zɒmbi] ● ↓ levenloos iem., robot,
    automaat.
zonal ['zounl] ●zonaal, zone-, gordel-.
1 zone [zoun] ⟨zn⟩ ●streek, gebied, zone ●
    aardgordel, luchtstreek ●⟨AE⟩ post/tele-
    foon/treindistrict.
2 zone ⟨ww⟩ ●in zones/districten onderver-
    delen ●aanwijzen; – a part of the town as

residential een deel v.d. stad voor bewo-
    ning bestemmen.
zoo [zuː] ⟨verk.⟩ zoological garden(s) ↓ ●die-
    rentuin.
zoologist [zou'ɒlədʒɪst] ●zoöloog, dierkun-
    dige. zoolog|y [zou'ɒlədʒi] ⟨bn: -ical⟩ ●
    dierkunde, zoölogie.
1 zoom [zuːm] ⟨zn⟩ ●gezoem ●⟨foto.⟩
    zoom.
2 zoom ⟨ww⟩ ●zoemen ●snel stijgen ⟨ook
    fig.⟩, de hoogte in schieten ● ↓ zoeven,
    hard rijden ●⟨foto.⟩ zoomen; – in (on) in-
    zoomen (op); – out uitzoomen. 'zoom
    'lens ⟨foto.⟩ ●zoomlens.
zucchini [zuːˈkini] ⟨AE⟩ ●courgette.

Amerikaans-Engels

Amerikaans-Engels (AE) verschilt in een aantal opzichten – onder andere uitspraak, spelling en woordkeus – van het Brits-Engels (BE). In dit woordenboek wordt de Amerikaans-Engelse uitspraak niet gegeven, alleen de Brits-Engelse uitspraak treft u aan. De Amerikaans-Engelse spelling van de woorden wordt in beperkte mate gegeven. Wanneer het om de hieronder vermelde gevallen gaat, wordt de Amerikaans-Engelse spellingvariant niet gegeven.

BE: *-our* AE: *-or* wel in dit woordenboek: *colour, honour,* maar niet: *color, honor*

BE: *-re* AE: *-er* wel in dit woordenboek: *centre, theatre,* maar niet: *center, theater*

BE: *-ce* AE: *-se* wel in dit woordenboek: *defence, offence,* maar niet: *defense, offense*

BE: *-ae-* AE: *-e-* wel in dit woordenboek: *aesthete, aesthetics,* maar niet: *esthete, esthetics*

BE: dubbele medeklinker AE: enkele medeklinker wel in dit woordenboek: *traveller,* maar niet: *traveler*

In andere gevallen wordt de Amerikaans-Engelse variant zonodig gegeven. Bijvoorbeeld: *1 snigger* [ ], ⟨AE ook⟩ *snicker* [ ].

De meest herkenbare, of makkelijkst hoorbare verschillen tussen AE en BE in uitspraak zijn:

– in AE wordt de *-r* nog uitgesproken in woorden als:

fear	AE:	[fɪr]	BE:	[fɪə]
fair		[fer]		[feə]
poor		[pʊr]		[pʊə]
for		[fɔr]		[fɔ:]
farm		[fɑrm]		[fɑ:m]
lord		[lɔrd]		[lɔ:d]

– in AE hoor je soms een [æ] waar BE [ɑ:] heeft:

half	AE:	[hæf]	BE:	[hɑ:f]
dance		[dæns]		[dɑ:ns]

– in AE hoor je vaak geen [j] voor [u] in beklemtoonde lettergrepen:

new	AE:	[nu:]	BE:	[nju:]
student		['stu:dnt]		['stju:dnt]
due		[du:]		[dju:]

– in AE wordt de [t] na klinkers en gevolgd door een onbeklemtoonde klinker bijna een [d]. De woorden *beating, matter, metal* gaan daardoor in uitspraak veel lijken op *beading, madder, medal.*

– in AE wordt een onbeklemtoonde *-ile* als [(ə)l] uitgesproken, in BE als [-aɪl]:

missile	AE:	['mɪsl]	BE:	['mɪsaɪl]
sterile		['sterəl]		['steraɪl]

Het verschil in woordgebruik tussen AE en BE is, waar relevant, aangegeven. Bijvoorbeeld:

2 revise ● 〈BE〉 *repeteren* tgov. *2 review* ● 〈AE〉 *repeteren*
speciality, 〈AE〉 *specialty*
shareholder, 〈AE ook〉 *stockholder*
somehow, 〈AE〉 *someway(s).*

Lijst van onregelmatige werkwoorden

R *duidt aan dat ook de regelmatige vorm gebruikt kan worden*

onbepaalde wijs	verleden tijd	verleden deelwoord
abide	abode (R)	abode (R)
arise [ə'raɪz]	arose	arisen [ə'rɪzn]
awake	awoke (R)	awoken (R)
be	was/were	been
bear	bore	borne[1]
beat	beat	beaten
become	became	become
befall	befell	befallen
begin	began	begun
behold	beheld	beheld
bend	bent	bent[2]
beseech	beseeched	besought
bet	bet (R)	bet (R)
bid[3]	bade	bidden
bind	bound	bound[4]
bite	bit	bitten
bleed	bled	bled
blow	blew	blown
break	broke	broken[5]
breed	bred	bred
bring	brought	brought
broadcast	broadcast (R)	broadcast (R)
build	built	built
burn	burnt (R)	burnt (R)
burst	burst	burst
buy	bought	bought
can	could	–
cast	cast	cast
catch	caught	caught
choose [tʃuːz]	chose [tʃoʊz]	chosen ['tʃoʊzn]
cleave	cleft (clove)	cleft (cloven)[6]
cling	clung	clung
come	came	come
cost[7]	cost	cost
creep	crept	crept
crow	crowed (crew)	crowed
cut	cut	cut
deal	dealt [delt]	dealt [delt]
dig	dug	dug
do	did	done
draw [drɔː]	drew [druː]	drawn [drɔːn]

onbepaalde wijs	*verleden tijd*	*verleden deelwoord*
dream	dreamt [dremt] (R)[8]	dreamt [dremt] (R)
drink	drank	drunk[9]
drive	drove	driven
dwell	dwelt (R)	dwelt (R)
eat	ate [et, eɪt]	eaten
fall	fell	fallen
feed	fed	fed
feel	felt	felt
fight	fought	fought
find	found	found
flee[10]	fled	fled
fling	flung	flung
fly	flew	flown
forbear	forbore	forborne
forbid	forbade [fəˈbeɪd]	forbidden
forecast	forecast (R)	forecast (R)
forego	forewent	foregone
forget	forgot	forgotten
forgive	forgave	forgiven
forsake	forsook	forsaken
freeze	froze	frozen
get	got	got/AE gotten[11]
give	gave	given
go	went	gone
grind	ground	ground
grow	grew	grown
hang	hung[12]	hung[12]
have	had	had
hear	heard	heard
hew	hewed	hewn (R)
hide	hid	hidden
hit	hit	hit
hold	held	held
hurt	hurt	hurt
keep	kept	kept
kneel	knelt (R)	knelt (R)
knit	knit (R)	knit (R)
know	knew	known
lay	laid	laid
lead	led	led
lean	leant [lent] (R)[8]	leant [lent] (R)[8]
leap	leapt [lept] (R)[8]	leapt [lept] (R)[8]
learn	learnt (R)[8]	learnt (R)[8]
leave	left	left
lend	lent	lent
let	let	let
lie[13]	lay	lain

onbepaalde wijs	verleden tijd	verleden deelwoord
light	lit (R)	lit (R)
lose	lost	lost
make	made	made
may	might	–
mean	meant [ment]	meant [ment]
meet	met	met
mow	mowed	mown (R)[14]
overcome	overcame	overcome
pay	paid	paid
put	put	put
quit	quit	quit
read [ri:d]	read [red]	read [red]
rend	rent	rent
ride	rode	ridden
ring	rang	rung
rise [raɪz]	rose	risen ['rɪzn]
run	ran	run
saw	sawed	sawn (R)
say	said [sed]	said [sed]
see	saw	seen
seek	sought	sought
sell	sold	sold
send	sent	sent
set	set	set
sew [soʊ]	sewed [soʊd]	sewn [soʊn] (R)
shake	shook	shaken
shall	should	–
shear [ʃə]	sheared	shorn (R)
shed	shed	shed
shine[15]	shone [ʃɒn]	shone [ʃɒn]
shoe	shod	shod
shoot	shot	shot
show	showed	shown
shrink	shrank	shrunk[16]
shut	shut	shut
sing	sang	sung
sink	sank	sunk[17]
sit	sat	sat
slay	slew	slain
sleep	slept	slept
slide	slid	slid
sling	slung	slung
slink	slunk	slunk
slit	slit	slit
smell	smelt (R)	smelt (R)
smite	smote	smitten
sow	sowed	sown (R)
speak	spoke	spoken

onbepaalde wijs	verleden tijd	verleden deelwoord
speed[18]	sped (R)	sped (R)
spell	spelt (R)[8]	spelt (R)[8]
spend	spent	spent
spill	R (spilt)	spilt (R)
spin	spun	spun
spit	spat	spat
split	split	split
spoil	spoilt (R)[8]	spoilt (R)[8]
spread [spred]	spread [spred]	spread [spred]
spring	sprang	sprung
stand	stood	stood
steal	stole	stolen
stick	stuck	stuck
sting	stung	stung
stink	stank/stunk	stunk
strew	strewed	strewn (R)
stride	strode	stridden
strike	struck	struck[19]
string	strung	strung
strive [straɪv]	strove	striven ['strɪvn]
swear	swore	sworn
sweat [swet]	sweat [swet] (R)	sweat [swet] (R)
sweep	swept	swept
swell	swelled	swollen ['swoʊlən] (R)[20]
swim	swam	swum
swing	swung	swung
take	took	taken
teach	taught	taught
tear	tore	torn
tell	told	told
think	thought	thought
thrive [θraɪv]	R (throve)	R (thriven) ['θrɪvn]
throw	threw	thrown
thrust	thrust	thrust
tread [tred]	trod	trodden
understand	understood	understood
upset	upset	upset
wake	woke (R)	woke(n) (R)
wear	wore	worn
weave	wove	woven
wed	R (wed)	R (wed)
weep	wept	wept
wet	R (wet)	R (wet)
will	would	–
win	won [wʌn]	won [wʌn]
wind	wound	wound
withdraw	withdrew	withdrawn
withhold	withheld	withheld
withstand	withstood	withstood
wring	wrung	wrung
write	wrote	written

1. In de betekenis 'dragen', maar *born* = 'geboren': *She was born in 1934.*

2. *Bend* = 'buigen', maar: *on his bended knees* = 'op zijn blote knieën'.

3. *Bid* is regelmatig in de betekenis 'bieden (op een veiling)'. Hier betekent het 'verzoeken, gebieden'.

4. Maar *bounden* in *It is my bounden duty* ('mijn dure plicht').

5. Maar *broke* = 'zonder geld', 'aan lager wal', bv. *I am broke.*

6. Gewoonlijk gebruikt men *cleft*; maar bv. *a cloven hoof.*

7. *Cost* is een regelmatig ww in de betekenis 'de kostprijs berekenen', 'kosten'.

8. In het AE gebruikt men meestal de regelmatige vorm van *dreamed*; dit geldt ook voor *leaned, leaped, learned, spelled* en *spoiled.*

9. Ook *drunk* = dronken: *He is drunk*, maar vóór een zelfstandig naamwoord *drunken: a drunken sailor,* 'een dronken zeeman'.

10. In plaats van *flee* gebruikt men thans overwegend *fly*, en dit in alle vormen, behalve de verleden tijd en het verleden deelwoord: *They are flying, they fled, they have fled.*

11. In het AE meestal *gotten* tegenover *got* in BE (maar in BE *illgotten gains* 'onrechtvaardig verkregen winsten').

12. Maar *hang* = 'ophangen' (als straf): *The murderer was hanged; they hanged him.*

13. In de betekenis 'liggen'; *lie* = 'liegen' is een regelmatig werkwoord.

14. Vóór een zelfstandig naamwoord steeds *mown: mown grass.*

15. In de betekenis 'schijnen'. Regelmatig in de betekenis 'poetsen': *I have shined my shoes.*

16. Vóór een zelfstandig naamwoord *shrunken: a shrunken face* 'een verschrompeld gelaat'.

17. Vóór een zelfstandig naamwoord: *a sunken ship.*

18. In overgankelijke betekenissen is *speed* altijd regelmatig: *They have speeded up production/the engine/the train service*, enz.

19. *Stricken* wordt in figuurlijke betekenissen gebruikt: *poverty-stricken* 'door armoede getroffen'.

20. *Swelled* heeft een figuurlijke betekenis: *a swelled head* 'een verwaande kop', maar *a swollen head* 'een gezwollen hoofd'.

Het afbreken van Engelse woorden

1. Breek Engelse woorden zo min mogelijk af. De regels voor het afbreken zijn vrij moeilijk omdat zij elkaar vaak doorkruisen.

2. Samenstellingen worden afgebroken achter de samenstellende delen, bv. playwright, school-mate, some-thing, no-thing, air-field, air-force, cock-tail.

3. Woorden die als één lettergreep worden uitgesproken, worden niet afgebroken, bv. moan, fair, have, knife, wives, spades. De uitgang -ed mag alleen gescheiden worden als de -e wordt uitgesproken, bv. point-ed. Als de -e niet wordt uitgesproken, wordt -ed niet gescheiden. Dus niet: call-ed, sigh-ed, maar called, sighed.

4. Korte tweelettergrepige woorden zoals under, after, over, worden niet afgebroken. Vermijd eveneens een afbreking, waardoor een lettergreep van één letter overblijft, dus niet A-pril, o-cean, sleep-y, drear-y.

5. Als een lange klinker op het eind van een lettergreep staat, wordt het woord afgebroken na deze klinker, bv. starva-tion, sensa-tion, na-tion, sea-son, di-ver, fi-nal, bi-ble, bea-con, ba-con, no-tion.

6. Als een korte klinker gevolgd wordt door één medeklinker, wordt het woord afgebroken na de medeklinker, bv. jeal-ous, mer-it, per-il, min-ister, pun-ish, priv-ilege, government, pleas-ant, Jan-uary. *Opmerking. Ch, ck, sh, ph* en *th* tellen als één medeklinker, bv. check-ers, rush-ing, neph-ew, feath-er, lech-er.

7. Als een woord een korte klinker heeft, gevolgd door twee of meer medeklinkers, vindt de afbreking plaats na de eerste medeklinker (*ch, ck, ph, sh* en *th* gelden als één medeklinker), bv. Oc-tober, Feb-ruary, ob-stinate, con-tinent, con-trary, ap-pease, applaud, wob-ble, ar-range, fis-sion, sinis-ter, prob-lem. Maar volgens het bovenstaande: lech-ery, reck-on, naph-thaline, rash-ness, with-er.

8. Niet afgebroken worden de uitgangen -cean, -cial, -cious, -gion, -sion, -tial, -tion, -tious. Dus niet: soci-al, maar so-cial; niet audaci-ous, maar auda-cious; en zo ook met: contagion, decision, confidential, option, licentious.

9. Voor- en achtervoegsels, evenals uitgangen, worden van het hoofdwoord gescheiden zonder rekening te houden met bovenstaande regels. *Voorvoegsels* zijn o.a.: *ab, ad, con, com, de, dis, ex, pro, pre, re. Achtervoegsels* zijn o.a.: *-able, -en, -er, -es, -est, -ing, -ish, -ism, -ist.* Voorbeelden: ab-erration, ad-oration, con-spire, com-bat, describe, dis-able, ex-ile, pro-ceed, pro-secute, pre-cede, re-arm, re-volver.
Unthink-able, laugh-able, conceiv-able, prob-able, wid-en, deep-en, bright-en, light-er, rul-er, tank-er, strong-er, sing-er, bus-es, fish-es, loss-es, chang-es, light-est, foul-est, dumb-est, tough-est, social-ism, protestant-ism, national-ist, modern-ist, fool-ish, mawk-ish, blue-ish, play-ing, smash-ing, morn-ing, lead-ing.
Opmerking. Breek af: stall-ing, pull-ing, buzz-ing, miss-ing, enz. omdat het werkwoord uitgaat op *ll, zz, ss,* enz. Maar: travel-ling, tap-ping, fib-bing, can-ning, omdat het werkwoord uitgaat op één enkele medeklinker.

Lijst van maten en gewichten

Herleiding van Angelsaksische eenheden tot eenheden van het internationale stelsel (SI).
Waar het Angelsaksische eenheden betreft wordt de Engelse interpunctie gebruikt, waar het gaat om eenheden van het internationale stelsel de Nederlandse.

Lengte-eenheden

inch	(in)			25,4	mm
foot	(ft)	12	inches	0,3048	m
yard	(yd)	3	feet	0,914	m
rod	(rd) ⎤				
pole	⎬	5.5	yards	5,029	m
perch	⎦				
chain	(ch)	22	yards	20,12	m
furlong	(fur)	10	chains	201,16	m
(statute) mile		8	furlongs	1609,34	m
(international) nautical/sea mile				1852	m

Oppervlakte-eenheden

square inch			6,452	cm^2
square foot	144	square inches	0,092	m^2
square yard	9	square feet	0,836	m^2
acre	4840	square yards	4046,86	m^2
square mile	640	acres	2,599	km^2

Volume-eenheden
A - GB- en U.S.A.-stelsel

cubic inch		16,39 cm^3
cubic foot	1728 cubic inches	0,028 m^3
cubic yard	27 cubic feet	0,765 m^3

B - GB-stelsel

fluid ounce	(fl oz)			28,41	ml
gill	(gi)	5	fluid ounces	0,142	l
pint	(pt)	4	gills	0,568	l
quart	(qt)	2	pints	1,136	l
gallon	(gal)	4	quarts	4,546	l
bushel	(bu)			36,369	l

C - U.S.A.-stelsel

1 *eenheden voor vloeistoffen*

fluid ounce	(fl oz)			29,57	ml
pint	(liq pt)	16	fluid ounces	0,473	l
gallon	(gal)	8	pints	3,785	l

2 eenheden voor droge waren

pint	0,550 l
bushel	35,238 l

Massa (gewichten)

grain (gr)			0,0648	g
dram (dr)			1,772	g
ounce (oz)	16	drams	28,349	g
pound (lb)	16	ounces	0,454	kg
stone	14	pounds	6,35	kg
quarter ⟨GB⟩	2	stones	12,7	kg
quarter ⟨U.S.A.⟩	25	pounds	11,34	kg
(long) hundred-weight (cwt) ⟨GB⟩	112	pounds	50,8	kg
(short) hundred-weight (cwt) ⟨U.S.A.⟩	100	pounds	45,36	kg
(long) ton (t) ⟨GB⟩	20	(long) hundredweights	1016	kg
(short) ton (t) ⟨U.S.A.⟩	20	(short) hundredweights	907,18	kg